For Reference

Not to be taken from this room

GYLDENDALS ORDBØKER

NORSK-ENGELSK

VED

WILLY KIRKEBY

GYLDENDAL NORSK FORLAG

OSLO 1970

Tredje utgave

© Gyldendal Norsk Forlag A/S 1970

Printed in Norway
Nationaltrykkeriet - Oslo

FORORD

Gyldendals norsk-engelske ordbok fremtrer med nærværende, 3. reviderte utgave i helt ny skikkelse, såvel typografisk som innholdsmessig, og er blitt vesentlig forøket i omfang.

I løpet av mitt mangeårige arbeid med en større norsk-engelsk ordbok har jeg blitt konfrontert med en rekke problemer som ordbøker erfaringsmessig helst går utenom. Dette er forståelig, da det å løse slike på en tilfredsstillende måte ofte er forbundet med omhyggelige og tidkrevende undersøkelser. Et godt eksempel er stillingsstrukturen i etatene, som undertegnede har viet atskillig tid og interesse. Meget kjedelig er det imidlertid når — som så ofte er tilfelle — fullstendig gale oversettelser gjentas fra ordbok til ordbok og således erverver seg et slags kvalitetsstempel. Den som benytter ordboken, vil formodentlig finne at nærværende utgave har ryddet godt opp blant disse overleverte misforståelser.

Av plasshensyn er arkaiserende og dialektiske ord og vendinger stort sett sløyfet, likeledes høytekniske eller vitenskapelige termini, samt uttrykk som hører den høylitterære stil til. Dette til fordel for ord av høyere frekvens og en rikholdigere fraseologi. Følgelig vil ski- og skøyteentusiaster kunne konstatere at deres interessefelt ikke er blitt forsømt, samtidig som bil- og trafikktekniske ord og uttrykk likeledes er godt dekket, fra *rusk i forgasseren* til *planfritt kryss*.

Men selv om ordboken således spenner over mange felter og imøtekommer mange interesser, har den i første rekke et praktisk siktepunkt. Merkantil engelsk inntar derfor en bred plass og vil kreve enda mer i kommende utgaver. Men samtidig vil forhåpentligvis også skolens folk finne at deres spesielle sektor er viet behørig oppmerksomhet. Denne praktiske målsetting understrekes ytterligere ved de mange henvisninger som ordboken er forsynt med.

Et banebrytende verk, som har vært en uvurderlig hjelp og et nyttig korrektiv under arbeidet, er Einar Haugens Norwegian-English Dictionary. Dette har en klar appell til den engelsktalende norskstudent, mens nærværende ordbok — tradisjonen tro — først og fremst vender seg til den norske engelskstuderende. Vidt forskjellige som de er i intensjon og opplegg, antas de to ordbøkene å kunne supplere hverandre.

Et nytt trekk ved denne utgaven er det at også amerikansk engelsk registreres i en viss utstrekning og da især i de tilfelle hvor misforståelser kan oppstå.

Mange institusjoner i Norge og England fortjener takk for den bistand de har ytet ved å besvare henvendelser eller hjelpe til med å skaffe de rette kontakter. Det er ikke mulig å nevne dem alle, men jeg vil dog rette en spesiell takk til British Council i Oslo for all assistanse gjennom mange år. Under arbeidet med skogbrukstermini har Den kanadiske ambassade likeledes vært til stor hjelp, og jeg er den en særlig takk skyldig.

Den aller største takk skylder jeg imidlertid universitetslektor Joan Tindale Blindheim, som gjennom en årrekke har vært knyttet til Norges almenvitenskapelige forskningsråds store norsk-engelske prosjekt som konsulent. Meget av det stoff som var tiltenkt dette større, nå skrinlagte ordboksverk, er å finne mellom disse permer.

Til sist en spesiell takk til alle de fagfolk på ulike områder som i årenes løp har vært kontaktet og som har bidratt med verdifulle opplysninger. Uten slik hjelp fra interesserte enkeltpersoner ville en ordboksforfatter snart måtte fortvile.

1969   *Willy Kirkeby*

~ betegner at oppslagsordet gjentas, fx **abonnement:** *si opp sitt* ~.

Foranstilt - betegner at oppslagsordet gjentas uten bindestrek som en del av et sammensatt ord eller foran en bøynings- eller avledningsendelse, fx **abbed** ... **-i.**

| (en lang, loddrett strek) betegner at kun den del av ordet som står foran streken, gjentas i det følgende ved **-**, fx **ane|stolt** ... **-tavle.**

' (en kort, loddrett strek) foran et ord betegner at ordet er betont, fx *være* '*om seg.*

Dersom et bindestreksord, fx absent-minded, skal deles, settes bindestreken først på neste linje for å vise at bindestreken er en del av selve ordet, fx absent -minded.

Parentes ( ) om en oversettelse vil si at denne kan tas med eller utelates, fx rise (to the bait).

Når et ord eller et uttrykk ikke har noen ekvivalent i engelsk, gis undertiden en forklaring eller definisjon i skarpe klammer (se **II. kår**).

= angir ofte omtrentlig samsvar, fx mellom norske og engelske institusjoner, hvor det ene uttrykk strengt tatt ikke er å betrakte som en oversettelse av det annet.

(-ing) brukes for å markere at man på engelsk i angjeldende uttrykk bruker verbets ing-form, fx *stå seg på å* ... gain by (-ing) (*fx* you would gain by waiting for a couple of more days).

PREFACE

This revised third edition of Gyldendal's Norwegian-English Dictionary appears in an entirely new guise, both in respect of typography and contents, and has been considerably enlarged.

In the course of my work over many years on the compilation of a major Norwegian-English dictionary I have been confronted by a number of problems which, in my experience, bilingual dictionaries tend to shun. This is understandable as the satisfactory solution of such problems often requires painstaking and time-consuming investigations. A good example is the appointments structure of the different branches of the Civil Service, to which the writer has devoted a great deal of time and labour. It is, however, greatly to be deplored when — as is so often the case — entirely false translations are repeated from dictionary to dictionary and thus by dint of repetition acquire a spurious air of authority. The reader will presumably find that in the present edition the majority of these traditional misunderstandings have been eliminated.

To save space, obsolescent and dialectal words and phrases have largely been omitted. This also applies to terms of a highly specialized technical and scientific nature and to such as are only found in elevated literary style. This has been done in order to make way for words that occur more frequently and a richer phraseology. Skiing and skating fans will thus be able to ascertain that their particular sphere of interest has not been neglected, while, at the same time, ample space has been provided for motoring terms, ranging from 'dirt in the carburettor' to 'crossing with flyover'.

But although the dictionary thus covers a number of fields and caters for a variety of interests, it is primarily practical in purpose. For this reason commercial English claims considerable space and will demand yet more in future editions. At the same time it is hoped that the educationist too will find that due attention has been devoted to his particular needs. This practical approach is further emphasized by the large number of cross references with which the dictionary is provided.

An epoch-making work which has been an invaluable help and a useful corrective is Einar Haugen's Norwegian-English Dictionary. This work caters primarily for the requirements of the English-speaking student of Norwegian, while the present dictionary — in accordance with the traditional practice — is intended first and foremost for the Norwegian student of English idiom. Widely different as they are in purpose and arrangement, the two dictionaries may be assumed to supplement each other.

A new feature of the present edition is that American English is also recorded to a certain extent, especially in cases where ambiguities can arise.

Many institutions in Norway and Britain deserve thanks for the assistance they have rendered in replying to inquiries or in helping to establish the right contacts. It is not possible to mention them all, yet I should like to thank the British Council in Oslo especially for assistance rendered over a number of years. In the course of my work on forestry terms, the Canadian Embassy was likewise very helpful, and I should like to express my gratitude.

But above all I am indebted to Mrs Joan Tindale Blindheim, lecturer in English at Oslo University, who for a number of years was attached in the capacity of adviser to the major Norwegian-English dictionary undertaking under the auspices of the Norwegian Research Council for Science and the Humanities. Much of the material intended for this larger, now abandoned, dictionary project has been embodied in this book.

In conclusion, a special word of thanks is due to the host of experts in various fields who, over the years, have been consulted and have contributed valuable information. Without such help from interested individuals a lexicographer would be bound to despair.

1969   *Willy Kirkeby*

~ replaces the head word, e. g. **abonnement:** *si opp sitt* ~.

A preceding - indicates that the head word is repeated without a hyphen as part of a compound or before an inflectional or derivative suffix, e.g. **abbed . . . -i.**

| (a long vertical stroke) indicates that only the part of the head word which comes before the stroke is repeated. This repetition is introduced by a -, e.g. **ane|stolt . . . -tavle.**

' (a short vertical stroke) placed in front of a word indicates that the word is stressed, e.g. *være* '*om seg.*

If a hyphenated word, e.g. absent-minded, has to be divided, the hyphen is placed at the beginning of the next line to show that the hyphen is part of the word itself, e.g. absent -minded.

Brackets ( ) are used to indicate that the word or words enclosed in them may be included or left out of the translation, e.g. rise (to the bait).

When a word or expression has no equivalent in English an explanation or definition is sometimes offered in square brackets (see **II. kår**).

= often indicates approximate correspondence, e.g. between Norwegian and English institutions, where the terms thus brought together cannot strictly be regarded as translations one of the other.

(-ing) is used to show that in English the ing-form of the verb is used in the expression concerned, e.g. *stå seg på å . . .* gain by (-ing) (*fx* you would gain by waiting for a couple of more days).

TEGN OG FORKORTELSER
SYMBOLS AND ABBREVIATIONS

♣ botanikk, botany
✕ militært, military
⚓ sjøuttrykk, nautical term
☤ legeuttrykk, medicine
⊕ zoologi, zoology
 maskinteknisk, engineering
♪ musikk, music
♂ kjemi, chemistry
♧ kortspill, cards
= kan gjengis med, svarer til, corresponds to
S slang
T talespråk, colloquial
UK britisk engelsk, British English
US amerikansk, American
adj adjektiv, adjective
adv adverb
alm. alminnelig, i alminnelighet general(ly)
anat anatomi, anatomy
arkit arkitektur, bygningsvesen, architecture, building
art artikkel, article
best bestemt, definite
bibl bibelsk, biblical
biol biologisk, biology
bl.a. blant annet, inter alia
egtl. egentlig, properly, literally
el. eller, or
elekt elektrisitet, electricity
eng engelsk, English
etc et cetera
fig figurlig, figurative(ly)
fk forkortet, abbreviated
fk. f. forkortet for, abbreviated for
flyv flyvning, aviation
forb. forbindelse(r), compound, collocation
fot fotografisk, photography
fotb fotball, football
fx for eksempel, e.g., for instance
fys fysikk, physics
geogr geografi, geography
glds gammeldags, obsolete, archaic
gram grammatikk, grammar
gym gymnastikk, gymnastics
hist historisk, historical
int interjeksjon, interjection
jernb jernbaneuttrykk, railway term

jur juridisk, law (term), juridical
jvf jevnfør, cf.
kat katolsk, Roman Catholic
konj konjunksjon, conjunction
litt. litterært, literary
m. med, with
mat. matematikk, mathematics
merk merkantilt, commerce
min mineralogi, mineralogy and mining
mots. motsatt, in contrast to
myt mytologi, mythology
ndf nedenfor, below
neds nedsettende, disparaging(ly)
ovf ovenfor, above
parl parlamentsvesen, parliamentary
part. partisipp, participle
perf. perfektum, perfect
perf. part. perfektum partisipp, past participle
pl flertall, plural
poet poetisk, dikterisk, poetical
polit politikk, politisk, politics, political
prep preposisjon, preposition
pron pronomen, pronoun
psykol psykologi, psychology
radio radiouttrykk, radio
rel religiøst, religion
sby somebody
sing singular
ski skiuttrykk, skiing
sms sammensetning(er), compound(s)
språkv språkvitenskap, linguistics
spøkef spøkefull(t), jocular(ly)
sth something
subst substantiv, substantive, noun
tannl tannlegevesen, dentistry
tekn teknisk uttrykk, technical term
tlf telefoni, telephony
tlgr telegrafi, telegraphy
tollv tollvesen, customs
typ typografisk, printing term
tøm tømmermannsuttrykk, carpentry
ubest ubestemt, indefinite
vb verb, verb
vi intransitivt verb, intransitive verb
vt transitivt verb, transitive verb
vulg vulgært, vulgar

A

A, a A, a; *har en sagt a, får en også si b* in for a penny, in for a pound; *fra a til å* from A to Z; *A for Anna (tlf)* A for Andrew.

à *(prep = til)* **1.** or, (from).. to; *3 à 4 dager* 3 or 4 days; *10 à 12* (from) 10 to 12; **2** *(til en pris av)* at; *5 flasker à 4s.* 5 bottles at 4s. (each); **3** *(som hver inneholder)* of, each containing; *2 kasser à 25 flasker* 2 cases of 25 bottles.

Aachen *(geogr)* Aix-la-Chapelle, Aachen.

ab *(merk; prep = fra)* ex; ~ *fabrikk* ex works, ex factory; ~ *lager* ex warehouse; ~ *London* delivered in L.; *fritt* ~ *London* f.o.b. London.

abbor *(åbor)* perch.

abe **1** *(skolebok)* spelling-book, ABC (book); **2** *(grunnelementer)* ABC *(fx* the ABC of finance), rudiments *(fx* the r. of chemistry).

abbed abbot. **-i** *(kloster(kirke))* abbey *(fx* Westminster Abbey). **-isse** abbess. **-verdighet** abbacy, abbatial dignity.

abdikasjon abdication. **abdisere** abdicate.

aber: *det er et* ~ *ved det* there is a snag *(el.* catch) to it *(el.* in it).

Abessin|ia *(geogr)* Abyssinia. **a-ier(inne), a-sk** Abyssinian.

ablegøyer *(pl)* monkey tricks, pranks; *gjøre* ~ *med* play tricks *(el.* pranks) on, make fun of.

abnorm abnormal. **-itet** abnormity, abnormality.

A-bombe A-bomb, atom(ic) bomb.

abonnement subscription *(på* to); *si opp sitt* ~ cancel one's s.; *tegne* ~ *på en avis* take out a s. to a newspaper, subscribe to a n.

abonnements|aften subscription night. **-avgift** subscription (fee); *(tlf)* telephone rental. **-billett** season ticket, pass. **-forestilling** season-ticket *(el.* subscription) performance.

abonnent *(på avis, tlf)* subscriber; *(i teater)* box *(el.* seat) holder.

abonnere subscribe *(på* to); ~ *på en avis (også)* take a newspaper; ~ *i teatret* have a box, have a season ticket (for the theatre).

abort abortion, miscarriage; *(fosteret)* abortion; *kriminell* ~ criminal a., an illegal operation.

abortere miscarry, have an abortion *(el.* miscarriage), abort.

abortus provocatus procured abortion.

Abraham: *i -s skjød* in Abraham's bosom.

abrot ♣ southernwood, abrotanum.

Abruzzene *(geogr)* the Abruzzi.

Absalon Absalom.

abscess *(byll)* abscess.

absentere: ~ *seg* absent oneself; *(i all stillhet)* take French leave.

absint absinthe; ♣ wormwood.

absolusjon absolution; *få* ~ *for sine synder* receive a. for one's sins; *gi en* ~ give sby a., absolve sby.

absolutisme absolutism, absolute rule.

absolutist, -isk *(subst & adj)* absolutist.

absolutt *(adj)* absolute; *(adv)* absolutely, utterly, completely; *(avgjort, ubetinget)* certainly, definitely, decidedly *(fx* he is d. clever); ~ *ikke* certainly not; *ja,* ~! certainly! *du må* ~ *se den filmen* you (simply) 'must see that film; ~ *nødvendig* absolutely necessary, indispensable; *det tror jeg* ~ I definitely think so; *han vil* ~ *gjøre det* he insists on doing it; *jeg er* ~ *sikker på at* .. I am positive that.

absorber|e absorb. **-ing** absorption.

absorberingsevne absorption capacity.

absorbsjon absorption *(fx* atmospheric a.).

abstra|here abstract *(fra* from). **-ksjon** abstraction. **-ksjonsevne** power *(el.* faculty) of abstraction, abstractive faculty.

I. abstrakt *(gram)* abstract (noun).

II. abstrakt *(adj)* abstract; *(adv)* abstractly, in the abstract; *et* ~ *begrep* an abstract concept, an abstraction *(fx* beauty is an a.).

absurd absurd, preposterous. **-itet** absurdity.

absurdum: *redusere ad* ~ reduce to (an) absurdity.

acetyl *(fys)* acetyl.

acetylen acetylene *(fx* a. burner).

I. ad *(prep, glds):* ~ *omveier* by detours, by a roundabout way; *(fig)* by roundabout methods; ~ *gangen* (= *om gangen*) at a time *(fx* three at a t.); *(se vei* C).

II. ad *(adv): bære seg* ~, *etc: se de respektive verb, fx bære, følge, hjelpe, skille.*

III. ad *(latinsk prep):* ~ *punkt 1* re point one; *(se absurdum, libitum, notam).*

Adam Adam; *-s fall* the fall of Man, the Fall; *legge av den gamle adam* cast off the old Adam.

adams|drakt adamitic attire; *i* ~ in his *(,etc)* birthday suit, in the altogether. **-eple** Adam's apple.

addend addend, summand. **addenda** *(pl)* addenda.

addere add (up); T tot up; *(uten objekt)* do an addition; do sums.

addisjon addition. **-sfeil** error in addition, mistake in (the) adding up. **-sstykke** addition, sum. **-stabell** table of addition. **-stegn** addition sign, positive sign, plus sign.

adekvat *(fullgod)* adequate.

adel nobility, noble birth; *(lav-)* gentry; *av* ~ of noble birth; *være av gammel* ~ belong to the old nobility; ~ *forplikter* the nobly born must nobly do; noblesse oblige; *rikets* ~ the peers of the realm.

adelig noble, aristocratic, high-born; *(ofte også)* titled *(fx* a t. officer); *en* ~ *person* a person of noble family *(el.* birth); *de -e* the aristocracy; *(hist)* the nobles.

adels|brev patent of nobility. **-byrd** noble descent. **-båren** of noble birth. **-dame** noblewoman, peeress; titled lady, lady of rank. **-gods** nobleman's estate. **-kalender** peerage (book).

adelskap nobility; ~ *forplikter*: *se adel.*
adels|krone (nobleman's) coronet. **-mann** nobleman; (*hist*) noble; (*som tilhører lavadelen*) titled gentleman, g. of rank. **-merke** (*fig*) hallmark (*fx* the work bears the h. of genius). **-preg** stamp of nobility. **-privilegier** (*pl*) aristocratic privileges. **-skjold** coat of arms, escutcheon. **-stand** nobility; **-en** the Nobility; *opphøye i -en: se adle.* **-stolthet** pride of birth, aristocratic pride. **-tittel** title (of nobility). **-velde** (government by the) aristocracy, aristocratic government.

adgang 1 (*tillatelse til å komme inn*) admission, admittance; 2 (*mulighet for å oppnå visse goder, etc*) access (*til* to; *fx* a. to books, a. to carry on trade), use (*fx* have the use of a library), opportunity (*til* for), facility, facilities (*fx* f. for golf and tennis); 3 (*vei til*) access (*fx* the country has no a. to the sea), approach (*fx* the only a. to the house); ~ *forbudt* no admittance, no entrance; (*til park, skog, etc*) Trespassers will be Prosecuted; ~ *forbudt for uvedkommende* No Admittance (except on Business); Trespassers will be Prosecuted; *fri* ~ free admission; *det er fri* (*el. gratis*) ~ admission is free; *ingen* ~ no admittance; private; *med* ~ *kjøkken* with use of kitchen; *få* ~ *til* obtain (*el.* gain) admittance to; *få* ~ *til å drøfte det* get a chance of discussing it; *jeg fikk ikke* ~ I was not permitted to enter; *ha* ~ *til* have access to; *ha fri* ~ *til* have free access to (*fx* garden, library); *han har lett* ~ *til å studere* he has every facility for study; *nekte en* ~ *til* refuse (*el.* deny) sby admittance to, refuse to admit sby to; *tiltvinge seg* ~ *til huset* force one's way into the house, force an entrance into the house.

adgangs|begrensning restricted admission; *det er* ~ admission is restricted. **-berettigelse** right of admission, right of entry. **-eksamen** entrance examination. **-kort** admission card, entrance card. **-rett:** *se -berettigelse.* **-tegn:** *se -kort.* **-tillatelse** admission, permission to enter.
adjektiv adjective. **-isk** adjectival; (*adv*) adjectivally.
adjunkt = master (,mistress) at a secondary school, secondary school teacher; (*jvf lektor*).
adjunkt|eksamen = B. A. examination; B. A. degree. **-stilling** = teaching post at a secondary school, mastership.
adjutant (*generals el. kongelig*) aide(-de-camp), A.D.C. (NB *pl:* aides-de-camp, A.D.C.'s); (*regiments-*, *etc*) adjutant, military assistant (*fk* M.A.).
adjutant|snorer (*pl*) aiguillettes. **-stab** adjutant branch; *sjef for H.M. Kongens* ~ Chief of His Majesty's Aides-de-Camp. **-stilling** aide-de-campship; adjutancy.
adjø good-bye; *si* ~ *til en* say good-bye to sby, take leave of sby.
adle ennoble; (*i England også*) raise to the peerage, create a peer(ess); (*om lavadel*) make a baronet (,knight, lady, *etc*), knight; *arbeidet -r* = hard work is the best patent of nobility, hard work is good for the soul.
adling ennoblement; knighting.
adlyde obey; *ikke* ~ disobey.
administrasjon administration, management.
administrasjons|apparat administrative machine(ry); T a. set-up. **-utgifter** management (*el.* administrative) expenses.
administrativ administrative; *-e evner* a. powers (*el.* ability).
administrator administrator; president of a court of law; (*av et bo*) trustee.
administrer|e manage, administer; *retten -es av* the court is presided over by; *-ende direktør* managing director (*fk* Man. Dir.).
admiral admiral. **-itet** admiralty. **-itetsretten** the Court of Admiralty.
admirals|embete admiralty, admiralship. **-flagg** admiral's flag. **-rang** flag-rank, admiral's rank. **-skip** admiral('s ship), flagship.
admiralstab naval staff.

Adolf Adolph(us).
adopsjon adoption.
adoptere adopt; (*om institusjon*) affiliate.
adoptering: *se adopsjon.*
adoptiv|barn adopted (*el.* adoptive) child. **-far** adoptive father.
adr.: *se adresse.*
adressant addresser, sender; (*jvf utskiper, vareavsender*).
adressat addressee; (*postanvisnings-*) payee; (*jvf varemottager*).
adresse address, direction; ~ *herr N.N.* c/o Mr. N.N.; *besørge etter -n* forward as per address; *feil* ~ the wrong address; *du har kommet til feil* ~ (*fig*) you have mistaken your man; you have come to the wrong person; T you've come to the wrong shop; *der kom han til feil* ~ (*fig*) he mistook his man there; he picked on the wrong person there.
adresse|avis advertiser. **-bok** address book, directory. **-debatt** (*i parlamentet*) debate on the Address. **-kalender:** *se -bok.* **-kontor** (*opplysnings-byrå*) inquiry (*el.* information) office. **-kort** address card. **-lapp** address label, tie-on label.
adresser|e address, direct; (*varer*) consign; *den var -t til meg* (*om bemerkning*) that was one for me.
Adriaterhavet (*geogr*) the Adriatic.
advar|e warn (*mot* against; *om* of), caution (*mot* against); (*formane*) admonish; *han lot seg ikke* ~ he would not take warning; ~ *ham mot å gjøre det* warn him not to do it, warn him against doing it; ~ *ham om at . . .* warn him that. **-ende** warning, cautionary; admonitory. **-sel** warning, caution; admonition.
advent Advent (*fx* First Sunday in A.).
adverb adverb. **adverbial, adverbiell** adverbial.
adverbielt (*adv*) adverbially.
advis (*merk*) advice; ~ *om* a. of; *under* ~ under a.
adviser|e advise; *de varene De -te oss om i Deres brev av . . .* the goods of which you advised us by your letter of.
advokat 1 (*høyesteretts-*) barrister; (*som yrkestittel*) barrister-at-law; (*i retten, som aktor, forsvarer, prosessfullmektig*) counsel (NB *pl:* counsel); (*ved skotsk rett og ofte i land utenfor England*) advocate; (*i Irland & Skottland ofte*) counsellor; US public attorney; (*som yrkestittel*) attorney -at-law; 2 (*tidligere overrettssakfører*) solicitor; 3 (*jurist*) lawyer; 4 (*fig*) advocate; *-ene* the counsel; (*som stand*) the legal profession; (*om 'barristers'*) the Bar; *bli høyesteretts-* qualify as barrister, go (*el.* be called) to the Bar; *engasjere en* ~ employ a solicitor (*el.* lawyer) (NB *ikke* 'barrister'); *gå til en* ~ see a lawyer (US: attorney), take (*el.* obtain) legal advice; *to -er har blitt oppnevnt som forsvarere* two counsel have been briefed for the defence, the defence has briefed two counsel; *saksøkerens* (,*saksøktes*) ~ counsel for the plaintiff (,defendant); *min* ~ my lawyer; (*når saken pågår*) my counsel; US my attorney; (NB the client employs the solicitor, who then briefs a barrister if the case is to go to Court); (*se overlate*).
advokat|firma firm of lawyers. **-fullmektig** [fully qualified solicitor working as a junior in all legal capacities for a firm of lawyers]. **-kappe** barrister's gown (*el.* robes).
advokatur advocacy; *ta -en* be admitted (*el.* called) to the Bar.
aero|drom aerodrome, airport. **-dynamikk** aerodynamics. **-naut** aeronaut. **-nautikk** aeronautics. **-plan** (aero)plane; US airplane; (*se fly*). **-stat** aerostat.
affeksjon affection.
affeksjonsverdi sentimental value.
affekt excitement; emotion; (*sterkere*) passion; *komme i* ~ become (*el.* get) excited; (*sterkere*) fire, fly into a passion.
affektasjon affectation. **affektert** affected.

affisere affect.

affære affair; *ta* ~ take action, step in; *-r* (*forretnings-*) business affairs.

afgan|er, -sk Afghan.

Afganistan (*geogr*) Afghanistan.

Afrika Africa. **afrikaner, -inne, afrikansk** African; (*språket i Sør-Afrika*) Afrikaans.

afrikareisende African traveller.

aften evening, night; (*før større kirkefest*; *også poet*) eve (*fx* Christmas Eve); *en* ~ one evening; *god* ~! good evening! *det lakker mot* ~ it is getting dark; *i* ~ tonight, this evening; *i morgen* ~ tomorrow evening (*el.* night); *i går* ~ (*el. aftes*) last night, yesterday evening; *i forgårs* ~ the night before last; *den følgende* ~ (on) the following evening; *om -en* in the evening, of an evening, at night; *kl. 10 om -en* at ten p.m. (*el.* at night); *invitere en til -s* invite (*el.* ask) sby to supper; (*se også kveld*).

aften|andakt evening prayers. **-avis** evening paper. **-bønn** evening prayer(s). **-gudstjeneste** (*i skole, hjem*) evening prayers; (*i kirken*) evening service, evensong; (*kat*) vespers, complin(e). **-kjole** evening gown. **-klokke** evening bell; (*kat*) Angelus. **-kurs** evening course, evening class(es), night (*el.* evening) school; *gå på* ~ go to (*el.* attend) an e. class, go to a night school, take (*el.* attend) an e. course. **-kåpe** evening coat (*el.* cloak *el.* wrap). **-messe** evening mass. **-nummer** (*av avis*) evening edition. **-rød(m)e** afterglow, sunset glow. **-sang** 1. *se -gudstjeneste*; 2 (*sang*) evening song.

aftens|bord supper table. **-bruk:** *til* ~ (*om klær, etc*) for evening wear.

aften|selskap evening party. **-skole** evening (*el.* night) school; evening classes.

aftens(mat) evening meal, supper; *varm aftens* hot supper; (*i Nord-England*) ham tea.

aftensol evening sun, setting sun.

aftenstemning (*som maleritittel, etc*) evening (hour).

aften|stjerne evening star, Vesper, Hesperus, Venus; ♀ dame's violet, rocket. **-stund** evening. **-toalett** evening dress; *gjøre sitt* ~ dress (for dinner); *de skjønne -er* the beautiful evening gowns. **-tur** evening walk. **-underholdning** evening entertainment; ~ *med dans* entertainment and dance; *musikalsk* ~ musical evening.

agat agate; *sort* ~ jet.

agave ♣ agave.

age: *holde i* ~ keep in check.

agent agent (*for* for). **agentur** agency; (*se overta*).

agenturforretning agency business; *drive* ~ carry on an a. b.

agere act, play, pose as; ~ *døv* pretend to be deaf; US act deaf; ~ *velgjører* pose as a benefactor.

agglomerat agglomerate.

agglutinerende agglutinative.

aggregat aggregate, unit, set (*fx* a pumping set).

aggressiv aggressive.

aggressivitet aggressiveness.

agio (*merk*) agio; (*fordelaktig*) premium, gain on exchange; (*ufordelaktig*) loss on exchange; *med* ~ at a premium.

agiotasje agiotage, stockjobbing.

agit|asjon agitation, propaganda; (*for å verve stemmer*) canvassing. **-ator** agitator, propagandist; canvasser. **-atorisk** agitative; ~ *kraft* propagandist force; ~ *tale* propaganda speech.

agitere agitate, make propaganda; propagandize; ~ *for en sak* agitate for a cause; ~ *for sine meninger* make propaganda for one's opinions.

agn bait; *sette* ~ *på* bait (*fx* a hook).

agnat agnate. **-isk** agnate, agnatic.

agne bait; ~ *en krok* bait a hook.

agner *pl* (*på korn, som avfall*) chaff, husks; *de spredtes som* ~ *for vinden* they scattered like chaff before the wind.

agnfisk baitfish.

agnor barb (of a fishhook).

agnostiker agnostic.

agn|sild bait-herring. **-skjell** mussel.

agraff agraffe, clasp; brooch.

agraman ornamental lacework.

agrar, agrarisk agrarian.

agronom agronomist.

agronomi agronomy, science of agriculture.

agronomisk agronomical.

agurk cucumber; (*sylte-*) gherkin. **agurksalat** cucumber salad.

ah! ah! oh! **aha!** aha!

aimabel amiable, kind, charming.

à jour up to date, abreast of the times; *bringe* (*el. føre*) *noe* ~ bring sth up to date, post (*el.* date) sth up; *holde bøkene* ~ keep the books posted (*el.* entered) up to date; *holde seg* ~ *med* keep up to date with; *holde oss* ~ *med* keep us up to date with, keep us (well) informed of, keep us up to date with, keep us close up.

akademi academy.

akademiker university man; (*medlem av et akademi*) academician.

akademisk academic(al); ~ *borger* member of a university, university man; ~ *borgerbrev* certificate of matriculation; ~ *dannelse* a university education, an academical training; ~ *grad* university degree; *det har kun* ~ *interesse* it is of purely academic interest; (*se ungdom*).

akantus ♣ brankursin(e); (*arkit*) acanthus (leaf).

akasie ♣ acacia.

ake sledge, toboggan; ~ *ned en bakke* toboggan (*el.* sledge) down a hill (*el.* slope); ~ *nedover gelenderet* slide down the banisters (US: banister); ~ *seg fremover* edge along, edge one's way.

ake|bakke sledging hill; bob-run. **-føre** sledging, tobogganing (*fx* good sledging).

akeleie ♣ columbine.

aker: *se* *åker*.

ake|sport sledging, tobogganing. **-tur** toboggan (*el.* sledge) ride.

akevitt aqua vitae (Norwegian form of distilled spirits); = kümmel.

akilles|hæl Achilles' heel. **-sene** Achilles' tendon.

aking: *se* *akesport*.

akk! ah! alas! ~ *ja!* alas yes!

akklamasjon acclamation; *med* ~ by a.

akklimatiser|e acclimatize. **-ing** acclimatization.

akkommodasjon (*biol*) accommodation.

akkommodasjonsveksel (*merk*) accommodation bill.

akkommodere (*avpasse*) accommodate; ~ *øyet for forskjellige avstander* adapt (*el.* adjust) the focus of the eye to various distances.

akkompagn|atør accompanist. **-ement** accompaniment. **-ere** accompany.

akkord (*om arbeid*) (piecework) contract; (*jur, merk*) composition, (deed of) arrangement; (*kompromiss*) compromise; ♪ chord, harmony; *arbeide på* ~ work by contract; (*om piecework*) do (*el.* be on) piecework; *by 50 %* ~ offer a composition of 10s. in the pound; *gå på* ~ *med sine kreditorer* compound (*el.* make a composition) with one's creditors; *gå på* ~ *med sin samvittighet* compromise with one's conscience; *overta på* ~ contract for, undertake by contract; *vi har satt det bort på* ~ *til* we have placed the contract with; *utby på* ~ let by contract; *-ens ånd* the spirit of compromise.

akkordant compounder.

akkord|arbeid (*større*) contract work; (*mindre*) piecework. **-arbeider** pieceworker. **-ere** bargain (*om about*); (*med kreditorer*) compound (*om* for). **-forslag** proposed composition, proposal for a c., scheme of arrangement.

akkredi|tere (*minister, ambassadør*) accredit; ~ *en hos* open a credit for sby with; *den -terte* the person accredited. **-tiv** letter of credit; (*sendemanns*) credentials, letter(s) of credence.

akkumulator accumulator, storage battery. **-batteri** storage battery.

akkurat (*adj*) exact, accurate; (*om person*) precise, punctual; *adv* (*nettopp*) exactly, precisely, just so; ~ *som* just like; ~ *som om* just as if; (*snart vil du få gode innlekter*) — ~ *som om jeg ikke all har det!* anyone would think I hadn't 'now! just as if I hadn't 'now!

akkuratesse accuracy; punctuality.

akkusativ the accusative (case).

a konto (*i løpende regning*) on account.

akrobat acrobat.

akromatisk (*fargeløs*) achromatic.

aks ♣ ear, spike; *sanke* ~ glean, gather ears of corn; *sette* ~ ear, set ears.

aksdannet spiky, spicate.

akse axis (*pl*: axes); *dreie seg om sin* ~ turn on its axis; *jordens* ~ the axis of the earth.

I. aksel (*skulder*) shoulder.

II. aksel (*hjul-*) axle, arbor, axle-tree; (*driv-*) shaft; (*tynn, fx på sykkelhjul*) spindle; ♣ (*skrue-*) stern-shaft; *på én* ~ without change of wagon.

akselblad ♣ stipule.

akselerasjon acceleration. **-sevne** (*bils*) acceleration (*fx* the car has a terrific a.), accelerating capacity; T pick-up (*fx* the car has a lightning p.-u.).

akselerere accelerate, speed up; *-nde hastighet* increasing speed, acceleration.

aksel|lager axle bearing; shaft bearing. **-tapp** shaft journal.

aksent accent; *uten* ~ unaccented, unstressed; (*uten fremmedartet uttale*) without a foreign accent.

aksentuasjon accentuation, stressing.

aksentuer|e accent, accentuate. **-ing** accentuation, stressing.

aksept (*veksel-*) acceptance; *forsynt med vår* ~ provided with our a.; *innfri sin* ~ take up one's a.; *nekte* ~ refuse a.

akseptabel acceptable.

akseptant (*vekselbetaler*) acceptor.

aksepter|e (*en veksel*) accept, honour (US: honor); ~ *et tilbud* accept an offer; *i -t stand* duly accepted; *nekte å* ~ *en veksel* dishonour (US: dishonor) a bill.

aksept|fornyelse renewal of acceptance. **-kreditt** acceptance credit. **-nektelse** non-acceptance, refusal to accept.

aksidens 1 (*typ*): *se -arbeid*; 2. *-er* (*biinntekter*) perquisites; T perks.

aksidens|arbeid (*det å*) jobbing (work), job -printing; (*det som skal settes opp*) job, job-work, display work; (*den ferdige trykksak*) job, job-work, display work, specimen of job-printing. **-avdeling** (*i setteri*) jobbing section, job-work section (*el.* room). **-sats** jobbing composition. **-setter** jobbing compositor. **-trykk** jobbing, job-printing; *vi påtar oss aksidens- og boktrykk* we undertake jobbing and bookwork. **-trykker** jobbing printer, commercial (*el.* general) printer. **-trykkeri** jobbing office, commercial (*el.* general) printers. **-trykning** job-printing, commercial (*el.* general) printing.

aksise (*forbruksavgift*) excise; (*bytoll*) octroi.

aksisepliktig liable to excise (,octroi).

aksje share; (*kollektivt*) stock; US stock; (*andel av aksjekapital*) stock; *-ne falt* (,steg) the shares fell (,rose); *-ne gir 5 %* the shares yield 5 per cent; *ha -r i* have (*el.* hold) shares in; *holde på -ne* hold on to one's shares; *-nes størrelse* the denomination(s) of the shares; *-ne står i .* the shares are (quoted) at; *hans -r står høyt hos* (*fig*) his stock is high with, he is in high favour with; *hans -r står lavt* (*fig*) his stock is low; *tegne -r* subscribe (for) shares, take (up) shares; *tegne -r i* take shares in, subscribe to; *tegne seg for en* ~ take (*el.* subscribe) a share; *tildele -r allot* shares; *tildeling av -r* allocation of shares.

aksje|andel stock; *overta en* ~ take over part of the stock. **-bank** joint-stock bank; US in-

corporated bank. **-eier** shareholder, stock-holder. **-foretagende** joint-stock enterprise. **-kapital** share capital; US (capital) stock. **-leilighet** = owner -tenant flat. **-majoritet** majority of shares, share m.; US controlling interest; *erverve -en* purchase a majority holding; US acquire a controlling interest. **-megler** stock-broker. **-selskap** joint -stock company; US stock company, corporation; (*med begrenset ansvar*) limited (liability) company; *A/S B. & Co. B. & Co., Ltd.*; US: *B. & Co., Inc.* **-spekulasjon** speculation in shares, stock-jobbing. **-tegning** subscription (of (*el.* for) shares). **-utbytte** dividend(s).

aksjon action; *gå til* ~ take action. **-sutvalg** action committee; *-et for protest mot* ... the committee for the protest against ...

aksjonær shareholder, stock-holder, member of the company.

aksle: ~ *seg fram* shoulder one's way (*fx* through a crowd).

aksling (*på maskin*) shaft.

I. akt 1 (*handling*) act, ceremony; 2 (*av skuespill*) act; *første* ~ the first act, act one; 3 (*naken modell*) nude; 4 (*dokument*) deed, document; *sakens -er* the documents of (*el.* in *el.* relating to) the case; *legge til -ene* file; *tegne* ~ draw from the nude (*el.* from life).

II. akt ban; *erklære i rikets* ~ put under the ban of the realm, outlaw.

III. akt (*oppmerksomhet*) attention, care, heed; *giv* ~! (*kommando*) 'shun! (*fk. f.* attention!); *gi* (*nøye*) ~ *på* pay (great) attention to, give heed to, take notice of; *han ga ikke* ~ *på min advarsel* he did not heed my warning, he gave no heed to my w.; *ta seg i* ~ take care; beware (*for* of); (*anseelse*) esteem; *holde i* ~ *og ære* honour (US: honor), hold in esteem.

akte 1 (*vise aktelse for*) esteem, respect; ~ *høyt* think a great deal of, think much (*el.* highly) of; 2 (*ha til hensikt*) intend, mean, propose, plan; *hvor -r du deg hen?* where are you going?

aktelse respect, regard, esteem, deference; *nyte* ~ be respected, be held in respect; *nyte alminnelig* ~ enjoy (*el.* be held in) general esteem; *p.g.a. sin ærlighet steg han i sin lærers* ~ because of his honesty he went up in his teacher's opinion; *vinne alles* ~ win the respect of all; *vise en* ~ show sby respect; *av* ~ *for* out of respect for, in (*el.* out of) deference to; ~ *for loven* respect for the law.

akten|for *prep* 1 (*innabords*) abaft; 2 (*utabords*) astern of. **-fra** *adv* 1 (*innabords*) from abaft; 2 (*utabords*) from astern. **-om** (*prep*) astern of.

akter (*innabords*) aft, abaft; (*utabords*) astern. **akter|dekk** after-deck. **-del** hind part. **-ende** stern. **-feste, -fortøyning** stern fast. **-hånd** ♣: *være i* ~ be at the tail end (of a rope). **-inn** *adv* ♣ aft, from astern; *vind rett* ~ wind right (*el.* dead) aft. **-klyss** ♣ stern-pipe. **-lanterne** stern light. **-lastet** ♣ trimmed by the stern.

akterlig *adj & adv* ♣ 1 (*akterut*) astern; abaft, aft; 2 (*som kommer aktenfra*) from astern, on the quarter; *med* ~ *vind* with the wind on the quarter; *mer* ~ more aft; *vinden blir* ~ the wind is veering aft; *-ere enn tvers* abaft the beam.

akter|lik (*på seil*) after leech (rope). **-merke** (*amning*) stern mark. **-over** *adv* 1 (*innabords*) aft; 2 (*utabords*) astern; *fart* ~ sternway; *full fart* ~ full speed astern. **-pigg** after peak. **-plikt** stern sheets. **-rom** after hold. **-skarp** after peak; (*utabords*) run. **-skip** stern, after body; *skarpt* ~ sharp run. **-skott** after bulkhead. **-speil** 1 ♣ stern; 2 (*spøkefullt*: *bakdel*) behind; T bottom. **-spill** main capstan.

akterst 1 (*innabords*) aftermost, aftmost, nearest the stern; 2 (*utabords*) sternmost; rearmost; *-e roer* stroke; *-e åre* stroke, stroke oar.

akter|stavn sternpost, main post; (*akterende*) stern. **-stavnskne** sternson. **-tofter** (*pl*) stern sheets. **-trapp** companion ladder. **-trosse** stern rope, stern cable.

akterut *adv* 1 (*innabords*) abaft, aft (*fx* he went aft); 2 (*utabords*) astern; *sakke* ~ ⚓ drop astern; (*fig*) lag (*el.* drop) behind, fall behind schedule; *være* ~ *for sin tid* be behind the times.

akterutseil|e ⚓ leave astern, outsail; (*fig*) leave behind; *bli -t* (*også fig*) be outdistanced; (*fig*) be (*el.* get) left behind; *A ble -t av B* B left A far behind.

I. **aktiv** (*gram*) the active (voice); *i* ~ in the active (voice).

II. **aktiv** (*adj*) active; *-t* (*adv*) actively; *delta -t i* take an active part in; *i* ~ *tjeneste* ✗ on the active list.

aktiva (*pl*) assets; ~ *og passiva* assets and liabilities.

aktiviser|e activate, set to work; (*fig*) bring into play (*fx* b. their capacities for memorizing into play); *bli -t* (*fig, også*) come into play (*fx* if the linguistic feeling has ample opportunities for coming into play . . .).

aktivisering activation; (*se for øvrig aktivisere*).

aktivitet activity; *sette i* ~ activate, set to work.

aktivum asset; (*se aktiva*).

akt|klasse nude (*el.* life) class. **-messig** documentary.

aktor counsel for the prosecution, prosecutor; US state attorney; *opptre som* ~ appear for the prosecution; (*se advokat*).

aktorat prosecution.

aktpågivende attentive; (*påpasselig*) watchful, vigilant, (on the) alert.

aktpågivenhet attention; (*påpasselighet*) watchfulness, vigilance, alertness.

akt|som attentive; careful. **-somhet** attention; care. **-stykke** document. **-ualitet** current interest, news value, topicality; *det har -ens interesse* it is of current interest; *spørsmålet har ingen* ~ the question is of no interest at the present moment. **-uel|l** topical, current, of current interest; *meget -t* of very great present interest. **-verdig** worthy of respect, estimable, respectable. **-verdighet** worthiness, respectability.

akust|ikk acoustics (*pl*). **-isk** acoustic.

akutt acute.

akva|marin aquamarine. **-rell** water-colour (painting); *male -er* paint in water-colour, paint water-colours. **-rellmaler** water-colour painter. **-rium** aquarium.

akvedukt (*vannledning*) aqueduct.

I. **al** (*kjerneved*) heartwood, heart, duramen.

II. **al** (*geol*) hard pan.

III. **al:** *se avl.*

alabast alabaster.

à la carte à la carte, by the bill of fare.

alarm (*anskrik*) alarm; *blind* ~ false a.; *blåse* ~ sound the a.; *slå* ~ give the a.

alarmere alarm. **-nde** alarming (*fx* a. rumours).

alarm|klokke alarm bell. **-plass** alarm post, place of assembly.

albaner Alban. **Albanerfjellene** the Alban Mount.

Albania Albania.

albansk Albanian, Albanese.

albatross albatross.

albino albino.

albue elbow; *bruke -ne* (*også fig*) use one's elbows; *skubbe til ham med -n* nudge him; (*kraftigere*) hit him with (a blow of) one's elbow.

albu|ben (*anat*) ulna, elbow bone. **-knoke** (*anat*) olecranon. **-ledd** elbow joint.

album album.

albumin (*eggehvitestoff*) albumin; (*jvf eggehvite*).

aldeles quite; entirely, totally, absolutely; altogether, utterly; ~ *ikke* not at all, by no means; T not a bit of it; (*var han sjøsyk?*) ~ *ikke!* he was nothing of the sort! ~ *som om* just as if, for all the world as if.

alder age; *liten for sin* ~ small for one's age; *barn i alle aldrer* children of all ages; *i sin beste* ~ in the prime of life, in one's prime; *i en* ~ *av* at the age of; *i en høy* ~ at a great age, late in life; *i ung* ~ at an early age, early (in life); *i min* ~ at my age, at my time of life; *i en* ~ *da* at an age when, at (*el.* of) an age in which; *på din* (*egen*) ~ of your (own) age; *han er på* ~ *med meg*, *han er på min* ~ he is my age.

alderdom (old) age; *-men* old age.

alderdoms- senile. **-pensjon** old age pension. **-sløv** in one's dotage, in one's second childhood, senile. **-sløvhet** dotage, senility. **-svak** decrepit, enfeebled by age. **-svakhet** decrepitude, weakness of old age; *dø av* ~ die of old age.

aldersformann (*kan gjengis*) chairman by seniority.

alders|forskjell difference in age, disparity in years. **-grense** age limit, retiring age, age for compulsory retirement; *falle for -n* retire on reaching the age limit, reach retiring age, be put on the retired list.

aldersstegen stricken (*el.* advanced) in years, aged.

alderstillegg increment; (*om fedme*) the middle -age spread.

alderstrinn age, stage (*fx* the baby has reached the talking stage).

alderstrygd old-age insurance, old-age pension assurance; *de -ede* the old-age pensioners.

aldrende ageing, elderly; ☝ senescent.

aldri never; ~ *mer* no more; nevermore; *nå har jeg* ~ *hørt så galt!* well, I never! *du tror da vel* ~ *at . . .* surely you don't think that . . . ; ~ *i livet* never in all my life (*fx* n. in all my l. have I seen anything like it); (*som avslag*) never; T not on your life; not if I know it; *det går* ~ *i verden* it won't work; it can't possibly come off; ~ *så galt at det ikke er godt for noe* it's an ill wind that blows nobody good; ~ *så lite* ever so little (*el.* slightly); *om han er* ~ *så rik* no matter how rich he is, however rich he may be; *om han hadde* ~ *så mange* however many he had, no matter how many he had; ~ *så snart . . . før* no sooner . . . than; *man skal* ~ *si* ~ never is a strong word, never is a long time; *nesten* ~ hardly ever, scarcely ever, almost never; *dette kan vel* ~ *være Deres klær?* these couldn't possibly be your clothes, could they? these are never your clothes?

ale: ~ *opp* breed, rear.

Aleksandria (*geogr*) Alexandria.

aleksandrin|er, -sk Alexandrian; (*vers*) alexandrine.

alen *glds* (*0,627 meter, omtr*) two feet; *en engelsk* ~ (*1,143 meter*) an English ell; *de er to* ~ *av ett* (*el. samme*) *stykke* they are of a piece; *måle en annen med sin egen* ~ measure another by one's own standard.

alene alone, by oneself; *helt* ~ all alone; *være* ~ be alone; *en ulykke kommer sjelden* ~ misfortunes never come singly; it never rains but it pours; (*adv*) only, merely, solely; *ikke* ~ . . . *men også* not only . . . but (also); *i Oslo* ~ in Oslo alone; *ene og* ~ *for å* . . only (*el.* merely) to; *vent til vi blir* ~ wait till we are alone (*el.* get by ourselves).

Aleutene (*geogr*) the Aleutians.

alfabet alphabet.

alfabet|isere alphabetize. **-isk** alphabetic.

alfons pimp, souteneur, prostitute's bully, mac(kerel); S ponce, prosser.

alfonseri pimping; *leve av* ~ live on the immoral earnings of a woman.

alge ♣ alga (*pl*: algae); (*tang*) seaweed.

algebra algebra. **-isk** algebraic(al).

Alger (*byen*) Algiers. **-ie** (*landet*) Algeria.

algir|er, -erinne, -sk Algerian.

alias (*også kalt*) alias.

alibi alibi; *bevise sitt* ~ prove one's (*el.* an) alibi; *omstøte hans* ~ overthrow his a.; *skaffe seg et* ~ provide oneself with an a., establish an a.; *et vanntett* ~ a cast-iron a.

alka|li ♂ alkali. **-lisk** alkaline.

alke 🐦 razor-billed auk, razor-bill.

alkjemi: *se alkymi.*

alkohol alcohol; (*brennevin*) spirits, liquor; US (hard) liquor; *han er forsiktig med ~ når han kjører bil* T he's careful about drinking and driving; *for meget ~ i blodet* an above-the-limit amount of alcohol in one's blood.

alkoholholdig alcoholic, containing alcohol; *meget ~* high-proof (*fx* spirits).

alko|holiker alcoholic, habitual drunkard; (*periodedranker*) dipsomaniac. **-holisere** alcoholize. **-holisk** alcoholic. **-holisme** alcoholism.

alkotest breathallyser test (*fx* take the b. t.), breath test; *de lot ham ta -en (også)* they breath-tested him.

alkove alcove.

alkymi alchemy. **-st** alchemist. **-stisk** alchemic(al).

all, alt; *pl* **alle.**

1) substantivisk bruk:

A alt everything, all; (*hva som helst*) anything; *~ annet* everything else; *~ annet enn dum* anything but stupid; *~ engelsk (,norsk, etc)* everything English (,Norwegian, etc); *hun er mitt ett og ~* she is everything to me; *det er ~ for ham* it means everything to him; *fremfor ~* above all, first and foremost; *ønske en ~ godt* wish sby all the best; *~ hva all that; 15 i ~* 15 in all, a total of 15; *~ i ~* all things considered, all in all; all told, in all; *det blir 12 ~ i ~* that's twelve in all (*el.* all told); *i ett og ~* in every respect; *~ sammen* all (of it) (*fx* take it all; it is all his fault; all of it is his); *når ~ kommer til ~* after all; when all is said and done; *han er i stand til ~* he is capable of anything; he'll stick (*el.* stop) at nothing; *tross ~* after all, in spite of everything; *~ vel!* all's well! *~ vel om bord* all well on board;

B alle all (*fx* all were happy, we were all (of us) happy); everybody, everyone; (*hvem som helst*) anybody; *~ andre* everybody else; (*enhver annen*) anybody else; *~ de andre* all the others; *~ og enhver* everybody, anybody, each and all; *en gang for ~* once (and) for all; *én for ~ og ~ for én* each for all and all for each, one for all and all for one; *~ dere* all of you; *~ sammen* all (of them, us, etc); T every man jack of them; *~ som én* one and all, to a man (*fx* they rose to a man); *~ tre* all three, the three of them; *~ vi som ... all* of us who ...;

C alles of all, of everybody, everybody's; *~ øyne vendte seg mot henne* all eyes turned to her.

2) adjektivisk bruk:

all, alt, alle all (*fx* all the butter, all the apples); *han har all grunn til å* he has every reason to; *i all korthet* briefly; *all mulig pynt (og stas)* all sorts of ornaments, every sort of ornament; *all mulighet for* every possibility of; *all verden* all the world, the whole world; *hva i all verden skal jeg gjøre?* what on earth shall I do? *uten all verdi* without any value (whatsoever), entirely valueless, entirely without value; *han arbeider alt (det) han kan* he is working all he can; *jeg skynder meg alt (det) jeg kan* I am hurrying all (*el.* as much as) I can; *det nytter ikke alt det jeg arbeider* no matter how much I work it is no use; *til alt hell* luckily, fortunately; *alt mulig* everything possible; *all sorts of things; alle deler av* every part of; *alle hverdager* every weekday, on weekdays; *alle mann på dekk!* all hands on deck! *alle mennesker* all men; *på alle måter* in every way; *alle slags* all kinds (*el.* sorts) of, every kind (*el.* sort) of, all manner of; *alle slags mennesker* all sorts of people;

3) adverbiell bruk:

alt: *~ etter* according to (*fx* they give a. to their means); *~ ettersom* according as.

alle: *se* **all.**

allé avenue.

allego|ri allegory. **-risere** allegorize. **-risk** allegoric(al).

allehelgens|aften All Saints' Eve, Hallow-Eve; (*skotsk & US*) Hallowe'en. **-dag** All Saints.

I. allehånde (*subst*) all sorts of things; (*krydder*) allspice, pimento.

II. allehånde (*adj*) all manner of, all kinds of, all sorts of.

allemannseie common (*el.* public) property.

allemannspike prostitute; T pro.

aller *adv* (*foran superlativ*) very (*fx* the very last man), of (them, us, *etc*) all (*fx* the richest of them all), by far (*fx* by far the most common); much (*fx* much the largest); *~ best* the very best, best of all; *~ best som* just as, at the very moment when; *~ flest* by far the greatest number (of); *de ~ fleste ...* the great majority of . . .; *dem er det ~ flest av* they are by far the most numerous; *de ~ færreste* very few (people); *de ~ færreste av dem* very few of them, a very small minority of them; *~ først* first of all; *fra ~ først av* from the very first; *~ helst vil jeg* I should like best, I should greatly prefer; *~ helvetes* devilish; *en ~ h. kar* a devil of a fellow; *~ høyest* highest of all; *den ~ høyeste* the Most High; *~ høyst* at the (very) utmost; *~ kjærest* dearest (of all), most beloved; *~ kristeligst* most Christian; *~ mest* most of all; *for det ~ meste* usually, in the vast majority of cases; *~ minst* smallest of all; least of all; *mine ~ nærmeste* those nearest and dearest to me; *det så jeg ~ nødigst* I should like that least of all; *~ nødvendigst* most necessary (of all); *~ nådigst* most gracious(ly); *~ sist* last of all; *vente til ~ s.* wait to the very end (*el.* last); *~ øverst* very topmost; (*adv*) at the very top.

allerede already; *~ den gang* even at that time; even in those days; at that early period; *~ av den grunn* for that reason alone; *~ i det tolvte århundre* as early as the twelfth century; *~ nå* already, even now; *~ tidlig* (quite) early; *~ de gamle visste* even the ancients knew; *~ samme dag* the very same day; *~ den omstendighet at* the very fact that.

alle|sammen: *se all 1)* B. **-slags** of all kinds, every kind (*el.* manner) of, all kinds (*el.* sorts) of. **-steds** everywhere, in all places. **-stedsnærværende** omnipresent, ubiquitous.

alle vegne: *se* **vegne.**

allfader (*myt*) the Allfather.

allfarvei public highway; *utenfor ~* (*fig*) off the beaten track.

allgod all-good.

all|godhet supreme goodness. **-guddom** supreme deity.

allianse alliance. **-fri** uncommitted.

allier|e ally (*seg med* oneself with *el.* to); *~ seg med* (*også*) join forces with. **-t** allied (*fx* England and France were allied in the war); (*subst*) ally, allied power; *de -e* the Allies.

alligator alligator.

allikevel: *se* **likevel.**

allitterasjon (*bokstavrim*) alliteration.

allkjærlig all-loving.

allmakt omnipotence.

allmektig almighty, all-powerful, omnipotent; *den -e* the Almighty, God Almighty.

all|sidig many-sided (*fx* a m. man), all-round (*fx* an a. athlete, education), versatile (*fx* a v. intellect, person, writer), universal; *en ~ drøftelse* a full (*el.* comprehensive) discussion; *mine interesser er ganske -e* my interests are fairly all-round, I have fairly all-round interests; *en ~ kost* a balanced diet; (*se også belyse*). **-sidighet** versatility, many-sidedness.

allslags *se all 2) & slags.*

alltid always, at all times, on all occasions; *det kan jeg ~ gjøre* I can do that at any time; *~ siden* ever since; *det er da ~ noe* it is something at least; *det kan vi ~ ordne* we can always arrange that.

allting everything; *hvorom ~ er* however that may be.

all-tysk pan-German.

all verden *se all 2) &* **verden.**

allvitende omniscient, all-knowing. **allvitenhet** omniscience.

alm (*tre*) elm.

alm. (*fk. f. alminnelig*).

almanakk almanac.

almen general, common, public, universal. **-befinnende** ♈ general condition (*el.* health), general state (of health). **-dannelse** general education, all-round education; general knowledge (*el.* culture). **-dannende** educational, educative; (*om skole*) aiming at imparting general rather than technical knowledge; *en* ~ *skole* (*kan gjengis*) an all-round type of school. **almen|fattelig** intelligible to all, popular. **-fattelighet** simplicity, popularity. **-gyldig** universally valid, of universal (*el.* general) validity (*el.* application), universal, commonly accepted. **-gyldighet** universal (*el.* general) validity. **-heten** the public; (*ofte* =) the man in the street. **-interesse** general interest. **-menneskelig** universal; human. **-nytte** public good, p. utility. **-nyttig** of p. utility. **-sannhet** universal truth; (*trivialitet*) commonplace. **-skole:** *høyere* ~ secondary school; US high school; (*se gymnas*). **-vel** common good (*el.* weal).

almenning common land(s); common.

I. alminnelig (*adj*) common; general; ordinary; (*uten unntak*) universal; ~ *dødelige* ordinary fraction; **-e dødelige** ordinary mortals; *til* ~ *forbauselse for* to the general surprise of; ~ *menneskeforstand* common sense; **-e mennesker** ordinary people; (*ofte* =) the man in the street; ~ *stemmerett* adult (*el.* universal) suffrage; ~ *valg* general election; ~ *verneplikt* general conscription.

II. alminnelig (*adv*) commonly; generally, in general, currently (*fx* it is c. believed that . . .); universally; ordinarily; ~ *anvendt* in general use; ~ *utbredt* widespread; (*om anskuelser*) widely held; *han er mer enn* ~ *dum* he is extraordinarily stupid, he is exceptionally stupid. **-gjørelse** generalization. **-het** generality; *i* (*sin*) ~ in general, generally; *skuespill i sin* ~ plays in general; *verden i sin* ~ the world at large (*el.* in general). **-vis** generally, usually, as a rule, ordinarily.

almisse charitable gift, alms; (*kollektivt*) charity; *be om en* ~ ask for alms; *gi* -*r* give alms; *leve av* -*r* live on charity.

almue common (*el.* humble) people, countryfolk; (*som stand*) peasantry; *den norske* ~ (*også*) rural Norway; -*n* (*også*) the populace.

aloe ✿ aloe. **-holdig** aloetic.

alpakka (*dyr, ull*) alpaca.

al pari (*merk*) at par.

alpe- alpine (*fx* a. flower). **-fiol** ✿ cyclamen. **-horn** ✿ alpenhorn.

Alpene (*geogr*) the Alps.

alpe|rose ✿ rhododendron. **-tropper** ✕ alpine troops.

alpin alpine; *den* -*e rase* the a. race, the Alpines.

alrune ✿ mandrake.

alskens: *se all 2*) & *slags*.

I. alt ♩ contralto, alto.

II. alt (*verdens*-) universe, world.

III. alt: *se all.*

IV. alt (*adv*): *se allerede.*

altan balcony.

alter altar; *gå til* -*s* go to Communion. **alter|bilde:** *se* -*tavle.* **-bok** service book. **-bord** Communion table. **-duk** altar cloth.

alterert agitated, upset; US het up.

alter|gang Communion; ~ *holdes* the Holy Communion is celebrated. **-kar** altar vessel. **-klede:** *se* -*duk.* **-lys** altar candle.

alternativ alternative.

alternere (*veksle*) alternate (*med* with).

alter|skap triptych. **-stake** altar candlestick. **-tavle** altarpiece; (*med fløyer*) triptych. **-vin** Communion wine.

altetende omnivorous.

altfor (*adv*) too, all too, much (*el.* far) too;

to a fault (*fx* he is cautious to a f.); (*dannes ofte ved sms med* over- (*fx* over-ambitious)), T too . . . by half (*fx* too clever by half); *jeg kjenner ham* ~ *godt* I know him all (*el.* much) too well; ~ *mye* far too much, altogether too much; *i så* ~ *mange tilfelle* in all too many cases.

altnøkkel ♩ alto clef.

altomfattende all-embracing, all-including, universal.

altoppofrende self-sacrificing, devoted.

altoppslukende: ~ *interesse* absorbing interest. **altru|isme** (*uegennytte*) altruism. **-ist** altruist. **-istisk** altruistic.

altsanger, -inne alto singer.

altså 1 (*følgelig*) consequently, therefore, accordingly; *so* (*fx* he had paid for the horse, so he took it with him); thus (*fx* thus X equals Y); 2 (*med underforstått begrunnelse*) then (*fx* you will dine with us today, then?), so (*fx* so you despise me? so you won't?) 3 (*forsterkende*) do (*fx* I do like him).

aluminium aluminium; US aluminum.

alun alum. **-beis** alum mordant. **-garver** tawer. **-holdig** aluminous.

alv elf, fairy.

alve|aktig elfish, elfin, fairy-like. **-dans** fairy dance. **-lett** fairy-light. **-pike** elf-maid.

alvor 1 (*mots. spøk, sorgløshet*) seriousness; 2 (*verdighet, strenghet*) gravity; 3 (*fare, viktighet, betydning*) seriousness, gravity; 4 (*iver, oppriktighet*) earnestness; *bevare* -*et* preserve one's gravity, keep a straight face; *nå begynte det å bli* ~ now it was becoming serious; *gjøre* ~ *av* carry out (*fx* one's plan, threat, *etc*); *gjøre* ~ *av det* set about it seriously, set about it in earnest; *er det Deres* ~? are you serious? are you in earnest? do you really mean it? *det er da ikke Deres* ~! you are not serious; surely you don't mean that! *det er mitt* (*ramme*) ~ I am in (dead) earnest; *for* ~ seriously (*fx* I am s. thinking of going away), in earnest; really (*fx* this time it is r. dangerous); (*for godt*) for good; *for ramme* ~ quite seriously, in real earnest, in dead earnest; *ta fatt for* ~ set to work in earnest, start in earnest.

I. alvorlig (*adj*) serious, earnest; (*streng, verdig*) grave; *det blir en* ~ *historie for ham* he will get into serious trouble over this; *en* ~ *konkurrent* a dangerous competitor; *holde seg* ~ keep serious, keep a straight face; *legge ansiktet i* -*e folder* put on a grave face.

II. alvorlig (*adv*) seriously, earnestly, gravely; (*i høy grad*) thoroughly, seriously (*fx* frightened); *mene det* ~ be serious (about it), mean it seriously, be in earnest; T mean business; *det var ikke* ~ *ment med den beskjeden* I wasn't serious about that message; I was only joking when I gave you (,him, *etc*) that m.; *se* ~ *på saken* take a serious (,*sterkere* grave) view of the matter; *ta* ~ take (sby, sth) seriously; *han tar sitt arbeid* ~ (*også*) he is an earnest worker; ~ *sint* really angry; ~ *talt* seriously (speaking), to be serious; (*se mene & tenke*).

alvors|blikk grave look. **-full** earnest, serious, grave. **-mann** earnest man. **-ord** serious word.

amalgam amalgam. **-ere** amalgamate.

amanuensis scientific officer; senior technical officer.

amasone Amazon.

Amasonelva the Amazon.

amatør amateur.

ambassade embassy. **-råd** counsellor (of e.).

ambassadør ambassador.

ambisjon ambition.

ambolt (*også* *i øret*) anvil.

ambra ambergris; ✿ boy's-love, southernwood. **ambros|ia** ambrosia; ✿ ragweed, bitterweed, hogweed. **-isk** ambrosial.

ambulanse(bil) ambulance. **-båre** stretcher.

amen amen; *så sikkert som* ~ *i kjerka* sure as fate; sure as eggs is eggs.

Amerika America,

amerika|båt transatlantic liner. **-farer** transatlantic traveller, passenger to or from America. **-feber** craze to emigrate to A., emigration urge.
amerikaner, -inne American.
amerikanisere Americanize.
amerikanisme Americanism.
amerikansk American; ~ *olje* castor oil.
ametyst amethyst.
amfi|bium amphibious animal, amphibium. **-bisk** amphibious. **-teater** amphitheatre. **-teatralsk** amphitheatrical.
amme (*subst*) nurse; (*vt*) nurse, suckle.
ammoniakk ammonia. **-holdig** ammoniacal.
ammunisjon ammunition.
amne|stere grant (*fx* sby) an amnesty. **-sti** amnesty.
Amor Cupid.
amoralsk amoral, non-moral.
amortisasjon amortization, amortizement, redemption, repayment of principal. **-sfond** sinking fund. **-skonto** depreciation fund account; (*for lån el. obligasjoner*) sinking (*el.* redemption) fund account. **-slån** loan redeemable in annual instalments. **-somkostninger** depreciation costs. **-stid** period of amortization.
amortisere amortize, redeem, pay off; ~ *en gjeld* pay off (*el.* extinguish) a debt.
amper (*irritabel*) fretful, peevish.
ampère amp(ère). **-meter** ammeter.
amputasjon amputation. **amputere** amputate.
amulett amulet, charm.
I. an *adv* (*i forb. med verb: se disse*).
II. an (*prep, merk*) to (*fx* to cleaning [*rengjøring*] ten hours at five shillings an hour).
anabaptist (*gjendøper*) Anabaptist.
anakronisme anachronism.
analfabet illiterate. **-isme** illiteracy, illiterateness.
analog analogous (*med* with, to). **-i** analogy; *i* ~ *med* by a. with, on the a. of.
analyse analysis (*pl:* analyses); (*gram, også*) parsing.
analysere analyse; (*gram: setning*) analyse, break down (*fx* b. down a sentence into its components); (*også enkelt ord*) parse.
analytisk analytic(al).
ananas pineapple.
anarki anarchy. **anarkist(isk)** anarchist.
anatema anathema.
anato|m anatomist. **-mere** anatomize, dissect. **-mering** anatomizing, dissection. **-mi** anatomy. **-misk** anatomic(al).
anbefal|e recommend, commend; *vi -er Dem å . . .* we would recommend that you . . .; ~ *seg* take one's leave, retire. **-elsesverdig** recommendable. **-ende** recommendatory. **-ing** recommendation, commendation, reference, introduction.
anbefalings|brev, -skriv letter of introduction.
anbringe put, place, fix; (*penger*) invest; ~ *et slag* strike a blow. **anbrakt:** *dårlig* ~ misplaced, out of place, ill-timed; *vel* ~ well-placed, well -timed (*fx* a w.-t. joke); (*om penger*) well invested; *et vel* ~ *slag* a well-directed blow.
anbring|else placing (*etc*); investment; *en sikker* ~ a safe investment.
anbud tender (*på* for); US bid; estimate (*på* of, on); *gi* ~ *på* submit (*el.* send in) a tender for, tender for; US submit an estimate on; *innhente* ~ invite (*el.* call for) tenders; *åpning av innkomne* ~ *på . . .* opening of the tenders received for . . .; (*jvf tilbud*).
anbudsåpning opening of (the) tenders.
and duck; (*skrøne, «avisand»*) hoax, canard.
andakt devotion; (*kort gudstjeneste i hjem, på skole, etc*) prayers. **andakts|bok** prayer-book, devotional book. **-full** full of devotion, devout. **-stund, -time** hour of devotion.
ande|dam duck-pond. **-egg** duck's egg. **-hagl** duck-shot. **-jakt** duck-shooting; US duck hunting.
andektig devout; (*oppmerksom*) attentive; *i* ~ *taushet* in religious silence. **-het** devoutness,

andel share, part, portion, quota; *betale etter* ~ pay pro rata; *ha stor* ~ *i* have a large share in; *kjøpe ens* ~ buy sby out; *min* ~ *i utbyttet* my share of the profits; *som utgjør Deres* ~ *av utgiftene* which represents your share of the cost.
andels- (*jvf samvirke-*) co-operative. **-haver** member of a c.-o. society. **-selskap** c.-o. society. **-system** profit-sharing system. **-vis** (*adv*) pro rata.
ande|mat ❀ duckweed, duck's meat. **-skjell** barnacle. **-stegg** drake. **-ste(i)k** roast duck.
andfottes (*adv*) head to feet (*fx* they were sleeping h. to f.).
andpusten out of breath, breathless.
andragende petition, application; *sende inn et* ~ *om* make an a. for.
andre: *se annen.*
Andreas Andrew. **andreaskors** (X) St. Andrew's cross.
and|rik (= *andestegg*) drake. **-unge** duckling.
andøve lay (*el.* lie *el.* rest) on the oars.
ane suspect, guess, have a foreboding (*el.* presentiment) of; *det -r jeg ikke* I have no idea; *før jeg ante noe* before I could say Jack Robinson (*el.* knife); *han ante fred og ingen fare* he was (quite) unsuspecting; *T* he thought everything in the garden was lovely; *uten å* ~ *noe* without suspecting anything, unsuspectingly; • ~ *uråd* suspect mischief; *T* smell a rat.
anekdote anecdote. **-aktig** anecdotal. **-samling** collection of anecdotes.
anelse suspicion, foreboding, presentiment, misgiving, anticipation; *jeg hadde ingen* ~ *om at* I had no idea that.
anelsesfull full of presentiment.
anemi anaemia. **anemisk** anaemic.
anemone ❀ anemone.
aner (*pl*) (noble) ancestors, forebears, ancestry.
aner|kjenne acknowledge, admit, recognize, recognise; (*godkjenne*) approve (*fx* approved methods); (*rose, påskjønne*) appreciate, recognize, recognise; (*yodta*) accept (*fx* an accepted truth); ~ *et krav* admit a claim; *ikke* ~ *refuse to acknowledge; ikke* ~ *et krav* reject a claim. **-kjennelse** acknowledg(e)ment, recognition; appreciation; *finne tilbørlig* ~ receive due recognition; *vinne* ~ obtain (*el.* gain) recognition. **-kjennelsesverdig** creditable. **-kjennende** appreciative, appreciatory. **-kjent** (generally) recognized (*el.* recognised); *så* ~ *dyktig* of such g. r. ability.
anestesi anaesthesia. **-lege** anaesthetist.
ane|stolt proud of one's ancestors. **-tavle** genealogical table.
anfall attack, assault, charge, onset; (*av sykdom*) attack, fit, access; (*utbrudd*) outburst, spasm, paroxysm; ~ *av feber* access of fever; ~ *av fortvilelse* fit of despair; *fikk et* ~ *av* was taken with a fit of.
anfalle attack, assault, assail, fall upon.
anfekte: *han lot seg ikke* ~ *av det* he was unaffected by it; it left him cold.
anfektelse scruple (*fx* religious scruples), temptation; *-r* (*også*) troubles (*fx* sexual t.).
anføre *vb* (*befale*) command; (*gå i spissen for*) head, lead; (*innføre*) enter, book; (*angi*) state, give, refer to; (*påberope seg*) allege, adduce, advance, urge, plead; (*sitere*) cite, quote; *anfør det på meg* put that down to me; *de varene som står* (*,sto*) *anført på fakturaen* the goods charged on the invoice; ~ *til sin unnskyldning* plead (*fx* he pleads that he has been ill); ~ *noe til sin unnskyldning* make sth one's excuse; *hva har du å* ~ *til din unnskyldning?* what have you to say for yourself? ~ *grunner* state reasons; ~ *som eksempel* quote as an instance.
anfør|er leader, chief; (*i et opprør*) ringleader. **-sel** command, leadership; entering, booking; statement, quotation. **-selstegn** (*pl*) inverted commas, quotation marks, quotes; ~ *begynner* (*i diktat*) quote; open inverted commas; ~ *slutter* unquote; close i. c.; *sette i* ~ put in quotation marks,

ang.: se angående.

I. ange (subst) fragrance, odour, perfume, scent.

II. ange (vi) emit odour (el. fragrance), shed fragrance, smell (av of).

angel (fish)hook.

angel|sakser Anglo-Saxon. **-saksisk** Anglo-Saxon.

angelus angelus. **-klokke** angelus (bell).

anger regret; (sterkere) repentance, remorse, penitence, contrition, compunction; føle ~ over repent of. **-full** repentant, penitent, contrite, remorseful. **-løs** unrepentant; guiltless, blameless.

angi state, mention, report; (melde, røpe) inform against, denounce; (vise) indicate, point out; (til fortolling) declare (at the custom house); ~ en grunn state a reason; ~ tonen ♪ give the pitch; (fig) set the tone; (i moter) set (el. lead) the fashion; ~ verdien indicate (el. state el. declare) the value; -tt verdi declared value.

angina (halsbetennelse) inflammation of the throat, laryngitis.

angivelig (adj) ostensible, alleged; (adv) ostensibly, allegedly.

angi|velse statement; (nøyere) specification; (se toll-); information, denunciation; med ~ av stating. **-ver(ske)** informer, denouncer. **-veri** informing.

angjeldende: ~ dokumenter the relative documents, the d. in question; ~ person the person concerned, the p. in question.

angler (folkestamme) Angles.

angli|ikansk Anglican; US Episcopalian; den -e kirke the Anglican Church, the Church of England. **-isere** anglicize. **-isisme** anglicism.

anglo|amerikansk Anglo-American. **-man** anglomaniac. **-mani** anglomania.

angre regret, be sorry for; (sterkere) repent, repent of. **-nde** repentant, penitent; en ~ synder (også spøkef) a repentant sinner.

angrep attack, assault, aggression, onset; (heftig, av tropper) charge; blåse til ~ sound the charge; fornye -et (også fig) return to the charge. **angreps|bevegelse** offensive movement. **-krig** aggressive (el. offensive) war, war of aggression. **-middel** means of attack. **-mål** object of attack. **-plan** plan of attack. **-politikk** aggressive policy. **-rekke** (i fotballag) forward line. **-spiller** (i fotballag) forward. **-vis** (adv): gå ~ til verks act on the offensive, take the offensive.

angrepsvåpen offensive weapon.

angrip|e attack, assail; (fiende, også) engage; (heftig, som kavaleri) charge; (virke sterkt på) affect; (skade) injure; (tære) corrode; (bestride) contest; (en kapital) encroach on. **-elig** assailable, vulnerable. **-er** assailant, aggressor, attacker.

angst (subst) dread, fear, apprehension (for of), alarm, anxiety; av ~ for for fear of; med ~ og beven with fear and trembling; han gikk i dødelig ~ for at det skulle bli oppdaget he was haunted by the fear that it would be found out. **-full** anxious, fearful. **-rop**, **-skrik** cry of terror, shriek. **-svette** cold perspiration.

angå concern, regard, relate to, bear on, have reference to; hva -r det meg? what is that to me? det -r ikke Dem it's none of your business; it does not concern you; hva -r as to, as for, as regards, as respects; hva meg -r as to me, as for me, I for one; hva det -r as to that, for that matter; (på det punkt) on that score (el. point el. head).

angående (prep) respecting, regarding, concerning, touching, relative to, about, as to, with regard to, as regards.

anhang (tillegg) appendix.

anhold|e apprehend, arrest, take into custody; (skip) arrest, lay an embargo on; ~ om hennes hånd ask her hand in marriage; (jvf arrestere). **-else** apprehension, arrest.

anilin aniline.

animalsk animal.

anim|ere (oppmuntre) encourage, urge, incite,

prompt; (gjøre opprømt) enliven, animate. **-ert** animated, lively; (om person) exhilarated, in high spirits. **-ositet** animosity.

aning (svak luftning i ellers stille vær) cat's paw, catspaw.

anis anise; (frukt) aniseed. **anislikør** anisette.

anke subst & vb (jur) appeal; ~ over (vb) appeal against; (se straffeutmåling).

ankel ankle. **-spark** (i fotball) ankle kick; (det å) ankle kicking, ankle tapping.

anke|mål (klagemål) complaint, grievance. **-protokoll** complaints book. **-punkt:** se -mål.

I. anker (hulmål) anker; (brukt mindre presist) barrel, keg, cask; (for vann i skipsbåt) (water) breaker.

II. anker (skipsanker) anchor; (i mur) brace, tie, cramp(-iron); (del av dynamo) armature; -et går the a. comes home; kappe -et cut the cable; kaste ~ cast (el. drop) a.; kippe -et fish the a.; komme til -s come to an a.; lette (= hive) ~ weigh a.; ligge til -s (el. for ~) ride at a. **-bedding** riding bitts. **-bolt** (i mur) anchor bolt, tie bolt, brace. **-bøye** a. buoy. **-gang** a. escapement. **-kjetting** (chain) cable. **-mann** anchor; (fig) mainstay, strongest link, backbone. **-plass** anchorage, anchoring ground. **-spill** windlass. **-tau** cable.

ankestevning summons on appeal.

I. anklage (subst) accusation; (jur: tiltale) charge (for of), indictment (for for); sette en under ~ for charge sby with.

II. anklage (vb) accuse (for of), charge (for with); (for riksrett) impeach; (se tiltale).

anklage-: se tiltale- & påtale-.

anklager: den offentlige ~ the public prosecutor; US the prosecuting attorney, the district attorney (jk D.A.); (se også aktor).

ankomme arrive (til Oxford: at Oxford, til London: in L., til England: in E.), come (to), reach (a place).

ankomst arrival (til at, (til land el. større by) in); ved min ~ on (el. at) my a.

ankomstperrong arrival platform.

ankr|e anchor. **-ing** anchoring. **-ingsavgift** anchorage dues.

anlagt 1. perf. part.: se anlegge; 2. adj (om karakteren) inclined, fitted (for å he is naturally f. for that work); gjestfritt (,selskapelig) ~ hospitably (,socially) inclined; praktisk ~ of a practical turn, practical.

anledning 1 (høve, gunstig tidspunkt) opportunity, chance; 2 (hendelse, grunn, foranledning) occasion, cause; 3 (gunstige vilkår for) facility, opportunity; benytte -en take the opportunity; vi håper at det vil bli ~ til å drøfte inngående spørsmålet om ... we hope that there will then be an opportunity for thorough discussion of the question of ...; få ~ til å gjøre noe get an opportunity of doing (el. to do) sth; hvis du får ~ if you get the chance; jeg har ikke ~ til å røpe forfatterens navn I am not at liberty to reveal the author's name; for -en for the occasion; ord laget for -en nonce -word; ord som passer for -en words suited to the occasion, appropriate words; i ~ av on the occasion of; (i forbindelse med, om sak) in connection with; i dagens ~ in honour of the occasion (el. event); i den ~ on that occasion; i sakens ~ in this (el. the) matter (fx we hope to hear from you in this m. by return (of post)); ved ~ some day, when I (,etc) get the opportunity; ved enhver ~ on every occasion; at every turn (fx they will find things to steal at every turn); ved første ~ at the first (favourable) opportunity; T first chance; ved given ~ if and when an opportunity offers; ved passende ~ when a suitable opportunity arises; when occasion serves; (se også foranledning & leilighet).

anlegg 1 (det å anlegge) building, construction, erection; 2 (byggeprosjekt, etc) (building) project; 3 (grunnlegging) establishment, foundation; 4 (fabrikk-, maskineri, etc) plant, works, factory, installation; 5 (måten noe er anlagt på) layout;

6 (*medfødt evne*) talent, turn, aptitude (*for* for); T knack (*for* of); *ha meget gode* ~ *for realfag* have a marked talent for science and mathematics; *be extremely gifted in the fields of s. and m.*; **7** (*medfødt disposisjon*) predisposition, tendency; **8** (*biol, av organ*) anlage, rudiment; (*gen*) gene; **9** (*støtte*) rest; *i* ~ (*om skytevåpen*) at the ready.

anlegge 1 (*bygge, etc*) build, erect, construct, make, set up, lay down (*fx* build, erect, set up a factory; build, construct, lay down a railway); **2** (*grunnlegge*) found; **3** (*opprette*) found, establish (*fx* a factory); **4** (*by, gate, hage, etc*) lay out; (*vei, kloakk*) lay; **5** (*legge på*) apply (*fx* a bandage); **6** (*klær, mine, etc*) put on, assume, affect; (*begynne å gå med*) start wearing, begin to wear; **7** (*planlegge*) plan; *en godt anlagt park* a well-planned park; **8** (*penger*) invest; ~ *en sak mot en* (*jur*) bring an action against sby; ~ *sorg* go into mourning (*for* for); *når man -r denne målestokk* measured by this standard.

anleggsaktiva fixed assets.

anleggs|arbeider navvy. **-brakke** workmen's hut (*el.* shed). **-gartner** landscape gardener. **-ingeniør** construction(al) engineer. **-kapital** invested capital, investment funds. **-kontor** site office. **-utstyr** site plant. **-virksomhet** construction work; *bygge-og* ~ building and c. w.

anliggende affair, concern, business, matter; *i viktige -r* in matters of importance.

anløp ⚓ call.

anløpe ⚓ touch at, call at; (*stål*) temper; (*få en viss farge*) become oxidized (*el.* tarnished).

anløps|plass, -sted stopping place, place (*el.* port) of call. **-tid** time of arrival.

anmarsj: *være i* ~ be approaching; be on the way.

anmasse: ~ *seg* arrogate, usurp. **-lse** arrogance, usurpation. **-nde** arrogant, presumptuous, overbearing.

anmelde announce, notify, give notice of; (*til en autoritet*) report; (*tollpliktige varer*) declare; ~ *protest* ⚓ note a protest, cause a p. to be noted; ~ *en bok* review a book.

anmeld|else announcing (*,etc*); announcement, notification; notice; (*av bok*) review; notice. **-er** announcer; reviewer, critic.

anmeldereksemplar review copy.

anmerk|e (*merke*) mark; (*opptegne*) note, put down. **-ning** remark; comment, note, annotation; *gi en en* ~ (*på skolen*) put sby's name down; *gjøre -er om* comment on; *forsyne med -er* annotate. **-ningsprotokoll** (*på skolen*) black book.

anmod|e: ~ *om* request, solicit; ~ *en om noe* ask sby for sth. **-ning** request; *etter* ~ by r., on r.; *etter* ~ *av* at the request of; *med* ~ *om* requesting; *på Deres* ~ at your request, as requested (by you); *på senderens* ~ at the sender's request.

Anna Ann, Anne.

annaler (*pl*) annals. **annalforfatter** annalist.

anneks parish of ease; (*bygning*) annex(e).

anneksjon annexation.

anneks|kirke chapel of ease. **-sogn:** *se anneks.*

annekter|e annex. **-ing** annexation.

I. annen, annet (*ordenstall*) second; *annet bind* volume two, the second volume; *den annen* (*el. andre*) *august* (on) the second of August, (on) August 2nd; *for det annet* (*el. andre*) secondly, in the second place; *for annen gang* for the second time; *annen hver* every other, every second; *den andre døra herfra* the next door but one; *den andre hansken min* the fellow to my glove.

II. annen, annet *pron* (*pl: andre*) other;

A [*brukt adjektivisk*] **annen, annet, andre** other (*fx* the other book; some other day; other people) (*fx* knife, person), some other (*fx* day, time); (*se også B: en annen*); *en helt annen kvalitet* an altogether different quality; *en annen morgen* (on) another morning; *en annen ordning*

another (*el.* some other) arrangement; *en eller annen dag* some day (or other); *på en eller annen måte* somehow (or other), in some way (or other); *et eller annet sted* somewhere (or other); *det ene år etter det annet* (*el. andre*) one year after another, year after year; *fra ende til annen* from one end to the other, from end to end; *fra ord til annet* word by word; *fra tid til annen* from time to time; **ingen** *annen mann* no other man, no one else; **intet** *annet sted* nowhere else; **med** *andre ord* in other words; **på** *den annen side* on the other side (*fx* of the house); (*fig*) on the other hand; **B** [*brukt substantivisk*] *a*) **annen;** *den ene etter den annen* (*el. andre*) one after the other, one after another; *en annen* somebody else, another, another person; *en annens hatt* somebody else's hat; *en eller annen* somebody (or other), someone, some person; *enhver annen* anybody else, anyone else; *hvem annen?* who else? *hvem annen enn...* who (else) but; *ingen annen* no one else, nobody else, no other person; *ingen annen enn* no one but; *b*) **annet;** *alt annet* everything else; *alt annet enn* anything but; *blant annet* (*fk. bl.a.*) among other things, inter alia; (*ɔ: blant andre*) among others; (*ɔ: for bare å nevne én ting*) for one thing (*fx* for one thing he is very good at Latin); *det annet* (*el. andre*) the other thing, the other one; (*ɔ: det øvrige*) the rest; *det ene med det annet* (*el. andre*) one thing with another; *ikke annet, intet annet* nothing else; *ikke annet enn* nothing but, only; *det er ikke annet å gjøre* there is no alternative; *det er ikke annet å gjøre enn å...* there is nothing left for us but to..., nothing remains but to..., there is nothing for it but to; *jeg kan ikke annet* I cannot do otherwise; I cannot help it; *noe annet* something else; anything else (*fx* is there a. else I can do?); *noe* (*ganske*) *annet* something (quite) different;

C andre (*pl*) others, other people; *andre av hans bøker* other books of his; *han snakket aldri med andre enn naboene* he never spoke to any but the neighbours; **alle** *andre* everybody else, everyone else; (*ɔ: enhver annen*) anybody else, anyone else; *alle andre enn* everybody except; anybody but, anyone but; *alle de andre* all the others, all the rest (of them); **blant** *andre* among others, among whom; **de** *to andre* the two others, the other two; **dere** *andre* the rest of you; **hvem** *andre?* who else? **ingen** *andre* nobody else, no one else, no others; *ingen andre enn* none but, no one but, no one except; **vi** *andre* the rest of us.

annendag: ~ *jul* Boxing Day; ~ *pinse* Whit Monday, Whitsun Bank Holiday; ~ *påske* Easter Monday.

annen|dagsbryllup second day's (wedding) festivities. **-dagsfeber** tertian fever. **-flyger** co -pilot. **-gradslikning** quadratic equation. **-hver** (*pron & adj*) every other; *fri* ~ *lørdag* free (on) alternate Saturdays. **-hånds** second-hand. **-maskinist** ⚓ third officer; (*før 1960*) second officer. **-rangs** second-rate. **-sidesark** (*merk*) continuation sheet. **-steds** elsewhere, in some (,any) other place. **-stedsfra** from another place. **-stedshen** somewhere else, to some other place. **-stemme** ♪ second; *synge* ~ sing seconds (*til* to).

annenstyrmann 1 (*etter 1960*) third officer; third mate; **2** (*før 1960*): *se førstestyrmann 1.*

I. annerledes (*adj*) different; *han er* ~ *enn andre* he is different from others; ~ *enn jeg trodde* d. from what I thought; *han er ikke* ~ that is his way; *livet er nå engang ikke* ~ life is like that; T such is life; *jeg ville ikke ha henne* ~ I would not have her d.; *det er blitt* ~ things have (*el.* it has) changed (*el.* become d.).

II. annerledes (*adv*) differently, otherwise, in a different (*el.* another) way; (*i høyere grad*) far more, much more; *ganske* ~ *godt* far better; *ganske* ~ *vanskelig* far more difficult; *saken må ordnes* ~ the matter must be arranged otherwise (*el.* in a different way); *stille seg* ~ *til en sak* take a different view of a matter.

annerledes|tenkende those who think differently. **-troende** those adhering to other creeds.

annet: *se annen.*

Anno Domini Anno Domini, in the year of our Lord; *Anno 1713* in the year 1713.

annonse advertisement. **-byrå** advertising agency. **-re** advertise; *(kunngjøre)* announce, publish, make public.

annonsør advertiser.

annorak: *se anorakk.*

annuitet 1. annuity; 2 *(mat.)* problem in annuities.

annuitetslån loan repayable in annuities.

annull|ere annul, cancel, render null and void. **-ering** annulment, cancellation.

anode *(den positive elektrode)* anode.

anonym anonymous. **-itet** anonymity.

anorakk anorak, parka.

anord|ne *(ordne)* arrange; *(befale)* order, ordain, decree; *(medisin)* prescribe. **-ning** arrangement; order, ordinance, decree; prescription.

anorganisk inorganic.

anretning 1 *(av bord til festmåltid)* arrangement of a *(,the)* table; 2 *(bord)* banquet table, table; 3 *(det som anrettes)* dish; meal, repast; 4 *(værelse)* serving pantry; *kold ~* a cold dish *(el.* meal).

anretningsbord serving table.

anrette *(lage til)* prepare, arrange, serve; *(forårsake)* do, make, cause, effect; *~ skade* cause *(el.* do) damage; *~ ødeleggelser* cause destruction, work *(el.* wreak) havoc.

anrop challenge; ⚓ hail; *(over radio, etc)* call.

anrop|e challenge; ⚓ hail, address *(fx* a ship); *(fra skip)* speak; *(over radio, etc)* call.

ansamling collection.

ansats 1 *(anlegg)* disposition, tendency, predisposition *(til* to); 2 *(rudiment, begynnelse)* rudiment; 3 *(fremspring)* projecting edge, shoulder; 4 ♪ *(leppestilling)* embouchure; *(av tone)* attack; *~ til hale* rudiments of a tail; *ha ~ til fedme* be inclined to be stout.

anse: *~ for* consider (to be) *(fx* I consider him (to be) a fool), regard as, look upon as, take for; *han er ikke den mann jeg anså ham for* he is not the man I took him for; *det -s for sannsynlig at . . .* it is thought likely that.

anseelse reputation, esteem, standing, prestige, respectability; *en mann med høy ~* a man of high standing; *miste (sin) ~* lose prestige; *nyte stor ~* enjoy a good reputation, be held in high esteem, be well regarded; *uten persons ~* without respect of persons, without fear or favour; *vinne ~* win a reputation (for oneself).

anselig *(statelig)* stately, impressive; *(stor)* considerable *(fx* a c. amount), good-sized, goodly; T tidy *(fx* a t. price); *(betydelig)* considerable, important, distinguished. **-het** stateliness, impressiveness.

ansett of (high) standing, (highly) esteemed, of good repute, well thought of, respectable; *et (vel) ~ firma* a firm of (good) standing, a f. of good repute, a respectable f.; *være dårlig (,vel) ~* have a bad (,good) reputation, be ill (,well) reputed, be given a bad (,good) character; *et høyt ~ verk* a highly thought-of work.

ansette appoint *(fx* sby to an office), engage *(fx* e. him as shop assistant, secretary); *han er ansatt på et kontor* he is (employed) in an office; *være ansatt i politiet* be in the police; *bli fast ansatt* receive a permanent appointment, be permanently appointed; *(mots. konstituert)* have one's appointment confirmed; *han er fast ansatt hos* he is on the permanent staff of, he is permanently employed by.

ansettelse appointment, engagement, employment, job; *(av verdi)* estimate, valuation; *få (,søke) ~ i firmaet* get (,apply for) a job with the firm; *fast ~* a permanent appointment *(el.* job); *(mots. konstituering)* confirmation of one's appointment.

ansettelses|brev letter of appointment. **-vilkår** *(pl)* conditions of appointment.

ansiennitet seniority; *etter ~* by seniority.

ansikt face; *skjære -er til* make faces at; *se en rett i -et* look sby (full) in the face; *bli lang i -et* pull a long face; *si en noe rett opp i -et* tell sby sth to his face; *sette opp et alvorlig ~* put on a grave face; *(se for øvrig sette opp)*; *stå ~ til ~ med* stand face to face with.

ansikts|drag feature. **-farge** complexion. **-form** shape of the face. **-smerter** facial neuralgia, face-ache. **-trekk** feature, lineament. **-uttrykk** expression of face, (facial) expression.

ansjos anchovy.

anskaffe procure, get, provide. **-lse** getting, procurement, provision; purchase; *(jvf ny-).*

anskrevet: *han er dårlig (,godt) ~* he is badly (,well) reported on, he is not (,he is) thought well of; *være dårlig ~ hos en* be in sby's bad books, be in bad odour with sby; *være godt ~ hos en* stand well with sby, be in sby's good books, be in good odour with sby, be in (high) favour with sby; *et vel ~ firma* a well-reputed firm.

anskrik outcry, shout of alarm; *gjøre ~* give the alarm, cry out; *(oppfordre til forfølgelse)* raise a hue and cry.

anskuelig clear, lucid, plain, perspicuous, intelligible. **-gjøre** render plain *(el.* intelligible), elucidate, illustrate. **-gjørelse** elucidation, illustration. **-het** perspicuity, lucidity.

anskuelse *(litt., filos)* intuition, perception; *(synsmåte, mening)* view, opinion, way of looking at things.

anskuelses|evne intuitive power. **-metoden** the object lesson method. **-undervisning** object teaching.

anslag ♪ touch; ⊕ impact; *(vurdering)* estimate, valuation; *(plan)* plot, design; *(slag på tastatur, etc)* stroke; *et ~ mot hans liv* a design on his life; *~ pr. min. (fx* skrivemaskin) = words per minute *(fk.* w.p.m.) *(fx* my speed in typing is 50 w.p.m.).

anslå ♪ strike; *(vurdere)* estimate, rate, value, compute *(til* at); *~ for høyt* overrate, overvalue; *~ for lavt* underrate, undervalue; *hva -r De skaden å beløpe seg til?* what is your estimate of the extent of the damage? *han anslo henne til å være omtrent fire år (også)* he took her age to be about four; *jeg -r mitt tap til £ . . .* I estimate *(el.* put) my losses at £ . . .; *jeg -r vekten til 5 pund* I estimate the weight at five pounds, I make the w. five pounds.

anspenne strain; *~ alle (sine) krefter* strain every nerve, use every effort.

anspent intense, strenuous, tense; *(oppspilt)* keyed up.

anspenthet tension.

anspore spur on, stimulate, incite, instigate, urge, fire; *~ en til å gjøre sitt beste* put sby on his mettle.

anstalt *(institusjon)* institution, establishment; *(ofte =)* home *(fx* a h. for mentally deficient children); *-er (pl)* fuss; *(se foranstaltning).* **-maker** fussy person. **-makeri** *(unnecessary)* fuss.

anstand deportment; grace. **anstandsdame** chaperon.

anstendig decent, proper; *en ~ pike* a decent girl. **-het** decency, decorum, propriety. **-vis** *(adv)* in decency.

anstift|e cause, instigate, stir up, raise, excite, foment; *~ mytteri* stir up a mutiny, foment a m. **-else** instigation; *(se tilskyndelse).* **-er** instigator.

anstigende: *komme ~* turn up, roll up *(fx* the whole family rolled up).

anstikke *(et fat)* broach, tap.

anstille institute; *~ undersøkelse(r) over noe* make *(el.* institute) inquiries about sth, inquire into sth; *anstille seg syk* simulated illness, pretended to be ill.

ansreng|e exert, strain; *~ seg (for å)* endeavour

(to), exert oneself (to). **-else** effort, exertion, strain. **-ende** fatiguing, tiring, exhausting, exerting, trying; *det er meget* ~ *(også)* it is a great strain; ~ *arbeid* hard work.

anstrengt strained; *et* ~ *smil* a forced smile.

anstrøk *(fargeskjær)* tinge; *(antydning)* tinge, touch, dash, suspicion; *med et* ~ *av blått* tinged with blue.

anstøt *(forargelse)* offence, scandal; *vekke* ~ give offence *(hos* to); *ta* ~ *av* take offence at. **anstøtelig** offensive, indecent.

anstøtssten stumbling block.

anstå: ~ *seg* become, be proper, be suitable; *som det -r seg en tapper soldat* as becomes a gallant soldier; *som det -r seg en herre* as is suitable *(el.* proper) for a gentleman.

ansvar responsibility; *(erstatningsplikt)* liability; *stå til* ~ be held responsible *(el.* answerable) *(for* for; *overfor* to); *på eget* ~ at one's own peril; *dra (el. trekke) til* ~ call to account; *fralegge seg -et for* wash one's hands of; *ha* ~ *for* be responsible for *(fx* the home is r. for the children).

ansvarlig responsible; *(økonomisk & jur)* liable, accountable *(for* for; *overfor* to, before).

ansvarlighet responsibility, liability, accountability *(fx* for a debt).

ansvars|fri free from responsibility. **-full** responsible. **-følelse** sense of responsibility. **-havende** person (,officer) in charge.

ansøke: ~ *om (søke om)* apply for, petition for, make application for; ~ *om audiens* solicit an audience; *(se søke om).*

ansøker applicant, petitioner.

ansøkning *(søknad)* application *(om* for); *(andragende)* petition *(om* for); ~ *om benådning* p. for mercy; *(se søknad).*

anta *(en lære)* embrace, espouse, adopt; *(ta imot)* accept; *(tro, forutsette)* suppose, assume, take it; ~ *form* assume a form; ~ *kongetittelen* assume the regal title; *jeg vil* ~ *det* I expect so; *funnene er langt eldre enn fra først av -tt* the finds are much earlier *(el.* older) than had at first been thought; *(se ta imot).*

antakelig *(adj)* acceptable; admissible, eligible; *-e betingelser* acceptable terms; *(adv)* probably, (very) likely, in all probability.

antakelse acceptance; adoption; *(formodning)* supposition, assumption, hypothesis, theory.

antall number; *et stort* ~ a large *(el.* great) n.; *i* ~ in number, numerically; *i et* ~ *av* numbering, to the number of *(fx* to the n. of 5,000); *i et så anselig* ~ in such considerable numbers; *overgå i* ~ outnumber.

Antarktis *(geogr)* the Antarctic.

antarktisk antarctic.

antaste accost; *(glds = angripe)* assault, attack.

antedatere antedate, predate, backdate.

antegn|e write down, put down, note, make a note of. **-else, -ing** note, remark, observation *(til* on).

antenne *(radio)* aerial, antenna *(pl:* antennae).

antenn|e *(noe brennbart)* set fire to, set on fire; kindle *(fx* the spark kindled the dry wood). **-elig** inflammable, combustible.

antesiper|e anticipate. **-ing** anticipation.

antikk *(subst & adj)* antique; *-en* antiquity. **-samling** collection of antiques.

Antikrist Antichrist.

antik|var second-hand bookseller; *(finere)* antiquarian b.; *(se riks-).* **-variat** second-hand bookshop; *(finere)* antiquarian b.; *(se riks-).* **-varisk** second-hand. **-vert** antiquated.

antikvitet antique; *(ofte =)* (old) curiosity. **-shandel** antique shop, curiosity shop. **-shandler** antique dealer.

antilope ♃ antelope.

antiluftskyts anti-aircraft guns, ack-ack guns.

antimakassar antimacassar.

antimon ♂ antimony.

antipati antipathy, dislike. **-sk** antipathetic.

antipode antipode.

antisemitt anti-Semite. **-isk** anti-Semitic. **-isme** anti-Semitism.

antisept|ikk antiseptic method. **-isk** antiseptic; ~ *middel* antiseptic.

antitese antithesis.

antologi anthology.

antrasitt anthracite.

antrekk dress, attire; T get-up; *daglig* ~ ordinary clothes; *(til selskap)* informal dress; *(på innbydelse)* dress informal; *kom i alminnelig daglig* ~ don't (bother to) dress; *det blir daglig* ~ *(i selskapet)* dress will be informal; ~ *galla (på innbydelse)* dress formal; *sivilt* ~ civilian clothes; *(om politi)* plain clothes; *et underlig* ~ T a queer get-up; ~ *valgfritt (på innbydelse)* dress optional.

antropolog anthropologist. **-i** anthropology.

antrukket *(adj)* dressed; *være enkelt (,pent)* ~ be simply (,well) dressed.

Antwerpen *(geogr)* Antwerp.

antyde indicate, give a hint of; *(la forstå)* suggest, intimate; *(foreslå)* suggest; *som navnet -r* as the name implies; *(se måte).*

antydning *(vink)* hint, suggestion, intimation; *(tilkjennegivelse)* indication; *(smule)* suggestion, suspicion, touch *(fx* a suggestion of pepper); *(svakt tegn på)* trace, suspicion, faint touch *(til* of). **-svis** by way of suggestion.

anvend|e *(bruke)* employ, use *(til* for); *(tid, penger)* spend *(fx* s. money on sth); *(teori, lignelse)* apply *(på* to); ~ *makt* use *(el.* employ) force; ~ *et middel* use *(el.* employ) a means; *det kan -es til* it may be used for; *pengene er vel -t* the money was well spent; ~ *sin tid vel* make good use of one's time; *(se også anvendt).*

anvendelig of use, usable, fit for use, applicable; *(nyttig)* serviceable, useful; *et meget* ~ *plagg* a most useful garment.

anvendelighet usefulness, use, applicability

anvendelse employment, use, application; *finne* ~ *for noe* put sth to use; *få* ~ *for* find a use for, turn to account; *. . . og da kommer telegrafen til* ~ *. . .* in which case the telegraph is called into service; *(se mening).*

anvendt applied *(fx* art).

anvise *(påvise)* show, indicate, point out *(en noe* sth to sby); *(tildele)* assign, allot; *(merk: gi ordre til utbetaling)* pass for payment; ~ *et beløp til utbetaling* order an amount to be paid out; *«-s til utbetaling»* «passed for payment»; ~ *på en bank* draw (a cheque) on a bank; *firmaet har bedt oss* ~ *på Dem pr. 3 måneder* the firm has requested us to draw on you every 3 months; ~ *pengemidler* appropriate funds, make an appropriation.

anvisning 1 *(veiledning)* direction(s), instructions; **2** *(tildeling)* assignment, allotment; *(av pengemidler)* appropriation; **3** *(penge-)* cheque, order to pay; *(bank-)* bank draft; *etter hans* ~ according to his instructions.

aorta *(den store pulsåre)* aorta.

ap fun, chaff; *drive* ~ *med* make fun of.

apal: *se epletre.*

apanasje appanage, civil list annuity.

aparte *(adj)* odd, queer, out of the way.

apa|ti apathy. **-tisk** apathetic.

I. ape monkey; *(menneskelignende)* ape.

II. ape *(vb):* ~ *etter* mimic, ape *(fx* sby's manners); *(tøyse)* play the ape.

ape|aktig apish, monkey-like, simian. **-katt** monkey; *(fig) (etteraper)* ape. **-kattstreker** monkey tricks.

Apenninene *(geogr)* the Apennines.

aperitiff aperitif.

apestreker foolery, monkey tricks; *drive* ~ *med* make fun of.

aplomb self-possession, assurance, aplomb.

apokryf(isk) apocryphal; *de -iske bøker* the Apocrypha.

Apollon *(myt)* Apollo.

apoplek|si apoplexy. **-tiker, -tisk** apoplectic.

apost|el apostle; *Apostlenes gjerninger* the Acts (of the Apostles); *reise med -lenes hester* go on Shanks's mare (*el.* pony). **apostolisk** apostolic(al); *den -e trosbekjennelse* the Apostles' Creed. **apostrof** apostrophe. **-ere** apostrophize.

apotek chemist's (shop); (*på skip, hospital*) dispensary; US drugstore, pharmacy. **-er** chemist; US druggist, pharmacist. **apoteker|gutt** chemist's apprentice. **-krukke** gallipot. **-kunst** pharmacy. **-medhjelper** chemist's assistant. **-varer** drugs. **-vekt** apothecaries' weight; (*apparatet*) dispensing scales.

apparat apparatus; (*tlf*) instrument.

appell 1 (*jur*) appeal; 2 (*henstilling*) appeal; *rette en ~ til* appeal to, make an appeal to (*fx* sby's generosity); 3 ⚔ assembly; (*signalet*) assembly (call) (*fx* sound the a.); (*navneopprop*) roll call; 4 (*fektning*) alarm; 5 (*jeger*) training; *hunden har ~* the hound is well trained; 6 (*fart*) spirit, go, dash (*fx* carry out an exercise with dash); (*se tilslutning*).

appellabel appealable, subject to appeal.

appellant appellant.

appelldomstol court of appeal.

appellere appeal (*til* to), lodge an appeal (*til* with); *~ en dom* (*i sivilsaker*) appeal (against) a judgment; (*i straffesaker*) appeal (against) a sentence; *en kan ~ til . . . an* appeal lies to . . .; *~ til velgerne* go to the country.

appelsin orange. **-båt** section (of an orange). **-kjerne** orange pip. **-skall** orange peel.

appendicitt (*blindtarmbetennelse*) appendicitis.

appetitt appetite; *dårlig ~* a poor a.; *god ~* a good (*el.* hearty) a.; *ødelegge -en* take away (*el.* spoil) one's a. **-lig** appetizing. **-vekkende** appetizing, tempting.

applaudere applaud.

applaus applause, plaudits.

apport|ere retrieve, fetch and carry. **-ør** (*hund*) retriever.

appre|tere dress, finish. **-tur** finish.

approb|asjon approbation, sanction. **-ere** approve (of), sanction.

aprikos apricot.

april April; *narre en ~* make sby an April fool; *første ~* all-fools' day. **aprilsnarr** April fool.

apropos by the bye, by the way, apropos; speaking of, talking of; *komme ~* be apropos.

ar (*flatemål: 100 m²*) are.

araber Arab; (*hesten*) Arab. **-inne** Arab woman.

arabesk arabesque.

Arabia (*geogr*) Arabia.

arabisk (*språket*) Arabic; (*adj*) Arabian; Arab (*fx* A. states); *-e tall* Arabic numerals.

arak (*språkv*) arrack.

arameisk Aramean, Aramaic.

arbeid work, labour (US: labor); (*beskjeftigelse*) employment; (*som skal utføres*) task, job; *hardt ~* hard work; T a stiff job; *en forfatters -er* the works of an author; *de offentlige -er* the public works; *han får et unna* he's a quick worker; *være i ~* be at work; (*mots. arbeidsløs*) be in work, have a job; *i fullt ~* hard at work; *han lærer en hel del i -et* he learns a great deal on the job; *sette en i ~* set sby to work; *gå på ~* go to work; *ta fatt på -et* get down to one's work, get down to it, get started on one's work; *holde en strengt til -et* make sby work hard; *det ~ han blir satt til* the job he is required to do; *under -et* while at work, while working; during the course of one's employment; *while the work was being done; det er under ~* it is in hand, it is in course of preparation; *være uten ~* be out of work; (*se arbeidsløs*); *ved sine henders ~* by the labour of one's hands, by manual labour.

arbeide work, labour (US: labor); (*strengt*) toil; (*som en trell*) drudge; *~ grundig* work thoroughly; *~ på* work at, be at work on; *~ på å* strive to; *~ seg fram* work one's way; *~ seg fram mot en løsning* work one's way towards a solution; *~ seg*

igjennom work (one's way) through, struggle through; *~ seg opp* (*fig*) work one's way; *~ seg ut av* work one's way out of.

arbeider worker, working man, workman; (*grov-*) labourer (US: laborer); (*fabrikk-*) factory worker (*el.* hand), workman, operative; (*i mølle, spinneri, etc*) mill hand, mill operative; (*i statistikk*) wage-earner; (*u*)*faglærte -e* (un)skilled workers. **-boliger** labourers' dwellings, workmen's houses. **-klassen** the working class(es). **A-partiet** the Labour Party. **-ske** woman worker. **-spørs-målet** the labour question.

arbeids|besparende labour-saving; US labor-saving. **-byrde** labour (*fx* to lighten the l. and to increase speed). **-dag** working-day. **-dyktig** able to work, capable of working, able-bodied. **-dyktighet** working ability. **-evne** capacity for work. **-folk** workers, workpeople. **-formann** foreman. **-formidlingskontor** employment (,labour) exchange. **-fortjeneste** earnings; *tapt ~* the loss of e., the l. of money. **-giver** employer. **-giver-forening** employers' federation. **-glede** pleasure in (*el.* enjoyment of) one's work; enthusiasm for one's work. **-hest** farm horse; (*fig*) hard worker; T slogger. **-innsats** work, contribution, effort; *vise evne til jevn og god ~* show an ability to work steadily and well. **-inntekt** earned income. **-iver** eagerness (*el.* zeal) for work. **-jern:** *se -hest.* **-klær** working clothes. **-kraft** capacity for work (*fx* his c. for w. was considerably diminished after his illness), working power, strength to work; number of hands, labour. **-lyst** love of work; *jeg har ingen ~* I don't feel like working. **-lønn** wages, pay; (*fortjeneste*) earnings. **-løs** out of work, unemployed; T out of a job; *gjøre ~* throw out of work. **-løshet** want of employment, unemployment. **-mann** working man, labourer (US: laborer). **-maur** working ant, worker (ant). **-mengde** amount of work (to be done). **-menneske** hard worker. **-måte** working method. **-nedleggelse** strike.

arbeidsom hard-working, industrious. **-het** industry.

arbeids|priser cost of labour, rates of wages. **-program** working plan. **-psykologi** industrial psychology. **-rapport** progress report. **-redskap** tool, implement. **-ro** peace to work (*fx* he couldn't get any p. to w.). **-sparende** labour-saving(?). US laborsaving. **-språk** working language, language to be used, language to be worked in (*fx* English, French or Spanish are the languages most experts will be required to work in). **-stans** work stoppage, stoppage of work. **-styrke** number of hands. **-tegning** working drawing, (working) plan, (work)shop drawing. **-tempo** (working) speed, (rate of) speed in working. **-tid** (working) hours; *etter -en* after hours; *kort ~* short hours; *nedsatt ~* short time (*fx* work s. t., be on s. t.). **-ufør** handicapped, incapable of (*el.* unfit for) paid employment, disabled; *han er 30 % ~* he is 30 per cent disabled; *helt ~* permanently disabled, permanently unfit for paid employment; (*jvf yrkesvalghemmet*). **-uførhet** inability to earn a living; disability; *delvis ~* partial incapacity (for full employment); *varig ~* permanent disability. **-uførhetstrygd** industrial insurance system. **-uke** work(ing) week, number of hours worked weekly; *en 40-timers ~* a forty-hour week; *-n skal skjæres ned til 42 timer* the number of hours worked weekly is to be reduced to 42. **-uniform** ⚔ fatigue dress. **-utvalg** working committee. **-vilkår** working conditions; *lønns- og ~* rate(s) of pay and w. c. **-villig** willing to work. **-vogn** cart, waggon. **-værelse** study. **-ytelse** output (of work), work, output per worker per hour. **-år** working year; *et godt ~* a good year for work.

arbitrasje (*kursspekulasjon, vekselhandel*) arbitrage; (*voldgift*) arbitration.

arbitrær arbitrary.

areal area; *(flateinnhold)* acreage; *(golv-)* floor-age, floor space.
arena arena; *(til tyrefektning)* bullring.
arg indignant, furious.
Argentina *(geogr)* the Argentine, Argentina.
argentin|er, -sk Argentine.
argument argument. **-asjon, -ering** argument-ation, reasoning; *(se logisk)*. **-ere** reason, argue.
arie ♪ aria.
arier Aryan.
arilds tid: *fra* ~ from time immemorial.
arisk *(indo-europeisk)* Aryan.
aristokrat aristocrat. **-i** aristocracy. **-isk** aristocratic(al).
aritme|tikk algebra. **-tisk** algebraic(al), arith-metic(al).
I. ark ark; *Paktens* ~ the Ark of the Covenant; *Noas* ~ Noah's Ark.
II. ark *(papir)* sheet. **-antall** number of sheets.
arkeolog archaeologist. **-i** archaeology. **-isk** archaeologic(al).
Arkimedes: *Arkimedes'* *lov* the Archimedean principle.
arkipelag archipelago.
arkitekt architect. **-onisk** architectural, archi-tectonic. **-ur** architecture.
arkiv archive(s); *(merk)* files, correspondence file, records; *(riks-)* Public Records; *(stedet)* Public Record Office; *i vårt* ~ on *(el.* in) our files.
arkiv|alier documents, records. **-ar** archivist, keeper of the archives; *(merk)* filing clerk; *(se riks-)*.
arkivere file (away), place on the corre-spondence file.
arkiv|mappe folder. **-skap** filing cabinet.
arkont archon.
Arktis *(geogr)* the arctic regions.
arktisk arctic.
arkvis by the sheet.
arm arm; *plass til å røre* **-ene** elbow-room; ~ *i* ~ arm-in-arm; *kaste seg i* **-ene** *på en* throw oneself into sby's arms; *med* **-ene** *i siden* with arms akimbo.
armada armada; *den uovervinnelige* ~ the (Invincible) Armada.
armatur fittings.
arm|band: *se* **-bånd.** **-bevegelse** gesture. **-bind** armlet, arm-band *(fx* UN arm-bands). **-brudd** fracture of an arm. **-brøst** crossbow. **-bånd** bracelet. **-båndsur** wrist watch.
armé army. **-korps** army corps.
Armen|ia *(geogr)* Armenia. **a-er, a-erinne, a-sk** Armenian.
armere *(forsterke)* reinforce; *(beskytte)* armour.
arm|hule armpit. **-kraft** strength of arm. **-ledd** brachial joint. **-lengde** length of the arm, arm's length.
armod poverty, penury.
arm|ring bracelet, arm-ring. **-stake** branched candlestick. **-stol** arm-chair. **-strikk** arm-band. **-stø** arm, elbow-rest.
arne(sted) hearth; *(fig)* hotbed *(for* of).
aroma aroma. **-tisk** aromatic.
Aron Aaron.
arr scar, cicatrice, seam; ♣ stigma.
arrangement arrangement, organization; *(av bokside, hage, etc)* layout; *(forenings-, etc)* event *(fx* the events planned for our spring season); *stå for* **-et** be in charge.
arranger|e arrange, organize *(fx* a meeting); T get up *(fx* a dance, a tennis match); US fix up; *det var* **-t** *(ɔ: avtalt spill)* it was a put-up job.
arrangør organizer, person in charge of the arrangements.
arrdannelse cicatrization.
arrest 1 *(beslagleggelse)* arrest of property, seizure; *(av skip)* arrest, embargo; 2 *(fengsling)* custody, detention; 3 *(anholdelse)* arrest, deten-tion, apprehension; 4 *(lokale)* gaol, jail; prison; *belegge med* ~ *(skip)* seize, impound, place an arrest on, lay *(el.* impose) an embargo on;

holde en i ~ detain sby, hold sby in custody; *sette en i* ~ put *(el.* take) sby into custody.
arrestant prisoner. **arrestasjon** arrest, detention, apprehension. **arrestere** arrest, apprehend, take into custody.
arrest|forretning arrest, seizure. **-lokale** county gaol *(el.* jail), lock-up. **-ordre** warrant.
arret scarred.
arrig cross, ill-tempered; ~ *kvinne* ill-tempered woman, shrew, vixen, termagant. **-het, -skap** ill-temper, ill-nature.
arroganse arrogance. **arrogant** arrogant, in-solent.
arsenal arsenal.
arsenikk arsenic. **-forgiftning** arsenic poisoning. **-holdig** arsenical.
art *(beskaffenhet)* nature; *(slags)* sort, kind, variety; *(biol)* species; *skadens* ~ the nature of the damage.
arte: ~ *seg* turn out, shape, develop; *gutten* **-r** *seg bra* the boy is shaping well; *slik som for-holdene* **-t** *seg* as things were; *vi vet ikke hvordan høsten vil* ~ *seg* we do not know how the harvest will turn out *(el.* what the h. will be like).
arterie artery. **-blod** arterial blood.
artesisk brønn artesian well.
artianer [matriculation candidate]; *(se artium* & *russ)*.
artig *(litt.* & *glds*: *beleven)* courteous, polite; *(komisk)* funny, queer. **-het** courtesy, politeness.
artikkel article; *den* *(u)bestemte* ~ the (in)definite article; *leder-* *(i avis)* leader, leading a.; US editorial.
artik|ulasjon articulation. **-ulere** articulate.
artilleri artillery, ordnance. **-løytnant** lieutenant in the artillery. **-st** artillerist, artilleryman; ⚓ gunner.
arti|sjokk, -skokk ♣ artichoke.
artist artiste. **artistisk** artistic.
artium: *examen* ~ [matriculation (examin-ation)]; = (the examination for the) General Certificate of Education (Advanced Level) *(fk* G.C.E.(A.)); *ta* ~ *(kan gjengis)* pass one's matri-culation examination; pass *(el.* take) one's higher school-leaving exam(ination), T take *(el.* pass) one's matric; US graduate at school; *han går i 3. klasse i realgymnaset og tar* ~ *til våren (kan gjengis)* he is in the top form on the science side and will be taking the equivalent of the G.C.E. (Advanced Level) in the spring.
artiums|oppgave [matriculation paper]; *(i England)* A-level paper (for the G.C.E. exa-mination). **-vitnemål** = General Certificate of Education (Advanced Level).
arts|forskjell difference in kind. **-merke** specific character. **-navn** specific name.
arv inheritance; *(fig)* heritage; *få i* ~ succeed to, come into; *gå i* ~ *(være arvelig)* be hereditary; *gå i* ~ *til* descend to, pass to; *tiltre en* ~ enter upon an inheritance; *ved* ~ by inheritance.
I. arve ♣: *rød* ~ scarlet pimpernel.
II. arve inherit, succeed to; ~ *en* succeed to sby's property, be sby's (sole) heir; *(se også tilfalle)*.
arve|avgift death duty. **-berettiget** entitled to inherit, capable of inheriting. **-fiende** traditional enemy. **-følge** order of succession. **-følgekrig** war of succession. **-gods** inheritance. **-later** testator. **-laterske** testatrix.
arvelig heritable, inheritable, hereditary; ~ *belastet* with a hereditary taint, tainted; ~ *hos* hereditary in; *er* ~ *i visse familier* runs in families. **-het** inheritability; *(biol)* heredity. **-hetslov** law of heredity.
arve|lodd hereditary share, share of (an) in-heritance. **-løs** disinherited; *gjøre* ~ disinherit, cut off with a shilling. **-prins** heir presumptive (to the throne). **-rett** right of inheritance *(el.* succession). **-rettslig:** **-e** *regler* rules of inheritance. **-rike** hereditary monarchy. **-skifte** administration of a deceased person's estate; *(se skifte)*. **-stykke**

heirloom. **-synd** original sin; *stygg som -en* as ugly as sin.

arv|ing heir; *(kvinnelig)* heiress, inheritress, inheritrix; ~ *etter loven* intestate successor, legal heir; *nærmeste* ~ heir apparent; *rettmessig* ~ lawful successor; *(når det ikke er livsarvinger)* heir presumptive; *innsatte ham som min* ~ made him my heir; *melde seg som* ~ present one's claim to the estate; *han meldte seg som* ~ he claimed to be heir to the estate. **-taker** inheritor, heir. **A/S** *(fk. f. aksjeselskap)*: *A/S Titan* Titan, Ltd; US Titan, Inc.

asbest asbestos.

aseptisk aseptic.

asfalt asphalt, asphaltum. **-dekke** *(på vei)* asphalt paving; *(jvf veidekke)*. **-ere** asphalt, bituminate, bituminise; *(ofte)* tar *(fx* tarred road).

Asia *(geogr)* Asia. **a-t** Asiatic. **a-tisk** Asiatic, Asian; *A-tisk Tyrkia* Turkey in Asia.

asjett side-plate, tea plate; dessert plate.

ask ⚓ *(tre)* ash; *av* ~ ash, ashen.

aske ashes; *(bestemt slags)* ash *(fx* bone a., cigar a.); *(utglødet kull)* cinder(s); *(jordiske levninger)* dust, ashes; *forvandle til* ~ reduce to ashes; *komme fra -n i ilden* jump out of the frying-pan into the fire.

aske|beger ash-tray. **-farget, -grå** ash-coloured; *(om ansiktet)* ashen (grey), ashy-pale. **-onsdag** Ash Wednesday. **A-pott** Cinderella. **-regn** shower of ashes.

askese asceticism.

aske|skuff *(i ovn)* ash-pan. **-urne** cinerary urn.

asket, asketisk ascetic.

asketre 1. ash-tree; 2. ash-wood.

Asorene *(geogr)* the Azores.

Asovhavet *(Det asovske hav)* the Sea of Azof.

asp: *se osp.*

asparges asparagus. **-bønner** *(pl)* French beans. **-hode** asparagus tip.

aspir|ant aspirant *(til* to); candidate *(til* for); *politi-* policeman under training. **-asjon** aspiration. **-ere** *(fon)* aspirate; ~ *til* aspire to.

assimilasjon assimilation. **assimilere** assimilate *(med* to); ~ *seg* assimilate *(med* with).

assist|anse assistance. **-ent** assistant.

assistent|lege 1. senior registrar (,US: resident); *(jvf reservelege)*; 2 *(lavere, omfatter til dels kvalifikasjonskandidat)* (junior) registrar; US assistent resident. **-sykepleierske** *(også* US) staff nurse.

assistere assist *(ved* in).

assortere assort. **assortiment** assortment.

assosiere associate *(med* with).

assurandør 1 *(om selskap)* insurance company, insurer; *(spesielt liv)* assurance company, assurer; 2 *(om person)* insurance man, insurer; *(sjøforsikring)* underwriter; *(agent)* insurance agent.

assuranse insurance; *(se forsikring)*. **-sum** sum insured. **-svik** insurance fraud; ⚓ barratry. **assurer|e** insure; *det var ikke -t* there was no insurance; *(se forsikre)*.

assyrer Assyrian.

Assyria *(geogr)* Assyria. **assyrisk** Assyrian.

asters aster.

astigmatisk astigmatic.

astma asthma. **-tiker, -tisk** asthmatic.

astral|lampe astral lamp. **-legeme** astral body.

astro|log astrologer. **-logi** astrology. **-nom** astronomer. **-nomi** astronomy. **-nomisk** astronomic(al).

asur azure. **-blå** azure, sky-blue.

asyl asylum, (place of) refuge. **-rett** right of a.

I. at *(konj)* that; *jeg tviler ikke på at* I do not doubt that; *jeg vet at han er ærlig* I know that he is honest, I know him to be honest; *det undrer meg at du kom* I wonder at your coming; *det at han skrev* the fact of his writing, the fact of his having written; *den omstendighet at han kom* the fact of his coming; *følgen av at han kom* the consequence of his coming; *det er ikke noe galt i at han gjør dette* there is no harm in his

doing this; *nyheten er for god til at jeg kan tro den* the news is too good for me to believe it; *at jeg kunne være så dum!* how could I be so stupid! that I could be so stupid!

II. at *(adv)*: *bære seg* ~, *etc*: se de respektive verb, *fx bære, følge, hjelpe, skille.*

atavisme atavism, reversion.

atei|sme atheism. **-st** atheist. **-stisk** atheistic(al).

atelier studio; *(systue)* work-room. **-leilighet** studio flat; US studio apartment.

Aten *(geogr)* Athens.

Atene Athena.

atener, atensk Athenian.

atferd *(oppførsel)* behaviour; US behavior; *(handlemåte)* proceedings, conduct.

atferds|forstyrrelse behaviour disorder. **-mønster** behaviour pattern. **-psykologi** behaviourism.

atkomst 1 *(berettiget krav)* title, right, claim; 2 *(vei, passasje)* (way of) approach, (means of) access; *lett* ~ *til* easy access to; *-en var vanskelig* access was difficult.

atkomst|brev, -dokument title deed.

Atlanterhavet *(geogr)* the Atlantic (Ocean).

atlas atlas.

atlask satin.

atlet athlete. **atletisk** athletic.

atmosfær|e atmosphere. **-isk** atmospheric(al); *-e forstyrrelser (i radio)* atmospherics.

atom atom. **-bombe** atom bomb. **-energi** nuclear *(el.* atomic) energy. **-forsker** nuclear physicist, atomic researcher. **-forskning** nuclear energy research, atomic research. **-fri** atom-free *(fx* an a.-f. zone). **-fysikk** atomic physics. **-kjerne** atomic nucleus. **-kjernefysikk** nuclear physics. **-kraft** atomic *(el.* nuclear) power, atomic energy. **-kraftverk** atomic power plant, nuclear power station. **-mile** atomic pile. **-reaktor** reactor. **-spaltning** nuclear *(el.* atomic) fission. **-sprenghode** nuclear *(el.* atomic) warhead *(fx* on a rocket). **-sprengning** the splitting (up) *(el.* shattering) of atoms; T atom-smashing. **-tegn** chemical symbol. **-teori** atomic theory. **-vekt** atomic weight. **-våpen** nuclear weapon.

atskille separate; *(raser)* segregate; ~ *seg (avvike)* differ *(fra* from); *(se atskilt)*.

atskillelse separation; *(rase-)* segregation.

atskillig *(adj)* considerable, not a little, no little; *(substantivisk)* several things; *(adv)* considerably, rather, a good deal, not a little; ~ *flere* several more; *-e* several, not a few, quite a few.

atskilt separate, distinct, apart; *holde X og Y* ~ *(ɔ: ut fra hverandre)* dissociate X and Y.

atsplitte scatter, disperse. **-lse** scattering, dispersion, dispersal.

atspre|(de) *(sinnet)* divert, amuse; *(jage bort tanker)* chase away; *(virke distraherende)* distract; ~ *ham i hans sorg* take his mind off his grief; ~ *seg* amuse oneself. **-delse** distraction ;*(forlystelse)* diversion, recreation, relaxation; *-r (pl)* amusements.

atspredt *(åndsfraværende)* absent-minded, preoccupied. **-het** absence of mind, absent-mindedness, preoccupation.

atstadig demure, staid, sedate. **-het** demureness, staidness, sedateness.

attaché attaché; *militær-* military attaché.

attachere attach.

atten eighteen. **-de** eighteenth.

attentat attempt; *gjøre* ~ *på en* make an attempt on sby's life.

atter again, once more; ~ *og* ~ again and again, over and over (again), time and again; *stein og* ~ *stein* stones and yet more stones; *mens* ~ *andre påstår at . . .* others, again, maintain that . . .

attest certificate, testimonial; *(som overskrift)* to whom it may concern; *han fikk en god* ~ he received a good testimonial.

attest|ere attest (to), certify (to), bear witness to; *herved -eres at* this is to certify that. **-ering** certification, attestation.

attestkopi copy of testimonial; *bekreftede -er* certified copies of testimonials.

attføring rehabilitation (*fx* the State R. Institute).

Attika (*geogr*) Attica.

attisk Attic.

attityde attitude, posture; *stille seg i* ~ strike an a.

attpå in addition, into the bargain; *det får du* ~ that's thrown in. **-sleng** (*spøkefullt om barn født lenge etter sine søsken*) afterthought.

attraksjon attraction.

attrapp take-in, dummy, sham.

attributiv attributive. **attributt** attribute.

I. attrå (*subst*) desire, craving, longing (*etter* for; *etter å* to).

II. attrå (*vb*) desire, covet.

attråverdig desirable.

au! oh! oh, dear! ouch!

audiens audience; *få* ~ *hos* obtain an a. of (*el.* with).

audio-visuell: *-e hjelpemidler* audio-visual aids; *rom for -e hjelpemidler (i skole)* audio room.

auditiv *adj* (*psykol*) audile, auditory.

auditorium lecture room; (*tilhørerne*) audience.

augur augur.

august (the month of) August.

August Augustus.

1. auke (*subst*): *se økning*.

II. auke (*vb*): *se øke*.

auksjon auction, (public) sale, auction sale; *selge ved* ~ auction, sell by a.; *sette til* ~ put up to a.

auksjonarius auctioneer.

auksjons|bridge auction bridge. **-dag** day of the sale. **-gebyr:** *se -omkostninger*. **-hammer** auctioneer's hammer; *komme under -en* come under the hammer. **-katalog** sale catalogue. **-lokale** auction room. **-omkostninger** auctioneer's fees. **-plakat** notice of sale. **-pris** auction price. **-regning** auction bill. **-sum** proceeds of an auction.

aur gravel, gritty soil, shingle.

aure: *se ørret*.

aurikkel ✿ auricula.

ause (*subst & vb*): *se øse*.

auspisier (*pl*) auspices; *under hans* ~ under his auspices.

Australia (*geogr*) Australia. **australier, -inne** Australian. **australsk** Australian.

autentisk authentic.

autobiograf autobiographer. **-i** autobiography.

autodafé auto-da-fé (*pl:* autos-da-fé).

autodidakt self-taught person.

autograf autograph. **-samler** collector of autographs. **-samling** collection of autographs.

autokrat autocrat. **-i** autocracy. **-isk** autocratic.

automat automaton; (*salgs-*) slot machine, automatic (vending) machine, machine; (*gass-*) slot meter; (*telefon-*) slot telephone.

automobil: *se bil*.

autor|isasjon authorization. **-isere** authorize. **-isert** authorized, licensed. **-itet** authority. **-itetstro** orthodoxy.

I. av *prep* (*om den handlende person i passiv*) **by:** *han er aktet av enhver* he is respected by everyone; *av natur* by nature; *han lever av sin penn* he lives by his pen; *kjenne en av navn* know sby by name; *snekker av yrke* a joiner by trade; *bilder av italienske mestere* pictures by Italian masters; **for:** *gifte seg av kjærlighet* marry for love; *hoppe av glede* leap for joy; *av mangel på* for want of; *av mange grunner* for many reasons; *av frykt for* for fear of; **from:** *jeg har hørt det av min søster* I have heard it from my sister; *lide av* suffer from; *av nødvendighet* from (*el.* out of) necessity; **in:** *av størrelse* (*,år*) in size (*,years*); *en av hundre* one in a hundred; *det er rosverdig av Dem* it is praiseworthy in you; **of:** *en av dem som* one of those who; *av viktighet* of importance; *i kraft av* by virtue of; *ved hjelp av* by means of; *bygd av tre* built of wood; *konge av*

Norge King of Norway; *Deres brev av 10. d.m.* your letter of the 10th instant; *en venn av min far* a friend of my father's; *av seg selv* of oneself, of one's own accord; **off:** *hjelpe en av hesten* help sby off his horse; *vask såpa av ansiktet* (*ditt*) wash the soap off your face; **on:** *leve av grønnsaker* live on vegetables; *avhengig av* dependent on; *av den grunn* on that account; **out of:** *langt av veien* far out of the way; *ni av ti* nine out of ten; *av fortvilelse* out of desperation; **to:** *en venn* (*,fiende, slave*) *av* (*fig*) a friend (*,enemy, slave*) to; **with:** *av hele mitt hjerte* with all my heart; *rød* (*,svart*) *av* red (*,black*) with; *halvdød av tretthet* (*,latter*) half dead with fatigue (*,laughter*); *av gangen* (= *om g.*) at a time.

II. av (*adv*): *fra først av* from the first; *fra barn av* from a child; *av med klærne!* off with your clothes! *av med hattene!* hats off; *bli av med* get rid of; *av og til* now and then, occasionally, from time to time; *fargen går av* the colour rubs off.

avanse profit. **-ment** promotion, preferment.

avansements|kurs promotion qualifying course. **-muligheter** chances (*el.* prospects) of promotion. **-regel** promotion procedure. **-stilling** promotion; *stasjonsformann er en* ~ *for stasjonsbetjent* the post of leading porter is (*el.* represents) p. for a porter.

avansere (*rykke fram*) advance; (*forfremmes*) be promoted, rise (*fx* he rose to be a general).

avantgarde vanguard, van.

avart variety, subspecies.

avbalansere balance, poise.

avbarke bark, peel, remove the bark.

avbeite graze down.

avbenytt|e have the use of. **-else** use; *etter -n* when done with, after use.

avbestill|e cancel, countermand. **-ing** countermand, counter-order, cancellation.

avbetal|e pay off; ~ *noe i månedlige avdrag* pay sth off by monthly instalments. **-ing** paying off; (*avdrag*) instalment; (*systemet*) hire-purchase system; H.P. system; *på* ~ by instalments, on easy terms; *ta noe på* ~ get (*el.* buy) sth on the hire-purchase system.

avbikt apology; *gjøre* ~ apologize (*hos en for* to sby for).

avbilde depict, portray.

avbildning (*konkret*) picture, depiction.

avbinde ⚒ ligate, tie up; (*om sement: størkne*) set; (*et hus*) put up the framework of a house.

avbitertang (a pair of) nippers (*el.* pincers).

avblek|e bleach (out); *-et* discoloured, faded.

avblende: *se blende; -t lys* (*bils*) dipped lights.

avblomstr|e: *se blomstre av; en -et skjønnhet* a faded beauty.

avblås|e blow off. **-ningsapparat** blow-off apparatus.

avbrekk (*hinder*) check, set-back; (*opphold*) break; *ferje-* ferries (*fx* with f. across the numerous fjords); *gjøre et* ~ *i studiet* take a break in one's studies; *lide* ~ suffer a set-back.

avbren|ne: *se brenne av; -t fyrstikk* spent match.

avbrudd interruption, intermission.

avbrutt abrupt; (*i bruddstykker*) fragmentary; (*adv*) intermittently, by fits and starts.

avbryte (*en tilstand*) break, interrupt; (*en handling*) interrupt; (*opphøre med*) discontinue, break off; (*for en tid*) suspend; (*falle inn med en bemerkning*) interrupt, cut in (*fx* with a remark), interpose; (*hindre en i å snakke*) cut short (*fx* she cut him short); ~ *arbeidet* break off (the) work; *vi ble avbrutt* (*tlf*) we were cut off; ~ *driften* stop work, discontinue (*,suspend*) operations; ~ *forbindelsen med et firma* break off the connection with a firm; ~ *en reise* break a journey (*fx* I shall b. my j. at X).

avbrytelse breaking (off), interruption; suspension; discontinuation; interposing, cutting in; (*avbrudd, opphold*) break, intermission, interval; (*avbrytende bemerkning*) interruption (*fx* constant interruptions prevented him from finishing his speech); ~ *av reisen* break of (the) journey; US stop-over; *med -r* intermittently.

avbryterkontakt breaker contact (*el.* switch).

avbud: *sende* ~ send an excuse; withdraw an invitation; *det kom* ~ *fra ham* he sent an excuse, he declined (the invitation).

avbygd [isolated, out-of-the-way rural district].

avbøte parry, ward off, avert.

avbøy|e deflect, turn off, bias. **-ning** deflection, turn.

avdal isolated valley.

avdampe evaporate, vaporize.

avdanket (*forhenværende*) retired, superannuated, ex- (*fx* an ex-soldier); (*uttjent*) cast-off (*fx* an old c.-o. coat).

avdekke uncover, lay open; (*statue*) unveil; (*fig*) disclose, reveal.

avdele (*med skillevegg*) partition off.

avdeling division, partition; (*av forretning*) branch, department; (*rom*) compartment; ✕ unit, detachment; ♪ movement; (*av veddeløp*) heat. **-sbetjent** (*i fengsel*) [rank between principal prison officer and prison officer]. **-skontor** branch office. **-slege:** *se overlege: assisterende* ~. **-ssjef** head of department. **-ssykepleierske** (ward) sister; US head nurse.

avdem|me dam (up). **-ning** damming (up); (*konkret*) dam.

avdempe subdue, soften (*el.* tone) down.

avdra (*avbetale*) repay by instalments.

avdrag part payment; (*termin*) instalment. **-sfri** (*om statslån, etc*) irredeemable; *lånet er -tt de første 5 år* principal repayable after 5 years; no repayment (is required) for the first 5 years. **-svis** by instalments.

avdrift deviation; ♣ leeway, drift.

avduk|e (*vb*) unveil. **-ing** unveiling (ceremony).

avdø die.

avdød (*adj*) dead, deceased, departed, late (*fx* my late husband); *-e, den -e* the dead man (,woman), the deceased; *min for lengst -e far* my father who died long ago.

ave (Maria) Ave (Maria).

avers obverse (side), face.

aversjon aversion (*mot* to), dislike (*mot* to, of); *få* ~ *mot* take a d. to.

aver|tere advertise (*etter* for). **-tissement** advertisement; T ad; *rykke inn et* ~ advertise.

I. avfall 1 (*skrot, søppel*) rubbish; T junk; US (*også*) trash; (*rester*) refuse, waste (*fx* rubber w.); 2 (*husholdnings-*) (household) rubbish, garbage; 3 (*matpapir, etc*) litter; 4 (*av fisk, skinn, slakt, etc*) offal(s); 5 (*hogst-*) brush, felling waste; *avlessing av* ~ *forbudt* shoot no rubbish; tipping prohibited.

II. avfall ♣ falling off; *støtt for* ~! keep her to!

avfalls|dynge rubbish heap, refuse heap. **-produkt, -stoff** waste (product).

avfarge decolour.

avfatt|e draw up, compose, word, couch, frame; ~ *et telegram* write out (*el.* word) a telegram; *-et i juridiske vendinger* couched in legal terms. **-else** drawing up, composition, framing, wording.

avfeie brush aside (*fx* his objections); ~ *en* shake (T: choke) sby off; get rid of sby; US brush sby off. **-nde** slighting, offhand, brusque.

avfeldig decayed, decrepit. **-het** decay, decrepitude.

avferdige put off, dismiss, dispose of, brush aside.

avfinne: ~ *seg* come to an arrangement, come to terms (*med* with); (*med sine kreditorer*) compound with; ~ *seg med forholdene* take things as one finds them. **-lse** composition, arrangement; (*erstatning*) compensation. **avfinnelsessum** compensation.

avfolk|e depopulate. **-ing** depopulation.

avfyr|e fire, let off, discharge. **-ing** firing, letting off, discharge.

avføde (*litt.*) give rise to.

avfør|e: ~ *seg sine klær* take off (*el.* divest oneself of) one's clothes. **-ende** aperient, laxative; ~ *middel* aperient; (*mildt*) laxative. **-ing** motion, evacuation; *han har normal* ~ his stools are regular, he has r. stools; *har De* ~? how are the bowels? *har De hatt* ~? have your bowels moved? **avføringsmiddel:** *se avførende middel.*

avgang departure.

avgangs|dag day of departure. **-eksamen** leaving examination; (*også* US) final e.; T finals. **-havn** ♣ port of sailing. **-klasse** final-year class (*el.* form), top form. **-perrong** departure platform. **-signal** starting signal. **-stasjon** departure station. **-tid** time of departure. **-vitnemål** (school) leaving certificate; leaver's report; US diploma.

avgi 1 (*levere fra seg*) hand over, give up, surrender; 2 (*fremkomme med*) make, submit (*fx* a report); 3 ♂ liberate, produce; *50 % av de -tte stemmer* 50 per cent of the total poll; ~ *varme* give off heat, emit heat; (*se betenkning, erklæring, forklaring, stemme*).

avgift 1 (*til det offentlige*) duty, tax; (*i pl også*) dues, charges; (*forbruks-*) tax, excise (duty) (*fx* the e. on beer and tobacco); 2 (*gebyr*) fee; (*lisens-*) (licence) fee; (*eksport-*) export levy; 3 (*bro-, kanal-, vei-*) toll (*fx* the Panama Canal tolls); *legge en* ~ *på noe* impose a duty (,tax, *etc*) on sth.

avgifts|fri duty-free. **-frihet** exemption from duty. **-pliktig** liable to duty, dutiable.

avgjort 1 (*utvilsom*) unquestionable, certain; 2 (*som er gått i orden*) settled; 3 (*utpreget*) decided; (*adv*) decidedly, certainly, definitely, unquestionably; *en* ~ *sak* a settled thing; *anse for* ~ take for granted; *vi betrakter saken som opp- og* ~ we consider the case (as) closed; *saken er opp- og* ~ the affair is settled and done with; T it is a settled thing; *ja,* ~! yes, definitely; *pasienten har det* ~ *bedre* the patient is decidedly (*el.* definitely) better.

avgjøre (*ordne, betale*) settle; (*bestemme*) decide, determine; *det avgjør saken* that settles it; *intet er avgjort med hensyn til hva som videre skal foretas i saken* nothing has been decided as to further steps in the matter; (*se også avgjort*).

avgjørelse settlement, decision; *treffe en* ~ take a decision, make a d.; (*se øyeblikk*).

avgjørende (*om virkning, svar, slag*) decisive, conclusive, final; *i en* ~ *tone* in a decisive tone; ~ *betydning* vital importance; *den* ~ *stemme* the casting vote; *i det* ~ *øyeblikk* at the critical moment; ~ *prøve* crucial test; ~ *for* decisive of; ~ *for meg* d. for me.

avglans reflection.

avglatte smooth, polish.

avgrene branch off.

avgrense bound, limit, delimit (*fx* it is difficult to d. this subject); *skarpt -t* (*fig*) well-defined.

avgrunn abyss, gulf, precipice; *en* ~ *av fortvilelse* an abyss of despair; *på -ens rand* on the brink of the precipice; (*fig*) on the verge of ruin.

avgrøft|e drain. **-ing** drainage, draining.

avgud false god, idol. **avguderi** idolatry; *drive* ~ *med* idolize. **avguderisk** idolatrous.

avguds|bilde idol. **-dyrkelse** idolatry. **-dyrker** idolater.

avgå (*dra bort*) set off, depart, start, leave; sail; (*fra embete*) retire; ~ *til* leave for; ~ *ved døden* die, depart this life; *-ende post* outward mail; *den -ende regjering* the outgoing Ministry; *-ende skip* outgoing ships, sailings.

avhandling treatise, thesis, dissertation (*om* on).

avhaspe wind off, reel off.

avhende dispose of; (*overdra*) transfer, make over, alienate (*til* to). **avhendelig** transferable. **avhendelse** disposal, alienation, transfer(ence).

avheng|e: ~ *av* depend on. **-ig** dependent (*av* on); *gjensidig -e av hverandre* (mutually) interdependent. **-ighet** dependence. **-ighetsforhold** (state of) dependence (*til* on).

avhente collect, call for, claim.

avhjelpe (*et onde*) remedy, set right; (*urett*) redress (*fx* a wrong); (*savn, etc*) supply; meet (*fx* a long-felt want); (*lette, mildne*) relieve (*fx* distress); *-nde tiltak* relief measure(s), remedial action.

avhold abstinence, temperance; *total-* total a.

avholde 1 (*la finne sted*) hold (*fx* a course, a dance), arrange; 2 (*holde fra*) keep, prevent, restrain, stop (*fra å* from *-ing*); ~ *seg fra* (*nekte seg*) abstain from; (*fristelse*) refrain (*el.* abstain) from.

avhold|else holding (*fx* the h. of a general meeting). **-ende** abstinent, abstemious. **-enhet** abstinence; abstention, abstemiousness.

avholds|folk teetotallers, total abstainers. **-kafé** temperance café. **-løfte** (total abstinence) pledge. **-mann** teetotaller, total abstainer. **-saken** teetotalism, the temperance movement.

avholdt liked, popular; *ikke* ~ disliked, unpopular; *meget* ~ *av* a great favourite with, very popular with.

avhøre interrogate, take statements from; (*vitne i retten*) examine, hear.

avhøring hearing, examination, interrogation.

avis newspaper, paper; *gå med -er* do a newspaper round; *holde en* ~ take (in) a paper; *sette noe i -en* insert sth in the newspaper; *si opp en* ~ discontinue a n., cancel (*el.* discontinue) one's subscription to a n.; *skrive i -ene* (*om innlegg*) write to the papers.

avis|and (newspaper) hoax, canard. **-artikkel** article; (*kort*) paragraph.

avis|bud newsman, newsboy. **-ekspedisjon** newspaper office.

avisfeide newspaper war, press controversy.

avislitteratur journalistic literature.

a viso (*merk*) after sight (*fx* bill payable a.s.).

avis|papir (*makulatur*) old newspapers; (*til trykning*) newsprint; *pakket inn i* ~ wrapped up in a newspaper. **-reporter** reporter; T newshound. **-salg** sale of newspapers. **-selger** (*på gata*) newsvendor, paper-man, paper-boy; *-s standplass* newsstand. **-skriveri** (*neds*) penny-a-lining. **-spalte** newspaper column.

a vista (*merk*) at sight.

avkall renunciation; *gi* ~ *på* give up, renounce, relinquish, waive; (*skriftlig*) sign away.

avkaste: *se kaste av.*

avkastning (*utbytte*) yield, profit(s), return, proceeds; *gi god* ~ yield (*el.* give) a good return, yield a good profit; *skogens* ~ the forest yield (*el.* crop).

avkjem|me comb off; *-t hår* combings.

avkjøl|e cool; refrigerate; (*i is*) ice; *-es* cool (down). **-ing** cooling (down), refrigeration, chilling.

avkjønne unsex.

avklare (*væske*) make clear, clarify, defecate; (*fig*) clarify. **avklaring** (*også fig*) clarification.

avkle undress, strip; (*fig*) strip (*for* of); *-dd til beltestedet* stripped to the waist.

avkledning undressing, stripping. **-sværelse** dressing-room, dressing-cabin, cubicle.

avkok decoction.

avkom offspring, progeny; (*jur*) issue.

avkople: *se frakople & kople av.*

avkopling relaxation, recreation.

avkorte: 1. *se korte av & forkorte*; 2 (*gjøre fradrag*) deduct from.

avkortning (*fradrag*) deduction (*i* from), curtailment (*i* of); ~ *i arv* curtailment of an inheritance.

avkreft|e weaken, enfeeble; (*bevis*) weaken (the force of), invalidate. **-else** weakening, enfeeblement, invalidation. **-et** weakened, enfeebled.

avkreve: ~ *en noe* demand sth from (*el.* of) sby.

avkristne dechristianize.

avkrok hole-and-corner place, out-of-the-way place.

avkrysse: *se krysse av.*

avl (*grøde, avling*) crop, produce, growth; (*kveg-*) breeding.

avlagre mature, season; *-t* (*om varer*) well seasoned.

avlagt: *se avlegge*; *-e klær* cast-off (*el.* discarded) clothes (*el.* clothing); T cast-offs.

avlang oblong.

avlaste relieve (*for* of, from).

avlastning relief; *som* ~ *for* for the r. of.

avlat indulgence. **-sbrev** letter of indulgence. **-skremmer** pardoner.

avle (*frembringe*) beget, procreate; generate, engender; (*fig*) beget, breed, engender; *-t i synd* begotten in sin; (*av jorda*) raise, grow.

avlede (*om vann, etc*) draw off, drain off; (*lede bort*) divert (*fx* his attention, the river into another valley); (*til jord*) earth, ground; (*gram, ♂, ♪*) derive; ~ *varme* conduct away heat; ~ *mistanken fra ham* divert suspicion from him; *et -t ord* a derivative.

avledning diversion, drawing off; earthing, grounding; (*gram*) derivation.

avlednings|endelse (derivative) suffix. **-manøver** (⚔ & *fig*) diversion, diversionary manoeuvre; *foreta en* ~ (*fig*) draw a red herring across the track (*el.* trail). **-rør** outlet tube. **-tegn** ♪ accidental.

avle|dyktig procreative, prolific. **-dyktighet** capability of procreation.

avlegge 1 (*glds* = *ta av seg, legge fra seg, slutte å bruke*); 2 ⚓ (*avtegne på kart*) chart, mark; 3 (*typ*) distribute; 4 (*bier*) hive; ~ *ham et besøk* pay him a visit (*el.* call); ~ *bevis på noe* give proof of sth; ~ *ed* take an oath; ~ *en prøve* submit to a test, undergo (*el.* have) a t.; (*se beretning, løfte, regnskap, tilståelse, vitnesbyrd*).

avlegger ⚘ cutting, layer; (*av bier*) swarm.

avlegs antiquated, obsolete, out of date.

avleir|e deposit; ~ *seg* settle, form layers. **-ing** deposit, layer, stratum.

avles|e read. **-ning** reading.

avless|e: *se lesse av.* **-ing** unloading, tipping.

avlever|e deliver. **-ing** delivery.

avling (*årsgrøden*) crop, produce; (*se avle*).

avliv|e put to death, kill; (*påstand*) dispose of; (*teori*) explode; ~ *et rykte* scotch a rumour, put an end to a r. **-else** putting to death.

avlokke draw from; wheedle out of; ~ *ham en tilståelse* elicit a confession from him.

avls|bruk 1. home farm; 2 (*landbruk*) agriculture, farming. **-dyr** breeder. **-hoppe** brood mare. **-stasjon** breeding centre (*el.* farm). **-valg** (natural) selection.

avlukke (*lite*) cubicle; (*kott*) closet.

avlure: ~ *en noe* worm sth out of sby; (*se avlokke*).

avluse delouse.

avlyd (*språkv*) ablaut, gradation.

avlys|e cancel, declare off, call off; ~ *en panteobligasjon* cancel a mortgage; ~ *et foredrag*, (*,et møte, et salg*) cancel a lecture (*,a meeting, a sale*). **-ning** cancelling, cancellation.

avlytte (*tlf & tlgr, fra linjen*) tap; T milk; (*tlf, fra sentralen*) listen in on the telephone; (*tlf & radio, som arbeid*) monitor.

avlønn|e pay. **-ing** pay, salary.

avløp discharge, issue, outward flow; (*mulighet for å renne bort*) outlet; (*åpning*) outlet, outfall; (*i kum, badekar, etc*) plug-hole; *gi* ~ *for sine følelser* give vent to one's feelings; (*se vann*).

avløps|grøft drain, ditch. **-hull** (*rennesteinssluk*) gully-hole; (*i badekar, etc*) plug-hole. **-renne** gutter. **-rør** drain pipe; (*fra takrenne*) downpipe; (*fra håndvask, etc*) waste pipe; (*fra toalett*) soil pipe. **-tut** spout.

avløs|e (*vakt, arbeid*) relieve; (*følge etter*) succeed, replace, follow, supersede; ~ *vakten* relieve the watch. **-er** relief (man), successor.

avløsning relief.

avlåse lock (up).

avmag|re emaciate. **-ring** emaciation.

avmagringskur reducing treatment, slimming t.

avmakt impotence; (*besvimelse*) swoon, faint; *falle i* ~ fall into a faint (*el.* swoon).
avmarsj marching off, march; departure.
avmarsjere march (off), depart.
avmektig (*kraftløs*) powerless, impotent; fainting, in a fainting fit, in a swoon. **-het** impotence, powerlessness.
avmerke mark out (*el.* off).
avmønst|re discharge, pay off, sign off; *mannskapet -rer* the crew signs off. **-ring** discharge, paying off; (*sjømannens*) signing off.
avmålt measured, formal; *med -e skritt* with measured steps. **-het** formality, reserve.
avparere parry; (*et spørsmål*) fence.
avpass|e adapt (*etter* to), suit, fit, adjust, proportion. **-ing** adaptation, adjustment.
avpatruljere patrol.
avpress|e press out, squeeze out; ~ *en noe* extort (*el.* force) sth from sby, wring sth from sby. **-ing** pressing; extortion; (*jvf utpressing*).
avpussing finish, polish.
avreagere (*psykol*) abreact; work off (*fx* one's annoyance); T blow off steam.
avregning settling of accounts, settlement; (*skriftlig oppgave*) statement (of account), account; *avslutte en* ~ balance an account; *foreta* ~ settle (accounts); *gjøre* ~ *med* settle (accounts) with.
I. avreise (*subst*) departure, setting out; *kort før vår* ~ *hit* shortly before we left to get here; (*ofte*) just before we came here.
II. avreise (*vb*) depart, start, set out, leave (*til* for).
avrette (*mur*) level; (*dressere*) train; (*hest*) break in.
avrigge unrig, dismantle, strip.
avring(n)ing (*tlf*) ring-off.
avrisse (*vb*) outline, trace.
avrivning tearing off; *kalde -er* sponging(s) with cold water. **avrivnings|blokk** (tear-off) pad. **-kalender** tear-off calendar.
avrund|e round (off); *-et* (*om stil*) well balanced, rounded. **-ing** rounding (off).
avrust|e disarm. **-ning** disarming, disarmament.
avsanne deny, contradict; *regjeringen -t meldingen* the Government issued a denial of the report.
avsats (*hylle i bergveggen*) ledge; (*trappe-*) landing.
avsavn deprivation. **-sgodtgjørelse** compensation (*fx* for loss of holiday); compensatory allowance.
avse afford, do without, spare; ~ *til* spare for; ~ *tid til å* find time to.
avseil|e sail; ~ *fra* sail from, leave. **-ing** sailing; *før -en* before sailing.
avseilings|flagg signal for sailing, Blue Peter. **-ordre** sailing orders. **-tid** time of sailing.
avsend|e forward, send (off), dispatch; (*med skip*) ship; (*penger, også*) remit. **-else**, **-ing** dispatch, sending, shipment; *ved -(e)n* at the time of shipment, on shipment. **-er** sender, dispatcher; (*avskiper*) shipper; (*i radio*) transmitter.
avsender|adresse return address. **-anlegg** (*radio*) wireless transmitting station, transmitter. **-kontor** (*post*) office of dispatch; (*telegr*) office of origin.
avsetning 1 (*salg*) sale; (*marked*) market; 2 (*i regnskap*) appropriation, allocation; 3 (*avleiring*) deposition; 4 ⚓ (*avsats på mast*) hound, step; (*på dekk*) break; *dekk uten* ~ flush deck; 5 (*jur*) sequestration; 6 (*med transportør*) protraction; *finne* (*el. få*) *dårlig* ~ sell badly; *finne* (*el. få*) *god* ~ sell well, find a ready market (*el.* sale), meet with a ready sale; *det er god* ~ *på denne varen* this article is selling well (*el.* readily); *det er ingen* ~ *på disse varene* there is no market for these goods, these goods will not sell; *livlig* ~ a brisk sale; *finne* (*el. få*) *rivende* ~ sell rapidly, have a rapid sale; T sell like hot cakes; *vi har rivende* ~ *på dette produktet* (*også*) we are doing a roaring trade in this product;

finne ~ *på* find a sale (*el.* a market *el.* an outlet) for; *foreta -er til skatter* make provision for taxes.
avsette (*fra embete*) remove; dismiss; (*konge*) depose, dethrone; (*selge*) dispose of, sell, find a sale (*el.* market) for; (*på kart*) mark off, lay down; ♂ deposit; (*midler*) set aside, set apart (*fx* funds); appropriate; (*jur*) sequestrate.
avset|telig removable; saleable, marketable. **-telighet** removability; saleability. **-telse** removal, dismissal; deposition, dethronement.
avsi: ~ *dom* give judg(e)ment; pronounce (*el.* pass) sentence; (*se dom*).
avsides remote, out-of-the-way; (*adv*) aside; ~ *replikk* aside.
avsidesliggende outlying (*fx* an o. farm).
avsile strain off; *avsilte erter* strained pea soup.
avsindig mad, crazy; (*rasende*) frantic; *en* ~ a maniac; (*se gal*).
avsjelet lifeless, dead, inanimate.
avskaff|e abolish, do away with; abrogate. **-else** abolishing, abolition; abrogation.
avskalling peeling (off); 𝔗 desquamation.
avskilte (*bil*) remove the number plates from; *bilen ble -t* the car had its number plates removed.
avskip|e ship; *fortsette å* ~ continue shipments. **-er** shipper.
avskipning shipping, consignment, shipment. **-sdokumenter** (*pl*) shipping documents. **-ssted** place of shipment. **-stid** time of shipment.
avskjed (*avskjedigelse*) dismissal, discharge; (*frivillig*) retirement, resignation; (*det å skilles*) parting; (*det å ta avskjed*) leave, leave-taking; *få* ~ *i nåde* be honourably discharged; *få* ~ *på grått papir* T be sacked (*el.* fired); *gi en* ~ dismiss sby; *søke* ~ retire (from office); *ta* ~ take (one's) leave; *ta* ~ *med dem* take leave of them; *gå uten å ta* ~ take French leave; *-en mellom dem* their parting; *-en mellom mor og sønn* the parting of mother and son; *til* ~ at parting; *et ord til* ~ a parting word; *ved -en* at parting; *when he* (,*etc*) left, at his (,*etc*) departure.
avskjedige dismiss, discharge. **-t** dismissed; (*som har tatt avskjed*) retired.
avskjeds|ansøkning resignation. **-beger** parting cup, stirrup cup. **-hilsen** parting salutation. **-kyss** parting kiss. **-lag** farewell party. **-ord** parting word. **-preken** farewell sermon. **-scene** parting scene. **-stund** hour of parting.
avskjære (*skjære av*) cut; (*avbryte*) cut, interrupt; (*utelukke*) bar, preclude; ~ *en ordet* cut sby short; ~ *en tilbaketoget* cut off sby's retreat; ~ *en veien* intercept sby; *avskåret fra å svare* not in a position to answer, precluded from answering.
avskjæring cutting off, preclusion, interception; (*av damp*) cut-off;(*balje*) tub. **-sventil** cut-off valve.
avskoge deforest.
avskrap|e scrape (off). **-ing** scraping (off); (*hud-*) abrasion.
avskrekk|e deter, frighten;(*mildere*) discourage; *han lar seg ikke* ~ he is not to be daunted. **-elsessystemet** (*jur*) the deterrent system. **-ende** deterring, discouraging; *fremholde en som et* ~ *eksempel* make an example of sby.
avskrift copy, transcript; *bekreftet* ~ certified copy; *rett* ~ certified correct; *ta* ~ *av* take a copy of; *-ens riktighet bekreftes* = I certify this to be a true copy.
avskriftsfeil error in copying, transcriber's e.
avskrive (*merk*): ~ *en sum* write off a sum; (*fig*) discount (*fx* this possibility is heavily discounted by politicians).
avskriv|er copyist. **-erarbeid** copying work. **-erfeil:** *se avskrifts-*. **-ning** copying, transcription; (*merk*) writing off.
avskum (*slett person*) scum (of the earth).
I. avsky (*subst*) violent dislike (*for* of, for); disgust (*for* at, for, towards); detestation (*for* of); loathing (*for* of, for); abhorrence (*for* of); aversion (*for* to, for); *få* ~ *for* come to loathe; (*mildere*) take a dislike to; *vekke hans* ~ disgust him; (*se også pest*).

II. **avsky** (*vb*) detest, abhor, abominate, loathe. **avsky(e)lig** abominable, detestable, odious, hateful, disgusting, loathsome. **-het** (*litt.*) detestableness; (*handling*) atrocity.

avskygning (*nyanse*) shade, nuance.

avskutt (*perf. part.*): *han fikk armen* ∼ he had an arm shot off.

avskår|et (*adj*): *-ne blomster* cut flowers; (*se avskjære*).

avslag 1 (*i pris*) reduction (of *el.* in prices); (*godtgjørelse*) allowance; (*rabatt*) discount; 2 (*forkastelse, avvisning*) rejection; (*avvisende svar*) refusal; *et bestemt* ∼ a flat refusal; *få* ∼ be refused, meet with a refusal; *gi* ∼ *i prisen* reduce the price, make a reduction; *gi en et* ∼ *på 2s.* knock 2s. off the price; *gi en et* ∼ refuse sby's request, refuse sby.

avslapning, avslappelse relaxation; slackening.

avslappet limp, listless.

avslip|e (*slipe bort*) grind (off). **-(n)ing** grinding (off).

avslitt (*adj*) worn.

avslutning 1. closing, conclusion, termination; close, end, finish; 2 (*inngåelse av kontrakt, etc*) conclusion, entering, making; 3 (*det ytterste av noe*) end; (*det øverste*) the upper end, the top; 4 (*fest ved skole*) end-of-term celebration; (*ofte*) Prize Day, Speech Day, breaking up; *bringe noe til en* ∼ bring sth to a conclusion (*el.* close); *skolen holdt en fest ved -en av kurset* the school gave a party to celebrate the end of the course; *the s. gave a celebration (party) at the end of the c.; *hopperen hadde en fin* ∼ (*på sitt hopp*) the jumper rounded off (*el.* finished off) his flight nicely; (*se også ferdig*).

avslutte 1 (*fullføre*) finish, conclude, close, bring to a close (*el.* conclusion), end; 2 (*inngå*) conclude, make (*fx* m. a contract); 3 (*gjøre opp bøker, etc*) close, balance; ∼ *en forretning* (*el.* *handel*) close a transaction (*el.* bargain); (*se også årsregnskap*).

avsløre 1. = *avduke*; 2 (*røpe*) disclose, bring to light, reveal; 3 (*blotte noe slett*) expose (*fx* a crime), show up (*fx* a fraud, a swindler); ∼ *sitt indre jeg* reveal one's inner self (*el.* one's ego).

avslå (*en anmodning, bønn*) refuse, deny; (*tilbud*) refuse, reject; (*høfligere*) decline; (*angrep*) repulse, repel, beat off.

avsmak distaste, dislike; *få* ∼ *for* take a dislike to; *gi en* ∼ *for* give sby a distaste for.

avsnitt (*av sirkel, bue*) segment; (*av bok*) section; (*passus*) passage; (*tids-*) period; ‹*nytt* ∼› (*ved diktat*) «new paragraph»; *sørge for skikkelig overgang mellom -ene* (*i stil*) see that one paragraph leads on to the next.

avson|dre separate; isolate; ⚕ secrete. **-dret** isolated, retired; *leve* ∼ live in retirement, lead a retired life.

avsondring separation; isolation; ⚕ secretion.

avsone serve (one's time).

avspark (*fotball*) kick-off.

avspeile reflect, mirror; ∼ *seg* be reflected.

avspeiling reflection.

avspenning relaxation; (*polit*) détente.

avspent relaxed, less tense.

avsperre bar, block up.

avspise: ∼ *en med noe* put sby off with sth.

avspore (*vt*) derail (*fx* a train); (*vi*): *se spore av*; *-t ungdom* young people (who have) gone astray.

avsporing derailment.

avstamning descent, extraction, origin; *et ord av gresk* ∼ a word of Greek derivation (*el.* origin), a word derived from Greek.

avstand distance; *i en* ∼ *av* at a distance of, within a distance of; *med en* ∼ *av to tommer mellom hver* at intervals of two inches; *den* ∼ *telefonsamtalen går over* the distance to which the call is made; *på* ∼ at a distance; *på lang* ∼ from a great distance; *få begivenhetene litt på* ∼ get (the) events in their proper perspective; (*se også uhildet*); *holde seg på god* ∼ *fra noe*

give sth a wide berth; *holde en på* ∼ keep sby at a distance, keep sby at arm's length; *ta* ∼ *fra* keep aloof from, dissociate (*el.* differentiate) oneself from; (*se behørig*).

avstands|bedømmelse judging of distance. **-innstilling** (*fot*) focusing; *bildet er tatt med gal* ∼ the picture is out of focus. **-måler** range finder, telemeter.

av sted away, off, along; ∼ *med deg!* off you go! be off! *komme galt* ∼ get into a scrape; (*også om pike*) get into trouble.

avstedkomme cause, occasion, bring about.

avstemme 1 (*avpasse*) harmonize, adapt, attune; 2 (*farger*) match, harmonize; 3 (*radio*) tune (in), syntonize; *være avstemt etter* (*fig*) be attuned to; (*se også avstemt*).

avstemning (*se avstemme*) harmonization, attuning; matching; tuning (in), syntonization, syntony; (*stemmeavgivning*) voting, vote; (*hemmelig*) ballot; (*parl*) division; (*skriftlig, især ved stortingsvalg*) poll(ing); *foreta* ∼ take a vote (‹*poll, ballot*) (*fx* a question), proceed to a vote; (*parl*) divide (*fx* on a question); *hemmelig* ∼ voting by ballot, secret vote, ballot; *vedtatt uten* ∼ passed without being put to the vote; ∼ *ved håndsopprekning* voting by (a) show of hands.

avstemt (*se avstemme*) harmonious; matched; syntonic, in tune; *i vakkert -e farger* in delicately blended (*el.* matched) colours.

avstenge (*stenge ute el. inne*) shut off, cut off.

avstengt (*om dør, etc*) locked, bolted, barred; (*fig*) secluded, sequestered.

avstigning dismounting, alighting; *av- og påstigning utenom holdeplassene forbudt* passengers may not enter (*el.* board) or leave the train except at the appointed stopping places.

avstik|ke mark out, stake out; (*vin*) rack off. **-kende** incongruous; (*om farge*) glaring, gaudy; (*fig*) eccentric, conspicuous. **-ker** detour; (*i talen*) digression.

avstive stay, support, hold up; (*vegg*) shore up; (*med murverk*) buttress; (*gjøre stivere*) stiffen.

avstraff|e punish; chastise. **-else** punishment; chastisement; *korporlig* ∼ corporal punishment.

avstumpe dull, blunt, truncate; (*sløve*) dull, blunt. **-t** blunt, blunted, obtuse, truncated.

avstøp(ning) casting; (*konkret*) cast.

avstå (*overlate*) renounce, give up, relinquish, make over; (*landområde*) cede, surrender (*til* to); ∼ *fra* (*oppgi*) desist from. **-else** renunciation, relinquishment; (*av land*) surrender, cession.

avsvekke weaken, enfeeble; *en -t vokal* a weakened vowel.

avsverg|e abjure, renounce; (*se I. tro*). **-ing** abjuration, renunciation.

avsvi (*vb*): *se svi av*; *en -dd landsby* a burnt-down village.

avsøk|e search; ✗ reconnoitre. **-ning** search(ing); reconnaissance.

avta (*minske, svekkes*) fall off, decrease, decline; (*om sykdom, vind*) abate; *farten -r* the speed slackens. **-gende:** *månen er i* ∼ the moon is waning; *hans popularitet er* ∼ his popularity is on the wane; (*se utbytte*). **-ger** (*kjøper*) buyer, purchaser. **-gerland** importing country, customer (country). **-ging** (*i kort*) cut, cutting.

avtakle dismantle, unrig; (*mast*) strip.

1. **avtale** (*subst*) agreement, appointment, arrangement; *etter* (*forutgående*) ∼ *as* previously arranged, according to a previous arrangement; *etter* ∼ *med Smith* as I (,we, *etc*) had arranged with Smith; *det er en* ∼ that is a bargain; *er det en* ∼? (*avgjort*) that's settled, then? T is it a go? *det var en fast* ∼ it had been definitely agreed (on); *treffe* ∼ make an arrangement (*om å* to); *treffe* ∼ *med en* (*om å møtes*) make an appointment with sby; *jeg er her ifølge* ∼, *jeg har en* ∼ *her* (*også*) I am here by appointment; (*se forutgående, gjensidig & tiltredelse*).

II. **avtal|e** (*vb*) agree on, appoint, fix, arrange; *dersom intet annet er -t* (*også*) in the absence of any understanding to the contrary; *det er -t at P. skal møte (fram) kl. 14* it has been agreed that P. is to come at 2 o'clock; *foreløpig kan vi ~ at jeg ringer Dem fra X på torsdag* for the present we can arrange that I ring you up from X on Thursday; *(se ndf: avtalt).*

avtaleloven *(jur)* [Norway's] contract act of 1918].

avtalt *(adj)* arranged, agreed (up)on; *~ møte* appointment, rendezvous; *~ spill* a put-up job; *levering vil skje som ~* delivery will be made *(el.* effected) as agreed; *til ~ tid* at the appointed time *(el.* hour).

avtjene: *~ sin verneplikt* do one's military service; *(i England)* do one's national service; *avtjent verneplikt* completed service.

avtrappe graduate, scale (down) *(fx* wages).

avtrede *(subst)* lavatory.

avtrekk *(for røyk)* outlet, vent; *hard i -et (om våpen)* hard on the trigger; *han er sen i -et (fig)* he is rather slow off the mark. **-er** trigger; *(utløser)* (shutter) release; *trykke på -en* pull the trigger. **-erbøyle** trigger guard. **-erfjær** trigger spring.

avtrykk 1 *(i bløtt stoff)* imprint *(fx* his shoes left imprints on the ground), impression; 2 *(reproduksjon, opptrykk)* print, impression, copy, reprint; 3 *(prøve-)* (brush) proof.

avtvinge: *~ en noe* extort *(el.* force) sth from sby; *~ en et løfte* exact a promise from sby.

avvei wrong way; *føre på -er* mislead, misguide, lead astray; *komme på -er* go astray, go wrong, get off the right path.

avveie *(fig)* weigh *(fx* one's words, the chances); *~ sine uttrykk* choose one's expressions carefully, mind one's p's and q's.

avvekslende *(adj)* alternating; varied, varying; *(adv)* alternately, by turns; *et ~ landskap* a varied landscape; *~ hvitt og sort* white and black alternately.

avveksling 1 *(forandring)* change; break *(fx* they want a b. from the routine of factory or office); 2 *(variasjon)* variety, change, variation; *en behagelig ~* a pleasant change *(fx* it makes a p. c.); *bringe ~ i hans tilværelse* lend variety to his existence; *han liker litt ~* he likes a change, he is fond of ringing the changes; *som en ~* by way of variety; *til en ~ for* a change *(fx* he was quite polite for a c.).

avven|ne *(fra å die)* wean; *(fra stimulanser)* cure; *man må få ham -t med det* he must be broken of the habit.

avvente await, wait for; *~ begivenhetenes gang*

await developments, await (the course of) events; T wait and see; *~ nærmere ordre* await further instructions; *~ sin sjanse* wait for *(el.* await) one's chance, watch one's opportunity.

avventende waiting, expectant; *innta en ~ holdning* adopt *(el.* take up) a waiting attitude.

avverge ward off, parry, avert.

avvergende deprecating *(fx* he made a d. gesture), deprecatory.

avvik deviation; departure; *(kompassnålens)* deviation; *det er et ~ fra* it is a departure from; *uten ~* undeviating(ly), unswerving(ly).

avvik|e *(vike av, skeie ut)* swerve, depart, deviate, diverge; *(være uoverensstemmende)* differ *(fra* from), disagree (with), be at variance (with). **-else:** *se avvik.*

avvikende diverging; *(innbyrdes)* divergent, mutually contradictory.

avvik|le unroll, unwind; *~ en forretning* wind up a business; *det vil ta flere timer å ~ løpet* it will take several hours to get through *(el.* finish) the race. **-ling** unrolling, unwinding; winding up (of a business).

avvirke: *se hogge.*

avvise 1 *(nekte adgang)* refuse (admission); send away, turn away; 2 *(forkaste)* reject, turn down; *(lovforslag, også)* throw out; 3 *(avslå, si nei til)* refuse *(fx* an offer of marriage, a request); *(høfligere)* decline; *(andragende, benådningsansøkning, etc)* dismiss; 4 *(hånlig tilbakevise)* spurn; 5 *(nekte å anerkjenne)* repudiate; 6 ⚔ repel, repulse *(fx* an attack, the enemy); *~ som fremmed vev* reject as a foreign tissue *(fx* suppress the mechanism which might cause his new heart to be rejected as a foreign tissue); *~ en anke* dismiss an appeal; *han lar seg ikke ~* he will not be refused, he will take no refusal; he won't be put off *(el.* rebuffed); *en kan ikke ~ den mulighet at . . .* one cannot exclude the possibility that.

avvisende unsympathetic, discouraging, deprecatory; *et ~ svar* a refusal; *stille seg ~ til* decline, refuse *(fx* r. an offer).

avviser|rekkverk guard rail, safety *(el.* guard) fence. **-(stein)** corner post. **-stolpe** guide post.

avvisning *(se avvise)* refusal (of admission), sending away, turning away; rejection; dismissal; spurning; repudiation; repulse. **-sgrunn** *(jur)* ground for dismissal of a case. **-skjennelse** *(jur)* order of dismissal; nonsuit *(fx* the plaintiff was nonsuit(ed)).

avvæp|ne disarm. **-ning** disarming, disarmament.

B

B, b; B, b; ♪ *(fortegnet)* flat; *(tonen)* B flat; *b for a* ♪ A flat; *dobbelt b* ♪ double flat; *sette b for* ♪ flatten; *B for Bernhard* B for Benjamin.

Babel: *-s tårn* the Tower of Babel.

babelsk Babel-like, Babylonian; *~ forvirring* Babel, Babylonian confusion.

bable babble, speak indistinctly.

I. babord *subst* ⚓ port; *om ~ on* the port side, to port.

II. babord *adj* ⚓ port; *~ baug* the p. bow.

III. babord *adv* ⚓ aport; *hardt ~* hard a.; *~ med roret* port the helm.

baby baby; *bytte (bleie) på -en* change baby's nappy; T change baby.

baby|forkle *(spisesmekke)* feeder, apron with a bib. **-golf** midget golf. **-kurv** bassinette.

Babylon *(geogr)* Babylon. **-ia** Babylonia.

babylonier, babylonsk Babylonian.

baby|seler *(pl)* baby reins. **-seng** (baby) cot, crib. **-tøy** baby wear *(el.* things).

baek *(i fotball)* (full) back.

backfisch teen-ager, girl in her teens.

baeon bacon; *frokost-* breakfast b.

bad bath, bathroom; *(sjø-)* bathe, swim; *(kur-)* hydro; spa; *(badeanstalt)* (public) baths; *ta et ~* take *(el.* have) a bath; *(utendørs)* go for a swim, go bathing; *et varmt ~* a hot bath; *ligge ved ~* take the waters (at a spa); *han fikk et ufrivillig ~* he got a soaking.

bade take *(el.* have) a bath; *(utendørs)* go for a swim, go swimming, go bathing; bathe; *(i sola)* bask, sun-bathe; *(del av legeme)* bathe *(fx* one's eyes, a swollen finger); *~ et barn* give a child a bath, bath a child; *dra ut for å ~* go for a bathe *(el.* swim); *-t i svette* bathed in perspiration; *-t i tårer* in (a flood of) tears.

bade|anlegg 1. bathing facilities; 2. = *-anstalt.* **-anstalt** (public) baths; *(svømmebasseng)* swimming pool; *(svømmehall)* swimming bath; *(kur-)* hydro. **-balje** (bath) tub. **-basseng** bathing *(el.* swimming) pool. **-bukse** (swimming) trunks, swim briefs. **-drakt** bathing costume, b. suit, swimsuit; *todelt ~* two-piece b. s. **-dukke** bathable doll. **-dyr** rubber beach toy. **-gjest** 1. bather, holiday maker; (*ofte* =) visitor; 2 (*neds*) specimen (*fx* a nice s.). **-hette** bathing cap. **-hotell** seaside hotel. **-hus** bathing hut; (*på hjul*) bathing machine. **-håndkle** bath towel. **-kar** bath tub, bath, tub. **-kåpe** bathing wrap, bath robe.

badeliv bathing, seaside life, the life of a seaside resort; crowd of bathers; *i X er det et yrende ~ X* is teeming with bathers, bathing is in full swing at X.

badende (*subst*) bather.

bade|nymfe bathing beauty. **-plass** bathing place (*el.* beach). **-rett** access to bathing beach; *tomt med ~* site with a. to b. b. **-ring** bathing ring. **-salt** bath salts. **-sesong** bathing season. **-stamp** wooden bath tub.

badested 1 (*strandbredd*) bathing place (*el.* beach); 2 (*by*) seaside resort, watering place; 3 (*ved mineralsk kilde*) spa; health resort; (*vannkuranstalt*) hydro.

bade|strand bathing beach. **-ulykke** bathing accident; (*dødelig*) fatal b. a., bathing fatality. **-vann** bath water; *kaste barnet ut med -et* throw out the baby with the b. w.; *tappe (~) i karet* fill up the bath tub; *tappe ut -et* run off the b. w. **-vekt** bathroom scales. **-værelse** bathroom.

bading bathing; *omkomme under ~ be* (*el.* get) drowned while bathing.

badstubad steam bath; (*finsk*) Finnish bath, sauna.

badstue bathhouse.

bag 1 (*sekk, veske*) bag; 2 (*barnevogns-*) carry -cot.

bagasje luggage; (⚭ & US) baggage; *reise med lite ~* travel light.

bagasje|brett, -bærer (*på sykkel, etc*) (luggage) carrier. **-forsikring** luggage insurance. **-grind:** *se takgrind.* **-nett** (luggage) rack. **-oppbevaring** (*jernb*) left-luggage office, cloakroom. **-rom** luggage compartment; (*i bil, også*) l. locker, l. space, boot. **-vogn** (*jernb*) luggage van; US baggage car.

bagatell trifle; *henge seg i -er* make a fuss over trifles; *kaste bort tiden med -er* trifle away one's time; *det er en ren ~* it is nothing, it is a mere trifle.

bagatellisere minimize, belittle; (*med forakt*) pooh-pooh.

bagatellmessig trifling.

Bagdad (*geogr*) Baghdad.

bagler [member of the Bishops' party in the Norwegian civil wars].

bagvogn (*barnevogn*) pram with detachable carry-cot.

Bahamaøyene (*geogr*) the Bahama Islands, the Bahamas.

bai (*tøy*) baize.

I. baisse (*subst*) decline of the market, fall in prices (*el.* quotations); (*sterkt*) slump; *spekulere i -n* bear, speculate for (*el.* on) a fall.

II. baisse *vi* bear, speculate for (*el.* on) a fall.

bajas clown; (*fig*) buffoon; *spille ~* play the b.

bajasstreker (*pl*) buffoonery.

bajonett bayonet; *med opplantede -er* with fixed bayonets.

I. bak 1 (*rygg, bakside*) back (*fx* the b. of one's hand); 2 (*bakdel*) behind, seat, posterior(s); (*vulg*) bottom; (*se rumpe*); (*dyrs*) hindquarters, haunches; 3 (*bukse-*) seat (of the trousers); *falle på -en* fall on one's seat (*el.* behind), sit down (*fx* his skis ran away with him and he sat down); *ha mange år på -en* be well on in years; *han har 20 år på -en* he is twenty; *lage ris til egen ~* make a rod for one's own back, lay up trouble for oneself; (*se III. bak*).

II. bak (*prep*) behind, at the back of, in (*el.* at) the rear of; *~ kulissene* (*fig*) behind the scenes; (*på teater*) off-stage; *stå ~* (*være årsak til*) be at the bottom (*el.* back) of; *han er ikke tapt ~ en vogn* he is no fool; T he is up to snuff, there are no flies on him.

III. bak (*adv*) behind, in the rear, at the back (*fx* the dress fastens at the b.); *~ fram* back

to front; *få et spark ~* T get a kick in the seat of one's pants, get a kick on one's behind; (*vulg*) get a kick in the bottom (*el.* rear); *han ga gutten et spark ~* T he kicked the boy's behind; *ligge ~* (*stikke under*) be at the bottom (*el.* back) of (it); *her ligger det noe mer ~* there is more to this than meets the eye; *se på noe både foran og bak* look at sth in front and behind; *de som sto bak, presset seg fram* those in the rear (*el.* at the back) pressed forward.

bak|aksel rear (*el.* back) axle. **-ben** hind leg; *reise seg på -a* (*fx om hest*) rear on its hind legs, rear; *sette seg på -a* (*fig*) show fight, cut up rough. **-binde:** *~ en* tie sby's hands behind his back, pinion sby. **-bygning** back building (*el.* premises). **-dekk** (*på bil*) rear tyre (US: tire). **-del** (*menneskes*) behind, seat, posterior(s); (*vulg*) bottom, backside; (*især dyrs*) hindquarters, haunches. **-dør** back door; (*især om skjult inngang*) postern (door); *holde en ~ åpen* (*fig*) leave a line of retreat open for oneself; *gå -a* 1. go in by the back door; 2 (*fig*) use underhand means to gain one's end. **-dørs-politikk** backstairs policy.

bake bake; *~ brød* bake (*el.* make) bread; *kan du ~?* do you know how to bake? *hun er flink til å ~* she is good at making pastry; *~ seg i sola* bask in the sun.

bakelitt bakelite.

bakende 1. hind part, posterior end, tail-end, rear end; 2. = *bakdel.*

baken|for behind, at the back of. **-fra** = *bakfra.* **-om** = *bakom.*

bake|plate (*for stekeovn*) oven plate, baking shelf; US baking sheet. **-pulver** baking powder.

baker baker; *gå til -en* go to the baker's; *gi -ens barn brød* carry coals to Newcastle; *rette ~ for smed* [make the innocent suffer for the guilty].

baker|butikk baker's (shop). **-gutt** baker's boy (*el.* apprentice). **-håndverk** baker's trade.

bakeri bakehouse, bakery. **baker|laug** baker's company. **-lære:** *er i ~* is apprenticed to a baker. **-mester** (master) baker. **-ovn** bakery oven. **-skuffe** peel.

bakerst (*adj*) hindmost; (*adv*) at the (very) back; *de -e* those at the back; *-e rekke* the back row.

bakersvenn journeyman baker.

baketter (*prep*) behind, after; (*adv*) afterwards; (*jvf etter & etterpå*).

bakevje back eddy; (*også fig*) backwater; (*fig*) impasse, deadlock; *industrien befinner seg i en ~* the industry is stagnating; *forhandlingene var kommet inn i en ~* (the) negotiations had reached a deadlock (*el.* had arrived at an impasse); *vi må komme oss ut av denne -n* we must pull ourselves out of this backwater.

bakfra from behind, from the rear; (*baklengs*) backwards (*fx* say the alphabet b.); *hun dolket ham ~* she stabbed him in the back.

bak fram back to front.

bak|gate back street. **-grunn** (*også fig*) background; *komme* (*el.* tre) *i -en* (*fig*) recede into the b. (*fx* they have rather receded into the b.); *danne -en for* form the b. of, serve as a b. to; (NB the Yorkshire which is the b. to her novel); *holde seg i -en* keep (oneself) in the b.; efface oneself; T take a back seat; *sett på ~ av* (viewed) in the light of; *det må ses på ~ av* it must be viewed (*el.* seen) against the background of; *måtte tre i -en for* was eclipsed by. **-grunns-kulisser** (*pl*) upstage scenery. **-gård** backward; back premises. **-hjul** rear (*el.* back) wheel. **-hode** back of the head. **-hold** ambush, ambuscade; *legge seg i ~ for* waylay; *ligge i ~ for* lie in wait for. **-hånd** ✝ fourth hand, last player; *ha noe i ~* have sth in reserve; have sth up one's sleeve; (*se trumf*). **-håndsmelding** fourth -hand bid.

bak i (*prep & adv*) in (*el.* at) the back of; *se ~ boka* look at the end of the book; *sitte ~ bilen* sit in the back of the car.

Bakindia (*geogr*) Further India.
I. bakk (*subst*) ⚓ forecastle (*fk*: fo'c'sle) head.
II. bakk (*adv*) ⚓ aback; *brase* ~ brace a.
bakkanal bacchanal. **bakkant** bacchant. **-inne** bacchante. **-isk** bacchantic.
I. bakke (*subst*) hill, rising ground, rise; (*høyde*) hill, eminence, elevation; (*jordsmonn*) ground; *midt i -n* halfway up the hill; *oppover-* uphill; *nedover-* downhill; *det går nedover- med ham* he is going downhill; *på -n* on the ground.
II. bakke (*brett*) tray; salver.
III. bakke (*slags snøre*) long line.
IV. bakke *vb* (*seil, maskin*) back; ~ *fyrene* bank the fires; ~ *av* back off; ~ *opp* (*støtte*) back up; ~ *ut* back out.
bakke|drag range of hills. **-hell** slope; hillside. **-kam** hill crest. **-kneik** short, steep (part of) slope; (*fig*) difficulty. **-land** hilly country.
bakkels pastry; (*jvf vann-*).
bakkenbart whiskers.
bakke|rekord (*ski*) hill record; *hva er -en der?* what is the record for that hill? **-sjef** (*ski*) chief of the hill. **-skrent**, **-skråning** hillside, slope. **-start** (*med bil*) uphill start, hill start; (*det å*) starting while on a slope.
bakket hilly. **bakketopp** hilltop.
bak|klo hind claw. **-klok** wise after the event; US hindsighted; *være* ~ US have hindsight. **-klokskap** belated wisdom, wisdom after the event; US hindsight. **-knappet:** *en* ~ *kjole* a dress that buttons down the back. **-kropp** hind part (of the body); (*på insekt*) abdomen.
bakksag tenon saw.
Bakkus Bacchus. **bakkus|dyrker** Bacchanalian. **-fest** bacchanal (*pl*: -ia), drunken revelry. **-stav** thyrsus.
bak|lader breech loader. **-lastet** (too) heavily loaded at the back. **-lem** hind limb; (*på lasteplan*) tailboard, tailgate. **-lengs** backward; *falle* ~ fall over b. **-lengsløp** backward race. **-lomme** hip pocket. **-lykt** rear light, tail light. **-lås:** *døra er gått i* ~ the lock has jammed.
bakom behind, at the back of.
bakover backwards; *legge seg* ~ lie back; lean back.
bakoverbøyning (*gym*) back bend.
bakpart back part; hind part; (*på dyr*) hindquarters, haunches.
bak|på (*adv*) behind, at (*el.* on) the back; (*prep*) behind, at the back of, on the back of; *han fikk sitte* ~ *en lastebil* he got a lift on the back of a lorry; *komme* ~ *en* steal upon sby. **-re** hinder, rear. **-rom** (*i båt*) stern sheets. **-rus** hang-over (*fx* have a h.-o.).
bak|sete back seat; (*på motorsykkel*) pillion; US buddy seat; (*se eksosrype*). **-side** back; reverse (of a coin); *-n av medaljen* (*fig*) the other side of the picture; *på -n av* behind, at the back (*el.* rear) of; (*bakpå*) on the back of (*fx* the envelope). **-skjerm** rear mudguard, rear wing. **-slag** (*rekyl*) recoil, kick; (*i motor*) backfire.
bakst baking; (*porsjon*) batch.
bakstavn stern.
bakste|fjøl pastry board. **-helle** griddle. **-ved** firewood for baking.
bak|strev reaction. **-strever** reactionary. **-stuss** T bottom. **-svissel** cantle, hind bow. **-tale** slander, backbite, calumniate. **-talelse** slander, backbiting, calumny. **-taler**, **-talerske** slanderer, backbiter. **-talerisk**, **-talersk** slanderous, calumnious. **-tanke** secret thought, mental reservation, ulterior motive; T little game; *han kjente mine -r* he knew my little game. **-teppe** back cloth.
bakterie bacterium (*pl*: bacteria), germ, microbe. **bakteriedyrkning** cultivation of bacteria. **bakteriestamme** strain of bacteria. **bakteriolog** bacteriologist. **-i** bacteriology.
bak|trapp back stairs. **-tropp** rear party; *danne -en* bring up the rear. **-tung** back-heavy, tail-heavy. **-ut:** *slå* ~ kick out behind. **-vaske:** *se -tale.* **-ved** behind. **-vei** back way, rear entrance;

gå (*inn*) *-en* go in by the back door; *gå -er* (*fig*) use backdoor influence. **-vendt** turned the wrong way; (*fig*) awkward (*fx* this is a very a. way of doing it); (*adv*) the wrong way; awkwardly (*fx* he handled the tool very a.); *ta* ~ *fatt på en sak* put the cart before the horse. **-vendthet** awkwardness.
bakverk pastry, (cakes and) pastries.
bakværelse back room; (*i butikk*) back-shop.
balalaika (*russisk sitar*) balalaika.
balanse balance; *holde -n* keep one's balance; *miste -n* lose one's balance; overbalance; *gjøre opp -n* (*merk*) balance the accounts.
balanseoppgjør (*merk*) balance sheet.
balansere 1. balance, keep one's balance, balance oneself; poise oneself (*fx* p. oneself on one's toes); 2 (*merk: vise balanse*) balance (*fx* my accounts b.).
baldakin canopy, baldachin.
baldyre embroider.
bale (*streve*) struggle, toil.
balg (*slire*) sheath.
balje tub.
Balkan (*geogr*) the Balkans. **-halvøya** the Balkan Peninsula. **-statene** the Balkan States, the Balkans.
balkong balcony; (*i teater*) dress circle.
I. ball ball; *slå* ~ play the b.; *gjøre en* ~ (*biljard*) pocket a ball.
II. ball ball; *på -et* at the ball; *gå på* ~ go to a ball.
ballade (*dikt*) ballad; (T = *ståhei*) T row, shindy; *lage* ~ T kick up a row.
ballast ballast; *hive -en* unballast the vessel; *legge -en til rette* trim the ballast; *ta inn* ~ take in ballast.
ballblom ✿ globe-flower.
balldame lady at a ball; partner.
balldronning queen of the ball.
I. balle (*vare-*) bale; *en* ~ *papir* ten reams of paper.
II. balle (*tå-, hånd-*) ball.
III. balle: ~ *sammen* bundle up, huddle together.
ballerina (*danserinne*) ballerina.
ballett ballet. **-danser** b. dancer. **-danserinne** b. dancer, ballerina. **-mester** b. master. **-personale** (corps de) ballet.
ballfeber ball nerves.
ball|kavaler partner. **-kjole** dance frock (*el.* dress). **-kledd** dressed for a ball.
ball|kort programme. **-løve** ballroom lion.
ballong balloon; (*glass-*) balloon; (*i kurv*) demijohn, carboy.
ball|sal ballroom. **-sko** (*pl*) dancing shoes, ball slippers, (lady's) evening shoes. **-spill** (ball) game; (*det å*) ball playing. **-spiller** ball player. **-tre** bat.
balsam balsam; (*også fig*) balm. **-duft** balsamic odour.
balsamere embalm. **balsamering** embalming.
balsamisk balmy, balsamic, fragrant.
balstyrig ungovernable, unruly, refractory. **balstyrighet** refractoriness, unruliness.
baltisk Baltic.
balustrade balustrade.
bambus|rør bamboo cane. **-stokk** (bamboo) cane.
bamse bear; (*i eventyr*) (Master) Bruin.
banal commonplace, trite, banal.
banalitet commonplace, triteness, banality.
banan banana.
bananskall banana skin; US b. peel.
band: *se* **bånd.**
bandasje bandage.
bandasjere bandage, dress.
bandasjist truss maker; (*forretning*) surgical store(s).
bande gang.
bande|fører gang leader. **-medlem** gangster, member of a gang.

banderole banderol(e).
bandhund: se *bånd-*.
banditt bandit, brigand, gangster.
bandolær bandolier.
bandy bandy. **-kølle** bandy.
I. bane (*død*) death; *det hogget ble hans* ~ *that blow proved mortal to him*, that was his death blow.
II. bane 1 (*vei*) course, path, track; 2 (*jernb*) railway; US railroad; (*linje*) line, track; 3 (*veddeløps-*) running track, (racing) track; (*for hester*) racecourse, turf; 4 (*cricket-, fotball-*) ground, field; 5 (*golf-*) (golf) course, links; 6 (*kegle-*) skittle alley; 7 (*rulleskøyte-, kunstig skøyte-*) rink (*fx* skating r.), track (*fx* he holds the t. record for 10,000 metres); (*løperfelt*) lane (*fx* inside (‚outside) l.); 8 (*skyte-*) range; 9 (*sykkel-*) cycle -racing track; 10 (*tennis-*) (tennis) court; 11 (*prosjektils*) trajectory; 12 (*planets*) orbit; 13 (*uværs*) track; 14 (*livs-*) career, course; 15 (*på ambolt, hammer*) face; 16 (*papir-*) length; 17 (*på bildekk*) tread; 18 (*radio*) lane; *bryte seg nye -r* (*fig*) break new ground; *gå i* ~ *om* orbit (*fx* o. the sun); *øl i lange -r* T lots of beer; *i riktig* ~ (*om romskip*) on a true course; *med* ~ by rail; *bringe noe på* ~ bring sth up (*fx* b. up a subject); *slå inn på en* ~ enter on a course; (*se innendørs:* ~ *bane*).
III. bane (*vb*) level, smooth; clear; ~ *vei* clear the way; ~ *veien for* pave (el. prepare) the way for; ~ *seg vei* make one's way (*fx* through the crowd).
bane|arbeider (*jernb*) permanent way labourer. **-avdeling** (*jernb*) civil engineering department.
banebrytende epoch-making, path-breaking; *være* ~ be a pioneer; break new ground.
banebryter pioneer.
banedirektør (*jernb*) chief civil engineer; (*se jernbanedirektør*).
banefunksjonær (*ved stevne*) track official.
banehalvdel (*fotball*) side; *bytte* ~ change ends (el. goals); T change round; *inne på motpartens* ~ over the half-way line.
banehogg death blow, death stroke.
banelegeme (*jernb*) permanent way, superstructure.
bane|legge (*et bildekk*) retread, remould (*fx* a tyre); *et -lagt dekk* a retread, a remould.
baneløp track race.
banemann slayer.
bane|mester (*jernb*) district inspector. **-rekord** track record. **-strekning** section. **-stump** short stretch of line (el. track).
banesår mortal wound.
banevokter (*jernb*) lengthman.
bange: se *redd*.
banjerdekk (*nederste dekk*) orlop deck.
banjo banjo. **-ist** banjoist, banjo player.
I. bank (*pryl*) a thrashing, a beating.
II. bank (*pengeinstitutt*) bank; *i -en* at (el. in) the b.; *deponere i -en* deposit at the b.; *ha penger i -en* have money in (el. at) the b.; *sette i -en* pay into the b., deposit at the b.; *sette penger i -en* put money into the b., bank m., pay m. into the b.; *sprenge -en* ✛ break the b.; *pengene står i -en* the money is at (el. in) the b.; *ta penger ut av -en* take money out of the b., withdraw m. from the b.; *hvilken* ~ *bruker De?* with whom do you bank? who are your bankers?
bank|aksept banker's acceptance. **-aksje** bank (el. banking) share. **-anvisning** bank(er's) draft (*fx* a b. d. for £50). **-bok** bank book; (*kontra-*) passbook. **-bokholder** bank accountant. **-boks** safe-deposit box, (private) safe. **-bud** bank messenger. **-depositum** bank deposit. **-direksjon** board of directors (of a bank). **-direktør** bank manager; (*i nasjonalbank*) governor. **-diskonto** bank rate.
I. banke (*sand-, tåke-*) bank (*fx* fog b.).
II. banke 1 (*slå*) beat, knock, rap; (*lett*) tap; 2 (*pryle*) beat, thrash; (*se I. bank*); 3 (*rense for*

støv) beat (*fx* a carpet); 4 (*beseire*) beat, lick; ~ *grundig* beat hollow; 5 (*om lege ved undersøkelse*) tap; 6 (*om hjerte, puls*) beat, throb; 7 (*om motor med tenningsbank*) pink; (*jvf hogge*); *det -r sby is knocking*; *det -t* (*på døra*) there was a knock (at the door); *motoren -r* the engine has got a knock; (*om tenningsbank*) the e. is pinking; *-nde tinninger* throbbing temples; *bank i bordet!* touch wood! US knock on wood; ~ *noe inn i* (*hodet på*) *en* drum (el. knock) sth into sby('s head); ~ *på* (*døra*) knock (at the door).
banke|biff: se *-kjøtt*.
bankekjøtt 1 (*i rå tilstand*) stewing beef; 2 (*rett*) stewed steak.
I. bankerott (*subst*) bankruptcy, failure.
II. bankerott (*adj*) bankrupt; *gå* ~ go b.
bankesignal knocking (signal).
bankett (*fest*) banquet; (*veikant*) verge; US shoulder.
bankeånd rapping spirit.
bank|forretning banking business. **-funksjonær** bank clerk. **-heftelse** mortgage (granted to the bank). **-holder** (*bankør*) keeper of the bank.
bankier banker. **-firma** banking firm.
banking knocking; throbbing, beating; tapping.
bank|konto banking account. **-krakk** bank crash. **-lån** bank loan. **-note** bank note, US bank bill.
bankobligasjon bank bond.
bankobrev insured letter; US money letter; (*jvf rekommandert brev & verdibrev*).
bank|provisjon banker's commission. **-revisor** auditor (to a bank). **-sjef** bank director; (*bestyrer*) b. manager; (*i nasjonalbank*) governor.
bankør (*bankholder*) keeper of the bank.
bann ban, excommunication, anathema; *sette i* ~ excommunicate.
bannbulle bull of excommunication.
banne swear, curse; use profane language; ~ *som en tyrk* swear like a trooper; ~ *på* swear to; ~ *på at* swear that.
banner banner. **-fører** standard bearer.
banning cursing, swearing, bad language.
bannlys|e excommunicate, anathematize; (*forvise*) banish. **-ning** excommunication; banishment.
bann|satt confounded, infernal. **-stråle** fulmination (of an interdict).
bantam (*dverghøne*) bantam. **-vekt** bantam weight.
baptist Baptist.
I. bar (*på nåletrær*) sprigs of spruce or pine.
II. bar (*skjenke|disk, -rom*) bar.
III. bar (*adj*) bare; *med -e føtter* barefoot, in one's bare feet; *med -e ben* bare-legged; *på -e kroppen* on the bare skin; *i -e skjorta* in his shirt; *-t lys* a naked light.
barakke: se *brakke*.
bararmet bare-armed.
barbar barbarian.
barbari barbarism; (*grusomhet*) barbarity.
barbarisering barbarization.
barbar|isk barbarian, barbaric; (*grusom*) barbarous. **-isme** barbarism.
barbent barefoot(ed).
barber barber; (*ofte*) hairdresser.
barberblad razor blade.
barbere (*også fig*) shave; ~ *seg* shave.
barber|gutt barber's apprentice. **-høvel** safety razor. **-kniv** razor. **-kost** shaving brush. **-maskin:** *elektrisk* ~ electric shaver. **-rem** (razor) strop. **-salong** barber's shop. **-skilt** barber's pole. **-stell** shaving tackle (el. outfit). **-svenn** journeyman hairdresser, hairdresser's (el. barber's) assistant. **-såpe** shaving soap; *et stykke* ~ a shaving stick.
I. barde (*skald*) bard.
II. barde whalebone, baleen. **-hval** baleen whale.
bardun (*tau på skip*) (back)stay, guy (rope).
barde (*vb*): ~ *seg* help; *jeg kunne ikke* ~ *meg for å le* I could not help laughing; *jeg kunne ikke* ~ *meg* I could not help it.

II. bare 1 (*adv*) only; (*sterkere*) merely, just (*fx* j. one little bit), but (*fx* there is but one answer to that question); 2. *konj* (= *hvis* ~, *når* ~) if only (*fx* I'll pay you if you will only wait; if only you will tell me why), as long as; (= *gid*) I only hope, I (do) hope, if only (*fx* if only I were stronger); *hvis jeg* ~ *kunne!* how I wish I could! ~ *én gang* just once; ~ *gjør det* do it (by all means), go ahead and do it; ~ *hold munnen din!* you hold your tongue! ~ *le, De!* all right! laugh! *dagen gikk* ~ *så altfor fort* the day passed (by) all too quickly; *jeg skyndte meg så meget jeg* ~ *kunne* I was as quick as I could be; ~ *syng!* sing away! ~ *vent!* just (you) wait! *jeg arbeider som* ~ *det* I'm working flat out; *det er* ~ *det at . . .* only.

barett (*dame-*) toque; (*geistligs*) biretta.

barfot barefoot(ed).

barfrost black frost.

barfugl 🦃 capercaillie, wood grouse.

bar|halset bare-necked. **-hodet** bare-headed.

barhodist [person who refuses on principle to wear a hat or a cap]; *han er* ~ (*ofte* =) he is one of the no-hat brigade.

barhytte shelter of spruce branches.

I. bark (*skip*) bark, barque.

II. bark (*på tre*) bark; *mellom -en og veden* between the devil and the deep (blue) sea.

barkarole (*gondolførersang*) barcarol(l)e.

barkasse (*storbåten*) launch, longboat; (*sjefs-*) barge.

bark|e (*garve*) tan; (*avbarke*) bark, disbark; *-et* (*hardhudet*) horny, callous; (*værbitt*) weather -beaten.

barknaus bare crag (*el.* rock).

barlind ♣ yew.

barm bosom; *gripe i sin egen* ~ look nearer home.

barmeis 🐦 coal tit(mouse).

barmhjertig compassionate, merciful; *-e brødre* Brothers of Charity; *den -e samaritan* the good Samaritan; *-e Gud!* my God!

barmhjertighet compassion, mercy, pity; *ha* ~ *med oss!* have mercy (up)on us! **-sdrap** euthanasia, mercy killing. **-sgjerning** work of mercy.

barn child; (*spe-*) infant, baby, babe; ~ *født etter farens død* posthumous child; *han har ingen* ~ he has no family; *fra* ~ *av* from childhood; *være med* ~ be with child; T be in the family way; *anta i -s sted* adopt; *brent* ~ *skyr ilden* a burnt child dreads the fire, once bitten twice shy; *det vet hvert* ~ every schoolboy knows that; *av* ~ *og fulle folk får en høre sannheten* children and fools speak the truth.

barnaktig childish, puerile, infantile.

barnaktighet childishness, puerility.

barndom childhood; (*tidligste*) infancy; *handelens* ~ the infancy of commerce; *fra -men av* from childhood, from a very early age, ever since one was a child; *i min tidlige* ~ in early childhood; *gå i -men* be in one's dotage, be in one's second childhood.

barndoms|dager days of childhood. **-liv:** *se barndom.* **-venn(inne)** childhood friend.

barne|alder childhood. **-avl** the procreation of children. **-ball** children's dance. **-barn** grandchild. **-barnsbarn** great grandchild. **-begrensning** birth control, family planning. **-bidrag** (*til uekte barn*) paternity order; (*jvf -trygd*). **-bok** children's book. **-dåp** christening. **-eventyr** nursery tale. **-far** alleged father; *utla ham som* ~ fathered the child upon him. **-flokk** crowd of children; (*large*) family. **-fødsel** childbirth; ~ *i dølgsmål* concealment of birth. **-født:** *er* ~ *i N.* is a native of N.; ~ *på landet* country-born and bred. **-gråt** the crying of a child (,of children). **-gudstjeneste** children's service. **-hage** kindergarten. **-hagelærerinne** kindergarten teacher. **-hjem** orphanage, orphan home. **-kammer** nursery. **-kjole** child's frock. **-kopper** smallpox. **-krybbe** day nursery. **-lammelse** polio(myelitis), infantile paralysis.

barnelærdom what is learnt in childhood; *min* ~ what I learnt as a child (*el.* at my mother's knee); *det hører med til min* ~ I learnt that as a child (*el.* at my mother's knee).

barnemat 1. infant food, baby food; 2 (*lett*) child's play (*fx* that should be child's play for you).

barne|mor mother (of an illegitimate child). **-mord** child murder, infanticide. **-morder(ske)** infanticide. **-oppdragelse** education of children, (the) bringing up of children. **-pike** nurse; (*især yngre*) nursemaid. **-regle** dip, counting-out rhyme. **-rik** having many children; *-e familier* large families. **-rim** nursery rhyme. **-rov** kidnapping. **-rumpe** child's bottom; *glatt i fjeset som en* (*nyvasket*) ~ with a face as smooth as a baby's bottom; *as smooth in the face as a baby's b.* **-selskap** children's party. **-sko** child's shoe; *han har trådt sine* ~ he is no child. **-skrik** the howling (*el.* howls) of children. **-skrål** the shouts (*el.* screams *el.* screaming) of children.

barnesnakk 1. children talking; (*fig*) child's talk; 2 (*snakk om barn*) talk(ing) about children.

barne|spesialist children's specialist, pediatrist, pediatrician. **-språk** children's language; baby talk. **-stemme** child's voice. **-strek** childish trick. **-stue** (*på hospital*) children's ward. **-sykdom** children's disease; (*fig*) teething trouble(s), initial weakness. **-tro** the faith of one's childhood; *miste sin* ~ lose one's faith. **-trygd** family (*el.* children's) allowance (*fx* with two children one is entitled to an a. of . . .). **-utsettelse** exposure of infants. **-vakt** baby sitter, sitter-in. **-venn** friend to children. **-vennlig:** *se politikk.*

barnevern: *se -sarbeid.*

barneverns|arbeid child welfare work. **-nemnd** [child welfare authorities]; US juvenile authorities (*pl*); (NB *i England står vanskeligstilte* ,*etc*) *barn under tilsyn av en* Children's Officer, *ungdommer under 17 år under tilsyn av en* Probation Officer); *bli tatt hånd om av en -a* = be put in the care of a Children's (,Probation) Officer.

barne|vis: *på* ~ like a little child, as is the way of children. **-vise** song for children. **-vogn** perambulator; T pram; (*især US*) baby carriage. **-våk** [being kept awake at night by a child]; (*se også nattevåk(ing)*). **-år** childhood years.

barnlig 1 (*som er egen for barn*) childish; 2 (*om voksne, ikke neds*) childlike; 3 (*i forhold til foreldrene*) filial (*fx* love, obedience); ~ *uskyld* childlike innocence; (*jvf barnslig*).

barn|løs childless. **-løshet** childlessness.

barnsben: *fra* ~ *av* from childhood, from a child.

barnslig (*også neds*) childish; puerile, infantile. **-het** childishness.

barnsnød: *være i* ~ be in labour.

I. barokk *subst* (= *barokkstil*) baroque.

II. barokk (*adj*) odd, singular, grotesque.

barometer barometer. **-fall** fall of the b. **-kurve** barometric curve. **-stand** barometric height.

baron baron; *baron X* Lord X; (*om utenlandsk* ~) Baron X. **baronesse** baroness. **baronett** baronet, (*etter navnet fk til*) Bart., Bt. (*fx* Sir Lawrence Mont, Bart.).

baroni barony.

baronisere: ~ *en* make (*el.* create) sby a baron

barre (*av sølv, gull*) bar, ingot; ♣ bar.

barriere barrier.

barrikade barricade. **barrikadere** barricade.

barsel lying-in, confinement. **-feber** childbed fever, puerperal fever. **-gilde** christening party. **-kone** woman in confinement.

barselseng childbed; *dø i* ~ die in childbed; *komme i* ~ be confined; *ligge i* ~ lie in.

barsk harsh, stern, severe; (*om stemme, vesen*) gruff, rough; (*om blikk*) fierce, stern; *-t vær* inclement (*el.* severe) weather. **-het** harshness, sternness, gruffness, severity; inclemency.

barskog conifer(ous) forest.

barsle be confined, lie in.

bart moustache; US mustache.

bartap (*på bartrær*) blight (which attacks pines).

Bartolomæus Bartholomew. **-natten** the Massacre of St. B.

bartre ♣ conifer.

baryton barytone; US baritone.

barytonhorn ♩ euphonium.

bas 1. ganger, gang foreman; 2 (*den beste*) boss; (*kjernekar*) first-rate fellow; T brick.

basalt basalt.

basar bazaar; *holde* ~ arrange a b.; (*jvf utlodning*).

base ♂ & ♀ base.

Basel (*geogr*) Basle, Basel.

basere base, found, rest (*på* on).

basilika basilica; *i* -*stil* basilican.

basilisk basilisk, cockatrice.

basille bacillus (*pl*: bacilli), germ, microbe.

basillebærer germ carrier, (microbe) carrier.

basis (*grunnlag*) basis (*pl*: bases), foundation; ♀ base; (*mat*.) base; *på* ~ *av* on the basis of.

basisk ♂ basic; alkaline; *gjøre* ~ make alkaline, basify.

bask (*lydelig slag*) slap, thwack, smack.

baske slap, thwack; ~ *med vingene* flap its wings.

basketak brush, set-to, tussle.

basker, baskisk Basque.

basrelieff bas-relief.

bass ♩ bass, basso.

bassanger bass singer, basso.

basseng reservoir; (*havne-, etc*) basin; (*se bade-*).

bassist bass singer; bass player.

bass|note ♩ bass note. **-nøkkel** bass clef. **-stemme** bass (voice). **-streng** bass string.

bast bast; bass.

basta (*int*) enough of it! *og dermed* ~! and that's that! and that's flat! and there's an end of it!

bastant good-sized (*fx* loaf of bread), substantial (*fx* meal); well-built, powerfully built (*fx* fellow).

bastard 1. ♀, ♣ (*krysning*) hybrid; (♀, *også*) half-breed, crossbreed; mongrel (dog); 2 (*uekte barn*) bastard, natural (*el.* illegitimate) child; 3 (*person*) half-breed, half-caste, mestizo; (*sterkt neds*) mongrel. **-art** hybrid species. **-rase** hybrid race.

baste bind, tie; -*t og bundet* bound hand and foot.

bastion bastion.

bastskjørt = grass skirt.

basun trombone; (*bibl*) trumpet. **-blåser** trombone player, trombonist. **-engel** cherub.

batalje (*slagsmål*) fight.

bataljon battalion.

bataljonssjef battalion commander.

batist (*lintøy*) batiste, cambric.

batong baton, truncheon.

batteri battery; (*vannkran*) combination tap, mixing battery; ♩ percussion; -*et er utladet* the battery has gone flat (*el.* has got run down); *et utladet* ~ a run-down b.; -*et må lades opp* the b. needs recharging. **-dekk** gun deck.

baufil hack saw.

I. baug ♣ 1. bow(s), head; 2 (*bidevindskurs*) tack; *fyldig* ~ full bows; *le* (*,lo*) ~ lee (*,weather*) bow; *skurp* ~ lean (*el.* sharp) bow; clipper bow; *gi en et skudd for* -*en* (*også fig*) fire a shot across sby's bow; *på alle* -*er og ender* (*fig*) here, there, and everywhere.

II. baug: *se bog.*

baug|anker ♣ bower (anchor). **-bånd** ♣ breasthook, forehook. **-port** ♣ bow port. **-sjø** head sea. **-spryd** ♣ bowsprit.

baun beacon.

bausag hack saw.

baut ♣ tack, about; *gå* ~ tack, go about, stay; *gjøre hel* ~ wear (round ship); *gjøre* ~ *i motbakke* (*ski*) tack a slope; *den holdt på å gå* ~ ♣ she was in stays.

bautastein (old Scandinavian) stone monument.

baute go about, tack; ~ *seg opp* beat to windward.

bavian 🐒 baboon; (*båtvakt*) boatkeeper.

Bayern (*geogr*) Bavaria. **bayersk** Bavarian.

be 1 (*anmode*) ask, beg, request; tell (*fx* tell Mr. Smith to come over here); (*innstendig*) implore, entreat, beseech (*fx* they besought him to do it), beg (*fx* I beg of you to do nothing of the sort); (*nøde*) press; (*merk: tillate seg*) beg; 2 (*innby*) ask, invite (*fx* sby to a party); 3 (*en bønn, etc*) offer (up), say; 4 *vi* (*holde bønn*) pray, say one's prayers; 5 *vi* (*tigge*) beg; *jeg* -*r Dem unnskylde at jeg er så sen* I apologize for being so late; *min far* -*r meg hilse* (*Dem*) my father asks to be remembered to you; *det* -*s bemerket at . . .* please notice that . . .; -*s returnert innen ti dager* please return within ten days; *han lot seg ikke* ~ *to ganger* he did not need telling twice; ~ *seg fri* ask for a day (*,etc*) off, beg off; ~ *seg fritatt* beg to be excused, excuse oneself; ~ **for** *ham* intercede for him; (*til Gud*) pray for him; ~ *for sitt liv* ask them (*,etc*) to spare one's life, plead for one's life; ~ *ham* **inn** ask him to come in; *han ba meg inn* (*også*) he asked me in; ~ **om** ask (for) (*fx* ask sby's advice; ask for money; we will do as you ask), beg (for), request; (*til Gud*) pray for; ~ *ham om det* ask him for it, ask it of him; ~ *om ordet* ask permission to speak; ~ *om pent vær* (*fig*) cry mercy; *tør jeg* ~ *om saltet?* may I have the salt, please? may I trouble you for the salt? ~ **om at** *det må bli gjort* ask that it (may) be done; ~ **pent** ask nicely, plead (*fx* he pleaded with his father for more pocket money); *han ba så pent om å få bli med oss* he asked so pathetically to be allowed to come with us; ~ **til** *Gud* (*om det*) pray to God (for it); ~ *ham til middag* invite him for (*el.* to) dinner, ask him to d.; *jeg er bedt* **ut** *i kveld* I have got an invitation for tonight; *han hadde bedt henne ut på dans* he had asked her (to come out with him) to a dance; (*se frita, tigge, årsak*).

bearbeide 1 (*råstoffer, etc*) treat, work (up); (*maskinelt*) tool, machine, finish; (*jorda*) till, cultivate; 2 (*tillempe*) adapt (*fx* a book for the stage, a play from the French); revise (*fx* a book); edit (*fx* a manuscript); touch up (*fx* the story was touched up by a journalist); ♩ arrange; 3 (*prøve å overtale*) press, work on, influence, try to persuade, be at; (*valgkandidater*) lobby; 4 (*slå løs på*) belabour, hammer away at, pummel; ~ *et musikkinstrument* play away on a musical instrument; ~ *en sak* (*jur*) handle (*el.* deal with) a case, be on a case, be in charge of a c.

bearbeidelig workable, that lends itself to working up, tractable; (*om metaller*) ductile; (*på verktøymaskin*) machin(e)able. **-het** workability; machin(e)ability, machining properties.

bearbeidelse (*se bearbeide*) working (up), treatment, preparation; machining, finish(ing); (*av jorda*) tillage, cultivation; adaption, revision; arrangement (*fx* of a piece for the piano); persuasion; belabouring, pummelling.

bebo occupy, live in, dwell in; (*et land; om gruppe mennesker også hus*) inhabit; (*se også bebodd*).

bebodd (*hus, rom*) inhabited, occupied; (*av person som betaler leie*) tenanted; (*sted, etc*) inhabited (*fx* i. areas).

beboelig (*sted, etc*) (in)habitable; (*hus, etc*) (in)habitable, fit to live in, fit for habitation.

bebo|elighet habitableness. **-else** habitation. **-elseshus** dwelling house.

beboer occupier, occupant, inmate (*av et hus* of a house); resident (*av in, of*), dweller (*av in*); (*innbygger*) inhabitant (*fx* the earth and its inhabitants).

bebreid|e reproach, upbraid; ~ *ham en forseelse* reproach him with an offence. **-else** reproach.

bebreidende reproachful.

bebude announce, herald, betoken, foreshadow; *den* -*de opptrapping av krigen* the stepping up of the war that has been announced.

bebygge cover with buildings, build on;

develop; (*kolonisere*) settle, colonize; (*se også* *bebygd*).

bebygd built-up, built-over (*fx* area), built-on, developed (*fx* sites); *tett-* densely built-over; *for tett* ~ overbuilt.

bebyggelse 1 (*det å*) building (*av* on); 2 (*bygninger*) buildings, houses; 3 (*bebygd område*) built-up area; (*bosettelse*) settlement; *bymessig* ~ urban district; *høy* (*,lav*) ~ high (*,low*) houses; *spredt* ~ scattered houses; sparsely built-up area; *tett* ~ densely built-up area; close settlement.

bebyggelsesplan (*for område*) development plan.

bebyrde burden, encumber; *jeg vil ikke* ~ *Dem med* I will not trouble you with.

bed (*i en hage*) bed.

bedage: ~ *seg* (*stilne*) lull, abate, moderate.

bedagelig: *i et* ~ *tempo* at a leisurely pace; *han hadde et* ~ *vesen* he was a quiet, level-headed sort of man.

bedaget (*gammel*) aged, stricken in years.

bedding 1 (*underlag for skip*) slip, slipway; 2 (*bygge-*) building berth, stocks; 3 (*for fortøyning*) bitts; *kaste til -s* bitt the cable, take a turn round the bitts; *komme på* ~ *for å repareres* be hauled up on the slipway for repairs; *sette et skip på* ~ (ɔ: *påbegynne bygging av*) lay down a vessel.

beddings|bjelke crosspiece of the bitts; (*på treankerspill*) strongback. **-blokk** keel block. **-bolt** bitt bolt. **-klampe** (*på treankerspill*) cheek of a bitt. **-kran** ship-building crane. **-pute** bitt bolster. **-slag** bitter, turn round the bitts; *gjøre* ~: *se ovf*: *kaste til beddings*. **-slisker** (*pl*) bilgeways, sliding ways.

bede|dag day of prayer. **-hus** chapel; (*ofte* =) Little Bethel; US meeting house. **-kammer** oratory.

bedek|ke (*ved paring*) cover; (*om hest*) serve; *la et dyr* ~ have an animal mated; (*eskortere*) escort. **-ning** covering, cover; (*eskorte*) escort; (*astr*) occultation.

bedemann undertaker.

bederv|elig perishable. **-et:** *bli* ~ go bad; *varer som lett blir* ~ perishable goods.

bedeskammel kneeler, kneeling stool.

bedra deceive, impose upon, take in; (*for penger*) cheat, defraud; ~ *en for* swindle sby of; *skinnet -r* appearances are deceptive; *verden vil -s* the world will be taken in.

bedrag 1 (*selv-, illusjon*) delusion, illusion; 2 (*det å narre(s), svike(s)*) deceit, fraud, swindle; 3 = *bedrageri*; *et fromt* ~ a pious fraud; *et optisk* ~ an optical delusion (*el.* illusion); *list og* ~ ruse and trickery; *sansenes* ~ the deception of the senses.

bedrager cheat, swindler; (*svikefull person*) deceiver; (*som gir seg ut for en annen*) impostor.

bedrageri fraud, swindle; (*svik*) deception; imposture; (*sjøassuranse*) barratry; *gjøre seg skyldig i* ~ commit a fraud, act fraudulently.

bedragersk fraudulent (*fx* a f. transaction); (*falsk, svikefull*) deceitful; (*skuffende, villedende*) delusive; (*forrædersk*) treacherous; ~ *forhold* (*jur*) fraud; *i* ~ *hensikt* with fraudulent intent.

I. bedre better; *til det* ~ for the better; ~ *folk* T good-class people; ~ *kvalitet* better quality; superior quality; *en* ~ *middag* a good dinner; *bli* ~ get (*el.* become) better, improve; *dette blir* ~ *og* ~ this is getting better and better; *forlanger ikke* ~ desires no better; *De gjør* ~ *i å* you had better; *står seg* ~ is better off; *vet ikke* ~ knows no better; *ingen* ~ *?* (*ved auksjon*) going; (*se også vite*).

II. bedre *vb* (*forbedre*) better, improve; *-s* mend, improve; get better. **-stilt** better off.

bedrift exploit, achievement; (*næringsdrift*) trade, business; industry; enterprise.

bedrifts|gruppe industry group. **-idrett** [sport organized by firm for employees]. **-ledelse** management; (*personene*) board of managers; *dårlig* ~ bad management, mismanagement. **-lege** medical officer (of an industrial concern). **-renn** [skiing contest organized by firm for employees]. **-råd** industrial council; (*som representerer de ansatte*) works (*el.* shop) committee; staff committee. **-stans** 1 (*midlertidig*) interruption of work, stoppage (of work); breakdown (*fx* of machinery); 2 (*nedleggelse*) a closing down of works, shutdown, shutting down (*fx* the shutting down of a factory).

bedriftsøkonomi business administration; science of industrial management; (*jvf driftsøkonomi*).

bedriftsøkonomisk: *B- institutt* the Institute of Business Administration; *-e faktorer* (*kan fx gjengis*) factors affecting the operational efficiency (of the factory); *-e problemer* problems of practical economics; problems of business management.

bedring improvement; (*etter sykdom*) convalescence, recovery; *det er inntrådt en* ~ there is a change for the better; *han er i* ~ he is recovering; *god* ~! I hope you'll soon be better!

bedrive commit; (*bestille*) do; ~ *hor* commit adultery.

bedrøv|e distress, grieve, sadden; *-et* sorry, grieved, distressed (*over* at). **-elig** sad, dismal; (*ynkelig*) sorry. **-else** sorrow, distress, grief, sadness.

bedugge bedew. **-t** dewy; (*beruset*) slightly fuddled.

beduin Bedouin.

bedyr|e (*vb*) asseverate, protest, declare solemnly, avow (*fx* he avowed it to be true); ~ *sin uskyld* protest one's innocence; *han -te høyt og hellig at . . .* he solemnly declared that . . ; he swore that . . .

bedyrelse asseveration, solemn declaration, protestation; (*se forsikring & påstand*).

bedømme judge, judge of.

bedømmelse judgment, criticism.

bedømmelseskomité judging committee.

bedøv|e (*ved slag, støy & fig*) stun, stupefy; (*ved legemidler*) anaesthetize, narcotize; (*forgifte i vond hensikt*) drug; *-ende midler* anaesthetics, narcotics. **-else** stupefaction, narcotization; (*tilstand*) stupor; *under* ~ under an anaesthetic. **-elsesmiddel** anaesthetic, narcotic.

bedår|e charm, captivate, fascinate; (*sterkere*) infatuate. **-ende** charming, delightful, enchanting, ravishing, delicious.

beedige confirm by oath, swear (to); *-t erklæring* sworn statement, declaration on oath, affidavit.

befal [commissioned and non-commissioned officers]; *vernepliktig* ~ reserve officers; ~ *og mannskap* ♣ officers and crew; ~ *og menige* all ranks.

befale (*byde*) command, order; ~ *over* command; *De har bare å* ~ you only have to say the word; *som De -r* as you please.

befal|ende commanding; peremptory, imperative. **-ing** command, order(s); *etter* ~ *av* by order of; *ha* ~ *over* have the command of; *på hans* ~ at his command; (*se også kommando & ordre*). **-ingsmann** officer (in command).

befals|elev (*hær & flyv*) officer cadet. **-skole** (*også* US) officers' training school. **-skoleelev:** *se -elev.*

befare (*undersøke*) survey; (*beseile*) navigate; ~ *en elv* navigate a river.

befaren: *se halvbefaren & fullbefaren.*

befaring survey; navigation.

befatning dealings; *ha* ~ *med en* (*også*) have to do with sby.

befatte: ~ *seg med* have to do with, occupy oneself with, concern oneself with.

befengt: ~ *med* infested with.

beferdet frequented, crowded, busy; *gata er sterkt* ~ (*også*) the street carries a great deal of traffic.

befest|e (*styrke*) consolidate, confirm, strengthen; ✕ fortify; ~ *sitt ry* consolidate (*el.* establish) one's reputation. **-ning** fortification; **-er** (*også*) defensive works, defences.

befestningsanlegg fortifications, defensive works.

befinne find; ~ *seg* be, find oneself; *hvorledes -r De Dem?* how are you? how do you feel?

befinnende health, state of health; *spørre etter ens* ~ inquire after sby's health.

befipp|else perplexity, flurry. **-et** flurried, disconcerted, perplexed; *gjøre* ~ flurry, disconcert.

beflitte: ~ *seg på å* ... endeavour to, strive to, try hard to, do one's best to.

befolk|e people, populate; (*bebo*) inhabit; *tett -et* densely (*el.* thickly) populated (*el.* peopled); *tynt -et* sparsely (*el.* thinly) p. **-ning** population; *en tallrik* ~ a large p.; *hele Londons* ~ the whole p. of London.

befolknings|overskudd surplus population. **-statistikk** population statistics. **-tetthet** density of (the) p., p. density (*fx* the highest p. d. in Europe). **-tilvekst** increase in population.

befordre (*sende*) forward; (*transportere*) convey, carry; (*fremme*) further, promote; ~ *en over i evigheten* S bump sby off; ~ *videre* (re)forward.

befordring forwarding; conveyance; furtherance, promotion; (*se befordringsmiddel*).

befordrings|kontrakt transport contract. **-middel** (means of) conveyance. **-måte** mode of conveyance.

befrakte freight, charter; (*slutte*) fix.

befrakt|er charterer. **-ning** freighting, chartering, affreightment. **-ningskontrakt** (*certeparti*) charter party (*fk* C/P). **-ningsregler** (*pl*) rules of affreightment; (*i England*) the Carriage of Goods by Sea Act.

befri free, set free, release; liberate; ~ *for* free from, deliver (*el.* save) from, rid of; (*frita for*) exempt from; ~ *en for noe* (*også*) take sth off one's hands; ~ *familien for sitt nærvær* relieve the family of one's presence. **-else** freeing, deliverance, release; liberation; (*fritagelse*) exemption. **-er** deliverer, liberator.

befrukt|e fertilize, fecundate; (*bare om dyr*) impregnate; (*fig*) inspire, stimulate. **-ning** fecundation, fertilization; *kunstig* ~ (artificial) insemination.

befruktnings|dyktig capable of fertilizing; (*som kan besvangres*) capable of conceiving, c. of becoming pregnant. **-evne** fertilizing capacity; ability to conceive. **-hindrende** contraceptive; ~ *middel* contraceptive.

befullmektige empower, authorize. **-t** (*subst*) attorney, proxy; (*adj*) authorized; ~ *minister* (minister) plenipotentiary.

beføle feel; (*fingre på, famle hen over*) finger; T paw.

beføyd, beføyet justified, authorized; (*grunnet*) well founded, just, justified.

begave: ~ *med* endow with.

begav|else gifts, powers, talents. **-et** gifted, talented; *han er* ~ (*også*) he possesses talent; *en* ~ *gutt* a naturally gifted boy; *høyt* ~ brilliant; *musikalsk* ~ musical; *svakt* ~ backward.

begeistr|et (*adj*) enthusiastic; (*adv*) enthusiastically; *bli* ~ *for noe* become enthusiastic over sth, take a fancy to sth. **-ing** enthusiasm (*for* for, about); *i den første* ~ in the first flush of enthusiasm.

beger cup, beaker, goblet; *-et fløt over* the cup was full to overflowing; *dråpen som får -et til å flyte over* the last straw (that breaks the camel's back); *-et er fullt* my (,his, *etc*) cup is full; *tømme gledens* ~ *til bunns* drain the cup of pleasure to the dregs.

beger|blad ♣ sepal. **-klang** clinking of glasses. **-svinger** (*spøkef*) tosspot; *gamle -e* seasoned tosspots.

begge both; (*hver av to*) either; *vi* ~ both of us,

we both; ~ *to* both; ~ *deler* both; *som* ~ both of whom, who both of them; *i* ~ *tilfelle* in either case.

begi: ~ *seg* go, proceed (*til* to); ~ *seg på vei* set out; ~ *seg på en reise* proceed upon (*el.* set out on) a journey.

begivenhet event, occurrence, incident; *fattig på -er* uneventful; *hele verden venter i spenning på -enes videre utvikling* the whole world anxiously awaits the march of events; (*se avstand, uhildet, I. vente, verdens|begivenhet, -historisk*).

begjær desire, appetite, lust.

begjære desire, covet; (*forlange*) demand; ~ *en til ekte* ask sby's hand in marriage; *du skal ikke* ~ *din nestes hustru* thou shalt not covet thy neighbour's wife.

begjæring (*anmodning*) request; (*krav*) demand.

begjærlig (*adj*) desirous (*etter* of); eager (*etter* for); (*grisk*) greedy, covetous, avid; ~ *etter å* eager to.

begjærlighet (*griskhet*) desire, covetousness, greed(iness), avidity.

beglo stare at.

begonia ♣ begonia.

begrave bury, inter; (*fig*) bury.

begravelse funeral; burial, interment.

begravelses|avgifter funeral fees. **-byrå** firm of undertakers; US funeral home. **-omkostninger** funeral expenses. **-ritual** burial service. **-skikker** funeral ceremonies, burial customs.

begrense bound; (*holde innen visse grenser*) limit; (*innskrenke*) reduce, restrict, curtail; ~ *seg til* limit (*el.* confine) oneself to; *jeg -t meg til det aller nødvendigste* I confined myself to (the) bare necessities; I did not go beyond what was strictly necessary.

begrenset limited; restricted; *utgave i* ~ *opplag* limited edition; *ilden var nå* ~ the fire was now within bounds.

begrensning limitation; restriction, curtailment.

begrep notion, idea, conception (*om* of); (*sjeldnere*) seg ~ *om* form an idea (*el.* notion) of; *det har jeg ikke* ~ *om* I have no idea; *står i* ~ *med å* is going to, is about to, is ready to, is on the point of -ing, is in the act of -ing.

begrepsforvirring confusion of ideas.

begrip|e understand, comprehend; (*tenke seg*) conceive; *hva jeg ikke -er, er at* ... T what gets me beat is that ... **-elig** comprehensible, conceivable; *forsøkte å gjøre ham* ~ *at* ... tried to make him understand that ... **-eligvis** of course.

begripelse: *langsom i -n* T slow in (*el.* on) the uptake.

begrodd overgrown (*med* with); (*om skipsbunn*) foul.

begrunne (*motivere*) state the reason for, give (the) grounds for; (*godtgjøre, bevise*) give proof of, make good; (*være grunnen til*) be the cause of, underlie; *jeg vet ikke hva han -r sitt krav med* I do not know on what grounds his claim rests; *vel -t* well-founded.

begrunnelse (*motivering*) reasons, grounds; (*argument*) argument; (*underbyggelse*) basis; *med den* ~ *at* on the ground that.

begunstig|e favour; US favor. **-else** favour; US favor.

begynne begin, start (*med* with); commence; ~ *å snakke* begin to speak (*el.* speaking), start speaking (*el.* to speak); *jeg må* ~ *å pakke* I must get on with my packing; *du -r å bli stor pike nå* you are getting a big girl now; *det -r fint, må jeg si!* (*iron*) that's a nice start, I must say! *vinteren -r tidlig* the winter sets in early; ~ *sin egen husholdning* set up house for oneself; ~ *et nytt* (*og bedre*) *liv* turn over a new leaf; ~ *igjen* begin over again, start afresh; ~ *på noe* begin sth (*fx* he began the essay); (*se skole*); *vel begynt er halvt fullendt* well begun is half done.

begynnelse beginning, commencement, outset; *i -n* at first, to begin with; *i -n av krigen* in (*el.* during) the early part of the war; *i -n av talen* in the early part of his speech, at the beginning of his speech; *straks i -n* at the very beginning; at the (very) outset; right at the start; *fra -n til enden* from beginning to end; *-n til enden* the beginning of the end; *begynne med -n* begin at the beginning; *gjøre -n* take the first step; *ta sin ~* begin; *det er bare -n — hva blir det neste? (fig, ofte)* it is the thin end of the wedge.

begynnelses|bokstav initial; *stor ~* initial capital; *liten ~* small initial letter. **-grunner** (*pl*) rudiments, beginnings, elements.

begynnende incipient.

begynner beginner, novice. **-arbeid:** *et ~* the work of a beginner. **-bok** primer. **-kurs** elementary course.

begå commit (*fx* a crime).

behag pleasure, satisfaction; *etter ~* at pleasure, as you like; *finne ~ i* take pleasure (*el.* delight) in.

behage please; *som De -r* as you please; *hva -r?* (I) beg your pardon? (*forbløffet*) what? *behag å ta plass* please sit down, sit down (if you) please; *anstrenge seg for å ~* try hard to please; make an effort to please.

behagelig agreeable, pleasant; (*tiltalende*) engaging, attractive; *forene det nyttige med det -e* combine the useful with the agreeable; *et ~ vesen* pleasant manners, a pleasant manner.

behagelighet pleasantness, agreeableness.

behage|lyst desire to please. **-syk** anxious to please. **-syke** excessive desire to please.

behandle handle, manage, deal with; (*godt, dårlig*) treat, use; (*drøfte*) discuss; (*handle om*) treat of; (*patient*) treat; *~ en dårlig* treat sby badly, ill-treat sby; *~ en sak* handle a case.

behandling management; treatment, usage; discussion; *gi en kunde reell ~* give a customer a fair deal. **-småte** (mode of) treatment, manner of dealing with sth; **𝔶** therapy.

behansket gloved.

behefte burden, encumber; *eiendommen var sterkt -t* the estate was heavily mortgaged; *-t med gjeld* encumbered with debt.

beheftelse encumbrance.

behendig dexterous, deft, nimble; *han kom seg meget ~ ut av det hele (fig)* he got out of it very neatly. **-het** dexterity, nimbleness.

behenge: *behengt med ordener* plastered with decorations.

behersk|e rule (over), govern, sway, master; (*lidenskap, stemme*) be master of, control; *-et optimisme* mild optimism (*fx* there is reason for m. o.). **-else** rule, sway, mastery, command; *~ av (kyndighet i)* command of, mastery of.

behjelpelig: *være en ~* help (*el.* assist) sby, lend sby a helping hand.

behjertet dauntless, intrepid, resolute. **-het** courage, intrepidity, resolution.

behold: *er i ~* remains, is left; *i god ~* in safety, safe and sound; (*især om varer*) in good condition.

beholde keep, retain; *la en ~ noe* leave sth to sby, let sby keep sth; *la en ~ livet* spare sby's life; *~ frakken på* keep one's coat on.

beholder container, receptacle; (*tank*) tank.

beholdning stock (in hand), supply; (*kasse*) cash balance; (*se slutt*).

behov (*subst*) need, requirement; *legemlige ~* bodily needs; *etter ~* according to requirement; as required; *dekke sitt eget ~* cover (*el.* meet) one's own requirements (*el.* needs); supply one's own needs; *dekke Deres ~* meet (*el.* cover *el.* fill) your requirements (*el.* needs) (*fx* we can meet your r. in (*el.* of) coffee); *dekke -et (også)* meet (*el.* supply) the demand; *ha ~ for* need, require, be in need of; *det er ~ for flere skip* there is a need (*el.* demand) for more ships; (*se også dekke*).

behovsdekning provision for needs; satisfaction of wants (*el.* needs); covering of requirements.

behovsprøving means test.

behørig (*adj*) due, proper; *i ~ form* in due

form; *i ~ stand* in proper condition; *holde seg på ~ avstand* keep at a safe distance; *på ~ måte* duly; in due form.

behøve need, want, require, stand in need of; *det -s ikke* there is no need for that; *du -r ikke å komme* you need not come; *du -r ikke møte meg på stasjonen* don't trouble to meet me at the station; *er det noen som -r å få vite det?* need anybody know? *det -r man ikke fortelle ham (o: fordi han allerede vet det)* he doesn't need to be told; *det -r neppe å sies* it need hardly be said.

behåret hairy.

beile: *~ til* make love to, woo, court; *~ til ens gunst* court sby's favour.

beil|er suitor, wooer. **-ing** wooing, courtship.

bein: *se ben.*

beinfly race along, chase along; *han liker å gå på skiturer, men tilhører ikke dem som -r i fjellet* he likes cross-country skiing, but he's not one of those who races across the mountains.

beis stain. **beise** (*vb*) stain; (*metall*) pickle.

I. beite (*agn til fisk*) bait.

II. beite grazing land, pasture.

III. beite (*vb*) graze.

bek pitch. **-aktig** pitchy.

bekjemp|e fight, oppose, combat, struggle with; fight down. **-else** fight (*av* against), combating (*av* of); *tiltak til ~ av* measures for combating.

bekjenn|e (*tilstå*) confess; (*innrømme*) admit, confess (to); *~ kulør (fig)* show one's colours; *~ seg skyldig* plead guilty; *~ seg til en religion* profess a religion.

bekjenn|else (*tilståelse, tros-*) confession; (*av religion*) profession; *gå til ~* make confession, make a clean breast of it. **-er** one who professes or follows (a religion); *Edvard B-en* Edward the Confessor.

I. bekjent (*subst*) acquaintance; *en god ~* a friend.

II. bekjent (well-)known; noted, familiar; *det er alminnelig ~ at* it is common knowledge that; *så vidt meg ~* as far as I know; *som ~* as is (well) known, as you know; *~ for* known for, famous for; *~ med* acquainted with; familiar with; *jeg kan ikke være ~ av at* I would not have it known that; *det kan vi ikke godt være ~ av* we could not very well do that; *du kan ikke være ~ av annet* you cannot in decency do otherwise; *den boka kan du ikke være ~ av* you can't admit to writing a book like that; *vi kan ikke være ~ av å selge slike varer* it won't do for us (*el.* it won't pay us) to sell such goods; *du kan ikke være ~ av den hatten* you can't appear in (*el.* be seen with) that hat.

bekjent|gjøre make known, announce; (*i blad*) advertise, publish. **-gjørelse** announcement, (official) notice; advertisement.

bekjentskap acquaintance; *gjøre* (*el. stifte*) *~ med* become acquainted with, make the acquaintance of; *ved nærmere ~* on closer acquaintance.

bekjentskapskrets circle of acquaintances.

bekk brook; beck; (*skotsk*) burn; US creek; *liten ~* brooklet; *gå over -en etter vann* = miss the obvious; (*ofte* =) take unnecessary trouble; US go all around the barn to find the door.

bekkasin 🐦 (*enkelt-*) common snipe; (*dobbelt-*) great snipe. **-snipe 🐦** red-breasted snipe.

bekkeblom 🌸 (*soleihov*) marsh marigold.

bekke|drag, -far course of a brook.

bekken basin; (*stikkbekken*) bedpan; (*musikk-instrument*) cymbal; (*anat*) pelvis.

bekkesig brooklet, trickle.

beklag|e regret, deplore; *~ en* be sorry for sby, pity sby; *~ seg over* complain of; *jeg -r meget at* I am very sorry that; *jeg -r å måtte meddele Dem* I regret to inform you; I regret having to inform you; *han er meget å ~* he is much to be pitied. **-elig** regrettable, deplorable, unfortunate.

beklagelse regret; *det er med ~ jeg må meddele Dem at* it is with regret that I have to inform you that; *vi ser med ~ at De ikke kan godta våre betingelser* we note with regret (*el.* we regret to note) that you cannot accept our terms; (se for øvrig beklage, forsinkelse, purring & se).

beklagelsesverdig pitiable, to be pitied.

bekle cover; ~ et embete fill (el. occupy) an office, hold an o.; ~ med papir paper; ~ med bord (,planker) board (,plank); ~ med metallplater case with (el. encase in) metal sheets.

bekledning (klær) clothing; (overtrekk av bord) boarding; (innvendig) lining.

bekledningsgjenstand: se klesplagg.

beklemmelse uneasiness, anxiety.

beklemt anxious, uneasy, down-hearted.

beklemthet anxiety, uneasiness.

beklippe (hekk) trim; (fig) curtail, abridge.

beknip: være i ~ T be in a jam; be in a tight corner (el. spot); komme i ~ get jammed.

bekomme agree with; det vil ~ Dem vel it will do you good; det bekom ham ille at han he fared the worse for (-ing); vel ~! (ved måltidet sies ikke noe tilsvarende i England); (iron) much good may it do you!

bekomst: få sin ~ be done for; (bli skjelt ut) S cop it (hot); han fikk sin ~ they (,etc) settled his hash; han har fått sin ~ he had it coming to him.

bekoste pay (el. defray) the cost of, pay for.

bekostning cost, expense; på min ~ at my expense; på egen ~ at his (,etc) own e.; på offentlig ~ at (the) public e.; på ~ av av the e. of; på ~ av sannheten at the sacrifice of truth.

bekranse wreathe, garland.

bekransning wreathing (fx w. of the statue).

bekrefte 1 (stadfeste) confirm, corroborate, bear out; 2 (erkjenne) acknowledge; 3 (bevitne riktigheten av) attest (fx a signature), witness; verify (fx a document); ~ mottagelsen av acknowledge receipt of; rett avskrift -s certified (to be) correct; en -t avskrift (el. gjenpart) a certified copy.

bekreftelse confirmation, corroboration; affirmation; acknowledg(e)ment; attestation; verification; til ~ av in confirmation of; (jur) in witness of; ~ på confirmation of.

bekreftende affirmative; in the affirmative; (se benektende).

beksvart pitchy, pitch-black.

bektråd wax-end, waxed thread.

bekvem (passende) fit, fitting, proper, suitable; (beleilig) convenient; (lett) easy; (makelig, hyggelig) comfortable; gjøre seg det -t make oneself comfortable; -t tøy comfortable clothes.

bekvemme: ~ seg til bring oneself to, persuade oneself to.

bekvemmelighet comfort, convenience, accommodation; huset er utstyrt med alle moderne -er the house is fitted with every modern convenience. **-shensyn** consideration of convenience; av ~ for the sake of convenience.

bekymre worry, trouble; ~ seg for worry about (fx do not w. about that); ~ seg med trouble oneself with; ~ seg om care about, trouble oneself about, worry about.

bekymret worried, anxious, concerned (for about) (fx we are c. about this matter).

bekymring care, concern, anxiety, worry; jeg har ingen -er når det gjelder fremtiden I have no worries about the future; det er ingen grunn til å ta -ene på forskudd there is no need to meet trouble halfway.

belage: ~ seg på prepare (oneself) for, make ready for.

belagt covered; (om tunge) coated, furred; (om stemme) husky; helt ~ (om hotell, etc) fully booked up; denne formen er godt ~ i vår tekst this form is well instanced in our text; (se også belegge).

belast|e load, charge; (konto) debit, charge (ens konto for sby's account with); ~ Deres konto charge to your account; ~ med dobbelt porto charge double postage on. **-et:** arvelig ~ tainted; en ~ samvittighet a bad conscience.

belastning (tyngde) load, weight; under sterk

~ under a heavy load; (fig) strain; (elekt, etc) load; med stor (el. høy) ~ under a heavy load; på alle -er (om brenner, etc) at (el. on) all loads, at all capacities; arvelig ~ hereditary taint (el. streak); stamming kan være en arvelig ~ stammering may be hereditary; den ~ som det har vært for begge parter such a strain as it has been for both parties; det vil bety en ~ av forholdet mellom de to land it will mean a strain on relations between the two countries.

belegg coat(ing), facing, lining; (skorpet) incrustation; (på tunga) fur; (på sykehus) number of patients, beds filled; (i hotell) number of visitors; hotellet har fullt ~ the hotel is full (el. filled to capacity); fullt ~ (om passasjerer, etc) full complement (fx another six names will be necessary to make up the f. c. of passengers); (eksempel) instance; ~ for instance of; jeg har ~ for det I can quote instances in support of it.

belegge cover; (med et overtrekk) coat; forstå å ~ sine ord know how to put things; ~ med arrest place under arrest; (skip) lay an embargo on; ~ med sitater support with quotations; ~ med toll levy duty on; belagt med høy toll subject to a high duty; det er belagt med høy toll (også) a high duty is charged on it; (se også belagt).

beleilig convenient, seasonable, opportune; så snart det er ~ for Dem at your earliest convenience; når det er ~ for Dem when(ever) it is convenient for (el. to) you; gripe det -e øyeblikk choose the right moment, take time by the forelock; (adv) opportunely, just in time.

beleir|e besiege, lay siege to, beleaguer. **-er** besieger. **-ing** siege; heve en ~ raise a s.

beleirings|skyts heavy artillery. **-tilstand** state of siege; erklære en by i ~ proclaim a town in a state of siege. **-tropper** besieging forces.

belemre: ~ med saddle with, encumber with.

belesse load, burden.

belest well (el. deeply) read. **-het** extensive reading, wide reading.

beleven courteous. **-het** courtesy.

belg ♣ shell, pod, legume; (dyreskinn) skin; (blåse-) bellows.

belge vb (erter) shell, pod.

belg|frukt pulse, leguminous fruit, legume. **-mørk** pitch-dark. **-mørke** pitch-darkness. **-plante** leguminous plant.

Belgia (geogr) Belgium. **belgier(inne)** Belgian. **belgisk** Belgian.

Belgrad: se Beograd.

beliggen|de lying, situated; (om hus også) standing; (se sentral). **-het** situation, site; (geogr) position; (med hensyn til vær, sol) exposure, aspect; huset har en pen ~ the house is nicely situated.

belive animate, quicken. **-t** animated, gay, lively, spirited.

I. belje (tylle i seg) gulp, swill.

II. belje (brøle) bellow, roar, squall; sette i å ~ begin to squall.

belladonna (medikament) belladonna; ♣ deadly nightshade.

belte belt, girdle; (geogr) zone; Venus' ~ the girdle of Venus; Orions ~ the belt of Orion. **-dyr** ♣ armadillo. **-spenne** (belt) buckle. **-sted** waist; klu av seg til -et strip to the waist; under -et (også fig) below the belt (fx hit b. the b.).

belure watch (secretly).

belyse light, light up, illuminate; (fig) throw light on, illuminate, elucidate.

belysning lighting, illumination, light; til ~ av in elucidation of; feil ~ (fot) incorrect exposure; (jvf innstilling).

belysnings|apparat lighting apparatus. **-gass** illuminating gas. **-middel** illuminant.

belær|e instruct, teach; la seg ~ be taught, take advice. **-ende** instructive. **-ing** instruction.

belønne reward, recompense, remunerate (for).

belønning reward, recompense, remuneration;

(pris-) award, prize; *som* ~ as a reward; *by way of r.; utlove en* ~ *for* offer a reward for.

beløp amount; *hele -et* the total (amount); *et høyt* ~ a large a., a big sum; *et* ~ *på* an a. of; *til et* ~ *av* to the a. of; *til et (samlet)* ~ *av* amounting (in all) to, totalling; *det innkomne* ~ the a. *(el.* sum) received; *de* ~ *som skal betales* the charges *(fx* the c. are postage and fees); *slå -et i kassen* ring up the sale (on the cash register).

beløpe: ~ *seg til* amount *(el.* come) to; *fakturaen -r seg til* the invoice is for *(el.* amounts to); *mine utgifter -r seg til* my total expenses come to; ~ *seg i alt til* total, aggregate; *hva kan det* ~ *seg til?* what may it come to?

belåne *(låne på)* raise money *(el.* a loan) on, borrow money on; *(fast eiendom)* mortgage.

bemale paint, daub.

bemann|e man. **-ing** manning; ⚓ *(mannskap)* crew.

bemektige: ~ *seg* seize (on), take possession of, possess oneself of.

bemerke *(legge merke til)* notice, observe; *(merke seg)* note, take note of; *(ytre, si)* remark, observe; *vi ber Dem* ~ *at* kindly note that, please take note that; *jeg tillater meg å* ~ I beg to remark *(el.* observe *el.* mention); *til dette vil jeg* ~ *at* ... to this I would like to say that ...; ~ *innholdet* note the contents; *det fortjener å -s* it deserves notice; *gjøre seg -t* make oneself conspicuous; *(se ufordelaktig).*

bemerkelsesverdig remarkable, noteworthy, notable; ~ *god* remarkably good.

bemerkning remark, observation; *(kritisk)* comment; *gjøre en* ~ make a remark; *jeg trekker min* ~ *tilbake* I withdraw what I said.

bemidlet of means, well off, well-to-do.

bemyndige authorize, empower.

bemyndigelse authority, authorization; sanction; *(fullmakt)* power of attorney; *(skriftlig)* warrant, authority; *etter* ~ *by order*; *gi* ~ *til* authorize.

bemøye: ~ *seg* take the trouble *(med å* to).

ben *(i kroppen)* bone; *(lem)* leg; *(på møbler)* leg; *få med deg -a!* stir your stumps! get a move on! *hans formue fikk fort* ~ *å gå på* he went through his fortune in no time; *ha* ~ *i nesa* have plenty of backbone; *ha ett* ~ *i hver leir* have a foot in both camps *(fx* he tried to have a f. in both camps); *hjelpe ham på -a (fig)* put him on his legs again; *holde seg på -a* keep one's feet; *komme på -a igjen* regain one's feet, spring *(el.* leap) to one's feet; *spenne* ~ *for en* trip sby up; *stille en hær på -a* raise an army; *stå med ett* ~ *i hver leir* keep one's *(el.* steer) a middle course; run with the hare and hunt with the hounds; *stå på egne* ~ stand on one's own legs; *ta -a på nakken* take to one's heels; *være på -a* be up and about; *(etter sykdom også)* be on one's feet again; *hele byen er på -a* the whole town is astir; *hele Oslo var på -a (også)* all Oslo was out in the streets; *være dårlig (,rask) til -s* be a bad (,good) walker; *(se bruke & tykk).*

benaktig bony, osseous.

benarbeid *(svømmers)* leg action.

ben|brudd fracture. **-bygning** bone structure; *han har en grov* ~ he is big-boned, he is of heavy build; *(se legemsbygning).* **-dannelse** bone formation.

bend bend. **-e** bend; ~ *opp* prize open.

bendel|bånd tape. **-orm** tapeworm.

bendsel ⚓ seizing. **bendsle** ⚓ seize.

benediktiner Benedictine.

benefiseforestilling benefit performance.

benekt|e deny; *det kan ikke -es at* there is no denying the fact that; *it cannot be denied that; han -er at han har* ... he denies having ... ; *he denies that he has* ... **-else** denial. **-ende** *(adj)* negative; *(adv)* in the negative; ~ *svar* answer in the negative, negative reply.

benet bony, osseous.

benevn|e name, call, designate, term, deno-

minate. **-else** name, appellation, designation. **-ing** *(mat.)* denomination; *gjøre om til felles* ~ reduce to a common denominator.

benevnt: ~ *tall* concrete number; *addisjon med -e tall* compound addition.

benfly: *se beinfly.*

benfri boneless, boned.

Bengal *(geogr)* Bengal. **b-er(inne)**, **b-sk** *(språk)* Bengali; *b-sk lys* Bengal light; *Den b-ske bukt* the Bay of Bengal.

bengel *(skjellsord)* lout.

benhinnebetennelse ⚕ periostitis.

benk bench; seat; *spille for tomme -er* play to an empty house.

benke *(vb)* seat, bench.

benklær trousers; T & US pants; *(under-)* pants, drawers; *(jof bukse).*

benkurtise: *drive* ~ *med en* US play footsie with sby.

ben|lim bone glue. **-løs** boneless, legless; *-e fugler (rett)* veal olives, olives (of veal); US veal birds. **-mel** bone meal.

bensin benzine; *(til motor)* petrol; US gas(oline); *kjøre tomt for* ~ run out of petrol; *(se også II. fylle).*

bensin|ekspeditør filling station *(el.* petrol pump) attendant. **-forbruk** fuel *(el.* petrol) consumption *(fx* the car does 20 to 24 m. p. g. *(fk. f.* miles per gallon); *bilen bruker ca. 0,8 l pr. mil* the car does about 38 miles per *(el.* to the) gallon. **-kanne** petrol can; *(flat)* jerrycan, jerrican. **-motor** petrol engine. **-måler** fuel *(el.* petrol) gauge. **-pumpe** fuel pump; *(på bensinstasjon)* petrol pump. **-stasjon** filling station, service station; US gas pump. **-tank** petrol tank. **-tilførsel** fuel supply.

ben|skinne *(til rustning)* greave; *(av lær)* pad; ⚕ splint. **-sol** ⊙ benzene; *(merk)* benzol. **-splint** splinter of bone. **-stump** stump of a leg; fragment of bone.

benvei short cut.

benytt|e use, make use of, employ; *(som kilde)* consult; ~ *en anledning* take an opportunity; *jeg -er anledningen til å* ... I take this opportunity to ... ; ~ *eksperter til arbeidet* employ experts for the job; ~ *tiden* make good use of one's time; ~ *sin tid på beste måte* make the most of one's time; ~ *seg av* take advantage of *(fx* sby); avail oneself of; profit by. **-else** use; utilization, employment.

benåde *(en forbryter)* pardon; *(for dødsdom)* reprieve.

benådning *(ettergivelse av straff)* pardon, mercy; reprieve.

benådnings|rett prerogative of mercy. **-søknad** petition for mercy.

Beograd *(geogr)* Belgrade.

beordre order, direct; ~ *en til tjeneste* post sby for duty; *-t til London* ordered to L.

beplant|e plant; ~ *på ny* replant. **-ning** planting; *(konkret)* plantation.

beramm|e fix, appoint. **-else** appointment.

berberiss ♣ barberry. **-busk** barberry bush.

berede prepare; ~ *lær* dress *(el.* curry) leather; ~ *veien for en* pave the way for sby.

bereden *(til hest)* mounted.

bered|ning *(av lær)* dressing, currying. **-skap** state of readiness, (military) preparedness; *holde i* ~ hold in readiness; *være i* ~ (✗, *om tropp, etc)* be on readiness *(fx* be on 12 hours' r.). **-skapstiltak** *(pl)* preparedness measures; US alert measures. **-skapstrinn** state of preparedness; US alert stage. **-edvillig** ready, willing. **-het** readiness, willingness; alacrity, promptitude; *med den største* ~ with the greatest promptitude *(el.* alacrity); most readily *(el.* willingly).

beregne compute, calculate; *(anslå)* estimate; *(regne med)* allow *(fx* three days for discharging); ~ *et egg til hver* allow an egg for each person; *dette prosjekt -s å være ferdig den 5. mai* the estimated date of completion of this project is May 5th; *frakten -s etter kubikkfot* freight is calculated on cubic feet; *skipet -s å være laste-klart på fredag* the ship is expected to be ready to load on Friday; ~ *seg* (*i betaling*) charge; *beregn Dem en skikkelig timelønn* allow yourself proper payment per hour; ~ *seg for meget av en* overcharge sby; ~ *for meget for varene* overcharge for the goods; *jeg har -t disse varene til* I have charged these goods at; ~ *feil* miscalculate; *kasse og emballasje -s ikke* no charge for case and packing; *det -s ikke gebyr* no fees are charged; (*se også beregnet*).

beregnelig calculable.

beregnende calculating, scheming, designing.

beregnet (*tilsiktet*) intentional, designed; (*utstudert*) studied (*fx* all his gestures are s.); *en* ~ *produksjon på* . . . an estimated output of; *arbeidet ble ferdig innen den tid som var* ~ the work was completed within the scheduled time (*el.* in schedule time); *en vel* ~ *fornærmelse* a calculated insolence; ~ *på* designed (*el.* intended) for; ~ *på å* designed (*el.* calculated) to; *boka er* ~ *på det brede publikum* the book is intended for (*el.* appeals to) the general public.

beregning calculation, computation, reckoning; (*vurdering, anslag*) estimate; *etter en løselig* ~ *at* (*el.* on) a rough calculation, at (*el.* on) an approximate estimate; *en forsiktig* ~ a conservative estimate; *hvis alt går etter* ~ if everything turns out as expected; *ta feil i sine -er* be out in one's calculations; *ta med i -en* take into account, allow for, include in one's calculations, take into consideration.

beregnings|feil error in calculation. **-grunnlag** basis of c. **-måte** method of c.

bereist travelled; *han er meget* ~ he has travelled a lot; *en meget* ~ *mann* a great traveller, a well-travelled man.

beretning statement, account, report; *avlegge* ~ *om* make a report on, report on, give an account of.

berette relate, report, record; ~ *om* tell of, relate.

berettige entitle; (*se berettiget*).

berettigelse (*rettmessighet*) justice, legitimacy; (*gyldig grunn, begrunnelse*) justification; *ha sin* ~ be legitimate, be just; (*eksistens-*) have a raison d'être.

berettiget just, legitimate; ~ *til noe* entitled to sth; *være* ~ *til å gjøre noe* be entitled to do sth, have a (*el.* the) right to do sth; *han er ikke* ~ *til å* he has no right to.

berg mountain; (*se fjell*).

bergamott bergamot.

bergart species of rock; *-er* rocks (*fx* the r. in which petroleum is found).

berge (*redde*) save; rescue; (*skip*) salvage; (*avling*) gather in; ~ *føda* secure a livelihood, support life, keep body and soul together; ~ *et seil* take in a sail; ~ *synketømmer* salvage sinkers.

bergelønn salvage money.

berg|full mountainous, hilly. **-gylte** (*fisk*) ballan wrasse.

berging saving, rescue, rescuing; salvage.

bergingeniør mining engineer.

bergings|damper salvage ship. **-forsøk** attempt to save; attempt at salvage. **-kompani** salvage company. **-kontrakt** salvage agreement. **-omkostninger** salvage expenses. **-selskap:** se *-kompani*.

berg|kam crest (of a mountain). **-kjede** mountain range. **-kløft** cleft, ravine; chasm. **-krystall** rock crystal. **-land** mountainous country. **-lendt** mountainous. **-mester** mine superintendent.

berg- og dalbane scenic railway, switchback; T big dipper; US roller coaster.

berg|pass mountain pass, (rocky) defile. **-prekenen** the Sermon on the Mount. **-sildre** ♣ saxifrage. **-slette** tableland.

berg|sti mountain path. **-tatt** spell-bound, bewitched; spirited off into the mountain. **-vegg** rocky wall. **-verk** mine.

bergverks|distrikt mining district. **-drift** working of mines; mining (industry).

berider circus rider. **beriderske** female c. r., equestrienne.

berik|e enrich. **-else** enriching, enrichment.

beriktig|e correct, rectify. **-else** correction, rectification.

Beringstredet (*geogr*) Bering Strait.

Berlin Berlin.

berliner Berliner. **-krans** [ring-shaped biscuit formed of strips of dough with ends crossed, and containing flour, eggs and a large proportion of butter].

berme dregs, lees; *samfunnets* ~ the dregs of society.

Bern Berne. **b-er** Bernese.

Bernhard Bernard.

I. bero (*subst*): *stille saken i* ~ leave the matter (for the present), let the matter rest.

II. bero (*finnes*) be; *det -r på Dem* it depends on you, it rests with you; *det -r på en misforståelse* it is due to a misunderstanding; *la saken* ~ *så lenge* (*også*) let the matter stand over for the time being; *la det* ~ *til en annen gang* leave it for another time; *la det* ~ *med det* let the matter rest there; leave things as they are.

berolig|e soothe, calm (down), quiet, reassure, set at rest. **-else** reassurance, relief; *det er en* ~ *å vite* it is a comfort to know. **-ende** reassuring, soothing, comforting; ~ *middel* sedative.

berope: ~ *seg på noe* plead (*el.* urge) sth; (*se påberope*).

berserk berserk. **berserkergang** fury of a berserk; *gå* ~ go berserk.

berus|e intoxicate, inebriate; ~ *seg* get drunk (*el.* tipsy); (*se beruset*). **-else** intoxication, inebriation. **-ende** intoxicating, intoxicant; ~ *drikker* intoxicants.

beruset drunk, tipsy, intoxicated (*av* with); ~ *av seieren* elated with victory; *i* ~ *tilstand* in liquor, under the influence of drink; T under the influence; (*se fyllekjøring*).

beryktet in bad repute, disreputable, notorious; *en* ~ *forbryter* a notorious criminal; *en* ~ *kvinne* a woman of doubtful reputation.

berøm|me praise, laud, extol; ~ *seg av* boast of. **-melig** (*rosverdig*) praiseworthy; (*navnkundig*) glorious, illustrious. **-melighet** praiseworthiness. **-melse** (*ros*) praise, eulogy; (*navnkundighet*) celebrity, fame, renown.

berømt celebrated, famous; *vidt* ~ far-famed; ~ *for* famous for; *gjøre* ~ make famous.

berømthet celebrity; fame; *en* ~ a celebrity.

berør|e touch; (*omtale*) touch on, hint at; *saken ble ikke -t med et ord* not a word was said about the matter; *jeg følte meg pinlig -t* it made a painful impression on me; *prisene -es ikke av* prices are noe affected by; (*se gripe:* ~ *inn i*). **-ing** touch, contact; *komme i* ~ *med* get into touch with.

berøringspunkt point of contact.

berøv|e deprive of. **-else** deprivation.

berådd: *med vel- hug* deliberately.

besatt possessed; (*av fienden*) occupied; ~ *av djevelen* possessed by the devil; ~ *av ærgjerrighet* possessed with ambition; *fullt* ~ full up; *skrike som* ~ scream like mad; *stillingen er ikke* ~ the post is vacant; (*se også besette*).

bese view, inspect, look over.

besegl|e (*også fig*) seal. **-ing** sealing.

beseile ♣ navigate.

beseire vanquish, beat, get the better of, conquer, overcome; ~ *vanskeligheter* surmount difficulties.

beseirer victor.

besetning (*av kveg*) livestock; stock; (*påsydd pynt*) trimming(s); ♣ (*mannskap*) crew; hands; (*garnison*) garrison; *hele -en omkommet* (*,reddet*) all hands lost (*,saved*).

besetningsbånd braid, ribbon (for trimming).

besett|e (*land*) occupy; (*plass, rolle*) fill (up);

(*utstyre, pynte*) trim; *han besatte 4. plass* (*i konkurranse*) he came in fourth; ~ *rollene* cast the parts; ~ *med frynser* fringe; ~ *med perler* set with pearls; ~ *med snorer* lace; ~ *hans plass med en annen* replace him with sby else; *alle hans timer er besatt* all his hours are taken up; (*se også besatt*). -**else** occupation; (*av en ånd*) possession; ~ *av et embete* appointment to an office.

besikte inspect, survey; *bli -t og merket som tankskip* ⚓ be surveyed and marked as a tanker. **besiktelse** inspection, survey.

besiktige, besiktigelse: *se besikte, besiktelse*. **besiktigelses|forretning** ⚓ survey. -**mann** surveyor; -*ens besøk om bord* the survey visit. -**rapport** survey report.

besindig sober(-minded), cool, steady. -**het** coolness, sober-mindedness, steadiness.

besinnelse: *tape -n* lose one's head; *bringe en til* ~ bring sby to his senses; *komme til* ~ regain one's composure, recover one's senses.

besitt|e possess, be possessed of; (*eie*) own. -**else** possession; *komme i* ~ *av* obtain p. of; *ta i* ~ take p. of; *vi er i* ~ *av Deres brev* we are in receipt of your letter.

besjele animate, inspire; *være -t av* be imbued with, be animated by (*el.* with).

besk bitter, acrid.

beskadig|e damage, injure, hurt. -**et** (*også om frukt*) bruised. -**else** damage, injury (*av* to).

beskaff|en: *annerledes* ~ different; *være slik* ~ *at . . .* be so constituted that; *hvordan er dette stoffet -ent?* what is the nature of this substance? **beskaffenhet** nature, character; (*tilstand*) condition; (*egenskap*) quality; *sakens* ~ the nature of the case.

beskat|ning taxation; (*kommunal*) rating; (*ligning*) assessment. -**ningsrett** power of taxation. **beskatte** 1. tax; lay a tax on; (*kommunalt*) rate; (*ligne*) assess; 2 (*utnytte for sterkt*) overtax (*fx* the resources of the whaling grounds are being increasingly overtaxed); overwork; (*om elv, etc*) overfish; *hvalen blir sterkt -t* whales are heavily hunted; *de høyest -de* those in the highest taxation group(s).

beskhet acridity, bitterness.

beskikk|e (*ansette*) appoint; ~ *sitt hus* put one's house in order. -**else** appointment.

beskjed (*opplysning*) information; (*forholdsordre*) instructions; (*bud*) message; (*svar*) answer; *det er grei* ~ (ɔ: *sagt uten omsvøp*) that's plain speaking; *jeg fikk bare halv* ~ I was only told half the story; *klar* ~ (ɔ: *ordre*) definite orders; *De skal få nærmere* ~ you shall hear further from us (,me, etc); *han fikk* ~ *om å komme* he was told to come; *jeg fikk* ~ *om at* (*også*) word came that *. . . ; vi har nettopp fått* ~ *om at . . .* we have just got word that; *jeg ga ham ordentlig* ~ (ɔ: *irettesatte ham*) I gave him a piece of my mind; *jeg vil ha full* ~ *om stillingen* I must know exactly how matters stand; I must be told the true position of affairs; *legge igjen* ~ leave a message; *overbringe en* ~ deliver a message; *sende en* ~ send sby word, let sby know; *send meg* ~ (please) send me word, let me know; *ta imot* ~ take a message; *vite god* ~ *med* know, be up to; *jeg vet* ~ *om det* I know all about it; *jeg vet bedre* ~ I know better; *vite god* ~ be well informed; (*se også vite*).

beskjeden modest, unassuming; (*måteholden*) moderate. -**het** modesty.

beskjeftige employ (*fx* the factory employs 100 men); occupy, engage; ~ *sine tanker med et problem* bring one's mind to bear on a problem; -*t med* occupied with, engaged on (*el.* in); *være -t med* be occupied with, be at work on (*fx* a problem); *alt personale som er -t med kontorarbeid* all staff employed on clerical work; (*se også oppta*); *være -t med å* be employed (*el.* occupied *el.* engaged) in (-ing). **beskjeftigelse** occupation, employment, pur-

suit (*fx* feminine pursuits, literary pursuits); *finne* ~ find employment; *lønnet* ~ wage-earning employment; *uten* ~ with nothing to do; idle; (*arbeidsløs*) out of employment (*fx* he is out of e.); (*se arbeidsløs*).

beskjemm|e shame, disgrace, dishonour (US: dishonor); (*gjøre skamfull*) abash; (*gjøre skam på*) put to shame. -**else** shame, disgrace, dishonour (US: dishonor). -**ende** shameful, disgraceful, dishonourable (US: dishonorable).

beskjære clip, trim; (*fig*) curtail, reduce; (*bokb.*) cut (the edges of); cut (down); (*trær*) prune, lop, trim.

beskjæring clipping, trimming, cutting; (*av trær*) pruning, lopping, trimming; (*fig*) reduction, curtailment, cutting (down) (*fx* a cutting down of expenses).

beskriv|e describe; *ikke til å* ~ indescribable. -**else** description, account; *nærmere* ~ more detailed description (*el.* specification); *overgå all* ~ beggar description (*fx* it beggars d.); *over all* ~ beyond description.

beskrivende descriptive (*fx* a d. poem).

beskue gaze at, view, contemplate.

beskuelse contemplation.

beskyld|e: ~ *for* accuse of; charge with. -**ning** accusation, charge (*for* of); (*se I. tiltale*); *rette en* ~ *mot* bring an accusation against.

beskyte fire on (*el.* into); *fra dette fort kan hele havnen -s* this fort commands the harbour (US: harbor).

beskytt|e protect, guard, defend; ~ *mot regnet* shelter from the rain. -**ende** protecting, protective. **beskyttelse** protection; defence; patronage; *stille seg under ens* ~ place oneself under the protection of sby; *under kanonenes* ~ under cover of the guns; *søke* ~ *mot* seek protection against; (*ly*) seek shelter from.

beskyttelses|farge protective colouring. -**merke** trade mark. -**middel** means of protection. -**toll** protective duty.

beskytter protector; patron. -**inne** protectress; patroness.

beskøyt (ship's) biscuit; -*er* (*også*) hard tack.

beslag 1 (*metallplate, etc*) (metal) furnishing(s), fittings (*fx* door and window f.), mount(ings) (*fx* umbrella mounts, furniture mountings); furniture (*fx* lock f.), armature (*fx* yellow brass is used for pump and engine a.); fastenings (*fx* window, door f.); ironmongery, hardware (*fx* window h.); 2 (*jur: arrest, konfiskering*) seizure, arrest, confiscation; *legge* ~ *på* seize; place an arrest on (*fx* a ship); confiscate, seize (*fx* smuggled goods); (*ved admiralitetsordre*) lay an embargo on (a ship), lay (a ship) under embargo; 3. *legge* ~ *på ens krefter* tax sby's strength; *legge* ~ *på ens tanker* occupy sby's mind; *legge* ~ *på ens tid* occupy sby's time, take (up) sby's time (*fx* this work takes (up) all my time); make a demand on sby's time; *det er meget som legger* ~ *på min tid* I have many demands on my time; *får jeg legge* ~ *på Dem et øyeblikk?* may I have your attention for a moment? can you spare me a few minutes? *legge for sterkt* ~ *på ens tid* (*om person*) trespass on sby's time, take up too much of sby's time; (*om arbeid*) take up too much of sby's time.

beslaglegge (*vb*) 1 (*konfiskere*) seize, confiscate; (*fast eiendom, midlertidig*) sequestrate; 2 (*til krigsbruk*) requisition; 3 (*oppta, stille krav til*) occupy (*fx* the work occupies most of his time); *være beslaglagt* (2) be under requisition (*fx* the ship is under r. to the Ministry of Transport); (*se beslag 2: legge* ~ *på*).

beslagleggelse (*jvf beslag*) seizure, arrest; confiscation; embargo; (*midlertidig, av fast eiendom*) sequestration; -*n er opphevet* (*om skip*) the embargo has been removed. -**sforretning** seizure, arrest.

beslekt|et (*i slekt*) related (*med* to, *fx* she is r. to him); (*lignende*) cognate (*fx* words, ideas);

related (*fx* languages, phenomena); allied, kindred (*fx* races, languages, articles); -*ede faq* allied subjects; -*ede næringer* allied (*el.* related) trades (*el.* industries); -*ede sjeler* kindred souls (*el.* spirits).

beslutning 1 (*forsett*) resolve; *fatte en* ~ make a r.; make up one's mind; *det er min faste* ~ *å* ... I am firmly resolved to, I am determined to; 2 (*avgjørelse*) decision; *en endelig* ~ a final d.; *fastholde sin* ~ adhere to one's d.; keep up one's resolve; 3 (*vedtatt forslag*) resolution; *styret har fattet følgende* ~ the board has passed (*el.* adopted) the following r.; (*se for øvrig bestemme(lse)*). **-sdyktig:** *et* ~ *antall* a quorum; *forsamlingen er* ~ the necessary q. is present, the q. is reached, we have (*el.* form) a q.; *forsamlingen var ikke* ~ there was not a q.

beslutte decide, resolve, determine, make up one's mind; (*vedta*) resolve; *jeg har -t meg til å* I have decided (*el.* made up my mind) to; I have resolved to; *jeg er* (*fast*) *-t på å* I am (firmly) resolved (*el.* determined) to.

besluttsom resolute. **-het** resolution, decisiveness, determination.

beslå mount; (*hest*) shoe; (*seil*) furl; ~ *med spiker* stud; *godt -tt* (*med penger*) in funds.

besmitt|e pollute, defile, contaminate. **-else** pollution, contamination.

besmykk|e gloss over, palliate, extenuate. **-else** palliation, extenuation.

besmøre besmear, smear.

besnære fascinate, allure.

bespar|else saving; economy; *en stor* ~ a great saving. **-ende** economical.

bespis|e feed. **-ning** feeding.

bespott|e mock, scoff, deride, sneer at; ~ *Gud* blaspheme (God). **-elig** (*blasfemisk*) blasphemous. **-else** (*blasfemi*) blasphemy.

I. best (*el. beist*) beast, brute.

II. best (*adj*) best; *av -e sort* of the best quality; *jeg skal gjøre mitt -e* I shall do my best; *det -e jeg kan gjøre* the best thing I can do; *i -e fall* at best; *alt var i -e gjenge* everything was going on as well as could be; *i den -e hensikt* from the best motives; *i -e mening* for the best; *i sin -e alder* in the prime of life; *han ble* ~ he was first, he won; *det er* ~ *slik* it is better (that it should be) so; it is better that way; *du gjør* (*gjorde*) ~ *i å gjøre det* you had better do it; *du gjør* ~ *i å holde munn!* you would do well to be quiet! **den** -*e* the best; *den første den -e* the first comer; *det blir det -e* that will be the best plan; *det -e av det hele var* the best part of it was; *det -e du kan gjøre er* your best plan is; *han skyndte seg det -e han kunne* he made the best of his way; *på det -e* in the best manner; *til det -e* for the best, to the greatest advantage; ~ *som* (just) as; *allting gikk som det* ~ *kunne* things were going as best they could. **beste:** *det almene* ~ the common good, the public weal; *det er til ditt eget* ~ it is for your own good; *til felles* ~ for our (,their, *etc*) common good; *til* ~ *for* for the good (*el.* benefit) of; in aid of; *til* ~ *for meg* for my good; *ha noe til* ~ (*ha lagt penger til side*) be in easy circumstances; *han hadde lagt seg noe til* ~ he had put something by (for a rainy day); *ha en til* ~ (*gjøre narr av en*) make fun of sby; *gi til* ~ deliver.

bestalling commission, patent of office.

bestand (*dyr*) stock (*fx* of whales); (*skog-*) stand; *anlegg av* ~ establishment of a stand. **-del** ingredient, component (part), constituent (part); *oppløse(s) i sine enkelte -er* disintegrate; *dette inngår som en fast* ~ *i* ... this forms part and parcel of.

bestandig (*adv*) constantly, continually; always; *for* ~ for good, for ever. **-het** durability; constancy.

bestands|bonitet (*forst*) stand quality class.

beste|borger respectable citizen, bourgeois. **-far** grandfather. **-foreldre** grandparents. **-mann:** *bli* ~ come out top (*el.* best) (*fx* in an exam).

bestemme 1 (*fastsette, beramme*) fix, arrange (*fx* fix the price; the meeting was fixed (*el.* arranged) for Friday), appoint (*fx* a place, a time for the meeting); ~ *en norm* set a standard; ~ *farten* set the pace; 2 (*treffe avgjørelse om*) decide; (*sterkere*) resolve, determine; (*om lov:* *foreskrive*) provide, lay down, stipulate, prescribe (*fx* as prescribed by law); *det er jeg som -r!* T what I say goes! *det kan De* ~ I will leave that to you, it lies with you to decide; *hver enkelt må selv* ~ *hva han vil gjøre med det* each one has to decide for himself what to do about it; *kanskje De vil la oss vite hva De -r Dem til* perhaps you will let us know your decision; *som styret måtte* ~ as the Board may determine; *denne lov -r at* ... this Act provides that; *som loven -r* as laid down (*el.* as provided) by the law; *som kontrakten -r* as stipulated in the contract; *til den pris som har blitt bestemt* at the price stipulated; 3 (*være bestemmende for*) govern, determine (*fx* prices are determined by the relation between supply and demand); 4 (*bringe på det rene, fastslå ved vitenskapelig undersøkelse*) determine (*fx* d. a plant, d. the alcohol percentage); ~ *grensen for* define (the limits of); ~ *nærmere* define (more closely); (*gram*) qualify (*fx* when an adverb of time is added to q. the verb); *nærmere bestemt* (*gram*) qualified; 5 (*beregne, utse*): *varene er bestemt for el oversjøisk marked* the goods are intended (*el.* destined) for an oversea market; 6: ~ *over* have the entire disposal of (*fx* these funds), dispose of; (*personer*) control; ~ **seg** make up one's mind, come to a decision, decide on what to do; *få en til å* ~ *seg* get sby to make up his mind; get sby to decide; T bring sby up to scratch.

bestemmelse 1 (*avtale*) arrangement, agreement; (*reglement*) regulations; 2 (*i lov, kontrakt*) stipulation, provision; *lovfestede -r* (*jur*) statutory provisions; *ifølge denne lovs -r* pursuant to the provisions of this Act; as provided in this Act; *ifølge kontraktens -r* according to the terms of the agreement; as stipulated in the contract; (*klausul*) clause; 3 (*beslutning*) decision; *ta en* ~ take a d., make a d., make up one's mind; 4 (*av møtetid, ete*) appointment; 5 (*stedet*) destination; 6 (*øyemed*) purpose; *oppfylle sin* ~ have the intended effect; 7 (*skjebne*) destiny; 8 (*ved vitenskapelig undersøkelse*) determination. **bestemmelsessted** (place of) destination.

bestemor grandmother; T granny.

I. bestemt (*fastsatt*) fixed, appointed, stated, set, certain; (*nøyaktig*) definite, precise; (*særskilt*) particular; *et* ~ *hotell* a particular hotel; one h. in particular (*fx* if you could mention a p. h. where you'd like to put up); (*om karakter*) determined, firm; (*av skjebnen*) destined; *den -e artikkel* the definite article; ~ *avslag* a flat refusal; *jeg fikk det -e inntrykk at* I received a definite impression that; ~ *svar* definite answer; *-e timer* stated hours; **i** *en* ~ *hensikt* for a particular purpose; with a p. motive; *i en* ~ *tone* in a peremptory tone; **på** *en* ~ *dag* on a certain day; *ved en* ~ *anledning* on a certain occasion.

II. bestemt (*adv*) definitely; peremptorily; decidedly; positively; *jeg tør ikke si det* ~ I don't know for certain. **-het** decision, determination; firmness.

bestenotering (*idrettsmanns*) personal best.

bestevilkårssatser (*pl*) most-favoured-nation rates.

besti|alitet bestiality, brutishness. **-alsk** bestial, beastly, brutish, brutal.

bestig|e (*hest*) mount; (*fjell, trone, etc*) ascend, climb. **-ning** ascending; ascent, climb.

bestikk 1 (*etui*) case (*fx* of instruments); 2 ⚓ (*stedsbestemmelse*) (dead) reckoning; *etter* ~ by dead reckoning; *-ets bredde* (*,lengde*) latitude (*,longitude*) by d. r.; *gjøre opp -et* work out the reckoning; *gjøre galt* ~ (*også fig*) miscalculate, be out in one's reckoning; 3: *se spisebestikk.*

bestikk|e bribe. **-elig** corrupt(ible), venal. **-elighet** corruptibility. **-else** bribery, corruption; *(stikkpenger)* bribe; *ta imot* ~ take a bribe.

bestikkende plausible, specious.

bestikklugar ⚓ chart house, chart room.

bestille *(utføre)* do; *(forlange, sikre seg)* bespeak, order, engage; ~ *billett* book (a ticket) *(fx* book to London); US reserve a ticket; *(se billett)*; ~ *varer* order goods; *varen er bestilt* the article is on order; ~ *værelse* book a room; *(se også bortbestille)*; ~ *time hos* make an appointment with *(fx* one's dentist for 3 o'clock); *jeg har bestilt time pr. telefon* I have an appointment by telephone; *jeg har bestilt time hos tannlegen (også)* T I have a dental appointment; *har De bestilt? (i restaurant, etc)* have you given your order? have you ordered (yet)? have you already ordered? *hva har De her å* ~? what business have you here? *ha å* ~ *med* have to do with, have dealings with; *det har lite med saken å* ~ that has little to do with the case; *jeg vil ikke ha noe å* ~ *med* I will have nothing to do with; *han skal få med meg å* ~ I shall give it him; *(se I. etter)*.

bestilling occupation; order *(på* for); *(på hotellværelse, etc)* booking *(fx* a large number of bookings); *-en ønskes gjort i herr B.'s navn* the booking *(el.* reservation) is to be made in Mr. B.'s name; *etter* ~ to order; *en stor* ~ a large order; *ta imot -er* take orders; *p. g. a. det store antall -er vi alt har mottatt for 10. juni og følgende dager, kan vi ikke reservere Dem det værelse De ber om* owing to the large number of bookings already entered for June 10th and the following days, we are unable to reserve the accommodation you request; *(se II. lage 1)*.

bestjele steal from, rob; *jeg har blitt bestjålet* I have had my money stolen; I have been robbed of my money; my m. has been stolen from me; *den bestjålne* the victim (of the robbery).

bestorme *(fig)* assail, importune; ~ *med tilbud* overwhelm with offers.

bestreb|e ~ *seg* strive, endeavour *(for å* to). **-else** endeavour, effort.

bestride *(benekte)* deny; dispute, challenge; *(utrede)* defray; pay; ~ *omkostningene* defray the expenses.

bestridelse *(betaling)* defrayal.

bestryke coat; ✂ enfilade, sweep.

bestrø strew, sprinkle.

bestråle irradiate, shine upon.

bestråling irradiation.

bestrålingsfelt *(røntgen)* gate of entry.

bestyr|e manage, be in charge of, administer. **-else** management, administration.

bestyrer manager; *(skole-)* headmaster (T: head), principal; *(av konkursbo)* trustee of an estate in bankruptcy.

bestyrerinne manageress; *(skole-)* principal, headmistress.

bestyrk|e confirm, corroborate, bear out; ~ *en i* confirm sby in. **-else** confirmation, corroboration.

bestyrt|else consternation, dismay. **-et** dismayed *(over* at).

bestøve *(befrukte)* pollinate.

bestøvning *(befruktning)* pollination.

bestå *(være til)* exist, be in existence; *(vare)* last, endure; *så lenge verden -r* as long as the world goes on; ~ *av* consist of, be composed of; ~ *en prøve* pass a test; *(eksamen)* pass (an examination); ~ *i* consist in; *(se eksamen)*.

bestående existing; *det* ~ the existing state of things; the established order.

besudle sully, soil, defile.

besvangre get with child, make pregnant.

besvangring getting with child.

besvangringstid period of possible conception.

besvar|e answer, reply to; *(ved å gjøre det samme, fx en hilsen)* return; *(løse)* solve; *kandidaten må forsøke å* ~ *alle deler av oppgaven* all sections of the paper should be attempted. **-else**

answer, reply; solution; *(oppgave)* paper, answer; *(se eksamens- & finpusse)*.

besverg|e *(ånder)* conjure up, raise, invoke; *(mane bort)* exorcise, lay; *(be)* conjure, adjure, beseech. **-else** *(sang, formular)* conjuring, exorcism, adjuration. **-elsesformular** formula of exorcism; incantation.

besvim|e faint, swoon; T pass out. **-else** faint, fainting fit, swoon.

besvogret related by marriage *(med* to).

besvær trouble, inconvenience; *falle en til* ~ be burdensome *(el.* a nuisance) to sby; *ha* ~ *med å* have some difficulty in (-ing); *volde en mye* ~ put sby to a great deal of trouble *(el.* inconvenience), give sby a great deal of trouble; *med* ~ with difficulty.

besvære trouble, give trouble; ~ *seg over* complain of.

besvær|ing complaint; *(grunn til å klage)* grievance. **-lig** troublesome; *(påtrengende)* importunate; *(anstrengende)* arduous; *(vanskelig)* difficult. **-lighet** trouble, inconvenience; difficulty; hardship; *livet er fullt av -er* life is full of troubles.

besynderlig strange, curious, odd, queer; ~ *nok* strange to say; oddly enough. **-het** strangeness, oddity.

besyv: *gi sitt* ~ *med i laget* put in a word or two, put in one's oar.

besøk visit, call; *(om teater, etc)* attendance; *dårlig* ~ a poor attendance; *avlegge en et* ~ pay sby a visit, call on sby; pay sby a call; *(især* US) pay a visit to sby; *et* ~ *hos, i, på* a visit to; *på* ~ *hos* on a visit to; *han er på* ~ *hos venner i England* he is on a visit to friends in E.; *(se også besøke)*; *hun er på* ~ *hos oss* she is staying with us on a visit; *avlegge en et uventet* ~ drop in on sby; *stort* ~ *(ved tilstelning)* a large attendance; *det store* ~ *i anledning (vare)messen* the many visitors *(el.* the large influx of visitors) to the Fair; *(se III. vel)*.

besøk|e visit, come *(el.* go) to *(el.* and) see *(fx* I will come and see you tomorrow); call on *(fx* a person), call at *(fx* a place), pay a visit to *(fx* a museum); pay a call *(fx* p. him a call); *(et sted ofte, søke hen til)* frequent *(fx* tourists f. this district), patronize *(fx* the hotel is patronized by commercial travellers); *vi har ikke for vane å* ~ *hverandre* we are not on visiting terms; *han ankom til England for å* ~ *kjente (også)* he arrived in England for a private visit; *slike møter blir godt -t* such meetings are well attended; *møtet var godt -t* there was a good attendance at the meeting; *teatret var godt -t* the theatre was well attended.

besøkende visitor; caller.

besørge *(sørge for)* see to; *(ordne med, ta seg av)* attend to, arrange (for) *(fx* arrange for the order to be cancelled; I shall attend to that); *(utføre)* do, perform; *forsikringen -s av Dem* insurance to be effected by you; *(befordre)* carry, convey; *(sende)* forward, transmit; ~ *vaskingen* do the washing; ~ *de løpende forretninger* attend to routine business; ~ *et brev* post a letter; ~ *noe gjort* see that sth is done.

besådd: ~ *med* strewn *(el.* dotted) with.

bet ♣ undertrick; *bli* ~ go down; *få to -er* be *(el.* go) two down, go down two; lose two tricks; *get* two undertricks; *sette en i* ~ *(fig)* put sby in an awkward position; *være i* ~ be at a loss; *han er aldri i* ~ *for et svar* he is never at a loss for an answer; *i* ~ *for penger* T hard up; S pushed for the stuff.

beta *(imponere, gripe)* move, stir, thrill, impress, fascinate; *dypt -tt* deeply moved; *han er helt -tt av henne* he has fallen for her completely; *han var meget -tt av henne (også)* he was much taken with her.

betakke: ~ *seg* say no to sth, say no thank you to sth; refuse (to take part); *(høflig)* decline (with thanks); *jeg -r meg* I'll have none of it.

betalbar payable.

betale pay; (*for ting man har kjøpt*) pay for; ~ *av på* pay off, pay instalments on; ~ *for* pay for; *jeg ville ikke ha det om jeg fikk betalt for det*! I wouldn't have it if it were given away with a pound of tea! ~ *for seg* pay for oneself, pay up (*fx* he could not pay up at the hotel), pay one's way; ~ *kontant* pay cash; ~ *prompte*, ~ *med én gang* pay on the nail; ~ *en med samme mynt* pay sby in his own coin; *-s høyt* fetch high prices; *det skal De komme til å* ~! I will make you pay for this! I will get even with you for this; ~ *med gull* pay in gold; *det kan ikke -s med penger* it is invaluable, it can't be bought for money; *de beløp som skal -s er porto og avgifter* the charges are postage and fees; ~ *seg* pay.

betal|er payer. **-ing** (*det å*) paying; (*konkret*) payment; (*lønn*) pay; *ta* ~ *for* accept payment for; (*beregne*) charge for; *stanse sine -er* suspend payment; *mot* ~ for payment; ~ *pr. sju dager* (our terms are) net cash (with)in seven days; ~ *pr. 30 dager ÷ 2 %* payment in 30 days less 2 per cent (discount); ~ *kontant mot dokumentene* cash against documents; *mot* ~ *av* on payment of; *den sene -en* the delay in paying (*el.* in making payment); *sen* ~ postponed (*el.* delayed *el.* late) payment (NB I am sorry for the delay in settling your account); *til* ~ *av*, *som* ~ *for* in payment (*el.* settlement) of; *ved* ~ *av* on payment of.

betalings|balanse balance of payments; *styrke vår* ~ strengthen our basis of payments; *underskudd på -n* a balance of p. deficit (*fx* a substantial b. of p. d.), a deficit in overall payments. **-betingelser** (*pl*) terms (of payment). **-dagen** the date (*el.* the day) of payment. **-dyktig** solvent. **-dyktighet**, **-evne** solvency, ability to pay, financial capacity; *hans manglende* ~ his inability to pay.

betalingsforhold: *de bedrede hjemlige* ~ the improvement in the discharge of internal commitments.

betalingsfrist time allowed for payment, term of payment, respite; period of credit; *forlenge -en* extend the period of credit (*el.* the term of payment); (*se frist & overholde*).

betalings|innstilling suspension of payment(s). **-middel** means (*el.* medium) of payment; *lovlig* ~ legal tender; US tender. **-måte** method (*el.* mode) of payment. **-vilkår** terms of payment.

betalt paid; (*under regning*) received; *varene er* ~ the goods are (*el.* have been) paid for; *kjøpt og* ~ bought and paid for; *ta seg godt* ~ charge a good price.

I. bete (*rotfrukt*) beet.

II. bete (*lite stykke*): *se* bit.

betegn|e 1 (*bety*, *være tegn på*) denote, mark, signify, indicate; constitute (*fx* the blockade constitutes a new phase of the war); 2 (*beskrive*) describe, represent; ~ *som* describe as; characterize as; *kort strek -er at ordet gjentas* short stroke means (*el.* denotes *el.* indicates) that the word is repeated; *produksjonen i år -er en rekord* this year's production marks a record; *han blir -et som hard og urettferdig* he is described (*el.* represented) as stern and unjust; (*se vendepunkt*).

betegn|else (*benevnelse*) designation, term; (*beskrivelse*) description. **-ende** (*rammende*, *treffende*) apt, apposite (*fx* remark), to the point (*fx* a remark very much to the p.); (*typisk*) characteristic; ~ *for* characteristic of; *det er* ~ *at* it is significant that; ~ *nok* characteristically.

betenk|e consider, bear in mind; ~ *en med noe* bestow *sth* upon sby; ~ *seg* (*nøle*) hesitate; (*skifte sinn*) change one's mind, think better of it; ~ *seg på å* hesitate to; *det var vel -t av ham å* he was well advised to.

betenkelig critical; serious; unsafe, precarious; doubtful; *det hadde en* ~ *likhet med* it was suspiciously like; *det -e i å . . .* the danger (*el.* risk) of (-ing).

betenkelighet scruple, hesitation, doubt, un-certainty, misgiving; *få -er* T get cold feet, lose one's nerve; *han har plutselig fått -er* he has suddenly got scruples; *ytre -er* express one's doubts; *ha -er ved å gjøre noe* hesitate to do sth.

betenkning hesitation, scruple; (*sakkyndig erklæring*) opinion; (*innberetning*) report; *avgi en* ~ (*om utvalg*) make a report, report; (*om sakkyndig*) give (*el.* submit) an opinion; *avgi en* ~ *om* (*om utvalg*) report on; (*om sakkyndig*) give an opinion on; *avgi sin* ~ *om* pass (*el.* give) one's judgment on; *uten* ~ unhesitatingly; (*se også øyeblikk*).

betenkningstid time for reflection, time to think it over; (*jur*) stay of execution; *be om* ~ ask for a s. of e.; *en dags* ~ a day to think the matter over in.

betenksom thoughtful, considerate.

betennelse inflammation; *det går* ~ *i såret* the wound goes septic.

betent (*adj*) infected, inflamed.

betids in (good) time.

betimelig seasonable; *i* ~ *tid* in good time.

betinge 1 (*være en betingelse for*) determine, condition; *være -t av* be determined by, be conditioned by, depend on; *dette tilbud er -t av at De sender oss ordren innen . . .* this offer is made subject to receipt of your order within . . .; 2 (*gi grunnlag for*, *kreve*) call for; *det vil* ~ *tilleggspremie* it will be subject to an additional premium; 3 (*forutsette*) presuppose (*fx* success presupposes both ability and training), be conditional on, be subject to, be contingent upon (*fx* the acceptance of these terms is conditional on the approval of our directors); 4: ~ *seg* stipulate for; (*forbeholde seg*) reserve (to oneself); ~ *seg rett til å* reserve the right to; (*se eneret*!); ~ *seg at* make it a condition that; (*se betinget*).

betingelse 1 (*avtalte vilkår*) terms (*fx* terms of payment, terms of delivery); *våre vanlige -r* our usual terms; *oppgi Deres -r* state your terms; *på de oppgitte -r* on the terms stated; 2 (*forutsetning for avtale, etc*) stipulation; (*som en betinger seg*) stipulation; (*bestemmelse i kontrakt*) provision(s), terms; *-n var at . . .* the condition was that . . ., it was on c. that; *avtalte -r* conditions (*el.* terms) agreed upon; *på visse -r* on certain conditions; *på én* ~ on one condition; *på* ~ *av at* on condition that; on the understanding that; *stille en* ~ make (*el.* impose) a condition; *stille den* ~ *at* make it a condition that, stipulate that; *hans eneste* ~ *er* at his only stipulation is that; *stille en sine -r* impose conditions on sby; 3 (*krevet egenskap hos person*) qualification, requirement; *han har de beste -r for å* he is eminently qualified to; *han har de beste -r for å fylle stillingen* he is fully qualified (*el.* has every qualification) for the post; he has all the requirements for the post; (*jof utsikt til*); (*krevet egenskap hos ting*) requirement(s), requisite(s); *oppfylle alle -r for* satisfy all the requirements for; (*muligheter for*) facilities for (*fx* Norway has facilities for every kind of winter sport); 4 (*forutsetning*): *være en* ~ *for* be a prerequisite of; *en absolutt* ~ *for* an indispensable condition for, a sine qua non of; (*jof forutsetning*). **-skonjunksjon** conditional conjunction. **-slos** unconditional. **-ssetning** conditional clause. **-svis** conditional; (*adv*) conditionally.

betinget conditional(*av* on); (*begrenset*) qualified, modified; ~ *av arv* conditioned by heredity; ~ *dom* binding over; US suspended sentence; *få* ~ *dom* be bound over; US get a suspended sentence; *en som har fått en* ~ *dom* a probationer.

betitlet titled.

betje|ne serve; operate; work; ~ (*ɔ: ekspedere*) *publikum* serve the public; ~ *sporvekselen* throw over the points; (*især* US) operate the switches; ~ *et tog* start a train; ~ *seg av* make use of, employ. **-ning** service, working; (*oppvartning*) attendance; attendants, (serving) staff.

betjent (*politi-*) station sergeant; (*se fengsels-*).

betle beg (*om* for).

betler beggar, mendicant. **-i** begging, beggary, mendicancy. **-ske** beggar-woman.

betlerstav: *bringe en til -en* reduce sby to beggary.

betone (*uttale med aksent*) accent, accentuate; (*fremheve*) emphasize, lay stress on.

betong concrete; *armert ~* reinforced c.; *forspent ~* prestressed c.

betoning accentuation, emphasis; intonation.

betrakt|e look at, gaze at, view, regard; *~ som* look (up)on as, regard as, consider as, consider (to be); *betrakt det som usagt* consider that unsaid.

betraktning consideration, contemplation, reflection, meditation; (*bemerkning*) comment; *anstille -er over* reflect on; *i ~ av* in view of, considering; *ta i ~* take into consideration; allow for, make allowance for; *sette ut av ~* leave out of consideration (*el.* account); *komme i ~* be taken into consideration, be considered; *dette kommer mindre i ~* this is a secondary consideration. **-småte** view, point of view.

betre(de) set foot on.

betrekk cover; (*jof bilpresenning & varetrekk*).

betro: *~ en noe* confide sth to sby, commit sth to sby's charge, trust sby with sth, entrust sth to sby; *~ en at* tell sby in confidence that.

betrodd (*om person*) trusted; confidential (*fx* a c. clerk); *~ stilling* position of trust.

betrygg|e secure. **-else** securing, security; safeguard; *en ~* a safeguard. **-ende** adequate, satisfactory.

betutt|else confusion, bewilderment, perplexity. **-et** confused, bewildered, perplexed, taken aback.

betvile doubt, question.

betving|e subdue, conquer; repress, check, curb, control; *~ seg* control oneself. **-er** subduer, conqueror, master.

bety signify, mean, denote; (*være av viktighet*) matter; *et feiltrinn ville ~ døden* a false step would mean death; *døden betydde ingenting for ham* death was nothing to him; *det har ikke noe å ~* it does not matter; *som om det hadde noe å ~* as if that mattered; *har meget å ~* is of great consequence; *det -r meget hvordan det blir gjort* it makes a difference how it is done; *har lite å ~* is of little consequence; *noe som skulle ~ en frokost* an apology for a breakfast; *-r ikke noe godt* is a bad omen, bodes ill; *en mann som har noe å ~* an influential man.

betyde (*la forstå*) give to understand.

betydelig (*adj*) considerable; (*adv*) considerably.

betydning (*av ord*) meaning, signification, sense; (*viktighet*) significance, importance, consequence; *av ~* of importance, of consequence, important; *ikke av noen ~* of no consequence; *få ~ for* become important for; *få praktisk ~* become of practical importance; *i dårlig ~* in a bad sense; *i en viss ~* in a sense; *i videre ~* by extension of meaning; *i ~ av* in the sense of; *legge en dårlig ~ i* put a bad construction on.

betydningsfull (*viktig*) important; (*uttrykksfull*) expressive, significant; *en ~ person* a somebody; *-e personer* important persons, persons of great account.

betydnings|løs (*ubetydelig*) insignificant, unimportant. **-løshet** insignificance, unimportance.

beund|re admire. **-rende** admiring; (*adv*) admiringly. **-rer** admirer. **-ring** admiration; (*se ublandet*). **-ringsverdig** admirable; (*adv*) admirably.

bevandret well versed, practised, skilled (*i* in), conversant, familiar (*i* with).

bevar|e keep, preserve; *Gud ~ kongen!* God save the King! (*Gud*) *-es!* (*undrende*) good gracious! good heavens!; (*innrømmende*) of course, most certainly; *nei, ~ meg vel!* good Lord no! *~ fred* preserve the peace; *~ tausheten* keep silent; *~ for* save from; *~ mot* protect (*el.* save) from. **-t** (*i behold*) preserved, extant; *en godt ~ hemmelighet* a closely guarded secret.

bevaring keeping, preservation. **-smiddel** preservative.

beve tremble, shake, quake, quiver; *~ av frykt* shake with fear; *~ for* dread; (*se beven*).

beveg|e move, stir; (*formå*) induce, prompt; *han lot seg ikke ~* he was not to be moved; he remained inflexible; *~ seg* move; (*mekanisk*) travel, work; *jorda -er seg om sin akse* the earth revolves (*el.* turns) about (*el.* round) its (own) axis; (*se også beveget*). **-elig** movable; (*mest fig*) mobile; *lett ~* impressionable, susceptible, excitable; *~ kapital* liquid capital. **-elighet** mobility; movability; susceptibility, excitability.

bevegelse movement, motion; (*røre*) stir; (*mosjon*) exercise; (*sinns-*) agitation, emotion, excitement; *sette i ~* set in motion, set going; *sette himmel og jord i ~* move heaven and earth, leave no stone unturned; *sette seg i ~* (*fig*) take action; make a move, begin to act; *være i stadig ~* be in constant motion.

bevegelses|evne power of locomotion. **-frihet** freedom of movement. **-nerve** motor nerve.

beveget (*rørt*) moved, affected, stirred; (*begivenhetsrik*) eventful, dramatic; *en ~ stemme* a voice touched with emotion; *a v.* quivering with e.

beveggrunn motive, inducement.

beven (*litt.*) trembling, tremor; *med frykt og ~* in (*el.* with) fear and trembling.

bevendt: *det er dårlig ~ med ham* he is in a bad way; *det er ikke rart ~ med hans kunnskaper* his knowledge is not up to much.

bever ♣ beaver. **-hytte** beaver('s) lodge. **-rotte** muskrat; (*den sydamerikanske*) coypu. **-skinn** (fur of the) beaver, beaver pelt.

beverte entertain, treat, regale.

bevertning (*det å beverte*) entertainment; (*mat og drikke*) food and drink.

bevertningssted public house (T: pub), inn.

bevilg|e grant; (*ved avstemning*) vote (*fx* Parliament voted large sums); *han er ansvarlig for at de -ede beløp ikke overskrides* he is responsible for ensuring that grants are not exceeded. **-ning** (*av penger*) grant; *fordele -er* allocate funds; *trykt med ~ fra* printed on a grant from; (*parl*) appropriation (*fx* grant or withhold appropriations; fix appropriations). **-ningsrett** right to grant supplies.

bevilling licence; US license; *gi ~* grant a l.; *ha ~* hold a l.; *løse ~* take out a l.; *søke ~* apply for a l.; *advokaten ble fratatt sin ~* the solicitor was struck off the rolls. **-shaver** licensee.

bevinge wing. **-t** winged; *bevingede ord* familiar quotations.

bevirke effect, work, bring about, cause; *dette -t at ...* this had the effect of (-ing).

bevis evidence; proof (NB *pl:* proofs) (*på, for* of); (*uttrykk for følelser, etc*) proof, demonstration, evidence (*på* of); *det er ingen ~ mot arrestanten* there is no case against the prisoner; *anføre som ~ at ...* put in evidence that ...; *avkrefte et ~* invalidate (*el.* reduce *el.* weaken) a piece of evidence; *et fellende ~* a damning piece of evidence; *føre ~ for* prove, demonstrate, furnish proof (*el.* evidence) of; *på grunn av -ets stilling* because of the state of the evidence; *som ~ på* in proof of; *et ~ på det motsatte* a proof of the contrary; *et ~ på at* a proof that.

bevisbyrde burden (*el.* onus) of proof (*fx* the b. of p. lies with him).

bevis|e prove, demonstrate, show; *~ sin påstand* establish (*el.* make good) one's case. **-føring** (line of) argument, demonstration; production of evidence; the calling of e. **-kraft** weight as evidence.

bevislig demonstrable, provable.

bevisopptagelse hearing (*el.* taking) of evidence; *gå i gang med -n* begin with the hearing of the evidence.

bevisst: *være seg noe ~* be conscious of sth; *være seg selv ~* be conscious, be in a state of consciousness; *ikke meg ~* not that I know of.

bevissthet consciousness; *bringe en til* ~ restore sby to consciousness; *tape -en* lose consciousness, become unconscious; *komme til* ~ *igjen* regain consciousness, come to; *i -en om* conscious of; *i -en om at* conscious (*el.* aware) that, in the knowledge that; *ved* ~ conscious.

bevisstløs unconscious; *i* ~ *tilstand* in an unconscious state.

bevisstløshet unconsciousness.

bevitn|e (*stadfeste*) certify, testify (to), attest; (*skrive under på*) witness; *jeg kan* ~ *at* I can certify that; *herved -es at* this is to certify that; *vær vennlig å* ~ *underskriften* please attest (*el. witness*) the signature. -**else** attestation; certificate.

bevokst covered, overgrown.

bevokt|e watch, guard. -**ning** watch, guard; (*se skarp*). -**ningsfartøy** guard ship.

bevre quiver.

bevæpn|e arm. -**et** armed. -**ing** arming; (*våpen*) arms; armament.

beære honour, favour (US: favor); *føle seg -t* feel honoured (US: honored); *han behaget aller nådigst å* ~ *oss med sitt nærvær* he deigned to favour us with the honour of his presence.

beånde inspire, animate.

bh (*bysteholder*) T bra.

bi: *stå en* ~ assist sby, stand by sby; *legge* ~ ✧ heave to, lay to; *ligge* ~ lie to, lie by.

bi|(e) (*subst*) bee. -**avl:** *se -røkt*.

bibehold retention; *med* ~ *av* retaining.

bibel Bible. -**fortolkning** exegesis. -**historie** biblical history; (*skolefag*) scripture. -**kritikk** biblical criticism. -**lesning** Bible reading. -**ord** text. -**oversettelse** translation of the Bible. -**selskap** Bible society. -**sk** biblical, scriptural, scripture. -**språk** scriptural language. -**sted** Bible passage, (sacred) text.

bibemerkning incidental remark.

bi|beskjeftigelse spare-time job; T side-line. -**betydning** connotation, implication.

biblio|fil bibliophile, bibliophilist. -**graf** bibliographer. -**grafi** bibliography. -**man** bibliomaniac. -**mani** bibliomania.

biblio|tek library. -**tekar** assistant librarian; US librarian; (*jvf første-* & *over-*). -**teksassistent** library assistant.

bibringe: ~ *en en forestilling* give sby an idea, convey an idea to sby; ~ *ham kunnskaper* impart knowledge to him.

bicelle cell of honeycomb, alveolus.

bidevind (*adv*) ✧ close-hauled, by the wind.

bidra contribute; ~ *med noe* contribute sth; ~ *til* c. to; (*fig*) contribute to, make for, conduce to, be conducive to; (*se vesentlig*).

bidrag contribution; (*tegnet*) subscription; *levere* ~ *til* contribute to; *trykt med* ~ *fra* printed on a grant from.

bidragsyter contributor; subscriber.

bidronning queen bee.

bielv tributary, affluent.

bierverv extra source of income; T side-line; (*jvf bistilling*).

bifag: *se mellomfag*.

bifall applause, acclamation; (*samtykke*) approval; *stormende* ~ tumultuous applause, a storm of applause; *fremkalle stormende* ~ (*også*) bring down the house; *vinne* ~ meet with (*el.* gain) approval; *vinne alminnelig* ~ meet with general approval.

bifalle approve (of), consent to, agree to; *bli bifalt av* be approved by, have the approval of.

bifalls|klapp plaudits (*pl*). -**mumling** murmur of approval. -**rop** shout of applause, cheer. -**salve** round of applause. -**storm** roar of applause. -**ytring** cheer, applause.

biff beefsteak, steak; ~ *med løk* (fried) steak and onions; *rå* ~ underdone steak, rare steak; *torske-* cod steak; *greie -en* T pull (*el.* bring) it off, make it, manage (it); (*også* US) make the grade; *han greier nok -en* T he'll be sure to make it. **biff|gryte** beef stew. -**pai** (beef)steak pie.

bi|figur minor (*el.* subordinate) character. -**fortjeneste** extra profit (*el.* gain); incidental earnings, pêrquisites; T profits on the side; *skaffe seg en* ~ *ved å* . . . add to (*el.* eke out) one's income by (-ing).

bigam|i bigamy. -**ist** bigamist.

bigott bigoted. -**eri** bigotry.

bi|gård apiary, bee garden. -**handling** (*i skuespill, etc*) underplot, secondary plot. -**hensikt** subsidiary motive; (*jvf baktanke*). -**hensyn** secondary consideration. -**hold** bee-keeping. -**hule** (*anat*) sinus. -**hulebetennelse** sinusitis; T sinus trouble. -**inntekt:** *se bifortjeneste*. -**interesse** subsidiary interest; T side-line. -**kake** honeycomb.

bikke: ~ *over* lean (over), topple (over), totter.

bikkje (T = *hund*): *det er flere flekkete -r enn prestens* (*sjelden:*) there are more Jacks than one at the fair; *det er mange -r om beinet* there are more round holes than round pegs.

bi|klang undertone, note (*fx* there was a note of anger in his voice). -**klase** cluster of bees. -**knopp** ♣ adventitious bud.

bikse (*storkar*) bigwig.

bikube beehive, hive.

bil (motor) car; US (*også*) auto(mobile); (*drosje*) taxi; *holde* ~ run (*el.* keep) a car; *kjøre* ~ drive (a car); *kjøre* ~ *i påvirket tilstand* be drunk in charge of a car; (*jvf fyllekjøring*); *jeg har hatt et uhell med -en* I have had a breakdown with my car, my car has broken down.

bilag (*til brev*) enclosure; (*regnings-*) voucher; (*i bok*) appendix, supplement; (*i overenskomst, traktat*) schedule.

biland dependency.

bil|bensin petrol, motor spirit; US gas(oline). -**beskatning** the taxation of motor vehicles. -**bransje** motor trade (*el.* business); *han er i -n* he is in the m. b. -**brev** ♣ builder's certificate. -**brukstyv** joy-rider. -**bølle** road hog.

bilde picture; (*portrett, også*) portrait; (*fotografi*) photograph; T photo; (*speil-*) reflection; (*også fig*) image (*fx* in the i. of God; the i. left on the retina); (*metafor*) metaphor, simile, image; *et* ~ *på* a picture of (*fx* these figures show a true p. of the trade); *danne seg et riktig* ~ *av situasjonen* form a true p. of (*el.* a correct idea of) the situation; *disse tall gir ikke noe riktig* ~ *av markedssituasjonen* these figures are not the true reflection of the state of the market; *komme inn i -t* get (*el.* come) into the p.; *være i -t* know (*el.* be informed) about sth; T be in the p.; *på -t* in the p.; *levende -r* moving (*el.* living) pictures; *sin fars uttrykte* ~ *the very image* (*el.* p.) of his father; (*se også situasjon* & *øverst*).

bildekk 1. (motor) car tyre (US: tire); (*se dekk*); 2. ✧ car deck.

bildende (*adj*): ~ *kunst* the visual arts, the fine arts, the arts of design, the plastic arts.

bil|dilla T: *han har* ~ he's mad on cars, he's got a craze for cars, he's motor-mad. -**dur** the sound of cars (,of a car), engine noise.

I. bile (*subst*) broad axe.

II. bile (*vb*) go by car, go in a car, motor.

bilegge (*forlike*) adjust (*fx* a difference), settle (*fx* a dispute, a strike).

bileggelse adjustment, settlement (*fx* of a dispute).

bil|fabrikk motor works (NB a m. w.), car factory. -**ferje** car ferry. -**forbindelse** (*buss-*) bus service. -**forhandler** car dealer. -**forsikring** motor insurance; US automobile i. -**fører** driver. -**gal** motor-mad, car-mad. -**hold** keeping a car; *mine inntekter strekker ikke til* ~ my income does not run to a car. -**holdeplass** taxi rank, cab rank; US cabstand, taxi stand. -**horn** motor horn. -**industri** (motor-)car industry; US automobile i.

biling motoring.

bil|isme motoring. -**ist** motorist.

biljard (game of) billiards; (*bord*) billiard table; *spille* ~ play billiards; *spille et parti* ~ have a game of billiards.

biljard|ball billiard ball. **-hull** pocket. **-kule:** se **-ball**. **-kø** billiard cue. **-spill** (game of) billiards. **bil|kirkegård** car dump, breaker's yard. **-kjøring** motoring. **-kolonne** column (el. convoy) of motor vehicles; line (T: string) of cars; US motorcade. **-kontroll** 1. roadworthiness check; 2 (vei-) spot (road) check. **-konvoi** ✕ motor transport convoy. **-kortesje** line of cars; T string of cars; US motorcade. **-lakk** car enamel. **-lass** carload (fx a c. of sand).

bille beetle.

billed|ark picture sheet. **-bibel** illustrated (el. pictorial) Bible. **-blad** illustrated paper. **-bok** picture book. **-hånd** picture strip, film strip; (film uten lydspor) visuals, mute. **-dyrkelse** image worship, iconolatry. **-dyrker** image worshipper, iconolater.

billede: se bilde.

billed|flate 1. picture surface; 2 (fys) perspective plane. **-galleri** picture gallery. **-hogger** sculptor. **-hoggerarbeid** sculpture, (piece of) statuary. **-hoggerinne** sculptress, **-hoggerkunst** (art of) sculpture. **-kort** ⚜ court card.

billedlig (adj) figurative, metaphorical; (adv) -ly; ~ talt figuratively (el. metaphorically) speaking; et ~ uttrykk a figure of speech, a metaphor. **billed|prakt** (splendid) imagery. **-rik** full of images, figurative, metaphorical. **-rikdom** (abundant) imagery. **-skjærer** (wood) carver. **-skjønn** strikingly beautiful, of great (el. outstanding) beauty (fx a woman of great (el. outstanding) b.). **-språk** figurative language, imagery. **-storm** breaking of images, iconoclasm, iconoclastic riot. **-stormende** iconoclastic. **-stormer** image breaker, iconoclast. **-strid** iconoclasm. **-støtte** statue. **-tekst** caption. **-utsnitt** detail (of picture); (foto) trimmed print. **-verden** world of images, imagery (fx Shakespeare's i.). **-verk** pictorial work, illustrated work.

billett 1. ticket (fx railway t.); 2 (svar på annonse) reply to an advertisement; 3 (lite brev) note; legge inn ~ på en annonse reply to an advertisement; Bm (fk. f. ~ merket) = apply Box (fx apply Box X); lose ~ take (el. buy) a ticket, book (a ticket) (fx I have booked to London); kjøpe ~ til et teaterstykke book for a play; har alle fått -er? any more fares, please? må jeg få se -ene, takk! tickets, please; ~ til annen klasse second-class ticket; ~ helt fram, takk! right through, please! vi har ~ helt fram til X we are booked through to X.

billett|automat (automatic) ticket machine. **-hefte** book of tickets; coupon book. **-inntekt** (ved fx sportsstevne) gate money; (i teater) box -office receipts. **-kontor** booking office; US ticket office; (i teater) box office; (ved kino ofte) pay-box; (NB oppslag: Book Here). **-kontroll** inspection of tickets; (stedet) barrier (fx tickets must be shown at the b.). **-kontrollør** (ved sportsplass, etc) gateman; (i teater) attendant; (se jernbaneekspeditør, konduktør, togkontrollør). **-luke** (booking-office) window; (i teater) (box -office) window; (ved sportsplass, etc) wicket. **-pris** 1 (tog, etc) fare; 2 (price of) admission, entrance fee, admission fee. **-saks** clipper. **-salg** sale of tickets; -et (det samlede) the booking; -et begynner kl. 10 the booking office (,box office) opens at 10 a.m. **-selger** 1 (ved sportsstevne, etc) gateman; 2: se jernbaneekspeditør.

billettør (på buss, trikk) conductor; (kvinnelig) conductress; T clippie; (jvf konduktør).

billig (pris-) cheap, low-priced, inexpensive; (neds) cheap; (rimelig, berettiget) fair, reasonable, just, equitable; (adv) cheap(ly) (fx buy sth cheap), on the cheap (fx he got it on the cheap), inexpensively (fx live i.), at a low price, for very little; ~ elektrisitet low-cost electricity; ~ transport low-cost transportation; få det for en ~ penge get it cheap; maskinen er ~ i drift the engine is economical, the e. has a low running cost; det faller -ere it comes cheaper; selge ~ sell cheap; slippe ~ get off cheaply (el. light) (fx he got off light); vanvittig ~ T dirt cheap. **billig|billett** excursion ticket. **-bok** paperback. **billige** (bifalle) approve of, sanction, assent to; T o. k. (fx the report was o.k.'d by the directors); jeg -r ikke . . . (også) I disapprove of.

billigelse approval (av of), approbation (av of), sanction (av of), assent (av to); hans ~ av planen his approval of (el. assent to) the scheme; med hans fulle ~ with his full approval.

billighet 1 (pris-) cheapness, inexpensiveness; 2 (rimelighet) fairness, reasonableness, justice, equity; med ~ in fairness. **-sgrunner:** av ~ for reasons of equity. **-skrav** (jur) claim in equity.

billion billion; US trillion.

bil|lys headlight (of a car); -et the headlights. **-løp** motor (el. car) rally; (på bane) motor (el. car) race. **-mekaniker** (faglært) motor mechanic; (se bilreparatør). **-merke** make (of car). **-opphoggeri** breaker's yard. **-oppretter** panelbeater. **-pledd** (motoring) rug. **-presenning** car cover; (fasongsydd) shaped c. c. **-ramp** road hog(s). **-registeret** = The Motor Tax Office (of X County Council). **-reise** car journey, (motor) drive (fx did you enjoy the drive to Bristol?). **-rekvisita** car (el. motor) accessories. **-rekvisitaforretning** car (el. motor) accessory shop, motor accessory dealer('s). **-reparatør** car repairer; (faglært) motor mechanic; (ikke faglært, ofte) garage hand. **-ring** car tyre (US: tire). **-sakkyndig** (mannen) driving (and traffic) examiner; Statens -e (kan gjengis) The Official Driving and Motor Vehicle Examiners. **-salmaker** motor upholsterer. **-selger** motor salesman. **-skatt** motor vehicle tax. **-skilt:** se nummerskilt. **-slange** tyre (US: tire) inner tube. **-sport** motoring. **-trafikk** motor traffic.

biltur (motor) drive (fx go for a d.); T spin, run; (lengre, især om rundtur) motor tour; (som passasjer, især) ride; (utflukt med turbil) excursion by coach; på ~ i Tyskland motoring in Germany, on a motor tour in G.

bil|turist motor tourist. **-tyv** car thief. **-utleie** car hire service; en leid bil a self-drive hire car. **-utstilling** motor show. **-vask** car washing; (som oppslag, ofte) car valeting. **-verksted** (car) repair shop; (mindre) garage. **-vrak** wrecked car; (dårlig bil) ramshackle car; T old crock.

bimåne paraselene, mock moon.

bind (på bok) binding; cover (fx put a c. on a book); (del av verk) volume (fx a work in six volumes, a six-volume work); (for øynene) bandage; med ~ for øynene blindfold(ed); gå med armen i ~ carry one's arm in a sling.

binde (vt) 1 (feste) tie, tie up (fx t. a horse to a tree; tie up a dog), bind; 2 (holde sammen) bind (fx the roots b. the sand); 3 (knytte) tie (fx a knot); 4 (forene) unite, cement; ℭ combine; 5 (gjøre ufri) trammel, fetter; 6 (forplikte) bind (fx this promise binds me for life), commit (fx I don't want to c. myself); 7 (innbinde) bind; 8 (virke forstoppende) constipate, bind the bowels; ~ buketter make bouquets; ~ ens hender tie (up) sby's hands; (fig) tie sby's hands; ~ kapital tie up (el. lock up) capital; ~ kranser make wreaths; ~ nek make (el. bind) sheaves; ~ penger tie up money (fx in a business); ~ an med tackle; man er svært bundet av en baby a baby makes one very tied; T a baby makes a wreck; ~ en for øynene blindfold sby; ~ en på hender og føtter bind sby hand and foot; ~ noe sammen tie sth together; han hadde ikke noe som bandt ham til livet he had nothing to live for; he had no ties in this life; ~ seg bind (el. pledge el. commit) oneself; han måtte ~ seg for fem år he had to bind himself for five years.

binde|evne (om lim, etc) binding power. **-hud** (øyets) conjunctiva. **-ledd** (connecting) link. **-middel** binder, binding material (el. agent). **-nål** (garnnål) netting needle.

bindende (forpliktende) binding (for on, for,

fx the orders he takes are b. on the firm he represents; the agreement is b. on both parties); firm (*fx* a f. offer); *et ~ løfte* a binding promise; *før jeg avgir et ~ svar* before I commit myself; *med ~ virkning for meg* binding on me.

bindeord (*konjunksjon*) conjunction.

binder 1 (*selvbinder*) binder; 2 (*murstein*) header.

binders paper clip.

binde|strek hyphen; *forsynt med ~* hyphenated (*fx* a h. name). **-vev** (*anat*) connective tissue.

binding (*ski-*) binding.

bindings|verk timber frame(work); *lett ~* light framework. **-verkshus** half-timbered house.

bindsterk voluminous; *skrive -e bøker om* write fat volumes on.

binge bin (*fx* grain bin).

binne ♫ she-bear.

binnsåle insole.

binyre (*anat*) suprarenal gland, adrenal gland.

bio|graf (*levnetsskildrer*) biographer. **-grafi** biography. **-grafisk** biographic(al).

biolog biologist.

biologi biology. **biologisk** biological.

biomstendighet incidental circumstance.

bi|person subordinate character. **-plan** biplane. **-planet** satellite. **-produkt** by-product. **-rett** side dish.

birkebeiner (*hist*) Birchleg; *(se bagler)*.

birolle subordinate role, small part.

birøkt bee-keeping. **-er** bee-keeper.

bisak matter of secondary importance.

bisamskinn muskrat skin.

bisarr bizarre, odd.

bisetning (subordinate) clause, dependent clause.

bisette bury, inter (sby's ashes), lay (sby's ashes) in the grave.

bisettelse burial, interment; funeral.
I. **bisk** doggie; *-en!* doggie!
II. **bisk** (*adj*) snappish, fierce, gruff.

Biskayabukta (*geogr*) the Bay of Biscay.

biskhet snappishness, fierceness.

biskop bishop. **biskoppelig** episcopal.

bispe|dømme bishopric, diocese; see. **-embete** see, episcopate, office of bishop. **-hue** mitre. **-sete** episcopal residence; see, cathedral city. **-stav** pastoral staff, crosier, crozier, bishop's crook. **-stol** 1. episcopal seat; 2 (*embete*) see (*fx* he was offered the see of Winchester). **-visitas** episcopal visitation.

bispinne bishop's wife.

bissel (*munnbitt*) bit; (*tøyle*) bridle; *legge ~ på* (*,ta bisselet av*) bridle (,unbridle) (a horse). **-stang** branch (of a bit).

bissevov (*barnespråk*) bow-wow, wow-wow.

bistand assistance, aid; *yte en ~* give (*el.* lend) sby assistance; *juridisk ~* legal advice; *søke juridisk ~* take legal advice.

bister (*barsk*) fierce, grim, gruff, stern.

bistikk (bee) sting.

bistilling (*motsatt hovedstilling*) part-time post (*el.* job); T side-line.

bistå assist, aid.

bisverm swarm of bees.

bit bit, morsel, piece (*av* of); (*mat-*) T bite (*fx* have a b. to eat); *jeg kunne ikke få ned en eneste ~ til* I couldn't eat another bite.

bite bite; (*om kniv, etc*) cut, bite (*fx* the saw bites well); (*om fisk*) rise to the bait, take (*el.* swallow) the bait, bite; *~ en av* cut sby short, interrupt sby; *~ etter* snap at; *~ fra seg*

(*fig*) hit back, fight back; hold one's own; *~ i* bite; *bet meg i fingeren* bit my finger; *~ i et stykke brød* bite into a slice of bread; *~ seg fast i noe* catch hold of sth with one's teeth, bite on to sth; *det kan du ~ deg i nesen på!* you bet your boots (*el.* life)! *~ i seg* swallow; *~ i det sure eplet* swallow the bitter pill; *~ i gresset* bite the dust; *~ over bite in two; *~ på kroken* (*om fisk, også fig*) swallow (*el.* take) the bait, rise (to the bait); *ingenting -r på ham* he is proof against anything; he is thick-skinned; *~ tennene sammen* clench one's teeth. **bites** bite each other; *han er ikke god å ~* med he is an ugly customer.

bitende biting, cutting; (*fig*) caustic, sharp; *en ~ kald vind* a nipping wind; *det er en ~ kulde* it is bitterly cold.

biting secondary matter.

bitt bite; *få ~* get a bite (*el.* rise) (*fx* I didn't get a single b.).

bitte liten very small, tiny.
I. **bitter** bitter; (*om smak, etc*) acrid, bitter; *en ~ stund* an hour of bitterness; *bitre tårer* hot tears, tears of distress.
II. **bitter** (*mavebitter*) bitters; *en dram ~* a glass of bitters. **-essens** bitters.

bitterhet bitterness, acridity, acrimony.

bitterlig (*adv*) bitterly; *~ kaldt* bitter(ly) cold.

bittermandel bitter almond.

bittersøt (*jvf sursøt*) bitter-sweet.

bivoks bees' wax.

bivuakk bivouac. **bivuakkere** bivouac.

bivåne (*overvære*) be present at, attend.

biårsak subordinate cause.

bjart bright, clear, light.

bjeff yelp, yap. **-e** yelp, yap.

bjelke beam; (*især jern-*) girder; (*gulv-*) joist; (*tak-*) rafter. **-lag** tier of beams. **-loft** raftered ceiling.

bjelle jingle, little bell. **-klang** jingling, jingle, sound of bells. **-ku** bell cow.

bjerk: *se bjørk.*

bjølle: *se bjelle.*

bjørk ♣ birch.

bjørke|bark birch bark. **-skog** birch wood. **-tre** birch (tree). **-ved** birchwood.

bjørn bear; *den grå ~* the grizzly bear; *Den store ~* the Great Bear; *Den lille ~* the Lesser Bear; *selg ikke skinnet før -en er skutt* don't count your chickens before they are hatched.

bjørne|aktig bearish. **-bær** ♣ dewberry, blackberry. **-far** bear's track. **-hi** bear's (winter) lair. **-jakt** bear-hunting. **-jeger** bear hunter. **-labb** bear's paw. **-mose** ♣ haircap (moss), hairmoss. **-skinke** bear ham. **-skinn** bear's skin. **-skinnslue** bearskin. **-spor:** *se -far.* **-tjeneste** disservice, ill turn; *gjøre en en ~* do sby a disservice. **-trekker** bear leader. **-unge** bear's cub.

bla (*vb*) turn over the leaves; *~ i* turn over the leaves of; *~ igjennom en bok* leaf (*el.* look) through a book; US page through a b.; *~ om* turn over (the leaf); *~ videre til s. 20* turn to page 20.

blad (*på tre, i bok*) leaf (*pl:* leaves); (*på kniv, saks, gress*) blade; (*åre-*) (oar) blade; (*avis*) (news)paper; (*tidsskrift*) magazine, periodical; *når bjørka har -er* when the birch is in leaf; *spille fra -et* play at sight; sight-read; *synge fra -et* sing at sight; sight-read; *ta -et fra munnen* speak out, speak one's mind; *not to mince matters; han er et ubeskrevet ~* he is an unknown quantity; *-et kan vende seg* the tables may turn; (*se vende: ~ seg*).

blad-: *se også avis-.*

bladaktig foliaceous, resembling a leaf.

bladdannelse foliation.

-bladet -leaved (*fx* four-leaved).

bladformet formed like a leaf.

blad|grønt ♣ chlorophyll, leaf-green. **-gull** gold -leaf; *uekte ~* leaf metal. **-hjørne** ♣ axil. **-knopp** leaf bud. **-lus** aphis, green-fly, plant louse. **-løs** leafless; (*fagl*) aphyllous. **-mann** 1. = *journa-*

list; 2 *(neds)* newshound. **-melding** notice in the newspapers. **-neger** *(neds)* newshound. **-plante** foliage plant. **-prakt** leafy splendour. **-ribbe** ✿ rib. **-rik** leafy. **-rikdom** leafiness. **-smører** newspaper scribbler. **-stilk** leaf stalk, petiole. **-sølv** leaf silver. **-tinn** tinfoil. **-tobakk** leaf tobacco. **-utgiver** newspaper publisher. **-utsalg** news stand; *(også* US) news stall.

blaff *(svakt vindpust)* breath *(el.* puff) of wind; *(krusning)* cat's paw; *slokne med et* ~ *(om lys)* puff out; *det gir jeg -en i* T I couldn't care less. **blaffe** *(om lys)* flicker; *(om seil)* flap.
blafre: *se blaffe.*
blakk fallow, pale; *(om hest)* dun; *(pengelens)* broke, cleaned out.
blakne get fallow *(el.* pale).
blamere disgrace, make a fool of; ~ *seg* make a fool of oneself, make a blunder; T put one's foot in it; make a bloomer.
blandbar: *-e væsker* miscible fluids.
blande mix, mingle, blend; *(kort)* shuffle; *(metaller)* alloy; ~ *seg i andres saker* meddle in other people's business; *unnskyld at jeg -r meg inn (i Deres samtale), men . . .* excuse me for interrupting, but . . . ; T excuse my butting *(el.* chipping) in, but . . .; *(se borti).*
blandet mixed, mingled; *skrifter av* ~ *innhold* miscellaneous writings; *hund av* ~ *rase* mongrel.
blanding mixing, mixture, compound; blend; *(broket)* medley; *(av metall)* alloy, amalgamation; *fet (,mager)* ~ *(bensin)* rich (,lean) mix; *med en* ~ *av håp og frykt* with mingled hope and terror.
blandings|del ingredient. **-drikk** mixed beverage. **-farge** mixed colour. **-forhold** proportions of a mixture; *(sammensetning)* composition. **-form** hybrid form. **-rase** crossbreed, half-breed. **-språk** mixed language.
blank shining; *(især om metall)* bright; glossy *(fx* the seat of his trousers is g.); *(pengelens)* cleaned out, broke; *et -t avslag* a flat refusal; *med -e våpen (fig)* in a fair fight; ~ *som et speil* smooth as a mirror; *la stå -t* leave blank; *trekke -t* draw.
blanke *(vb)* polish, brighten, burnish.
blankett form; US blank.
blank|het brightness, polish. **-is** bare ice.
blanko in blank.
blanko|aksept blank acceptance. **-fullmakt** carte blanche. **-kreditt** blank credit. **-tratte** blank draft.
blankpolering polishing.
blankslitt glossy, shiny.
blanksverte blacking.
blant among; from among *(fx* he was chosen from among ten applicants); ~ *andre* among others, for one; ~ *annet* for one thing, among other things, inter alia; *jeg* ~ *andre* I, for one.
blasert blasé. **blaserthet** blasé state of mind.
blasfe|mi blasphemy. **-misk** blasphemous.
blass pale, colourless (US: colorless).
bledning *(forst)* selection felling; US s. cutting.
blei *(kile)* wedge; *(vrien person)* wronghead.
bleie (baby's) napkin, nappy; US diaper; *papir-* disposable *(el.* paper) nappy; US disposable diaper.
bleik: *se blek.*
bleike *(vb)* bleach. **-middel** bleaching agent. **-tøy** bleach linen.
blek pale; *(litt blek)* palish; *(svært blek)* pallid; *(likblek)* white, wan; *bli* ~ turn pale; ~ *av skrekk* pale with terror; *han ble både rød og* ~ his colour came and went.
blekblå pale blue.
blek|fet flabby. **-grønn** pale green. **-gul** pale yellow, straw-coloured. **-het** paleness, wanness.
I. **blekk** *(jern-):* se **blikk.**
II. **blekk** *(skrive-)* ink; *(se II. blekke).* **-aktig** inky.
I. **blekke** *(lite blad)* small leaf.
II. **blekke** *(vb)* stain with ink; ~ *seg til på fingrene* get ink on one's fingers.

blekk|flaske ink bottle. **-flekk** ink stain, ink spot, blot. **-hus** ink pot; *(mer dekorativt)* ink stand.
blekk|smører scribbler, ink slinger. **-sprut** 🐙 cuttlefish; *(åttearmet)* octopus; *(liten, tiarmet)* squid. **-viskelær** ink eraser.
blekne turn pale; *(om farge & fig)* fade.
blek|nebbet pale-looking. **-rød** pink. **-sott** greensickness, chlorosis.
blemme blister; *(frostblemme)* chilblain.
I. **blende** *(min)* blende.
II. **blend|e** dazzle; *(vindu)* darken; *(om bilist)* dip the (head)lights; *la seg* ~ *av* be dazzled by, be deceived by. **-ende** dazzling.
blender *(fot)* diaphragm, stop *(fx* what stop are you using?). **-innstilling** aperture adjustment. **-åpning** aperture.
blending dazzling; *(mørklegning)* blackout.
blendverk delusion, mirage, phantom.
bli 1 *(hjelpevb i passiv)* be *(fx* he was killed); get *(fx* he got *(el.* was) caught); US *(også)* become; *hun så at han ble drept* she saw him killed; 2 *(forbli)* stay, remain; 3 *(overgang til en annen tilstand, stilling)* become; *(ved adj)* get, become *(fx* angry, rich), go *(fx* mad); *(langsomt)* grow *(fx* old); *(plutselig)* turn *(fx* pale, red); 4 *(beløpe seg til)* be, make, come to *(fx* that'll be 2s.); 5 *(oppstå)* arise, come on, be *(fx* there was a silence, there will be dancing; a storm came on; difficulties arose); *jeg -r 20 år i morgen* I shall be twenty (years old) tomorrow; *nei, det ble ikke så mye engelsk* no, we didn't speak English so (very) much; ~ *her* stay here; *-r han lenge her?* will he be here long? *hvor lenge ble du der?* how long did you stop there? *jeg vil gjerne få deg til å* ~ I want to *(el.* should like to) get you to stay; *han er og -r en* he is a fool and always will be; ~ *stående* remain standing; ~ *forræder* turn traitor; ~ *kjent* come to be known; ~ *konge* become king; *han vil* ~ *kunstner* he wants to become *(el.* to be) an artist; ~ *protestant (,kristen)* turn Protestant (,Christian); ~ *blek (blekne)* turn pale; ~ *rik* get *(el.* become) rich; ~ *sint* get angry; ~ *sur* turn sour; ~ *syk* fall ill, be taken ill, get ill, become ill; *det -r sent* it is getting late; *det -r vanskelig* it will be difficult; *hår -r det?* when is it to be? *det ble ikke noe av det* it came to nothing; *jeg burde slå plenen, men det -r det ikke noe av i dag* I ought to mow the lawn, but I shan't get round to it today; *hvor -r det av ham?* what can be keeping him? *hvor er det -tt av boka mi?* where has my book got to? *hvor er det -tt av ham?* what has become of him? *hva skal det* ~ *av ham?* what is to become of him? ~ *av med (tape)* lose; *(bli fri for)* get rid of; *(avsette)* dispose of; ~ *borte (utebli)* stay away; *(tapes)* be lost, disappear; ~ *igjen* stay behind; *stay on; (om rest)* be left (over); *la det* ~ *med det* leave it at that, let the matter rest there; *lot det* ~ *med truselen* confined himself to the threat; *det ble ikke med det* that was not all; *the matter did not stop there;* ~ *over tiden (ɔ: lenger enn tillatt)* stay longer than permitted; outstay one's time; *stay on; det er vel ikke verdt å* ~ *over tiden* T I suppose I'd *(,we'd, etc)* better not stay too long; ~ *med inn, da!* come along in! *det er veldig hardt for ham at ikke han også får* ~ *med* it's very hard on *(el.* sad for) him that he can't go too; *la det* ~ *mellom oss* we will keep it to ourselves; *this is to go no further;* ~ *til (komme til verden)* come into existence; *nå, hva -r det til?* well, what about it? ~ *til intet* come to nothing; *det ble ikke til noe* it came to nothing; ~ *til noe (om person)* get on, go far; ~ *til siste slutt* stick it out *(fx* I've paid my money and I'm going to stick it out!); ~ *til stein* turn into stone; ~ *tilbake* stay behind, stay on, remain (behind); *(om rest)* be left (over); ~ *ute* stay out; ~ *ved å* go on, keep (on) *(fx* singing); *alt ble ved det gamle* everything went on as before.
blid mild, gentle; *hans -e vesen* his gentleness;

ikke se på med -e øyne frown on, take a stern view of.
blidelig, blidt (*adv*) mildly, gently.
blid|gjøre soften, mitigate. **-het** mildness, gentleness.
I. **blikk** look, glance, eye; *alles* ~ all eyes; *en pen håndveske fanget hennes* ~ a nice handbag caught her eye; *ha* ~ *for* have an eye for; *med et eneste* ~ at a glance; *sende ham et* ~ give him a look; *ved første* ~ at first sight.
II. **blikk** (*jern*-) sheet metal, tinplate.
blikk|boks tin; (*især* US) can. **-emballasje** tin packing. **-enslager** tinsmith, tinman. **-eske** tin. **-fang** eye catcher. **-plate** tin plate. **-spann** tin pail. **blikk|tøy** tin articles. **-varer** (*pl*) tinware.
blind blind; *den -e* the blind man (,woman); *de -e* the blind; ~ *for* blind to; ~ *på det ene øyet* blind in (*el.* of) one eye; ~ *alarm* false alarm; ~ *høne kan også finne et korn* a blind man may hit the mark; ~ *kjærlighet* blind love; *kjærlighet gjør* ~ love is blind; ~ *lydighet* blind (*el.* implicit) obedience; ~ *tillit* implicit confidence; *-t* (*adv*) blindly, heedlessly.
blinddør blind door.
I. **blinde:** *i* ~ in the dark, blindly; (*uten å se seg for*) blindly, rashly, heedlessly.
II. **blinde** *vb* (*gjøre blind*) blind.
blinde|bukk blind man's buff. **-mann** ✝ dummy; *hos* ~ in dummy.
blindfødt born blind.
blindgate blind alley, cul-de-sac; (*også fig*) dead end.
blindhet blindness.
blinding (*arkit*) bricked-up (*el.* blind) window. **blind|passasjer** stowaway. **-ramme** canvas stretcher. **-skjær** sunken rock. **-tarm** (*anat*) caecum; (*vedhenget*) appendix; *ta -en* have one's a. removed. **-tarmbetennelse** appendicitis.
blingse squint. **-t(e)** squint-eyed, cross-eyed.
blink 1 (*glimt*) gleam, flash; (*med øyet, som signal*) wink; (*av munterhet*) twinkle; 2 (*sentrum i skyteskive*) bull's eye; *skyte* ~ score a bull, hit the bull's eye; (*fig også*) hit the mark; *han skjøt seks -er* he scored (*el.* made) six bulls.
I. **blinke** gleam, twinkle, glimmer; (*med øynene*) blink; (*som tegn*) wink (*til* at); (*gi lyssignal*) flick.
II. **blinke** (*trær til felling*) mark, blaze.
blink|fyr flashing light. **-lys** flashlight; (*på bil*) flashing indicator, flasher.
blink|skudd hit. **-skyting** 1. target shooting, target practice; 2 (*det at man treffer blinken*) bull's-eye shooting.
blivende: *her er ikke noe* ~ *sted* we can't stay here; let's move on.
blod blood; *en prins av -et* a prince of the blood (royal); *-ets bånd* the ties of blood; *rød som* ~ scarlet; *er gått dem i -et* has become part of their nature; *det ligger i -et* it is in their blood; *slå kaldt vann i -et!* don't get excited! keep cool! *svømme i* ~ swim (*el.* welter) in blood; *hans* ~ *kom i kok* his blood boiled; his blood was up; *med kaldt* ~ in cold blood; *han har fått* ~ *på tann* he has tasted blood; *slå en til -s* beat sby till the blood flows; *mitt* ~ *ble til* is my blood ran cold; *sette vondt* ~ make bad blood; *utgyte* ~ shed blood; ~ *er tykkere enn vann* blood is thicker than water; (*se vann*).
blod|appelsin blood orange. **-bad** massacre, slaughter. **-bestenkt** blood-stained. **-brekning** haematemesis, vomiting of blood. **-brokk** haematocele. **-byll** blood abscess. **-bøk** copper beech. **-dannelse** blood formation, forming (*el.* formation) of b., haematogenesis. **-dannende** blood-forming, haematogenetic. **-dråpe** drop of blood. **-dryppende** dripping with blood. **-dåd** bloody deed. **-dåp** blood baptism. **-eik** ✝ scarlet oak. **-farget** blood-stained. **-fattig** anaemic. **-fattigdom** anaemia. **-flekk** blood stain. **-flekket** blood-stained. **-forgiftning** blood poisoning, sepsis, septic(a)emia. **-gang** dysentery. **-hevn** blood vengeance (*el*, revenge); vendetta; (*feide som*

medfører ~) blood feud. **-hevner** avenger of blood. **-hund** bloodhound.
blodig (*blodbestenkt*) blood-stained; (*som koster blod*) sanguinary; bloody; (*ublu*) exorbitant; *en* ~ *kamp* a sanguinary struggle; *en* ~ *urett* a grievous injustice; *Maria den -e* Bloody Mary; *hevne seg* ~ take signal revenge, take a bloody revenge; (*se ironi*).
blod|igle leech. **-jaspis** bloodstone. **-kar** blood vessel. **-klump** clot of blood. **-legeme** blood corpuscle; *hvitt* ~ leucocyte; *rødt* ~ red blood corpuscle; erythrocyte. **-løs** bloodless. **-løshet** bloodlessness. **-mangel** anaemia. **-omløp** circulation (of the blood). **-overføring** blood transfusion. **-penger** blood money. **-propp** 1. blood clot; 2. thrombus.
blodprøve 1. blood test; 2 (*selve blodet*) blood sample; specimen of blood.
blod|pudding black pudding. **-pøl** pool of blood. **-pølse** (*omtr* =) black pudding. **-rensende:** ~ *middel* depurant. **-rik** plethoric. **-rikhet** plethora. **-rød** blood-red, crimson.
blodsdråpe drop of blood; *Kristi* ~ ✝ fuchsia; *slåss til siste* ~ fight to the last gasp; die in the last ditch; die hard.
blod|senkning (blood) sedimentation; *ta -en* have one's sedimentation checked; *han har 4 i* ~ his sedimentation is 4; BSR is 4 mm per hour. **-serum** serum.
blodshest blood horse.
blod|skam incest; *i* ~ incestuously. **-skutt** (*om øyne*) bloodshot. **-spor** track of blood. **-sprengt** bloodshot. **-spytting** spitting of blood, haemoptysis. **-stigning** congestion; running of blood to the head. **-stillende** styptic, haemostatic; ~ *middel* styptic, haemostatic. **-stillerstift** styptic pencil. **-styrtning** violent haemorrhage. **-suger** bloodsucker, vampire; (*fig også*) extortioner. **-sugeri** (*fig*) extortion, bloodsucking.
blodsutgytelse bloodshed.
blod|system circulatory system. **-tap** loss of blood, haemorrhage. **-tørst** bloodthirst(iness). **-tørstig** bloodthirsty. **-underløpen** livid. **-uttredelse** extravasation, effusion (of blood). **-vann** serum. **-væske** plasma. **-åre** vein. **-årebetennelse** phlebitis.
blokade blockade; *økonomisk* ~ economic blockade; *bryte -n* run the b.; *heve -n* lift (*el.* raise) the b. **-bryter** blockade runner. **-skip** blockading vessel. **-tilstand** a state of blockade.
blokere blockade; (*sperre*) block up; (*typ*) turn (a letter).
blokering blockade.
blokk block; (*skomakers*) boot-tree; *sette på* ~ tree.
blokke: ~ *ut* put on the block, stretch.
blokkebær ✝ bog whortleberry.
blokk|hus ✕ blockhouse; (*til trisse*) (pulley) shell. **-leilighet** flat (in a block). **-post** (*jernb*) signalbox, signal cabin.
Blokksberg the Brocken; *dra til* ~! go to Jericho! go to hell!
blokk|signal (*jernb*) block signalbox. **-strekning** (*jernb*) block section. **-system** (*jernb*) block interlocking system. **-trisse** pulley.
Blom: T *ost og ost, fru* ~ there's cheese and cheese; *god og god, fru* ~ (*som svar uttrykk for at man ikke er helt enig; kan gjengis*) yes and no.
blomkarse ✝ Indian cress, climbing nasturtium.
blomkål cauliflower.
blomst (*plante*) flower; (*plantedel som bærer frukten fram*) blossom; (*blomstring*) bloom; (*fig*) flower; cream (*fx* the c. of England's youth); *i ungdommens (fagreste)* ~ in the bloom of youth; *retoriske -er* flowers of speech; *stå i* ~ be in flower; *be in blossom*; be in bloom; *sette -er* ~ flower, blossom, bloom, put forth flowers.
blomster|anlegg 1. flower garden; 2 (*blomsterdannelse*) flower formation. **-bed** bed of flowers. **-beger** ✝ calyx. **-blad** ✝ (*kron*-) petal. **-bord** flower stand. **-bukett** bunch of flowers, nosegay, bouquet. **-bunn:** *se fruktbunn*, **-dannelse** ✝ flower formation,

-duft scent of flowers. **-dyrking** the cultivation of flowers, floriculture. **-eng** flowery meadow, flower-studded m. **-fest** floral fête. **-flor** profusion of flowers. **-forretning** florist's (shop), flower shop. **-frø** ♣ flower seeds. **-gartner** florist. **-glass** vase. **-hage** flower garden. **-handler, -handlerske** florist. **-knopp** ♣ flower bud; (*især på frukttre*) blossom bud. **-krans** garland, wreath of flowers. **-krone** ♣ (*blomstens kronblader*) corolla. **-kurv** flower basket, basket of flowers. **-løk** ♣ flower bulb. **-maler** flower painter. **-maleri** flower painting. **-pike** flower girl. **-plante** flowering plant. **-potte** flowerpot. **-rik** flowery. **-rike** floral kingdom. **-språk** language of flowers, floral language. **-stilk** ♣ (flower) stem, stalk, peduncle. **-støv** ♣ pollen. **-torg** flower market. **-utstilling** flower show. **-vase** flower vase. **-vrimmel** profusion of flowers.

blomstre flower, blossom, bloom, be in flower (*el.* blossom *el.* bloom); (*om hage, etc*) be gay with flowers; (*fig*) flourish, thrive, prosper; ∼ *av* shed its blossoms; (*falme*) fade, wither, decay; *den har blomstret av* it has done flowering. **-nde** flowering; (*fig, især*) prosperous; (*om stil*) florid, flowery; (*om utseende*) florid; *en ung,* ∼ *pike* a girl in the bloom of youth.

blomstring flowering; *i full* ∼ in full bloom, in full flower. **-stid** flowering season; (*fig*) flourishing period.

blond blond(e), fair, fair-haired.

blonde(r) lace.

blonde|krage lace collar. **-skjørt** lace-trimmed skirt. **-stoff** lace.

blondine fair girl, blonde.

blot sacrifice. **blote** sacrifice.

I. blott (*adj*): *se med det -e øye* see with the naked eye.

II. blott (*adv* = *bare*) only, merely, but; (*ene og alene*) solely.

blott|e bare, denude, lay bare; ∼ *hodet* uncover (one's head); *med -et hode* bare-headed, uncovered; ∼ *seg for penger* run short of money, leave oneself without money; ∼ *sin uvitenhet* betray one's ignorance; ∼ *seg* (*krenke bluferdigheten*) expose oneself indecently; (*i boksing, etc*) relax one's guard. **-else** baring, exposure.

blotter exhibitionist, pervert.

blottet ∼ *for* without, devoid of, empty of; ∼ *for frykt* devoid of fear; ∼ *for penger* penniless, without a penny; *han er* ∼ *for stolthet* he has got no pride; *med* ∼ *overkropp* stripped to the waist.

blott|legge expose, lay bare. **-stille:** ∼ *seg* (*røpe seg*) commit (*el.* compromise) oneself; ∼ *seg for* expose oneself to, lay oneself open to (*fx* criticism).

blu|ferdig bashful, coy. **-ferdighet** bashfulness, coyness.

blund snatch of sleep, nap; T snooze, forty winks; *Jon* ∼ the sandman; *få seg en* ∼ take a nap, get forty winks; *det kom ikke* ∼ *på mine øyne* I couldn't get a wink of sleep.

blunde doze, snooze, take a nap.

blunk twinkle; *på et* ∼ in the twinkling of an eye, in a tick, in a wink.

blunke blink, twinkle; ∼ *til* wink at.

bluse blouse.

bluss (*ild*) blaze, flame; (*signal-*) flare.

blusse blaze, flame; (*bruke blussignaler*) burn flares; ∼ *opp* burst into flame, blaze up; (*fig*) flare up.

blussende flushed; ∼ *rød* blushing deeply; *hun ble* ∼ *rød* (*også*) she turned scarlet; *med* ∼ *kinn* with glowing cheeks.

bly (*subst*) lead; *av* ∼ leaden.

blyaktig resembling lead, plumbeous.

blyant pencil. **-holder** pencil holder. **-skisse** pencilled sketch. **-passer** (pair of) compasses for pencil. **-spisser** pencil sharpener.

blyant|strek pencil stroke. **-stump** stump (*el.* stub) of pencil, pencil stub. **-tegning** pencil drawing.

blyerts lead ore.

blyg (*adj*) bashful, shy, coy. **-es** blush, be ashamed (*ved* at).

blyghet, blygsel bashfulness.

blygrå leaden (grey), livid.

bly|holdig plumbiferous. **-hvitt** white lead. **-klump** lump of lead. **-lodd** plummet.

bly|tekker plumber. **-vann** Goulard's extract, lead water.

I. blære (*luft-*) bubble; (*vable*) blister; (*urin-*) bladder; (*i jern*) flaw, blister; (*i glass*) blister, bleb; (*oppblåst person*) windbag.

blære: ∼ *seg* swagger, throw one's weight about, talk big.

blære|aktig vesicular. **-betennelse** inflammation of the bladder, cystitis. **-katarr** catarrh of the bladder, cystorrhea.

blæreri (*blæret opptreden*) swagger.

blæret (*adj*) blistered, blistery; vesicular; (*fig*) swaggering, conceited.

blø (*miste blod*) bleed; ∼ *seg i hjel* bleed to death.

blødersykdom haemophilia.

blødme stale joke.

blødning bleeding, haemorrhage.

bloff bluff. **bløffe** bluff.

I. bløt: *legge i* ∼ put in soak (*fx* clothes); *legge sitt hode i* ∼ rack (*el.* cudgel) one's brains; *ligge i* ∼ soak, steep; *la ligge i* ∼ leave to soak.

II. bløt (*adj*) soft; *-e farger* soft (*el.* mellow) colours; *-t hjerte* a soft heart; *bli* ∼ *om hjertet* soften, be touched; ∼ *på pæra* S barmy (*el.* dotted) in the crumpet; soft in the head, soft -headed, dotty; US nuts; *-t stål* mild steel.

bløt|aktig soft, effeminate; *gjøre* ∼ render effeminate, enervate. **-aktighet** softness, effeminacy. **-dyr** 🐌 mollusc.

bløte: ∼ *opp* soak (*fx* bread in milk); ∼ *ut* macerate, steep (*fx* flax, skin).

bløt|gjøre soften, mollify. **-het** softness. **-hjertet** soft- (*el.* tender-)hearted. **-kake** 1 (*stor, med fyll og overtrekk*) layer cake; (*med krem, også*) cream gâteau; *et stykke* ∼ a piece of layer cake; 2 (*liten, forseggjort*) French pastry, tea fancy. **-kokt** soft-boiled.

bløyt: *se I. bløt.*

bløyte: *se bløte.*

blå (*adj*) blue; *-tt øye* (*av slag*) black eye; ∼ *ringer under øynene* dark rings round the eyes; *slå en gul og* ∼ beat sby black and blue; *i det* ∼ in the air (*fx* that's quite in the air); *en bemerkning ut i det* ∼ a random remark. **blåaktig** bluish.

blå|bær ♣ bilberry, whortleberry; US huckleberry. **-bærtur:** *dra på* ∼ go to pick bilberries; (*svarer til*) go blackberrying; (NB blackberry = *bjørnebær*). **-farget** blue; dyed blue. **-frossen** blue with cold. **-grå** bluish grey, blue-grey.

blå|klokke ♣ harebell; (*i Skottland*) bluebell. **-leire** blue clay.

blålig bluish.

blå|lys will-o'-the-wisp, marshfire; (*signal*) blue (*el.* Bengal) light. **-mandag** Blue Monday, a Monday off (work); *holde* ∼ take Monday off (unofficially). **-meise** 🐦 blue titmouse.

I. blåne (*subst*) blue (*el.* hazy) distance; purple hill (*el.* mountain).

II. blåne (*bli blå*) become blue; (*gjøre blå*) dye blue.

blåpapir carbon paper; (*se gjennomslag*).

blår (*stry*) tow; *kaste en* ∼ *i øynene* throw dust in sby's eyes, pull the wool over sby's eyes, hoodwink sby.

blårev 🦊 blue fox, arctic fox.

blåruss [boy or girl sitting for final exams at commercial college].

blårutet blue-chequered.

blåse blow; ∼ *sterkt* blow hard; *blås i det!* never mind! *blås i hva det koster!* blow the expense! ∼ *liv i* (*også fig*) breathe (some) life into; *jeg -r i det* I couldn't care less; I don't care a damn about it; *jeg -r i ham* I don't care a pin for him; *det var som blåst bort* there was no trace of it to be seen; ~ over ende blow down; det blåste opp the wind was rising (el. getting up); ~ (på) fløyte play the flute; ~ (på) trompet play (el. blow) the trumpet. -belg (pair of) bellows. -instrument wind instrument; -ene the wind.

blåser ♩ wind player; -ne ♩ the wind.

blåserør blowpipe, blowtube; (indiansk våpen) blowpipe.

Blåskjegg Bluebeard.

blåskjell mussel.

I. **blåst** wind, windy weather.

II. **blåst** adj (rent og ryddig) tidy, neat; alt var som ~ i hennes kjøkken (også) everything was spick and span in her kitchen.

blå|stivelse blue (starch). -stripet with blue stripes. -strømpe bluestocking. -sur on the turn, off (fx the milk is off), acescent. -svart bluish black, blue-black. -symre ♣ blue anemone. -syre Prussic acid.

blåveis ♣ blue anemone.

b-moll ♩ B-flat minor.

I. **bo** (jur) estate, property, assets; (se døds-, konkurs-); behandle et ~ administer an estate; gjenoppta et ~ reassume an estate; -ets gjenopptagelse the reassumption of the estate; gjøre opp -et wind up the estate; overlevere sitt ~ til konkurs file a petition in bankruptcy; sette ~ set up house, settle (down); sitte i uskiftet ~ retain undivided possession of the estate; skifte et ~ divide an estate; ta et ~ under behandling take over the administration of an estate; -et vil gi 50 % the estate will pay 10 shillings in the pound.

II. **bo** (vb) 1 (fast) live, reside; 2 (midlertidig) be staying, stay; (US, også) stop; jeg -r billig my rent is low; det er billig å ~ her living is cheap here; bli -ende stay on, go on living here (,there, etc); ha noen -ende hos seg have sby staying with one; her skal De ~ (til gjest) this will be your room; hun -r hos sin søster she lives at her sister's; she is staying with her sister; jeg -r hos noen kjente I am staying with friends; hvor -r du? where do you live? (om midlertidig opphold) where are you staying? ~ sammen (med en) share a flat (,house, etc) (with sby); (om ektefeller, etc) live together; ~ til gata have rooms (,a room) facing the street, have front rooms (,a front room); (se også gate).

boa (kvelerslange, pelskrage) boa.

bobestyrer trustee.

I. **boble** (subst) bubble.

II. **boble** (vb) bubble.

bod: se bu.

Bodensjøen (geogr) Lake Constance.

bodmeri (slags pantsettelse av skip) bottomry.

boer Boer.

bog (på dyr) shoulder.

boggi bogie; US truck.

bog|lam shoulder-shot. -ledd shoulder joint. -ring (horse) collar. -tre hame.

bohave furniture; (naglefast) fixtures.

bohem Bohemian. -vesen Bohemianism.

boi (slags tøy) baize.

boikott boycott.

boikotte boycott. **boikotting** boycott.

bok book; en ~ papir a quire of paper; Bøkenes Bok the Book of Books; snakke som en ~ talk like a book; jeg har Dem ikke i mine bøker your name is not on my books; føre bøker keep books, keep accounts; føre inn i bøkene enter in the books. -anmeldelse book review. -auksjon book sale. -avl literature. -bind book cover, binding.

bokbinder bookbinder. -i bookbinder's shop, (book) bindery. -svenn journeyman bookbinder.

bokeiermerke book-plate.

bokelsker bibliophile, book-lover.

bokfink ♣ chaffinch.

bokflom spate of books, book spate.

bok|forlag book-publishing business, book publishers. -form: i ~ in book form. -fortegnelse catalogue of books. -føre enter, book. -føring

(som fag) book-keeping. -førsel entering, booking; accountancy. -gull gold leaf. -handel book trade, bookselling trade; (butikk) bookshop; er ikke lenger i -en is out of print.

bokhandler bookseller. -forening booksellers' association. -medhjelper bookseller's assistant.

bok|holder book-keeper, accountant. -holderi (kontor) book-keeping department, book-keeper's office; (det å) book-keeping; enkelt og dobbelt ~ single and double entry book-keeping; dobbelt ~ b.-k. by double entry; enkelt ~ b.-k. by single entry.

bokhvete buckwheat. -gryn buckwheat groats.

bokhylle bookshelf; (reol) bookcase.

bokkøl bock (beer).

boklig literary; ~ lærdom book learning; -e sysler study, studies, literary pursuits (el. occupation).

bok|lærd book-learned; en ~ a scholar. -lærdom book learning. -marked book market. -merke book marker. -mål 1. literary (el. written) language; (neds) bookish language; 2. one of the two official languages in Norway. -omslag (dust) jacket. -orm bookworm. -pakke book parcel. -reol bookcase.

boks (blikk-) tin; US can; (rom i bank) safe -deposit box; (te-) tea caddy; en ~ erter a tin of peas; i -er (hermetisert) tinned (fx t. meat); US canned.

bok|samler collector of books. -samling collection of books.

boks|e (vb) box. -ehanske boxing glove. -ekamp boxing match, prize fight. -ing boxing.

bokser boxer; prize fighter.

boksesprit: se tørrsprit.

bok|skap (closed) bookcase, glass-fronted b. -skred book sale; høstens ~ (pl) the autumn book sales. -språk literary (el. written) language. -stav letter, character; små -er small letters; store -er capital letters; etter -en literally.

bokstavelig (adj) literal; (adv) literally, in a literal sense; ~ sant strictly true; ~ talt literally, positively.

bokstavere spell; ~ feil misspell.

bokstavering spelling.

bokstav|feil (typ) letter mistake. -gåte logograph. -regning algebra. -rekke alphabet. -rett, -riktig literal. -rim alliteration. -skrift alphabetic writing.

boksåpner tin opener; US can opener.

boktrykker printer. -i printing office, printing house. -kunsten the art of printing. -presse printing press. -svenn journeyman printer. -sverte printer's ink, printing ink.

I. **bol** (kropp uten lemmer) trunk.

II. **bol** (vepse-, etc) nest.

bole (bibl) whore, fornicate (med en with sby).

bolig house, dwelling, abode, residence; (leilighet) flat, rooms. -blokk block of flats; US apartment building. -byggelag housing cooperative (el. co-operative). -enhet dwelling (el. housing) unit. -felt housing estate; US development area. -forholdene the housing situation. -kjøkken dining kitchen; stort ~ med spisekrok large kitchen with dining alcove. -lov housing act. -massen the aggregate number of dwellings. -nød housing famine. -rådmann chief housing officer. -sektor housing sector (fx in the h. s.); (se ligge: ~ godt an). -spørsmålet the housing question. -standard housing standard, s. of h. -søkende (adj) house-hunting; (subst) house hunter.

boline ♩ bowline.

bolk partition wall; (mellom båser) stall-bars; (tidsrom) period, spell.

I. **bolle** (til drikkevarer) bowl, basin.

II. **bolle** (hvete-) bun, muffin; (med rosiner i) currant bun; (kjøtt-) querelle, meat ball; (mel-) dumpling.

bolledeig (til kjøttboller) meat farce.

bolsjevik Bolshevik, Bolshevist.

bolsjevisme Bolshevism.

bolster (*underpute*) bolster; (*på madrass, etc*) ticking.
bolt (*jernnagle*) bolt, iron pin; (*i seil*) lining (cloth), bolt rope. **-epistol** cartridge hammer.
boltre: ~ *seg* romp, gambol, frolic, tumble about.
bolverk bulwark, safeguard.
I. bom 1 (*veisperring*) bar; (*til avkrevning av bompenger*) toll bar, turnpike; 2 (*jernb*) (level -crossing) gate; 3 (*til sperring av innseiling*) boom; 4 (*hindring*) barrier, bar, hindrance; 5 (*slå*) bar; 6 (*gym*) horizontal bar; 7 ⚓ (*til seil*) boom; 8 ⚓ (*laste-*) derrick, cargo boom; 9 (*på vev*) beam.
II. bom (*feilskudd*) miss; *skyte* ~ miss (the mark).
III. bom: *gå på* -*men* T be on the bum, go about begging.
IV. bom (*adv*) absolutely, completely; *sitte* ~ *fast* be completely stuck; *tie* ~ *stille* be absolutely silent; *vi må tie* ~ *stille!* mum's the word!
bombard|ement bombardment. **-ere** bomb; shell; ~ *en med spørsmål* bombard sby with questions.
bombast bombast. **-isk** bombastic, high -sounding.
bombe (*subst & vb*) bomb. **-attentat** bomb outrage. **-sikker** bomb-proof. **-tokt** air (*el.* bombing) raid. **-treff** hit; *huset hadde fått et direkte* ~ the house had taken a direct hit.
I. bomme large wooden box; (*niste-*) lunch box.
II. bomme miss (the mark); («*slå*» *en for penger*) bum; *jeg -t ham for £5* I touched him for £5; ~ *på eksamensspørsmål* mess up (*el.* make a mess of) an exam question; misunderstand an exam q.
bommert blunder; T howler; *begå en* ~ make a blunder.
bommesi (*tykt bomullsstoff*) Canton flannel.
bompenger turnpike money, toll, toll money.
bomskudd miss, unsuccessful shot, bad shot; T boss shot.
bomsterk as strong as a horse, Herculean.
bomstille stock-still, absolutely silent; *være* ~ keep perfectly quiet; (*se IV. bom*).
bomull cotton (wool).
bomulls|dyrking cotton cultivation. **-flanell** flannelette. **-fløyel** cotton velvet. **-frø** cottonseed. **-frøolje** cottonseed oil. **-garn** cotton (yarn). **-lerret** calico. **-spinneri** cotton mill. **-tråd** c. thread. **-tøy** c. material. **-varer** (*pl*) cottons. **-veveri** cotton mill.
bom|vakt toll man. **-vei** turnpike road.
bon: *se bong.*
bonde farmer; (*små-*) peasant farmer; (*hist, fri-*) yeoman, freeholder; (*landsens mann*) peasant, countryman; (*neds*) clodhopper, boor; (*i sjakk*) pawn; *det kan du innbille bønder* tell that to the marines!
bonde|aktig boorish, countrified, rustic. **-anger:** *i dag har jeg* ~ I'm having regrets today; I wish I hadn't made a fool of myself. **-arbeid** farm work. **-bryllup** country wedding. **-egg** farm (*el.* fresh) egg(s).
bonde|fanger confidence man. **-ful** (*adj*) sly, shrewd (like a peasant). **-gutt** peasant boy. **-gård** farm. **-jente** country lass (*el.* wench). **-knoll** clodhopper; US S hick. **-kone** country woman, farmer's wife. **-kost** rustic fare. **-mann** peasant, countryman. **-møbler** (*pl*) peasant furniture. **-mål** country dialect. **-pike** 1. = -*jente*; 2 (*rett*): *tilslørte* -*r* brown Betty with whipped cream. **-rose** ♣ (*peon*) peony. **-skikk** country fashion. **-smør** farm butter. **-stand** peasantry. **-stil:** *hyttemøbler i* ~ peasant-style cottage furniture. **-stolthet** rustic pride. **-tamp** boor. **-venn** friend of the peasantry. **-vis:** *på* ~ after the fashion of peasants.
bondsk boorish, rustic.
bone polish, (bees)wax.

bong voucher, ticket; (*til kassen*) bill; US check; (*totalisator-*) (tote) ticket.
bonitere (*forst*) value. **bonitering** valuation.
bonitet (*forst*) quality class, productivity class, site class.
bonus bonus.
boomerang (*australsk kastevåpen*) boomerang.
bopel (place of) residence; address; *fast* ~ permanent address, fixed a.; *uten fast* ~ of no fixed a.
I. bor (*grunnstoff*) boron.
II. bor (*redskap*) drill; *lite vri-* gimlet; *stort* ~ auger.
boraks ♂ borax.
I. bord (*kant*) border, edge, trimming.
II. bord table; *dekke -et* lay the table; *dekke av -et* clear the table; *gjøre rent* ~ (*fig*) make a clean sweep of it; *ta av -et:* se *dekke av -et*; *etter -et* after dinner; *stå opp fra -et* rise from table; *før -et* before dinner; *slå i -et* (*fig*) put one's foot down; *maten er på -et* dinner is served; *sette seg til -s* sit down to dinner (*el.* supper); *sitte til -s* be (seated) at table; *føre en dame til -s* take a lady in to dinner; *sette foten under eget* ~ set up for oneself, set up house; (*gifte seg*) marry and settle down; *penger* (*betalt eller tilbudt*) *under -et* (*for hus el. leilighet*) key money; *drikke en under -et* drink sby under the table; *han havnet under -et* (*også*) he was overcome by liquor; *ved -et* at table, during dinner (*el.* supper); *varte opp ved -et* wait at table.
III. bord (*skipsside*) board; *gå fra -e* disembark, go ashore; *legge fra -e* shove off; *legge roret i -e* put the helm hard over; (*se også om bord og over bord*).
IV. bord (*fjøl, planke*) board.
bord|ben leg of a table. **-bønn** grace. **-dame** (dinner) partner. **-dekning** laying the table. **-duk** table cloth.
borde (*entre*) board; (*legge til*) run alongside.
bordell brothel.
bord|ende head of the table; (*nederste*) foot (*el.* bottom end) of the table.
bord|kant edge of a (,the) table. **-kavaler** (dinner) partner. **-klaff** table flap. **-kniv** table knife. **-konversasjon** table talk. **-løper** table runner. **-oppsats** centre piece. **-plate** tabletop. **-setning:** *annen* ~ the second dinner (,lunch, *etc*), the second service. **-skikk** table manners; *holde* ~ mind one's table manners. **-skuff** table drawer. **-tale** after-dinner speech. **-teppe** table cover, table cloth. **-vin** table wine.
bore bore; (*i metall*) drill; (*slitte sylindre*) rebore; ~ *en brønn* sink a well; ~ *i senk* sink (*fx* a ship); (*ved å åpne bunnventilene*) scuttle; *borte kniven i hans hjerte* plunged the knife into his heart. **-bille** boring beetle. **-ferdig:** *bilen er* ~ the car is (about) ready for a rebore; *en* ~ *motor* an engine in need of a rebore. **-maskin** drilling machine.
boretts|haver member of a co-operative building society. **-lag** (*andelslag*) [housing co-operative organized for one particular project only].
I. borg (*slott*) castle.
II. borg (*kreditt*) credit; *ta på* ~ take on credit.
borge: ~ *for* vouch for, answer for.
borger citizen. **-brev:** *akademisk* ~ certificate of matriculation. **-dyd** civic virtue. **-konge** citizen king. **-krig** civil war.
borgerlig civil, civic; (*jevn*) plain, simple; ~ *drama* domestic drama; *en* ~ (*mots. adelig*) a commoner; ~ *frihet* civic liberty; ~ *stilling* position in civil life; *stå opp* (*gå til sengs*) *i* ~ *tid* keep good hours; ~ *vielse* civil marriage; ~ *viet* married before the registrar. **-het** plainness, simplicity.
borgermester mayor. **-dyd:** *forsiktighet er en* ~ discretion is the better part of valour (US: valor). **-embete** mayoralty. **-mage** paunch, corporation; (*jvf alderstillegg*). **-mine** air of great importance.
borger|plikt duty of a citizen, civic duty.

-rett nationality; US citizenship; *ordet har fått* ~ the word has been naturalized. **-skap** 1: *se -rett*; 2 *(samtlige borgere)* citizens, citizenry, middle classes. **-standen** the middle classes. **-væpning** militia, civic guard(s). **-ånd** public spirit, good citizenship.

borg|fengsel dungeon. **-frue** châtelaine. **-gård** (castle) courtyard. **-herre** lord of the castle.

borgstue servants' hall.

boring boring, drilling, sinking; *(kaliber, løp)* bore; *(av bilmotor)* rebore; *(det å)* reboring; *(se bore)*.

bornert narrow-minded, borné.

bornerthet narrow-mindedness.

borre ♣ burdock; *(frukten)* bur(r).

borsyre boric acid, boracic acid.

bort away, off; ~ *i alle vegger* wide of the mark, out of all reason; *det er jo* ~ *i alle vegger!* what utter rot! it's sheer moonshine! *han må* ~ he must go; *bort med det!* take it away! ~ *med fingrene!* hands off! *gifte* ~ marry off; *jage* ~ drive away, expel; *kalle* ~ call away; *bli kalt* ~ *(ved døden)* pass away; *Gud har kalt ham* ~ God has taken him to himself; *klatte* ~ fritter away, waste; *rydde* ~ clear away; *(fig)* remove, smooth away; *se* ~ *fra* ignore, leave out of account; *sende* ~ dismiss, send away; *skjemme* ~ spoil; *jeg stikker* ~ *til deg i kveld* I'll come round to your place tonight; *ta* ~ remove, take away; *vende* ~ avert, divert, turn away; *vise* ~ dismiss, refuse admittance, turn away; expel; *ødsle* ~ dissipate, squander, waste.

bortbestilt booked (up) *(fx* all the seats are b. up); *alt er* ~ *hos oss* we are fully booked up.

borte away; absent; *død og* ~ dead and gone; *der* ~ over there; *være* ~ be lost *(el.* gone); *bli* ~ *(utebli)* stay away; *(gå tapt)* be lost; *jeg blir ikke lenge* ~ I shall not be long; *om oljen skulle bli* ~ if oil supplies were to be cut off; *den jenta er ikke* ~ *(rosende)* T that girl has got what it takes; she is quite a girl; *langt* ~ far away, far off; ~ *bra, men hjemme best* East or West, home is best; *et stykke* ~ some way off, at a distance, at some d.; *(se også gate).*

borte|bane *(fotball)* away ground; *de spiller på* ~ they are playing away. **-kamp** away match, away fixture.

bortenfor *(prep)* off, beyond; *(adv)* beyond.

bortest *(adj)* furthermost.

bortfall *(språkvitenskap)* disappearance, dropping *(av* of). **-e** disappear, be dropped; *disse forpliktelser* *-r* these obligations no longer apply; *«-r» (som svar på spørsmål på skjema)* «not applicable» *(fk.* n.a. *el.* N/A).

bortforklare explain away.

bort|forpakte farm out, (let on) lease. **-forpaktning** farming out. **-fortolke** explain away.

bort|føre carry off; abduct; kidnap; *la seg* ~ *av* run away with, elope with. **-førelse** carrying off; abduction; kidnapping; *(kvinnes)* elopement (with).

bortgang *(død)* death, demise, passing (away).

bortgjemt hidden (away), remote.

borti 1. against; *komme (el. sneie)* ~ *noe* brush *(el.* graze) against sth; *komme* ~ *noe (fig = komme galt av sted)* get into trouble; 2. over in; *han holder på* ~ *fjøset* he is working over in the cowshed; *blande (el. legge) seg* ~ *noe* meddle with sth, poke one's nose into sth; *han har vært* ~ *(o: har prøvd) alt mulig* he has given everything a try.

bort|kommet lost, gone; *-komne saker* lost property; *jeg tror nok jeg så temmelig -kommen ut* I suppose I was looking rather lost.

bortlede *(vann)* drain off; *(tanker)* divert; *(mistanke)* ward off, avert.

bortlodning lottery, raffle.

bortom *(prep & adv)* over to, as far as; *stikk* ~ *i morgen* come round tomorrow.

bortre further *(fx* the f. side of the lake).

bortreis|e *(subst)* departure. **-t** away (from home).

bortsett: ~ *fra* apart from; *rent* ~ *fra at* quite apart from the fact that.

bortvendt *(adj)* averted.

bortvisning dismissal, expulsion.

borvann boric acid solution, boracic lotion.

bosatt resident, settled, domiciled; *være* ~ *i* reside in.

bosette: ~ *seg* settle, take up residence, set up house. **-lse** settling, establishment, setting up house.

Bosnia *(geogr)* Bosnia. **bosnisk** Bosnian.

Bosporus *(geogr)* the Bosporus.

bosted: *se bopel.*

bot *(lapp)* patch; *(mulkt)* fine, penalty; *(forbedring)* amendment, correction; *(botshandling)* penance; *råde* ~ *på* remedy; make good *(fx* a deficiency); right *(fx* a wrong); *gjøre* ~ do penance; *love* ~ *og bedring* promise good behaviour (US: behavior), promise to behave, promise to turn over a new leaf.

botani|ker botanist. **-kk** botany. **-sere** botanize. **-serkasse** (botanist's) vasculum. **-sk** botanical.

botemiddel remedy *(for* for).

botferdig penitent, repentant, contrite. **-het** penitence, repentance, contrition.

botn: *se bunn.* **botne:** *se bunne.*

botnisk: *Den -e bukt* the Gulf of Bothnia.

bots|dag day of repentance. **-fengsel** penitentiary. **-predikant** preacher of repentance. **-øvelse** penance, penitential exercise.

bra *(adj)* good, honest, worthy; *(adv)* well; *en* ~ *kar* a decent fellow; *en* ~ *pike* a good girl; *bli* ~ get well *(av* of); *nå hadde hun det* ~ she was doing well now; *det er* ~, *gutten min* well done, my boy; *med meg er det* ~ I am all right; *det er vel og bra, men* that is all very well, but; *jeg føler meg ikke riktig* ~ *i dag* I don't feel quite the thing this morning; *jeg håper alt går* ~ *med dere* I hope everything is going well with you.

brageløfte promise of (a) great deed(s).

brak crash, bang; *(torden-)* peal.

brake crash; *presse og radio -t løs* the press and the radio were thundering away *(el.* were filling the air *el.* were hard at it).

I. brakk *(om vann)* brackish.

II. brakk *(om jord)* fallow; *ligge* ~ lie fallow.

brakke ✕ barracks; *(arbeids-)* workmen's hut *(el.* shed). **-by, -leir** hutted camp.

brakkland fallow land.

brakknese snub nose, pug nose.

brakkvann brackish water.

bram ostentatious display, show; *med brask og* ~ ostentatiously. **-fri** unostentatious.

bramin Brahmin.

bram|rå ♣ topgallant yard. **-saling ♣** topmast cross-trees. **-seil ♣** topgallant sail; *splitte mine* ~! shiver my *(el.* me) timbers!

brann fire; *(kjempe-)* conflagration; *(brennende stykke tre)* firebrand; *(i korn)* smut; *komme i* ~ catch fire, take fire; *sette (el. stikke) i* ~ set on fire, set fire to; *(også fig)* fire; *stå i* ~ be on fire.

brann|alarm fire alarm, fire call. **-alarmapparat** fire-alarm (apparatus). **-beite** *(i skog)* fire break, fire lane. **-bil** fire engine; T pump; *(stigebil)* turntable ladder. **-bombe** incendiary (bomb). **-byll** anthrax, carbuncle.

brannet dark-striped, brindled, tabby.

brann|fakkel incendiary torch; *(fig)* firebrand. **-fare** danger of fire. **-farlig** inflammable, liable to catch fire. **-folk** firemen, fire brigade. **-forhør** inquiry into the origin of a fire. **-formann** leading fireman. **-forsikring** fire insurance. **-gate:** *se -belte.* **-gavl** fireproof gable. **-gul** flaming yellow, orange -coloured. **-hake** fire hook. **-inspektør** divisional (fire) officer. **-klokke** fire bell. **-konstabel** fireman. **-lukt** smell of burning. **-mann** fireman. **-mester** station (fire) officer; *over-* assistant divisional (fire) officer; *under-* subofficer. **-mur** fire wall. **-pil** fire arrow. **-polise** fire (insurance) policy. **-redskaper** fire-fighting equipment. **-salve** ointment for burns. **-seil** jumping sheet. **-sikker** fireproof. **-sjef** chief fire officer; *vara-* deputy *(el.* assistant) chief fire officer. **-skade** damage by fire. **-skatte** lay under contribution, plunder,

pillage. **-skjær** glare of (the) fire. **-slange** fire hose. **-slokningsapparat** fire extinguisher. **-sprøyte** fire engine. **-stasjon** fire station; *hoved-* fire brigade headquarters. **-sted** scene of a fire. **-stiftelse** incendiarism, arson. **-stifter** incendiary, fire-raiser; US fire-bug, arsonist. **-stige** fire escape. **-sår** burn. **-takst** valuation for insurance; *(verdien)* insured value. **-tau** rescue rope. **-tomt** burnt -out ruins. **-vakt** fire watcher. **-varslingsapparat** fire-alarm box. **-vesen** *(systemet)* fire service; *(konkret)* fire brigade; US fire department. **-øvelse** fire drill.

bransje department, line, branch; *han er godt inne i -n* he is well in with the trade.

bransjeforretning dealer; (NB in England the specific trade is usually stated).

bras ⚓ *(tau ved begge ender av en rå)* brace; *le ~* lee brace; *luv ~* weather brace; *klare -ene* make it, manage (it), pull *(el.* bring) it off; *(også* US) make the grade.
I. brase *(styrte)* crash; *~ imot* knock against; *~ ned* come down with a crash; *~ sammen* collapse, crash in; *(kollidere)* crash into each other.
II. brase ⚓ *(dreie ved hjelp av brasene)* brace; *~ an* b. to; *~ bakk* b. aback.
III. brase *(steke)* fry, frizzle, cook.
Brasil *(geogr)* Brazil. **brasilian|er, -sk** Brazilian.
brask: *med ~ og bram* ostentatiously.
brasme *(fisk)* bream.
brast: *stå last og ~ sammen* stick together in good times and bad.
bratsj ♪ viola, tenor violin. **-ist** viola player.
bratt *(steil)* steep, precipitous; *~ stigning* steep rise; *(se stå: ~ bratt ned).*
braute brag, bluster, swagger.
bravade *(brautende opptreden)* swashbuckling, rodomontade.
bravo! bravo! **-rop** (shout of) bravo, cheer.
bravur *(glimrende sikkerhet)* bravura; *med ~ (også)* brilliantly. **-arie** bravura aria. **-nummer** show-piece, star turn.
I. bre *(subst)* glacier; *(snø-)* snowfield, field of eternal snow.
II. bre *(vb)* spread; *~ seg (bli bredere)* broaden; *(om smitte el.* ild) spread; *(om person)* spread oneself.
bred *adj (vid)* broad, wide; *seks fot lang og fire ~* six feet by four; *~ over baken* T broad in the beam; *gjøre -ere* widen, broaden; *-t (adv)* broadly; *vidt og -t* far and wide. **-bladet** ♣ broad-leaved; *(kniv)* broad-bladed.
bredd *(av elv)* bank, riverbank; *(av innsjø el.* hav) shore; *ved havets ~* on the seashore; *gikk over sine -er* overflowed its banks; *de skrå -er* the stage, the boards.
bredde breadth, width; *(stilens)* diffuseness; *(geografisk)* latitude; *i -n* across; *på 15° nordlig ~* in 15° northern latitude, in latitude 15° north. **-grad** degree of latitude; parallel; *på våre -er* in our latitudes. **-sirkel** circle of latitude.
breddfull brimful, brimming, full to over-flowing.
bred|flabbet broad-jawed. **-fotet** broad-footed. **bred|side** broadside. **-skuldret** broad-shouldered. **-skygget** broad-brimmed. **-snutet** *(sko)* square -toed. **-sporet** broad-gauge(d). **-stående** *(gym)* stride-standing.
bregne ♣ fern, bracken.
brekant glacial apron.
breke bleat, baa. **breking** bleating, baaing.
brekk *(beskadigelse)* breakage.
brekkasje breakage.
brekkbønner *(pl)* (chopped) green beans.
brekke *(vb)* break, fracture; *~ nakken* break one's neck; *~ lasten* break bulk; *~ om (typ)* make up; *~ opp* break open; *~ seg* vomit, be sick; T cat.
brekk|jern: *se -stang.* **-middel** emetic. **-stang** crowbar, jemmy, jimmy; *(fig)* lever. **-vogn** *(jernb)* brake van; US caboose.
brekløft moulin.

brekning vomiting.
brem border, edge.
brems 1 *(insekt)* gadfly, botfly, warble fly; 2. brake.
bremse *(vb)* brake; *(fig)* check, restrain; *~ på inflasjonen* put a brake on inflation.
bremse|apparat braking apparatus. **-belegg** brake lining. **-bånd** brake band. **-kloss** brake block. **-lengde** braking distance. **-mann** *(jernb)* brake-man. **-pedal** brake pedal. **-sko** brake shoe. **-slange** brake hose. **-sylinder** wheel *(el.* brake) cylinder. **-vei** stopping distance. **-væske** brake fluid.
bremsing braking.
brenn|bar combustible, inflammable. **-barhet** combustibility, inflammability.
I. brenne *(subst): se ved.*
II. brenne *(vt)* burn; scorch, sear; commit to the flames; *(lik)* cremate; *(om nesle)* sting; *(vi)* burn, be on fire; *det vil ikke ~* 1 *(i ovn, etc)* the fire won't light *(el.* burn); 2 *(om ved, etc)* it won't burn *(el.* catch (fire)), it won't take fire; *~ brennevin* distil spirits; *~ kaffe* roast coffee; *~ teglstein* bake tiles; *lukte brent* smell of burning; *~ av begjærlighet* burn with desire; *det -r i ovnen* there is a fire in the stove; *~ ned* be burnt down; *~ opp* be burnt, be destroyed by fire; *det har brent i natt på to steder* there was a fire last night in two places; *huset brant ned* the house was burnt down; *~ av (et skudd)* fire off (a shot); *(fyrverkeri)* let off *(fx* fireworks); *~ etter å* be dying to *(fx* he was dying to speak); *det har brent hos ham* there has been a fire at his house; *brent barn skyr ilden* a burnt child dreads the fire; once bitten, twice shy; *brent mandel* burnt almond; *~ inne (en annen)* burn sby (to death) in his house; *(selv)* perish in the flames; *~ inne med noe* be left with sth on one's hands; T be landed with sth; *~ seg* burn oneself; *(fig)* burn one's fingers; *jeg brente meg på en nesle* I was stung by a nettle.
brenne|merke 1 *(subst)* brand, stigma; 2 *(vb)* brand; *(fig)* stigmatize. **-merking** branding; *(fig)* stigmatizing.
brennende scorching, burning; *~ spørsmål* burning question.
brennesle stinging nettle.
brenner *(i lamper)* burner.
brennevin distilled spirits, brandy. **brenne-vins|brenner** distiller. **-brenneri** distillery. **-brenning** distilling, distillation.
brennglass burning-glass.
brenning burning; *(av teglstein)* baking; *(i sjøen)* surf, breakers.
brennkulde biting cold.
brenn|manet sea nettle, stinging jellyfish, cyanea. **-offer** burnt offering. **-punkt** focus.
brennstoff fuel; *et nødvendig ~ for den industrielle produksjon* a fuel (which is) necessary to industrial production.
brensel fuel. **-besparende** fuel-saving. **-forbruk** fuel consumption. **-(s)verdi** value as fuel, heating value.
bresje breach; *skyte ~ i* make a breach in; *stille seg i -n for* step into the b. for, make a stand for, stand up for.
bre|sluk moulin. **-sprekk** crevasse.
I. brett board; *(bakke)* tray; *på ett ~* at once, at one go; in one lot.
II. brett turned-down *(el.* turned-up) edge; fold; *legge en ~ på* turn down; *legge ~ på (fig)* attach importance to, lay stress on.
brette: *~ opp* turn up; *~ ned* turn down; *må ikke -s!* do not bend!
brettspill board game.
brev letter; *(mindre)* note; *ubesørgelig ~* dead letter; *veksle ~ med en* correspond with sby; *et ~ knappenåler* a paper of pins.
brev|ark (sheet of) notepaper, letter-paper. **-due** carrier (pigeon), homing pigeon. **-form** epistolary style; *i ~* in the form of a letter. **-kasse** letter box; US (letter) drop. **-kort** post card; US postal card. **-mappe** letter case, **-ombæring** delivery, **-ordner**

letter file. **-papir** notepaper, writing paper; (*luksuspapir*) fancy paper. **-porto** postage, postage on letters. **-post** letter post. **-presse** paperweight, letter weight. **-skriver** letter writer. **-skrivning** letter writing. **-stil** epistolary style of writing. **-veksle** correspond. **-veksling** correspondence; *stå i* ~ correspond. **-vekt** letter balance.
bridge (*kortspill*) bridge.
brigade ✕ brigade. **-general** brigadier, brigadier general.
brigg ⚓ (*tomastet skip*) brig.
brikke table mat, cocktail mat; (*øl-*) beer mat; US coaster; (*liten duk*) doily; (*i spill*) man, piece.
brikett briquette; US briquet.
briljant brilliant.
briljantine (*hårmiddel*) brilliantine.
briljere (*glimre*) shine.
brille|futteral spectacle case. **-glass** spectacle lens. **-innfatning** spectacle frame.
briller (*pl*) spectacles, glasses; *lese-* reading glasses.
brilleseddel prescription for spectacles.
brille|slange 🐍 hooded snake, cobra. **-stenger** (*pl*) side bars.
I. **bringe** (*bryst*) chest.
II. **bringe** *vb* (*til den talende*) bring; (*ellers*) take, carry, convey; *bring meg den boka* bring me that book; *bring dette brevet på posthuset* take (*el.* carry) this letter to the post office; ~ *et offer* make a sacrifice; ~ *ulykke* bring bad luck; ~ *det vidt* be very successful, achieve great things, go far; ~ *for dagen* bring to light; ~ *fram* bring forward; ~ *lys i* clear up; ~ *i erfaring* learn, ascertain; ~ *ham inn på* (*emne*) draw him on to talking of; ~ *oss opp i vanskeligheter* land us in difficulties; ~ *noe over sitt hjerte* bring oneself to; ~ *på bane* broach; bring up; ~ *en på fote igjen* set sby on his feet again; ~ *en på andre tanker* make sby change his mind; ~ *en til seg selv* bring sby round; ~ *til taushet* silence; ~ *en til å* ... make sby ...
bringebær 🍓 raspberry. **-busk** raspberry bush. **-syltetøy** r. jam.
bris breeze; *frisk* ~ fresh b.; *laber* ~ moderate b.; *lett* ~ gentle b.; (*jvf vind: flau* ~, *svak* ~; *påfriskende*).
I. **brisk** (*einer*) juniper. **-elåg** decoction of juniper.
II. **brisk** (*fast seng*) bunk.
briske: ~ *seg* show off, swagger; T put on side; ~ *seg av noe* plume oneself on.
brisling (*fisk*) sprat, brisling.
brissel (*en kjertel*) sweetbread.
brist (*feil*) flaw; (*mangel*) defect; *en* ~ *i karakteren* a flaw in sby's character; *en* ~ *i hans logikk* a fault in his logic.
briste (*revne*) crack, burst; (*gå i stykker*) break; (*gi etter*) give way; (*slå klikk*) fail; *det får* ~ *eller bære* it is neck or nothing; it is a case of sink or swim; *få hans hjerte til å* ~ break his heart; ~ *i gråt* burst into tears; ~ *i latter* burst out laughing; burst into a laugh (of derision, *etc*); *-nde øyne* dying eyes; *brustne øyne* glazed eyes.
briste|ferdig ready to burst. **-punkt** breaking point; *på -et* at b. p.; *spenne til -et* strain to b. p.; (*se tålmodighet*).
brite Briton. **-ne** the British. **britisk** British.
bro: *se bru*.
I. **brodd** sting; *ta -en av* take the sting out of; *stampe mot -en* kick against the pricks; *det har ikke* ~ *mot* it is not directed against.
II. **brodd** (*is-*) ice spur; crampon; (*på hestesko*) frost-nail; US calk.
brodden (*adj*): *det er brodne kar i alle land* there is a black sheep in every flock; *brodne panner* broken heads.
brodere embroider. **brodergarn** embroidery cotton, e. wool.
broderfolk sister nation.
broderi embroidery. **-forretning, -handel** needlework shop. **brodering** embroidering.

broderlig brotherly, fraternal. **-het** fraternal spirit, brotherliness.
broder|mord fratricide. **-morder** fratricide. **-ånd** brotherly spirit; (*se for øvrig bror-*).
brokade brocade.
broket parti-coloured, motley, variegated; *-e farger* gay colours; *det ser* ~ *ut* things look awkward, things are in a mess; *han gjorde det* ~ *for meg* he made it difficult for me.
brokk (*sykdom*) rupture, hernia; *få* ~ rupture oneself.
brokk|belte hernial belt. **-bind, -bånd** truss, suspensory, hernial bandage.
brokker (*subst pl*) fragments, scraps, bits.
brokkfugl 🐦 plover.
brokktilfelle rupture, case of hernia.
brom ♂ bromine.
brom|kalium ♂ potassium bromide. **-syre** ♂ bromic acid.
bronkial bronchial.
bron|kier (*pl*) bronchia. **-kitt** bronchitis.
bronse bronze. **-alder** bronze age. **-farget** b.-coloured. **-medalje** b. medal. **-re** bronze.
bror brother; (*pl:* brothers; (*medmennesker, ordensbrødre, etc*) brethren); (*munk*) brother, friar; *brødrene Smith* the brothers Smith; the Smith brothers; (*firmanavn*) Smith Brothers, Smith Bros.
bror|datter niece, brother's daughter. **-folk** sister nation. **-hånd** fraternal hand. **-kjærlighet** fraternal (*el.* brotherly) love. **-parten** the lion's share. **-skap** brotherhood, fraternity. **-sønn** nephew.
brosje brooch.
brosjert paper-bound.
brosjyre booklet, pamphlet, brochure, folder.
brottsjø breaker, heavy sea.
brr! ugh!
bru bridge; (*gym*) back-bend (position); *bryte alle -er* (*fig*) burn one's boats; *slå* ~ *over* throw a bridge over, bridge (over). **-bue** arch (of a bridge).
brud bride; *stå* ~ be married.
brudd (*revne*) breach, break, gap; 🜨 fracture; *diplomatisk* ~ diplomatic rupture; *et* ~ *med* a break with, a departure from; *det kom til* ~ *mellom dem* there was a break (*el.* a rupture) between them; they broke with each other; they fell out.
brudden broken, fractional.
brudd|flate surface of fracture. **-stykke** fragment. **-stykkeaktig** fragmentary.
brude|drakt bridal dress. **-ferd** wedding procession. **-folk** bridal couple. **-følge** wedding (*el.* bridal) procession. **-gave** wedding present. **-kammer** bridal chamber. **-kjole** bridal (*el.* wedding) gown.
brudekke decking (*el.* flooring) of a bridge.
brude|krans bridal wreath; (*i England*) orange blossom. **-par** bridal couple, bridal pair, newly-married couple. **-pike** bridesmaid. **-seng** (*glds*) bridal bed. **-slør** bridal veil. **-utstyr** trousseau.
brudgom bridegroom.
brudulje T shindy, row.
brugde (*fisk*) basking shark.
bruhode ✕ bridgehead; (*på kyst*) beachhead.
I. **bruk** use, employment; (*skikk*) practice, custom, usage; *gjøre* ~ *av* make use of; *ha* ~ *for* need; *det blir nok* ~ *for det* it will come in handy; *penger jeg ikke hadde* ~ *for med en gang* money I had no immediate use for; *til* ~ *for* the use of; *til* ~ *overfor mine kunder* to use with my customers, to show my c.; *ingen* ~ *for* no use for; *det er skikk og* ~ *her* it is common practice here; *gå av* ~ fall out of use, fall into disuse; *ha i* ~ have in use, be using; *ta i* ~ put to use, take into service, start using, adopt (*fx* a new method); *bli tatt i* ~ begin to be used; *det ble tatt i* ~ (*også*) it was put to use; *de er for små til mitt* ~ they are too small for my use.
II. **bruk** (*gårds-*) farm; (*bedrift*) mill, works, factory.

brukar (bridge) pier.

bruk|bar fit for use, usable, serviceable, useful, in working order; *han er ikke ~* he is no use; *i ~ stand* serviceable. **-barhet** fitness for use, usefulness.

bruke use, employ; make use of; *(forbruke)* consume; *(pleie)* be in the habit of; *(penger)* spend; *han -r alt han tjener* he spends all his income; he lives up to his i.; *de adresser han skulle ~ når han skrev til meg* the addresses at which he was to write to me; *han brukte all sin styrke* he put out all his strength; *~ sin tid godt* make good use of one's time; *~ noe mot en sykdom* take something for a complaint; *~ munn* scold; *T jaw; ~ bena* make use of one's legs; *vi brukte to dager på å* it took us two days to; we took two days to; *~ lang tid på å* be slow in (-ing); *~ opp* consume, expend, use the whole; *~ seg (bruke munn)* scold; *T jaw; det -s ikke her til lands* it is not the custom in this country; *brukte klær* second-hand clothes; *de mest brukte størrelser* the most ordinary sizes; *(se I. marg)*.

brukelig: *se brukbar.*

bruker user.

bruks|anvisning directions for use. **-eier** mill owner, manufacturer. **-forening** co-operative society, supply association; *(utsalg)* co-operative stores; *T co-op.* **-gjenstand** article for everyday use, article for daily use, utility article. **-kunst** applied art. **-ord** word in daily use; *dette er ikke noe vanlig ~* this word is not in common use *(el.* is seldom or never heard). **-rett** right of use.

bruktbil used car, second-hand car; *~ som har gått lite* small-mileage used car. **-forhandler** dealer in used cars, second-hand car dealer.

brulegge pave. **-r** paviour. **-rjomfru** rammer, paviour.

brulegging paving; pavement.

brum growl. **-basse** growler.

brumme growl; *(fig)* grumble; *~ i skjegget* mutter to oneself.

brun brown; *du er fin og ~* you've got quite a colour; you're as brown as a berry.

brune brown *(fx* b. them quickly in hot dripping); *(huden)* bronze; tan; *-t smør* browned butter.

brunhåret brown-haired.

brunkull brown coal, lignite.

brunst *(hundyrs)* heat; *(handyrs)* rut, rutting.

brun|stekt done brown. **-stein** manganese, dioxide, pyrolusite.

brunstig in heat; rutting.

brunsttid mating season; *(om handyr, også)* rutting season; *(om hundyr, også)* period of heat.

brus *(brusende lyd)* rushing sound, roar; *(sakte)* murmur; *(oppbrusing)* effervescence, fizz; *(limonade)* fizzy lemonade; *T pop.*

I. bruse ♣: *se brisk.*

II. bruse *(vb)* effervesce, froth, foam; *(havet)* roar, rush; *han -r lett opp* he is apt to blaze *(el.* flare) up; *~ over (ved gjæring)* run over.

brus|hane ♣ ruff. **-hode** hothead.

brusk gristle, cartilage. **-aktig** gristly, cartilaginous.

brustein paving stone, pavement stone.

brusteinsball street dance.

brusten *(om øyet)* glazed.

brutal brutal; *en ~ person* a bully, a brute. **-itet** brutality.

brutto|beløp gross amount. **-fortjeneste** gross profits *(el.* earnings). **-inntekt** gross income. **-vekt** gross weight.

I. bry *(subst)* trouble, inconvenience; pains *(fx* here's a shilling for your pains); *jeg fikk fri reise for -et* I had my journey for my trouble; *gjør deg ikke noe ~ for min skyld* don't trouble yourself on my account; *ha ~ med* have trouble with; *hadde du meget ~ med det?* did it give you much trouble? *hadde du meget ~ med å finne huset?* did you have much bother (in) finding the house? *jeg har veldig mye ~ med ham* I have no end of trouble with him; *ha ~ med å* be put to the

trouble of (-ing); *denne forsinkelse har skaffet oss mye ~* this delay has given us a great deal of trouble *(el.* inconvenience); *det er ikke noe ~* it will be no trouble; *vil det bety (el.* være) *meget ~ for deg å ...* will it be much trouble for you to ...

II. bry *(vt)* trouble, put to trouble, inconvenience; *(plage)* bother; *må jeg ~ Dem med å ...* may I trouble you to ...; *De må unnskylde at vi -r Dem med denne saken* you must pardon us for troubling you in the matter; *hun ville ikke ~ sin søster med å (be henne) se etter barna* she did not want to trouble her sister with looking after the children; *~ seg med å* trouble to, bother to; *~ seg om* care about *(el.* for), mind; *å, bry Dem ikke om det!* don't trouble yourself; never you mind; don't bother about that; *~ deg ikke om meg* don't mind me; *jeg -r meg ikke om det* I don't care about it *(el.* for it); *jeg -r meg ikke om å gå* I don't care to go *(el.* about going); *(se slippe).*

brydd embarrassed.

bryderi: *se I. bry.*

brygg brewing; *(drikk)* brew.

Brügge *(geogr)* Bruges.

I. brygge *(laste-)* wharf; *(for passasjertrafikk)* pier; *(kai)* quay, landing stage; *ved brygga* at the wharf (,quay); *(om skip, også)* alongside the wharf; *(svarer etter engelske forhold til)* in the docks.

II. brygge *(vb)* brew; *jeg -r på en forkjølelse* I've got a cold coming; *(jvf influensa).*

brygge|arbeider docker, dock worker; *US* longshoreman. **-avgift** quay dues, quayage. **-formann** quay master. **-kar** brewing vat. **-lengde** quayage.

bryggepanne 1. copper; 2 *(underovn & gryte)* (combined) copper and heater. **-rist** ash grate for copper heater.

bryggeplass quayage; *(hvor skipet legger til)* berth.

brygger brewer. **-hest** dray horse. **-hus** laundry, wash-house.

bryggeri brewery. **-arbeider** brewery hand. **-mester** master brewer. **-vogn** dray.

brygge|sjauer: *se -arbeider.*

bryllup wedding, marriage; *(poet)* nuptials; *holde ~* celebrate a wedding, be married; *være i ~* be at a wedding.

bryllups|dag wedding day. **-fest** wedding festivities. **-gave** wedding present. **-reise** honeymoon (trip); wedding trip; *de var på ~ i Italia* they went to Italy for their honeymoon.

bryn eyebrow, brow; *(skog-)* fringe *(el.* edge) of a wood.

brynde concupiscence, sexual passion; *(om dyr)* heat.

I. bryne *(subst)* whetstone, hone.

II. bryne *(vb)* sharpen, whet.

brynje coat of mail.

brysk brusque, gruff, blunt.

brysom troublesome, trying.

Bryssel *(geogr)* Brussels.

bryst breast; *(også om lunger, etc)* chest; *(kvinne-)* breast *(pl:* breasts); *(barnespråk)* teat, tit; *(av storfe)* brisket; *benfritt ~* boned brisket; *gi et barn ~* breast-feed a baby, give a baby the breast; *et svakt ~* a weak chest.

brystbilde half-length portrait.

bryste *(vb):* *~ seg* swagger *(av* about).

bryst|finne pectoral (fin). **-harnisk** breastplate. **-karameller** cough pastilles. **-kasse** chest. **-kjertel** mammary gland. **-lomme** breast pocket. **-ning** parapet. **-nål** brooch (pin). **-panel** dado. **-stemme** chest voice. **-svak** weak-chested. **-svømning** breast stroke. **-syk** consumptive. **-tone** chest note.

brystverk 1. ₮ abscess on the breast; *(smerte i brystet)* pain in the chest *(el.* breast); 2 *(på orgel)* swell-box, swell organ.

bryst|vern breastwork, parapet. **-vorte** nipple.

bryte *(brekke)* break; *(om lyset)* refract; *(om sjøen)* break; *ikke bryt forbindelsen! (tlf)* hold the line, please! *~ sitt hode* rack *(el.* cudgel) one's

brains; ~ *sitt løfte* break one's promise; ~ *isen* break the ice; ~ *tausheten* break silence; ~ *av* break off; (*i talen*) stop; *bryt av til venstre!* left wheel! ~ *fram* break (*el.* burst) forth, emerge; *sola brøt fram* the sun broke through; *dagen brøt fram* the day broke (*el.* dawned); ~ *inn* break in, force an entrance; ~ *inn i et hus* break into a house; ~ *løs* break loose; (*om oppgjør, etc*) break out; ~ *med en* break with sby; ~ *med en vane* break oneself of a habit; ~ *opp* break (*el.* force) open; (*fra selskap*) break up; *selskapet brøt opp* the party broke up; ~ *på det tyske* have a German accent; ~ *sammen* break down, collapse; ~ *ut* (*av fengsel*) break prison; *ilden brøt ut* the fire broke out.
brytekamp wrestling match.
bryter wrestler; (*elekt*) switch.
brytetak wrestling trick (*el.* grip), hold.
brytning breaking; wrestling; (*fys*) refraction; (*fig*) conflict.
brytnings|feil (*i øyet*) error of refraction. **-tid:** *en litterær* ~ a time of literary upheaval. **-vinkel** angle of refraction.
brød bread; *et brød* a loaf (of bread); *ristet* ~ toast; *gå som varmt hvete-* find a ready sale, sell like ripe cherries; *tjene sitt* ~ earn (*el.* make) a living, earn one's livelihood (*el.* living); *tjene sitt* ~ *ved hederlig arbeid* make an honest living; *være i ens* ~ eat one's bread; *ta -et ut av munnen på en* take the bread out of sby's mouth; *den enes død, den annens* ~ one man's loss is another man's gain.
brød|bakke bread basket, bread plate. **-blei** T hunk of bread. **-boks** bread bin; US bread box. **-deig** bread dough.
brøde guilt.
brød|fjel bread plate, bread board. **-frukt** ♣ breadfruit. **-fø** (*vb*) support. **-kniv** bread knife. **-korn** bread grain; breadstuffs (*pl*). **-leiv** chunk (*el.* hunk) of bread. **-løs** (*uten erverv*) out of work, out of a job. **-mangel** scarcity of bread. **-skalk** outside slice, first cut; US heel (of a loaf). **brød|skorpe** bread crust. **-smule** bread crumb. **-spade** peel. **-studium** utilitarian study.
brøk fraction; *alminnelig* ~ vulgar fraction; *forkorte en* ~ reduce a fraction; *gjøre om en* ~ invert a fraction; *uekte* ~ improper fraction. **-del** fraction; **-regning** fractions. **-strek** fraction line, stroke.
brøl roar, bellow; *fra mengden steg det opp et tordnende* ~ from the host rose a thunderous shout. **brøle** roar, bellow.
brøl(e)ape (*amerikansk apeslekt*) howler.
brønn well; *det er for sent å lukke -en når barnet er druknet* it is too late to lock the stable door after the horse has been stolen. **-borer** well borer. **-graver** well digger. **-karse** ♣ watercress. **-kur:** *ta* ~ take (*el.* drink) the waters. **-vann** well water.
brøstholden (*forurettet*) aggrieved.
brøyte clear the road (of snow); *det er -t vei helt fram til hyttedøra* a road is kept open right up to the entrance to the cabin; ~ *løype* break a (*el.* the) track.
brøyte|bil snow plough (truck). **-kant** bank of snow; US snowbank.
brå abrupt, sudden; **-tt** (*adv*) abruptly, suddenly; *stanse -tt* stop short. **-bremse** (*vb*) slam on the brakes. **-dyp:** *det er -t like ved land* there is deep water close to the shore. **-hast** hot hurry.
bråk (*subst*) noise; (*krangel*) bother, trouble; T row, shindy; *lage* ~ T kick up a row, raise hell, make a hullabaloo.
bråke (*vb*) make a noise. **-nde** noisy, boisterous.
bråkjekk brash.
bråkmaker troublemaker.
bråkulde a sudden spell of cold.
bråmett suddenly unable to eat any more.
bråne melt.
brå|sinne sudden anger; a sudden burst of anger. **-stanse** stop short, stop dead (in one's tracks).

bråte: *en hel* ~ *med* T lots of, heaps of.
bråtebrann (*kan gjengis*) rubbish fire; bonfire from a heap of brush.
bråtebrenning [the burning off of withered grass and leaves in spring].
brått (*adv*): *se brå.*
brå|vakker pretty at first sight. **-vende** turn short. **-vending** a short turn.
I. bu (*subst*) booth, stall.
II. bu (*vb*): *se bo.*
III. bu! (*int*) boo!
bud (*befaling*) command, commandment, order; (*beskjed*) message; (*visergutt*) errand boy, office boy; (*se visergutt*); (*sendebud*) messenger; (*tilbud*) offer; (*ved auksjon*) bid, bidding; *de ti* ~ the Ten Commandments; *gjøre et* ~ make a bid, bid (*fx* he bid £20 for the piano); *-et venter* bearer waits; *sende* ~ *etter* send for; *sende* ~ *til en* send word to sby; send a message to sby; send round to sby.
budbringer bearer of a message, messenger.
Buddh|a Buddha. **b-ismen** Buddhism. **b-ist** Buddhist. **b-istisk** Buddhist(ic).
budeie milkmaid, dairymaid.
bud|formann (*post*) postman higher grade. **-grense** (*i poker*) ceiling, limit. **-penger** (*pl*) porterage charge. **-rute** (*post*) delivery walk, round (*fx* a postman on his r.).
budsjett budget; (*overslag over statsutgifter*) Estimates; *som angår -et* budgetary; *legge fram -et* present (*el.* introduce *el.* submit) the b.; *oppføre noe på -et* include sth in the b.; budget for sth; *på -et* in the b.; *sette opp et* ~ draw up a b.
budsjett|debatt debate on the budget. **-ere:** ~ *med* budget (for) (*fx* a new car this year), include in the budget. **-forslag** budget; *legge fram et* ~ present a b. **-komité** (*parl*) = Committee of Ways and Means. **-messig** budgetary; ~ *sett* from a b. point of view.
budveske postman's pouch.
bue bow; (*fiolin*) bow, fiddlestick; (*hvelving*) arch; (*sirkel-*) circular arc; (*linje*) curve; *skyte med pil og* ~ shoot with bow and arrows; *spenne en* ~ bend (*el.* draw) a bow; *spenne -n for høyt* (*fig*) aim too high. **-formet** curved, arched. **-føring** ♪ bowing. **-gang** arcade, archway. **-lampe** arc lamp. **-skytning** archery, shooting with bow and arrows. **-skytter** archer, bowman. **-streng** bowstring. **-strøk** stroke of the bow.
buffer (*fjærende støtapparat*) buffer.
buffet (*spisestuemøbel*) sideboard; (*disk i restaurant*) buffet, refreshment bar; *stående* ~ (standing) buffet; *selskap med stående* ~ buffet party, b. luncheon (,supper, *etc*).
bugne bulge, bend; *de -nde seil* the bellying sails (*el.* canvas); *grenen -r av frukt* the branch bends under the weight of the fruit; the b. is weighed down with fruit; *bordet -r av retter* the table groans under the weight of the dishes.
buk abdomen; (*bibl & glds*) belly.
bukett bunch of flowers, bouquet; (*ofte spøkef*) nosegay.
buk|finne ventral fin. **-gjord** saddle girth. **-hinnebetennelse** peritonitis.
I. bukk (*geite-*) he-goat; T billy-goat; (*rå-*) buck; (*trebukk til bord*) trestle; (*for bil*) (service) ramp, car ramp; (*smøre-*) greasing ramp; (*se også smøregrop*); (*mastebukk på skip*) sheers; (*kuske-*) box; (*gym*) buck; *hoppe* ~ (play) leap-frog; *hoppe* ~ *over noe* (*fig*) skip sth; *stå* ~ make a back; *stå* ~ *for en* make a back for sby (at leap-frog); *den som står* ~ the 'back'; *skille fårene fra -ene* (*bibl*) separate the sheep from the goats.
II. bukk (*hilsen*) bow; *gjøre et* ~ make a bow.
bukke bow; ~ *dypt* (*for en*) make (sby) a low bow; ~ *og skrape* bow and scrape (*for* to); ~ *under for* succumb to, be overcome by.
bukkeben: *sette* ~ [stand stiff-legged]; (*svarer til*) cut up rough, show fight.
bukke|skinn buckskin. **-skjegg** goat's beard. **-sprang** caper, capriole; *gjøre* ~ cut capers.

bukking bowing; ~ *og skraping* bowing and scraping.

buksbom ♣ box. **-hekk** box hedge.

bukse: *se bukser.*

bukse|bak trouser seat. **-ben** trouser leg. **-brett** trouser turn-up; US trouser cuff. **-henger** trouser hanger. **-klype** 1. trouser hanger; 2 *(for syklist)* trouser clip. **-knapp** trouser button. **-linning** waistband. **-lomme** trouser pocket. **-løs** without trousers (on).

buksepress crease (in trousers); *en knivskarp ~* a knife-edge crease.

bukse(r) 1 *(lange)* trousers; US pants; *(korte)* shorts; 2 *(under-)* pants, drawers; US trunks; *(jvf bade-); gjøre i buksa* dirty *(el.* make a mess in) one's pants, fill one's pants; *han skalv i buksene* his heart sank into his boots.

buksere tow, take in tow.

bukser|båt tug. **-ing** towing, towage. **-line** tow line. **-penger** towage. **-trosse** towing cable, hawser.

bukseseler *(pl)* braces, pair of b.; US suspenders; (NB (sock) suspender = US garter *(sokkeholder);* (stocking) suspender = US garter *(strømpestropp);* suspender belt = US garter belt *(hofteholder)).*

bukspytt pancreatic juice. **-kjertel** pancreas.

bukt *(hav-)* bay; *(større, langstrakt)* gulf; ♣ *(på tau)* bight; *få ~ med* get the better of, overcome *(fx* difficulties, one's opponents); *vi har fått ~ med krisen (også)* we have broken the back of the crisis.

buktaler ventriloquist.

buktaler|aktig ventriloquial. **-i** ventriloquism.

bukte: ~ *seg* wind (in and out); *(om elv, også)* meander; *en hoggorm -t seg lynrapt av veien* an adder whipped off the road; ~ *seg fram* wriggle along.

buktet winding, sinuous; *(sterkt)* twisting, tortuous.

buktning winding, curve, bend; *slangens -er* the twisting of the snake; the sinuous movements of the snake.

bulder [big, crashing noise and rumble]; *(kan gjengis)* din, rumble; boom *(fx* the b. of the sea); *kampens ~* the din of battle.

buldre *(larme, rumle)* rumble; *(skjenne)* rage and fume, bluster; *(om kalkun)* gobble. **-basse** blusterer.

I. bule *(danse-, etc)* dive; US *(også)* joint; *en simpel ~* a low dive.

II. bule *(forhøyning på gjenstand)* bulge; *(på skjold)* boss; *slå -r (om tapet, etc)* cockle *(fx* the wallpaper was badly cockled); *(jvf bulk).*

bulevard boulevard.

Bulgar|ia *(geogr)* Bulgaria. **b-**, **b-sk** Bulgarian.

buljong meat broth, beef tea, clear (meat) soup, bouillon.

buljongterning bouillon cube, beef cube.

bulk dent; *rette opp (el. ut) en ~* press out *(el.* straighten out) a dent; *forskjermen fikk en stygg ~* the front mudguard got a nasty dent *(el.* was crumpled).

bulke *(vb)* S collide, dent (in), make a dent in *(fx* he made *(el.* got) a dent in his father's car); *han -t med en drosjebil* 1. he crashed into a taxi; 2 *(sneiet borti)* he left his mark on a taxi.

bulket *(adj)* dented.

bulldogg bulldog.

bulle *(pavelig)* bull, papal bull.

bulletin bulletin.

bulmeurt ♣ henbane.

bum! *(int)* bang!

bumerke mark (used as signature by an illiterate person).

I. bums thud, bang; *falle med et ~* bump down, sit down with a flop *(el.* flump), flop down; fall with a thud.

II. bums *(int)* bang!

bumset(e) *(adj)* ungainly, inelegant, awkward, lumpy, lumpish.

bunad national costume.

bundet *(av binde):* ~ *varme* latent heat.

bundsforvandt *(forbundsfelle)* ally.

I. bunke heap, pile.

II. bunke *(vt):* ~ *sammen* heap up; ~ *seg opp* accumulate, pile up, gather.

bunker bunker. **-kull** bunkers, bunker coal.

bunn bottom; *(i tøy)* ground, groundwork; *nå ~ (med føttene)* touch bottom; *ikke nå ~* be out of one's depth; *slå -en ut på* knock the bottom out of; *til -s, til -en* to the bottom; *(fig)* thoroughly; *komme til -s i* get to the bottom of; *i ~ og grunn (helt igjennom)* totally, entirely, utterly; *med -en i været* bottom up.

bunnbord *(i bil)* floor board.

bunne *(nå bunnen med føttene)* touch bottom; ~ *i* originate in, be due to, be the result of.

bunn|fall sediment, deposit; *(♂ også)* precipitate; *(av vin)* lees, dregs. **-felle** precipitate, deposit, settle; ~ *seg* settle. **-felling** precipitation, settlement. **-fordervet** utterly depraved. **-fryse** *(om vann)* freeze solid; freeze right through. **-garn** ground net. **-hederlig** thoroughly honest, straight as a die. **-løs** bottomless, unfathomable; *være i ~ gjeld* be head over ears in debt; ~ *uvitenhet* abysmal ignorance. **-panne** *(i bil)* sump (pan). **-råtten** completely rotten.

bunn|skrape *(skip)* scrape the bottom; *(sjø-bunnen)* dredge; *(fig)* scrape to the bottom, drain, deplete. **-slepenot** trawl. **-stilling** *(stemplers)* bottom dead centre *(fk.* B.D.C.). **-ulykkelig** very unhappy, very miserable *(fx* she was very m. *(el.* upset) about not being able to come with us).

bunt bunch.

bunte bunch, make up in bunches *(el.* bundles), bundle (together).

buntmaker furrier. **-varer** *(pl)* furs and skins.

bur cage; *i ~* caged; *sette i ~* cage, put in a cage.

burde: *se bør.*

bureiser person who starts a farm on new land.

bureising farming of new land.

Burgund *(geogr)* Burgundy. **b-er** Burgundian; *(vin)* burgundy. **b-isk** Burgundian.

burlesk burlesque.

burnus *(arabisk kappe)* burnouse(e), Arab cloak.

bus: *løpe ~ på* bounce against, run straight into.

buse: ~ *inn i* rush into, barge into, burst into; ~ *på* rush (blindly) on; *(fig)* go straight to the point, not stop to think; ~ *ut (med)* blurt out.

busemann *(skremmebilde)* bugbear, bogey.

busette: *se bosette.*

busk bush, shrub.

buskaktig bushy, shrubby.

buskap cattle, livestock; *(småfe)* flock; *(storfe)* herd.

buskas scrub, brush, thicket.

busket *(om pels)* shaggy; *en ~ hale* a bushy tail; *-e øyenbryn* bushy *(el.* tufted *el.* shaggy) brows.

busk|mann Bushman. **-nellik** ♣ sweet william. **-plante** shrubby plant. **-rik** bushy, shrubby.

I. buss *(omnibus)* bus; *komme med -en* come by bus, come on the bus; *ta -en* take the bus; *T bus it; hun tok -en (også)* she came on the bus, she came by bus.

II. buss *(skrå, lite stykke skråtobakk)* quid of tobacco.

busse: *være gode -r med* T be thick with, be hand in glove with; *de er gode (el. fine) -r* they're great chums, they're as thick as thieves.

busserull (workman's) blouse.

bussforbindelse bus service; *-n i distriktet besørges av . . .* the district is served by *(fx* Green Line Coaches).

bust bristle; *reise ~ (fig)* bristle (up), show fight; *med strittende ~ (om hund)* with hackles up.

bustet dishevelled, untidy; *hun er ~ på håret* her hair is dishevelled.

butikk shop; US store; *drive ~* keep a shop;

US run a store. **-dame** shopgirl, shop assistant; US saleswoman, saleslady, salesgirl. **-personale** sales staff.
I. butt (*subst*) tub.
II. butt (*ikke spiss*) blunt, thick, obtuse.
III. butt (*mutt*) sulky, surly, snappish.
butterdeig puff paste.
buttet chubby, plump.
B-vitamin vitamin B; *B-vitaminkomplekset* the vitamin B complex.
I. by town; (*om viktigere byer og om engelske bispeseter*) city; US city; *-enes* ~ (*Roma*) the city of cities; ~ *og bygd* town and country; *dra til -en* go to town; (*især om London*) go up (to town); *jeg skal en tur ut i -en* I am going out.
II. by (*vb*) 1 (*befale*) order, command, bid; 2 (*innby*) ask, invite; ~ *en velkommen* bid (*el.* wish) sby welcome; (*se velkommen*); 3 (*tilby*) offer (*fx* o. sby a cigar); ~ *hjelp* offer help; 4 (*ved auksjon*) bid (*fx* he bid twenty pounds for the horse); ~ *høyt* (*lavt*) bid high (low); ~ *først* make the first bid; ~ *en dame armen* offer one's arm to a lady; *la seg* ~ *noe* put up with sth, stand for sth (*fx* I would not stand for that); *la seg* ~ *hva som helst* take everything lying down, pocket every insult; T eat dirt; ~ *en opp til dans* ask sby to dance; ~ *opp en dame* (*også*) ask a lady for a dance; *hun var glad over å danse med enhver som bød henne opp* she was glad to dance with anyone who asked her; ~ *på* (*ved kjøp*) make an offer for; (*ved auksjon*) bid for; (*tilby*) offer; *dette -r på visse fordeler* this offers certain advantages; *programmet bød på sang* the programme included singing; *når anledningen -r seg* when the opportunity offers; ~ *seg til* volunteer (one's services).
byarkitekt city architect.
by|befolkning townspeople, town population. **-bud** messenger, town porter.
by|fogd stipendiary magistrate. **-folk** townspeople. **-gartner** (*svarer til*) director of parks and cemeteries.
bygd rural district, parish.
bygde|folk parishioners. **-interesser** local interests. **-lag** regional society; *Gudbrandsdalslaget* (*kan gjengis*) the Society of Gudbrandsdalers in Oslo. **-vei** country road; (*på kart*) secondary road.
bygds: *komme til* ~ (*fx fra fjellet, kan gjengis*) arrive in an inhabited part (*el.* district); *de ventes til* ~ *i morgen* (*kan gjengis*) they are expected (to arrive) in the district tomorrow.
byge 1 (*regnskyll*) (rain) shower; 2 (*vind- med el. uten regn*) squall; 3 (*torden-*) thunder shower; *få en* ~ *over seg* be caught in a shower.
bygevær showery weather, squally w.
I. bygg 🌾 barley.
II. bygg (*bygning*) building.
bygg|aks ear of barley. **-brød** barley bread.
bygge build, construct; *bygd i utlandet* foreign -built; ~ *opp igjen* rebuild; ~ *på* (*utvide*) add to, add (*fx* this wing was added in 1780); ~ *på et hus* enlarge a house; (*gå ut fra, grunne en formodning på*) go on (*fx* I have nothing definite to go on), base on; (*ha som emne*) be founded (*el.* based) on.
bygge|arbeid building work, b. operations. **-fag** building trade. **-fond** building fund. **-grunn** building site. **-lån** building loan. **-materialer** building materials. **-måte** style of building; building method. **bygge- og anleggsvirksomhet** building and construction work. **-overslag** builder's estimate. **-plass** site. **-regnskap** building accounts. **-skikk** style of building; architectural style. **-teknikk** civil engineering. **-teknisk** civil engineering; building. **-tillatelse** building licence. **-virksomhet:** *se anleggsvirksomhet.*
bygg|gryn barley groats, pearl barley. **-herre** owner (of a house in construction), builder.
bygging (*det å*) building, construction; *under* ~ *under* (*el.* in) c., in course of c. (*el.* erection), building (*fx* the house is b.).
bygg|korn barley corn, grain of barley. **-mel** barley meal.

byggmester builder, master builder.
bygning building, house; (*legems-*) build, frame (*fx* his slender f.; his slight b.); (*bygningsmåte*) structure (the s. of the atom, of a ship).
bygnings|arbeider builder, building worker. **-artikler** (*pl*) builders' supplies; *forhandler av* ~ builders' merchant. **-entreprenør** building contractor. **-fag** building trade. **-ingeniør** construction(al) engineer, civil engineer; (*se ingeniør*). **-sjef** chief building inspector. **-snekker** joiner (in the building trade). **-teknisk** building; *Forsvarets bygningstekniske korps* (*kan gjengis*) the Joint Construction Service; (*i England*) the Royal Engineers; the Royal Electrical and Mechanical Engineers; (*se forsvar*). **-vesen** building (activities); (*myndigheter*) building authorities; *bygnings- og oppmålingsvesenet* the building and surveying departement (*el.* office); (*svarer til*) town and country planning office.
bygsel lease, leasehold; *på* ~ on lease. **-avgift** (ground) rent (*fx* pay a g. r. of £10 per annum). **-brev** lease. **-tomt** leasehold site (*fx* the cottage is on a l. s.).
bygsle lease, take over the lease of (*fx* a site); ~ *bort* lease, let (out) on lease; *bonden -t bort en hyttetomt* the farmer leased a site for a cottage; *-t tomt* leasehold site (*fx* the cottage is on a l. s.).
bygutt: *se bymenneske.*
bykommune (*i England*) county borough.
byks bound, jump. **bykse** bound, jump.
byliv town life.
byll boil, abscess. **byllepest** bubonic plague.
bylt bundle. **-e** bundle, tie up in a bundle.
by|mann, -menneske townsman, town-dweller.
bymessig urban; ~ *bebyggelse* urban district (*el.* area).
bynytt town news, news from town.
byrd birth, descent.
byrde burden, load, weight; *falle til* ~ be a burden to. **-full** burdensome, onerous, troublesome.
by|regulering town planning. **-rett** town stipendiary magistrate's court.
byrå office; bureau.
byrå|krat bureaucrat. **-krati** bureaucracy. **-kratisk** bureaucratic. **-kratisme** officialism; (*ofte*) red tape. **-sjef** (*svarer til*) assistant secretary.
Bysants (*geogr*) Byzantium. **bysantiner** Byzantine. **bysantisk** Byzantine.
by|sbarn: *vi er* ~ we are fellow townsmen (,fellow townswomen). **-selger** salesman. **-skriver** town clerk.
I. bysse: *se kabyss.*
II. bysse (*vt*) lull (asleep *el.* to sleep).
byste bust.
bysteholder brassiere; T bra.
bystyre (*kommunestyre i by*) urban district council; city council, town council; (*jvf kommunestyre*). **-medlem** town (*el.* city) councillor.
bytelefon (*motsatt hustelefon*) incoming call; (*motsatt riks-*) local call.
I. bytte 1 (*ombytting*) exchange; (*innbytte*) part exchange; *ta i* ~ take in exchange; *et hvilket som helst bilmerke tas i* ~ any make of car is accepted in part exchange; *tilby i* ~ offer in exchange; *i* ~ *mot* in exchange for; 2 (*røvet bytte*) captured goods, booty, spoil(s), plunder, T loot; *et lett* ~ an easy prey.
II. bytte exchange (*fx* e. one thing for another); change (*fx* would you mind changing places with me?); *nå skal dere* ~ *besvarelser og rette for hverandre* now you're to exchange answers and correct each other's work; ~ *sko* change one's shoes, put some other shoes on; ~ *inn* (*om brukt vare*) trade in; ~ *om de to glassene* exchange the two glasses, change the two glasses round; ~ *på sengene* change the bedclothes; ~ *ut* replace.
bytte|handel barter, exchange. **-motor** reconditioned exchange engine; T works overhaul. **-objekt** thing offered in exchange; thing that can be offered in e.

bæ! (*breking*) baa! (*hånlig*) sucks (to you)! boo to you! *jeg vil ikke dra, så ~ da!* I won't go, so there!

bær ✿ berry; soft fruits (*pl*); *~ og frukt* soft and hard fruits.

bære 1. carry (*fx* a basket in one's hand); 2 (*støtte, holde oppe*) support (*fx* a roof supported by pillars), bear (*fx* the whole weight of the house), carry; 3 (*være iført, gå med*) wear (*fx* a coat, a ring); 4 (*tåle, holde ut*) bear, endure; *~ frukt* bear fruit; *~ et tap* bear a loss; *~ seg (lønne seg)* pay; (*ta på vei*) take on, go on (*fx* she goes on terribly when she is angry); *~ seg at med noe* go about sth; *~ nag til ham* bear him a grudge; *~ vitnesbyrd om* bear witness to; *hvor -r det hen?* where are we going? *~ over med* bear with; *~ på en hemmelighet* have a secret; (*se briste*).

bære|bolt (*for kingbolt*) bush (for kingpin). **-bør** handbarrow. **-evne** (*skips*) carrying capacity, dead weight measurement. **-flate** bearing surface; (*flyv*) aerofoil; US airfoil. **-lager** pillow bearing.

bærende: *den ~ kraft i* the backbone of, the principal support of, the mainstay of; *~ vegger* load-bearing walls.

bæreplog (integral) mounted plough.

bærer (*jernb*) porter; (*smitte-*) carrier; (*av et navn*) bearer.

bære|stol sedan (chair); (*i Kina, India*) palanquin. **-tillatelse** (*for skytevåpen*) firearms certificate (*el.* licence). **-vegg** load-carrying wall.

bærtur: *dra* (*el. gå*) *på ~* go berry-picking, go picking berries, go berrying.

bæsje (*barnespråk*) go to stool, do number two, do one's duty.

bøddel hangman, executioner.

bøffel ✿ buffalo. **-hud** buffalo hide. **-lær** buff.

Böhm|en (*geogr*) Bohemia. **b-er, b-erinne, -isk** Bohemian.

bøk ✿ beech.

bøkaske beech ashes.

bøke|lund beech grove. **-nøtt** beechnut. **-skog** beech forest. **-tre** 1. beech (tree); 2 (*ved*) beech, beechwood.

bøkker cooper. **-verksted** cooper's shop.

I. bølge wave; (*større*) sea; (*poet*) billow; **-ne** *gikk høyt omkring valget* feeling over the election ran high; *en ~ slo over skipet* a sea broke over the ship; *the boat shipped a sea; seile på -n den blå* sail the seas.

II. bølge (*vb*) wave, undulate.

bølge|bevegelse undulation, wave motion. **-blikk** corrugated iron. **-bryter** breakwater. **-dal** trough of the waves. **-demper** oil bag. **-gang** (rough) sea; (*fig*) fluctuations. **-lengde** wavelength; *vi er ikke på samme ~* (*fig*) we are on different wavelengths; *jeg er (,er ikke) på ~ med ham* (*også*) I'm in (,out of) sympathy with him. **-linje** wave line, wavy line. **-måler** wave meter.

bølgende wavy; waving (*fx* corn); undulating (*fx* landscape); (*om terreng, også*) rolling (*fx* country); (*om barm*) heaving; (*om menneskemengde*) surging (*fx* crowds); *som henger løst og ~* flowing (*fx* locks), rippling.

bølge|rygg (wave) crest. **-slag** wash (of the waves), dash (*el.* beat *el.* impact) of the waves; (*svakt*) ripple. **-t** wavy (*fx* hair). **-topp** (wave) crest, crest of a wave.

bøling cattle, livestock; (*av småfe*) flock; (*av storfe*) herd; *en ~ a* drove of cattle; *hele -en* (*fig*) T the whole lot; the whole caboodle.

bølle (*ramp, rå person*) rough, rowdy; hooligan; (*uoppdragen person*) bounder.

bøllet(e) (*adj*) rowdy; (*uoppdragen*) bounderish, churlish.

bønn prayer; *be en ~* say a prayer, offer (up) a p.; (*anmodning*) request (*om* for); *en ~ om hjelp* an urgent request for help, an appeal for help; *på hans ~* at his entreaty; *rette en ~ til* make an appeal to; *jeg har en ~ til Dem* I have a favour to ask of you; I should like to ask you a favour.

bønne bean; (*asparges-*) French bean; string bean; (*hage-*) kidney bean; (*se snitte- & stang-*); (*kaffe-*) coffee bean, coffee berry.

bønnebok prayer book, book of prayers.

bønnemøte prayer meeting.

bønne|stake, -stang bean pole, bean stick.

bønnfalle entreat, beseech, implore.

bønnhøre: *~ en* grant sby's prayer.

bønnlig imploring, pleading, appealing.

bønnskrift petition.

I. bør (*byrde*) burden, charge, load.

II. bør (*medvind*) fair wind.

III. bør (*pres. av burde*) ought to; should (*fx* you shouldn't do that); *du ~ gjøre det* you ought to do it; *det ~ gjøres* it ought to be done; *som seg hør og ~* as is meet and proper; *han nektet, som seg hør og ~* he very properly refused.

børs exchange; (*fonds-*) stock exchange; *London ~* the Stock Exchange; T the House; (*utenlandsk*) bourse (*fx* the (Paris) Bourse); *Oslo ~* Oslo Bourse; (*vare-*) produce exchange; *på -en* on 'Change; *on the stock exchange; notere på -en* quote on stock exchange. **-dag** market day.

børs gun. **-kolbe** butt end of a gun. **-løp** gun barrel. **-maker** gunmaker. **-pipe** gun barrel. **-skudd** gunshot.

børs|forretninger business on the stock exchange. **-kurs** quotation, market price. **-megler** stockbroker. **-notering** (stock exchange) quotation. **-papirer** listed stock (*el.* shares *el.* securities), stocks and shares. **-rykte** rumour on 'Change. **-spekulant** stockjobber. **-spekulasjon** stockjobbing.

I. børste *subst* (*til klær, også elekt*) brush; (*om person*) rough(neck).

II. børste (*vb*) brush.

børstid 'Change time, business hours.

bøs (*bister*) fierce, gruff.

bøss sweepings; *ikke det ~ T* not the least bit, not a bit.

bøsse|box; *spytte i -a T* pay up, fork out, stump up, sign on the dotted line.

bøte (*sette i stand*) mend, repair; (*betale bøter*) be fined; *~ for* pay (*el.* suffer) for; *~ med livet* pay with one's life, suffer death; *~ på en mangel* supply a want, remedy a defect, make up for a deficiency.

bøtelegge fine; (*se forelegg*).

bøtte bucket. **-papir** hand-made paper.

I. bøy (*bøyning*) bend, curve.

I. bøye (*til fortøyning, sjømerke*) buoy; (*rednings-*) life-buoy; *forsyne med -r* buoy.

II. bøye (*vb*) bend; (*gram*) inflect, decline; *~ av* deflect; *~ seg* (*om person*) submit, give in; *~ seg for* submit to, bow to (*fx* the chairman's decision).

bøyelig flexible, pliable, pliant.

bøyelighet flexibility, pliability, pliancy.

bøyg obstacle; *ja, det er den store -en T* yes, that's the great snag (*el.* that's the great obstacle to be overcome); *han støtte på en ~ av uvitenhet* he met a sea of ignorance.

bøyle hoop, ring; (*på hengelås*) bow; (*avtrekker-*) guard.

bøylehest (*gym*) vaulting horse.

bøyning bending; (*gram*) inflection.

bøynings|endelse inflectional suffix (*el.* ending). **-form** inflected form. **-lære** accidence. **-mønster** paradigm. **-måte** (mode of) inflection; (*verbal, også*) conjugation; (*nominal, også*) declension.

både ... og both ... and (*fx* both the office and the factory were destroyed by fire); *bedre enn ~ ull og bomull* better than either wool or cotton; *han er større enn ~ du og jeg* he is taller than either you or I; *~ med hensyn til kvalitet og pris* in point of both quality and price.

båe sunken rock, skerry.

båke ⚓ beacon; landmark.

bål fire, bonfire; (*likbål*) pyre, (funeral) pile; *døde på -et* suffered death at the stake; *lage et ~* build a fire,

bålferd (*likbrenning*) cremation.

bånd band, tie, bond, string; (*til pynt, ordens-bånd*) ribbon; (*panne-, hår-*) hair ribbon; (*anat*) ligament; (*fig*) bond, tie; (*vennskaps-*) bond of friendship; (*hemmende*) check, curb, restraint; *legge* ~ *på* curb, restrain, put a curb on; *holde en hund i* ~ keep a dog on a leash; (*se II. knytte*).

båndbesetning: *med* ~ trimmed with ribbons.

båndhund (chained) watchdog.

båndsag band saw.

I. båre (*lik-*) bier; (*til syke*) stretcher.

II. båre: *se bølge.*

båren: *født og* ~ born and bred.

bås stall, box; (*til kalv, gris, etc*) pen; (*på restaurant*) booth, box; *sette på -en* stall; *han er ikke god å stå i* ~ *med* (*fig*) he is hard to get along with.

båt boat; (*liten, flatbunnet*) punt; (*appelsin-*) quarter; *gå i -ene* take to the boats; *de kom med -en* they came on the boat.

båt|bru boat bridge, pontoon bridge, landing stage. **-bygger** boat builder. **-byggeri** boat

builder's yard. **-bygging** boat building. **-dekk** boat deck. **-feste** mooring; *tomt med strandrett og* ~ site with right to beach and mooring.

båt|formet, -formig boat-shaped. **-fører** boatman.

båthavn boat harbour.

båthvelv overturned bottom; (*større*) hull of a capsized boat; *ri* (*el. sitte*) *på -et* cling to the upturned boat, cling to the bottom of the boat; *båten gikk rundt, og mannskapet kom seg opp på -et* the boat capsized (*el.* overturned) and the crew managed to climb on to the hull.

båt|instruksen the ship's instructions. **-ladning** boatload. **-lag** boat's crew; party of boats. **-lakk** boat varnish. **-lengde** boat's length. **-mannskap** boat's crew. **-naust** boat house. **-ovn** galley range. **-ripe** (boat's) gunwale.

båtshake boathook; (*forst*) pike pole.

båtsmann boatswain. **-smatt** b.'s mate. **-spipe** b.'s whistle (*el.* call).

båt|stø landing place. **-transport** conveyance by boat. **-tur** boating excursion (*el.* trip).

C

C, c (*også* ♪) C, c; *C for Cæsar* C for Charlie; *liten c* ♪ middle C; *ta den høye c* ♪ take top C.

ca. about, ab., abt; (*især ved årstall*) circa, c.

California (*geogr*) California; (*se kalifornisk*).

campe (*vb*) camp.

camping camping. **-plass** c. ground (*el.* site); US campground. **-stol** camp stool. **-tilhenger** caravan (trailer); (US trailer). **-tur** camping trip. **-vogn:** *se -tilhenger.*

Canada (*geogr*) Canada; (*se kanadisk*).

cand. (*fk. f. candidatus*); ~ *jur.* = Bachelor of Laws, LL.B; ~ *mag.* = Bachelor of Arts, B.A.; Bachelor of Science, B.Sc.; (*se adjunkt*); ~ *med.* Bachelor of Medicine, M.B.; ~ *philol.* Master of Arts, M.A.; ~ *real.* Master of Science, M. Sc.; (*se lektor*); ~ *theol.* Bachelor of Divinity, B.D. *Forkortelsene settes etter navnet, fx* Peter Smith, Esq., M.A., Mr. Peter Smith, M.A.

carte blanche (*uinnskrenket fullmakt, frie hender*) carte blanche.

celeber celebrated, renowned; *-t besøk* distinguished visitor(s).

celle cell. **-dannelse** cytogenesis, cell formation. **-dannet, -formet** cytoid. **-kjerne** nucleus. **-system** cellular system. **-vev** cellular tissue.

cellist ♪ (violon) cellist.

cello ♪ cello, violoncello.

cellofan cellophane. **-ull** synthetic wool. **-uloid** celluloid. **-ulose** chemical pulp; (*cellstoff*) cellulose. **-ulosetømmer** chemical pulpwood; (*se slip-*).

Celsius centigrade; *30 grader* ~ 30 degrees centigrade.

celsiustermometer centigrade thermometer.

census census.

centi|gram centigram(me). **-liter** centilitre. **-meter** centimetre.

centner hundredweight, cwt.

certeparti (*merk*) charter party, charter; *ifølge* ~ as per charter.

cesjon (*jur: overdragelse av fordring*) cession.

cess ♪ C flat. **cesses** ♪ C double flat.

cesur caesura.

champagne champagne; T bubbly.

champignon edible mushroom.

champion champion.

chanse: *se sjanse.*

charabanc charabanc, wagonette.

chargé d'affaires chargé d'affaires.

charmant charming.

charmantisere: ~ *seg* make oneself beautiful.

charme charm, fascination.

charmere charm, fascinate.

charmør charmeur.

charpi lint; charpie; *plukke* ~ make lint.

chartre *vb* (*merk*) charter.

chassis chassis.

chevaleresk (*ridderlig*) chivalrous.

chic (*fiks, flott*) chic, stylish, smart.

chiffonier chiffonier.

Chile (*geogr*) Chile. **chilesalpeter** Chilean nitrate. Chile salpetre, Chile nitre.

chilener, chilensk Chilean.

choke (*vb*) choke.

cicerone cicerone, guide.

cif (*merk*) c.i.f.; *kjøpe* ~ buy c.i.f.

cikade ♪ cicada.

ciss ♪ C sharp.

cistercienser (*munk*) Cistercian.

cisterne cistern, tank.

cisternevogn (*jernb*) tank wagon.

citadell citadel.

citrus ♣ citrus.

citrusfrukter citrus fruits.

clairvoyance second sight, clairvoyance.

clairvoyant clairvoyant.

clou: *dagens* ~ the great hit (of the day); (*det morsomste*) the star turn.

cocktail cocktail. **-kjole** semi-evening gown, cocktail dress. **-skap** cocktail cabinet; US liquor c.

contumaciam: *in* ~ by default.

cosinus (*mat.*) cosine.

crème: *crème de la crème* the pick of the bunch, crème de la crème; (*se ellers krem*).

crescendo crescendo.

cricket cricket. **-bane** cricket ground. **-spiller** cricketer.

croupier croupier.

cul-de-sac blind alley, cul-de-sac.

cup cup, cup match.

cupfinale final(s), cup final.

cyankalium potassium cyanide.

Cæsar Caesar.

cæsarisk caesarean.

D

D, d (*også* ♪) D, d.; *D for David* D for David.
d. (*fk. f. dag*) day; (*fk. f. dato*) date; (*fk. f. den*)
the; (*fk. f. død*) died; *d.å.* (*fk. f. dette år*) this year,
the present year.
I. da (*adv*) 1. then, at that time, by then;
fra ~ av from then onwards, from that time
onwards; *nå ~* now that; 2 (*i så fall*) if so
(*fx* ask him if he is coming, and, if so, when);
3 (*trykksvakt, ofte i spørsmål*) then (*fx* what is
his name, then?) 4 (*i følelsesbetonte uttrykk ofte
ikke oversatt, fx det var da storartet* that is
splendid); *god natt da!* (well,) good night! *du
kommer da?* you're coming, aren't you? *du
kjenner da Smith?* you (do) know S., don't you?
det var da godt du kom I'm so glad you came;
ja da yes; *la gå da!* all right, then! *hvorfor tok
han det da?* then why (*el.* why then) did he take
it? *du er da vel ikke syk?* you aren't ill, are you?
De kan da vel ikke . . . surely you cannot . . .
II. da 1 (*tidskonj*) when (*fx* when I asked him
for help . . .); *da jeg åpnet kassen, fant jeg* . . .
when I opened (*el.* on opening) the case, I
found . . . ; 2 (*årsakskonj*) as, since, seeing that;
da han ikke kan levere i tide, må jeg. . . as he cannot
deliver in time, I must . . . ; I must . . . , since
(*el.* seeing that) he cannot deliver in time; *da
jeg var fraværende, kunne jeg intet gjøre* being
absent I could do nothing.
I. daddel ♣ date.
II. daddel (*klander*) blame, censure; *uten frykt
og ~* without fear and without reproach. **-fri**
blameless, irreproachable. **-palme** date palm.
-verdig blameworthy, reprehensible.
dadle blame, censure, reprehend, find fault
with. **-syk** censorious, fault-finding. **-syke**
censoriousness.
dag day; *-s dato* this day, this date, today's
date; *åtte -er* a week; *fjorten -er* a fortnight, two
weeks; *seks fulle -er* six clear days; *en vakker ~*
(*i fremtiden*) one fine day; *annenhver ~* every other
day; *hele -en* all day (long), the whole day; *de siste
-er før jul* the last few days before Christmas, the
few days immediately preceding C.; *de siste -er i
hver måned* the last few days in (*el.* of) each month;
ta -ene som de kommer take each day as it comes;
live one day at a time; tidlig samme ~ early
the same day, earlier that day; *avisen for i ~*
today's paper; *jeg gir en god ~ i ham* I don't
care a fig for him; *gjøre seg en glad ~* make a
day of it; *ha gode -er* be in clover, have a good
time (of it); *i gode og vonde -er* for better or for
worse; through good and evil report; *klart som
-en* clear as (noon)day; *de er så forskjellige
som ~ og natt* they are as different as night from
day (*el.* as chalk from cheese); *han har selt bedre
-er* he has seen better days; *det gryr av ~*
dawn is breaking; *er faren opp av -e* is the image
of his father, is his father all over; *en av -ene* one
of these days; *på denne tid av -en* at this time
of day; *ta av -e* put to death; *komme av -e* meet
one's death; *~ etter ~* day by day, day after
day; *-en derpå* (*etter rangel*) the morning after;
-en-derpå-følelse T hangoverish feeling; *-en-
derpå-stemning* T morning-after mood; *-en
etter* (the) next day; *~ for ~* from day
to day; *komme for en ~* come to light, transpire,
become known; *alt kommer for en ~* murder
will out; T it'll all come out in the wash; *bringe
for -en* bring to light, lay bare, reveal; *denne
gjenstanden, som den mest hektiske leting ikke har
klart å bringe for en ~* (*el. for -en*) this object,
which a frantic search has failed to produce; *legge
for -en* display, manifest, show; *forleden ~* the
other day; *fra ~ til ~: se ~ etter ~; i mange -er*
for many days; *i gamle -er* in (the) days of old,

in former times; *i våre -er* in our day, today,
nowadays; *om -en* by day, during the day, in the
daytime; (*pr. dag*) per day, a day (*fx* ten shillings
a day); *i ~* (*om*) *åtte -er* this day week; *om noen
-er* in a few days; *på -en* to a day (*fx* five years
to a day); *betale på -en* pay promptly, pay on the
due date; *det var langt på -en* the day was far
advanced; *til langt på -(en)* till late in the day;
til lykke med -en! best wishes for the day!
hvilken tid på -en er det? what time of day is it?
nå til -s nowadays; *til -enes ende* till the end of
time; *~ ut og ~ inn* day after day; day in, day
out; *ut på -en* later in the day; *ved høylys ~* in
broad daylight; *ved -ens frembrudd* at dawn; (*se
dato, fra & fratredelse*) .
dag|arbeid day work. **-blad** daily (paper). **-bok**
diary; (*bokføring*) journal; (*skips*) log(book);
(*på skole*) class (*el.* form) register; *føre -a* (*i
skolen*) mark the register. **-brekning** dawn, day-
break; (*se daggry*). **-driver** idler, loafer. **-driveri**
idling, loafing. **-driverliv** a life in idleness. **-drøm**
daydream.
dages: *det ~* the day is dawning.
dagevis: *i ~* for days (on end).
daggammel one day old.
daggert dagger.
daggry dawn, daybreak; *ved ~* (*i grålysningen*)
at dawn, at break of day, at the crack of dawn.
dagjeldende (*adj*) then in force.
daglig daily; (*alminnelig*) ordinary, common;
tre ganger ~ three times a day; *~ antrekk* ordinary
clothes; (*til selskap*) informal dress, day dress;
(*på innbydelse*) dress informal; *kom i alminnelig
~ antrekk* don't (bother to) dress; *til ~* ordi-
narily; *til ~ bruk* for everyday use; (*om klær*)
for everyday wear. **-dags** everyday. **-liv** daily (*el.*
everyday) life. **-stue** sitting-room, living room.
-tale everyday speech; *i ~* colloquially.
dag|lønn 1 (*en dags lønn*) day's wage(s); day
wage; *en ~ på* a day's wage of (*fx* £2); 2 (*mots.
akkordlønn, ukelønn*) wages (paid) by the day;
arbeide for ~ be paid by the day. **-ning** dawn.
-penger daily allowance. **-renning** dawn, day-
break.
dags|arbeid day's work. **-befaling** ✗ orders
of the day. **-inntekt** daily income, daily receipts.
dag|skift day shift. **-skole** day school.
dags|kurs current rate. **-lys** daylight; *ved ~*
by (*el.* in) d. **-marsj** day's march. **-nytt** (*radio*)
the news. **-orden** agenda, order paper; *punkt på
-en* item on the a.; *stå på -en* be on the a; *til ~!*
(Mr. Chairman, I rise upon) a point of order!
ta ordet til ~ rise upon a point of order. **-presse**
daily press. **-pris** current price, today's price.
-regn: *det ble ~* it rained all day. **-reise** day's
journey.
dagstur day trip; *ta en ~* go out for the day,
go somewhere for the day.
dagstøtt (*adv*) every day.
dagsverk day's work (*fx* I've done a good
day's w.); *man-day* (*fx* ten man-days).
dagtjeneste day duty; *jeg har ~ denne uka*
I am on (*el.* I am working) days this week.
daguerreotypi daguerreotype.
dag|vakt (*vakt om dagen*) day watch; (*på skip*)
morning watch. **-viss** unfailing, regular.
dakapo! encore! *forlange ~* call for an encore.
daktyl dactyl. **daktylisk** dactylic.
dal valley, dale. **-bunn** bottom of a valley.
-bu dalesman.
Dalarna (*geogr*) Dalecarlia.
dale sink, go down; *~ ned på* descend (up)on;
hans lykke begynner å ~ his fortune is on the wane.
daler dollar; *spare på skillingen og la -en gå*
be penny-wise and pound-foolish.

dalevende then living, contemporary.
dal|føre (long) valley, extensive v. **-gryte** bowl-shaped valley; (geol) cirque, botn.
Dalila Delilah.
dal|rype ♣ willow grouse. **-søkk** hollow, dip (fx a village situated in a dip between the hills).

I. dam (spill) draughts; US checkers; (brikke gjort til dam) king; bli ~ become king; få ~ make a king; gjøre til ~ crown; spille ~ play draughts.
II. dam (vann) pond; (mindre) pool; (demning) dam, barrage.
damask damask.
dambrett draughtboard; US checkerboard.
dambrikke draughtsman; US checker.
dame lady; ♣ queen; (bord-, dansepartner, etc) partner; mine -r (og herrer)! ladies (and gentlemen)! -nes valg! ladies to choose their partners! en virkelig ~ a perfect lady; føre en ~ til bords take a lady in to dinner; holde -nes tale propose the toast of the ladies.
dame|aktig ladylike. **-bekjentskap** lady friend. **-bind** sanitary towel. **-frisør** ladies' hairdresser. **-garderobe** 1 (stedet) ladies' cloakroom; 2 (klær) ladies' clothes. **-hatt** lady's hat. **-konfeksjon** ladies' wear, ladies' ready-made clothing. **-moter** ladies' fashions. **-selskap** ladies' party; T hen -party; i ~ in the company of ladies (, a lady), in female company. **-skredder** ladies' tailor. **-steng** ♣ queen covered (el. guarded). **-tekke:** han har ~ he has a way with women; he is a ladies' man; he is a hit with the ladies. **-venn** ladies' man; han er en ~ (også) he is fond of the ladies; T he's a bit of a one for the girls. **-veske** lady's bag.
dammusling ♣ freshwater mussel, freshwater clam.
damoklessverd sword of Damocles.
damp (vann-) vapour; US vapor; (av kokende vann) steam; (røyk, dunst) smoke, fume, exhalation; for full ~ (at) full steam, with all her steam on; (fig også) full blast (fx work is proceeding f. b.); gå for full ~ go full speed, go full steam; få -en opp (også fig) get up steam; ha -en oppe have steam up; hold -en oppe! keep steam up! med -en oppe with steam up; sette full ~ på put on full steam; stenge av -en cut off the steam.
damp|aktig vaporous, steamy. **-bad** steam bath. **-bakeri** steam bakery. **-båt** steamboat, steamer. **-drevet** steam-driven. **-drift** steam power (el. operation).
dampe steam; (bevege seg ved damp) steam, puff (fx the train was puffing out of the station; the ship steamed into port); han -t på sin sigar he puffed (away) at his cigar.
damp|er steamer. **-fart** steam navigation. **-fartøy** steamer, steam vessel. **-fløyte** steam whistle. **-form:** i ~ in the form of steam. **-hammer** steam hammer. **-kjel(e)** boiler. **-kjøkken** steam kitchen. **-koking** steam cooking. **-kraft** steam power. **-maskin** steam engine. **-mølle** steam mill. **-måler** steam gauge, manometer. **-presse** steam press. **-sag** steam sawmill.
dampskip steamer, steamship.
dampskips|anløpssted port of call for steamers. **-ekspedisjon** shipping office. **-ekspeditør** shipping agent. **-flåte** steamship fleet. **-forbindelse** steamship service (el. connection). **-linje** steamship line, steamer service. **-rute** 1. steamship route; 2. steamer service. **-selskap** steamship company.
damp|skorstein funnel. **-sky** cloud of steam. **-sylinder** steam cylinder. **-treskemaskin** steam threshing machine. **-tørret** steam-dried. **-utvikling** generation of steam. **-vaskeri** steam laundry. **-veivals** steam roller. **-ventil** steam valve.
damspill draughtboard (with men).
dandere fashion, shape, arrange.
Danelagen the Danelaw.
dank: drive ~ idle about, loaf.
Danmark Denmark.
danne 1 (forme) form; 2 (skape) create; 3 (utgjøre) form, constitute, make (up) (fx grey walls make the best background for paintings); 4 (få i stand, organisere) form (fx f. a society); ~ grunnlaget for form the basis of; ~ seg form (itself); være i ferd med å ~ seg be in process of formation; ~ seg et begrep om form an idea of.
dannelse (grunnleggelse) formation; (kultur) culture, education, refinement; (det å oppstå) rise, growth; han har hjertets ~ he is one of nature's gentlemen.
dannelses|anstalt educational establishment. **-middel** means of refinement. **-prosess** process of formation (el. development). **-trinn** standard of education.
dannet (veloppdragen) well-bred, cultured, refined; (av fin opptreden) ladylike; gentlemanly, gentleman-like; en ~ dame a lady; en ~ mann a gentleman; (kunnskapsmessig) a man of education; ~ selskap polite society; (se opptreden).
dans dance; (handlingen) dancing; gå på ~ 1. go to a dance; T go to a hop; 2. go dancing; være ute av -en be out of the running; livet er ingen ~ på roser life is no bed of roses; T life is not all cake and ale, life is not all jam.
danse dance; (om hest) prance; ~ elendig T dance like a sack of potatoes; ~ etter ens pipe be at sby's beck and call, dance to sby's pipe, do sby's bidding; ~ godt be a good dancer; ~ ut take the floor (fx they took the floor to the strains of a waltz); de -nde the dancers, those dancing. **-gal** crazy about dancing, dancing-mad. **-gulv** dance floor. **-lærer** dancing teacher. **-moro** dancing party. **-musikk** dance music.
danseplass dancing place; open-air dance floor.
danser, danserinne dancer.
danse|sal ballroom. **-sko** dancing shoe. **-skole** dancing school. **-tilstelning** dance; T dance night. **-trinn** dance step. **-tur** figure. **-øvelse** dancing exercise.
dansing dancing.
dansk Danish; en -e a Dane.
danskhet Danishness.
dansk-norsk Dano-Norwegian.
dask (subst) slap. **daske** (vb) slap.
data data.
datere date; ~ seg fra date from, date back to.
datiden that age, that time.
dativ the dative (case); står i ~ is in the dative.
dato date; (dag i måneden) day of the month; dags ~ this date, today's date, this day; til dags ~ till this day, (up) to (the present) date; av gammel ~ of old date (el. standing); av ny ~ of recent date, recent; av senere ~ of a later date; fra ~ from date, from today, after date; from the above date; tre måneder fra ~ (veksel) three months after date; senest en uke fra ~ within (el. not later than) a week from today; a week from now at the latest; pr. tre måneders ~ at three months' date; at 3 m/d.
datter daughter. **-barn** daughter's child. **-datter** granddaughter, daughter's daughter.
datum: se dato.
dauing ghost, spectre.
davit ⚓ davit.
daværende of that time, at that time, then; den ~ eier the then owner; hans ~ stilling his position at the (el. that) time.
d.e. (fk. f. det er) that is, i.e.
de (personlig pron) they; (demonstrativt pron) those; (adjektivets bestemte artikkel) the; de som ... those who; de husene som the houses which; de eplene som ligger i kurven, er gode those in the basket are good apples; de drepte (,reddede) those (el. the) killed (,rescued); de fraværende the absent.
De (pron) you; De der! hey you! you there!
debatt debate; sette noe under ~ make sth the subject of a debate; bring sth up for discussion. **-ere** debate, discuss, argue.

debet debit; *til* ~ *for Dem* to your debit, to the d. of your account. **-nota** debit note, D/N. **-side** debit side.

debitere debit; *vi har debitert Dem for beløpet* we have debited you with the amount.

debitor debtor.

debut debut, first appearance.

debutant actor (*,etc*) making his first appearance; beginner; (*kvinnelig*) actress (*,etc*) making her first appearance; beginner; (*i selskapslivet*) debutante; T deb.

debutere make one's first appearance (on the stage), make one's debut.

decharge discharge.

dechiffrer|e decipher, decode. **-ing** deciphering, decoding.

dedikasjon dedication.

dedisere dedicate; (*enkelt eksemplar*) inscribe (*fx* a book to sby).

deduksjon deduction.

I. defekt (*subst*) defect.

II. defekt (*adj*) defective; ~ *tilstand* defectiveness.

defensiv defensive; *på -en* on the defensive.

definere define. **definisjon** definition.

definitiv(t) (*adj*) definite, final, definitive; (*adv*) -ly.

defroster (*på bil*) defroster, demister.

deg (*personlig pron*) you; (*refleksivt*) yourself; (*etter prep*) you; *vask* ~! wash yourself!

degenerasjon degeneration.

degenerere degenerate.

degge: ~ *for* pet, cosset, coddle.

degrad|ere degrade; ~ *til menig* reduce to the ranks. **-ering** degradation.

deig dough; (*kake-*) paste; *sette* ~ prepare the dough.

deigaktig doughy; pasty.

deilig beautiful, charming, lovely (*fx* scenery); delightful (*fx* a d. journey); enjoyable (*fx* we had an e. bathe before breakfast); delicious (*fx* a d. perfume); (*iron*) nice; fine. **-het** beauty, loveliness.

deise tumble, topple, fall heavily.

deising: *en ordentlig* ~ T a thumping big one.

de|isme deism. **-ist** deist. **-istisk** deistic(al).

dekadanse decadence.

dekade decade.

dekadent decadent.

dekanus dean, head of a faculty.

dekk (*skipsdekk*) deck; (*bil-*) tyre; US tire; *slangeløse* ~ tubeless tyres; ~ *med hvite kanter* white-wall tyres.

dekkadresse accommodation address.

dekkblad ♣ bract, subtending leaf.

I. dekke (*subst*) cover, covering; (*lag*) layer, coat; *under* ~ *av* under cover of; *spille under* ~ *med* act in collusion with.

II. dekke (*vb*) cover (*fx* c. a roof with tiles; snow covered the ground; this paint covers well; c. the army's retreat; this rule covers all cases); (*om oversettelse*) convey (*el.* cover) the meaning (*fx* I don't think that word will quite convey the meaning); (*se også dekkende*); (*om utgifter*) meet, cover, defray; (*om bokser*): *han -r godt* he has a good defence; (*forbryter*) assist a criminal to escape justice; (*jur*) be an accessory after the fact; (*motspiller*) mark (*fx* m. the outside wing); (*i sjakk*) cover (*fx* the castle is covered by the bishop); *vi har -t alt* (*om emne*) we have covered the whole ground; ~ *bordet* lay (*el.* set) the table; ~ *middagsbordet* lay the table for dinner; *hun liker å sette seg til -t bord* she likes to sit down to a prepared meal; T she likes things to be ready made; she likes to be spoon-fed; ~ *ens* **behov** meet (*el.* cover) sby's needs (*el.* requirements); fill sby's requirements; ~ *sitt eget behov* cover (*el.* meet) one's own requirements (*el.* needs); supply one's own needs; *mitt behov er -t* my needs are supplied; ~ **etterspørselen** meet (*el.* supply) the demand; ~ *den stigende*

etterspørselen meet the increasing demand; ~ **omkostningene** meet (*el.* cover *el.* defray) the expenses; ~ *en* **risiko** cover a risk; ~ *et tap* make up (*el.* make good) a loss; ~ *et* **underskudd** cover (*el.* make up *el.* meet) a deficit; ~ **utgiftene** cover (*el.* meet *el.* pay *el.* defray) the expenses; *jeg vil ha mine utgifter -t* I want to have my expenses paid; ~ **seg** (*sikre seg*) secure (*el.* protect) oneself; reimburse oneself; ~ *seg mot tap* secure (*el.* cover) oneself against loss; take precautions against loss; ~ **hverandre** (*om begrep*) cover one another (*fx* the two concepts do not c. one another); *begrep som -r hverandre* (*logikk*) coextensive concepts; *de to ordene -r hverandre ikke* the two words are not interchangeable; *trekanter som -r hverandre* superposable (*el.* congruent *el.* coincident) triangles; *-t av* under cover of (*fx* the darkness); *-t i ryggen av* protected in the rear by; *-t i ryggen av en skog* with one's rear protected by a wood; ~ **opp** *for en* treat sby lavishly; do sby proud; ~ **over** (*skjule*) cover up (*fx* c. up a mistake), cloak (*fx* one's real designs); (*unnskylde*) gloss over; ~ **til** (*skjule*) cover up; (*legge noe over*) cover (*fx* c. sby with a blanket); ~ (*bordet*) *til tre* lay for three; *det er -t til 20* (*personer*) the table is laid for twenty; *jeg har -t til Dem her* I have put you here; *det er ikke -t til ham* there is no cover (laid) for him; ~ *til en til* lay another place; (*se også ordforråd*).

dekken (*horse*) cloth.

dekkende (*om oversettelse*) good, adequate (*fx* an a. translation); *en helt* ~ *oversettelse* (*også*) an accurate translation; *vil 'adequate' være* (*en*) ~ (*oversettelse*)? will (*el.* does) 'adequate' meet the case?

dekketøy table linen.

dekketøyskap linen cupboard.

dekkevne (*om maling*) covering power.

dekkfarge body colour.

dekk|innlegg flap (tyre). **-kropp** tyre carcass. **dekks|båt** decked boat. **-last** deck cargo. **-passasjer** deck passenger.

dekkvinge (*på bille, etc*) elytron, elytrum (*pl:* elytra), wing sheath.

deklamasjon declamation, recitation, recital. **-nummer** recital piece.

deklamator reciter.

deklam|atorisk declamatory. **-ere** declaim, recite.

deklarasjon declaration.

deklarere declare.

deklasser|e *bli -t* lose caste, go down in the world.

deklin|abel declinable. **-asjon** (*gram*) declension; (*kompassnålens misvisning*) declination. **-ere** decline.

dekning covering; settlement; *vi har ennå ikke fått* ~ *for vårt tilgodehavende* we have not yet received (*el.* are still without) a settlement of our (outstanding) account; *depositumet vil i et slikt tilfelle bli brukt som hel eller delvis* ~ *av nevnte reparasjon(er)* in such a case the deposit will serve as payment, in whole or in part, for the above-mentioned repairs; *det gjelder å ha* ~ *for hva man sier* one must have proof of what one says; *det finnes ingen* ~ *for en slik påstand* there is nothing to bear out an assertion of that kind; *han har ikke* ~ *for en slik påstand* he cannot prove such an assertion; *til* ~ *av* in payment (*el.* settlement) of; *til* ~ *av våre omkostninger* to cover our costs; *til* ~ *av våre utgifter* to cover our costs; *gå i* ~ go into hiding, go to earth; *han ligger i* ~ he is lying low; *søke* ~ take cover, seek cover; (*mot regn, etc*) take shelter; *være i* ~ be under cover; *det er* ~ *for beløpet* the amount is covered; there is security for the amount; *det er* (*ikke*) ~ *for sjekken* the cheque is (not) covered; (*se tilgodehavende*).

dekokt decoction.

dekolletert low-necked, low-cut, décolleté(e).

dekorasjon decoration; -*er* (*teater*) scenery. **dekorasjons|forandring** change of scenery. **-maler** decorative painter; (*teater*-) scene painter.

dekorativ decorative, ornamental.

dekoratør decorator.

dekorere decorate.

dekorum propriety, decorum.

dekret decree. **dekretere** decree, order.

deksel cover, lid.

dekstrin dextrin.

del part, portion; (*av bok*) part; (*andel*) share; *begge -er* both; *en ~* some, a number of; *en ~ beskadiget* somewhat damaged; *en ~ av det* part of it; *en god* (*el. hel*) *~* a great deal, a good deal; T a lot (*fx* he knows a lot); *en god ~ smør* T a lot of butter; (*foran flertallsord*) a good many; T a lot of (*fx* a good many books, a lot of books); *en av -ene* one or the other; (*hvilken som helst*) either; *ingen av -ene* neither; neither the one nor the other; *ha ~ i* have a share in; *de gjør ikke sin ~ av arbeidet* they don't pull their weight, they don't do their share (of the work); *levere nye -er* (*som erstatning for defekte*) deliver parts for replacement; replace parts; *ta ~ i* take part in, partake of, be a party to, share in, participate in, join in; (*vise deltagelse for*) sympathize with; *jeg for min ~* personally, for my part; *for en ~ in part*; in some measure; *for en stor ~* largely, in large measure, to a great extent; *for størstedelen* for the most part, mostly; *til -s* partly, in part; (*se overveiende*).

delaktig concerned, involved (*i* in); *være ~ i* be a party to (*fx* the crime).

delaktighet participation; (*i forbrytelse*) complicity.

delbar divisible.

delbetaling part payment.

dele divide, part; *~ byttet* divide the booty, divide the spoils; *~ en tier* split up a ten-shilling note; *~ hans anskuelser* share his views; *~ i to* cut in two; *~ i to like deler* divide into two equal portions (*el.* parts), split, halve; *~ mellom* divide between; *~ halvt med* go halves with; *~ likt* share and share alike; *~ ut bøkene* hand (*el.* share) out the books; *~ seg* divide; (*i grener, etc*) branch, ramify.

deleg|asjon delegation. **-ere** delegate. **-ert** delegate. **-ertmøte** meeting of delegates, delegate meeting.

deleier part-owner.

delelig divisible.

delfin 🐬 dolphin.

delforsendelse part shipment, consignment in part.

delikat (*lekker*) delicious, dainty, tasty, savoury; (*utsøkt*) choice; (*fintfølende, «kilden»*) delicate; *en ~ sak* a delicate matter.

delikatere: *~ seg med* enjoy, treat oneself to.

delikatesse (*rett*) delicacy, dainty; (*finfølelse*) delicacy.

delikatesseforretning delicatessen shop.

deling division, partition; *Polens ~* the partition of Poland.

delinkvent criminal, culprit, delinquent.

delirium delirium. **delirium tremens** delirium tremens, d.t., the d. t.'s, the horrors, the jim-jams.

delkredere (*merk*) del credere.

dels in part, partly; *~ . . . ~* partly . . . (and) partly; *~ med makt, ~ med list* partly by force, partly by policy; *~ på grunn av . . . ~ på grunn av . . .* what with . . . and what with . . . ; *resultatet skyldes ~ hans dyktighet, ~ et usedvanlig hell* the result is due partly to his ability and partly to exceptional luck; *arbeiderne bodde ~ på gårdene og ~ i landsbyene* some of the labourers lived on the farms, while others lived in the villages; *del var ~ tyskere, ~ franskmenn* some of them were Germans, and some Frenchmen.

I. delta (*subst*) delta.

II. delta (*vb*) take part, participate (*i* in);

(*være til stede ved*) attend; *~ i et foretagende* join (*el.* engage) in an undertaking; *~ i et kurs* attend a course. **-gelse** participation; (*medfølelse*) sympathy; *framfør for ham vår dypt følte ~* kindly convey to him our profound sympathy (in the great loss he has sustained).

deltagende sympathetic, sympathizing; (*adv*) with sympathy.

deltager participant; (*merk*) partner; (*i konkurranse*) competitor; *en av -ne* (*fx i en utflukt, etc*) one of the party, a member of the party.

dem (*personlig pron*) them; (*se også de*).

Dem (*personlig pron*) you; (*når ordet peker tilbake på subjektet i samme setning*) yourself (*pl*: yourselves).

dema|gog demagogue. **-gogisk** demagogic.

demarkasjonslinje line of demarcation.

demaskere unmask.

demen|tere deny, disclaim, disavow. **-ti** (official) denial, disclaimer, disavowal.

demisjon: *inngi sin ~* hand in one's resignation. **demisjonere** resign.

dem|me dam; *~ opp for* dam up, stem (*fx* s. the current); (*fig*) stem, repress, restrain. **-ning** dam, weir; (*større*) barrage.

demobilisere demobilize; S demob.

demokrat democrat. **-i** democracy.

demokratisere democratize. **demokratisering** democratization. **demokratisk** democratic.

demole|re ✕ demolish. **-ring** demolition.

demon demon. **demonisk** demoniac, demoniacal.

demonstrant demonstrator.

demonstrasjon demonstration. **-sbil** demonstration model. **-sleilighet** show flat.

demonstrativ demonstrative, ostentatious; *en ~ taushet* a pointed silence, a disapproving s.; *han gikk -t ut av værelset* he left the room pointedly (*el.* in protest).

demonstrere demonstrate.

demontere dismantle (*fx* a factory), dismount, disassemble (*fx* a machine); (*ta fra hverandre*) take to pieces, strip down (*fx* an engine); (*for å bruke delene om igjen*) cannibalize (*fx* an engine); *~ en rifle* strip a rifle.

demoralisere demoralize. **-ring** demoralization.

dempe (*forminske*) subdue, moderate, damp; (*kue*) suppress; (*lyd*) muffle, deaden; (*et instrument*) mute; *~ bølgene* calm the waves; *~ fargen* soften the colour; *~ ilden* subdue the fire; *~ sine lidenskaper* subdue one's passions; *~ et opprør* quell an insurrection; *~ sin stemme* lower one's voice; *-t lys* subdued (*el.* soft) light; *-t musikk* soft music; *med -t røst* in a subdued tone, in an undertone.

dempepedal soft pedal.

demper damper; *legge en ~ på* check, curb, put a wet blanket on.

demre dawn; *den -r gjennom tåken* it looms through the fog; *~ for en* dawn on sby. **-nde** dawning; *et ~ håp* the dawn of a new hope.

demring twilight; (*daggry*) dawn.

den (*personlig pron*) it; (*om dyr ofte*) he, she; (*demonstrativt pron*) that; (*adjektivenes best. artikkel*) the; *den . . . selv* itself; *den som* he (,she) that; he (,she) who; *den mann som* the man who; *den tosken!* fool that he is; the fool! *den og den* so and so; *den gir ikke* T that won't do; *den var verre!* T how annoying! that's too bad!

denaturer|e denature, methylate; *-t sprit* methylated spirits.

denatureringsmiddel denaturant.

dengang then, at the time; at that time; *det var 'dengang!* times have changed! (*begeistret*) those were the days! *den gang* (*da*) (at the time) when.

denge beat, thrash, whip, flog.

denne (*pron*) this, this one (*fx* which car will you have? I'll have this one); (= *den sistnevnte*) the latter; *den 6.* -*s* the 6th instant (*el.* inst.).

denslags that sort of thing; such things; *~ gjøres ikke blant oss* that sort of thing is not done by *(el.* among) people like us; ~ *mennesker* people of that kind (*el.* sort); ~ *små fortredelig- heter* little troubles of that kind (*el.* sort); *(se for øvrig slag).*

dental *(subst & adj)* dental.

departement department; *(forvaltningsgren)* ministry; US department; *(konkret)* Government office *(el.* department); *-et har bestemt at* ... *(kan fx gjengis)* the Ministry *(,etc)* has ruled that ... ; the Government office concerned has decided that; *forespørre i -et* inquire at the Ministry; inquire at the Government office concerned; *dette er ikke mitt* ~ T this is not within my province.

departemental departmental; ~ *stil* d. style; *(neds)* officialese.

departements|kontor Government office. **-råd** *(svarer til)* permanent secretary; *(den fulle tittel)* permanent under-secretary of State. **-sjef** (Cabinet) minister; *(for enkelte departementers vedkommende)* Secretary of State.

depesje dispatch.

deplasement *(skips)* displacement.

depo|nere deposit, lodge. **-nering** depositing.

deport|asjon deportation. **-ere** deport.

deposisjonsavtale deposit agreement.

depositum deposit.

depot depot.

depresjon *(i alle betydninger)* depression; *begå selvmord i* ~ commit suicide while in a depressed state of mind.

deput|asjon deputation. **-ert** deputy.

deputertkammer *(hist)* Chamber of Deputies; *(se nasjonalforsamling).*

der *(adv)* there; ~ *borte* over there; *hvem* ~*?* who is there? ✗ who goes there? ~ *er han* there he is; ~ *hvor* where; ~ *i landet* in that country; *det er der De tar feil* that is where you are wrong.

derav: ~ *følger* hence it follows; ~ *ser vi at* from this we see that; ~ *kommer all den syk- dommen* hence all this sickness.

dere *(personlig pron)* you; *kan* ~ *her foran høre hva N. sier?* can you people at the front hear what N. says?

deres *pron (som adj)* their; *(som subst)* theirs. **Deres** *pron (som adj)* your; *(som subst)* yours.

deretter 1. then, after that, afterwards, subse- quently; thereafter; 2 *(i overensstemmelse med det(te))* accordingly; *(som ventet)* as expected; ... *og bør innrette seg* ~ ... and should plan accordingly; *året* ~ the next *(el.* following) year; *kort* ~ shortly afterwards; *det ble* ~ *(også)* the result was as might be expected.

der|for therefore, so; for this *(el.* that) reason; *det var* ~ *jeg* ... that is (the reason) why I ...; *vi håper* ~ *at* we therefore hope that; we hope, therefore, that. **-fra** from there, thence, from thence; *reise* ~ leave there. **-hen** there; *det har nå kommet* ~ *at vi ikke kan* ... we have now reached the stage where we cannot ...; *(se dreie).* **-i** therein; ~ *tar De feil* you are wrong there. **-iblant** among them, including. **-imot** on the other hand; ~ *har vi for Deres regning betalt* ... per contra we have paid; *andre* ~ *tror at* ... others, on the contrary, believe that ...

der|med with that, so saying, at this; ~ *lukket han døra* with that *(el.* so saying *el.* at this) he closed the door; ~ *var saken avgjort* that settled the matter; ~ *er ikke sagt at* ... it does not follow that ..; ~ *vil han* by so doing he will ...; ~ *var det gjort* that did it. **-nest** next, then, in the next place. **-omkring** thereabouts, somewhere near there. **-over:** *£10 og* ~ *£10* and upwards. **-på** 1. = *deretter;* 2. *dagen* ~ the next day; *(etter rangel)* the morning after; *dagen-derpå-følelse* T hangoverish feeling; *dagen -derpå-stemning* T morning-after mood.

dersom if, in case.

dertil besides; ~ *kommer at* add to this (the fact) that; *i* ~ *bestemte bøker* in books provided

for that purpose; ~ *kommer hans provisjon* to this must be added his commission; *(se også hertil).*

derunder: *£10 og* ~ *£10* and less, £10 and under.

derved thereby; by that means, by so doing.

dervisj dervish.

derværende: *et* ~ *firma* a local firm, a f. in that town.

desavue|re disavow, repudiate. **-ring** disavowal, repudiation.

desember December.

deser|tere desert. **-tør** deserter, runaway.

desidert decided; *(adv)* -ly.

desigram decigram(me).

desiliter decilitre.

desillusjonere disillusion.

desillusjonering disillusionment.

desimal decimal. **-brøk** d. fraction. **-komma** d. point. **-regning** d. arithmetic. **-vekt** d. balance.

desimere decimate. **desimering** decimation.

desinfeksjon disinfection. **-smiddel** disin- fectant.

desinfisere disinfect; *-nde midler* disinfectants.

desinfisering disinfection.

desmer ⚥ civet, musk. **-katt** ⚥ civet cat. **-urt** ⚘ moschatel.

desorgani|sere disorganize. **-sasjon, -sering** disorganization.

desorientere confuse, puzzle, bewilder, dis- concert.

desosialisere denationalize.

desperasjon desperation. **desperat** desperate; *(rasende)* furious.

despot despot. **-i** despotism. **-isk** despotic. **-isme** despotism.

I. dess ♪ D flat.

II. dess: *se desto.*

dessert sweet; *(især frukt, etc)* dessert; US dessert. **-skje** d. spoon. **-tallerken** d. plate.

dess|uaktet nevertheless, notwithstanding, all the same. **-uten** besides, in addition, moreover. **-verre** unfortunately, I am sorry (to say), I am afraid *(fx* I am a. I have not read your book); *jeg må* ~ *meddele at* ... I regret to say that; *vi blir* ~ *nødt til å* we shall reluctantly be com- pelled to; *det er* ~ *sant* it is unfortunately true.

destillasjon distillation.

destillat distillate. **-ør** distiller.

destiller|e distil; US distill. **-kar** still. **-kolbe** retort.

desto the; ~ *bedre* the better, so much the better; *ikke* ~ *mindre* nevertheless, none the less; *jo* ... ~ ... the ... the ... ; *så meget* ~ *verre* the more's the pity; *varmluftgjennomstrøm- ningen blir* ~ *større* the circulation of warm air will be proportionately greater.

det 1 *(personlig pron)* it; *(om skip og land ofte)* she; 2 *(demonstrativt pron)* that *(fx* that house over there); 3 *(adjektivets best. art)* the *(fx* the big house); 4 *(foreløpig subjekt)* it *(fx* it is possible that his father knows; it is difficult to learn French); 5 *(subjektsantyder)* there *(fx* there are many mistakes in this letter; there seems to be some misunderstanding; 6 *(passiv): det bygges et hus* a house is (being) built; *det selges store mengder* large quantities are sold; *det er foretatt mange forandringer* many changes have been made; 7 *(upersonlig uttrykk)* it *(fx* it is cold; it is late; it is ten miles to Oslo); 8 *(trykksterkt)* that; *det må det ha vært* that must have been it; *men det er umulig* but that is impossible; *men markedet er ikke gått tapt for 'det* but that has not lost us the market; *hvorfor gjorde du det?* why did you do that? *og det litt raskt!* and that quick! *(fx* run upstairs, Tom, and that quick!); *De sier ikke det!* you don't say so? *hvorfor det?* why? *og hvem har ikke det?* and who has not? *det er det jeg vil vite* that is what I want to know; 9 *(i forbindelse med verbet være):* hvilken *dag er det i dag?* what day is it today? *i dag er det torsdag* today is Thursday; *det er min søster* she is my sister; *det er mine brødre* they are my brothers; *hva er det? det er kuer* what are they? they are cows; *er det deg?* is that you? *var det deg som banket?* was that you knocking? *er det dine brødre?* are those your brothers? *det er det også* so it is; *han er rik og det er hun også* he is rich and so is she; '*det var hans ord* those were his words; *det er nettopp hva det er (,var)*! that's exactly it! 10. **det at** the fact that *(fx* the fact that he has not complained); *det er ikke det at han ikke vet det* it isn't as if he didn't know (it); *det som* what *(fx* what we must do is to increase our sales); *det som nå trengs er* what is wanted now is; *det å reise* travelling; 11. *det begynner å se lysere ut* things begin to look brighter; *De gjør det vanskelig for meg* you make things *(el.* matters) difficult for me; *jeg håper (,tror) det* I hope (,think) so; *det banker* sby is knocking, there's a knock; *det gleder meg å høre at . . .* I am glad to hear that . . . ; *det lyktes meg å selge* I succeeded in selling; *ja, jeg vet det* yes, I know.

detalj detail, particular; *selge i* ~ sell (by) retail; retail; *handle en gros og en detalj* deal wholesale and retail; *gå i -er* enter *(el.* go) into details. **detalj|ert** detailed. **-handel** retail trade. **-handler** retailer.

detaljist retailer, retail dealer, shopkeeper.

detaljpris *(pris til detaljist)* trade price; *(se utsalgspris)*.

detektiv detective. **-roman** detective story; T mystery; S deteccer.

detonasjon *(eksplosjon, knall)* detonation.

detroniser|e dethrone. **-ing** dethronement.

dette *(pron)* this; this one *(fx* which glass will you have? I'll have this one); ~ *eller hint* this or that; *det var ingen som sa han skulle gjøre* ~ *eller hint* nobody told him to do things *(el.* to do anything); nobody ordered him about.

devaluer|e *(vb)* devaluate *(fx* the pound); devalue *(fx* if Norway decided to devalue too . . .). **-ing** devaluation.

devise motto; *(merk)* foreign bill.

diadem tiara; *(hist)* diadem.

diagnose diagnosis; *stille en* ~ diagnose, make a diagnosis; diagnosticate.

diagonal diagonal.

diagonalgang *(ski)* diagonal gait; T the diagonal.

diagram diagram, graph.

diakon deacon; male nurse. **diakonisse** deaconess; nursing sister, welfare worker.

dialekt dialect; *snakke* ~ speak a d., speak with a regional accent. **-betont** with a regional colouring *(fx* words with a r. c.).

dialek|tiker dialectician. **-tikk** dialectics. **-tisk** dialectical.

dialog dialogue.

diamant diamond. **-ring** d. ring. **-sliper** diamond cutter. **-slipning** diamand cutting. **-smykke:** *et* ~ a piece of diamond jewellery; *-r (pl)* diamond jewellery, diamonds.

diame|ter diameter. **-tral** diametrical; *-t motsatt* diametrically opposite *(el.* opposed) (to) *(fx* a d. opposed view; a view d. opposed to yours); *vi er -e motsetninger* we are poles apart; we are diametrical opposites of each other; we are the exact opposite of each other.

diaré diarrhoea.

I. die *(subst)* mother's milk; *gi* ~ suckle, nurse, breast-feed, give *(fx* a baby) the breast.

II. die *vb (om barnet)* suck; *(om moren)* suckle, nurse, breast-feed.

diesel|drevet Diesel-powered. **-elektrisk** Diesel -electric.

I. diett *(om kosten)* diet; regimen; *holde* ~ be on a diet, diet; *holde streng* ~ keep a strict d.; *leve på* ~ live on a d., diet; *sette en på streng* ~ put sby on a strict d.

II. diett(godtgjørelse) *(dagpenger)* daily allowance.

diettpenger *(pl)* travelling and subsistence allowances *(fx* they are entitled to t. and s. a.); *(dagpenger)* daily allowance.

differanse difference; *(merk)* balance; *(overskudd)* surplus.

differensiere differentiate.

differensiering differentiation.

differensrekke arithmetical progression.

differere differ.

difteri diphtheria.

diftong diphthong.

diftongere diphthongize.

digel crucible, melting pot; *(se støpeskje)*.

diger bulky, enormous, huge; thick, heavy, stout; *et -t best* a huge beast.

dignitar *(subst)* dignitary.

digresjon digression.

dike *(oppkastet voll)* dike.

dikkedarer *(omsvøp)* fuss, friils; *det er ingen* ~ *med ham* there are no frills on him; there is no nonsense about him.

diksjon diction.

dikt poem; *(noe oppdiktet)* fiction. **-art** kind of poetry. branch of literature.

diktat dictation; *(påbud)* dictate; *skrive etter* ~ write from dictation; *skrive etter ens* ~ write from sby's dictation; *stenografere etter sjefens* ~ take the principal's dictation down in shorthand.

diktator dictator. **diktatorisk** dictatorial.

diktatur dictatorship.

dikte *(oppdikte)* invent; *(skrive poesi)* write poetry, ~ *sammen* invent; T cook up *(fx* he had quite a job cooking up a likely story).

dikter poet.

diktere dictate *(en noe* sth to sby); ~ *en noe rett i maskinen* d. sth to sby on the typewriter; *jeg lar meg ikke* ~ I won't be dictated to!

dikter|evne poetic talent. **-gasje** poet's pension. **-inne** poetess. **-isk** poetic(al). **-natur** poetic nature. **-talent** poetic talent. **-verk** work of poetry. **-ånd** poetic genius. **-åre** poetic vein.

diktning (the writing of) poetry, writing; *(dikterverk)* work (of poetry).

dilemma dilemma.

dilettant amateur, dilettante. **-forestilling** private theatricals, amateur performance. **-messig** amateurish, dilettantish.

diligence stagecoach.

I. dill ♣ dill.

II. dill *(tull og tøv)* rot, nonsense.

dilla (T = *delirium tremens*) the horrors, the jumps; *(se delirium)*.

dilt jog trot. **dilte** jog along.

dim dipped lights; *kjøre på* ~ drive with one's lights dipped.

dimbryter (headlights) dipper switch.

dimensjon dimension.

dimensjonshogst *(forst)* felling (US: cutting) to a diameterlimit,'diameter-limit felling (US:cutting).

diminutiv diminutive. **-endelse** d. suffix.

dimittere dismiss; *(demobilisere)* demobilize; S demob.

dimittering *(demobilisering)* demobilization.

din *pron (som adj)* your; *(som subst)* yours; ~ *hatt* your hat; *hatten er* ~ the hat is yours; ~ *tosk* you fool.

dingeldangel gewgaws, rattletraps.

dingling ting-a-ling.

dingle dangle, swing; *(i galgen)* swing; ~ *med bena* dangle one's legs.

diplom diploma. **-at** diplomat(ist). **-ati** diplomacy. **-atisk** diplomatic; *ad* ~ *vei* through diplomatic channels.

direksjon *(styre)* board of directors; *han sitter i -en* he is on the Board (of Directors); *(jvf ledelse)*. **-ssekretær** company secretary.

direkte 1 *(adj)* direct *(fx* a d. steamship service; a d. tax); ~ *utgifter* out-of-pocket expenses; 2 *adv (uten omvei)* direct, straight; *hun har det* ~ *fra X (også)* she has it at first hand from X; *kjøpe varer* ~ *fra fabrikken* obtain goods direct *(el.* straight) from the factory; *nedstamme*

~ *fra en* be directly descended from sby; be a direct descendant of sby; *sende varer* ~ *til en* dispatch (*el.* send) goods direct to sby; *du må vende deg* ~ *til ham* you must contact him direct; you must get into direct communication with him; 3 *adv* (*umiddelbart*) directly (*fx* the coast population is d. dependent on the fisheries); *jeg er ikke* ~ *berørt* I am not directly concerned.

direkte|koplet direct-coupled. **-virkende** direct -acting.

direktiver (*pl*) directions, instructions, directives.

direk|torat directorate; (*embete*) directorship; *Direktoratet for statens skoger* [the Directorate of State Forests]; (*svarer i England til*) the Forestry Commission. **-trise** manageress; directress; (*se direktør*). **-tør** (general) manager; (*medlem av et styre*) director; (*for offentlig institusjon*) director; (*museums-*) keeper; (*fengsels-*) (prison) governor; (*sykehus-*) medical superintendent; *administrerende* ~ managing director.

dirigent (*møteleder*) chairman; ♪ bandmaster; (*orkester-*) conductor.

dirigere conduct; (*lede et møte*) be in the chair, preside (over a meeting).

dirk picklock. **dirke** (*en lås*) pick; *som kan -s opp* (*om lås*) pickable.

dirkefri unpickable, burglar-proof.

dirre quiver, vibrate.

dirring quivering, vibration.

I. dis (*tåke*) haze.

II. dis: *være* ~ [address each other as 'De' instead of the familiar 'du'].

disfavør: *i vår* ~ against us, to our disadvantage, in our disfavour (US: disfavor).

disharmo|nere be discordant, jar. **-ni** discord, disharmony, dissonance. **-nisk** discordant, disharmonious, jarring.

disig hazy. **-het** haziness.

disiplin (*tukt*) discipline; (*fag*) subject, branch of knowledge.

disipliner|e discipline. **-ing** discipline, disciplining.

disiplinær disciplinary; *noen -e vanskeligheter har han ikke* he has no difficulty in keeping discipline.

disiplinær|forseelse breach of discipline. **-straff** disciplinary punishment.

disippel (*bibl*) disciple.

disk counter; *stå bak -en* serve behind the c.

diskant treble.

diske: ~ *opp for en* do sby proud; ~ *opp med* serve up, dish up; *han -t opp med noen muntre historier* he produced some funny stories.

diskedame (*på kafé, etc*) assistant behind the counter, counter assistant.

diskenspringer counter-jumper.

diskonter|e discount. **-ing** discounting.

diskonto (*den offisielle*) bank rate; (*privat*) discount rate(s). **-forhøyelse** increase in the discount (*el.* bank) rate. **-nedsettelse** reduction of the b. r. **-sats** discount rate, rate of d.

diskontør discounter.

diskos discus. **-kaster** discus-thrower.

diskresjon discretion; (*taushet*) reticence, secrecy; *jeg ber Dem bruke disse opplysningene med* ~ please make discreet use of this information; ~ *en æressak* (*svarer til*) strictly confidential.

diskret discreet; *opptre* ~ act discreetly.

diskusjon discussion; *innlede en* ~ initiate a d.; *åpne -en* take up the d.

diskusjons|gruppe discussion group, colloquium. **-innlegg** contribution to a (,the) discussion; *han hadde et lengre* ~ he spoke at length during the discussion.

diskutere discuss; ~ *seg fram til en løsning* (*av spørsmålet*) arrive at a solution (to the question) through discussion; *la oss* ~ *detaljene* let's work out the details; *det er ikke det vi -r* that's not the point of the discussion; that's not what we're discussing (*el.* talking about).

diskvalifisere disqualify.

dispasje (*merk*) average statement; a. adjustment.

dispasjere make the adjustment; draw up an average statement.

dispasjør average adjuster.

dispen|sasjon exemption. **-sere** exempt, grant exemption.

disponent manager.

disponere *vb* (*bestyre*) manage; (*bruke*) employ; (*ordne*) dispose, arrange; *en godt disponert stil* a well-arranged essay (,composition); ~ *over* have the disposal of, have at one's disposal; *De kan* ~ *over oss* you may make use of our services.

disponibel disposable, available, at one's disposal, at hand (*fx* the means at h.).

disposisjon 1 (*rådighet*) disposal; *stille til Deres* ~ place at your d.; 2 (*bestemmelse, forføyning*) arrangement, disposition; *treffe -er* make arrangements (*el.* dispositions); take steps (*el.* measures); 3 (*utkast*) outline, framework (*fx* essay outline; framework of a composition).

disput|as (*doktor-*) [defence of a thesis]. **-ere** argue, debate.

disputt dispute, argument.

diss ♪ D sharp.

disse (*pron*) these; (= *de sistnevnte*) the latter.

dissekere (*vb*) dissect.

disseksjon dissection. **-skniv** scalpel. **-srom** dissecting room.

dissens dissent; *under* ~ with dissenting votes; *men under* ~ (*også*) but not unanimously.

dissenter dissenter, nonconformist.

dissentere (*vb*) dissent.

dissenter|kirke chapel. **-prest** minister.

dissonans dissonance, discord.

distanse distance.

distansere (*vb*) distance; outdistance, outstrip.

distingvert distinguished, distinguished-looking.

distinksjon distinction; ✕ badge (of rank); (*på ermet*) chevron, stripe(s).

distinkt distinct.

distrahere (*vb*) distract, disturb.

distraksjon absence of mind, absent-mindedness, distraction.

distré absent-minded.

distribuer|e (*vb*) distribute. **-ing** distribution.

distribusjonsapparat distributing organization; (*salgs-*) marketing o.

distrikt district; (*retts-*) circuit; (*politikonstabels*) beat; (*postbuds*) round.

distriktslege medical officer of health (*fk.* M.O.H.).

distriktssjef (*jernb*) general (regional) manager.

dit there; *det er 30 miles* ~ (*ut*) it is 30 miles (out) there.

ditt (*pron*) your, yours; (*se din*).

ditt og datt one thing and another, this and that; this, that, and the other.

ditto ditto, the same.

diva (*primadonna*) diva.

divan couch, divan.

diverg|ens divergence. **-ere** (*vb*) diverge, differ; -*nde oppfatninger* divergent views.

diverse sundry, various; ~ *artikler* sundries; ~ *omkostninger* sundry expenses, sundries; (*subst*) sundries; *konto pro* ~ sundries account.

divi|dend (*tall som skal deles*) dividend. **-dende** dividend.

dividere (*vb*) divide; ~ *16 med 2* divide 16 by 2.

divi|sjon (*regningsart, hæravdeling*) division. **-sjonsstykke** division sum. **-sjonstegn** d. sign; (NB *det eng. tegn ser slik ut* ÷, *fx* 21 ÷ 7 = 3). **-sor** divisor.

djerv (*uredd*) fearless, intrepid; (*modig*) bold, brave, courageous. **-het** fearlessness, intrepidity; boldness, bravery, courage.

djevel devil, fiend.

djevelsk devilish, diabolical; fiendish; *le* ~ laugh a fiendish laugh.

djevelskap devilry, devilment.

djevelunge imp, little devil.

djevle|besettelse state of being possessed by a devil, demoniacal possession. **-besvergelse** exorcism. **-besverger** exorcist. **-spill** diabolo.

djunke (*kinesisk skip*) junk.

djup: *se dyp.*

do. (*fk. f. ditto*) ditto, do.

do (*privét*) privy.

dobbelt 1. double, twofold; ~ *bokføring* double-entry book-keeping, (book-keeping by) double entry; ~ *bunn* double (*el.* false) bottom (*fx* the ship has a d. b., a box with a f. b.); *gjøre* ~ *arbeid* do double work; *i* ~ *bredde* in double width; *i sin -e egenskap av* . . . in his dual capacity of . . ; *i* ~ *forstand* in a twofold sense; *mellom* ~ *ild* between two fires; ~ *så* twice as (*fx* twice as good); ~ *så mange* twice as many, double the number; ~ *så mye* twice as much, as much again; double the quantity; ~ *så stor som* twice as large as, double the size of; 2 (*med best. art.*) *det -e* twice as much; *betale det -e av hva vi burde* pay the double of what (*el.* twice as much as) we should, pay twice (*el.* double) what we should; *øke til det -e* double; 3 (*adv*) doubly (*fx* it is d. difficult), double (*fx* see d.).

dobbeltfastnøkkel double-ended spanner (US: wrench).

dobbelt|gjenger double. **-hake** double chin. **-het** doubleness; (*bare fig*) duplicity. **-kløtsje** (*vb*) double de-clutch. **-løpet:** ~ *børse* double-barrelled gun. **-moral** a double set of morals. **-parkering** double-banking, parking alongside a standing vehicle. **-spill** (*fig*) double-dealing; *han driver* ~ he is playing a double game.

dobbeltspor (*jernb*) double track (*el.* line); *anlegg av* ~ laying of a second track, doubling (of a single line); duplication (of the present track).

dobbeltsporet double-track(ed); ~ *bane* (*også*) double line.

dog however, yet, still; *det er* ~ *for galt* it is really too bad; really this is too bad! *og* ~ (and) yet; *det skal* ~ *gjøres* after all, it must be done.

doge doge.

dogg: *se dugg.*

I. dogge 🔑 mastiff.

II. dogge (*vb*): *se dugge.*

dogma|tiker dogmatist. **-tikk** dogmatics. **-tisere** (*vb*) dogmatize. **-tisk** dogmatic.

dogme dogma.

dokk (*for skip*) dock; *tørr-* dry-dock; *gå i* ~ go into d.; *skipet trenger til å komme i* ~ the ship requires docking.

dokk|arbeider docker, dock worker; US (*også*) longshoreman. **-avgifter** (*pl*) dockage.

dokke: *se dukke.*

dokkformann dock master.

dokk|sette (*vb*) dock. **-setting** docking.

doktor doctor; *dr. ing.* Doctor of Engineering (*fk.* D.Eng.); *dr. jur(is)* Doctor of Laws (*fk.* LL.D.); *dr. med.* Doctor of Medicine (*fk.* M.D.); *dr. philos.* Doctor of Philosophy (*fk.* Ph. D.); *professor, dr. med.* L. Ask Professor L. Ask, M.D.; (*jvf lege*).

doktorand candidate for the doctorate.

doktor|avhandling thesis (for the doctorate). **-disputas** [defence of a thesis]. **-grad** doctor's degree, doctorate; *tildele en -en* confer a doctor's degree on sby.

doktrin doctrine. **-ær** doctrinaire.

dokument document, deed, paper, instrument.

dokumentere (*vb*) document, prove, substantiate; ~ *seg* prove one's identity.

dokumentering documentation, substantiation.

dokumentfalsk forgery (of documents).

dolk dagger, poniard. **dolke** (*vb*) dagger, stab.

dolkestøt stab (with a dagger).

dollar dollar. **-glis** [ostentatious American car].

I. dom (*kuppel*) dome.

II. dom: *se domkirke.*

III. dom 1 (*i kriminalsak*) sentence; 2 (*i sivilsak*) judgment, decision; 3 (*mening*) opinion, judgment, verdict (*fx* the v. of history; the v. of the public); 4 (*i voldgift*) award, decision; 5 (*i sport*) judgment, decision; *avsi* ~ (1) pass sentence (*over* (up)on); (2) pass (*el.* deliver) judgment; give a decision; (4) make an award; *avsi* (ɔ: *forkynne*) *-men* (1) pronounce (the) sentence; (2) pronounce judgment; *-men faller* (1) sentence is pronounced; (2) judgment is delivered; ~ *faller i dag* (2) a decision will be reached today, judgment will be given today; *-men gikk ham imot* judgment was given against him; he lost the case; *felle* ~ *over* (1) pass sentence (up)on; (2) pass judgment (up)on; (*især i ikkejur. forstand*) pronounce judgment on; *-men lød på tre års fengsel* the sentence was (*el.* he was sentenced to) three years' imprisonment; *jeg vil se* ~ *i saken* I will take the matter to court; *sitte til -s over* sit in judgment (up)on; *betale i dyre -mer* pay exorbitant prices; T pay fancy prices, pay through the nose; *en hård* ~ a severe (*el.* stiff) sentence; *på -mens dag* on the Day of Judgment.

dombjelle harness bell.

domene domain; crown land.

dom|felle (*vb*) convict; *den -felte* the convicted person, the person convicted. **-fellelse** conviction.

domin|ere (*vb*) dominate, domineer, lord it. **-erende** dominating; (*fremherskende*) predominant; (*som spiller herre*) domineering; *en* ~ *beliggenhet* a commanding (*el.* dominating) position; *en* ~ *innflytelse* a dominating influence.

dominikaner Dominican (friar).

domino domino; (*spill*) dominoes. **-brikke** domino.

domisil domicile. **-iere** domicile, make payable.

domkirke cathedral.

dommedag the Day of Judgment.

dommer 1 (*jur*) judge; (*ved høyesterett el. appelldomstol*) justice (NB *brukes etter Mr., fx* Mr. Justice D. was on the Bench); (*byretts-*) town stipendiary magistrate; (*i større by*) recorder; (*freds-*) magistrate, Justice of the Peace, J.P.; 2 (*ved dyrskue, kapproing, kappseilas, utstilling, veddeløp*) judge; (*baseball, cricket, golf, tennis*) umpire; (*fotball*) referee; US umpire; (*boksing*) referee; (*ved militære øvelser*) umpire; *-ne* (*kollektivt*) the Bench; (*om standen*) the judiciary, the Bench; *oppkaste seg til* ~ *over* set oneself up as judge of, set oneself up in judgment over, set up to judge; *være* ~ (2) umpire; referee (*fx* he refereed the football match); act as umpire; act as referee; *X var* ~ *i saken* the case was heard before X; *D-nes bok* (*bibl*) (the Book of) Judges.

dommer|bord (*sport*) referee stand. **-ed** judicial oath. **-embete** judgeship; justiceship; recordership; (*som fredsdommer*) commission of the peace; (*se også dommer*). **-fullmektig** (*kan gjengis*) deputy judge. **-mine** judicial manner; magisterial air. **-stand** judiciary; *-en* (*også*) the Bench.

dompap 🔑 bullfinch.

domprost dean.

doms|avgjørelse judgment; (*i sivilsak*) judicial decision, ruling. **-avsigelse** passing of a sentence; (*i sivilsak*) delivering judgment; (*se også -forkynnelse*). **-forkynnelse** pronouncement of sentence; (*i sivilsak*) service of judgment. **-fullbyrdelse** carrying out of a sentence; (*i sivilsak*) execution of a judgment. **-mann** [lay judge]. **-premisser** (*pl*) grounds of the judgment, grounds for j.

domstol court of justice; law court; (*utenlandsk*) tribunal; *bringe en sak for -en* go to court about a matter.

domsutsettelse conditional postponement of sentence.

Donau the Danube.

done (*subst*) snare, gin. **-fangst** bird-snaring.

donkraft jack.
dont task, business, job; *passe sin* ~ mind one's business.
doppsko ferrule.
dorg trolling line. **-e** (*vb*) troll.
dorme (*vb*) doze.
dorsk sluggish. **-het** sluggishness.
dose: *se dosis.*
dosent reader; senior lecturer; US associate professor. **-ur** lectureship.
dosere (*vb*) lecture on, teach.
doserende didactic.
dosis dose.
dosser|e *vb* (*vei*) slope (*fx* the bends are well sloped). **-ing** slope; (*det å*) sloping.
dott wisp (*fx* of hair, hay); tuft; (*om person*) nincompoop, spineless person; *han er en* ~ (*også*) he's a wet; *en* ~ *bomull* a wad of cotton.
doven lazy, idle; (*øl, etc*) flat, stale.
dovendyr (*slags pattedyr*) sloth; (*doven person*) lazy fellow, slacker, idler, lazybones.
doven|kropp: *se -dyr.*
dovenskap laziness.
dovne *vi* (*om lem*) grow numb; T (*om fot*) go to sleep; ~ *seg* idle, laze.
dr. (*fk. f. doktor*) doctor, Dr.; (*se doktor*).
dra *vb* (*trekke*) draw, pull; drag; ~ *i noe* pull at sth; *han dro henne i håret* (*også*) he gave her hair a tug; (*bevege seg*) go, pass, march, move; (*reise*) go away, leave; *jeg -r i morgen* I shall be leaving tomorrow; I am leaving tomorrow; *en -gen sabel* a drawn sword; ~ *et sukk* heave (*el.* fetch) a sigh; ~ *fordel av* profit by, derive advantage from; ~ *av sted* set out; (*med premie*) bear away (*fx* several prizes); ~ *bort* go away, leave; ~ *fram* bring out, pull out, produce (*fx* he produced a document from his pocket); ~ *i tvil* question; throw doubt on; ~ *hjemover* make for home; set out on one's homeward journey; ~ *igjen* start back (again) (*fx* he had no sooner arrived than he was told to start back again); ~ *seg* (*dovne seg*) idle, laze, be lazy; *ligge og* ~ *seg* laze in bed; ~ *deg vekk!* take yourself off! beat it! ~ *til* (*bolt, mutter*) tighten up; ~ *til en* T fetch sby a clout, sock sby one; ~ *til ansvar* call to account; ~ *til seg* attract; *la en motor* ~ *tungt* let an engine labour, allow an e. to labour; ~ *ujevnt* (*om motor*) run unevenly; ~ *ut* march out, go out; ⚓ sally forth (*el.* out); (*trekke i langdrag*) drag on (*fx* the war dragged on); (*vt*) spin out (*fx* an affair), drag out; *det -r ut* (*også*) progress is slow; ~ *utenlands* go abroad.
drabant halberdier, yeoman of the guard; (*ironisk*) henchman; (*astr*) satellite.
drabantby dormitory town.
drabelig tremendous, colossal.
draft ⚓ chart.
drag 1 (*rykk*) pull; 2 (*ånde-*) breath; 3 (*av sigar, etc*) puff; 4 (*slurk*) draught; 5 (*åretak*) stroke; 6 (*ansiktstrekk*) feature; 7 (*trekk, egenhet*) streak, strain; (*antydning*) touch, strain; 8 (*strekning*) stretch; (*jvf bakke-, høyde-*); 9 (*strøm-*) current; (*dragsug*) backsweep; 10 (*slag*) stroke, rap; (*jvf nakke-*); 11 (*på kjøretøy*) shaft (of a carriage); 12 (*med fiskegarn*) haul (of a net); cast; *et* ~ *av romantikk* a touch (*el.* strain) of romance; *med ett* ~ (1) with one pull; *drikke noe i lange* ~ (4) take long draughts of sth; *ta dype* ~ drink deep; *tømme i ett* ~ (4) drink at a (single) draught, drink at one d.; *nyte i fulle* ~ enjoy to the full; *ro med lange* ~ (5) pull long strokes; *det lå et* ~ *av spott om hans munn* there was a trace of scorn about his mouth; *det var et østlig* ~ *i lufta* there was a touch of east wind (in the air); *det er et kaldt* ~ *i lufta* there is a cold nip (*el.* a nip of cold) in the air; *åskammens rolige* ~ the soft (*el.* gentle) contour of the ridge.
drage: *se drake.*
dragelse (*tiltrekning*) attraction, fascination.
dragende fascinating, compelling; *en* ~ *lengsel etter* a yearning for.

drag|kamp tug of war. **-kiste** chest of drawers; US bureau. **-kjerre** hand (*el.* push) cart. **-not** dragnet.
dragon ✗ dragoon.
dragsug backsweep, backwash; (*utadgående understrøm*) undertow.
drake (*fabeldyr*) dragon; (*leketøy*) kite; (*liten seilbåt*) dragon; (*sint kvinnfolk*) termagant, vixen.
drakonisk Draconian, Draconic.
drakt (*kledning*) dress, costume, suit; (*spaser-*) coat and skirt, (tailor-made) costume, suit; *en* ~ *pryl* a beating, a hiding.
dram (*brennevin*) drink, nip, swig; US (*også*) shot.
drama drama. **-tiker** dramatist. **-tisere** dramatize. **-tisk** dramatic. **-turg** dramatic adviser. **-turgi** dramaturgy; theatrecraft. **-turgisk** dramaturgic.
drammeglass brandy glass; US shot glass.
dranker drunkard, sot, heavy drinker.
drap manslaughter, homicide; *overlagt* ~ wilful murder; *uaktsomt* ~ manslaughter.
drapere (*vb*) drape, hang (with drapery).
draperi drapery.
draps|mann homicide, killer. **-sak** homicide case.
drasse *vb* (*dra på*) drag (along).
drastisk drastic.
draug sea monster, ghost of the sea.
dravle curds (of milk); ~ *med fløte* curds and cream.
dregg ⚓ grapnel. **-e** (*vb*): ~ *etter* dredge for, grapple for.
dreibar revolving.
drei|e (*vb*) turn; (*på dreiebenk*) turn, cut in the lathe; *vinden har -d seg* the wind has shifted (*el.* veered); *jorda -er seg om sin akse* the earth revolves about (*el.* on) its own axis; ~ *av* turn (aside); ⚓ bear away; ~ *bi* ⚓ bring to; heave to; ~ *samtalen inn på* lead the conversation on to; ~ *om hjørnet* turn the corner; ~ *seg om* turn (up)on (*fx* the whole debate turns on a single point); *det er det spørsmålet -er seg om* that is what the question is about; *alle hans tanker -er seg om henne* all his thoughts turn on her; *det -er seg om minutter* it is a question of minutes; *det -er seg om hundre pund* it is a matter of a hundred pounds; ~ *seg om på hælen* turn (round) on one's heel; *det -er seg om hvorvidt* the question is whether; *han fikk -d det derhen at . . .* he twisted it (round) so that; *han fikk -d det derhen at det var X som hadde forgått seg* (*også*) he managed to make it look as if it was X who had committed the offence; *han fikk -d saken derhen at hans klient fikk rett* he managed to turn the case to his client's advantage.
dreie|benk (turning) lathe. **-bok** (*film*) shooting script; scenario. **-boksforfatter** scriptwriter; scenario-writer.
dreier turner.
dreiel (*diagonalvevet tøy*) drill.
dreie|skive (*jernb*) turntable; (*pottemakers*) potter's wheel.
dreining turn, turning; (*omdreining*) rotation.
drektig pregnant, big (with young), with young. **-het** state of being with young; ⚓ tonnage, burden.
drener|e (*vb*) drain. **-ing** draining (of the soil), land drainage. **-ingsrør** drainpipe.
drepe (*vb*) kill, slay, put to death; (*fig*) kill, deaden (*fx* his cruelty killed (*el.* deadened) any feeling I had for him); extinguish (*fx* the war had extinguished all human feelings in him); *sorgen drepte alle følelser hos henne* (*også*) her grief left her utterly numbed.
drepende mortal; (*kjedelig*) tiresome.
dresin (*jernb*) rail tricycle.
dress suit.
dress|ere (*vb*) train; (*om hester og hunder, også*) break, break in; *-ert selhund* performing seal.
dresstoff suiting (cloth), material for a suit; *et* ~ (*også*) a suit-length.

dressur training, breaking in.
dressør trainer; (horse) breaker.
drett (*fiske-*) haul.
drev (*hjul*) pinion; (*opplukket hamp*) oakum.
dreven expert, experienced, practised, skilled.
drift 1 (*av maskin, etc*) running, working (*fx* the r. of the factory, of the machine), operation(s) (*fx* the operation of a machine; operations are at a standstill); (*jernb*) traffic, (train) services, (railway) operations, running of the railways; (*av en forretning*) conduct, management (*fx* the c. of a business); 2 (*tilbøyelighet*) urge, bent, inclination, instinct; (*kjønns-*) sexual instinct, sex urge; 3 ⚓ (*avdrift*) leeway, drift; 4 (*kveg-*) drove; *elektrisk* ~ electric working, (the use of) electric power; (*jernb: motsatt damp-*) electric traction; *innføre elektrisk* ~ (*jernb*) electrify (a railway; *innføring av elektrisk* ~ electrification (of a railway); *begynne -en (sette i gang produksjonen, etc*) start operating, begin work(ing); *i* ~ at work, in operation, going; *billig i* ~ cheap to run, cheap in the running, economical, with a low running cost; *i full* ~ in full swing (*el.* work), at full capacity, to capacity (*fx* they are operating to capacity); *komme i* ~ ⚓ break (*el.* go) adrift; (*om fabrikk*) come into operation, come into full production; *sette i* ~ start (running), put into operation; (*jernb*) put into service (*el.* operation); *ta opp -en: se begynne -en; være i* ~ ⚓ be adrift, drift; (*om kjøretøy, maskin*) be in service; (*om jernbanelinje*) be in operation, be running; *en indre* ~ (2) an (inner) urge; *av egen* ~ of oneself, on one's own initiative; *sanselige -er (også*) sensual appetites; *ute av* ~ out of operation (*el.* service), not working; *ta ut av* ~ (*om kjøretøy, maskineri*) take out of service.
driftekar (cattle) drover.
driftig active, enterprising. **-het** enterprise.
drifts|anlegg factory plant. **-bestyrer** manager. **-ingeniør** works engineer. **-inspektør** (*jernb*) operating superintendent. **-kapital** working capital. **-ledelse** (*jernb*) operating management. **-materiell** working plant; (*jernb*) rolling stock. **-messig** (*se drift*) working (*fx* methods); *-e forbedringer* increased efficiency, improvements of the service; *av -e hensyn* for operational purposes.
drifts- og trafikkavdeling (*jernb*) traffic department.
drifts- og trafikkdirektør (*jernb*) assistant general manager (traffic); (NB *dennes tre underdirektører er* 'operating officer', 'commercial officer' *og* 'motive power officer').
drifts|omkostninger, -utgifter (*pl*) working expenses, running expenses. **-økonomi** business economy; (*jvf bedrifts-*). **-år** business year.
drikk drink, beverage; (*det å drikke*) drinking; *sterke -er* strong drinks, intoxicants.
I. drikke (*subst*): *mat og* ~ food and drink; *han er forsiktig med sterke -r når han kjører bil* T he's careful about drinking and driving.
II. drikke (*vb*) drink; *hva vil De* ~? what will you have? T what's yours? ~ *som en svamp* drink like a fish; *han -r* he is addicted to drinking; ~ *ens skål* drink sby's health; ~ *tett* drink hard; ~ *seg full* get drunk; ~ *en full* make sby drunk; ~ *av flaska* drink out of the bottle; ~ *seg i hjel* drink oneself to death; ~ *opp* spend on drink; *drink up*; ~ (*el. ta*) *en tår over tørsten* have a drop too much; (*se også tylle:* ~ *i seg*).
drikke|bror toper. **-kar** drinking vessel. **-lag** drinking bout.
drikkelig drinkable, fit to drink.
drikke|ondet the evil of drink(ing). **-penger** (*pl*) tip, tips, gratuity. **-vann** drinking water. **-varer** (*pl*) drinks, beverages. **-vise** drinking song.
drikk|feldig given to drink, addicted to drinking. **-feldighet** drunkenness, addiction to drinking, intemperance.
drikking drinking.
drikkoffer drink offering, libation.

drill drill; *elektrisk* ~ drill grun.
drillbor drill. **drille** (*vb*) drill, bore.
driste (*vb*): ~ *seg til* dare, venture (*fx* v. to say . . .).
dristig bold, daring; audacious; *de -ste forventninger* the most sanguine expectations.
dristighet boldness, daring, audacity.
drivaksel driving (*el.* drive) shaft; (*i motor*) drive shaft, primary s.
driv|anker ⚓ sea anchor. **-benk** forcing frame, hotbed. **-boggi** (*jernb*) motor bogie; US power truck.
I. drive (*subst*) drift (of sand, snow, *etc*).
II. drive *vb* 1 (*handel*) carry on, engage in (*fx* trade); (*fabrikk*) operate, run; (*gård*) run, work; (*tømmer*) float; (*fangst, fiske*) carry on; ~ *smått* (*,stort*) do business in a small (,large) way; 2 (*et yrke*) follow, pursue (*fx* an occupation); (*undersøkelser*) carry on; (*sport*) go in for (*fx* sport, games); (*studier*) pursue; 3 (*en maskin*) drive, work, operate; (*hjul*) move, turn; 4 (*om vind, strøm*) *fyke* (*sammen*) drift; 5 (*tvinge*) drive, force; (*fig*) impel, urge, prompt; (*planter*) force; 6 (*gå sin skjeve gang*) drift (*fx* let things d.); 7. ⚓ caulk; *nå -r han (på*) igjen! (⌾: *nå holder han på* (*med det*) igjen) now he's at it again! *gå og* ~ idle (*fx* he idles about town all day); ~ *fram* propel; (*fig*) drive forward, impel, urge on; ~ *i land* ⚓ drift ashore; ~ *prisene i været* force prices up; ~ *en plan igjennom* carry a scheme through; ~ *inn en fordring* collect a debt; (*ad rettens vei*) recover a claim, enforce payment of a claim; ~ *med tap* operate at a loss; ~ *omkostningene ned* press (*el.* force) costs down; ~ *tilbake* drive back, repel; ~ *det langt* achieve great things; *han -r det nok til noe* he is bound to go far (*el.* get on); he will go a long way; ~ *noe for vidt* push things too far; ~ *sitt spill med* play tricks on; *lysten -r verket* willing hands make light work; *-nde våt* dripping (*el.* wringing) wet.
driv|fjær (*også fig*) mainspring; (*person*) prime mover; (*motiv*) prime motive, incentive. **-garn** drift net. **-garnfiske** drift-net fishing. **-garnfisker** (*om båten*) drifter. **-hjul** driving wheel; (*fig*) motive power. **-hus** hothouse; (*uten kunstig varme*) greenhouse. **-husplante** (*også fig*) hothouse plant. **-is** drift ice. **-kraft** motive power. **-re(l)m** driving belt. **-stoff** fuel; propellant. **-tømmer** drift timber, floating timber. **-våt** dripping (*el.* wringing) wet.
drogerier (*pl*) drugs. **drogerihandler** druggist.
dromedar 🐪 dromedary.
drone 🐝 (*hanbie; unyttig menneske*) drone.
dronning queen; *spille* ~ queen it; *ballets* ~ the queen of the ball.
dronningaktig queenly, queenlike.
dronningbonde (*i sjakk*) queen's pawn.
droplet dapple, piebald.
drops boiled sweets; (*ofte*) drops; US hard candy; *syrlige* ~ acid drops; acid sugars.
drosje cab, taxi(cab). **-bil** taxi(cab). **-holdeplass** cab stand, cab rank, taxi rank, taxi stand. **-ran** taxi hold-up. **-sjåfør** taxi driver. **-takst** cab fare(s).
drosle (*vb*) throttle.
drue 🍇 grape. **-formet** grapelike. **-høst** vintage. **-klasse** cluster of grapes. **-saft** grape juice. **-sukker** grape sugar, glucose.
drukken intoxicated, drunk, tipsy, in liquor, the worse for liquor; (*foran subst*) drunken; ~ *av glede* intoxicated (*el.* drunk) with joy.
drukkenbolt drunkard.
drukkenskap drunkenness, inebriety.
drukne (*vt*) drown; (*vi*) be drowned; *han -t katten* he drowned the cat; *han -t he* was drowned; *han er nær ved å* ~ he is drowning; *den -r ei som henges skal* he who is born to be hanged will never be drowned. **drukning** drowning.
druknings|døden death by drowning; *han led* ~ (*ofte*) he found a watery grave. **-ulykke** drowning fatality.

drunte (*vb*) loiter, dawdle.
dryade dryad.
dryg: *se drøy*.
drypp drop, drip, dripping.
drypp|e (*vb*) drip; (*om lys*) gutter; ~ *en stek* baste a roast; ~ *av* drip off; (*et filter*) drain; *det -er fra takene* the eaves are dripping. **-ing** dripping.
dryppsmøring drip (*el.* drop feed) lubrication, drip oiling.
dryppstein stalactite. **-shule** stalactite cave.
dryss (*av snø, etc*) sprinkle, powder; gentle fall.
drysse (*vt*) sprinkle; (*vi*) fall (in small particles); sift down (*fx* the snow sifted down).
drøfte (*vb*) discuss, debate, talk over.
drøftelse discussion, talk(s).
drøm dream; *i -me* in a dream, in one's dreams.
drømme (*vb*) dream, be in a dream; ~ *om* dream of; *drøm behagelig*! pleasant dreams!
drømme|aktig dreamlike. **-bilde** vision, phantasm. **-liv** dream life. **-løs** dreamless. **-nde** dreamy. **-r** dreamer.
drømmerisk dreamy.
drømme|syn vision. **-tyder** interpreter of dreams. **-tydning** interpretation of dreams. **-verden** dream world.
drønn boom, crash, bang.
drønne (*vb*) boom, crash, bang.
drøv cud; *tygge* ~ chew the cud, ruminate; (*fig*) harp (*på* on).
drøvel (*anat*) uvula; *gi ham en på -en* S sock him one on the kisser.
drøv|tygge ruminate; (*fig*) harp on. **-tygger** ruminant. **-tygging** rumination, chewing the cud; (*fig*) harping.
drøy 1 (*i bruk*) economical (in use), that goes a long way (*fx* money goes a long way in that country); *det er -t* (*også*) a little of it goes a long way; *-ere enn* more economical than; 2 (*i omfang*) bulky; 3 (*stiv*) stiff (*fx* a stiff price), smart (*fx* a smart price, a s. distance); *et -t stykke arbeid* a tough job, a stiff piece of work; *en* ~ *klatretur* a stiff climb; *en* ~ *påstand* a bold assertion; *-e sannheter* home (*el.* hard) truths; *det er* (*dog*) *for -t* that is beyond a joke; it is going too far; *det er temmelig -t, syns du ikke?* that's pretty stiff, don't you think?
drøye *vb* 1 (*vare, trekke ut*) drag on; *det drøyde en stund før han betalte* it was some time before he paid; 2 (*forhale, oppsette*) delay; *han drøyde med betalingen* he delayed (*el.* put off) payment; ~ *med å gjøre noe* delay (*el.* put off *el.* postpone) doing sth; *vi -r litt til og ser om de kommer* we'll hang on for a little while and see if they come; 3. ~ *på noe*, ~ *noe ut* make sth last longer, make sth go far, spin sth out.
dråk (*subst*) good-for-nothing.
dråpe drop; *de ligner hverandre som to -r vann* they are as like as two peas; *en* ~ *i havet* a drop in the ocean. **-formet** drop-shaped. **-teller** dropping tube, drop counter. **-vis** drops, drop by drop.
ds. (*fk.f. dennes*) inst. (*fk.f.* instant).
d.s. (*fk.f. det samme*) the same.
d.s.s. (*fk.f. det samme som*) the same as.
du (*pron*) you; (*bibl*) thou; *du . . . selv* you . . . yourself; *du gode Gud*! great heavens!
dublé (*gull-*) filled gold.
dublere (*vb*) double; (*en rolle*) understudy.
dublett duplicate.
due 🕊 pigeon; (*især fig*) dove. **-egg** pigeon's egg. **-hus** pigeonhouse, dovecot(e).
duell duel (*på* with).
duell|ant duellist. **-ere** (*vb*) duel, fight a duel. **-lering** duelling.
due|post: *med* ~ by carrier pigeons. **-slag:** *se -hus*.
duett duet.
due|unge young pigeon. **-urt** 🌿 willowherb.
duft fragrance, odour (US: odor), perfume, scent.
dufte (*vi*) emit odour (*el.* fragrance); *det -t av r oser* there was a scent of roses.
duftende fragrant, odorous, scented.

duge (*vi*) be good, be fit; *det -r ikke til noe* it is no good; it won't do, it isn't good enough; *det -r ikke å* it won't do to; *som slett ikke -r* worthless; *jeg -r ikke til* I'm no good at (-ing); *han -r ikke til selger* he is not much good (*el.* no good) as a salesman; *vise hva en -r til* show what one can do; show what one is worth.
dugelig fit, able, capable; ~ *til* fit for, capable of. **-het** fitness, ability, capability.
dugg dew; *forsvinne som* ~ *for sola* vanish like dew before the sun; vanish into thin air. **-dråpe** dewdrop.
dugge *vt* (be)dew; (*vi*) gather dew; (*om vindusrute, etc*) become steamy, become misted; *det -r* the dew is falling.
dugget dewy; *-e brilleglass* steamy glasses.
dugg|fall dewfall. **-frisk** dewy; (as) fresh as the morning dew. **-perle** dewdrop. **-rute** (*for bil*) anti-mist screen.
dugnad voluntary communal work; US (*ofte*) bee (*fx* a husking bee); *gjøre* ~ *på et hus* join the neighbours in giving a hand with a house.
dugurd lunch.
duk (*bordduk*) cloth; (*seilduk*) canvas; *legge -en på bordet* lay (*el.* spread) the cloth; *ta -en av bordet* remove the cloth.
dukat ducat.
I. dukke (*subst*) doll; (*marionett-*) puppet; (*garn-*) skein.
II. dukke (*vb*) duck, plunge, dip, immerse; dive; ~ *en* (*fig*) put sby in his place; ~ *fram* emerge, become visible; T pop out; ~ *opp* rise to the surface, emerge; (*komme til syne*) turn up; T show up.
dukke|aktig doll-like. **-barn** doll. **-hus** doll's house.
dukkert plunge, dive; (*ufrivillig*) ducking, soaking; *gi en en* ~ duck sby; *ta seg en* ~ have a dip.
dukkestue doll's house.
dukknakket stooping.
dulgt hidden, veiled.
dulm|e (*vb*) assuage, allay, soothe. **-ende** soothing. **-ing** alleviation, soothing, assuagement.
dult push, shove. **dulte** (*vb*) push, shove.
dum (*uklok*) foolish, silly; (*lite intelligent*) stupid; (*irriterende*) stupid (*fx* I can't open that s. door; it is all because of that s. war); ~ *som en stut* a perfect idiot, bone-headed, crassly stupid; *han er litt* ~ *av seg* he is a little on the stupid side; *det er -t å gjøre det* it (*el.* that) is a stupid thing to do; (*fullt*) *så* ~ *er jeg ikke* I know better than that; *ikke så -t*! not half bad! *han er ikke så* ~ *som han ser ut til* he is not such a fool as he looks; *det var -t av meg å . . .* it was foolish (*el.* unwise) of me to . . ; *-t snakk* (stuff and) nonsense; *en* ~ *strek* a piece of foolishness; a stupid thing.
dumbjelle: *se dombjelle*.
dum|dristig foolhardy, rash. **-dristighet** foolhardiness, rashness.
dumhet stupidity; foolishness; (*dum strek*) a piece of foolishness; *gjøre* (*el.* *begå*) *en* ~ make a blunder; do a stupid thing; *si -er* talk nonsense; *ingen -er nå*! now, no nonsense!
dumme (*vb*): ~ *seg* (*ut*) make a fool of oneself; put one's foot in it.
I. dump *subst* (*fordypning*) depression; hollow, dip; (*lyden av fall*) thud.
II. dump (*adj*) dull; (*bare om lyd*) hollow, muffled.
dumpe *vb* (*til eksamen*) fail (in (*el.* at) an examination), be ploughed; (*merk*) dump (*fx* d. goods on a market); ~ *ned* drop down.
dumpekandidat 1. ploughed candidate; 2. possible failure.
dum|rian fool, blockhead. **-snill** kind to a fault. **-stolt** pompous; T bumptious. **-stolthet** pomposity; T bumptiousness.
dun down; *med* ~ *på haken* downy-chinned. **-bløt** downy, fluffy.

dunder banging, roar, thunder.
dundre (*vb*) thunder, bang, roar; ~ *på døra* thump (on) the door, bang on the door; *en -nde hodepine* a splitting headache; *en -nde løgn* a thundering lie.
dundyne eiderdown (quilt), down quilt.
dunet downy.
I. dunk *subst* (*av tre*) keg; (*av blikk*) can, drum.
II. dunk (*subst*) thump, knock, thud; *dunk!* *dunk!* thump! thump!
dunke (*vb*) knock, thump.
dunkel dark, dim, obscure; *en ~ erindring* a dim (*el.* vague) recollection.
dunkjevle ⚘ reed mace, cattail.
dunlerret waxed cambric.
dunst vapour (US: vapor), exhalation. **-e** *vb* (*stinke*) stink, reek; ~ *bort* (*også fig*) evaporate.
dunteppe down quilt.
dupere (*vb*) dupe, impose on, bluff, hoodwink.
duplikat duplicate.
duplikk rejoinder.
duplo: *in ~* in duplicate.
dupp (*på snøre*) float, bob.
duppe (*saus*) sauce.
I. dur ♪ (*toneart*) major; *C-dur* C major.
II. dur (*lyd*) drone, murmur; hum (*fx* the distant h. of traffic); (*sterkere*) boom, roar.
durabel substantial, tremendous.
dure (*vb*) drone, murmur; (*sterkere*) roar, boom.
durk|dreven cunning, crafty. **-drevenhet** cunning, craftiness.
I. dus: *leve i sus og ~* live in a whirl of pleasures.
II. dus: bli ~ [agree to discard the formal address of 'De' for the familiar 'du']; *drikke ~ med en* take wine with sby (in token of discarding 'De' for 'du'); *være ~ med en* address each other as 'du' (instead of 'De'); *være ~ med en* (*svarer omtrent til*) call sby by his Christian name; be on familiar terms with sby.
III. dus (*adj*) soft, mellow, subdued.
dusin dozen. **dusin|kram** catchpenny goods, Brummagem, cheap goods; trash. **-menneske** commonplace person. **-vis** by the dozen.
dusj shower (bath), douche; *en kald ~* a cold shower, a douche of cold water.
dusje (*vb*) (take a) shower; douche; (*sprøyte*) spray.
dusk tuft; (*til stas*) tassel. **-elue** tasselled cap.
duskregn drizzling rain, drizzle.
duskregne (*vb*) drizzle.
dusting: *se tomsing.*
dusør reward; *en høy ~* a high r.; *utlove en ~* offer a r.
duv|e *vb* ⚓ pitch; (*til ankers*) heave and set; ~ *sterkt* pitch heavily. **-ing** pitching.
dvale lethargy, torpor; (*unaturlig*) trance; (*vinter-*) hibernation; *falle i ~* begin to hibernate; fall into a trance; *ligge i ~* hibernate; (*fig*) lie dormant; *våkne av -n* (*også fig*) wake up. **-lignende** lethargic, trancelike (*fx* a t. sleep), torpid. **-tilstand** lethargy, torpor, torpid (*el.* dormant) state; trance; hibernation.
dvask supine, somnolent, indolent, torpid, inert, languid. **-het** supineness, torpor, indolence.
dvele (*vb*) tarry, linger; ~ *ved* dwell (up)on.
dverg dwarf. **-aktig** dwarfish. **-bjørk** dwarf birch. **-folk** pygmy tribe. **-signal** (*jernb*) dwarf (*el.* ground) signal.
dvs. (*fk. f. det vil si*) that is; i. e.
dy (*vb*): ~ *seg* refrain (*for å* from -ing), restrain (*el.* contain) oneself; *han kunne ikke ~ seg* he could not help himself.
dybde depth; (*fig*) profundity. **-forholdene** ⚓ the soundings; the depths (of water).
dyd virtue; *gjøre en ~ av nødvendighet* make a virtue of necessity.
dydig virtuous. **dydighet** virtuousness.
dydsiret demure, smug.
dyds|mønster paragon of virtue. **-predikant** moralist. **-preken** moralizing sermon.
dyffel (*ullstoff*) duffel.

dykker (*også fugl*) diver. **-apparat** diving apparatus. **-drakt** diving suit. **-klokke** diving bell.
dyktig (*adj*) competent, capable, able, proficient, efficient, skilful, expert; (*begavet*) gifted; (*adv*) well, efficiently (*etc*); *en ~ elev* a gifted (*el.* competent *el.* able *el.* promising) pupil; *en* (*meget*) ~ *fotballspiller* a fine football player; *fremragende ~* brilliant; *en ~ lærer* a capable (*el.* good) teacher; *han behandlet situasjonen på en meget ~ måte* he handled the situation very ably; *han fikk ~ bank* he got a sound beating (*el.* a proper licking); *han ble ~ våt* he got soaked to the skin, he got completely drenched; (*se for øvrig flink*).
dyktighet competence, capability, ability, proficiency, efficiency, skill; *hennes ~ ved pianoet* her proficiency at the piano.
dyktighetsattest certificate of competency; (*for kyndighet i språk*) certificate of proficiency.
dylle ⚘ sowthistle.
dynam|ikk dynamics. **-isk** dynamic.
dynamitt dynamite. **-attentat** dynamite outrage, d. attempt (*fx* d. a. on Hitler's life).
dynamo dynamo, generator. **-meter** dynamometer.
dynast|i dynasty. **-isk** dynastic.
I. dyne (*klitt*) dune.
II. dyne (*i seng*) featherbed, eiderdown; **-trekk, -var** bedtick.
I. dynge (*subst*) heap, mass, pile; *en hel ~* a whole lot.
II. dynge (*vb*): ~ *opp* heap up, pile up; ~ *seg opp* pile up, accumulate; ~ *arbeid på en* heap work on sby.
dyngevis: *i ~* in heaps.
dynke (*vb*) sprinkle.
dynn mire, mud. **-aktig, -et** miry, muddy.
I. dyp (*subst*) deep, depth; **-et** the deep; *komme ut på -et* (*om badende*) get out of one's depth; be carried into deep water.
II. dyp (*adj*) deep, profound; *bli -ere* deepen; *et -t bukk* a low (*el.* deep) bow; ~ *elendighet* extreme misery; *en ~ hemmelighet* a profound secret; ~ *søvn* profound sleep; *i ~ søvn* fast asleep, deep in sleep; ~ *taushet* deep (*el.* profound) silence; ~ *uvitenhet* great (*el.* crass) ignorance.
dyp|fryse (*vb*) deep-freeze. **-fryser** deep freezer.
dypfryst deep-frozen (*fx* d.-f. goods).
dypgående (*subst*) ⚓ draught (of water).
dyppe (*vb*) dip; plunge, immerse.
dypsindig profound, deep. **-het** profundity; profound remark.
dypt (*adv*) deeply, deep; profoundly; ~ *inn i skogen* far into the wood; *bøye seg ~* bow low; *skipet stikker for ~* the ship draws too much water; *sukke ~* heave a deep sigh; *synke ~ i ens aktelse* sink low in sby's estimation. **-følt** deeply felt, heartfelt. **-gående** (*om røtter*) striking deep; ⚓ deep-draught; (*fig*) profound, thorough, searching. **-lastet** deeply laden. **-liggende** (*fig*) deep-rooted, deep-seated; ~ *øyne* deep-set eyes. **-seende** penetrating.
I. dyr (*subst*) animal; (*mest om større pattedyr*) beast; (*av hjorteslekten*) deer; (*neds*) brute, beast; *gjøre til ~* bestialize, brutalize.
II. dyr (*adj*) dear, expensive, high-priced; *her er det -t* it is expensive to live here; *det er -e tider* vi *lever i* everything is expensive nowadays; *-t* (*adv*): *det fikk han betale ~* for it cost him dear, he had to pay dear for it; *sverge høyt og ~* swear a solemn oath.
dyreart species of animal.
dyrebar dear; (*kostelig*) precious.
dyre|beskyttelsesforening society for the prevention of cruelty to animals. **-hagl** buckshot. **-hage** zoological garden(s), zoo. **-hud** (*hjortelær*) deer skin. **-kjøpt** dearly bought. **-kjøtt** venison. **-krets** zodiac. **-liv** animal life. **-maler** painter of animal life. **-passer** keeper (at a zoo).
dyre|rike animal kingdom. **-rygg** saddle of

venison. **-stek** roast venison. **-temmer** animal trainer. **-verden** (*alle dyr innenfor et område*) fauna; (*dyrerike*) animal kingdom.

dyrisk animal; brutish, bestial. **-het** brutishness, bestiality.

dyrkbar cultivable, arable, tillable.

dyrke (*jorda*) cultivate, till; (*korn, etc*) grow, raise; (*gi seg av med*) go in for; (*studere*) study, pursue the study of; (*en kunst*) practise (*fx* painting, singing), be a votary of (*fx* art, music); (*tilbe*) worship (*fx* God).

dyrk|else cultivation, study, pursuit; worship. **-er** cultivator; tiller; votary; worshipper, devotee. **-ning** cultivation; tillage; (*av korn, etc*) growing, raising. **-ningsmåte** method of cultivation.

dyrlege veterinary (surgeon), vet.

dyr|plager tormentor of animals. **-plageri** cruelty to animals. **-skue** cattle show.

dyrt (*adv*): *se ovf: II. dyr*.

dyrtid period of high prices, time of dearth (*el.* scarcity), dearth, scarcity, dear times; ~ *hersker og hungersnød står for døra* scarcity prevails (*el.* dear times prevail) and famine is imminent.

dyrtids|krav pay claims due to high cost of living, cost-of-living claim. **-priser** famine prices, high prices due to scarcity. **-tillegg** cost-of-living bonus (*el.* allowance).

dysenteri (*blodgang*) dysentery.

I. dysse (*steinaldergrav*) dolmen, cromlech, cairn. **II. dysse** (*vb*): ~ *i søvn* lull to sleep; ~ *ned en skandale* hush up a scandal; *jeg kan ikke* ~ *ned denne saken* T I can't hold the lid on this affair.

dyst combat, fight, bout; *våge en* ~ *med en* enter the lists against, break a lance with; *våge en* ~ *for* take up the cudgels for, break a lance for.

dyster sombre, gloomy, dismal, melancholy, depressing; ~ *mine* gloomy air.

dytt push, nudge, prod.

dytte *vb* (*tette*) stop (up), plug, block up (*fx* a hole); (*puffe*) push, shove; (*lett*) nudge; *de -t på hverandre og fniste* they nudged and giggled.

dyvåt drenched.

dø die; (*om plante*) die (off); *vi må alle* ~ we all have to die (some day); ~ *av feber* die of fever; ~ *av latter* die with laughter; ~ *av sorg* die of grief; ~ *av sult* die of starvation; ~ *bort: se* ~ *hen*; ~ *for egen hånd* die by one's own hand; ~ *for morderhånd* die at the hand of a murderer; ~ *for fedrelandet* die for one's country; ~ *hen* die away, die down, fade away; *han skal ikke* ~ *i synden* he won't get away with it; he has not heard the last of it yet; ~ *ut* die out; (*se døende*).

I. død (*subst*) death, decease, demise, end; *den visse* ~ certain death; ~ *og pine!* gosh! golly! by Jove! *du er -sens* you are a dead man; *finne sin* ~ meet one's d., perish; *han tok sin* ~ *av det* it was the death of him; *ligge for -en* be at death's door, be dying, be on one's deathbed; *gå i -en* die, face death, meet one's death; *tro inntil -en* faithful unto death; *mot -en gror ingen urt* there is no medicine against death; *gremme seg til -e* take one's death of grief; *kjede seg til -e* be bored to death; *avgå ved -en* die; (*formelt*) pass away.

II. død (*adj*) dead, inanimate; ~ *som en sild* as dead as a doornail, dead as mutton; *de -e* the dead; *den -e* the dead man (,woman); the deceased; *legge ballen* ~ lay the ball dead; *-t kast* (*sport*) a no throw; *ligge som* ~ lie as one dead; *han var* ~ *lenge før den tid* he had died long before that time; *han er nå* ~ (*og borte*) now he is dead (and gone).

død|blek deadly pale, pale as death. **-bringende** fatal, lethal. **-drukken** dead-drunk; T blind (to the world); S blotto.

dødelig deadly, mortal; fatal; ~ *angst* mortal fear; *en* ~ *a* mortal; *for alminnelig -e* to ordinary mortals; ~ *fiende* mortal enemy; ~ *forelsket* head over ears in love; ~ *fornærmet* mortally offended; *en* ~ *sykdom* a mortal disease, a fatal illness; ~ *sår* mortal wound; ~ *såret* mortally

wounded; ~ *utgang* fatal issue; *med* ~ *utgang* fatal.

dødelighet mortality, death-rate. **-sforholdene** mortality. **-stabell** mortality table.

død|fødsel stillbirth. **-født** stillborn. **-gang** backlash, play, lost motion; (*tomgang*) running light, running without load; ~ *på rattet* steering play, rim movement (*fx* the steering wheel has excessive r. m.). **-kjøre**: *bil med -t motor* car with a duff engine. **-kjøtt** proud flesh. **-lignende** deathlike. **-linje** (*fotb*) dead ball line.

dødning (*gjenferd*) ghost, spectre. **-aktig** ghostlike, ghostly, spectral, cadaverous. **-ansikt** cadaverous face. **-be(i)n** dead men's bones; *korslagte* ~ crossbones. **-hode** death's head, skull.

dødpunkt dead centre; *komme over -et* pass (the) d. c.; *nederste* ~ bottom d. c., B.D.C., lower d. c.; *øverste* ~ top d. c., T.D.C., upper d. c., U.D.C. **dødpunktstilling** dead centre (position).

døds|angst (*angst for døden*) fear of death, mortal dread (*el.* fear). **-annonse** death notice, funeral announcement. **-attest** certificate of death. **-bo** estate of a deceased person; US decedent estate. **-budskap** news (*el.* tidings) of (sby's) death. **-dag** death-day; dying day (*fx* I shall remember it till my d.d.). **-dom** death sentence. **-dømt** sentenced to death; (*fig*) doomed.

dødsens: ~ *alvorlig* deadly serious; *du er* ~ you're a dead man.

døds|fall death; *på grunn av* ~ *i familien* owing to bereavement. **-fiende** mortal enemy. **-fare** danger of one's life. **-fiende** mortal enemy. **-forakt** contempt for (*el.* of) death; *gå på med* ~ T go at (*el.* for) it baldheaded, go at it hammer and tongs. **-kamp** death struggle. **-kulde** chill of death. **-leie** deathbed. **-liste** death roll. **-maske** death mask. **-merket** doomed, marked (*fx* he was then already a m. man). **-måte** manner of death. **-seiler** (*spøkelsesaktig skip*) phantom ship. **-skrik** dying cry, cry of agony, death-shriek. **-stille** silent as the grave, deathly still. **-stillhet** dead silence. **-stivhet** stiffness of death; rigor mortis.

døds|straff capital punishment; death penalty; *under* ~ on pain of death. **-stund** hour of death. **-støt** deathblow. **-sukk** dying groan. **-svette** death sweat. **-syk** mortally ill. **-synd** mortal sin, deadly sin. **-tanker** (*pl*) thoughts of death. **-tegn** sign of d. **-trett** dead tired, dead-beat, dog-tired. **-ulykke** fatal accident; *-r i trafikken* road casualties, road accident deaths. **-år** year of his, (,her, *etc*) death. **-årsak** cause of death.

dødvanne dead water; (*fig*) stagnation, backwater.

døende dying; *en* ~ a dying man (,woman); *syke og* ~ the sick and the dying.

døgenikt good-for-nothing, ne'er-do-well.

døgn day and night; 24 hours; *fire timer i -et* four hours in (*el.* out of) the twenty-four; four hours a day; *-et rundt* day and night, all the 24 hours; *i fem* ~ for five days (and nights); *til alle -ets tider* at all hours.

døgn|flue ♫ May fly. **-litteratur** ephemeral literature.

døl dalesman. **-ekone** daleswoman.

dølge (*vb*) conceal, hide.

dølgsmål concealment; *fødsel i* ~ concealment of birth, clandestine childbirth.

dømme (*vb*) judge, form a judgment of; (*om domstol*) pronounce judgment, pass sentence, sentence, judge; condemn; *De kan* ~ *selv* you may (*el.* can) judge for yourself; *etter alt å* ~ apparently; to all appearance; *når vi -r ham etter vår målestokk* if we judge him by our standard; *han ble dømt for tyveri* he was sentenced (*el.* got a sentence) for theft; he was convicted of theft; ~ *om* judge of; ~ *en til døden* sentence (*el.* condemn) sby to death; pass sentence of death on sby.

dømmekraft (power of) judgment, discernment.

dømmende: ~ *myndighet* judiciary power (*el.* authority).

dømme|syk censorious. **-syke** censoriousness.

dønn rumble, boom. **dønne** (*vb*) rumble, boom. **dønning** swell, ground swell.

døpe (*vb*) baptize, christen (*fx* he was christened John after his father). **-font** (baptismal) font. **-navn** Christian name.

døper baptizer, baptist; *døperen Johannes* St. John the Baptist.

dør door; *der er -a* you know where the door is; *vise en -a* show sby the door; *stå for -en* (*være forestående*) be at hand, be near; (*især om fare*) be imminent; *lukke -a for nesen på en* shut the door in sby's face; *feie for sin egen* ~ sweep before one's own door; *for åpne* (*,lukkede*) *-er* with the doors open (,closed); *for lukkede -er* (*jur*) in camera; (*i Parlamentet*) in secret session; *gå ens* ~ *forbi* (*unnlate å besøke en*) fail to look sby up; *bo* ~ *i* ~ *med en* live next door to sby, be sby's next-door neighbour; *banke på -a* knock at the door; *jage en på* ~ turn sby out; *renne på -ene hos en* camp on sby's doorstep; *pester sby* (with one's visits); *følge en til -a* see sby out; *stå i -a* stand in the doorway.

dørfylling door panel.

dørgende: ~ *full* chock-full; ~ *stille* stock still.

dør|glott (*subst*): *i -en* in the half-opened door. **-hank** door handle.

dørk deck, floor, flooring.

dør|karm door case, door frame. **-klokke** door bell. **-plate** door plate.

dørslag sieve, colander, strainer.

dør|stolpe doorpost; (*i bil*) door pillar. **-terskel** threshold. **-vokter** doorman, doorkeeper; (*utenfor kino, etc*) door attendant, commissionaire. **-åpning** doorway.

døs doze.

døse (*vb*) doze; ~ *av* (*gli over i blund*) doze off; ~ *tiden bort* doze away one's time.

døsig drowsy.

døsighet drowsiness.

døv deaf; ~ *for* deaf to; ~ *på begge ører* deaf of (*el.* in) both ears; *vende det -e øre til* turn a deaf ear.

døve (*vb*) deafen; (*dempe, lindre*) deaden; (*sløve*) blunt; ~ *smerten* deaden the pain.

døveskole school for the deaf.

døv|het deafness. **-stum** deaf-and-dumb; *en* ~ a d.-and-d. person, a deaf-mute.

døye (*vb*) put up with; endure, suffer; (*fordra*) stand, bear; brook, digest; ~ *vondt* rough it, have a hard time.

døyt: *jeg bryr meg ikke en* ~ *om det* I don't care a hang for it, I don't care two hoots, I don't care a brass farthing.

dåd deed, achievement, exploit, act; *med råd og* ~ *by* word and deed.

dåds|kraft energy. **-kraftig** active, energetic. **-trang** thirst for action, desire to do great things.

dådyr ⚬ fallow deer. **-skinn** buckskin.

då|hjort ⚬ fallow buck. **-kalv** fawn. **-kolle** doe.

dåne (*vb*) faint, swoon. **-ferdig** ready to faint.

dåp baptism, christening.

dåps|attest certificate of baptism; (*svarer i praksis til*) birth certificate. **-kjole** christening robe. **-pakt** baptismal covenant. **-ritual** baptismal service.

I. dåre (*subst*) fool.

II. dåre (*vb*): *se bedåre*.

dårlig (*slett*) bad, poor; (*syk*) ill, unwell, poorly; (*om arm, ben, etc*) bad; *det er* ~ *med ham i dag* (*om en syk*) he is doing badly today; *et* ~ *hode* a poor head; *en* ~ *unnskyldning* a lame (*el.* poor) excuse; ~ *vær* bad weather.

dårskap folly; piece of folly; (*se unngjelde*).

dåse tin, box. **-mikkel** nincompoop; *han er en* ~ T (*også*) he's a wet.

E

E, e (*også* ♪) E, e; *E for Edith* E for Edward.

eau de cologne Eau-de-Cologne.

I. ebbe (*subst*) ebb, ebb-tide, low tide; (*fig*) ebb; ~ *og flo* ebb and flow, the tide, low tide and high tide; *det er* ~ the tide is going out, it is low tide; *det er* ~ *i kassa* funds are at a low ebb; I am short of funds.

II. ebbe (*vb*) ebb; *det -r* the tide is going out; *det begynner å* ~ the tide is beginning to go out; ~ *ut* (*fig*) ebb (away) (*fx* his enthusiasm was beginning to ebb (away)).

ebbe|strøm falling tide, ebb-tide. **-tid** ebb -tide; *ved* ~ at ebb-tide.

ebonitt ebonite; US (*også*) hard rubber.

ed oath; *avlegge* ~ take an oath (*på* on), swear (*på* to); *jeg vil avlegge* ~ *på det* I'll take my oath on that; *falsk* ~ perjury; *avlegge falsk* ~ (*jur*) commit perjury; *sverge falsk* ~ perjure oneself; *bekrefte med* ~ affirm by oath; *ta en i* ~ swear sby in.

edda Edda. **-dikt** Eddaic poem.

edder venom; *spy* ~ *og galle* spit out one's venom; *full av* ~ venomous.

edder|kopp spider. **-koppspinn** spider's web, cobweb.

eddik vinegar. **-fabrikk** vinegar factory. **-sur** vinegary; ♂ acetic. **-syre** acetic acid.

edel noble; ~ *vin* noble wine; *edle metaller* fine (*el.* precious) metals; *de edlere deler* the vital parts.

edel|gran ♠ (silver) fir. **-het** nobleness, nobility.

edelmodig noble-minded, magnanimous, generous. **edelmodighet** noble-mindedness, magnanimity, generosity.

edelste(i)n precious stone; (*især slepet*) gem.

Eden Eden; *-s Hage* The Garden of Eden.

eder|dun eiderdown. **-fugl** : *se ærfugl*.

edfeste swear, swear in; *være -t* be on one's oath, be sworn in. **edfestelse** swearing in.

edikt edict.

edru sober.

edruelig of sober habits, temperate.

edruelighet sobriety.

eds|avleggelse taking an oath, taking one's oath. **-forbund** confederacy. **-formular** form of an oath.

edsvoren sworn (*fx* a sworn interpreter).

Edvard Edward.

effekt effect; *for -ens skyld* for (the sake of) effect; *-er* (*losøre*) personal effects; (*verdipapirer*) securities. **-full** impressive, striking.

effektiv effective; ~ efficient; (*probat*) efficacious; ~ *hestekraft* effective horse power (*fk.* E.H.P.); *et -t middel* an efficacious remedy; *-e arbeidsmetoder* efficient working methods; (*virkelig, mots. nominell*) actual (*fx* a. saving); ~ *rente* a. interest; ~ *tollsats* a. duty; ~ *verdi* a. value.

effektivisere (*vb*) increase the efficiency of, make more efficient.

effektivitet effectiveness; (*om legemiddel*) efficacy; (*yteevne*) efficiency.

effektuer|e (*vb*) execute; ~ *en ordre* e. (*el.* fill) an order. **-ing** execution.

eftasverd [afternoon meal].

eføy ♠ ivy. **-kledd** ivy-mantled.

egen own (*NB alltid med eiendomspron, fx* my own, his own, *etc*); of one's own; (*karakteristisk*) peculiar (*for* to), characteristic (*for* of), proper (*for* to); (*særegen*) peculiar (*fx* he has a p. look in his eye); (*underlig*) odd (*fx* he has an odd way of looking at you); *av egne midler* out of one's own money; *til eget bruk* for my (,his, *etc*) own use; *han har* (*sitt*) *eget hus* he has a house of his own.

egenart distinctive character, peculiarity.

egenartet distinctive, peculiar. **-het** peculiarity, singularity.

egen|hendig written with one's own hand, in one's own handwriting, autograph; ~ *skrivelse* letter in his (,her, *etc*) own hand; autograph letter; *må inngi* ~ *søknad* must apply in one's own handwriting. **-interesse** self-interest; *handle i* ~ act from motives of s.-i. **-kapital** (one's) own capital; net capital. **-kjærlig** selfish. **-kjærlighet** selfishness.

egen|mektig arbitrary, high-handed; (*adv*) arbitrarily; ~ *å skaffe seg rett* take the law into one's own hands. **-mektighet** arbitrariness, high-handed methods. **-navn** proper name. **-nytte** self-interest, selfishness, self-seeking. **-nyttig** selfish, self-interested, self-seeking. **-rådig** wilful, self-willed, arbitrary. **-rådighet** wilfulness, arbitrariness. **-sindig** obstinate, pig-headed, mulish. **-sindighet** obstinacy, pig-headedness, mulishness.

egenskap quality, property, characteristic; (*nødvendig*) qualification; *hans dårlige -er* his bad qualities (*el.* points); *en utpreget* ~ *ved* a marked property of (*fx* elasticity is a m. p. of rubber); *i* ~ *av* in the capacity of; in one's c. of; as.

I. egentlig (*adj*) proper, real (*fx* the r. work consists in -ing), actual (*fx* the a. construction work was begun a week ago), virtual (*fx* he is the v. ruler of the country); *den -e arkeologi* archaeology proper; *i ordets -e betydning* in the true sense of the word; *i* ~ *og figurlig betydning* literally and figuratively; *det -e England* England proper; *i* ~ *forstand* strictly (*el.* properly) speaking; *den -e grunn* the real reason.

II. egentlig *adv* (*i virkeligheten*) really (*fx* it was r. my fault; he is rather nice, r.; I am glad I did not go, r.); in reality, actually; (*strengt tatt*) strictly speaking, properly speaking; (*hvis det gikk riktig for seg*) by rights (*fx* we ought by r. to have started earlier); (*når alt kommer til alt*) after all (*fx* after all, what does it matter?); (*bestemt, nøyaktig*) exactly (*fx* I don't know e. what happened); (*opprinnelig*) originally; (*undertiden oversettes det ikke*, *fx* when are we going to have that drink? just what do you want me to do?); *ikke* ~ not exactly, not precisely, not quite (*fx* not q. what I had expected); not actually (*fx* he did not a. invent it), hardly (*fx* that is h. surprising); ~ *kan jeg ikke fordra ham* frankly, I detest him; *det var* ~ *ikke så vanskelig* it wasn't really very difficult; *vi skal* ~ *ikke gjøre det* we are not supposed to do it.

egen|veksel promissory note. **-vekt** specific weight. **-verdi** intrinsic value. **-vilje**: *se -rådighet*.

I. egg *subst* (*på verktøy*) edge.

II. egg (*subst*) egg; *hakke hull på et kokt* ~ crack a boiled egg; *legge* ~ lay eggs; *-et vil lære høna å verpe!* go and teach your grandmother (*el.* granny) to suck eggs! *ligge på* ~ sit, brood.

egge (*vb*) incite, instigate, stir, urge on, egg on. **egge|dosis** eggnog, egg-flip. **-glass** egg cup. **-hvite** white of an egg, albumen.

eggehvite|holdig albuminous. **-stoff** albumin, protein.

egge|plomme yolk (of an egg), egg yolk. **-røre** scrambled eggs. **-skall** eggshell.

egg|formet egg-shaped, oviform. **-leder** oviduct. **-legging** laying (of eggs). **-løsning** ovulation. **-skjærer** egg slicer. **-stokk** ovary.

egle (*vb*) pick a quarrel, quarrel; ~ *seg inn på* pick a quarrel with.

egn region, tract, parts; *her i -en* in these parts. **egne** (*vb*): ~ *seg til* be fit for, be suited for (*el.* to), be suitable for; *det arbeid de -r seg best til* the work for which they are best suited; *jeg -r meg ikke til å være lærer* I am not cut out to be a teacher; ~ *seg fortrinnlig for* be eminently suitable for; *en mann som -r seg* a suitable person; T a man who fills the bill.

egnet (*adj*) fit, suitable, fitted; *ikke* ~ unfit, unsuitable; *på et dertil* ~ *tidspunkt* at some appropriate time; *den bemerkningen var* ~ *til å*

vekke mistanke that remark was liable to arouse suspicion.

ego|isme selfishness, egoism, egotism. **-ist** egoist, egotist. **-istisk** selfish, egoistic(al), egotistic(al).

Egypt (*geogr*) Egypt. **e-er, e-isk** Egyptian.

ei (*adv*): ~ *blott til lyst* not for pleasure alone; *dengang* ~ (*sa Tordenskjold*) no you don't! ~ *heller* nor, neither; *hva enten han vil eller* ~ whether he likes it or no(t).

eid isthmus, neck of land.

I. eie (*besittelse*) possession; *få det til* ~ have it for one's own; *i privat* ~ privately owned.

II. eie (*vb*) own, possess; *alt det jeg -r og har* all my worldly goods, all I possess.

eieforhold (*jur*): *bringe klarhet i -et* settle the question of ownership.

eieform (*gram*) the possessive (case), the genitive.

eiegod very kind-hearted, sweet-tempered; (*om barn*) as good as gold; *han er et -t menneske* he is as decent a soul as ever breathed. **-het** kind-heartedness, goodness.

eiendeler (*pl*) property; possessions, belongings.

eiendom property; (*jordeiendom*) estate; (*hus, lokaler*) premises; *fast* ~ (real) property; US real estate; *annen manns* ~ (*jur*) the property of another party.

eiendommelig peculiar, characteristic, strange, remarkable, singular. **eiendommelighet** peculiarity, (peculiar) feature, characteristic.

eiendoms|besitter landed proprietor. **-fellesskap** community of property. **-megler** estate agent; US real-estate man, realtor. **-overdragelse** transfer of property; (*se overdragelse*) **-pronomen** possessive pronoun.

eiendoms|rett (right of) ownership; (*se overdragelse*). **-salg** sale of real property. **-skatt** property tax; (*i England*) land tax.

eier owner, proprietor; *være* ~ *av* be the owner of; *skifte* ~ change hands. **-inne** owner, proprietress.

eier|mann owner; *den rette* ~ the rightful owner. **-mine**: *med* ~ with a proprietorial air.

eik ♣ oak.

eike (*i hjul*) spoke.

eike|bark oak bark. **-blad** oak leaf. **-løv** oak leaves.

eikenøtt ♣ acorn.

eike|skog oak wood, oak forest. **-tre** oak tree; (*ved*) oak wood.

eim (*damp; duft*) vapour, US vapor.

einebær ♣ juniper berry.

einer ♣ juniper. **-låg** decoction of juniper.

einstape ♣ bracken, brake.

einstøing lone wolf.

ekkel disgusting; *et -t spørsmål* an awkward question, a poser.

ekko echo; *gi* ~ echo; (*fig*) re-echo, resound.

eklatant striking, conspicuous; ~ *nederlag* (*,seier*) signal defeat (*,victory*); *et* ~ *bevis på* a striking proof of; *et* ~ *brudd på* a signal breach of.

eklipse (*formørkelse*) eclipse.

ekorn ♣ squirrel; US chipmunk.

eks- (*forhenværende*) ex-, late.

eksakt exact; ~ *vitenskap* exact science.

eksaltasjon (over-)excitement.

eksaltert (over-)excited; overwrought, unbalanced.

eksamen examination; T exam; (*universitetsgrad*) degree; *avholde* ~ hold an examination; *bestå en* ~, *stå til* ~ pass an e.; *ikke bestå* ~, *stryke til* ~ fail at (*el.* in) an e., fail; T be ploughed, plough; US be flunked out; *fremstille seg til* ~ present oneself for an e.; *enter* (one's name) for an e.; *gå opp til* ~ take an e., sit (for) an e., sit the e.; *lese til en* ~ read (*el.* work) for an e.; (*om universitets-*) work for a degree; *melde seg opp til* ~ enter (one's name) for an e., register for an e.; *muntlig* ~ oral (*el.* viva voce) e.; T viva, (*jvf muntlig*); *skriftlig* ~ written e.; *ta* (*en*) ~

pass an e.; (*universitetsgrad*) take a degree, graduate; *ta en god* ~ do well in the e., pass one's e. well; (*universitets-*) get a good degree; *han tok ingen* ~ (*ved universitetet*) he left the University without a degree; *trekke seg fra* ~ withdraw from an (,the) examination, drop out; *underkaste seg en* ~ *i* let oneself be examined in; *være oppe til* ~ sit for an e., take an e.; *han har nettopp vært oppe til* ~ he has just taken (*el.* sat for) his e.; (*se også embetseksamen, gå:* ~ *opp* & *sist: -e del av eksamen*).

eksamensberettiget [authorized for public examinations]; *en* ~ *skole* a school which can enter pupils for public examinations; *skolen er ikke* ~ the school is not authorized to enter pupils for p. e.; (*jvf eksamensrett*).

eksamens|besvarelse answer, examination paper, set of answers; (*faglig, også*) script. **-bevis** certificate (*fx* matriculation c., degree c.); diploma. **-bord:** *han kommer rett fra -et* he is fresh from the University; *ved -et* (*fig*) before the examiners. **-feber** exam nerves; (*blant medisinere også*) examinitis. **-karakter** (examination) marks; US examination grades. **-krav** examination requirement; *-ene i engelsk er strengere enn i fransk* the examinations are of a higher standard in English than in French; *a higher s. is required in E. than in F.* **-lesning** working (*el.* reading) for an examination (,a degree). **-oppgave** question paper; (*besvarelse*) examination paper, answer; (*faglig, også*) script. **-rett:** *skole med (full)* ~ recognized (*el.* authorized) school; *skole uten* ~ non-recognized (*el.* unauthorized) school. **-tilsyn** invigilation; (*person*) invigilator. **-vitnemål** examination certificate.

eksamin|and examinee, candidate. **-asjon** examination. **-ator** examiner. **-ere** examine, question.

eksegese exegesis. **ekseget** exegete.

eksegetisk exegetic.

ekseku|sjon (*også jur*) execution; *gjøre* ~ levy e. (*i* on); *gjøre* ~ *hos debitor* levy e. against the debtor. **-sjonsforretning** execution (proceedings). **-tiv** executive. **-tor** executor; (*kvinnelig*) executrix.

eksekvere (*vb*): ~ *en dom* (*i straffesak*) carry out a sentence; (*i sivil sak*) execute a judg(e)ment.

eksellense excellency; *Deres* ~ Your Excellency.

eksellent excellent. **eksellere** (*vb*) excel.

eksem ℞ eczema.

eksempel example, instance; (*presedens*) precedent; (*opplysende*) illustration; *belyse ved eksempler* exemplify, illustrate by examples; *for* ~ for instance, for example, say; *jeg for* ~ *kommer ikke* I for one am not coming; *et* ~ *på det motsatte* an instance to the contrary; *anføre som* ~ instance; *foregå ham med et godt* ~ set (*el.* give) him a good example; *gi* ~ give an example; *statuere et* ~ make an example of him (,her, *etc*), punish him (,her, *etc*) as a warning to others; *ta* ~ *av* take e. by; *følge -et* follow suit; *være et* ~ *for andre* set (*el.* give) a good example.

eksempelløs unparalleled, unexampled, unprecedented. **eksempelvis** as an example.

eksemplar (*av bok*) copy; (*av arten*) specimen; *i to -er* in duplicate.

eksemplarisk exemplary. **eksemplariskhet** exemplariness.

eksenter- eccentric (*fx* shaft, movement).

eksentertapp eccentric pin.

eksentrisk eccentric; (*fig også*) odd.

eksepsjonell exceptional.

ekserpere (*vb*) extract, excerpt.

ekserser|e (*vb*) drill. **-plass** drill ground, parade ground. **-reglement** drill book.

eksersis drill.

eksesser (*pl*) outrages.

ekshaust (*el. eksos*) exhaust.

ekshaust|potte exhaust box, silencer; US muffler. **-rør** exhaust pipe; (*bak potten*) exhaust stub; US muffler tail pipe. **-ventil** exhaust valve.

eksil exile.

eksistens existence; life; (*person*) character; *tvilsomme -er* suspicious characters.

eksistens|berettigelse reason for existence, raison d'être; *dokumentere* (*el. vise*) *sin* ~ justify one's existence. **-middel** means of subsistence; *uten eksistensmidler* destitute. **-minimum** subsistence level (*fx* wages fell to s. l.). **-mulighet** possibility of making a living.

eksistere (*vb*) exist; (*holde seg i live*) exist, subsist; *det -r ikke lenger* it no longer exists, it has gone out of existence; (*faktisk*) *-nde* existing; *ikke -nde* non-existent.

eksklu|dere (*vb*) expel. **-siv** exclusive. **-sive** exclusive of, exclusive. **-sjon** expulsion.

ekskommunikasjon excommunication.

ekskommunisere (*vb*) excommunicate.

ekskrementer (*pl*) excrements, faeces.

ekskursjon excursion.

ekslibris book-plate, ex libris.

eksos: *se ekshaust.* **-rype** T [female occupant of a 'peach perch' or 'flapper bracket']; pillionaire.

eksotisk exotic.

ekspan|siv expansive. **-sjon** expansion. **-sjonstrang** need of expansion, desire for e., urge to expand; (*ofte*) pressure of population.

eksped|ere *vb* (*sende*) dispatch, forward, send; (*bestilling*) execute; (*skip*) dispatch; (*varer på tollbua*) clear goods (through the Customs); (*gjøre av med*) dispose of, settle; (*en kunde*) attend to, serve; *blir De -ert?* is anyone attending to you? are you being served? is anyone serving you?

ekspedisjon forwarding, sending; (*av reisegods*) registration (*fx* hand in your heavy luggage for r.); (*kontor*) general office; (*avis-*) circulation department; (*ferd*) expedition. **-sfeil** (*merk*) mistake in forwarding. **-slokale** general office.

ekspedisjonssjef (*svarer til*) deputy secretary; (*den fulle tittel*) deputy under-secretary of State; (*for mindre avd.*) under-secretary; (*den fulle tittel*) assistant under-secretary of State; (*jvf departementsråd & statssekretær*).

ekspedisjonstid office hours, hours of business.

ekspedi|trise shopgirl, shop assistant; saleswoman; US (*også*) clerk. **-tt** expeditious, prompt. **-tør** shop assistant, salesman; (*på kontor*) dispatch clerk, forwarding clerk; *dampskips-* shipping agent.

ekspektanselist|e: *stå på -a* be on the waiting list.

eksperiment experiment. **-al, -ell** experimental. **-ere** experiment. **-ering** experimenting.

ekspert expert (*i* on); *være* ~ *på* be an e. on, be an authority on (*fx* Roman law).

eksploder|e explode; *da -te jeg* T then I just blew my top off; (*se flint*). **eksplosiv** explosive.

eksplo|sjon explosion. **-sjonsfare** danger of e. **ekspo|nent** index, exponent. **-nering** exposure.

eksport exportation, export. **-ere** export. **-firma** export firm. **-forbud** export prohibition; ~ *på* a ban (*el.* an embargo) on. **-forretning** export firm. **-ør** exporter.

ekspress express; *med* ~ by e. **-tog** express (train).

ekspropri|asjon expropriation. **-ere** expropriate.

ekstase ecstasy; *falle i* ~ fall into an e.; (*fig*) go off into ecstasies (*over* over).

ekstempore extempore, extemporary; (*adv*) extempore, off-hand, on the spur of the moment.

ekstemporer|e (*vb*) extemporize, speak extempore; (*på skolen*) do unseens; do an unseen. **-ing** extemporization; doing unseen.

ekstra extra. **-arbeid** extra work, overtime work; (*se påta:* ~ *seg*). **-avgift** surcharge. **-betaling** extra pay; *ta* ~ *for* make an additional charge for. **-blad** special (edition).

ekstraksjon extraction. **ekstrakt** extract; (*utdrag*) abstract, extract.

ekstranummer (*blad*) special (edition); (*da capo*) encore (*fx* give an e.).

ekstraomkostninger (*pl*) extra charges; (*utlegg*) extra expenses (*el.* outlays).

ekstraordinær extraordinary, exceptional; ~ *generalforsamling* extraordinary general meeting. **ekstra|skatt** surtax, additional tax. **-tog** special train. **-utgifter** (*pl*) additional expenses, extras.

ekstravaganse extravagance.

ekstravagant extravagant.

ekstrem extreme. **-itet** extremity.

I. ekte (*subst*): *ta til* ~ marry.

II. ekte (*vb*) marry.

III. ekte *adj* (*uforfalsket*) genuine, real, true; ~ *barn* lawfully begotten child; legitimate c., c. born in (lawful) wedlock; ~ *brøk* proper fraction; ~ *farge* fast dye (*el.* colour); ~ *fødsel* legitimacy. **ekte|felle** spouse, partner. **-folk** husband and wife, a married couple. **-født** legitimate, born in (lawful) wedlock. **-halvdel** better half. **-hustru** wedded (*el.* lawful) wife. **-make:** *se -felle*. **-mann** husband. **-pakt** marriage settlement. **-par** married couple. **-seng** conjugal bed.

ekteskap marriage, matrimony; (*glds, jur & poet*) wedlock; (*liv*) married life; *i sitt første* ~ *hadde han en datter* by his first marriage he had a daughter; *inngå* ~ marry; *en sønn av første* ~ a son of the first marriage; *et barn født utenfor* ~ an illegitimate child; (*se lyse & lysning*).

ekteskapelig matrimonial, conjugal; (*se gnisninger*).

ekteskaps|brudd adultery. **-bryter** adulterer. **-bryterske** adulteress. **-byrå** matrimonial agency. **-kontrakt** marriage articles (*el.* pact). **-løfte** promise of marriage; *brutt* ~ breach of promise.

ektestand matrimony, marriage, married state; (*glds & poet*) wedlock.

ektevie (*vb*) marry.

ekteviv (*nå bare spøkefullt*) spouse.

ekthet genuineness; (*om dokument, etc*) authenticity (*fx* the a. of this letter).

ekvator the equator, the line; *under* ~ on the equator. **ekvatorial** equatorial.

ekvidistanse contour interval.

ekvilibrist equilibrist.

ekvipasje equipage, carriage.

ekvipere (*vb*) equip, fit out.

ekvipering equipment, fitting out.

ekviperingsforretning (*herre-*) men's outfitter (*el.* shop), man's shop; US men's furnisher's.

ekvivalent equivalent.

elastikk elastic, rubber band.

elastisitet elasticity; (*fig, også*) flexibility.

elastisk elastic.

elde old age, age; antiquity; *svart av* ~ black with age.

eldes (*vb*) grow old, age.

eldgammel (*adj*) exceedingly old; (*ikke om person*) immemorial (*fx* i. oaks); (*som tilhører en gammel tid*) ancient (*fx* an a. city); *den er* ~ (*også*) it is as old as the hills; *fra* ~ *tid* from time immemorial.

eldre older; (*om familieforhold, dog aldri foran* than) elder (*fx* my e. brother); (*temmelig gammel*) elderly, old; (*om ansiennitet, rang, etc*) senior; *en* ~ *dame* an elderly lady.

eldst oldest; (*om familieforhold*) eldest; *fra de -e tider* from the earliest times.

eldste *subst* (*i religionssamfunn*) elder.

elefant elephant; *gjøre en mygg til en* ~ make mountains out of a molehill.

eleganse elegance.

elegant elegant, smart, fashionable.

elegi elegy. **elegisk** elegiac.

elektrifiser|e electrify (*fx* e. a railway system). **-ing** electrification.

elektri|ker electrician. **-sermaskin** electrical machine.

elektrisitet electricity; *henrette ved* ~ electrocute. **elektrisitets|lære** science of electricity. **-måler** electric meter.

elektrisk electric; ~ *anlegg* (*i bil*) wiring

(layout); ~ *drift* (*av kjøretøy*) electric drive; ~ *lys* electric light (*el.* lighting); ~ *strøm* electric current; *skjult* ~ *opplegg* (*i hus*) concealed wiring. **elektro|avdeling** (*jernb*) 1. mechanical and electrical engineering department; 2. signal and telecommunications engineering department. **-direktør** (*jernb*) 1. chief mechanical and electrical engineer; 2. chief signal and telecommunications engineer. **-formann** (*jernb*) 1 (*for ledningsreparatører*) leading overhead traction lineman; 2 (*for maskinister*) (electrical) control supervisor; 3 (*for elektromontører*) foreman of electrical fitters. **elektro|ingeniør** electrical engineer. **-kjemi** electrochemistry. **-kjemisk** electrochemical. **-lyse** electrolysis. **-magnet** electromagnet. **-magnetisk** electromagnetic. **-magnetisme** electromagnetism. **-mester** (*jernb*) 1 (*lednings-*) power supply engineer; 2 (*stillverks-*) signal engineer; 3 (*telegraf-*) telecommunications engineer; 4 (*lys-*) outdoor machinery assistant; 5 (*lade-*) running maintenance assistant.

elektro|metallurgi electrometallurgy. **-metallurgisk** electrometallurgical. **-motor** (*jernb*) electrical fitter. **-motor** electric motor, electromotor.

elektron electron.

elektroplett electroplate.

elektroskop electroscope.

elektroteknikk electrotechnics.

element element. **-ær** elementary.

elendig (*adj*) wretched, miserable. **-het** wretchedness, misery.

elev pupil; (*se pliktoppfyllende & positiv*). **elev|arbeid** pupil's work. **-demokrati** [a greater say by pupils in the running of the school]. **-råd** [pupils' council]; US student government. **-øvelse** practical work (*fx* in science lessons).

elevasjon elevation.

elevator lift; US elevator; (*se heis*).

elevere elevate.

elfenben ivory. **elfenbens-** ivory.

Elfenbenskysten (*geogr*) the Ivory Coast.

elg ♂ elk; US moose. **-horn** elk antlers. **-hund** (Norwegian) elkhound. **-jakt** elk hunting. **-ku** female elk, cow elk; US cow moose. **-okse** male elk, bull elk; US bull moose.

Elias Elias; (*profeten*) Elijah.

eliksir elixir.

eliminasjon elimination.

eliminere (*vb*) eliminate.

Elisa (*bibl*) Elisha. **Elise** Eliza.

elite pick, elite. **-mannskap** picked crew, picked men.

eller or; ~ *også* or else; *enten han* ~ *jeg tar feil* either he or I am wrong; *hverken han* ~ *jeg* neither he nor I; *han kunne ikke se hverken tjeneren* ~ *hunden* he could not see either the servant or the dog; *få* ~ *ingen* few if any.

ellers or else, otherwise; (*til andre tider*) ordinarily, generally; (*utover det*) beyond that (*fx* but b. that nothing was done); ~ *takk* thank you all the same; *nei,* ~ *takk*! (*ironisk*) thank you for nothing! nothing doing! ~ *ingen* nobody else; ~ *intet* nothing else; ~ *noe*? anything else?

elleve (*tallord*) eleven. **-årig, -års** eleven-year -old.

ellevill beside oneself, wild, mad; ~ *av glede* mad with joy; *en* ~ *farse* a riotous farce.

ellevte (*tallord*) eleventh; *den* ~ *august* the eleventh of August, August 11th.

ellevtedel eleventh (part).

ellipse ellipsis; (*geometrisk*) ellipse. **elliptisk** elliptic(al).

Elsass (*geogr*) Alsace.

elsk: *legge sin* ~ *på* take a fancy to, show a particular liking for; *jeg har lagt min* ~ *på det* (*også*) it has taken my fancy; *han har lagt sin* ~ *på deg* (*iron*) he's after you; he's after (*el.* out for) your blood.

elske (*vb*) love; ~ *høyere* love better; ~ *høyt* love dearly; *høyt -t* dearly beloved; ~ *en igjen* return sby's love; *gjøre seg -t av* win the love of, endear oneself to; *min -de* my love, my darling; *de -nde* the lovers; *et -nde par* a pair of lovers, a (loving) couple.

elskelig lovable; *en ~ gammel dame* a dear old lady.

elskelighet lovableness.

elsker lover. **-faget** juvenile lead parts.

elskerinne mistress.

elskerrolle (part of the) juvenile lead (*fx* he is getting too old for j. leads).

elskov love.

elskovs|barn love child. **-bånd** tie of love. **-dikt** love poem. **-drikk** love philtre, love potion. **-full** amorous. **-gud** god of love, Cupid. **-kval** pangs of love. **-middel** aphrodisiac, love philtre. **-ord** (*pl*) words of love. **-pant** pledge of love. **-rus** amorous rapture. **-sukk** amorous sigh.

elskverdig 1 (*tiltalende*) engaging, amiable, charming, pleasant; 2 (*forekommende, meget vennlig*) kind, obliging, courteous; *~ mot ham* kind to him; *det er nesten altfor ~* you are too kind; *det er meget ~ av Dem* it is very kind of you; *vil De være så ~ å skrive til ham?* would you kindly write to him? would you do me the favour of writing to him? will you be so kind as to write to him? *fru X har vært så ~ å stille sitt hus til vår disposisjon* Mrs. X has very kindly placed her house at our disposal; *de opplysninger De var så ~ å gi oss* the information you so kindly gave us.

elskverdighet 1 (*det å være elskverdig*) amiability; 2 (*elskverdig handling*) kindness, courtesy; *av ~* out of kindness; *vi ble behandlet med den største ~* we were treated with every courtesy; *han var lutter ~* he was all kindness; *si -er* pay compliments.

elte (*vb*) knead. **elting** kneading.

elv river; *ved -en* on the r.

elveblest 𝔱 nettle rash, urticaria.

elve|bredd riverbank, bank of a river, riverside; *ved -en* by the river(side), beside the river, on the riverbank, on the bank of the r. **-drag** river valley. **-dur** roar of a r. **-far** (*især uttørret*) gully. **-leie** river bed. **-munning, -os** mouth of a r.; (*bred, med tidevann*) estuary. **-politiet** the River Police. **-rettigheter** (*jur*) riparian rights. **-trafikk** riverborne traffic.

elys|ium Elysium. **-eisk** Elysian.

emalje enamel. **-farge** enamel colour.

emaljere (*vb*) enamel.

emanasjon emanation.

emansipasjon emancipation.

emansipere (*vb*) emancipate.

emball|asje packing. **-ere** (*vb*) pack (up); (*pakke inn*) wrap (up); *mangelfullt emballert* badly packed; *varer som allerede er emballert, behøver ikke veies* such goods as are already put up in packets need not be weighed; (NB wrapped in paper // packed in cardboard boxes, in cases, casks, crates // contained in bottles); (*se oppføre*).

embargo embargo; *legge ~ på* lay an embargo on.

embete office, (government) post; *bekle et ~* hold (*el.* fill) an office; *søke et ~* apply for a post; *bli ansatt i et ~* be appointed to a post; *bli avsatt fra et ~* be dismissed from office; *på embets vegne* by (*el.* in) virtue of one's office, ex officio.

embets|bolig official residence. **-bror** colleague. **-drakt** official dress. **-ed** oath of office.

embetseksamen degree (examination); final University examination; *matematisk-naturvitenskapelig ~* (*lektoreksamen*) an Honours degree in Science, a Science degree (Honours); *språklig -historisk ~* (*lektoreksamen*) an Honours degree in Arts, an Arts degree (Honours); (*se også lektor & lektoreksamen*).

embets|forretning function, official business. **-førsel** discharge of office. **-mann** (government) official, senior official, senior public servant, officer of the Crown, office-holder; (*i etatene &*

lign.) senior civil servant; *høy ~* high official. **-messig** official. **-misbruk** abuse of office. **-myndighet** official authority. **-plikt** official duty. **-standen** the Civil Service; the officials, the official class.

embetstid term of office; *i sin ~* while in office.

embetstiltredelse entering into office.

embetsvirksomhet official activities.

emblem emblem.

embonpoint embonpoint.

emeritus emeritus; *professor ~* emeritus professor.

emigrant emigrant. **emigrasjon** emigration.

emigrere (*vb*) emigrate.

emisjon issue. **emittere** (*vb*) issue.

emmen cloying, sickeningly sweet; insipid, vapid, flat, stale.

emne (*fig*) subject, theme, topic; (*stoff, materiale*) material.

emolumenter (*fordeler, inntekter*) emoluments.

I. en, et (*artikkel*) a; (*foran vokallyd*) an; (*foran adj, som er brukt substantivisk*) a ... man (,woman, person) (*fx en død* a dead man; *en syk* a sick person); (*i enkelte forbindelser*) a piece of (*fx* a p. of advice, a p. of information); (*i ubest tidsangivelse*) one (*fx* it happened one morning); (ɔ: *omtrent, sirka*) about (*fx om en tre-fire dager* in about three or four days); some (*fx for en tjue år siden* some twenty years ago); (ɔ: *en viss*) a certain, one (*fx* one Mr. Smith); *en annen bok* another book; *han løp som en gal* T he was running like mad (*el.* like blazes); *en* (*vakker*) *dag* one (fine) day; some day; *kom og besøk meg en mandag* come and see me on a Monday; *en tre-fire timer* (some) three or four hours.

II. en, ett (*tallord*) one; *en eneste bok* one single book; *en gang* once; *en gang for alle* once (and) for all; *på én gang* (= *på samme tid*) at the same time, simultaneously; *det er én måte å gjøre det på* that is one way of doing it; *en og samme* one and the same; *alle som en* one and all, to a man, everyone; T every man Jack of them; *på en, to, tre* (ɔ: *i en fart*) in a trice; in a jiffy; *en av dagene* (ɔ: *i en nær fremtid*) one of these days; *en av dem* one of them; *en av dere* one of you; (*av to*) either of you (*fx* have either of you got a match? do either of you know anything about it?); *er det en av dere som vet om ...* does (*mindre korrekt*: do) one of you know if ...; *er en av disse* (*to*) *bøkene din?* is (T: are) either of these books yours? *en etter en* one by one, one after another; *en for alle og alle for en* each for all and all for each; (*merk*) jointly and severally; *en til* another (*fx* may I have a. cake?); (*og så ikke fler*) one more (*fx* there is one m. chance); *den ene* one (of them); *det ene benet mitt* one of my legs; *den ene halvdelen* one half; *og det ene med det annet* and one thing with another; *ett er sikkert* one thing is certain; *ett er* (*det*) *å ... et annet å ...* it is one thing to ... (and) another to ... (*fx* it is one thing to promise and another to perform); *ett av to* one of two things, (either) one (thing) or the other; (ɔ: *du må selv velge*) take your choice; *hun er hans ett og alt* she is everything to him; *i ett kjør* without a break; *i ett vekk* incessantly, continually, without interruption; *med ett* all at once, all of a sudden, in a flash (*fx* in a f. he realised that ...); *det kommer ut på ett* it amounts to the same thing, it makes no difference, it is all the same, it is all one; *under ett together*, collectively; *de selges under ett* they are sold together (*el.* as one lot); they are not sold separately; *sett under ett må 19- karakteriseres som et middels år* taking it all round (*el.* as a whole) 19- may be termed an average year.

III. en, et (*ubest pron*) someone, somebody, one; (ɔ: *man*) one, you; (*se man*); *en eller annen* someone, somebody (or other), some person; *en eller annen havn* some port (or other); *i en eller annen form* in some form or other; *på en eller annen måte* somehow (or other), in some way or other; *et eller annet sted* somewhere; *et og annet* one thing and another (*fx* they talked of one thing and another), something (*fx* he knows s.); *hva er han for en?* what sort of fellow is he? *det kommer en* someone is coming; *slå etter en* strike at sby; hit out at sby; *ens venner* one's friends, your friends; *det er en som har tatt hatten min* someone has taken my hat; *det var en som spurte om prisen* someone asked the price.

enakter one-act play.

enarmet (*adj*) one-armed.

en bloc together, in the lump, en bloc; *behandle dem* ~ lump them together; *kjøpe dem* ~ buy them together, buy them in the lump.

enbåren: *Gud ga sin sønn den enbårne* God gave His only begotten Son.

encellet (*adj*) one-celled.

encyklopedie encyclop(a)edia.

I. enda (*adv*) 1 (*fremdeles*) still (*fx* he is still here); *vi har* ~ *ti minutter* we have ten minutes yet; (*ved nektelse*) yet (*fx* don't go yet); ~ *har ingenting blitt gjort* as yet nothing has been done; *han har* ~ *ikke gjort det* he has not done it yet; *det er* ~ *ikke for sent* it is not too late yet; *klokken var 11, og han var* ~ *ikke oppe* it was 11 o'clock and (yet) he had not got up; though it was 11 o'clock he wasn't up yet; *... og det er* ~ *ikke det verste* and that isn't the worst of it either; *ikke* ~ not yet, not as yet; *enden er ikke* ~ the end is not yet; 2 (*hittil, ennå*) so far; ~ *aldri* never so far, never as yet, never hitherto; 3 (*ved komparativ*) still, even (*fx* still better, better still; even more difficult); *men det skulle bli* ~ *verre* but there was worse to come; 4 (*i tillegg, ytterligere*) ~ *en* one more, another; ~ *en til* yet another; *en til og* ~ *en til* another and yet another; *bli* ~ *et par dager* stay for another few days; stay a few days more; ~ *fler* still more; *og* ~ *mange fler* and many more besides; (*se ennå* 3); 5 (*så sent som*) as late as; as recently as; ~ *i forrige århundre* as late as the last century; ~ *for tre uker siden* as recently as three weeks ago; 6 (*likevel*): *og* ~ *ville han* and yet he would . . . , and, in spite of this, he would . . . ; 7 (*endog*): ~ *før han kjente henne* even before he knew her; 8 (*i hvert fall, bare*): *hvis man* ~ *kunne få snakke med ham* if only one could speak to him; *hvis han* ~ *ville betale* if he would pay at least, if only he would pay; *det er da* ~ *noe* that is something at least; 9 (*til nød*): *det får* (*nå*) ~ *være, men . . .* well, let that pass, but . . . ; *det kan jeg* (*nå*) ~ *gå med på, men . . .* I can accept that at a pinch, but . . . ; *det fikk* ~ *være det samme hvis han bare ville betale* I wouldn't mind so much if only he would pay.

II. enda (*konj* = *skjønt*) (al)though, even; ~ *så svak han er* feeble though he is, feeble as he is; (*jvf I. enda* (*ovf*) & *ennå*).

I. ende (*subst*) end, termination; (*ytterste*) extremity; (*øverste*) top; (*bakdel*) posteriors, behind; T bottom, seat; (*tauende*) rope; *få* ~ *på en kjedsommelig dag* get through a tedious day; *gjøre* ~ *på* put an end to, make an end of; *hva skal -n bli?* where will it all end? *spinne en* ~ spin a yarn; *ta en* ~ *med forskrekkelse* end in disaster; *ta en sørgelig* ~ come to a sad end; *når -n er god, er allting godt* all's well that ends well; **fra** ~ **til** *annen* from end to end, from one end to the other; **på** ~ on end; *være* **til** ~ be at an end; *komme til* ~ *med* finish, terminate, conclude, bring to an end; (*se I. vise*).

II. ende (*vb*) end, finish, close, terminate, conclude; ~ *med* result in; ~ *med å si* end by saying; ~ *på* end in.

endefram straightforward, direct.

ende fram straight on.

endekker monoplane.

endelig *adj* (*begrenset*) finite, limited; (*avsluttende, avgjørende*) final, ultimate, definitive;

(*adv*) at last, at length, finally, ultimately; (*for godt*) definitely; *gjør* ~ *ikke det* don't do that whatever you do; *det må De* ~ *ikke glemme* be sure not to forget.

endelighet finiteness.

endelikt end, death.

end|else, -ing ending, termination; suffix.

endeløs endless, interminable; T (*om tale, etc*) a mile long.

endepunkt extreme point, terminus.

en detail retail (*fx* we sell (by) r.; we r. goods).

endetarm rectum.

endetil direct, straightforward.

endevende (*vb*) turn upside down, ransack.

endog (*adv*) even.

endosse|ment endorsement. **-nt** endorser. **-re** (*vb*) endorse, back.

endre (*vb*) alter; amend.

endrektig harmonious. **-het** harmony, concord.

endring alteration; (*se tilsvarende*).

endringsforslag amendment; *stille et* ~ move an amendment.

ene: ~ *og alene* solely; ~ *og alene for å* for the sole purpose of; merely.

ene|agent sole agent. **-agentur** sole agency. **-arving** sole heir. **-barn** only child.

eneberettiget: *være* ~ *til* have the monopoly of, have the exclusive privilege of; *være* ~ *til å selge* (*også*) have the e. right to sell.

eneboer hermit, anchorite, recluse. **-liv** solitary life, hermit's life.

enebolig detached house.

ene|forhandler sole distributor (*el.* concessionaire). **-forhandling** sole distribution, sole sale. **-herredømme** absolute mastery. **-hersker, -herskerinne** absolute monarch.

enemerker (*pl*) precincts; *gå inn på en annen manns* ~ (*fig*) pouch on sby's preserves.

enepike general servant, maid-of-all-work.

ener one, number one; (*mat.: tallet 1*) unit; (*person*) champion.

enerett monopoly, exclusive right; *forbeholde seg -en til å* reserve for oneself the right to.

energi energy. **-forbruk** consumption of energy. **-mengde** quantity of energy.

energisk energetic; (*adv*) energetically.

enerver|e (*vb*) enervate; *virke -ende* have an enervating effect; *det er -ende* (*også*) it gets on one's nerves.

enerådende, enerådig absolute, autocratic; (*om mening, tro, etc*) universal; *være* ~ *reign* supreme, have absolute power (*el.* control); (*på markedet*) control the market; (*om mening, etc*) be universal.

enes (*vb*) agree, come to an understanding.

enesamtale private interview.

eneste one, only, sole, single; ~ *arving* sole heir; *ikke en* ~ not one; *en* ~ *gang* only once, just once; *den* ~ the only one; *den* ~ *boka* the only book; *de* ~ the only (ones); ~ *i sitt slags* unique; *hver* ~ every (single); *hver* ~ *en* every single one; everyone, everybody; *det* ~ the only thing; *det* ~ *merkelige ved* the only remarkable thing about; *han var* ~ *barn* he was an only child.

enestående unique, exceptional, unexampled; *en* ~ *anledning* (*el. sjanse*) a unique opportunity, a chance in a thousand; T the chance of a lifetime.

ene|tale soliloquy, monologue. **-tasjes** one -storeyed, one-storied; (*se etasje*). **-veksel** sola bill. **-velde** absolutism, autocracy, absolute monarchy; despotism; *det opplyste* ~ enlightened despotism. **-veldig** absolute, autocratic.

enevolds|herre absolute ruler, autocrat, despot, dictator. **-konge** absolute king. **-makt** absolute power. **-regjering** absolute government.

enfold simplicity; *o, hellige* ~! O sancta simplicitas!

enfoldig simple; *en* ~ *stakkar* a simpleton.

enfoldighet simplicity.

I. eng meadow.

II. eng (*adj*): *i -ere forstand* in a more restricted sense; *i -ere kretser* in select circles.

en gang, engang (*en enkelt gang*) once, on one occasion; (*i fortiden*) once, one day; at one time; (*i fremtiden*) some day, at some future date; *det var ~* once upon a time there was, there was once; *tenk Dem ~* just fancy, just imagine; *ikke ~* not even; *kommer De nå endelig ~* here you are at last; *~ imellom* now and then, sometimes, occasionally; *~ til så mye* as much again; *~ til så stor* as big again.

engangsord nonce-word.

engasjement engagement; (*ofte*) contract (*fx* a c. for two years, a two-year c.); (*forpliktelse*) liability.

engasjere (*vb*) engage; (*til dans*) ask for a dance.

engel angel.

engelsk English; *på ~* in English; *hva heter stol på ~?* what is the English for 'stol'?; *den -e kirke* the Anglican Church, the Church of England; *~ syke* rickets.

engelsk|-amerikansk Anglo-American. **-elev** English pupil (*fx* he has been my E. p. for two years). **-fiendtlig** anti-English, anti-British, anglophobe. **-fransk** Anglo-French. **-født** English born. **-kunnskaper** one's knowledge of English; *det går jevnt fremover med hennes ~* her knowledge of E. is steadily improving; *han har gode (,solide, grundige) ~* he has a competent (,sound, thorough) k. of E.; *~ er nødvendig* knowledge of E. is essential. **-linje** (*ved skole*) modern language side, arts side. **-mann** Englishman. **-mennene** (*hele nasjonen el. gruppe*) the English. **-norsk** Anglo-Norwegian; (NB The Anglo-Norse Society); *en engelsk-norsk ordbok* an English-Norwegian dictionary. **-prøve** English test (*fx* we're going to have an E. t. today). **-rødt** Indian red. **-sinnet** pro-English, pro-British, anglophile. **-talende** English-speaking. **-vennlig** pro-English, pro-British, anglophile.

engerle 🐦 water wagtail.

engifte monogamy; *leve i ~* be monogamous.

eng|kall 🌼 yellow rattle. **-karse** 🌼 cuckoo flower. **-klover** 🌼 red (*el.* purple) clover. **-land** meadow land.

England England.

engle|aktig angelic. **-barn** little angel, cherub. **-hår** white floss (for Christmas tree). **-kor** choir of angels.

englender (,-inne) Englishman (,Englishwoman). **englerke** 🐦 skylark. **engle|røst** angel's voice, angelic voice. **-skare** host of angels. **-vinge** angel's wing.

en gros wholesale; *selge ~* sell (by) w.

engros|forretning wholesale business. **-handel** wholesale trade. **-pris** wholesale price, trade price.

eng|soleie 🌼 (*smørblomst*) upright meadow buttercup; (*mindre presist*) buttercup. **-syre** 🌼 common sorrel.

engste (*vb*): *~ seg* feel uneasy (*el.* concerned *el.* alarmed).

engstelig uneasy, apprehensive; (*bekymret*) anxious; *~ for* anxious about, uneasy about, afraid for; *vi begynte å bli -e for at du ikke skulle komme* we were beginning to be anxious (*el.* afraid) that you might not come.

engstelse uneasiness; anxiety, concern; *min ~ steg* my anxiety mounted.

enhendt one-handed.

enhet unity; (*størrelse*) unit; *nasjonal ~* national unity; *tidens og stedets ~* the unities of time and place; *gå opp i en høyere ~* be fused in a higher unity.

enhjørning unicorn.

enhovet whole-hoofed; *~ dyr* soliped.

enhver any, every; (*enhver især*) each; (*bare substantivisk*) everyone, everybody; (*hvem som helst*) anyone, anybody; *alle og ~* everybody, anybody.

enig (*attributivt*) united (*fx* a u. people (*el.* nation)); (*som predikatsord*) agreed; *de var -e* they were agreed; *jeg er ~ med ham* I agree

with him; *der er jeg ~ med Dem* I am with you there; *bli -e* come to an agreement (*el.* to terms); *bli -e om å* agree to; *bli -e om en plan* agree (up)on a plan; *man er blitt ~ om å ...* it has been agreed to ...; *være ~ med seg selv* have made up one's mind.

enighet agreement, concord; (*samhold*) unity; *komme til ~ med* come to terms with, reach an understanding (*el.* a settlement) with; *T get together with; ~ gjør sterk* unity is strength.

enke widow; (*rik, fornem*) dowager; *ble tidlig ~* was early left a widow; *was left* (*el.* became) a w. early (in life); *sitte som ~* be a widow. **-drakt** widow's weeds. **-dronning** queen dowager; (*kongens mor*) queen mother. **-frue** widow; *enkefru Nilsen* Mrs. Nilsen.

enkel simple, plain; *en ~ og grei unge* an easy child (to deal with). **-het** plainness, simpleness.

enkelt single; (*ikke sammensatt*) simple; (*særegen, personlig*) individual; (*ensom*) solitary (*fx* the garden only contained one s. tree); *det er såre ~* it's quite simple, it's simplicity itself; (*jvf lett*) *av den enkle grunn at ... for* the simple reason that; (*ikke dobbelt*) single (*fx* a s. room); *en ~ gang* once; *hver ~ må selv bestemme hva han vil gjøre med det* each one has to decide for himself what to do about it; *hver ~ gjest* each individual guest; *-e* some, a few; *-e bemerkninger* a few (stray) remarks; *noen -e ganger* occasionally; *den -e* the individual; *i hvert ~ tilfelle* in each individual case; *i dette -e tilfelle* in this particular case.

enkelt|billett single ticket. **-heter** (*pl*) details, particulars; *gå inn på ~* go (*el.* enter) into details; *~ om* details of, particulars of; *nærmere ~* further details (*el.* particulars). **-knappet** single-breasted. **-løpet** single-barrelled. **-mann** (the) individual. **-mannsfirma** one-man firm, individual enterprise. **-person** individual, person.

enkeltspor single track (*el.* line).

enkeltspordrift (*jernb*) either direction working, reverse running.

enkelt|vis singly, individually. **-værelse** single (bed)room; (*på sykehus*) private room.

enke|mann widower. **-pensjon** widow's pension. **-sete** dowager house. **-stand** widowhood.

enmanns- one-man (*fx* a one-man operation). **-betjent:** *~ buss* one-man bus. **-lugar** single cabin.

enmastet ⚓ single-masted.

enn (*etter komp.*) than; (*foran komp.:* se *I. enda 3*); *andre ~* others than; *andre bøker ~* other books than; *ikke annet ~* nothing but; *hva annet ~* what (else) but; *ingen andre ~* none but; *ingen annen ~* no one but; *hva som ~* skjer whatever happens; *hvor mye jeg ~ leser* however much I read; *hvor morsomt et besøk i Windsor ~ kunne være* however nice a visit to Windsor might be; *~ si* (*for ikke å snakke om*) let alone, still less; *~ videre* further, moreover.

ennå 1 (*fremdeles*) still (*fx* he is s. here); (*ved nektelse*) yet, as yet; *~ ikke* not yet; not as yet; *han har ~ ikke kommet* he has not come yet; *~ en tid* a while longer, some time yet; (*jvf I. enda 1*); 2 (*så sent som*) as late as, as recently as; *~ for tre uker siden* as late (*el.* recently) as three weeks ago; 3 (*ytterligere*): *~ en gang* once more, once again; *~ en grunn* one more reason; *det tar ~ år før ...* it will be years yet before ...; (*jvf I. enda 4*).

enorm enormous.

enquete (*i avis*) (newspaper) inquiry.

en passant by the way, en passant, in passing, incidentally.

enrom: *i ~* in private, privately.

ens identical, the same; *alle barna går ~ kledd* the children are all dressed alike. **-artet** homogeneous, uniform. **-artethet** homogeneousness, uniformity.

ensbetydende: *være ~ med* amount to (*fx* such

a reply amounts to a refusal), be tantamount to, be equivalent to.
ense (*vb*) regard, heed, notice, pay heed to.
ensemble ensemble.
ens|farget (*likt farget*) of one colour; (*med én farge*) one-coloured; (*ikke mønstret*) plain. **-formig** monotonous, undiversified, humdrum, drab (*fx* a d. existence); *drepende* ~ deadly monotonous. **-formighet** monotony, sameness.
en|sidet one-sided. **-sidig** one-sided, unilateral; (*partisk*) partial, bias(s)ed, partial, one-sided; *han er* ~ (*også*) he has a one-track mind. **-sidighet** one-sidedness, partiality, bias.
enskinnebane (*jernb*) monorail railway.
enslig solitary, single; *en* ~ *gård* an isolated farm; *to -e* a married couple without children.
enslydende sounding alike, of identical sound; homonymous; (*av samme ordlyd*) identical (*fx* the copies are i.); ~ *ord* (*pl*) homonyms.
ensom lonely, lonesome, solitary.
ensomhet solitude, loneliness.
enspenner one-horse carriage.
ensporet (*også fig*) single-track; (*se ensidig*).
enstavelses- monosyllabic.
enstavelses|ord monosyllable. **-tonelag** the single tone, accent I; (*motsatt*: *tostavelsestonelag* the double tone, accent II).
ensteds somewhere.
enstemmig (*felles for alle*) unanimous; (*adv*) unanimously; in unison. **enstemmighet** unanimity.
enstonig monotonous. **-het** monotony.
enstrøket ♩ once-marked, with one stroke.
enstydig synonymous. **-het** synonymity.
entall singular; *i* ~ in the s.
enten either; ~ ... *eller* either ... or; ~ *det er riktig eller galt* whether it is right or wrong; ~ *det nå er sånn eller slik* be that as it may, however that may be; ~ *han vil eller ei* whether he likes it or no(t).
entente entente.
entomo|log entomologist. **-logi** entomology. **-logisk** entomological.
entoms one-inch; ~ *planker* planks one inch thick.
I. entré (*forstue*) (entrance) hall; (*adgang*) admission; (*avgift for adgang*) admission fee; *ta* ~ make a charge for admission.
II. entre *vb* (*gå til værs i vantene*) go aloft, mount the rigging; (*gå om bord i*) board.
entrenøkkel front-door key.
entre|prenør (building) contractor. **-prenørfirma** firm of contractors; US construction firm. **-prise** contract; (*under-*) subcontract; *sette bort i* ~ put out on contract.
entring boarding. **-sforsøk** attempt at boarding.
entusias|me enthusiasm. **-t** enthusiast. **-tisk** enthusiastic; (*se begeistret*).
entydig 1. unambiguous; 2 (*mat.*) unique (*fx* solution).
enveis|gate one-way street. **-kjøring** one-way traffic.
envis obstinate. **-het** obstinacy.
enøyd one-eyed; *blant de blinde er den -e konge* in the kingdom of the blind, the one-eyed man is king.
epide|mi epidemic. **-mihospital** isolation hospital. **-misk** epidemic.
epigram epigram. **-dikter** epigrammatist. **-matisk** epigrammatic.
epiker epic poet.
epikure|er Epicurean. **-isk** Epicurean.
epilep|si 𝍫 epilepsy, falling sickness. **-tiker** epileptic. **-tisk** epileptic(al).
epilog epilogue.
episk epic; ~ *dikt* epic (poem).
episode incident, episode.
episodefilm serial film.
episodisk episodic.
epistel epistle.
eple 🍎 apple; *bite i det sure* ~ swallow the bitter pill; take one's medicine; *-t faller ikke langt fra*

stammen (*omtr* =) like father, like son; he (,she, *etc*) is a chip of the old block; *et stridens* ~ a bone of contention, an apple of discord.
eple|blomst apple blossom. **-gelé** apple jelly. **-kake** apple flan; US apple cake. **-kart** unripe apple. **-kjerne** apple pip. **-mos** apple sauce. **-most** 1 (unfermented) apple juice; 2. new cider. **-skive** apple fritter. **-skrell** apple peel. **-skrott** apple core. **-slang**: *gå på* ~ go scrimping. **-terte** apple turnover, apple puff. **-tre** apple tree. **-vin** cider.
epoke epoch, era. **-gjørende** epoch-making; *være* ~ (*også*) make history, introduce a new era.
epos epic (poem), epos.
epålett epaulet.
eremitt hermit. **-bolig** hermitage.
eremittkreps 𝍫 hermit crab, pagurian.
erfare (*vb*) learn, ascertain, be informed; (*oppleve, få føle*) experience, find; *det har jeg fått* ~ I know it to my cost.
erfaren experienced (*fx* an e. teacher); ~ *i* e. in.
erfaring experience, practice; *mine -er* my experience; *jeg er blitt et par -er rikere* I have learnt one or two things (by experience); *så er vi i hvert fall den -en rikere!* well, that's one thing we've learnt by (bitter) experience! *bringe i* ~ learn, ascertain, find; *jeg har brakt i* ~ *at* we learn that, we understand that; *gjøre sine -er* gain (el. learn by) experience; *jeg har gjort flere -er* I have experienced on several occasions; I have learnt several things by experience; *jeg har gjort den* ~ *at* (*også*) I have found that; *høste -er* gain experience; *det er alltid interessant å høste -er* it's always interesting to be able to gain experience; *tale av* ~ speak from experience; (*se også høste & utveksle*).
ergerlig annoying, irritating; vexatious; *han er* ~ he is irritated; *bli* ~ *over* be vexed (*el.* annoyed) at; *være* ~ *på* be vexed with, be annoyed with; *denne skuffen går ikke igjen, er det ikke* ~? this drawer won't shut; isn't it a bother?
ergre (*vb*) annoy, vex; ~ *seg* be vexed, be annoyed; ~ *seg over* be vexed at, be annoyed at.
ergrelse annoyance, vexation, irritation (*over noe* at (*el.* about) sth); *mange -r* a great deal of annoyance, many vexations, many worries, a lot of trouble; *hun har hatt mange -r* (*også*) she has had a lot to worry her.
erholde (*vb*) obtain, get; receive.
erind|re (*vb*) remember, recollect, call to mind, recall; *så vidt jeg kan* ~ to the best of my recollection; as far as I remember. **-ring** memory, remembrance; recollection, reminiscence; (*gave*) keepsake; memento, souvenir; *til* ~ *om* in memory of; *ha i* ~ bear in mind; *måtte De alltid ha denne tid ved gymnaset i X i kjær* ~ may you always recall (*el.* look back upon) your stay at the grammar school in X with pleasure; *vekke -er om* awake(n) memories of.
erindringsfeil lapse of memory.
erke|biskop archbishop. **-dum** bone-headed. **-engel** archangel. **-fe** arrant fool. **-hertug** archduke. **-kujon** arrant coward. **-sludder** stuff and nonsense; absolute rubbish; T poppycock, bosh; *det er noe* ~ (*også*) it's all nonsense. **-slyngel** thorough-paced scoundrel, villain of the deepest dye, arch villain.
erkjenne (*vb*) acknowledge, own, admit, recognize, recognise; ~ *mottagelsen av* acknowledge receipt of; *han erkjente at han hadde urett* he admitted that he was in the wrong; *vi -r å ha begått en feil* we admit having made a mistake; *jeg -r nødvendigheten av dette skritt* I acknowledge the necessity of this step; *jeg -r meg slått* I recognize that I am beaten; ~ *kravets riktighet* admit the claim; ~ *seg skyldig* plead guilty.
erkjennelse acknowledg(e)ment, admission, recognition; (*forståelse*) comprehension, understanding; *i* ~ *av* in recognition (*el.* acknowledg-

ment) of; *komme til sannhets* ~ be brought to see the truth.
erkjent|lig thankful, grateful; *vise seg* ~ show one's gratitude. **-lighet** gratefulness, thankfulness, appreciation.
erklære (*vb*) declare; (*høytidelig*) affirm; (*mindre høytidelig*) state; ~ *England krig* declare war on E.; *undertegnede N.N. -r hermed* ... I the undersigned N.N. (do) hereby declare ... ; ~ *for å være* pronounce (to be) (*fx* the expert pronounced the painting to be a forgery; the instrument was pronounced perfect); ~ *seg for* declare for, d. in favour of; ~ *seg villig til å* express one's willingness to.
erklæring declaration; statement; pronouncement; (*proklamasjon*) proclamation; (*sakkyndig betenkning*) opinion; (*rapport*) report; (*attest*) certificate; (*høytidelig, fx i retten*) affirmation; *avgi en* ~ make (*el.* give) a declaration; make (*el.* issue) a statement; *be ham avgi en* ~ ask him for a statement; (*sakkyndig*) ask him for an opinion.
erlegge (*vb*) pay, disburse; (*se forskuddsvis*).
erme sleeve. **-beskytter** cuff-shield. **-forkle** pinafore. **-linning** (*på skjorte*) wristband.
ernær|e (*vb*) maintain, support; ~ *kone og barn* support a wife and family; (*fysisk*) nourish; cater for; ~ *seg av* live on; (*om dyr*) feed on (*fx* grass); ~ *seg som* earn a livelihood as; (*se forsørge*). **-ing** nourishment, nutrition; *dårlig* ~ malnutrition.
erobre (*vb*) conquer; capture (*fx* a fortress; a market). **erobrer** conqueror. **erobring** conquering, conquest; capture (*av* of).
erotikk eroticism, sex; T sexiness.
erotisk erotic (*fx* person, poem); sexy (*fx* film, book).
erstatning compensation, indemnity; damages; (*fornyelse, ombytning*) replacement; (*surrogat*) substitute; *forlange £500 i* ~ demand £500 damages; *som* ~ by way of compensation; *yte full* ~ pay c. in full.
erstatnings|krav claim for compensation; *gjøre* ~ *gjeldende* make a claim for compensation, claim damages. **-plikt** liability. **-pliktig** liable (to make compensation).
erstatte replace; (*gi erstatning*) compensate, indemnify (sby for), make good (*fx* we shall m. g. this loss), make up for (*fx* we shall make up to you for this loss).
I. ert 🌱 pea; *gule -er* split peas.
II. ert: *gjøre noe på* ~ do sth on purpose.
erte (*vb*) tease (*med* about); *det var noe man stadig -t ham med* it was a standing joke against him; *han kunne* ~ *en sten på seg* he would drive a saint to distraction.
erte|belg 🌱 pea pod; (*uten erter*) pea shell. **-blomst** 1 (*blomst av blomstererten*) pea flower; 2 (*Lathyrus odoratus*) sweet pea. **-blomstrende:** *de* ~ (*Papilionaceae*) the pea family; US the pulse family.
erte|krok tease(r). **-ris** 🌱 pea sticks; *de henger sammen som* ~ they are as thick as thieves. **-suppe** pea soup. **-voren** given to teasing.
erting teasing.
erts ore. **-holdig** ore-bearing.
erverv trade, occupation; (*se yrke*).
erverv|e acquire, obtain, gain; ~ *seg* acquire. **-else** acquiring, acquisition, acquirement.
ervervs|gren branch of industry (,trade). **-kilde** source of income. **-livet:** *beskjeftiget i* ~ gainfully occupied (*fx* women g. o.). **-messig** occupational, commercial, trade. **-virksomhet:** *drive selvstendig* ~ be self-employed.
Esaias Isaiah.
ese *vb* (*gjære*) ferment; (*heve seg*) rise.
esel 🐎 donkey; (*mest fig*) ass.
eselrygg (*jernb*) hump yard; US double incline.
eselspark (*fig*) cowardly revenge; (*ofte* =) stab in the back; *gi en et* ~ stab sby in the back; hit a man when he is down.

eseløre (*i bok*) dog-ear, dog's-ear (*fx* a dog's -eared book); *lage -r i en bok* dog's-ear a book.
I. esing (*gjæring*) fermentation.
II. esing ⚓ (*på båt*) gunnel, gunwale.
eskadre ⚓ squadron. **-sjef** ⚓ commodore; squadron commander.
eskadron ✕ squadron; *en stridsvogns-* a s. of tanks, a tank s.; US a tank company.
eskadronsjef major.
eske (*subst*) box. **-lokk** box lid. **-ost** cream cheese.
eskimo Eskimo (*pl:* Eskimos).
eskorte escort. **-re** (*vb*) escort.
esle *vb* (*bestemme til et øyemed*) earmark, intend; (*tiltenke*) intend; mean; (*levne, forbeholde*) leave, reserve; *det var eslet* (*til*) *deg* it was meant (*el.* intended) for you.
espalier espalier, trellis, trellis-work; *danne* ~ line the street (*el.* route); (*ved seremoni*) form a lane.
esperanto Esperanto.
esplanade esplanade.
esprit esprit, wit.
I. ess: *være i sitt* ~ be in high spirits, feel fit; be in one's element; *ikke i sitt* ~ out of sorts, not himself; *jeg er ikke riktig i mitt* ~ I don't feel quite myself, I'm not quite up to things.
II. ess ♣ ace; *-et fjerde* four to the ace.
III. ess ♩ E flat.
essay essay. **-ist** essayist.
esse forge, furnace.
essens essence.
essensiell essential.
estetiker aesthete; US esthete. **estetikk** aesthetics; US esthetics. **estetisk** aesthetic; US esthetic.
Estland Estonia. **est|lender, -nisk** Estonian.
et: *se en.*
etablere (*vb*) establish; ~ *seg* establish oneself in business, set up (for oneself) in business, open (*el.* start) a shop; (*i nytt miljø*) settle in; ~ *seg som tannlege* set up as a dentist.
etablering establishment. **-stilskudd** (*ved tiltredelse av stilling*) installation grant; (*jvf tiltredelsesgodtgjørelse*).
etablissement establishment.
etappe stage; *i fem -r* in five stages; (*i stafett*) leg; *siste* ~ home leg (*fx* he ran the h. l.).
etappevis stage by stage (*fx* the plan will be carried out s. by s.).
etasje storey, floor; (*især US*) story; *i første* ~ on the groundfloor; US on the first floor; *annen* ~ the first floor; US the second floor; *en* ~ *høyere* one floor up; *øverste* ~ the top floor; (*spøkende om hodet*) the upper storey.
etasjes: *en fire- bygning* a four-storeyed building.
etasjeseng two-storeyed bunk; T double decker.
etat department, service; *tolletaten* the Customs Service. **-ene** the Civil Service.
ete (*vb*) 1. eat greedily; gormandize; 2 (*fortære, om skarpe væsker*) corrode; *-r seg igjennom* eats its way through; (*jvf spise*).
I. eter (*stor-*) glutton.
II. eter ♂ ether.
eterisk ethereal.
etikett (*merkelapp*) label, stick-on label, sticker; (*luftpost-*) air-mail sticker; ~ *til frontrute* windscreen (US: windshield) sticker; *sette* ~ *på* label (*fx* l. bottles); (*se også prislapp*).
etikette etiquette.
etikk ethics. **etisk** ethic(al).
eting gormandizing.
Etiopia (*geogr*) Ethiopia.
etiopisk Ethiopian.
etno|grafi ethnography. **-grafisk** ethnographic. **-logi** ethnology.
etse (*vb*) corrode; 🔬 cauterize; ~ *bort en vorte* remove a wart with acid; ~ *seg inn i* eat into, attack (*fx* metal); *en -t tegning* an etching.
etsende caustic, corrosive; ~ *substanser* caustics, corrosives.

etsteds somewhere.

ett: se en.

I. etter (*prep*) 1 (*om tid*) after (*fx* after his death, after dinner, after the war), subsequent to (*fx* s. to our arrival); *straks ~ mottagelsen av Deres brev* immediately on receipt of your letter; *~ å ha skrevet* after having written, after writing, after he (,she, *etc*) had written; *~ å ha tenkt over saken, har jeg kommet til at* ... on thinking it over I have come to the conclusion that; 2 (*bak*) after, behind (*fx* he came walking after (*el.* behind) the rest of them; he came a long way behind us); 3 (*nest etter*) after, next to (*fx* next to music he loved poetry best); 4 (*som etterfølger*) after, in succession to (*fx* James II reigned after (*el.* in succession to) Charles II); 5 (*ifølge, i overensstemmelse med*) according to, in accordance with, from, by, of; *~ anmodning* by request; *~ min mening* in my opinion, to my mind; *~ hva jeg kan forstå, er det galt* from all I can see it is wrong; *~ det jeg har hørt* from (*el.* according to) what I have heard; *bestille ~ prøve* order from sample; *selge ~ prøve* sell by sample; *~ vårt mønster nr. 36A* of (*el.* in accordance with) our pattern No. 36 A; *levering av blå sjeviot ~ den prøven De sendte oss* delivery of Blue Serge in accordance with (*el.* of the same quality as) the sample you enclosed; *klokka er 6 ~ min klokke* it is 6 o'clock by my watch; 6 (*som betegner hensikten*) for (*fx* advertise for a cook; run for help; telephone for a taxi); *gå hjem ~ boka di* go home and get your book; go home for your b.; 7 (*beregnet etter, på grunnlag av*) by (*fx* sell sth by weight); 8 (*som etterligning av*) after (*fx* after a model), from (*fx* drawn from real life); 9 (*i sport m.h.t. mål, poeng, etc*) down (*fx* we are two goals down); 10 (*rekkefølge*) after (*fx* day after day; one after another); *tre år ~ hverandre* three years running (*el.* in succession); *arve ~* inherit from; *gripe ~* catch at; *handle ~ sin overbevisning* act from conviction; *det har han ~ sin far* he got that from his father; *hva kommer du ~?* what do you want? what are you doing here? *lukk døra ~ deg!* shut the door after you! *rope ~ ham* shout after him; (*for å tilkalle ham*) shout for him; *skyte ~* shoot at, fire at; *slå døra i ~ en* slam the door on sby; **alt** *~* according to; **alt** *~ som* according to (*fx* the temperature varies a. as you go up or down); *alt ~ som papiret er tykt eller tynt* according to whether the paper is thick or thin; **den ene** *~ den andre* one after another (*el.* the other); in succession (*fx* she had three admirers in s.); **litt** *~ litt* gradually, by degrees, little by little; *~ som* 1 (*i forhold til*) according as (*fx* prices vary a. as goods are scarce or plentiful); 2 (*fordi*) as, since, seeing that, in as much as; *~ hvert som* as (*fx* please keep us supplied with these new patterns as they are brought out; we shall remit for these items as they fall due; the temperature drops as you go up); *med politimannen tett ~ seg* with the policeman in hot pursuit.

II. etter (*adv*) 1. after (*fx* Tom came tumbling a.); 2 (*om tidsfølge også*) afterwards (*fx* soon a.), later (*fx* a week l.); *året ~* the following year, the year after; *to år ~* two years later (*el.* after); *dagen ~* the day after, next day, the next (*el.* following) day; *høre ~* listen; *hør ~!* listen to me! attend to me! *kort ~* shortly afterwards, soon after(wards), a little later, a short while after; *lenge ~* long afterwards; *en tid ~* some time afterwards; (= *litt etter*) a little later; *straks ~* immediately afterwards; *et øyeblikk ~* a moment later (*el.* afterwards); *bli ~* fall behind; *komme ~* follow; *ligge ~* be behind (med with, *fx* one's work); *slå noe ~ i en bok* look sth up in a book; *være ~ med arbeidet* be behind with one's work.

etter|anmeldelse (*til sportsstevne, etc*) late entry (*el.* entering). **-ape** (*vb*) ape, mimic, imitate, copy. **-arbeid** complementary (*el.* supplementary) work

(*fx* there's a good deal of s. w. to be done), touching-up (work), finishing process, finish.

etterat, etter at after; *~ han hadde mottatt* after he had received ..., after receiving; having received; *~ tollen er blitt forhøyet* now that the duty has been increased; *~ jeg nå kjenner ham* now that I know him; *~ de begynte å koke sin kaffe med atomkraft, har de lært at* ... since beginning to make their coffee by means of atomic power, they have learnt that ...

etterbarberingsvann after shaving lotion.

etter|behandle give a finishing treatment, finish, touch up; 𝕐 after-treat. **-behandling** finishing treatment, finishing process; 𝕐 after-treatment. **-beskatning** supplementary taxation. **-beskatte** impose a supplementary tax on. **-bestil|le** (*vt*) give a repeat order for, re-order, order afterwards; (*vi*) repeat an order; (*sende inn en tilleggsordre*) supplement an order; *vi har -t (også)* we have ordered a fresh supply. **-bestilling** repeat order; (*tilleggs-*) supplementary (*el.* additional) order; *foreta ~* supplement an order. **etterbetaling** additional payment; (*av lønn, etc; også* US) back pay.

etterbyrd afterbirth.

etterdater|e (*vt*) post-date. **-ing** post-dating.

etterdønning (*fig*) repercussions (*fx* the r. of the war); aftermath (*fx* the a. of the war).

etterforsk|e (*vb*) inquire into, investigate. **-ning** inquiries, investigation(s).

etterfylle (*vb*) fill up, top up, replenish.

etterfølg|e (*vt*) follow, succeed. **-else** succession; following; *et eksempel til ~* an example (to be copied) (*fx* let him be an e. to you). **-elsesverdig** worthy of imitation. **-ende** following; (*senere*) subsequent, succeeding; (*derav følgende*) consequent; *i hvert ~ år* in each subsequent year. **-er, -erske** successor.

etter|gi (*vb*) remit, forgive, pardon, excuse; *~ en en gjeld* release sby from a debt, let sby off a debt; *~ skatter* (,*en straff*) remit taxes (,a punishment); *resten -gir jeg deg* I'll let you off the rest. **-givelse** remission (*fx* of a penalty). **-givende** indulgent, yielding, compliant. **-givenhet** compliance, indulgence.

ettergjøre (*vt*) imitate; (*forfalske*) forge (*fx* f. his signature); counterfeit (*fx* c. a coin).

etterglemt left behind.

etter hvert: se hver.

etterhøst aftercrop; (*etterslått, også fig*) aftermath.

etterhånden gradually, by degrees, little by little.

etterklang (*fig*) echo.

etterkomme (*vt*) comply with.

etterkommer descendant.

etterkrav (*jur*) supplementary claim; (*oppkreving*): *sende mot ~* send C.O.D. (= Cash on Delivery); *varene vil bli sendt mot ~ (også)* the amount will be collected on delivery.

etterkrigs- post-war.

etterkur after-treatment.

etterlat|e (*vb*) leave, leave behind; *~ seg* leave (behind); **-te** *skrifter* posthumous works; *de -te* the surviving relatives, the bereaved; (*se savn*).

etterla|tende negligent, remiss. **-tenhet** negligence, remissness. **-tenskap** property left, effects.

etterlev|e (*vb*) live up to. **-else:** *~ av* living up to. **-ende** surviving; *de ~* the surviving relatives; the bereaved.

etterlign|e (*vb*) imitate, copy; (*skatteligne*) make a supplementary assessment. **-else** imitation, copy. **-eisesevne** imitative gift. **-elsesverdig** worthy of imitation. **-er** imitator. **-ing** 1. imitation, copy; 2 (*skatteligning*) supplementary assessment.

etterlyse (*vt*) advertise for, ask for; (*i radio*) broadcast an S.O.S. for sby; (*om politiet*) institute a search for; publish a description of a missing person; *han er etterlyst av politiet* he is

wanted by the police; *i forbindelse med draps-saken -r politiet . . . (uttrykkes ofte slik:)* The police has issued the name of a man they believe can help them. His name is . . .
etterlysning advertisement of loss; inquiry; search; S.O.S. (message); *sende ut en alminnelig ~ (om politiet)* put out a general call.
etterlyst missing; *(av politiet)* wanted (by the police); *(se for øvrig etterlyse).*
ettermann successor.
ettermat second course; T afters.
ettermiddag afternoon; *i ~* this afternoon; *om -en* in the a., *kl. 3 om -en* at 3 o'clock in the a., at 3 p.m.; *kl. 3 lørdag ~* at 3 o'clock on Saturday a.; *om -en den 23. ds.* (el. *d.m.*) on the a. of the 23rd instant. **ettermiddags-** afternoon.
ettermiddags|kjole afternoon dress. **-undervisning:** *skolen har ~* the school is working a double shift.
ettermæle posthumous reputation.
etternavn surname, family name.
etternevnte the following, those whose names appear below, those named below.
etternøler (*som er sent ute*) late-comer.
etterplapr|e (*vb*) parrot. **-ing** parroting.
etterpå (*adv*) afterwards, subsequently; later (*fx* come, arrive, turn up later); *dette kom han først til å tenke på ~* this was an afterthought; *~ er det is å få* there is ice cream to follow; *han drakk en whisky ~* he followed up with a whisky.
etterpåklok: *være ~* be wise after the event; US have hindsight.
etterpåklokskap belated wisdom, wisdom after the event; (*især* US) hindsight.
etterretning advice, information, news, intelligence; *en ~* a piece of information (*el.* news); ✗ a piece of intelligence; *de siste -er* the latest news. **-svesen** intelligence service.
etterrett sweet; (*også* US) dessert.
etterrettelig: *holde seg noe ~* conform (*el.* adhere) to sth, observe (*el.* comply with) sth, keep sth in mind.
etterse (*vb*) inspect, examine, go over, look over; (*kontrollere*) check up on, check (over), inspect.
ettersende (*vb*) forward, send on.
ettersetning main clause following a subsidiary clause.
ettersiktveksel bill payable after sight.
etter|skrift postscript. **-skudd:** *i ~* in arrears; *være i ~ med* be in a. with, be behindhand with; *ferie på ~* a postponed holiday; *få sin gasje på ~* get one's salary in arrears.
etterskudds|betaling after-payment. **-bevilgning** retrogressive (*el.* delayed) grant. **-rente** interest on arrears; (*i bokføring*) interest on overdue accounts, interest for the period overdue. **-vis** (*hver måned*) payable at the end of each month.
etter|slekt posterity. **-slått** aftermath, after-grass. **-smak** after-taste; *det har en ubehagelig ~* it leaves an unpleasant taste (in the mouth).
ettersom as, since, seeing that; *det er alt ~* that's as may be; T it's all according.
ettersommer late summer; Indian summer; *ut på -en* late in the s.
etterspill epilogue; ♪ postlude; *saken får et rettslig ~* the matter will have legal consequences.
etterspore (*vt*) track, trace.
etterspurt: *disse varene er meget ~* these goods are in great demand; *. . . er særlig ~ . . . is* in particularly great demand.
etterspørsel demand; *det er liten ~ etter* there is small demand for; *-en avtar* the demand is growing less brisk; *deres produksjon overstiger -en* their production is exceeding the demand; *tilgang og ~* supply and demand; *plutselig og stor ~* a boom; (*se også dekke*).
etterstramme (*vb*) tighten up (*fx* bolts, nuts), retighten.
etterstreb|e (*vt*) aim at, aspire to; (*forfølge*) persecute; *~ ens liv* plot against sby's life; *en meget -et stilling* (*også*) a post for which there

is much competition; (*se ettertraktet*). **-else** persecution.
ettersyn inspection; *~ og reparasjon* overhaul; *til ~* for inspection, on view, to be viewed; *ved nærmere ~* on closer examination (*el.* inspection).
ettersynsgrav inspection pit, (garage) pit.
ettersøk|e (*vt*) search for. **-ning** search.
ettertanke reflection; *stoff til ~* food for thought; *ved nærmere ~* on reflection, on second thoughts.
ettertelle (*vt*): *~ pengene* count the money over, re-count the money.
ettertid future; *for -a* in future, for the future.
ettertrakte: *se etterstrebe.*
ettertraktet: *sterkt ~* much-coveted, sought -after; highly (*el.* greatly) prized; *en ~ stilling* a much-coveted post; T a plum; (*jvf etterstrebe*).
ettertrykk emphasis, stress; (*av bok*) piracy; *~ forbudt* all rights reserved; *legge ~ på* lay stress on, stress, emphasize, accentuate. **-elig** emphatic, forcible.
etterundersøkelse ℣ follow-up examination.
etterveer after-pains; (*fig*) (painful) after -effects; repercussions (*etter* of).
etterverdenen posterity.
ettervern (*for lovovertredere*) after-care; super-vision.
ettervirkning repercussion, after-effect; (*ofte =*) reaction.
ett-tall (the figure) one.
ettårig one-year (*fx* a one-year course); (*om plante*) annual.
etui case.
etyde study, etude.
etyll ♂ ethyl.
etymolog etymologist.
etymo|logi etymology. **-logisk** etymological.
Eugen Eugene.
Europa Europe.
europeer European. **européisk** European.
Eva Eve. **-datter** daughter of Eve.
evakuer|e (*vb*) evacuate. **-ing** evacuation.
evange|lisk evangelical. **-list** evangelist. **-lium** gospel; *Matteus' ~* the Gospel according to St. Matthew.
eventualitet eventuality, contingency.
eventuell possible, any, prospective (*fx* p. customers). **eventuelt** (*adv*) possibly, if possible, perhaps, if necessary, if desired.
eventyr (*opplevelse*) adventure; (*fortelling*) fairy-tale, nursery-tale, story; (*folke-*) folktale; *gå ut på ~* go in search of adventure, seek adventures.
eventyr|aktig unreal, like sth out of a fairy -tale. **-er** adventurer. **-erske** adventuress.
eventyrlig (*fantastisk*) fantastic; (*overordentlig stor*) extraordinary, exceptional, prodigious, fabulous (*fx* sum of money); (*utrolig*) incredible; (*vidunderlig*) wonderful, marvellous; *et ~ liv* an adventurous life; (*se I. plan 4*).
eventyr|lyst love of adventure. **-lysten** adventurous. **-prins** fairy prince; Prince Charming. **-slott** fairy palace. **-verden** fairyland, wonderland.
evfemisme euphemism.
evig (*adj*) eternal, perpetual, everlasting; *~ og alltid* constantly; always, for ever (*fx* they are f. e. on the move); *den -e fordømmelse* everlasting damnation, perdition; *den -e ild* (the) perpetual fire; *den -e jøde* the wandering Jew; *det -e liv* eternal life; *~ snø* perpetual snow; *den -e stad* the Eternal City; *til ~ tid* for ever, for evermore; *gått inn til den -e hvile* gone to his rest; *for ~* for ever; *hver -e en* every one (of them); T every mother's son, every man Jack (of them).
eviggrønn evergreen.
evighet eternity; *en hel ~* an age; ages; *fra ~ til ~* (*bibl*) for ever and ever; *tror du vi har ~ å ta av?* T do you think we've got a month of Sundays? *tror du jeg har tenkt å stå her oppe i all ~?* T do you think I'm going to stand up here till Kingdom come? *aldri i ~* never.

evighetsblomst everlasting (flower); cudweed.
evinnelig (*adj*) continual, perpetual, everlasting; *dette -e regnværet* this e. rain; *i det -e* eternally, for ever.
evje eddy; (*se bakevje*).
I. evne 1 (*kraft til å virke, handle*) ability, capability, capacity, power; *-n til å . . .* the ability (*el.* power) to . . , the capability of (-ing); *deres manglende ~ til å* their inability to; *hverken vilje eller ~ til å* neither the will nor the power to; *etter beste ~* to the best of one's ability; *etter fattig ~* to the best of one's modest abilities; in a small way; *jeg hjalp ham etter fattig ~* (*også*) I did my humble best to help him; **2** (*begavelse*) ability, faculty; *ha -r* be gifted, possess abilities; *ha ~ til å lære fra seg* have a gift for teaching;

han har sjeldne -r he is exceptionally gifted; he is brilliant; *skapende ~* creative power; **3** (*økonomisk*) means; *landets økonomiske ~* the resources of the country; *leve over ~* live beyond one's means; (*se også produksjonsevne*).
II. evne (*vb*) be capable of (-ing), have the ability (*el.* power) to, be able to.
evne|løs incapable, incompetent. **-rik** gifted, talented. **-svak** with a low intelligence quotient, mentally handicapped.
evnukk eunuch.
evolusjon evolution. **-steori** theory of evolution.
ex: *~ auditorio* from (*el.* among) the audience, unofficially; *~ skip* ex ship, free overside; *~ lager* ex warehouse.
extenso: *in ~* in extenso, in its entirety.

F

F, f (*også ♩*) F, f; *F for Fredrik* F for Frederick.
fabel fable. **-aktig** fabulous, fantastic.
fable (*vb*) rave, talk nonsense; *~ om* rave about.
fabrikant manufacturer, maker.
fabrikasjon manufacture.
fabrikasjons|feil flaw, defect (in workmanship); *en vare med ~* a defective article. **-konto** factory cost account. **-kostnader** cost of manufacture (*el.* production), manufacturing costs; (*i bokføring*) manufacturing expenses; *direkte ~* prime (*el.* first) cost. **-metode** manufacturing method, method of manufacture.
fabrikat manufacture, make, product; *av eget ~* of our own make.
fabrikere (*vb*) manufacture; make, produce; (*oppdikte, forfalske*) fabricate, invent; T cook up (*fx* a likely story).
fabrikk factory, mill; (*verk*) works (*fx* a chemical works).
fabrikk|anlegg factory works, manufacturing plant. **-arbeid** (*laget på fabrikk*) factory-made. **-arbeider** factory (*el.* industrial) worker; (*i tekstilfabrikk*) mill hand. **-bestyrer** factory (*el.* works) manager. **-by** manufacturing town, industrial t. **-drift 1** (*det å drive fabrikk*) factory management (*el.* operation); manufacturing (operations); **2** (*industri*) manufacturing industry, factory production (*fx* machinery and f. p. put an end to the old society of craftsmen). **-eier** factory owner; (*av tekstilfabrikk*) mill owner. **-feil** flaw, defect (in workmanship); *en vare med ~* a defective article. **-industri** manufacturing industry; (*jvf næringsvei*). **-inspektør** factory inspector. **-konsern** manufacturing concern. lokale(r) factory premises. **-lov** -Factory Act. **-lovgivning** factory legislation. **-merke** trade mark.
fabrikk|messig on an industrial basis, on a manufacturing scale; *~ drift* operations on a m. s.; *~ fremstilling* large-scale production (*el.* manufacture); *~ tilvirket* factory-made. **-ny** straight from the works, brand-new (*fx* the firm only deals in b.-n. cars). **-overhalt** *~ motor* reconditioned engine; T works overhaul. **-pike** factory girl; mill girl. **-pipe** factory chimney. **-pris** factory price, maker's price; *til ~* at f. p. **-strøk** factory district. **-tilsyn** factory inspection. **-tilvirket** factory-made. **-tilvirkning** factory-scale production. **-vare** factory product, factory-made article, manufactured (*el.* machine-made) article. **-virksomhet** manufacturing (operations); *drive ~* carry on m. operations.
fabulere (*vb*) give one's imagination (a) free rein; let one's i. run riot.
face: *en ~* full face.
fadder godfather, godmother, sponsor; *stå* (*el.* være) *~ til* stand (*el.* be) godfather (,*etc*) to; *en plan som han har stått ~ til* a scheme sponsored

by him. **-gave** christening gift. **-sladder** gossip, gossiping.
fader *se far.* **-kjærlighet** paternal love.
faderlig fatherly, paternal.
fader|mord parricide. **-morder, -morderske** parricide. **-vår** the Lord's Prayer; *kunne noe som sitt ~* have sth at one's fingers' ends; *kan mer enn sitt ~* T is up to snuff.
fadese blunder.
fag 1 (*skolefag*) subject; **2** (*ervervsgren*) trade, skilled trade; **3** (*om liberalt erverv*) profession; **4** (*område*) department, line (*fx* it is not my l.), sphere (*fx* it is outside my sphere); **5** (*avgrenset flate i bindingsvegg, etc*) bay; **6** (*av hylle*) compartment, pigeon-hole; **7** (*del av oppdelt vindu*) light; *et ~ gardiner* a pair of curtains; *et vindu med tre ~* a three-light window; *av ~* (*om håndverker, etc*) by trade; (*om liberale erverv*) by profession; *alt til -et henhørende* (*fig*) the whole bag of tricks; *hans ~ er klassiske språk* he is a classical scholar; *snakke ~* talk shop; *valgfritt ~* optional subject.
fag|arbeid skilled work. **-arbeider** skilled workman, specialized worker; (*håndverker*) craftsman; (*i brukskunst*) artisan. **-betont** (*om skole*) emphasizing technical subjects, with a t. bias; *en ~ skole* a school with emphasis on technical subjects; a technical school; (*se yrkesskole*). **-bevegelse** trade union movement, labour movement. **-bibliotek** specialized (*el.* technical) library. **-blad** trade paper; (*vitenskapelig*) scientific periodical; (*for lærere, leger, jurister*) professional paper. **-dannelse** vocational training.
fager fair; *fagre ord* fair words.
fagfelt: *typisk norske -ers ordforråd* typically Norwegian technical terms; (*se også I. felt*).
fag|folk skilled hands, experts, specialists, professionals; (*jvf fagarbeider*). **-forbund** federation (of trade unions) (*fx* the Miners' Federation of Great Britain). **-fordeling** (*i skole*) [distribution of subjects on timetable]; *hvordan bør -en være?* how should the various subjects be distributed (on the timetable)? **-forening** trade union; US labor union. **-foreningssekretær** secretary (*el.* president) (of a t. u.). **-foreningsleder** trade union leader. **-fortegnelse** (*tlf*) classified telephone directory. **-gruppe** (*universitetslærere i et fag*) department (*fx* the English d.); (*ved eksamen*) group, combination. **-krets** range of subjects, sphere, field; *vedkommende må ha fransk i sin ~* the person concerned must have French as one of his (,her) subjects. **-kunnskap** expert (*el.* special *el.* professional *el.* technical) knowledge; *hans fremragende -er* his expert knowledge; his excellent knowledge of this subject (,in this field, *etc*). **-kyndig** skilled, expert. **-lig** professional, technical, skilled, special, specialist; *~ dyktighet* technical skill; professional skill; *han står ~*

meget sterkt he is highly capable in his field, he is highly qualified in his own subjects; *på det -e området* within his (,her, *etc*) own subject; *-e spørsmål* technical questions.

faglitteratur specialist literature; (*vitenskapelig*) scientific l.; *jeg leser helst ~* my favourite reading matter is on technical subjects; *skjønnlitteratur og ~* (*omtr.* =) fiction and non-fiction.

fag|lærer subject teacher; *jeg var hans klasseforstander og ~ i fransk* I was his form master and taught him French. **-lært** skilled; trained (in a trade); *ikke ~* unskilled. **-mann** expert, specialist. **-messig** (*faglig*) technical, skilled, professional; *~ utførelse* first-class workmanship (*el.* craftsmanship). **-område** sphere, line; *det er utenfor hans ~* it is not his line, it is outside his sphere; (*se også I. felt*). **-organisasjon** trade organization; (*se også -forening*). **-organisert:** *-e arbeidere* trade unionists.

fagott ♪ (*treblåseinstrument*) bassoon.
fagrom (*i skole*) specialist room.
fagstudium (*yrkes-*) vocational study.
fagutdannelse (*yrkes-*) vocational training; special training.
faguttrykk technical term.
fajanse faience, glazed earthenware and porcelain; delft.
fakir fakir.
fakke (*vt*) catch.
fakkel torch, link, flambeau. **-bærer** torch bearer. **-tog** torchlight procession.
faks mane.
faksimile facsimile.
faksjon faction.
fakta: *pl av faktum.*
fakter (*pl*) gestures.
faktisk (*adj*) founded on fact, actual; real; *de -e forhold* the facts; the actual facts; the factual situation; *-e opplysninger* factual information, plain facts; *den -e eier* the virtual owner; (*adv*) actually, in fact, as a matter of fact.
faktor factor; (*typ*) foreman (compositor); *-enes orden er likegyldig* [factors are interchangeable].
faktotum right-hand man.
faktum fact; *se det ~ i øynene at ...* face (up to) the fact that ... ; accept the fact that ... ; *~ er at ...* in fact, in point of fact, as a matter of fact.
faktura invoice (*pl:* -s); *~ i 2 eksemplarer* duplicate i.:, *ifølge ~* as per i.; *~ på 20 kasser* i. for (*el.* of) 20 cases; *~ på £10* i. for (*el.* amounting to) £10; *skrive ut en ~* make out an i.; *-en skrives ut på dette beløpet, og detaljisten innrømmes en forhandlerrabatt* the goods are invoiced at this price and the retailer is allowed a trade discount; *det ble skrevet* (*ut*) *~ på disse hattene den 19. mars* these hats were invoiced on the 19th March; (*se anføre, I. gjelde, oppføre & påføre*). **-beløp** invoice amount; amount as per invoice; *-et* the a. of the i. **-pris** invoice(d) price; *til ~* at the price invoiced, at invoice(d) p. **-skriver** invoice clerk.
fakturer|e (*vb*) invoice; US bill; *de ble -t med £50* they were invoiced at £50; *de -te varer* the goods invoiced; *de -te priser* the prices invoiced.
faktureringsmaskin invoicing machine.
fakul|tativ optional. **-tet** faculty.
falanks phalanx.
falby (*vb*) offer for sale.
fald (*kant, søm*) hem.
falde (*vb*) hem.
falk 🦅 falcon. **falkejakt** falconry.
fall fall, downfall, tumble; (*helning(svinkel)*) slope (*fx naturlig ~* natural s.); *i ~* in case; *i alle ~* (*iallfall*) at any rate, at all events, in any case; *i hvert ~* at any rate, at all events; (*i det minste*) at least; *i motsatt ~* if not; otherwise; *i så ~* in that case, in that event, if so; *og i så ~* and if so; in which case; *i beste ~* at best; *i verste ~* at worst; *det var sterkt snø-* there was a heavy fall of snow.

falldør trapdoor; (*ved hengning*) drop.
falle (*vb*) fall, drop, tumble; (*i krig*) fall, be killed; *barometeret -r* the barometer (*el.* glass) is falling; *~ så lang en er* fall full length, come a cropper; *jeg falt i elva så lang jeg var* I fell all my length (*el.* fell bodily) into the river; *teppet -r* the curtain falls; *det falt noen ord* some words were spoken; *jeg lot noen ord ~ om det* I let fall a few words about it; *det er falt dom i saken* (*om sivilsak*) there has been a finding in the case; the case has been decided; judgment has been passed; *ta det som det -r* take it as it comes; *det -r seg slik at* it so happens that; *da falt det seg slik at ...* then it happened that ... ; *når det ~ seg slik* when the opportunity offers; *det -r meg lett* I find it easy; *la saken ~* let the matter drop; *~ av* (*også ♪*) fall off; come off; (*om hår*) come out; *det -r av seg selv* it is a matter of course, it goes without saying; (*det er lett*) it is quite easy; *~ bort* drop; be dropped; *spørsmålet -r bort* the question drops; *dermed -r den innvendingen bort* that disposes of this objection; *~ for fiendens hånd* die at the hand(s) of the enemy; *~ for fiendens sverd* fall by the sword of the enemy; *bemerkningen falt ham tungt for brystet* he resented the remark; he took exception to the remark; *~ for fristelsen* succumb to the temptation; *~ fra* fall off; (*dø*) die; (*melde forfall*) drop out (*fx* two of the runners dropped out); *~ i* (*på is*) fall through; *~ i hendene på en* fall into sby's hands; *det -r i min smak* it is to my taste; *~ i staver* go off into a reverie; *~ i tanker* be lost in thought; *~ i øynene* be conspicuous; *~ igjennom* be rejected; (*forslag*) be defeated; (*ved valg*) be defeated; (*ved eksamen*) fail; T be ploughed; (*gjøre fiasko*) fall flat (*fx* the whole arrangement fell flat), fall through (*fx* the scheme fell through), come to nothing (*fx* the plan came to nothing); *det -r meg inn* it occurs to me; *det kunne aldri ~ meg inn* I shouldn't dream of (doing) such a thing; *~ inn i et land* invade a country; *~ inn under* (*fig*) come (*el.* be) under; *~ ned* fall down; *la seg ~ ned* (*fra noe i fart*) drop off; (*se også ytterlig*); *~ om* fall down; tumble down, come down, drop; *~ død om* drop dead; *falt meg om halsen* fell on my neck; *~ på* (*om natt, mørke, etc*) fall, close in; *natten -r på* night is coming on; *natten falt på* night came (on), n. fell; *ansvaret -r på ham* the responsibility is his (*el.* rests with him); *han falt på å gifte seg* he took it into his head to marry; *hvordan -r du på det?* what makes you think of that? *skylden vil ~ på Dem* the blame will be laid on you; *~ sammen* collapse; *~ sammen med* coincide with; be identical with; *~ tilbake* fall back; *~ tilbake på* (*fig*) fall back on; *ha noe å ~ tilbake på* have sth put by to fall back on; *have a nest egg*; *~ til ro* calm down, quieten down, grow quiet; settle down; *~ ut* fall out; *~ ut i* fall into; (*se fisk & unåde*).
falleferdig falling to pieces, tumbledown, in a state of decay, ramshackle.
fallen fallen; *~ engel* fallen angel; *~ pike* fallen (*el.* ruined) girl; *falne og sårede* killed and wounded.
fallende falling; *~ tendens* (*om priser*) downward tendency.
fallent bankrupt.
fallesyke epilepsy.
fallforgasser down-draft carburettor.
fall|gitter portcullis. **-gruve** pitfall. **-hastighet** falling velocity. **-høyde** height of fall, drop; *fossen har en ~ på 20 m* the waterfall is 20 metres high.
I. fallitt (*subst*) bankruptcy, failure; *gå ~* go bankrupt, fail.
II. fallitt (*adj*) bankrupt; *erklære seg ~* file a petition in bankruptcy; go into bankruptcy; *erklære en ~* make sby bankrupt; (*se konkurs*).
fallitterklæring (*fig*) admission (*el.* confession) of failure; (*se konkurs*).

fall|lem trapdoor. **-nett** ⚓ (overhead) netting. **-port** ⚓ port lid, port flap.

fallrep (*inngangsdåpning i skipssiden*) gangway; *glass på -et* stirrup cup.

fallrepstrapp accommodation ladder.

fallskjerm parachute. **-hopper** parachutist.

fallviser (*jernb*) gradient post; US grade post.

falløks guillotine.

falme (*vb*) fade.

fals fold; flange, rabbet; (*innsnitt i pløyd bord*) groove; tongue. **-ben** folding stick, folder.

false (*vb*) fold; groove, rabbet.

falsehøvel grooving plane; rabbet plane.

falsemaskin folding machine.

falsett falsetto.

falsjern folding tool.

I. falsk *subst* (*dokumentfalsk*) forgery.

II. falsk *adj* (*ettergjort*) counterfeit, forged; (*uriktig*) false, wrong; *-e sedler* forged (bank)notes; ~ *diamant* imitation diamond. **-spill** card -sharping. **-spiller** cheat; (*profesjonell*) card -sharper.

III. falsk (*adv*) falsely; *skrive* ~ forge; *spille* ~ cheat (at cards); ♪ play out of tune; *sverge* ~ perjure oneself; *synge* ~ sing out of tune.

falskhet falseness, falsity;(*svikefulhet*) falseness, deception; (*dobbeltspill*) double dealing, duplicity.

falsk|myntner coiner, counterfeiter. **-myntneri** coining, counterfeiting. **-ner** forger (of documents). **-neri** forgery; *begå* ~ commit f.

falsum (*forfalsket dokument*) forgery.

familie family; *i* ~ *med* related to, a relation of; *av god* ~ of good family. **-foretagende** family business; *drevet som et* ~ run on family lines. **-forhold** family affairs, family circumstances. **-forsørger** breadwinner. **-hemmelighet** (*av ubehagelig art*) skeleton in the cupboard. **-krets** family circle. **-likhet** family likeness. **-liv** domestic life, home life. **-navn** family name, surname. **-tvist** family quarrel. **-vennlig:** *se hus.*

familiær familiar.

famle (*vb*) grope, fumble (*etter* for); ~ *seg fram* grope one's way; ~ *ved* fumble at, finger with.

famling groping.

fanati|ker fanatic. **-sk** fanatic(al). **-sme** fanaticism.

fanden the devil, Old Nick; *for* ~! damn it all! ~ *og hans oldemor* the devil and his dam; ~ *til fyr* a devil of a fellow; ~ *til vær* blast that weather! *det var som* ~! oh hell! *dra* ~ *i vold!* go to hell! *som bare* ~ like hell; ~ *er løs* there is the devil to pay, hell is loose, the fat is in the fire; *... og da er* ~ *løs* that's when you get the devil of it; *male* ~ *på veggen* paint the devil on the wall; *jeg tror* ~ *plager deg!* are you stark, staring mad? *det bryr jeg meg* ~ *om* I don't care a damn! *før* ~ *får sko på* at an unearthly hour; ~ *hjelper sine* the devil looks after his own; *når man gir* ~ *en lillefinger* give him an inch and he will take an ell; *så* ~ *om han gjør* like hell he does! ~ *ta meg om jeg gjør* I will be hanged if I do.

fandenivoldsk devil-may-care; reckless. **-het** recklessness.

fandenskap (*djevelskap*) devilry, devilment.

fane banner, standard; *med flyvende -r og klingende spill* with colours flying and drums beating. **-bærer** standard-bearer. **-ed** oath of allegiance. **-flukt** desertion (from the colours). **-vakt** colour guard, colour party.

fanfare fanfare, flourish.

fanfarehorn (*på bil*) alpine trumpet horn.

fang knee, lap; *tok barnet på -et* took the child on his (,her, *etc*) knee (*el.* lap).

fangarm tentacle.

I. fange (*subst*): *et* ~ an armful.

II. fange (*subst*) prisoner, captive; *ta en til* ~ take sby prisoner, capture sby, make sby captive (*fx* they were made c.).

III. fange (*vt*) catch (*fx* birds, thieves); (*i felle*) trap; (*ta til fange*) take prisoner, capture, make captive; ~ *ens blikk* catch sby's eye; ~

ens oppmerksomhet catch sby's attention; ~ *inn* (*motiv, stemning*) capture, catch (*fx* the whole atmosphere).

fange|drakt convict's uniform, prison u. **-hull** dungeon. **-kost** prison diet (*el.* fare). **-leir** prison camp, prisoners' camp; P.O.W. camp (*fk. f.* Prisoner of War camp).

fangevokter (*hist*) warder; (*se fengselsbetjent*).

fangenskap captivity, imprisonment.

fangline ⚓ painter.

fangst catching, taking; (*av fisk*) catch, haul, take. **fangst|felt** fishing (,whaling, sealing, *etc*) ground. **-folk** hunters; whalers; sealers. **-mann:** *se -folk.* **-redskap** fishing (,whaling, sealing, *etc*) gear. **-skute** whaling (,sealing) vessel.

fant (*landstryker*) tramp; US hobo; *gjøre en til* ~ ruin sby.

fantaktig unreliable, trampish, like a tramp.

fantasere (*vb*) ♪ improvise; (*i villelse*) rave, be delirious.

fantasi 1 (*skapende f., innbilningskraft*) imagination (*fx* he has no i.); 2 (*noe skapt av f.*) fantasy, figment (of the brain); 3 (*hallusinasjon*) hallucination; 4 (*genre i musikk, litteratur*) fantasia, fantasy; *dikterisk* ~ poetic imagination; *det hele er fri* ~ it is entirely unfounded in fact, it is sheer imagination, it is pure invention; *en frodig* ~ a fertile imagination; *han har en livlig* ~ he has a lively i.; *i -en så han* in (his) i. he saw . . . ; *ikke i min villeste* ~ not in my wildest dreams; *la -en løpe løpsk* give (a) free rein to one's i; (*se virkelighet*).

fantasi|bilde imaginary picture, chimera, illusion, figment. **-foster** figment, chimera, invention. **-full** imaginative. **-fullhet** imaginativeness. **-løs** unimaginative. **-pris** fancy price.

fantast visionary, dreamer, fantast.

fantasteri ravings, dreams.

fantastisk fantastic; ~ *roman* fantasy; *så* ~ *det enn lyder* fantastic as it may seem; *han er* ~ *flink* he is fantastically clever.

fante|følge gipsy gang. **-gå** walk out (without giving notice).

fanteri tricks; nonsense.

fante|strek dirty trick, rascally trick, piece of knavery. **-vane** bad habit.

fantom phantom.

I. far (*spor*) track, trail.

II. far father; T dad, daddy; (*i omtale*) T the governor, the old man; ~ *til* the father of; *er gått til sine fedre* has been gathered to his fathers; *bli* ~ become a f.; *en streng* ~ a stern f.; *våre fedre* (*forfedre*) our fathers, our ancestors.

farao Pharaoh.

farbar navigable; trafficable; (*om fjellovergang*) passable (*for* to); *ikke* ~ impassable (*fx* an i. road); innavigable.

farbror father's brother, paternal uncle.

I. fare (*subst*) danger, peril, jeopardy, hazard, risk; *en alvorlig* ~ a grave (*el.* serious) danger; *bringe i* ~ endanger, imperil, hazard, jeopardize; *det er ingen* ~ there is no danger; *med* ~ *for* at the risk of; *uten* ~ without danger, with impunity; *uten* ~ *for å* without any danger (*el.* risk) of (-ing); (*se også ferd: det er fare på -e*).

II. fare *vb* (*reise*) go, travel; (*om skip*) sail; (*styrte, ile*) rush, dash; *komme -nde inn* rush in; *ordet fór ut av munnen på ham* the word slipped out of his mouth; ~ *med løgn* tell lies; *hun fór om halsen på ham* she threw herself on his neck; ~ *opp* start up, jump up, jump to one's feet; (*i sinne*) flare up, fly into a temper; (*o: gå opp, om lokk, etc*) snap open; *han -r opp for et godt ord* he flies into a passion readily; T he goes off the deep end (*el.* flies off the handle) instantly; ~ *løs på en* rush (*el.* fly) at sby; ~ *sammen* start, give a start; ~ *til himmels* ascend into heaven; ~ *til sjøs* be a sailor, sail; ~ *vill* lose one's way, go astray.

faredag [day on which servants used to change jobs]; (*svarer omtr. til*) quarter day.

farefri free from danger, safe.
farefull dangerous.
faremoment element of risk (*el.* danger).
faren: *ille* ~ in a bad way.
faresone danger zone.
faretruende perilous, dangerous, menacing.
farfar (paternal) grandfather.
I. farge (*subst*) colour; US color; (*fargestoff*) dye; ✤ suit; *bilen har to -r* (*også*) the car has a duotone finish; *skifte* ~ change colour; ✤ switch to another suit.
II. farge (*vb*) colour; US color; dye; (*hår*) tint; ~ *av* rub off, come off; *slipset har -t av på skjorta* the colour of the tie has run on to the shirt.
farge|blanding mixture of colours. **-blind** colour-blind. **-blindhet** colour-blindness. **-blyant** crayon, coloured pencil. **-brytning** refraction of colours. **-bånd** typewriter ribbon. **-handel** (oil and) colour shop. **-handler** (oil and) colourman.
farge|lagt coloured. **-legge** colour; (*fotografi*) tint. **-legging** colouring; tinting.
farge|lære chromatology. **-løs** colourless. **-løshet** colourlessness. **-prakt** rich colours, glowing colours.
farger dyer.
farge|ri (*verksted*) dye-works. **-rik** richly coloured; (*også fig*) colourful. **-rikdom** rich colouring. **-sammensetning** colour scheme. **-sans** sense of colour, c. sense. **-skrin** paint-box. **-spill** play of colours. **-stoff** (*i huden*) pigment; (*typ*) colouring matter; (*til farging av fiberstoffer*) dye(stuff). **-symfoni** colour symphony. **-tone** shade. **-trykk** colour-printing. **-virkning** colour effect.
farging colouring; dyeing; tinting.
farin castor sugar.
farise|er Pharisee. **-isk** pharisaic(al). **-isme** Pharisaism.
farkost vessel, craft.
farlig dangerous, perilous, risky; *en* ~ *forbryter* a dangerous criminal; US a public enemy; *det er ikke så* ~ *om vi kommer for sent* it doesn't matter much if we are late; *han er* ~ *syk* he is dangerously ill.
farma|kopø pharmacopoeia. **-si** pharmacy. **-søyt** pharmacist. **-søytisk** pharmaceutic(al).
farmer farmer.
farmor (paternal) grandmother.
I. farse (*kjøtt-*) forcemeat.
II. farse farce; *en ellevill* ~ a riotous f.
farseaktig farcical.
farskap fatherhood, paternity.
farskapssak paternity case.
farsnavn patronymic; surname.
farsott epidemic.
farsside: *på -n* on the father's side, paternal.
fart 1 (*bevegelse*) motion; *i* ~ in motion; *gjøre* ~ (*forover*) ✤ make headway; *skipet beholdt -en* the ship kept her way; 2 (*hastighet*) speed, velocity, rate, pace; *skyte god* ~ go at a good round pace; 3 (*trafikk, seilas*) navigation, trade (*fx* oversea(s) t.; the London t.); *i* ~ *på X* (engaged) in the X trade; *-en på Nord-Kina* trade with North-China ports; *skip som går i fast* ~ ships that sail on fixed routes; 4 (*rute*) service (*fx* a liner in the Bombay s.); *skip som går i fast* ~ ships that sail on fixed routes; *skip i utenriks* ~ foreign-going ships; *gå i* ~ *på* trade to; *skipet går i* ~ *på England* the ship runs to English ports; *skipet går i* ~ *mellom X og Y* the ship plies between X and Y; *sette et skip i* ~ put a ship into service (*el.* in commission); *bestemme -en* (*sport, også fig*) set the pace; *få* ~ *på sakene* make things hum; *nå har det begynt å bli* ~ *på sakene* things are going ahead like a house on fire; *things have begun to hum; for full* (*,halv*) ~ (at) full (,half) speed; *i full* ~ at full speed, at top speed; *det gikk i en* ~ it was quick work; *det er* ~ *over ham* he is full of go; *sette opp -en* put on speed, speed up; *på -en*

on the run, on the move, on the go (*fx* I've been on the go all day); *stå på -en* be about to go (*el.* leave); *under* ~ while driving, at normal running speeds; *det er forbudt å åpne dørene under* ~ do not open the doors while the train is in motion (*el.* is moving); *øke -en* put on more speed, increase speed, accelerate; (*se avta, skyte, slakke*).
farte (*vb*): ~ *omkring gad* (*el.* knock) about; ~ *omkring i Europa* travel about Europe.
fartsgalskap speed mania.
farts|grense speed limit; *overskride -n* exceed the s. l. **-oppbygg** (*i skibakke*) take-off tower. **-plan** timetable, schedule. **-prøve** speed trial. **-tid** (time of) service; (*sjømannens*) sea service; US sea duty.
fartøy vessel; craft, boat.
farvann water(s); (*lei, renne*) fairway; *være i -et* (*fig*) be in the offing; be in sight; *urent* ~ foul water(s); *åpent* ~ open waters.
farvel good-bye; *si* ~ *til* say good-bye to.
fasade front, frontage.
fasan ♣ pheasant.
fascisme Fascism. **fascist** Fascist. **fascistisk** Fascist.
fase phase, stage.
fasett facet. **fasettere** (*vb*) facet.
fasevinkel (*jernb*) angle of phase displacement.
fasit answer. **-bok** answer book, answers, key.
fasjonabel fashionable.
fasle sling.
fasong shape, cut.
fast firm; (*motsatt flytende*) solid; (*tett*) solid, compact; (*standhaftig*) firm, steadfast; (*om stemme*) firm, steady; (*om markedet*) firm;(*bestemt*) fixed; *en* ~ *ansettelse* a permanent appointment; *bli* ~ *ansatt* receive a permanent appointment, be permanently appointed; ~ *arbeid* permanent work; *-e arbeidere* regular hands; ~ *eiendom* (real) property; US real estate; ~ *fot* a firm footing; *et* ~ *forsett* a firm resolution; *det er mitt -e forsett å* ... I am firmly resolved to ... ; ~ *føde* solid food; *en* ~ *kunde* a regular customer; ~ *lønn* a fixed salary; *-e priser* fixed prices; *-e regler* fixed rules; ~ *rygg* (*i bokbinding*) tight back; *bli* ~ *ved* persist in; *gjøre* ~ fasten, make fast; *holde* ~ *ved* (*el. på*) hold on to, stick to; *sitte* ~ stick, be stuck; *be firmly secured; sitte* ~ *i salen* have a firm seat; *slå* ~: *se fastslå; stå* ~ (*fig*) be at a deadlock; *be stuck; det står* ~ *it* is an established fact; (*se oppdrag*).
I. faste (*subst*) fast; (*fastetiden*) Lent.
II. faste (*vb*) fast.
faste|dag fast-day. **-kost** lenten fare.
fastelavn Shrovetide. **fastelavns|bolle** (Shrovetide) bun. **-løyer** (*pl*) Shrovetide fun. **-mandag** Shrove Monday. **-søndag** Quinquagesima Sunday.
fastende: *jeg er* ~ I have not yet eaten anything, I have not broken my fast; *på* ~ *hjerte* on an empty stomach, first thing in the morning.
fastepreken Lent sermon.
faster (paternal) aunt.
fastetid time of fasting, Lent.
fasthet firmness; solidity; compactness.
fast|holde *vt* (*påstand*) stick to, maintain, adhere to; ~ *sin forklaring* stick to one's original statement; ~ *et uttrykk* refuse to withdraw an expression. **-land** mainland; continent; *det europeiske* ~ the Continent, Continental Europe. **-lands-** continental.
fastlønt with a fixed salary; *være* ~ draw a f. s.
fastnøkkel open-end spanner (US: wrench).
fast|sette *vb* (*en tid*) appoint, fix; (*en pris*) fix; (*betingelser*) stipulate; (*regler*) establish, lay down; *loven er* ~ *at* the law provides (*el.* lays down) that; *som fastsatt i loven* as laid down in the law; ~ *lønnen til* fix the wages at; *til fastsatt tid* at the appointed time. **-settelse** appointment, fixing; stipulation; establishment.
fast skole (*mots. omgangsskole*) stationary school.
fastslå *vb* (*bevise*) establish; (*bevitne*) record;

(konstatere) ascertain; ~ *hans identitet* establish his identity; *det er vitenskapelig -tt at* science has established the fact that; *(se også konstatere & purring)*.

fat dish; *(tønne)* cask, barrel; *vin fra* ~ wine from the wood; *øl fra* ~ draught beer.

fatal unlucky, unfortunate, calamitous. **-isme** fatalism. **-ist** fatalist. **-itet** calamity; misfortune.

fatamorgana mirage.

fatle sling.

fatning composure, self-possession; *bringe ut av* ~ disconcert, discompose, discomfit, embarrass, put out; *(ved blikk)* stare out of countenance; outface; *uten å tape -en* with composure, composedly, coolly, calmly.

fatt 1 *(tak, grep)*: *få* ~ *i* get hold of; *ta* ~ *(på et arbeid)* set to work; get down to it; *han tok* ~ *på arbeidet (også)* he got down to his work; he turned to his work; *vi må ta* ~ *for alvor* we must buckle to, we must set to work in earnest, we must settle down seriously to work; *det er på tide vi tar* ~ *(også)* it's time we turned to; it's time we got started; 2. *det er galt* ~ there is sth wrong; *det er galt* ~ *med ham* he is in a bad way; *hvordan er det* ~ *med ham?* how are things with him? *nå, er det slik* ~! so that's the way it is!

fatte *vb (begripe)* comprehend, understand, conceive; ~ *lett* be quick in the uptake, be quick -witted; ~ *en beslutning* come to a decision; ~ *nytt håp* find new hope; *de -t nytt håp* their hopes revived; ~ *mot* take courage; ~ *seg* compose oneself, be composed; ~ *seg i korthet* be brief *(fx* invite speakers to be brief).

fatteevne apprehension, comprehension, faculty of understanding; *det ligger utenfor et barns* ~ that is beyond the scope of a child's understanding. **fattelig** comprehensible, intelligible.

fatter T *(i omtale)* the governor, the old man.

fattet composed, collected, calm, cool, self -possessed; *blek men* ~ pale but resolute.

fattig poor; *den -e* the poor man; *de -e* the poor; ~ *i ånden* of inferior intellect, lacking in wit; *(bibl)* poor in spirit; *de -e i ånden (bibl)* the poor in spirit; ~ *på* poor in, deficient in; *etter* ~ *leilighet* to the best of my poor ability; *noen få -e ord* a mere handful of words; *en* ~ *trøst* (a) poor *(el.* meagre) comfort; (a) poor consolation; *jeg er 100 kroner -ere* I'm a hundred kroner worse off; I'm the poorer by a h. k.; I'm a h. k. down. **-bøsse** poor box. **-dom** poverty, penury, indigence.

fattig|folk poor people, the poor. **-fornem** shabby-genteel. **-forsorg** public assistance. **-hjelp** public assistance; *(glds)* poor relief. **-kasse** *(glds)* poor relief fund; *komme på -n* go on the parish. **-kvarter** poor quarter. **-lem** pauper; T have-not. **-mann** 1. poor man; 2. fried cruller. **-slig** beggarly, poor, mean. **-vesen** *(glds)* (system of) poor relief; poor-law authorities.

faun faun.

fauna fauna.

favn embrace; *(mål)* fathom; *en* ~ *ved* a cord of wood; *på 9 -er vann* in nine fathoms of water; *styrte seg i ens* ~ rush into sby's arms; *tok ham i* ~ took him into his (,her) arms.

favne *(vb)* embrace, clasp, hug; ~ *opp* ⚓ fathom.

favneved cord wood.

favntak embrace; T hug.

favor|isere *(vb)* favour; US favor. **-itt** favourite. **favør** favour; US favor; *i min* ~ to my advantage; *(merk)* to my credit, in my favour; *en saldo i min* ~ a balance to my credit.

I. fe fairy.

II. fe *(dyr)* cattle; *(dumrian)* blockhead, fool, ass, oaf; S nitwit, sucker, numskull.

feaktig fairy-like.

feavl cattle breeding.

feber fever; *få* ~ develop *(el.* run) a temperature; *(få en febersykdom)* catch a fever; *ha* ~ have *(el.* run) a temperature, be feverish; *han har litt* ~ he's got a slight temperature. **-aktig** feverish; *i* ~ *spenning* in a fever of expectation. **-drøm** feverish dream, delirium. **-døs** feverish doze. **-fantasi** feverish hallucination.

feberfri free from fever, non-febrile; *-e dager* days free from fever; *på dager da han er* ~ on the days when his temperature is normal; *pasienten har vært* ~ *i to dager* for the last two days the patient's temperature has been back to normal.

feber|het feverish; feverishly hot *(fx* cheeks). **-kurve** 1. temperature chart; 2. t. curve. **-stillende** antipyretic, febrifugal; *et* ~ *middel* an a., a f. **-termometer** clinical thermometer. **-tilstand** feverish condition. **-villelse** delirium.

febril febrile, feverish.

febrilsk feverish, hectic; ~ *travelhet* feverish activity.

februar February.

fedd *(garnmål)* skein.

fedme fatness, corpulence, obesity.

fedredyrkelse ancestral worship.

fedreland (native) country; *få et nytt* ~ adopt a new country; *Amerika ble hans annet* ~ America became his second home *(el.* country).

fedrelands|historie national history. **-kjærlighet** patriotism, love of one's country. **-sang** national anthem, patriotic song. **-sinnet** patriotic, public-spirited. **-venn** patriot.

fedrene *(adj)* paternal, ancestral.

fedrift cattle breeding *(el.* rearing); *(flokk)* drove of cattle.

fehird|e *(hist)* royal treasurer. **-sle** *(hist)* treasury district.

fehode blockhead, dunce.

fei: *i en* ~ in a jiffy, in no time.

feide *(subst)* quarrel; *(mellom familier)* feud; *(litterær)* controversy.

feie *(vb)* sweep; ~ *en ovn* clean out a stove; ~ *en av snub* sby; ~ *av sted* scorch *(el.* sweep) along, go at a spanking rate; ~ *alt foran seg* sweep all before one, sweep the board; ~ *til side* brush aside; *nye koster -r best* new brooms sweep clean; *fei for Deres egen dør* sweep before your own door.

feie|brett dustpan. **-hullslokk** *(på ovn)* sweeping cover. **-kost** hand-brush; *(se også langkost)*.

feig cowardly, dastardly. **-het** cowardice; *vise* ~ show the white feather.

I. feil *(feiltagelse)* mistake; *(feil man begår)* mistake, fault; *(mindre)* slip; *(skrive-, trykk-)* error; *(det å regne, telle, dømme feil)* error *(fx* an e. of judgment); *(mangfeil)* dect.

II. feil *(adj)* wrong, erroneous, incorrect; *en* ~ *hatt* somebody else's hat; *gå inn i et* ~ *værelse* enter the wrong room; *(se belysning & innstilling)*.

III. feil *(adv)* amiss, wrong, erroneously; ~ *datert* misdated; *gå* ~ go the wrong way, miss the way; *se* ~ be mistaken; *skrive* ~ make a slip of the pen; *skrive* ~ *av* miscopy; *skyte* ~ miss (the mark); *slå* ~ fail; *ta* ~ be mistaken, be wrong *(fx* you are not far w.); T get it wrong; *jeg tar* ~ I am mistaken; *ta litt* ~ T be a bit off; *han tok ikke mye* ~ he was not far out; *ta* ~ *av en* be mistaken in sby, get sby wrong; *du kan ikke ta* ~ *av veien* you can't miss it.

feiladressere *(vt)* misdirect, direct wrongly.

feil|aktig faulty, erroneous, wrong; *fremstille* ~ misrepresent. **-aktighet** incorrectness. **-bar** fallible. **-datere** *(vt)* misdate.

I. feile *(vi)* err, make mistakes; *(på et mål)* miss; *å* ~ *er menneskelig* to err is human.

II. feile *vb (være i veien med)*: *hva -r det ham?* what's the matter with him? what ails him? what's wrong with him? *det -r ham ikke noe* he is all right.

feil|fri faultless, free from faults, flawless, impeccable; *i* ~ *stand* in perfect condition. **-frihet** faultlessness, flawlessness. **-grep** error, mistake, slip. **-lesning** misreading. **-regning** miscalculation. **-skjær** *(skøyte-)* false stroke.

-skrift, -skrivning slip of the pen. **-skudd** miss. **-slagen** unsuccessful, abortive. **-slutning** erroneous inference. **-slått:** *se -slagen*. **-søking** fault finding. **-tagelse** mistake; *ved en* ~ by mistake. **-tenning** misfiring. **-trekk** wrong move. **-trinn** false step, slip.

feilvurdering miscalculation, misjudgment; wrong assessment; *en fullstendig* ~ *av situasjonen* a completely wrong assessment of the situation.

feire (*vb*) celebrate, solemnize, keep (*fx* keep one's birthday); (*gjøre stas på*) fête (*fx* he was fêted as a hero); ~ *jul på den gode gamle måten* keep Christmas in the old style; *vi har tenkt å* ~ (*denne*) *dagen* (*også*) we will make this an occasion.

feiret popular, much admired.

feit: *se fet*.

fekar drover; cattle dealer.

fekte (*vb*) fence; (*gjøre heftige bevegelser*) gesticulate (*fx* with a fork), brandish (*fx* a fork). **-hanske** fencing glove. **-kunst** art of fencing. **-mester** fencing master.

fekter fencer, swordsman.

fektning fencing; (*trefning*) skirmish, engagement.

fele ♪ fiddle. **-spiller** fiddler.

feleger cattle camp, drover's camp.

felg (*på hjul*) wheel rim; *kjøre på -en* drive on a flat tyre (US: tire); *jeg kjører på -en* (*også*) I've a flat.

fell pelt; skin (rug), fur (*el.* skin) bedcover.

I. felle (*kamerat*) fellow, companion, associate.

II. fell|e trap; (*fig*) pitfall; *gå i -en* be caught in the trap, fall into the trap; *sette opp en* ~ *for* set a trap for; *det er en* ~ *i det spørsmålet* there is a catch in that question.

III. felle (*vb*) **1** (*hugge ned*) fell, cut (down) (*fx* timber); **2** (*slå til jorden*) knock down, fell; (*drepe*) kill, slay; (*fig*) overthrow (*fx* the Government, a tyrant); **3** (*jur*): ~ *en dom over* pass judg(e)ment on; (*se dom*); *vi har beviser nok til å* ~ *ham* we have got enough evidence to convict him; *et -nde bevis* a damning piece of evidence; **4** (*la falle*) cast, shed (*fx* shed tears; the tree sheds its leaves; reindeer shed their antlers); (*om fjær*) moult; (*om ham*) slough; (*i strikning*): ~ *av* cast off; ~ *en maske i slutten av pinnen* decrease a stitch at the end of the row; ~ *hår* shed one's hair; (*se også røyte*); ~ *tenner* shed teeth; ~ *noe inn i noe annet* fit sth into sth else.

felles common, joint; *ved* ~ *hjelp* between them (,us, *etc*); ~ *interesser* common interests, interests in common; community of interests; ~ *mål* common measure; *for* ~ *regning* on joint account; *gjøre* ~ *sak med* join hands with, make common cause with; *vår* ~ *venn* our mutual friend; *være* ~ *om noe* have sth in common; be partners in sth.

felles|anliggende joint concern. **-bakeri** cooperative bakery. **-bo** joint estate. **-eie** 1 (*privatpersoners*) joint property; (*samfunns, stammes*) communal property; 2 (*det å eie, om privatpersoner*) joint ownership; (*om samfunn, stamme*) communal ownership; 3 (*systemet, prinsippet*) communal ownership, collectivism. **-kjønn** common gender. **-måltid** communal meal (*fx* dinner will be a c. m.). **-navn** common name. **-nevner** common denominator. **-preg** common stamp. **-skap** fellowship, (spirit of) community; *opptre i* ~ act in concert (*el.* together); make common cause; *i* ~ *med* jointly with, together with.

felles|skole co-educational school. **-titel** collective title. **-undervisning** co-education.

I. felt field; ground; (*i brettspill*) square; (*område*) department, province (*fx* this is rather outside my p.), sphere (*fx* it's outside my s.), field (*fx* that's not my f.), line (*fx* it's not my l.); *-et* (*sport*) 1. the field (*fx* of runners, riders, *etc*); 2. the field, the main body (*fx* of runners, *etc*); T the bunch; (*hesteveddeløp*) the ruck (*fx* 'Cherry Girl' took the lead, leaving the r. far behind).

II. felt ✕ field; *dra i -en* take the field.

felt|artilleri ✕ field artillery. **-flaske** canteen.

-fot: *på* ~ on a war footing. **-herre** commander, general. **-herredyktighet** generalship. **-herrekunst** strategic art, strategy. **-kjøkken** field kitchen. **-lasarett** field hospital. **-liv** camp life, campaigning. **-manøver** field manoeuvre (US: maneuver). **-marskalk** field marshal. **-messig:** ~ *antrekk* field uniform, battle order, heavy marching order. **-prest** army chaplain, chaplain to the forces (*fk* C. F.); T padre. **-rop** watchword, password, countersign. **-seng** folding bed, camp bed. **-slag** pitched battle.

feltspat felspar, feldspar.

feltspole field coil.

felt|staffeli field easel. **-stol** camp stool. **-tjeneste** field service. **-tog** campaign. **-vakt** picket. **-vikling** field windings.

fem (*tallord*) five; *gå* ~ *på* T 1 (*bli lurt*) be badly caught; 2 (*forspille sin sjanse*) S miss the boat; *der gikk jeg* ~ *på* (1) I was badly caught there; *han er ikke ved sine fulle* ~ he is not all there. **fem|akts** five-act. **-dobbelt** fivefold, quintuple. **-fingret** ♣ quinate. **-foll** fivefold, quintuple. **-fotet:** ~ *vers* pentameter.

feminin feminine.

femininum the feminine (gender); feminine noun.

feminisme feminism.

feminist feminist.

femkamp pentathlon.

fem|kant pentagon. **-kantet** pentagonal.

femling quintuplet; *-er* T quins.

fem|mer ♣ five; (*om penger*) five-kroner piece; (*sporvogn, etc*) number five; (*NB* fiver = *fempunds- eller femdollarseddel*). **-sidet** five-sided, with five sides. **-tall** the figure five.

femte (*tallord*) fifth; *det* ~ *bud* the sixth commandment; *for det* ~ fifthly, in the fifth place; ~ *hjul på vogna* one too many; *være* ~ *hjul på vogna* play gooseberry.

fem(te)del fifth part, fifth.

femten (*tallord*) fifteen. **femtende** (*tallord*) fifteenth.

femte|part: *se -del*.

femti (*tallord*) fifty.

fena|knoke [knuckle-bone of mutton ham]. **-lår** cured leg of mutton; (*omtr.* =) mutton ham.

fender fender.

fenge catch fire, take fire, ignite, kindle.

fengelig inflammable.

feng|hette percussion cap. **-hull** vent. **-krutt** priming. **-rør** tube. **-sats** primer.

fengsel prison, gaol, jail; US prison, jail, penitentiary; (*straff*) imprisonment; *bryte seg ut av fengslet* break jail, escape from prison; *bli dømt til tre måneders* ~ be sentenced to three months' imprisonment, get a three months' sentence; T get three months; *komme i* ~ go to jail, be imprisoned; *sette en i* ~ put sby in prison, imprison sby; *sitte i* ~ be in prison; T do time; S do a stretch, be in quod, be in jug; *bot eller* ~ fine or imprisonment.

fengsels|anstalt penal institution. **-betjent** prison officer; (*hist*) warder; US prison guard. **-direktør** (*prison*) governor; US warder (of a prison). **-gård** prison yard. **-kirke** prison chapel. **-lærer** tutor organizer. **-prest** prison chaplain. **-straff** (term of) imprisonment. **-vesenet** the prison administration.

fengsle (*vb*) imprison, put in prison, commit to prison, confine; (*sperre inne*) incarcerate; (*vekke interesse hos*) captivate, fascinate, charm; (*legge helt beslag på*) absorb, engross; ~ *ens oppmerksomhet* arrest (*el.* catch) sby's attention; ~ *sine tilhørere* hold one's audience spell-bound, captivate one's a.

fengslende absorbing, enthralling; (*interessant*) highly interesting. **fengsling** imprisonment.

fengslingskjennelse (*jur*) committal order; *avsi* ~ *over* commit for trial.

fenomen phenomen|on (*pl:* -a).

fenomenal phenomenal.

fenrik second lieutenant; *(flyv)* pilot officer; US second lieutenant; *(sjøoffisers grad)* sublieutenant; US ensign; ~ *(M)* engineer-sublieutenant.

ferd expedition; *(oppførsel)* conduct, behaviour (US: behavior); *være i* ~ *med* be about; be in the process of *(fx* China is in the p. of developing into one of the world's greatest shipping nations); *gi seg i* ~ *med* set about, embark on, address oneself to; *hva er på -e?* what's the matter? *det er noe galt på -e* there is something amiss; *det er fare på -e* there is danger afoot, mischief is brewing.

ferdes *vb (reise)* journey, travel; *(være i bevegelse)* move, walk; ~ *i skog og mark* walk about the woods and fields.

ferdig *(rede)* ready; *(fullendt)* finished, done; *(utkjørt)* (absolutely) worn out *(el.* done for), all in, dead-beat; *jeg er helt* ~ *(også)* I'm properly done up; *være* ~ *med* have done with; *er du* ~ *med boka?* have you finished the book? *er du* ~ *med blekket?* have you done with the ink? have you finished using the ink? *jeg er* ~ *med permisjonen min* T my leave is up; *er du først 'nå* ~ *med arbeidet?* haven't you finished your work until now? have you only just finished your work? *gjøre* ~ get ready; *(fullende)* finish; *han er* ~ T he is finished, he is done for, he's had it; *etter denne skandalen er han* ~ this scandal has finished him; T this s. has done for him *(el.* has cooked his goose); *jeg er* ~ *med ham* I'm through with him; I have done with him; *da ekspeditrisen var* ~ *med kunden* when the shopgirl had finished with *(el.* had finished serving) the customer; *(se også beregne & over)*.

ferdighet dexterity, skill, proficiency. **-sfag** *(i skole)* [subject demanding practical skill]. **-smerke** *(for speidere)* merit badge, proficiency badge.

ferdighus prefabricated house; T prefab.

ferdiglaget ready-made.

ferdigprodukt manufactured product; *råprodukter og -er* raw and manufactured products.

ferdigsydd ready-made.

ferdsel (road) traffic; *(se trafikk).*

ferdsels|vei, -åre arterial road.

ferie holidays, holiday; *(især* US) vacation; *dra på* ~ go on a holiday; *reise hjem i -n* go home for the holiday; *to måneder er en lang* ~ two months is a long holiday. **-dag** holiday. **-kurs** holiday course. **-lesning** holiday reading. **-opphold** holiday (stay).

feriere *(vb)* be on a holiday.

ferie|reise holiday trip. **-reisende** holiday maker. **-stemning** holiday mood. **-tur** holiday trip. **-vikar** leave substitute; *(hjelpeekspeditør)* relief counter hand; *-er* casual staff.

ferist cattle grating.

I. ferje *(subst)* ferry boat, ferry.

II. ferje *(vb)* ferry.

ferjeavbrekk: *med* ~ *over de mange fjorder* with ferries across the numerous fjords.

ferje|folk ferrymen. **-mann** ferryman. **-sted** ferry.

ferment ferment.

ferniss varnish. **-ere** varnish.

fernissering varnishing.

fernisseringsdag varnishing-day.

fersk fresh; *(fig)* green; *gripe på* ~ *gjerning* catch red-handed, catch in the (very) act.

fersken ♣ peach.

fersk|het freshness. **-vann** fresh water. **-vanns-** freshwater.

fert scent; *få -en av* scent; *(også fig)* get wind of.

fesja cattle show.

fess ♪ F flat.

fest 1 *(privat)* celebration *(fx* we are having a little c. tonight); *(jvf selskap)*; 2 *(offentlig)* celebration, festival, function, ceremony; 3 *(festmiddag)* feast, banquet; 4 *(barnehjelpsdag, basar, etc, ofte)* fête; 5 *(musikk-)* festival; 6 *(rel)* feast *(fx* the f. of St. Anthony), festival

(fx the great Church festivals); *en stor* ~ (1) a great celebration; T a great to-do; (2) a great festival, an important function; great festivities; (3) a big feast *(el.* banquet); *det var en* ~ *å høre ham* it was a treat to hear him; *(se avslutning).*

fest|aften gala night. **-antrekk** gala (dress), full dress; *(kjole og hvitt)* evening dress. **-arrangør** organizer of a (,the) festival, master of ceremonies; person in charge of the arrangements. **-belysning** illumination. **-blankett** greetings telegram form; *telegram på* ~ greetings telegram. **-dag** *(offentlig)* public holiday; *(kirkelig)* feast day, festival; *(gledesdag)* day of rejoicing *(el.* festivity), great day, gala day, red-letter day. **-deltager** participant (in the celebrations, banquet, etc).

I. feste *(subst)* hold, grip; *(fot-)* foothold, footing.

II. feste *vb* 1 *(holde fest)* celebrate, have a party, have a jollification; feast; 2 *(gjøre fast)* fasten, make fast, secure, fix *(fx* a loose plank); attach; ~ *blikket på* fix one's eyes on; ~ *oppmerksomheten på* fix one's attention on; ~ *noe på papiret* commit sth to paper *(el.* to writing); ~ *seg i erindringen* impress itself on one's memory; ~ *seg ved noe (legge merke til)* notice, take notice of; *(tillegge betydning)* attach importance to; *en -r seg særlig ved at . . .* special importance is attached to the fact that . . .; 3 *(tjenere)* hire *(fx* farm hands), engage *(fx* servants); ~ *seg bort* take service; *la seg* ~ *hos* enter sby's service; *(se huspost).*

festemutter holding nut.

fest|forestilling gala performance. **-humør** festive spirits *(el.* mood).

festivitas festivity.

fest|kledd in gala; festively dressed, gaily dressed; *(i kjole og hvitt)* in evening dress. **-komité** (entertainment) committee, organizing committee. **-konsert** gala concert. **-lig** festive; *en* ~ *anledning* a f. occasion; *(morsom)* amusing; nice, pleasant; T jolly *(fx* how j. to see you again!); *(munter)* lively; ~ *dekorert* gaily decorated; *det var* ~ it was fun. **-ligheter** *(pl)* festivities, celebrations. **-middag** banquet.

festne *(vb)*: ~ *seg (størkne)* harden *(fx* the mixture hardened into a solid mass); *(anta fast form)* assume definite form; *(om språkbruk)* become established; *(se II. feste 2).*

festning ⚔ fortress, fort. **festnings|anlegg** fortification. **-arbeid** fortification. **-verk** fortification. **-vold** rampart.

fest|plass fête grounds. **-program** programme (US: program) (of the festivities). **-sal** assembly hall. **-skrift** memorial volume, homage v., Festschrift; *(NB* a Miscellany in honour of X). **-stemning** festive mood *(el.* atmosphere); *byen var i* ~ the town was in a festive mood; the t. was given up to rejoicing. **-tale** principal speech. **-tog** procession.

fet fat; *-e typer* heavy type *(fx* in h. t.), bold-faced type; *et -t embete* a lucrative office.

fetere *(vb)* make much of, fête.

fetevarehandler provision dealer, pork butcher.

fetevarer *(pl)* delicatessen.

fetisj fetish.

fetisjdyrkelse fetishism, fetish worship.

fetladen running to fat, fattish, on the fat side, plump(ish), somewhat stout, podgy.

fetning fattening.

fetsild fat herring.

fett *(subst)* fat; *(til smøring)* grease; *det er ett* ~ it's all the same *(for meg* to me); *bli stekt i sitt eget* ~ stew in one's own juice; *(glds)* be hoist with one's own petard. **-aktig** fatty. **-dannelse** formation of fat.

fette *(vb)* grease, besmear with grease.

fetter cousin; male cousin. **-skap** cousinship.

fettet greasy.

fett|flekk grease spot. **-gehalt** fat content. **-kjertel** sebaceous gland. **-klump** lump of fat. **-kopp** grease cup. **-lær** greased leather. **-sprøyte** grease gun. **-stoff** fatty substance, fat. **-svulst**

fatty tumour (US: tumor). **-syre** fatty acid. **-vev** adipose (el. fatty) tissue.

Fia (i tegneserie) Maggie; hun er en ordentlig ~ she's a shrew; «~ og Fiinbeck» «Bringing up Father».

fiasko failure, fiasco; T flop; gjøre ~ fail (utterly).

fiber fibre; US fiber.

fideikommiss trust, settlement; (gods) entailed property (el. estate).

fidibus spill, pipe light(er).

fidus (tillit) confidence (til in).

fiende enemy; (glds & poet) foe; dødelig ~ mortal e.; menneskehetens største ~ the greatest enemy of mankind; være en ~ av be an enemy of; skaffe seg -r make enemies; gjøre en til sin ~ make an enemy of sby; gå i -ns tjeneste take service against one's own country.

fiendsk inimical, hostile.

fiendskap enmity; hostility; i ~ med at enmity with.

fiendtlig hostile. **fiendtlighet** hostility; gjenoppta -ene reopen hostilities.

fiff knack, trick.

fiffe (vb): ~ seg have a wash and brush-up, have a clean-up.

fiffig clever; (listig, snedig) cunning, sly; det var ~ gjort that was cleverly done; det var ikke videre ~ gjort that wasn't very smart.

figur figure; gjøre en god ~ make a brilliant show; T cut a dash; gjøre en ynkelig ~ cut a poor figure; ha en god ~ have a good figure; portrett i hel ~ full-length portrait.

figurere (vb) figure.

figurlig figurative.

Fiinbeck (i tegneserie) Jiggs; (se Fia).

fik box on the ear.

fike (vb) box sby's ears.

fiken ♣ fig. **-blad** fig leaf; (danserinnes, etc) cache sex. **-tre** fig tree.

fikle (vb) fumble; ~ med tamper with.

fiks smart; chic; ~ idé fixed idea; ~ og ferdig all ready; det var -t gjort it was a smart piece of work; ~ i tøyet smartly dressed.

fikse vb 1 (merk) bear (the market), sell short, speculate for a fall; 2 (greie å skaffe seg el. ordne) wangle (fx he can always w. a leave); 3. ~ på noe smarten sth up; historien ble -t på av en journalist the story was touched up by a journalist; ~ seg: se fiffe seg.

fiksér|bad fixing bath. **-bilde** puzzle picture.

fiksere vb (fastsette) fix; (se stivt på) look fixedly at, stare hard at.

fiksfakserier (pl) hanky-panky; (dikkedarer) fuss.

fiksjon fiction.

fiksstjerne fixed star.

fil file; (kjøre-) lane; skifte ~ change lanes.

filantrop philanthropist. **-i** philanthropy.

filantropisk philanthropic.

filateli philately, stamp collecting.

filatelist philatelist.

file vb (bearbeide med fil) file.

filer|e (vb) net. **-ing** netting.

filet (stykke av kjøtt el. fisk) fillet; (hos slakt) tenderloin.

filharmonisk philharmonic.

filial branch; åpne en ~ open a branch. **filial|bank** branch bank. **-bestyrer** branch manager. **-kontor** branch office.

filigransarbeid filigree.

filipens pimple, spot; full av -er pimpled, spotty.

Filippinene (geogr) the Philippines.

filister Philistine; (spissborger) philistine. **-i** philistinism.

filkjøring driving in lanes.

fille rag, tatter; rive i -r tear to pieces; samle -r pick rags. **-dukke** rag doll. **-frans** ragamuffin. **-gamp** jade. **-greier** (pl) rubbish; det er noen ordentlige ~ it's just r. ! **-kremmer** rag and bone man, rag-man. **-onkel** [father's or mother's

male cousin]; (ofte) uncle (by adoption). **-rye** woven rug, rug. **-tante:** se -onkel.

fillet(e) ragged, tattered.

film film; lyd- sound f.; jeg hørte det på ~ I heard it on the films; jeg hørte uttrykket på en ~ I heard this expression in a f.; kjøre en ~ baklengs run (el. play) a f. backwards; lage en ~ make (el. produce) a f.; se en ~ see a film (el. picture); T do a flick, go to the flicks; spille inn en ~ make a f.; vise fram (el. kjøre) en ~ exhibit a f., run (through) a f.; (se søtladen).

filmarkitekt art director.

film|atelier film studio. **-atisere** film, filmize, make a screen version of. **-atisk** filmic, cinematic. **-avisen** the newsreel. **-byrå** film agency.

filme (vb) film, take a film, make a film; (opptre i film) act in a film (el. in films); ~ (o: gjøre opptak) på stedet shoot location scenes.

film|kontroll film censorship. **-redigering** editing. **-selskap** f. company. **-skuespiller** f. actor, screen a. **-skuespillerinne** f. actress, screen a. **-stjerne** film star. **-tekst** subtitle (fx French films with English subtitles).

filolog philologist; holder of an Arts degree; holder of degree of cand. philol. or cand. mag.; realistene har gjennomgående en kortere studietid enn -ene it is usually quicker to get a science than an Arts degree. **-i** philology. **-isk** philological; ~ student Arts student.

filosof philosopher. **-ere** (vb) philosophize. **-i** philosophy. **-isk** philosophic(al).

filspon (pl) filings.

filt felt.

filter filter, strainer; (se luft-).

filthatt felt hat.

filtre (vb): ~ seg sammen become matted (el. entangled).

filterapparat filter. **filtrere** (vb) filter, strain.

filtrering filtration, straining.

filtrer|papir filter paper. **-pose** jelly-bag.

filt|sko felt shoe. **-såle** felt sole.

filur sly dog; slyboots.

fin fine; (sart) delicate; (fornem) distinguished; (passende) proper; (utsøkt) choice; ha -e fornemmelser have social aspirations; be genteel; det er -e greier! (iron) here's a nice (el. pretty) kettle of fish! here's a fine go! this is a fine mess! (jvf flott); en ~ hentydning a delicate hint; ~ hørsel a quick ear; en ~ iakttager a shrewd observer; en ~ personlighet a noble personality; den -e verden the fashionable world, the w. of fashion; han hadde det -t (i selskapet) he had a fine time (at the party); -t trykk small print; -e nyanser nice shades.

finale finale; (sluttkamp) final, finals (fx he was in the finals).

finans finance; hvordan er det med -ene dine? T how are your finances?

finans|budsjett budget. **-departementet** (i Eng.) the Treasury; US the Treasury Department; (i andre land) the Ministry of Finance. **-er** (pl) finances. **-forvaltning** management of the public revenue (and finance); (vesenet) the Treasury. **-iell** financial; av -e hensyn for f. reasons; ~ støtte f. support. **-ier** financier. **-iere** finance; (støtte) back.

finansiering financing; overta -en av noe undertake the f. of sth, finance sth; sikre -en av et foretagende assure the f. of an enterprise. **finansieringsplan** financing plan (el. scheme el. programme).

finans|mann financier. **-minister** (i Engl.) Chancellor of the Exchequer; US Secretary of the Treasury; (i andre land) Minister of Finance, Finance Minister. **-operasjon** financial transaction; det var ingen ~ it was not a very lucrative proposition. **-politikk** financial policy. **-politisk** politico-financial. **-rådmann** chief financial officer. **-toll** fiscal duty. **-utvalg** finance committee; (i England dels:) the Committee of Ways and Means; (dels:) the Committee of

Supply. **-vesen** finance (department). **-år** financial year.

fin|brenne (*vb*) refine. **-bygd** delicate, delicately built, of delicate build.

fin|er veneer; (*kryss-*) plywood. **-ere** (*vb*) veneer.

finesse subtlety; nicety, finer point (*fx* the f. points of the game); *det er en ~ ved dette apparatet* there is a special point about this apparatus.

finfin A one, superfine, tip-top.

finfølelse delicacy, tact.

finger finger; *ha en ~ med i spillet* have a f. in the pie; *vil ikke røre en ~ for å* will not lift a finger to; *gi ham en ~*, og han tar hele hånden give him an inch and he will take an ell; *fingrene av fatet!* hands off! *han klør i fingrene etter å . . .* his fingers itch to . . ; *få fingrene i* lay hands on; *se gjennom fingrene med* connive at, wink at; *få over fingrene* get a rap on the knuckles; *jeg skal ikke legge fingrene imellom* I shall not spare him (,her, etc); *telle på fingrene* count on one's fingers; *han kan det på fingrene* he has it at his fingers' ends; *se en på fingrene* watch sby closely, keep an eye on sby; *han har et øye på hver ~* he has all his eyes about him.

fingeravtrykk fingerprint.

fingerbredde the breadth of a finger, finger's breadth (*fx* two fingers' breadths).

fingerbøl thimble; (*for kasserer, etc*) fingerette.

fingere (*vb*) feign, pretend, simulate.

fingerferdig handy, dexterous, good with one's hands, skilful (*el.* deft) with one's fingers.

finger|ferdighet handiness, dexterity; *♪* skill of execution. **-kløe** itching fingers. **-krampe** cramp in the finger(s); (*fagl*) dactylospasm (of the finger). **-kyss** blown kiss; *sende en et ~* blow sby a kiss. **-nem** handy, dexterous, good with one's hands. **-nemhet** handiness, dexterity. **-pek** hint, intimation, pointer, lead (*fx* give me a lead); (*jvf pekefinger*).

finger|setning (*på piano*) fingering. **-smokk** (*bandasje*) finger-stall; T dolly. **-spiss** finger tip; *hun er kunstnerinne til -ene* she is an artist to her finger tips; she is an a. through and through; *han kjente det helt ut i -ene* he could feel it right down to his finger tips; (*se -tupp*). **-språk** finger language, manual alphabet. **-tupp** finger end, f. tip, end (*el.* tip) of the finger; (*se -spiss*). **-tykk** as thick as a finger, about half an inch thick. **-øvelser** (*pl*) finger exercises.

fingre (*vb*) finger; *~ ved noe* f. sth.

finhet fineness, delicacy.

fin|innstille, -justere trim, tune (*fx* the engine).

finkam small-toothed comb.

finke *♭* (*fugl*) finch.

finkjemme (*vb*) comb (*fx* a wood for missing children).

finkornet fine-grained.

fin|male (*vb*) grind small. **-masket** fine-meshed.

finmekaniker instrument maker, precision mechanic.

finn Laplander, Lapp.

I. **finne** (*finnlender*) Finn.

II. **finne** (*på fisk*) fin.

III. **finne** (*i huden*) blackhead, pimple.

IV. **finne** (*vb*) find; *jeg kan ikke ~ boka akkurat nå* (*også*) I can't lay my hands on the book just now; *~ døden* meet one's death; *~ kjøpere* find buyers; *~ leilighet* find an opportunity; *~ sted* take place; *dersom De -r for godt* if you think proper, if you choose; *~ fram* find, bring to light; find one's way; *hunden hans er helt usedvanlig flink til å ~ hjem igjen* (*også*) his dog has extraordinary homing instincts; *~ igjen* recover; *~ på* think of, hit (up)on; *~ tilbake* find one's way back; *~ ut* find out; *~ ut av* make out; *kan hverken ~ ut eller inn* can make nothing of it; *~ seg i* put up with, stand; submit to; *det er grenser for hva jeg vil ~ meg i* there is a limit to what I will put up with.

finnes *vb* (*passiv av å finne*) be found; (*være til*) be, exist; (*forekomme*) occur, exist.

finne|lønn (finder's) reward. **-r** finder. **-sted** finding place; *♯, ♭* habitat.

finnet (*i ansiktet*) pimpled, spotty.

finnhval *♭* fin whale, finback, finner.

Finn|land Finland. **f-lender** Finn. **-mark** the Finmark.

finnsko [Lapp slippers of reindeer skin].

fin|pusse (*vb*) clean, polish; (*pynte på*) trim; (*legge siste hånd på*) finish; (*mur*) lay on (*el.* apply) the setting coat; *~ noe* (*fig*) give the finishing touch to; *bruk en del tid på å ~ besvarelsen omhyggelig* spend some time in careful revision of your work. **-sikte** sift finely.

finsk Finnish.

Finskebukta the Gulf of Finland.

fin|skåret cut fine, shredded (*fx* tobacco). **-spist**: *være ~* be a small eater. **-støtt** finely powdered.

finte (*i fektekunst*) feint; (*list*) trick, ruse; (*spydighet*) jibe, dig (*fx* that was a d. at me); *en velplassert ~* a home thrust.

fintfølende sensitive, delicate.

finvask fine washing.

fiol *♯* violet. **-blå** violet.

fiolett violet.

fiolin *♪* violin; T fiddle; *spille annen ~* (*fig*) play second fiddle. **-bue** violin bow.

fiolinist violinist.

fiolin|kasse violin case. **-nøkkel** violin clef. **-stol** bridge of a violin. **-streng** string of a violin. **-virtuos** virtuoso on the violin; great violinist.

fiolon|sell *♪* violoncello. **-sellist** violoncellist.

fiolrot *♯* orris root.

fippskjegg pointed beard, goatee.

fir|bent four-legged, four-footed, quadruped; *et ~ dyr* a quadruped; *våre -e venner* our animal friends. **-bladet** *♯* four-leaved; (*om propell*) four -blade. **-dobbelt** quadruple, fourfold; *det -e beløp* four times the amount, an a. four times as large. **-doble** quadruple, multiply by four.

I. **fire** (*tallord*) four; *på alle ~* on all fours; *i ~ eksemplarer* in four copies, in quadruplicate; *~ lange* (*i poker*) four of a kind; *tjue-* twenty-four.

II. **fire** (*vb*) ease off, pay out (*fx* a line); veer (away); lower; (*fig*) yield, give way.

firedel fourth, quarter.

Firenze Florence.

firetakts- four-stroke (*fx* a f.-s. engine).

firetall (the figure) four.

fir|fisle *♭* lizard. **-hendig** *♪* for four hands. **-hendt** four-handed. **-kant** quadrangle. **-kantet** quadrangular. **-klang** seventh chord. **-kløver** *♯* four-leaf clover; (*fire*) quartet. **-kort** *♣* happy families.

firling quadruplet; *få -er* give birth to quadruplets.

firma firm; *under ~* under the style of.

firmafortegnelse (*bransjefortegnelse i telefonkatalog*) classified directory.

firmament firmament.

firma|merke trade mark. **-navn** firm name. **-stempel** firm's stamp.

firmenning third cousin.

firskåren square(-built), thickset, stocky.

fir|spann: *kjøre med ~* drive four-in-hand. **-spenner** four-horse(d) carriage. **-sprang**: *i fullt ~* at a gallop, at full speed.

fir|stemmig *♪* four-part. **-strøken** *♪* four-lined.

firtoms four-inch.

firårig four-year-old.

fis (*vulg*) wind; (*vulg*) fart. **fise** *vb* (*vulg*) break wind; (*vulg*) fart.

fisk fish; (*typ*) pie; *så frisk som en ~* fresh as a daisy, fit as a fiddle; *hverken fugl eller ~* neither fish nor flesh nor good red herring; neither (the) one thing nor the other; *falle i ~* go wrong, go to pot; (*typ*) be pied; *våre planer falt fullstendig i ~* our plans came to nothing, our plans fell about our ears; *i slikt selskap føler jeg meg som en ~ på land* in such company I feel like a fish out of water; *jeg føler*

meg som -en i vannet I feel completely in my element; I feel just right.
I. fiske (*subst*) fishery, fishing; *ha ~ som levevei* fish for a living.
II. fiske (*vb*) fish, angle (for fish); *~ i en elv* fish a river; *~ ørret* fish for trout; *han er flink til å ~ (også)* he is good with rod and line; *~ i rørt vann* fish in troubled waters; *~ tomt* unstock, draw.
fiske|agn bait. **-aktig** fishlike, fishy. **-avl** pisciculture. **-ben** fishbone; (*ski*) herring-bone. **-bestand** (fish) stock, stock(s) of fish; fisheries resources; (*i statistikk, også*) fish population. **-blære** sound. **-bolle** fish ball. **-brygge** fish pier. **-brønn** (*i båt*) fish-room, well; (*for levende fisk*) live-well. **-båt** fishing boat (*el.* smack). **-fangst** (*utbytte*) haul, catch. **-farse** [minced fish]. **-garn** fishing net. **-gjelle** gill. **-greier** (*pl*) fishing tackle. **-handler** fishmonger. **-hermetikk** tinned fish (products); US canned fish. **-kake** fish cake. **-kort** fishing licence. **-krok** fishhook. **-lim** fish -glue. **-lukt** smell of fish, fishy smell. **-lykke:** *kanskje De vil prøve -n?* perhaps you would like to try some angling? **-melke** milt, soft roe.
fisker fisherman; (*sports-*) angler. **-båt** fishing boat (*el.* smack).
fiske|redskap: *se -greier.* **-rett** fish dish; (*rettighet*) right of fishing, fishing right(s).
fiskeri fishery.
fiskeri|departementet the Ministry of Fisheries. **-grense** fishing limit (*fx* a 12-mile f. l.). **-lov** Fisheries Act. **-oppsyn** fishery protection, f. inspection. **-oppsynsskip** f. protection vessel. **-produkter** (*pl*) fish produce.
fiskerisp fish-scale.
fiskerjente fisherman's daughter.
fiskerkone (*som selger fisk*) fisherman's wife; fishwife.
fiskerogn roe, hard roe; (*især gytt*) spawn.
fiske|ruse: *se ruse.* **-skjell** fish-scale. **-skøyte** (fishing) smack. **-snøre** fishing line, fishline. **-spade** fish slice. **-stang** fishing rod. **-stim** shoal of fish. **-torg** fishmarket. **-tur** fishing trip (*el.* expedition); (*ofte =*) fishing holiday (*fx* he is on a f. h. in Norway); *dra på ~* go (out) fishing. **-utklekning** hatching (of fish). **-vann** good lake for fishing. **-vær** 1. fishing station; 2. fishing weather. **-yngel** fry; *sette ut ~ i en elv* stock a river with fry.
fiss ♪ F sharp.
I. fistel 𝄢 fistula.
II. fistel ♪ (*stemme*) falsetto.
fjas foolery, tomfoolery, nonsense.
fjase (*vb*) flirt; *~ bort tiden* fool away one's time.
fjel (*brett*) board.
fjell mountain, hill; (*om grunnen*) rock; *~ og dal* mountain and valley, hill and dale; *skog og ~* (*poet*) wood and fell; *fast som ~* as firm as a rock; *hogd i harde -et* cut out of the solid rock; *på -et* in the mountains; *til -s* up into the mountains.
fjell|bekk (*rivende*) mountain torrent. **-bu** mountain dweller, highlander. **-bygd** mountain parish. **-folk** highlanders, mountain people. **-hammer** crag. **-heimen** (*kan gjengis*) the mountain wilds. **-kam** m. crest. **-kjede** range of mountains. **-klatrer** mountaineer, alpinist. **-kløft** ravine. **-knaus** rock (*fx* the house is shut in between high rocks). **-land** mountainous country. **-lerke** 𝄢 shore lark. **-massiv** mountain mass; massif. **-rabbe** mound of rock; (*jvf åsrygg*) **-ras** rockslide. **-rygg** mountain ridge. **-rype** 𝄢 ptarmigan. **-sikringstjenesten** the mountain rescue service. **-skred** landslide. **-skrent** cliff, precipice. **-stue** mountain inn. **-tind** m. peak. **-tomt** 1. rocky site; 2. site in the mountains. **-topp** mountain top; (*se svimlende*).
fjelltur mountain tour, walking tour in the mountains; (*kortere*) mountain walk; (*det å*) hill-walking; *dra på ~* go on a walking tour in the mountains, go tramping in the mountains.

fjell|vann mountain lake. **-vegg** rock wall. **-vett** common sense in the mountains; *vis sunt ~!* show some common sense in the mountains! **-vidde** mountain plateau. **-ørret** m. trout.
fjerde (*tallord*) fourth; *det ~ bud* the fifth commandment; *for det ~* in the fourth place, fourthly. **-del** fourth (part), quarter; *-s note* ♪ crotchet. **-mann:** *være ~* make a fourth. **-part:** *se -del.*
fjern far, far-off, distant, remote; *i det -e* in the (remote) distance; *fra ~ og nær* from far and near; *det være -t fra meg å* far be it from me to; *ikke den -este idé* om not the remotest idea of; *i en ikke ~ fremtid* in the not distant future; *i en ~ fremtid* at some remote future date; *-e tider* the distant past, d. periods; (*se også fjernt*).
fjerne (*vb*) remove (*fx* soot from the valve heads), take away (*fx* cars taken away by the police); *~ seg* retire, withdraw.
fjernelse removal, withdrawal.
fjern|het remoteness, distance. **-ledning** (*jernb*) transmission line. **-lys** (*på bil*) main (*el.* full *el.* driving) lights, main (*el.* high) beam. **-melder** (*jernb = T lang linje*) distant signal. **-seer** televiewer. **-skriver** teleprinter. **-syn** television, TV; T telly; *se på ~* T look at the telly; (*se også TV*).
-synsapparat TV set.
fjernt (*adv*) far, far off, remotely, distantly.
fjernutløser (*fot*) distance release.
fjernvalg (*tlf*) dialled trunk call; trunk dialling; US direct distance-dialling.
fjernvarme heating from a distant supply source; district heating; US heating from a central heating-plant.
fjes T mug, phiz.
fjetret spell-bound, bewitched.
fjolle (*vb*) behave like an idiot. **fjollet** foolish, silly. **fjollethet** foolishness, silliness.
fjols (drivelling) fool, idiot, halfwit.
fjong stylish, smart.
fjord inlet; (*i nordiske land*) fjord. **-botn** head of the fjord. **-gap** mouth of the fjord; *et ~* the m. of a f.; *-et* the m. of the f.
fjor|gammel: *se årsgammel.* **-kalv** yearling calf.
fjorten (*tallord*) fourteen; *~ dager* a fortnight; US two weeks.
fjortendaglig fortnightly; US every two weeks.
fjortende fourteenth.
fjorten|(de)del fourteenth. **-årig, -års** fourteen -year-old.
fjær feather; plume; (*på lås, etc*) spring; *smykke seg med lånte ~* strut in borrowed feathers; *not og ~* (*i pløyd bord*) groove and tongue; (*se pjusket*).
fjær|aktig feathery. **-ball** shuttlecock. **-blad** spring leaf. **-bukk** spring bracket (*el.* hanger). **-busk** plume. **-dannet** penniform, shaped like a feather. **-dyne** featherbed.
I. fjære (*ebbe*) ebb, ebb-tide, low water; (*strand*) beach, sands.
II. fjære *vb* (*gi etter*) have spring, be resilient, be springy.
fjærende elastic, springy; resilient.
fjær|fe poultry. **-feavl** poultry breeding. **-felling** moulting.
fjæring springing; *uavhengig ~* independent s.
fjær|kledning plumage. **-klipp** (*om hårfasong*) feathercut. **-kre:** *se -fe.* **-lett** feathery, light as a feather. **-opphengning** spring suspension. **-penn** quill (pen). **-ring** circlip. **-sky** cirrus (cloud). **-topp** tuft of feathers, crest. **-vekt** (*sport*) featherweight. **-vilt** winged game, «feather».
fjøl: *se fjel.*
fjør: *se fjær.*
fjøs cowshed, cowhouse; (*i Skottland*) byre, US cow barn. **-drift** dairying. **-stell** dairy management.
fjåset foolish.
fk. (= *forkortet*) abbr., abbrev.; **fk. f.** (= *forkortet for*) abbrev. for.

flabb (*gap*) chaps, jaws; (*nesevis fyr*) impudent fellow; (*laban*) unlicked cub, puppy.
flabbet impertinent, cheeky.
flaberg (naked) rock, flat rock.
flabrød (*flatbrød*) [thin wafer crispbread].
flagg flag; ensign; *føre norsk* ~ fly (*el.* carry) the Norwegian flag; *føre falsk* ~ fly (*el.* sail under) false colours (US: colors); *heise* ~ hoist the flag; *stryke* ~ strike one's colours; *hilse med -et* dip the flag; *seile under falsk* ~ sail under false colours; *han har tonet* ~ (*fig*) he has shown himself in his true colours.
flagg|dag: *offentlig* ~ official flag-flying day; (*se merkedag*). **-duk** bunting.
flagge (*vb*) put out flags, fly a flag; ~ *for* fly the flag in honour of; ~ *på halv stang* fly the f. at half mast.
flaggermus 🦇 bat.
flagging the flying of flags.
flaggline ⚓ flag halyard.
flaggskip flagship.
flagg|smykt gay with flags, beflagged. **-stang** flagstaff.
flagrant flagrant; *in flagranti* in the very act.
flagre *vb* (*også fig*) flutter; (*med vingene*) flap; *-nde lokker* flowing locks.
flak flake; (*av is*) floe.
flakke (*vb*): ~ *om* roam, wander; *med -nde øyne* (*neds*) shifty-eyed.
flakong (small) bottle, flacon.
flaks (*med vingene*) flapping, flutter; T (*hell*): *ha* ~ be in luck, be lucky.
flakse (*vb*) flap; *fuglen -t med vingene* the bird flapped its wings; *han -r med armene* (*ski*) he is wind-milling.
flamingo 🦩 flamingo.
flamlender Fleming.
I. flamme (*subst*) flame; (*i trevirke*) wave (grain); *åpen* ~ naked flame; *bli fyr og* ~ *for* become enthusiastic about; *står i -r* is in flames.
II. flamme *vb* (*brenne*) blaze; flame; *en -nde ild* a blazing fire; ~ *i været* flare up, blaze up.
flamme|hav sea of flame; blaze; *omkomme i -havet* perish in the flames. **-skjær** fiery glow. **-skrift** fiery characters. **-spill** the play of flames; *det levende* ~ the open fire, the flickering flames.
flammet waved, flamed.
flamsk Flemish.
Flander|n (*geogr*) Flanders. **f-sk** Flemish.
flanell flannel.
flanellograf flannelboard; *bilde satt opp på* ~ flannelgraph.
flanke flank; *falle i -n* attack in the flank. **-angrep** flank attack.
flankere (*vb*) flank.
flarn snaps; ~ *med smørkrem* butterscotch snaps.
I. flaske bottle; (*medisin- også*) phial; *helle på -r* bottle; *øl på -r* bottled beer.
II. flaske (*vb*): ~ *opp* bring up by hand; ~ *seg* work out, pan out; *det -r seg nok* it will work out all right in the end; *nå begynner det å* ~ *seg* T now things are beginning to hum.
flaske|bakke coaster. **-etikett** label. **-fôr** T drink(s); T booze. **-hals** bottleneck. **-kork** cork, stopper. **-pant** bottle deposit (*fx* 2/- including the b. d.); deposit on the bottle; *betale pant for flaska* pay a deposit (*fx* of 6 d.) on the bottle; *3d. i* ~ 3d. back (*el.* refund) on the bottle. **-post** message enclosed in a bottle (esp. from ship-wrecked mariners, *etc*); drift bottle. **-skår** (*pl*) broken bottles.
flass (*i håret*) dandruff.
flasse (*vb*) be subject to dandruff; ~ *av* peel off; *han -r av på nesen* his nose is peeling.
flat flat; (*jevn*) level, even; (*slukøret*) crest -fallen); *føle seg* ~ feel silly; *den -e hånd* the flat of the hand; *på* ~ *mark* on the flat, on (*el.* along) the level; *slå ham* ~ T wipe the floor with him, knock him into a cocked hat.

flat|brystet flat-chested; T flat as a board. **-brød:** *se flabrød.* **-bunnet** flat-bottomed.
flate 1 (*utstrakt areal*) expanse (*fx* a huge e. of water), sheet (*fx* a broad s. of water, ice, snow); (*slette*) plain, level; 2 (*overflate*) surface; 3 (*flat side*) flat (*fx* the f. of the hand, the f. of the sword); *plan* ~ plane; *skrå* ~ inclined plane.
flate|innhold area. **-lyn** sheet lightning. **-måling** area measuring.
flat|het flatness. **-lus** 🦀 crab louse. **-trykt** flattened.
flatseng shakedown on the floor; *ligge på* ~ have a bed made up on the floor; (*stivere*) be accommodated on the floor.
flattang flat-nose pliers, flat bit.
flattere (*vb*) flatter.
flau 1 (*skamfull*) ashamed; 2 (*pinlig*) embarrassing, awkward; 3 (*banal*) insipid, vapid; 4 (*merk*) dull, slack, stagnant; 5 (*om vind*) light; ~ *vind* light air; 6 (*om smak*) insipid, tasteless, flat, stale; *gjøre en* ~ embarrass sby; ~ *mine* sheepish face; *det ville være -t for oss om ...* we should look pretty silly if ... ; *jeg er* ~ *over at* I am ashamed that; *-t øl* flat beer.
flauhet flatness, dullness (*etc, se flau*).
flause (*fadese*) blunder.
flegma phlegm. **-tiker** phlegmatic person. **-tisk** phlegmatic.
fleinskallet bald.
fleip impertinence, cheek; (*harmløst*) flippancy.
fleipet impertinent, cheeky; (*harmløst*) flippant.
flekk 1. stain, spot, mark; (*liten*) speck; (*større, uregelmessig*) blotch; (*klatt*) blot (*fx* b. of ink); 2 (*merke på dyrs hud, etc, del av mønster*) spot; (*liten*) speckle; *fjerne -er* remove stains; *det setter -er* it leaves spots; *kom ikke av -en* made no progress; *var ikke til å få av -en* could not be induced to move.
flekke (*vb*): ~ *tenner* bare one's teeth.
flekket spotted, stained; (*spettet*) speckled; ~ *sild* split herring; (*se bikkje*).
flekk|pagell (*fisk*) common sea bream. **-steinbitt** (*fisk*) smaller catfish.
flekktyfus 🌡 spotted fever.
fleng: *i* ~ indiscriminately, promiscuously.
I. flenge (*rift*) slash, gash; (*i tøy*) rent, tear.
II. flenge (*vb*) slash; tear.
flens|e (*vb*) flense. **-ing** flensing.
flere more; (*atskillige*) several; (*forskjellige*) various; ... *og enda mange* ~ and many more besides; ~ *ganger* several times; *hvem* ~ ? who else? *ikke* ~ no more; nobody else; *etter* ~ *måneders fravær* after months of absence.
fler|guderi polytheism. **-het** plurality; majority. **-koneri** polygamy. **-sidig** many-sided, versatile; *en* ~ *overenskomst* a multilateral agreement. **-sidighet** versatility. **-stavelsesord** polysyllable. **-stemmig** polyphonic; ~ *sang* (*det å*) part-singing.
flerre (*vb*) tear.
flersylindret: ~ *motor* multi-cylinder engine.
flertall (*pluralis*) the plural (number); (*de fleste*) majority, plurality, generality; *det parti som har* ~ *i kommunestyret* the party which has a majority on the council.
flertallsvelde majority rule.
fler|tydig ambiguous. **-tydighet** ambiguity.
flerårig several years old.
flesk pork; *stekt* ~ = fried ham; *det er smør på* ~ it's the same thing twice over; *du selger* ~! T slip on show! (*fk* S.O.S.), Charlie's deal!
fleske|fett pork fat. **-pannekake** ham pancake. **-pølse** pork sausage. **-svor** (bacon) rind.
flesket fat, flabby.
flest most; *som folk er* ~ like the ordinary run of people; *de -e* most people; *de -e bøkene mine* most of my books; *i de -e tilfelle* in most (*el.* in the majority of) cases.
fletning plait, braid; (*det å flette*) plaiting, braiding.
I. flette (*subst*) plait; (*glds*) braid; (*nedover nakken*) pigtail.

II. flette (*vb*) plait, braid; ~ *en korg* make a basket; ~ *en krans* make a wreath.

flettebånd ribbon for tying plaits.

flid diligence; (*arbeidsomhet*) industry; (*om åndsarbeid, også*) application; *gjøre seg stor* ~ take great pains.

flik flap; corner; ♣ lobe.

flikk (*lapp*) patch.

flikke (*vb*) patch; (*sko*) cobble; ~ *på* patch up.

flikkflakk: *slå* ~ 1 (*gym*) do a fly spring; 2: *se 11. floke.*

flikkverk patching, patchwork.

flimre (*vb*) flicker, shimmer.

flimring (TV) flicker.

flink clever, able; ~ *i historie* clever (*el.* good) at history; *en* ~ *elev* an able pupil, a gifted p.

flint (*steinart*) flint; *fly i* ~ be bursting with rage, fly into a rage; T fly off the handle; go off the deep end; *jeg var så sint på meg selv at jeg kunne fly i* ~ I could kick myself; *hard som* ~ (*om person*) hard as iron (*el.* steel); T tough as nails; tough as old boots.

flintebørse flintlock.

flintestein flint.

flir giggle; (*hånlig*) sneer.

flire (*vb*) giggle; sneer.

I. flis chip, splinter; *få en* ~ *i fingeren* get a splinter in one's finger.

II. flis (*flat stein*) tile; (*i brulegning*) flag(stone); (*vegg-, etc*) tile.

flisegutt (*jernb*) (*stikningsassistent*) assistant surveyor.

flise|lagt flagged; tiled. **-spikkeri** hair-splitting, quibbling. **-t** chippy, splintery.

flitter tinsel. **-stas** tinsel.

flittig hard-working (*fx* a h.-w. pupil), diligent, studious, industrious, sedulous; ~ *besøker* frequent visitor; *gjøre* ~ *bruk av* make diligent use of; *studere* ~ study hard; (*se pliktoppfyllende*).

flo (*mots. ebbe*) flood tide, flood.

flod river. **-bølge** tide (*el.* tidal) wave; (*fig*) flood, wave. **-hest** 🐾 hippopotamus.

I. floke (*subst*) tangle; (*forvikling*) tangle, complication, state of confusion; *i* ~ in a tangle; *løse en* ~ unravel a t., find a way out of a t.; (*se også vrang*).

II. floke: *slå* ~ beat goose, beat booby; (*spøkef*) beat oneself; (*jvf flikkflakk*).

III. floke (*vb*): ~ *seg sammen* become tangled. **floket** tangled, complicated.

flokk (*skare*) troop, party, band, body; (*fe*) herd; (*sauer*) flock; (*hunder, ulver*) pack; (*fugler*) flight, flock; *ferdes i* ~ be gregarious; *løfte i* ~ pull together, join hands; *i* ~ *og følge* in a body.

flokke *vb* (*samle i flokk*) gather, collect; ~ *seg* flock, crowd, throng.

flokkes (*vb*) flock, crowd, gather; ~ *om* crowd round.

flokkevis: *i* ~ in crowds, in flocks.

flokk|silke spun silk. **-ull** flock (wool).

flokse (*flyfille*) gadabout.

flom flood; (*av ord*) torrent; (*oversvømmelse*) inundation, flood(s); *jeg håper du ikke har blitt fordrevet av* -*men* I hope you're not flooded out; -*men krevde 30 menneskeliv* the floods claimed thirty lives (*el.* victims); -*men truer landsbyen* the floods are threatening the village.

flom|belysning flood lighting (*el.* lights). **-belyst** flood-lit. **-herje|t:** *de* -*de områder* the flood-stricken areas. **-løp** spillway.

flomme (*vb*): ~ *over* overflow, run over.

flomskade damage caused by floods; *bygningene har fått store* -*r* the buildings have been badly damaged by the floods.

flomvann floods, flood water; *brua ble revet bort av* -*et* the bridge was swept away by the flood(s).

flo|mål (*el.* -*merke*) high water mark.

I. flor (*sørgeflor*) crape.

II. flor (*blomstring*) bloom, flowering, blossom; *stå i* ~ bloom, be in full bloom; (*fig*) flourish.

flora ♣ flora.

Floren|s Florence. **f-tiner, f-tinerinne** Florentine. **f-tinsk** Florentine.

florere *vb* (*ha fremgang*) flourish, thrive, prosper.

florett foil. **-fektning** foil-fencing.

floskel empty phrase; *retoriske floskler* flowery rhetoric, flowers of rhetoric.

floss (*lo*) nap.

flosshatt top hat, silk hat; T topper.

flosse (*vb*) fray. **flosset** (*slitt*) frayed.

flotid flood-tide.

flotilje ⚓ flotilla.

flott ⚓ (*flytende*) afloat; (*fin, pyntet*) spruce, smart, dashing; (*rundhåndet*) liberal; generous, free with one's money; ~ *fyr* dashing fellow; *det er* -*e greier* (*anerkjennende*) T that's something like! that's the goods! *bringe* ~ ⚓ get afloat; *komme* ~ get afloat, get off (the ground), be refloated; *leve* ~ live luxuriously; (*jvf fin*).

flotthet extravagance, lavishness.

flotte (*vb*): ~ *seg* spread oneself, do things in style.

flottenheimer person of expensive habits.

flottør float; (*i forgasser*) carburettor float; (*i sisterne*) ball-cock.

flottør|hus (*i forgasser*) carburettor chamber; US carburetor bowl. **-nål** (*i flottørhus*) float spindle (*el.* valve).

flu (*skjær*) reef, shelf.

flue fly; *dø som* -*r* die like flies; *slå to* -*r i ett smekk* kill two birds with one stone; *ha* -*r i hodet* have a bee in one's bonnet; *sette en* -*r i hodet* turn one's head; put ideas into sby's head.

flue|fanger flycatcher, flytrap, flypaper. **-netting** wire gauze. **-papir** flypaper. **-skitt** flyspecks, flyspots. **-smekker** flyswatter. **-snapper** 🐾 (*fugl*) flycatcher. **-sopp** ♣ toadstool.

fluidum fluid, liquid.

fluks (= *straks*) at once, immediately, forthwith.

flukt (*det å flykte, det å fly*) flight; (*fra fangenskap*) escape; *tidens* ~ the flight of time; *vill* ~ rout, disorderly flight (*el.* retreat); *gripe* -*en* take flight; fly, flee; *slå på* ~ put to flight, rout; *i* ~ *med* flush (*el.* level) with, in line with (*fx* in 1. with his previous statements); -*en fra landsbygda* the drift from the country, the flight from the land, the rural exodus.

flukt|forsøk attempted escape, attempt to escape, dash for liberty; (*fra fengsel*) T jailbreak bid; *under et* ~ while attempting to escape. **-stol** deck chair.

fluktu|asjon fluctuation. **-ere** (*vb*) fluctuate.

flunkende: ~ *ny* brand-new.

I. fly *subst* (aero)plane; (*kollektivt*) aircraft; US (*også*) airplane; *han tok* ~ *til X* he took the (*el.* a) plane to X, he went by plane (*el.* air) to X, he flew (*el.* travelled by air) to X; *sende med* ~ send by air.

II. fly (*subst*) mountain plateau.

III. fly (*vb*) fly; (*fare, styrte*) rush, dart; *døra fløy opp* the door flew open; *han har fløyet over Atlanterhavet* he has flown across the Atlantic; ~ *løs på en* fly at sby; (*se flint & flytende*).

fly|alarm air-raid warning, alert; *en kortvarig* ~ a short alert. **-befordring** (*av post*) air transmission. **-dekke** air cover. **-dyktig** airworthy; (*om fugleunge*) fledged.

flyfille T (*neds*) gadabout.

flyge: *se III. fly.*

flygel grand piano, grand.

fly(g)ende: *se flyvende; flyende sint* in a towering rage, in a violent temper.

flyger: *se flyver.*

flyging: *se flyvning.*

flyhavn airport.

flying (*farting*) gadding about.

flykte (*vb*) run away, fly, take flight, flee (*fra* from); (*fra fangenskap*) escape (*fra* from); ~ *for fienden* run away before the enemy.

flyktende fleeing (*fx* the f. troops), fugitive.
flyktig (*kort, ubestandig*) fleeting, passing,
transient, inconstant; (*overfladisk*) superficial,
casual, cursory; (*hurtig*) quick; (*som lett for-
damper*) volatile; *et ~ bekjentskap* a casual
acquaintance; *et ~ blikk* a fleeting glance; *en
~ hilsen* a casual greeting.
flyktighet (*se flyktig*) transitoriness, incon-
stancy, superficiality, quickness; volatility.
flyktning fugitive, runaway; (*politisk*) refugee;
(*p.g.a. militære operasjoner*) displaced person,
D.P.
fly|ledelse (*i lufthavn*) aircraft control. **-maski-
nist** flight engineer. **-mekaniker** air mechanic.
-motor aircraft engine.
flyndre (*fisk*) flounder; (*kollektivt*) flatfish;
konge- plaice; *sand-* sole.
flyoffiser air force officer.
fly|plass aerodrome, airfield. **-post** air mail;
med ~ by a. m. **-rute** (*vei*) airway, air route;
(*befordringstjeneste*) air service; *drive en ~*
operate an a. s. **-selskap** aviation company.
-stevne air display.
flyte *vb* (*renne*) flow, run; (*på vannet*) float; *det
vil ~ blod* there will be bloodshed; *~ over* run
over, overflow. **-bru** floating bridge. **-brygge**
floating stage; *-r* (*pl*) T (*spøkefullt om føtter*)
hoofs; (*om sko*) canoes, beetle (*el.* clod) crushers.
-dokk floating dock. **-evne** buoyancy.
flytende fluid, liquid; (*tale*) fluent; *~ foredrag*
fluency of speech; *tale ~ engelsk* speak English
fluently, speak fluent English; *i ~ tilstand* in a
liquid state; (*se situasjon*).
fly|tid flying time, duration of a (,the) flight;
(*bare om prosjektil*) time of flight; *-tider* (*avgangs-
tider*) flights. **-time** 1. hour flown; 2. flying lesson.
flytning removal.
flytningsgodtgjørelse compensation for removal
expenses, payment of r. e.
flyttbar portable, movable.
flytte (*vb*) move; remove; *~ inn* move in; *~ ned
(en elev)* move (a pupil) down a class; *~ ned (,ut,
etc)* knappene move the buttons down (,out, *etc*);
~ en opp move sby up (to the next form); *han
ble -t opp* he went up, he got his remove, he
moved up; *ikke bli -t opp* (*om elev*) stay down,
not be moved up; US miss being promoted, miss
one's promotion; *han ble ikke -t opp i år* he did not
go up this year; *~ seg* move, make room; *kunne
du ikke ~ deg litt til høyre?* couldn't you move
a little to the right?
flytte|bil furniture van, pantechnicon (van).
-byrå firm of (furniture) removers. **-dag** removing
day. **-folk** (furniture) removers. **-lass** vanful of
furniture; removal load.
flyttfugl ⚓ bird of passage.
flyttsame nomadic Lapp.
fly|tur flight; T hop. **-ulykke** (air) crash;
(*mindre*) flying accident.
flyve: *se III. fly.*
flyve-: *se også sms med fly-.*
flyve|blad leaflet, handbill, flysheet. **-båt**
flying boat, seaplane. **-egenskaper** (*pl*) flying
qualities. **-evne** ability to fly. **-ferdig** (*om fugl*)
fledged. **-fisk** flying fish. **-fjær** flight feather.
-fot foot with a flight membrane. **-idé** (*passing*)
whim (*el.* fancy). **-kunst** aviation, (art of) flying.
flyvende flying; *i ~ fart* post haste, at top
speed; *~ tallerken* flying saucer.
flyver airman, flyer, flier; (*som fører maskinen,
også*) pilot; *første-* chief (*el.* first) pilot; *annen-*
second pilot, co-pilot, relief pilot.
flyvertinne air hostess, stewardess.
flyvesand shifting sand; (*om strekninger*)
shifting sands.
fly|vinge wing. **-virksomhet** air activity.
flyvning flying, aviation.
flø (*om sjø*): *det -r* there is a rising tide, the
tide is up.
flørt flirtation; (*person*) flirt. **flørte** (*vb*) flirt.
I. fløte (*subst*) cream; *skumme -n* skim the milk,

skim the cream off (the milk); (*fig*) take the
lion's share.
II. fløte (*vb*) float, raft (*fx* timber); US drive.
fløte|aktig cream. **-fjes** sissy face. **-horn** (*kake*)
cream horn, French horn. **-kopp:** *se romkake.*
-mugge cream jug. **-saus** cream sauce.
fløtning floating, rafting; US log driving.
fløtningsarbeid floating, rafting; US drive
operation.
fløy (*vind-*) vane; (*av bygning*) wing; (*av dør*)
leaf. **-dør** folding door.
fløyel velvet.
fløyels|aktig velvet. **-bløtt** soft as velvet,
velvety.
fløymann ✕ pivot.
fløyt (*subst*) whistle; (*fugle-*) call (*fx* the call
of a bird).
I. fløyte (*subst*) ♪ flute; (*pipe*) whistle, pipe.
II. fløyte (*vb*) whistle, pipe; *toget -t* the train
whistled (*elekt:* hooted).
fløyteklaff ♪ flute key.
fløyten: *gå ~* go by the board, go west, go
phut; *så gikk det ~!* then 'that's finished, that's
torn it! that was that! *så gikk den ferien ~*
(*også*) then that holiday was (*el.* is) washed out.
fløyte|spiller flute player, flutist, flautist.
-stemme flute (part). **-tone** flute tone, flutelike
note.
fløyting whistling; piping.
flå (*vb*) flay, skin; (*fig*) fleece; *~ av* strip off;
-dd til skinnet (*fig*) bled white; (*se også overgang*).
flåeri fleecing, extortion.
flåhakke (*vb*) pare the turf off.
flåing flaying, skinning.
flåkjeft loose talker. **-et** flippant, loose
-mouthed.
flåseri flippancy, disrespect.
flåset flippant, loose-mouthed, disrespectful.
flåte 1 (*tømmer-*) (timber) raft; *rednings-* life
raft; 2 (*samling skip*) fleet (*fx* a f. of 50 ships;
the fishing f.; a steamship f.; a f. of whalers)
koffardi- f. of merchantmen; 3 (*marine*): *Flåten* the
Navy; *handels-* merchant (*el.* mercantile) marine,
merchant navy; *hjemme-* Home Fleet; *liten
~* flotilla.
flåte|basis naval base. **-besøk** visit of naval
units. **-demonstrasjon** naval demonstration.
-manøver naval manoeuvre. **-mønstring** naval
review. **-stasjon** naval base, naval station.
fnatt ♀ itch, scabies. **-et** itchy. **-midd** itch mite,
scab mite.
fnise (*vb*) giggle, titter. **fnising** giggle, titter.
fnokk ⚘ pappus.
fnugg mote (of dust); (*snø-*) flake, snowflake;
(*fig*) scrap, shred.
fnyse (*vb*) snort; (*fig*) fret (and fume), chafe;
-nde sint fuming with rage. **fnysing** snorting,
snort.
fob (*fritt om bord*) f.o.b. (*fk.f.* free on board).
fogd (*hist*) bailiff.
I. fokk drifting snow; snowstorm.
II. fokk ⚓ (*seil*) foresail.
fokke|bras ⚓ forebrace. **-mast** foremast. **-skjøt**
foresheet.
foksterrier fox terrier.
fokus (*brennpunkt*) focus (*pl:* foci *el.* focuses).
I. fold fold; (*legg*) pleat, fold; (*merke etter fold*)
crease; *legge sitt ansikt i alvorlige -er* put on a
grave face; *komme i sine gamle -er igjen* settle
down (once more) in one's old way; *alt har nå
kommet i sine vante -er igjen* things have gone
back into the old groove; *komme ut av sine
vante -er* be unsettled.
II. fold: *gi fem ~* yield fivefold.
folde (*vb*) fold, pleat; *~ hendene* fold one's
hands; *~ noe sammen* fold up sth; *~ ut* unfold.
folde|kast fold (of drapery). **-kniv** clasp knife.
I. fole ⚘ (*ung hest*) foal; (*hankj.*) colt; (*hunkj.*)
filly.
II. fole *vb* (*føde føll*) foal.
foliant folio.

foliere (*vb*) foil; (*nummerere*) foliate.
folio folio; (*konto*) current account; *på* ~ at call. **folio|ark** foolscap (sheet). **-konto** current account; *innskudd på* ~ deposits at call, demand deposits.
folk (*nasjon*) people (*pl*: peoples); (*mennesker*) people; (*arbeidere*) hands; **-ene** (*tjenerskapet*) the servants; *jeg kjenner mine* ~ I know the type; *hva vil* ~ *si?* what will people say? *hvis det kommer ut blant* ~ if that should get abroad.
folke|avstemning popular vote; (*om grensespørsmål, etc*) plebiscite; (*om lovforslag, etc*) referendum; *holde* ~ take a referendum (,a popular vote), hold (*el.* take) a plebiscite. **-bevegelse** popular movement. **-bibliotek** public library. **-bok** popular book. **-diktning** popular poetry. **-etymologi** popular etymology. **-ferd** race, type. **-fest** national festival, public rejoicing. **-fiende** enemy of the people.
Folkeforbundet the League of Nations.
folke|forlystelse popular entertainment. **-forsamling** popular assembly. **-gave** gift of the people. **-gunst** popularity, popular favour (US: favor). **-hop** crowd of people, mob. **-høgskole** [folk high-school]. **-karakter** national character. **-kirke** national (*el.* established) church. **-komedie** melodrama. **-leder** leader of the people. **-lesning** popular reading.
folkelig popular.
folke|liv street life, crowds; *-livet i Tyskland* German life and manners. **-livsbilde** (*maleri*) crowd picture. **-lynne** national character. **-masse** crowd. **-mengde** 1. population; 2. = *-masse*. **-minner** (*pl*) local traditions. **-minneforskning** folklore. **-munne:** *komme på* ~ get oneself talked about. **-møte** popular meeting.
folkeopplysning enlightenment of the people, general education; *-en står høyt* the standard of general education is high.
folke|parti popular party. **-rase** race. **-register** national register; (*kontor*) registration office. **-reisning** popular rising. **-representasjon** representation of the people, parliament, legislature. **-rett** international law. **-rik** populous. **-sak** national question; national cause. **-sagn** legend. **-skare** crowd of people. **-skikk** (national) custom; (*veloppdragenhet*) good manners, mannerliness; *han har ikke* ~ he has no manners; *utenfor -en* miles from anywhere, at the back of beyond. **-skole** primary school; US grade school. **-skolelærer** primary school teacher. **-slag** people, nation. **-snakk** talk, gossip, scandal. **-språk** popular idiom. **-stamme** group (of peoples), race. **-stemning** public feeling. **-taler** popular speaker. **-telling** census. **-tellingsliste** census paper. **-tom** deserted. **-tribun** tribune (of the people). **-vandring** migration (of nations, tribes). **-venn** friend of the people. **-vilje** national will. **-vise** folk song, ballad. **-væpning** arming of the people. **-ånd** national spirit.
folklore folklore. **folklorist** folklorist.
folksom much frequented, crowded, populous.
folunge: *se føll*.
fomle (*vb*) fumble (*etter* for; *med* with).
fommel (*klosset person*) bungler.
fond fund; (*kapital*) funds; (*til støtte for kunst, vitenskap, etc*) foundation.
fonds|børs stock exchange. **-marked** stock market.
fone|tiker phonetician. **-tikk** phonetics. **-tisk** phonetic.
fonn (*snø-*) snowdrift.
fonograf phonograph.
font font, baptismal font.
fontene fountain.
I. fôr (*til klær*) lining (*fx* silk l.).
II. fôr (*for dyr*) feed, fodder (*fx* dry fodder); (*kraft-*) feeding stuff(s); *gi hestene* ~ bait (*el.* feed) the horses, give the h. a feed.
III. for (*prep*) **1** (*foran*) before, at (*fx* throw oneself at sby's feet; before my (very) eyes);

lukke døra ~ (*nesen på*) *en* shut the door in sby's face; *jeg ser det* ~ *meg* I can see it; *jeg ser ham* ~ *meg* I see him in my mind's eye; I can picture him; *se seg* ~ look where one is going; *sove* ~ *åpne vinduer* sleep with the windows open; *vike tilbake* ~ shrink from; *det er gardiner* ~ *vinduene* there are curtains at the windows; **2** (*til beste for, bestemt for, for å oppnå, på grunn av*) for (*fx* work, fight, speak for sby; I will do it for you); *begynne* ~ *seg selv* set up for oneself; *erklære seg* ~ *noe* declare oneself in favour (US: favor) of sth, declare for sth; *være stemt* ~ *noe* be in favour of sth, be for sth; *gjerne* ~ *meg* I don't mind; it's all right with me; I have no objection; **3** (*om interesseforhold*) for, to (*fx* good, pleasant, bad for; a pleasure, a disappointment for; bow, read to; fatal, important, new to; impossible, useful to (*el.* for); a danger, a loss, a surprise to; it is easy, difficult, impossible for him to do it); *åpen* ~ *publikum* open to the public; (*til forsvar mot*) from, to (*fx* close one's door to; conceal from); *søke ly* ~ take shelter from; **5** (*med hensyn til*) to, from; *fri* ~ free from; *blind* ~ blind to; *være fremmed* ~ be a stranger to; *ha øre* ~ *musikk* have an ear for music; **6** (*beregnet på*) for; *leie et hus* ~ *sommeren* take a house for the summer; ~ *godt* for good; **7** (*istedenfor, til gjengjeld for*) for (*fx* he answered for me; pay 7/6 for a book); *2* % *rabatt* ~ *kontant betaling* 2 % discount on (*el.* for) cash payment; *jeg kjøpte den* ~ *mine egne penger* I bought it with my own money; *han spiser* ~ *to* he eats enough for two; **8** (*om fastsatt pris*) at (*fx* these are sold at 6d. a piece); **9** (*hver enkelt for seg*) by, for (*fx* day by day; word for word); **10.** for å (*med infinitiv*) to, in order to; ~ *ikke å* (so as) not to; ~ *ikke å snakke om* not to mention, let alone; **11** (*andre tilfelle*) *bo* ~ *seg selv* live by oneself; *hva er dette* ~ *noe?* what is this? ~ *lenge siden* long ago; ~ *hver gang jeg ser ham* every time I see him; *til venstre* ~ to the left of; *av frykt* ~ for fear of; *varer* ~ *£30* thirty pounds' worth of goods, £30 worth of goods; *stoffet kan være like godt* ~ *det* the material need not be any worse for that; *jeg kan ikke gjøre noe* ~ *det* I cannot help it; *jeg kan ikke hjelpe* ~ *at han er...* I cannot help his being...; *denne påstand har meget* ~ *seg* there is a strong case for such an assertion; *det er en sak* ~ *seg* that is a thing apart; *i en klasse* ~ *seg* in a class apart; *denne maskinen må pakkes* ~ *seg* this machine must be packed separately (*el.* in a separate case); *det er bra nok i og* ~ *seg, men...* it is good enough in its way, but...
IV. for *adv* (*altfor*) too (*fx* too big, too much); *en* ~ *vanskelig oppgave* too difficult a task, a too difficult t.; *han er* ~ *gammel for denne stillingen* he is too old a man for this post; ~ *og imot* for and against, pro and con (*fx* we argued the matter pro and con); *grunnene* ~ *og imot* the pros and cons (of the matter); *det kan sies meget* ~ *og imot* there is a great deal to be said on both sides; *fra* ~ *til akter* ⚓ from stem to stern.
V. for (*konj*) for, because (*fx* don't call me Sir, because I won't have it; he ran, for he was afraid); ~ *at: se forat*.
foraksel front axle.
forakt contempt (*for* for), disdain, scorn; *nære* ~ *for* feel contempt for; *med* ~ *for* in contempt of.
forakte (*vb*) despise, disdain, scorn, hold in contempt; *ikke å* ~ not to be despised (*el.* disdained); T not to be sneezed at.
foraktelig (*som fortjener forakt*) contemptible, despicable; (*som viser forakt*) contemptuous.
foraktelighet contemptibleness.
foran (*prep*) before, in front of; (*adv*) before, in front, in advance; ~ *i boka* somewhere in the earlier part of the book; at the beginning of the b.; *gå* ~ take the lead; *holde seg* ~ keep the lead, keep ahead; *komme* ~ take the lead; *være* ~ lead.

foranderlig changeable, variable; fickle, inconstant. **-het** changeability, variability, fickleness.

forandre (vb) change; alter, convert; *det -r saken* that alters the case; ~ *seg* change.

forandring change, alteration; *til en* ~ by way of variation, for a change; ~ *fryder* variety is the spice of life; a change is as good as a rest.

forankre (vb) anchor. **-t** (*fig*) deeply rooted; *en dypt* ~ *fordom* a deeply ingrained prejudice.

foranled|ige (vb) bring about, occasion, give rise to; (*føre til*) lead to. **-ning** occasion, cause; *ved minste* ~ on the slightest provocation.

foranstalt|e (vb) cause to be done, arrange. **-ning** (*det å foranstalte noe*) arrangement, organization; (*sikkerhets-*) measure, step; *treffe -er* take (*el.* adopt) measures, take steps, take action; *på min* ~ on my initiative.

foranstående the above; the foregoing.

forarbeid (*subst*) preliminary work.

forarbeide (vb) work, manufacture, make.

forarbeidelse working, making, manufacture.

forarg|e (vb) scandalize, give offence to; (*bibl*) offend; *-es over* be scandalized at. **-elig** scandalous, shocking; annoying, irritating. **-else** scandal, offence; indignation; *vekke* ~ cause offence; *ta* ~ *av* take offence at, be scandalized at; *til stor* ~ *for* to the great annoyance of.

forarm|e (vb) impoverish. **-else** impoverishment. **-et** impoverished.

forat (*konj*) that, in order that; so that; *vi fortet oss* ~ *vi ikke skulle komme for sent* we hurried so as not to be late; we hurried in order not to be late.

forband (*i mur*) bond.

forbann|e (vb) curse; damn; ~ *seg på at* swear that. **-else** curse; imprecation; malediction; *mitt livs* ~ the curse of my life.

forbannet accursed, cursed; T damn(ed), confounded, damnable, beastly; (*grovt uttrykk*) bloody (*fx* I wish that b. rain would stop).

forbarm|e (vb): ~ *seg over* take pity on, have mercy on; have pity on, have compassion on. *Gud* ~ *seg*! (God) bless my soul! **-else** compassion, pity.

forbasket confounded, infernal; T blooming.

forbaus|e (vb) surprise, astonish; (*jvf forbløffe*). **-else** surprise, astonishment; (*se også størst*). **-ende** surprising, astonishing; *et* ~ *godt resultat* a surprisingly good result.

forbauset surprised; *sette opp et* ~ *ansikt* put on a s. face; (*adv*) in surprise.

forbed|re (vb) better, improve, amend; ~ *seg* improve, reform. **-ring** improvement, betterment; amelioration; amendment. **-ringsanstalt** reformatory; (*i England*) Borstal institution.

forbehold reservation, proviso; *jeg sier det med alt* ~ I speak under correction.

forbeholde (vb): ~ *seg* reserve (for oneself); (*se betinge & enerett*).

forbeholden reserved. **-het** reserve.

forbe(i)n foreleg.

forbe(i)|nes (vb) ossify. **-ning** ossification.

forbered|e (vb) prepare; ~ *en på noe* prepare sby for sth.; ~ *seg på en lekse* prepare a lesson. **-else** preparation; *treffe -r til* make preparations for.

forberedende preparatory; ~ *prøve* (*ved Universitetet*) preliminary examination (*fx* in Latin).

forberedelseshugst liberation felling (US: cutting), preparatory felling (US: cutting).

forberg promontory; headland, foreland.

fôrbete 🌿 mangel(-wurzel).

forbi (*prep*) by, past; beyond; *adv* (*om sted*) by, past; (*om tid*) at an end, gone, over; *gjøre det* ~ (*om forlovelse*) break it off; *gå* ~ go by, pass by, go past; *veien går like* ~ *landsbyen* the road runs quite close to the village; (*jvf forbigå*); *kjøre* ~ drive past; *det er* ~ *med ham* it is all over with him; *komme* ~ get past, get by (*fx* please let me get by); *skyte* ~ miss; (*se snakke*).

forbi|gå (vb) pass over; (*utelate*) omit, leave out; (*ved forfremmelse*) pass over; ~ *en feil* (ɔ: *ikke kommentere*) pass (*el.* gloss) over a mistake; ~ *i taushet* pass by in silence. **-gåelse** passing over, neglect; (*ved forfremmelse*) failure to promote; omission. **-gående:** *i* ~ in passing, incidentally.

forbikjøring 1. passing; 2 (*det å innhente og kjøre forbi*) overtaking; ~ *forbudt!* no overtaking!

forbilde prototype; (*mønster*) model, pattern; *ta til* ~ take as a model.

forbind|e (vb) connect, combine; (*et sår, en såret*) dress, bandage; ~ *en med* (*tlf*) put sby through to; (*se for øvrig*: *sette B*); *jeg -er ingen bestemt forestilling med det* it conveys nothing to me; *forbundet med* (*fx fare*) attended with; *den fare som er forbundet med det* the danger involved; the d. incident to it; *jeg er Dem meget forbunden* I am very much obliged to you.

forbindelse 1 (*sammenheng*) connection; (*berøring, kontakt*) contact; 2 (*bindeledd*) link, tie; 3 (*samferdsel, forbindelse pr. brev, telefon, etc*) communication(s); *få* ~ *med* (*tlf*) get through to (*fx* I can't get through to Bergen); «*Nå har De -n!*» (*tlf*) you're through; US you're connected; *jeg ringer Dem så snart jeg har fått* ~ I'll ring you when I get through; 4 (*befordringstjeneste*) service (*fx* the s. between Bergen and Newcastle; the air s. to India); *det er bra med -r dit* the place is well served by public transport; 5 (*handelsforbindelse*) connection (*fx* he is one of our best connections), friend; (*i bankspråk*: *om utenlandsk bankforbindelse*) correspondent; (*om forholdet*) relations, connection; (*mellomfolkelig*) intercourse; *ha forretnings- med* have business relations with (*el.* connections) with, have dealings with; *ha gode -r have* good connections; T have a friend at court; *med de rette -r er intet umulig* you can do anything with a little string-pulling; *sette seg i* ~ *med* get into connection (*el.* touch) with, contact, make contact with; *tre i* ~ *med* enter into connection (*el.* business relations) with; 6 (*om interesseforhold, tilknytning*) association, connection; *han har nær* ~ *med* he is closely associated with; 7 🜨 compound; 8 (*mekanisk*) joint, connection; 9 (*av ord*) collocation, combination; (*vending*) phrase; (*se også sammenheng*).

forbindelses|ledd (connecting) link, connection, joint; *tjene som* ~ *mellom* form a link between. **-linje** ⚔ line of communication. **-mutter** union nut. **-punkt** junction, point of union. **-rør** connecting pipe.

forbinding dressing, bandaging.

forbindingssaker (*pl*) dressing materials (*el.* appliances).

forbindtlig obliging. **-het** (*forpliktelse*) obligation; (*høflighet*) obligingness; *uten* ~ (*merk*) without any obligation, without engagement; (*jur, merk*) without prejudice (*fx* we give you this information w. p.).

forbistret confounded; (*adv*) confoundedly.

forbitre (vb) embitter; *-t over* exasperated at. **-lse** embitterment; exasperation.

forbli (vb) remain, stay.

forblind|et (vb) blind. **-else** blindness, infatuation.

forblommet covert, ambiguous; enigmatic, equivocal; *la en forstå på en* ~ *måte at . . .* hint darkly that. . .

forblø (vb): ~ *seg* bleed to death.

forblødning bleeding to death; loss of blood, haemorrhage; (*især* US) hemorrhage.

forbløffe (vb) amaze, take aback, disconcert; astound; (*sterkt*) dumbfound, nonplus; T flabbergast; *uten å la seg* ~ unperturbedly; *det -t ham* (*også*) it staggered him; T it made him sit up.

forbløffelse amazement, bewilderment; *til alminnelig* ~ to the a. of everybody; *til hans* ~ to his amazement.

forbløffende amazing, astounding, staggering; ~ *hurtig* with amazing rapidity.

forbløffet amazed, astounded, taken aback, disconcerted.

forblåst (*om sted*) windswept.
forbokstav initial.
forbrenne (*vb*) burn.
forbrenning burning; ♂ combustion; (*brannsår*) burn(s); *en førstegrads*- a first-degree burn. **-smotor** internal combustion engine. **-sprodukt** product of combustion. **-srom** combustion chamber.
forbrent burnt; (*av sola*) scorched; (*jvf sol-*).
forbruk consumption; *en stigning i det personlige* ~ a rise in personal consumption.
forbruk|e (*vb*) consume, use. **-er** consumer.
forbrukerråd consumers' council.
forbruks|artikler (*pl*) articles of consumption. **-avgift** consumption tax; excise (duty).
forbruks|forening co-operative society. **-varer** (*pl*) consumer(s') goods.
forbryte *vb* (*fortape*) forfeit; *hva har jeg forbrutt?* what is my offence? ~ *seg* offend, commit an offence.
forbrytelse crime; (*alvorligere*) felony; (*forseelse*) misdemeanour.
forbryter criminal.
forbryter|ansikt the face of a criminal, jailbird face. **-bane** a career of crime. **-sk** criminal.
forbryterspire budding criminal.
forbud (*det å forby*) prohibition; *nedlegge* ~ *mot* prohibit.
forbuden forbidden; ~ *frukt smaker best* forbidden fruit is sweet.
forbudslov Prohibition law.
forbudsmann, forbudstilhenger prohibitionist.
forbudsvennlig prohibitionist.
forbund federation, association; (*mellom stater*) confederation, alliance, league; *slutte et* ~ enter into a league (*med* with).
forbunden obliged (*fx* we are much o. to you for your prompt reply); (*se forbinde*).
forbunds|felle ally. **-stat** federal state.
forby (*vb*) forbid; (*særlig ved lov*) prohibit; *strengt forbudt* strictly prohibited; *det -r seg selv* it is out of the question; it is simply impossible.
forbygning 1. front building; 2. retaining wall, prop.
forbytning exchange (by mistake); *ved en* ~ by a mistake.
forbytte (*vb*): *jeg har fått hatten min -t* I have got a wrong hat by mistake; *et -t barn* a changeling.
forbønn intercession; *gå i* ~ *for meg hos* intercede for me with.
force majeure Act of God (*el.* Providence), force majeure, vis major; *det er* ~ it is a case of force majeure.
fordamp|e (*vb*) evaporate. **-ning** evaporation.
fordanser leader (of a dance).
fordekk ⚓ fore deck; (*på bil, sykkel*) front tyre (US: tire).
fordekt covert; (*adv*) covertly; *drive et* ~ *spill* play an underhand game.
fordektig (*adj*) suspicious.
fordel advantage; (*vinning*) gain, profit; *-er og mangler* advantages and disadvantages; *med* ~ profitably, with advantage; *til* ~ *for* to the benefit of; *vise seg til sin* ~ appear to advantage; *høste* ~ *av* derive advantage (*el.* benefit) from, profit by; *forandre seg til sin* ~ change for the better.
fordelaktig advantageous, favourable (US: favorable); *et* ~ *ytre* a prepossessing appearance; *et mindre* ~ *ytre* an unprepossessing a.; *vise seg fra den -ste siden* appear to the best advantage.
fordel|e (*vb*) distribute, apportion, divide; (*spre*) disperse; ~ *rollene* assign the parts; ~ *seg på* be spread over. **-er** (*i motor*) ignition distributor. **-ing** distribution, division, apportionment; dispersion. **-ingsskive** distributor disc (*el.* disk).
forderve (*vb*) spoil; (*skade*) damage; (*moralsk*) pervert, deprave; corrupt; *for lite og for meget -r alt* enough is as good as a feast; moderation in all things.
fordervelig pernicious; (*se bedervelig*).

fordervelse ruin, destruction, corruption, depravation, depravity; *styrte en i* ~ ruin sby.
fordervet depraved, corrupt, demoralized; *arbeide seg* ~ work oneself to the bone; *le seg* ~ be ready to die with laughing; *slå en* ~ beat sby up, beat sby black and blue.
fordi because; *om ikke annet så* ~ if only because; *hadde det ikke vært* ~ ... were it not for the fact that ...
fordob|le (*vb*) double, redouble. **-ling** doubling.
fordom prejudice, bias; (*se forankret*). **fordoms|fri** unprejudiced; unbias(s)ed. **-frihet** freedom from prejudices. **-full** prejudiced, bias(s)ed.
fordra (*vb*) bear, endure; *jeg kan ikke* ~ *ham* I can't stand him; *jeg kan ikke* ~ *vin* I detest wine; *de kan ikke* ~ *hverandre* they hate each other like poison.
fordragelig tolerant. **-het** toleration, tolerance.
fordre (*vb*) claim, demand, require.
fordrei|e (*vb*) distort, twist; (*forvanske*) pervert, misrepresent; ~ *hodet på en* turn sby's head. **-ning** distortion, perversion.
fordring claim, demand; *beskjedne -er* modest (*el.* moderate) demands; (*til livet*) modest (*el.* moderate) requirements; *en foreldet* ~ a statute -barred debt; *anmelde sin* ~ *i boet* give notice of one's claim against the estate; *stille for store -er til* make too heavy demands on, overtax (*fx* o. one's strength); *utestående -er* outstanding claims (*el.* accounts); (*se også drive:* ~ *inn en fordring*; *foreldes; krav & rett*).
fordrings|full pretentious; (*nøyeregnende*) particular (*fx* he is very p. about his food); (*som stiller strenge krav*) exacting, demanding. **-haver** creditor. **-løs** unassuming, unpretentious, unostentatious. **-løshet** unpretentiousness, unostentatiousness, modesty.
fordriv|e (*vb*) drive away, oust, expel (*fx* the Jews were expelled from the country); dispel (*fx* d. his fears; the sun dispelled the mist); ~ *tiden* while away the time. **-else** driving away, ousting, expulsion.
fordrukken drunken, sottish. **-het** drunkenness, addiction to drink, intemperance, sottishness.
forduft|e (*vb*) evaporate; (*spøkende*) vanish (into thin air), make oneself scarce.
fordum in (the) days of old.
fordummelse reduction to a state of stupidity.
fordums former, quondam.
fordunk|le (*vb*) darken, obscure; (*overstråle*) eclipse, outshine. **-ling** darkening.
fordunst|e (*vb*) evaporate. **-ning** evaporation; (*fra planter*) transpiration.
fordype (*vb*) deepen; ~ *seg i* lose oneself in, become (deeply) absorbed in; *-t i* deep in, buried in; *-t i betraktninger* lost in meditation.
fordypelse absorption.
fordypning depression, hollow (*fx* in the ground); (*mindre, i materiale*) dent, indentation; (*se bulk*) (*i arm, ansikt, smilehull*) dimple; (*i vegg*) recess, niche.
fordyr|e (*vb*) raise the price of; make more expensive. **-else** rise in price, increase in cost; ~ *av* rise in the price of, increase in the cost of.
fordølg|e (*vb*) conceal (*for* from). **-else** concealment.
fordøm|me (*vb*) condemn, denounce; (*bibl*) damn. **-melse** condemnation, denunciation; (*bibl*) damnation.
fordømt (*forbannet*) confounded, damned; ~! damn it! confound it! *de -e* the damned.
fordøy|e (*vb*) digest. **-elig** digestible. **-elighet** digestibility. **-else** digestion; *dårlig* ~ indigestion; (*se hjelpe*). **-elsesorganismen** the digestive apparatus.
I. fôre *vb* (*gi dyr fôr*) feed.
II. fôre *vb* (*sette fôr i*) line; (*med pelsverk*) fur; (*med vatt*) wad.
III. fore (*adv*): *gjøre seg* ~ take (great) pains (*med noe over sth*); *ha noe* ~ have sth in hand;

har du noe ~ *i kveld?* are you doing anything tonight? have you anything on tonight? *sette seg* ~ *å* . . . decide to, set oneself the task of (-ing), set out to, undertake to, take it into one's head to, set one's mind on (-ing) *(fx* he had set his m. on getting it); *han hadde satt seg* ~ *å bevise* he was concerned to prove.
forebringe *(vb)* submit.
forebygge *(vb)* prevent.
forebyggelse prevention; *til* ~ *av* for the p. of.
forebyggende preventive; *et* ~ *middel mot* a prophylactic for; ~ *melding* ✠ pre-emptive bid, shut-out bid.
foredle *(vb)* refine; manufacture, work up, finish.
foredling refinement; (the) finishing (of the goods), processing *(fx* the p. of raw materials); *tre-* wood conversion. **-sindustri** processing industry.
fore|dra *(vb)* deliver; execute. **-drag** *(tale)* address; discourse; *(forelesning)* lecture; *(radio-)* talk; *(fremsigelse)* delivery; *(spill el. sang)* execution; *holde* ~ *om* deliver a lecture on; give a talk on. **-dragsholder** lecturer.
forefalle *(vb)* happen, occur, take place, pass; **-nde** *arbeid* any odd jobs; *han gjorde -nde arbeid* he did odd jobs *(fx* about the farm); he performed any jobs that might turn up.
foregangsmann pioneer, initiator, leader.
fore|gi *(vb)* pretend, allege. **-givende** pretence, pretext; *under* ~ *av* on the pretext of; pretending. **-gripe** *(vb)* anticipate.
foregå *(vb)* take place, go on, be in progress; ~ *andre med et godt eksempel* set a good example to others; *(se tilbaketrekning)*. **-ende** preceding, previous; *den* ~ *dag* the day before, the previous *(el.* preceding) day.
fore|havende intention, purpose, project. **-holde** *(vb)*: ~ *en noe* point out sth to sby.
fore|komme *vb (finnes)* exist, be in evidence *(fx* sharks are in e. along the coast); *(inntreffe)* occur, happen; be met with *(fx* it is met with everywhere in England); be found; *(synes)* seem, appear; *slikt bør da ikke* ~! that sort of thing ought not to happen! *det -r meg at* it appears to me that. **-kommende** obliging. **-kommenhet** obligingness, courtesy, kind attention.
forekomst occurrence, existence.
forelde|s *vb (bli utidsmessig)* become obsolete; **-t** 1. out of date, antiquated, obsolete; 2 *(om fordringer)* barred *(fx* a b. claim); statute-barred *(fx* these debts are s.-b. after three years).
foreldre parents.
foreldreforening parent-teacher committee *(el.* association).
foreldreløs orphan; *et -t barn* an orphan.
foreldremyndighet custody *(fx* she obtained a divorce and c. of the child of the marriage).
forelegg *(fremlagt dokument)* exhibit; *(overslag)* estimate; *(jur, omtr* =) ticket fine; *utferdige* ~ *mot siktede* give the defendant the option of a fine.
forelegge *(vb)* place *(el.* put) before, submit to; *alle negative karakterer skal ha vært forelagt en oppmann (kan gjengis)* all fail marks must have been referred to an extra examiner.
fore|lese *(vb)* lecture *(over* on). **-leser** lecturer.
forelesning lecture; *holde -er over* give lectures on, lecture on; *holde en* ~ *for studentene* give a l. to the students; *gå på -er* attend lectures.
forelesnings|katalog lecture list. **-rekke** course of lectures.
foreligge *(vb)* 1. be, exist, be available *(fx* the figures for last year are not yet available); *-r det noe om det?* is anything known about it? *det -r en misforståelse* there is a mistake; *det -r ikke noe nytt* there is nothing new to report; there is no fresh news; *hvis ikke andre instrukser -r* in the absence of other instructions; 2 *(til drøftelse)* be at issue, be under consideration; *det spørsmål som -r* the question under consideration; *denne sak forelå til behandling* this matter *(el.* question)

came up for discussion; *de saker som -r til behandling (i møte)* the business that lies before the meeting, the items that will come up for consideration; *(se også foreliggende & synes)*.
foreliggende: *den* ~ *sak* the matter *(el.* case) under consideration; the point under discussion; *(i møte, også)* the question before us, the business before the meeting; *i det* ~ *tilfelle* in the present case.
forelske *(vb)*: ~ *seg i* fall in love with.
forelskelse love, falling in love. **forelsket** in love *(i* with); *forelskede blikk* amorous glances.
foreløpig *(adj)* preliminary, provisional; *en* ~ *kvittering* an interim receipt; *en* ~ *ordning* a provisional *(el.* temporary) arrangement; *et* ~ *overslag* a provisional estimate; *en* ~ *undersøkelse* a preliminary investigation; *(adv)* temporarily, provisionally; *(inntil videre)* for the time being, for the present; for the moment *(fx* I can think of nothing else for the m.); so far *(fx* so far I have not seen much of him).
forende front part; ✠ head, bows.
forene *(vb)* unite, join, combine, connect; ~ *det nyttige med det behagelige* combine the pleasant with the useful; combine business with pleasure; ~ *seg* unite; ~ *seg med* join; *la seg* ~ *med* be consistent with; *det lar seg ikke* ~ *med* it is inconsistent with; *(el.* incompatible) with; *De forente nasjoner* the United Nations; *De forente stater* the United States.
forening union, combination; association; *selskapelig* ~ society, club; *i* ~ *combined*, jointly, in concert, between them; *i* ~ *med* coupled *(el.* together) with.
forenings|arbeid committee work *(fx* c. w. takes up a lot of his time). **-liv:** *han er svært aktiv i -et (kan gjengis)* he is on a lot of committees; he is a member of a lot of clubs; *han er en kjent person i stedets* ~ *(kan gjengis)* he is a prominent member of a number of committees in the place.
forenkl|e *(vb)* simplify. **-ing** simplification.
forenlig: ~ *med* consistent *(el.* compatible) with.
fore|satt superior; superior officer. **-sette** *(vb)*: ~ *seg* determine. **-skrevet** prescribed; *(se måte).*
fore|skrive *(vb)* prescribe (sth to sby), order; *loven -skriver* the law provides. **-slå** *(vb)* propose, suggest; *(stille forslag)* propose, move *(fx* I move that the Annual Report be approved). **-speile** *(vb)* hold out expectations (,hopes, prospects, *etc)* of; ~ *seg* picture to oneself, imagine. **-spørre** *(vb)* inquire, ask. **-spørsel** inquiry; *som svar på Deres* ~ *i brev av* . . . in reply to the i. in your letter of . . .; *in r.* to your i. in a letter dated . . .; ~ *om tran* i. for cod-liver oil; *en* ~ *om et firma* an i. about *(el.* respecting) a firm; *Deres brev med* ~ *om vi kan* . . . your letter inquiring whether we can . . .; ~ *om levering av* i. about delivery of; *(se foreta).*
forestille *(vb)* introduce (to); *(foreholde)* represent; *hva skal det* ~? what does that mean? ~ *seg* imagine, picture to oneself; *De kan nok* ~ *Dem* you may easily imagine.
forestilling introduction; exhibition; representation; *(innsigelse)* remonstrance; *(oppførelse)* performance, play; *(begrep)* conception, idea; *uriktig* ~ misconception; *gjøre seg en* ~ *om* form a conception of; *gjøre en* ~ remonstrate with sby.
forestå *(vb)* 1 *(lede)* manage, conduct, be at the head of, be in charge of; *han -r innkjøp av* . . . he is responsible for the purchase of . . .; ~ *et embete* fill an office; 2 *(kunne ventes)* be at hand, approach; be imminent; *hva som -r meg* what awaits me. **-ende** approaching, forthcoming; *(truende)* imminent; *være* ~ *(også)* be in the offing.
foresveve *(vb)*: *det -r meg dunkelt at* I have a dim *(el.* vague) idea that.
fore|ta *(vb)* undertake *(fx* a journey), make *(fx* inquiries); ~ *reparasjoner* do repairs; *ingen ser ut til å ville* ~ *seg noe i sakens anledning* nobody

seems willing to make a move (*el.* to take any steps) in the matter; *intet er avgjort m.h.t. hva som videre skal -tas i saken* nothing has been decided as to further steps in the matter. **-tagende** undertaking, enterprise, venture. **-taksom** enterprising. **-taksomhet** enterprise. **-taksomhetsånd** spirit of enterprise.

forete (*vb*): ~ *seg* overeat.

foreteelse phenomenon (*pl*: phenomena).

foretrede audience; *få* ~ *hos* obtain an audience with.

foretrekke (*vb*) prefer (*for* to).

forett (*adj*) overfed, gorged, surfeited.

forevig|e (*vb*) immortalize, perpetuate; (*fotografere*) photograph. **-else** perpetuation, immortalization.

forevis|e (*vb*) show, exhibit. **-ning** exhibition, showing.

forfall 1 (*om betaling*) maturity, falling due; *ved* ~ when due, on the due date, on maturity; *innfri vekselen ved* ~ meet the bill on m. (*el.* at m.); *etter* ~ after the due date, after m.; *før* ~ before falling due; 2 (*nedgang, oppløsning*) decline, decay; (*om bygning*) disrepair, dilapidation, decay; *komme i* ~ fall into decay; 3 (*motivert uteblivelse*) excuse for absence; *ha lovlig* ~ have a legitimate reason for being absent; *han har lovlig* ~ (*også*) he has legitimate leave of absence.

forfall|e (*vb*) decay; (*veksel, etc*) fall due, mature (for payment), be payable; ~ *til* (*fx drikk*) become addicted to. **-en** decayed, dilapidated, out of repair; payable, due; (*når forfallsdagen er passert*) overdue; (*drikkfeldig*) addicted (*el.* given) to drink.

forfalls|dag (*merk*) due date, day of payment; (*bare om veksler*) date of maturity. **-periode** period of decadence. **-tid** maturity, time of payment; ... *skjønt det var langt over* ~ (*om veksel*) although the bill was long overdue.

forfalsk|e (*vb*) falsify; fake; (*dokument*) forge; (*en vare*) adulterate. **-ning** falsification, faking, forgery; adulteration.

forfatning (*tilstand*) state, condition; (*stats-*) constitution; *i en sørgelig* ~ in a miserable (*el.* terrible) state; *han er ikke i den* ~ *at han kan reise* he is in no condition to travel.

forfatnings|brudd violation of the constitution. **-kamp** constitutional struggle. **-messig** constitutional. **-stridig** unconstitutional.

forfatte (*vb*) write, compose.

forfatter author, writer.

forfatter|honorar author's fee; (*prosenter av salg*) royalty. **-inne** authoress. **-navn** name of the author; (*psevdonym*) pen name, nom de plume. **-ry** literary reputation. **-skap** authorship; literary work. **-talent** literary talent. **-virksomhet** literary activities.

forfedre (*pl*) forefathers, ancestors, forbears.

forfeile (*vb*) miss, fall short of. **-t** unsuccessful, mistaken, wrong, abortive; a failure.

forfekte (*vb*) assert, maintain, advocate, champion. **-r** champion, advocate (*av* of).

forfengelig vain; *ta* ~ take in vain. **-het** vanity.

forferd|e (*vb*) terrify, appal, dismay, horrify; *stå ganske -et* stand aghast (*over* at). **-elig** terrible, dreadful, awful, appalling, frightful. **-else** terror, horror, fright, consternation, dismay; *det kommer til å ende med* ~ he is riding for a fall; *det tok en ende med* ~ it ended in disaster.

forfilm (*kortfilm*) short; (*del av helaftensfilm*) preview, trailer; (*tegne-*) cartoon; *jeg så den som* ~ I saw the trailer of it.

forfin|e|e (*vb*) refine. **-else** refinement.

forfjamselse confusion, bewilderment, flurry.

forfjamset confused, bewildered.

forfjor: *i* ~ the year before last.

forfjær front spring.

forflate *vb* (*fig*) banalize, vulgarize.

forflere (*vb*) multiply.

forflyt|te (*vb*) transfer. **-ning** transfer; ✕ movement; ~ *langs landevei* ✕ road m.; ~ *utenfor landevei* ✕ cross-country m.

forfløyen giddy, frivolous; (*om tanke*) wild.

forfordel|e (*vb*): ~ *en* treat sby unfairly, give sby less than his share; *kjemien er blitt sørgelig -t i skolen* chemistry has been deplorably neglected at school.

forfra from the front; ⚓ from forward, from ahead; (*om igjen*) over again, from the beginning; *sett* ~ seen from in front; *begynne* ~ start afresh, make a fresh start.

forfranske (*vb*) frenchify.

forfremm|e (*vb*) promote, advance; *bli -et* (*også*) get one's promotion, obtain p.; *han ble -et til kaptein* he was promoted (to the rank of) captain. **-else** promotion, advancement; (*jvf avansement*).

forfrisk|e (*vb*) refresh. **-ende** refreshing. **-ning** refreshment.

forfrossen frozen, benumbed with cold; (*frostskadd*) frost-bitten.

forfrys|e (*vb*) freeze. **-ning** frost-bite; (*se fryse av seg*).

forfuske (*vb*) bungle, botch.

forfølg|e (*vb*) pursue; (*for retten*) prosecute; (*for anskuelser*) persecute; (*spor*) trace; (*drive gjennom*) follow up; (*se også tankegang*). **-else** pursuit; persecution. **-elsesvanvidd** persecution mania.

forfølger pursuer; persecutor.

forfølgning (*jur*) prosecution; *han er under* ~ *for tyveri* he is being prosecuted for theft.

forfør|e (*vb*) seduce; *han -te sin venns kone* (*også*) he committed misconduct with his friend's wife. **-else** seduction. **-ende** seductive, alluring. **-er,** **-erske** seducer. **-erisk** seductive.

forføyning measure, step; *stille til ens* ~ place at sby's disposal.

forgangen bygone, gone by.

for|gape (*vb*): ~ *seg i* fall in love with, fall for; (*ting*) take a fancy to. **-gapt:** ~ *i* infatuated with; T stuck on.

forgasser carburettor; T carb; *rusk i -en* dirt in the c.

forgasser|dyse spray nozzle, jet; (*jvf hoved- & tomgangs-*). **-ising** freezing of the carburettor. **-justering** c. adjustment.

forgift|e (*vb*) poison. **-et** poisoned. **-ning** poisoning.

forgjeldet in debt, deep in debt, deeply in debt; encumbered (*fx* his estate is e.).

forgjengelig perishable; (*flyktig*) transient, transitory, passing. **-het** perishableness; transitoriness.

forgjenger, -ske predecessor.

forgjeves (*adj*) vain; (*adv*) in vain, vainly.

forglemme (*vb*): *ikke å* ~ not forgetting; last (but) not least. **-lse** forgetfulness; (*uaktsomhet*) oversight, omission; *ved en* ~ through an oversight, inadvertently.

forglemmegei 🌸 forget-me-not.

forgodtbefinnende: *etter* ~ at pleasure, at one's discretion; T at one's own sweet will; *De må handle etter eget* ~ you must use your own discretion.

forgremmet careworn.

forgrene (*vb*): ~ *seg* ramify, branch (off). **-t** ramified; *vidt* ~ widely ramified, with many ramifications.

forgrening ramification.

forgreningsveksel (*jernb*) diverging points.

forgripe (*vb*): ~ *seg på* (*øve vold mot*) lay violent hands on, use violence against; (*stjele*) make free with (*fx* sby's whisky), misappropriate, steal.

forgrunn foreground; (*av scenen*) front of the stage; *komme i -en* come to the front (*el.* fore).

forgrunnsfigur prominent figure; (*i maleri, etc*) foreground figure.

forgrått red-eyed (with weeping); *-e øyne* red eyes.

forgud|e (*vb*) idolize. **-else** idolatry.

forgylle (*vb*) gild.

forgylling gilding.

forgå (*vb*) perish; (*om verden*) come to an end; *han holder på å ~ av nysgjerrighet etter å få vite* he is dying to know.

forgård forecourt.

forgårs: *i ~* the day before yesterday.

forhal|e (*vb*) delay, retard; *~ tiden* procrastinate; ⚓ (*flytte*) shift. **-ing** delay; ⚓ shifting.

forhalings|politikk a policy of procrastination; dilatory policy; (*ofte*) playing for time. **-taktikk** delaying tactics. **-veto** suspensive veto.

forhall (entrance) hall, vestibule.

forhand|le *vb* (*vare*) distribute, handle, deal in, sell (*fx* an article; are you prepared to handle our product?); (*drøfte*) discuss; (*underhandle*) negotiate; *~ med* discuss terms with, negotiate with (*fx* he is negotiating with them about my job).

forhandler dealer, distributor. **-pris** trade price. **-rabatt** trade discount.

forhandling negotiation; talks (*fx* the Warsaw t.*); sale; (*drøftelse*) discussion; (*se også I. stå: gå i ~*).

forhandlings|emne subject under discussion. **-evne** skill as a negotiator. **-grunnlag** basis for negotiation. **-leder** leader of a delegation. **-organ** negotiating body. **-protokoll** minutes (of proceedings).

forhaste (*vb*): *~ seg* be in too great a hurry; be over-hasty.

forhaste|t rash, hasty, premature; *trekke -de slutninger* jump to conclusions.

forhatt hated, detested; *gjøre seg ~ hos en* incur sby's hatred.

forheks|e (*vb*) bewitch; enchant. **-ing** bewitching; enchantment.

forheng curtain.

forhenværende former, sometime, late, ex-.

for|herde (*vb*) harden. **-herdet** hardened, callous.

forherlig|e (*vb*) glorify. **-else** glorification.

forhindre (*vb*) prevent (*i* from); *han er -t p.g.a. forretninger* he is held up on (*el.* by) business.

forhindring prevention, hindrance, impediment, obstacle.

forhippen: *~ på* bent on, keen on.

for|historie previous history. **-historisk** prehistoric.

forhjul front wheel; *-enes spissing* the toe-in (of the front wheels).

forhjuls|drevet with front (wheel) drive. **-drift** front (wheel) drive. **-justering** alignment (*el.* adjustment) of the front wheels. **-oppheng-ning** front suspension. **-tapp** stub axle, steering stub (*el.* knuckle); US spindle. **-vibrasjoner** (*pl*) shimmy.

forhodefødsel sincipital presentation.

forhold 1 (*omstendighet, tilstand, vilkår*) conditions (*fx* social c.), circumstances, situation, (state of) things, affairs; *-et er det at . . .* the fact (of the matter) is that; *det stemmer ikke med det faktiske ~* it is not in accordance with facts; *et ~ en fester seg ved* a noticeable feature; *gjøre ham oppmerksom på -et* call his attention to the fact; *de stedlige ~* local conditions; *-ene i Norge* the conditions prevailing in Norway; the state of affairs (*el.* of trade *el.* of business) in Norway; *-ene i dag* present-day conditions; *de usikre ~ for tiden* the uncertainty of present conditions (*el.* of the times), the present uncertainty; *komme tilbake til normale ~* get back to normal conditions (*el.* the normal state of affairs); *som -ene nå ligger an* as matters now stand; in the present circumstances; under existing conditions; *slik som -ene på markedet ligger an* for øyeblikket in the present state of the market; *når -ene ligger godt til rette* under favourable conditions; *etter den tids ~* by the standards of that time; *så snart -ene tillater det* as soon as circumstances permit; *under de nåværende ~* as things are at present; with things as they are; *under ellers*

like ~ other things being equal; 2 (*målestokk*) ratio; (*proporsjon*) proportion, ratio; *-et mellom import og eksport* the ratio of imports and exports; *lønningene steg i samme ~* wages rose proportionately; *i -et 1 til 3* in the proportion (*el.* ratio) of 1 to 3; *i ~ til* in proportion to, proportionately to; according to (*fx* prices vary a. to quality); on (*fx* a great improvement on all former attempts); *i ~ til prisen er tøyet av god kvalitet* the cloth represents good quality for the money; *i ~ til i fjor* on last year (*fx* prices are up by 2 per cent on l. y.); (*se ligge: ~ godt an*); *stå i ~ til* be in proportion to; *ikke stå i ~ til* be out of (all) proportion to; *stå i omvendt ~ til* be in inverse proportion to (*el.* ratio) to; 3 (*forbindelse, sammenheng med*) relation(s), connection (*fx* my c. with this affair); *dollar i ~ til £* the dollar in relation to the £; 4 (*om-gang, forståelse*) relations, terms; *vårt ~ til Amerika* our relations with America; *-et til de offentlige myndigheter* relations with the public authorities; *stå i ~ til* have relations with; have an affair with (*fx* a woman); associate with (*fx* he had been associating with a girl of 16), be intimate with; *stå i et vennskapelig ~ til* be on friendly terms with; 5 (*oppførsel*) conduct; (*se oppmerksom*).

forholde (*vb*) 1 (*unndra*): *~ en noe* withhold (*el.* keep) sth from sby; 2. *~ seg* (*opptre*) behave, conduct oneself; (*handle, gå fram*) act, proceed (*fx* how am I to act in this matter?); *~ seg avventende* assume an attitude of expectation, maintain an expectant a., adopt a waiting a.; *hvordan det enn -r seg* (*med det*) however that may be; however matters may really stand; *~ seg nøytral* remain neutral; *~ seg rolig* keep quiet; *saken -r seg slik* the fact (of the matter) is this, the facts are these; *hvordan -r det seg med . . what about, what is the position as regards; *hvordan -r det seg med dette?* what are the facts? what is the real truth of the matter? *det -r seg riktig at . . .* it is a fact that . . . ; *10 -r seg til 5 som 16 til 8* 10 is to 5, as 16 to 8.

forholdsmessig proportional; *~ andel* quota, pro rata share.

forholds|ord preposition. **-ordre** instructions, directions. **-regel** measure. **-tall** proportional. **-tallsvalg** election by the method of proportional representation. **-vis:** *en ~ andel* a proportionate share; *~ få* comparatively few.

forhud (*anat*) foreskin, prepuce.

forhud|e (*vb*) sheathe. **-ning** sheathing.

forhus front building.

forhutlet down at heel, shabby, seedy.

forhyr|e (*vb*) engage, ship, sign on (*fx* s. on a sailor); *~ seg* (*mønstre på*) sign on, ship (*fx* ship (*el.* sign on) as carpenter, sign on for a voyage). **-ing** engagement, signing on; (*jvf* hyre).

forhør examination; interrogation; *ta i ~* examine, interrogate.

forhøre (*vb*) examine, interrogate; *~ seg* inquire (*om* about); *~ seg angående en stilling* inquire about a post; T look into a job; *jeg forhørte meg hos hennes venner, men ingen hadde sett henne* I checked with her friends, but nobody had seen her.

forhørs|dommer stipendiary magistrate, (examining) magistrate; (*i London*) metropolitan police magistrate. **-protokoll** records. **-rett** magistrate's court; (*court of*) petty sessions; (*i England tidligere også*) police court.

forhøye (*vb*) 1 (*om priser*) raise, put up, advance (*fx* a. the price (by) 10 %); (*øke*) increase (*fx* i. the capital); 2 (*påbygge*) heighten, raise; 3 (*gjøre sterkere, større; fig*) enhance, heighten; *~ verdien av* enhance the value of; *~ virkningen av* enhance (*el.* heighten) the effect of; *til -de priser* at advanced prices.

forhøyelse rise, advance (*fx* an a. in (*el.* of) prices; an a. in the price of . . .), increase (*av* of, in; *fx* an i. in salary); heightening; enhancement; (*se diskontoforhøyelse*).

forhøyning elevation, eminence, rising ground; (*i værelse*) raised platform.
forhånd + lead; *være i* ~ have the lead; *på* ~ beforehand, in advance.
forhånden (*adv*) at hand; available; (*nær forestående*) approaching. **-værende** (*til disposisjon*) available; (*rådende*) existing.
forhånds|diskusjon preliminary discussion. **-inntrykk** impression received in advance.
forhåndskarakter [average mark, based on classwork, in one particular subject]; *han fikk -en Mtf i tysk skriftlig (kan gjengis)* he was given Very Good as an average mark in written German.
forhåndsmelding advance notice, prior n.; + opening bid.
forhånds|reklame advance publicity. **-salg** (*av billetter*) advance bookings.
forhåne (*vb*) outrage, insult, scoff at.
forhånelse insult, outrage.
forhåp|entlig it is (to be) hoped; I hope, we hope, let us hope that. **-entligvis:** *se forhåpentlig.* **-ning** hope, expectation; *gi ham ikke for store -er* (*også*) don't raise his hopes too much; *gjøre seg* ~ *om* hope, have hopes of. **-ningsfull** hopeful.
forhår front hair.
Forindia (*geogr*) India.
I. fôring (*av klær*) lining.
II. fôring (*av dyr*) feeding.
forjage (*vb*): *se fordrive.*
forjett|e (*vb*): *det -ede land* the Promised Land.
forkalk|e (*vb*) calcify. **-ning** calcification; (*se åre-*).
forkammer (*i hjerte*) auricle.
forkast|e (*vb*) reject, turn down. **-elig** reprehensible, objectionable, improper. **-elighet** reprehensibility, impropriety. **-else** rejection; dismissal.
forkavet overwhelmed (with work); in a bustle, flurried.
forkjemper champion, advocate.
forkjetre (*vb*) accuse of heresy; stigmatize as heretical; (*nedsette*) condemn, denounce, decry, disparage.
forkjetring accusation of heresy; stigmatization (as heretical); denunciation.
forkjæl|e (*vb*) spoil, coddle. **-ing** spoiling.
forkjærlighet predilection (*for* for), partiality (*for* to), prejudice (*for* in favour of).
forkjært wrong; (*adv*) wrong, the w. way.
forkjøl|e (*vb*): ~ *seg* catch (a) cold; develop a cold; *bli -et* catch a cold; *jeg er -et* I have (got) a cold. **-else** cold; *jeg brygger på en* ~ I've got a cold coming on; *jeg har en* ~ *jeg ikke kan bli kvitt* I have a cold hanging about me.
forkjøp: *komme en i -et* forestall sby, steal a march on sby; *han kom meg i -et* (*også*) he was too quick for me.
forkjøpsrett (right of) pre-emption; (first) refusal, option.
forkjørsrett priority, right of way; *A har* ~ *for B* A has the right (*el.* a right) of way over B; *respektere ens* ~ give way to sby; *vei med* ~ major (*el.* priority) road.
forklar|e (*vb*) explain, account for; (*herliggjøre*) glorify, transfigure; *forklar ham det* explain it to him; *det -er feiltakelsen* that accounts for the mistake; ~ *seg* explain; (*for retten*) give evidence; (*unnskylde seg*) explain oneself; *vi kan ikke* ~ *oss hvorfor De* ... we are at a loss to understand why you ... ; *det -er seg selv* it explains itself; that is self-explanatory. **-ende** explanatory. **-et** transfigured, glorified.
forklarelse transfiguration, glorification.
forklaring explanation; (*vitne-*) evidence; deposition; *avgi* ~ make a statement; (*for retten*) give evidence; (*under ed*) depose; *oppta* ~ hold an inquiry; *som* ~ by way of explanation; ~ *på* explanation of; *som* ~ *på* in e. of; (*se sannsynlig*).
forklarlig explicable, explainable; *av lett -e grunner* for obvious reasons.
I. forkle apron; (*barne-*) pinafore.

II. forkle (*vb*) disguise. **-dd** in disguise, disguised; ~ *som* disguised as, in the disguise of.
forkledning disguise.
forklein|e (*vb*) belittle, disparage. **-else** disparagement, discredit.
forklud|re (*vb*) bungle. **-ring** bungling.
forknoke (*av gris*) leg.
forknytt timid, faint-hearted.
forkommen exhausted, starving, overcome (*av* with); down-and-out.
forkopre (*vb*) copperplate.
forkort|e (*vb*) shorten, abridge; (*ord*) abbreviate; (*brøk*) reduce; (*i tegning*) foreshorten. **-else, -ning** shortening, abridgment, abbreviation; (*av brøk*) reduction.
forkromme (*vb*) chromium-plate, chrome-plate.
forkromming 1 (*det å*) chromium-plating, chrome -plating; 2 (*forkrommede deler*) chromium plate.
forkropp forepart of the body.
forkrøplet stunted, dwarfed.
forkuet cowed, subdued.
forkull|e (*vb*) char; carbonize. **-ing** carbonization.
forkunnskaper previous knowledge, grounding (*fx* a good g. in Latin); ~ *ikke nødvendig* no previous training is necessary.
forkvakle (*vb*) warp, bungle; (*se hjerne*).
forkynn|e (*vb*) announce, proclaim; (*ordet*) preach; (*jur*) serve (*fx* s. a writ on sby); ~ *dom* serve judgment on. **-else** announcement, proclamation; preaching; service.
forlabb forepaw.
forladnings|gevær, -kanon muzzle loader.
forlag publishing firm (*el.* house), (firm of) publishers; *-et* (*især*) the publishers; *utgitt på eget* ~ published at one's own expense; *utkommet på Gyldendal Norsk F-* published by G.N.F.; *boka er utsolgt fra -et* the book is out of print.
forlags|artikkel publication. **-bokhandel:** *se forlag.* **-bokhandler** publisher. **-direktør** publisher. **-redaktør** [head of department at a firm of publishers]. **-rett** copyright; *bøker med registrert* ~ registered copyright works.
forlange *vb* (*be om*) ask for; (*som betaling*) ask, demand; charge (*fx* he charged sixpence for it; what did they ask for it?); (*kreve, fordre*) demand, request, claim, insist on, press for (*fx* they are pressing for higher wages); ~ *noe av en* demand sth from sby; *jeg -r at De gjør det* I insist that you do so; I insist on your doing so; *jeg -r av deg at du skal* ... I require you to ...
forlangende request, demand; *på* ~ on demand, on application, on request; *på hans* ~ at his request.
forlate *vb* (*fjerne seg fra*) leave; (*svikte*) forsake, abandon, desert; (*tilgi*) forgive; ~ *dette sted* leave here; *hermed -r vi* ... (*et emne*) so much for ... ; *forlat oss vår skyld* forgive us our trespasses; ~ *seg på* rely on, depend on, trust.
forlatelse pardon; (*av synder*) forgiveness; *jeg ber om* ~ I beg your pardon.
forlatt abandoned, deserted; (*latt i stikken*) forsaken, abandoned; ~ *skip* derelict. **-het** abandonment, desolation; forsakenness.
forlede (*vb*) lead astray; ~ *til* delude into, lure into, lead on to.
forleden: ~ *dag* the other day.
forlegen embarrassed, perplexed; (*av vesen*) shy, self-conscious; *aldri* ~ *for svar* never at a loss for an answer.
forlegenhet embarrassment, perplexity; *være i* ~ be at a loss (*fx* for an answer), be hard up (*fx* for money); *be in want of* (*fx* he is in w. of money); *vi er i øyeblikkelig* ~ *for* we are in urgent need of, we are in a hurry for; *sette i* ~ embarrass.
forlegg|e (*vb*) 1. mislay; 2 (*utgi*) publish. **-else** mislaying.
forlegger publisher.
forlegning ✗ camp; (*innkvartering*) billeting, quartering; (*i felt*) bivouac.

forlegningsområde billeting area.
forlenge (vb) lengthen, elongate; prolong.
forlengelse lengthening; prolongation.
forlengs forward(s); *kjøre ~ (i tog)* sit facing the engine.
for lengst long ago.
forles|e (vb): *~ seg* read too hard (el. much). **-t** over-worked.
forlik compromise, amicable settlement; (*ordning*) agreement, adjustment, arrangement; (*forsoning*) reconciliation; *slutte ~* come to an agreement; *slutte ~ med* come to an agreement with, come to terms with, make a compromise with; *det ble ~ a* compromise (el. agreement) was reached.
forlike (vb) reconcile; conciliate; (*bilegge*) compromise, settle; *~ partene* reconcile the parties; *de har blitt forlikt* they have made it up; (*blitt enige*) they have come to terms; *~ seg med sin skjebne* become reconciled to one's fate.
forliks|klage plaint; *sende inn ~* enter a plaint. **-råd** [conciliation board].
forlis shipwreck. **forlise** (vb) be lost, be wrecked; *forliste sjøfolk* shipwrecked seamen.
forlokke (vb) seduce, inveigle, lure (*til* into); *-nde* alluring, seductive; *det -nde ved å bli forretningsmann* the inducements of a business career.
forlo|ren (*uekte*) false, mock, sham; *den -rne sønn* the Prodigal Son; *~ hare* meat loaf; *~ skilpadde* mock turtle.
forlove (vb): *~ seg* become engaged (*med* to).
forlovelse engagement (*med* to).
forlovelsesring engagement ring.
forlover chief bridesmaid, maid of honour; (*brudgommens*) best man.
forlov|et engaged (to be married); *hans -ede* his fiancée; *hennes -ede* her fiancé.
forluke ⚓ forehatch.
forlyd initial sound.
forlyde (vb): *det -r* it is reported; *etter -nde* according to report.
forlyste (vb): *~ seg* amuse oneself.
forlystelse amusement, entertainment.
forlystelses|skatt entertainment tax. **-sted** place of entertainment. **-syk** pleasure-seeking.
forløfte (vb): *~ seg* overstrain oneself by lifting; *~ seg på noe (fig)* overreach oneself in an attempt to do sth.
forløp expiration, lapse; *etter ett års ~* after (el. at the end of) a year; (*gang, utvikling*) course, progress; *ha et normalt ~* take a natural course.
forløpe (vb) elapse, expire; *~ seg* blunder; forget oneself; *i det forløpne år* in (el. during) the past year.
forløpelse blunder.
forløper forerunner, precursor; herald, harbinger (*fx* the swallow is the h. of spring).
forløs|e vb (*om fødsel*) deliver; (*religiøst*) redeem. **-er** redeemer. **-ning** redemption; (*nedkomst*) delivery.
forløyet lying, mendacious. **-het** mendacity.
form form, shape; (*kake-*) cake tin; (*støpe-*) mould; US mold; *bestemt (,ubestemt) ~ flertall* (*gram*) the definite (,indefinite) plural; *i ~ av* in the form (el. shape) of; *en ~ for* a form of; *ta ~* take shape (el. form); *henge seg for meget i -ene* insist too much on the formalities (el. on forms); pay too much attention to forms; *holde på -ene* observe the proprieties; *passe på -en* (ɔ: den slanke linje) keep one's figure; *for -ens skyld* as a matter of form.
formalitet formality, (matter of) form; *ordne med de nødvendige -er* complete the necessary formalities.
formalprosedyre [formal part of the legal proceeding].
formane (vb) exhort, admonish.
formaning exhortation, admonition.
formann 1 (*arbeids-*) foreman (*fx* for banearbeidere* of permanent way labourers); 2 (*dirigent, valgt leder*) chairman; *styrets ~ the*

chairman of the Board; 3 (*for jury*) foreman; 4 (*veksellære*) prior endorser; 5: *rettens ~* President of the Court; *med X som ~* (2) under the chairmanship of X.
formannskap [executive committee of local council]; (*kan gjengis*) Body of Aldermen. **-smedlem** = alderman; (*jvf kommunestyre & kommunestyremedlem*).
formannsverdighet chairmanship, speakership, presidency.
formasjon formation.
formaste (vb): *~ seg til å gjøre noe* presume to do sth; have the audacity to do sth. **-lig** presumptuous.
formastelighet presumption.
format (*bok-*) size, format; (*om personlighet*) size, calibre, stature; *i mindre ~* on a smaller scale; *i stort ~* large-sized; *av ~ (fig)* of importance, great.
forme (vb) form, shape; (*støpe*) mould (US: mold), cast; (*avfatte*) word, frame; *~ seg* take shape.
formel formula.
formelig actual, veritable, regular; (*adv*) actually, absolutely, positively.
formel|l (*adj*) formal; *en ~ feil* a formal error; a technical error. **-t** (*adv*) formally.
formening opinion, judgment; *det tør jeg ikke ha noen ~ om* I dare not express an opinion on this; *har De noen ~ om dette spørsmålet?* are you able to express an opinion on this question?
formentlig supposed; (*adv*) supposedly; I suppose, I believe.
former moulder; US molder.
formere (vb) ✕ form; (*forøke antallet*) increase, multiply; *~ seg* multiply, propagate.
formering ✕ formation; (*øking*) multiplication; propagation.
formeringsevne procreative powers.
form|feil formal (el. technical) error, irregularity. **-fullendt** perfect (in form), finished; elegant, correct. **-fullendthet** elegance, correctness.
formgivning fashioning, moulding (US: molding); (*form*) form; (*av industriprodukter*) industrial design.
formiddag morning; *i ~* this morning; *kl. ti om -en* at ten (o'clock) in the morning, at 10 a.m.
formiddags|gudstjeneste morning service. **-mat** lunch.
formidl|e (vb) effect, be instrumental in. **-er** intermediary. **-ing** procurement, arrangement.
formilde vb (*lindre*) alleviate; (*bløtgjøre*) mollify, soften; (*straff*) mitigate; *-nde omstendighet* extenuating circumstance.
forming(sfag) (*i skole*) art (and craft); *lærer i forming, formingslærer* art teacher; (NB 'art' *innbefatter ikke sløyd* (woodwork)).
forminsk|e (vb) decrease, diminish, lessen; *-es* decrease, diminish; *i -et målestokk* on a reduced scale. **-else** decrease, diminution, reduction.
form|kake Madeira cake, cut-cake. **-kurve** (*fotballags, i tipping*) form forecast; *-r (på kart)* form lines. **-løff** white tin loaf. **-lære** (*gram*) morphology; (*om bøyningsformer, også*) accidence. **-løs** formless, shapeless. **-løshet** formlessness; shapelessness.
formod|e (vb) suppose, presume; *som Deres ord lar ~* as your words would imply. **-entlig** probably, presumably, most likely, in all likelihood, I suppose, I dare say.
formodning supposition, surmise, guess, conjecture.
form|sak matter of form. **-sans** sense of form. **-spørsmål** question of form, formality.
formtre 1. wood filler; 2. ⚓ template.
formue fortune, property; *ha en ~ på £10.000* be worth £10,000.
formuende wealthy, well off, of fortune (*fx* a man of f.).

formuerett law of property.
formues|fellesskap community of goods. **-forhold** financial circumstances. **-masse** estate, property. **-skatt** (general) property tax.
formular form.
formuler|e (vb) formulate. **-ing** formulation.
formumme (vb) disguise, mask.
formynder guardian. **-skap** guardianship.
formynderske (female) guardian.
formørke (vb) darken, obscure; (astr) eclipse.
formørkelse darkening; eclipse.
formå (vi) be able to; be capable of (-ing); (vt) prevail on, persuade, induce; ~ mye hos en have great influence with sby; alt hva man -r everything in one's power; ikke ~ å be unable to; du må ta til takke med det huset -r you must take potluck.
formål object, aim, end, purpose.
formålstjenlig suitable for the purpose, expedient.
fornagle (vb) nail up; ~ en kanon spike a gun.
fornavn Christian name, first name.
fornedr|e (vb) debase, degrade. **-else** debasement, degradation.
fornekte vb (ikke vedkjenne seg) renounce, disown; han -r seg ikke (ɔ: det ligner ham) that is him all over; that is just what he would do.
fornektelse denial, disavowal, renunciation.
fornem distinguished, of distinction, of position, of rank; en ~ mann a man of rank; ~ mine grand air; den -me verden the world of rank and fashion. **-het** distinction, high rank.
fornemme (vb) feel, sense, be sensible of; (erfare, merke) perceive, notice.
fornemmelse feeling, perception; ha fine -r put on airs, think one is somebody; (se sviende, uhyggelig & uklar).
fornik|le (vb) nickel-plate. **-ling** nickel plating.
fornorske (vb) norwegianize.
fornuft reason; den sunne ~ common sense; tale ~ talk sense; bringe en til ~ bring sby to his senses; ta imot ~ listen to reason; (se tilsi).
fornuftig reasonable, rational, sensible; et ~ vesen a rational being; intet ~ menneske no one in his senses; være så ~ å have the sense to; jeg kunne ikke få et ~ ord ut av ham (også) he wouldn't talk sense.
fornuft|igvis reasonably, in reason. **-smessig** rational. **-smessighet** rational character. **-sstridig** absurd, irrational. **-svesen** rational being.
forny|e (vb) renew; (gjenstand) renovate; (veksel) renew; (bytte ut) replace; etter -et overveielse on reconsidering the matter; ta under -et overveielse reconsider. **-else** renewal; renovation; replacement.
fornyelses|dato date of renewal. **-fond** renewals fund. **-kostnader** [cost of] renewals. **-veksel** renewed bill.
fornærm|e (vb) offend, insult, affront. **-elig** insulting, offensive. **-else** insult, offence, affront. **-et** offended (på with, over at); føle seg ~ over take offence at; han ble ~ over mitt svar (også) he was put out by my reply.
fornøden requisite, needful, necessary; gjøre sitt fornødne relieve oneself; nekte seg det fornødne deny oneself the necessaries of life. **-het** necessity, requirement.
fornøyd pleased, satisfied, content(ed); ~ med satisfied (el. pleased) with.
fornøye (vb) please, delight, gratify. **-lig** amusing, delightful, pleasant.
fornøyelse pleasure, delight; diversion, amusement; betale -n T foot the bill; finne ~ i take pleasure in, delight in; ha ~ av derive satisfaction from; det er meg en stor ~ å it gives me great pleasure to; jeg har ikke den ~ å kjenne ham I have not the privilege of knowing him; ja, med ~ with pleasure; god ~! have a good time! (se forretning: i -er & størst).
fornøyelsestur: det er ingen ~ it's no picnic.
forord preface, introduction (til to).

forord|ne (vb) decree, ordain; (om lege) prescribe. **-ning** ordinance, decree; kongelig ~ royal decree; (i England) Order in Council.
forover forward; full fart ~ full speed ahead. **-bøyd** stooping.
forpakt|e (vb) rent, take a lease of; ~ bort lease, rent (til to). **-er** tenant, lessee; tenant farmer. **-ergård** tenant farm.
forpaktning tenancy, lease; ta en gård i ~ take a lease of a farm. **-savgift** (farm) rent.
forpeste (vb) poison, infect.
forpigg ⚓ fore peak.
forpint tortured, racked.
forpjusket rumpled, tousled.
forplant|e (vb) propagate; (overføre) transmit; ~ seg (om dyr) breed, propagate; (om lyd) be transmitted, travel. **-ning** propagation; transmission.
forplantnings|evne power of reproduction. **-redskap** reproductive (el. generative) organ.
forplei|e (vb) board, feed, cater for. **-ning** board, food; -en er god the food is good; they do you well.
forplikt|e (vb) bind, engage; ~ seg til å undertake to, bind oneself to. **-else** obligation (overfor to), engagement, liability; oppfylle sine -r fulfil one's obligations. **-ende:** ~ for binding on.
forpliktet bound, obliged, under an obligation; jeg føler meg ikke ~ I feel no obligation; være ~ ved lov til å be required by law to (fx the local authorities are r. by l. to appoint a finance committee).
forplum|re (vb) muddle up, confuse. **-ret** muddled, confused. **forplumring** muddling, confusion.
forpost outpost.
forpostfektning (outpost) skirmish.
forpote forepaw.
forpuppe (vb): ~ seg pass into the chrysalis state; pupate.
forpurr|e (vb) frustrate, foil. **-ing** frustration.
forpustet breathless, out of breath.
forrang precedence, priority (fremfor to); ha -en fremfor take precedence of.
forranglet debauched.
forregne (vb): ~ seg miscalculate, make a miscalculation; du har -t deg you are out in your calculation.
forrente (vb) pay interest on; bedriften -r så vidt anleggskapitalen the company's profits barely suffice to meet the interest on the invested capital; å ~ med 10 % interest to be paid at the rate of 10 per cent; ~ seg yield interest; (om obligasjon) bear interest; (betale seg) pay; summen -r seg med 5 % the sum yields (el. bears el. carries) interest at 5 per cent; ~ seg godt give a good return, yield (el. return) a good interest; en pengeanbringelse som -r seg godt an investment that returns good interest.
forrentning (payment of) interest; ~ av payment of interest on.
forrest foremost, front; (adv) in front; gå ~ go first, walk in front, lead the way.
forresten (hva det øvrige angår) for the rest; (ellers, for øvrig) otherwise; (i andre henseender) in other respects; (på andre måter) in other ways; (utover det som før er nevnt) it remains to be said; (apropos) by the way, that reminds me.
forretning business; (næringsvei) trade; (butikk) shop; (enkelthandel) transaction; (embets-) function, duty; drive ~ carry on (a) business, keep a shop, trade, be in business, be engaged in business; få i stand (el. gjøre) en fin ~ pull off a first -class deal; han har en meget innbringende kolonial-he has a very good business as a grocer; gjøre en dårlig ~ make a bad bargain; løpende -er current business; han hadde nettopp vært innom en ~ og kjøpt en klokke he had just been into a shop and bought a watch; han har to -er he has two businesses; i -er on business; er De i London for fornøyelsens skyld eller i -er? are you in London on pleasure or on b.? (se også strykende).

forretnings|anliggender (pl) business affairs. **-brev** business letter. **-drift** business management. **-forbindelse** (også om person) business connection; business friend; tre i ~ med et firma enter into business connections (el. relations) with a firm; open up (el. form) a business connection with a f.; take up b. connections with a f.; stå i ~ med (også) have business relations with. **-foretagende** business concern. **-fører** manager. **-liv** business life, trade. **-lokale** business premises (pl). **-mann** business man, businessman. **-messig** businesslike. **-ministerium** caretaker government. **-orden** procedure, routine; (parl) order of business; (reglene) rules of order, rules of procedure; (parl) standing orders; (sakliste) agenda; begå et brudd på -en commit an infringement; til -en on a point of order (el. clarification). **-reise** business trip. **-sak** business affair. **-språk** commercial language. **-standen** business circles (pl). **-vant** (adj) with experience in a shop.

I. forrett (forrettighet) prerogative, privilege. **II. forrett** (mat) first course, entrée.

forrette (vb) perform, discharge, execute; (som prest) officiate; ~ ved en begravelse officiate at a funeral; han kom hjem med vel -t sak he returned home after having fully accomplished his purpose.

forrettighet prerogative, privilege.

forrevet torn; scratched; (om kystlinje, fjelltinder) rugged; (om skyer) tattered.

forrige former, previous; ~ gang last time; ~ uke last week; hele ~ uke all last week, the whole of last week; den 4. i ~ måned the 4th ult. (fk. f. ultimo); the 4th of last month.

forrigg ⚓ fore rigging.

forrigle vb (låse) lock.

forringe (vb) reduce; (i verdi) depreciate, diminish the value of, detract from the v. of; (nedsette i folks omdømme) disparage; (gjøre ringere i anseelse) detract from; -s deteriorate.

forringelse reduction; depreciation, disparagement; deterioration.

forrykende furious, tremendous, violent; i ~ fart at a tremendous pace.

forrykke (vb) displace; (fig) disturb.

forrykt (avsindig) crazy, cracked, mad. **-het** craziness.

forræd|er traitor (mot to). **-eri** treachery; (høy-) treason. **-ersk** treacherous, treasonable. **-erske** traitress.

forrær ⚓ fore-yards.

forråd supply, store, provision; ha ~ av have a store of.

forråde (vb) betray.

forråds|avdeling supplies department. **-direktør** (jernb) = supplies and contracts manager.

forrådskammer storeroom.

forråe (vb) brutalize.

forråtn|e (vb) rot, putrefy, decay. **-else** putrefaction, decay, decomposition; gå i ~ putrefy, rot, become putrid, decay, decompose.

forsagt diffident, despondent, disheartened, dispirited.

forsagthet diffidence, despondency.

forsake (vb) renounce, give up. **-lse** renunciation; self-denial.

forsalg advance sale; (av billetter) advance bookings.

forsamle (vb) assemble, congregate, gather together; ~ seg meet, assemble.

forsamling assembly, meeting, gathering; (deltagere) assembly; (tilhørere) audience.

forsamlings|frihet freedom of assembly. **-hus** assembly building; (på landet) village hall; (rel) meeting house. **-lokale(r)** assembly rooms.

forsanger choir-leader; leader of the (community) singing; kanskje du vil være ~? would you mind leading the singing?

forsatsblad flyleaf.

forseelse (jur) offence; (feil) fault, error; begå en ~ mot commit an offence against.

forseg|le (vb) seal, seal up. **-ling** sealing; under ~ under seal.

forseil ⚓ headsail.

forsendelse sending, forwarding, dispatch, transmission, posting; (også US) mailing; (med skip) shipping, shipment; (varesending) consignment, shipment; en post- a parcel of goods; -n av the forwarding (el. dispatch) of; (se utlandet).

forsendelses|advis advice of dispatch. **-kostnader** (pl) forwarding (,shipping) charges. **-måte** method of dispatch, method of conveyance.

forsenker countersink bit.

forsentkommer late-comer.

forser|e (vb) force; ~ fram force on. **-t** forced, strained.

forsete front seat; presidency; passasjer i -t front-seat passenger; ha -t preside, take the chair.

forsett purpose; med ~ on purpose, purposely; gode -er good intentions.

forsettlig intentional, wilful, studied.

forside front; (av bok) front cover (of a book), front (of a book); (av veksel) face.

forsidepike cover girl.

forsikre (vb) assure; (assurere) insure; eleven -t at han hadde skrevet stilen uten hjelp the pupil gave an assurance that de had written the essay without help from anyone; ~ høyt og dyrt (fig) vow; ~ et hus insure a house; den -de the insured.

forsikring assurance; insurance.

forsikrings|agent insurance agent. **-art** class of insurance. **-betingelse** condition of insurance. **-gjenstand** subject of insurance, property insured. **-klausul** insurance clause. **-polise** insurance policy. **-premie** insurance premium. **-selskap** insurance company. **-taker** policy-holder.

forsiktig 1 (om person) careful; prudent; circumspect, wary; (i handling, overfor fare, risiko) cautious; (som kan tie, diskret) discreet (fx he is d.; make d. inquiries); 2 (som vitner om forsiktighet) guarded (fx a g. reply), conservative (fx a c. estimate); i -e vendinger in guarded terms; være ~ be careful; take care, be on one's guard; T watch one's step; det er best å være ~ it's as well to be on the safe side; være ~ med å gi kreditt be cautious in giving credit; vær ~ med smøret (T = spar på) go easy on the butter; ~! (påskrift) (Handle) With Care; 3 (adv) carefully, cautiously; guardedly (fx he spoke g. about the coming year); banke ~ på døra give a soft tap on the door; lukke døra ~ (også) ease the door shut.

forsiktighet care, caution, circumspection, prudence, wariness; (se mane). **-sregel** (measure of) precaution, precautionary measure; ta -ler take precautions.

forsimple (vb) vulgarize. **forsimpling** vulgarization.

forsinke (vb) delay. **forsinkelse** delay; vi vil gjerne få uttrykke vår beklagelse over den ~ som er oppstått we would like to express our regret for the delay that has occurred; denne ~ fra Deres side setter oss i en meget kjedelig stilling overfor vår kunde this delay on your part puts us in a very awkward position towards our customer; (jf ville).

forsinket late, belated, behind time; overdue.

forsire (vb) decorate, adorn, ornament.

forsiring decoration, ornament.

forskall|e vb (bordkle) board. **-ing** formwork (fx for the walls); (mindre) casting frame. **-ingsbord** (pl) formwork boards, rough boards.

forskanse (vb) entrench.

forskansning entrenchment.

forske (vb) (carry on) research. **-nde** searching.

forsker researcher, research worker; (stillingsbetegnelse) research officer, principal scientific officer.

forsker|blikk searching glance. **-ånd** spirit of inquiry.

forskip ⚓ forepart (of a vessel).

forskjell difference; distinction; det er ~ på

bøker T there are books and books; *jeg kan ikke se noen* ~ it looks the same to me; ~ *i alder* difference of (*el.* in) age; ~ *i år* difference in years; *gjøre* ~ *på* (*el. mellom*) distinguish, make a distinction between; *uten* ~ indiscriminately.

forskjellig different (*fra* from); (*tydelig atskilt*) distinct; (*atskillige*) several, various; (*blandet, av blandet innhold*) miscellaneous; (*diverse*) sundry (*fx* s. expenses); *være* ~ differ; *på* ~ *måte* differently, in different ways, in a d. way.

forskjellig|artet varied, heterogeneous; (*mangfoldig*) diversified. **-het** diversity, dissimilarity.

forskjellsbehandling difference in treatment, differential treatment; *de reagerer mot en slik* ~ they resent such a difference in treatment; they resent being treated so differently.

forskjerm front mudguard (*el.* wing); US front fender.

forskjertse (*vb*) forfeit.

forskjærkniv carver, carving knife; bread knife.

forskjønn|e (*vb*) embellish, grace, beautify. **-else** embellishment. **-elsesmiddel** cosmetic.

forskning research. **forsknings|oppgave** research assignment. **-stilling** research post. **-stipendiat** research scholar. **-termin** (*også* US) sabbatical year. **-utgifter** (*pl*) expenditure on research.

forskole preparatory school.

I. **forskott: se** *forskudd.*

II. **forskott** ⚓ fore bulkhead.

forskrekke (*vb*) frighten, scare. **-lig** frightful.

forskrekkelse fright; *det endte med* ~ the upshot was disastrous; (*jvf forferdelse*).

forskremt scared, frightened.

forskreve (*vb*): ~ *seg (kan fx gjengis)* find oneself doing the splits.

forskrift directions, instructions; (*regel*) regulation, rules; *lovens -er* the provisions of the Act. **-smessig** regulation (*fx* size, uniform).

forskrive (*vb*): ~ *seg til djevelen* make a bargain with the Devil.

forskrudd eccentric, extravagant.

forskudd advance (of money); *betale på* ~ pay in advance; *gi* ~ advance, make an advance (*fx* they advanced him £10; we made an advance to the captain); ~ *på* an advance (against *el.* on) (*fx* ask for an a. (on one's wages)); *ta noe på* ~ (*fig*) anticipate (*fx* one's triumph).

forskudds|betaling prepayment, payment in advance. **-vis** in advance; *som erlegges* ~ payable in advance, to be paid in advance; *leien, kr. 500.- pr. mnd., betales* ~ *for et kvartal om gangen* the rent, kr. 500,- per month, is to be paid quarterly, in advance.

forskutter|e (*vb*) advance (*fx* a. sby money). **-ing** advance (of money).

forskyldt: *få lønn som* ~ get one's deserts.

forskyv|e (*vb*) displace; ~ *seg* get displaced; shift (*fx* the cargo has shifted).

forskyvning displacement, shifting; dislocation (*fx* the dislocation of trade; the shift taking place in our foreign trade).

forskåne (*vb*) spare; *forskån meg for enkelthetene* spare me the details.

forslag 1 (*til overveielse el. vedtagelse, tilbud*) proposal; *gjøre et* ~ make a p., propose (*fx* make sby a p.); *godta et* ~ accept a p.; agree to a p.; *sette fram et* ~ put forward a p. (*om, for* of); *et* ~ *om å . . . a p. to . . .* ; 2 (*henstilling, vink, antydning*; *svakere enn* proposal) suggestion; *komme med et* ~ make a s.; *etter Deres* ~ *har vi* at your s. we have . . . ; *på mitt* ~ at my s.; *på* ~ *av* on the s. of; 3 (*plan, prosjekt, som settes fram til drøftelse*) proposition; (*som skal settes under avstemning*) motion; (*lov-*) bill; *stille et* ~ put (*el.* move) a motion; *stille* ~ *om* move that (*fx* I m. that the report be adopted); *-et ble satt under avstemning* the motion was put to the vote; *-et ble vedtatt under dissens* the motion was carried (*el.* passed), but not unanimously; *-et ble vedtatt (,forkastet) med 6 stemmer mot 4* the motion was carried (,rejected) by six

votes to four; *vedtatt* ~ resolution (NB a motion is a proposition to be put to the vote, and it becomes a resolution when it is carried); ~ *til budsjett* budget estimates; ~ *til kontrakt* draft agreement; (*se motivere & tilsvarende*).

forslagen crafty, cunning.

forslagsstiller proposer; (*av resolusjonsforslag*) mover.

forslitt worn-out; (*fig*) hackneyed, stale.

forsluken greedy (*på* of), voracious.

forslukenhet greediness, voracity.

forslå *vb* (*strekke til*) suffice, be sufficient, avail; *han arbeidet så det forslo* he worked with a will; T he put plenty of vim into it; (*jvf monne*).

forslått bruised, battered.

forsmak foretaste (*på* of).

forsmedelig disgraceful, ignominious.

forsmedelse ignominy.

forsmå (*vb*) slight, disdain, refuse; *ikke å* ~ T not to be sneezed at; *-dd frier* rejected suitor; *jeg håper De ikke vil* ~ *denne gave* I hope you will accept this gift.

forsnakk|e (*vb*): ~ *seg* make a slip of the tongue; (*si noe man ikke skulle*) let out a secret, let the cat out of the bag. **-else** slip of the tongue.

forsnevr|e (*vb*) narrow, contract, constrict. **-ing** contraction.

forsommer early (part of) summer.

forsone (*vb*) reconcile; ~ *seg med en* be reconciled with sby; ~ *seg med noe* reconcile oneself to sth; *-nde trekk* redeeming feature.

forsoning reconciliation.

forsoningspolitikk policy of appeasement (*el.* conciliation).

forsonlig conciliatory. **forsonlighet** conciliation.

forsorg public assistance; (*hist*) poor relief.

forsove (*vb*): ~ *seg* oversleep (oneself).

forspann team; *nytt* ~ relay.

forspent: *en vogn* ~ *med fire hester* a carriage and four.

forspill prelude; overture; (*på teatret*) prologue; (*lite, selvstendig stykke*) curtain raiser.

forspil|le (*vb*) forfeit, lose; (*for andre*) spoil, mar; *et -t liv* a wasted life; *-t lykke* lost happiness.

forspise (*vb*): ~ *seg* overeat; ~ *seg på lammestek* eat too much roast lamb.

forsprang start, lead; *beholde -et* keep the lead; *få et* ~ *på ham* get the start of him; (*påbegynne tidligere enn*) steal a march on him; (*innhente*) gain the lead over him, take the lead of him; *få ti minutters* ~ *på* get ten minutes' start of; *ha et* ~ *på* have the lead (*el.* start) of; (*fig*) have an initial advantage over; *et stort* ~ a long lead (*el.* start); *et lite* ~ a slight (*el.* short) lead.

forspørre (*vb*): *man kan aldri få forspurt seg* it never hurts to ask.

forstad suburb. **forstads-** suburban.

forstadstog suburban (US: commuter) train.

forstand 1 (*tenke- og fatteevne*) intellect; (*klokhet*) intelligence; T brains; (*fornuft, vett*) reason, sense; *sunn* ~ common sense (*fx* he has a lot of c. s.); *vanlig sunn* ~ ordinary common sense; 2 (*mots. sinnssykdom*) sanity (*fx* they trembled for his s.); 3 (*betydning*) meaning, sense; *ha* ~ *på noe* understand sth, be a judge of sth; *han har ikke* ~ *på* he knows nothing about; *det har du ikke* ~ *på!* T a fat lot you know about that! *gå fra -en* go mad, lose one's reason; T go off one's head (*el.* nut); *det går over min* ~ it is beyond me; *min* ~ *står stille* I am at my wits' end; *i den* ~ in that sense; *i ordets beste* ~ in the best sense of the word; *i bokstavelig* ~ in the litteral sense, literally; *i egentlig* ~ properly speaking, in the proper sense of the word; *i lovens* ~ in a legal sense; *i strengeste* ~ strictly speaking, in the strict sense of the word (*el.* term); *i ordets vanlige* ~ in the usual sense of the word; *i videste* ~ broadly speaking.

forstander principal, manager, director, superintendent. **-inne** directress; (*på sykehus*) matron,

nursing superintendent; US director of nursing service, superintendent of nurses.
forstandig sensible, intelligent. **-het** sensibleness, good sense.
forstands|menneske matter-of-fact person. **-messig** rational, intellectual.
forst|assistent, -betjent forester, ranger.
forstavelse prefix.
forstavn stem, bow, bows.
forsteine (vb) petrify.
forsteining petrifaction.
forstem|mende discouraging, depressing; det virker ~ it has a depressing (el. disheartening) effect. **-t** dejected, dispirited, disheartened, depressed, cast down, blue.
forstene (vb): se forsteine.
forsterk|e (vb) strengthen, fortify; reinforce. **-er** (i radio) amplifier. **-ning** reinforcement, strengthening.
forstill|e vb (sin stemme, etc.) disguise, dissimulate; ~ seg pretend, dissemble, feign, simulate, sham. **-else** dissimulation, sham, disguise. **-elseskunst** dissimulation.
forstilt feigned.
forst|kandidat Master of Forestry (fk M.F.); US Bachelor of Forestry (fk B.F.). **-mann** forester; (se skogvokter).
forstikke (vb): ~ seg hide.
forstokkelse obduracy.
forstokket obdurate, pig-headed.
forstopp|e (vb) choke (up), obstruct. **-else** obstruction; constipation; ha ~ be constipated.
forstrek|ke (vb) strain (fx s. a muscle); jeg har forstrukket halsen I have a crick in my neck; (jvf forstue); (en med) advance (fx sby £ 10); ~ en med kontanter supply sby with cash.
forstudier (pl) preliminary studies.
I. forstue (subst) (entrance) hall.
II. forstue (vb) strain, sprain (fx an ankle).
III. forstue vb (om last): ~ seg shift.
forstuing sprain, strain.
forstumme become silent; (om lyd) cease, die down.
forst|vesen forestry matters; f. authorities. **-vitenskap** forestry.
forstykke front; (i skjorte) shirt front.
forstyrre (vb) disturb, interrupt, interfere with; (bringe i uorden) disarrange; derange; (bry) trouble; (forvirre) confuse; (komme til uleilighet) intrude; jeg håper jeg ikke -r I hope I am not intruding; unnskyld at jeg -r Dem (I'm) sorry to trouble you.
forstyrrelse disturbance, interruption; derangement, trouble, intrusion.
forstyrret confused; (i hodet) deranged, crazy.
forstørr|e (vb) enlarge; magnify. **-else** enlargement; magnification. **-elsesglass** magnifying glass.
forstøte (vb) cast off, disown, repudiate.
forstå vb (begripe) understand, comprehend; (fatte, innse) realize, see, appreciate, grasp; (slutte seg til) understand, gather (fx I understood from what you said that he was dead; you will have gathered from our latest letters that ...); (kunne) know (fx he knows how to hold audiences spell-bound); jeg kan godt ~ at ... I can quite understand that ... ; I fully appreciate that; som De -r as you will understand (el. realize); han -r ikke spøk he can't take a joke; hva jeg ikke -r er at ... T what gets me beat is that ... ; er det noen som ikke -r? (i skole) anyone not clear? ia en ~ at ... give sby to understand that ... , intimate to sby that; så vidt jeg -r as far as I can make out; er det så å ~ at ... ? am I to understand that ... ? dette må ikke -s slik at this must not be taken to mean that ... ; jeg forsto Dem så at ... I understood you to say that; ikke så å ~ at not that (fx not that I fear him); det -r seg of course! naturally! obviously! det -r seg selv it explains itself, it is self-explanatory; ~ seg på understand about, have a knowledge of,

be a judge of; han -r seg på biler he knows about cars; hva -r man ved ... ? what is meant by ... ?
forståelig understandable, intelligible, comprehensible; (som kan unnskyldes) pardonable (fx a p. mistake); gjøre det ~ for make it intelligible to; lett ~ easy to understand; av lett -e grunner for obvious reasons; gjøre seg ~ make oneself understood (el. intelligible).
forståelighet intelligibility, comprehensibility.
forståelse (det å forstå) understanding, comprehension; (klar oppfattelse av) realization; (betydning) sense; (samfølelse) understanding, sympathy; komme til en ~ come to an understanding; leve i god ~ med live in harmony with; møte ~ find understanding (el. sympathy), find sympathetic understanding; vise ~ for sympathize with, feel sympathy for; den rette ~ av disse bestemmelser the proper interpretation of these provisions. **-sfull** understanding.
forståsegpåer would-be authority, wiseacre.
forsulten starved, starving, famished.
forsumpe (vb) 1 (stagnere) stagnate; 2. T go to the dogs.
forsure (vb) embitter.
forsvar defence; US defense; si til ~ for say in defence of; til sitt ~ in one's defence; ta i ~ defend; ta ham i ~ (også) stand up for him; Forsvarets høyskole the Joint Staff College; (se bygningsteknisk).
forsvare (vb) defend; justify, advocate; jeg kan ikke ~ å I do not feel justified in (-ing); ~ seg defend oneself; (se ta: ~ igjen).
forsvarer defender; (jur) counsel for the defence; advokat X møtte som ~ Mr. X appeared for the defence.
forsvarlig defensible, warrantable, justifiable; (sikker) secure; (adv) properly, securely; i ~ stand in proper condition; holde i ~ stand keep in good repair; låse en dør ~ lock a door securely.
forsvars|departement Ministry of Defence; US Defense Department. **-distrikt** local defence district; (i England) (Army) subdistrict. **-evne** defensive power. **-forbund** defensive alliance. **-krig** defensive war. **-linje** line of defence. **-løs** defenceless. **-middel** (means of) defence. **-minister** Minister of Defence; US Secretary of Defense. **-plan** plan of defence. **-saken** (the cause of) national defence. **-skrift** defence. **-vennlig** in favour of (a strong) national defence. **-vilje** will to defend the nation. **-våpen** defensive weapon.
forsverge (vb) forswear; man skal ingenting ~ let us make no promises about it; you never can tell; stranger things have happened.
forsvinn|e (vb) disappear, vanish; forsvinn! get out! **-ende** vanishing; (fig) infinitesimal, minimal. **-ing** disappearance. **-ingsnummer**: lage et ~ do a disappearing act. **-ingspunkt** vanishing point.
forsvunnet gone, lost, missing.
forsyn providence; cf Providence.
forsynd|e (vb): ~ seg sin, offend; ~ seg mot god grammatikk offend against grammar; ~ seg mot reglene for god tone commit a breach of etiquette. **-else** sin, offence.
forsyn|e (vb) supply, furnish, provide; (ved bordet) help (med to); forsyn Dem! help yourself; vel -t (med varer) well-stocked (med with, in, fx I am well stocked in dark colours); well-supplied (fx shop, ship).
forsyning supply; provision; så snart vi får inn ytterligere -er as soon as further stock comes to hand.
forsyningstropper (pl): Hærens ~ = Royal Army Service Corps; US Army Supply Corps.
forsynlig provident, prudent. **-het** foresight, prudence.
forsøk experiment, attempt (på at); det er et ~ verdt the attempt is worth making; hans første litterære ~ his first literary effort; et mislykket ~ a failure; våge -et (også) take the plunge.

forsøke (*vb*) try, attempt; ~ *seg som lærer* try one's hand at teaching.
forsøks- experimental.**-dyr** experimental animal. **-gymnas** [experimental grammar school]. **-kanin** rabbit used for experiments; (*fig*) guinea pig; *jeg vil ikke være* ~ *for ham* I don't want him to experiment on me. **-leder** projects leader. **-råd:** *Forsøksrådet for skoleverket* [the Council for educational experiments]. **-vis** experimentally, by way of experiment, tentatively.
forsølv|e (*vb*) silver-plate. **-ing** silver plating.
forsømme (*vb*) neglect; (*unnlate å*) fail (*el.* omit) to; ~ *en leilighet* miss an opportunity, let an o. pass; *jeg har ikke noe å* ~ *med det* I have nothing else to do; (*se forsømt*).
forsømmelig negligent, neglectful; (*med betaling*) remiss. **-het** negligence; remissness.
forsømmelse neglect, negligence; *en grov* ~ an act of gross negligence; (*unnlatelse*) omission, failure; (*det å overse*) oversight; *ved en* ~ *fra vår side* through an oversight on our part.
forsømt neglected; *innhente* (*el. ta igjen*) *det -e* make up for lost time; recover lost ground; catch up with arrears of work.
forsørg|e (*vb*) provide for, maintain, support. **-else** provision, support, maintenance.
forsørgelses|bidrag family allowance. **-byrde** family responsibilities; *han har ingen* ~ he has no dependents. **-plikt** obligation to maintain sby, duty to support sby. **-pliktig** under a duty to support sby, bound to maintain sby.
forsørger supporter; (*familie-*) breadwinner.
forsøte (*vb*) sweeten.
I. fort (*subst*) fort.
II. fort (*adv*) fast, quickly; *han kunne* ~ *ha blitt overkjørt* he might easily have been run over.
forta (*vb*): 1. ~ *seg* pass off; wear away; 2 (*overanstrenge seg*) overstrain oneself; (*se overanstrenge*).
fortann front tooth, incisor.
fortape (*vb*): ~ *seg i* lose oneself in, be lost in.
fortapelse (*av rettighet*) forfeiture; (*fordømmelse*) perdition.
fortapt lost; (*motløs*) disheartened, dejected; *den -e sønn* the Prodigal (Son); *vi er* ~ we are lost, we are done for; T we have had it.
fortau pavement; US sidewalk.
fortauskafé café terrace.
fortauskant kerb(stone), curb.
forte (*vb*): ~ *seg* hurry; ~ *seg med frokosten* hurry over one's breakfast; *fort deg i seng nå!* (*sagt til barn*) get off to bed and be quick about it!
fortegn (*mat.*) sign; ♩ signature; *med motsatt* ~ with the sign reversed, with an opposite sign; *with opposite signs*; (*kun fig*) in reverse (*fx* D-Day was Dunkirk in r.).
fortegnelse list, inventory (*over* of); *oppta* ~ *over, sette opp en* ~ *over* make (*el.* draw up) a list (*el.* an i.) of.
fortegnet out of drawing, distorted.
fortegning 1. model; 2 (*feiltegning*) incorrect drawing, distortion.
fortekst (*til film*) credit title.
fortelle (*vb*) tell; relate; *han fortalte at . . .* he told me (,us, *etc*) that; *det -s at* a story is going about that . . . ; *etter hva det blir fortalt* by all accounts.
fortell|er narrator. **-ing** narrative, tale, story.
fortenke (*vb*): ~ *en i* blame sby for.
fortenning pre-ignition; advanced i.
forteppe curtain.
forterpet commonplace, trite.
fortersket hackneyed, trite.
fortetning condensation.
fortette (*vb*) condense.
fortgang: *få* ~ *i* speed up (*fx* production), expedite, push on; *få* ~ *i saken* speed up matters, get things moving.
fortid past, the past; *la -en være glemt* let bygones be bygones; *hans* ~ his past life, his former life; *tilhører -en* is a thing of the past.
fortids|minnesmerke ancient monument;

memorial of the past. **-levninger** (*pl*) antiquities, relics (of the past).
fortie (*vb*) conceal (*for* from), keep secret, suppress, hush up, be silent about.
fortielse concealment, suppression (of the truth).
fortil in front.
fortin|ne (*vb*) tin. **-ning** tinning.
fortjene (*vb*) deserve, merit; *det -r å merkes* it is worthy of note.
fortjeneste earnings, gain, profit; (*fortjenthet*) merit, deserts; *ha god* ~ *på* make a good profit on (*el.* out of); *selge med* ~ sell at a profit; *dette var hele min* ~ that was all I made by it; *dersom det gikk oss etter* ~ if we had our deserts; *uten min* ~ through no merit of mine; (*se også tjene*).
fortjenstfull deserving, meritorious.
fortjenstmedalje Order of Merit.
fortjent: *gjøre seg* ~ *til* merit, deserve, be deserving of; *han har gjort seg* ~ *av sitt land* he deserves well of his country.
fortløpende consecutive, continuous.
fortne (*vb*): ~ *seg* (*om klokke*) gain; *klokken din -r seg* your watch is fast; *klokken min -r seg 2 minutter i døgnet* my watch gains a minute a day.
fortolk|e (*vb*) interpret, expound; (*legge en betydning i*) construe. **-er** interpreter, expounder. **-ning** interpretation, exposition; construction. **-ningskunst** art of interpretation; (*teologi*) hermeneutics.
fortoll|e (*vb*) pay duty (on), clear (*fx* a consignment). **-et** duty paid. **-ing** payment of duty; Customs clearance.
fortom (*på snøre*) snell, snood.
fortone (*vb*): ~ *seg* appear, seem; *det -t seg for meg som om . . .* it seemed to me as if . . .
fortopp ⚓ foretop.
fortred harm, mischief, hurt; *gjøre* ~ do harm; *han gjør ikke en katt* ~ he would not hurt a fly.
fortred|elig annoying. **-elighet** trouble, annoyance.
fortreffelig excellent, splendid, admirable. **-het** excellence.
fortrekke *vb* (*fjerne seg*) go away, make off; decamp; (*om ansiktsuttrykk*) distort, twist; ~ *ansiktet* make a wry face; *uten å* ~ *en mine* without wincing, without moving a muscle of one's face; *han måtte* ~ he was obliged to withdraw.
fortreng|e (*vb*) expel, oust, crush out; (*avløse*) displace, supersede, supplant. **-sel:** *til* ~ *for* to the displacement of; (*fig*) to the neglect of.
fortrinn (*prioritet*) precedence, priority, preference; (*god egenskap*) good point, merit, advantage; *ha* ~ *fremfor* take the precedence of, take priority over; have the advantage over; *gi en -et prefer* sby; *gi en -et fremfor* give sby the preference over (*fx* other buyers).
fortrinnlig superior, excellent, capital; (*adv*) (pre-)eminently, excellently.
fortrinnlighet superiority, excellence.
fortrinnsrett preference, priority.
fortrinnsvis by preference, preferentially.
fortrolig confidential; *en* ~ *venn* an intimate friend; *stå på en* ~ *fot med* be on intimate terms with; *gjøre seg* ~ *med* make oneself familiar with; familiarize oneself with; *jeg gjorde ham til min -e* I took him into my confidence; *være* ~ *med* (*kjenne godt til*) be familiar with, be well acquainted with.
fortrolighet confidence; familiarity, intimacy; *ha* ~ *til* have confidence in; *i* ~ in confidence, confidentially.
fortropp ⚔ vanguard.
fortrukket distorted, drawn.
fortrylle (*vb*) charm, enchant, fascinate.
fortryllelse charm, enchantment, fascination, spell; *heve -n* break the spell.
fortryllende charming, enchanting, ravishing.
fortrøstning reliance, trust, confidence; *sette vår* ~ *til* put our trust in, place reliance in (*el.* on); *i* ~ *til* trusting in.

fortrøstningsfull confident.

fortsatt continued; *min -e aktelse* my c. esteem; *føre til -e forretninger* lead to a continuance of business; *loven har* ~ *gyldighet* the law remains in force; *markedet er* ~ *svakt* the market continues weak.

fortsette (*vi*) continue, go on; (*vt*) carry on, proceed with, keep on with; ~ *i den gamle tralten* continue in the same old rut; ~ *i det uendelige* go on for ever; *fortsett innover i vognen!* pass along the car, please! US step forward, please! (*se også fortsatt*).

fortsettelse continuation; ~ *følger* to be continued.

fortumlet confused, perplexed.

Fortuna Fortune; *fru* ~ Dame Fortune.

fortvile (*vb*) despair; *det er til å* ~ *over* it is enough to drive one to despair.

fortvilelse despair, desperation; *bringe til* ~ drive to despair.

fortvilet desperate; (*noe svakere, om person*) despairing, in despair, disconsolate; (*adv*) desperately.

fortyk|ke (*vb*) thicken. **-kelse, -ning** thickening.

fortynne (*vb*) dilute, thin. **-t** diluted.

fortynning dilution.

fortysk|e (*vb*) Germanize. **-ning** Germanization.

fortære (*vb*) consume; (*sluke, etc*) devour; **-s** (*om metall*) corrode, be eaten away; **-s av sorg** be consumed with grief.

fortæring consumption.

fortørnelse resentment, anger, wrath.

fortørnet: ~ *over* exasperated at; ~ *på* e. with.

fortøye *vb* (*skip*) moor; (*båt*) make fast.

fortøyning mooring.

forulemp|e *vb* (*tilføye overlast*) molest. **-else, -ning** molestation.

forulyk|ke (*vb*) lose one's life, be lost, perish; *skipet -ket* the skip was lost (*el.* wrecked); *de -kede* the victims of the accident, the casualties.

forunderlig strange, surprising; (*underlig*) singular, odd; (*adv*) strangely, singularly; ~ *nok* strange to say, strange as it may seem, strangely enough.

forundersøkelse preliminary inquiry (*el.* investigation).

forund|re (*vb*) surprise; ~ *seg over* wonder at, marvel at, be surprised at; *det -rer meg at* I wonder that; *det skulle ikke* ~ *meg om* I should not be surprised if . . . **-ring** wonder, surprise; *til min* ~ to my surprise; *til* ~ *for* to the s. of.

forunne (*vb*) grant.

foruren|se *vb* (*gjøre uren*) contaminate, pollute, foul. **-sning** contamination, pollution, fouling; *-er* impurities, foul matter.

forurett|e (*vb*) wrong, injure; *den -ede* the injured party. **-else** wrong, injury.

forurolige (*vb*) disquiet, alarm; *vi føler oss -t ved disse begivenheter* we are disquieted by these events. **-nde** alarming, disquieting.

forut ahead; (*i skip*) forward; ~ *for* ahead of; (*i tid*) before, previous to; *han er* ~ *for sin alder* he is beyond his years; *rett* ~ right ahead; ~ *og akter* ⚓ fore and aft; *gå* ~ for precede; *hva har gått* ~ *for dette?* (⊃: hva har hendt tidligere i stykket, romanen, etc) what has happened up to this point? *en seiler* ~! a sail ahead!

forut|anelse presentiment; presage. **-bestemme** (*vb*) predetermine, predestine. **-bestemmelse** predetermination, predestination. **-bestille** (*vb*) order (,book) in advance. **-bestilling** (*av billett*) advance booking; (*av varer*) advance order; (*det å*) ordering (,booking) in advance. **-betale** (*vb*) pay in advance, prepay. **-betalt** prepaid. **-datere** (*vb*) antedate.

foruten (*prep*) besides, in addition to.

forut|fattet preconceived. **-gående** foregoing, preceding, prior. **-inntatt** predisposed, prejudiced (*for* in favour of, *mot* against); *være* ~ *mot en* have a bias against sby, be bias(s)ed against sby.

-satt: ~ *at* provided that, on condition that, on the understanding that, assuming that.

forutse (*vb*) foresee. **forutseende** (*fremsynt*) foresighted; (*forsynlig*) provident. **forutseenhet** foresight.

forutsetning supposition, assumption, presupposition; (*betingelse*) condition; (*egenskap*) qualification (*fx* he has every q. necessary for such a post); *det var en stilltiende* ~ *at* it was tacitly understood that; *ut fra den* ~ *at* on the assumption that.

forutsette *vb* (*gå ut fra*) suppose, presuppose, assume; *jeg -r at* I take it for granted that. **forut|si** (*vb*) foretell, predict, forecast. **-sigelse** prediction.

forutskikke *vb* (*meddele i forveien*) premise (*fx* a remark); ~ *en bemerkning* (*også*) make a preliminary remark.

forvalte (*vb*) manage, administer; ~ *dårlig* mismanage; ~ *midler* administer funds.

forvalt|er manager; (*i fengsel*) steward. **-ning** administration, management.

forvand|le (*vb*) change, transform, convert; ~ *til* change (*el.* convert) into. **-ling** change, transformation; (*også* ♠) metamorphosis.

forvansk|e (*vb*) distort, misrepresent; (*ødelegge*) corrupt, pervert. **-ning** distortion, misrepresentation; corruption, perversion.

forvar|e (*vb*) keep; *han er ikke riktig vel -t* he is not all there; *vel -t er vel spart* fast bind fast find. **-ing** keeping, custody, safe keeping; charge; *ha i* ~ have charge of; *ta i* ~ take charge of.

forvarmer preheater.

forvarsel omen, presage.

forvask (*av tøy*) preliminary wash.

forveien: *i* ~ beforehand; in advance; (*tidligere*) previously; *gå i* ~ go ahead; lead the way; *sende i* ~ send in advance.

forveksle (*vb*) mistake, confuse, mix up; ~ *med* mistake for, confuse with (*fx* you have confused us with another firm).

forveksling mistake, confusion; *det foreligger en* ~ there is some mistake; (*om person*) it is a case of mistaken identity.

forven|ne (*vb*) spoil, pamper. **-t** spoilt; (*smak*) pampered.

forventhet pampered taste.

forventning expectation, anticipation; *det svarte ikke til min* ~ it fell short of my expectations; *mot* ~ contrary to expectation(s); *over* ~ more than (could be) expected; *i* ~ *om* in expectation of. **forventningsfull** expectant, full of expectation.

forver|re (*vb*) make worse, worsen, deteriorate; aggravate. **-ring** worsening, aggravation; *skulle en* ~ *inntre* should there be a turn for the worse, should there be a worsening of these conditions.

forvik|le (*vb*) entangle, complicate. **-ling** complication, entanglement.

forville (*vb*): ~ *seg* lose one's way, stray, go astray.

forvillelse: *ungdommens -r* the aberrations of youth.

forvir|re (*vb*) confuse, perplex, disconcert, bewilder; (*bringe ut av fatning*) put out (*fx* he was put out by the interruptions); . . . *som han, -rende nok,* oversatte med . . . which, confusingly enough, he translated by. **-ret** confused; ~ *snakk* nonsense.

forvirring confusion, bewilderment; *bringe* ~ *i noe* throw sth into confusion.

forvise (*vb*) banish, exile.

forvisning banishment, exile.

forvisse (*vb*): ~ *seg om* make sure of; ascertain, assure oneself of; ~ *seg om at* make sure that, satisfy oneself that; *være -t om* be sure of; *De kan være -t om at* you may rest assured that.

forvissning assurance, conviction; *en fast* ~ *om at* a firm c. that.

forviten(skap): se *nysgjerrig(het)*.

forvitre (vb) disintegrate, weather; (smuldre) crumble.
forvitring disintegration; crumbling.
forvokst: et ~ barn an overgrown child.
forvold|e (vb) cause; omfanget av den -te skade (også) the amount of the damage sustained.
forvorpen depraved, reprobate, abandoned.
forvorpenhet depravity.
forvreng|e (vb) distort, misrepresent. **-ning** distortion, misrepresentation.
forvri (vb) twist, dislocate, luxate; (forstue) sprain; (fig) warp, pervert.
forvridd distorted, twisted (out of shape).
forvridning twisting, dislocation, luxation; spraining.
forvrøvlet garbled (fx a g. version); (om person) muddle-headed.
forværelse anteroom.
forvåket exhausted with watching.
foryng|e (vb) rejuvenate. **-else** rejuvenation.
forære (vb): ~ en noe make sby a present of sth, present sby with sth.
foræring present, gift; få i ~ receive as a gift; jeg fikk det i ~ av it was given to me by.
forøde (vb) dissipate.
forødelse dissipation, waste.
forøk|e (vb) increase, augment, add to, enhance. **-else** increase, augmentation, enhancement. **-et** (om utgave) enlarged.
forønsket desired, wished-for.
forøve (vb) commit, perpetrate. **forøver** perpetrator.
for øvrig: se øvrig.
forår spring.
forårsake (vb) cause, occasion, bring about.
fosfat ℂ̵ phosphate.
fosfor ♂ phosphorus. **-escere** (vb) phosphoresce. **-escerende** phosphorescent.
fosforsur phosphorated; -t salt phosphate.
fosforsyre ℂ̵ phosphoric acid.
foss waterfall, cataract.
fosse vb (styrte ned) pour down; cascade, gush; (skumme) foam; ~ opp well up.
fosse|dur the roar of a waterfall. **-grim** [fiddle -playing supernatural being believed to dwell beneath waterfalls]; (kan gjengis) nix. **-kall** ⚥ dipper. **-stryk** rapid. **-utbygging** harnessing (el. development) of waterfalls.
fossil (subst & adj) fossil.
fosskoke (vb) boil fast.
foster foetus, fetus; (umodent) embryo; (fig) production; et ~ av hans innbilningskraft a product of his imagination. **-barn** foster child. **-bror** foster brother. **-drap, -fordrivelse** criminal abortion, foeticide, illegal operation. **-fordrivende** abortive. **-fordriver(ske)** abortionist.
foster|hinne membrane of the foetus (,embryo); innerste ~ amnion; ytterste ~ chorion. **-leie** (stilling) presentation (fx foot p.); lie of the foetus. **-liv** f(o)etal life. **-lyd** f(o)etal souffle. **-lære** embryology. **-vann** amniotic fluid; -et T the water (fx she is losing the w.).
fostre (vb) rear; (fig) breed.
fot (også lengdemål) foot (pl: feet) (fx three feet long; dog også foot i pl i forb. som 5 foot 10 (= 5 feet 10 inches); falle til -e submit, come to heel; få -en innenfor get (el. gain el. secure) a foothold; når han først har fått -en innenfor once he has got inside; sette ~ under eget bord set up house for oneself; ~ for ~ foot by foot; for -e indiscriminately; så lett som ~ i hose as easy as falling off a log, as easy as shelling peas; T dead easy, as easy as winking, as easy as pie; stille på like ~ med place on an equal footing with; stå på like ~ med be on the same (el. on an equal) footing with; be on a basis of equality with; konkurrere på like ~ med compete on equal terms with; stå på en god ~ med be on good terms with; jeg står på en god ~ med ham (også) I am well in with him; bringe firmaet på -e igjen help (el. put) the firm on its legs again;

på stående ~ offhand, on the spur of the moment, here and now; bundet på hender og føtter bound hand and foot; leve på en stor ~ live in grand style; til -s on foot; trå under føtter trample under foot; ved -en gevær! order arms! ved -en av at the foot of; (se også ben).
fot|arbeid footwork (fx of boxer, tennis player); leg action (fx of swimmer). **-avtrykk** the mark of a foot (,of feet), footprint(s). **-bad** foot bath. **-ball** football; T soccer; spille ~ play f. **-ballbane** football ground. **-balldommer** referee. **fotballe** ℤ̵ ball of the foot.
fotball|kamp f. match; US f. game. **-lag** f. team, f. side (fx the school has a strong f. side); et ~ (også) an eleven. **-spiller** footballer, football player.
fot|brems foot brake. **-bryter** foot switch; (nedblendingskontakt) foot dipper switch.
fotefar footprint; (se fotspor).
fotende (av seng) footboard.
fot|fall prostration; gjøre ~ for prostrate oneself before. **-feste** footing, foothold; få ~ gain (el. get) a f. (fx in a market); miste -t slip, lose one's footing.
fot|folk (pl) infantry, foot. **-fødsel** delivery with a foot(ling) presentation. **-gjenger** pedestrian. **-gjengerovergang** (pedestrian) crossing (fx cross the street on the crossings); zebra crossing; US crosswalk. **-gjengerundergang** (pedestrian) subway; US: underpass (NB US subway = tunnelbane). **-lenker** (pl) fetters. **-note** footnote.
fotoatelier photographer's studio.
fotoforretning photographer's (shop); photo shop; (som bare selger filmutstyr) film supplier's (shop).
fotograf photographer.
fotografere (vb) photograph.
fotografering photography; (det å) photographing.
fotografi photograph, photo. **-album** photo album. **-apparat** camera. **-ramme** photo frame.
fotografisk photographic.
foto|gravyr photogravure. **-litografi** photolithography. **-statkopi** photostat copy.
fotpleie pedicure.
fotrapp fleet-footed.
fotsbredd foot-breadth; ikke vike en ~ not budge an inch.
fot|sid reaching down to the feet, ankle -length; ~ kjole full-length dress, long d.; hun har ~ kjole (også) her dress sweeps the floor. **-skade** foot trouble. **-skammel** footstool. **-sopp** athlete's foot. **-spark** kick.
fotspor footmark, footprint; gå i ens ~ follow in sby's footsteps.
fot|svette sweaty (el. perspiring) feet. **-såle** sole of the foot. **-trinn** (foot)step, footfall.
fottur walking tour; hike; tramp (fx he went for a long t. in the woods); dra av sted på ~ go on a walking tour; han er på ~ i Jotunheimen he is walking in J.
fot|turist hiker, rambler. **-tøy** footwear, boots and shoes. **-vask** washing one's feet.
foyer foyer, lobby.
fra 1 (prep) from; away from (fx we are five miles away from the station); han er ~ Oslo he is from Oslo, he is a native of O.; smilende kelnere gikk til og ~ bordet deres smiling waiters crossed to and from their table; han gikk til og ~ konserthallen he walked to and from the Concert Hall; he walked both ways when he went to the C. H.; foreta reiser til og ~ mellom X og Y make journeys to and fro between X and Y; ~ tid til annen from time to time; ~ i dag av from today; as from today; ~ den tid av since then; from that time (onward); jeg vet det ~ før av I know it (el. that) already; ~ mandag av from Monday onwards; ~ først av from the first; at first (stage); nå av henceforth, from now on; ~ og med 1. mai til og med 3. juni from May 1st to June 3rd in-

clusive; ~ *og med 3. til og med 12. mai* from the 3rd to the 12th of May inclusive; from 3rd to 12th May, both days inclusive; from May 3rd to May 12th inclusive; ~ *og med i dag* as from today, from this day onwards; *være* ~ *seg selv* be beside oneself; ~ *hverandre: se hverandre; det gjør hverken* ~ *eller til* that makes no difference; *ikke så mye at det gjorde noe* ~ *eller til* not so much that it mattered; not so much that it made any difference; *trekke* ~ deduct; 2 *(konj):* ~ *jeg var 4 år gammel* since I was four years old; ~ *jeg var barn* since I was a child, from my childhood.

frabe *(vb):* ~ *seg gjenvalg* decline re-election; *jeg må* ~ *meg enhver innblanding* I will thank you not to interfere; *det vil jeg ha meg -dt* I won't have (any of) that.

fradrag deduction; *etter* ~ *av omkostninger* deducting expenses. **fradragspost** deduction.

fradømme *(vb)* sentence to lose, deprive of; ~ *en de statsborgerlige rettigheter* deprive sby of civil rights, deprive sby of Norwegian (*,etc*) citizenship.

fradømmelse deprivation, loss *(fx* of a right); ~ *av de statsborgerlige rettigheter* deprivation of civil rights, d. of Norwegian (*,etc*) citizenship.

frafall desertion, defection; *(fra religion)* apostasy; *(jur)* withdrawal *(fx* of a charge).

frafalle *(vb)* give up, abandon, relinquish, waive *(et krav* a claim); *jeg -r (ordet)* I waive my right to speak; US I yield the floor; *jeg -r min innvending* I drop my objection. **-n** apostate.

fraflytte *(vb)* leave, move from, vacate.

fragment fragment.

fragmentarisk fragmentary.

fragå *vb (benekte riktigheten av)* deny; go back on.

frakjenne *(vb)* deprive of, sentence to lose; *en kan ikke* ~ *ham hans dyktighet* his ability cannot be denied *(el.* is beyond dispute).

frakk coat, overcoat; *(regn-)* raincoat. **frakke|-krage** coat collar. **-skjøt** coattail.

frakople *(vb): se kople fra.*

frakopling uncoupling; ~ *under fart (jernb)* slipping (of wagons).

fraksjon *(del av et politisk parti)* section, wing.

frakt 1 *(gods)* cargo, freight; 2 *(beløp)* freight, freightage, (freight) rate(s); *(jernbane-)* carriage; US freight; ~ *betalt* carriage (,freight) paid; US freight prepaid; ~ *ubetalt* carriage (,freight) forward, freight on delivery; US freight not prepaid; *fallende -er* falling freight rates; declining freights; *gode -er* good rates; *høye -er* high rates; *stigende -er* rising freight rates, rising freights; *utgående* ~ outward freight; *få* ~ *get (el.* obtain) a cargo; *få* ~ *hjem* get a homeward cargo; *slutte* ~ fix a ship, close a charter, close a freight.

frakt|beretning freight report. **-brev** *(jernb)* consignment note, way-bill; US freight bill; *(konnossement)* bill of lading *(fk* B/L). **-damper** cargo steamer, freighter; *(stor)* cargo liner.

frakte *vb (føre)* carry, convey; *(befrakte)* freight, charter.

frakt|fart carrying trade; *gå i* ~ be engaged in the c. t. **-forholdene** the state of the freight market. **-forhøyelse** rise *(el.* increase) of freights, advance in freight rates. **-forskudd** advance on the freight. **-fri** freight paid; *(jernb)* carriage paid, c. free. **-gods** goods; US freight; *(med skip)* cargo; *(befordringsmåte)* ordinary goods service; *sende som* ~ send by goods (US: freight) train. **-inntekt** *tapt* ~ loss of hire; *-er* freight earnings. **-kontrakt** charter party. **-krig** freight(-cutting) war, rate war, rate-cutting campaign. **-kurs** rate of freight. **-liste** freight list, list of freights. **-moderasjon** reduced rate(s). **-nedsettelse** reduction of *(el.* in) freight rates. **-notering** freight quotation, q. of freight, q. of rates. **-omkostninger** freight charges. **-sats** rate of freight, f. rate. **-seddel** *(jernb)* freight ticket. **-slutning** fixture. **-tilbud** offer of freight *(el.* tonnage). **-tillegg** supplementary freight charge, additional *(el.* extra) freight.

fraktur black letter; German type; ℱ fracture.

fraktvilkår *(pl)* terms of freight.

fralands off-shore. **-vind** off-shore wind.

fralegge *(vb):* ~ *seg* disavow, disclaim *(fx* disclaim (the) responsibility for).

fralokke *(vb)* coax out of; wheedle out of *(fx* w. sth out of sby).

fralure *(vb):* ~ *en noe* trick sby out of sth.

fram forth, forward, on; *lenger* ~ further on; ~ *med dere!* get out; ~ *og tilbake* backwards and forwards, to and fro; *det er langt* ~ we have a long way before us.

fram-: *se også sms med frem-.*

frambringe: *se frembringe.* **framdrift** 1. propulsion; 2. energy, push, enterprise, drive; *det er ingen* ~ *i ham* he lacks drive.

frametter along *(fx* they walked a. the road); *(se fremover).*

fram|ferd conduct, proceeding; *(se -drift 2).*

framfor: *se fremfor.*

framgang advance, progress; *(trivsel)* prosperity; *gjøre* ~ make progress; *til X, med ønske om god* ~ *i studiet av det norske språks mysterier* to X, with every good wish for your future progress in the study of the mysteries of the Norwegian language. **-småte** plan, method, line of action; course; *bruke en* ~ follow a practice.

framhaldsskole *(glds)* = secondary modern school.

framifrå excellent.

framkalle: *se fremkalle.*

framkommelig: *se fremkommelig.*

framkomst: *se fremkomst.*

framlegg motion, proposal; *(se fremlegge).*

framleie: *se fremleie.*

framlyd initial sound.

framme: *se III. fremme.*

framover: *se fremover.*

frampå: *se frempå.*

framsteg: *se fremskritt.*

framstegsparti progressive party.

framstøt *(angrep)* (forward) thrust, push, drive.

fram|stående projecting; *(person)* prominent. **-syn** foresight; *vise* ~ show f. **-synt** *(forutseende)* farsighted, far-seeing; *(synsk)* second-sighted, visionary; *-e menn* men with foresight; men who look ahead; *han er* ~ *(også)* he takes a long view.

framtid future, futurity; *i -a* in future, for the future; *i en ikke altfor fjern* ~ in the not (too) distant future; *i nær* ~ in the near future, shortly, before long, at an early date; *i nærmeste* ~ in the immediate *(el.* very near) future, very shortly, before very long; *engang i -a* at some future date *(el.* time), on some future occasion; *det var ingen* ~ *for ham der* he had no prospects *(el.* future) there; *-a ligger åpen foran deg* you have the future at your feet; you have a dazzling f. before you. **framtidig** future, prospective.

framtids|bilde vision of the future. **-musikk:** *det er* ~ it belongs to the future. **-perspektiv** perspective *(fx* it opens up a dismal p.), vista *(fx* it opens up new vistas). **-planer** *(pl)* plans for the future. **-post, -stilling** post with a good future. **-utsikter** *(pl)* (future) prospects, prospects for the future.

fram|tvinge *(vb)* force, enforce; compel; ~ *en krise* force a crisis. **-vise** *(vb)* show, exhibit, display. **-viser** (film) projector. **-visning** display, exhibition; *(av dokumenter, etc)* production, presentation; *(av film)* showing; *mot* ~ *av billett* by ticket *(fx* people are admitted by t.).

franarre *(vb)* trick out of *(fx* trick sby out of sth).

frank: *fri og* ~ free (as air); US free as the breeze.

franke|re *(vb)* stamp; *dette brevet er utilstrekkelig -rt* this letter is underpaid *(el.* understamped); US this l. has insufficient postage. **-ring** stamping; *utilstrekkelig* ~ underpaid postage. **-ringsmaskin** franking machine, postal franker.

Frankfurt am Main Frankfort-on-Main.

franko (*om brev*) post free, postage paid; (*jernb*) carriage paid; (*salgsklausul*) franco; *sende* ~ send post free (*el.* post paid).

Frankrike France.

fransk French; *på* ~ in French; *oversette til* ~ translate into French; ~ *visitt* flying visit.

fransk|-engelsk Franco-English; French -Englich (*fx* dictionary). **-mann** Frenchman; *-mennene* (*om hele nasjonen*) the French. **-sinnet** pro-French.

frarane (*vb*) rob of (*fx* rob sby of sth).

fraregne (*vb*) deduct. **-t** apart from, exclusive of.

frarive (*vb*) tear (*el.* wrench) from.

fraråde (*vb*) advise against, dissuade from.

frasagn legend; *det gikk* ~ *om* stories were told of .. ; *det gikk underlige* ~ *om hva han gjorde* curious legends were told about his doings.

frase empty phrase, set phrase, fine phrase. **-maker** phrasemonger, ranter. **-makeri** rant.

fraseologi phraseology; *få innarbeidet en riktig* ~ get one's idioms right.

frasi (*vb*): ~ *seg* renounce, relinquish; ~ *seg tronen* abdicate. **-gelse** renunciation, renouncement, relinquishment; abdication.

fraskilt divorced.

fra|skrive *vb* (*frakjenne*) deprive of, deny; ~ *seg retten til* waive (*el.* renounce) the right to; ~ *seg ansvaret* disclaim responsibility. **-sortere** (*vb*) sort out, weed out, discard. **-sortert: -e varer** damaged goods; (*med feil*) defective goods, rejections, throw-outs; (*tilsmussede*) soiled goods. **-stjele** (*vb*) rob of, steal from. **-støtende** repulsive, forbidding; (*se motbydelig*).

frata (*vb*) deprive of; ~ *ham kommandoen* relieve him of his command.

fraternisere (*vb*) fraternize.

fratre (*vb*) retire from, withdraw from, vacate, relinquish, resign; ~ *et embete* resign office; ~ *en stilling* give up (*el.* retire from) a position.

fratredelse retirement, withdrawal, resignation; *arbeiderne er sagt opp til* ~ *31. mai* the workmen have received notice to terminate employment on May 31st.

fratredende retiring; *den* ~ *styreformann* the r. chairman.

fratrekk deduction.

fratrukket deducted.

fravike *vb* (*avvike fra*) depart from, deviate from.

fravikelse departure, deviation.

fravriste (*vb*) wrest from, wring from.

fravær absence; *føre inn -et* (*på skole*) mark the register; *glimre ved sitt* ~ be conspicuous by one's absence.

fraværende absent; *de* ~ the absent; (*fra arbeid, skole*) the absentees; *de* ~ *har alltid urett* the absent are always in the wrong; *med et* ~ *blikk* vacantly; (*se oppføre*).

fred peace; *han ante* ~ *og ingen fare* T he thought everything in the garden was lovely; *la en være i* ~ leave sby alone; *holde* ~ keep peace; (*om stater*) keep the peace; *hold* ~*!* shut up! *slutte* ~ make peace, conclude peace; *lyse* ~ *over ens minne* pray for sby's soul to be at rest; ~ *over hans minne* peace be with him; *man har ikke* ~ *lenger enn naboen vil* it takes two to keep the peace; *ved -en i Kiel* by the peace of K.

fredag Friday; (*se onsdag*).

frede *vb* (*beskytte*) preserve, protect; (*bygning, etc*) schedule as a(n ancient) monument.

fredelig peaceful.

fredelighet peacefulness.

fredhellig sacred, sacrosanct.

fredløs outlaw. **fredløshet** outlawry.

fredning protection, preservation.

frednings|bestemmelser (*pl*) preservation regulations; (*for vilt*) close-time regulations. **-tid** close season (*el.* time).

freds|betingelse peace term. **-brudd** breach of

the peace. **-dommer** justice of the p. **-elskende** peace-loving. **-forskning** peace research. **-forstyrrer** disturber of the peace.

freds|megler mediator. **-megling** mediation.

fredsommelig peaceable. **-het** peaceableness.

freds|pipe pipe of peace. **-prisen** the (Nobel) Peace Prize. **-saken** the cause of peace, the peace movement. **-slutning** conclusion of peace. **-tider** times of p. **-traktat** peace treaty. **-underhandling** peace negotiation. **-venn** pacifist. **-vennlig** peace-loving; pacifist.

fredsæl (*fredselskende*) peace-loving.

fregatt ⚓ frigate.

fregne freckle. **fregnet** freckled.

freidig (*utvungen*) free and easy; (*frekk*) unblushing; T cool, cheeky; *med* ~ *mot* nothing daunted; *en* ~ *påstand* a bold assertion; *han var* ~ *nok til å* he had the assurance to. **-het** ease; coolness, assurance.

frekk barefaced, impudent, audacious, shameless; T cheeky; *han var* ~ *nok til å si ...* he had the face (*el.* impudence) to say; *han var* ~ *og prøvde å spille uskyldig* (*også*) he tried to brazen it out. **-het** audacity, impudence; T cheek; *-ens* *nådegave* the cheek of the Devil.

frekvens frequency; *høy* ~ high frequency; *lav* ~ low frequency. **-måler** frequency meter.

frekventere (*vb*) frequent, attend.

I. frelse (*subst*) rescue, deliverance; (*saliggjørelse*) salvation.

II. frelse (*vb*) save, rescue.

frelser: *vår Frelser* our Saviour, the Redeemer.

Frelsesarméen the Salvation Army.

frem: *se fram.*

frem- : *se også sms med fram-.*

fremad forward, on(ward), ahead. **-skridende** advancing, progressive. **-strebende** go-ahead.

frembringe produce, yield; generate (*fx* friction generates heat). **-lse** production; (*konkret*) product.

frembrudd outbreak; *dagens* ~ peep of day, daybreak; *ved mørkets* ~ at nightfall.

fremby (*vb*) offer, present; ~ *til salg* offer for sale; *bli frembudt for salg* (*også*) come up for sale.

fremdeles still.

fremfor before, above, beyond, in preference to; ~ *alt* above all.

fremfusen|de impetuous. **-het** impetuosity.

fremføre (*vb*) present, put on (*fx* a new play); put forward, make, prefer (*fx* a request); ~ *grunner for* adduce (*el.* advance) reasons for; ~ *en klage* make (*el.* lodge) a complaint; ~ *som unnskyldning* offer as an excuse; ~ *sitt ærend* state one's errand.

fremgå (*vb*): *det -r av det han sier* it is evident (*el.* it appears) from what he says; *betydningen -r av sammenhengen* the context brings out the meaning; *blant annet vil det* ~ *at ...* among other things it will be apparent that; *det -r av disse kjensgjerninger at ...* from these facts it follows that ...; *det fremgikk av hans uttalelser* it appeared from the general tenor of his remarks; (*jvf II. følge*).

fremherskende predominant, prevalent, prevailing; *være* ~ prevail, be prevalent.

fremheve (*vb*) set off, throw into relief; stress, emphasize.

fremholde (*vb*) point out.

frem|kalle *vb* (*forårsake*) cause, bring about, give rise to; (*fot*) develop; ~ *beundring* evoke admiration; ~ *munterhet* provoke mirth; ~ *en situasjon* provoke a situation; ~ *en stemning* evoke a mood; *han var en mester i å* ~ *stemninger* he was a master at evoking moods. **-kaste** (*vb*): ~ *et spørsmål* raise a question, bring a matter up; ~ *en formodning* throw out a suggestion.

frem|komme (*vb*) 1 (*med forslag*) bring forward, put forward (*fx* a suggestion), put forward (*fx* a proposal); ~ *med protest* put in a protest; ~ *med en anmodning* put forward a request; 2 (*oppstå*):

~ *av* result from; 3 (*bli kjent*) come to light, become known, emerge (*fx* no new facts emerged as a result of these investigations). **-kommelig** passable; (*om sjø, elv, også*) open, navigable. **-komst** arrival; (*tilsynekomst*) appearance; *ved -en* on arrival. **-komstmiddel** conveyance, means of locomotion. **-legge** *vb* (*som bevis*) produce; ~ *rapport* present (*el.* submit) a report; ~ *for* submit to, present to, lay before. **-leggelse** production, presentation.

frem|leie subletting. **-leier** subtenant.
I. fremme (*subst*) furtherance, promotion, encouragement, advancement.
II. fremme (*vb*) further, promote, encourage, advance.
III. fremme *adv* (*foran*) in front, ahead; (*synlig*) displayed, on view, exposed to view, out, on show; (*på scenen*) on, on the stage; (*gjenstand for overveielse*) under consideration (*el.* discussion); (*gjenstand for oppmerksomhet*) in the news (*fx* it has been very much in the news lately), to the fore; (*ved målet*) at one's destination, there; *når er vi* ~ *?* when will we be there? when are we due to arrive? *når er vi* ~ *i København?* when are we due (to arrive) in Copenhagen? *vi hadde alle fotografiene* ~ we had all the snapshots out; *langt* ~ far ahead; *langt* ~ *for sin tid* far ahead of one's time; *lenger* ~ further ahead, further on; *la noe ligge* ~ leave sth (lying) about; display sth; *la det stå* ~ leave it (standing) about; *hans navn har vært* ~ *i forbindelse med* ... his name has been mentioned in connection with; *spørsmålet har vært meget* ~ *i den senere tid* the question has been much to the fore lately.

fremmed strange; unknown; unfamiliar; (*utenlandsk*) foreign; alien; *et* ~ *ansikt* an unfamiliar (*el.* strange) face; *-e språk* foreign languages; (*se lærer*); *under et* ~ *navn* under an assumed name; *kald og* ~ cold and distant; *en* ~ a stranger; (*besøkende*) a visitor; *vilt -e* complete strangers; *be -e* invite company; *jeg er* ~ *her* I am a stranger here; *det er* ~ *for meg* I know nothing about it; *det er meg* ~ it is alien to my nature.
fremmedartet strange, alien, outlandish.
fremmed|bok visitors' book. **-herredømme** foreign rule. **-kontoret** the Aliens Registration Office. **-kontrollskjema** Alien Registration form. **-legeme** extraneous matter. **-ord** foreign word. **-ordbok** dictionary of foreign words (and phrases). **-språk** foreign language(s); *det kreves at også lærere i* ~ *kan norsk* teachers of foreign languages are also required to have a knowledge of Norwegian. **-språkundervisning** foreign-language tuition (*el.* instruction).
fremmelig forward, precocious.
frem|møte (*subst*) appearance, attendance. **-møtt** in attendance.
fremover forward; ahead; (*av sted*) along; (*i framtida*) in future, hereafter; *i lang tid* ~ for a long time to come.
frempå (*adv*) in front; *snakke* ~ throw out a hint (*om* about); *snakke* ~ *om at* ... hint that ...
fremragende (*utmerket*) prominent, eminent, brilliant.
fremre: *det* ~ *huset* (*mots. det bakre*) the house in front; (*av flere*) the foremost house.
fremrykket advanced.
fremrykning advance.
fremsende (*vb*) forward, transmit.
fremsette (*vb*): *se framsette.*
fremsi (*vb*): *se si fram.*
fremsigelse recital, recitation.
fremskaffe (*vb*) procure.
frem|skreden advanced; *da tiden var så langt* ~ it being so late. **-skridende** advancing.
fremskritt progress, advance, step forward; *gjøre* ~ make progress, get on.
fremskutt ✕ advanced.
fremskynde (*vb*) hasten, accelerate, expedite, quicken.

fremspring projection.
fremspringende projecting, salient, overhanging.
I. fremst (*adj*) front; foremost; leading.
II. fremst (*adv*) in front; *først og* ~ primarily, first of all.
fremstamme (*vb*) stammer out.
fremstille (*vb*) produce; make; (*avbilde*) represent; (*rolle*) play, act, interpret; (*skildre*) give an account of; ~ *seg* present oneself; *bli fremstilt som vitne* be called as a witness.
fremstilling representation; account, statement; (*fabrikasjon*) making, production, manufacture; (*stil*) style of writing, diction; *før De begynner -en* before you proceed with (*el.* start) production.
fremstillings|evne descriptive power. **-måte** style. **-omkostninger** (*pl*) cost(s) of production.
fremstøt (*angrep*) (forward) thrust, push, drive.
fremstå (*vb*): *se stå fram.*
fremstående: *se framstående.*
fremtid: *se framtid.*
fremtoning appearance; figure.
fremtre (*vb*) appear, make one's appearance; (*se også tre fram*).
fremtreden (*vesen*) bearing, behaviour (US: behavior), manner(s), conduct (*fx* her c. during this period has been impeccable); *han har en pen* ~ (*også*) he is well-mannered; *han har en sikker* ~ he has a confident manner.
fremtredende prominent, conspicuous, pronounced, marked, distinctive; *være sterkt* ~ come out strongly; *spille en* ~ *rolle* play a prominent part.
fremtrylle (*vb*): *se trylle fram.*
fremture (*vb*) persist, persevere (*fx* p. in doing sth).
fremtvinge (*vb*): *se framtvinge.*
frem|vise, -visning: *se fram-.*
frende kinsman, kinswoman, relative; ~ *er* ~ *verst* [one's own relatives are often one's worst critics]; (*jvf skotsk ordtak:* friends agree best at a distance). **-løs** without kinsmen, lonely.
fres speed; *for full* ~ at top speed; full out (*fx* our mills are going full out); *det er* ~ *i ham* T he has plenty of vim.
frese (*vb*) fizzle; (*sprake*) crackle; (*sprute*) sputter; (*visle*) hiss; (*om katt*) spit.
fresko fresco. **-maleri** fresco painting.
I. fri (*subst*): *-* (*om gir*) in neutral, out of gear; *i det* ~ in the open (air); *sette bilen i* ~ put the car in neutral.
II. fri (*adj*) free; (*ledig*) disengaged, at liberty; (*utvungen*) free and easy; ~ *som fuglen* free as air; ~ *adgang til* free access to; ~ *kjærlighet* free love; *gi -tt løp* give vent to; give free rein to (*fx* one's imagination); ~ *utsikt* unobstructed view; *og alt -tt* and all found (*fx* wages £200 and all found); *gå* ~ get off scot-free; *ha* ~ have a day off, have a holiday; *be off duty*; *vi har* ~ *i morgen* we have tomorrow off; *når vi hadde et øyeblikk* ~ whenever we had a moment of leisure; *den hånd jeg hadde* ~ my disengaged hand; *be seg* ~ ask for leave of absence; ask for a day (,etc) off; *må jeg være så* ~ *?* may I take the liberty? ~ *av* ✿ clear of; ~ *for* free from (*fx* debt), free of, exempt from (*fx* duty); (*ren for*) free from (*fx* injurious chemicals); *-tt for den kaken!* (*barnespråk*) bags I that cake! *-tt for å prøve først!* I bags first go! *det er ikke -tt for at han drikker* he is not free from drinking; *det står Dem -tt for å gjøre det* you are free (*el.* at liberty) to do it; *ta seg* ~ take time off from the office (,from work, *etc*); take a holiday; *ordet er -tt* the debate is opened, everyone is now free to speak; US the floor is open for discussion; *ha -e hender* be free to act, have a free hand.
III. fri *vb* (*beile*) propose, make an offer of marriage; T pop the question; ~ *til en pike* propose to a girl; ~ *til publikum* pander to the public.

IV. fri *vb (redde)* deliver; *Gud ~ og bevare oss!* Lord deliver us! *~ oss fra det onde!* deliver us from evil!
friaften evening off.
friareal (piece of) open ground.
fri|billett free ticket, complimentary t.; *(på jernb, etc)* (free) pass; *(tjenestebevis)* duty pass. **-bord** ⚓ freeboard. **-bytter** freebooter. **-båren** free-born.
fridag holiday, day off; *en halv ~* a half -holiday; *en hel ~* a whole-holiday.
frieksemplar free copy; presentation copy.
frier suitor. **-brev** letter of proposal. **-føtter:** *gå på ~* be courting, go courting.
frieri proposal, offer of marriage.
friettermiddag *(hushjelps, etc)* afternoon out *(fx* it is my a. out).
frifinne *(vb)* acquit, find not guilty.
frifinnelse acquittal.
frifot: *på ~* at large; *(også US)* on the loose.
frigi *(vb)* free, release.
frigid frigid. **frigiditet** frigidity.
frigivelse release.
frigjort emancipated *(fx* an e. woman), released, (made) independent of.
frigjøre *(vb)* set free; release; liberate; *~ seg for (sosialt)* emancipate oneself from; *~ en fra hans arbeid* release sby from his job.
frigjøring emancipation; liberation.
frihandel free trade.
frihavn free port.
frihet freedom, liberty; *dikterisk ~* poetic licence; *ta seg den ~ å* take the liberty of (-ing); *ta seg -er* take liberties; *~ under ansvar (svarer til)* freedom subject to the consequences of the law.
frihets|berøvelse loss of liberty, imprisonment. **-brev** charter. **-dag** Independence Day. **-kamp** fight *(el.* struggle) for freedom *(el.* liberty). **-krig** war of independence. **-straff** imprisonment; term of i.; prison sentence, sentence of imprisonment. **-trang** thirst for liberty.
frihjul *(på sykkel)* free wheel.
fri|håndstegning free-hand drawing. **-idrett** (light) athletics; US track sports. **-idrettsstevne** athletic meeting.
frikadelle (meat) rissole.
frikassé fricassee, stew.
frikirke Free Church.
frikirkelig Free Church.
frikjenne *(vb)* acquit *(for* of). **frikjennelse** acquittal.
frikort *(teater-, etc)* complimentary ticket, free ticket; *(jernb)* free ticket.
friksjon friction.
frikvarter break; US interval, recess.
frilager bonded warehouse; *på ~* in bond.
frille *(hist)* mistress, concubine.
frilufts|liv outdoor life. **-menneske** outdoor *(el.* open-air) person. **-restaurant** open-air restaurant; tea garden, beer garden, wine garden. **-teater** open-air theatre.
frilyndt broad-minded, liberal.
frimenighet independent congregation.
fri|merke stamp, (postage) stamp. **-merkesamler** stamp collector. **-merkesamling** collection of stamps. **-merkeslikker** stamp licker. **-minutt:** *se -kvarter.*
frimodig frank, candid, outspoken; *-e ytringer* plain talk. **-het** frankness, candour, outspokenness.
frimurer freemason. **-i** freemasonry, masonry. **-losje** masonic lodge. **-tegn** masonic sign.
friplass *(på skole)* free place, scholarship; US tuition scholarship.
fripostig bold(faced), forward. **-het** boldness, forwardness.
frise frieze.
friser Frisian.
friserdame hairdresser.
frisere *(vb): ~ en* do sby's hair.

frisinn liberalism, broad-mindedness.
fri|sinnet: *se -lyndt.*
frisisk Frisian.
I. frisk: *på ny ~* anew, afresh; *begynne på ny ~ start* afresh; *han begynte på ny ~ (også)* he began again with renewed vigour.
II. frisk fresh; *(sunn)* healthy, in good health, well, hearty; *bli ~* get well *(av* of); *~ som en fisk* as fit as a fiddle, as fresh as a daisy; *-e farger* cheerful colours; *-t mot!* cheer up! *(se mot); trekke ~ luft* take the air, breathe some fresh air.
friske *(vb)* freshen; *~ opp* refresh; *(kunnskaper)* brush up; *~ på (om vind)* freshen; *~ på ilden* stir up the fire.
friskfyr spark; jaunty fellow.
friskhet freshness; *(rørighet)* vigour.
friskmeld|e *(vb): bli -t* be reported fit, be reported off the sick list; *han er -t* he is off the sick list.
friskne *vb (om vind)* get up, freshen; *~ til* regain one's strength, recuperate, recover; T pick up.
friskole free school.
frispark *(i fotball)* free kick.
frispråk: *han har ~* he may say what he likes.
frist (NB *jvf leveringsfrist)* time-limit, deadline, period allowed, term; *(især galgen-)* respite, grace; *-en er for kort* the time allowed is too short; *15. mai er siste ~* May 15th is the final date *(el.* time-limit); *når er siste ~ for påmelding (fx til eksamen)?* when is the closing date for entries? *siste ~ for innlevering av . . .* the deadline for the submission of . . . ; *overholde -en* keep to the time-limit; *oversitte en ~* exceed a term *(el.* time-limit); *sette en ~* fix a date *(fx* for payment), set a term, fix a deadline; *-en utløper* the time-limit expires; *den fastsatte ~* the time *(el.* date) stipulated; *vi kan ikke levere innen den fastsatte ~ (også)* we cannot deliver within the time limited by you; *-en for innbetaling av kontingent er nå utløpt* your subscription is now overdue.
fristat free state.
friste *vb (føre i fristelse)* tempt; *~ lykken* try one's luck; *føle seg -t* be tempted; *~ til kritikk* invite criticism.
fristed (place of) refuge, sanctuary, asylum.
frist|else temptation; *falle i ~* fall into t.; *falle for -n* succumb to (the) t.; *motstå -n* resist the t. **-er** tempter. **-erinne** temptress.
frisyre hair style.
frisør hairdresser.
frita *(vb)* exempt, excuse *(for* from). **-gelse** exemption, immunity.
fritalende blunt, plainspoken.
fritenker freethinker, atheist.
fritenkeri freethinking, atheism.
fritid leisure (time), spare time.
fritime *(i skole)* free period.
frittblivende without engagement, subject to confirmation.
fritte *(vb): ~ en ut* pump sby.
fritt|liggende, -stående detached, isolated; *-stående øvelser (turning)* free exercises.
frityr shortening.
frityrsteke *(vb)* fry in shortening.
frivakt ⚓ watch below; *ha ~* be off duty, be below.
I. frivillig *(subst)* volunteer; *melde seg som ~* volunteer.
II. frivillig *(adj)* voluntary, spontaneous. **-het** voluntariness, spontaneity.
frivol frivolous; *(lettferdig)* loose, immoral.
frivolitet frivolity; looseness, immorality.
frk. Miss *(fx* Miss Johnson); *(se frøken).*
frodig vigorous, luxuriant; *(altfor ~)* rank; *(om person)* full-bodied, buxom; *(om fantasi)* exuberant.
frodighet vigour, luxuriance, rankness; buxomness; exuberance.
frokost breakfast; *hva har du spist til ~?* what have you had for breakfast? *(se forte seg).*

from (*gudfryktig*) pious; *et -t bedrag* a pious fraud; *et -t ønske* a vain wish.

fromasj mousse, soufflé.

fromesse matins.

fromhet piety.

fromme: på lykke og ~ at random, haphazardly; hit or miss.

front front; *gjøre ~ imot* turn against, face.

frontal frontal.

frontglass windscreen; US windshield.

frontkollisjon head-on collision.

frosk frog. **froske|kvekk** croaking of frogs. **-mann** frogman. **-unge** tadpole.

frossen frozen; **~** *av seg* chilly, unable to keep warm.

frossenfisk frozen fish.

frost frost.

frost|fri (*sted*) frost-proof. **-klar** clear and frosty. **-knute** chilblain. **-røyk** frost mist, frost smoke. **-skadd** injured by frost. **-vær** frosty weather.

frotté (*stoff*) terry cloth.

frotterbørste fleshbrush.

frottere (*vb*) rub.

frotter|hanske washing glove. **-håndkle** bath towel. **-ing** rubbing. **-svamp** loofah.

fru Mrs. (*fx* Mrs. Brown); *herr og ~ Brown* Mr. and Mrs. Brown.

frue married woman, wife; *Deres ~* your wife; (*i tiltale helst hele navnet, fx* Mrs. Brown); *er -n hjemme?* is Mrs. Brown (*,etc*) at home?; (*når navnet ikke nevnes*) madam; *ministrene med -r var til stede* the Ministers, accompanied by their wives, were present; *Vår Frue* Our Lady.

fruentimmer female, woman.

frukt fruit; (*fig*) fruit, product, result; **~** *og bær* (*ofte*) soft and hard fruits; *bære ~* bear fruit; *høste -en av* reap the fruits of; *sette* **~** (*om tre*) put forth fruit, bear fruit; *forbuden ~ smaker best* forbidden fruit is sweet.

frukt|avl fruit growing. **-bar** (*om jord*) rich, fertile; (*som formerer seg sterkt, også fig*) prolific; **-t** *samarbeid* fruitful co-operation; *gjøre* **~** fertilize.

fruktbarhet richness,'fertility; (*som formerer seg sterkt*) fecundity.

frukt|blomst blossom. **-blomstring** blossom time (of the fruit trees); blossom (*fx* go and see the blossom in Hardanger); *under -en* when the fruit trees are blossoming. **-bringende** productive, profitable. **-bunn** ♀ floral receptacle, torus. **-butikk** fruit shop. **-bærende** fruit-bearing, fructiferous.

frukt|e (*vb*) avail, be of use. **-esløs** fruitless, futile, unavailing. **-esløshet** fruitlessness, futility.

fruktgrøt [stewed fruit thickened with potato flour].

frukt|hage orchard. **-handel** fruit trade. **-handler** fruiterer. **-kniv** fruit knife. **-knute** ♀ ovary.

fruktsommelig pregnant, with child; in the family way; *bli* **~** become pregnant.

fruktsommelighet pregnancy.

frukt|tre fruit tree. **-vin** fruit wine. **-år:** *engang det var et godt* **~** once when it was a good year for fruit.

fryd joy, delight.

fryde (*vb*) rejoice, gladden, cheer; **~** *seg ved* rejoice at. **frydefull** joyful, joyous.

frykt fear, dread, apprehension (*for* of); *av* **~** *for at* for fear that; *uten* **~** *for følgene* fearless of the consequences; *hun ble plutselig grepet av* **~** she was seized with a sudden fear; *nære* **~** *for* stand in fear of; *be in fear of*; *jeg nærer ingen* **~** *for at* I have no fear that.

frykte (*vb*) be afraid of; fear, dread, apprehend; **~** *for* fear.

fryktelig fearful, dreadful, terrible; (*adv*) awfully, frightfully (*fx* f. lonely).

fryktinngytende awe-inspiring, formidable.

fryktløs fearless, unafraid. **-het** fearlessness.

fryktsom timid, timorous.

fryktsomhet timidity, timorousness.

frynse fringe; *besette med -r* fringe.

fryse (*vb*) freeze, congeal; (*om person*) be cold, feel cold; freeze; *jeg -r* I am cold; *jeg -r som en hund* I'm frozen stiff, I'm as cold as ice; *det frøs sterkt* it froze hard; **~** *av seg en finger* lose a finger through frost-bite; **~** *i hjel* freeze to death; *skipet frøs inne* the ship was frozen in; *han frøs på hendene* his hands were cold; **~** *til* freeze over (*el.* up).

fryseboks freezer, conservator.

frysepinne [person who finds it difficult to keep warm].

frysepunkt freezing point.

fryseri cold storage plant.

frysevæske anti-freeze solution.

I. frø (*subst*) seed; *gå i* **~** run to seed.

II. frø (*vb*): **~** *seg* scatter, spread.

frøbrød [white loaf with poppy seed on top].

frøhandler seedsman, dealer in seeds.

frøken (*foran navn*) Miss (*fx* Miss Brown; Miss Mabel); (*etternavn for eldste datters vedkommende, fornavn for de yngres*); (*lærerinne*) teacher; *frøknene Brown* the Miss Browns, the Misses Brown.

frø|korn seed grain. **-olje** seed oil.

I. fråde (*subst*) froth, foam; *-n sto om munnen på ham* he foamed at the mouth.

II. fråde (*vb*) foam.

fråsse, fråtse (*vb*) gormandize, gorge (oneself); **~** *i* (*fig*) revel in. **-r** glutton.

fråsseri, fråtseri gluttony.

fuga (*fuge*) ♪ fugue.

I. fuge (*subst*) joint; *komme ut av sine -r* get out of joint.

II. fuge (*vb*) joint.

fugl bird; (*fjærfe*) fowl; poultry; *en* **~** *i hånden er bedre enn ti på taket* a bird in the hand is worth two in the bush; *hverken* **~** *eller fisk* neither flesh nor fowl; US neither fish nor fowl; *la den -en fly* think no more of that, put that out of your head.

fugleaktig birdlike.

fugle|berg nesting cliff, bird cliff. **-bestand** stock of birds. **-brett** bird table. **-bur** birdcage. **-børse** fowling piece. **-egg** bird's egg. **-fangst** bird-catching, birding. **-fløyt** the call of a bird (,of birds). **-frø** bird seed. **-ham:** *i* **~** transformed into a bird. **-handler** bird fancier. **-konge** goldcrest; (*rødtoppet*) firecrest. **-kvitter** chirping of birds. **-nebb** beak (of a bird). **-nett** fowler's net. **-perspektiv** bird's-eye view. **-rede** bird's nest. **-sang** singing (*el.* warbling) of birds. **-skitt** bird's dirt. **-skremsel** scarecrow. **-trekk** migration (of birds); (*flokk*) flock (*el.* flight) of birds. **-unge** young bird. **-vilt** wildfowl, game birds. **-vær** rookery, nesting cliff.

fuks bay horse, sorrel horse.

fuksia ♀ fuchsia.

fukte (*vb*) moisten, wet.

fuktig moist, damp, humid, dank. **-het** dampness, humidity; (*konkret*) moisture. **-hetsmåler** hygrometer.

ful cunning, sly.

fuling T knowing one.

full full (*av* of), filled with, replete (with); (*fullstendig*) complete; (*om månen*) full, at full; (*beruset*) drunk; *en* **~** *mann* a drunken man; *mannen er* **~** the man is drunk; *drikke seg* **~** get drunk; *ha -t opp av* have plenty of; *i ordets -e betydning* in every sense of the word; *skrike av* **~** *hals* roar; *spille for -t hus* play to capacity; *i -t mål* to the full; *-t navn* name in full; *den -e sannhet* the whole truth; *-e seil* full sails; *for -e seil* all sails set; *ta skrittet -t ut: se ndf: fullt* (*adv*); *slå -t slag* (*om klokka*) strike the hour.

full|befaren able-bodied; **~** *matros* efficient deck hand, able(-bodied) seaman. **-blods** thoroughbred. **-blodshest** thoroughbred (horse).

fullbringe *vb* (*bibl*): *det er fullbrakt* it is finished.

full|byrde (*vb*) accomplish, perform; (*dom*) execute, carry out. **-byrdelse** accomplishment; (*om dom*) execution. **-båren** fully developed,

full|ende (*vb*) complete, finish; *vel begynt er halvt -endt* well begun is half done. **-endt** accomplished, consummate, perfect. **-føre** carry through, complete; ~ *det* (*sak, arbeid, etc*) go through with it; ~ *hoppet* (*ski*) hold the jump; ~ *løpet* (*om skiløper*) stay the course (*fx* he had not got the stamina to stay the course); ~ *sin utdannelse* (*også*) get through with one's education. **-førelse** completion, accomplishment. **-god** adequate, convincing, satisfactory; ~ *med* on a par with.

full|kommen perfect, complete; (*adv*) perfectly, quite, fully. **-kommenhet** perfection.

fullmakt (*bemyndigelse*) authority; (*prokura*) procuration; (*skriftlig*) power of attorney; (*selve dokumentet*) warrant of attorney; *uinnskrenket* ~ unlimited power of attorney; *gi* ~ *til* (*bemyndige*) authorize, empower, give authority to; *utstyre med* ~ invest with powers of attorney; *i henhold til* ~ by authority; *stemme pr.* ~ vote by proxy.

fullmakts|erklæring power of attorney; (*dokumentet*) warrant of a. **-giver** principal.

fullmektig a solicitor's managing clerk; US law clerk; (*på statskontor*: *se kontor-*); (*jur*) attorney, authorized agent (*el.* representative); (*stedfortreder*) proxy.

full|moden fully ripe. **-myndig** of age. **-måne** full moon; *det var* ~ *i går* it was full moon yesterday; (*mer beskrivende*) there was a f. m. yesterday. **-proppet** crammed. **-rigger** full-rigged ship. **-skap** drunkenness, inebriety.

fullstendig complete, full, entire; (*adv*) completely, quite, entirely, totally, fully, wholly. **fullstendiggjøre** (*vb*) complete, make complete.

fullt (*adv*) completely, fully, quite; *ikke* ~ *så stor* not quite so (*el.* as) large (*el.* big); *like* ~ (*likevel*) all the same, none the less; *tro* ~ *og fast at* firmly believe that; ~ *og fast overbevist* fully convinced; ~ *innbetalte aksjer* fully paid shares; ~ *opp av* plenty of; *betale* ~ *ut* pay in full; *ta skrittet* ~ *ut* go the whole length; T go the whole hog.

full|takke (*vb*) thank enough. **-tallig** complete (in number), full, plenary (*fx* a p. meeting). **-tonende** sonorous.

full|vektig of full weight. **-vektighet** full weight. **-voksen** full-grown.

fundament foundation, base.

fundamental fundamental, basic.

fund|ere (*vb*) found; (*gruble*) meditate, ponder; (*merk*) consolidate, fund (*fx* a funded (*el.* consolidated) loan); *-ert gjeld* funded (*el.* permanent) debt; *en dårlig -ert påstand* an ill-founded assertion. **-ering** foundation; (*grubling*) meditation, pondering, speculation.

fungere (*vb*) act, officiate; (*om maskineri*) work, function; *disse medlemmer skal* ~ *ett år* their term of office shall be one year. **-nde** acting.

funke spark.

funkle (*vb*) sparkle, glitter.

funksjon duty, function.

funksjonær employee, functionary, officer.

funn (*subst*) find, discovery.

I. fure *subst* (*rynke*) wrinkle, line.

II. fure (*vb*) furrow, groove.

furér (*hist*) quartermaster sergeant.

furet (*rynket*) wrinkled.

furie fury, virago.

furore sensation; *gjøre* ~ cause a sensation; be all the rage.

furt|e (*vb*) sulk, be in the sulks. **-ekrok** sulking corner; (*om person*) sulky person. **-en** sulky. **-ing** sulking, sulks.

furu pine (tree); (*materiale*) pinewood, deal, red-wood.

furu|bord deal table. **-kongle** pine cone. **-mo** pine barren. **-nål** pine needle. **-nålspastiller** (*pl*) = menthol and eucalyptus pastilles. **-planke** deal plank. **-skog** pinewood, pine forest. **-tre** pine (tree).

fusel fusel. **-fri** free from fusel.

fusentast scatterbrain, hothead.

fusk cheating; *fare med* ~ cheat; ~ *og fanteri* hanky-panky.

fuske (*vb*) cheat (*fx* at the examination), crib, use a crib; (*om motor*) misfire, spit back (through the carburettor), run unevenly; *motoren begynte å* ~ *og stoppet* the engine misfired and cut out; ~ *i spill* cheat at play; ~ *i* (*drive litt med*) dabble in.

fuskearbeid scamped work.

fuskelapp (*i skole*) crib; (*se lapp*). **fusk|eri, -ing**: *se fusk*.

fustasje cask, barrel.

fut (*hist*) bailiff.

futt life, sparkle (*fx* in champagne); T go; *det er ikke noe* ~ *i dette ølet* S there's no kick in this beer; *han tok fatt på arbeidet med* ~ *og klem* he got to work with a vengeance.

futteral case, cover.

futurisme futurism.

futurist futurist. **futurisk** futurist.

futurum the future (tense).

fy! ugh! whew! fie! ~ *skam deg!* you ought to be ashamed (of yourself)! shame! shame on you! ~ *da* for shame.

fyke (*vb*) drift; (*om sand, sne, gnister*) fly; (*se også piske*); ~ *opp* (*bli sint*) flare up. **-nde** dashing, flying, rushing; *i* ~ *fart* with lightning speed; ~ *sint* in a towering rage, in a violent temper, furious.

fylde plenty, abundance; (*om stemme*) body (*fx* his voice has no b. to it); *tidens* ~ the fullness of time.

fyldest: *gjøre* ~ give satisfaction, be satisfactory, be up to the mark; *gjøre god* ~ *for seg* acquit oneself well; *gjøre* ~ *for* serve instead of, replace; *han gjør* ~ *for to* he is worth two; *gjøre* ~ *for sin lønn* be worth one's salt.

fyldestgjørende satisfactory, adequate.

fyldig full, plump, buxom, well-rounded; (*rikholdig*) copious; (*om vin*) full-bodied, rich; *båten har -e linjer* the boat has a rounded line. **-het** plumpness; copiousness; (*om vin*) body.

I. fylke (*subst*) county.

II. fylke (*vb*) array, draw up (in battle array); ~ *seg* array oneself (for battle); ~ *seg rundt* rally round.

fylkes|mann [chief administrative officer of a 'fylke']; (*kan gjengis*) (county) prefect, district governor. **-skogmester** (*intet tilsvarende*) [county forester]. **-skogsjef** [chief county forester]. **-ting** [chief administrative body of a 'fylke']; (*se kommunestyre*).

fylking battle line, phalanx.

I. fyll (*i mat*) stuffing, filling; (*i konfekt, etc*) centre(s) (*fx* chocolates with hard and soft centres); (*stopp*) padding, stuffing; (*fyllekalk*) padding (*i mur*) rubble.

II. fyll (*drukkenskap*) drunkenness; drinking; *i -a* in drink, when drunk, under the influence of drink; ~ *er ikke fest* drinks don't make a party.

I. fylle (*subst*): *se fylde*.

II. fylle (*vb*) fill; *vi stoppet for å* ~ *bensin* we stopped to fill up; ~ (*bensin*) *helt opp* fill up (*fx* «Fill her up, please!»); ~ *betingelser* fill conditions; ~ *en gås* stuff a goose; *fyll deres glass!* fill your glasses; *barnet -r to år i dag* the child is two today; ~ *på* fill in, pour in, put in (*fx* put two gallons in this can); *hvor meget* (*bensin*) *fylte De på sist?* how much petrol did you put in last time? ~ *på fat* (*,tønner*) put into casks (*,barrels*); ~ *vin på flasker* fill wine into bottles, bottle wine; *-r ikke mye* does not take up much room; ~ *ens plass* fill (*el.* take) sby's place; ~ *igjen et hull* fill up a hole; ~ *igjen en brønn* close up a well; ~ *igjen en grøft* fill in (*el.* up) a ditch; ~ *ut* (*skjema*) fill in; complete (*fx* a form); US (*også*) fill out.

fylle|arrest drunk cell; US T drunk tank. **-bøtte** boozer, soak. **-kalk** padding. **-kjører** drunken driver. **-kjøring** drunken driving.

-opptøyer (pl) drunken riots. -penn fountain pen.
-ri: se II. fyll.
fyllest: se fyldest.
fylling (i dør el. panel) panel; (i tann) filling;
(for søppel, etc) (garbage) dump.
fynd emphasis, pith; med ~ og klem with a
will, powerfully; han tok fatt på arbeidet med ~
og klem he got to work with a vengeance.
fyndig pithy, terse, to the point.
fyndord apothegm.
I. fyr (om person) fellow, chap; en snurrig ~
a queer chap, an odd fish.
II. fyr (ild) fire; han er ~ og flamme he is all
enthusiasm; T he's as keen as mustard; sette ~ på
set fire to; ta ~ catch fire; det tok ~ i kjolen the
dress caught fire.
III. fyr (lys for sjøfarende) light; lighthouse;
fyr- og merkeliste list of lights and buoys.
fyrabend knocking-off time; ta ~ knock off;
skal vi ta ~? shall we call it a day? arbeide på ~
work on one's own time; have work on the side.
fyrbøter stoker, fireman; US stoker.
fyre (vb) fire; (passe en ovn) stoke; (skyte) fire;
fyr! fire! give fire! ~ for kråka [waste heat, e.g.
by leaving the door open, etc]; ~ i ovnen light
a fire in the stove; ~ opp light a fire; ovnen er
rask og grei å ~ opp the stove is easily and con-
veniently operated; fyr opp med litt småved foran
i ovnen start the fire with some kindling at the
feed door.
fyrig fiery, spirited, ardent, fervent; (hest)
fiery, high-mettled.
fyrighet ardour, fervour; US ardor, fervor.
fyring firing, stoking; avbrutt ~ intermittent
firing; ~ med koks f. with coke; de vil ha det
lettvintere med -en (også) they want cleaner and
easier fuel-handling.
fyringsolje fuel oil; domestic oil.
fyrop (pl) cries of «shame!».
fyr|rom boiler room, furnace room; ⚓ stoke
hold. -skip lightship.
fyrste prince. -dømme principality. -hus
princely (el. royal) house. -kake [macaroon cake].
-lig princely; (fig) lavish, sumptuous; (adv) in a
princely manner. -slekt race of princes.
fyrstikk match; en brennende ~ a lighted match;
en utbrent ~ a spent m.; -tenne en ~ strike a m.,
touch off a m.; disse -tenne tenner dårlig these
matches strike badly. -eske matchbox. -fabrikk
match factory.
fyrstinne princess.
fyr|stål steel (used with flint to start a fire).
-tøy (hist) tinder-box; (sigaretttenner) lighter. -tårn
lighthouse.
fyrverker pyrotechnist. -i (display of) fireworks;
(se nyttårssalutt).
fyr|vesen lighthouse system (el. service).
-vokter lighthouse keeper.
fysiker physicist.
fysikk physics. -øvelser practical physics,
physics practical.
fysiognomi physiognomy.
fysio|log physiologist. -logi physiology. -logisk
physiological.
fysisk physical; i ~ henseende physically.
fæl awful, terrible; disgusting, horrid, nasty;
det ville være -t om it would be too bad if, it
would be awful (el. terrible) if; -t (adv) awfully,
terribly; -t til vær awful weather; -t ubehagelig
very unpleasant.
fælen frightened, alarmed.
færing 1. (båt) four-oared boat, four-oar; 2
(geogr) Faroese.
færre, færrest: se få.
Færøy|ene the Faroe Islands. -ing Faroese.
fø vb (nære) feed, nourish; maintain, support.
I. føde (næring) food; (dyrs) feed; ta ~ til seg
take food; slite for -n work hard to make a living.
II. føde vb (bringe til verden) bear; (om dyr)
bring forth; (om hest) foal; (om ku) calve; (om
svin) pig, litter.

føde|by native town. -land native land. -middel
article of food, foodstuff.
føderåd [provision made for a retiring farmer
on handing over the farm to his heir or suc-
cessor]. -bygning [house in which the retired
farmer lives].
føde|sted birthplace. -stue delivery room.
-varer (pl) provisions, victuals.
fødsel birth; (nedkomst) delivery; av ~ by
birth; norsk av ~ born in Norway; kvele i -en
(fig) nip in the bud.
fødsels|attest birth certificate. -dag birthday;
(på skjema) date of birth. -dagsbarnet [person
whose birthday is being celebrated]. -dagsgave
birthday present. -hjelp midwifery, obstetric aid.
-stiftelse lying-in hospital, maternity hospital.
-tang obstetric forceps. -veer pains of childbirth,
labour. -vitenskap obstetrics. -år year of (one's)
birth.
født born; fru Bay født Lie Mrs. Bay née Lie;
han er ~ i 1922 he was born in 1922; han er ~
i Oslo he is a native of Oslo; hun er den -e skue-
spillerinne she is a born actress.
-født by birth (fx he is a Norwegian by birth);
en norsk- dame a lady born in Norway.
føflekk birthmark.
følbar tangible, perceptible, noticeable.
føle (vb) feel; perceive, sense; ~ avsky for detest,
be disgusted at; han følte faren he sensed the
danger; ~ tapet meget sterkt feel the loss very
keenly; ~ trang til å feel like (-ing), feel inclined
to; få å ~ (fig) be made to feel, find to one's
cost; ~ for feel for, sympathize with; det er
hardt å ~ på it feels hard; til å ta og ~ på palpable,
tangible; ~ en på tennene sound sby; ~ seg
feel; ~ seg bra feel fine; jeg -r meg mest vel når
jeg er alene I'm happiest on my own (el. when
alone); ~ seg liten feel cheap; ~ seg litt rar
have a funny feeling; ~ seg som et annet menneske
feel (quite) another man (,woman); vi må ~ oss
fram we must feel our way, we must proceed
tentatively; ~ seg forpliktet til å feel obliged
(el. bound) to; (se fisk).
føle|horn feeler, antenna (pl: antennae); trekke
-hornene til seg (fig) draw in one's horns. -hår
tactile hair.
følelig perceptible; severe (fx a s. loss).
følelse feeling; (fornemmelse) sensation; (sinns-
bevegelse) emotion; (bare om sansen) touch;
med ~ with feeling, feelingly; det har en på -n
that is a matter of instinct; jeg har en ~ som om
I feel as if; jeg hadde en sterk ~ av at I had a
strong feeling that, I was very conscious that;
jeg har en sterkere og sterkere ~ av at I am be-
coming increasingly conscious that; it is being
increasingly borne in upon me that; en ~ av
fare a feeling of danger; a presentiment of danger;
en ~ av velvære a feeling of well-being.
følelses|betont emotional. -full emotional;
(neds også) soulful. -liv emotional life. -løs
(hard) unfeeling, callous; (fysisk) insensible
(overfor to); (av kulde) numb. -løshet insen-
sibility, callousness; numbness. -messig emotional,
sentimental. -sak matter of sentiment. -utbrudd
outburst of feeling.
følelære feeler gauge.
føle|nerve sensory nerve. -ri sentimentality.
-sans sense of touch. -tråd feeler, tentacle.
I. følge (subst) 1 (det å følge) company; i ~
med in c. with; together with; hvor lenge har
dere hatt ~? how long have you been walking
out? han har ~ med en russisk pike he is going
about with a Russian girl; ha fast ~ (o: være
kjærester) go steady; han har fast ~ med en
pike he has a steady girl friend; slå ~ med
go along with (fx he went along with her
(,them, etc)); jeg skal slå ~ med Dem I will
accompany you; jeg slo ~ med ham I joined (com-
pany with) him; 2 (prosesjon) train, procession;
(ved begravelse) mourners; (fornem persons) suite,
train of attendants, retinue; bringe elendighet i sitt

~ bring misery in its train; *i flokk og* ~ in a body; 3 (*resultat*) result, consequence; *få alvorlige -r* have serious consequences; *ha til* ~ result in, involve, entail; *ha til* ~ *at* have the result that; *ta -ne av* take the consequences of; *trekke -r etter seg* involve consequences; *uten -r for meg* (*merk & jur*) without prejudice; *som* (*en*) ~ *av* as a consequence (*el.* result) of, in consequence of; *som* ~ *av dette må vi* in consequence we must . . ., consequently we must; *som* ~ *av at* owing to the fact that; 4 (*rekkefølge*) order, succession; 5. *ta til* ~ comply with (*fx* a request); entertain (*fx* a claim), allow (*fx* the claim has been allowed); *kravet er ikke tatt til* ~ the claim has been disallowed; *ta protesten til* ~ take account of the protest; *ta en innstilling til* ~ accept a recommendation.

II. **følge** (*vb*) 1 (*komme etter*) follow, succeed; (*som etterfølger*) succeed, follow; *som -r* as follows (*fx* the report concludes as follows); *«. . . og så -r . . .»* now (*el.* next) we have . . . (*fx* a comment by Mr. X); the next item is (*fx* the next item is Beethoven's first symphony); 2 (*følge med, ledsage*) accompany, go with; come with (*fx* he came with the others); ~ *en hjem* see sby home; ~ *en ut* see sby to the door, see sby out; *du behøver ikke* ~ *meg ut* I'll see myself out; I can find my own way out; ~ *en med øynene til en er ute av syne* watch sby out of sight; *innlagt -r en sjekk på £5* we are enclosing our cheque for £5; enclosed please find our cheque for £5; *kvittering -r innlagt* receipt is enclosed; *Deres brev med hvilket fulgte sjekk* . . . your letter enclosing cheque; 3 (*rette seg etter*) act on, follow (*fx* sby's advice); ~ *ens råd* (*også*) take sby's advice; ~ *reglene* comply with the rules; 4 (*bli resultatet av, bli forårsaket av*) ensue, follow, result; ~ *av* result from, ensue from; *herav -r at* hence it follows that; *det -r av seg selv* it follows as a matter of course; that goes without saying; *det -r av dette at* . . . it therefore follows that; *det -r ikke av dette at* . . . it does not follow that; *det tap som -r av dette* the resulting loss, the loss involved; 5 (*forstå, studere*) follow; ~ *med stor oppmerksomhet* follow with great attention; *man -r saken nøye* the matter is being kept under close observation; ~ *med* (*på skolen*) be attentive, pay attention, listen carefully, attend; (*være faglig på høyde*) be able to follow, keep up (with); *jeg har ikke fulgt med på en stund* (ɔ: *føler meg utenfor*) T I'm out of the swim; ~ *med i* follow, keep oneself posted in; ~ *opp* (*fig*) come (*el.* fall) into line; ~ *opp en sak* follow up a matter; 6 (*plan, framgangsmåte*) follow, adopt (*fx* a plan); ~ *forelesninger* attend lectures; (*se også fremgå, oppmerksom, strøm: følge -men*).

følgebrev (*post*) dispatch note.

følgelig consequently, in consequence, so, accordingly.

følgende the following; ~ *ord* the following words; ~ *er en fortegnelse over* the following is a list of; *han sa* ~ what he said was this, he said as follows; *i det* ~ in what follows, below; *på hverandre* ~ consecutive, successive; *det derav* ~ *tap* the consequent loss; (*se også pris*).

følge|rik significant. **-riktig** logical, consistent. **-seddel** delivery note, advice note. **-skriv** covering (*el.* accompanying) letter (*til* to). **-svenn** follower, attendant, companion.

føling touch; *få* ~ *med* get (*el.* be brought) into touch with; *ha* ~ *med* be in touch with; *holde* ~ *med* keep in touch with; *miste -en med* lose touch with.

føljetong serial.

føll 🐴 foal; (*hingste-*) colt; (*hoppe-*) filly.

følle (*vb*) foal.

føllhoppe brood mare, mare with foal.

følsom emotional, sensitive, sentimental; *et -t instrument* a delicate instrument. **-het** sensitiveness, sensitivity; sentimentality.

føne *vb* (*hår*) blow-wave.

føn(vind) foehn, dry thaw wind.

I. **før** (*korpulent*) stout.

II. **før** (*adv*) 1 (*tidligere*) before; (*forut for noe annet*) previously; ~ *i tiden* formerly, in the past; ~ *i tiden bodde han i Oslo* he used to live in Oslo; *dagen* ~ the day before; *noen dager* ~ *hans fødselsdag* with his birthday just a few days off; *forskjellig fra* ~ different from what it was before; *han visste fra* ~ *at* . . . he knew from before (*el.* earlier) that . . .; *nå som* ~ now as before; *med en styrke som aldri* ~ with unprecedented strength; ~ *eller siden* sooner or later; some time or other; *hverken* ~ *eller siden* neither before nor since, at no time before or after; ~ *om årene* in past years, in the past; 2. *jo* ~ *jo heller* the sooner the better; 3. *ikke* ~ . . . ~ no sooner . . . than; *neppe* . . . ~ scarcely (*el.* hardly) . . . when; (*jvf III. før & IV. før*).

III. **før** (*konj*) before; *ikke* ~ not before; (*først da*) not till, not until (*fx* we cannot reply till our manager returns); *han hadde knapt gått en mil* ~ *snøstormen var over ham* he had scarcely (*el.* barely) gone a mile when the blizzard caught up with him; *han hadde neppe åpnet døra* ~ *de stormet inn* no sooner had he opened the door than they rushed in; hardly had he opened the door when they rushed in; *det skulle gå seks år* ~ *all ild opphørte og ytterligere to år* ~ *krigen var over* six years were to pass until all firing ended, and two more years before the war was actually over.

IV. **før** (*prep*) 1. before, previous to, prior to (*fx* prior to 1960); *bli gammel* ~ *tiden* grow prematurely old; 2. *ikke* ~ (*mots. etter*) not before; (*først da*) not till, not until (*fx* we cannot deliver these goods before Christmas; we cannot send them till Friday); *ikke* ~ *i juli* not until (*el.* till) July; *ikke* ~ *om et par dager* not for (another) day or two; (*jvf II. før (adv)*).

I. **føre** *subst* (state of) the roads, state of the ground; road conditions, snow conditions; *glatt* ~ slippery roads; *det er glatt* ~ the roads are slippery; the going is slippery; *skiene henger igjen på dette -t* one's skis stick in this snow; *på all slags* ~ on all sorts of snow; (*jvf skiføre & føreforhold*).

II. **føre** (*vb*) 1 (*frakte*) carry, convey, transport; 2 (*regnskap*) keep (*fx* accounts); (*brevveksling*) conduct, carry on (*fx* the correspondence is conducted in English); ~ *dagbok* keep a diary; 3 (*ha på lager*) stock (*fx* an article), deal in; *vi -r et stort lager* we keep a large stock; 4 (*lede*) conduct (*fx* water); (*vise vei*) guide, lead; (*fartøy*) command, be in command of; (*navigere*) navigate; (*lokomotiv*) drive; (*fly*) pilot (*fx* a plane); (*krig*) make (*el.* carry on) war, wage war; (*i dans*) take (*fx* take one's partner); (*jur: en sak*) conduct (*fx* c. one's own case); (*forhandlinger*) carry on (*fx* negotiations).

[*Forb. med prep & adv*] ~ **an** lead the way; take the initiative; ~ **en bak** *lyset* deceive sby, dupe sby; T pull the wool over sby's eyes; ~ **bort** take away, remove; *vil ikke* ~ **fram** will lead nowhere; ~ *en klasse fram til eksamen* prepare a form for the (final) examination; *jernbanen skal -s fram til X* the railway is to be carried through to X; ~ *et rør* **gjennom** *veggen* run a pipe through the wall; ~ **i** *regning* charge to account; ~ *en i ulykke* bring trouble upon sby; cause sby's ruin; ~ **igjennom** carry through, put into effect; (*jvf gjennomføre*); ~ **inn** (*postere*) enter (*fx* an item); ~ *inn en stil* (*renskrive*) write out an essay, make (*el.* write) a fair copy of an essay; *han hadde ikke tid til å* ~ *inn all* he did not have time to copy it all in; ~ *inn varer* import goods (into the country); *det ville* ~ *for langt* (*el.* vidt) *å gå i detaljer* considerations of space (,of time) forbid me to go into details; ~ **med** *seg* involve, bring in its train, result in, lead to; *det ene -r det annet* *med seg* one thing leads to another; *forfremmelse -r med seg høyere lønn* promotion carries with it higher pay; ~ **opp** (*bygning*) erect, put up (*fx* a house); ~ *opp en klasse i engelsk* be responsible for a form's English up to the final examination; *han har ført opp til artium to ganger i tysk* he has twice prepared forms for the final exam(ination) in German; (*jvf artium*); ~ *opp som inntekt* place to account of income; (*i selvangivelse*) return as income; ~ *opp i vansker* land (*el.* involve) in difficulties; *det -r en trapp opp til inngangsdøra* the house has steps going up to the front door; ~ *krigen over på fiendens territorium* push the war into the enemy's country; *en fjellkløft hvor et par planker førte over til den andre siden* a gorge spanned by a couple of planks; ~ *partene sammen* bring the parties together; ~ *til* lead to, result in; *det førte til at vi måtte . . .* it led to our having to . . . ; *dette vil ikke* ~ *til noe* this will lead us nowhere; ~ *til Deres kreditt* pass (*el.* place) to your credit; (*se også press*); *kan -s tilbake til* (*fig*) may be traced back to, may be ascribed to; ~ **ut** *i livet* realize (*fx* a plan), launch (*fx* a new enterprise). **III. føre** (*adv*) before; *bedre* ~ *var enn etter snar* look before you leap; a stitch in time saves nine.

føreforhold (*pl*) road conditions; (*om skiføre*) snow (conditions); *skrekkelige* ~ appalling road conditions.

førekteskapelig ante-nuptial.

førende leading.

førenn (*konj*) before.

fører (*veiviser*) guide; (*bil-*) driver; (*partifører*) leader.

fører|hus (driver's) cab. **-kort** driving licence; US driver's license); *få -et inndratt* (*midlertidig*) have one's (d.) l. suspended; *miste -et* have one's l. revoked, forfeit one's l. **-løs** (*om bil, lokomotiv, etc*) without a (*el.* its) driver, driverless; (*om fly*) without a (*el.* its) pilot, pilotless (*fx* p. the aircraft came plunging down); (*om parti, gruppe*) without a leader, without leaders, with no leader(s), leaderless; (*om person el. gruppe*) without guidance. **-prøve** driving test; T L-test; *når skal du opp til -n?* when are you taking your (driving) test?

fører|skap leadership. **-sete** driver's seat.

førhet stoutness, plumpness.

førhistorisk pre-historic.

førkrigs pre-war.

førlig (*frisk*) able-bodied, fit, sound.

førlighet health, vigour (US: vigor).

førnevnt above-mentioned, mentioned (*el.* referred to) above (*el.* earlier), aforesaid.

I. først (*adv*) first; (*i førstningen*) at first; *gå* ~ lead the way; ~ *på vinteren* early in the winter; ~ *i mai* early in May; (*ikke før*) not until May; *det er* ~ *fredag* it's not until Friday; *han kom* ~ *for en halv time siden* he came only half an hour ago; ~ *nå* not until now; only now; *kommer du* ~ *nå?* have you only just come? ~ *da* not till then; only then; *når* ~ (when) once; ~ *nylig* only recently; *det er* ~ *om to 'tager* it's not for two days (yet); *det er* ~ *om en halv time* it's not for (*el.* it won't be for) another half hour yet; *de skal* ~ *ha bryllup om et halvt år* they are not to be married for six months yet; *fra* ~ *av* from the first, at first, originally, from the outset; *fra* ~ *til sist* from first to last; from start to finish; *med hodet* ~ head first (*el.* foremost); (*se også II. sist*). **II. først** (*ordenstall*) first; *den -e den beste* the first that comes along, the first comer; *de to -e* the first two; *for det -e* in the first place, first, firstly, to begin with; *med det -e* soon, before long, shortly, at an early date; *med det aller -e* very shortly; *ikke med det -e* not for some time, not just yet; *noe av det -e han sa* one of the first things he said; *ved -e leilighet* at the first opportunity; *et av de -e nummer* an early number; *en av de -e dagene* one of the next few

days; T one of these days; *en av de -e dagene i august* early in August; *-e juledag* Christmas Day; *-e påskedag* Easter Sunday; *-e pinsedag* Whitsunday; *-e, andre, tredje gang* (*ved auksjon*) going, going, gone.

første|amanuensis senior scientific officer, chief technical officer. **-arkivar** deputy keeper **of** public records; US deputy archivist (of the United States).

førstebetjent (*i politiet*) (police) inspector; (*i fengsel*) principal (prison) officer.

førstebibliotekar deputy librarian; US assistant chief librarian; (*jvf bibliotekar*).

første|dagsstempel (*post*) first-day cover. **-fiolin** first violin. **-fødselsrett** (right of) primogeniture. **-født** first-born. **-gangsfødende** primiparous. **-gangstjeneste** (*mil*) initial service, basic training. **-gir:** *se gir.* **-grøde** first fruits. **-hjelp** first aid. **-hånds** first-hand. **-kapellmester** conductor. **-klasses** first-class, first-rate. **-konservator** (deputy) keeper; (*ved mindre museer og samlinger*) curator; US chief curator. **-laborant** senior laboratory assistant. **-mann** (*først ankommet*) first comer, the first to arrive (*fx* the first guest to arrive); *han ble* ~ he came in first, he was first. **-maskinist** first engineer; (*før 1960*) chief engineer; (*se overmaskinist*). **-preparant** senior technician; US senior technical assistant. **-prioritet** first mortgage. **-rangs** first-class, first-rate. **-reisgutt** [seaman making his first voyage]. **-sekretær** (*i etatene*) chief executive officer; senior e. o.; (*ved ambassade*) first secretary, chancellor.

førstestyrmann 1 (*etter 1960*) second officer; second mate; 2 (*før 1960*): *se overstyrmann.*

førstetolloverbetjent 1 (*sjef for flere «gjenger» som visiterer om bord*) waterguard superintendent; 2 (*lossesjef*) landing officer; (*se tolloverbetjent*).

førstkommende next; *den 3.* ~ on the 3rd next; ~ *mandag* on Monday next.

førstnevnte the first mentioned; (*av to*) the former.

førstning: *i -en* at first.

førti (*tallord*) forty.

førti|ende fortieth. **-årig** forty-year-old.

føye (*vb*) ~ *en* humour (US: humor) sby; T play along with sby; ~ *sammen* join, unite, put together; ~ *til* add; ~ *seg etter* conform to, humour, comply with.

føyelig indulgent, compliant, pliant, complaisant, accommodating.

føyelighet pliancy, compliance, complaisance.

føyke: *se snø-.*

I. få (*vb*) 1. get; 2 (*motta*) get, receive; have (*fx* you shall have the book tomorrow); I have just had a letter from him; 3 (*oppnå, skaffe*) get, obtain; 4 (*erverve*) get, acquire; 5 (*tjene, få betalt*) get (*fx* I get £25 a month; I got 5s. for the book); 6 (*en sykdom*) get; (*høytideligere*) contract; (*om infeksjonssykdom*) catch (*fx* he caught influenza); 7 (*bringe til verden*) have (*fx* she had a child by him), give birth to, bear; (*om mann*) have (*fx* he had a child by her), beget, get (*fx* he is unable to get children); 8 (*om mat, drikkevarer, etc*) have (*fx* we had roast lamb for dinner); 9 (*om straff*) get (*fx* he got 6 months); 10 (*til ekte*) marry (*fx* the hero marries the heroine in the end); 11 (*i forb. med perf.part. bevirke at*) get, have (*fx* I got him punished; he had his leg amputated; he had his luggage taken to the station); (*om noe som lykkes*) succeed in (*fx jeg fikk løftet steinen* I succeeded in lifting the stone), manage to (*fx* I managed to get my hand free); 12 (*om uhell*) get (*fx* he got his hand into the wheel; he got his arm broken); *han fikk ermet inn i maskineriet* his sleeve (got) caught in the machinery;

jeg har -tt Deres brev I have (received) your letter; *hvor har du -tt den* (*el. det*)? where did you get it? *jeg fikk den billig* I got it cheap; *hvor -r man* (*kjøpt*) *den?* where can you get it? *han fikk en god tredjeplass* he came in a good third; *du skal* ~! won't you catch it! you'll catch it from me! *-r De?* (*i forretning*) are you being attended to? *man vet hva man har, men ikke hva man -r* a bird in the hand is worth two in the bush; ~ *hverandre* be married, marry each other; ~ *en liten* have a baby; *De skal* ~ *pengene Deres* you shall have your money; *du -r bli hjemme* you will have to stay at home; *jeg -r vel gjøre det* I suppose I shall have to do it; *jeg -r gjøre det selv* I'll have to do it myself; *snart -tt er snart gått* easy come, easy go; *-r jeg lov til* (*å gjøre*) *det?* may I do it? *la meg* ~ let me have; ~ *se!* let me see! *vi -r se* we'll see (*på det* about that); *jeg tror vi -r regn* I think we shall have rain; I think it's going to rain; ~ *unger* (*om dyr*) bring forth young; ~ *sin vilje* get (*el.* have) one's (own) way; ~ *sitt* get what is due to one, get one's share; *jeg fikk vite* I got to know, I heard, I was informed; *det -r være som det vil* be that as it may; *den beste som er å* ~ the best that's to be had, the best there is, the best obtainable (*el.* available *el.* procurable); *det er å* ~ it is to be had, it is obtainable; *det er ikke å* ~ *lenger* it is no longer obtainable; *denne artikkel -s hos* this article can be had (*el.* obtained) from; *-s hos alle bokhandlere* is to be had (*el.* is obtainable) from all booksellers; *disse pillene -s på ethvert apotek* these pills are sold by all chemists; *nærmere opplysninger -s hos* for further particulars apply to . . . ;

[*Forb. m. adv & prep*] ~ *av lokket* (*,klær-ne, etc*) get the lid (*,the clothes, etc*) off; *hvem har du -tt den av?* who gave you that? *den har jeg -tt av min kone* my wife gave me that; *hunden fikk av seg halsbåndet* the dog slipped its collar; ~ *varene av sted* get the goods off; have the goods sent; ~ *av veien* get out of the way; ~ **bort** remove; ~ **fatt i** (*el. på*) get hold of; come across, pick up; (*gripe fatt i*) catch hold of; ~ *ham* **fra** *det* get him to drop it, talk him out of it, induce him to give it up, dissuade him from doing it; ~ **igjen** get back; (*gjenvinne*) recover, get back, regain; (*unngjelde*) pay dearly for, suffer for; ~ *noe igjen for bryet* have sth to show for one's trouble; ~ *igjen på et pund* get change for a pound; ~ *6 pence igjen* receive sixpence change; ~ *noe* **imot** *ham* take a dislike to him; ~ *mange imot seg* make many enemies; ~ **inn** *penger* get money in; ~ *inn de pengene han skylder meg* collect the money he owes me; *jeg kan ikke* ~ *inn i mitt hode hvordan* it absolutely beats me how . . . ; ~ *ham inn på hans yndlings-tema* set him off on his pet subject; ~ *ham* **med** (*fx på et foretagende*) get him to join; secure his services; *hvis vi bare kunne* ~ *X med oss* if only we could get X to go along with us; *jeg fikk ham med* (*fx på turen*) I got him to come, too;

du har -tt med det vesentligste (*fx i stiloppgave*) you have included the main points; ~ **ned** (*om mat, etc*) get down, swallow; ~ **opp** (*åpne*) get open, open; (*løse*) untie, undo, get untied, get undone; (*av sengen*) get up, get out of bed; (*kaste opp*) bring up; ~ *opp døra* get the door open, open the door; ~ *det* **på** *ham* prove it against him; ~ *på seg frakken* get one's coat on; *jeg kunne ikke* ~ *på lokket* the lid refused to go on; I could not get the lid to fit; ~ **til** (*greie*) manage, succeed in (*-ing*); (*arran-gere*) fit in (*fx* that will be difficult to fit in); ~ *ham til å gjøre det* make him do it, get him to do it; prevail upon him to do it, induce (*el.* persuade) him to do it; *jeg kunne ikke* ~ *meg til å gjøre det* I could not bring (*el.* get) myself to do it; I could not find it in my heart to do it; *det fikk meg til å tenke* that set me thinking; ~ *en til å tro* lead sby to believe, make sby believe (*el.* think); *jeg fikk det til 200* I made it (out to be) 200; *hva fikk du det til?* what did you make it? *han forsøkte å* ~ *det til at . . .* he tried to make out that . . .; ~ **tilbake** get back; ~ *noe* **ut** *av ham* get sth out of him; (*lokke*) wheedle sth out of him; *jeg fikk ikke noe ut av det* I could make nothing of it; *han fikk ikke noe ut av meg* T he did not get any change out of me; *hva -r du ut av hans svar?* what do you make of his reply? (*se gang D*).

II. få (*adj*) few; *kun* ~ only a few; *svært* ~ very few; *ytterst* ~ a very small number; *noen* ~ a few, some few; *noen* ~ *utvalgte* a chosen few; *ikke* (*så*) ~ not a few, a fair number, a good many, quite a few; *det var ikke* (*så*) ~ *av dem* T there were a good few of them; ~ *eller ingen* few if any; *for* ~ too few; *med* ~ *ord* in a few words, briefly; *han er flittig som* ~ there are few to equal him for industry; *om noen* ~ *dager* in a few days; *vi samlet sammen de* ~ *tingene vi hadde igjen* we got together what few things were left us; *de færreste er i stand til å . . .* few are capable of (*-ing*).

fåfengt futile, ineffectual, vain; *det er* ~ *å* it is useless (*el.* hopeless) to; (*se forgjeves*).

fåmannsvelde oligarchy.

fåmælt of few words, taciturn, silent. **-het** taciturnity.

fånytte: *til -s* in vain, uselessly.

får: *se* sau; *får-i-kål* mutton and cabbage stew.

fåre|hund collie. **-kjøtt** mutton. **-lår** leg of mutton. **-skinn** sheepskin. **-stek** roast mutton.

fåret sheepish, sheep-like; stupid.

fåtall minority; *et* ~ a m. of, a small number of.

fåtallig few in number; *en* ~ *forsamling* a not very numerous assembly, a small a.

fåtallighet small number, paucity.

G

G, g (*også ♪*) G, g; *G for Gustav* G for George.

gabardin gaberdine, gabardine.

gaffel fork; (*til seil*) gaff; (*åre-*) rowlock; (*telefon-*) cradle; receiver hook. **-biter** (*pl*) fillets of pickled herring. **-deling** bifurcation, forking. **-delt**: *se -formet.* **-fokk** ⚓ fore-trysail. **-formet** forked, fork-shaped, bifurcated. **-seil** gaff sail; trysail.

gafle (*vb*) fork; ~ *i seg* eat voraciously, bolt one's food; T shovel it in with both hands.

gagn benefit, good, gain, advantage, profit; *gjøre* ~ do good; *gjøre mer skade enn* ~ do more harm than good; *gjør* ~ *for* to is worth two, does the work of two; *til* ~ *for* for the good of; *være til* ~ *for en* benefit sby, be of b. to sby; *til -s* (*grundig*) thoroughly, with a vengeance, to good purpose; (*se også I. skade B*).

gagne (*vb*) benefit, profit, be of use to, be good for.

gagnlig beneficial, advantageous; serviceable, useful.

gagnvirke constructional timber.

I. gal (*subst*) crow; (*se hane-*).

II. gal (*adj*) 1 (*forrykt*) mad, crazy, demented; US T nuts; *bli* ~ go mad; *være splitter* ~ be stark staring mad; *det er til å bli* ~ *av* it is enough to drive one mad; *være* ~ *etter* be crazy (*el.* mad) about; 2 (*sint*) angry, mad, furious; 3 (*feil*) wrong, incorrect; *ikke så -t* not so bad; quite good; *aldri så -t at det ikke er godt for noe* it's an ill wind that blows nobody any good; *gjøre -t verre* make matters worse; *det er ikke noe -t i at han gjør dette* there is nothing wrong in his doing this; *det -e ved det er at . . .* the worst of it is that; the trouble is that; *hva -t er det i det?* where is the harm? *jeg har ikke gjort noe -t* I have done nothing wrong; *(jvf galt (adv): gjøre noe ~)*; *jeg har ikke gjort deg noe -t* I haven't done you any harm, I haven't done anything to you; *jeg har noe -t med magen* I've got some trouble with my stomach; *det er noe -t fatt med* there is sth wrong with; *nå har jeg aldri hørt så -t!* well, I never (heard the like of it)! *om -t skal være* if the worst comes to the worst; *som en ~* like mad; *-e streker* mad pranks; *komme på -e veier (fig)* go wrong; *(se galt (adv))*.

galant attentive, courteous, chivalrous; ~ *eventyr* amour, amorous affair. **-eri** courtesy, chivalry; *(varer)* fancy articles *(el.* goods).

galanteri|handel fancy-shop; *(virksomhet)* trade in fancy goods. **-handler** dealer in fancy articles. **-varer** *(pl)* fancy articles *(el.* goods).

gale *(vb)* crow.

galeas ⚓ hermaphrodite brig, ketch.

galehus madhouse, Bedlam.

galei galley; *gå på -en* go on the spree; go on the booze; *hva ville han på den -en?* he was asking for it, he had only himself to thank for it. **-slave** galley slave.

galfrans madcap.

galge gallows; (NB a gallows); *-n ble tatt ned* the gallows was *(el.* were) pulled down.

galgen|frist short respite. **-fugl** gallows-bird. **-humor** grim *(el.* sardonic) humour.

galimatias gibberish, nonsense.

galla full dress, gala; *antrekk ~ (på innbydelse)* dress formal; *i full ~* in full dress, in gala; *(spøkef)* in one's best bib and tucker.

galla|antrekk evening dress; e. gown. **-forestilling** gala performance. **-kårde** dress-sword. **-middag** gala banquet. **-uniform** full dress uniform. **-vogn** state carriage.

I. galle *(anat)* bile; *(fig & hos dyr)* gall; *utøse sin ~* vent one's spleen *(el.* spite).

II. galle ♣ gall (nut).

galle|blære *(anat)* gall bladder. **-feber** bilious fever.

galler Gaul.

galleri *(plass i teater; malerisamling)* gallery; *spille for -et* play to the gallery.

galle|stein gallstone. **-syk** bilious.

Gallia Gaul.

gallionsfigur *(også fig)* figurehead.

gallisisme Gallicism.

gallisk Gallic.

gallupundersøkelse Gallup poll.

gallveps ♣ gall wasp.

galmanns|snakk nonsense. **-verk** act of a madman.

galneheie tomboy, hoyden.

galning madcap; *(gal mann)* madman.

galon gold (,silver) braid, galloon.

galopp gallop; *i ~* at a gallop; *i full ~* at full gallop; *ride i kort ~* canter.

galoppade gallopade.

galoppere *(vb)* gallop; *-nde tæring* galloping consumption; acute phthisis.

galskap madness, insanity; *(raseri)* rage, frenzy; *(gal strek)* mad prank.

galt *(adv)* wrong *(fx* to answer w.; they told you w.); *(foran perf. part.)* wrongly *(fx* I was wrongly informed); *bære seg ~ ad med noe* set about sth in the wrong way; *gjøre noe ~ (*⊃: *på feil måte)* make a mistake, do sth the wrong way; *(jvf II. gal: jeg har ikke gjort noe -t)*; *det var ~ gjort av meg* that was wrong of me; *gå ~* take the wrong road; *(fig)* go wrong, fail, miscarry; *det gikk ~* it went wrong, it failed; *det var nær gått ~ med ham* he had a close shave *(el.* a narrow escape); he almost came to grief; *komme ~ av sted* be unfortunate; come to grief; *(uttrykkes ofte ved)* mis- *(fx regne ~* miscalculate; *stave ~* misspell; *uttale ~* mispronounce); *(jvf II. gal (adj))*.

galt(e) ♣ hog.

galva|nisere *(vb)* galvanize, electroplate. **-nisk** galvanic.

gamasjer *(pl)* gaiters; *(lange)* leggings; *(korte)* spats.

gamla T the old lady.

gamlehjem home for the aged.

gamlen T the old man.

gamling old man.

gamme (Lapp) turf-hut.

gammel old; *(fra gamle tider)* ancient; *(som har bestått lenge)* of long standing; old-established; *(motsatt frisk, om brød, øl)* stale; *av ~ dato* of old standing; *40 år ~* forty years of age, aged forty; *fra ~ tid* from time immemorial; *de gamle* the old (ones); *den gamle* the old man (,woman); *la alt bli ved det gamle* leave things as they were; *hvor ~ er han?* how old is he? *henge ved det gamle* cling to the old order of things; *på sine gamle dager* in his old age; *i gamle dager* in (the) days of old, in former times; *~ jomfru* old maid, spinster.

gammel|dags old-fashioned, antiquated, out -of-date *(fx* methods), out of date *(fx* these methods are o. of d.). **gammel|kjent** familiar. **-kjæreste** old flame. **-klok** precocious. **-koneaktig**: *det er allerede noe ~ ved henne* there is already something of an old woman about her.

gammel|manns- senile. **-mannssnakk** senile twaddle. **-modig** oldish, old-young *(fx* the old -young face). **-norsk** Old Norwegian, (Old) Norse. **-ost** [highly pungent, light brown cheese].

gammen: *leve i fryd og ~* have a merry life of it, live happily, live in joy and delight.

gamp (work) horse; *(neds)* jade.

gand Lapp magic *(el.* sorcery).

I. gane *(subst)* palate, roof of the mouth; *den bløte ~* the soft palate; *åpen ~* cleft p; *fukte sin ~* wet one's whistle.

II. gane *vb (fisk)* gut. **-kniv** knife used for gutting.

gane|lyd *(fon)* palatal sound. **-seil** *(anat)* soft palate, velum.

gang 1 *(det å gå)* walk, walking, going; 2 *(måte å gå på)* walk *(fx* a dignified w.), gait *(fx* an unsteady g.), step; 3 *(bevegelse, drift)* working, running, movement, motion, action, operation; 4 *(virksomhet, forløp)* course, progress *(fx* the p. of the negotiations), march *(fx* the m. of events); 5 *(om tiden)* course *(fx* the c. of life), march *(fx* the m. of time), lapse *(fx* the rapid l. of time); *(gjentagelse)* time *(fx* five times; we lost every time we played), occasion *(fx* on every o.); 6 *(havegang, etc)* walk, path; *(korridor)* passage, corridor; *(entré)* hall; *(i kirke, fly)* aisle; *(underjordisk)* subterranean passage, gallery *(fx* the moles make extensive galleries); 7 *(i fortelling)* action, plot; 8 *(anat)* duct; A [*Forb. m. subst*] *arbeidets jevne ~* the smooth flow of work; *begivenhetenes ~ (4)* the course *(el.* march el. progress) of events; *gå all kjødets ~* go the way of all flesh; *-en i hans tanker* the train of his thoughts; *-en i fortellingen* (7) the plot of the story; *det er verdens ~ (4)* that is the way of the world! such is life! that is the way things are! B [*Forb. m. adj, tallord,* «*den*», «*denne*»] *en annen ~* another time; *(senere)* some other time; on another occasion; *(ofte* =) next time *(fx* n. t. I shall know better how to deal with him); *for annen ~* a second time, for the second time; *utsette noe til en annen ~* put sth off till a later occasion *(el.* till another time); *atskillige -er* several times, on several occasions; *den ~* then, (at) that time, in those days; *den ~ (en)* (da) (at the time) when; *den -en vi giftet oss* (oftest) when we were first married; *ja, det var den ~!* times have changed; *denne -en* this time; *for denne ene -ens skyld* for this once; *en ~* once; on one occasion; *to -er* twice; *en eller to ~* *(?)* once or twice; *et par -er* a couple of times, two or three times; én ~ *for alle* once (and) for all; *snakk ikke alle på én* ~! don't all talk at the same time; don't all speak at once; *en halv* ~ *for mye* too much by half; *en halv* ~ *til* half as much again; *en* ~ *til* once more, once again; *gjør det ikke en* ~ *til* don't do it again! don't let it happen again! **en eneste** ~ only once; once only; *ikke en eneste* ~ not once; **en enkelt** ~ once, on one (single) occasion; *enkelte -er* occasionally, on some occasions; **en sjelden** ~ once in a while, rarely, on very rare occasions; **flere** *-er* on several occasions, several times; **forrige** ~ last time; **hver** ~ each time, every time; *(når som helst)* whenever *(fx* w. you feel like it); **jevn** ~ *(om maskin)* smooth running; **langsom** ~ (2) slow pace; *(om maskin)* slow running; **mange** *-er* many times, many a time, time and again, over and over again; **neste** ~ (the) next time; **noen** ~ ever *(fx* have you ever); *hvis De skulle være i byen noen* ~ if you're likely to be in town at any time; **oppreist** ~ (2) upright walk; **rolig** ~ *(om maskin)* smooth running; **siste** ~ the last time; *for siste* ~ for the last time.

C [*Forb.m.vb*] *feberen må gå sin* ~ the fever must run its course; *retten må gå sin* ~ justice must take its course; *tiden gikk sin* ~ time rolled on, time passed; *tingene gikk sin* ~ things took their own course; *tingene må gå sin* ~ things must run their course; *det gikk sin skjeve* ~ they (,we, *etc*) muddled along; *la tingene gå sin skjeve* ~ let things take their (own) course; let things slide; *gå en en høy* ~ run sby close, give sby a close run *(fx* he gave his opponent a c. r.); *6 i 12 går en to-* six into twelve goes twice; *3 -er 2 er 6* three twos are 6; three times two is six; *1 -er 5 er 5* once five is five, one times five is five; *ha sin* ~ *i huset* come and go freely, be a regular visitor; *komme i* ~ *(om maskin)* begin working; *(om maskin, organisasjon, etc)* start up; *(om person)* get going, get started, get into one's stride; find one's feet; *(se også D: forb. m. prep.)*; *regulere -en på en maskin* regulate the working of a machine; *være i* ~ *(om maskin)* be working; *(om motor)* be running; *(om person)* be at work; T be at it; *(se også D: forb. m. prep.)*.

D [*Forb. m. prep*] *en ad (el. om)* **-en** one at a time; *et par dager ad -en* for a couple of days running; for a couple of days at a time; *lenge ad -en* for a long time together, long; *litt ad -en (gradvis)* gradually, little by little, by degrees; *han leste litt ad -en* he read only a little at a time; *for annen (,tredje, etc)* ~ a second (,third, *etc*) time, for the second (,third, *etc*) time; *for en -s skyld* for once; *(jvf B)*; **i** ~ working, in operation *(fx* the mill is working *(el.* is in operation)), in motion *(fx* while the train is in m.), in progress *(fx* the work is in p.), on foot *(fx* preparations are on foot; a project is on f. to build a new bridge); proceeding *(fx* discussions are p.); *(om motor)* running; *i full* ~ in full swing *(el.* activity); *godt i* ~ well under way, well in hand *(fx* the work is well in h.); *få i* ~ *bilen* get the car going; *bringe handelen i* ~ *hurtigst mulig* get trade started as quickly as possible; *få en i* ~ *(med arbeidet)* get sby started; *(få til å snakke)* draw sby out; *få samtalen i* ~ get the conversation going, T start the ball rolling; *gå i* ~ set to work, start, begin; *gå i* ~ *(med det som skal gjøres)* get *(el.* come) to business; T get cracking; *gå i* ~ *med* start, set about, make a start with, proceed *(fx* kindly p. with the order), put in hand *(el.* work) *(fx* put an order in h.); go ahead *(fx* go ahead with the shipment); *gå i* ~ *med det* set *(el.* get) to work on it, start on it; *gå i* ~ *med arbeidet* set to work, start work; *gå i* ~ *med å gjøre noe* set about doing sth, start doing sth, proceed to do sth; *ha arbeid i* ~ have work in hand; *holde i* ~ keep going, keep running *(fx* we must keep our mills r.); *komme*

i ~ make a start, set to work, begin working, start; *(også om motor)* be going; *(fig)* get going, get into one's stride, get started; *jeg har ikke kommet i* ~ *(med det) ennå* I haven't got started (on it) yet; *sette i* ~ start (up), set going *(fx* an engine), set *(el.* put) in motion, set on foot; put into production *(fx* put a new factory into p.); *(undersøkelse)* institute *(fx* an inquiry); *(foretagende)* launch *(fx* an enterprise); ... *har satt i* ~ *et stort skipsbygnings-program* has initiated *(el.* embarked on *el.* entered upon *el.* started) a large shipbuilding programme; *alarmen ble satt i* ~ the alarm was set off; *være i* ~ be going, be working, be operating, be in action, be in operation; *fabrikken er i* ~ the factory is working; *motoren er i* ~ the engine is running; *skipet er i* ~ the ship is under way; *være i* ~ *med* be at work (up)on *(fx* a book); *en* ~ **imellom** sometimes, once in a while, now and then, occasionally, off and on; *familien over -en* the family across the landing *(el.* next door), the f. in the next flat; ~ **på** ~ again and again, over and over (again), time and again; time after time; *eleven ble sendt på -en for dårlig oppførsel* the pupil was put out of the classroom for being impudent; *kjenne en på -en* (2) recognize sby by his walk *(el.* step); *(se også gjenge)*.

gang|art gait, walk; *(om hest)* pace. **-bar** *(om mynt)* current; *(om varer)* marketable, merchantable, salable. **-barhet** currency; salability. **-bro** footbridge. **-dør** hall door; *(hoveddør)* front door.

I. gange *subst (om motor)* running; *rolig* ~ quiet r.

II. gange *(vb)* multiply.

ganger *(poet)* steed.

gangetegn multiplication sign.

gangfelt pedestrian crossing, zebra crossing. **gang|før** able to walk. **-jern** hinge. **-klær** wearing apparel, clothing.

ganglie *(anat)* ganglion.

gangspill ⚓ capstan.

gangster gangster.

gang|sti (foot)path. **-syn** *ha* ~ see well enough to walk.

ganske *adv (aldeles)* quite, entirely, wholly; *(temmelig)* fairly, pretty; *jeg er* ~ *enig med ham* I quite agree with him; *en* ~ *stor ordre* quite a large order; *en* ~ *annen sak* quite a different matter; US *(også)* a horse of a different color; *noe* ~ *annet* something quite different; ~ *visst* certainly, to be sure.

I. gap mouth, throat (of an animal); *(åpning)* gap, opening, chasm; *døra står på vidt* ~ the door is wide open; *(se hav-)*.

II. gap *(om person)* fool; joker, chatterbox.

gape *(vb)* gape; *(gjespe)* yawn; ~ *over for mye* bite off more than one can chew; *et -nde svelg* a yawning chasm; *et -nde sår* a gaping wound; *stuen sto -nde tom* the empty room gaped at them (,him, *etc*).

gapestokk pillory; *sette i -en* pillory. **gap|et** flippant, foolish. **-ord** insult; *de kastet* ~ *etter ham* they flung insults at him. **-skratte** *(vb)* laugh uproariously, roar with laughter.

garantere *(vb)* guarantee, warrant.

garanti guarantee *(fx* he had a new gearbox fitted under g.); security; *(se ønskelig)*. **-fond** guarantee fund.

garantist guarantor, surety.

garantitid time *(el.* period) of guarantee.

garasje garage.

gard: se *gård*.

garde guard; *-n* the Guards. **-kaserne** barracks of the Guards.

gardere *(vb)* guard, safeguard.

garderobe wardrobe; *(værelse)* cloakroom; US checkroom; *(skuespillers, i teater)* dressing room; *ha en rikholdig* ~ have an ample wardrobe; *be* amply provided with clothes.

garderobe|dame cloakroom attendant; US checkroom girl. **-merke** cloakroom ticket; US hat (*el.* coat) check. **-service** valet(ing) service. **-skap** wardrobe.

gardgutt heir to a farm; (*se for øvrig gårds-*).

gardin curtain; (*på bil*) radiator blind; *et fag -er* a pair of curtains; *henge opp -er* put up (*el.* fix up) curtains; *trekke for -ene* draw the curtains; *trekke fra -ene* draw the curtains (back).

gardin|brett pelmet. **-kappe** frill, valance. **-preken** curtain lecture. **-snor** c. cord. **-spiral** spiral wire; (*svarer i England til*) taunt-rail. **-stang** (extension) c. rod. **-stoff** c. material (*el.* fabric). **-trapp** stepladder.

gardist guardsman.

gardjente heiress to a farm; (*se for øvrig gårds-*).

gardstaur fence pole (US: picket).

garn yarn, thread; (*bomulls-*) cotton; (*strikke-*) knitting wool; (*fiske-*) fishing net; *fange en i sitt ~* entangle sby in one's meshes; *han er blitt fanget i sitt eget ~* he has been caught in his own trap; *ha sine ~ ute etter* be angling for.

garn|binding netting. **-bruk** fishing gear, nets; (*se -fiske*).

garner|e (*vb*) trim; (*mat*) garnish. **-ing** trimming, garnish.

garnfiske net fishing.

garnhespel skein.

garnison ✕ garrison.

garnlenke chain of nets; number of nets tied together.

garn|nøste ball of wool (*el.* yarn). **-vinde** yarn reel, wool-winder.

gartner gardener.

gartneri (*handels-*) market garden; US truck garden.

garve *vb* (*huder*) tan.

garve|bark tan(ning) bark, tan. **-r** tanner. **-ri** tannery. **-stoff** tannin. **-syre** tannic acid.

gas (*tøy*) gauze. **gasbind** bandage.

gasell ⚥ gazelle.

gasje salary, pay; *De ansettes med full ~ f. o. m. den ~* you are on full pay from; *heve sin ~* draw one's salary.

gasjepålegg increase of salary, rise (*fx* get a rise); US salary raise.

gasjer|e (*vb*) pay; *høyt -t* highly paid.

gasometer: *se gassmåler*.

gass gas; *gi ~* rev (up) (the car); (*for å øke hastigheten*) accelerate; *jeg måtte gi mye ~ for å komme opp den bakken* T I had to rev (her) up quite hard to get up that hill; *gi full ~* (T: *trå klampen i bånn*) T give it the gun, open out the taps, put your foot down; (*også* US) step on the gas, step on it. **-aktig** gaseous. **-beholder** gasometer. **-belysning** gas light(ing). **-bluss** gas light; gas jet, gas flame. **-brenner** (gas) burner.

I. gasse (*subst*) gander.

II. gasse (*vb*): *~ seg med* feast on, regale oneself with.

gass|flamme: *se -bluss*. **-hane** gas cock, gas tap. **-maske** gas mask. **-måler** gas meter. **-pedal** accelerator (pedal), gas pedal, throttle. **-regulering** (*i motor*) throttle lever (*el.* control). **-spjeld** throttle (valve). **-verk** gasworks.

gast ⚓ sailor, seaman.

gastrisk gastric.

gastro|nom gastronomer. **-nomi** gastronomy. **-nomisk** gastronomic(al).

gat|e street; *på -a* in the street; *den lille gutten som bor litt lenger borte i -a* the little boy a few doors away; (*se også vilter*); *gå omkring i -ene* walk about the streets; *de gikk ~ opp og ~ ned* they walked (*el.* trailed) up and down the streets; *they walked and walked, up one s. and down the next; they trailed the length of the streets*; *gå over -a* cross the street; *i samme -e* (*fig*) in the same vein; *vindu til -a* front window; *værelse til -a* front room; (*se ta C*).

gatebekjentskap chance acquaintance (picked up in the street); T pick-up.

gate|dør front door. **-dørsnøkkel** latchkey.

-feier street sweeper, street cleaner. **-gutt** street urchin. **-kryss** street crossing; *et ~* a crossing, a crossroads. **-langs** (*adv*) up and down the streets, the length of the streets (*fx* they trailed the l. of the s.). **-legeme** roadway. **-lykt** street lamp. **-opptøyer** (*pl*) street riot(s). **-parti** streetscape; street scene. **-pike** street walker, prostitute; T pro. **-renovasjon** street cleaning, scavenging. **-salg** street trading. **-sanger** street-singer. **-selger** hawker; *-s bod* stall; *-s vogn* barrow. **-språk** vulgar speech. **-stein** paving stone. **-uorden** disorderly conduct (in a public place).

gatt ⚓ anus; ⚓ hole, vent. **-finne** anal fin.

gauk ⚥ cuckoo; (*som driver ulovlig brennevinshandel*) US bootlegger.

gauk|e (*vb*) US bootleg. **-esyre** ⚘ wood-sorrel. **-ing** US bootlegging.

gaul (*subst*) howl. **gaule** (*vb*) howl.

gaupe ⚥ lynx.

gave gift, present; (*til institusjon*) donation, endowment; (*evne*) gift, talent, endowment; *motta som ~* receive as a gift, be made a present of; T be given; *talens ~* T the gift of the gab. **-brev** deed of gift. **-kort** gift token; US gift certificate.

gavl gable.

gavmild liberal, generous. **-het** liberality, generosity; *storslagen ~* munificence, lavish generosity.

gavott ♪ gavotte.

geberde (*subst & vb*) gesture; *~ seg* behave; *~ seg som om . . .* T carry on as if . . .

gebet territory; (*fig*) domain, province.

gebiss set of artificial teeth, denture.

gebrokken broken; *på -t norsk* in broken Norwegian; *snakke -t norsk* speak broken Norwegian.

geburtsdag: *se fødselsdag*.

gebyr fee; (*se beregne*).

gedigen (*sølv, etc*) pure, solid, sterling; (*fig*) genuine, excellent.

gehalt content; percentage; (*fig*) (intrinsic) value; *erts av liten ~* low-grade ore.

geheng sword belt.

gehør (musical) ear; *ha ~* have a good ear (for music), have an ear for music; *spille etter ~* play by ear; *finne ~* (*om person*) gain a hearing; (*om idé*) meet with sympathy; *skaffe seg ~* make one's voice heard; (*se også musikalsk*).

geil ruttish; (*om hundyr*) in heat.

geip grimace, pout, grin.

geipe (*vb*) make faces, pout.

geistlig clerical, ecclesiastical; *den -e stand* the clergy; *en ~* a clergyman.

geistlighet clergy.

geit ⚥ goat; nanny-goat.

geitdoning (*skogbr*) double sledge (US: sled); logging s.

geitebukk ⚥ he-goat, billy-goat.

geitehams ⚥ hornet.

geite|melk goat's milk. **-ragg** goat's hair. **-rams** ⚘ willow herb.

geitost [sweet, brown cheese made of goat's milk].

gelatin gelatin(e).

gelé jelly; (*kjøtt-*) aspic, meat jelly; *i ~* jellied. **-aktig** jelly-like; gelatinous.

geledd rank; line; *på ~* lined up.

gelender banister(s), railing.

gemakk apartment.

gemal, -inne consort; (*spøkef*) husband; wife.

gemen base, mean, vile. **-het** baseness, vileness, meanness.

gemse ⚥ chamois.

gemytt temper, disposition, mind; *berolige -ene* pour oil on the troubled waters.

gemyttlig pleasant, convivial, congenial, genial.

gendarm gendarme.

gêne inconvenience, nuisance; *være til ~ for* be inconvenient (*el.* troublesome) for, cause (*fx* sby) a great deal of inconvenience (*el.* trouble); *til betydelig* ~ *for* to the considerable inconvenience of.

genea|log genealogist. **-logi** genealogy. **-logisk** genealogical.

general general; (*flyv*) air chief marshal; US general. **-agent** general agent. **-agentur** general agency. **-direktør** director general; (*merk*) managing d. **-feltmarskalk** field marshal. **-forsamling** general assembly, general meeting. **-fullmakt** general power of attorney. **-guvernør** governor-general. **-importør** (importer and) concession(n)aire (*for* for). **-inne** general's wife. **-intendant** quartermaster general.

generalisere (*vb*) generalize.

generalisering generalization.

general|issimus generalissimo. **-konsul** consul **-general**. **-konsulat** consulate-general. **-krigsadvokat** = judge advocate general; (*dennes stedfortreder i retten*) judge advocate. **-løytnant** lieutenant-general; (*flyv*) air marshal; US lieutenant general. **-major** major-general; (*flyv*) air vice-marshal; US major general.

generaloverhal|e (*vb*) give (*fx* an engine) a general overhaul; *en -t motor* an overhauled engine; a thoroughly overhauled e.; (*jvf fabrikkoverhalt*).

general|prøve dress rehearsal. **-sekretær** secretary-general. **-stab** general staff. **-stabskart** ordnance map.

generasjon generation.

generator generator.

genere (*vb*): *se sjenere.*

generell general.

generisk generic.

Genève Geneva. **genfer** Genevan. **G-sjøen** (*Genèvesjøen*) the Lake of Geneva.

geni genius.

genial ingenious, of genius; *en* ~ *idé* a brilliant idea; *han var en* ~ *kunstner* he was an artist of genius (*el.* an inspired a.); *denne maskinen var en* ~ *oppfinnelse* this machine was the invention of a genius (*el.* was a brilliant invention).

genialitet genius, ingeniousness; (*oppfinnsomhet*) ingenuity.

genistrek stroke of genius.

genitiv the genitive (case).

genius genius (*pl*: genii), guardian angel.

genre style, manner, genre; *noe i den* ~ something like that. **-maleri** genre (picture).

genser pullover, sweater.

gentil gentlemanly, magnanimous.

Genu|a Genoa. **g-eser, g-esisk** Genoese.

geo|graf geographer. **-grafi** geography. **-grafisk** geographical.

geo|log geologist. **-logi** geology. **-logisk** geological.

geo|metri geometry. **-metrisk** geometrical.

georgine ⚘ dahlia.

geranium ⚘ geranium.

geriljakrig guerilla warfare.

german|er Teuton. **-isere** (*vb*) Germanize. **-isme** Germanism. **-ist** Germanic philologist.

germansk Teutonic, Germanic; (*om språket*) Germanic.

gesandt ambassador, minister, envoy.

gesandtskap embassy, legation.

gesims cornice.

geskjeft (*neds*) business.

geskjeftig fussy, interfering; *en* ~ *person* a busybody.

gest gesture.

gestikuler|e (*vb*) gesticulate. **-ing** gesticulation.

gestus gesture.

getto (*jødekvarter*) ghetto.

gevant drapery, loosely-hanging clothes.

gevekst excrescence.

gevinst profit, gain(s); (*i lotteri*) prize; (*i spill*) winnings; ~ *og tap* profit and loss; *komme ut med* ~ come out a winner.

gevir antlers (*pl*).

gevær rifle, gun; *i* ~! to arms! *rope i* ~ call to arms; *på aksel* ~! slope arms! *presentere* ~ present arms. **-kolbe** rifle butt. **-kompani** rifle company. **-kule** bullet. **-løp** barrel (of a rifle), gun barrel. **-munning** muzzle (of a rifle). **-pipe**: *se* -løp. **-rem** rifle sling. **-salve** musketry volley.

gi (*vb*) give; (*yte*) yield, produce; (*betale*) pay; (*kort*) deal; ~ *galt* misdeal; *det er Dem som skal* ~ it is your deal; *ga jeg meg selv denne* (*dårlige*) *korten?* did I deal this to myself? *Gud* ~ God grant, would to God; *jeg skal* ~ *ham* (*truende*) I'll give it him; ~ *et eksempel* give (*el.* quote) an example; ~ *en hånden* shake hands with sby; ~ *en rett* agree with sby; ~ *av seg* yield, produce; ~ *etter* give way; yield; ~ *en en lekse* set sby a lesson; *jeg -r ikke meget for den slags* I don't much value that kind of thing; ~ *fra seg* give up, surrender, part with; ~ *igjen* give back, return; ~ (*penger*) *igjen* give change; ~ *igjen på* give change for; *jeg kan ikke* ~ *igjen* I have no change; ~ *en inn* haul sby over the coals; T blow sby up, give it sby hot; ~ *en noe med* give sby sth to take along; ~ *om* ✠ have a new deal, redeal; *det ble -tt om* there was a new deal; ~ *til kjenne* make known; ~ *tilbake*: *se* ~ *igjen*; ~ *ut* (*penger*) spend; ~ *ut for* pass off as (*el.* for); *det -r seg av seg selv* it goes without saying, it is self-evident; ~ *seg* give up (*el.* in); (*svikte*) give way; (*gå over*) wear off; *nei, nå får du* ~ *deg!* oh come on! (*jvf tørn: ta* ~); *han -r seg ikke* (*selv om det stadig går galt*) he always comes back for more; *han var ikke den som ga seg* he was not the sort to give in; ~ *seg av med* have to do with; ~ *seg tid* take one's time; ~ *seg til å* take to (-ing); start (-ing), begin to; ~ *seg til å gråte* burst into tears; start to cry; ~ *seg ut for* pass oneself off as; *det -s* there is, there are; (*se given*).

gibbe ✠ jibe.

gid (*int*) I wish; if only; ~ *det var så vel!* no such luck! 2. that would be good news; ~ *pokker tok ham!* confound him!

gidde (*vb*): ~ *å gjøre noe* find the energy to do sth; be bothered to do sth; *jeg -r ikke* I can't be bothered; it's too much fag; *jeg -r ikke å lese den boka* I cannot be bothered to read that book; *når han -r å gjøre noe* when he chooses to work; *han gadd ikke engang forhøre seg* he did not even take the trouble to inquire; *jeg gadd vite om* I wonder if.

I. gift (*subst*) poison; venom; *det kan du ta* ~ *på!* you bet your boots! you bet your life! ↓

II. gift (*adj*) married (*med* to).

giftblander(ske) brewer of poison; poisoner; (*jvf giftmorder*).

gifte (*vb*) marry; ~ *bort* marry off; marry (*fx* married his daughter to a rich man); ~ *seg* get married; be married, marry; ~ *seg med en* marry sby, get (*el.* be) married to sby; ~ *seg til penger* marry a fortune, marry money.

gifteferdig marriageable; *i* ~ *alder* of a m. age.

giftekniv matchmaker.

giftermål marriage.

gifte|syk anxious to be married. **-tanker**: *gå i* ~ 1. be day-dreaming; 2. contemplate matrimony.

gift|fri non-poisonous, free from poison. **-gass** poison gas.

giftig (*også fig*) poisonous, venomous; (*i høy grad*) virulent; (*fig også*) waspish (*fx* comments). **-het** poisonousness, venomousness; virulence.

gift|kjertel poison gland. **-mord** poisoning (case), murder by poisoning. **-morder** poisoner. **-slange** poisonous snake. **-tann** poison fang.

gigant giant. **-isk** gigantic.

gigg (*både om kjøretøy og båt*) gig; ♪ jig.

gikt rheumatism; gout. **-brudden** rheumatic, gouty. **-feber** rheumatic fever.

giktisk rheumatic.

gild great, fine, capital, excellent; (*om farger*) gaudy; *det skulle være -t* that would be great.

gilde 1. feast, banquet; (*se selskap*); 2 (*laug*) guild; *han kommer til å betale -t* he will have to foot the bill. **-sal** banqueting hall.

I. gildre (*subst*) trap, snare.

II. gildre (*vb*) set a trap.

giljotin guillotine. **-ere** (*vb*) guillotine.

gimmerlam ♯ ewe lamb.

gin gin

gips gypsum; (*brent*) plaster; *han har armen i ~* he has his arm in plaster. **-avstøpning** plaster cast.

gipse (*vb*) plaster; put in plaster (*fx* an arm). **gips|er** plasterer. **-figur** plaster figure. **-maske** plaster mask. **-mel** powdered gypsum.

gir 1. ⚓ yaw; 2. gear; *høyt, lavt ~* high, low g.; *første ~* first g., bottom (*el.* low) g.; *kjøre på fjerde ~* go on top (gear); *sette bilen i tredje ~* go into third gear; *sette bilen i ~* throw the car (T: her) into gear; *gå ned i annet ~* change into second gear.

giraff: *se sjiraff*.

girant (*merk*) endorser.

gire (*vb*) gear; *~ ned* g. down, change down.

girere (*vb*) endorse; (*overføre*) transfer.

giret *adj*: *høyt ~* with a high gear.

giring change of gears, throwing into gear.

girkasse gear box.

girlande garland, festoon.

giro 1 (*overføring*) transfer (from one account to another by endorsement); 2 (*post-*) postal cheque service; post office cheque system.

giro|anvisning postal cheque. **-blankett** postal cheque form. **-innbetalingskort** postal cheque paying-in form. **-konto** 1 (*i bank*) current account; 2 (*post-*) postal cheque account.

girstang gear(-shifting) lever; change; US gearshift lever; *~ montert i gulvet* floor-mounted gear lever, f.-m. change; *sette -a i annet gir* put the gear lever into second; engage the second gear.

gisp gasp. **gispe** (*vb*) gasp; *~ etter luft* gasp for air.

gis|se *vb* (*gjette*) guess. **-ning** guessing; guess-work.

gissel hostage.

gissen cracked; not tight, leaky; (*om skog*) sparse, thin.

gitar guitar.

gitt (*int*) really (*fx det var morsomt ~!* that was r. fun!); US boy (*fx* boy, that sure was fun!).

gitter grate; grating, lattice; (*i fengsel*) bars; (*i radio*) grid. **-dør** grated door. **-port** wrought-iron gate. **-verk** lattice work.

given, givet, gitt: *en given sak* a matter of course; a foregone conclusion; *det er ikke enhver gitt* it is not given to everybody; *anse for gitt* take for granted.

givende helpful, productive, valuable (*fx* a v. discussion); *få noe til -s* be made a present of sth, get sth for nothing, be handed sth on a silver plate.

giver giver, donor; *en glad ~* a cheerful giver.

gjalle (*vb*) ring, resound, echo, reverberate; *~ en i møte* come echoing over to sby.

gjedde (*fisk*) pike; *ung ~* pickerel.

gjel gully, ravine, mountain pass.

I. gjeld: *se prestegjeld*.

II. gjeld debt; *komme i ~* run into debt; *sette seg i ~* run into debt; *sitte i bunnløs ~* be over head and ears in debt; *stifte ~* contract debts (,a debt); *stå i ~ til en* be indebted to sby; *owe sby money*.

III. gjeld (*gold*) barren; dry; (*om handyr*) castrated.

gjeldbunden encumbered with debts, heavily indebted.

I. gjelde *vb* (*være verd*) be worth; (*være i kraft*) apply, be in force; (*angå*) refer to, apply to, concern; *~ for* pass for, be looked upon as;

be regarded as; *det -r ikke!* that is not fair! *det kan ikke ~ for noe bevis* that cannot be taken as a proof; *billetten -r 45 dager* the ticket is available for 45 days; *de fakturaer som denne betaling -r* the invoices covered by this payment, the i. to which this p. refers; *det parti denne betaling -r, ble levert . . .* this payment is in respect of a consignment delivered (*fx* on March 15th); (*sommeren har kommet*) *det samme -r vel for lengst England, går jeg ut fra* that must have applied to E. some time ago, I expect; *denne lov -r ikke mer* this Act is no longer in force; *det -r å finne . . . it's a matter* (*el.* case) of finding *. . . ; . . . og så -r (gjaldt) det å finne en bensinstasjon (også) . . .* and now to find a filling station; *her -r det å ha mot* here all depends on courage; *det -r også for dette* it holds good of this too; *regelen -r bare for* the rule only holds good (*el.* is only valid) for, the rule only works with (*el.* applies to); *nå -r det now is the time! når det -r* (*o: vedrørende*) concerning, about (*fx* I have no worries about the future); *det -r hans ære* his honour is concerned; *som om det gjaldt hans liv* for dear life, as if his life depended on it; *om det -r mitt liv* to save my life; *det -r meg* it is aimed at me; (*angår meg*) it concerns me; *det -r (o: kan sies om) meg også* it is also the case with me; it's the same thing with me.

II. gjelde *vb* (*kastrere*) geld, castrate, emasculate.

gjeldende (*lov*) in force; *bli ~* come into force, take effect; *de ~ bestemmelser* the regulations in force; (*herskende*) prevailing (*fx* the p. views); *til ~ kurs* at the current (*el.* prevailing) rate (of exchange); *til ~ norsk pris* at the price ruling (*el.* current) in Norway; (*bestående*): *de ~ lover* the existing laws; *gjøre ~* 1 (*påstand*) assert, claim; (*som argument*) argue; 2 (*om krav*) advance (*fx* a claim); (*se krav*); 3 (*innflytelse*) bring to bear; 4 (*som unnskyldning*) plead; *de nye restriksjonene vil bare bli gjort ~ i begrenset utstrekning* the new restrictions will have only a limited application; *i hans favør blir det også gjort ~ at* in his favour it is also stressed that; *gjøre seg ~* assert oneself; be in evidence, manifest itself, make itself felt.

gjeldfri free from (*el.* of) debt, out of debt; *~ eiendom* unencumbered property.

gjeldfrihet being free from debt; being unencumbered.

gjelding (*kastrat*) eunuch; (*det å*) gelding, castration.

gjelds|bevis, -brev written acknowledgment of debt, an IOU; (*egenveksel*) promissory note; (*obligasjon*) bond, debenture. **-byrde** burden of debt. **-fengsel** debtors' prison. **-fordring** claim. **-post** item (of a debt), debit item.

gjelle (*på fisk*) gill. **-åpning** gill slit, gill cleft.

gjemme (*vb*) hide, conceal; (*oppbevare*) keep; *~ for* hide from; *~ på noe* keep sth; *~ unna* put out of sight; save for later; *den som -r, den har ~* hiders are finders; he that hides can find; *~ seg* hide.

gjemmested hiding-place; repository.

gjemsel: *leke ~* play hide-and-seek.

gjen|besøk return visit. **-bo(er)** neighbour across the street (*el.* way). **-dikte** (*vb*) re-create, reproduce, retell. **-drive** (*vb*) refute, confute. **-drivelse** refutation. **-døpe** (*vb*) rebaptize. **-døper** anabaptist. **-døperi** anabaptism.

gjen|ferd apparition, spectre, ghost; US spook; *hans ~* his ghost (*el.* spirit). **-forening** reunion. **-forsikre** (*vb*) reinsure. **-forsikring** reinsurance. **-fortelling** [retelling of a German (,English) story in one's own words]; (*kan gjengis*) renarration. **-fødelse** regeneration. **-født** reborn.

gjeng set, crowd, clique; (*arbeids-, bande*) gang; party; *hele -en* the whole lot of them.

gjenganger: *se gjenferd*.

gjenge (*på skrue*) thread; (*låsgjenge*) ward; (*gang*) course, progress; *være i god ~* be progressing (*el.* proceeding) satisfactorily (*el.* favourably); *aller best som arbeidet var i god ~* in the middle of work; *alt er kommet i ~ igjen* everything has resumed its regular course; *tingene kom i sin gamle* ~ things fell back into their old groove; *saken er i god* ~ the matter is well in hand; (*se også gang*).

gjengi (*vb*) 1 (*uttrykke*) repeat, express, render, reproduce; cite, quote; ~ *etter hukommelsen annonsen i* ... write out from memory the advertisement in ...; ~ *galt* misquote; *vi -r nedenfor* we give below ...; ~ *in extenso* repeat in full, report verbatim; 2 (*oversette*) render, translate. **-velse** (*fremstilling*) representation; (*oversettelse*) version, rendering.

gjengjeld return; retribution; *gjøre* ~ reciprocate (*fx* I hope I shall be able to r.); make a return; (*til straff*) retaliate; *til* ~ in return; (*derimot*) on the other hand.

gjengjelde (*vb*) return, repay; (*om følelser, etc*) reciprocate; ~ *ondt med godt* return good for evil.

gjengrodd (*om hage*) overgrown; (*om sår*) healed.

gjengs (*gangbar*) current; (*alminnelig forekommende*) prevalent, prevailing.

gjen|innføre *vb* (*varer*) re-import; (*system, etc*) reintroduce, restore, revive; reimpose (*fx* price controls). **-innsette** *vb* (*i stilling*) reinstate, restore (*fx* to one's old post). **-kalle** (*vb*) recall; ~ *seg* (*i erindringen*) recall, recollect, call (back) to mind. **-kallelig** (*om remburs*) revocable. **-kjenne** (*vb*) recognize, recognise, identify. **-kjennelig** recognizable, recognisable. **-kjennelse** recognition, identification. **-kjøp** repurchase; (*innløsning*) redemption.

gjenklang echo, resonance; (*fig*) sympathy. **gjenlevende** surviving; (*subst*) survivor.

gjen|lyd echo, resonance. **-lyde** (*vb*) echo, resound, ring, reverberate (*av* with).

gjen|løse (*vb*) redeem. **-løser** redeemer. **-løsning** redemption.

gjenmæle: *ta til* ~ *mot* reply sharply to, retort to; defend oneself (*fx* against an accusation).

gjennom 1 (*prep*) through; ~ *ørkenen* across the desert; *han kom inn* ~ *vinduet* he came in at (*el.* through) the window; he entered by the w.; *penger han hadde lagt til side opp* ~ *årene* money he had put aside through the years; *komme seg* ~ get through; *slå seg* ~ (*fig*) fight one's way to success; *vi har vært* ~ *alt* (*om emne*) we have covered the whole ground; 2 (*adv*) thoroughly; ~ *ærlig* thoroughly honest.

gjennomarbeide (*vb*) go (*el.* work) through, work over, prepare thoroughly.

gjennombake (*vb*) bake through, bake thoroughly.

gjennombløt wet through, soaked.

gjennombløte (*vb*) drench; soak.

gjennombore (*vb*) pierce, perforate; *-nde blikk* piercing look (*el.* glance).

gjennombrudd breakthrough (*fx* the b. in finding a drug to prolong human life); success; *komme til* ~ (*fig*) break through, force its way.

gjennombrutt (*om mønster*) open-work.

gjennombryte (*vb*) break through, penetrate.

gjennomfart passage.

gjennomfrossen (*forfrossen*) chilled to the bone.

gjennomføre (*vb*) carry through; carry out, work out, accomplish, go through with, effect; *han fikk gjennomført planen* he pulled off the plan.

gjennomføring carrying out, accomplishment. **gjennom|førlig** practicable, feasible. **-førlighet** practicability, feasibility.

gjennomført consistent, thorough.

gjennomgang passage, thoroughfare.

gjennomgangs|billett through ticket; *selger De -er til London?* can I book through to L.? **-gods** transit goods. **-reisende** person travelling (*el.* passing) through; US transient; (*jernb*) through passenger (*fx* t. passengers to Paris).

gjennomgangsstadium transition stage.

gjennomgangs|tog through train. **-toll** transit duty. **-vei** thoroughfare. **-vogn** (*motsatt kupévogn*) corridor carriage.

gjennomgløde (*vb*) make red-hot (all through), make incandescent; (*fig*) inflame.

gjennomgripende thorough, radical, sweeping.

gjennomgå *vb* (*lide*) go through, suffer, undergo; (*gjennomse*) examine, go over, look over, go through; ~ *kritisk* (*fx manuskript*) vet (*fx* he had his manuscript vetted); ~ *en lekse med en* go over a lesson with sby.

gjennomgåelse going through (*el.* over), examination, study (*fx* a close s. of these documents); *ved nærmere* ~ *av dokumentene* on examining the documents closer; ~ *av trykt stoff* (*om lærer*) commentary on printed matter.

gjennomgående (*adj*) through; (*adv*) on the whole, generally.

gjennomhullet perforated; (*med kuler*) riddled.

gjennomkjørsel passage; ~ *forbudt* no thoroughfare.

gjennomkokt boiled through, (well) done.

gjennomlese (*vb*) read through, peruse.

gjennomlesning reading, perusal.

gjennomlyse (*vb*) X-ray, screen; (*egg*) candle.

gjennommarsj march (through).

gjennompløye (*vb*) wade through, work one's way through (*fx* a book).

gjennompryle (*vb*) beat up, give a sound thrashing.

gjennomreise (*subst*) through journey (*el.* passage); *han var her på* ~ he was passing through here.

gjennomse (*vb*) look over, inspect, revise; *-tt utgave* revised edition.

gjennomsiktig transparent; (*fig*) lucid.

gjennomsiktighet transparency; lucidity.

gjennomskjære (*vb*) cut (through); (*om elver*) traverse, intersect (*fx* a country intersected by many waterways).

gjennomskjæring cutting (through).

gjennomskue (*vb*) see through.

gjennomskuelig: *lett* ~ easily seen through.

gjennom|slag (*vb*) carbon copy. **-slagsark** flimsy. **-slagspapir** flimsy-paper (for copies).

gjennomsnitt (*middeltall*) average; *i* ~ on an average, on the average.

gjennomsnittlig average, mean; (*adv*) on an (*el.* the) average.

gjennomstekt (well) done; baked right through (*fx* cake).

gjennomstreife (*vb*) roam through; (*om følelse*) thrill, pervade.

gjennomsyn inspection, examination; *til* ~ on approval (*fx* send books on a.); *ved* ~ *av bøkene* on going through (*el.* over) the books.

gjennomsyre *vb* (*fig*) permeate, pervade.

gjennomsøke (*vb*) search.

gjennomtenke (*vb*) think out, consider thoroughly.

gjennomtrekk a draught (*fx* I'm sitting in a d.); *det er* ~ *i lærerstaben* the (teaching) staff is constantly changing, there are constant changes of (teaching) staff.

gjennomtrenge (*vb*) penetrate, pierce, permeate; (*om væske*) soak, saturate.

gjennomtrengende piercing; penetrating; ~ *blikk* piercing glance; ~ *kulde* piercing cold.

gjennomtørr quite dry; dry as a bone.

gjennomveve (*vb*) interweave.

gjennomvæte (*vb*) drench, soak.

gjennomvåt drenched, wet through.

gjenoppblussing fresh outbreak.

gjenoppbygge (*vb*) rebuild.

gjenoppfriske (*vb*) revive, reconstruct; brush up (*fx* one's French); (*biol*) regenerate.

gjenopplev|e (*vb*) relive, live over again. **-else** living through again.

gjenopplive (*vb*) revive, resuscitate.

gjenopplivelse revival, resuscitation.

gjenopprette (*vb*) restore, re-establish.

gjenopprettelse restoration, re-establishment.

gjenoppstå (*vb*) rise again.

gjenoppta (*vb*) resume; ~ *en sak* (*jur*) reopen

(*el.* retry) a case; *saken vil bli -tt* the matter will be taken up again; ~ *sine tidligere forbindelser* resume one's former connections; (*se fiendtlighet*). **-gelse** resumption; reopening.

gjenopptreden reappearance.

gjenpart copy, duplicate; *ta en* ~ *av* copy, duplicate.

gjensalg resale. **-sverdi** resale value.

gjensidig mutual, reciprocal; *en slik avtale har ingen hensikt hvis den ikke er* ~ such an agreement is meaningless unless there is give and take on both sides; *etter* ~ *overenskomst* by mutual consent. **-het** reciprocity, mutuality.

gjensitter [pupil who has not been moved up]; US repeater.

gjensitting (*som straff i skole*) detention; (*se sitte igjen*).

gjenskape (*vb*) recreate.

gjen|skinn reflection. **-skjær** (faint) reflection.

gjenspeil|e (*vb*) reflect, mirror. **-ing** reflection.

gjenstand 1 (*ting*) object, thing; 2 (*emne, anledning*) subject (*fx* of conversation, of meditation); 3 (*mål for følelse, etc*) object (*fx* of hatred, of love, of pity, of studies); ~ *for angrep* the object of attack; the target for (*el.* of) criticism; ~ *for latter* laughing-stock (*fx* become a l.-s.); *gjøre til* ~ *for* make the subject of; *være* ~ *for* (2) be the subject of; (3) be the object of; ~ *for beundring, medlidenhet* the object of admiration, pity; *han var ikke* ~ *for meget oppmerksomhet* he did not receive much attention.

gjenstridig unmanageable, refractory, obstinate, stubborn. **-het** refractoriness, obstinacy.

gjenstå (*vb*) remain; be left; *den -ende tid av kontrakten* the unexpired term of the contract; *det -r da bare for meg å takke Dem* it only remains for me to thank you; *det verste -r* the worst is still to come; the sting is in the tail; (*se også stå igjen & verst*).

gjensvar rejoinder, response, retort.

gjensyn meeting (again); *på* ~! so long! see you later! I'll be seeing you!

gjenta (*vb*) repeat, reiterate; ~ *seg* (*om begivenhet, etc*) recur; ~ *til kjedsommelighet* repeat ad nauseam; **-gne** (*el. -lte*) *ganger* repeatedly, over and over again.

gjentagelse repetition, reiteration; recurrence.

gjentjeneste return service; *jeg skylder ham en* ~ I owe him a good turn.

gjen|valg re-election; *frasi seg* (*,ta imot*) ~ decline (,accept) r.; *stille seg til* ~ offer oneself for r., stand again; US run again (*fx* for an office); (*se også II. ønske*). **-velge** (*vb*) re-elect.

gjenvinne (*vb*) regain, win back, recover, retrieve; ~ *sin helbred* be restored to health.

gjenvisitt return visit.

gjenvordighet adversity, hardship.

gjerde fence.

gjerde|smutt 🐦 wren. **-tråd** fencing wire.

gjerne 1 (*uttrykker ønske, vilje*): *ja,* ~ *det* yes, why not; *jeg vil(le)* ~ I should like to; (*sterkere*) I am anxious to (*fx* know), I am eager to (*fx* do my share); *jeg vil* ~ *høre om De* ... I should be glad to hear whether you ... ; *vi imøteser* ~ *nye ordrer fra Dem* we should be glad to receive your further orders; *vi vil* ~ *at De skal* ... we should be glad if you would ... ; *så* ~ *jeg ville* much as I should like to, however much I might wish it; *jeg ville likså* ~ I would just as soon; 2 (*med glede*) gladly, readily, with pleasure, willingly; *inderlig* ~ with the greatest of pleasure; *så* ~! certainly! with pleasure! *mer enn* ~ most willingly; *jeg skal mer enn* ~ *hjelpe Dem* I shall be only too pleased to help you; *jeg vil mer enn* ~ *gjøre det* I shall be delighted to do it; *det ville jeg forferdelig* ~ I'd love to! *vi etterkommer* ~ *Deres ønske* we shall gladly comply with your wishes; *jeg skulle* ~ *ha hjulpet Dem* I should have liked (*el.* should have been pleased) to help you; 3 (*det ville være rimelig*): *De kunne* ~ *hjelpe meg* you might help

me; *man ser* ~ *at* it would be appreciated if; *jeg kunne likså* ~ I might just as well; 4 (*tillatelse, innrømmelse*): *De kan* ~ *sende med noen silkeprøver* you might include some samples of silk; *jeg tror* ~ *det* I quite believe that; I have no doubt of it; *han må* ~ *komme* he is welcome; *De kan* ~ *få det* you are welcome to it; ~ *for meg* I have no objection; *for meg kan De* ~ *reise* you may go for what I care; 5 (*det er mulig*): *det kan* ~ *være* that may be so; it is quite possible; *det kan* ~ *være at* it may be that, it is just possible that; it is very likely that; *det kan* ~ *være, men* . . . possibly, but (*fx* «He's a gentleman.» — «Possibly, but he doesn't behave like one.»); 6 (*som regel*) as a rule, generally, usually; *det blir* ~ *tilfelle* that is apt to be the case; *slik går det* ~ that is usually the way; *han pleide* ~ *å komme om kvelden* he would come in the evening, he came as a rule in the e.

gjerning deed, act, action, doing, work; *Apostlenes -er* the Acts (of the Apostles); *mørkets -er* deeds of darkness; *tegn og underlige -er* signs and wonders; *på fersk* ~ in the very act; red-handed (*fx* he was caught r.-h.); *i ord og* ~ in word and deed; *en god* ~ a good deed; *gjort* ~ *står ikke til å endre* what is done cannot be undone; it is no use crying over spilt milk; *han ligger på sine -er* he has got his deserts.

gjernings|mann perpetrator, culprit. **-ord** verb. **-sted** scene of a (*el.* the) crime.

gjerrig miserly, stingy, avaricious, niggardly; US T (*også*) tight. **-het** avarice, stinginess. **-knark** miser, skinflint; US T tightwad.

gjesp yawn. **-e** (*vb*) yawn; ~ *stort* yawn wide.

gjest guest; (*besøkende*) visitor; (*i vertshus*) guest, patron; *ubuden* ~ unwelcome visitor; uninvited guest; T gate-crasher.

gjeste (*vb*) visit.

gjeste|bud banquet, feast. **-opptreden** guest performance. **-rolle** guest performance; *gi -r* give g. performances, appear as a guest; US guest star (at a theater). **-spill** guest performance.

gjeste|vennlig hospitable. **-vennskap** hospitality. **-værelse** spare bedroom.

gjestfri hospitable. **gjestfrihet** hospitality.

gjestgiver innkeeper, landlord. **-i** inn. **-ske** landlady.

gjete (*vb*) herd, tend; ~ *på* watch, keep an eye on.

gjeter(gutt) shepherd (boy).

gjetning guessing; guess, conjecture, surmise, guesswork.

gjetord report, rumour (US: rumor).

gjette (*vb*) guess, conjecture, surmise; ~ *riktig* (*,galt*) g. right (,wrong); ~ *på* guess at, make a guess at; ~ *på at* guess that; *jeg -r på at han er 40 år* I should put his age at 40; ~ *seg fram* proceed by conjecture, guess; ~ *seg til* guess; ~ *en gåte* solve a riddle.

gjord (*rem om hestens kropp*) girth.

gjorde *vb* (*en hest*) girth.

gjær yeast.

gjærdeig yeast dough.

I. gjære: *i* ~ going on, brewing, in the wind.

II. gjære (*vb*) ferment, work; (*snekkeruttrykk*) mitre.

gjæring fermentation; (*snekkeruttrykk*) mitring.

gjærings|middel ferment. **-prosess** process of fermentation.

gjær|kasse (*snekkers*) mitre box. **-lås** fermentation lock. **-salt** yeast nutrient.

gjærnæringstablett yeast nutrient tablet.

gjæte (*vb*): se gjete.

gjæv fine, splendid; noble; able.

gjø (*vb*) bark, bay (*på* at); *den hund som -r, biter ikke* barking dogs seldom bite; *-ende hoste* barking (*el.* hacking) cough.

gjø(de) (*vb*) fatten (up).

gjødning manuring; (*kunst-*) fertilizer.

gjødnings|middel, -stoff fertilizer.

gjødsel manure, dung; (*kunst-*) fertilizer. **-greip**

dung fork. **-haug** dunghill, dungheap, manure heap. **gjødsle** (vb) fertilize, manure.

gjøgl humbug, buffoonery.

gjøgle (vb) juggle; (drive narrestreker) play the buffoon. **-r** juggler; clown.

gjøglerstreker (pl) juggling tricks.

gjøgris fatted (el. fat el. fattening) pig, porker.

gjøing barking, bark.

gjøk: se gauk.

gjøkalv fatted (el. fattening) calf.

gjøn fun; drive ~ make fun (med of).

gjøne (vb) make fun, jest, joke.

gjøre (vb) 1 (utføre, besørge) do; 2 (frembringe, foreta) make (fx a fire, a journey); 3 (bringe i en viss tilstand) render, make (fx sby happy); 4 (være av betydning) matter; 5 (forårsake) do (fx do harm, do good); cause (fx cause sby grief, pain); 6 (besøke som turist) do (fx do Paris); 7 (tilbakelegge) do (fx do fifty miles an hour); 8 (som gjentagelse av et vb) do (fx «You don't work.» — «Yes, I do!»);

A [Forb. m. subst] ~ godt arbeid do good work; ~ sitt arbeid godt do one's work well; ~ en feil make a mistake; ~ forretninger do business; denne tallerkenen må ~ tjeneste som fat this plate will have to do for a dish; (For øvrig må uttrykk med subst søkes under disse, fx: avtale, begrep, figur, forsøk, gjerning, håp, mening, nytte, oppfinnelse, plass, plikt, regel, sak, skade, skam, tjeneste, uleilighet, umak, ære, ærend);

B [Forb. m. «at», adj, pron & adv] dette gjør at ... the result is that; dette kan ~ at De blir ... this may cause you to be; dette har muligens gjort at this may have had the effect that (el. of -ing); dette gjorde at huset ble revet this caused the house to be pulled down; dette gjorde at han ble syk this had the effect of making him ill; this made him ill; han gjør ikke **annet** enn å skjenne he does nothing but scold; he is always scolding; det er ikke annet (for oss) å ~ there is no alternative; han gjør oss **bedre** enn vi er he makes us out to be better than we are; ~ sitt **beste** do one's best; (se også ndf (sitt)); det vil ~ **det** (ɔ: gjøre utslaget, etc) that will do the trick; kan ikke mindre ~ det? can't you do with less? has it got to be as much as all that? ... og det gjorde vi and so we did; men det gjør jeg ikke! but I shall do nothing of the kind (el. no such thing)! det gjør man ikke that is not done; ~ det bra do all right (fx he is doing all right); firmaet gjorde det dårlig (,godt) i fjor the firm did badly (,well) last year; han har gjort det godt he has done well for himself; he has been successful; han gjorde det godt på skolen he did well at school; ~ det godt igjen (forsones) make it up (again); ~ **fast** ⚓ make fast, belay; (seil) furl, stow; ~ en noe **forståelig** make sth clear to sby; ~ seg forståelig: se ndf (seg); det gjør meg **godt** it does me good; nå skal det ~ godt med et glass øl (spøkef) a glass of beer seems indicated; jeg gjør så godt jeg kan I do (el. am doing) my best; det var godt gjort! (that's) well done! that's a good effort! hva gjør det? what does it matter? what difference does it make? what's the harm in that? hva gjør vel det? what does it matter? T who cares? hva gjør det om han leser brevet? where is the harm in his reading the letter? hva har de gjort deg? what have they done to you? what harm have they done you? si meg hva jeg skal ~ tell me what to do; hva vil du jeg skal ~? what do you want me to do? what would you have me do? hva skal vi så ~? (gripe til) whatever shall we do next? jeg visste ikke hva jeg skulle ~ I did not know what to do; han vet nok hva han gjør he knows what he is about (el. what he is doing); det gjør **ingenting** (el. ikke noe) it does not matter; never mind! that's all right! han gjør det ikke **lenge** he won't last long; det var **lumpent** (,pent) gjort it was a mean (,fine)⁸thing to do; dette gjør **meget** til å forbedre stillingen this does a great deal to improve the position;

this goes a long way towards improving the p.; ikke så meget at det gjør noe nothing worth mentioning; T nothing to write home about; det gjør ikke **noe**: se ovf (ingenting); det gjør vel ikke noe? I hope it's all right? det kan vel ikke ~ noe om vi forteller ham det? there can be no harm in telling him; han har aldri gjort deg noe he has never done you any harm; ikke snakk, men gjør noe! stop talking and do sth; stop talking and get on with it; ~ noe av seg: se D (av); ~ en **oppmerksom** på noe call sby's attention to sth; point sth out to sby; du gjorde **rett** i å være på vakt you were right to be on your guard; det gjorde du rett i you did well; you were right; ~ **seg** 1 (ta seg godt ut) look well, have a good effect, make a good show; 2 (gjøre lykke) be a success; det gjorde seg ikke it was no success; T it cut no ice; (se også D (av)); ~ ,seg bebreidelser reproach oneself; ~ seg bedre enn en er pretend to be better than one is, make oneself out (to be) better than one is; ~ seg et ærend feign an errand; ~ seg forståelig (el. forstått) (for en) make oneself understood (to sby); de kunne ikke ~ seg forstått for hverandre they could not make themselves mutually understood; ~ seg til put on airs, give oneself airs; ~ seg til gode med regale oneself with (fx a cigar); ~ seg til herre over make oneself master of (fx the whole country); ~ **sitt** do one's best; do all in one's power; jeg skal ~ mitt I'll do my part (el. share); T I'll do my bit; ~ sitt til play one's part (fx cheap power has played its part in developing this industry); dette gjør sitt til å ... this tends to; ~ sitt ytterste spare no effort, exert oneself to the utmost; ~ **stort** (om barn) do one's duty, do number two; do big jobs; det gjør ikke stort it does not greatly matter; det gjør ikke stort fra eller til it does not make much difference either way; det gjør hverken fra eller til: se D (fra); ~ **vondt** hurt; det gjør vondt it hurts; det gjør vondt i foten (min) my foot hurts; (Uttrykk med andre adj må søkes under disse, fx bemerket, blid, frisk, gal, gjeldende, kjent, klok, latterlig, vel);

C [Forb. m. verb] det **blir** ikke gjort it does not get done; **få** en til å ~noe make sby do sth, get sby to do sth; persuade sby to do sth; få det gjort get it done (el. finished), get it off one's hands; det får han aldri gjort he will never get that done; he will never get through that work (el. job); **få** gjort mye get through a lot of work, get a lot of w. done, get a lot of w. off one's hands; jeg fikk gjort en hel el i dag I got through a lot of work today; **gjort** er gjort what's done cannot be undone; men gjort var gjort however, the deed was done; **ha** noe å ~ have sth to do; jeg har noe å ~, jeg har noe jeg skal ha gjort I have some work to do; vi har fullt opp å ~ we are very busy; we have our hands full; jeg har ikke noe særlig å ~ I have nothing in particular to do; ha meget å ~ be very busy, have a lot of work to do, have a great deal to do; jeg har altfor meget å ~ T I have too much on my plate; ha mindre å ~ be less busy; søndag har jeg minst å ~ Sunday is the day when I am least busy; ja, du har nok å ~ you've got your hands full; you've got your work cut out for you; ha`å ~ med: se D (med); du **kunne** ikke ~ noe bedre`you could not do better; vi kunne ikke ~ annet enn å vente there was nothing for us to do but wait; there was nothing for it but to wait; det **lar** seg (ikke) ~ it can(not) be done (el. arranged); så godt det lot seg ~ as well as in any way possible; så vidt det lot seg ~ as far as possible; to the greatest possible extent; ~ og **late** som en vil do whatever one likes; det **må** -s it must be done; det må du gjerne ~! by all means, do! gjør som det blir sagt! do as you are told! det er lite å ~ there is not much to do; (merk) trade is slack; det er lite å ~ i tekstilbransjen there is little doing in textiles;

D [Forb. m. prep og derav dannede adv] ~

det av med ham dispose of him, account for him, finish him off; T settle his hash; (*drepe*) do away with him; T do him in; *hvor har du gjort av boka?* where have you put the book? what have you done with the book? ~ *for meget av det gode* overdo it (*fx* he has overdone it); *hvor har han gjort av seg?* what's become of him? where has he gone? *jeg visste ikke hvor jeg skulle* ~ *av meg* I did not know what to do with myself; I did not know where to turn; ~ *meget av* (*gjøre stas av*) make much of; (*sterkere*) make a great fuss of; (*se også ndf* (*ut*)); ~ *meget av seg* be effective, produce a marked effect; ~ *ekstra meget av seg* be especially effective, make an exceptionally good show; ~ *noe av seg* show (up) to advantage, appear to a.; look well, have a good effect, make a good show; ~ *noe* **etter** imitate sth, copy sth; *jeg kan ikke* ~ **for** *det* it is not my fault; I cannot help it; *jeg kan ikke* ~ *for at han er* . . . I cannot help his being . . . ; it is not my fault that he is; *han gjør meget for sine venner* he does much for his friends; *det gjør hverken* **fra** *eller til* it makes no difference (either way); *jeg kan ikke innse at det gjør noe fra eller til* I do not see that it makes any odds; ~ **i** *buksen* dirty one's pants; ~ *i stand rommet sitt* do one's room; ~ *ham* **imot** cross him; act against his wishes; *når du får* **med** *ham å* ~ when you get to do with him; *du skal få med meg å* ~! you'll catch it from me! *ha å* ~ **med** have to do with, deal with, have dealings with (*fx* a firm); be up against (*fx* a strong man); *alt som har med* . . . *å* ~ everything connected with; T everything to do with; *det har noe med* . . . *å* ~ it has (T: is) sth to do with; *det har ikke noe med saken å* ~ it is totally irrelevant; it is not to the point at all; it has nothing to do with the case; *jeg har nok å* ~ *med å* . . . I have my work cut out to; (*se også: ha B* (*med*)); *alt hva du gjør* **mot** *andre* all that you do to others; *gjør mot andre som du vil at de skal* ~ *mot deg* do as you would be done by; («*Likte du deg der?*») — «**Om** *jeg gjorde!*» I should (jolly well) think I did! (*se III. om*); ~ *høyere om* turn right; ~ *om i penger* turn into cash; ~ *noe om igjen* do sth again, do sth (all) over again; ~ *om en brøk* invert a fraction; ~ *om til* (*forandre*) alter (*el.* convert) into; (*regne om til*) convert into; *gjør om til nektende form* (*gram*) put (*el.* turn) into the negative (form); *det er om å* ~ it is important; *det er om å* ~ *for oss å* . . . we are anxious to; *det er meg meget om å* ~ *at du skal lese brevet* I am very anxious that you should read the letter; *er det så meget om å* ~ (*ɔ: så viktig*)? is it of such importance? is it so terribly important? *is it så vital? det er meg ikke så meget om å* ~ I do not greatly care; *det er bare om å* ~ *å holde balansen* it is only a question of keeping one's balance; ~ **opp** settle (up); T square up; (*fig*) fight it out; ~ *opp et bo* wind up an estate; ~ **opp** *kassen* balance the cash; ~ *opp vårt mellomværende* (*også fig*) settle our account; ~ *opp noe i minnelighet* settle sth amicably; (*jur*) settle sth out of court; ~ *opp et regnskap* settle (*el.* square) an account; (*avslutte*) make up (*el.* balance) accounts; ~ *opp status* strike a (*el.* the) balance; draw up a balance sheet; (*fig*) take stock (*fx* of one's life); ~ *opp varme* light a fire (in the stove), make a fire; ~ **opp med** *en* settle (accounts) with sby; T get square with sby; (*fig*) have it out with sby, settle (accounts) with sby; T settle sby's hash; ~ *opp med seg selv* have it out with oneself; ~ *opp med sin egen samvittighet* ransack one's own conscience; settle sth with one's own c.; *det var gjort på et øyeblikk* it was the work of a moment; ~ *en* **til** *noe* make sby sth (*fx* m. him a bishop); ~ *en til sin fiende* make an enemy of sby; *han er på langt nær så rik som man gjør ham til* he is not nearly as rich as he is made out (to be); ~ *en tanke til sin* adopt an idea; *ikke stå der og gjør deg til!* come

off it! stop pretending! ~ *noe* **unna** get sth done, get sth out of the way, finish sth; ~ *en presedens ut av det* turn it into a precedent; ~ *for meget ut av noe* make too much of sth; *jeg må få gjort ved sykkelen min* I must have my bicycle seen to; *hva kan man* ~ *ved det?* what can one do about it? *det er ikke noe å* ~ *ved* (*det*) there is nothing to be done about it; there is nothing one can do about it; (*det kan ikke unngås*) there is no help for it; it cannot be helped; there it is! *det er ikke mer å* ~ *ved det* there is nothing more to be done about it; *du skulle* ~ *noe ved den forkjølelsen* you ought to do sth about that cold of yours; (*se I. få; II. stå B: han har mye å* ~ *i; sørge:* ~ *for at det blir gjort*).

gjøremål business, duties, doings.

gjørlig practicable, feasible.

gjørme mire, mud, dregs. **-t** turbid, muddy, miry.

I. gjørs (*fisk*) zander.

II. gjørs: ~ *på noe* do sth on purpose (*el.* in defiance); make a point of doing sth.

gjørtler brazier.

gjøs ⚓ jack.

glad glad, happy, joyful, joyous, cheerful; ~ *i* fond of; *han er* ~ *i pengene sine* he is very attached to his money; *jeg er* ~ *jeg slapp helskinnet fra det* I was glad to get off unhurt; ~ *over å høre om det* glad to hear of it; *jeg er like* ~ I don't care; *gjøre seg en* ~ *dag* make a day of it; (*se giver*).

gladelig gladly, cheerfully; *han ville* ~ *betale* . . . he would not think twice about paying (*fx* 2s. for a cigar).

gladiator gladiator.

glam (*hunde-*) baying.

glamme (*vb*) bay, bark.

glane (*vb*) stare, gape (*på* at).

glans lustre; gloss; (*stråle-*) brilliance, radiance; (*prakt*) splendour (US: splendor), glory; *kaste* ~ *over* (*fig*) lend lustre to; *han kaster* ~ *over sin skole* (*også*) he is an honour to his school; *klare seg med* ~ come out with flying colours; *ta -en av* (*også fig*) take the shine out of; *vise seg i all sin* ~ appear in all one's glory.

glansbilde scrap; (*fig*) picture postcard.

glans|løs lustreless, lack-lustre; (*matt, trist*) dull, dead. **-løshet** dullness, deadness. **-nummer** star turn; main attraction, high point. **-papir** glazed paper. **-periode** golden age; zenith (*fx* the z. of the Roman Empire); (*persons*) palmy days. **-rolle** star part, best part; US star role. **-tid:** *se -periode*.

glasere (*vb*) glaze; (*overtrekke med sukker*) ice; US frost.

glass glass; (*ølglass*) tumbler; ⚓ bell; *slå seks* ~ strike six bells; *sette i* ~ *og ramme* frame and glaze; *et* ~ *vann* a glass of water.

glassblåser glassblower.

glasshus: *en skal ikke kaste stein når en selv sitter i* ~ those who live in glass houses should not throw stones.

glass|håndkle tea towel, tea cloth. **-kuppel** lamp globe. **-maleri** stained-glass painting; stained-glass picture. **-manet** jellyfish. **-mester** glazier. **-perle** glass bead. **-skår** fragment of glass; (*pl*) broken glass. **-tøy** glassware. **-vatt** glass wool. **-verk** glassworks, glass factory. **-øye** glass eye.

glasur glaze; (*sukker-*) icing; US frosting.

glatt smooth (*fx* surface); (*om hår*) straight, sleek; (*uten mønster*) plain (*fx* ring); (*slik at man glir*) slippery; (*slesk*) smooth, oily; ~ *som en ål* (*as*) slippery as an eel; *han har en* ~ *tunge* he has a glib tongue; *gå* ~ (*fig*) go without a hitch, go (off) smoothly; *alt gikk* ~ (*også*) everything was running smoothly; *gi ham det -e lag* (*fig*) let him have it.

glattbarbert clean-shaven, close-shaven, smooth-shaven.

glatte (*vb*) smooth; ~ *over* gloss over (*fx* facts);

~ *ut* smooth out, iron out (*fx* the differences between the parties).

glatt|het smoothness; straightness, sleekness; plainness; slipperiness; oiliness. **-høvel** smoothing plane. **-høvle** (*vb*) plane smooth. **-håret** sleek -haired; (*om hund*) smooth-haired, straight -haired. **-is** icy surface; *lokke ham ut på -isen* (*fig*) get him out on thin ice; set a trap for him. **-kjemme** (*vb*) comb neatly (*fx* c. one's hair n.). **-løpet** (*gevær*) smooth-bore. **-raket** clean-shaven, close-shaven, smooth-shaven. **-slepet** polished, ground. **-slikket** (*om person*) sleek, smooth; ~ *hår* sleek hair.

I. glede (*subst*) joy, delight, pleasure; *bordets -r* the pleasures of the table; *det er meg en* ~ *å* I am happy to, it gives me pleasure to; *ute av seg av* ~ beside oneself with joy; *gråte av* ~ weep for joy; *finne* ~ *i* delight in, take pleasure in; find pleasure in; *jeg har ingen* ~ *av det* it gives me no satisfaction; *med* ~ with pleasure, gladly; *til stor* ~ *for* to the great delight of; *jeg ser med* ~ *av Deres brev at* . . . I note with pleasure from your letter that . . .; I am pleased to note from your letter that . . .; (*se også II. glede*: *det -r oss å se av Deres brev at* . . .).

II. glede (*vb*) please, delight, make happy, gratify; *det -r meg å* I am glad to; *det -r oss å se av Deres brev at* . . . we are pleased to learn (*el.* note *el.* see) from your letter that . .; we are gratified to see from your l. that; *det ville* ~ *oss å høre Deres mening om dette omgående* we should be glad (*el.* pleased) to have (*el.* hear) your views on this by return (of post); *det -r meg at* I am glad that; ~ *seg over* rejoice at; ~ *seg til* look forward to (*fx* I am looking forward to coming).

gledelig joyful, joyous, glad, gratifying, pleasant; *en* ~ *begivenhet* a happy event; ~ *jul* a merry Christmas. **-vis** happily.

gledeløs joyless, cheerless, dreary.

gledes|bluss bonfire. **-budskap** glad tidings. **-dag** day of rejoicing. **-dreper** kill-joy, sour-face; T wet blanket; (*iser* US) sourpuss. **-pike** prostitute; T pro. **-rus** transport of joy. **-skrik** shout of joy. **-tegn** token of joy.

gledestrålende beaming (*el.* radiant) with joy. **gledestårer** tears of joy.

glefs snap. **-e** (*vb*) snap (*etter* at); ~ *i seg* bolt, wolf (*fx* one's food).

glemme (*vb*) forget; (*utelate*) omit, leave out; *jeg har glemt hans navn* I forget his name; *jeg har helt glemt det* it has quite slipped my memory; I've quite forgotten; *det hadde jeg rent glemt* I quite forgot that; ~ *bort noe* forget sth completely; T clean forget sth; ~ *igjen* leave (behind) (*fx* leave one's umbrella on the bus; the luggage was left behind); ~ *seg* forget oneself.

glemmeboka: *gå i* ~ be forgotten, fall (*el.* sink) into oblivion. **glemsel** oblivion, forgetfulness.

glemsom forgetful, absent-minded. **glemsomhet** forgetfulness, absent-mindedness. **glente** 🦅 kite.

gletsjer glacier.

I. gli (*subst*): *få på* ~ set going, help (*fx* sby) to get started.

II. gli (*vb*) slide, glide; (*om hjul*) skid; ~ *bort fra hverandre* (*fig*) drift apart; *ord som har -dd inn i språket* words that have become part and parcel of the language; ~ *lett inn i et selskap* be a good mixer; ~ *ned* (*bli svelget*) go down; *disse sokkene -r ned hele tiden* these socks keep slipping down; *la fingrene* ~ *over en flate* run one's fingers over a surface; *la blikket* ~ *over* run one's eye over; ~ *over i* merge into; slide (*el.* pass) into, gradually become; ~ *tilbake* slide back; (*fig*) lapse.

glide|flukt glide; volplane; *gå ned i* ~ volplane; glide (down). **-fly** glider.

glide|lyd glide. **-lås** zip fastener; US zipper. **-skala** sliding scala.

glimmer (*mineral*) mica.

glimre (*vb*) glitter; (*fig*) shine; *det er ikke gull alt*

som -r all that glitters is not gold, all is not gold that glitters; ~ *ved sitt fravær* be conspicuous by one's absence.

glimrende brilliant, splendid, excellent.

glimt gleam; (*flyktig blikk*) glimpse; (*av lyn el. fyr*) flash; *få et* ~ *av* catch a glimpse of; *han fikk et vennlig* ~ *i øynene* his eyes twinkled in a friendly way. **glimte** (*vb*) gleam, flash.

glinse (*vb*) glisten, shine.

I. glipe (*smal åpning*) opening, crack.

II. glipe (*vb*) come apart (*fx* at the seams), come undone; gape; ~ *med øynene* peer.

glipp: *gå* ~ *av* lose, miss, fail to obtain; *jeg gikk* ~ *av den første delen av talen hans* I missed the first part of his speech.

I. glippe (*vb*) slip (away), slip out of one's grasp; (*om ski*: *gli bakover*) slide backwards (*fx* the skis slide backwards on a slope if they have been wrongly waxed); *det glapp ut av hendene på meg* it slipped out of (*el.* from) my hands; it slipped through my fingers; *hemmeligheten glapp ut av ham* he let the secret slip out.

II. glippe *vb* (*med øynene*) blink.

glis grin, sneer. **glise** (*vb*) grin, sneer.

glissen 1. sparse, thin; widely scattered, far apart; 2. cracked; draughty.

glitre (*vb*) glitter, sparkle.

glitte (*vb*) glaze, calender.

I. glo (*subst*) live coal, ember; *-en på en sigarett* the light of a cigarette.

II. glo (*vb*) stare, gaze, gape (*på* at).

global global; *i* ~ *sammenheng* in a world sense.

globus globe.

gloende (*glødende*) glowing, red-hot; *sanke* ~ *kull på hans hode* heap coals of fire on his head; ~ *rød* flaming red, fiery red.

glo|het (*adj*) scorching hot; (*rødglødende*) red -hot, burning hot. **-hete** red heat.

gloret (*gild*) gaudy, glaring.

glorie halo, nimbus. **glorverdig** (*spøkef*) glorious.

glorød fiery red.

glose word; *oppgitt* ~ word provided (*fx* 3 words are p. in this translation); *han greier ikke å nyttiggjøre seg oppgitte -r og uttrykk* he can't manage to make use of words and expressions that are given. **-bok** notebook. **-forråd** vocabulary. **-prøve** vocabulary test (*fx* English v. t.).

glossar glossary.

glugg (*adv*): *vi koser oss* ~ *i hjel* T we're having the time of our lives; *le seg* ~ *i hjel* T die (*el.* be dying) with laughter, split (one's sides) with l., laugh until one's sides ache; (*også* US) laugh one-self sick.

glugge peep-hole; *-r* (*øyne*) T peepers.

glupende ravenous, voracious (*fx* appetite).

glupsk greedy, ravenous, voracious; (*om rovdyr*) ferocious, fierce. **-het** ravenousness; ferocity.

glyserin glycerine.

glød (*subst*) 1: *se glo*; 2 (*fig*) glow.

gløde (*vb*) make red-hot; glow; (*fig*) burn (*av* with).

glødelampe incandescent lamp.

glødende red-hot; glowing; (*fig*) ardent.

glødetråd (*i glødelampe*) filament.

gløgg smart; shrewd.

gløtt (fleeting) glimpse; rift (in the clouds); *få et* ~ *av* catch a glimpse of; *på* ~ ajar, open just a crack (*fx* he left the window open just a crack), on the latch (*fx* leave the door (*el.* the window) on the l.); *sette på* ~ set ajar; leave (*fx* the door) on the latch; *døra sto på* ~ (*også*) the door was pushed to.

gnage (*vb*) gnaw.

gnager rodent.

gnaske (*vb*) crunch, munch.

gneis gneiss.

gneldre *vb* (*bjeffe*) yelp; yap, bark. **-bikkje** (*neds*) yelping dog.

gni (*vb*) rub; ~ *seg i hendene* rub one's hands.

gnidder cramped writing.

gnidning rubbing; friction.

gnidningselektrisitet frictional electricity.
gnidningsmotstand friction.
gnidre (*vb*) write a cramped hand. **-t** cramped, crabbed.
gnidsel: *se gnissel.*
gnier miser, skinflint; US T tightwad.
gnieraktig niggardly, stingy, miserly.
gnieraktighet, gnieri niggardliness, stinginess, miserliness.
gnikke (*vb*): ~ *på fela* scrape (*el.* saw) away at the violin.
gnisninger *pl* (*fig*) friction; *de hadde ekteskapelige* ~ *av den grunn* they had some family friction (, T: a family row) over it.
gnisse (*vb*) creak, squeak; ~ *mot noe* be rubbed against sth.
gnissel: *gråt og tenners* ~ weeping and gnashing of teeth.
gnist spark; (*fig*) vestige, trace; ~ *av håp* ray of hope; *han har mistet -en* the spark has gone out of him; *slå -er av* strike sparks from.
gnistre (*vb*) sparkle; *hans øyne -t av sinne* his eyes flashed with anger.
I. gnu (*slags antilope*) gnu, wildebeest.
II. gnu (*vb*) rub; ~ *på skillingen* be miserly, be stingy.
gny din, clamour (US: clamor).
gnål fussing; nagging; importunities.
gnåle (*vb*) fret, fuss, nag; ~ *på det samme* harp constantly on the same thing; (*se plate*).
god 1 (*gunstig, nyttig, formålstjenlig*) good (*fx* a g. quality); g. *gamle dager* the good old days; *-e nerver* good (*el.* sound *el.* steady) nerves; *skrivemaskinen er fremdeles* ~ the typewriter is still quite usable; *-e tider* prosperous times; *-t og ondt* good and evil; *det ~e og det onde som fins i menneskene* the good and the evil that are in mankind; *finne for -t å* choose to; think fit (*el.* proper) to; see fit to; *få -t av* have the benefit of; *gjøre det -t igjen* make amends for it, repair the omission; (*forsones*) make it up (again); *ha -t av* benefit by, derive benefit from; *det har han -t av* that will do him good; *det har du -t av!* serves you right! *nyte -t av* derive benefit from; profit by (*el.* from); *hva skal det være -t for?* what is the good of that? *dette er bare -t* this is all to the good; *det er -t al* it is a good thing that; *som -t er* which is fortunate (for us, *etc*); T and a good job too! *intet er så -t som* there is nothing like; *de kan være meget -e hver for seg* they have both (,all of them) got their points; **2** (*om det økonomiske*): *han er* ~ *for* he is worth, he is good for; *gå* ~ *for* (*kausjonere*) stand security for; (*garantere for*) guarantee; **3** (*lett*) easy; *det er -t å se* it is easy to see; *det er ikke -t å si* (,*vite*) *om* it is hard to say (,tell) whether; **4** (*rikelig, rundelig*): ~ *plass* plenty of room; *en* ~ *mil* a good (*el.* full) mile; *-t og vel* fully, well over, rather more than; **5** (*på det nærmeste*): *så -t som* nearly, almost, as good as, next to, practically; *det er så -t som avgjort* it is practically (*el.* all but) settled; *så -t som ingen* scarcely any; **6** (*om det sannsynlige*): *det er -t mulig at* ... it is just possible that; **7** (*andre uttrykk*); *jeg holder meg for* ~ *til å gjøre slikt* I am above doing such a thing; *ta ham med det -e* use kindness; try persuasion; *man må ta ham med det -e* (*også*) he won't be driven; *vær så* ~! (*ofte intet tilsvarende uttrykk på engelsk; når man rekker en noe*): here you are, sir (,madam); (*når det inviteres til bords*) dinner (,breakfast, *etc*) is ready; (*når man gir tillatelse til noe*) you are quite welcome; (ɔ: *ja, så gjerne*) by all means; *vær så* ~ *å forsyne Dem* help yourself; do take some (,one, *etc*); *vær så* ~ *å ta plass* please take a seat; *-e lommepenger* a good spending allowance; adequate pocket money; *er eggene -e ennå?* are the eggs still all right? *de er like -e om det* one is as much to blame as the other; *det er -t nok, men* ... that is all very well, but ... ; *for -t* for good, permanently; ~ *og sint* good and angry; *jeg*

ønsker Dem alt -t I wish you every happiness; (*se også godt* (*adv*); *dag & meget*).
god aften! good evening!
godartet benign, mild.
god dag! good morning! good afternoon! (*ved presentasjon*) how do you do.
gode (*subst*) good, boon, benefit, blessing; *det høyeste* ~ the supreme good; *til* ~ due; *han har ett års hyre til* ~ he has one year's pay due; *det beløp jeg har til* ~ the amount due (*el.* owing) to me; the a. to my credit, the balance in my favour; *gjøre seg til* ~ regale oneself (*fx* with a cigar); *det kom meg til* ~ *at jeg hadde* ... I benefited from having; it stood me in good stead that I had ... ; (*jvf god*).
godeste: *du* ~! good gracious!
godfjott foolishly good-natured person; simpleton; (*se dott*).
godgjørende beneficient, charitable.
godgjørenhet beneficence, charity.
godhet goodness; kindness; *fatte* ~ *for* take a liking to; *ha den* ~ *å* be so kind as to, have the goodness to.
god|hetsfullt kindly. **-hjertet** kind-hearted. **-hjertethet** kind-heartedness.
godkjenne (*vb*) sanction, approve (of), endorse; o.k. (*fx* the report was o.k.'d by Mr. X); *ikke* ~ *et krav* disallow a claim.
god|kjennelse sanction, approval. **-lag:** *være i* ~ be in high spirits. **-lyndt** friendly, good-natured, likeable. **-modig** good-natured. **-modighet** good nature.
gods (*varer*) goods; (*eiendom*) estate, manor; *avdeling for ankommende* (,*utgående*) ~ (*jernb*) inwards (,outwards) office.
gods|befordring conveyance of goods; goods traffic; US freight transportation; freight traffic. **-betjent** (*jernb*) goods clerk. **-eier** landed proprietor, landowner, squire. **-ekspedisjon** (*jernb*) 1. goods (US: freight) service; 2 (*lokalet*) (goods) forwarding office, goods office, parcels office; US freight office; *bestyrer av* ~ goods agent. **-forvalter** land agent, steward. **-hus** goods shed, goods depot; US freight shed (*el.* house). **-husbetjent:** *se -betjent.* **-kontrollør** goods manager.
godskrift: *til* ~ *på min foliokonto nr. 86* to the credit of my Current Account No. 86.
godskrive (*vb*) credit; ~ *meg beløpet* place the amount to my credit, credit me with the a., credit my account with the a.
godslig good-natured.
godsnakke (*vb*) speak gently, coax; *det måtte meget godsnakking til før han samtykket* T he took a lot of coaxing.
gods|rampe (un)loading platform, goods-shed p. **-skiftetomt** freight marshalling yard. **-spor** goods track, goods line; (*sidespor*) goods (US: freight) siding. **-stasjon** goods station; US freight depot. **-tog** goods train; US freight train; *skiftende* ~ slow goods train. **-tomt** goods (US: freight) yard. **-trafikk** goods traffic, carrying traffic; US freight traffic; *gjennomgående* ~ goods in transit. **-vogn** 1. goods wagon; US freight car; (*åpen*) (open) truck; (*lukket*) goods van; 2 (*bagasje-*) luggage van; US baggage car.
godt (*adv*) well (*fx* the goods are well packed); *det begynner* ~ (*iron*) that's a nice start, I must say! *jeg har det* ~ I am (very) well, I am all right; *ha det* ~! good luck! take care of yourself! (*mor deg*) have a good time! *gå* ~ (*løpe av*) go well, turn out well; *det kommer* ~ *med* it is welcome; *kort og* ~ in short; *jeg kan* ~ *forstå at* I can quite understand that ... ; *det kan* ~ *være* that may well be (the case), maybe; *jeg kunne ikke* ~ *gjøre noe annet* I could not very well do otherwise; *det lukter* (,*smaker*) ~ it smells (,tastes) good (*el.* nice); *mene det* ~ *med en* mean well by (*el.* towards) sby; *de mente det* ~ *med ham* (*også*) they meant to do their best for him; *se* ~ *ut* be good-looking; (*helsemessig*) look fit; *han sitter* ~ *i det* he is well off (*el.* well to do);

sove ~ sleep well; (*trygt*) sleep soundly, be sound asleep, be fast asleep; *sov* ~! sleep well! *De vet* ~ *at* ... you know very well that; ~ *og vel* rather more than, fully, quite; ~ *og vel to engelske mil* a good two miles; (*se også god*).

godta (*vb*) accept, pass; admit (*fx* a claim).

godtfolk (good) people; *hvor* ~ *er, kommer* ~ *til* birds of a feather flock together.

godtgjøre (*vb*) **1** (*erstatte*): ~ *et tap* make good a loss, indemnify (*fx* sby) for a loss; (*refundere*) refund; reimburse (*fx* sby for his expenses); *jeg vil* ~ *Dem alle Deres utlegg* I will refund you all your outlays; (*som prisavslag*) allow (*fx* we are willing to allow you 9d. per yd.), make (*fx* sby) an allowance (*fx* of 9d. per yd.). **2** (*bringe på det rene*) establish; **3** (*bevise*) prove.

godtgjørelse 1 (*prisavslag, innrømmelse*) allowance; (*reise-*) travelling a.; (*tilbakebetaling*) refund(ment) (*fx* make sby a £10 refund; the refundment of such outlays is out of the question); *forlange en* ~ claim an a.; *yte en* ~ make an a.; **2** (*erstatning*) compensation; **3** (*lønn, betaling*) remuneration; (*honorar*) fee; *han ville gjøre hva som helst mot en* ~ he would do anything for a consideration; **4** (*det å bringe på det rene*) establishment; **5** (*bevis*) proof.

godtkjøp bargain; *varer* ~ goods at bargain prices.

godtkjøps|roman novelette. **-salg** bargain sale. **-vare** cheap article.

godtroende credulous, gullible, naïve, too confiding.

godtroenhet credulity, gullibility, naïveté.

god|vilje goodwill; *legge -n til* do one's best, act in good will. **-villig** (*adv*) voluntarily.

godvær fair weather; *i* ~ on fine days.

gold barren, sterile; (*om kyr, også*) dry.

goldhet sterility, barrenness.

I. golf (*bukt*) gulf.

II. golf (*spill*) golf. **-bane** golf links.

Golfstrømmen the Gulf Stream.

golv: *se gulv*.

gom, gomme gum.

gomle (*vb*): ~ *på noe* munch sth.

gondol gondola; (*til ballong*) basket, car. **-fører** gondolier.

gongong gong.

gordisk Gordian; *løse den -e knute* cut the Gordian knot.

gorilla 🐒 gorilla.

goro [a kind of wafer baked on a patterned, rectangular iron].

goter Goth.

gotikk Gothic (style).

gotisk Gothic; *-e bokstaver* (*fraktur*) black letter; German type; (*skrevet*) German hand.

gotte (*vb*): ~ *seg over* (*skadefro*) gloat over (*el.* on) (*fx* she gloats over my misfortune).

gotter (*slikkerier*) sweets; US candy, goodies.

gourmet gourmet.

grad degree; (*rang*) rank, grade; *termometeret viser 8 -ers kulde* the thermometer shows 8 degrees below freezing (*el.* below zero); *offiserer av høyere* ~ *enn major* officers above the rank of major; *i den* ~ *to such a degree; i den* ~ *at* ... *so much so that* ..; *i høy* ~ highly, in (*el.* to) a high degree; in a large (*el.* great) measure, largely, greatly; *i hvor høy* ~ to what extent; *i høyeste* ~ in the highest degree, most, exceedingly; *i samme* ~ *som* in proportion as (*fx* national income will increase in p. as peace is restored); *til en viss* ~ in some measure, up to a point, to some extent, to a certain extent; (*se stadig*).

gradasjon gradation; (*gradinndeling*) graduation.

grad|bue graduated arc. **-bøye** (*gram*) compare (*fx* c. an adjective). **-bøyning** comparison. **-ere** (*vb*) graduate; (*etter kvalitet, etc*) grade. **-ering** graduation; grading. **-estokk** thermometer. **grad|inndeling** graduation. **-måling** measurement of degrees. **-sbetegnelse** rank, title (*fx* a list

of ranks within the police force; the Customs ranks). **-sforskjell** difference of (*el.* in) degree; *det er bare en* ~ the difference is only one of degree. **-vis** (*adj*) gradual; (*adv*) gradually, by degrees.

grafikk prints; graphic art(s).

grafisk graphic; *en* ~ *fremstilling* a graph, a chart, a graphic representation.

grafitt graphite.

grafolog graphologist. **-i** graphology.

grahambrød graham bread; (*se brød*).

grafse (*vb*): ~ *til seg* grab; be out for everything one can get; line one's pockets; *alle -r til seg det de kan* (*få tak i*) they are all out for everything they can get; people are out for everything they can get; (*jvf II. hale*).

gram gram, gramme.

grammatikalsk grammatical. **grammatiker** grammarian. **grammatikk** grammar. **grammatisk** grammatical.

grammofon gramophone; US phonograph. **-plate** gramophone record. **-stift** gramophone needle.

gran 🌲 (*tre*) spruce, spruce-fir; T fir; (*merk*) white-wood.

granat 1 (*edelsten*) garnet; **2** (*frukt*) pomegranate; **3.** ✕ shell. **-eple** pomegranate. **-splint** shell splinter.

granbar sprigs of spruce.

grand (*i bridge*) no-trump; *gjøre storeslem i* ~ score a grand slam in no-trump.

grangivelig (*adv*) exactly, precisely; ~ *som om* exactly (*el.* for all the world) as if.

grandios grandiose.

grandonkel grand- (*el.* great-)uncle.

granitt (*min*) granite. **-brudd** granite quarry.

grankongle 🌲 spruce cone; T fir cone.

I. grann (*liten smule*) bit, atom, (smallest) particle; *hvert* ~ every last bit; *ikke det* ~ not the slightest bit; *jeg var ikke det* ~ *redd* I wasn't a bit scared; *ikke det skapende* ~ absolutely nothing.

II. grann (*adj*) slender; (*om stemme*) high -pitched, thin.

granne neighbour; US neighbor.

granske (*vb*) inquire into, investigate; ~ *nøye* scrutinize; *et -nde blikk* a searching look.

granskning inquiry, investigation; scrutiny; (*vitenskapelig*) research, investigation. **-skomité** investigating committee.

granskjegg 🌲 spruce lichen.

granskog spruce forest.

grantre: *se gran*.

grapefrukt 🍊 grapefruit.

gras: *se gress*.

grasiøs graceful.

grassat: *gå* (*el.* løpe) ~ run riot, run amuck.

grassere *vb* (*herje*) rage, be rife, be rampant.

gratiale bonus, gratuity.

gratie grace.

gratis free, gratuitous; (*adv*) free (of charge), gratuitously; *det er* ~ it is free, there is no charge; *gjøre noe* ~ do sth for nothing. **-eksemplar** free copy (*fx* of a book); presentation copy. **-passasjer** non-paying passenger; US deadhead. **-prøve** free sample.

gratul|ant congratulator. **-asjon** congratulation. **-asjonskort** greetings card (*fx* for birthday, wedding, etc*); *hun fikk en mengde* ~ *i anledning fødselsdagen* she had a lot of birthday cards. **-ere** (*vb*) congratulate (*med* on); (*se hjertelig*).

graut: *se grøt*.

grav (*for døde*) grave, tomb; (*festnings-*) moat, ditch; *den hellige* ~ the Holy Sepulchre; *taus som -en* (as) silent as the grave; *følge en til -en* attend sby's funeral; *den som graver en* ~ *for andre, faller selv i den* [he who sets a trap for others, falls into it himself]; (*kan ofte gjengis*) it is a case of the biter bit; *legge en i -en* (*fig*) bring sby to his grave; *stå på -ens rand* have one foot in the grave.

grav|alvor dead seriousness; solemnity; (undue)

gravity,portentous gravity. **-alvorlig** dead serious; portentous, solemn.

grave (vb) dig; ~ i hagen sin dig one's garden; ~ ut (,opp) dig out (,up); unearth; ~ ned bury; ~ seg i nesen pick one's nose; -r seg inn i digs his (,her, etc) way into; spørre og ~ be inquisitive; ask repeatedly and inquisitively.

gravemaskin excavator; mechanical navvy; US steam shovel.

graver (og kirketjener) sexton.

gravere (vb) engrave.

graverende aggravating, grave, serious; ~ omstendigheter aggravating circumstances; (jvf skjerpende).

grav|funn grave find. **-haug** grave-mound; (høy) barrow. **-hvelving** (burial) vault.

gravid pregnant.

gravit|asjon gravitation. **-ere** (vb) gravitate. **-etisk** pompous, solemn.

grav|legge (vb) entomb. **-lund** cemetery, graveyard. **-mæle** (sepulchral) monument.

gravrust deep-seated rust, pitting.

gravrøst sepulchral voice.

grav|røver tomb robber, grave robber. **-skrift** epitaph. **-sted** burial place. **-stein** tombstone. **-støtte** tombstone; headstone; (arkeol) stela. **-urne** sepulchral urn. **-øl** funeral (feast); wake.

gravør engraver.

gre (vb): ~ seg comb one's hair; (børste, gre, stelle) do one's hair (fx «Go and do your hair!»).

grei (klar, tydelig) clear, plain, obvious; (real) straight; (ærlig, oppriktig) straightforward; (ekspeditt) expeditious; (lett) easy; det er en enkel, ~ måte å gjøre det på that's a good, simple way of doing it; that's a nice, easy way of doing it; taleren ga en ~ orientering om den politiske situasjon (også) the speaker explained the political situation in clearly defined terms; ikke ~ (ɔ: vrien) difficult, awkward; det er ikke -t it is no easy matter; han er en ~ kar he is a straight-forward fellow; he's a decent sort; han er ikke ~ he is not easy to deal with; kort og -t short and sweet (US: snappy) (fx that's short and sweet); det er ~ skuring it's plain sailing.

I. grei|e (subst) affair, business, matter; T thing (fx the whole thing lasted an hour); (tingest) thingamy, thingummy, thingumabob, thing-umajig; **-er** (pl) gear, paraphernalia, tackle; affairs, things; den vesle -a der T that little thingumajig; jeg er lei hele -a I'm tired of the whole business; dette er fine -er (iron) this is a pretty kettle of fish; a fine mess this is; ikke rare -er nothing to brag about; T nothing to write home about; få ~ på find out about (fx he has found out about it); get to know about; jeg kan ikke få noe ~ på ham (ɔ: forstår meg ikke på ham) I can't make him out; US I can't figure him out; ha ~ på noe know (all) about sth; noe som det er ~ på (ɔ: noe som duger, som forslår) sth that works, sth effective; det er ikke ~ (ɔ: orden) på noen ting things are in a mess; every-thing is in a tangle (el. in confusion el. in disorder).

II. greie (vb) 1 (bringe i orden): ~ med arrange; see about (fx I'll see about it); (se: ta seg av); ~ opp (i en sak) put matters straight; vi må ~ opp i denne floken we must straighten out this tangle; 2 (klare, makte) manage; ~ en situasjon cope (el. deal) with a situation; make (fx a hill, a jump, etc), negotiate (fx my horse nego-tiated the fence well; it's a difficult corner for a big car to n.); vi greide ikke å starte bilen we couldn't start (up) the car; vi -r det (nok) we'll make it; han greide det (ɔ: hadde hell med seg) he pulled it off; jeg greide (det) ikke lenger I couldn't keep it up any longer; ~ seg manage, do (fx we can't do without money, can we?); be enough, meet the case (fx will £10 meet the case?); (så vidt) pull through, scrape through (fx we shall pull (el. scrape) through somehow), get along; det -r seg that's enough, that will do; dette brødet må ~ seg både til lunsj og kvelds this loaf will have to do for

lunch and supper; du må ~ deg med de pengene du har til du kommer hjem you must make your money last till you get home; det -r seg fint that will do nicely; det -r seg så vidt (også) it is going to be a close thing; ~ seg med do with, get along with; ~ seg uten do without, manage without; (se også klare).

grein: se gren.

greip (manure) fork, dung fork; prong.

Grekenland Greece.

greker Greek.

grell garish, glaring, loud; i den -este motsetning til in glaring contrast with; stikke grelt av imot contrast strongly with.

gremme (vb): ~ seg grieve (over about); be annoyed, fret; ~ seg til døde take one's death of grief, eat one's heart out.

gremmelse grief, sorrow.

gren branch; (bare på tre) bough; (avdeling) branch, department, section; komme på den grønne ~ prosper, get on in the world; S & US come into the chips; være på den grønne ~ be in clover; T be flush; S & US be in the chips.

grenader grenadier.

grend hamlet, cluster of farms, neighbourhood.

grene (vb): ~ seg ut branch out, fork, ramify.

I. grense (subst) 1. frontier, border; (by-) town boundary; naturlig ~ natural boundary; tremils-three-mile limit; 2 (punkt, grad, mål) limit (fx price 1.); over alle -r beyond all bounds; dette går over alle -r this goes beyond all reason (el. bounds); innenfor mulighetens -r within the bounds of possibility; innenfor rimelige -r within (reasonable) limits; innenfor snevre -r within narrow limits; holde seg innenfor visse -r keep within certain limits; nå er -n nådd that is the limit; sette ~ for set a limit to; ensteds må -n trekkes the limit must be drawn somewhere; trekke en fast ~ draw a hard and fast line; en skarp ~ a sharp (el. clearly defined) line.

II. grense (vb): ~ til border on; (fig også) verge on; det -r til det utrolige it is hardly to be believed; it is almost incredible; mistanke, som -r til visshet suspicion amounting (almost) to certainty.

grense|befaring survey of the frontier. **-by** frontier town. **-krig** border war. **-land** border district. **-linje** boundary line; (fig) borderline. **-løs** boundless; unbounded, endless, unlimited; excessive; -t ulykkelig extremely unhappy. **-løshet** boundlessness. **-pæl** boundary post (el. marker). **-revisjon** rectification of the frontier. **-skjell** boundary marker. **-stat** border state. **-tilfelle** borderline case. **-vakt** frontier guard; US border g.

grep (etter noe) grasp, grip; (på dør) handle; han har et godt ~ på klassen he has the class well under control; et godt ~ på undervisningen a firm crasp of the teaching; et heldig ~ a lucky move; ha det rette ~ (på det) have the knack of it; med sikkert ~ with an unfailing grasp; gi en et skikkelig ~ på tale- og skriftspråket give sby a sound grasp of the spoken and written language; et taktisk ~ a tactical move.

grepa (prektig) excellent, first-class.

grepet (deeply) moved, overwhelmed (av by).

gresk Greek.

gress grass; bite i -et bite the dust; mens -et gror, dør kua while the grass grows the steed starves; ha penger som ~ have money to burn, be rolling in money; tjene penger som ~ make heaps of money; ha en på ~ have sby on a string.

gresse: se beite.

gresselig (adj) awful, horrible; (adv) awfully; ~ morsomt awfully funny.

gress|enke grass widow. **-enkemann** grass widover.

gressgang pasture.

gress|kar 🌿 gourd, pumpkin. **-løk** 🌿 chives, chive garlic; en bunt ~ a bunch of chives.

gretten cross, bad-tempered, morose, disgrunt-led, peevish; nagging; T grumpy; være ~ over noe

be cross about sth, grumble about (*el.* over) sth, fret over sth; *være* ~ *på en* be cross with sby.
grettenhet crossness, bad temper, moroseness, peevishness; T grumpiness.
grev hoe.
greve count; (*engelsk*) earl. **-krone** coronet.
grevinne countess.
grevling ⚲ badger.
grevlinghund ⚲ dachshund.
grevskap county.
gribb ⚲ vulture.
grid (*hist*) protection, safe-conduct; mercy, quarter, pardon.
griff (*heraldisk dyr*) griffin.
griffel slate pencil; ⚲ style.
grilljere (*vb*) grill.
grille caprice, fancy, whim; *sette en -r i hodet* turn sby's head, put ideas into sby's head, put a bee in sby's bonnet.
grim ugly, hideous.
grimase grimace; *gjøre -r* grimace, make faces.
grime halter; *legge* ~ *på* halter.
grimet grimy, streaky.
grimhet ugliness, hideousness.
grin grimace, sneer; (constant) complaining; nagging, fretting; whining; (*om lyd*) squeak (*fx* the squeak of an unoiled hinge).
grind gate, wicket.
grind|hval ⚲ pilot whale, blackfish. **-sag** frame saw. **-stolpe** gatepost. **-vokter** (level-) crossing keeper.
grine *vb* (*være gretten*) be cross, fret; (*skjenne*) nag; (*gråte*) blubber.
grinebiter crosspatch, (old) crab, grumbler.
grinet cross, peevish; nagging; T grumpy; *være* ~ be cross; grumble, fret; (*jvf* gretten).
gripe (*vb*) catch, seize, grab, grasp, grip; (*pågripe*) apprehend; (*om anker*) grip (*fx* the anchor grips); ~ *flukten* take flight; ~ *en leilighet* seize an opportunity, avail oneself of an opportunity; ~ *en tanke* seize an idea; ~ *an* go about; ~ *saken an på den rette måten* go the right way to work; ~ *etter* catch at; ~ *fatt i* lay hold of; grasp, clutch; *han grep for seg* he put his hand before him; ~ *i lommen* put one's hand in one's pocket; reach (*el.* dip) into one's pocket; ~ *i sin egen barm* look nearer home; ~ *en i løgn* catch sby lying (*el.* in a lie); ~ *inn* intervene; act (*fx* the policeman refused to act); ~ *inn i* interfere with (*el.* in), intervene in (*fx* the conflict); (*ubeføyet*) meddle with (*el.* in); *disse skattene må nødvendigvis* ~ *inn i det økonomiske liv* these taxes cannot but react on economic life; ~ *inn i hverandre* interlock; ~ *om seg* spread; *han grep seg til lommen* he put his hand to his pocket; ~ *til en utvei* resort to (*el.* have recourse to) an expedient; ~ *til våpen* take up arms; *grepet ut av livet* true to life; *grepet ut av luften* utterly unfounded.
gripende moving, stirring.
griperedskap prehensile organ.
gris ⚲ pig; *en heldig* ~ a lucky dog.
grise *vb* (*få grisunger*) farrow, litter; ~ *til* dirty, soil; mess up; ~ *seg til* soil one's clothes; make a mess of oneself.
grise|binge pigsty. **-bust** pig's bristles. **-hus** pigsty. **-jobb** messy (*el.* dirty) job. **-oppdretter** pig breeder. **-prat** smutty talk. **-purke** sow with young. **-ri** dirt, filth; smut; *for noe* ~! what a mess!
griset dirty, filthy; obscene, smutty.
grisgrendt sparsely populated.
grisk greedy (*etter* of); grasping. **-het** greed.
grisle *vb* [give a glossy surface to loaves of bread].
grissen far apart, scattered, sparse, thin.
grisunge young pig, piglet.
gro (*vb*) grow; (*om sår*) heal; ~ *fast* strike root.
grobian boor, lout.
grobunn fertile soil; *god* ~ *for* (*fig*) favourable conditions for the growth of.
groe (*i potet*) (potato) sprout.

grokjøtt: *godt* ~ flesh that heals readily; *jeg har godt* ~ I heal easily (*el.* quickly); *jeg har dårlig* ~ I am slow in healing.
grom excellent; T grand.
grop depression, hollow.
gros: *se en gros.*
gross gross; *det store* ~ the masses.
grosserer, grossist wholesale dealer, merchant.
grotesk grotesque.
grotid period of growth.
grotte grotto, cave.
grov coarse; (*uanstendig*) coarse, gross; (*uhøflig*) rude; (*svær*) large, big; ~ *feil* gross error; ~ *forbrytelse* serious crime; felony; ~ *løgn* gross lie; ~ *løgner* impudent (*el.* outright) liar; *en* ~ *spøk* a coarse jest; (*som rammen en fysisk*) a piece of horseplay; ~ *stemme* gruff voice; *-e trekk* coarse features; *-t tyveri* grand larceny; *en* ~ *villfarelse* a gross illusion; *det er for -t* that's the limit!
grov|arbeid unskilled labour; (*fig*) spadework. **-brød** coarse, dark rye bread, black bread.
grovhet coarseness; grossness; rudeness; roughness; rude remark; *si en -er* be rude to sby; (*komme med usømmelige bemerkninger*) say obscenities to sby.
grov|kornet coarse-grained; (*fig*) coarse, crude. **-lemmet** coarse-limbed. **-male** (*vb*) rough-grind. **-masket** coarse-meshed, large-meshed. **-sikte** (*vb*) rough-sift. **-skåret** coarse-cut (*fx* tobacco). **-smed** blacksmith. **-spunnet** coarse-spun. **-telling** preliminary count, rough count.
gru horror, terror; *det er en* ~ *å se* it is a horrible (*el.* shocking) sight; *det slo ham med* ~ it made him shudder; *... så det var en* ~ T something awful.
grub|le (*vb*) muse, ponder, brood, ruminate (*over* on). **-lende** brooding. **-ler** brooder. **-leri** brooding, meditation, speculation.
I. grue (*ildsted*) hearth stone, fireplace.
II. grue (*vb*): ~ *for* dread, worry about; ~ *seg* be nervous; ~ *seg for* (*el.* til) dread, worry about; *han -r seg for å gå ut i det kalde vannet* (*også*) he hesitates to go into the cold water; *jeg -r meg til eksamen* I'm nervous about the exam(ination); *uff! jeg -r meg alt!* oh dear! I'm dreading it already!
gruelig awful, horrible.
grums sediment, grounds, dregs.
grumset muddy, thick, turbid.
grundere (*vb*) ground.
grundig (*adj*) thorough; ~ *kjennskap til a* thorough knowledge of; (*adv*) thoroughly.
grundighet thoroughness.
grunker (T = *penger*) T dough; US dough, jack.
I. grunn (*subst*) 1 (*årsak*) reason, cause (*fx* the causes of our failure); (*beveggrunn*) ground, motive (*fx* I see no m. for his action); reason (*fx* there can be no r. for your resignation); tell me your reasons for refusing); 2 (*nødvendighet*) need (*fx* there is no need to spend a lot of money on it); 3 (*havbunn*) ground, bottom (*fx* the ship touched ground (*el.* b.)); 4 (*jordbunn*) soil (*fx* on Norwegian soil); ground; (*fig*) field (*fx* have the f. to oneself); (*bygge-*) site, plot, piece of land; 5 (*grunnvoll*) foundation(s), substructure, groundwork; (*fig*) basis, foundation, groundwork; *han ga som* ~ (1) he gave (*el.* stated) as his reason; *-en var den at* (1) the reason was that; *-en kan bare være feil kalkulasjon blant fabrikanter som . . .* the reason can only be (a) miscalculation on the part of producers who . . .; *-en til at* (1) the reason why; *det er -en til at* that is (the reason) why; *vi får -en alene* we have the field to ourselves; *stille vann har dyp* ~ (3) still waters run deep; *hvor særlige -er foreligger* (1) in special cases, when special circumstances make it desirable, under special conditions; *gyngende* ~ (4) boggy ground; (*fig*) thin ice (*fx* skate on thin i.); *ta* ~ (3) ground, run aground;

[*Forb. m. foranstilt prep*] av en eller annen ~ for some reason (or other); *av den¸~* for that reason, on that score (*el.* account); *av gode -er* for (very) good reasons; *av den gode ~ at* for the very good reason that; *av hvilken ~?* for what reason? why? *av den enkle ~ at . . .* for the simple reason that; *ene og alene av den enkle ~ at . . .* for the sole and simple reason that; *uvisst av hvilken* ~ for some unknown reason; *av praktiske -er* (*om motivering*) on practical grounds; (*årsaker*) for practical reasons (*fx* they had decided to do it f. p. r.); *fra -en av* from the bottom (*el.* foundations); (*fig*) radically, thoroughly; *lære noe fra -en av start* on sth from the bottom; *lære matlaging fra -en av* learn cooking from first principles; *bygge opp huset igjen fra -en av* rebuild the house from cellar to roof; *i -en* fundamentally; (*når alt kommer til alt*) after all, when you come to think of it (*fx* it was rather stupid of him, when . . .), come to that, when all is said and done; (*egentlig*) really, in reality, at bottom (*fx* he is a good man at b.); *hvorfor ikke i -en?* why not, come to that? why not, after all? **med** *god* ~ with good reason; *sette på* ~ (*skip*) ground, run aground; *skipet står på* ~ the ship is aground; the ship has struck; *stå høyt på* ~ be high and dry; *på* ~ *av* on account of, owing to, because of, by reason of; *på* ~ *av at* owing to the fact that; *brenne ned til* ~ be reduced to ashes; burn down to the ground; *legge til* ~ base on, take for one's basis, use as the point of departure; *legge til* ~ *for* make the basis of; *ligge til* ~ *for* underlie, form the basis of; *gå til -e* (*fig*) perish, be lost; T go to the dogs; *det er* ~ *til bersket optimisme* there is reason for mild optimism; *uten* ~ (o: *unnskyldning*) without excuse; *de som er fraværende uten* (*god*) ~ those who are absent without good excuse; (*se også I. skulle 14*).

[*Forb. m. etterfølgende prep*] *gi* ~ *til å tro at* give reason to believe (*el.* for the belief) that . . . ; *ha* ~ *til å tro at* have (every) reason to believe that; *det er ingen* ~ *til engstelse* there are no grounds for anxiety; *få fast* ~ *under føttene* (4) set foot on dry land; (*føle seg sikker*) be on firm (*el.* sure) ground.

II. grunn (*adj*) shallow.

grunn|areal area. **-avgift** ground rent. **-begrep** fundamental conception. **-betydning** basic meaning, fundamental (*el.* essential) m. **-bok** register of deeds; (*jvf tinglyse*). **-brott** ground swell.

I. grunne *subst* (*i sjøen*) bank, shoal, shallow; *få av -n* get off, refloat.

II. grunne (*vb*) 1 (*overstryke med maling*) ground, prime; 2 (*grunnlegge*) found, establish, lay the foundation of; 3: ~ *på* 1. ruminate on, chew over, turn over in one's mind, think over; 2. found on, base on, ground on (*fx* he grounds his arguments on experience); ~ *seg på* rest on, be based on.

grunn|eiendom landed property. **-eier** landowner, property owner.

grunnfag [subsidiary subject at (the) elementary level]; (*jvf mellomfag*).

grunn|falsk fundamentally wrong. **-farge** primary colour; (*fremherskende*) predominating colour. **-feste** (*vb*) consolidate, establish firmly. **-fjell** bedrock. **-flate** base. **-form** original (*el.* primary) form; (*gram*) the positive. **-forskjell** fundamental difference. **-forskjellig** essentially different.

grunning (*maling*) priming.

grunnkapital capital stock.

grunnlag basis, foundation; *danne -et for* form the basis of; *på* ~ *av* on the basis of; *på sviktende* ~ on a shaky basis (*el.* foundation) (*fx* the matter was raised on a s. b.); on an unsound basis; on insufficient grounds.

grunnlagsinvestering basic investment.

grunn|legge (*vb*) found, lay the foundation of, establish. **-leggelse** foundation. **-legger** founder.

grunnlinje (*mat*) base (line); (*tennis*) base line.

grunnlov constitution; *-givende forsamling* constituent assembly.

grunnlovs|brudd violation of the Constitution. **-dag** Constitution Day. **-forandring** constitutional amendment, a. of (*el.* to) the constitution. **-messig** constitutional. **-stridig** unconstitutional.

grunnlønn basic wage (*el.* pay); basic salary (*el.* rate), commencing salary.

grunn|løs groundless, baseless. **-løshet** groundlessness. **-mur** foundation wall.

grunn|plan ground plan. **-prinsipp** fundamental principle.

grunn|pris basic price. **-regel** fundamental rule. **-rik** wealthy, affluent. **-riss** ground plan; outline. **-setning** principle, maxim. **-sette** (*vb*) run aground. **-skatt** property tax, land tax.

grunnskole primary school.

grunn|skudd hit between wind and water; (*fig*) deathblow. **-stamme** (parent) stock. **-sten** foundation stone. **-stoff** element. **-støte** (*vi*) run aground. **-syn** basic view.

grunn|takst basic rate. **-tall** cardinal number. **-tanke** fundamental idea. **-tone** keynote. **-trekk** essential feature. **-vann** ground water; subsoil water.

grunnverdi land value.

grunnvoll foundation, basis, groundwork; *legge -en til noe* lay the basis (*el.* foundation) of sth; *rystet i sin sjels -er* shaken to the depths of one's being.

grunnærlig thoroughly honest, the soul of honesty (*fx* he is the s. of h.).

grunthøvel router (plane).

gruoppvekkende ghastly, shocking, horrible.

gruppe group; *i -r på to og tre* by twos and threes; *i -r på fem* in groups of five.

gruppemøte (*polit*) caucus.

gruppere (*vb*) group; ~ *seg* group.

grus gravel; *legge i* ~ lay in ruins, reduce to rubble; *synke i* ~ fall in ruins, crumble. **-gang** gravel walk. **-lagt** gravelled.

grusom cruel. **-het** cruelty.

grus|tak gravel pit. **-vei** gravelled road; (*oftest*) unmade road, earth-road; US dirtroad.

grut (*i kaffe*) grounds; *spå i* (*kaffe*)- = tell fortunes from the tea leaves.

gruve (*subst*) pit; (*bergverks-*) mine. **-arbeid** mining (work). **-arbeider** miner, pitman. **-distrikt** mining district. **-drift** mining (operations). **-nedgang** pithead. **-skrekken** miners' claustrophobia (*fx* he was overcome by m. c.; and had to . . .).

I. gry (*subst*) dawn, daybreak; (*se daggry*).

II. gry (*vb*) dawn, break; *dagen -r* the day dawns, the day is breaking, it is dawn.

gryn (*kollektivt*) grain; peeled grain, hulled grain, pearled grain; pearled barley; (*pl*) grits, groats; T (= *penger*) dough; US (*også*) jack. **-sodd** [meat broth with hulled grain].

grynt (*subst*) grunt. **grynte** (*vb*) grunt.

I. gryte stewpan, pan; pot; (*fordypning i terrenget*) hollow; *jern-* cast-iron pan; *emaljert jern-* enamelled cast-iron pan; *små -r har også ører* little pitchers have long ears; (*ofte =*) not before the child! *stekt i* ~ braised.

II. gryte (*rett*) casserole; *lever-* liver casserole.

gryte|klut kettle holder, potholder. **-lokk** pot lid. **-skap** pan cupboard. **-skrubb** pan scourer, pan scrub.

grøde (*poet*) crop, produce, yield.

grøft ditch; trench.

grøfte (*vb*) dig ditches; drain (land) by means of ditches.

grøfte|graver ditcher, ditch digger. **-kant** edge of a ditch. **-lys** (*på bil*) spotlight, spot-lamp.

Grønland Greenland. **grønlandsk** Greenland; (*språket*) Greenlandic.

grøn|lender, -lenderinne Greenlander.

grønn green; verdant; (*uerfaren*) green, raw, callow; ~ *av misunnelse* green with envy; *han er* ~ he's a greenhorn; *i det -e* in the open, out of doors; *komme på den -e gren* do well for oneself, prosper; T & US come into the chips; *sove på sitt -e øre* be fast asleep; *i hans -e ungdom* in his salad days.

grønn|aktig greenish. **-blå** greenish blue.

grønnes (*vb*) become (*el.* turn) green; (*om trær, etc*) put forth leaves, burst into leaf.

grønn|fôr green fodder. **-kål** curly kale; (*som dyrefôr*) kale, kail, borecole.

grønnlig greenish.

grønn|saker (*pl*) vegetables. **-saktorg** vegetable market. **-skolling** greenhorn.

grønn|svær greensward, turf. **-såpe** soft soap.

grønske green seaweed.

grønt (*som subst*) green; greenery; (*suppe-*) greens, green-stuffs, vegetables. **-handler** greengrocer; US fruit and vegetable store; vegetable man.

gropp (*grovmalt korn*) coarsely ground grain; grits (used for fodder).

grøsse (*vb*) shudder, shiver; *det -t i ham* he shuddered; *det -r i meg bare jeg tenker på det* I shudder to think of it.

grøt porridge; *gå som katten om den varme -en* (*prøve å unngå*) fight shy of it; (*nøle med å komme til saken*) beat about the bush; (*jvf rødgrøt*).

grøtomslag poultice.

grå grey, gray, grizzled; *-tt vær* overcast weather; *det setter ham ~ hår i hodet* it is enough to give him grey hair; *male -tt i -tt* paint in drab colours. **-aktig** greyish. **-blå** bluish grey.

gråbein: *se ulv.*

gråbeinsild ♣ large winter herring.

grådig greedy, voracious. **-het** greed, voracity.

grågås ♣ greylag, wild goose.

grå|håret grey-haired. **-kledd** dressed in grey. **-melert** mixed grey. **-sprengt** grizzled. **-spurv** ♣ (common) sparrow.

gråt crying; (*mest poet*) weeping; *briste i ~* burst into tears; *med ~ i stemmen* in a tearful voice; *være oppløst i ~* be dissolved in tears. **-blandet** mingled with tears.

gråte (*vb*) cry, weep; *~ av glede* weep for joy; shed tears of joy; *~ for* cry for, weep for (*fx* what are you crying for?) *~ seg i søvn* cry oneself to sleep; *~ sine modige tårer* cry (*el.* weep) bitterly, cry one's heart out; *~ over noe* cry because of sth, cry over sth; *det er til å ~ over* it is enough to make you cry; *~ ut* have one's cry out (*fx* let her have her cry out); T have a good cry.

gråteferdig about to cry, on the verge of tears, half crying.

gråtekone (*hist*) professional mourner.

gråtkvalt stifled by sobs, tearful.

grå|verk grey squirrel. **-vær** overcast weather; *det er ~* it is overcast.

guano guano.

gubbe old man, greybeard.

Gud God; *~ skje lov!* *~ være lovet!* thank God! *~ bevare meg!* bless me! *ja*, *~ bevares* by all means; of course; *ved ~!* by God! *så sant ~ hjelpe meg!* so help me God! *~ vet* Heaven knows; *-ene må vite* (*også*) goodness (*fx* what he is up to); *-ene skal vite at de må . . .* goodness knows, they have to . . . ; *han har, ~ vet av hvilken grunn . . .* he has, for some reason best known to himself; *om ~ vil* God willing; *~ gi* would to God, God grant; *~ Fader* God the Father; *-s sønn* the Son (of God); *gud og hvermann* every Tom, Dick and Harry; *et syn for ~* a sight for the gods; *et -s barn* a child of God; *en -s lykke* a most fortunate thing; *hva i -s navn . . .* what on earth . . . ; *for -s skyld* for God's sake; *-s tilskikkelse* divine dispensation; *-s under* miracle; *det var et -s under at han unnslapp* he had a miraculous escape; *(nei)gu om jeg gjør!* (I'm) damned if I do! *(ja)gu var hun det* indeed she was; you bet she was.

gudbarn godchild.

Gudbrandsdalslaget (*i Oslo*) [the Society of Gudbrandsdalers in Oslo].

gud|dom god, deity; divinity. **-dommelig** divine. **-dommelighet** divinity, deity.

gude|bilde idol. **-drikk** nectar; drink fit for the gods. **-gave** godsend.

gudelig godly, devout, pious; devotional; (*neds*) sanctimonious. **gudelighet** godliness, piety; (*neds*) sanctimoniousness.

gudelære mythology.

gud|far godfather. **-fryktig** devout, god-fearing, pious. **-fryktighet** piety, devoutness. **-inne** goddess.

gud|løs godless, ungodly, impious. **-løshet** godlessness, impiety. **-mor** godmother.

guds|barn child of God. **-begrep** concept of God. **-bespottelig** blasphemous. **-bespottelse** blasphemy. **-bespotter** blasphemer. **-dyrkelse** worship, cult. **-forgåen** abandoned, profligate, depraved. **-forlatt** godforsaken. **-fornektelse** atheism. **-fornekter** atheist. **-frykt** fear of God. **-hus** house of God, place of worship. **-jammerlig** pitiable, wretched. **-gudskjelov** thank God, thank goodness, fortunately.

gudsord word of God; *et ~ fra landet* a little innocent, a country cousin.

gudstjeneste (divine) service; *etter -n* after church.

gudsønn godson.

guis gust, puff (of wind); sudden rush of air; *det sto en kald ~ fra døra* there was a rush of cold air from the door.

Guinea (*geogr*) Guinea. **-bukta** the Gulf of Guinea.

gul yellow; (*trafikklys*) amber; *slå en ~ og blå* beat sby black and blue; *han ergret seg ~ og grønn* it irritated him beyond endurance; *den -e feber* the yellow fever. **-aktig** yellowish.

gul|blakk fallow, pale yellow. **-brun** tawny; yellowish brown.

gul(e)rot ♣ carrot.

gul|grå yellowish grey. **-håret** golden-haired. **-hvit** yellowish white, cream-coloured.

gull gold; *det er ikke ~ alt som glimrer* all is not gold that glitters; *love ~ og grønne skoger* promise wonders, promise the moon and the stars; *tro som ~* true as steel; *det er ~ verdt* it is worth its weight in gold.

gull|alder golden age. **-barre** gold bar. **-brand** ring finger. **-briller** gold-rimmed spectacles. **-brodert** gold embroidered. **-bryllup** golden wedding. **-dublé** filled gold. **-fisk** goldfish. **-fotgold** standard. **-førende** auriferous, gold-bearing. **-graver** gold digger, prospector. **-gruve** gold mine. **-gul** golden yellow. **-holdig** containing gold. **-høne** golden hen; ♣ lady beetle (*el.* bird); US ladybug. **-håret** golden-haired.

gullig yellowish.

gull|innfatning gold setting. **-kalv** golden calf. **-kant** gilt edge. **-kjede** gold chain. **-klump** lump of gold, (gold) nugget. **-korn** grain of gold; (*fig*) pearl.

gullmedalje gold medal; *drikke til den store ~* drink like a fish. **-vinner** gold medallist.

gull|mynt gold coin. **-papir** gilt paper. **-penger** (*pl*) gold (coins). **-regn** ♣ laburnum. **-sko** gold slipper. **-smed** goldsmith; jeweller; (*insekt*) dragonfly.

gullsnitt gilt edges.

gull|snor gold braid. **-stol** golden chair; *bære en på ~* chair sby, carry sby in triumph. **-støv** gold dust. **-tresse** gold braid. **-ur** gold watch; *dobbeltkapslet ~* gold hunter. **-vasker** gold washer. **-vekt** gold scales; (*vekten av gull*) gold weight; *veie sine ord på ~* weigh every word carefully, pick and choose every word one says.

gullåre vein of gold.

gulne (*vb*) turn yellow, grow y., yellow.

gulpe (*vb*) belch; regurgitate; *~ opp* throw up.

gulrot: *se ovf.: gul(e)rot.*

gul|sott jaundice. **-spurv** ♣ yellow hammer. **-stripet** yellow-striped.

gulv floor; *legge ~ i* floor (*fx* a room); *han la*

ham i -et he got him down; *han måtte i -et (om bryter)* he was floored (*el.* thrown); *vaske -et* wash the floor; *(se synke).* **-belegg** floor covering. **-klut** floor [cloth. **-matte** mat. **-planke** flooring board. **-skrubb** scrubbing brush. **-teppe** carpet.

gumler ⚓ edentate, toothless mammal.

gummi rubber; *(klebemiddel)* gum. **-bånd** *(strikk)* rubber band. **-dimensjon** *(bildekks)* tyre (US: tire) size.

gummiere *vb (om tøy)* rubber, proof; US rubberize; *(om frimerke, etc)* gum.

gummi|lister *(pl) (for bilruter)* rubber strips. **-maling** rubberized paint. **-støvler** rubber boots.

gump *(på fugl)* rump.

gunst favour; US favor; *til ∼ for* in favour of; *til ∼ for meg* in my favour; *stå i ∼ hos* be in favour with; *komme i ∼ hos* gain (sby's) favour.

gunstbevisning favour (US: favor), mark of favour.

gunstig favourable (US: favorable), propitious; *vente på -ere tider* wait for better times; wait for more propitious times.

gurgle *(vb): ∼ (seg)* gargle; *(om lyden)* gurgle. **-vann** gargle. **gurgling** gargling; *(om lyden)* gurgling.

gusten sallow, wan. **-het** sallowness.

gutere *(vb)* relish *(fx* I did not quite r. his jokes).

gutt boy, lad; *(læregutt)* apprentice, boy; *da jeg var ∼* when I was a boy; *fra ∼ av* from one's boyhood, from a boy; *bli snill ∼ (fig)* come to heel; *en av de store -a* T one of the big guns, one of the high-ups; *(se røyk).* **-aktig** boyish; puerile. **-aktighet** boyishness; puerility.

guttaperka gutta-percha.

gutte|alderen boyhood. **-barn** boy child. **-klær** boy's clothes. **-skole** boys' school. **-slamp:** *en stor ∼* a great lout of a boy. **-strek** boyish prank. **-sveis** Eton crop *(fx* she has an E. crop). **-år** years of one's boyhood.

guttunge boy.

guttural *(adj & subst)* guttural.

guvernante governess.

guvernør governor.

gyger *(trollkjerring)* giantess, woman troll.

gylden *(mynt)* guilder, gulden; *(hist)* florin.

gyldig valid; *(om billett, også)* available; US good *(fx* g. on different lines); *(om mynt: gangbar)* current; *en ∼ grunn* a valid excuse, a good reason; *uten ∼ grunn* without sufficient reason; *gjøre ∼* make valid *(fx* it has been made valid until the end of May); *ikke ∼ i utlandet* not valid abroad.

gyldighet validity; availability; *ha ∼* be valid, hold good, apply; *denne regel har almen ∼* this rule is of general application.

gyldighetstid period of validity; duration.

gylf *(i bukse)* fly.

gyl|len golden; *-ne dager* palmy days; *den -ne middelvei* the golden mean; *∼ regel* golden rule.

gyllenlakk 🌻 wallflower.

gyllenlær gilt leather.

gymnas *(svarer til)* grammar school; US (junior) college; (NB *pike- i England ofte)* high school); *(se økonomisk: ∼ gymnas).*

gymnasiast *(kan gjengis)* upper school boy (,girl); US (junior) college student.

gymnasråd [Council of Secondary Education].

gymnassamfunn *(svarer til)* school debating society; *formann i -et* president of the s. d. s.

gymnast gymnast. **-iker** gymnast.

gymnastikk physical training, p.t., gymnastics; T gym. **-lærer** physical training master; gymnastic instructor; T gym master; *(svarer ofte til)* games master. **-oppvisning** gymnastic display. **-sal** gymnasium. **-sko:** *se turnsko.* **-skole:** *Statens ∼* The State College of Physical Education.

gymnastisere *(vb)* do gymnastics, perform g.

gynekolog gynaecologist.

I. gynge *(subst)* swing.

II. gynge *(vb)* swing, rock; *-nde grunn* quagmire, boggy ground; *(fig)* unsafe ground, quagmire.

gynge|hest rocking horse. **-stol** rocking chair.

gys shudder, shiver.

gyse *(vb)* shudder; *det -r i meg* I shudder; *∼ tilbake for* shrink from.

gyselig horrible, appalling, dreadful, frightful; T poisonous *(fx* it's a p. play); *(adv)* awfully, terribly, dreadfully, frightfully.

gyte *(vb)* pour; *(om fisk)* spawn; *∼ olje på ilden* add fuel to the fire.

gytje mud. **-bad** mud bath.

gyve *(vb)* fly.

gyvel broom.

gå 1. go *(fx* come and go; I shall have to go now; I saw the wheels go round); **2** *(på sine ben)* walk, go on foot; go *(fx* he went in); *gikk du hele veien hit?* did you walk all the way (when you came) here? *det er fint (el. deilig) å ∼ i dette været* walking is pleasant in this weather; *de gikk og de gikk, gate opp og gate ned* they walked and walked, up one street and down the next; they trailed the length of the streets; they trailed up and down the streets; **3** *(om befordringsmiddel)* go; *hvor ofte -r trikken?* how often does the tram pass? *den -r hvert 12. min.* there is a service every 12 minutes; *når -r neste trikk?* when is the next tram? *when does the next tram go?* *(avgå)* leave; *(om skip også)* sail; *toget -r langsomt* the train is slow; *på motorveiene -r det fort* you get on quickly on the motorways; **4** *(om tid)* go by, pass, elapse; *(langsomt)* wear on *(fx* time wore on; as the evening wore on); **5** *(om begivenhet)* go (off), pass off, come off; **6** *(om vei, etc)* go *(fx* how far does this road go?), lead *(fx* this path leads to the town); run *(fx* the road runs quite close to the village); *veien gikk gjennom dalen et godt stykke* the road followed the valley for a considerable distance; **7** *(om maskin)* run *(fx* the engine is running smoothly), work; *motoren har -tt 70 000 miles* the engine has done 70,000 miles; **8** *(berettes, verserer)* go *(fx* the story goes that he has been in gaol), be going about; **9** *(oppføres, spilles)* be on, be performed; *(om film)* be on, be shown *(fx* a new film is being shown at the Scala); *stykket har -tt lenge* the play has had a long run; **10** *(bli solgt)* sell *(fx* the goods sell well; what brands are selling in Norway?), be sold, go; **11** *(om forretning: svare seg)* pay *(fx* how to make one's business pay); *forretningen -r* the business is doing all right; *forretningen -r godt (i sin alminnelighet)* business is good; **12** *(forbrukes, gå i stykker)* go *(fx* his money goes to cigarettes; the clutch has gone); **13** *(gå an, være passende)* do *(fx* will this tie do?), pass muster; **14** *(hende)* happen *(fx* it so happened that we met soon after); *«∼» (på trafikkfyr)* cross; cross now; US walk; *det er noe som -r (om sykdom)* it's something that's going round just now; it's going the rounds at the moment; there's a lot of it about just now; *den -r ikke!* (ɔ: det går ikke, står ikke for en nærmere prøve)* T that won't wash! *men slik skulle det ikke ∼* but that was not to be; *det gikk dårlig med ham* 1. he did badly, he came off badly; he had bad luck, he was unsuccessful, he got on badly; things went badly for him; 2 *(han var syk)* he was in a bad way, things were going badly with him, he was getting on badly; *det ser ut til å ∼ dårlig* things seem in a bad way; it looks none too good; it looks as if things are going wrong; *han gikk begge veier (ɔ: både fram og tilbake)* he walked both ways; *det gikk som best det kunne* things were allowed to drift; *posten -r kl. 5* the post (US: mail) goes at five o'clock; *denne varen -r ikke* this article does not sell; *det -r ikke (ɔ: lar seg ikke gjøre)* it can't be done; it is not practicable; it won't work; *det gikk som jeg tenkte* it turned out as I expected; *det får ∼ som det kan* things must take their course; *det -r ham godt* he is doing well; things are going well with him; *hvordan skal dette ∼?* how is this to end? *hvordan -r det (med deg)?* how are you getting along? how are things with you? *hvordan gikk det på arbeidet i dag?* how did you get on at work today? how did work go today?

[*Forb. m. adv & prep*] **gå an** do (*fx* it won't do); *det -r jo an å forsøke* there is no harm in trying; *det -r ikke an å* it does not do to; *det -r aldri an* that will never do; *det får nå enda ~ an, men . . .* let that pass, but . . . ; *han er så glemsom at det -r ikke an* T he's impossibly forgetful; *det -r til nød an* it might (*el.* would have to) do at a pinch; it would do if need be; T it might pass in a crowd;

gå av (*la avskjed*) retire, resign; (*om skudd*) go off; (*om farge*) come off, rub off; (*stige av tog, etc*) get off, get out, alight (from); *~ av toget* get off the train, leave the train; *~ av med seieren* win (*el.* carry) the day; *hva -r det av ham?* what's the matter with him? what's come over him? *~ av mote* go out (of fashion);

gå bort go away, leave; *han gikk bort til vinduet* he went (*el.* walked) over to (*el.* up to) the window; he went to the window, he moved (*el.* walked) across to the window;

gå bøyd walk with a stoop;

gå etter (*hente*) go for; (*rette seg etter*) go by; *ha noe å ~ etter* (*fig*) have something to go on; *~ etter lyden* go by the sound;

gå for (*regnes for*) pass for (*fx* he passed for a German); be considered, be supposed to be; (*bli solgt for*) fetch, go for (*fx* it went for £10); (*ved auksjon, også*) be knocked down for; (*arbeide for*) work for (*fx* he worked for £10 a month); *han er -tt for dagen* (*fra arbeid, etc*) he has gone for the day;

gå for seg happen, occur, come about; *da det gikk verst for seg* when things were at their worst;

gå foran (*prep*) go before, precede; (*adv*) lead the way; walk (*el.* go) ahead, precede;

gå forbi: *se forbi;*

gå forut for precede;

gå fra leave; (*glemme igjen*) leave behind; (*fraregnes*) be deducted; *han måtte ~ fra gården* he had to give up his farm; (*ofte =*) he was sold up; *~ fra kone og barn* desert one's wife and family; *~ fra et kjøp* withdraw from a bargain; *~ fra sitt ord* withdraw one's word; go back on one's word; *~ fra en plan* give up (*el.* abandon) a plan; *~ fra et tilbud* withdraw (*el.* cancel) an offer;

gå fram (*bære seg ad*) go about it, act, proceed (*fx* p. with caution); *~ fremover* progress, make progress; *det går fremover med forretningen* business is steadily improving; *vi går sakte men sikkert fremover* we are forging ahead;

gå hen: *~ hen og gifte seg* go off and get married; *~ ubemerket hen* pass off unnoticed; *~ ustraffet hen* go (*el.* pass) unpunished;

gå i: *~ i hundene* go to the dogs; *~ i en klasse* (*på skolen*) be in a form (*el.* class); *~ i kystfart* be (*el.* run) in the coasting trade; *~ i lås* (*om dør*) lock; (*se baklås*); *det gikk mark i det* it became worm-eaten (US: wormy); *det gikk møll i det* the moths got at it; *~ i seg selv* (*angre*) repent, see the error of one's ways; *~ i hverandre* be interwoven, interlace; *hun -r i sitt 18. år* she is in her 18th year; *~ i sorg* wear mourning; *~ i spissen* lead; (*fig*) take the lead; *~ i stykker* break, go to pieces, come to pieces; *~ i stå* stop, come to a stop; (*om urverk*) run down; (*om forhandlinger*) reach a deadlock, break down; *alle våre planer har gått i stå* (*også*) all our plans have failed (*el.* fallen through); *~ i søvne* walk in one's sleep; *de klærne han gikk og sto i* the clothes he stood up in; *~ i vannet* be taken in, be fooled; T come a cropper, be led up the garden path; *~ i vasken* come to nothing, fizzle out, go to pot; T go phut; S go down the sink (*el.* drain); *~ i været* (*om priser*) rise, go up; (*sterkt*) rocket, soar;

gå igjen leave again (*fx* he was here for a few minutes, but he left again); (*om gjenferd*) haunt (*fx* the house, the room); walk; (*om dør, etc*)

shut, swing to; *denne skuffen -r ikke igjen* this drawer won't shut; (*om feil, etc*) recur (*fx* this misprint recurs several times); *det er et trekk som* (*nokså ofte*) *-r igjen hos ham* (ɔ: *forfatteren*) it is a (fairly) recurrent feature of his style;

gå igjennom (*passere*) pass (through); (*om vei, etc*) run (*el.* go *el.* pass) through); (*falle gjennom isen*) fall through; (*trenge gjennom*) go through, penetrate; (*om væsker*) soak through; (*gjennomgå, se over*) go through, look through, go over; (*lide*) undergo, experience, go through; (*bli vedtatt*) be carried, pass (*fx* the bill passed and became law); *forslaget gikk igjennom* the proposal was passed; (*parl*) the motion was carried; (*parl: lovforslaget*) the bill was passed; *planen gikk igjennom* the scheme was carried into effect; (*se også gjennomgå*)

gå imellom go between, intervene; (*megle*) mediate;

gå imot: *dommen gikk ham imot* judgment went against him;

gå i møte go to meet (*fx* she went to meet him); (*fig*) meet, face (*fx* we face the future with confidence);

gå inn (*tre inn*) go in, enter; (*om en avis*) cease publication; *~ inn for* go in for; *han gikk meget sterkt inn for* he went in most emphatically for; he was a strong advocate of; *han gikk meget sterkt inn for at* he was a strong advocate of (-ing); he did his utmost to ensure that; he went in most emphatically for (*fx* the erection of a new building); *~ inn i* enter; *~ inn i kurven* (*om fx skøyteløper*) take the curve (*el.* bend); *~ inn på* (*noe*) agree to; (*en spøk*) fall in with; (*drøfte, undersøke*) go into (*fx* we need not go into that question now); *han er -tt inn i sitt 18. år* he has entered his 18th year; *denne planen gikk inn igjen* that plan was abandoned; *~ inn til deg selv!* go to your room! *la oss ~ inn til damene!* let us join the ladies;

gå innpå: *~ hardt innpå en* (ɔ: *presse en*) press sby hard; T drive sby to the wall;

gå med (*en person*) go with; (*ha følge med*) walk out with; go about with (*fx* he's going about with a Russian girl); *hvordan -r det med helbreden?* how is your health? *hvordan -r det med prosessen?* how is your lawsuit progressing? *slik -r det med de fleste* that is the way with most people; *hele sommeren -r med* it takes all summer; *det -r med* (*på kjøpet*) that's thrown in; *det -r mye med* much is consumed (*el.* used); *det kommer til å ~ med mange penger til det* a lot of money will go on that; *~ med på* (*vilkår*) accept (*el.* agree to) (*fx* the terms); (*anmodning*) accede to; (*ordning*) consent to, agree to (*fx* an agreement); (*krav*) allow (*fx* a claim); (*forslag*) fall in with (*fx* a proposal);

gå ned (*om sola*) go down, set; (*om urverk*) run down; (*om pris*) fall, go down; *han gikk ned med Titanic* he was drowned in the loss of the Titanic;

gå om: *~ 3. klasse om igjen* remain in the third form; *~ om igjen et år* (ɔ: *kontinuere*) repeat a year; *la handelen ~ om igjen* cancel the deal;

gå omkring go about; go round; *jeg -r omkring med en plan* I am nursing a scheme;

gå opp (*om vindu, dør*) open, swing open, fly open; *døra gikk opp* (*også*) the door came open; (*om sol, teppe, pris*) rise; (*om knute*) come undone; (*i knappingen*) come unbuttoned; (*om regnestykke*) come right, work out; (*om ligning*) come out; (*om kabal*) come out; (*om sår*) open (again); (*om is*) break (up); *døra gikk opp og igjen* the door opened and shut; *7 -r opp i 49* 49 is divisible by 7; *~ opp i røyk* go up in smoke; *~ opp til* (*eksamen*) sit for (an examination); take; *det gikk opp for meg* it dawned (upon) me; *endelig gikk det opp for meg at . . .* at length I realised (*el.* understood *el.* become aware) that . . .; *sannheten gikk opp for ham* he realised the

truth; *betydningen av hans ord gikk plutselig opp for meg* I suddenly saw (*el.* realised) the meaning of his words; *det gikk plutselig opp for meg at* it flashed upon me that; ~ *helt opp* (*om regnestykke*) work out exactly, w. out just right; (*i divisjon*) come out even; *hun -r helt opp i hagestell* she has a mania for gardening; she has a g. mania; *det -r opp i opp* that makes it even; **gå oppover:** *se oppover;*
gå over cross; (*overskride*) exceed, go beyond; (*om stavhopper, etc*) clear (*fx* he cleared 5.13); (*smerte*) pass off, cease; (*vrede*) vanish, pass away; (*uvær*) cease, subside; (*til en mening*) come round (to an opinion); (*til noe annet*) turn to, pass on to (*fx* I shall now t. to the question of commission); ~ *over streken* go too far, overstep the mark; ~ *over i en annen farge* ⚜ go out into another suit; ~ *over i historien* become history; *det er -tt over* (*el. inn*) *i vårt språk* it has passed into our language; ~ *over til kristendommen* be converted to Christianity; ~ *over til den katolske kirke* join the Roman Catholic Church;
gå på (*fremover*) go ahead, go on, push ahead (*el.* forward); (*befordringsmiddel*) get on (*el.* into) (*fx* she got on the train), board (*fx* a bus, a train), enter; (*om hanske, etc*) go on; (*fortere*) quicken one's pace; (*angripe*) attack; *jeg -r ikke på 'den!* tell that to the marines! you can't fool me; (*især* US) tell me another! I don't buy that! ~ *på ball* go to a ball; ~ *på kaféer* frequent cafés; ~ *løs på go for; det -r på livet løs* it is a matter of life and death; *han -r like løs på saken* he does not beat about the bush; ~ *tilbake på* (*vise til*) refer to; *det -r på hans regning* it is placed to his account; *munnen -r på ham* he talks incessantly, he is always chattering; *det -r for ofte på* it happens too frequently; *det -r 20 shilling på et pund* 20 shillings make a pound; there are twenty shillings to a pound; *-r på melodien . . .* is sung to the tune of . . . ;
gå rett walk upright;
gå rundt walk about, go round; (*dreie seg*) turn round; (*rotere*) rotate, revolve; *flaska gikk rundt* the bottle went round; *nøkkelen -r ikke rundt* the key won't turn; ~ *rundt i huset* (*,gatene*) walk about the house (,the streets);
gå sammen (*løpe sammen*) meet, converge; (*om farger*) blend; (*følges*) walk together; (*regelmessig*) go about together;
gå til: *vannet gikk ham til halsen* the water came up to his neck; *hvor mye tøy -r det til kjolen?* how much material will be needed for the dress? *disse pengene skal* ~ *til å betale bilen* (*også*) this sum is earmarked to pay for my car; *hvordan gikk det til?* how did it happen? *hvordan kunne det* ~ *til?* (*også*) how could that possibly be? *slik gikk det til at* thus it happened (*el.* came to pass) that; *slik -r det til i verden* that's the way of the world; *det gikk muntert til* it was a jolly affair; *det gikk underlig til med den saken* it was a queer business; *klokka -r til 12* (⊃: klokka er snart 12) it is getting on for twelve; ~ *til scenen* go on the stage; *det er 'det pengene -r til!* that's the way the money goes; ~ *seg til* (*om plan, system*) get going (*fx* the thing has to get going first); *når planen har -tt seg til* once the plan runs smoothly;
gå tilbake go back, return; (*om hevelse*) go down, subside (*fx* the swelling in my cheek is going down); (*trekke seg tilbake*) fall back, retreat; (*om kvalitet*) deteriorate; (*om pris*) recede (*fx* prices receded to a very low level); (*om forretning*) decline, lose ground; *det er -tt tilbake med forretningen* the business is not what it used to be; the b. has declined; *det -r tilbake*

med partiet the party is losing ground; *det -r tilbake med ham* his business has declined, he has lost ground; (*om popularitet*) his star is on the wane; *det -r tilbake til* (*om tid*) it goes (*el.* dates) back to;
gå under (*synke*) go down, founder; (*gå til grunne*) be destroyed; *skipet gikk under* the ship went down; *han -r under navn av* he passes by the name of;
gå unna (*om varer*) be sold, sell; *de -r unna som varmt hvetebrød* they are selling (*el.* going) like hot cakes (*el.* ripe cherries);
gå ut go out (*fx* he has just gone out); leave the room; (*om ild, lys*) go out; (*vinne i spill*) go out (*fx* how many points do you want to go out (*el.* to win)?); *med to grand -r vi ut* (*bridge*) two no-trumps will give us the rubber; (*utgå*) be omitted, be left out; cancel (*fx* this item must be cancelled); (*melde seg ut*) leave, retire from; ~ *ut blant folk* mix with people; ~ *ut fra* (*sted*) leave; (*ta sitt utgangspunkt i*) take as one's starting point; (*forutsette*) assume, presume;
gå ut over: *men det gikk ut over ham selv* but he was himself the sufferer (*el.* the victim); *verst har det -tt ut over eksportørene* exporters have been the worst sufferers; *hvis du fortsetter på den måten, -r det ut over helsa* if you go on at that rate you will injure your health; *la sitt raseri* ~ *ut over en* vent one's rage (up)on sby; *la det ikke* ~ *ut over meg!* don't take it out of me! *han lot det* ~ *ut over sin sekretær* he took it out of his secretary; *det -r ut over hans helbred* his health suffers; ~ *ut på* (*ta sikte på*) aim at, have for its object; *en erklæring som -r ut på at vi . . .* a declaration to the effect that we . . . ; *hans forslag -r ut på at . . .* his proposal is (to the effect) that; *det hans tale gikk ut på* the general drift of his speech; *jeg så hva det dette gikk ut på* I perceived the drift of all this; (*se høyt: elva går* ~; *samme; utenom 2; vei*);
gå ved (*innrømme*) admit;
gå videre go ahead, go on; *la* ~ *videre* pass on.

gåbortkjole afternoon dress.
går: *i* ~ yesterday; *i* ~ *aftes* last night, yesterday evening; *i* ~ *morges* yesterday morning.
gård yard, (court)yard; (*bonde-*) farm; (*større*) estate; *værelse til -en* back room; *på* (*bonde*)*-en* on (*el.* at) the farm; *gå omkring på -en* walk about the farm. **-bruker** farmer. **-eier** house owner; (*vert*) landlord.
gård|mann farmer. **-mannskone** farmer's wife.
gårdsbestyrer farm manager.
gårds|bruk farm; farming. **-drift** farming, farm work, running a farm. **-gutt** farm hand. **-hund** farm watch-dog. **-plass** (court)yard. **-vei** [road leading to a farm or group of farms].
gårsdagen the previous day.
gås ♫ goose; (*fig*) goose; *det er som å skvette vann på -a* it's like pouring water on a duck's back.
gåse|fett goose fat. **-fjær** goose feather; (*til penn*) goose quill. **-gang** single file, Indian file; *gå i* ~ walk in single file (*el.* in Indian file). **-hud** gooseflesh; *jeg har* ~ *over hele kroppen* I'm goosey all over. **-kjøtt** goose(flesh). **-kråser** (goose) giblets. **-leverpostei** pâté de foie gras. **-stegg** ♫ gander. **-vin** Adam's ale, water. **-øyne** inverted commas, quotation marks; T quotes.
gåsunge ♫ gosling; **-r** ♣ willow catkins.
gåte puzzle, riddle; enigma; *løse en* ~ solve a riddle; unravel a puzzle; *det er meg en* ~ it is a mystery to me; it puzzles me; T it beats me; *tale i -r* speak in riddles.
gåtefull enigmatic; puzzling; mysterious.

H

H, h H, h; *H for Harald* H for Harry; *(lyden staves)* aitch; *sløyfe h'ene* drop one's aitches; ♩ B.
I. ha! *(int)* ha! *han sier* ~ *og ja til alt* he'll agree to anything; *T* he's a yes-man.
II. ha 1. have; 2 *(besitte)* have, possess, have got *(fx* have you got a knife?); 3 *(være utstyrt med)* have *(fx* the knife has a long handle; my room has a large window; he has some good qualities); have got *(fx* it has got a long tail); 4 *(om sykdom)* have, have got *(fx* he has got pneumonia); 5 *(som hjelpeverb)* have *(fx* he has taken the book); **A** [*Forb. m. «det»*] *der* -r *vi det!* that's it! there you are! -r *De det?* 1. have you? 2 *(i diktat)* have you got that? ... *og hvem* -r *ikke det?* and who has not? *det* -*dde jeg aldri trodd om ham* I should never have thought it of him; *det* -*dde vært en lett sak for Dem* it would have been an easy matter for you; *jeg* -r *det!* (ɔ: -r *kommet på det)* I have it! ~ *det alle tiders* have no end of a good time; *have the time of one's life (fx* we were having the t. of our lives); *enjoy oneself immensely;* ~ *det bra* (*el. godt*) *have a pleasant time* (of it), have a good time (of it); T have it good *(fx* Britain has never had it so good); ~ *det bra!* enjoy yourself! *(avskjedshilsen)* all the best! take care of yourself! *han* -r *det bra (økonomisk)* he is well *(el.* comfortably) off; he is doing well; *(om helbred)* he is well, he is feeling well, he is fit, he enjoys good health; *han vet ikke hvor godt han* -r *det (økonomisk)* he does not know when he is well off; *pasienten* -r *det godt* the patient is doing well; *han* -r *det dårlig* he is badly off, he is in a bad way; he is having a hard time; *(om helbred)* he is ill, he is not feeling well; *hvordan* -r *du det?* how are you? how are you getting on? *(især til pasient)* how are you feeling? *slik skal han* ~ *det!* (ɔ: *slik skal han behandles)* that's the way to treat him; *han* -r *det med å la andre betale for seg* he is in the habit of letting other people pay for him; he is given to letting other people pay for him; *han* -r *det med å få raserianfall* he is liable *(el.* subject) to fits of rage; *han* -r *det med å lyve* he is given to *(el.* has a tendency to) lie; he is inclined to lie; *hvordan* -r *De det med brensel?* how are you off for fuel? *hvordan* -r *det seg med denne saken?* what are the facts *(el.* what is the real truth) of the matter *(el.* the case)? how does the matter stand? *hvordan* -r *det seg med gjelden din?* what about your debt? *jeg vet ikke hvordan det* -r *seg med forretningen hans* I do not know how his business is getting on; *hvordan det enn* -r *seg* however that may be; ~ *det vondt* suffer;
B [*Forb. m. prep & adv*] *jeg skal ikke* ~ *noe av at han leser brevene mine* I won't have him reading my letters; *det vil jeg ikke* ~ *noe av!* I won't have it! *det* -r *du godt av!* serves you right! -*dde du godt av ferien?* did you get much benefit from your holiday? did your h. do you any good? *han* -r *det etter sin far* he takes after his father in that; he has got that from his f.; *hva vil du* ~ *for den?* *(om prisforlangende)* what will you take for it? what do you want for it? *(jvf eksempler under* C); ~ *for seg (pønse på)* be up to *(fx* what is he up to?); *have to do, have in front of one (fx* a difficult task); *vi* -r *hele dagen for oss* we have all (the) day before us; *han visste ikke hvem han* -*dde for seg* he did not know whom he was talking to (,dealing with); *det* -r *intet for seg* it has no foundation in fact; there is nothing in it; ~ *meget for seg* have much *(el.* a lot) to recommend it; *denne påstand* -r *meget for seg* this assertion has much to recommend it; *han*

-r *hele livet* **foran** *seg* he has a whole lifetime before him; *(se·også ovf (for))*; *hvor* -r *du det* **fra**? 1 *(om ting)* where did you get that (from)? 2 *(om noe som fortelles)* who told you that? ~ **fram**: *det var* '*det jeg ville* ~ *fram* that's the point I wanted to make; ~ **i** *(tilsette)* add *(fx* a. a little flour); ~ *noe* **igjen** have sth left (over); *jeg* -r *ingenting igjen for alt bryet (også)* I have nothing to show for all my trouble; *det* -*dde vi ikke noe igjen for* (ɔ: *kom vi ikke langt med)* that did not get us anywhere; ~ *noe* **imot** *ham* dislike him; *jeg* -r *ikke noe imot ham* I don't mind him; I have nothing against him; I have no objection to him; -r *De noe imot å fortelle meg det?* would you mind telling (me)? -r *De noe imot at jeg røyker?* do you mind my smoking? -r *De noe imot forslaget?* have you any objection to the proposal? *hvis De ikke* -r *noe imot det, ville jeg gjerne ... if* you don't mind, I should like to; *jeg* -r *meget imot at han gjør det* I strongly object to his doing it; *jeg skulle ikke* ~ *noe imot ... I shouldn't* mind ..., I could do with *(fx* a cool glass of beer); ~ **med** *(bringe med seg)*: -r *du boka med?* have you brought the book? *det* -r *jeg ikke noe med* that is no business *(el.* concern) of mine; it's not my business; *det* -r *svært lite med* '*det å gjøre* that has got very (T: precious) little to do with it; *dette* -r *ikke noe med Dem å gjøre* this has nothing to do with you; that is none of your business; *De* -r *ikke noe med å forsvare ham* it is not your business to defend him; *jeg* -*tt med ham å gjøre før* I have had sth to do with him before; *jeg* -r *ikke* -*tt noe med ham å gjøre* I have had no dealings with him; *(se også gjøre D (med))*; *vi* -*dde saken* **oppe** *på siste møte* we discussed the matter at the last meeting; the m. came up for discussion at the last meeting; ~ *på (fylle på)*: ~ *på litt vann (,bensin, etc)* put some water (petrol, *etc)* in; *(om klær)* wear, have on *(fx* she had hardly anything on); *hva skal vi* ~ *på oss i kveld?* what are we going to wear tonight? -r *du en kniv på deg?* have you got (such a thing as) a knife on you? *han* -*dde alltid en revolver på seg* he always carried a revolver; *politiet* -r *ikke noe på meg* the police have got nothing on me; *han vil* ~ *deg* **til** *å (flykte, etc)* he wants you to (escape, *etc)*; *han vil* ~ *ham til adjutant* he wants him for his aide-de-camp; *han vil* ~ *oss til å tro at ... he will have us* believe that ...; *vil du virkelig* ~ *meg til å tro at ...?* do you seriously want me to believe that ...? *han vil* ~ *det til at* he will have it that; he makes out that; *det er verre enn han vil* ~ *det til* it is worse than he tries to make out; *han ville* ~ *det til at vi* -*dde behandlet ham urettferdig* he made out that we had treated him unfairly; *hva* -r *man ellers politiet til?* what else is the police for? ~ *en til nabo* have sby for a neighbour *(el.* as a n.); ~ *meget* **til overs** *for en* be very fond of sby;
C [*Andre forbindelser*] *du* -r *å gjøre som jeg sier!* you will do what I tell you! **der** -r *vi dem!* there they are! *der* -r *vi forklaringen!* that's the explanation! there we have the e.! ~ *en* **egenskap** possess *(el.* have) a quality; **her** -r *du en shilling!* here is a shilling for you! *her* -r *De meg!* here I am! *man vet aldri hvor man* -r *ham* you never know where you have (got) him; *det* -r *intet å gjøre med* it has (got) nothing to do with; *(se også gjøre D (med))*; *det* **kan** *vi ikke* ~! we can't have that! *vi* -r *langt* **hjem** we have a long way home; *vi* -r *enda langt hjem* we are still far from home; *han* -r *lett*

for det he is a quick learner; *jeg -r lett for å glemme* I am apt to forget; I often forget; *(se også falle (en lett))*; *han -dde vondt for å gjøre det* he hated to do it; it cost him a great effort to do it; it went against the grain with him to do it; he had to force himself to do it; *han skal ~ seg et bad* he is going to have a bath; *jeg skal ikke ~ te* I don't want any tea; *(høfligere)* no tea for me, please; *hva skal De ~ for den?* what do you want for it? what will you take for it? *hva skal vi ~ til middag?* what are we having (*el.* going to have) for dinner? *hvor meget skal De ~?* (*om betaling*) how much will that be? how much is that? *jeg skal ~ £10* I want £10; *jeg skulle ~ et pund te* (*i butikk*) I want a pound of tea, please; US (*som oftest*) I would like a pound of tea; *takk, jeg -r!* (*svar på tilbud om mer*) thank you, I have some (already); thank you, I've got all I want; no more, thanks! *jeg skal ikke ~ ham til å blande seg i mine saker* I won't have him meddle (*el.* meddling) in my affairs; *hva vil De ~?* what do you want? (*tilbud*) what will you have? (*om drink også*) what's yours? *hva vil du ~ for å spa om hagen?* what do you want for digging the garden? *vil De ikke ~ en sigar?* won't you have a cigar? T have a cigar! *hvordan vil du ~ pengene?* how will you take (*el.* have) the money?

Haag (*geogr*) the Hague.
habil competent, able, efficient.
habilitet competence.
habitt get-up (*fx* a man in a strange get-up).
habitus: *hans åndelige ~* his intellectual make -up; his moral character.
hage garden; US (*også*) yard (*fx* our front y. is just a lawn); (*frukt-*) orchard; (*palme-*) palm court (*fx* in the p. c. of a London hotel); (*heste-*) (enclosed) pasture.
hage|arkitekt landscape gardener. **-benk** garden seat. **-bruk** gardening, horticulture. **-bruks-utstilling** horticultural show. **-by** garden city; (*ofte =*) garden suburb (*el.* estate); housing estate. **-fest** garden party. **-gang** g. walk (*el.* path). **-saks** garden shears. **-sanger** 🐦 garden warbler. **-selskap:** *se -fest*. **-sprøyte** garden sprayer. **-stol** g. chair; (*liggestol*) camp chair; US canvas chair. **-stue** [room opening on to a garden].
hagl hail; (*et enkelt*) hailstone; (*av bly*) shot; (*grovere*) buckshot.
haglby(g)e hail-shower, hailstorm.
haglbørse fowling piece, shotgun.
hagle (*vb*) hail; *slagene -t nedover ham* the blows rained down on (*el.* fell about) him; *det -t med skjellsord* terms of abuse poured down; *svetten -t av ham* the perspiration poured down his face.
hagl|korn hailstone. **-vær** hailstorm.
hagtorn 🌿 hawthorn.
hai 🐟 shark.
I. hake (*subst*) hook; (*fig*) drawback (*ved* to); (*jvf aber*).
II. hake (*ansiktsdel*) chin.
III. hake (*vb*) hook; *~ seg fast i* hook on to. **hake|kløft** dimple in the chin. **-kors** swastika. **-orm** 🐛 hookworm. **-rem** chin strap. **-skjegg** goatee. **-spiss** point of the chin.
hakk⁴ notch, indentation; *⁂et ~ bedre enn de andre* (*fig*) a cut above the others; *være et ~ bedre (enn andre)* T be one up.
I. hakke (*subst*) hoe; pick, pickaxe, mattock.
II. hakke (*vb*) hack, hoe; (*om fugler*) peck (*på* at); (*kjøtt*) chop, mince; (*i tale*) stutter; *jeg -r tenner av kulde* my teeth are chattering with cold; *~ på* (*fig*) carp at; T pick at.
hakke|blokk chopping block. **-brett** chopping board; ⚓ taffrail.
hakkels chaff; chopped straw; *skjære ~ cut* chaff, chop straw. **-maskin** chaffcutter.
hakke|mat (*finhakket kjøtt*) minced meat; (*fig*) mincemeat (*fx* make m. of him). **-spett** 🐦 wood-pecker.

hal pull, haul.
I. hale (*subst*) tail.
II. hale (*vb*) haul, pull; *~ an* ⚓ (*seil*) haul home; *~ seg* (*om vind*) shift, haul; *~ stiv* haul tight (*el.* taut); *hal vekk!* ⚓ haul away! *der er det ikke noe å ~ for deg* T (*neds*) there's nothing for you to get out of it; there's nothing in it for you; *~ i buksene* hitch up one's trousers; *~ saken* (*vel*) *i land* (*fig*) carry (*el.* bring) sth off; *det var han som halte hele foretagendet i land* he was the one who brought the whole thing off; *~ inn* haul in; *~ inn på et skip* gain on a ship; *han halte raskt innpå i kurven* he caught up fast (*el.* came up well) at the bend; *vi har halt innpå med 5 minutter* we have gained 5 minutes (on our opponent); *~ ned* haul down; *~ opp* (*el.* fram) *av lomma* pull (*el.* draw) out of one's pocket; *det nyttet ikke å ~ noe ut av ham* he was not to be drawn; *~ ut tiden* play for time; (*se seier*).
hale|ben tail bone; (*anat*) coccyx. **-finne** 🐟 tail fin. **-fjær** tail feather. **-gatt** ⚓ mooring pipe.
half (*fotb*) half. **halfbaek** halfback.
I. hall hall.
II. hall (*skråning*) slant, slope.
halleluja hallelujah!
hallik pimp, procurer; S ponce.
halling Halling dance.
hallo hello! (*tilrop*) hey! hullo! hallo! (*over høyttaler*) attention, please!
hallomann (*i radio*) announcer.
hallusinasjon hallucination.
hallusinere (*vb*) hallucinate.
halm straw.
halm|strå straw; *den som holder på å drukne, griper etter et ~* a drowning man will catch at a straw (*el.* clutch at straws). **-tak** thatched roof. **-visk** wisp of straw.
haloi (*subst*) uproar, hullabaloo, hubbub, row; *lage ~* T kick up a row.
hals neck; (*strupe*) throat; (*på note*) stem; (*til seil*) tack; *brekke -en* break one's neck; *gi ~* give tongue; *strekke ~* crane one's neck; *knekke -en på en flaske* crack a bottle; *rope av full ~* shout at the top of one's voice; *le av full ~* roar with laughter; *ha vondt i -en* have a sore throat; *helle i -en på en* pour down sby's throat; *med gråten i -en* on the brink (*el.* verge) of tears, with tears in one's voice; *med hjertet i -en* with my (,his, *etc*) heart in my (,his, *etc*) mouth; *falle om -en på en* fall on sby's neck; throw oneself at sby; *vri -en om på en* wring sby's neck; *over ~ og hode* in hot haste, precipitately, in a great hurry, head-long; *få noe på -en* be saddled with (*fx* a lot of poor relations); *få en sykdom på -en* contract a disease; *det skaffet ham mange fiender på -en* it got him a lot of enemies; *på sin ~* (*fig*) body and soul.
hals|betennelse inflammation of the throat, angina, sore throat. **-brann** heartburn. **-brekkende** breakneck. **-byll** boil in the throat. **-bånd** neck-lace; (*til hund*) collar.
halse *vb* (*gjø*) give tongue, bay; ⚓ (*kuvende*) wear (ship), jibe.
halsesyke sore throat; *det er bare vanlig tre-dagers ~* it's just an ordinary throat infection.
halsgrop the arch of the neck (*fx* in the arch of her neck).
halshogge (*vb*) behead, decapitate.
halshogging decapitation.
hals|hvirvel cervical vertebra. **-katarr** bronchi-al catarrh, pharyngitis. **-kjede** necklace; (*av perler også*) rope (*fx* a r. of pearls). **-linning** neck band.
halsløs: *~ gjerning* reckless act, desperate undertaking, risky business.
hals|muskel cervical muscle. **-onde** throat complaint (*el.* trouble). **-pastiller** (*pl*) cough pastilles, cough candy sugars. **-spesialist** throat specialist, laryngologist.
halsstarrig stubborn, obstinate.

halsstarrighet stubbornness, obstinacy.
halstørkle scarf; (*glds*) neckerchief.
halt lame; limping; ~ *på det ene benet* lame in one leg.
halte (*vb*) limp, walk with a limp; -*nde* (*fig*) lame (*fx* excuse); halting (*fx* comparison).
halthet lameness.
halunk scoundrel, scamp.
halv half; *en* ~ *alen* half an ell; *for* ~ *pris* at half price; *barn* ~ *pris* children half-price; -*e forholdsregler* half-measures; -*e Norge* half Norway; *et* -*t år* half a year, six months; *to og en* ~ *engelske mil* two miles and a half, two and a half miles; *to og en* ~ *penny* twopence halfpenny; *en* ~ *gang til så lang* half as long again; *klokka er* ~ *tolv* it is half past eleven (o'clock); *klokka slo* ~ it struck the half-hour; *det* -*e* half (of it); -*t* (*adv*) half; -*t om* -*t* half; *dele* -*t* go halves (*med* with), go fifty-fifty (*med* with); *han gjør ingenting* -*t* he does nothing by halves; (*se pris*).
halv|annen one and a half; ~ *penny* three halfpence, (a) penny halfpenny. -**bemannet** half -manned. -**bevisst** half conscious, semi-conscious.
halvbind (*bokbind*) half-binding.
halv|blind half-blind. -**blods** half-blood, half -bred; (*subst*) half-breed, half-caste. -**bror** half brother. -**dagspost** half-time post (*el.* job); half-day post (*el.* job). -**del** half; -*en* half of it, one half; -*en av* (one) half (of) (*fx* half the books, one h. of the books); the half of (*fx* the last h. of the year); *i første* ~ *av talen* in (*el.* during) the first half of the speech. -**død** half dead.
halvere (*vb*) halve; (*i geometri*) bisect.
halv|erme half-sleeve. -**ferdig** half-finished; *jeg er ikke* ~ *med å spise* I have not half done eating. -**fetter** second cousin. -**flaske** half-bottle. -**full** half full; (*om menneske*) half drunk. -**gal** half mad. -**gammel** elderly, middle-aged. -**gjort** half-done. -**gud** demigod. -**het** incompleteness; (*fig*) indecision, vacillation; (*halve forholdsregler*) half-measures. -**høyt** (*adv*) in a low voice, in an undertone, under one's breath, in a half-whisper, half aloud. -**kaste** half-caste. -**kule** hemisphere. -**kuleformet** hemispherical. -**kusine** second cousin. -**kvalt** half-smothered, stifled. -**kvedet**: *han forstår en* ~ *vise* he can take a hint.
halvlært semi-skilled.
halv|mett still hungry; T half full up; *jeg er ikke* ~ I have not half done eating. -**moden** half-ripe. -**mørke** half-light, semi-obscurity, semi-darkness. -**måne** half-moon, crescent. -**månedlig** fortnightly. -**pensjon** half-pension, demi-pension; (*ved skole & pensjonat, også*) half -board. -**profil** semi-profile; *portrett i* ~ s.-p. portrait. -**silke** silk-cotton. -**sirkel** semi-circle. -**sirkelformig** semi-circular. -**slitt** (*om tøy*) thread-bare, shiny.
halvsove (*vb*) doze, drowse.
halv|spenn (*om skytevåpen*) half-cock; *i* ~ at h.-c. -**stekt** half-done. -**stikk** half hitch; *dobbelt* ~ clove hitch. -**strømpe** sock. -**studert**: ~ *røver* smatterer. -**søsken** half sisters and half brothers. -**søvn**: *i* -*e* half asleep; *i* -*e hørte jeg at det gikk i døra* I was already (*el.* still) half asleep when I heard the door go. -**såle** (*vb* & *subst*) half-sole. -**tak** lean-to roof. -**tid** (*fotb*): *ved* ~ at half time (*fx* the score at h. t. was 3—2; it is h. t.). -**tone** ♪ semitone. -**tullet** not quite all there. -**tulling** simpleton, half-witted person.
halvvei: *på* -*en* halfway, midway; *møtes på -en* (*fig*) split the difference; *bli stående på -en* give up (*el.* stop) halfway.
halvveis halfway, midway; (*nesten*) almost; *jeg har* ~ *lyst til å* I have half a mind to.
halv|vill half-savage; half-wild; (*om hest*) half-broken. -**voksen** adolescent, teenage, half -grown (*fx* a h.-g. squirrel); *en* ~ *pike* a teenage girl, a g. in her adolescence, an adolescent girl. -**våken** half awake.

halv|øy peninsula. -**åpen** half-open. -**år** half -year, six months. -**årig** half a year old. -**årlig** half-yearly, bi-annual; (*adv*) every six months, twice a year. -**års** of six months. -**årsvis** half -yearly.
ham (*subst*) slough; *skifte* ~ cast off (*el.* shed) the slough.
hamle (*vb*): *kunne* ~ *opp med* be able to cope with; be a match for; *A kan ikke* ~ *opp med B* (ɔ: *kan ikke måle seg med*) (*også*) A is not in it with B; *han kan* ~ *opp med hvem som helst* (*også*) he can take on anybody.
hammer hammer; (*tre*) mallet; (*på dør*) knocker; (*i øret*) malleus, hammer; *komme under* -*en* come under the hammer. -**hai** 🐟 hammerhead. -**hode** hammer head. -**slag** hammer stroke. -**tegn** sign of the hammer.
hamn: *se havn*.
hamp hemp; *av* ~ hempen; *bort i* -*en* T ridiculous, crazy (*fx* a c. idea).
hampe|frø hempseed. -**tau** hemp rope.
hamre (*vb*) hammer.
hamskifte sloughing; US shedding of skin.
hamstre (*vb*) hoard.
han he; ~ ... *selv* he ... himself; ~ *der* the fellow over there; *dette er* ~ *som* ... this is the man who ...
han|bie 🐝 drone. -**blomst** ⚘ male flower.
hand: *se hånd.*
handel trade, commerce; commercial activities, business life; *bringe i* -*en* put on (*el.* bring into) the market, offer for sale; *slutte en* ~ close a transaction; *drive* ~ carry on trade. trade (*fx* with sby); *drive* ~ *med* (*om varen*) trade (*el.* deal) in; *gjøre en god* ~ make a good bargain; *gjøre -en om igjen* cancel the deal; (*jur: heve kjøpet*) repudiate the sale (*el.* the bargain); *komme i* -*en* come on the market; *er ikke i* -*en* is not on the market; *det er ikke lenger i* -*en* it is no longer on the market; it is not sold any more; it is off the market; *vår* ~ *med* (*el. på*) *England* our trade with E.; ~ *og vandel* dealings; method of doing business.
handels|attaché commercial attaché. -**avtale** trade agreement; (*traktat*) commercial treaty. -**balanse** balance of trade, trade b; *aktiv* (*el. gunstig*) ~ favourable t. b.; *passiv* (*el. ugunstig*) ~ adverse (*el.* unfavourable) t. b.; *et stort underskudd i -n med utlandet* a large foreign trade deficit. -**betjent** salesman; US clerk. -**brev** trading (*el.* tradesman's) licence; US business license; *som har* ~ certificated (*fx* a c. grocer). -**bu** general (country) store. -**by** commercial (*el.* trading) town. -**departementet** the Ministry of Commerce; (*i England*) the Board of Trade; US the Department of Commerce. -**fag** commercial subject. -**flagg** merchant flag; -*et* (*det britiske*) the Red Ensign. -**flåte** mercantile marine, merchant service (*el.* fleet). -**forbindelse** 1 (*om person, firma*) business connection; 2 (*abstrakt: forhold, samkvem*) trade (*el.* commercial *el.* business) relations (*el.* intercourse *el.* dealings) (*med* with; *mellom* between). -**foretagende** commercial undertaking, c. enterprise. -**gartner** market gardener; US truck farmer.
handelsgymnas commercial college.
handelsgymnasiast student of commercial college (*fx* he is a student at a commercial college); -*er* students of commercial colleges.
handelshøyskole advanced commercial college; (NB The College of Business Administration and Economics, Bergen).
handels|kalender trade (US: business) directory. -**kandidat** Bachelor of Commerce; B. Com. -**kjøp** contract of sale; (in Norway: a contract between two commercial enterprises); (*se også sivilkjøp*). -**kompani** trading company. -**korrespondanse** commercial correspondence, business correspondence. -**kutyme** trade usage. -**kyndig** trained in business; having a commercial training; *en* ~ (*sakkyndig*) a business

expert. **-kyndighet** commercial knowledge. **-lære** commercial science. **-mann** trader, dealer, shopkeeper. **-marine** mercantile marine. **-minister** Minister of Commerce; (*i England*) President of the Board of Trade; US Secretary of Commerce. **-monopol** commercial monopoly. **-moral** commercial morality, business morals; *det ville være dårlig* ~ it would be commercially dishonest. **-omsetning** trade, volume of trade. **-ordbok** commercial dictionary. **-overskudd** trade surplus. **-politikk** commercial (*el.* trade) policy. **-politisk** pertaining to commercial policy; *-e forbindelser* trade relations. **-register** trade (*el.* commercial) register; *føre et firma inn i H-et* register (US: incorporate) a company. **-regning** commercial arithmetic.

handels|reisende commercial traveller; ~ *på provisjonsbasis* commission traveller. **-rett** commercial law. **-sentrum** trading centre, mart, emporium; *London utviklet seg til å bli Europas* ~ London developed into the general mart of Europe. **-skip** merchantman. **-skole** commercial school. **-stand** commercial (*el.* business) community. **-standsforening** mercantile association (*fx* Oslo Mercantile Association); *Norges Handelsstands Forbund* Federation of Norwegian Commercial Associations. **-traktat** commercial treaty.

handelsuttrykk commercial term.

handels|vare commodity; *-r* (*også*) merchandise. **-vei** trade route. **-verdenen** the world of commerce, the business world. **-virksomhet** commercial activity; business, trade; *drive* ~ carry on business, trade. **-vitenskap** commercial science. **-øyemed:** *i* ~ for business purposes.

handikap handicap. **handikappe** (*vb*) handicap.

handlag: *se håndlag.*

handle (*vb*) act; (*gjøre innkjøp*) deal (*fx* I deal there as well); (*drive handel*) trade, deal, do business; ~ *deretter* act accordingly; ~ *etter* act on; ~ *etter eget forgodtbefinnende* use one's own discretion; ~ *med noe* deal in sth; ~ *med en* do business with sby; ~ *om* be about, treat of.

handledyktig vigorous, energetic.

handledyktighet activeness, vigour (US: vigor), energy.

handle|form (*gram*) the active (voice). **-frihet** freedom of action; *gi en* ~ (*frie hender*) (*også*) give sby plenty of rope. **-kraft** energy, activeness, vigour (US: vigor), efficiency; T push, drive. **-kraftig** energetic, active, vigorous, efficient, dynamic. **-måte** conduct, course (*el.* line) of action, procedure (*fx* we don't approve of your p.).

handlende (*subst*) trader, dealer, shopkeeper.

handling action; act; (*høytidelig*) ceremony, function; *en grusom* ~ an act of cruelty; *en -ens mann* a man of action; *-en foregår i Frankrike* the scene is laid in France; the scene is F.; the story (,the play, *etc*) takes place in F.; (*se henlegge*); *det er mangel på* ~ *i stykket* there is a lack of action in the play; *la* ~ *følge på ord* suit the action to the word; *skride til* ~ take action.

han|due ♣ cock pigeon. **-dyr** male.

hane ♣ cock; (*på kran*) (stop)cock; tap; *eneste* ~ *i kurven* the cock of the walk. **-ben:** *gjøre* ~ *til* court, make up to. **-bjelke** tie beam. **-gal** cockcrow; *ved* ~ *at* c. **-kam** cock's comb. **-kylling** ♣ cockerel, young cock. **-marsj** goose step.

han|esel ♣ jackass, male ass. **-fisk** ♣ milter. **-fugl** ♣ male bird, cock. **-føll** ♣ colt.

hang bent, bias, inclination, propensity.

hangar (*flygemaskinskur*) hangar.

hangarskip aircraft carrier.

hangle (*vb*) be ailing; ~ *igjennom* get through by the skin of one's teeth; (barely) scrape through.

hanglet(e) ailing; T off colour; *han har vært litt* ~ *i det siste* he's been a bit off c. lately.

han|hare ♣ buck hare. **-kanin** buck rabbit. **-katt** ♣ tomcat; (*om erotisk mann*) goat (*fx* he is an old g.).

hank handle.

hankeløs without a handle.

hankjønn male sex; (*gram*) the masculine (gender).

hann he, male; (*om visse fugler*) cock; (*sms med hann-: se han-*).

Hannover Hanover.

hanplante ♣ male plant.

hanrei deceived husband; (*glds & litt.*) cuckold; *gjøre en til* ~ seduce sby's wife; (*glds & litt.*) cuckold sby.

hanrev ♣ he-fox, dog fox.

hans his; *hatten* ~ his hat; *hatten er* ~ the hat is his; *brorens og* ~ *brev* his brother's letters and his own.

Hans: ~ *og Grete* Hansel and Gretel.

hans|a (*hist*) Hanse. **-aforbundet** the Hanseatic League. **-eat** member of the Hanseatic League. **-eatisk** Hanseatic.

hansestad Hanseatic town.

hanske glove.

hanspurv ♣ cock sparrow.

hansvane ♣ cob (swan), male swan.

Harald Harold; ~ *hårfagre* Harold the Fair-haired.

hard hard; (*streng*) harsh, severe; hard; ~ *mot* severe on, hard on, harsh towards; *han er* ~ *mot sin sønn* he is hard on (*el.* severe with) his son; ~ *som stein* (*om ting*) hard as a rock, hard as iron; T hard as a brick (*el.* as bricks); (*se flint*); *der hvor det går -est for seg* right in the thick of it; *ha* ~ *mave* be constipated; *det ville være -t om* it would be hard lines if; *-t mot -t* measure for measure; *sette -t mot -t* meet force with force; *det er -t for ham at ikke han også kan få bli med* it is very hard on him (*el.* sad for him) that he can't go too.

hardfrossen frozen hard.

hard|før hardy, tough. **-førhet** hardiness, toughness.

hardhaus hardy fellow.

hardhendt hard-handed, rough. **-het** hard-handedness, roughness.

hard|hjertet hard-hearted, unfeeling. **-hjertethet** hard-heartedness. **-hudet** thick-skinned, callous. **-hudethet** (*fig*) callousness, thick skin. **-kokt** hard-boiled.

hardnakket stiff-necked, obstinate, persistent; *holder* ~ *fast på den tro at* persists in believing that. **hardnakkethet** obstinacy, stubbornness, persistency.

hardt (*adv*) hard; *fare* ~ *fram mot en* treat sby harshly; *take a strong line against sby; det holdt* ~ it was difficult, it was (quite) a job; *han sitter* ~ *i det* T he's hard up; *han sov* ~ he slept heavily; ~ *babord!* ♣ hard aport! ~ *i le!* ♣ hard to leeward! *trenge* ~ *til noe* need sth (very) badly.

hare ♣ hare; *forloren* ~ meat loaf; *ingen vet hvor -n hopper* there is no telling what is going to happen; (*se harepus*).

hare|hjerte: *ha et* ~ be chicken-hearted, be a coward. **-hund** ♣ beagle, harrier. **-jakt** hare-hunting, hare-shooting. **-labb** 1. hare's foot; *fare over noe med en* ~ (*fig*) pass lightly over sth, slur over sth, give sth a lick and a promise; 2. ♣ cottonweed.

harem harem, seraglio.

hare|munn harelip. **-pus** bunny. **-skår** harelip; *ha* ~ be harelipped. **-stek** roast hare. **-unge** ♣ young hare, leveret.

harke (*vb*) hawk.

harlekin harlequin.

harm (*adj*) indignant (*på* with).

I. harme (*subst*) indignation, resentment; (*poet*) wrath, ire.

II. harme (*vb*) anger, exasperate. **-lig** annoying.

harmful resentful, indignant, angry.

harmløs harmless, inoffensive.

harmonere (*vb*) harmonize; be in harmony (*el.* keeping); *ikke* ~ *med* be out of keeping with; *få til å* ~ *med* (*stemme med*) reconcile (*fx* it is difficult to r. A's evidence with B's).

harmoni harmony, concord, unison.

harmonika ♪ accordion; (*se harmonikk*).

harmonikk ♪ (*munnspill*) mouth organ, harmonica.

harmonilære harmonics.

harmo|nisere (*vb*) harmonize. **-nisk** harmonious.

harmonium ♪ harmonium.

harnisk armour; US armor; *bringe en i* ~ infuriate sby, enrage sby, make sby see red; *komme i* ~ flare up, fly into a rage (*el.* a temper); *han var i* ~ his blood was up, he was up in arms.

I. harpe (*subst*) harp; *spille på* ~ play the harp, harp.

II. harpe (*vb*) screen; *-t kull* screened coal.

harpe|spill harp-playing. **-spiller** harpist.

harpiks resin; (*når terpentinoljen er avdestillert*) rosin; (*til violinbue*) rosin. **-aktig** resinous.

harpun harpoon. **-er** harpooner. **-ere** (*vb*) harpoon.

harselas banter, raillery.

harselere (*vb*) poke fun at, mock at, scoff at, make game of.

harsk rancid; (*fig*) grim, gruff. **-het** rancidity.

harv (*subst*) harrow; *fjær-* spring-tooth h.; *skål-* disk h.; *valse-* rotary hoe.

harve (*vb*) harrow.

has: *få* ~ *på* get the better of (*fx* an opponent); lay by the heels (*fx* the police will soon lay the thief by the heels); *vi har fått* ~ *på ham* T we've got him by the short hairs.

hasard 1. hazard, risk; 2. gambling, game of chance; *spille* ~ gamble. **-spill** game of chance; gambling. **-spiller** gambler.

hase (*sene*) hamstring; (*ledd*) hock, hough; (*på menneske*) hollow (*el.* back) of the knee; *skjære -ne over på* hamstring; *smøre -r* take to one's heels; *show a clean pair of heels*, show one's heels.

hasp(e) (*subst*) hasp, catch.

hassel ♣ hazel. **-nøtt** hazelnut, filbert. **-rakle** hazel catkin.

hast haste, hurry; *det har ingen* ~ there is no hurry; *i all* ~ in a hurry; in haste; *et lite brev skrevet i all* ~ a hasty note, a note which had been written in a hurry; *i rivende* ~ in hot haste, in great haste, with the greatest possible dispatch; *han har ikke noen* ~ *med å* he is in no hurry to.

haste (*vb*) hasten, hurry; (*upersonlig*) be urgent; *det -r med varene* the goods are urgently required; *det -r med denne saken* this matter is urgent (*el.* requires immediate attention); *det -r ikke* there is no hurry.

hastig hurried, quick; hasty.

hastighet (rate of) speed, rate, velocity; *med en* ~ *av* at a speed of; (*se holde*).

hastverk hurry, haste; *ha* ~ be in a hurry; *hvorfor har De slikt* ~? why are you in such a hurry? ~ *er lastverk* more haste, less speed; slow and steady wins the race.

hastverksarbeid rush job, rush work; (*neds*) scamped work.

hat hatred (*til* of), hate; *bære* (*el.* *nære*) ~ *til en* hate sby, have a hatred of sby; *legge en for* ~ make sby the object of one's hate.

hate (*vb*) hate; (*avsky*) detest, abhor; ~ *som pesten* hate like poison (*el.* like sin); ~ *å måtte* ... hate having to.

hatefull spiteful, malicious, rancorous.

hater hater, enemy; *være en* ~ *av* hate.

hatsk rancorous. **-het** rancour; US rancor.

hatt hat; *han er høy i* ~ (*fig*) he is too big for his boots, he is high and mighty; *stiv* ~ bowler; *gi en noe å henge -en på* give sby a handle; give sby cause for complaint; *sette -en på* put on one's hat; *ta -en av* take off one's hat (*for* to); *ta til -en* touch one's hat; *trykke -en ned over*

ørene på en pull sby's hat (down) over his ears; *være på* ~ *med* have a nodding acquaintance with; *være mann for sin* ~ be able to hold one's own, be able to take care of oneself; *sannelig min* ~! (well,) of all things! *-en av for deg* (*,for det*)! I take off my hat to you (,to that)! **hatte|brem** hat brim, brim (of a hat). **-fabrikk** hat factory. **-forretning** hat shop; (*dame-*) milliner's (shop). **-maker** hatter; *det er forskjell på kong Salomo og Jørgen* ~ there's a difference between a king and a cat. **-nål** hatpin. **-pull** crown of a hat.

hatteske hatbox; (*til damehatt også*) bandbox.

haubits howitzer.

haug hill; (*dynge*) heap; (*stabel*) pile; (*jord-, grav-*) mound; *gammel som alle -er* (as) old as the hills.

haugevis in heaps, by heaps; ~ *av penger* heaps of money.

haugtusse: *se hulder.*

hauk ♣ hawk; ~ *over* ~ diamond cut diamond; the biter bit.

hauk|e (*vb*) call, hoot, shout. **-ing** call, cattle call.

hauke|nebb hawk's bill. **-nese** hawk nose.

haus head, skull; T noodle.

hausse rise in prices; (*sterk*) boom; US bull market; *spekulere i* ~ speculate on a rise.

haussespekulant bull.

hautrelieff high relief.

hav sea; (*verdenshav*) ocean; ~ *og land* land and water, sea and land; *-ets frihet* the freedom of the seas; *det åpne* ~ the open sea; *på det åpne* ~ on the open sea, in mid-ocean; (*jur*) on the high seas; *over -et* above sea level; *på -ets bunn* on the bottom of the sea; *til -s* to sea (*fx* it was carried out to sea); *ute på -et* out at sea; *ved -et* by the sea, at the shore, at the seaside; (*se også sjø*).

Havana (*geogr*) Havana. **havaneser** Havanese.

havarer|e *vb* (*om skip*) 1 (*totalt*) be wrecked (*fx* the ship has been wrecked); 2 (*bli mer el. mindre skadd*) be damaged; (*om maskinskade*) be disabled (*fx* the ship has been disabled), have a break-down; (*se maskinskade*); *-te varer* damaged goods.

havari 1 (*forlis*) (ship)wreck, loss of ship; 2 (*skade*) (sea-)damage, accident, average; (*på maskin*) damage (*fx* d. to the engine), breakdown (*fx* owing to the b. of the engine); *gross-* general average; *partikulært* ~ particular a.; *lide* ~ 1 (*totalt*) be wrecked; 2. receive (*el.* suffer *el.* sustain) damage; 3 (*om maskin*) be damaged, break down; *hvordan oppsto -et* (*om lystbåter, også*) how did the accident occur?

havari|anmeldelsesskjema: ~ *for lystbåter* small craft claim form; particulars of accident to vessel. **-attest** certificate of average, a. certificate. **-besiktigelse** damage survey, survey (of the damage). **-brev, -erklæring** a. bond. **-fordeling** averaging, distribution of a. **-oppgjør** adjustment of a., a. adjustment; (*dispasje*) a. statement. **-sak** case of a. **-signal** distress signal. **-skade** damage.

havarist 1. damaged ship; (*sterkt*) wrecked s.; (*med maskinskade*) disabled s.; 2. ship-wrecked seaman.

havarm arm of the sea.

hav|blikk dead calm. **-bryn** 1. edge of the sea; where sea and shore meet; 2. horizon, skyline; *i -et* on the horizon. **-bukt** bay. **-bunn** bottom of the sea, sea floor, sea bed.

hav|dyp deep, depths of the ocean. **-dyr** marine animal. **-dønning** ocean swell.

havesyk covetous. **havesyke** covetousness.

hav|frue mermaid. **-gap** where the fjord meets the open sea; the mouth of the fjord. **-gud** sea god. **-katt** ♣ catfish. **-klima** insular climate. **-måke** ♣ greater black-backed gull.

havn harbour (US: harbor); port; (*fig*) haven; *bringe en sak vel i* ~ bring a matter to a successful issue; *ligge i* ~ be in port; *søke* ~ put into a harbour.

havne (vb): ~ *i* (fig) end in, land in; ~ *i papir kurven* (også) be consigned to the waste-paper basket; ~ *på hodet* land on one's head; *han -t på 13. plass* he finished 13th.

havne|anlegg harbour (US: harbor) works. **-arbeider** docker, dock labourer; US longshore-man. **-avgifter** (pl) harbour (el. dock) dues (el. charges). **-by** seaport town. **-foged** harbour (US: harbor) master.

havne|kontor harbour master's office. **-los** h. pilot. **-myndigheter** (pl) port authorities. **-plass** berth. **-politi** harbour (US: harbor) police, dock (el. river) police. **-vesenet** the port authorities (fx the Port of London Authorities (fk. the P.L.A.)).

havre ♣ oats (pl). **-gryn** rolled oats. **-grøt** oatmeal porridge. **-mel** oatmeal. **-velling** oatmeal gruel. **-åker** oat field.

havskilpadde ♣ turtle.

havsnød distress (at sea); *skip i* ~ ship in distress.

havørn ♣ white-tailed eagle.

hebraisk Hebrew; *det er* ~ *for meg* it is all Greek to me. **hebreer** Hebrew.

Hebridene (geogr) the Hebrides.

hede (lyngkledd landstrekning) heath, moor.

hedendom heathendom.

heden|sk heathen, pagan; *den -ske tid* pagan times. **-skap** paganism, heathenism.

heder honour (US: honor), glory. **-full** glorious, honourable (US: honorable). **-(s)kront** honoured (US: honored), illustrious.

hederlig honourable (US: honorable); (redelig) honest; ~ *omtale* honourable mention. **-het** honesty, integrity.

heders|bevisning mark (el. token) of respect, mark of distinction. **-dag** great day. **-gjest** guest of honour (US: honor). **-mann** honourable (US: honorable) man, man of honour (US: honor); (ofte =) gentleman. **-plass** place of honour (US: honor). **-tegn** medal. **-titel** title of honour (US: honor).

hedning heathen, pagan.

hedre (vb) honour (US: honor).

I. hefte (del av bok) part, number; (bok) pamphlet, brochure, booklet; exercise book; (på sverd) hilt.

II. hefte vb (oppholde) delay, detain, keep; (feste) fix, attach, fasten; (klebe) stick; (bok) stitch; ~ *med knappenåler* pin; ~ *opp* tuck up; *det -r stor gjeld på denne eiendommen* this estate is heavily encumbered; ~ *sammen* (med heftemaskin) staple together (fx s. papers together).

heftelse (gjeld) lien, encumbrance, charge; (pante-) mortgage.

heftemaskin stapler, stapling machine; (i bokbinderi) stitching machine.

heftevis in parts.

heftig vehement, violent, impetuous; (smerte, etc) acute, intense, severe. **-het** vehemence, violence, impetuosity; intensity.

heftplaster sticking plaster, adhesive plaster.

hegemoni hegemony.

hegg, heggebær ♣ bird cherry.

hegn fence; (levende) hedge.

hegre ♣ heron.

I. hei (subst) heath, moor; *-ene* the uplands, the hills.

II. hei hey! heigh! hello there! ~ *på deg!* (som hilsen) hello! US hi!

heia! (tilrop) come on! (til skøyteløper) skate! *være med å rope* ~ join in the cheers.

heiagjeng cheering gang (el. crowd).

heie (vb) cheer; ~ *fram* roar on (fx r. sby on); ~ *på* cheer.

heilo ♣ golden plover.

heim: se *hjem.*

heime: se *hjemme.*

heimføing stay-at-home; US S hick.

heipiplerke ♣ meadow pipit.

heis lift; US elevator; (vare-) hoist; *komme i*

-en get into hot water; (om pike) get into trouble.

heise (vb) hoist; (om flagg og lette ting) run up; ~ *opp buksene* hitch up one's trousers; ~ *på skuldrene* shrug one's shoulders.

heise|apparat hoisting apparatus, hoist. **-fører** lift attendant, liftman, lift boy; US elevator operator. **-kran** crane. **-tårn** hoist.

I. hekk hedge; (hinder) hurdle.

II. hekk (del av skip) stern. **-jolle** stern boat, dinghy.

hekke vb (yngle, ruge) nest, brood.

hekkeløp hurdle (race).

hekkeplass nesting place.

hekkmotor rear engine.

I. hekle (subst) flax comb, hackle; (til fiskefangst) rake, rake-hooks.

II. hekle (vb) crochet; (lin og hamp) comb, hackle. **-arbeid** crochet work. **-nål** crochet hook. **-tøy:** se *-arbeid.*

heks witch, sorceress; *en gammel* ~ an old hag; *slem som en* ~ bad as a witch.

hekse (vb) practise witchcraft.

hekse|kunst witchcraft; *det er ingen* ~ that's an easy thing to do; it is easily done; *-er* spells and charms. **-mester** wizard, sorcerer, conjurer.

hekseri witchcraft, sorcery, black magic; *det er ikke noe* ~ it is easily done, that's an easy thing to do.

hekseskudd crick in the back (fx he's got a c. in his back), a touch of lumbago.

hektar hectare (= 2.47 acres).

I. hekte (subst) hook; *-r og kroker* hooks and eyes; *komme til -ne* (fig) come to one's senses; recover, pick up.

II. hekte (vb) clasp, hook; ~ *opp* unclasp, unhook.

hektisk hectic.

hekto (svarer i praksis til) quarter (of a pound) (fx a q. of sweets); (NB *merk uttrykk som* 'a quarter-pound packet of tea', 'a q.-p. block of chocolate').

hektograf hectograph.

hektografere (vb) hectograph.

hektogram hectogramme; US hectogram; (svarer i praksis til) quarter (of a pound) (fx a quarter of sweets).

hel adj (se også helt (adv)); 1 (uskadd) whole (fx there was not a w. pane in the house), unbroken, intact; 2 (fullstendig, udelt, etc) complete (fx a c. stoppage), whole, entire (fx my china service is still entire); 3 (ublandet) all (fx all wool); pure (fx p. wool); 4. **-e** the whole (fx the w. amount, the w. house, the w. country), the whole of (fx Norway, the town); all (fx all Norway); all of (fx all of the country); *langs -e kysten* all along the coast; *-e verden* the whole world, all the world; (ved tallord) quite, as much as, no less than, as many as (fx quite ten miles; as much as £100), whole (fx two whole years); *det var -e tre mennesker der* (spøkef) there were all of three people there; (i tidsuttrykk) all (fx all day, all the time); *-e natten* all night, the whole night; *klokka slo* ~ it (el. the clock) struck the hour; *fem (minutter) over* ~ five minutes past the hour; *hver -e og halve time* every hour and half-hour, precisely at the hour and half-hour; *jeg har -e tiden visst at* I have known all along that; *en* ~ *del* a good (el. great) deal (av of); (pl) a great many, a great number, quite a number (of); *det -e* the whole (thing). all of it; *det er det -e* that is all; *det -e eller en del av ... all* or part of ... ; *det -e er en misforståelse* the whole thing is a misunderstanding; *i det -e* in all, altogether, as a whole; *verden i det -e* the world at large (el. in general); **i det -e tatt** (i det store og hele) on the whole, generally speaking, taken all in all; (overhodet; NB *ikke i bekreftende setninger*) at all (fx I will have nothing at all to do with him; is he at all suitable for the post? it is uncertain whether we shall get our money at all); *(når alt kommer til alt)* everything considered; *(kort sagt)* altogether *(fx* he is a bully and a blackmailer, altogether an unpleasant fellow); **av -e *mitt hjerte*** with all my heart; **i** -e *den tiden* during the whole of that time; *svart over det* -e black all over.

helaften: -s *program* full-length programme (US: program), p. that fills the whole evening.

helaftenstykke single feature, full-length play.

helbefaren ⚓ able-bodied.

helbind full binding.

helbred health; *ha (en) god* ~ be in good health, enjoy good h.; *det tok på hans* ~ it affected his h.; *sviktende* ~ failing h.; *p.g.a. sviktende* ~ owing to ill-health; *(jvf helse; trekke: -s med & underminere).*

helbred|e *(vb)* cure, restore to health; *(lege)* heal; ~ *for* cure of. **-elig** curable. **-else** cure; *(det å komme seg)* recovery.

helbreds|hensyn: *av* ~ for reasons of health. **-tilstand:** *hans* ~ the state of his health.

helde *subst (til hest)* hobble.

heldig lucky, fortunate; successful; prosperous; *(om uttrykk)* felicitous; happy *(fx* a h. remark); *(gagnlig)* beneficial; *(tilrådelig)* advisable; *en* ~ *gris* T a lucky dog, a lucky beggar; *et* ~ *innfall* a happy idea; *et* ~ *ytre* a prepossessing appearance; *et* ~ *øyeblikk* an opportune moment; *falle* ~ *ut* be a (great) success, turn out well; *et* ~ *utfall* a successful result; *vi slapp -ere fra det* we were more fortunate; *det traff seg så* ~ *at vi hadde* luckily *(el.* fortunately) we had; *jeg er aldri* ~ I never have any luck; *jeg var så* ~ *å* I had the good fortune to, I was so fortunate as to, I was fortunate (enough) to; *jeg er så* ~ *å ha* ... I am fortunate in having; *jeg var så* ~ *å finne ham hjemme* I had the (good) luck to find him at home; *han har vært* ~ *med lærer* he has been lucky with his teacher; *på noen måter er jeg* ~ *stilt* I am at an advantage in some ways; *det er noen som er* -e some people have all the luck; *den slags skoler er ikke* -e schools of that kind are a mistake; *det hadde vært st om vi hadde* ... it would have been best if we had ... ; *den* -ste *måten* the best way; *(se III. vær).*

heldigvis luckily, fortunately, as good luck would have it.

I. hele *(subst)* whole; entity; *et sammenhengende* ~ a connected whole; *et ordnet* ~ an ordered whole.

II. hele *(vb)* heal; -s be healed, heal up.

III. hele *vb (hjelpe tyv)* receive stolen goods.

heler receiver of stolen goods; *-en er ikke bedre enn stjeleren* the receiver is no better than the thief.

heleri receiving stolen property.

helflaske large bottle.

helg holiday(s), Sunday; *i* -en over *(el.* during) the week-end.

helgardere *(vb):* ~ *seg* protect oneself, protect one's retreat.

helgeklær one's Sunday best.

helgen saint. **-bilde** image of a saint. **-dyrkelse** the worship of saints, hagiolatry. **-glorie** halo. **-legende** legend. **-levninger** *(pl)* relics. **-skrin** shrine, reliquary.

Helgoland *(geogr)* Heligoland.

helgryn whole grain.

helhet whole, totality, entirety; *i sin* ~ in its entirety, in full.

helhetsinntrykk general impression.

helhetspreg unity *(fx* the u. of a work of art).

helhetssyn comprehensive *(el.* overall) view, general view.

helhetsvirkning general *(el.* total) effect.

helikopter helicopter. **-flyplass** heliport.

helkornbrød: *et* ~ a loaf of wholemeal bread.

I. hell *(bakke-)* inclination; *på* ~ *(avtagende)* on the wane, waning.

II. hell *(lykke)* good luck, success; *for et hell!* what (a stroke of) luck! *sitte i* ~ be in luck; *ha* ~ *med seg* succeed, be successful; *hadde det*

~ *å* had the good fortune to; *til alt* ~ as good luck would have it, fortunately, luckily.

Hellas *(geogr)* Greece.

I. helle *(subst)* flag, flagstone, slab of rock.

II. helle *(vi)* slant, slope, incline, lean; *dagen -r* the day is waning, the day is drawing to a *(el.* its) close; ~ *til et parti* lean towards a party; *(vt) (skjenke)* pour.

helle|fisk, -flyndre ⚓ halibut.

hellelagt flagged, paved with flagstones.

hellener Greek, Hellene. **hellenistisk** Hellenistic.

hellensk Greek, Hellenic.

heller rather, sooner; *håret var* ~ *mørkt enn lyst* the hair was dark rather than blond; *han ville jo intet* ~ he asked for nothing better; *jeg vil* ~ *vente* I would rather wait; I prefer to wait; ~ *enn* rather than, sooner than *(fx* I would rather drink tea than coffee); ~ *ikke* nor *(fx* nor must we forget that ...); ~ *ikke var de vakre* they were not good-looking either; *ikke jeg* ~ nor do I, nor can I *(,etc)*; nor I either; *¹jeg sa* ~ *ikke et ord* and *'*I didn't say a word either; *hverken ... eller ... og* ~ *ikke* neither ... nor ... nor yet; *det har* ~ *aldri vært påstått* nor has it ever been asserted; *det har jeg* ~ *ikke sagt* indeed, I have said no such thing; *(se II. ønske).*

hellerist(n)ing rock carving.

I. hellig holy, sacred; *ikke noe er* ~ *for ham* nothing is sacred to him; *ved alt som er* ~ by all that is sacred; *Den -e ånd* the Holy Ghost; *den -e jomfru* the Blessed Virgin, the Holy Virgin; ~ *krig* holy war; *Det -e land* the Holy Land; *den* ~ *skrift* the Holy Writ; *den -e stad* the Holy City; *den -e ektestand* (the) holy (state of) matrimony; *holy* wedlock; *de -e* the saints; *de siste dagers -e* the latter-day saints; *det -e* sacred things *(fx* he made fun of s. things); *det aller -ste* the Holy of Holies.

II. hellig *(adv):* *love høyt og* ~ promise solemnly. **hellig|aften** eve of a church festival. **-brøde** sacrilege. **-dag** Sunday, holiday; *søn- og helligdager* Sundays and holidays. **-dagsgodtgjørelse** payment for work done on a public holiday. **-dagstillegg** additional payment for work done on a public holiday.

hellige *(vb)* hallow, consecrate, sanctify; *(holde hellig)* observe; *(innvie)* devote, dedicate (to); *-t vorde ditt navn!* Hallowed be thy name! *hensikten -r midlet* the end justifies the means.

helliggjøre *(vb)* hallow, sanctify.

helliggjørelse hallowing, sanctification.

hellighet holiness, sacredness; *Hans Hellighet* His Holiness.

hellig|holde *(vb)* observe, keep holy; *(feire)* celebrate. **-holdelse** observance; celebration.

helligtrekongersdag Twelfth Day, Epiphany.

helling *(skråning)* slope, incline; *(fig)* inclination *(til* to), bias, leaning *(til* towards). **-svinkel** angle of inclination.

helmelk full cream milk.

helnote ♩ semibreve, whole note.

helomvending about-face; ✗ about turn; *gjøre* ~ execute a complete turn.

helrandet 🌿 entire.

helse *(subst)* health; *ha god* ~ be in good health; *enjoy good health; få helsa igjen* recover. **-bot** cure, remedy; *det er* ~ *i skoglufta* the forest air is (a) good medicine. **-bringende** *(adj)* curative, health-bringing, healthful.

helse|direktorat Public Health Department of the Ministry of Social Affairs; *(i England)* Ministry of Health; US Bureau of Health. **-direktør** director-general of public health, d.-g. of health services; *(i England)* Minister of Health. **-farlig** injurious to health, unwholesome; noxious. **-lære** hygienics. **-løs** broken in health, invalid; *slå ham* ~ cripple him for life.

helsemessig: *av -e grunner* 1. for reasons of (personal) health, for health reasons, for medical reasons; 2. for sanitary reasons, for r. of hygiene.

helse|råd health centre; board of health. **-stasjon** (for mor og barn) maternal and child health centre. **-stell:** offentlig ~ public health (service). **-søster** health visitor (fk H.V.); US public health nurse. **-trøye** stringvest. **-vesen** public health service.

helsidesbilde full-page illustration (el. picture). **helsilke** all silk, pure silk.

helskinnet safe and sound, unhurt; (adv) safely, unhurt. **helskjegg** full beard.

helst preferably; (etterstilt) for preference; (især) especially, particularly; jeg ville ~ I should prefer; du bør ~ gå you had better go. **helstøpt** (fig) sterling.

I. helt (subst) hero.

II. helt (adv) 1. quite (fx q. alone, q. finished, q. impossible, q. mad, q. normal; I q. agree with you; he is q. well now); entirely (fx an e. satisfactory result; I had e. forgotten it); totally (fx I had t. forgotten it; the food is t. unfit for human consumption; his sight is t. gone; he t. misunderstood my meaning; a t. wrong impression); wholly (fx we are not w. satisfied; few men are w. bad); altogether (fx a. (el. quite) impossible; the method is not a. new; you have a. misunderstood me; it is a. wrong to do that; he is not a. a fool); fully (fx I f. (el. quite) agree with you; I am f. convinced of his innocence); completely (fx the army was c. defeated; we were c. taken by surprise; the work is c. (el. quite) finished); perfectly (fx a p. fresh product; I will be p. open with you); all (fx I like to have a compartment a. to myself; a. alone; you're getting a. mixed up; these calculations are a. wrong; your clothes are all muddy); utterly (fx I was u. mistaken, an u. false view); 2 (ganske, riktig) quite (fx the dinner was q. good; q. a good dinner; you are getting to be q. a famous man);

[Forskjellige forb.] det er ~ **annerledes** it is totally different; han er blitt et ~ **annet** menneske he is completely changed; he has become (quite) a different man; det er noe ~ annet that is (sth) quite different, that is quite another matter; T that's another pair of shoes; that's a different kettle of fish altogether; ~ **eller delvis** wholly or partly, wholly or partially, wholly or in part; ~ **og fullt,** ~ og holdent entirely, completely, wholly, altogether; det hadde jeg ~ **glemt** T (også) I had clean forgotten it; kjøre ~ **langsomt** drive quite slowly, drive dead slow; dette er det ~ **riktige** this is the very thing; ikke ~ **slik som** jeg gjerne ville hatt det not quite what I wanted; not quite as I wanted it; det er ~ **utelukket** it is quite (el. totally) out of the question; it is quite impossible; ~ **utsprunget** (om blomst) full-blown; (om tre) in full leaf; ~ **utviklet** fully developed, full-grown;

[Forb. med prep & adv] det gjorde det ~ **av med** ham that finished him completely; ~ av stål all-steel (fx an a.-s. car); ~ **bak** hagen right (el. all the way) behind the garden; jeg gikk ~ **bort** til ham I went close (up) to him; ~ borte på torget as far away as (in) the market place; ~ **foran** huset right in front of the house; ~ **forut** ⚓ to the head of the fo'c'sle; T chock forward; ~ fra de var barn ever since they were children; jeg har kjent henne ~ fra hun lærte å gå I have known her ever since she could walk; ~ fra de ble gift since they were first married; ~ fra Japan all the way from Japan; ~ **igjennom** all (el. right) through; thoroughly (fx a t. honest man); ~ **inn** i jungelen all the way into the jungle; ~ inn til benet right up to the bone; as far as the bone; ~ **inne** i hulen right in the cave; far into the cave; a long way into the cave; han gikk ~ **ned** i dalen he went all the way down into the valley; ~ **nede** i dalen right down in the valley; as far down as the v.; aksjene var ~ nede i £2 the shares were as low as (el. were right down at) £2; ~ nede i Italia as far south as Italy; gjøre ~ **om** execute a complete

turn; helt om! ✗ about turn! US about face! ~ **oppe** på toppen right on (,at) the top; han ble ~ **til** latter he made a complete fool of himself; ~ til (om tid) right up to; ~ **ut** (fullt ut) in full, wholly, entirely; beherske et språk ~ ut have a complete command of a language; beherske teknikken ~ ut master the technique to perfection; skrive ordet ~ ut write the word in full; man kan høre det ~ ut på gata you can hear it all the way into the street; ~ ut på landet far into the country; ~ ut til kysten all the way to the coast; varene svarer ~ ut til prøven the goods are fully equal to sample; ~ **ute** på landet far out in the country; in the depths of the country; (se også hel (adj)).

helte|dikt epic. **-diktning** heroic poetry. **-død:** dø -en die the death of a hero. **-dåd** heroic deed. **-gjerning** heroic deed. **-modig** heroic, brave. **-mot** valour (US: valor), heroism. **-rolle** heroic part. **-ry** heroic fame. **-skikkelse** heroic figure. **-vis:** på ~ heroically. **-ånd** heroic spirit, heroism.

heltidsbeskjeftigelse wholetime occupation.

heltinne heroine.

helull pure wool, all-wool.

helvete hell; dra til ~! go to hell! gjøre en ~ hett make it hot for sby; en -s kar the devil of a fellow.

helvetesild (hudsykdom) shingles.

helveteskval infernal torment.

helvetesmaskin infernal machine.

helvetesstein lunar caustic, nitrate of silver.

helårs|dress all-the-year-round suit, round-the -year suit. **-olje** multigrade oil.

hemme (vb) check, restrain, hamper; -t i veksten retarded in growth.

hemmelig secret; (i smug) clandestine; ~ ekteskap clandestine marriage; holde noe ~ keep sth secret (for from), keep sth dark.

hemmelighet secret; en offentlig ~ an open secret; gjorde ingen ~ av det made no secret of it; i all ~ secretly, in secret; ha -er for en have secrets from sby.

hemmelighetsfull mysterious; (om person) secretive; en ~ mine an air of mystery. **-het** mysteriousness; secretiveness.

hemmelighetskremmeri secretiveness.

hemmelig|holde (vb) keep secret, keep dark; det ble -holdt for ham it was kept (a) secret from him; he was kept in the dark about it. **-holdelse** concealment, (observance of) secrecy; (fortielse) suppression (fx of the truth, of essential facts).

hemmende restrictive, restraining; virke ~ på have a r. effect on.

hemorroider (pl) haemorrhoids; (især US) hemorrhoids.

hempe loop, button-hole loop.

hems (halvloft over sperreloftstue) (small) loft-room.

hemsko drag, clog, hindrance; det virker som en ~ på ham T it cramps his style.

hen (= bort) away; off; falle ~ i en døs doze off; hvor skal De ~? where are you going? where are you off to? stirre ~ for seg stare into vacancy.

henblikk: med ~ på with a view to; with an eye to; lese noe igjennom med ~ på trykkfeil read sth through for (el. in search of) misprints.

I. hende: i ~: se hånd.

II. hende (vb) happen, occur, take place; det kunne nok ~ may be; det har hendt ham en ulykke he has met with an accident, he has had an accident; slikt kan ~ den beste these things will happen.

hendelse occurrence; (tildragelse) incident; (begivenhet) event, occurrence, incident; (episode) incident, episode; en ulykkelig ~ an unfortunate accident.

hendelsesforløp course of events; redegjøre for -et give an account of the course of events; relate how things happened; (ɔ: gi et sammendrag) review the course of events.

hendelsesrik eventful,

hendig deft, dexterous; (*om ting, også*) handy.
hendighet deftness, dexterity; handiness.
hendø *vb* (*om lyd*) die away (*el.* down).
henfalle (*vb*) fall, lapse; ~ *i grublerier* fall into a reverie.
henføre *vb* (*fig*) (*henrykke*) entrance, transport; ~ *til* refer to.
henført (*fig*) entranced.
heng (*svak vind*) (light) breeze.
I. henge (*vi*) hang, be suspended (*fx* from the ceiling); *det hang en lampe over bordet* there was a lamp (*el.* a lamp hung) above (*el.* over) the table; (*sjelden*) there hung a lamp above the table; *stå og* ~ hang about; ~ *etter* (*fig*) lag behind; *dette betyr at lønningene blir -nde etter i kappløpet med prisene* this means that wages get left behind prices; this causes a time lag between the rise in prices and wages; (*se kappløp*); *han -r alltid etter meg* he is always trailing after me; ~ *fast* stick; *han hang fast med foten* his foot caught; *treet -r fullt av frukt* the tree is loaded with fruit; ~ *i* keep at it, work hard; ~ *med hodet* hang one's head; T be down in the mouth; ~ *over bøkene* be poring over one's books; *han -r alltid over arbeidet sitt* he cannot tear himself away from his work; ~ *på veggen* hang on the wall; ~ *sammen* hang together, stick together; cohere; *det -r sammen med . . .* (ɔ: *det skyldes, er en følge av*) it is a consequence of . . , it is attributable to; *det -r ikke riktig sammen* there is something wrong; ~ *ved* adhere to; (*av hengivenhet*) be attached to; cling to.
II. henge (*vt*) hang (NB *a verbo:* hang — hung — hung); suspend; (*drepe ved hengning*) hang (NB *a verbo:* hang — hanged — hanged); *-s, bli hengt* be hanged; S swing (*fx* you'll s. for this!); *det blir han ikke hengt for* he can't get into trouble over that; ~ *opp gardiner* put up (*el.* fix up) curtains; ~ *seg* hang oneself; ~ *seg i* fasten on (*fx* he fastened on a small error); ~ *seg ut* (*om klesplagg*) lose creases by hanging; T hang out; (*se også hengende*).
henge|bjørk ♣ weeping birch; drooping birch. **-bru** suspension bridge. **-bryster** (*pl*) sagging breasts. **-hode** killjoy, wet blanket; (*skinnhellig*) sanctimonious person. **-krøller** (*pl*) ringlets. **-køye** hammock. **-lampe** hanging lamp, suspended lamp. **-lås** padlock. **-myr** quagmire.
hengende hanging, pendent; *bli* ~ catch, stick; remain hanging; *bli* ~ *ved det* (ɔ: *måtte beholde det*) be left with it; T be stuck with it.
hengepil ♣ weeping willow.
hengeskavl overhanging cornice.
hengi *vb* (*se også hengiven*): ~ *seg til* (*henfalle til*) indulge in, give oneself up to, become addicted to (*fx* drink); ~ *seg til fortvilelse* abandon oneself (*el.* give oneself up) to despair; (*vie sin tid til*) devote oneself to, dedicate oneself to; (*seksuelt*) give oneself to.
hengivelse devotion (*til* to), loyalty; abandonment; (*seksuelt*) giving oneself.
hengiven devoted (*fx* a d. friend), attached (*fx* she was greatly a. (*el.* devoted) to him); *Deres hengivne* Yours sincerely; US Sincerely yours.
hengivenhet affection (*fx* I won his a.), attachment, devotion, devotedness (*for* to); *fatte* ~ *for* become attached to; *nære* ~ *for* be fond of, be (deeply) attached to, be devoted to.
hengsel hinge.
hengsle (*tømmer-*) boom.
hengslet(e) ungainly.
henhold: *i* ~ *til* in accordance (*el.* conformity) with; (*under henvisning til*) with reference to; *i* ~ *til kontrakt* under a contract (*fx* I am delivering this coal under a c.); *i* ~ *til lov av . . .* pursuant to the Act of . . .; *i* ~ *til vedlagte liste* as per list enclosed; *i* ~ *til Deres forlangende* in compliance with your request.
henholde (*vb*): ~ *seg til* refer to; rely on.

henholdsvis respectively (*fx* they get 8 and 10 pounds r.); as the case may be.
henhøre (*vb*): ~ *under* fall under, come under; come (*el.* fall) within; (*se høre under, sortere*).
henimot towards; (*ved tallangivelse*) close upon, about, approximately.
henkaste (*vb*) let fall, throw out, drop; *-t ytring* casual remark; *en lett -t tone* an offhand tone, a casual tone.
henlede (*vb*) direct; ~ *oppmerksomheten på* direct (*el.* draw *el.* call) attention to.
henlegge (*vb*): ~ *en sak* (*jur*) dismiss a case; *saken ble henlagt* (*jur*) proceedings were stayed; the case was dropped; the charge was dropped; ~ *et lovforslag* shelve a bill; ~ *handlingen i stykket til Frankrike* lay the scene in France; *romanen er henlagt til en engelsk industriby* the novel is set in an English industrial town; *historien er henlagt til korstogstiden* the time of the action is (*el.* the story takes place in) the period of the Crusades; (*jvf handling*); *han har henlagt sin virksomhet til . . .* he has transferred his activities (*el.* activity) to; ~ *sin virksomhet til et annet sted* transfer one's activity (*el.* activities) somewhere else.
I. henne (*adv*): *jeg vet ikke hvor han er* ~ I don't know where he is; *hvor har du vært* ~? where(ever) have you been?
II. henne (*pron*) her. **hennes** her; hers.
henrett|e (*vb*) execute. **else** execution.
Henrik Henry.
henrive (*vb*) carry away, transport; (*henrykke*) fascinate, enrapture, charm; *la seg* ~ *til* be incited to, be led on to.
henrivende fascinating, charming.
henrykke: *se henrive*.
henrykkelse rapture, ecstasy; *falle i* ~ *over noe* get into raptures over sth.
henseende respect, regard; *i den* ~ in that respect; *i alle -r* in all respects; in every respect, in every way; *i enhver* ~ in every respect (*el.* way); *i politisk* ~ politically; *i legemlig* ~ physically; in point of physique; *i teknisk* ~ technically; *i økonomisk* ~ from an economic point of view; economically.
hensette (*vb*) throw (*fx* it threw him into a fury; it threw him into a state of uncontrolled rage); ~ *seg til* transport oneself in imagination to, imagine oneself in; *hensatt i hypnose* put in a trance.
hensikt intention, purpose; *brevet virket mot sin* ~ the letter produced the reverse of the desired effect; *svare til sin* ~ answer (*el.* serve) its purpose; *med* ~ on purpose, intentionally; *uten* ~ unintentionally; *i den* ~ *å* with the intention of -ing; with intent to (*fx* shoot with intent to kill; break in w. i. to steal); *ha til* ~ *å* intend to (*el.* -ing); *jeg gjorde det i den beste* ~ I acted for the best; *reelle -er* honourable (US: honorable) intentions.
hensiktsløs purposeless, pointless, futile.
hensiktsmessig suitable, adequate, appropriate, serviceable; (*praktisk*) practical. **-het** suitability, appropriateness, expediency.
henslengt discarded, thrown away; *en* ~ *ytring* a casual remark; *ligge* ~ sprawl.
henstand respite, further (*el.* more) time.
hen|stille (*vb*) suggest, request; *jeg -r til Dem å* I would request you to; (*sterkere*) I appeal to you to. **-stilling** suggestion, request; (*sterkere*) appeal; *etter* ~ *fra* at the suggestion (*el.* request) of; *rette en* ~ *til ham om å* request him to, call on him to; appeal to him to.
hen|stå (*vb*): *la saken* ~ *for en stund* let the matter stand over for a while. **-sykne** (*vi*) droop, languish, wilt, wither (away).
hensyn 1 (*omtanke*) regard, respect, consideration; 2 (*bevegegrunn*) consideration, reason, motive; 3 (*henblikk, betraktning, henseende*): *med* ~ *til* with (*el.* in) regard to, in respect of, respecting, regarding; *et viktig* ~ an important

consideration; *lokale* ~ considerations of local interest(s), local considerations; *ta* ~ *til* (*en person*) show consideration for; (*ting, forhold*) think of, consider, take into account; *det er så mange* ~ *å ta* there are so many things (,people) to be considered (*el.* to be taken into account); there is so much to consider; *når praktiske* ~ *synes å kreve det* as convenience may suggest; *uvedkommende* ~ considerations which are not to the point; extraneous considerations; *ikke ta* ~ *til* disregard, ignore, take no account of, take no notice of; *vi kan ikke ta* ~ *til disse reklamasjoner* we cannot consider (*el.* entertain) these claims; *av* ~ *til* (*person*) out of consideration for; (*p.g.a.*) on account of; *uten* ~ *til* without regard to, in disregard of, regardless of; *uten* ~ *til følgene* regardless of (*el.* irrespective of) the consequences; (*helt*) *uten* ~ *til at* . . . in (complete) disregard of the fact that; *uten* ~ *til om* . . . irrespective of whether . . .; no matter whether . . . or not; *uten* ~ *til om det regner* (no matter) whether it rains or not; *uten personlige* ~ irrespective of person, without respect of person.

hensyns|betegnelse (*gram*) indirect object. **-full** considerate, thoughtful, kind. **-fullhet** consideration, thoughtfulness, considerateness. **-ledd:** *se -betegnelse.*

hensynsløs inconsiderate; thoughtless; (*skånselløs*) unscrupulous; (*ubarmhjertig*) ruthless; (*uvøren*) reckless.

hensynsløshet inconsiderateness; lack of consideration, thoughtlessness; ruthlessness; recklessness.

hente (*vb*) 1. fetch, go and get; bring; (*hos noen*) call for; (*hos flere*) collect; *varer -s og bringes* goods collected and delivered; *pakker -s og bringes* (*også*) collection and delivery of parcels; *jeg -r deg kl. 6* I'll call for you at six o'clock; *vi ble -t på stasjonen* we were met at the station; ~ *pakken på postkontoret* claim the parcel at the post office; 2. derive, draw, get (*fx* the material is drawn (*el.* taken) from the Middle Ages); ~ *næring fra* draw (*el.* derive) nourishment from.

hentyde *vb* (*sikte til*) allude (*til* to), hint (*til* at).

hentydning allusion, hint.

henved about, nearly, close upon.

henvende (*vb*) address, direct; ~ *oppmerksomheten på* call (*el.* draw *el.* direct) attention to; *De må ha Deres oppmerksomhet særlig henvendt på* you must pay special (*el.* give close) attention to . . . , you must give (*fx* this matter) your close attention; *vi skal ha oppmerksomheten henvendt på saken* we shall give the matter our attention; *vi har vår oppmerksomhet henvendt på saken* the matter is engaging our attention; ~ *seg* 1. apply (*fx* a. in person at 10 Ashley Gardens); 2 (*med foresporsler*) inquire (*fx* i. at the office); ~ *seg til* 1 (*sette seg i forbindelse med*) communicate with (*fx* c. direct with the bankers); 2 (*for å få hjelp, opplysninger, etc*) apply to (*fx* sby for help, advice, information); 3 (*rådføre seg med*) consult (*fx* c. one's lawyers on a subject); 4 (*søke tilnærmelse*) approach (*fx* we have not yet approached the company on the subject); *be ham* ~ *seg til X* refer him to X; (*se oppmerksomhet*).

henvendelse communication; application; (*foresporsel*) inquiry; *etter* ~ *fra* at the request of; ~ *om hjelp* (*,betaling*) application for help (*,payment*); *vi fikk en* ~ *fra firmaet for en tid siden* (*også*) we were approached by the company some time ago; ~ *skjer til* applications to be made to; *alle -r må rettes til selskapet og ikke til enkeltpersoner* all communications to be addressed to the Company and not to individuals; *rette en skriftlig* ~ *til* apply by letter to . . . ; *ved* ~ *til* on application to, on applying to; *ytterligere opplysninger fås ved* ~ *til* for further information please write to.

henvise (*vb*) refer (*til* to); (*fx* I r. to my letter; I must r. you to my colleague); *være henvist til seg selv* have to stand on one's own feet, be

left to one's own resources, have to rely on oneself (*el.* look out for oneself), have to shift for oneself; *vi er henvist til oss selv* (*også*) we are thrown upon our own resources (*el.* initiative); *han er henvist til å snakke engelsk hele tiden* he is obliged (*el.* compelled) to speak English all the time; he has to speak E. all the time; he is reduced to speaking E. all the time.

henvisning reference; *under* ~ *til* referring to, with reference to.

her here; ~ *i byen* (*,landet*) in this town (*,country*); ~ *fra byen* from this town; ~ *og der* here and there.

herald|ikk heraldry. **-isk** heraldic.

herav of this.

herbarium herbarium.

I. **herberge** (*vertshus*) inn; (*ungdoms-*) (youth) hostel.

II. **herberge** (*vb*) give shelter to, lodge.

herde (*vb*) harden; ~ *stål* temper steel; ~ *seg* make oneself hardy; ~ *seg mot noe* harden (*el.* inure) oneself to sth; ~ *seg ved hjelp av kalde bad* toughen oneself (*el.* keep oneself fit) by cold baths; *-t* (*om person*) hardy; (*om stål*) tempered.

herdebred broad-shouldered.

herdning hardening; (*av metall*) tempering.

her|etter henceforth, in future, from now on. **-fra** from here; (*i regnskap*) from this; *langt* ~ a great distance off, far from here.

herje (*vb*) ravage, lay waste, devastate, harry.

herjing ravaging, ravages, havoc, devastation.

herk (*skrap*) junk, rubbish.

herkomst descent, parentage, extraction, origin.

Herkules Hercules. **herkulisk** Herculean.

herlig excellent, glorious, grand, magnificent; *et* ~ *måltid* a delightful meal.

herlig|gjøre (*vb*) glorify. **-gjørelse** glorification.

herlighet glory, magnificence, grandeur; *det er hele -en* that's the whole lot; T that's the whole caboodle.

hermafroditt hermaphrodite.

herme (*vb*): ~ *etter* mimic, copy.

hermed herewith, with this.

hermelin ermine.

hermetikk tinned (*el.* canned) products (*el.* food(s) *el.* goods *el.* foodstuffs); US canned food(s) (*el.* goods). **-boks** tin; US can. **-fabrikant** canner. **-åpner** tin opener; US can opener.

hermetisere (*vb*) bottle; sterilize, preserve; (*fabrikkmessig, legge i boks*) can; (*se hermetisering*).

hermetisering hermetic preservation (*el.* preserving), bottling; sterilization; *ved* ~ *får man sterilisert og lukket glassene i én operasjon* in hermetic preservation, sterilization and sealing are effected in one operation.

hermetisk hermetic; ~ *lukket* hermetically sealed.

herming mimicry.

Herodes Herod.

hero|isme heroism. **-isk** heroic.

herold herald.

herostratisk: ~ *berømmelse* unenviable notoriety.

herover over here, on this side.

herr (*merk*) Mr, Mr.; (*pl*) Messrs; *de to -er Forester* the two Mr. Foresters; *-ene Forester* (*firmanavn*) Messrs Forester.

I. **herre** lord; master; (*mann*) gentleman; *H-n* the Lord; *H-ns salvede* the Lord's Anointed; ~ *gud!* dear me! good God; (*unnskyldende*) after all (*fx* he's only a child a. a.); *i mange -ns år* for many a long year; *i det -ns år* . . . in the year of our Lord; *H-ns vilje skje!* God's will be done! *min* ~! sir! *mine -r!* gentlemen; *mine damer og -r!* ladies and gentlemen! *være sin egen* ~ be one's own master; *være* ~ *over* (*fig*) be master of, master; *bli* ~ *over* get the better of; master, become master of; *av grunner som jeg ikke er* ~ *over* for reasons beyond my control; *bli* ~ *over ilden* get the fire under control; *spille* ~ lord it (*over* over); T do it big; (*legge seg etter pene manerer*) play the gentleman; *kona er* ~ *i huset* the grey mare is the better horse; it is she who wears the breeches; the wife rules the roost; *som -n er, så følger ham hans svenner* like master like man; (*se gjøre B & leve*).

II. herre: *denne* ~, *dette* ~ T this here.

herrebesøk: «~ *ikke tillatt*» 'male (*el.* men) visitors not allowed'.

herred (*landkommune*) rural district; US township.

herreds|kasserer chief cashier. **-skogmester** [rural district forester].

herredsstyre rural district council; (*jvf kommune & kommunestyre*).

herredømme sway, rule, dominion; mastery, command, grasp; ~ *over språket* the command of the language; ~ *over seg selv* self-control.

herre|ekviperingsforretning men's outfitter, men's shop, man's shop; US men's furnishers. **-gård** manor (house). **-konfeksjon** men's clothing, gentlemen's outfitting; US men's furnishings. **-løs** ownerless. **-måltid** lordly repast. **-selskap** (*samvær med herrer*) men's company; (*innbudte herrer*) men's party; T stag party. **-sete** manor (house). **-skredder** (men's) tailor.

herrnhuter Moravian.

herskap master and mistress of a household; (*ofte* =) family (*fx* the maid eats with the f.).

herskapelig elegant, luxurious; *et* ~ *hus* T a house fit for a king (to live in).

herske (*vb*) sway, rule; reign, prevail, predominate. **-nde** ruling; prevailing, prevalent.

hersker sovereign, master, ruler. **-blikk** commanding eye, imperious glance. **-inne** mistress. **-makt** supreme authority, sovereignty. **-mine** commanding air. **-natur:** *han er en* ~ he is a born ruler (of men).

herske|syk imperious; ambitious; domineering. **-syke** imperiousness; craving for power; domineering.

her|steds here. **-til** (*hit*) here; (*i tillegg til dette*) in addition to this; ~ *kommer omkostninger* (*el. gebyr*) (*også*) to this we must add charges; *like før vi dro* ~ mmediately (*el.* shortly) before we left to get here; just before we came here; *nyheten har ikke nådd* ~ the news has not reached here.

hertug duke. **-dømme** duchy. **-inne** duchess.

her|under under here, below here; (*medregnet*) including. **-ved** herewith, hereby, by this; (*ved hjelp av dette*) by this means. **-værende** of this town, local.

hes hoarse, husky. **-(e)blesende** out of breath; breathless; flurried; (*fig*) flustered.

I. hesje (*subst*) hay-drying rack.

II. hesje (*vb*) dry hay on a rack.

heslig ugly; (*avskyelig*) hideous.

heslighet ugliness; hideousness.

I. hespe *subst* (*garn-*) hank.

II. hespe (*vb*) form into hanks.

hespetre wool-winder, yarn-reel; (*fig*) sorehead.

Hessen (*geogr*) Hesse. **hesser, hessisk** Hessian.

hest 🐴horse;(*i gymnastikksal*) (vaulting) horse; *til* ~ on horseback, mounted; *stige til* ~ mount, get on one's horse; *stige av -en* dismount, get off one's horse; *sette seg på den høye* ~ get on one's high horse; (*overfor en*) take a high line with sby.

heste|brems 🐴horsefly. **-dekken** horse cloth, horse blanket. **-dressur** horse-breaking. **-handel** horse dealing; (*den enkelte*) horse deal; (*fig*) (piece of) horse trading; *inngå en* ~ *med en* do a piece of horse trading with sby; US make a horse trade with sby. **-hov** horse's hoof; (*fandens*) cloven foot; 🌱 coltsfoot; *stikke -en fram* show the cloven foot, reveal one's real nature. **-hår** horsehair. **-igle** 🐛 horseleech. **-kastanje** 🌰 horse chestnut. **-kjenner** judge of horses, judge of horseflesh. **-kraft** horsepower, h.p. **-kur** heroic treatment (*el.* remedy), drastic

remedy, kill-or-cure remedy. **-man, -manke** horse's mane. **-marked** horse fair. **-møkk** horse dung. **-passer** groom. **-pære** horse ball. **-sko** horseshoe. **-tyv** horse thief, horse stealer. **-tyveri** horse-stealing. **-veddeløp** horse race.

het hot; *den -e sone* the torrid zone; *-e viner* dessert wines; *bli* ~ *om ørene* (*fig*) get the wind up; *det er svært -t mellom dem* they are as thick as thieves; they are very much in love; *det gikk -t til* it was hot work.

I. hete (*subst*) heat; *i stridens* ~ in the heat of battle.

II. hete (*vb*) be called, be named; *hva -r det på norsk?* how do you say that in Norwegian? what is the Norwegian for that? what is that in Norwegian? *som det -r i visa* as the song has it, as the song goes; *det er noe som -r å være* . . . there is such a thing as being . . .

hete|blemmer prickly heat, heat-rash. **-slag** heatstroke.

hetitt (*hist*) Hittite.

hette hood, cowl, cap.

hetære hetaera.

hevd 1 (*sedvane*) established custom (*el.* practice), tradition, common usage; (*jur*) prescriptive right (*el.* title); *få* ~ *på* (*jur*) gain (*el.* acquire) a (p.) right (*el.* title) to; *det har fått* ~ it is a practice established by usage; *en skikk som har gammel* ~ a time-honoured custom; *det er* ~ *på denne stien* this path is a right of way; 2 (*god stand*): *holde i* ~ preserve, maintain; *holde en skikk i* ~ preserve (*el.* keep up) a custom.

hevde (*vb*) maintain, assert, claim; (*opprettholde*) uphold (*fx* the honour of one's country); *han -t meget sterkt at* he maintained most emphatically that; ~ *sin plass,* ~ *seg* hold one's own.

hevdsrett prescriptive right (*el.* title).

hevdvunnen time-honoured (US: time-honored), old-established; (*se praksis*).

heve (*vb*) raise; (*fjerne*) remove; (*kontrakt*) cancel; (*møte*) close; (*stemmen*) raise; ~ *forlovelsen* break off the engagement; ~ *et kjøp* cancel a purchase (*el.* deal); (*jur*) repudiate a contract of sale; ~ *penger* draw money; ~ *en karakter* raise a mark, give a better mark; *erklære møtet for -t* declare the meeting closed; ~ *en sjekk* cash a cheque; (US: check); ~ *til skyene* praise to the skies; *da retten ble -t* when the court rose; ~ *seg* rise, swell; (*om fjell*) tower, rear themselves; (*om deig*) rise; ~ *seg over noe* rise above sth, be above sth; *være -t over* (*fig*) be above; *-t over all ros* (*,tvil*) beyond all praise (*,doubt*).

hevelse swelling.

hevelsesmiddel (*for bakverk*) raising agent.

hevert pipette; (*togrenet*) siphon, syphon.

hevn revenge, vengeance; ~ *over* revenge on; *ta en grusom* ~ *over* inflict a cruel revenge on; *-en er søt* revenge is sweet.

hevne (*vb*) revenge, avenge; ~ *seg på* revenge oneself on, avenge oneself on, take vengeance on; *det -r seg* it bring its own punishment.

hevner avenger.

hevngjerrig vindictive, revengeful.

hi winter lair; *ligge i* ~ hibernate.

hieroglyff hieroglyph. **-isk** hieroglyphic.

hige (*vb*) aspire (*etter* to), yearn (*etter* for).

hikk hiccough, hiccup.

hikke (*vb & subst*) hiccough, hiccup.

hikst gasp. **hikste** (*vb*) gasp.

hildre (*vb*) 1. hover on (*el.* over) the horizon; 2 (*dial*) appear larger than in reality; (*i tåke og disig luft*) tower up (in fog and mist).

hildring mirage, fata morgana; hallucination, illusion.

hilse (*vb*) greet; bow to; ✕ salute; ~ *på en* greet sby; (*besøke*) pay sby a call, go and see sby; *jeg hilste på ham, og han hilste igjen* I greeted him and he acknowledged me (*el.* greeted me back); I greeted him and he returned the greeting; I moved to him and he moved back; *jeg skal komme og* ~ *på Dem* I shall come and see you; ~ *med flagget* dip the flag; ~ *med hurrarop* cheer; *han hilste ikke på meg i går* T he gave me the go-by yesterday; *hun hilste ikke på meg* she cut me short; *han ba meg ~ alle hans venner* he desired to be remembered to all his friends; he asked me to remember him to all his friends; *hils ham fra meg* remember me to him; give him my compliments; *hils ham fra meg og si at* till him with my compliments that; *jeg skulle ~ fra professoren og si* the professor's compliments, and . . .; *hils henne fra meg (også)* give my love to her; *hils hjemme* good wishes to all at home; *jeg kan ~ fra* I have just seen; *(se hjertelig)*.

hilsen *(personlig)* greeting; *(sendt)* greeting, compliments; ✗ salute; *besvare en ~* return a greeting; ✗ return a salute; *med vennlig ~* with sincere regards, with kind regards; *med ~ fra G. Fry & Co.* with the compliments of G. Fry & Co.; *(merk. også)* with compliments; *(ved høytid)* with the compliments of the Season; *med ~ fra forfatteren* with the author's compliments; *de sender alle en vennlig ~* all unite in kindest regards; *kjærlig ~ fra* love from; *som en ~* in greeting; *han løftet hånden til ~* he raised his hand in a salute.

Himalaya the Himalayas.

himle *vb (med øynene)* roll one's eyes.

himling panelled ceiling.

himmel *(himmerike)* heaven; *(himmelhvelving)* sky; *-en (fig)* heaven; *under åpen ~* in the open; out *(fx* sleep out); *-en er overskyet* the sky is overcast; *sola stod høyt på -en* the sun was high; *sette ~ og jord i bevegelse* move heaven and earth; *et lyn fra klar ~* a bolt from the blue; *å ~* oh Heavens! *for -ens skyld* for Heaven's sake; *fare til -s* ascend to heaven; *~ og jord gikk i ett* the horizon was completely blotted out; the snowstorm was blinding; *komme til -en* go to heaven; *i den syvende ~* in the seventh heaven.

himmel|blå sky-blue, azure. **-bryn** skyline; *langt ut mot -et (poet)* far off, on the very brink of heaven. **-fallen** fallen from the sky; *han sto som ~* T you could have knocked him down with a feather.

himmelfart Ascension; *Kristi -sdag* Ascension Day.

himmel|flukt heavenward flight. **-hvelving** vault of heaven, firmament. **-høy** sky-high; *stå -t over en (fig)* be far above sby. **-legeme** heavenly body, celestial body, orb. **-rom** outer space; heavens. **-seng** four-poster.

himmelsk heavenly, celestial; *det -e rike* the Heavenly Kingdom; *(Kina)* the Celestial Empire.

himmel|sprett tossing in a blanket; leap into the air. **-stige** Jacob's ladder. **-stormende** heaven-defying. **-stormer** Titan. **-strebende** soaring *(fx* flight, ambition); *(høy)* towering. **-strøk** zone, latitude, skies *(fx* under distant skies). **-tegn** sign of the zodiac. **-vendt** upturned.

himmelvid enormous.

himmelvidt *(adv)* widely; *de er ~ forskjellige* they are worlds apart; they are as different as chalk from cheese.

himmerik heaven, Paradise.

hin: *dette og -t* this and that.

hind ♀ hind.

hinder hindrance, impediment, obstacle; *(ved ritt)* jump, fence; *være til ~ for* be a hindrance to; obstruct; *det er ingenting til ~ for* there is nothing to prevent. **-løp** steeplechase.

Hindostan Hindostan. **h.-sk** Hindostanee.

hindre *(vb)* prevent, hinder, obstruct, impede; *~ en i å* prevent sby from -ing.

hindring hindrance, obstacle, impediment, obstruction; *legge -er i veien for* put obstacles in the way of; *støte på -er* meet with obstacles.

hindu Hindoo, Hindu.

hingst ♂ stallion.

hinke *(vb)* limp, hobble; *(se halte)*.

hinne membrane, pellicle; *(svært tynn)* film. **-aktig** membranous, filmy.

hinsides beyond, on the other side (of); *et ~* a hereafter.

hinsidig: *det -e* the hereafter, the life to come.

I. hipp innuendo, dig; *det var et ~ til deg* that was a dig at you; that was one for you.

II. hipp!: ~ ~ *hurra!* hip hip hurray!

III. hipp: *det er ~ som happ* it's six of one and half a dozen of the other; it makes no difference; I don't really care.

hird (king's) bodyguard, king's-men.

hirse ♣ millet.

hisse *(vb)* agitate, excite, work up, goad; *~ opp* excite, egg on, work up; *~ seg opp* work oneself up; *hiss deg ikke opp* don't lose your temper! T keep your hair *(el.* shirt) on! *~ dem på hverandre* set them at each other's throats.

hissig hot-headed, quick-tempered; *(fyrig, heftig)* fiery, ardent; *(ivrig)* eager; keen; *-e ord* heated words; *~ på (el.* etter) keen on; *ikke så ~!* take it easy! *bli ~* lose one's temper, fly into a passion.

hissighet (hot) temper; fieriness; *i et øyeblikks ~* in the heat of the moment.

hissigpropp hotspur, hothead, spitfire.

hist: *~ og her* here and there.

historie 1 *(historisk beretning, vitenskap)* history; 2 *(fortelling)* story; 3 *(sak)* affair, business; *-n* history; *den nyere ~* modern history; *en sørgelig ~* (3) a sad affair, a sad business; *det er en fin ~* that's a pretty kettle of fish; *hele -n* the whole business; *derom tier -n* that is not on record; *(jvf vitterlig)*; *det vil gå over i -n* it will go down to history; it will become h.; *gjøre en lang ~ ut av det* spin a story out of it.

historie|forsker historian. **-forskning** historical research. **-skriver** writer of history.

histori|ker historian. **-sk** historic(al); *på ~ grunn* on historic ground.

hit here; *~ og dit* here and there; hither and thither; *~ inn* in here; *~ med boka!* give me the book (directly)! *(se også hertil)*.

hitte|barn foundling. **-gods** lost property. **hittegodskontor** lost property office.

hittil till now, so far, thus far, as yet, up to now, up to this time, up to the present; hitherto.

hive *vb (trekke, hale)* heave; hoist *(fx* anchor); *(kaste)* throw, heave; *(om sjøen)* rise and fall; *hiv ohoi!* heave ho! *~ etter pusten* gasp for breath.

hjalt hilt.

hjell loft (of loose boards); *(til å tørke fisk på)* drying rack.

hjelm helmet.

hjelmbusk plume (of a helmet), crest.

hjelmgitter visor.

hjelp help; *(bistand)* assistance, aid; *(understøttelse)* support, relief; *(legemiddel)* remedy *(mot* against); ~! help! *avhengig av fremmed ~* dependent on other people's help *(el.* on h. from other people); *med Guds ~* God willing; *komme en til ~* come to sby's assistance; *rope om ~* cry out for help; *søke ~ hos en* apply to sby for help; *ta til ~* have recourse to; *ta fantasien til ~* draw on one's imagination; *ta natten til ~* sit up all night; burn the midnight oil; *være til ~ for en* be of assistance to sby; *jeg håper dette vil være Dem til ~* I trust this will be helpful to you; *være til god ~ for en (komme en til nytte)* stand sby in good stead; *uten ~* unaided; without help from anyone *(fx* the pupil gave an assurance that he had written the essay without h. from anyone); *ved ~ av* by means of; *ved felles ~* between us (,you, them, *etc*); *(se tilsagn)*.

hjelpe *(vb)* help, aid, assist; *(gagne)* avail, be of use, be of help; *(om legemidler)* be good *(mot* for); *det hjalp* it had a good effect; *det har ikke hjulpet meg* I am none the better for it; *hva -r det?* what use is it? *hva -r det å* what is the good of -ing; *det -r ikke* it's no good; it's no use; that's no help; *det får ikke ~* it can't be helped; there is no help for it; *(Nå er vi sent* *ute*). — *Det får ikke* ~ *om det blir sent* it can't be helped if it's late; *så sant* ~ *meg Gud* so help me God! *svømte ut for å* ~ *meg* swam to my aid; ~ *en av med* rid sby of; *jeg kan ikke* ~ *for det* I can't help it; ~ *en fram i verden* help sby to get on in the world; *det -r mot hodepine* it is good for headaches; ~ *en med å* assist sby in -ing; ~ *ham på med frakken* help him on with his coat, help him into his coat; *det -r på fordøyelsen* it assists digestion; *for å* ~ *på inntektene* to eke out one's income; ~ *på ens hukommelse* jog sby's memory; ~ *til* lend a (helping) hand; (*se også stryke 5*); ~ *en til rette* help sby, lend sby a (helping) hand; *vi må -s at* we must help one another; ~ *seg med* make shift with; ~ *seg så godt man kan* manage for oneself.

hjelpe- auxiliary.

hjelpe|aksjon relief action; relief scheme (*fx* start a r. s.), relief measures (*fx* organize r. m.); *de satte i gang en* ~ *til fordel for vanføre barn* (*også*) they ran a campaign to help disabled children. **-kilde** resource. **-lærer** (*ved universitet*) part-time lecturer. **-løs** helpless. **-løshet** helplessness. **-mann** (*på lastebil*) driver's mate. **-middel** remedy, aid, help. **-r** helper, assistant. **-tropper** auxiliaries, auxiliary troops. **-verb** auxiliary (verb).

hjelpsom ready to help, willing to help, helpful. **-het** readiness to help, helpfulness.

I. hjem (*subst*) home; *i -met* in the home; *det var mitt annet* ~ it was a home from home.

II. hjem (*adv*) home; *dra* ~ go home; *gå nedenom og* ~ go to the dogs; *da han kom* ~ when he got back home; *ta* ~ *en vare* import an article; (*se refreng*).

hjembygd native district; *hun er fra hans* ~ she is from his n. d. (*el. from the same country district as he*).

hjemfalle (*vb*) revert (*til* to).

hjem|fart (*til sjøs*) homeward voyage, passage home. **-frakt** homeward freight. **-føre** (*vb*) import; bring home. **-kalle** (*vb*) summon home, recall. **-komst** return (home), home-coming; *ved min* ~ on my return home; on returning home.

hjemland native country.

hjemle (*vb*) 1 (*gi hjemmelsbrev på*) give a title to; (*til skjøte*) convey; (*overdra*) vest; (*bevise*) establish, make out; (*bevise sin atkomst til*) prove one's title to; (*om lov, vedtekt*: gi (*el. være*) *hjemmel for*) authorize, justify, warrant; *-t i* founded on (*fx* the right f. on the law of the province); 2 (*kunne støtte, underbygge, begrunne*) bear out, support; *en vel -t oppfatning* a well authenticated view.

hjemlengsel homesickness; nostalgia, longing for home; *ha* ~ be homesick.

hjemlig domestic, home-like, cosy, snug, comfortable.

hjemløs homeless. **-het** homelessness.

hjemlån 1 (*av bøker*) borrowing books for use outside the library, taking out books; 2 (*merk*) home approval.

hjemme at home; *her* ~ with us; (*her i landet*) in this country; *lat som du er* ~ make yourself at home; *være* ~ *fra skolen* be home from school; *er B.* ~? is B. in? *han var ikke* ~ he was not at home; *jeg er ikke* ~ *for noen* I will see nobody; *være* ~ *i* be at home in, be conversant with; *høre* ~ *i* be a native of; *skipet hører* ~ *her* the ship belongs here; *det hører ingen steder* ~ it is neither here nor there; (*passer seg ikke*) it is quite out of place; (*se også hilse & sted A*).

hjemme|arbeid homework, work at home; (*som erverssystem*) outworking. **-avlet** home-grown, home-bred. **-bakt** home-made. **-bane** home ground; *kamp på* ~ home match (*el. game*); *spille på* ~ play at home; US play a home game.

hjemmebrenner illicit distiller.

hjemmebrenning illicit distilling.

hjemmebrent (*subst*) = hooch; US (*også*) moonshine.

hjemmefiske inshore fishing.

hjemmeforbruk home consumption.

hjemme|fra away from home; *da jeg reiste* ~ when I left home. **-fryser** freezer, conservator, storage-freezer cabinet.

hjemme|gjort home-made. **-hørende** native (of), belonging to; (*bosatt*) domiciliated, resident (*i* in); (*om skip*) registered (*i* at). **-kamp** (*fotb*) home match (*el. game*). **-kjent** acquainted with the locality.

hjemmel 1 (*lovlig besittelse* (*atkomst*) *til noe*) title, proof; *ha* ~ (*på*) have a title (to), have a proof of lawful acquisition; *skaffe* ~ *på* prove one's title to; 2 (*gyldighet, lovlighet*) warrant, authority; *det fins ikke noen lov- for* there is no legal authority for; there exists no legal basis for; *hvilken* ~ *har De for den uttalelsen?* what authority have you for that statement? *handle uten* ~ act without authority; *det savner enhver* ~ it is entirely unwarranted; *med* ~ *i* (*jur*) pursuant to (*fx* p. to these regulations); *til* ~ *for fordringen legger jeg ved* in proof of the claim I enclose . . .

hjemmelag (*idrett*) home side.

hjemmelaget home-made.

hjemmelekser (*pl*) homework, home lessons.

hjemmelsmann authority, informant.

hjemmemenneske stay-at-home.

hjemmeseier (*fotb*) home win (NB *i tipping*: 2 homes, 1 away, 1 draw).

hjemme|sitter stay-at-home; (*ved valg*) abstainer; US non-voter. **-stil** essay as homework; *gi* ~ set an e. as h. **-vant** at home.

hjem|over homeward. **-reise** home journey; (*med skip*) homeward passage (*el. voyage*). **-sendelse** sending home; (*til fedrelandet*) repatriation.

hjemstavn native soil, home.

hjemstavns|lære regional study. **-rett:** *han har* ~ *i Oslo* (*kan gjengis*) he is registered as a resident of Oslo.

hjemsted domicile; (*forsørgelseskommune*) [one's own parish (where one has a right to public support if a pauper)]; ♏ home port; port of registry; *på -et* (*oftest*) in the home.

hjemsøke (*vb*) visit (*på* upon); (*forurolige, plage*) afflict, infest; ~ *fedrenes synder på barna* visit the sins of the fathers upon the children; *de hjemsøkte* the victims (*fx* of a disaster).

hjemve homesickness; *ha* ~ be homesick.

hjemvei way home; *begi seg på -en* make for home, set out for home; *jeg har lovt å følge ham et stykke på -en* I have promised to walk part of the way back (*el. home*) with him; *være på -en* be on one's way home; ♏ be homeward bound.

hjemvendt returned.

hjerne brain; (*forstand*) brains; *den store* ~ the brain proper, the cerebrum; *den lille* ~ the cerebellum; *-n bak foretagendet* the mastermind of the undertaking; *bry sin* ~ cudgel (*el. puzzle el. rack*) one's brains; *legge sin* ~ *i bløt: se ovf* (*bry*); *ha fått film* (,*etc*) *på -n* have got the pictures (,*etc*) on the brain; *i hennes stakkars, forkvaklede* ~ in her poor, twisted mind.

hjerne- cerebral, of the brain.

hjerne|betennelse inflammation of the brain, brain fever. **-blødning** cerebral haemorrhage. **-bløthet** softening of the brain. **-boring** trepanning. **-hinne** membrane of the brain. **-hinnebetennelse** cerebrospinal meningitis. **-masse** cerebral matter. **-rystelse** concussion (of the brain). **-skalle** skull, cranium. **-slag** stroke. **-spinn** figment (of the brain). **-sykdom** disease of the brain. **-virksomhet** cerebration, cerebral activity.

hjerte heart; *-t mitt banker* my heart beats; my heart throbs; *lette sitt* ~ unbosom oneself; *det som -t er fullt av, løper munnen over med* out of the abundance of the heart the mouth speaks; *tape sitt* ~ lose one's heart; *-ns gjerne* by all means, with all my heart; *-ns glad* overjoyed;

-*ns glede* heartfelt joy; -*ns god* tender-hearted; -*ns mening* one's (profound) conviction; -*ns venn* bosom friend; **av** *hele mitt* ~ with all my heart; *av -ns lyst* to my (,his, *etc*) heart's content; *av et oppriktig* ~ sincerely; *ha* ~ **for** have some feeling for; *det kommer* **fra** -*t* it comes from my heart; I am in earnest; *det skjærer meg* **i** -*t* it cuts me to the quick, it causes me a pang; *i sitt innerste* ~ in his heart of hearts; *lett* **om** -*t* light-hearted; *denne viten gjorde oss imidlertid ikke lettere om -t* this knowledge, however, did nothing to lighten our hearts; *jeg er tung om -t* my heart is heavy; I am sick at heart; *jeg kan ikke bringe det* **over** *mitt* ~ *å, jeg har ikke* ~ *til å* I cannot find it in my heart to; I have not the heart to; *ha noe* **på** -*t* have something on one's mind; *det som ligger meg mest på* -*t* what I have most at heart; *hånden på* -*t!* honour bright! *han har* -*t på rette sted* his heart is in the right place; *legge seg på* -*t* lay to heart; *bærer* **under** *sitt* ~ carries under her heart.

hjerte|angst agony of fear. **-banking** palpitation (of the heart). **-blod** heart's blood. **-feil** organic heart disease. **-fred** peace of mind. **-infarkt** cardiac infarction, infarct of the heart; thrombosis. **-kammer** ventricle (of the heart). **-klapp** 1. palpitation of the heart; 2. cardiac valve; *det ga meg* ~ it made my heart go pit-a-pat. **-knuser** lady-killer. **-lag** a kind heart; *ha* ~ have one's heart in the right place.

hjertelig (*adj*) hearty, cordial; (*oppriktig*) sincere; (*adv*) heartily, cordially; *gratulere en* ~ offer sby one's sincere congratulations; *hilse* ~ *på en* greet sby warmly; *le* ~ laugh heartily; *vi lo* ~ we had a good laugh; *takke en* ~ thank sby cordially; ~ *gjerne* with all my heart.

hjertelighet cordiality; (*oppriktighet*) sincerity. **hjerte|løs** heartless; (*hensynsløs*) callous. **-løshet** heartlessness; callousness.

hjertenskjær (*subst*) sweetheart.

hjerteonde heart trouble.

hjerter ♣ hearts; ~ *ess* the ace of hearts; *en* ~ a heart.

hjerterom: *hvor det er* ~, *er det også husrom* where there is a will, there is a way.

hjerte|rot (*fig*) innermost heart, the (very) cockles of one's heart; *det varmet meg helt inn til hjerterøttene* it warmed the very cockles of my heart. **-sak:** *det er en* ~ *for ham* he has it very much at heart; it is a matter very near to his heart. **-skjærende** heart-rending.

hjerteslag heartbeat; (*lammelse*) heart failure. **hjertestyrkende** fortifying.

hjerte|styrkning refreshment, drink, pick-me -up. **-sukk** deep-drawn sigh. **-sykdom** heart disease. **-transplantasjon** heart transplant, heart transplantation. **-transplantasjonspasient** heart -transplant patient. **-venn** bosom friend; *de er* -*er* S they are kittens in a basket.

hjord herd, flock.

hjort ♣ deer, hart, stag.

hjorte|kalv fawn, young deer. **-kolle** hind. **-skinn** buckskin, deerskin. **-takk** stag's antler; ♂ (salt of) hartshorn. **-takksalt** salt of hartshorn.

hjul wheel; *slå* ~ (*gym*) turn (*el.* throw *el.* do) cartwheels; *han er femte* ~ *på vogna* he is one too many, he is playing gooseberry.

hjul|aksel (wheel) axle. **-beint** bandy-legged, bow-legged. **-damper** paddle steamer. **-maker** wheelwright. **-spor** rut, wheel track. **-visp** rotary beater, mechanical (egg) whisk.

hjørne corner; (*humør, sinn*) humour (US: humor), mood; *om* -*t* round the corner; *svinge om -t* turn the corner; *han bor på -t av* he lives at the corner of it; (*se også øverst*).

hjørne|butikk corner shop. **-kamin** corner fireplace; (*jof kamin*). **-skap** corner cupboard. **-stein** cornerstone. **-tann** canine tooth; (*jof øyentann*).

hk. (*fk. f. hestekrefter*) h.p. (*fk. f.* horsepower).

hm hem! ahem! h'm!

hockey hockey. **-kølle** h. stick.

hode head; (*avis-*) heading; headline; (*pipe-*) bowl; (*begavelse*) brains, intelligence, head; A [*Forb. med adj*] *de beste* -*r i landet* the **best** brains of the country; *et godt* ~ a brainy fellow (,girl, *etc*); *et* ~ *høyere* a head taller, taller by a head; *kloke* -*r* brainy people, clever p.; (*iron*) wiseacres; *urolige* -*r* turbulent elements, hotheads; *et vittig* ~ a wit; B [*Forb. med vb*] *bry sitt* ~ rack (*el.* cudgel) one's brains; *bære* -*t høyt* carry one's head high; *bøye -t* bow (*el.* bend) one's head; *følge sitt eget* ~ have (*el.* go) one's own way, please oneself, refuse to listen to advice; **ha** ~ *til* have a (good) head for; *ha et godt* ~ have good brains; **holde** -*t kaldt* keep cool, keep one's head, have one's wits about one; retain one's composure; **legge** *sitt* ~ *i blot* rack (*el.* cudgel) one's brains; *de* **stikker** -*ne sammen* they put their heads together; C [*Forb. med prep*] *det er ikke* **etter** *mitt* ~ it is not to my liking; *kort* **for** -*t* snappish; *ha litt* **i** -*t* (*være beruset*) T be tipsy, be squiffy; *ha vondt i -t* have a (bad) headache; *regne i -t* reckon in one's head, reckon mentally; *sette seg noe i -t* take a thing into one's head; *slå en i -t* hit sby over the head; T give sby a crack on the nut; *jeg kan ikke få det* **inn i** *mitt* ~ I cannot get it into my head; it is beyond me; *henge med* -*t* hang one's head; be down in the mouth; *se* **over** -*t på en* (*fig*) look down (up)on sby; slight (*el.* ignore) sby; *vokse en over -t* (*fig*) become too much for sby; *vanskene vokser oss over -t* the difficulties are more than we can cope with (*el.* are getting beyond our control); *sette saken* **på** -*t* turn things upside down; *stupe på -t (ut i vannet)* take a header; *treffe spikeren på -t* hit the nail on the head; *som stiger til -t* (*fx om vin*) heady; *jeg kan ikke få det ut av -t* I cannot get it out of my head; *få det ut av -t ditt!* put it out of your head! (*se I. først*).

hode|arbeid brainwork. **-bry** worry, trouble; *volde en* ~ cause sby worry (*el.* trouble); *puzzle* sby. **-bunn** scalp. **-fødsel** cephalic presentation. **-gjerde** head (of the bed), headboard. **-kulls** headlong; *kaste seg* ~ *ut i noe* plunge h. (*el.* head foremost) into sth, plunge head over heels into sth. **-løs** headless. **-pine** headache; *jeg har (en fryktelig)* ~ I have a (splitting) headache; ~ *med kvalme* a sick headache. **-plagg** headdress, headgear. **-pute** pillow. **-pynt** headdress, head ornament. **-regning** mental calculation, mental arithmetic. **-telefon** headphone, earphone.

hoff court; *ved -et* at Court.

hoff|ball Court ball. **-dame** lady-in-waiting. **hofferdig** haughty. **-het** haughtiness. **hoff|folk** courtiers. **-frøken** lady-in-waiting. **-leverandør** purveyor to the Court. **-marskalk** Marshal of the Court; (*i England*) Lord Chamberlain; (*se hoffsjef*). **-narr** Court jester. **-sjef** Lord Chamberlain; (*i England*) Master of the [Queen's el. King's] Household. **-sorg** Court mourning. **-stallmester** Crown Equerry; (*i England*) Master of the Horse.

hofte hip; (*se svaie*). **-betennelse** coxitis. **-holder** suspender belt, girdle; US garter belt; (*jvf strømpestropp, sokkeholder og bukseseler*). **-ledd** hip joint. **-skade** dislocation of the hip. **-skål** hip socket.

hogg cut, slash, blow.

hogge (*vb*) cut, hew; (*smått*) chop; (*med nebbet*) peck; (*tømmer*) fell; US (*især*) cut; (*om bilmotor*) knock; ♣ pitch; ~ *av* cut off; ~ *etter* strike at (*fx* with an axe); ~ *ned for fote* cut down indiscriminately; ~ *opp* (*bil, skip*) break up; ~ *ved* chop wood; *skipet* -*r* the ship is pitching; ~*løver* cut (in two); ~ *sønder og sammen* cut to pieces; ~ *til* strike; (*tilhogge*) shape; ~ *ut i stein* carve in stone; *han har hogd seg i hånden* he has cut his hand; ~ *seg gjennom* cut one's way through (*fx* the enemy),

hogg|estabbe chopping block. **-jern** chisel.
hoggorm ♂ viper, adder.
hoggtann fang; (*større*) tusk.
hogst felling; US cutting.
hogst|avfall brush, felling waste; US logging waste. **-forbud** prohibition of felling (US: cutting).
hogstmoden mature.
hoi *int* ♣ ahoy!
hokuspokus hocus-pocus, funny business.
hold (*tak*) hold, grasp, grip; (*karakter*) backbone, firmness; T guts; (*avstand*) range, distance; (*muskelømhet*) pain (*el.* stitch) in the side; (*kant*) quarter, source; **fra** *alle* ~ from all quarters; *fra annet* ~ from another quarter; *fra høyeste* ~ on the highest authority; *fra pålitelig* ~ from a reliable source; *fra velunderrettet* ~ from a well-informed quarter; *være i godt* ~ be stout; T be well covered; *hun er i godt* ~ (*spøkef. også*) she's plump and pleasant; **på** *enkelte* ~ in some quarters; *på hundre meters* ~ at 100 metres' range; *på informert* ~ *hevdes det at de er* . . . according to informed sources they are . . .; *på informert* ~ *her mener man at* . . . informed opinion here is that . . .; *på kloss* ~ at close range; *på langt* ~ at a great distance, far off; (*om skudd-*) at long range; *på mange* ~ *mente man at* . . . it was widely felt that . . .; *på nært* ~ at close quarters, near at hand; (*skudd-*) at short range.
holdbar 1 (*om bruksgjenstand*) durable, lasting; (*om stoff*) good-wearing, that wears well; (*om matvarer*) that keeps, that will keep, keeping (*fx* a k. apple); non-perishable; 2 (*påstand*) tenable, that holds water; 3 (*grunn*) valid. **-het** wear, durability, wearing quality; keeping quality, tenability; validity; *prøve -en av denne teorien* test the tenability of this theory.
holde (*vt*) hold; (*ikke briste*) stand the strain, hold (*fx* the cable won't hold); (*beholde, vedlikeholde, oppholde*) keep; (*feire*) keep, observe; celebrate; (*underholde*) maintain; (*vedde*) bet; (*et blad*) take (in); (*romme*) hold; (T = *være tilstrekkelig*) be sufficient, do (*fx* I've five kroner left, that will just about do to cover it;) ~ *en høy hastighet* keep up a high speed; ~ *hest* keep a horse; ~ *møte* hold a meeting; *møtet ble holdt i går kveld* the meeting was (held) last night; ~ *sitt ord* keep one's word; ~ *pusten* hold one's breath; ~ *sengen* keep one's bed; *må* ~ *sengen* (*også*) is confined to (his) bed; ~ *stikk* prove true, p. correct; be true, be correct; hold water; hold good; ~ *strengt* keep a tight rein on (*fx* the boy); ~ *en tale* make a speech; ~ *en tone* hold (*el.* sustain) a note; ~ *en med klær* keep sby in clothes; ~ *en med selskap* keep sby company; ~ *lag med* associate with, keep company with; ~ *tilbake* hold back, keep back; ~ *tårene tilbake* keep (*el.* fight) back one's tears; *det vil* ~ *hardt* it will be hard work; it will be touch and go (*fx* whether we finish this tomorrow); *det vil* ~ *hardt for ham å nå toget nå* he'll be hard put to it to catch the train now; ~ *seg* (*om matvarer*) keep; (*m.h.t. avføring*) contain (*el.* restrain) oneself; (*om tøy*) wear well: (*skikk, etc*) survive (*fx* this custom survives in India); persist (*fx* the rumour still persists); *hvis det gode været -r seg* if the weather remains fine; ~ *seg for munnen* hold one's hand before one's mouth; ~ *seg for nesen* hold one's nose; ~ *seg for ørene* stop one's ears; *han holdt seg for seg selv* he kept himself to himself, he kept himself apart; ~ *seg inne* stay in(doors), keep indoors; ~ *seg inne med en* keep in with sby; ~ *seg oppe* (*også fig*) keep afloat; ~ *seg på bena* keep on one's feet; ~ *seg til* stick to; ~ *seg strengt til sannheten* keep strictly to the truth; ~ *seg borte* keep away; *prisene -r seg faste* prices keep (*el.* remain) firm, prices are well maintained; ~ *seg rolig* keep quiet; ~ *seg unna politikk* keep out of politics; ~ **an** (*hest*) pull up, rein in; ~ **av** be fond of, love; ♣ bear away, keep off; ~ **fast** hold on; ~ *fast*

ved hold on to, stick to (*fx* he stuck to his explanation); ~ **for** hold to be, consider to be; look upon as; ~ **fra** *hverandre* keep separate; ~ **fram** hold out (*fx* one's hand, a child); *hold deg* **frempå**, *ellers spiser de andre opp alt sammen* stick close, or the others will eat it all up; ~ **igjen** hold back, resist; ~ *øynene igjen* keep one's eyes shut; ~ **med** side with, agree with; ~ **opp** hold up; ~ *opp med å* leave off, cease, stop (-ing); *hold opp med det der!* stop it! T *chuck it!* ~ *farten oppe* keep up the pace; ~ **på** keep, detain; (*en mening*) stick to, adhere to; (*foretrekke*) be for; ~ *på gamle kunder* keep (*el.* retain) old customers; *han holdt strengt på at det skulle gjøres* he insisted that it must be done; ~ *på med* be engaged in, be busy with; ~ *på å . . .* be -ing; ~ *på sitt* stick to one's opinions; T stick to one's guns; *jeg holdt på mitt* I persisted; I insisted; T I stuck to my guns; ~ **sammen** keep together; ~ **tilbake** keep (*el.* hold) back; ~ **ut** endure, stand, put up (with), hold out (against); *hold ut!* (ɔ: *ikke gi deg*) stick it! ~ *ut fra hverandre* keep distinct; distinguish, keep apart; ~ **ved** like keep up, keep in repair.
holden: *en* ~ *mann* a well-to-do man, a prosperous man; *helt og -t* entirely, wholly.
holde|plass (*buss-, etc*) stop; (*se drosje-*); (*jernb*) unmanned halt; (*jvf stoppested*). **-punkt** fact; basis; *ikke noe* ~ *for klagene* no factual evidence in support of the complaints; *det eneste faste* ~ *i hans tilværelse* the only fixed point in his life; his sheet anchor.
holdning bearing, carriage; (*oppførsel*) conduct, behaviour (US: behavior), attitude; *innta en fast* ~ *i saken* take a strong stand in the matter; *overfor myndighetene inntok han en steil* ~ he adopted a rigid attitude towards the authorities; *den* ~ *X har inntatt i denne saken* the attitude X has taken in this matter; (*se underlig*).
holdningsløs weak, half-hearted, vacillating, spineless. **-het** weakness, spinelessness; (*moralsk*) lack of moral balance.
holdt! halt! *gjøre* ~ halt.
I. holk (*beslag, ring*) ferrule; (*dunk, kar*) tub.
II. holk (*skip*) hulk.
Holland Holland. **hollandsk** Dutch.
hollender Dutchman; *-ne* the Dutch. **-inne** Dutchwoman.
holme holm, islet.
holmgang (*hist*) single combat; (*fig*) battle royal, passage of arms.
holt (*skog-*) clump of trees, grove.
Homer Homer. **h-isk** Homeric.
homogen (*ensartet*) homogeneous.
homoseksuell (*adj*) homosexual; *en* ~ a homosexualist, an invert; T a queer (boy *el.* man), a pansy, a nancy.
homøo|pat homeopath(ist). **-pati** homeopathy. **-patisk** homeopathic.
honning honey. **-kake** gingerbread. **-søt** sweet as honey, honeyed.
honnør honour (US: honor); *gjøre* ~ ✕ salute; *gjøre* ~ *for flagget* salute the colours; *med full* ~ with full honours; *fire -er* ♣ four honours.
honorar fee.
honoratiores (*pl*) dignitaries; T bigwigs.
honorere (*vb*) pay; (*veksel*) honour (US: honor), meet, take up.
hop multitude, crowd; *den store -en* the multitude, the (common) herd, the masses.
hope (*vb*): ~ *seg opp* accumulate, pile up.
hopetall: *i* ~ in great numbers, by the dozen (,hundred, *etc*).
hopp jump, leap; hop; (*i skibakke*) take-off; *lengde-* long jump.
hoppbakke jumping hill; US jump(ing) hill.
I. hoppe ♀ (*subst*) mare.
II. hoppe (*vb*) jump; leap, hop; *hjertet -t i ham* his heart gave a bound; ~ *over* (ɔ: *ikke ta med*) skip; ~ *over et gjerde* jump (over) a fence, leap

(over) a fence; ~ *tau* skip; ~ *ut* (*med fallskjerm*) bail (*el.* bale) out; (*se krype*).

hopper jumper; (*ski-*) ski-jumper.

hoppetau skipping rope.

hopp|lengde (*ski*) distance; *måle -n* record the d. **-norm** jumping style. **-renn** jumping competition; *spesielt* ~ special j. c.

hoppsa (*int*) hallo, hello; (*også* US) whoops.

hoppski jumping ski.

hor adultery; *du skal ikke bedrive* ~ thou shalt not commit adultery.

Horats Horace.

horde horde. **-vis** in hordes; *dyr som lever* ~ gregarious animals.

horisont skyline; (*også fig*) horizon; *i* -*en* on the h.; *det ligger utenfor hans* ~ it is beyond the range of his mind; it is beyond (*el.* outside) his ken; *utvide sin* (*åndelige*) ~ widen one's intellectual h., broaden one's mind; *utvide sin faglige* ~ widen one's professional h.

horisontal horizontal.

hormon hormone.

horn horn; *ha et* ~ *i siden til en* have a grudge against sby; *løpe -ene av seg* sow one's wild oats.

hornaktig horny, corneous.

horn|blåser hornist; ✕ bugler. **-briller** horn -rimmed spectacles. **-et** horned. **-formet** horn -shaped. **-gjel** (*fisk*) garfish.

hornhinne (*anat*) cornea. **-betennelse** inflammation of the cornea; keratitis.

horn|hud horny skin, callosity. **-kvabbe** (*fisk*) yarrel's blenny. **-kveg** horned cattle. **-musikk** brass music; (*jvf musikkorps*). **-signal** ✕ bugle call.

horoskop horoscope; *stille ens* ~ cast sby's horoscope.

hortensia ⚘ hydrangea.

hos with; (*i ens hus*) at sby's (*fx* at his uncle's (house)); *han har vært* ~ *meg* he has been with me; ~ *min onkel* at my uncle's; *sitte* ~ *en* sit with sby; ~ *romerne* among the Romans; *i gunst* ~ in favour with; *en svakhet* ~ a weakness in (*fx* the w. I had noticed in him); *en vane* ~ a habit with; *spise middag* ~ dine with; *ta tjeneste* ~ enter into sby's service; *se folk* ~ *seg* see company; *som det heter* ~ *Byron* as Byron has it.

hose: *gjøre sine -r grønne hos en* curry favour (US: favor) with sby; court sby; go out of one's way to please sby; *så lett som fot i* ~ as easy as falling off a log.

hose|bånd garter; (*se sokkeholder*). **H-båndsordenen** the Order of the Garter. **-lest**: *på -en* in one's stockings.

hosianna *int* (*bibl*) hosanna.

hospital hospital, infirmary; (*se sykehus*).

hospit|ant (*ved skole*) student teacher. **-ere** (*vb*) do one's teaching practice. **-ering** 1. observation; 2. school practice; *sammenhengende* ~ block practice. **-eringstime** observation lesson.

hospits hospice.

hoste (*subst & vb*) cough; ~ *seg i hjel* T cough one's head off. **-anfall** fit of coughing. **-pastiller** cough lozenges.

hostie (*nattverdsbrød*) host.

hotell hotel; *bo på* (*et*) ~ stay at a h.; *drive* (*et*) ~ run a h.; *ta inn på* (*et*) ~ put up at a h. **-direktør** hotel manager. **-eier** hotel proprietor. **-fagskole** hotel and catering school (*el.* college). **-gutt** porter, boots; S buttons; US bellboy, bellhop. **-veien** T: *gå* ~ train for the hotel business. **-værelse** hotel room; *bestille -r* book rooms in a hotel, book hotel accomodation, make hotel reservation; *bestilling av* ~ hotel reservation.

hottentott Hottentot.

I. **hov** (*gude-*) pagan temple, place of worship.

II. **hov** (*på hest*) hoof; (NB *pl*: hoofs *el.* hooves).

hovdyr hoofed animal, ungulate.

hoved|agentur principal agency. **-angrep** main attack. **-anke** principal grievance, p. (*el.* main) objection. **-anklage** main (*el.* principal) charge. **-arbeid** main work. **-arving** principal heir (,heiress).

-attraksjon chief attraction (*fx* the c. a. of an exhibition); T the real draw. **-avdeling** principal (*el.* main) department; (*hovedkontor*) head office; ✕ main body. **-beskjeftigelse** chief occupation. **-bestanddel** main ingredient. **-bok** ledger. **-brannstasjon** fire brigade headquarters. **-bygning** main building. **-dyse** (*i forgasser*) main jet.

hovedfag main (US: major) subject; *ha engelsk som* ~ US: major in English; (*se hovedfagsstudium*).

hovedfags|eksamen (*graden, kan gjengis*) honours degree; *ta* ~ take one's main subject. **-kandidat** main subject candidate (for examination). **-oppgave** [cand. philol. dissertation]. **-student** student doing his (,her) main subject. **-studium** the study of a main subject (*fx* the s. of a m. s. takes a long time); *engelsk som* ~ *er svært krevende* the requirements of English as a main subject are very severe.

hoved|feil cardinal fault; chief defect. **-forhandler** main dealer, main agent. **-forhandling** (*jur*) main hearing. **-formål** chief aim, main objective. **-forskjell** main difference. **-gate** main street. **-grunn** principal reason. **-gård** main farm. **-inngang** main entrance. **-innhold** chief contents. **-karakter** average mark (*el.* rating); US average grade. **-kasserer** chief cashier. **-kilde** main source. **-kontor** head office. **-kreditor** principal creditor. **-kvarter** headquarters. **-ledning** main. **-linje** (*jernb*) main line. **-løp** main channel. **-mangel** main defect. **-mann** principal; (*i opprør*) ringleader. **-masse** bulk. **-motiv** chief motive; ♪ leitmotif. **-næring** staple (*el.* principal *el.* main *el.* chief) industry. **-næringsmiddel** principal (*el.* staple) food, principal article of consumption. **-nøkkel** master key, passkey.

hoved|oppgave 1. main task; 2: *se hovedfagsoppgave*. **-person** principal character. **-post** principal item. **-postkontor** head post office; general post office (*fk.* G.P.O.). **-prinsipp** fundamental (*el.* leading) principle. **-produkt** staple product. **-punkt** main point. **-redaktør** chief editor; (*ved avis*) editor-in-chief. **-regel** principal rule. **-register** general index. **-rengjøring** spring cleaning; *holde* ~ spring-clean, turn out all the rooms. **-rent**: *gjøre* ~ : *se -rengjøring*. **-rolle** principal part, leading part; *spille -n* play the lead; (*fig*) take the leading part (*i* in). **-rute** main route. **-sak** main point. **-sakelig** (*adv*) mainly, principally. **-sete** head office, headquarters. **-setning** (*gram*) principal sentence, main clause. **-skip** (*i kirke*) nave. **-stad** capital. **-stads-** metropolitan. **-stasjon** (*jernb*) main (*el.* central) station. **-styrke** full-time post (*el.* job). **-styrke**: *hans* ~ (*fig*) his force, his strong point. **-sum** (sum) total. **-taler** main speaker. **-tanke** leading idea. **-tema** main theme; . . . *men alle disse er strengt underordnet -et* all these, however, are strictly subsidiary to the main theme. **-trapp** front stairs. **-tyngde** (*fig*) emphasis; *rapporten legger -n på de økonomiske faktorer* the emphasis of the report is on the economic factors; (*jvf hovedvekt*). **-vei** main road. **-vekt** emphasis; *legge -en på* lay particular stress on; (*jvf hovedtyngde*). **-vitne** principal witness.

hoven swollen; (*fig*) arrogant, haughty; T stuck-up. **-het** swelling; (*fig*) arrogance.

hovere (*vb*) exult, triumph, crow, gloat (*fx* he gloated over me).

hoveri (*hist*) villeinage.

hovering exultation, crowing, gloating.

hoveritjeneste (*hist*) villeinage.

hovmester butler; (*på restaurant*) head waiter.

hovmod haughtiness, arrogance; pride; ~ *står for fall* pride goes before a fall. **-ig** haughty, arrogant; overbearing, proud.

hovne (*vb*): ~ *opp* swell.

hov|skjegg fetlock. **-slag** hoofbeat; clattering of horses' hoofs. **-spor** hoofprint.

hu: *se hug*.

hubro 🦉 (great) horned owl.

hud skin; (*av større, korthåret dyr*) hide; *skjelle en -en full* haul sby over the coals; *med* ~ *og hår* skin and all; (*fig*) lock, stock, and barrel (*fx* he accepted the programme l., s., and b.); raw (*fx* he swallowed it all raw).
hud|avskrapning abrasion. **-farge** colour (of the skin); (*ansiktets*) complexion. **-fille** skin flap. **-fletning** flaying, flogging; (*bibl*) scourging; (*fig*) castigation. **-flette** (*vb*) flog, flay; (*bibl*) scourge; (*fig*) castigate, flay. **-fold** fold (of the skin). **-løs** excoriated, raw; (*ved gnidning*) galled. **-løshet** excoriation. **-pleie** care of the skin.
hud|stryke *vb* (*bibl*) scourge; (*se*: *-flette*).
hudsykdom skin disease.
huff! oh! ugh!
hug mind, mood; *det rant meg i -en* I called it to mind; *hans* ~ *står til det* his mind is bent upon it; *kom i* ~ *at du helligholder hviledagen* remember the Sabbath day, to keep it holy.
hugenott Huguenot.
hugg, hugge: *se hogg, hogge*.
hui: *i* ~ *og hast* hurriedly, in hot haste, poste -haste.
huie (*vb*) hoot, yell; (*om vinden*) howl.
huk: *sitte på* ~ squat.
huke (*vb*): ~ *seg ned* squat down, crouch; (*av frykt*) cower; ~ *seg ned bak en busk* T (*spøkef*) do a rural.
hukommelse memory; *en god* ~ a good memory; *etter -n* from memory; *-n min svikter* my memory fails me.
hukommelses|feil slip of the memory, lapse (of memory). **-kunst** mnemonics. **-sak**: *det er en* ~ it's a question of memory. **-tap** loss of memory; amnesia.
hul hollow; (*konkav*) concave; *den -e hånd* the hollow of the hand; *ha noe i sin -e hånd* (*også fig*) hold sth in the h. of one's h.
hulbrystet hollow-chested.
hulder wood nymph.
I. hule (*subst*) cave, cavern; grotto; (*vilt dyrs hule*) den.
II. hule (*vb*) hollow; ~ *ut* hollow (out).
hule|boer cave dweller, caveman, troglodyte.
-forsker cave explorer.
hulhet hollowness; falsity, falseness.
huljern gouge.
hulke (*vb*) sob.
hulkinnet hollow-cheeked.
hull hole; (*om sted, neds*) T godforsaken hole, dump, one-horse town, dead and alive place; (*stukket*) hole, puncture; (*åpning*) hole, aperture; (*gap*) gap; (*lakune*) hole, gap, void, lacuna; *slå* ~ *i* make a hole in; *slå* ~ *på et egg* crack an egg, break an egg (*fx* she broke two eggs into a cup); *stikke* ~ *på byllen* (*fig*) prick the bubble; *et* ~ *i loven* a gap (*el.* loophole) in the law; *ta* ~ *på* (*en tønne*) broach (a barrel); *ta* ~ *på en flaske* open a bottle; *ta* ~ *på kapitalen* break into one's capital.
hullet full of holes.
hullfald hemstitch; *sy* ~ hemstitch.
hullsalig blissful, gracious.
hullsøm hemstitch.
hulmål measure of capacity.
hulning hollow, depression, cavity.
hulrom cavity, hollow space.
hul|slipe (*vb*) grind hollow. **-speil** concave mirror.
hulter: ~ *til bulter* pell-mell, helter-skelter, at sixes and sevens, in a mess.
hulvei sunken road. **huløyd** hollow-eyed.
human humane. **-isme** humanism. **-ist** humanist. **-istisk** humanistic. **-itet** humanity.
humbug humbug. **-maker** humbug, swindler.
I. humle ♞ (*insekt*) bumblebee; *han lar humla suse* T he's going the pace; he's going it; he's letting it rip.
II. humle ♣ hop; (*blomstene, varen*) hops.
hummer ♞ lobster. **-klo, -saks** lobster's claw.
-teine lobster-pot.
humor humour; US humor; *ha sans for* ~ have

a sense of h. **-ist** humorist. **-istisk** humorous; *ha* ~ *sans* have a sense of humour (US: humor).
hump (*i vei*) bump.
humpe (*vb*) limp, hobble; bump (*av sted* along, *fx* on a rough road), jolt (*fx* the car jolted over the rough road); *vogna -t og ristet* the carriage bumped and shook. **humpet** bumpy, rough.
humre *vb* (*om hest*) whinny, neigh; (*le*) chuckle.
humør spirits; mood; *i dårlig* ~ in bad humour; in low spirits, out of sorts; *i godt* ~ in good humour; in high spirits; *de kom i godt* ~ they got into a good mood (*el.* into good spirits); they were cheered up; *ta noe med* ~ grin and bear it, put up with sth cheerfully; *la oss forsøke å ta det med godt* ~ (*også*) let us try to be cheerful about it; *det tar på -et* it's exasperating. **-syke** spleen, blues; *han lider av* ~ he's got the blues.
I. hun (*pron*) she.
II. hun (*subst*) female, she; (*om fugler ofte*) hen (bird).
hun|ape ♞ she-monkey. **-bjørn** ♞ she-bear. **-blomst** ♣ female flower.
hund ♞ dog; (*om jakthunder også*) hound; *mange -er om beinet* more round pegs than round holes; *røde -er* rose rash; German measles; *gå i -ene* go to the dogs, go to the bad; *som en våt* ~ quite abashed; *skamme seg som en* ~ be thoroughly ashamed of oneself; *en skal ikke skue en* *på hårene* appearances are deceptive; *leve som* ~ *og katt* lead a cat-and-dog life; *der ligger -en begravet* there's the rub.
hundeaktig dog-like.
hunde|dager (*pl*) dog days. **-galskap** (*med.*) rabies. **-halsbånd** dog collar. **-hus** kennel. **-hvalp** pup, puppy. **-kaldt** beastly cold. **-kjeks** dog biscuits; ♣ wild chervil. **-koppel** leash of hounds; pack of hounds.
hunde|lenke dog chain. **-liv** dog's life. **-lukt** doggy odour, smell of dog. **-skatt** dog tax. **-slekt** genus of dogs. **-spann** dog team. **-stjerne** dog star. **-syke** (*vet*) distemper. **-vakt** ♣ middle watch. **-vær** nasty weather, foul w.
hundre a hundred; *ett* ~ one hundred; *to* ~ *egg* two hundred eggs. **-de** (*ordenstall*) hundredth.
hundre|del hundredth. **-vis**: *i* ~ by the hundred. **-år** century. **-årig** a hundred years old. **-åring** centenarian. **-årsdag** centenary (*for* of). **-en for** (*også*) the hundredth anniversary of. **-årsjubileum** centenary.
hundse (*vb*) browbeat, bully, push around, hector; treat like a dog.
hundsk dog-like; contemptuous, bullying.
hun|due ♞ hen pigeon. **-elefant** ♞ she-elephant, cow-elephant. **-esel** ♞ she-ass. **-fisk** ♞ female fish, spawner. **-fugl** ♞ female bird, hen bird.
hunger hunger; (*hungersnød*) famine; *dø av* ~ starve to death; ~ *er den beste kokk* hunger is the best sauce.
hungers|død death by starvation; *dø -en* starve to death. **-nød** famine.
hungre (*vb*): *se sulte, være sulten*; ~ *etter* hunger for.
hun|hare ♞ doe-hare. **-hund** ♞ she-dog, bitch. **-kanin** ♞ doe-rabbit. **-katt** ♞ she-cat, tabby-cat. **-kjønn** (*gram*) the feminine (gender); (*kvinne-*) female sex. **-kjønnsendelse** feminine ending. **-løve** ♞ lioness.
hunn: *se II. hun.*
hun|rakle ♣ female catkin. **-rev** ♞ vixen, she-fox. **-rotte** ♞ female rat. **-spurv** ♞ hen sparrow. **-tiger** ♞ tigress. **-ørn** ♞ hen eagle, female eagle.
huri houri.
hurlumhei hubbub, hullabaloo, an awful row.
hurpe hag. **hurpet** (*adj*) unpleasant, sour.
I. hurra cheer, hurray(h), hurray; *la oss rope et tre ganger tre* ~ *for* three cheers for.
II. hurra *int* hurra(h)! hurray! *rope* ~ give a cheer, cheer; *rope* ~ *for ham* cheer him; give him three cheers; *ikke noe å rope* ~ *for* (*fig*) nothing to write home about; nothing to make a song and dance about.

hurrarop cheer, cheering.
hurtig (*adj*) quick, fast; rapid, speedy.
hurtighet quickness, speed, rapidity, celerity, promptitude, dispatch.
hurtig|løp sprinting, sprint race; (*på skøyter*) speed skating; (*på rulleskøyter*) speed roller skating; *Norgesmesterskapet i* ~ *på skøyter* Norwegian speed skating championship. **-løper** (fast) runner, sprinter; (*på skøyter*) speed skater. **-rute** fast service; (*skip*) express coastal steamer, fast coaster.
hurtigtog fast train, express train, express.
hurtigtogsfart: *med* ~ at express speed.
hus house; building (*fx* the buildings on the farm); (*handels-*) house, firm; (*snegle-*) house; **-ets unge sønn** the young son of the h.; *fullt* ~ a crowded house; *foran -et* in front of the house, before the h.; *i -et* (*på stedet*) on the premises; *herren og fruen i -et* the master and mistress of the house; *bringe i* ~ get in; *føre stort* ~ live in (grand) style; *gå mann av -e* turn out to a man, turn out in full force; *holde* ~ keep house; (*ta på vei*) rage, storm; go up in the air; carry on; *holde* ~ *for en* keep house for sby; *ta til takke med det -et formår* take pot-luck; *om sommeren er det* ~ *under hver busk* in (the) summer you can keep house under the hedges; *et familievennlig* ~ a house (that is) suitable for (*el.* well-suited to) family life.
husapotek (family) medicine chest.
husar hussar.
hus|arbeid house work, domestic work, household work. **-behov:** *til* ~: *se -bruk.*
husbestyrerinne housekeeper.
husbond master; (*ektemann*) husband. **-sfolk** master and mistress (in a rural household).
husbruk: *til* ~ for home purposes; for household use; barely adequate(ly), barely (*el.* hardly) enough, just passably; *han kan også snekre litt til* ~ he can do a little carpentry for fun, too; (*Kan De spille piano også, da?*) — *Ja, men bare til* ~ Yes, just enough to amuse myself (*el.* just for fun); *de kan ikke mer engelsk enn til* ~ their knowledge of English is modest.
husdyr domestic animal; (house) pet.
huse (*vb*) house; (*fig*) harbour; US harbor.
huseier house owner; owner of a house.
husere (*vb*) ravage, play havoc with; ~ *med* bully, hector, order about; (*også* US) push around; *de onde ånder som huserte på stedet* the evil spirits that haunted the place.
hus|fang building materials. **-far** head of a family, master of the house; *en god* ~ a good family man.
husflid home crafts (industry), domestic industry; arts and crafts; (*som skolefag*) handicrafts.
husflidsartikler (*pl*) home-made articles representing the domestic industry.
husfred domestic peace; *hva gjør man ikke for -ens skyld* anything for a quiet life; *krenkelse av -en* (*jur*) violation of the privacy of a person's house; trespass (in a person's house, offices, *etc*); (*i Skottland*) hamesucken.
husfritt rent-free (*fx* live r.-f.).
hus|frue mistress (of the house). **-geråd** domestic (*el.* kitchen) utensils. **-hjelp** domestic help (*el.* servant); maid. **-holderske** housekeeper. **-holdning** housekeeping, management of a house. **husholdnings-** household. **-bok** book of household accounts. **-jern** cast-iron kitchen equipment. **-penger** (*pl*) housekeeping allowance (*el.* money). **-saker** (*pl*) household affairs. **-skap** grocery (*el.* spice *el.* kitchen) cabinet. **-vekt** kitchen scales.
I. huske (*subst*) swing.
II. huske *vb* (*gynge*) seesaw, swing, rock; ~ *et barn på knærne* jig a child (up and down) on one's knees; give a child a ride on one's knees.
III. huske (*vb*) remember, recollect, call to mind; *jeg -r godt . . .* I well remember . . . ;

jeg -r ikke navnet hans I forget his name; *hvis jeg ikke -r feil* if my memory serves me right; ~ *på* remember, mind, bear in mind; ~ *en* (*for*) *noe* remember sby for something; *siden så langt tilbake som noen kan* (*,kunne*) ~ within living memory (*fx* w. l. m. they were neat and comfortable homes).
huske|lapp, -liste memo; shopping list. **-seddel** 1. = *-lapp;* 2 (*henvisnings-*) reference slip.
huskestue: *det vil bli en ordentlig* ~ T there will be the devil of a row.
huskjent well acquainted with the house.
huskjole house frock.
huskors domestic nuisance; (*om kvinne*) vixen, holy terror.
huslege family doctor.
husleie rent; (*se sitte:* ~ *med en lav husleie*).
husleie|bok rent book. **-godtgjørelse** rent allowance. **-kontrakt** tenancy agreement. **-loven** (*i England*) the Landlord and Tenant (Rent Restriction) Act. **-retten** the rent tribunal. **-stigning** rent rise (*el.* increase).
huslig domestic; relating to home life; housewifely; **-e plikter** domestic duties; (*husmorens også*) housewifely duties.
huslighet domesticity.
hus|ly shelter. **-lærer** private tutor (*for* to). **-løs** houseless; (*se -vill*).
hus|mann (*hist*) cotter, crofter. **-mannsplass** cotter's farm.
hus|mor housewife; (*ved elev- eller søsterhjem*) home sister; US housemother. **-morkurs** cookery course (*el.* classes). **-morlag** women's institute. **-mortime** (*i radio, svarer til*) talk for housewives. **-morvikar** home help. **-nød** housing shortage. **-orden** (*kan gjengis*) the regulations (*fx* in accordance with the r., silence is requested after 11 p. m.). **-post** domestic post; T d. job; *hun har* ~ she has a d. p.; (*glds*) she is in service, she is in a situation; *ta* ~ take a d. p. **-postill** collection of sermons (for family use). **-rom** accommodation, room; (*se hjerterom*). **-råd** household remedy. **-stand** household. **-stell** (*skolefag*) domestic science; US home economics; *Statens lærerinneskole i* ~ the State College for Domestic Science Teachers. **-telefon** house telephone, inter -office t., interphone; (*det enkelte apparat*) extension. **-tomt** (building) site; US building lot (*el.* site).
hustru wife; *ta henne til* ~ take her for a w.; take her to w.
hus|tukt domestic discipline. **-tyrann** domestic tyrant. **-undersøkelse** search (of a house), domiciliary visit.
husvant familiar with the house; feeling at home.
husvarm warmed up (by being indoors); (*fig*) over-familiar; too familiar; *bli* ~ *hos en* become a friend of the family; *har ikke den husholdersken din begynt å bli temmelig* ~? hasn't that housekeeper of yours begun to be too familiar (*el.* to make herself too much at home)?
husvarme 1. warmth of the house; *han hadde ikke fått -n i seg ennå* he hadn't got warmed up indoors yet; 2. feeling of intimacy due to living in the same house.
husvenn friend of the family.
husvert landlord; (*kvinnelig*) landlady.
hus|vill homeless, houseless. **-vær(e)** shelter, lodging.
hutle (*vb*): ~ *seg igjennom* (*hangle igjennom*) just keep body and soul together.
hutre *vb* (*av kulde*) shiver, tremble (with cold).
huttetu *int* (*uttrykk for at man fryser*) brr; (*ved tanken på noe nifst*) oo.
hva what; (*utrop*) what! ~ *som* what (*fx* ask what is wrong); ~ *du så gjør* whatever you do; *vet du* ~ I'll tell you what; do you know what; ~ *for* (*en, et, noen*) what; ~ *for en mann er det?* what man is that; ~ *var det for en støy?* what noise was that? ~ *behager?* (I) beg your pardon?

~ så what then? well, what of it? ~ som helst anything; gjør ~ som helst du har lyst til do whatever you like.

hval ↟ whale. **-barde** whalebone, baleen. **-blåst** blow, spouting (of a whale). **-fanger** (*skip el. person*) whaler. **-fangst** whaling. **-kokeri:** *flytende* ~ floating factory, factory ship. **-olje** whale oil.

hvalp ↟ puppy, pup, whelp; *få -er* whelp, pup. **hvalpesyke** distemper.

hvalpet puppyish.

hval|rav spermaceti. **-ross** walrus. **-spekk** (whale) blubber. **-unge** whale calf, young whale.

I. hvelv arch, vault; (*bank-*) strongroom.

II. hvelv (*båt-*) overturned (boat) bottom; (*se båthvelv*).

hvelve (*vb*) arch, vault; overturn (*fx* a boat); ~ *seg* arch, vault; *himmelen som -t seg over oss* the overarching sky.

hvelving arch, vault.

hvem who; ~ *av dem?* which of them? ~ *av dere vet?* which of you know(s), how many of you know . . .? ~ *av oss kan ennå huske* . . . who of us can still remember . . .; ~ *vet?* who knows? ~ *der?* who is that? who goes there? ~ *som helst* anybody; ~ *som helst som* whoever.

hvem som helst: *han er ikke en* ~ he is not just anybody.

hveps wasp. **hvepse|bol** wasps' nest; *stikke hånden i et* ~ stir up a hornets' nest. **-stikk** wasp sting.

hver every; each; ~ *den som* whoever; ~ *annen* every second, every other; ~ *annen time* every two hours; *litt av -t* a little of everything; ~ *især* each; *i -t fall* in any case; *de gikk* ~ *sin vei* each went his own way, they went their several ways; *de hadde* ~ *sin bil* each had his own car; *etter -t* little by little, gradually; as time went by; as you go along (*fx* it's difficult at first, but it will be easier as you go along); *etter -t som* as; *etter -t som det blir nødvendig* (*også*) as and when it becomes necessary; *gi* ~ *sitt* give every man his due; ~ *for seg* separately; *de bor* ~ *for seg* they live apart (from one another); *de fem delene pakkes* ~ *for seg* each of the five parts is packed separately; *han kan være her -t øyeblikk* he may be here any minute; *trekke* ~ *sin vei* pull different ways; *Gud og -mann vet* all the world knows.

hverandre each other, one another; *etter* ~ one after another, in succession; *tett på* ~ in rapid succession.

hverdag weekday; *den grå* ~ the usual jog trot, the monotonous round of everyday life; *om -en* on weekdays.

hverdags- everyday.

hverdags|bruk: *til* ~ for everyday use; (*om klær*) for e. wear. **-klær** everyday clothes.

hverdags|lig everyday, ordinary; humdrum, jog-trot, monotonous. **-livet** everyday life. **-menneske** ordinary (*el.* commonplace) person.

hverken: ~ *eller* 1. neither . . . nor (*fx* n. I nor he knows . . .; n. he nor I know); 2 (*etter nektelse*) either . . . or (*fx* they found nothing, e. in the cabinet or elsewhere); *det er* ~ *fugl eller fisk* it's neither flesh nor fowl (nor good red herring); it's neither here nor there; ~ *mer eller mindre* neither more nor less; *han sa ikke noe* ~ *fra eller til* he said nothing the one way or the other; *det gjør* ~ *fra eller til* it (*el.* that) makes no difference; *jeg vet* ~ *ut eller inn* I am at my wits' end; (*se også III. si C*).

hvermann everybody, everyone; (*se ovf: hver*).

hvese (*vb*) hiss. **hvesing** hissing.

hvete wheat.

hvete|bolle (London) bun. **-brød** 1. wheat bread; (*i England oftest*) white bread; 2 (*liten, avlang kake med strøsukker på*) Swiss bun, sugar bun; *de går som varmt* ~ they are selling (*el.* going) like hot cakes (*el.* like ripe cherries); *bøkene gikk som varmt* ~ (*også*) the books sold like billy-(h)o.

hvetebrødsdager (*pl*) honeymoon; *par som feirer* ~ honeymooners.

hvete|høst wheat harvest. **-mel** white (wheaten) flour, wheat flour, plain flour; *siktet* ~ sifted white flour.

hvil rest; *ta seg en* ~ take a rest.

I. hvile (*subst*) rest, repose; *finne* ~ find rest; *gå inn til den evige* ~ go to one's rest, go to one's long home.

II. hvile (*vb*) rest, repose; ~ *tungt på* weigh heavily on; ~ *seg* rest; take a rest.

hviledag day of rest.

hvile|løs restless. **-løshet** restlessness.

hvilepause interval of (*el.* for) rest.

hvilested place of rest, resting place; (*for kortere hvil, også*) haulting place.

hviletid time of rest, resting time.

hvilken (*hvilket, hvilke*): (*spørrende pron*) what; (*av best antall*) which; ~ *er* ~? which is which? (*relativt, om personer*) who(m); (*ellers*) which; (*ubest relativt pron*) whatever, whichever; ~ *forskjell er det på X og Y?* what is the difference between X and Y? *hvilken provisjon vil De* (*komme til å*) *betale?* what commission will you pay? *av* ~ *grunn?* for what reason? ~ *av disse to mulighetene er den mest sannsynlige?* which is the more likely of these two possibilities? ~ *av dem?* which of them? *hvilke* (ɔ: *hva for noen*) *bøker liker du?* what books do you like? *de sa at jeg hadde gjort det, hvilket var løgn* they said I had done it, which was a lie; ~ *vei jeg enn vendte meg* whichever way I turned; ~ *som helst* . . . any; any . . . whatever; (*substantivisk*) anybody; *hvilket som helst tall* any number whatever.

hvin squeal (*fx* the squeals of the pigs); shriek.

hvine (*vb*) squeal; (*om person, også*) shriek; (*om kuler*) whistle.

hvirvel whirl; (*i vannet*) whirlpool, eddy; (*knokkel*) vertebra (*pl*: -brae); *en* ~ *av fornøyelser* a whirl of entertainments; *slå en* (*tromme*)- ~ beat a roll (on a drum).

hvirvel|dyr vertebrate (animal). **-løs** invertebrate; *-e dyr* invertebrates. **-storm** cyclone, typhoon. **-søyle** (*anat*) spinal column. **-vind** whirlwind.

hvirvle (*vb*) whirl; ~ *opp* stir up, raise.

I. hvis (*dersom*) if, in case; ~ *ikke* unless, if . . . not; (*i motsatt fall*) if not; ~ *det er så* if so, supposing that to be the case; ~ *¹han ikke hadde vært* but for him; if it had not been for him; ~ *man skal tro ham* . . . assuming that he is telling the truth . . .

II. hvis (*pron*) whose; (*bare om dyr og ting*) of which; *til* ~ *ære* in honour of whom.

hviske (*vb*) whisper; ~ *noe i øret på en* whisper sth in sby's ear. **-nde** whispering; (*adv*) in a whisper, in whispers.

hvisking whispering.

hvit white; *det -e i øyet* the white of the eye.

hvite (*eggehvite*) white (of an egg).

hvite|vareavdeling (*i forretning*) household linen department. **-varehandler** linen draper. **-varer** (*pl*) linen drapery (*el.* goods), white goods, whites.

hvit|glødende white-hot, incandescent. **-het** whiteness. **-håret** white-haired.

hvitkalket whitewashed.

hvit|kledd dressed in white. **-løk** garlic.

hvitne (*vb*) whiten; pale.

hvitsymre: *se hvitveis.*

hvitte (*vb*) whitewash.

hvitting (*fisk*) whiting.

hvitveis ⚘ white anemone.

hvor (*sted*) where; (*grad*) how; ~ *er du?* where are you? ~ *lenge* how long; ~ *mange* how many; ~ *meget* how much; ~ *meget han enn* . . . however much he (*fx* tried); ~ *som helst* anywhere, wherever; ~ *stor var undring min forundring* what was my surprise; ~ *vakker hun er!* how beautiful she is!

hvorav whereof, of which, of whom; ... ~ *de fleste* (*om personer*) most of whom; (*om ting*) most of which.

hvordan how; ~ *har De det?* how are you? *fortell meg* ~ *han er* tell me what he is like; ~ *kommer jeg raskest til tasjonen herfra?* which is the best way to the station from here? ~ *enn* however; ~ *De enn gjør det* no matter how (*el.* however) you do it.

hvoretter (*adv*) after which.

hvorfor (*adv* & *konj*) why, what ... for; ~ *det?* why so? ~ *i all verden* why on earth.

hvorfra from where, where; from which.

hvorhen where.

hvori in which. **-blant** among whom; among which. **-gjennom** through which. **-mot** (*adv*) whereas, while.

hvorledes: *se hvordan.*

hvor|om: ~ *allting er* however that may be. **-på** on what, on which; (*om tid*) after which, when, whereupon, following which.

hvorunder under which; (*om tid*) in the course of which.

hvorvidt (*om*) whether; (*i hvilken utstrekning*) how far, to what extent.

hyasint ♣ hyacinth.

hybel room, lodgings; T place; (*students, også*) digs; *bo på* ~ live in lodgings; *ha* ~ *med egen inngang* have a room with independent access; *vi kan gå på -en min* T we can go to my place (*el.* digs).

hybel|boer single person living alone. **-leilighet** bachelor flat.

hydrat hydrate.

hydraulisk hydraulic.

hyene ⚌ hyena.

I. hygge (*subst*) comfort, cheerfulness, cheerful atmosphere, cosiness; (*se skape 2*).

II. hygge (*vb*) make comfortable; ~ *seg* feel at home, make oneself comfortable.

hyggelig comfortable, snug, cosy, home-like, cheerful, friendly, pleasant; (*gjengis ofte med ord som*) charming, attractive; nice; *gjøre det* ~ *for ham* make him comfortable; *en* ~ *prat* a cosy chat; *ha det* ~ have a pleasant (*el.* good) time (*fx* I had a very good time with them in the holidays); *det var* ~ *å høre fra deg* I was (very) pleased to have your letter; *det er bare* ~ *å hjelpe Dem* I am glad to be able to help you; *det var så* ~ *å ha deg* (*som gjest*) we enjoyed having you; *det var* ~ *at du kunne komme* I'm so glad you could come; *her var det* ~ it's pleasant here; nice place, this.

hygiene hygiene, sanitation, public health; (*fag*) hygienics; (*jvf helselære*).

hygienisk hygienic.

hykle (*vb*) feign, simulate, dissemble; play the hypocrite (*for* to).

hykler hypocrite. **-i** hypocrisy. **-sk** hypocritical. **-ske:** *se hykler.*

hyl howl, yell; *sette i et* ~ let out a yell.

hyle (*vb*) howl, yell.

hylekor howling chorus, chorus of howls.

hyll ♣ elder.

I. hylle (*subst*) shelf; (*nett i kupé*) rack; (*i fjellet*) ledge; *han har kommet på feil* ~ (*her i livet*) he's a square peg in a round hole; he's a misfit; *han har kommet på sin rette* ~ he's found his proper niche in life; he's the right man in the right place; *legge på hylla* (*fig: henlegge, skrinlegge*) shelve, bury, pigeonhole; *han har lagt studiene på hylla* he has given (*el.* thrown) up his studies; *sette en bok i hylla* put a book in the shelf; (*se bokhylle*).

II. hylle (*vb*) cover, envelop, wrap (up); (*se innhylle*).

III. hylle (*vb*) acclaim, applaud, cheer, hail; pay homage (*i.* tribute) to; (*hist; lensherre*) do homage to; (*ny fyrste*) swear allegiance to; ~ *i ord men ikke i gjerning* pay lip service to.

hyllebær ♣ elderberry.

hyllemargskule pith ball.

hyllest homage, tribute; cheers.

hylse case, casing; (*patron-*) cartridge case.

hylster cover, case; (*pistol-*) holster; *hans jordiske* ~ his mortal frame.

hymen (*anat*) hymen.

hymne hymn.

hyper|bel (*mat.*) hyperbola. **-bol** (*retorisk*) hyperbole.

hyperkritisk hypercritical.

hypnose hypnosis; *hensatt i* ~ put in a state of h., put in a trance.

hypnot|isere (*vb*) hypnotize. **-isk** hypnotic. **-isme** hypnotism.

hypokonder hypochondriac. **-sk** hypochondriac. **hypokondri** hypochondria.

hypo|tek mortgage. **-tese** hypothesis. **-tetisk** hypothetic(al).

hypp! gee-up! US giddap!

hyppe *vb* (*poteter*) earth up, hill.

hyppig (*adj*) frequent; (*adv*) frequently. **-het** frequency.

hyrde shepherd; *den gode* ~ the Good Shepherd. **-brev** pastoral letter. **-dikt** pastoral (poem), bucolic. **-diktning** pastoral poetry.

hyrde|stav pastoral staff, crook; (*fig*) crosier. **-time** hour of love, lovers' hour. **-tone** (*fig*) dulcet note.

hyrdinne shepherdess, shepherd girl.

I. hyre 1 ⚓ (*lønn*) pay, wages; (*tjeneste*) job, berth; *få* ~ get a berth; *søke* ~ look for a berth; *ta* ~ (*med et skip*) sign on; *ta* ~ *som* sign on as, ship as; 2 (*besvær*): *ha sin fulle* ~ *med å* be hard put to it to, have one's work cut out to, have a job to (*fx* I had a job to get him out of the house); 3 (*sett klær*) oilskins.

II. hyre (*vb*) hire, engage; ~ *mannskap* sign on (*el.* engage) a crew.

hyre|bas shipping master. **-kontrakt** articles (of agreement), signing on articles.

hyse ⚌ haddock.

hysj! hush!

hysje (*vb*) hush; (*gi mishag til kjenne*) hiss; ~ *på en* hiss at sby.

hyssing string; *knyte* ~ *om en pakke* tie up a parcel with string.

hyste|ri hysterics. **-risk** hysteric(al); *bli* ~, *få et* ~ *anfall* go into hysterics.

hytt: *i* ~ *og vær* at random.

I. hytte *subst* (country) cottage; (*på fjellet, især*) cabin; (*turist-*) hut; ⚓ poop; (*se I. lys*).

II. hytte (*vb*) 1. look after, take care of; *fanden -r sine* the devil looks after his own; ~ *sitt* (*eget*) *skinn* look out for oneself; 2. shake one's fist (*til* at).

hytte|møbler peasant-style (*el.* rustic) furniture. **-stemning** cottage (,cabin) atmosphere; *oppleve ekte* ~ experience a cosy c. atmosphere; *det skaper* ~ it creates a cosy c. atmosphere; *peisovnen skaper varme og ekte* ~ the combined stove and fireplace gives you warmth and the snugness of a cottage hearth. **-tur** [week-end trip to a cottage or cabin]; *dra på* ~ spend the week-end at a c.

hæ (*int*) eh? what?

hæl heel; *høye -er* high heels; *skjeve -er* heels worn down on one side; *tynne, høye -er* stiletto heels; *tynne -er* pencil-slim heels; *slå -ene sammen* click one's heels; *følge i -ene på ham* dog his footsteps; *være hakk i -ene på en* be hard on sby's heels; *sette nye -er på* re-heel.

hær army; (*hærskare*) host. **-avdeling** detachment, unit.

hær|fang booty, spoils of war. **-ferd** military campaign, raid, warlike expedition.

hærfører commander (of an army).

hær|makt forces. **-skare** host. **-skrik** battle cry. **-styrke** (military) force. **-ta** (*vb*) conquer, occupy; *en -tt kvinne* an abducted woman.

hærverk 1. wilful (*el.* malicious) damage (*fx* cause m. d. to a car); 2 (*hist*) plundering, ravaging.

hø (cupola-shaped) mountain.
høflig civil; (*utpreget høflig*) polite, courteous.
høflighet civility; politeness, courtesy.
høg: *se høy.*
høker small grocer; huckster.
høkre (*vb*) huckster.
høl (*i elv*) pool.
hølje (*vb*): *det -r ned* it is pouring down; it is coming down in sheets.
høne ♣ hen, fowl; *jeg har en ~ å plukke med Dem* (*fig*) I have a bone to pick with you.
høne|blund forty winks, snooze. **-kylling** hen chicken.
høns fowls, poultry.
hønse|fugl gallinaceous bird. **-gård** poultry yard. **-hauk** ♣ goshawk. **-hold** chicken raising. **-hus** hen house, hencoop; US hen house. **-netting** chicken wire. **-ri** poultry (*el.* chicken) farm. **-stige** hencoop ladder; (*også* US) chicken runway; (*fig*) breakneck stairs.
hørbar audible.
høre (*vb*) hear; (*høre etter*) listen; (*oppfatte*) catch; (*komme til å høre tilfeldig*) overhear; (*eksaminere*) question, examine (orally), hear (*fx* h. sby a lesson; Jane is hearing Mary her lesson); *~ en klasse* question a class, examine a c. (orally), ask questions round a c.; US quiz a c.; *bli hørt* (*på skolen*) be examined, be questioned (*fx* he was examined in (*el.* questioned on) gramma(r); *~ feil* mishear; *det var kanskje bare jeg som hørte feil?* perhaps I didn't quite catch what you said? *hør her!* listen! look here! I say (US: say); *nei, hør nå her!* (*indignert*) look here, you! *nei, hør nå her; det går for vidt* (now) look here, that's going too far; *ikke så han hørte det* not in his hearing; *det lar seg ~* now you're talking! that's more like it; *that's something like; that's a bit of all right; få ~* learn; *jeg har hørt si* I have heard (it said); I have been told; *nå har jeg hørt det med!* well I never! well, wonders never cease! *man skal ~ meget før ørene faller av!* what next? well, did you ever hear such nonsense? that beats everything! can you beat it! *hva er det jeg -r?* what is this I hear? *som det seg hør og bør* as is meet and proper; *jeg har hørt det av min søster* I have heard it from my sister; *~ etter* listen to, attend to, pay attention, follow (*fx* if you don't f. you can't answer); *han -r bare etter med det ene øret* he is only half listening; *~ innom en* call on sby; *~ inn under* fall under; *~ med* be one of ...; *de plikter som -r med til stillingen* the duties that go with the post; *~ om* hear of; *jeg har hørt bare godt om ham* I have heard nothing but good of him; *ville ikke ~ noe om det* would not hear of it; *~ på* listen to; *hun -r bare på det ene øret* she can only hear with one ear; she is deaf in one ear; *gutten -r ikke på sin mor* the boy does not obey his mother; *~ på en stilling* inqure about a post; T look into a job; *han -r ikke på det øret* (*fig*) he turns a deaf ear to it; he is deaf as far as that subject is concerned; *~ sammen* belong together; *go* (well) *together* (*fx* the two colours go well together); *~ til* i belong in; *~ til* (*el.* hjemme) *på et sted* be a native of a place; *jeg har ikke hørt noe til ham* I have heard nothing from him; I have had no news of him; *~ ham til ende* (*la ham snakke ut*) hear him out; (*se også hyggelig*).
høreapparat hearing aid.
hørebriller [glasses with built-in hearing aid].
høreredskap (*anat*) auditory organ.
høre|rør (*på telefon*) receiver. **-sans** sense of hearing.
hørevidde: *innenfor* (*,utenfor*) *~* within (*,out of*) earshot.
hørlig audible; perceptible.
hørsel hearing.
høst (*innhøstning*) harvest; (*avling*) crop; (*årstiden*) autumn; US fall; *i ~* this autumn; *om -en* in the autumn; *til -en* in the autumn.
høste (*vb*) harvest, reap; *~ inn* gather in, har-

vest, get in; *slik som du sår, du engang -r* (*bibl*) for whatsoever a man soweth, that shall he also reap; *~ erfaring* gain experience, learn by experience; *~ fordel av* benefit by, profit by, derive (an) advantage from; *~ laurbær* win laurels; *~ stormende bifall* bring down the house; (*se erfaring*).
høstferie (*ved skole*) holiday in the autumn term; (*ofte =*) half-term holiday.
høst|fest harvest festival. **-folk** harvesters, reapers. **-jevndøgn** autumnal equinox. **-takkefest** harvest thanksgiving festival.
høsttid harvest time.
høstutsikter (*pl*) harvest prospects.
høvding chief, chieftain; leader; *åndslivets -er* the leaders of cultural life.
I. høve (*subst*) chance, occasion; opportunity; *nytte -t* avail oneself of the opportunity, take (advantage of) the opportunity; (*se også anledning*).
II. høve (*vb*) fit, suit, be convenient (*el.* suitable); (*se også passe*).
høvedsmann leader, captain.
høvel plane.
høvel|benk carpenter's bench. **-flis** wood shaving(s).
høvelig convenient, appropriate, fitting, suitable.
høvel|jern plane iron. **-maskin** planing machine, planer. **-spon** shaving(s).
høvisk (*beleven*) courteous; (*ærbar*) modest.
høvle (*vb*) plane (down); *glatt-* plane smooth; *-t last* planed wood (*el.* goods); *~ kantene av et bord* plane the edges off a board; chamfer a board. **-ri** planing mill.
høvling planing.
I. høy (*subst*) hay.
II. høy (*adj*) high, lofty; (*person, tre, etc*) tall; (*lydelig*) loud; *~ sjø* a heavy (*el.* high) sea; *det er ~ sjø* (*også*) the sea runs high; *det ligger for -t for meg* it is beyond me; it is over my head; *~ alder* advanced age; *grand* a.; *i en ~ alder* at an advanced age; *de -e herrer* (*iron*) the bigwigs; the powers that be; *han er fire fot ~* he is four feet tall; *snøen ligger tre fot ~* the snow is three feet deep; *på sin -e hest* on his high horse; *-t til loftet* lofty; *en ~ mann* a tall man; *~ panne* high forehead; *i egen -e person* in person; *Den -e port* the Sublime Porte; *en ~ pris* a high price; *en ~ stemme* a loud voice; (*som ligger høyt*) a high voice; *ha en ~ stjerne hos en* stand high in sby's favour; be well in with sby; *det er på -e tid* it is high time; **høyere** higher, taller; louder; *en ~ klasse* (*på skole*) a senior form (*el.* class); a higher class; (*for viderekomne*) an advanced class; *han fikk begynne i en ~ klasse* he was allowed to start in a higher class; *de ~ klasser* (*i samfunnet*) the upper classes; (*på skole*) the upper forms; *~ offiserer* high-ranking officers; *i ~ forstand* in a higher sense; (*se også høyere 2*); **høyest** highest, tallest; loudest; *det -e gode* the supreme good; *den -e nytelse* the height of enjoyment; *den -e nød* (*,fare*) the utmost distress (*,danger*); *-e pris* the highest price, top price; *den Høyeste* the Most High; *i -e grad* in the highest degree; *på -e sted* (*fig*) in the highest quarter; (*se også høyt* (*adv*)).
høyadel (high) nobility.
høy|akte (*vb*) esteem highly. **-aktelse** high esteem. **-alter** high altar. **-barmet** high-bosomed. **-bent** (*person, dyr*) long-legged.
høy|brystet high-chested. **-båren** high-born.
høyde height; elevation; (*nivå*) level; (*vekst*) height, stature, tallness; (*lydens*) loudness; ♪ pitch; (*geogr & astr*) altitude; *på -n av Cadiz* off Cadiz; *holde på ~ med* keep in line with (*fx* tools were improved to k. in l. with other advances); *være på ~ med* be on a level with, be up to the level of, be on a par with; be (*,prove*) equal to (*fx* prove e. to the situation; the goods are fully e. to the sample); abreast of (*fx* be a. of

the times); *være på ~ med* (ɔ: *ikke dårligere enn*) *naboene* (*om materiell streben*) keep up with the Joneses; *ikke være på ~ med* fall short of.

høyde|måler altimeter. **-måling** height measuring; altimetry. **-punkt** height, climax, summit, zenith; *det var dagens ~* it quite made the day. **-sprang** high jump; high jumping.

høye (*vb*) bring in the hay, do the haying.

høyere 1 (*adj*): *komparativ av II. høy;* 2 (*adv*): *~ oppe* higher up; *snakke ~* speak louder; *snakk ~!* speak up! louder please! *~ lønnet* better paid; more highly paid; *sette X ~ enn Y* prefer X to Y; (*se også II. høy: høyere* (*ovf*)).

høyereliggende higher, more elevated; *tåke i ~ strøk* fog on hills.

høyest 1 (*adj*): *superlativ av II. høy;* 2 (*adv*) highest, loudest (*fx* who can shout 1.?); *sette noe ~* prefer sth to everything else.

høyestbeskatte|t: *de -de* the highest taxpayers. **høyesterett** Supreme Court; (NB *intet helt tilsvarende i England*).

høyfjell high mountain(s). **-shotell** mountain hotel.

høy|forræder one guilty of high treason, traitor. **-forræderi** high treason. **-forrædersk** treasonable.

høyfrekvens (*i radio*) high frequency.

høy|gaffel pitchfork, hayfork. **-halset** high **-necked.**

høyhet highness; elevation, loftiness, sublimity; (*tittel*) Highness; *Deres kongelige ~* Your Royal Highness.

høyhælt high-heeled.

høy|kant: *på ~* on edge, edgewise; *maten gikk ned på ~* he (,we, *etc*) did ample justice to the meal. **-kultur** (very) advanced civilization. **-land** highland, upland.

høylass load of hay, hayload.

høylender (*skotte*) Highlander.

høylig (*adv*) highly, greatly.

høyloft hayloft.

høylys: *ved ~ dag* in broad daylight.

høylytt loud; (*adv*) aloud, loudly.

høy|messe morning service; High Mass. **-modig** magnanimous. **-modighet** magnanimity. **-mælt** loud-spoken, vociferous.

høyne (*vb*) raise, elevate.

høyonn haymaking; *han var kommet for å hjelpe til med -a* he had come to help with the h.

høypullet high-crowned.

høyre right; (*parti*) the Conservative Party, the Conservatives; *et medlem av Unge Høyre* a Young Conservative; *på ~ hånd* on the right hand; *han er min ~ hånd* he is my right-hand man; *til ~* to the right; (*på ~ side*) on the right; on your (,*etc*) right; *~ om!* ⚔ right turn! *retning ~!* ⚔ right dress!

høyreblad (*avis*) Conservative paper.

høyreist noble, stately.

høyremann Conservative.

høyresving (*ski*): *foreta en ~* execute (*el.* carry out) a turn to the right; do a right turn.

høyrygg (*av storfe*) high ribs; *~ med ben* h. r. on the bone.

høyrygget high-backed.

høy|rød crimson, scarlet (*fx* she turned scarlet). **-røstet** loud, vociferous. **-røstethet** loudness. **-sinnet:** *se -modig.* **-sinn:** *se -modighet.*

høyskole: *handels-* advanced commercial college; *teknisk ~* college of advanced technology.

høyspenning high tension (*el.* voltage).

høyspent high-tension, high-voltage.

høyst (*adv*) most, highly, extremely; *~ forskjellig* widely different; *~ nødvendig* absolutely necessary, most essential; *det er ~ sannsynlig* it is more than likely.

høystakk hayrick, haystack.

høystbydende the highest bidder.

høystemt high-flown, grandiloquent.

høystrå hay-stalk.

høysåte haycock.

høyt (*adv*) highly, high; (*om stemme*) loud; *lese ~* read aloud; (*med høy stemme*) read loud(ly); *~ aktet* highly respected; *elva går ~* the river is running high; the r. is in spate (*el.* flood); the r. is swollen; *spille ~* play high; *~ regnet* at the outside, at the most; *elske en ~* love sby dearly; *sverge ~ og dyrt* swear a solemn oath; (*se også II. høy*).

høyteknisk: *-e termini* terms of a highly specialized technical nature; *uttrykk av ~ og altfor vitenskapelig karakter* terms of a too highly specialized technical and scientific nature.

høytflyvende high-flying; (*fig*) soaring, ambitious; (*oppstyltet, overspent*) high-flown (*fx* language, style, ideas).

høytid festival.

høytidelig solemn, ceremonious; *ta ~ trouble* about (*fx* we must not t. about small misfortunes); *ta en ~* take sby seriously. **-het** solemnity, ceremony; (*se over*). **-holde** (*vb*) celebrate. **-holdelse** celebration.

høytidsdag festival; (*ofte*) red-letter day (*fx* the day when he passed his exam was a r.-l. day).

høytidsfull solemn.

høytidsstund solemn occasion.

høyt|klingende (*-lydende, -tonende*) ringing, sonorous. **-lesning** reading aloud. **-liggende** high-lying, (standing) on high(-lying) ground. **-lønnet** highly paid (*el.* salaried).

høytrykk (*også fig*) high pressure; (*meteorol*) high ((barometric) pressure); *arbeide under ~* work at high pressure; work under great p.

høytrykks|område: *se -rygg.*

høytrykksrygg (*meteorol*) 1. ridge of high pressure; 2. elongated area og h. p. extending from the centres of two anticyclones; 3 (*løsere bruk*) anticyclone (*fx* an a. over Iceland is now approaching the coast of Norway).

høyt|stående (*om rang*) high, of high rank, high-ranking; superior (*fx* s. culture). **-taler** loudspeaker, amplifier. **-taleranlegg** loudspeaker installation, public address system. **-travende** high-flown, bombastic.

høytysk High German.

høy|vann high water (*el.* tide); *ved ~ at* high tide. **-vannsmerke** high-water mark. **-velbåren** (*intet tilsvarende; kan undertiden gjengis*) (right) honourable; (*spøkef*) high and mighty. **-verdig** (*kvalitet*) superior, high-grade (*fx* h.-g. ore). **-vokst** (*forst*) long-boled (*fx* a l.-b. pine); tall (*fx* a tall young man).

høyærverdighet: *Deres ~* (*til biskop*) Right Reverend Sir; (*til erkebiskop*) Most Reverend Sir; (*til kardinal*) Your Eminence.

høyættet high-born.

I. **hå** 🐟 (*slags hai*) spiny dogfish.

II. **hå** (*etterslått*) aftermath, second crop of hay.

hå|brand 🐟 porbeagle. **-gjel** 🐟 black-mouthed dogfish. **-gylling** 🐟 rabbit fish.

hå|kall, -kjerring 🐟 Greenland shark.

hålke [icy, slippery surface on roads, etc]. **-føre** icy (*el.* slippery) road(s), icebound roads (*fx* motorists were slipping and sliding their way along icebound roads); *det er ~* the roads are slippery (*el.* icy); it is slippery walking; *det er det rene ~* the road is like a sheet of ice (*el.* glass); the r. is 'one sheet of ice; the r. is sheer ice.

hån scorn, derision, disdain; *en ~ mot* an insult to.

hånd hand; ✝ hand (*fx* hold a good hand); *den flate ~* the flat (*el.* palm) of the h.; *den hule ~* the hollow of the h.; *han har ham i sin hule ~* he has him completely in his power; he has him in the hollow of his h.; *gi en -en* shake hands with sby; *gi hverandre -en* shake hands; *rekke en en hjelpende ~* lend sby a hand; *leve av sine henders arbeid* live by the labour of one's hands; *slå -en av en* drop sby, throw sby over; *slå hendene sammen av forferdelse* hold up one's hands in horror; **for** -en at hand, handy; *dø for egen* ~ die by one's own h.; *dø for ens* ~ die at sby's hands; *jeg kunne ikke se en* ~ *for meg* I could not see my h. before me; **fra** ~ *til munn* from h. to mouth; *få fra -en* get done; *den gikk fra* ~ *til* ~ it was handed about (*el.* round); *fra første* ~ on the best authority; *at first* h.; *ha **frie** hender* have a free h.; *have free play; gi en frie hender* give (*el.* allow) sby a free h.; *ha hendene **fulle*** have one's hands full; *falle **i** hendene på en* fall into sby's hands; *han tok det første som falt ham i -en* he took (*el.* chose) the first and best; *klappe i hendene* clap one's hands; *legge hendene i fanget* sit idle; *ta en i -en* take sby's h.; *take sby by the* h.; *ta imot et tilbud* **med** *begge hender* jump at an offer; *han lovte med* ~ *og munn* he pledged his word; *med egen* ~ with one's own h.; *skrevet med hans egen* ~ written in his h.; *ha penger* **mellom** *hendene* have money; *det ble borte mellom hendene på meg* it slipped through my fingers; *holde sin* ~ **over** shield, protect, hold a protecting h. over; *bundet* **på** *hender og føtter* tied h. and foot; *på annen* ~ at second h.; *på egen* ~ of one's own accord; on one's own (initiative); for oneself; at one's own risk; *(alene)* single -handed; *skyte på fri-* shoot without rest; *tegne på fri-* do free-hand drawing; *på høyre* ~ on the right h.; *(side)* on the right, on your (,his, *etc*) right; *på rede* ~ at hand; *han har alltid et svar på rede* ~ he is always ready with an answer; he is never at a loss for an answer; *legge* ~ *på en* lay (violent) hands on sby; *legge siste* ~ *på noe* put the finishing touch(es) to sth; *-en på hjertet!* honour bright! *-en på hjertet! Jeg aner ikke* on my honour! (*el.* (on my) word of honour, *el.* T: cross my heart!) I haven't the slightest idea; *gå en* **til** *-e* assist sby; lend sby a h.; *under hans* ~ *og segl* under his h. and seal; *(se også ta C:* ~ *for seg med hendene).*

håndarbeid needlework; (*motsatt maskinarbeid*) handwork; (*som påskrift*) hand-made; (*som fag*) handicraft; *et* ~ a piece of needlework. **-slærer** handicraft master.

håndbagasje hand luggage; US hand baggage. **hånd|bak 1.**back of the hand;2. elbow-wrestling; *vri* ~ *med en* do e.-w. with sby. **-ball** ball of the hand; (*spill*) handball. **-bevegelse** gesture; *med en* ~ with a motion of (,her, *etc*) hand; *bladet kan skiftes ut med en eneste* ~ the blade can be changed in a single movement. **-bibliotek** reference library. **-bok** manual, handbook, companion (*fx* the Gardener's Companion). **-brekk, -brems** hand brake. **-drevet** manually operated. **-drill:** *elektrisk* ~ drill gun.

håndfallen puzzled, perplexed, at a loss (what to do); bewildered; *han var helt* ~ T you could have knocked him down with a feather.

hånd|fast hefty, robust; ~ *humor* robust humour. **-festning** (*hist*) coronation charter. **-flate** palm of the hand. **-full** handful.

hånd|gemeng rough and tumble, scuffle, mêlée; *et alminnelig* ~ a free fight; *komme i* ~ come to blows, start scuffling; *det kom til et* ~ *mellom dem* they came to blows. **-gjort** hand -made. **-granat** hand grenade. **-grep** manipulation, grip; (*i eksersis*) (*pl*) manual exercises; *med enkle* ~ *kan ovnen omstilles til vedfyring* in one or two simple movements the stove can be adapted for wood-burning.

håndgripelig palpable; tangible.

håndgripelighet palpability; *det kom til -er mellom dem* they came to blows; *han gikk over til -er* he began to use his fists; he became violent.

håndheve (*vb*) maintain, enforce.

håndhever maintainer, enforcer; *ordenens* ~ the custodian of order.

hånd|jern (*pl*) handcuffs; *legge* ~ *på* handcuff. **-klapp** clapping of hands. **-kle** towel. **-koffert** suitcase; US (*også*) valise.

håndkraft (*mots. damp-, maskin-*) hand power, manual power; *med* ~ by hand.

hånd|kyss kiss on the hand. **-lag** handiness, the (proper) knack, manual dexterity. **-langer** helper, assistant; (*murer-*) hodman. **-ledd** wrist. **-linning** wristband, cuff. **-pant** pledge. **-penger** (*pl*) deposit (to confirm a deal). **-pleie** manicure. **-presse** hand press. **-rot** (*anat*) carpus. **-rotsben** (*anat*) carpal bone. **-sag** handsaw.

håndsbredd handbreadth.

håndskrevet hand-written; manuscript.

håndskrift handwriting, hand.

håndskytevåpen small (fire)arm.

håndslag handshake; *gi hverandre* ~ *på handelen* shake hands on the deal.

håndsopprekning show of hands; *ved* ~ by s. of h. (*fx* voting by s. of h.; the voting was done by a s. of h.; call for a s. of h.); on a show of hands (*fx* the motion was carried on a s. of h.).

håndspåleggelse laying on of hands (*fx* in blessing); touch (to effect a cure).

håndsrekning a (helping) hand.

hånd|sydd hand-sewn, handmade. **-såpe** toilet soap. **-tak** (*skaft*) handle; grip.

håndtere (*vb*) handle, manage, wield.

håndterlig handy, easy to handle.

håndtrykk handshake.

håndvarm lukewarm, tepid (*fx* wash in t. water); moderately warm.

håndvask 1 (*det å*) (the) washing (of) one's hands, hand washing; 2 (*kum*) wash(hand) basin; 3 (*vasketøy*) clothes to be washed by hand.

håndvending: *i en* ~ in no time, in the twinkling of an eye, in a trice.

håndverk trade; handicraft, craft; ~ *og industri* trade and industry; the trades and industries.

håndverker artisan; (*kunst-*) craftsman; *vi har -e i huset denne uka* T we're having the workmen (*el.* the builders) in this week. **-lære:** *være i* ~ serve one's apprenticeship.

håndverksbrev craftsman's certificate.

håndverks|folk artisans; (*ofte også*) workmen. **-laug** craft union; (*hist*) guild. **-mester** master artisan; (*i byggefagene ofte*) builder. **-messig** craftsmanlike; *den -e utførelse* the workmanship; *en god* ~ *utførelse* good workmanship. **-svenn** journeyman.

håndvevd hand-woven.

håne (*vb*) scorn, scoff at, mock, deride.

hånflir sneer.

hånlatter scornful laughter.

hånle (*vb*): ~ *av en* laugh sby to scorn.

hånlig (*adj*) contemptuous, scornful, derisive.

hånsmil sneer.

hånsord jibe, taunt.

håp hope; (*fremtidshåp, utsikt, også*) expectation; *fatte nytt* ~ find new hope; *de fattet nytt* ~ (*også*) their hopes revived; *legen ga ham* ~ *om fullstendig helbredelse* the doctor made him hopeful of a complete recovery; *gi godt* ~ *for fremtiden* promise well for the future; *gi lite* ~ hold out little hope; *gjøre seg* ~ *om* hope for, have hopes of; *i* ~ *om at* in the hope that, hoping that; *jeg har* ~ I have some hope; *jeg har godt* ~ *om at han vil* I have good hopes that he will; I am hopeful that he will; *jeg har ikke noe større* ~ *om å få teaterbillett så sent* I have not much hope of (*el.* I am not very hopeful about) getting a theatre ticket so late; *jeg har det beste* ~ *om at* (*også*) I have strong hopes that; *oppgi -et* give up (*el.* abandon) hope; *gi opp -et om å ... give* up hope of -ing; *gi opp alt* ~ *om å ... give* up all hope of -ing; *sette sitt* ~ *til ham* pin one's faith on him; *sette sitt* ~ *til fremtiden* put one's faith in the future; *være ved godt* ~ be of good cheer; *så lenge det er liv, er det* ~ while there is life there is hope.

håpe (*vb*) hope; (*sterkere*) trust; (*med objekt*) hope for (*fx* hope for the best); *det vil jeg* ~ I hope so; *det vil jeg da ikke* ~ I (should) hope not; *en får* ~ it is to be hoped.

håpefull hopeful, promising; *en ~ ung mann* a hopeful (*el.* promising) young man; (*iron*) a young hopeful.

håpløs hopeless; *det er ganske -t* it is a hopeless case.

håpløshet hopelessness.

hår hair; *jeg må se til å få klippet -et mitt* I must get my hair cut; *han dro henne i -et* he gave her hair a tug; *få -et lagt* have one's hair done (*el.* set); *sette opp -et* put one's hair up; *put one's hair in curlers*; *rive seg i -et* tear one's hair; *på et hengende ~* within an ace (*fx* he was within an ace of being run over); *jeg slapp fra det på et hengende ~* I had a narrow escape; it was a near thing (*el.* a close shave); T it was a narrow squeak; *ikke et ~ bedre* not a bit better; *være i -ene på hverandre* be at loggerheads; *-ene reiste seg på hodet mitt* my hair stood on end; *med hud og ~* skin and all; (*se suppe*).

hår|avfall loss of hair. **-bånd** hair ribbon, headband; (*sløyfe*) bow. **-bevokst** hairy. **-bunn** scalp. **-børste** hair brush.

hår|farge colour of the hair. **-fargingsmiddel** hair-dye. **-fasong** hair-do. **-felling** shedding the hair; (*om dyr også*) moulting. **-fin** fine as a hair;

(*fig*) subtle, minute; *en ~ sprekk* a hairline crack; *skille -t* make a hairline distinction.

hår|fletning plait; plaiting; (*se I. flette*). **-formet** hair-like, capillary. **-kledning** coat, fur. **-klipp** haircut (*fx* have a h.). **-kløver** hairsplitter. **-kløveri** hairsplitting.

hår|lakk hair lacquer (*fx* h. l. holds the hair in place). **-lokk** lock (of hair). **-løs** hairless. **-nett** hair net. **-nål** hairpin. **-nålssving** hairpin curve. **-pisk** pigtail. **-pleie** care of the hair. **-pynt** ornament for the hair, hair o. **-reisende** hair-raising; (*neds*) appalling, horrible. **-rik** hairy. **-rot** hair -root. **-rulle** hair roller. **-rør** capillary tube.

hårsbredd hairbreadth; hair's breadth; *ikke vike en ~* not budge an inch.

hår|skill parting (of the hair). **-sløyfe** bow. **-spenne** hair grip, bobbipin. **-sveis**: *du har en fin ~* your hair is looking very smart. **-sår**: 1. *han er ~* he can't stand having his hair pulled; 2 (*fig*) sensitive, thin-skinned, touchy.

hår|tjafs wisp of hair. **-vann** hair wash, hair lotion. **-vask** shampoo; *«vask og legg 8s.»* «shampoo and set 8/- (*el.* 8s.)». **-vekst** growth of the hair; (*selve håret*) (crop of) hair, head of hair; (*se sjenerende*).

håv landing net.

I

I. I, i I, i; *I for Ivar* I for Isaac; *prikken over i'en* (*fig*) the finishing touch(es); *sette prikker over i'ene* dot one's i's; *sette prikken over i'en* (*fig*) give sth the finishing touch, give sth the crowning touch, top sth off.

II. i prep (*om sted i videste forstand, område, etc*) in (*fx* in England, in the garden, in the house, in a box, in a hole; in the newspapers, in the rain, in the air; in the army); 2 (*foran navn på større byer*) in (*fx* in London; *dog* NB: he has never been to London; he paid a visit to Paris); 3 (*foran navn på mindre byer*) at (*fx* we stopped at Lincoln); (*i betydningen «inne i» dog*) in (*fx* old houses in Lincoln; the King was besieged in L.); (*når man er fra stedet, også om mindre by*) in (*fx* here in Brampton); *i Oxford* in Oxford; (*ved universitetet*) at Oxford; 4 (*om adresse, punkt, sted av liten utstrekning*) at (*fx* I live at No. 4); *i kirken* at church; *i taket* on the ceiling, suspended (*el.* hung) from the ceiling; 5 (*om høytider, etc*) at, during (*fx* at Easter, at Christmas; during the Christmas of 1965); 6 (*mål for bevegelse*) to (*fx* go to church); (*jvf på & til*); (*inn i, ned i, opp i, ut i*) into, in (*fx* put one's hand in one's pocket; put the key in the lock; he fell in the canal); *hoppe i vannet* jump into the water; *klatre opp i et tre* climb into (*el.* up) a tree, climb a tree; *komme i vanskeligheter* get into difficulties; 7 (*inne i*) in, inside (*fx* in(side) the house), within; 8 (*i tidsbestemmelser*) in (*fx* in (the) year) 1965); *i sommer* this summer; *i år* this year; *i mai* in May, during May; (*i mai som kommer*) this May, this coming May; *en dag i juni 1707* one (*el.* on a) day in June 1707; *først i juni* early in June, in the early part of June; *at the beginning of June*; (*se for øvrig måned, uke, år*); (*om tidspunktet*) at (*fx* at this moment); (*om varigheten*) for (*fx* I have lived in London for five years); during (*fx* I was in India d. the hot season); 9 (*om samhørighetsforhold*) of (*fx* the professor of German; the capital of the country, the University of Oxford; the events of 1914; he is a teacher of English); (*i enkelte tilfelle*) in (*fx* a commercial traveller in cotton; a speculator in railway shares); on (*fx* an expert on that question); 10 (*mat.: om potens*) to the ... power (*fx* ten to the fifth power); 11 (*om betalingsmiddel*) in (*fx* pay in English money; the quotation should be in

English currency); by means of (*fx* the fee is payable by m. of stamps); in (*fx* pay £200 in taxes; in reward, in compensation); *han ga meg en bok i julegave* he gave me a book for a Christmas present; 13 (*om midlet, det noe er lagd av, etc*) in (*fx* paint in oils; a statue in bronze; carved in wood); 14 (*med hensyn til*) in (*fx* his equal in strength; the stove is small in size but large in capacity); for (*fx* he is a regular Nero for cruelty);

[*Forskjellige forb.*] *i og for seg, i seg selv* in itself (*fx* the system is not so bad in itself); taken by itself, per se; as far as it goes; *god nok i seg selv* good enough in itself; *i og med dette* by that very fact, ipso facto; *i og med at De gjør det* by doing so, by the very fact of doing so; from the (very) moment of your doing so; *i og med vedtagelsen av* by the very act of adopting ...; *i annen etasje* on the first floor; US on the second floor; *i den andre enden av værelset* at the other end of the room; *i ferien* in the holidays (*fx* I had a very good time with them in the holidays); *reise hjem i ferien* go home for the holidays; *i flertall* in the plural; *nr. 3 i sin klasse* third in his class; *i sjøen* at sea; *40 miles i timen* forty miles an hour; forty miles per hour; 40 m.p.h.; *to ganger i timen* twice an hour; *2 i 14 er 7* (*14 : 2 = 7*) 2 into 14 is 7 (14÷2 = 7); *dra i krigen* go to the wars; *han dro henne i håret* he gave her hair a tug; *få tak i noe* get hold of sth; *ha en klasse i fransk* have (,take) a form in French; *vi har X i historie* we have Mr. X for history; Mr. X takes us for h.; *døra henger i gangjernene* the door hangs on its hinges; *holde henne i hånden* hold her hand, hold her by the hand; *han kastet boka i veggen* he flung the book at the wall; *komme i forretninger* call on business; *ligge i influensa* T be down with the flu; *sette i å le* burst out laughing; *hun sitter i telefonen i timevis* T she's stuck on the telephone for hours; *skjære seg i fingeren* cut one's finger; *hun slo ham i hodet med en paraply* she hit him over the head with an umbrella; *snuble i en stein* stumble over a stone; *jeg tar det i meg igjen* I take that back; T forget it; *han vasket seg godt i ansiktet* he washed his face well; *han var skitten i ansiktet* his face was dirty; *det var ingen vinduer i værelset* there were no windows to the room; *er det noe rart i det?* is there anything odd about that? *han er flink i matematikk* he is good (*el.* clever) at mathematics (,T: maths).

III. i (*adv*) in; shut (*fx* the door is shut); *med hull i* with a hole (,holes) (in it); *en kurv med poteter i* a basket with potatoes in it; a b. containing potatoes; *til å lese i på reisen* to read during the journey.

iaktta *vb* (*betrakte*) watch, observe; (*legge merke til*) notice; (*etterleve*) observe; ~ *taushet* observe silence.

iakttagelse observation; (*overholdelse*) observance (*fx* a strict o. of these rules).

iakttagelsesevne powers of observation.

iakttager observer.

iallfall in any case, at any rate; (*i det minste*) at least.

ibenholt ebony.

iberegne (*vb*) include; *-t* including, inclusive of (*fx* including (*el.* inclusive of) postage); *-t alle omkostninger* inclusive of all charges, all charges included; *alt -t* everything included; *fra mandag til lørdag, begge dager -t* Monday to Saturday inclusive.

iblandet mixed with.

iblant 1 (*adv* = *av og til*) at times, occasionally; *en gang* ~ once in a while; 2 (*prep*) among (them) (*fx* with wild flowers among them); intermixed.

iboende (*fig*) immanent, inherent, innate.

i dag today, to-day; *i ‹Times› for* ~ in today's Times; ~ *for tjue år siden* twenty years ago today; ~ *for åtte dager siden* a week ago today; ~ *om et år* (in) a year from today; *fra* ~ *av* from today on, from this day on (*el.* onwards), as from today; *innen 14 dager fra* ~ within a fortnight from today; ~ *morges* this morning; (*se for øvrig dag*).

idé idea, notion; *få en* ~ hit on an idea, be struck by an idea; *han fikk en* ~ an idea came into his head; *plutselig fikk jeg den* ~ *at* . . . (*også*) it flashed through my mind that . . . ; *gjøre seg en* ~ *om* form an idea of, imagine; *det ga ham -en* that gave him the idea, that suggested the idea to him; *mangle -er* be hard up for ideas; *en genial* ~ a stroke of genius; T a brainwave; *en god* ~ a good idea, a good plan; *a happy thought*; *en lys* ~ a bright idea; T a brainwave.

ideal (*forbilde*) ideal (*fx* he is a man of high ideals).

idealis|ere (*vb*) idealize. **-me** idealism. **-t** idealist.

idealistisk idealistic.

idéassosiasjon association of ideas.

ideell ideal, perfect.

idé|historie history of ideas. **-historiker** historian of ideas. **-løs** uninspired. **-løshet** lack of inspiration.

identifi|kasjon identification. **-sere** (*vb*) identify.

identisk identical. **identitet** identity.

identitets|kort identity card. **-merke** identity disk (*el.* disc).

ideologi ideology. **ideologisk** ideological.

idérik full of ideas, inventive, fertile.

idérikdom wealth of ideas.

idet 1 (*om tid*; *da*, *i samme øyeblikk som*, *samtidig med at*) as; *nettopp* ~ just as; ~ *han kom inn, så han* . . . on entering he saw; as he entered he saw . . . ; ~ *han rakte meg brevet, sa han* . . . handing me the letter, he said; ~ *vi viser til vårt siste brev* referring to our last letter; 2 (*om grunnen*) as, since, because; (*for så vidt som*) in that.

idéverden world of ideas, imaginary world.

idiom idiom. **idiomatisk** idiomatic.

idiosynkrasi idiosyncrasy.

idiot idiot, imbecile; (*som skjellsord, også*) fool! *din* ~! you (big) fool! *John den -en!* that fool John!

idiotanstalt (*vulg*) lunatic asylum.

idioti idiocy. **idiotisk** idiotic.

idiotisme idiocy; (*dumhet*) stupidity.

idrett athletics, sports; *drive* ~ go in for athletics, engage in athletic activities.

idretts|anlegg sports installations; sports centre. **-forbund** athletic federation. **-forening** a. association. **-lag** a. club. **-mann** athlete, sportsman. **-merke** [badge awarded for all-round proficiency in athletics]. **-plass** athletics ground, stadium, sports ground. **-stevne** athletics (*el.* sports) meeting.

idyll idyl, idyll; *den rene* ~ a perfect idyll; (*se skjærgårds- & sørlands-*).

idyllisk idyllic.

idømme (*vb*): ~ *en noe* sentence sby to sth; ~ *en en bot* fine on sby; *impose a fine on sby*; *han ble idømt en bot på £10* he was fined £10; ~ *en en fengselsstraff* sentence sby to (a term of) imprisonment; *han ble idømt en straff for tyveri* he was sentenced for theft.

i fall in case.

i fjor last year.

i forfjor the year before last.

i forgårs the day before yesterday.

i forveien: *se forveien.*

ifølge (*prep*) in accordance with (*fx* your instructions), in compliance with (*fx* your request); according to (*fx* a. to these figures); (*i kraft av*) pursuant to (*fx* p. to policy 934); ~ *denne kontrakts bestemmelser* under the terms of this agreement (*el.* contract); ~ *faktura* as per invoice; ~ *innbydelse* by invitation; ~ *regning* as per statement; ~ *ordre og for regning av* by order and for account of; ~ *teksten* according to the text; *jeg er kommet* ~ *avertissement* I have come in answer to an advertisement.

iføre (*vb*): ~ *seg* put on; *iført grønn frakk* dressed in a green coat.

igjen again; (*lukket*) shut; (*til overs*) left, remaining (*fx* I've got £5 left; the remaining £5); (*deretter*) in his (,her, its, *etc*) turn (*fx* I gave the papers to a friend, who in his turn presented them to the British Museum); ~ *og* ~ again and again, over and over again, time and again; *om* ~ *over again*; *om* ~! once more! *jeg ga ham en pundseddel og fikk* ~ *11s.* I handed him a pound note and received 11/- change; *du får* ~ (*veksle*) *penger på den* (o:*pengeseddelen*) there is some change to come on that; *han fikk fire kroner* ~ he got four kroner change (*el.* back); *hvor er de pengene du fikk* ~? where is the change? *gi* ~ give back, restore; (*vekslepenger*) give change (*på for*); *De har gitt meg* ~ *galt* my change is not right; *slå* ~ hit back; return a blow; *ta* ~ take back (*fx* he must t. back the goods); (*yte motstand*) fight back; give as good as one gets; *han har meget å ta* ~ he will have to work hard to catch up; *det er ikke mye* ~ there is not much left; *ikke mine ord* ~! that's between you and me; mum's the word; *det er langt* ~ it's a long way yet; (*m.h.t. arbeid*) much remains to be done; we are not out of the wood yet; *da de ikke hadde langt* ~ *til X* when it was not far to X; when they were approaching X; when they were only a short distance away from X; when they had not much farther to walk (,drive) to get to X; *de hadde enda 4 miles* ~ *til X* they still had four miles to go reaching X.

igjengrodd overgrown; overrun.

igjennom through; *slå seg* ~ fight one's way through; (*fig*) make (*el.* fight) one's way in the world; get on; *helt* ~ thoroughly; out-and-out; *hele dagen* ~ all day long; *hele året* ~ all the year round; *hele boka* ~ throughout the book.

igle leech; *sette -r* apply leeches.

ignorant ignorant person, ignoramus.

ignorere (*vb*) take no notice of, ignore, disregard; (*ikke ville hilse på*) cut, cut dead.

i går yesterday; ~ *aftes* last night; ~ *morges* yesterday morning.

ihendehaver holder, bearer; *obligasjonen lyder på -en* the bond is payable to the holder.

ihendehaversjekk bearer cheque.
ihendehaverobligasjon bond payable to bearer.
iherdig energetic, persevering, persistent.
iherdighet perseverance, tenacity, persistence.
i hjel dead, to death (*fx* work oneself to death); *slå* ~ kill, put to death; *slå tiden* ~ kill time; *stikke* ~ stab to death; *sulte* ~ die of starvation.
ikke not; ~ *lenger* no longer (*fx* he no l. has an account at (*el.* with) your bank); ~ *mer* no more; ~ *mindre* no less; ~ *desto mindre* nevertheless, none the less; all the same; *i* ~ *liten grad* in no slight degree; ~ *jeg heller: se heller;* ~ *noe* (*,noen*) (*adj*) no; ~ *noe* (*subst*) nothing; ~ *noen* (*subst*) nobody; ~ *det?* no? really? is that so? *om* ... *eller* ~ whether ... or not.
ikke- non- (*fx* non-member); (*foran adj*) un (*fx* unskilled = *ikkefaglært*).
ikkeangrepspakt non-agression pact, p. of non-a.
ikle (*vb*): *se iføre.*
ikrafttreden coming into force (*el.* effect *el.* operation).
ilbud express message; (*person*) special messenger, express m.; *utlevering ved* ~ (*post*) (by) special delivery.
ild fire; *gjøre opp* ~ make (*el.* light) a fire; *gi* ~ ✕ fire; *gå gjennom* ~ *og vann for en* go through fire and water for sby; *komme i -en* (*fig*) be blooded; *leke med -en* play with fire; *-en slikket mot himmelen* the fire licked to the sky; *sette* ~ *på* set on fire, set fire to; *puste til -en* (*fig*) add fuel to the fire, fan the flames; *brent barn skyr -en* once bitten twice shy; *tenne* (*,slokke*) *-en* light (*,*put out) the fire; *være i -en* be under fire.
ilddåp baptism of fire.
ildebrann fire; (*omfattende*) conflagration.
ilder polecat, fitchet.
ild|fast fireproof, fire-resisting; ~ *stein* firebrick. **-flue** firefly. **-full** ardent, fiery. **-fullhet** ardour (US: ardor), fire.
ildkule fireball.
Ildlandet (*geogr*) Tierra del Fuego.
ildmørje flaming mass, mass of flame (*fx* the town was one m. of f.); (*glør*) live embers.
ildne (*vb*) animate; fire, inspire.
ildprøve ordeal by fire; (*fig*) ordeal.
ildraker poker.
ildregn shower of fire.
ildrød fiery red, burning red; *han ble* ~ *i hodet* he blushed bright scarlet (*fx* with embarrassment); (*av sinne*) he flushed fiery red; he went purple in the face (with anger).
ilds|fare danger of fire. **-farlig** combustible, inflammable.
ildsikker fireproof.
ildskjær gleam (*el.* light) of the (*,*a) fire.
ildskuffe fire shovel.
ildslue flame of fire.
ildsprutende fire-breathing (*fx* dragons); ~ *berg* active volcano.
ilds|påsettelse arson, incendiarism. **-påsetter** incendiary.
ildsted fireplace; hearth.
ildstrøm torrent of fire.
ild|tang fire tongs; *jeg ville ikke ta i ham med en* ~ I wouldn't touch him with a barge pole (US: with a tenfoot pole). **-tilbedelse** fire worship. **-tilbeder** fire worshipper.
ildvåpen firearm(s).
I. ile *subst* (*oppkomme*) spring, well.
II. ile (*vb*) hasten, hurry, make haste, speed; ~ *en til hjelp* hurry to sby's aid.
ilegg (*på ovn*) firebox. **ileggs|dør** (*i ovn*) firedoor, feed door. **-rom** firebox.
ilegge (*vb*): *se idømme.*
ilgods fast goods, express goods; *sende som* ~ send as express g., send by passenger train.
ilgods|ekspedisjon (*jernb*) express office; *il- og fraktgodsekspedisjon* (*jernb*) parcels office. **-pakke** special delivery parcel, express p.; (*jvf ilbud*).
iligne *vb* (*skatt*) assess; (*om kommuneskatt*) rate;

han ble -t kr. ... he was assessed (*,*rated) at kr. ...
iling shudder; (*vind*) squall; *en kald* ~ a cold shiver.
ilk(e) callus, callosity.
ille bad (*fx* things are so bad that I haven't a penny in my pocket); (*adv*) badly; *det kommer til å gå* ~ it will end in trouble; *det vil gå deg* ~ you will fare badly; *det er* ~ that is a bad thing; *ta noe* ~ *opp* take sth amiss; (*se tilre(de)*).
illebefinnende indisposition.
illegal illegal. **-itet** illegality.
illegitim illegitimate, **-itet** illegitimacy.
illeluktende evil-smelling; stinking.
ille|sinnet ill-natured. **-varslende** ominous, threatening.
illgjerning crime. **-smann** criminal, evil-doer, malefactor.
illojal unfair, disloyal; ~ *konkurranse* unfair competition.
illojalitet disloyalty; unfairness.
illskrike (*vb*) scream (US: yell) at the top of one's voice.
illudere (*vb*): ~ *som* give a convincing representation of.
illumi|nasjon illumination. **-nere** (*vb*) illuminate.
illusjon illusion; delusion; *jeg gjør meg ingen -er om* I cherish no illusions about; *rive en ut av -en* disillusion sby.
illusorisk illusory.
illustrasjon illustration.
illustrere (*vb*) illustrate.
illustrert illustrated, pictorial.
ilmarsj forced march.
ilsk: *se ilter.*
ilsom hurried, precipitate.
iltelegram express telegram.
ilter hot-headed, irascible, angry.
iltog fast train, express (train).
imaginær imaginary; ~ *gevinst* (*merk*) i. profit, paper profit.
imellom between; (*blant*) among; *en gang* ~ sometimes, once in a while; ~ *oss sagt, oss* ~ between ourselves; between you and me; *legge seg* ~ intervene, interpose; (*se også mellom*).
imens (*adv*) in the meantime, meanwhile; (*se også mens*).
imidlertid (*i mellomtiden*) meanwhile, in the meantime; (*men*) however.
imitasjon imitation. **imitativ** imitative.
imitere (*vb*) imitate.
immateriell immaterial.
immatrikuler|e (*vb*): *la seg* ~, *bli -t* matriculate (*el.* register *el.* enrol) at a university.
immatrikulering enrolment (at a university), matriculation.
immaturus [fail mark in a university examination]; S plough.
immun immune (*mot* to, against, from).
immunitet immunity.
imot 1 (*prep*) against; *gå* ~ *noe* (*fig*) go against sth; (*motarbeide*) oppose; *hvis De ikke har noe* ~ *det* if you do not mind; if you have no objection; *jeg har ikke noe* ~ *å fortelle* ... I do not mind telling ...; *være* ~ *noe* be against sth, be opposed to sth; **2** (*adv*) against; *for og* ~ pro and con, for and against; *gjøre ham* ~ cross him, act contrary to his wishes; *hva er det som har gått deg* ~? what has upset you? what's (gone) wrong? *si* ~ contradict; *tvert* ~ on the contrary; (*se også II. mot*).
imperativ the imperative (mood).
imperfektum the past (tense).
impertinent impertinent, pert.
implisere (*vb*) implicate, involve.
imponere (*vb*) impress. **-nde** impressive; (*ved størrelse, verdighet, etc*) imposing.
import importation, import; (*varene*) imports; *-en i første kvartal* imports (*el.* import trade) in the first quarter.
importere (*vb*) import.

import|firma importing firm. **-handel** import trade. **-vare** import; (*matvare*) food import (*fx* dates were the first food import to carry the cost of devaluation).

importør importer.

impotens impotence. **impotent** impotent.

impregnere *vb* (*om tøy*) impregnate, proof.

impresario manager, impresario.

improvisasjon improvisation.

improvisator improviser.

improvisere (*vb*) improvise, extemporize.

improvisert impromptu (*fx* an i. speech); improvised; makeshift (*fx* arrangement); off-the -cuff (*fx* remark, speech).

improvisering improvisation.

impuls impulse. **impulsiv** impulsive.

imøtegå (*vb*) oppose, meet, refute; disprove.

imøtekomme (*vb*) meet, oblige, accommodate (*fx* a customer). **-nde** obliging, kind; forthcoming, accommodating; *han var så ~ å stille sitt hus til disposisjon* he obligingly put his house at our disposal.

imøtekommenhet obligingness, kindness, courtesy; willingness to please, accommodating attitude; *gjensidig ~* (*også*) spirit of give and take; (willingness to make) mutual concessions; *vise ~* be obliging, be accommodating, be willing to oblige; *han viste alltid stor ~ overfor oss* he was always very accommodating towards us; he was always willing to meet (*el.* oblige) us; he was always willing to make us concessions; *vi takker Dem for Deres ~* we thank you for your kindness.

imøtese (*vb*) look forward to, anticipate, expect, await; *vi -r Deres snarlige svar* we look forward to (receiving) your early reply; (*se gjerne*).

inappellabel unappealable, inappealable, final.

in casu in this case.

incitere (*vb*) stimulate, incite.

indeks index; price index.

indeks|familie [wage-earning family approximating average standard of living as determined by price index]. **-regulering** adjustment (*el.* regulation) of the price index. **-tall** index figure.

inder Indian.

inderlig heartfelt; sincere; (*heftig*) intense; *be ~* pray fervently; *elske ~* love dearly; *det gjør meg ~ vondt* I am terribly sorry; *jeg ønsker ~* I wish with all my heart; *~ gjerne* with all my heart; with the greatest of pleasure; (*om tillatelse*) by all means; *være ~ lei noe* be thoroughly sick of sth; *~ overbevist om seier* sincerely (*el.* firmly) convinced of victory.

inderlighet heartiness, sincerity; intensity.

India (*Forindia*) India.

indianer (Red) Indian, American Indian. **-hytte** wigwam. **-høvding** Indian chief. **-kone**, **-kvinne** squaw.

indiansk (American) Indian; (*faglig*) Amerindian.

indignasjon indignation.

indignert indignant (*over* at).

indigo indigo. **-blått** indigo blue.

indikativ the indicative (mood).

indirekte indirect; *~ tale* i. (*el.* reported) speech; (*adv*) indirectly (*fx* i. she gave him to understand that ...); by implication.

indisiebevis circumstantial evidence.

indisium indication; (*jur*) circumstantial evidence.

indisk Indian.

indiskresjon indiscretion.

indiskret indiscreet, tactless.

indisponert (*uopplagt*) indisposed.

individ individual.

individualiser|e (*vb*) individualize. **-ing** individualization.

individ|ualitet individuality. **-uell** individual.

indolens indolence. **indolent** indolent.

I. indre (*subst*) interior (*fx* the i. of the earth);

heart, mind; *hans ~* his inner being; *siste ~* (*skøyter*) the last inside lane (US: inner track).

II. indre (*adj*) inner, interior; (*innenriks*) internal, domestic; *~ anliggender* internal affairs; *~ verd* intrinsic value; *det ~ øye* the mind's eye.

indrefilet middle rib steak of beef; entrecôte; T rib steak of beef.

indre|medisin internal medicine. **-medisiner** internist.

indre|misjon home mission. **-politisk** concerning domestic politics, domestic, internal. **-sekretorisk:** *~ kjertel* endocrine (gland), ductless gland.

induksjon induction.

induksjonselektrisitet induced electricity.

industri industry; *-en* the manufacturing industries (*el.* trades); *handel og ~* trade and industry; *håndverk og ~* the crafts and industries. **-alisme** industrialism. **-artikler** industrial products. **-drivende** industrialist. **-ell** industrial. **-forbund:** *Norges ~* the Federation of Norwegian Industries. **-foretagende** industrial undertaking. **-sentrum** industrial centre. **-utstilling** industrial exhibition.

infam infamous; *en ~ bemerkning* a nasty remark.

infanteri infantry, foot (soldiers). **-st** infantryman; S foot-slogger; **-er** T foot (*fx* 30 foot).

infeksjon infection.

infeksjonssykdom infectious disease.

infernalsk infernal.

infinitiv the infinitive (mood). **-isk** infinitive, infinitival. **-smerke** sign of the infinitive.

infisere (*vb*) infect; (*fig*) taint (*med* by, with).

infisering infection.

inflasjon inflation.

inflasjonsskrue inflationary spiral.

influensa influenza; T (the) flu.

influere (*vb*) influence; *la seg ~ av* be influenced by; *~ på* influence, have (*el.* exert) an influence on, affect.

inform|asjon information. **-ere** (*vb*) inform.

ingefær ginger.

ingen (*adj*) no; not any (*fx* he had no money; we did not find any money); (*især foran* of, *el.* etter nylig nevnt subst*) none; *~ av dem* none of them; (*om to*) neither of them; (*subst*) no one, nobody; (*om to*) neither; *jeg har ~ penger*, *og du har heller ~* I have no money, and you have none either; *~ kan hjelpe meg* nobody can help me; *~ lege kan hjelpe meg* no doctor can help me; *~ annen enn du* no one but you; (*se mening*).

ingeniør (*også* X.) engineer; X (*ofte også*) sapper; (*berg- el.* bygnings-) civil engineer; (*anleggs-*) construction(al) e.; (*bygnings- som særlig arbeider med bærende konstruksjoner*, *fx bruer, kaier, råbygg for hus*) structural e; (*se kjemiingeniør*).

ingeniør|arbeid engineering; piece of e. **-fag** (*teknologi*) technology. **-firma** engineering firm. **-teknisk** engineering. **-vesen** engineering; *Det kommunale ~* (*svarer til*) the City Engineer's Department. **-vitenskap** (science of) engineering. **-våpenet** the engineer corps; (*i Engl.*) the (Corps of) Royal Engineers.

ingenlunde by no means, not at all.

ingenmannsland no man's land.

ingensteds nowhere; *det hører ~ hjemme* it is neither here nor there.

ingenting (*intet*) nothing; *nesten ~* almost nothing, hardly (*el.* scarcely) anything, practically nothing; *late som ~* look innocent; look as if nothing were the matter.

ingrediens ingredient.

inhabil disqualified; *gjøre ~* disqualify. **-itet** disqualification.

inhaler|e (*vb*) inhale. **-ing** inhalation.

initialer (*pl*) initials.

initiativ initiative; lead (*fx* we expect a l,

from him); *ta -et til* take the initiative in (*fx å gjøre noe* doing sth); *på ~ av* on the initiative of.

injisere (*vb*) ⚓ inject.

injuriant libeller; US libeler.

injurie defamation; (*skriftlig*) libel. **-prosess** action for libel, libel action.

injuriere (*vb*) defame; (*skriftlig*) libel.

inkarn|asjon incarnation. **-ert** incarnate; inveterate (*fx* an i. bachelor).

inkassator (debt) collector.

inkasso debt collection, collection (of debts); (*ved rettens hjelp*) recovery; *besørge ~* collect (a debt), undertake the collection of a debt; *rettslig ~* legal recovery; *få inn pengene ved hjelp av rettslig ~* recover the amount legally; obtain payment through the process of the Court; *vi må la beløpet inndrive ved hjelp av rettslig ~* (*også*) we shall have to recover the amount through our solicitors; *til ~* for collection; (*se også innkassere*).

inkasso|byrå debt-collecting agency, debt collectors. **-forretning** debt-collecting business. **-omkostninger** collection charges. **-provisjon** collection charges.

inklinasjon inclination. **-sparti** love match.

inkluder|e (*vb*) include; comprise; *alle utgifter er -t i beløpet* the amount includes all charges.

inklusive inclusive of, including; *prisen er ~ frakt* the price is inclusive of freight; the p. includes freight; *~ emballasje* packing included.

inkognito incognito; *reise ~* travel incognito.

inkompetanse incompetence.

inkompetent incompetent.

inkonsekvens inconsistency.

inkonsekvent inconsistent.

inkubasjonstid incubation period.

inkurabel incurable.

inkurie inadvertence, oversight; *ved en ~* through an oversight, inadvertently.

inkvisisjon inquisition.

inkvisitorisk inquisitorial.

inn in; *~ av* in at, in by; *~ i* into; *slå rutene ~* break the windows; *~ med ham!* in (here) with him! bring him in! *~ til London* up to London.

inna-: *se også innen-*.

innabords on board, aboard; *han har fått for mye ~* (*spøkef*) he's half seas over; he's three sheets in the wind.

innad in, inwards. **-vendt** introverted, introspective.

innafor: *se innenfor*.

innank|e (*vb*) appeal. **-ing** appealing, appeal.

innarbeide (*vb*) work in; work up (*fx* a business; a market for); introduce; *~ på markedet* introduce into the market; *en godt -t forretning* a well -established business.

innaskjærs in sheltered waters.

innbefatte (*vb*) include, comprise, embrace; *heri -t* including; *prisene -r ikke reiseutgifter til og fra utgangspunktet* prices are exclusive of travel costs to and from starting point.

innbegrep (*typisk uttrykk*) quintessence, essence (*fx* this poem represents to me the q. of beauty).

innberetning report; *avgi ~ om* submit a report on.

innberette (*vb*) report.

innbetale (*vb*) pay (in).

innbetaling payment.

innbil|le (*vb*) make (sby) believe; *det skal du ikke få -t meg!* don't tell me! tell that to the marines! *~ seg* imagine, fancy.

innbilning imagination, fancy; *en filosof i egen ~* a would-be philosopher.

innbilningskraft imagination.

innbilsk conceited; *en tvers igjennom ~ mann* a man eaten up with self-conceit.

innbilskhet conceit, conceitedness.

innbilt imaginary, fancied, imagined.

innbinde (*vb*) bind. **innbinding** binding.

innbitt (*fig*) repressed, stifled (*fx* s. anger).

innblandet implicated, mixed up in; *bli ~ i en sak* get mixed up in a matter.

innblanding meddling, interference (*fx* his i. with my affairs).

innblikk insight; *få ~ i* gain an i. into; get an i. into; *få ~ i det engelske skolevesen* get (an) insight into the English education(al) system.

innbo furniture, movables; *det fattigslige -et hennes* her few sticks of furniture.

innbrenning (*av emalje, etc*) baking, stoving; burning in.

innbringe *vb* (*om pris*) make, fetch, realize (*fx* these goods fetched (*el.* made el. realized) a good price); (*gi fortjeneste*) bring in, yield; earn (*fx* the money his writing earned); *investering som -r fem prosent* investment that brings in (*el.* returns) five per cent; *hans litterære arbeid -r ham £500 i året* his literary work brings him £500 a year; he makes £500 a year by his l. w.; *dette vil ~ ham den pene sum av £20.000 T* this will net him a cool £20,000.

innbringende lucrative, profitable, remunerative; *det er ikke videre ~* there's not much profit in it; it doesn't pay.

innbrudd housebreaking; (*om natten*) burglary; *gjøre ~ i et hus* break into a house; *det har vært ~ i huset* the house has been broken into; *det var ~ hos oss forrige uke* our house was broken into last week; we had burglars l. w.; T our house was (,we were) burgled l. w.

innbruddsforsikring burglary insurance.

innbruddssikker theft-proof; anti-theft; (*dirkfri*) unpickable.

innbruddstyv burglar; housebreaker.

innbruddstyveri: *se innbrudd*.

innbuktning (inward) bend (*el.* curve); *her gjør elvebredden en ~* the bank curves inwards here.

innbundet (*om bok*) bound.

innby (*vb*) invite; *~ til kritikk* invite criticism.

innbydelse invitation; *avslå en ~* decline an i.

innbydende inviting; tempting, attractive; *lite ~* uninviting.

innbydere (*til dannelse av aksjeselskap*) promotors (*fx* the p. of a company).

innbygd [inner part of a district]; *en ~* an inland district.

innbygger inhabitant.

innbyrdes mutual, reciprocal; (*adv*) among themselves, with each other; mutually, reciprocally; *plassert med fem meters ~ avstand* spaced five metres apart.

innbytte (*av brukte ting ved kjøp av nye*) part exchange.

inndele (*vb*) divide; classify; *~ i* divide into.

inndeling division; classification.

inndra (*vb*) 1 (*konfiskere*) confiscate, seize; *få førerkortet -tt* (*midlertidig*) have one's (driving) licence suspended; (*for godt*) have one's l. revoked; 2 (*til innløsning*) call in (*fx* gold coins have been called in by the Government), retire, withdraw (*fx* w. notes from circulation); 3 (*stilling*) abolish; (*liste*) close (*fx* a list); *~ en tillatelse* cancel (*el.* withdraw el. revoke) a permission.

inndrag|else, -(n)ing 1. confiscation, seizure (*av* of); 2. calling in, withdrawal; 3. abolition; (*se inndra*).

inndriv|e (*vb*) collect; (*jur*) recover (legally), enforce payment (of amount due, *etc*) through legal measures. **-ning** collection; recovery.

inne in, within; *der ~* in there; *~ i pakken* inside the parcel; *langt inne i landet* far inland; *en by ~ i landet* an inland town; *være ~ i noe* be well up in, be familiar with sth; *holde seg ~* keep indoors; *langt (el. midt) ~ i* in the heart of (*fx* the forest); *langt ~ på fjellet* in the heart of the mountains; *du er ~ på noe der* you have a point there.

innearbeid work indoors.

innebygd built-in (*fx* cupboard).

innebære (*vb*) involve, imply.

innefrossen frozen up, icebound.

inne|ha (*vb*) hold. **-haver** owner, proprietor, occupant; (*av embete*) holder.

inneholde (*vb*) contain; hold.

inneklemt wedged in (*fx* be w. in between two stones); shut in (*fx* the house is shut in between high rocks).

inneliv indoor life, life indoors; keeping (*el.* staying) indoors.

innelukke (*vb*) shut in, shut up.

I. innen within; (*før*) before; ~ *jeg reiser* before leaving; before *I* leave; ~ *da* by then, by that time; ~ *idrett foretrekker jeg stuping* my favourite sport is diving.

II. innen-: *se også inna-*.

innenat: *kunne lese* ~ be able to read.

innenbygds local; (*adv*) locally.

innenbys local, within the town; (*adv*) locally.

innen|dørs indoor, inside; (*adv*) indoors, in the house; ~ (*skøyte*)*bane* covered rink; *på* ~ *bane* (*også*) on covered ice. **-for** inside; (*en grense*) within (*fx* w. ten miles of Oslo); ~ *dette området* within this area; *falle* ~ fall within. **-fra** from within, from the inside. **-lands** in this country, at home.

innenlandsk domestic, home; ~ *handel* domestic trade; *-e brever* inland letters.

innenriksdepartement Ministry of the Interior, M. of Home Affairs; (*i Engl.*) Home Office; US Department of the Interior.

innenrikshandel domestic (*el.* home) trade.

innenriksminister Minister of the Interior; (*i Engl.*) Home Secretary; US Secretary of the Interior.

inner|del inner part, interior. **-kant** inside edge. **-lomme** inside pocket.

innerst inmost, innermost; *i mitt -e hjerte* in my heart of hearts; ~ *i fjorden* at the head of the fjord; ~ *i værelset* at the farther end of the room; *ligge* ~ (*i seng*) lie (*el.* sleep) on the inside; *helt* ~ (*i seng*) right on the inside (*fx* I'd rather sleep r. on the i.).

innersving (*fig*): *ta -en på en* get the better of sby; be too clever for sby; cut ahead of sby; S slip sby a mickey.

innesittende sedentary life; staying (*el.* keeping) indoors.

inneslutte *vb* (*lukke inne*) confine, lock up; (*omringe*) surround.

innesluttet reticent, reserved, taciturn. **-het** reticence, reserve, taciturnity.

innesperre (*vb*) shut up, lock up, imprison; *et skip som er -t i isen* a ship jammed in the ice, an icebound ship. **innesperring** confinement, imprisonment, detention.

innestengt shut up, locked up, confined; (*om følelser*) pent-up (*fx* pent-up feelings); *føle seg* ~ feel cooped up (*fx* one feels c. up in such a small flat).

innestå *vb* (*være ansvarlig for*) answer for, vouch for; *jeg -r for summen* I guarantee the sum; ~ *med sin person for* be (held) personally responsible for.

innestående (cash) on deposit; (*i bokføring*) cash at bank.

innett suppressed; ~ *raseri* suppressed rage.

innetter in along, in through (*fx* in through the fjord).

inneværende present, current.

innfall (*fiendtlig*) inroad, raid, incursion; invasion; (*tanke*) idea, thought, whim; *jeg fikk et* ~ a thought struck me.

innfallen emaciated; haggard, drawn; *innfalne kinn* hollow cheeks.

innfalls|lodd axis of incidence. **-port** (*fig*) gateway (*til* to, of). **-vinkel** angle of incidence.

innfange (*vb*) capture, catch; (*jvf III. fange*: ~ *inn*).

innfartsvei (main) road into a town (*fx* the main roads into Oslo); main approach (*fx* one of the main approaches to Oslo).

innfatning mounting, setting; (*brille-*) rim.

innfatte (*vb*) mount, frame, set.

innfelle (*vb*) inlay, insert.

innfiltret entangled, enmeshed, mixed up (*i* in).

innfinne (*vb*): ~ *seg* appear, arrive, come; T turn up, show up; (*om plikt*) attend (*fx* they were ordered to a.).

innflytelse influence; *gjøre sin* ~ *gjeldende* (*på*) bring one's influence to bear (on); make one's i. felt (on); *ha* ~ *hos* have i. with; *ha* ~ *på* influence, have an i. on; (*se III. lik & I. smule*).

innflytelsesrik influential.

innflytningsgilde house-warming (party).

innflytter 1 (*i et hus*) new tenant (*el.* occupier); 2. immigrant; (*også*) outsider (*fx* an o. who comes to Oslo).

innflyttet (*adj*) from other parts of the country (*fx* the town is unpopular with poets and authors from other parts of the country); (*jvf flytte inn*).

innfor|live (*vb*) incorporate (*i* in). **-livelse** incorporation (*i* in, into).

innforstått: *erklære seg* ~ *med noe* agree to sth.

innfri (*vb*) meet, redeem; ~ *en veksel* meet (*el.* honour *el.* take up) a bill.

innfrielse redemption; honouring, taking up, meeting.

innful cunning, sly.

innfødt native; indigenous (*fx* the i. population); *de -e* the natives; *en* ~ *nordmann* a native of Norway, a Norwegian by birth.

innfør|e (*vb*) import; (*i selskap, noe nytt*) introduce; *stilen skal være ferdig -t til fredag* your essay must be copied out by Friday; (*jvf føre inn*).

innføring introduction (*i* to); (*av stil, etc*) copying out (of an essay); (*jvf føre inn & innføre*).

innføringsark sheet of exercise paper.

innføringsbok exercise book (*fx* a maths e.b.).

innførsel importation, import (*av* of); (*innførte varer*) imports; (*jvf import & importvarer*).

innførsels-: *se import-*.

inngang entry, entrance; *med egen* ~ with a private entrance, with independent access (*fx* a room with i. a.); *ved -en* at the door; *stå ved -en til sin karriere* be on the threshold of one's career.

inngangs|billett admission ticket. **-penger** entrance fee; (*inntekter av idrettsstevne, etc*) gatemoney; *jeg betalte 10/- i* ~ I paid 10/- to get in.

inngi (*vb*) 1. send in, hand in, submit (*fx* an application); (*anbud*) submit (*fx* a tender); (*klage*) lodge (*fx* a complaint); (*rapport*) submit, send in; ~ *sin oppsigelse* tender one's resignation; 2. inspire (*en noe* sby with sth).

I. inngifte (*subst*) intermarriage.

II. inngifte (*vb*): *se gifte*: ~ *seg inn i*.

inngivelse sending in, submission (*etc, se inngi 1*); inspiration, impulse.

inn|gjerde (*vb*) fence in. **-gjerding** fencing (in); enclosure, fence.

inngravere (*vb*) engrave.

inngrep encroachment; ♀ operation; *gjøre* ~ *i* encroach upon (*el.* on).

inngripende radical, thorough.

inngrodd deep-rooted, ingrained; inveterate (*fx* an i. bachelor); ♀ ingrown, ingrowing (*fx* an i. toenail).

inngyte *vb* (*fig*) inspire with, instil, infuse.

inngå *vb* (*avtale, forpliktelse*) enter into (*fx* an agreement); ~ *ekteskap med* marry; ~ *forlik med* make a compromise with, come to terms with; ~ *et veddemål* make a bet (*med* with); ~ *i* (*som ledd i*) form part of, be included in; (*som bestanddel*) enter into, be (*el.* become) an integral part of; *-tte beløp* amounts received, receipts; (*se hestehandel*).

inngående 1 (*på vei inn til*) incoming; ♧ inward bound; *for* ~ *entering*; *inn- og utgående skip* vessels entered and cleared; ~ *varer* imports;

~ *post* incoming mail; 2 (*grundig*) thorough, intimate (*fx* he has a t. (*el.* i.) knowledge of this trade), close; *han ble* ~ *eksaminert* he was closely questioned.

innhegning fence, enclosure.

innhente (*vb*) catch up with; draw level with; (*ta igjen, kjøre forbi*) overtake; US pass; ~ *anbud på* invite tenders for; ~ *opplysninger om* obtain information about; make inquiries about; ~ *tillatelse til* obtain permission to; ~ *sakkyndig uttalelse* procure an expert opinion; ~ *det forsømte* make up for lost time (*el.* for the time lost), recover lost ground.

innhogg: *gjøre* ~ *i* make inroads into (*el.* on).

innhold contents (*pl*)(*fx* the c. of a parcel, bottle, letter); *selve -et* the c. proper (*el.* themselves), the actual c.; (*det kvantum som fins i noe*) content (*fx* the alcoholic c. of the wine); *fett-* fat content; *volum-* volume; (*ordlyd*) tenor; (*av bok, tale* (*mots. form*)) (subject) matter, content(s); *et telegram av følgende* ~ a telegram to the following effect; *uten* ~ empty; *det øvrige* ~ *av Deres brev* the (content(s) of the) rest of your letter.

innholds|berøve *vb* (*post*) rifle; *pakken har blitt -berøvet* the parcel has been rifled. **-berøvelse** rifling. **-fortegnelse** table of contents. **-løs** empty, inane, without content.

innholdsmessig (*adv*) as regards content(s); ~ *bra.* Du *har fått med det vesentlige* Good as to content. You have included the main points.

innholdsrik comprehensive (*fx* a c. programme); (*begivenhetsrik*) eventful, full (*fx* a full life); (*betydningsfull*) significant, important.

innhul hollow, concave.

innhylle (*vb*) envelop, wrap (up), muffle up; *-t i* enveloped in, wrapped in (*fx* a cloak); *-t i tåke* shrouded (*el.* blanketed) in fog.

innhøst|e (*vb*): *se høste inn.* **-ning** harvesting, reaping, gathering in.

inni inside, within.

inniblant 1 (*prep*) among, between; 2 (*adv*) occasionally, once in a while; now and then, betweentimes.

innimellom 1 (*prep*) in between; 2 (*adv*) = *inniblant* 2.

innjage (*vb*): ~ *en skrekk* strike terror into sby, strike sby with terror.

innkall|e (*vb*) 1. summon; ✕ call up (*fx* call up the class of 1960); US draft, induct; *han ble innkalt til hæren* (*,marinen*) he was called up into (*el.* for) the army (*,navy*); 2 (*aksjekapital*) call in (share capital). **-else, -ing** summons; calling in; ✕ calling up, call-up; call-up orders; US drafting, induction. **-ingsskriv(else)** ✕ call-up papers.

innkapsle (*vb*) ⚕ encapsulate; ~ *seg* become encysted, encyst itself.

innkasser|e (*vb*) pocket, rake in (*fx* all he cares about is pocketing (*el.* raking in) the commission); (*merk*) collect; (*inndrive*) recover; ~ *hos* collect from (*fx* c. an account from a firm); (*fig*) receive (*fx* applause). **-ing** collection; recovery.

innkast (*i fotball*) throw-in.

innkaster (*spøkef*) touting doorman, door tout.

innkjøp purchase (NB *også om det innkjøpte, fx* she filled the car with her purchases; he made a neat parcel of my purchases); *gjøre* ~ make purchases; *folk som er ute og gjør* ~ shoppers; *gå ut og gjøre* ~ go shopping.

innkjøpe (*vb*): *se kjøpe inn.*

innkjøps|avdeling buying department, purchasing d. **-bok** (*merk*) purchase book, p. account. **-konto** purchase account. **-nett** string bag. **-pris** purchase price, buying price. **-sjef** chief buyer, buyer. **-veske** shopping bag.

innkjøring (*av ny bil*) running in.

innkjøringstid (*for motor*) running-in period, breaking-in p.

innkjøringsvei (*til motorvei*) slip road.

innkjørsel (*kjørevei til et hus*) drive.

innkjørsignal (*jernb*) home signal.

innklag|et (*jur*): *den -ede* the defendant.

innklarer|e (*vb*) enter inwards; (*skip*) clear inwards. **-ing** entry, clearance inwards.

innkomme (*vb*): *-nde fartøyer* incoming vessels; arrivals; *beløpet er -t* the amount has been paid in; (*se beløp*).

innkomst income; (*stats*) revenue.

innkomstkort ✛ entry card.

innkrev|e (*vb*) collect, demand payment of. **-(n)ing** collection; recovery.

innkvartere (*vb*) lodge; ✕ quarter, billet.

innkvartering lodging; ✕ quartering, billeting; *privat* ~ private accommodation; staying with a family; *vi ville foretrekke privat* ~ we should prefer to be accommodated (*el.* lodged) with a private family; we should prefer to stay with a family.

innlagt: ~ *følger kvittering* receipt is enclosed; (*lett glds*) please find r. enclosed.

innland: *-et* the inland, the interior; *både i* ~ *og utland* both at home and abroad; *til* ~ *og utland* (*merk*) to home and foreign markets.

innlasting shipping, loading.

innlate (*vb*): ~ *seg i diskusjon med* enter into a discussion with; ~ *seg i samtale* enter into conversation; ~ *seg på* engage in, enter on; embark on; ~ *seg på å* undertake to; *jeg visste ikke hva jeg innlot meg på* I did not know what I was letting myself in for; *jeg vil ikke* ~ *meg på en så dårlig forretning* I won't let myself in for such a bad deal; *ikke innlat deg med ham* don't get too involved with him; don't become too familiar with him; *ikke innlat deg med de menneskene* (*også*) have nothing to do with those people; *før jeg -r meg på dette problemet . . .* before going into this problem . . .

innlatende communicative, forthcoming; *et* ~ *smil* a smile of invitation.

innlede (*vb*) introduce; begin, open; ~ *forhandlinger* enter into negotiations.

innledende preliminary, introductory, opening.

innleder (*første taler*) first speaker.

innledning introduction; opening.

innledningstale introductory speech.

innlegg (*i brev*) enclosure; (*i diskusjon*) contribution; (*jur*) pleading; *siste* ~ (*flyv*) final approach; *-ene gikk i retning av å understreke at . . .* the various contributions to the debate (*,discussion*) tended to emphasize that . . .; (*se diskusjons- & stridsinnlegg*).

innlegge (*vb*): *han har innlagt seg store fortjenester av vitenskapen* he has rendered great services to science; *han ble innlagt for blindtarmbetennelse* he was sent to hospital with appendicitis; (*se legge inn*).

innleggssåle arch support; insole.

innlemm|e (*vb*) incorporate, annex; (*innarbeide*) embody (*fx* his notes were embodied in the article). **-else** incorporation, annexation.

innlevere (*vb*) hand in, send in, put in (*fx* an application); (*deponere*) deposit; (*avlevere, avgi*) deposit (*fx* not until the last voter had deposited his ballot).

innlevering handing in, sending in; (*av post*) handing in, posting, mailing; *«~ i luka* (*,ved skranken*)» (*post*) «mailing at window (*,counter*)».

innlosjere (*vb*) lodge; ~ *seg* take lodgings; (*se innkvarter|e & -ing*).

innlyd: *i* ~ (*gram*) medially.

innlysende evident, obvious.

innløp (*til havn*) entrance, approach.

innløpe *vb* (*ankomme*) arrive, come in, come to hand.

innløse (*vb*) redeem (*fx* a bond); (*konossement*) take up (*fx* the bill of lading); (*innfri veksel*) take up (*el.* honour *el.* pay) a bill; ~ *varer* take up goods; (*få dem frigitt*) have goods released; ~ *en sjekk* cash (*el.* pass) a cheque.

innløs(n)ing redemption, taking up.

innlån deposits.

innlånsrente interest on deposits, deposit rate.

innmari: *en* ~ *kjeltring* a real scoundrel; (*se innful*).

innmark home fields.
innmarsj entry.
innmat entrails; (av slaktekveg) pluck; (det innvendige av ting) insides; (polstring, innmat i dyne, etc) stuffing; ta -en ut av draw (fx d. a chicken).
innmeld|e (vb) enter; ~ seg: se melde seg inn. **-else** entry.
innom in at; stikke ~ drop in; pop in; jeg har nettopp vært ~ en forretning I have just been into a shop; jeg stakk bare ~ for å høre hvordan det står til I've just popped in to see how you're (all) getting on; T I've just popped in to say hello.
innordne (vb) arrange, adapt; ~ seg adapt oneself; fall into line.
innover (adv) inwards; towards the centre; (prep) along.
innpakning packing, wrapping. **-papir** wrapping paper.
innpass entry.
innpasse (vb) fit in, work in; ~ i fit into.
innpisker subst (i parlamentet) whip.
innplante (vb) implant (fx an idea into his mind).
innplant(n)ing implantation.
innpode (vb) indoctrinate (fx sby with sth), implant (fx an idea into sby's mind); (se pode).
innprege (vb) stamp (i on); (se innprente).
innprent|e (vb) impress (fx sth on sby); inculcate into; T drum (fx sth into sby); ~ seg fix in one's mind. **-ing** impressing.
innpå (prep) close upon; (adv) close, near; gå ~ en worry one; hale ~ catch up, make up leeway; (i veddeløp) close the gap; catch up on the man ahead; hale ~ en gain on sby; han halte raskt ~ i svingen he caught up fast (el. came up well) at the bend.
innramme (vb) frame (fx a picture).
innrede (vb) fit up, fit out; build; ~ et nytt værelse build another room; ~ kjelleren (,loftet) build a room (,rooms) into the cellar (,the loft); ~ en butikk fit up a shop.
innredning fitting up (el. out); building; (se innrede); kjøkken med ~ i rustfritt stål kitchen fitted out in stainless steel.
innredningsarbeid internal work; installation work.
innregistrere (vb) register.
innreise entry (i into, fx e. into Norway).
innreisetillatelse entry permit, visa.
innretning arrangement; (redskap) contrivance, device.
innrette (vb) arrange; ~ det slik at manage things in such a way that; ~ seg arrange matters; make one's arrangements; ~ seg etter de nye forhold adapt oneself to the new conditions; han -t seg slik at han fikk gjort alle til lags he so arranged matters as to please everyone; ~ seg på å be prepared to; (jvf ordne).
innringe (vb) surround.
innrisse (vb) scratch, engrave, carve.
innrullere (vb) enlist; la seg ~ enlist.
innrullering enlistment.
innrykk influx; (typ) indentation.
innryk|ke (vb): se rykke inn. **-ning** insertion; (om hær) entry.
innrømme (vb) allow, grant, give; (ikke nekte) admit, own; (si seg enig i) agree (fx I a. (el. admit) that the cloth is not up to sample); grant (fx I grant the truth of what you say); jeg -r Dem 2% provisjon I allow you a 2% commission.
innrømmelse allowance, grant, admission; concession; gjøre en ~ make a concession; gjøre -r overfor make concessions to; gjøre en liten ~ (også) stretch a point (fx we are willing to s. a p.).
innrømmelseskonjunksjon (gram) concessive conjunction.
innsalg: under -et during the introductory marketing period.

innsamling collection; (av penger) subscription.
innsats stake (fx in gambling); (bidrag) contribution, effort; (prestasjon) achievement (fx I'd like to reward you for this wonderful a.); effort (fx his efforts in the cause of peace); (krigs-) war effort; hans ~ på dette felt his work (el. contribution) in this field; jeg takker dere for -en I thank you for the hard work you've done (el. put in el. put into this); gjøre en god ~ do a good job, make a good job of it (fx he has made a very good job of it); han har gjort en utmerket ~ (også) he has done a very good job indeed; he has done some very good work indeed.
innse (vb) see, realize; ~ nødvendigheten av realize the necessity of, be alive to the n. of.
innseiling entrance, (seaward) approach (til to).
innsend|e (vb): se sende inn. **-else** sending in; (av pengebeløp) transmitting, remitting.
innsender contributor.
innsett|e (vb) install; ~ igjen reinstate; han innsatte ham til sin arving he made him his heir; ~ i sitt sted substitute. **-else** installing; (gjen-) reinstatement.
innside inside; på -n on the i.; på -n av inside.
innsig oozing in, seeping in; drifting, (gradual) approach; (fig) infiltration; (se også sige: ~ inn & tilsig).
innsigelse objection, protest; gjøre ~ mot protest against; raise objections to; (se nedlegge).
innsikt insight (i into), knowledge (i of).
innsiktsfull showing insight, well informed.
innsjø lake; (se tilsig).
innskipe (vb) ship, load, take on board, put on board; ~ seg go on board, embark; ~ seg til Afrika take ship for Africa.
innskipning shipping, shipment; (av personer) embarkation.
innskjerpe (vb) enjoin (en noe sth on sby), impress on (fx i. on him that . . .).
innskjerpelse enjoining.
innskott: se innskudd.
innskrenke (vb) reduce, curtail, restrict; limit, confine; ~ seg til confine oneself to. **-t** restricted, limited; (dum) unintelligent, dense, dull, slow-witted.
innskrenk|ethet stupidity, denseness, dullness. **-ning** reduction, curtailment, limiting, restriction; (forbehold) qualification.
innskriden interference, intervention.
innskrift inscription, legend.
innskriv|e vb (mat.) inscribe; la seg ~ enter one's name; innskrevet bagasje (jernb) registered luggage (,US: baggage).
innskrumpet shrunken, shrivelled, crumpled up, wizened.
innskudd contribution; (på leilighet) premium; stake (fx in gambling); (i bank) deposit.
innskuddsleilighet [flat on which a premium is paid].
innskuddsrente (rate of) interest on deposits (el. on money on deposit) (fx a small rate of interest is paid by the bank on money on deposit); (jvf rentemargin).
innskyte (vb) insert; put in (fx «Oh, no!» he put in); (om penger) deposit, invest (fx money in a business).
innskytelse impulse, inspiration; en plutselig ~ a sudden impulse.
innskyter depositor; investor.
innslag element (fx a novel with a strong e. of religion); lyriske ~ lyrical passages (el. elements); strain, leaven; (islett) weft, woof; befolkningen har et sterkt ~ av negerblod the population has a strong infusion of negro blood.
innslipe (vb): se slipe inn; innslipt ventil ground-in valve.
innsmigre (vb): ~ seg ingratiate oneself (hos with), curry favour (hos with).
innsmigrende ingratiating.
innsmuglet smuggled in.

innsnevring narrow pass; narrowing (down), limitation; (*av havet*) narrow passage, strait(s).
innsnike (*vb*): ~ *seg* slip in, creep in (*el.* into).
innsnitt incision, notch.
innspille (*vb*) produce, shoot, make (*fx* a film); (*se spille inn*); *være godt innspilt* (*sport, etc*) work together as a perfect team, be well co-ordinated; *♪ play together as one*; *de er fabelaktig godt innspilt* their teamwork is marvellous.
innspilling *♪* recording; (*film-, etc*) production; rehearsal; (*om film*) shooting (*fx* the s. has begun).
innspilt: *se innspille.*
innsprøyte (*vb*) inject.
innsprøytning injection.
innspurt final spurt (*fx* put on a f. s.).
innstendig urgent, pressing, earnest; (*adv*) urgently (*fx* I u. request you to . . .), earnestly; (*se inntrengende*).
innstevn|e (*vb*) summon. **-ede** (*jur*) the defendant. **-ing** summons.
innstifte (*vb*) establish, found, institute.
innstiftelse establishment, founding (*av* of).
innstigningstyv (*også* US) cat burglar.
innstille (*vb*) 1 (*apparat*) set, adjust; focus (*fx* a camera; the binoculars are not properly focused for me); tune (*fx* a radio); (*kontrollere, regulere*) check; ~ *tenningen* time the ignition, set the i.; 2 (*stanse*) cease, discontinue, suspend, stop (*fx* stop work; suspend (*el.* stop) payment; this air service has been suspended); cancel (*fx* the train, concert (*,etc*) has been cancelled); 3 (*foreslå utnevnt*) nominate, propose, recommend (*fx* r. sby for promotion); 4 (*forberede på*): ~ *seg på* prepare for, prepare to, make up one's mind to; *velvillig innstilt overfor* well-disposed towards, favourably inclined towards; (*se også justere*).
innstilling 1. setting, adjustment; focus; 2. stoppage; suspension; cancellation; 3. nomination; recommendation (*komités*) ~ *til* (*problemer, etc*) attitude to; *feil* ~ (*fot*) incorrect focus; *lettvint* ~ *av hvilken som helst ventilåpning* readily found setting of any valve opening required; *den -en vil føre oss gjennom vanskelighetene* that spirit will see us through our difficulties.
innstudere (*vb*) study.
innsugning suction; (*om motor*) intake, suction, induction, inlet.
innsugnings|grenrør intake manifold, inlet m. **-kanal** (*til firetaktsmotor*) intake manifold. **-rør** inlet pipe, induction p. **-slag** suction stroke, induction s. **-ventil** suction valve, intake v., inlet v.
innsunken sunken, hollow.
innta *vb* (*måltid*) have (*fx* he had lunch at a restaurant); consume (*fx* huge quantities of beer); (*høytideligere*) partake of; ~ *et måltid* (*også*) eat; (*henrykke, vinne*) captivate, charm; ~ *en by* (*,festning*) take (*el.* capture) a town (*,fortress*); ~ *sin plass* take one's seat; (*i en rekke*) drop into place; ~ *plassene!* (*ved start*) on your marks! *dette problem -r en bred plass i hans forskning* this problem takes up (*el.* occupies) a large part of his research work; *følgende bes -tt i Deres blad* may I request the courtesy of your columns for the following? *være -tt i* be in love with; T be sweet on; be charmed with (*fx* I'm quite c. with your garden); (*se holdning & underlig*).
inntagende captivating, engaging, charming.
inntak intake.
inntaksområde (*for skole*) catchment area (of a school).
inntegne (*vb*): *se tegne inn.*
inntekt income; *antatt* ~ estimated i.; (*stats-*) revenue; (*av skuespill, konsert, etc*) receipts, takings, proceeds (*pl*); *-er og utgifter* income (*,stats*: revenue) and expenditure; *ha en* ~ *på* have an income of; *-er på £1000 og derunder* incomes not exceeding £1,000; *til* ~ *for* in aid of, for the benefit of; *en god* ~ a good income (*fx* he enjoys a g. i.); *store -er* a large income; *-ene ble større* (*ɔ: folk begynte å tjene mer*) incomes rose (*el.* grew

el. increased); *ta noe til* ~ *for* cite sth in support of; *han tok det til* ~ *for seg selv* he turned it to account; he made capital of it.
inntekts|kilde source of income; (*statens*) source of revenue. **-lignet:** ~ *for kr. 60,000* taxable income (of) 60,000 kroner. **-skatt** income tax (*av* on); tax on income.
inntil (*prep & konj*) as far as, to; (*i berøring med*) against (*fx* leaning a. the wall); *bildet henger helt* ~ *veggen* the picture hangs flat against the wall; ~ *et beløp av* . . . up to an amount of; up to an a. not exceeding . . . ; (*i tidsuttrykk*) till, until; ~ *da* till then; ~ *i dag* (even) to this day, even today; ~ *nylig* down to recent times; ~ *nå* until now, so far, thus far; ~ *videre* until further notice, pending further notice, for the moment, for the time being; ~ *året 1900* up (*el.* down) to the year 1900; *det kan vare* ~ *ett år* it may last up to a year; ~ *for få år siden* up to a few years ago; ~ *han kommer* (*også*) pending his arrival; (*se også utbygge*).
inntilbens: *gå* ~ walk with one's toes turned inwards.
inntog entry; *holde sitt* ~ make one's entry, enter.
inntre (*vb*) happen, occur, come to pass, set in; *det har inntrådt en krise* a crisis has arisen.
inntreffe *vb* (*hende*) happen, occur; ~ *samtidig med* coincide with; *det inntrufne* the occurrence; *what has happened*; *nylig inntruffet* (*også*) recent; *på grunn av inntrufne omstendigheter* owing to (unforeseen) circumstances; *på grunn av senere inntrufne omstendigheter* owing to intervening circumstances; *hvis intet uforutsett -r if nothing unforeseen happens*; barring accidents.
inntrengen intrusion.
inntrengende (*innstendig*) urgent, pressing; *vi må* ~ *anmode Dem om å* . . . we must urgently request you to.
inntrykk impression; *gi* ~ *av at* convey the impression that; *gjøre et gunstig* ~ *på en* impress sby favourably; *hennes tårer gjorde intet* ~ *på ham* her tears left him cold; *ha* ~ *av* have the i. that; *jeg har det aller beste* ~ *av henne* I have an extremely favourable i. of her; *han bryr seg ikke om hvilket* ~ *han gjør* he does not bother what i. he makes.
inntullet bundled (up), wrapped (up).
innunder below, under; ~ *jul* just before Christmas.
innvandre (*vb*) immigrate.
innvandrer immigrant.
innvandring immigration.
innvarsle (*vb*) inaugurate, herald, proclaim.
innved against, close by (*el.* to).
innvende (*vb*) object (*mot* to); *jeg har ingenting å* ~ *mot det* I have no objection.
innvendig internal; inside; *det -e* the inside; the interior; *le* ~ laugh to oneself.
innvending objection (*mot* to); *gjøre -er* raise (*el.* make) objections; demur; *ikke gjøre noen* ~ offer no objection.
innvidd: *de -e* the initiated, those in the secret; T those in the know.
innvie (*vb*) consecrate; (*til noe*) dedicate; (*høytidelig åpne*) inaugurate; ~ *i* (*en hemmelighet*) initiate into.
innvielse (*se innvie*) consecration; dedication; inauguration; initiation.
innvik|le (*vb*) entangle; involve, implicate; *være -let i en sak* be involved in a case, be implicated; ~ *seg i* entangle oneself in; ~ *seg i selvmotsigelser* contradict oneself, involve oneself in contradictions.
innviklet intricate, complex; *gjøre* ~ complicate.
innvilg|e (*vb*) consent (*i* to); grant. **-else** granting; consent.
innvinne (*vb*) earn, gain; (*få tilbake*) recover; (*land*) reclaim; ~ *plass* save space. **-ing** gain, recovery; reclamation,

innvirk|e (*vb*): ~ *på* act on, influence, affect. **-ning** influence, effect.

innvoller *pl* (*anat*) viscera; T innards; (*løst brukt*) intestines, bowels, inside(s); (*menneskers*) T guts; (*dyrs, fugls, etc*) entrails; (*fisks*) guts; *ta innvollene ut av* eviscerate (*fx* an animal), disembowel, gut (*fx* fish, rabbit, *etc*); draw (*fx* a fowl).

innvortes: *til* ~ *bruk* for internal use; (*adv*) inwardly, internally.

innvåner inhabitant.

innynde (*vb*): ~ *seg* ingratiate oneself (*hos* with).

innøv|e (*vb*) practise, drill. **-else, -ing** practising, practice, drilling.

innånd|e (*vb*) inhale, breathe in. **-ing** inhalation.

insekt insect.

insektdrepende insecticidal, insecticide; ~ *middel* insecticide.

inseminasjon insemination.

inserat notice, article.

insignier (*pl*) insignia.

insinuasjon insinuation, innuendo.

insinuere (*vb*) insinuate, hint.

insistere (*vb*) insist (*på* on); ~ *på at noe blir gjort* insist that sth be done (about it), insist on sth being done; *hvis De -r på det* if you insist; (*jvf forlange*).

insolv|ens insolvency. **-ent** insolvent.

inspeksjon inspection; (*ved eksamen*) invigilation; US proctoring; *den lærer som har* ~ (*i skolegården*) the master on duty.

inspeksjonsgrav (inspection) pit, garage pit.

inspeksjonsplan (*for tilsyn ved eksamen, etc*) invigilation list.

inspektrise woman inspector; (*ved skole*) vice -principal, assistant p.; second mistress.

inspektør inspector; (*ved skole*) vice-principal, assistant p., second master; (*lufte-, tilsynshavende ved eksamen*) invigilator; US proctor.

inspir|asjon inspiration. **-ere** (*vb*) inspire.

inspiser|e (*vb*) inspect; (*ved eksamen*) invigilate; US proctor. **-ing** inspection.

installasjon installation.

installer|e (*vb*) install; *vi er nå så noenlunde -t og har nesten kommet i orden* T we're now reasonably well installed and almost straight.

instans: *første* ~ court of the first instance; *i første* ~ in the first instance; *i siste* ~ in the last resort, finally; *de lavere -er* the lower courts.

instinkt instinct. **-iv, -messig** instinctive.

institusjon institution.

institutt institute, institution.

instituttbestyrer principal (of an institute).

instruere (*vb*) instruct, give directions, direct.

instruks instructions (*pl*).

instruksjon instruction, direction.

instruksjonsbok (*bileiers*) instruction book, (car) owner's handbook.

instruksjons|sykepleierske, -søster sister tutor; US instructor nurse.

instruktiv instructive.

instruktør instructor; coach; (film) director.

instrument instrument. **-al** instrumental. **-ere** (*vb*) ♪ orchestrate. **-ering** ♪ orchestration, scoring; instrumentation. **-maker** instrument maker.

insubordinasjon insubordination.

intakt intact.

inte|gral integral. **-gralregning** integral calculus. **-grerende** integral. **-gritet** integrity.

intellekt intellect.

intellektuell intellectual.

intelligens intelligence.

intelligent intelligent.

intendant (*ikke-eng. hær*) intendant; (*intendanturoffiser*) (*også* US) quartermaster officer. **intendantur** (*om ikke-eng. hærordning*) intendancy; *Hærens* ~ 1 (*i England: dekkes til dels av*) Royal Army Service Corps; 2. US Army Quartermaster Corps.

intens intense.

inten|sitet intensity. **-siv** intense.

intensivere (*vb*) intensify.

interessant interesting, of interest; (*tankevekkende*) suggestive; *gjøre seg* ~ show off; make oneself look interesting; *for å gjøre seg* ~ (*også*) for effect (*fx* she wears glasses only for effect).

interesse interest; *nyhetens* ~ the charm of novelty; *ha* ~ *for noe* take an interest in sth; *det ligger ikke i min* ~ it is not to my interest; *arbeide* (*aktivt*) *for klubbens -r* take an active interest in the club; *nære levende* ~ *for det* take a vivid (*el.* lively) interest in it; *vareta ens* ~ look after one's interest; *vekke ens* ~ arouse sby's i., interest sby; *vise* ~ *for* take an i. in; *kapital- og grunneierinteressene* (the) vested interests; (*se imøtekomme, II. knytte & skape 2*).

interesseløs uninteresting; uninterested.

interessent shareholder; partner; interested party; possible buyer (*el.* purchaser); *det meldte seg tre* ~ (*også*) three people said they were interested.

interessentskap partnership.

interessere (*vb*) interest; ~ *seg for* take an interest in, be interested in; *begynne å* ~ *seg for* (*også*) turn one's attention to.

interessert interested; *være* ~ *i* be interested in; take an interest in; have an interest in (*fx* an undertaking); *jeg er ikke personlig* ~ I am not directly concerned; this is not a matter of personal concern to me; (*se sterkt*).

interessesfære sphere of interest.

interfoliere (*vb*) interleave (*fx* a book).

interimsbevis provisional (*el.* interim) certificate; cover note; (*for aksjer*) script (certificate).

interimsregjering provisional government.

interiør interior; *ovnen passer inn i ethvert* ~ the stove blends easily with any scheme of furnishing.

interiørarkitekt interior decorator (*el.* architect).

interjeksjon (*gram*) interjection.

intermesso intermezzo.

intern internal; (*indrepolitisk*) domestic (*fx* a purely d. matter); *dette må være en* ~ *oppgave for den enkelte skole* this must be a (private) matter for the individual school.

internasjonal international.

internasjonale (*også om sangen*) the International(e).

internat boarding school.

internere (*vb*) intern.

internering internment.

interpell|ant questioner, interpellant. **-asjon** question, interpellation. **-ere** (*vb*) put a question to (sby), interpellate.

interpolere (*vb*) interpolate.

interpunksjon punctuation. **-stegn** punctuation mark.

interregnum (*tronledighet*) interregnum.

interrogativ (*spørrende*) interrogative.

intervall interval; (*se mellomrom*).

interven|ere (*vb*) intervene. **-sjon** intervention.

intervju interview. **intervjue** (*vb*) interview.

intervjuer interviewer.

I. intet (*subst*) nothing, nothingness (*fx* the great n.).

II. intet (*pron*): *se ingenting; man får* ~ *for ingenting* one achieves nothing without working for it (*el.* without pains).

intetanende unsuspecting; (*adv*) -ly.

intetkjønn the neuter (gender).

intetsigende insignificant, meaningless.

intim intimate; *bli* ~ *med ham* get on i. terms with him.

intimitet intimacy; (*se utuktig:* ~ *omgang*).

intole|ranse intolerance. **-rant** intolerant.

intonasjon intonation.

inton|ere (*vb*) ♪ intone. **-ering** intonation.

intransitiv (*gram*) intransitive.

intrigant (*adj*) intriguing, scheming.

intrige (*subst*) intrigue; plot (*fx* the p. of a story). **-maker** schemer, intriguer.

intrigere (*vb*) intrigue, scheme.

intrikat intricate, complicated; difficult, ticklish; *et* ~ *spørsmål* an awkward question, a puzzler, a poser.

intro|duksjon introduction. **-dusere** (*vb*) introduce.

introspektiv introspective.

intuisjon intuition.

intuitiv intuitive.

invalid 1 (*subst*) disabled person; 2 (*adj*): *bli helt* ~ be totally disabled.

invalidepensjon disablement (,US: disability) pension.

invaliditet disablement.

invasjon invasion.

inventar (*bohave*) furniture; *fast* ~ fixtures; (*om uunnværlig el. uunngåelig person*) fixture.

inventarliste inventory.

inversjon inversion.

invertere (*vb*) invert.

investere (*vb*) invest (*i* in).

investering investment.

invitasjon invitation (*til* to).

inviter|e (*vb*) invite; ask (*fx* are you sure it will be all right if we ask him?); ✥ invite; *jeg ble ikke -t* I wasn't asked; ~ *henne ut* (offer to) take her out; ~ *fra kongen* ✥ lead from the king; ~ *i en farge* ✥ lead (*el.* open) a suit; ~ *på kaffe* ask to (*el.* for) coffee; *han -te meg på en kopp kaffe* he asked me out for a cup of coffee; he asked me to have a cup of c. with him; *han -te noen andre sammen med ham* he invited some other guests (whom he would like) to meet him.

invitt ✥ invitation; lead.

ion ion.

Irak (*geogr*) Iraq. **iraksk** (*adj*) Iraqi.

Iran (*geogr*) Iran. **iransk** (*adj*) Iranian, Persian.

ire Irishman. **-ne** the Irish.

irettesette (*vb*) reprove, rebuke, reprimand.

irettesettelse reprimand, reproof, rebuke; (*jvf påpakning*).

iris ✿ (*sverdlilje*) iris.

Irland Ireland, Eire.

irlender Irishman. **-ne** the Irish.

ironi irony; *blodig* ~ deadly i.; *skjebnens* ~ the i. of fate.

ironisere (*vb*) speak ironically.

ironisk (*adj*) ironic(al).

irr verdigris, copper rust.

irrasjonal irrational; ~ *størrelse* (*mat.*) surd.

irre (*vb*) become coated with verdigris, rust.

irret (*adj*) coated with verdigris, rusted.

irreell unreal.

irregulær irregular; **-e** *tropper* irregulars.

irrelevant (*saken uvedkommende*) irrelevant.

irreligiøs irreligious. **-itet** irreligion.

irritabel irritable.

irritasjon irritation.

irritasjonsmoment irritant.

irritere (*vb*) get on sby's nerves, irritate.

irsk Irish.

Irskesjøen the Irish Sea.

is ice; ice cream; *-en er sikker* the ice is safe (*el.* sound); *svak* ~ thin (*el.* unsafe) ice; *whisky med* ~ whisky on (*el.* over) the rocks; *bryte -en* (*fig*) break the ice (*fx* at last the ice was broken); *mitt blod ble til* ~ my blood froze; *han gikk gjennom -en og druknet* he fell through the ice and was drowned; *legge på* ~ put on (the) ice; (*fig*) put in(to) cold storage; *det var* ~ *på dammen* the pond was iced over; *våge seg ut på tynn* ~ (*fig*) venture out on thin ice; take a big risk; (*se islagt*).

is|aktig icy. **-avkjølt** iced.

is|berg iceberg. **-bjørn** ≈ polar bear. **-blokk** block of ice. **-blomst** (*på ruten*) frostwork, ice fern.

isbrann [scorching of the grass owing to the sun burning through a thin ice cover].

is|bre glacier. **-brodd** crampon. **-bryter** ⚓ icebreaker.

iseenesett|e (*vb*) produce, stage; (*om film*) direct; (*fig*) stage, engineer. **-else** production, staging; (*om film*) direction, directing; (*scenearrangement*) (stage) setting. **-er** producer; (*film*) (film) director.

isdannelse ice formation; (*på fly*) ice accretion.

is|dekke sheet of ice. **-drift** drifting ice.

ise (*vb*): *skipet var helt -t ned* (o: *nediset*) the ship was completely icebound; *det -r i tennene* my teeth are on edge; *det -r i tennene når jeg drikker kaldt vann* cold water sets my teeth on edge.

iseddik glacial acetic acid.

isenkram hardware, ironmongery. **-forretning** ironmonger's (shop), hardware shop (,US: store). **-handler** ironmonger; hardware dealer. **-varer** (*pl*) ironmongery; (*også* US) hardware.

iset (*adj*) ice-covered, icy; slippery with ice.

is|fast frozen over (*fx* lake, river); (*om skip*) icebound. **-fjell** iceberg. **-flak** ice floe. **-flate** sheet (*el.* expanse) of ice, frozen surface. **-fri** ice-free. **-fugl** ≈ kingfisher. **-gang** breaking-up of the ice; *det var* ~ *i elva* the river was full of drifting ice.

ishav arctic (*el.* polar) sea; (*Nord*)*ishavet* the Arctic Ocean; *Sørishavet* the Antarctic Ocean.

ishavs|farer one who sails the Arctic (,the Antarctic). **-skute** polar (*el.* arctic) vessel.

ishockey ice hockey. **-kølle** ice-hockey stick.

I. ising icing; (*se ise*).

II. ising ≈ (*sandflyndre*) dab.

isj (*int*) ugh; (*irritert*) there now (*fx* t. now! if it isn't raining!); US phooey, ugh.

isjias sciatica.

is|kald ice-cold, icy, cold as ice; *han tok det -t* T he was as cool as a cucumber. **-kasse** icebox. **-klump** lump of ice; *føttene mine er som -er* my feet feel like (lumps of) ice, my feet are cold as ice. **-krem** ice cream. **-krembar** ice-cream parlour (,US: parlor). **-krembeger** ice-cream cup, ice-(-cream) tub. **-kremkiosk** ice-cream stall. **-kremmerhus** ice-cream cone.

islagt frozen, covered with ice, iced over (*fx* the lakes remained frozen (*el.* iced over) right up to the month of May).

islam Islam. **-ismen** Islamism. **-itt** Islamite.

Island Iceland.

islandsk Icelandic; ~ *mose* Iceland moss.

islender (*genser*) Fair Isle sweater.

islending Icelander; (*hest*) Iceland pony.

islett woof, weft; (*fig*) sprinkling, strain.

isløsningen the breaking-up of the ice; (*jvf isgang*).

isne (*vb*): *det fikk mitt blod til å* ~ it made my blood run cold. **-nde** freezing, chilling, icy.

isolasjon 1. insulation; 2 (*det å avsondre*) isolation.

isolator insulator.

isolere (*vb*) 1. insulate; 2 (*avsondre*) isolate.

is|pinne ice lolly; (*med sjokoladeovertrekk*) choc ice. **-pose** ice bag.

isprengt sprinkled (with), interspersed with; (*om stoff*) shot (with); (*om farge*) speckled with.

israelitt Israelite. **-isk** Israelitic.

isranunkel ✿ glacier crowfoot.

is|rose: *se* **-blomst**

isse (*anat*) crown, top (of the head); (*faglig*) vertex.

is|skap icebox. **-svull** patch (*el.* lump) of ice; *farlige -er på fortauene* dangerous patches (*el.* lumps) of ice on the pavements.

issørpe brash (of ice).

i sta(d) a while ago.

istandsette (*vb*) repair, mend.

istandsettelse repair, repairing, mending.

istapp icicle.

istedenfor, i stedet for (*prep*) instead of; in lieu of.

istemme (*vb*) join (in singing), chime in; (*begynne å synge*) strike up.

ister (*fett*) leaf fat. **-sild** ≈ matie (herring). **-vom** potbelly.

istid glacial age, ice age.

istme isthmus.

i stykker: *se* **stykke.**

istykkerrustet rusted out (*fx* r.-o. door bottoms).
i stå: *se* stå.
isvann ice water.
især particularly, especially; (*etterstilt*) in particular; *hver* ~ each; ~ *når* particularly (*el.* above all) when.
Italia Italy.
italiener Italian. **italiensk** Italian.
ivareta (*vb*): *se* vareta.
iver eagerness; keenness; (*nidkjærhet*) zeal; (*lyst*) zest; (*varm interesse for*) ardour (,US: ardor); *med* ~ eagerly; (*se lyse:* iveren lyste ut av øynene på henne).
iverksett|e (*vb*) effect, carry into effect, carry out, implement; initiate, start; ~ *planen* put the plan into effect. **-else** carrying into execution (*fx* of a judgment); realization, implementation.

ivre (*vb*) say eagerly; ~ *for en sak* be an eager (*el.* keen) supporter of a cause.
ivrig eager; keen; zealous, ardent; ~ *etter å* eager (*el.* anxious) to; *bli* ~ get excited; ~ *i tjenesten* zealous; (*altfor*) over-zealous; *han er svært* ~ T he's as keen as mustard; *jeg er ikke lenger så* ~ *på å kjøre bil* I am no longer keen on motoring.
iørefallende easy to hear, striking; T catchy.
iøynefallende conspicuous; (*slående*) striking; (*meget* ~, *også*) glaring (*fx* his faults are too g. to be overlooked); *på en* ~ *måte* conspicuously; *hvis du gjør det på en så* ~ *måte, merker han det straks* if you're so obvious about it he will notice straight away; *det er meget* ~ it is very conspicuous; T it sticks out a mile; it hits you in the eye.

J

J, j J, j; *J for Johan* J for Jack.
ja (*bekreftende*) yes; (*ja endog, til og med*) in fact, indeed (*fx* they are a first-class firm, in fact, one of the best in the trade; indeed, I am almost certain that . . .); (*ved vielse*) I will; (*ved avstemning i underhuset*) aye; (*i overhuset*) content; (*som innledningsord*) well; *få* (*pikens*) ~ be accepted; *han fikk hennes* ~ she accepted his proposal; *gi ham sitt* ~ accept his proposal; *si* ~ *til* accept; *svare* ~ answer yes, answer in the affirmative; ~ *gjerne!* certainly! ~ *men* (yes) but; (*se også jaså & javel*).
jabbe (*vb*) 1. trudge, plod; pad (*fx* she padded in her stocking(ed) feet); 2. jabber, talk indistinctly.
jade jade.
jafs gulp (*fx* swallow it at one gulp), mouthful; *i en* ~ in one mouthful.
jafse (*vb*): ~ *i seg* bolt (*fx* one's food), wolf down; US (*også*) chomp.
jag 1. chase, hunt; 2. (*mad*) rush, bustle; *et* ~ a rush; (*se også kjør*).
jage (*vt*) chase; hunt; (*fordrive*) drive (away, off, out, *etc*); hunt (*fx* h. him out of the country; h. the cat out of the garden); (*vi*): ~ *av sted* tear along; *jeg ble -t opp av senga kl. 6 i dag morges* they routed me out of bed at six this morning; ~ *på* urge on, hurry (*fx* h. sby); ~ *på dør* turn out; ~ *på flukt* put to flight.
jager ⚓ destroyer; (*undervannsbåt-*) submarine chaser; (*fly*) fighter (plane); (*seil*) flying jib.
jagerfly fighter (plane).
jaggu (*ed*) by God.
jaguar 🐾 jaguar.
jakke coat, jacket.
Jakob James; (*bibl*) Jacob. **j-iner** Jacobin.
jakobsstige Jacob's ladder.
I. jakt (*fartøy*) sloop; (*lyst-*) yacht.
II. jakt chase, shooting; (*storvilt-*) hunting; ~ *på* hunt for (*fx* the hunt for the criminal began); *gjøre* ~ *på* hunt, pursue; *gå på* ~ go (out) shooting; *de opptok -en på forbryteren* they set off in pursuit of the criminal; *være på* ~ *etter* (*fig*) be on the look-out for, hunt (*fx* I have been hunting that edition for years).
jakt|avgift (*-kort*) game licence.
jakte (*vb*) hunt; shoot (*fx* he fishes, but doesn't shoot); ~ *på* hunt for.
jakt|falk 🐾 gerfalcon. **-gevær** sporting (,US: hunting) rifle. **-hund** sporting dog; hound; US hunting dog. **-kniv** hunting knife. **-leopard** 🐾 cheetah. **-marker:** *de evige* ~ (*myt.*) the Happy Hunting Grounds; *dra til de evige* ~ T go to one's Father; be gathered to one's fathers; *sende en til de evige* ~ T send sby to Kingdom Come; launch sby into eternity; send sby to the happy hunting grounds.

jakt|rett shoot; hunting right(s), shooting right(s), right to hunt (*el.* shoot), sporting rights; *leie* ~ lease a shoot; US lease hunting rights (*el.* a hunting preserve). **-selskap** hunting (,shooting) party; (*ved parforsejakt*) hunt. **-terreng** hunting ground. **-tid** hunting (*el.* shooting) season, open season; *det er ikke* ~ there is no hunting (*el.* shooting).
jam-: *se* jevn-.
jam|be iamb(us). **-bisk** iambic.
jammen certainly, indeed, to be sure.
jammer lamentation, wailing; (*elendighet*) misery; *en* ~ *å se* a miserable sight. **-dal** (*bibl* = *jorden*) vale of tears.
jammerlig (*adj*) miserable, wretched, pitiable.
jammerlighet wretchedness, pitiableness.
jammerskrik cry of distress.
jamn: *se* jevn.
jamre (*vb*) complain; ~ *seg* lament, wail; (*stønne*) moan, groan.
jamsi(de)s side by side, abreast.
jamstilling equality; (*se jevnstille*).
janitsjar janissary; (*i orkester*) trap drummer.
janitsjarmusikk janissary music.
januar January.
Japan Japan. **j-er** Japanese. **j-erinne** Japanese woman.
japanesisk, japansk Japanese; *japansk ris* puffed rice.
jare selvage.
jarl earl. **-edømme** earldom.
jasmin 🌸 jasmine.
jaspis (*min*) jasper.
jas(s)å well, well; (*virkelig*) really? indeed?
jatte (*vb*): ~ *med en* play (*el.* go) along with; give in to (*fx* you must not always give in to him; it doesn't help); *en som -r med alle* T a yes-man; (*jvf føye*).
Java Java.
javaneser Javanese. **javanesisk** Javanese.
javel yes, sir! ⚓ aye aye (,sir)! (*jvf vel*).
jazz jazz; *danse* ~ dance to j. music. **-konsert** jazz show.
Jeanne d'Arc Joan of Arc.
I. jeg (*subst*) ego, self; *mitt annet* ~ my alter ego; *ens bedre* ~ one's better self; *appellere til hans bedre* ~ appeal to his better nature (*el.* feelings).
II. jeg (*pron*) I; ~ *selv* I myself; ~ *så det selv* I saw it myself; ~ *arme synder* a poor sinner like me; *det er jeg* (T: *meg*) it's I; T it's me.
jeger hunter. **-korps** ⚔ corps of chasseurs.
jekk (*bil-*) (car) jack.
jekke (*vb*) jack (opp up); ~ *seg* (*opp*) (*fig*) throw one's weight about; swagger; (*yppe strid*) get nasty; US (*også*) act big; *jekk deg ned!* (*også* US) pipe down! ~ *en ned* T take sby down a peg

(or two); ~ *ut* (*rival*): *han prøver å ~ meg ut* he's trying to get between me and my girl; he's trying to cut me out with my girl.

jeksel molar.

jenke *vb*: (*avpasse*) ~ *på noe* put sth right, straighten sth out, put sth to rights; ~ *seg etter* adapt oneself to; *det -r seg* the matter will right itself (*el.* will straighten itself out); it will settle down all right.

jens: *en pikenes* ~ a ladies' man.

jente girl; *jenta* (ɔ: *kjæresten*) *har slått opp med meg* S my girl has walked out on me; *en ~ i hver havn* (*ofte*) a wife in every port of call; (*jvf kjei*).

jentefut [man who chases girls]; (*kan gjengis*) skirt chaser.

jentunge little girl; (*bare*) *en liten* ~ a (mere) chit of a girl.

Jeremi|**as** Jeremiah. **j-ade** jeremiad.

jern iron; *gammelt* ~ scrap iron; *smi mens -et er varmt* strike while the iron is hot; *ha mange ~ i ilden* have many irons in the fire; *han er et* ~ he is a hard worker.

jernalder Iron Age.

jernbane railway; US railroad; *med -n* by rail.

jernbane- railway; US railroad.

jernbane|**anlegg** railway construction. **-arbeider** r. worker.

jernbanedirektør 1 (*sjef for en av de seks* 'regions' *ved* British Railways) general regional manager; 2: *se banedirektør, drifts- og trafikk-direktør, elektrodirektør, forrådsdirektør, maskin-direktør, personaldirektør, økonomidirektør, som alle har tittelen* «*jernbanedirektør*».

jernbane|**drift** operation of railways, railway service. **-ekspeditør** booking clerk; (*som betjener tog*) station foreman; (*se stasjonsformann*). **-for-bindelse** r. connection. **-fullmektig** (*fung. stasjons-mester*) station inspector; (*innendørs*) senior book-ing clerk. **-funksjonær** r. employee (*el.* official). **-fylling** r. embankment. **-knutepunkt** (r.) junction. **-kupé** (r.) compartment. **-linje** (r.) line. **-mann** railwayman; r. employee (*el.* official). **-materiell** r. matériel; *rullende* ~ rolling stock. **-nett** r. system. **-overgang** level crossing (*fx* an unguarded (,a gated) l. c.); US grade crossing. **-restaurant** station restaurant, (station) refreshment room; (*mindre*) buffet. **-skinne** rail. **-stasjon** railway station; US railroad depot (*el.* station). **-strekning** section of the (,a) line.

jernbanesville (railway) sleeper.

jernbanetakster (*pl*) railway (freight) charges; r. passenger rates.

jernbanetomt railway premises, r. grounds; (*se godstomt* & *skiftetomt*).

jernbane|**transport** carriage by rail. **-ulykke** railway accident. **-undergang** subcrossing. **-vogn** railway carriage; (*faglig*) (r.) coach; US railroad car.

jernbeslag iron fittings; (*på fx kasse*) iron band(s).

jern|**blekk, -blikk** sheet iron. **-bryllup** seven-tieth wedding anniversary.

jernbyrd (*hist*) [ordeal by carrying hot iron].

jern|**filspon** iron filings. **-grep** (*fig*) iron grip, stranglehold (*fx* break the Red s. on vital supply lines).

jern|**hard** hard as iron; (*om person, også*) hard, unyielding; merciless; ~ *disiplin* rigid (*el.* iron) discipline; ~ *vilje* iron will. **-helbred:** *se -helse.* **-helse** iron constitution. **-holdig** ferruginous. **-krampe** iron cramp, cramp iron.

jern|**lunge** (*apparat*) iron lung. **-malm** iron ore. **-pille** ♀ iron pill. **-stang** iron bar. **-støperi** iron foundry. **-teppe** iron curtain; *ha* ~ (*fig*) have a blackout; *jeg fikk* ~ (*også*) my mind went blank. **-vare-:** *se isenkram-.* **-vilje** iron will.

jerpe ♠ (*hønsefugl*) hazel grouse.

jerseytrøye jersey jacket.

Jerusalem Jerusalem; *-s skomaker* the Wan-dering Jew.

jerv ♠ glutton; US wolverine.

jesuitt Jesuit. **jesuittorden** order of Jesuits.

jesuittisk Jesuitical.

jesuittisme Jesuitism.

Jesus Jesus; ~ *Kristus* Jesus Christ.

jeté jetty.

jet|**fly** jet plane. **-jager** jet fighter.

jette giant. **-gryte** (*geol*) pothole.

jevn even, level; (*glatt*) smooth; (*ensartet, jevnt god*) uniform; (*enkel*) plain, simple; ~ *gang* steady pace; *et -t humør* an even temper; *med* ~ *hastighet* at an even speed; *med -e mellomrom* at regular intervals; *i -e kår* in modest circum-stances; *den -e mann* the common man, the man in the street; ~ *produksjon* a regular output; (*se jevnt* (*adv*)).

jevnaldrende (of) the same age; *han er* ~ *med meg* he is my age.

jevnbred of uniform breadth.

jevnbyrdig (*i dyktighet*) equal in ability; ~ *med* equal to; *deres -e* their equals.

jevndøgn equinox.

jevne (*vb*) level, even; (*fig*) smooth (down), adjust, set right; ~ *suppe med mel* thicken soup with flour; ~ *veien for* smooth the path for; ~ *med jorden* level with the ground.

jevn|**føre** (*vb*) compare; (*se sammenligne*). **-føring** comparison; (*se sammenligning*).

jevngod: ~ *med* as good as, equal to.

jevnhet smoothness, evenness.

jevning (*se jevn*); (*til suppe*) thickening.

jevnlig (*adj*) frequent; (*adv*) frequently, often.

jevnsides side by side, abreast, alongside.

jevnstille (*vb*) place on an equal footing (*med* with); *jevnstilte former* alternate (linguistic) forms; (*se jamstilling*).

jevnt (*adv*) evenly; smoothly; in a regular manner; gradually; steadily; *avta* ~ decrease gradually (*el.* steadily); ~ *dyktig* of average ability; ~ *godt* fairly well; ~ *og trutt* steadily.

jo 1 (*som svar på nektende spørsmål*) yes; certainly; to be sure; (*nølende*) well; well, yes; *å* ~! (*bedende*) please, do! ~ *visst!* certainly, of course; (*iron*) indeed! **2** (*trykksvakt adv*) after all, of course, you know; *De må* ~ *vite at* you must indeed know that; *vi visste* ~ *godt at* we certainly knew that; of course we knew that . . . ; *der er han* ~! why, there he is! *jeg er* ~ *likså høy som du* I'm just as tall as you are, you know; *her kommer jeg* ~! here I come, don't you see? *de kunne* ~ *ikke være der bestandig* of course, they couldn't always stay there; (*gjengis ofte med trykk på verbet*) *det vet du* ~ but you 'know that; *han er* ~ *din sønn* he 'is your son; **3** (*konj*): *jo . . . jo* the . . . the; ~ *før* ~ *heller* the sooner the better; *the earlier the better* (*fx* the earlier you send the machines, the better); ~ *fler* (*e*) ~ *bedre* the more the merrier; ~ *mer jeg øver meg, desto dårligere synger jeg* the more I practise, the worse I sing; *veien blir smalere* ~ *lenger vi går* the road gets narrower the farther we go.

jobb job, piece of work; *en behagelig* ~ T a soft (*el.* cushy) job; (*se også innsats*).

jobbe (*vb*) **1** (*neds*) speculate (in stocks); **2** T work. **-r** speculator. **-tid** boom period.

jobbing stockjobbing.

jockey jockey.

jod iodine.

jod|**forbindelse** iodine compound. **-holdig** iodic.

jodle (*vb*) yodel.

Johan John.

johanitter|**orden** Order of Malta. **-ridder** Knight of Malta.

Johannes John.

jolle dinghy, jolly boat.

jomfru (*møy*) virgin; *gammel* ~ old maid; ~ *Maria* the Virgin Mary.

jomfrubur maiden's bower.

jomfrudom virginity, maidenhood.

jomfruelig virgin, virginal. **-het** virginity.

jomfrunalsk spinsterish, old-maidish.

jomfru|**tale** maiden speech. **-ære** maiden honour.

jommen (*adv*): ~ *sa jeg smør!* (*iron*) what a hope! don't you believe it! *i et fritt land*, ~ *sa jeg smør* (*iron*) in a free country, I don't think!

jonsok Midsummer Day. **-bål** bonfire celebrating Midsummer Night. **-kveld** Midsummer Eve. **-natt** Midsummer Night.

jord earth; (*overflate*) ground; (*jordbunn*, *land*) soil, land; (*jordegods*) land; *dyrket* ~ cultivated land; *her på -a* here on earth; *-ens produkter* the products of the soil; *-en dreier seg om sin akse* the earth revolves on its axis; *falle i god* ~ fall into good ground; *spøken falt i god* ~ the joke went down; *falle til -en* fall to the ground; *følge en til -en* follow sby to the grave; *sette himmel og* ~ *i bevegelse* move heaven and earth; *synke til -en* sink to the ground; *slaget strakte ham til -en* the blow laid him low; the b. sent him to the ground; *under -en* under ground, underground (*fx* work u.).

jordaktig earthy.

jord|arbeider navvy. **-bruk** agriculture, farming. **-bruker** farmer. **-bruksskole** farm institute; (*jvf landbruks-*).

jordbunden earth-bound, prosaic, materialistic, pedestrian (*fx* literature ceased to soar and became p.); *hans jordbundne tankegang* the lack of any elevation in his thought.

jordbunn soil.

jordbær 🌼 strawberry; *mark-* wild s. **-saft** strawberry syrup. **-syltetøy** strawberry jam.

I. jorde *subst* (arable) field; *være helt på -t* T be all at sea; be out of touch; have got the wires crossed; be barking up the wrong tree; be on the wrong track (*el.* scent); be very much mistaken.

II. jorde (*vb*) bury, inter.

jordegods landed property, lands.

jordeiendom landed property, lands.

jordeier landed proprietor, landowner.

jord(e)liv earthly existence, the (*el.* this) present life, life on earth.

jorderike (*poet*) the earth, the world.

jord|fall (*geol*) subsidence. **-farge** earthen colour.

jord|fellesskap (*hist*) communal ownership of land. **-feste** (*vb*) bury, inter. **-festelse** burial, interment. **-forbindelse** (*radio*) earth connection. **-freser** rotary hoe, soil miller. **-hytte** mud hut.

jordisk earthly, terrestrial, worldly; *-e levninger* mortal remains.

jord|klode globe. **-klump** lump of earth. **-lag** stratum of earth. **-ledning** earth (lead); US ground. **-loppe** flea beetle; (*gulstripet*) turnip flea. **-magnetisme** terrestrial magnetism. **-nøtt** peanut, groundnut.

jordmor midwife.

jordmorelev pupil midwife.

jord|olje crude oil. **-omseiler** circumnavigator (of the globe). **-omseiling** circumnavigation (of the globe). **-overflate** surface of the earth. **-periode** geological period.

jordpåkastelse ceremony of sprinkling earth on the coffin; (*svarer til*) graveside ceremony; *forrette -n* officiate at the g. c.

jord|ras landslide, earth slip. **-skjelv** earthquake. **-skorpen** the crust of the earth (*fx* under the c. of the earth). **-skred** landslide. **-skyld** ground rent. **-slag** 1. type of soil; 2 (*meldugg*) mildew. **-slått** (*adj*) damp-stained; (*muggen*, *full av meldugg*) mildewed; (*om papir*) foxed.

jordsmonn soil, ground.

jordstyre [locally elected council concerned with questions of land and forest use].

jordsvin 🐾 aardvark, ant bear.

jord|trell, **-træl** toiler on the land; US grubber.

jordulv 🐾 aardwolf.

jord|vendt (*adj*) concerned with earthly things, earth-bound; (*jvf jordbunden*). **-vei** (cultivated) farm land. **-voll** earthwork, rampart.

jorte (*vb*) chew the cud.

Josef Joseph; T Joe. **-ine** Josephine.

jotun (*pl*: *jotner*) (*myt*) giant.

jour: *à* ~ up to date (NB *attributivt*: up-to -date, *fx* an up-to-date list); posted up; *à* ~ *med* posted (up) in; informed on (*fx* we shall keep you i. on the situation); *føre à* ~ bring up to date, post up, date up.

jourhavende on duty, on watch.

journal journal; (*hospitals*) case record; (*den enkelte pasients*) case sheet; ⚓ log(book); *føre* ~ keep a journal (,a case record, a log); *føre inn i -en* enter in the j. (,the log, *etc*).

journal|ist journalist, (press) reporter. **-istikk** journalism. **-istisk** journalistic.

jovial jovial, genial, jolly. **-itet** joviality.

jubel exultation, jubilation; (*glede*) rejoicings; *latter og* ~ laughter and joy. **-år** (year of) jubilee; *en gang hvert* ~ T once in a blue moon.

jubilere (*vb*) celebrate a jubilee.

jubileum jubilee; anniversary.

jubileumsutgave jubilee edition.

juble (*vb*) shout (with joy), exult, be jubilant. **jublende** jubilant, exultant.

jubling exultation, jubilation.

Judas Judas.

judaskyss Judas kiss; (*ofte*) kiss of death. **judaspenger** (*pl*) Judas money, traitor's wages; (his) thirty pieces of silver; (*ofte*) blood money.

judis|iell judicial. **-ium** judgment.

jugl gaudy finery, rubbish.

jugoslav Yugoslav.

Jugoslavia Yugoslavia.

jugoslavisk Yugoslav.

juks 1. trickery, deceit; 2. rubbish, trash.

jukse (*vb*) cheat. **-maker** cheater.

jul Christmas; T Xmas; *feire* ~ celebrate (*el.* keep) Christmas; *i -en* at Christmas; *over the* C. period; *vi hadde en rolig* ~ our Xmas passed quietly; *ønske en gledelig* ~ wish sby a merry Christmas.

julaften Christmas Eve; *lille* ~ the night before C. Eve.

jule (*vb*): *se pryle*.

julebord: *han skal på* ~ (*kan gjengis*) he is going to a Christmas dinner.

jule|bukk (*intet tilsv.; i Engl. julaften*) carol singer. **-dag** Christmas Day; *annen* ~ Boxing Day. **-evangelium** gospel for Christmas Day; US C. gospel. **-ferie** C. holidays. **-fest** Christmas (celebrations). **-gave** Christmas gift (*el.* present).

jule|glede 1. Christmas gaiety (*el.* joy); 2 🌼 winter-flowering begonia. **-handel** C. trade; *i London på* ~ in L. on a C. spree. **-helg** C. season. **-kake** (*omtr* =) fruit loaf. **-klapp** C. gift; (*til postbud*, *etc*) C. box. **-knask** C. titbits. **-kort** C. card. **-kveld:** *se julaften.*

jule|lys Christmas candle. **-merker:** *hvis ikke alle* ~ *slår feil* unless all signs mislead. **-morgen** C. morning. **-natt** C. night. **-nek** C. sheaf (of oats) (hung out for the birds to feed on). **-nissen** (*svarer til*) Father Christmas; US Santa Claus. **-rose** 🌼 hellebore. **-salme** C. hymn. **-sang** C. song.

julestemning Christmas spirit (*el.* feeling), spirit of C., Christmassy atmosphere; *det ble liksom ingen riktig* ~ *det året* it was as if we couldn't really get the spirit of C. that year; *være i* ~ T feel Christmassy; *jeg er i* ~ (*også*) I've got the C. feeling.

jule|stjerne 1. Star of Bethlehem; 2 [star at the top of the Christmas tree]; (*kan gjengis*) Christmas tree star. **-stri** rush (*el.* work) before C., C. rush.

juletentamen (*kan gjengis*) Christmas (term) examination (*fx* in English, *etc*).

jule|tid Christmas time. **-travelhet** Christmas rush (*el.* busy period), C. pressure period.

juletre C. tree; *høste -et* take (*el.* get) the decorations off the C. tree, strip the C. tree (of its decorations).

juletre|fest (*kan gjengis*) Christmas ball. **-fot** stand for a (,the) C. tree, C. tree stand. **-pynt** C. tree decorations.

jule|uke Christmas week. **-utstilling** C. display.

juli July; (*se også I. sist*).

juliansk Julian.
juling beating, thrashing, bashing (*fx* get a b.).
jumbo bottom (*fx* I was b., he was top); (*jvf bestemann*).
jumbopremie booby prize; *få* ~ T (*også*) come bottom.
jumpe (*vb*) jump, leap.
jumper jumper.
jungel jungle.
jungmann ordinary seaman.
juni June.
junior junior.
junker (young) nobleman, squire; (*tysk*) junker. **-herredømme** squirearchy; (*tysk*) junkerism.
Juno Juno.
junoisk Junoesque, stately.
Jupiter Jupiter, Jove.
jur udder.
jura: *se jus.*
juradannelse (*geol*) Jurassic formation.
juridikum (*juridisk embetseksamen*) examination in law; law examination; *ta* ~ graduate in law.
juridisk legal, juridical; *Det -e fakultet* the Faculty of Law; *i* ~ *forstand* in a legal sense; ~ *sett* from a legal point of view; ~ *sett kan han ikke gjøre deg noe* he has no legal handle against you; T legally he has nothing on you; *i -e spørsmål* in legal matters; *han har* ~ *embetseksamen* he has graduated in law; he has taken a law degree; ~ *kandidat* graduate in law; ~ *konsulent* legal adviser; *sakens -e side* the legal aspect of the affair; ~ *student* law student; *søke* ~ *hjelp* seek legal aid (*el.* assistance), seek legal advice.
jurisdiksjon jurisdiction.
jurisprudens jurisprudence.
jurist (*rettslærd*) jurist; (*praktiserende*) lawyer; legal practitioner; (*student*) law student; (*se advokat*).
juristeri legalistic hair-splitting, legal quibbling.
jury jury; panel of judges (*fx* in a beauty contest); *være medlem av en* ~ (*jur*) serve on a jury.
juryliste (jury) panel.
jurymann juror, juryman.

jus law, jurisprudence; *lese* (*el. studere*) ~ read (*el.* study) law; (*for å bli 'barrister'*) read for the bar.
just just, precisely, exactly; *ikke* ~, ~ *ikke* not exactly.
justerdirektør director of weights and measures.
justere (*vb*) adjust; (*regulere*) regulate; ~ *lyset* (*på bil*) adjust (*el.* align) the headlights; ~ *motoren* tune the engine; (*jvf innstille*).
justering adjustment, adjusting; tuning; motorengine tune-up.
justervesen (*svarer til*) Office of Weights and Measures; US Bureau of Standards.
justis (administration of) justice. **-departement** Ministry of Justice. **-minister** Minister of Justice; (*i England fordelt på flere, især*) Lord Chancellor, Home Secretary; US Attorney-General. **-mord** 1. miscarriage of justice; 2 (*henrettelse*) judicial murder.
justitiarius Lord Chief Justice.
jute jute.
jutul: *se jotun.*
juv gorge; US canyon, gorge.
juvel jewel, gem. **-besatt** jewelled.
juveler jeweller. **-butikk** jeweller's shop.
juvelskrin jewel case.
jyde Jutlander.
Jylland (*geogr*) Jutland.
jypling (*neds*) young whippersnapper.
jysk Jutlandish.
jærtegn sign, omen, portent.
jøde Jew.
jøde|dom Judaism, Jewry. **-forfølgelse** persecution of (the) Jews. **-hat** anti-Semitism. **-hater** anti-Semite. **J-land** Palestine, the Holy Land.
jødinne Jewess. **jødisk** Jewish.
jøkel glacier. **-elv** glacier torrent.
jøss(es) T O Lord! Jimini! (*cockney*) stone the crows! holy smoke! US gee!
jøssing [Norwegian patriot during World War II].
jål foolishness, nonsense; showing off.
jåle (*subst*) silly woman, show-off; (*jvf interessant: gjøre seg* ~).
jålet affected, foolish, silly.

K

K, k K, k; *K for Karin* K for King.
kabal ✝ patience; US solitaire; *-en går opp* the p. comes out; *legge* ~ play p.; US play s.; *legge flere -er* play several games of p.
kabale (*intrige*) cabal, intrigue.
kabaret cabaret (show); (*mat; kan gjengis*) hors d'oeuvres; *fiske-* fish in aspic; *grønnsak-* vegetables in aspic.
kabaretfat (sectioned) hors d'oeuvre dish.
kabb (*planke-*): *se kubbe.*
kabel cable.
kabel|lengde (*mål*) cable length. **-sko** cable terminal. **-telegram** cablegram.
kabin cabin; (*se lugar*).
kabinett cabinet.
kabinetts|sekretær (the King's) private secretary. **-spørsmål** question (*el.* matter) of confidence; *stille* ~ demand a vote of confidence.
kabriolet cabriolet, convertible (*el.* drophead) car; US S vert.
kabyss ✝ galley.
kadaver corpse, cadaver, carcass.
kadaverdisiplin blind, slavish discipline.
kader cadre.
kadett ✝ midshipman; (*jvf befalselev*).
kafé café; (*svarer ofte til*) restaurant.
kafeteria cafeteria.
kaffe coffee; *be en til* ~ ask sby in for afternoon coffee; *brenne* ~ roast c.; *koke* ~ make c.;

~ *med fløte* (*el. melk*) white c.; *svart* ~ black c.; (*se invitere*).
kaffe|blanding blend of coffee. **-bord** coffee table. **-bønne** c. bean. **-dokter** laced coffee. **-grut** c. grounds; *spå i* ~ (*svarer til*) tell fortunes from the tea leaves.
kaffein: *se koffein.*
kaffe|kanne coffeepot; US (*også*) coffee server. **-kjele** [kettle for making coffee]; (*intet tilsv., svarer til*) coffeepot. **-kopp** coffee cup; (*kopp kaffe*) cup of c. **-kvern** coffee grinder; (*også* US) c. mill.
kaffer Kaffir.
kaffe|service coffee service, c. set. **-slabberas** coffee party; T bun fight; S hen party; US (*også*) coffee klatsch. **-traktemaskin** (coffee) percolator. **-tur** *dra på* ~ go on a picnic, go picnicking. **-tørst** longing for coffee; *jeg er* ~ I feel like a cup of coffee. **-tår** (small) cup of c.
kaftan caftan.
kagge keg.
kahytt cabin; (*se også lugar*).
kahyttsgutt cabin boy.
kai quay, wharf; *fra* ~ (*om levering*) ex quay; *legge til* ~ come alongside q.; *ved* ~ alongside q.
kaianlegg quay structures (*el.* works).
kaie ⚐ jackdaw.
Kain Cain. **kainsmerke** brand of Cain.
kai|lengde (lineal) quayage; US (lineal) wharf capacity. **-penger** (*pl*) quay dues. **-plass** moorage,

mooring space; mooring accommodation; (*for enkelt skip*) quay berth; (*jvf båtstø*).
kajakk kayak. **-padler** kayaker.
kajennepepper Cayenne pepper; (*hele*) chillies.
kakadu ♣ cockatoo.
kakao cocoa. **-bønne** cocoa bean.
kake cake; *bløt-* layer cake; (*liten konditor-*) French pastry, tea fancy; *småkaker* tea cakes; US cookies; (*jvf konditorkake*); *tørre -r* (*kun om de flate*) biscuits; US cookies; *mele sin egen* ～ feather one's (own) nest, look after number one; *ta hele kaka* T (*fig*) bag the whole lot.
kakebaking cake making.
kakeboks biscuit (*el.* cake) tin.
kake|bu ⚹ T glasshouse; US guardhouse (*fx get ten days in the g.*). **-form** cake tin; baking tin; US (*også*) cake pan.
kakelinne [period of mild weather in December, when Christmas cakes are being made].
kakemons: han er en ordentlig ～ he has a passion for cakes; T he's a great one for cakes.
kakerlakk ♣ cockroach.
kakespade (*også* US) cake server.
kaketrinse pastry jagger.
kakevase cake stand.
kaki khaki. **-kledd** dressed in khaki.
kakke *vb* (*banke*) tap, knock, rap; (*om fugl*) peck; ～ *hull på et kokt egg* crack a boiled egg.
kakkelovn (tiled) stove; (NB *svarer i England til kamin*: fireplace); US (tiled) heating stove.
kakkelovnskrok chimney corner; (*svarer til*) inglenook.
kakle (*vb*) cackle. **kakling** cackling.
kakse (*storbonde*) farmer in a large way; (*som slår stort på*) bigwig, swell.
kakstryke (*vb*) whip (at the whipping post).
kaktus ♣ cactus; (NB *pl* cacti *el.* cactuses).
kala ♣ calla.
kalamitet calamity.
kalas T jollification, binge.
kald *adj* (*se også kaldt*) cold (*fx* it is cold today; the tea is quite c.; his manner to me was extremely c.); (*også geogr*) frigid (*fx* the f. zones; the room was positively f.); (*ubehagelig* ～, *også*) chilly (*fx* a c. room); (*om vesen*) cold, frigid (*fx* with f. politeness); (*uerotisk*) frigid; (*kaldblodig*) cool, calm, composed; ～ *anretning* cold buffet (,lunch, supper, *etc*); (*se koldtbord*); *med -t blod* in cold blood; *holde hodet -t* keep a cool head, keep cool, keep one's head; *slå -t vann i blodet på en* damp sby's ardour (*el.* enthusiasm); T throw cold water on sby; *i en* ～ *tone* in a frigid tone; *det var -t i været* the weather was cold; *helt* ～ (*også*) stone cold; *være* ～ *mot en* treat sby with coldness; *jeg er* ～ *på hendene* my hands are cold (*se også kjølig*).
kaldblodig (*rolig*) cool; composed; (*om dyr*) cold-blooded; (*adv*) in cold blood; coolly.
kaldblodighet coolness, composure.
kald|flir sneer. **-flire** (*vb*) sneer. **-røyke** (*vb*) suck an unlighted pipe, draw on an u. pipe.
kaldstart (*om bil*) starting from cold, s. with a cold engine, cold starting.
kaldsvette (*vb*) be in a cold sweat.
kaleidoskop kaleidoscope.
kalender calendar. **-år** c. year.
kalesje (collapsible) hood; (*også* US) folding top.
kalfatre (*vb*) ⚓ caulk. **-r** caulker.
kali ♂ potash.
kaliber calibre; US caliber.
kalibrere (*vb*) calibrate.
kalif caliph.
kalifat caliphate.
kaliiornisk Californian.
kali|hydrat hydrate of potash. **-lut** potash lye. **-salpeter** nitrate of potash.
kalium potassium.
I. kalk (*alter-*) chalice; (*fig*) cup; *tømme smertens bitre* ～ drain the cup of bitterness; (*se beger*).
II. kalk calcium; (*jordart*) lime; (*mur-*) mortar;

(*til hvitning*) whitewash; (*pussekalk*) plaster; *brent* ～ quicklime. **-brenner** lime burner. **-brudd** limestone quarry.
kalke (*vb*) lime; (*hvitte*) whitewash; *-de graver* whited sepulchres.
kalker|e (*vb*) trace. **-papir** tracing paper.
kalkulasjon calculation, estimate; (*merk*) cost accounting. **-sbok** cost ledger, costing book. **-sieil** error in (*el.* of) calculation, miscalculation. **-spris** calculated price, cost price.
kalkulator calculator; (*merk*) cost accountant.
kalkulere (*vb*) calculate; ～ *en vare for høyt* overprice an article.
kalkun ♣ turkey. **-hane** turkey cock.
kalkyle calculation, estimate.
I. kall old man.
II. kall calling, vocation; (*prestekall*) living; (*se røkte*).
kalle *vb* (*også radio & tlf*) call; ～ *bort* call away; *bli kalt bort* (ɔ: *dø*) pass away; ～ *en* T call sby bad names; ～ *en opp etter* call sby after; ～ *på* call; ～ *sammen et møte* call (*el.* convene) a meeting; ～ *tilbake* call back, recall; withdraw, retract; *føle seg -t til å* . . . feel called upon to; *du kommer som -t* you are the very man (,woman) we (,I) want; ～ *til live* (ɔ: *skape*) call into being; (*gjenoppvekke*) call (back) to life; ～ *ut* call out; (*se fremkalle & tilbakekalle*).
kallelse calling, vocation.
kallesignal call signal.
kalli|grafi calligraphy. **-grafisk** calligraphic.
kallskapellan resident curate.
kalmus ♣ calamus, sweet flag.
kalori calorie, calory.
kalori|behov caloric requirement(s). **-innhold** calorific value. **-meter** calorimeter.
kalosje galosh, golosh; (*pl også*) rubbers.
kalott skullcap; (*katolsk prests*) calotte.
kalv ♣ calf; *med* ～ in calf.
kalvbe(i)nt knock-kneed.
kalve *vb* (*også om bre*) calve; ～ *for tidlig* slip (*fx* the cow has slipped her calf).
kalve|binge calf stall. **-brissel** calf's sweetbreads. **-dans** capers; (*rett av råmelk*) biestings pudding. **-frikasse** veal fricassee. **-karbonade** minced veal steaklet. **-kjøtt** veal. **-nyrestek** loin of veal. **-rull** veal roll. **-skinn** calfskin; (*pergament*) vellum. **-stek** roast veal; (*hele stykket*) joint of veal. **-sylte** jellied veal, veal brawn.
kalvin|isme Calvinism. **-ist** Calvinist. **-istisk** Calvinistic.
kam comb; (*bølge-*) crest; (*på slakt*) loin, back; (*okse-*) wing rib; ribs; *skjære alle over én* ～ treat all alike; apply the same yardstick to everybody; lump them all together; *få* ～ *til håret sitt* catch a Tartar; meet one's match; *rød i -men* flushed.
Kam (*bibl*) Ham.
kamaksel ⊕ camshaft.
kamé cameo.
kamel camel. **-driver** camel driver.
kameleon ♣ chameleon.
kamelhår camel hair.
kamelia ♣ camelia.
kamera camera.
kameramann (operative) cameraman, cameraman operator.
kamerat companion, friend; comrade; T pal, chum; (*se leke- & skole-*).
kameratekteskap companionate marriage.
kameratskap comradeship, good fellowship, friendship.
kameratslig friendly; T chummy; (*som en god kamerat*) sporting (*fx* that was not very s. of you); (*uformell*) informal; (*adv*) in a friendly spirit, in a spirit of good fellowship.
kameravinkel camera angle.
kamfer camphor. **-drops** (*kan omtr. tilsvare*) glacier mints. **-dråper** (*pl*) camphorated spirits. **-kule** mothball.
kamgarn worsted; *tretrådet* ～ 3-ply worsted.

kamgarnsstoff worsted (fabric).
kamille ✿ camomile. **-te** camomile tea.
kamin fireplace (with chimneypiece); ~ *for rett vegg* [fireplace for straight section of wall]; (*kan gjengis*) wall fireplace; (NB *i England er alle kaminer for rett vegg*). **-gesims** mantelpiece. **-gitter** fender, fire guard. **-innsats** fireplace. **-omramning** chimneypiece. **-rist** fire grate.
kammer chamber.
kammerduk cambric.
kammertjener valet.
kammertone ♪ concert pitch.
kammusling ♙ scallop.
I. **kamp** fight, combat, struggle; *vill* ~ (*også*) scramble (*fx* the s. for raw materials); **-en om** *pengene* (*fig*) the scramble for (*el.* the chase after) money; ~ *på liv og død* life-and-death struggle.
II. **kamp** (*fjelltopp*) round hilltop.
kampanje campaign.
kampberedt ready for action, in fighting trim.
kampdommer: *se dommer*.
kampdyktig able to fight, in fighting trim. **-het** efficiency, fighting power (*el.* qualities).
kampere (*vb*) camp.
kampestein boulder.
kamp|felle comrade-in-arms. **-gny** din of battle. **-hane** gamecock, fighting cock; (*fig*) pugnacious person.
kamp|iver, **-lyst** fighting spirit. **-lysten** eager to fight, full of fight. **-plass** battlefield, battleground. **-skrift:** *politiske* **-er** works of political controversy. **-trett** tired of fighting; *han er* ~ (*også*) there's no fight left in him. **-tretthet** ✕ combat fatigue.
kamuflasje camouflage.
kamuflere (*vb*) camouflage.
kanadi|er, -sk Canadian.
kanal (*gravd*) canal; (*naturlig vannløp & fig*) channel; (*i bilkarosseri*) duct.
kanalisere (*vb*) canalize.
kanalisering canalization.
kanalje rogue, villain.
kanalsvømmer cross-Channel swimmer.
kanapé settee; (*mat*) canapé.
kanarifugl ♙ canary.
Kanariøyene the Canary Islands, the Canaries.
kandidat 1 (*ansøker*) candidate, applicant (*til* for); 2 (*ved valg*) candidate; 3 (*eksamens-*) candidate, examinee; 4 (*som har bestått eksamen*) graduate (*fx* in medicine, in letters); 5 (*på sykehus*) house officer, house surgeon (,physician), houseman; US intern(e); 6 (*hospitant ved skole*) student teacher.
kandidatur candidateship, candidature.
kandis rock candy.
kandisere (*vb*) candy.
kanefart sleighing, sleigh ride.
kanel ✿ cinnamon.
kanevas canvas.
kanin ♙ rabbit; (*i barnespråk*) bunny.
kanne can; pot.
kanne|støper pewterer; *politisk* ~ amateur politician, armchair p.; «*Den politiske* ~» 'The Tinker Turned Politician'.
kannibal cannibal. **-sk** cannibal.
kannik canon.
kano canoe; *sammenleggbar* (*,ikke sammenleggbar*) ~ folding (*,rigid*) canoe; (*se flytebrygger*).
kanon gun; (*især glds & flyv*) cannon; *heller -er enn smør* guns before butter; *skyte spurver med -er* break a butterfly on a wheel; crack a nut with a sledge hammer; (*adv*): ~ *full* dead-drunk; *blind* (to the world); S blotto.
kanonade cannonade.
kanonbåt gunboat.
kanonér gunner.
kanon|føde cannon fodder. **-ild** gunfire; (*vedvarende*) cannonade.
kanoniser|e (*vb*) canonize. **-ing** canonization.
kanon|kule cannon ball, **-port** ⚓ gun port,

-salutt gun salute, salute of guns (*fx* receive sby with a s. of g.). **-skudd** gunshot. **-stilling** gun site.
kanoroer canoeist.
kanskje perhaps, may be.
kansler chancellor.
kant edge, border, margin, rim; (*egn*) region, part of the country; *på den* ~ in that quarter; *fra alle -er* from every quarter; from all directions; *på* ~ on edge, edgewise; *komme på* ~ *med en* fall out with sby; *komme på* ~ *med myndighetene* get on the wrong side of the authorities (*fx* we did not want to get on the wrong side of the a.); *være på* ~ *med tilværelsen* be at odds with life; *når jeg er på de -er* when I'm around that way; *på alle -er* at every turn; here, there, and everywhere; *til alle -er* in all directions.
kantarell ✿ chanterelle.
kantate ♪ cantata.
kante (*vb*) border, edge, trim.
kantet angular, edged; (*fig*) rough.
kanton canton.
kantor cantor, precentor.
kantre (*vb*) capsize.
kantstein curbstone.
kaos chaos.
kaotisk chaotic; *her er det -e tilstander hele dagen* we're in a state of chaos all day.
kap. (*fk.f. kapittel*) chapter.
kapasitet capacity; (*om person*) expert.
kapell chapel; (*orkester*) orchestra.
kapellan curate. **kapellani** curacy.
kapellmester orchestra conductor.
kaper (*hist*) privateer. **-brev** letter of marque. **-fartøy** privateer.
kapers capers.
kapital capital; *død* ~ dead capital; ~ *og renter* principal and interest; *binde* ~ *som dårlig kan unnværes* lock up capital which can ill be spared; *slå* ~ *på* make capital out of.
kapital|anbringelse investment (of capital). **-dekning** capital cover. **-flukt** flight of capital. **-forsikring** insurance for a lump sum. **-innsprøytning** injection of capital.
kapitalisere (*vb*) capitalize.
kapital|isme capitalism. **-ist** capitalist. **-mangel** lack of capital; (*knapphet*) shortage of capital. **-sterk** financially strong; well-capitalized; well supplied with capital; with a large capital.
kapitaltilførsel 1. influx of capital, inflow of capital funds; 2. addition of capital.
kapitél capital.
kapittel chapter; *første* ~ *c.* one; *det er et* ~ *for seg* that's a chapter (*el.* an epic) in itself; *that's sth entirely on its own*; that's a very different matter (*fx* the holiday was wonderful, but the weather was a very d. m.); *det er et sørgelig* ~ that's a sad story.
kapitul|asjon capitulation. **-ere** (*vb*) capitulate.
kaplak (*godtgjørelse til skipper*) primage.
I. **kapp** (*forberg*) cape, promontory, headland.
II. **kapp** (*planke-*) (stub) ends.
III. **kapp:** *om* ~ in competition (*med* with); *løpe om* ~ run a race (*med* with, against); (NB I'll beat you to the top of that hill); *skyte om* ~ *med* have a shooting match with; (*se for øvrig sms m. kapp-*).
I. **kappe** (*overplagg*) cloak; (*som verdighetstegn*) gown; (*hodeplynt*) cap; (*munke-*) hood, cowl; *bære -n på begge skuldrer* run with the hare and hunt with the hounds, be a double-dealer; *ta det på sin* ~ take the responsibility; (*se vind*).
II. **kappe** (*vb*) cut; *oppkappet ved* logs of wood.
kappelyst competitive spirit.
kappes (*vb*) compete, contend, vie (*med* with).
kappestrid competition, contest, rivalry.
kappete (*vb*) have an eating contest (*med* with).
kappflyvning air race.
kappgang walking race.
kappgå (*vb*) take part in a walking race, walk a race (*med* with, against),

kapping (*forst*) cross-cutting, cutting into lengths; US bucking.

kappkjøre (*vb*) drive a race (*med* with, against).

kappkjøring driving race.

Kapplandet Cape Colony.

kappløp running race; (*fig*) scramble; *være med i -et om direktørstillingen* be in the running for the appointment as director; (*se kamp & ligge*: *bli -nde etter*).

kappritt horse race.

kappro (*vb*) row a race (*med* with, against).

kapproing regatta, boatrace. **-båt** racing boat.

kapp|ruste (*vb*) take part in the armaments race, compete in armament. **-rusting** armaments race; arms race.

kappsag cross-cut saw.

kappseilas sailing race, yacht race; regatta.

kapp|svømme (*vb*) swim a race (*med* with, against). **-svømming** swimming race.

kapre (*vb*) seize, capture; get hold of (*fx* a taxi); ~ *kunder* capture customers; T rope in customers.

kaprifolium ♣ honeysuckle, woodbine.

kapriol caper; *gjøre -er* cut capers.

kapri|se caprice, whim. **-siøs** capricious.

kapseise *vb* ♣ capsize.

kapsel capsule; watch case, cover; (*til flaske*) (bottle) cap; capsule; (*jvf kork & skrukork*).

kapsle *vb* (*flaske*) cap; *inn-* encapsulate, incapsulate; ~ *seg inn*: *se innkapsle seg*.

Kappstaden Cape Town.

kaptein captain; (*på handelsskip også*) master; US (army) captain; (*flyv*) flight lieutenant; US (*flyv*) captain. **-løytnant** lieutenant-commander; US lieutenant commander.

kapusiner capuchin (friar).

kaputt ruined, done for; US (*også*) kaput.

I. kar vessel; (*stort*) vat.

II. kar (*mann*) man; (*fyr*) fellow, chap; US (*også*) guy; *han er* ~ *for sin hatt* he can hold his own; (*se pokker*).

karabin carbine.

karaffel decanter; (*til vann*) water jug, carafe.

karakter 1 (*beskaffenhet*) character (*fx* the c. of the soil, the c. of English institutions); nature (*fx* a problem of a very difficult n.); 2 (*personlig egenskap*) character, disposition (*fx* a bad d.); (*karakterfasthet*) strength of character; T backbone, grit, guts (*fx* he did not have the guts to do it); (*jvf personlighet*); 3 (*skole-*) mark; US (*også*) grade; (*måneds-, avgangs-*) school report (*fx* pupils with the best reports), marks; *en dårlig* ~ (3) a bad mark, low marks (*fx* he got low marks for that paper; get low marks in mathematics); *fransk-* French mark(s); marks in F.; *det gis en* ~ *for hver av de fire prøver* one set of marks is given for each of the four tests; *det gis tre -er i faget* marks are given for three subdivisions of the subject; *ha -en av* (1) be in the nature of (*fx* this demand is in the n. of an ultimatum); *som har -en av . . .* having the character of; *skifte* ~ (1,2) change one's (,its, his, etc) character, assume another c.; *resultatet av denne eksamen teller som én* ~ the marks obtained at this exam(ination) count as one unit.

karakter|anlegg disposition. **-bok** mark book; (*ofte* =) school report; US report card; (*ofte*) report (*fx* I've got my r.). **-dannende** character -forming. **-danning** character formation. **-egenskap** characteristic, quality, trait. **-fast** firm, strong; *en* ~ *mann* a man of (strong) character. **-fasthet** firmness (*el.* strength) of character; T backbone, grit, guts. **-feil** flaw in his (,her, *etc*) character. **-givning** the awarding of marks, marking, giving marks.

karakterisere (*vb*) characterize; ~ *som* (*også*) describe as (*fx* he described her as an adventuress); *er -t ved* is characterized by. **-ing** characterization.

karakteristikk characterization; character sketch; (*mat., språk & teknisk*) characteristic;

det er en treffende ~ that hits off the case exactly.

karakteristisk characteristic, distinctive; *det -e ved* the distinctive feature of, the characteristic (*el.* salient el. outstanding) feature of; ~ *for* characteristic of, typical of; *han sa,* ~ *nok, at . . .* characteristically he said that.

karakterjag (*i skole*) mark hunting, mark grubbing.

karakter|løs spineless, feeble, weak, lacking in character. **-løshet** spinelessness, feebleness, weakness, lack of character.

karakteroppgjør (*på skole*) quarterly report; *det leses hardt nå like før -et* some hard work is going on now, just before the quarterly marks are given (*el.* just before the q. report is made).

karakterrolle (*teat*) character part.

karakterskala scale of marks.

karakter|sterk forceful, firm, of strong character. **-styrke** strength (*el.* force) of character. **-svak** spineless, weak, feeble, lacking in character. **-svakhet** spinelessness, feebleness, weakness (of character). **-system** system of marking, marking system. **-tegning** character sketch; (*det å*) delineation of character; character drawing. **-trekk** trait of character, feature, characteristic.

karambolasje (*i biljard*) cannon; US carom.

karambolere (*vb*) cannon (*med* into, against); US carom.

karamell caramel.

karantene quarantine (*fx* be in q.); isolation.

karat carat.

karavane caravan.

karbad tub bath.

karbid carbide.

karbol carbolic acid.

karbolvann solution of carbolic acid.

karbonade minced steak (rissole); (*tilsatt oppmalt brød*) Vienna steak; US meat patty; ~ *med løk* minced steak and onions.

karbonadedeig mince(d steak), minced meat; (NB *ikke å forveksle med* mincemeat: *blanding av oppskårne epler, rosiner, etc brukt som fyll i pai*); (*se dessuten* hakkemat).

karbonpapir carbon paper.

karbunkel carbuncle.

kardang|aksel (*på bil*) propeller shaft, drive shaft. **-ledd** universal joint.

I. karde (*subst*) card.

II. karde (*vb*) card.

kardemomme cardamom.

kardialgi ♥ cardialgia, heartburn.

kardinal cardinal.

kare (*vb*): *se* karre.

karét coach.

karfolk menfolk, men.

karikatur caricature. **-tegner** caricaturist, cartoonist.

karikere (*vb*) caricature.

karjol carriole, cariole.

Karl Charles.

Karlsvognen (*astr*) Charles's wain; the Great Bear; US the Big Dipper.

karm frame, case; ♣ (*luke-*) coaming.

karmin carmine. **-rød** carmine.

karmosin crimson. **-rød** crimson.

karnapp bay.

karnappvindu bow window, bay window.

karneval carnival; (*maskeball*) fancy-dress ball; US masquerade ball.

karolingerne (*pl*) the Carolingians.

karosse coach.

karosseri body (of a motor-car), coachwork.

karosseri|arbeid bodywork, coachwork. **-bolt** body (mounting) bolt. **-fabrikk** body-building factory. **-maker** body (*el.* coach) builder, body maker. **-stolpe** body pillar.

karpe (*fisk*) carp.

karre (*vb*) dig, poke, rake; ~ *ut av pipa* clean out one's pipe; ~ *seg på bena* scramble to one's feet; ~ *seg ut av senga* drag oneself out of bed.

karré square.
karri curry.
karriere (*løpebane*) career; (*om hest*) run; gjøre ~ make a career.
karrig scanty, meager, skimpy; (*om jord*) unproductive.
karse ✿ cress.
karsk 1. healthy, well; 2. bold.
kars|lig masculine, manly. **-stykke** (great) feat, manly deed; US (*også*) stunt.
I. kart map; (*sjø- & vær-*) chart; (*post: brev-*) bill; (*se målestokk*).
II. kart (*umoden frukt*) unripe berry (*el.* fruit).
kartell cartel.
kartlegge (*vb*) map; (*farvann*) chart; *man arbeider med å* ~ *behovet for . . .* they are now working on a survey of the demand (*el.* need) for . . .
kartleser (*ved billøp*) navigator.
kartlesing map reading.
kartonere (*vb*) bind (*fx* a book) in paper boards.
kartong (*eske*) carton; (*større*) cardboard container; (*papp*) cardboard; pasteboard; stiv ~ millboard.
kartongeske cardboard box.
kartotek card index, card file; føre ~ over keep a file of; (*jvf arkiv*).
kartotek|kort index (*el.* file) card. **-skap** filing cabinet. **-skuff** card index, file box. **-system** card index system.
kart|tegner cartographer. **-tegning** cartography; map-making.
karusell merry-go-round.
I. karve ✿ (*planten*) caraway; (*frøene*) caraway seeds.
II. karve (*vb*) cut, shred.
karvekål ✿ new sprouts of the caraway plant.
kasein casein.
kasematt casemate.
kaserne barracks. **-gård** barrack square (*el.* yard).
kasino casino.
kasjmir cashmere.
kasjott S jug (*fx* get 14 days in the j.).
kaskade cascade.
kaskoforsikring ⚓ hull insurance; (*for bil*) comprehensive (motor) insurance.
kaspisk: *Det -e hav* the Caspian (Sea).
kassa|apparat cash register; (*se slå:* ~ *beløpet i kassen*). **-beholdning** cash in hand, cash balance.
kassabel useless, worthless.
kassa|bok cashbook. **-ettersyn** checking the cash. **-konto** cash account. **-kontor** cashier's office, pay office. **-kreditt** cash credit. **-lapp** check, sales slip. **-manko** deficit, shortage. **-oppgjør** balancing the cash, the balancing of cash accounts. **-suksess** (*om teaterstykke*) box-office success.
kasse 1 (*pengemidler*) funds; 2 (*pakk-*) (packing) case; (*mindre*) box (*fx* a box of cigars); (*sprinkel-*) crate; 3 (*gym*) box horse; *felles* ~ common purse (*fx* household expenses are paid out of their c.p.); *betale i -n* pay at the desk; *forsyne seg av -n* (*om ekspeditør*) rob the till; *help oneself from the till*; *dip into the till* (*fx* she was caught dipping into the till); *fylle -n* (*om teaterstykke*) be a good draw; T be good box office; *gjøre opp -n* balance the cash; *det går i statens* ~ it goes to the State (*el.* to the Treasury), it goes into State funds; *ha -n* have (*el.* be in charge of) the cash; (*i klubb, etc*) keep the purse; *stikke av med -n* make off with the money, abscond (with the money); S welsh (*fx* he welshed with the funds); *være pr.* ~ be in funds, be flush; *ikke være pr.* ~ be out of funds; *det er ebbe i -n* I am short of funds.
kasse-: *se kassa-.*
kassebedrøver embezzler.
kasse|bord (box and) case boards. **-fabrikk** packing-case factory, box factory.
kassere *vb* (*forkaste*) scrap, discard; ~ *inn penger* collect money.

kasserer cashier; paymaster; (*i forening*) treasurer.
kasserolle casserole; (*med én hank*) saucepan, (stew)pan (*fx* stainless steel pans); (*jvf gryte og kjele*).
kassestykke box-office play, draw.
kassesvik embezzlement, defalcation; (*om offentlige midler*) peculation; begå ~ embezzle; (*jvf kasse: forsyne seg av -n*).
kassett (*fot*) cassette; film (,plate) holder.
kast throw, cast; (*vind-*) gust (of wind); *et* ~ *med hodet* a toss of the head; *gi seg i* ~ *med* get to work on (*fx* he got to w. on the safe); grapple with (*fx* a problem), tackle.
kastanje ✿ chestnut; *vill* ~ horse chestnut; *rake -ne ut av ilden for en* be sby's cat's-paw.
kastanjebrun chestnut.
kastanjetter (*pl*) castanets.
I. kaste (*subst*) caste; *miste sin* ~ lose caste.
II. kaste (*vb*) throw, cast; (*i været*) toss; (*i baseball*) pitch; (*i cricket*) bowl; *hjulet -r* the wheel is running out of true; ~ *lys over* throw light on; ~ *av* throw off; (*rytter*) throw; ~ *av seg* (*gevinst*) yield; ~ *bort* throw away; ~ *seg bort* throw oneself away; ~ *perler for svin* cast pearls before swine; ~ *seg for ens føtter* throw oneself at sby's feet; ~ *i fengsel* throw (*el.* fling) into prison; ~ *en stein i hodet på en* hit sby's head with a stone; ~ *seg ned i en stol* fling oneself into a chair; ~ *seg om halsen på en* fall on sby's neck, fling one's arms round sby's neck; ~ *opp* vomit; ~ *over* (*i søm*) baste, tack; ~ *seg over* 1 (*angripe*) fall upon, throw (*el.* hurl) oneself upon; T go for, come down on; 2 (*ta ivrig fatt på*) throw oneself into (*fx* the work); 3 (*spise grådig av*) throw oneself on (*fx* the food); ~ *over bord* throw overboard; ~ *på dør* turn out (of doors); ~ *stein på en* throw a stone (,stones) at sby; ~ *klærne på seg* fling one's clothes on; jump into one's clothes; ~ *til jorden* fling down, throw (down); ~ *ut* turn out; (*av leilighet*) evict, turn out; ~ *seg ut i det* go (*el.* jump) off the deep end; take the plunge; (*se streiflys*).
kasteball (*også fig*) shuttlecock.
kasteline ⚓ heaving line.
kastell castle, citadel.
kasteløs without caste, pariah; (*også fig*) outcaste.
kastemerke caste mark.
kastenot casting net.
kastesluk spoon bait; US casting plug.
kastespyd javelin.
kastesøm overcast seam.
kastevesen caste system.
kastevind sudden gust (of wind).
kastevåpen missile.
kasteånd caste spirit.
kastrat eunuch; (*om hest*) gelding.
kastrere (*vb*) castrate.
kasuist casuist. **-ikk** casuistry. **-isk** casuistic(al).
kasus case.
katafalk catafalque.
katakombe catacomb.
katalep|si catalepsy. **-tisk** cataleptic.
katalog catalogue; US catalog.
katarr catarrh. **-alsk** catarrhal.
katastrofal catastrophic(al), disastrous.
katastrofe catastrophe, disaster (*fx* it ended in d. (*el.* ended disastrously)).
katedral cathedral.
kategori category. **-sk** categorical.
katekisere (*vb*) catechize.
katekisme catechism.
katet (*side i trekant*) side.
kateter (*i skole*) (master's) desk; (*universitets-*) lectern; (*lærestol*) chair; 𝔸 catheter.
katode cathode.
katolikk Catholic, Roman Catholic.
katolisisme Catholicism.
katolsk Catholic.
katrineplomme French plum.

katt cat; *ikke en ~* T not a soul; *han gjør ikke en ~ fortred* he wouldn't hurt a fly; *gå som -en om den varme grøten* beat about the bush; *fight shy of sth;* *kjøpe -en i sekken* buy a pig in a poke; *leve som hund og ~* lead a cat-and-dog life; *i mørke er alle -er grå* all cats are grey in the dark; *når -en er borte, danser musene på bordet* when the cat is away, the mice will play.
kattaktig cat-like, feline.
katte (female) cat.
katteføjed: *på ~* stealthily, with noiseless tread, with velvet tread.
Kattegat (*geogr*) the Cattegat.
kattehale 1. cat's tail; 2. ⚘ (purple) loosestrife.
katte|klo cat's claw. **-lukt** catty smell. **-pine** hole, fix, scrape, pickle (*fx* be in a p.). **-pus** pussy.
katte|slekt genus of cats, cat tribe. **-vask** an apology for washing, a lick and a promise, a quick wash.
kattost ⚘ mallow.
katt|ugle 🐦 brown owl. **-unge** kitten.
kattøye reflector.
kaudervelsk double Dutch, gibberish, gobbledygook.
kausjon security, surety; (*ved løslatelse*) bail; *stille ~* give security; go bail; *bli løslatt mot ~* be bailed out; be released on bail; *løslatt mot ~* (*også*) out on bail; *stikke av mens man er på frifot mot ~* break bail; US jump one's bail.
kausjonere (*vb*) become (*el.* stand) security for; (*ved løslatelse*) go bail (*for* for).
kausjonist surety; bail.
kaut proud.
kautel (*jur*) precaution, safeguard.
kautsjuk rubber, caoutchouc.
I. kav (*subst*) struggling; (*travelhet*) bustle; (*se også kjør*).
II. kav (*subst*) 1. dense snowfall; 2. heavy spray.
III. kav (*adv*) completely; *~ dansk* broad Danish; (*jvf vaskeekte*).
kavalér gentleman; (*ball-, bord-*) partner; *~ til fingerspissene* a perfect gentleman.
kavaleri cavalry; horse.
kavalerist cavalryman, trooper.
kavalérmessig gentlemanly; gallant.
kavalkade cavalcade.
kave (*vb*) flounder, scramble; (*ha det travelt*) bustle about; (*streve*) toil, struggle; *~ etter* snatch at.
kaviar caviar, caviare.
kavl wooden float (on fishing net).
kavle roller. **-bru** cordwood bridgeway; US corduroy bridge. **-sjø** ⚓ choppy sea.
kavring (*også* US) rusk.
kediv khedive.
kei: *se kjed.*
keip oarlock, rowlock.
keiser emperor; *gi -en hva -ens er =* render unto Caesar the things that are Caesar's; *hvor intet er, har selv -en tapt sin rett* (*omtr =*) you can't get blood out of a stone.
keiserdømme empire.
keiserinne empress.
keiser|lig imperial. **-prins** Prince Imperial. **-rike** empire. **-snitt** ⚕ Caesarean operation.
keitet (*adj*) awkward, clumsy. **-het** awkwardness, clumsiness.
keiv|e left hand. **-hendt** left-handed.
kelner waiter.
kelt|er Celt. **-isk** Celtic.
kemner town (*el.* city) treasurer.
kenguru 🦘 kangaroo.
kentaur centaur.
keramiker ceramist, potter.
keramikk ceramics, earthenware, pottery.
KFUK (*fk.f. Kristelig forening for unge kvinner*) Y.W.C.A. (*fk.f.* Young Women's Christian Association).
KFUM (*fk.f. Kristelig forening for unge menn*) Y.M.C.A. (*fk.f.* Young Men's Christian Association).

kg (*fk.f. kilogram*) kilo(gram), kg.
kgl. (*fk.f. kongelig*) Royal.
kike *vb* (*under kikhoste*) whoop.
kikhoste whooping cough.
kikk: *få ~ på* catch sight of; *ta en ~ på* have a look at; take a peep at; (*glds el. spøkef.*) take a look at.
kikke (*vb*) glance, look, peep; US (*også*) peek; *~ etter* 1 (ɔ: *lete etter*) look for; 2 (ɔ: *se etter*) look after; *~ fram* peep (out); *~ litt i en bok* dip into a book; turn over the leaves of a book; *~ inn gjennom vinduet* look in at the window; *ikke kikk!* now don't look!
kikker Peeping Tom.
kikkert binoculars (*pl*), field glasses (*pl*); (*teater-*) opera glasses; (*lang*) telescope; *ha i -en* (*ha et godt øye til*) have one's eye on (*fx* he's got his eye on her).
kilde source; *fra pålitelig ~* on good authority, from a reliable source; *Nilens -r* the headwaters of the Nile; (*jvf kildeelv*); (*se hold & rykte*).
kildeelv: *en av Nilens -er* one of the headwaters of the Nile.
kilden *adj* (*sak*) delicate, ticklish.
kilde|skrift (primary) source. **-sted** source. **-studium** study of sources. **-vann** spring water; *kjærlighet og ~* love in a cottage.
kildre *vb* (*fig*) tickle, titillate; *det -t hans humoristiske sans* it tickled his sense of humour.
I. kile (*subst*) wedge; (*i tøy*) gore, gusset.
II. kile (*vb*) tickle.
III. kile (*vb*) wedge; *~ seg fast* jam.
kileformet wedge-shaped, cuneiform.
kilen (*lett å kile*) ticklish. **-het** ticklishness.
kileskrift cuneiform writing.
kilevink (*ørefik*) box on the ear.
killebukk 🐐 kid, young billy goat.
killing 🐐 kid.
kilo, kilogram kilo, kilogram(me).
kilometer kilometer.
kimblad ⚘ seed-leaf, cotyledon; *indre ~* endoderm.
kimcelle germ cell.
I. kime (*subst*) germ, embryo.
II. kime *vb* (*ringe*) ring, chime; *det -r the* bells are ringing; *~ på dørklokka* lean on the (door)bell, peal, ring the doorbell with a resounding peal.
kimæ|re chimera. **-risk** chimeric(al).
Kina (*geogr*): *se China.*
kinematograf cinema, cinematograph; (*se kino*).
kineser Chinese (*fx* one C., two C.); T Chinaman (*pl:* Chinamen); *du store ~!* great Scot! **-inne** Chinese (woman).
kinesisk Chinese.
kingbolt kingpin, steering pivot (*el.* knuckle), swivel pin; *bærebolt for ~* bush for kingpin; *-enes helling bakover* (*,innover*) the backward (,inward) inclination of the kingpins; *det er slark i -ene* the kingpins have a fair amount of play in them; (NB the kingpins and bushes require attention).
kingel spider. **-vev** spider web, cobweb.
kinin quinine.
kink (*bukt på tau*) kink; *~ i ryggen* a crick in the back; *få et ~ i ryggen* crick (*el.* (w)rick) one's back.
kinkig (*vanskelig, lei*) ticklish, delicate; awkward.
kinn (*anat*) cheek. **-bakke** (*på insekt*) mandible.
kinnben (*anat*) cheekbone, malar (*el.* zygomatic) bone; *brudd på -et* fracture of the malar bone (*el.* cheekbone); fractured cheekbone.
I. kinne (*subst*) churn.
II. kinne (*vb*) churn.
kinn|skjegg whiskers; US sideburns, mutton chop whiskers. **-tann** molar.
kino cinema; US movie (theater); *i langsom ~* in slow motion (*fx* the whole thing happened in slow m.); *gå på ~* go to the pictures, go to the cinema; S go to the flicks, do (*el.* throw) a flick;

US go to the movies; *jeg hørte uttrykket på* ~ I heard the expression in a film (*el.* on the films).

kino|forestilling cinema show, movie; S flick. **-gal** mad on cinema. **-gjenger** cinemagoer, filmgoer; US moviegoer.

kiosk kiosk, bookstall, newsstand.

kipen frisky.

kippe (*vb*) jerk, flip up; (*om sko*) slip off at the heels.

kippskodd without socks (*el.* stockings) (*fx* you mustn't go without s.).

kirke church; *gå i -n* go to church; *han er i -n* he is at church; *jeg har vært i -n* I have been to church.

kirke|bakke hill leading up to a church; church green. **-bok** church register. **-bønn** church prayer; (*i England*) common prayer. **-bøsse** poor box. **-departement:** *Kirke- og undervisningsdepartementet* the Ministry of Church and Education; (*i England*) the Ministry of Education. **-far** Father (of the Church). **-fest** church festival. **-gang** churchgoing, going to church. **-gjenger** churchgoer. **-gulv** church floor; *komme nedover -et* walk down the aisle; *stå på -et* be confirmed. **kirke|gård** graveyard, cemetery; (*ved kirken*) churchyard. **-historie** church history, ecclesiastical h. **-klokke** church bell. **-konsert** sacred concert.

kirkelig ecclesiastical; church (*fx* a c. wedding). **kirke|lov** Church law, canon law. **-musikk** church music, sacred music. **-møte** synod, church conference. **-rett** canon law. **-ritual** church ritual. **-rotte:** *så fattig som en* ~ as poor as a church mouse. **-samfunn** religious community. **-sang** church singing. **-skip** nave. **-sogn** parish. **-spir** church spire. **-stol** pew. **-tid** service time; *etter* ~ after church. **-tjener** verger, pew opener; (*også graver*) sexton. **-tukt** church discipline. **-tårn** church steeple. **-ur** church clock. **-verge** churchwarden. **-år** ecclesiastical year, church year.

kiropraktiker chiropractor.

kirsehstang extending curtain rod.

kirsebær 🌳 cherry. **-likør** cherry brandy. **-stein** cherry stone; US cherry pit. **-stilk** cherry stalk.

Kirsten giftekniv matchmaker.

kirurg surgeon; (*se kjevekirurg & tannlege*).

kirurgi surgery. **-sk** surgical.

I. kis (*mineral*) pyrite ore.

II. kis T fellow, chap; US guy.

kisel (*ren*) silica; ♂ silicon. **-aktig** siliceous. **-stein** siliceous rock; (*en enkelt*) s. stone.

kisle *vb* (*få kattunger*) kitten, have kittens.

kiste chest; (*lik-*) coffin. **-bunn** bottom of a chest; *han har noe på -en* he has a little nest egg; he has provided against a rainy day. **-glad** as pleased as Punch. **-klær** one's Sunday best.

kitt (*subst*) putty.

kitte (*vb*) putty; ~ *igjen en sprekk* fill (*el.* stop) up a crack with putty.

kittel (*håndverks-*) overall; (*leges, etc*) (white) coat, smock.

kiv quarrel, wrangling. **-aktig** quarrelsome.

kives (*vb*) quarrel, wrangle.

kjake jaw, jowl; (*jvf kjeve & kinn*).

kjangs T chance, opportunity; *få* ~ *hos* get off with, pick up (*fx* a girl); *han har fått* ~ he's clicked (with a girl).

kjap|p fast, quick; *et -t* (ɔ: *nesevist*) *svar* a pert answer; *det gikk -t* it was quick work; *la det gå litt -t!* look sharp about it!

kjappe (*vb*): ~ *seg* hurry; (*se kjapp*).

kjas bustle, fuss; (*strev*) toil, grind; *for et* ~! T what a fag! ~ *og mas* toil and moil; fuss; *med* ~ *og mas* with great difficulty; (*se kjør*).

kjase (*vb*) fuss, struggle (*med* with); *hun -r hele dagen* she fusses about all day.

kje 🐐 kid, young goat.

kjed: ~ *av* fed up (with), sick of.

kjedder (*på bil*) joint moulding.

I. kjede (*subst*) chain; (*hals-*) necklace.

II. kjede (*vb*) bore; ~ *seg* be bored; ~ *seg i hjel* be bored stiff (*el.* to death).

kjedekollisjon pile-up, concertina crash.

kjedelig boring, dull, tiresome; (*pinlig*) awkward; (*uheldig*) unfortunate; (*ergerlig*) annoying (*fx* it's a. to miss the train); *det var* ~ that's too bad; *det var* ~ *med den boka* (*også*) I'm sorry about that book; *det -e er at* . . . , the pity (*el.* trouble) is that . . . , the snag is that . . . ; *en* ~ *fyr* a bore; S a binder; (*se også stilling*).

kjedelighet: *vi har hatt mange -er* we have had a great deal of unpleasantness; *komme opp i -er* get into an embarrassing (*el.* unpleasant) position; (*se også stilling*).

kjedsommelig: *se kjedelig.* **-het** tediousness, wearisomeness, boredom, tedium.

kjee *vb* (*få kje*) kid.

kjeft (*vulg* = *munn*) jaw; *hold* ~! (*vulg*) shut up! hold your tongue! *ikke en* ~ not a (living) soul; *grov* ~ abuse, coarse language; *bruke* ~ *på* scold; T jaw at; *få* ~ get a scolding; *få huden full av* ~ S be bawled out; *dette kommer jeg til å få* ~ *for* (*også*) I shall get into a row for this; *stoppe -en på en* shut sby up.

kjeftament T trap.

kjeftause: *se kjeftesmelle.*

kjefte (*vb*) scold; T jaw; *-s* bicker.

kjeftesmelle chatterbox, gossip; (*arrig kvinne*) shrew.

I. kjegle *subst* (*mat.*) cone; *avskåret* ~ truncated cone.

II. kjegle (*vb*): *se kjekle.*

kjegle|dannet conic(al). **-snitt** conic section.

kjei (T = *pike*) girl; T skirt; job, piece; bint; (*søt pike*) T peach; *et fint lite* ~ a smashing bit of fluff; a heart throb; *et flott* ~ a well-set-up girl, a strapping girl; S a well-packed piece of merchandise, a lively piece of goods; *-et hans* his pin-up girl, his best girl; (*se også jente*).

kjekk brave; (*frisk, i form*) fit (*fx* feel fit); *en* ~ *kar* a good (*el.* decent) sort; *hun er* ~ *og sjarmerende om ikke akkurat pen* she is a good sort and has plenty of charm, though she is not exactly pretty (*el.* good-looking).

kjekl wrangling, squabble, quarrelling; bickering.

kjekle (*vb*) wrangle, quarrel, squabble, bicker.

kjeks biscuit; (*jvf kake:* *tørre -r*).

kjeksis ice-cream cone (*el.* cornet).

kjele 1. kettle; (*kasserolle*) saucepan, (stew)pan; (*med to hanker*) casserole; (*jvf gryte & kasserolle*); 2 (*damp-*) boiler.

kjeledress 1 (*for voksne*) boiler suit; US coveralls; 2 (*for barn*) combination suit, storm suit; (*også* US) snowsuit.

kjeleflikker tinker.

kjelke sledge (,US sled), toboggan.

kjeller cellar.

kjellerbod storage room, storeroom (in the cellar).

kjeller|etasje basement. **-hals** cellar entrance. **-lem, -luke** trapdoor (of a cellar). **-trapp** basement stairs, area steps.

kjeltring scoundrel. **-aktig** scoundrelly. **-pakk** a pack of scoundrels. **-strek** dirty trick, scoundrelly trick.

kjemi chemistry; chemical science; T stinks.

kjemiingeniør 1 (*vesentlig kjemiteknikk*) chemical engineer; 2 (*vesentlig almen & teoretisk kjemi*) chemical scientist.

kjemikalier (*pl*) chemicals.

kjemiker chemist.

kjemisk chemical; ~ *fri for* chemically free from; (*fig*) completely devoid of; ~ *ren* chemically pure.

kjemi|teknikk chemical engineering. **-øvelser** *pl* (*i skole*) practical work (in chemistry); practical chemistry, c. practical; T (*ofte*) practical (in chemistry).

kjemme (*vb*) comb.

I. kjempe (*subst*) giant.

II. kjempe (vb) fight, struggle; ~ *med seg selv* struggle with oneself; ~ *seg fram* fight one's way; *de -nde* the combatants; the contending parties.

kjempe|arbeid gigantic (*el.* Herculean) task. **-flott** excellent; S wizard, smashing; (*se også suveren*). **-krefter** (*pl*) great strength. **-messig** gigantic. **-skritt** giant stride. **-soleie** ♣ greater spearwort. **-sterk** strong as a giant, of giant strength. **-stor** huge, gigantic; T whopping big. **-suksess** S smash hit. **-vekst** ♀ gigantism.

kjennbar noticeable, perceptible.

I. kjenne: *gi til* ~ make clear; show; *gi seg til* ~ make oneself known.

II. kjenne (vb) know; feel, perceive; *jeg har kjent henne siden hun var en neve stor* I have known her ever since she could walk; ~ *en lukt* notice a smell; *kjenn på den deilige lukten!* just smell that wonderful smell! *lære en å* ~ get to know sby; *det var ved den anledning jeg lærte min kone å* ~ it was on that occasion that I first met my wife; *jeg har aldri hatt anledning til å lære ham å* ~ (*ofte*) I have never had an opportunity (*el.* chance) to meet him; I have never chanced to meet him; ~ *skyldig* find guilty; ~ *en av utseende* (*,navn*) know sby by sight (*,name*); ~ *etter* feel; *jeg -r dem ikke fra hverandre* I don't know one from the other; I can't tell them apart; ~ *igjen* recognize, recognise; ~ *på* 1 (*berøre*) touch; 2 (*smake på*) taste; *jeg -r på meg at* I have a feeling that; I feel instinctively that; *på seg selv -r man andre!* the pot calls the kettle black! kettle calling pan! T now who's talking? *'you should know! hvis jeg -r ham rett* if I know him at all; ~ *til* know about; *jeg -r til et slikt firma* I know of such a firm; ~ *noe ut og inn* know sth from A to Z, know sth thoroughly, know all there is to know about sth; know sth inside out; know sth in (its every) detail; ~ *en ut og inn* know sby through and through; -s ved acknowledge, own; (*se kjent*).

kjennelig recognizable (*på* by); (*merkbar*) perceptible, discernible.

kjennelse decision, ruling; (*jurys*) verdict.

kjennemerke (distinctive) mark, distinctive feature, distinguishing characteristic.

kjenner connoisseur, expert, judge. **-mine** air of a connoisseur.

kjennetegn mark, sign (*på* of); hallmark; *-et ved* the h. of; ~ *for forsvarsgren* ✕ service distinguishing symbol; ~ *for generaler* general officers' markings (*el.* tabs); *uten særlige* ~ = no special distinguishing mark.

kjennetegne (vb) characterize, distinguish, mark.

kjenning (*bekjent*) acquaintance; *en gammel* ~ *av politiet* an old lag.

kjenningsmelodi signature tune; (*når programmet er slutt*) signing-off tune.

kjennskap knowledge (*til* of); (*se fremmed:* *det er meg* ~).

kjensel: *dra* ~ *på* recognize, recognise.

kjensgjerning fact.

kjensle feeling; sense (*av* of).

kjent known, familiar; *et* ~ *ansikt* a familiar face; *et* ~ *firma* a well-known firm; *han har ikke lett for å bli* ~ *med folk* he does not make contacts easily; *han har lett for å bli* ~ *med folk* T he's a good mixer; *gjøre seg* ~ *med* get to know, become acquainted with (*fx* he must b. a. with the wishes and requirements of the consumers); *de som ikke var* ~ *på skolen, kunne . . .* strangers to the school were able to . .; *jeg er ikke* ~ *her* I don't know my way about here; *han er godt* ~ *i byen* he knows the town well; *det er en* ~ *sak at . . .* it is a matter of common knowledge that . . .; *være* ~ *med at . . .* be aware that . . .; (*se klar: være* ~ *over*).

kjentmann one who knows the locality.

kjepp stick; *som -er i hjul* like a house on fire. **-hest** (*fig*) consuming interest, obsession; hobby; (*fiks idé*) fad, craze; *ri sin* ~ pursue one's craze.

kjepphøy arrogant, overbearing, cocky.

I. kjerne *subst* (*smør-*) churn.

II. kjerne *subst* (*nøtte-*) kernel; (*i appelsin, eple*) seed; (*fig*) core, heart, essence, nucleus.

III. kjerne (*vb*) churn.

kjernehus core.

kjernekar splendid fellow; brick; *han er en* ~ (*også*) he's one of the best.

kjernemelk buttermilk.

kjerne|punkt core, crux (of the matter); essential point. **-sunn** thoroughly healthy. **-tropp** crack unit; *-er* picked troops, crack troops; hard core (of an army).

kjerr (*kratt*) brushwood, scrub, thicket.

kjerre (small) cart; S (*om bil*) old crock, flivver, rattletrap.

kjerring old woman; T (= *hustru*) wife.

kjerringrokk ♣ horsetail.

kjerringråd old woman's remedy.

kjerring|sladder, -snakk old woman's twaddle.

kjerte candle, taper; torch.

kjertel (*anat*) gland. **-syk** scrofulous. **-syke** glandular disease, scrofula.

kjerub cherub.

kjetter heretic. **kjetteri** heresy.

kjetterjakt (*også fig*) heresy hunt (*fx* a h. h. for persons of radical views).

kjettersk heretical.

kjetting chain; *-er* (*tyre*) chains, non-skid chains.

kjeve jaw. **-ben** jawbone. **-bensbrudd** fracture of the jaw; fractured jaw.

kjevekirurg oral surgeon; (*lege som har spesialisert seg i kjevekirurgi, ofte*) surgeon dentist.

I. kjevle (*subst*) rolling pin.

II. kjevle (*vb*) roll out; ~ (*ut*) *en deig* roll out a dough.

kjevledeig dough for rolling out.

kjole (*damekjole*) dress, frock; (*fotsid*) gown; (*herres*) dress coat, tailcoat; T tails; (*preste-*) (*intet tilsv., kan gjengis*) gown; ~ *og hvitt* (full) evening dress; T white tie; tails; US white tie and tails.

kjolesøm dress-making.

kjoletøy dress material.

kjone (*tørkehus for korn*) oast-house.

kjortel coat.

kjæle (*vb*) fondle, caress, pet; ~ *for* (ɔ: *for-kjæle*) pamper, coddle (*fx* a child).

kjæle|barn, -degge pet, darling, coddled child (*,animal*).

kjælen loving, affectionate; kittenish (*fx* a k. girl); mawkish (*fx* manners; voice).

kjælenavn pet name.

kjæling caressing; (*se kjæle*).

kjær dear; *-e!* (*int*) dear me! *mine -e* my dear ones, those dear to me; *mitt -este* what is dearest to me; *inderlig* ~ dearly beloved; *måtte De alltid ha denne tiden ved handelsgymnaset i X i* ~ *erindring* may you always recall (*el.* look back upon) your stay at the commercial college in X with pleasure.

kjæremål *jur* (*anke*) appeal; *forkaste -et* dismiss the appeal; *godkjenne -et* allow the appeal.

kjæremålsutvalg committee on appeals.

kjæreste lover, friend; (*kvinnelig*) sweetheart; S (his) pin-up girl; (his) (best) girl; T (her) young man; *de to -ne* the two lovers. **-folk** (*pl*) lovers.

kjærkommen welcome.

kjærlig loving, affectionate, fond.

kjærlighet love, affection; (*menneske-*) charity; *tro, håp og* ~ faith, hope, and charity; *en mors* ~ the love of a mother; ~ *til* 1 (*personer*) love for (*fx* his love for his wife); (*mer generelt*) love of (*fx* his great love of the French); 2 (*dyr, ting, etc*) love of; ~ *på pinne* lollipop, licker lolly; US (candy) sucker; ~ *ved første blikk* love at first sight; *alt er tillatt i krig og* ~ all is fair in love and war; *ulykkelig* ~ unhappy love affair, unrequited love; *gammel* ~ *ruster ikke* old love lies deep.

kjærlighets|brev love letter. **-erklæring** declaration of love. **-eventyr** love affair. **-historie** love affair; (*fortelling*) love story. **-pant** pledge of love.

kjær|tegn caress. **-tegne** (*vb*) caress, stroke, fondle, pet.

kjød (*bibl*) flesh; *gå all -ets gang* go the way of all flesh.

kjødelig carnal; (*bibl*) fleshly; ~ *bror* own (*el.* full) brother; *-e søsken* full brothers and sisters; ~ *slektning* blood relation.

kjødelighet carnality, sensuality; (*bibl*) fleshliness.

kjødslyst (*bibl*) carnal desire.

kjøkemester master of ceremonies; (*bibl*) governor of the feast.

kjøkken kitchen; (*matlaging*) cuisine; *med adgang* ~ with kitchen facilities, with use of k.

kjøkken|benk kitchen (floor) unit; (*oppvaskbenk*) sink unit; (*glds*) kitchen workbench. **-departement** culinary department. **-forkle** kitchen apron. **-hage** kitchen (*el.* vegetable) garden. **-hjelp** (*på restaurant*) kitchen hand. **-inngang** backstairs; (*utvendig, ned til kjøkkenet*) area steps; (*se kjøkkenvei*). **-møddinger** *pl* (*forhist*) kitchen middens, shellmounds, shellheaps. **-salt** cooking salt. **-sjef** (*overkokk*) chef. **-skriver** kitchen snooper. **-trapp** backstairs. **-tøy** kitchen utensils. **-vei:** *gå -en* use the backstairs, enter by the backstairs.

kjøl keel; *på rett* ~ on an even keel; *få på rett* ~ right; *få en på rett* ~ (*fig*) make sby go straight; *komme på rett* ~ right itself; *med -en i været* bottom up, keel up.

kjøle (*vb*) cool, chill.

kjølelast refrigerated cargo.

kjølemiddel coolant (*fx* the c. is water).

kjøler cooler, refrigerator; (*i bil*) radiator.

kjøler|gitter grill(e). **-kappe** radiator shell. **-legeme** r. core. **-sjalusi** r. shutter.

kjøle|rom cold-storage chamber. **-skap** refrigerator; T fridge. **-vann** cooling water. **-vannspumpe** c. w. pump. **-vifte** cooling fan. **-vogn** refrigerator van.

kjøl|hale *vb* (*et skip*) careen; (*en mann*) keelhaul. **-haling** careening; keelhauling.

kjølig cool; chilly; *behandle en* ~ treat sby coldly (*el.* with coldness), be cool to sby. **-het** coolness.

kjølmark 🐛 wireworm.

kjølne (*vb*) cool, cool (down); cool off (*fx* his enthusiasm had cooled off).

kjøl|svin ⚓ keelson. **-vann** wake. **-vannslinje** line ahead.

kjønn sex; (*gram*) gender; *det annet* ~ the opposite sex; *det smukke* ~ the fair sex; *det sterke* ~ the sterner sex; *det svake* ~ the weaker sex.

kjønns|akt copulation, intercourse; mating. **-atlet** (*spøkef*) sex maniac; (NB sex maniac *også* = *voldtektsforbryter*). **-bestemmelse** 1. sex determination; 2 (*gram*) determination of gender. **-bestemt** sex-linked (*fx* s.-l. characters).

kjønns|bøyning (*gram*) inflection for gender. **-celle** (*biol*) gamete; sex cell. **-del** genital, (external) sexual organ. **-drift** sexual instinct (*el.* urge); US sex urge; *med abnormt sterk* ~ oversexed. **-endelse** (*gram*) termination indicating gender. **-forhold** sexuality. **-forskjell** sexual difference, distinction of sex; (*gram*) distinction of genders. **-lem** sexual organ. **-lig** sexual; (*adv*) sexually. **-liv** sexual life; (*også* US) sex life. **-løs** sexless, asexual. **-løshet** asexuality, sexlessness. **-moden** sexually mature. **-modenhet** sexual maturity. **-modning** puberty, pubescence. **-nytelse** sexual gratification. **-organer** (*pl*) sexual organs, genitals; US (*også*) sex organs.

kjønrøk lampblack.

kjøp purchase; buying; (*det kjøpte eller solgte*) bargain; *et godt* ~ a bargain; T a good buy; *få noe på -et* get sth into the bargain; get sth

thrown in (for good measure); *heve et* ~ cancel a purchase; (*jur*) repudiate a contract of sale.

kjøpe (*vb*) buy, purchase (*av* from); *hva har du kjøpt for pengene?* what have you bought with the money? ~ *inn* buy in; *det man har kjøpt inn* one's purchases; *han pakket pent inn det jeg hadde kjøpt* he made a neat parcel of my purchases; ~ *opp* buy up; ~ *seg fri* (*mot løsepenger*) ransom oneself.

kjøpe|kontrakt contract of sale, sales contract; (*jvf handelskjøp & sivilkjøp*). **-kraft** purchasing power; spending power. **-lyst** inclination (*el.* desire) to buy; *manglende* ~ (*tilbakeholdenhet fra kjøpers side*) sales resistance.

kjøpelyst|en eager to buy; *de -ne* the crowd of eager shoppers; the prospective (*el.* intending) purchasers (*el.* buyers).

kjøper buyer, purchaser; *være* ~ *til* be in the market for; (*jvf innkjøpssjef*).

kjøpesum purchase price.

kjøpetvang: *uten* ~ without obligation to buy; *«ingen* ~*»* 'no obligation (to purchase)'.

kjøpmann (*detaljist*) retailer, shopkeeper, storekeeper; US storekeeper; *kjøpmenn* (*koll.*) tradespeople.

kjøpskål: *drikke* ~ wet a (,the) deal.

kjøpsloven (*i England*) the Sale of Goods Act.

kjøpslå (*vb*) bargain, haggle (*om* for).

kjøpstad (market) town; country town, provincial town.

kjør: *i ett* ~ at a stretch, without a break, on end, running; continually; *her* (*hos oss*) *går det i ett* (*eneste*) ~ *hele dagen* we're in a whirl all day; *the day passes in a whirl*; *et ordentlig* ~ T a tough go; *det var et ordentlig* ~ (*også*) that was tough.

kjørbar passable, safe for driving; (*om bil, etc*) serviceable, in (good) running order, roadworthy.

kjør|e *vi* go (*fx* in a car, by bus, etc), drive (*fx* they drove over to X in their car); US (*oftest*) ride; (*på sykkel*) ride, cycle; (*om bil*) go (*fx* this car can go very fast), run (*fx* the car ran into a hedge); (*om tog*) run, go, travel; *vt* (*transportere*) take, drive, run (*fx* they ran me over to the village in their car); carry, convey (*fx* goods to Liverpool); (*la en få* ~ *med*) give (sby) a lift; (*se sitte på*); ~ *en film* run (through) a film, exhibit a f.; ~ *en film baklengs* run (*el.* play) a f. backwards; *vi -te alt hva bilen var god for* the car was going at top speed; T we were going all out; *komme -ende* come driving along (*el.* up), drive up; ~ *seg fast* get stuck; (*fig*) reach a deadlock; ~ *forbi* (*innhente*) overtake, pass; (*passere*) pass, go past; *det -te en bil forbi huset* a car drove past the house; ~ *fort* drive fast, speed; *en som -er fort* a scorcher, a speeder; ~ *i grøfta* drive into the ditch, land in the d.; ~ *i vei* go ahead; ~ *inn* (*maskin, etc*) run in; (*hest*) break in; ~ *inn en forsinkelse* catch up on a delay, make up for a d.; ~ *inn i hverandre* ram one another, interlock nose to tail; *han -te inn i en sidegate* he turned down a side street; ~ *inn til fortauskanten og stoppe* pull in to the edge of the pavement and stop, pull up at the kerb; *kjør ikke for tett innpå bilen foran* T don't crowd the man in front; ~ (*ytterst*) *langsomt* go (dead) slow; ~ *med klampen i bånn* T go flat out, go all out; ~ *midt i veien* drive on the crown of the road, hug the middle of the road; ~ *mot rødt lys* cross on the red, shoot the traffic lights, drive (*el.* cross) against the lights; ~ *mot stoppsignal* drive through (*el.* run) a stop sign; ~ *en ned* (*med bil, etc*) knock sby down, run sby down; ~ *opp et hus* T run up a house; ~ *oss opp i vansker* (*fig*) land us in difficulties; ~ *opp med* (*fig*) bring up, bring forward; ~ *på* *siden av* pull (*el.* draw) up alongside; (*kjøretøy i fart*) draw level with; ~ *over en* run over sby; ~ *på* run against, run into, cannon into (*el.* against); bump into, hit (*fx* he hit a child); (*jvf:* ~ *ned*); *kjør på!* drive on! T let her rip! US step on the gas! ~ **uforsvarlig** drive recklessly; (*jur*) **drive to the**

public danger; ~ **ut** (ɔ: *forlate eget felt*) pull out, pull over; ~ *ut bilen* (*av garasje*) run the car out (of the garage); ~ *ut til siden* pull into the side; ~ **utfor** *veien* run off the road.

kjøre|bane roadway, carriageway; *dobbelt* ~ dual c. **-bruvekt** weighbridge. **-doning** horse -drawn vehicle, rig. **-egenskaper** (*pl*) driving characteristics; *bilen har utmerkede* ~ it is an excellent car to drive.

kjøre|elev learner-driver, L-driver. **-felt, -fil** lane (*fx* a six-lane highway); driving area.

kjøreglede enthusiasm for driving; *en helt ny* ~ an entirely new sensation for the driver.

kjøre|hastighet travelling speed; (*fartsgrense*) speed limit. **-kar** (*kusk*) driver; teamster. **-komfort** riding comfort.

kjørel vessel, container.

kjøre|prøve (*hos bilsakkyndig*) driving test; US driver's test. **-retning** direction of traffic. **-sikkerhet** safe driving, safe motoring. **-skole** school of motoring, driving school. **-tid** running time, time taken. **-time** (*hos sjåførlærer*) driving lesson. **-tur** drive; T spin, run; (*som passasjer*) ride; US drive, ride. **-tøy** vehicle.

kjørsel driving.

kjøter cur, mongrel.

kjøtt flesh; (*som føde*) meat; (*på frukt*) flesh, pulp.

kjøtt|bein bone with some meat on it. **-berg** mountain of flesh. **-bolle** meat ball. **-deig** minced (,US: ground) meat; *fin* ~ (=*bolledeig*) meat farce; (*jvf karbonadedeig*). **-ekstrakt** meat extract. **-etende** carnivorous.

kjøtt|farse forcemeat. **-full** fleshy. **-gryte** (*fig*) fleshpot. **-hermetikk** tinned (,*især* US: canned) meat; *noen bokser* ~ some tins of meat. **-hue** (*neds*) fathead; US meathead. **-kake** rissole. **-kontroll** meat inspection. **-kvern** mincer; US meat grinder; *la noe gå gjennom -a* put sth through the mincer. **-mat** meat (dish). **-meis** ♫ titmouse. **-pudding** baked meat farce. **-pålegg** cooked meats; US cold cuts. **-rett** meat dish. **-trevl** shred of meat (,flesh).

klabb: *hele -et* T the whole boiling (*el.* caboodle).

klabbe (*vb*): *se kladde.*

kladd (rough) draft; rough copy; *listen foreligger som* ~ the list is in the draft stage; *dere skal ha stilen ferdig på* ~ *til i morgen* you must have your essays written out in rough by tomorrow; *han brukte for lang tid på -en og fikk ikke tid til å føre inn alt sammen* he spent too much time over his rough copy and didn't get time to copy it all out; *ikke feildisponer tiden, slik at dere bruker så lang tid på -en at dere ikke rekker å føre inn alt sammen* don't misjudge the time, and spend so long on the rough copy that there isn't time to copy it all out.

kladde (*vb*) 1. draft, make a rough draft (of); 2 (*under skiene*): *skiene dine -r* the snow is sticking under your skis; *your skis are clogged up.*

kladde|ark rough sheet. **-blokk** (*også* US) scratch pad. **-bok** rough book (*fx* a rough maths book); jotter. **-føre** wet snow, sticky snow. **-papir** rough paper.

klaff leaf, flap; (*på blåseinstrument*) key; (*ventil*) valve.

klaffe 1 (*stemme*) tally; agree; 2 (*gi det ønskede resultat*) work out, pan out; *jeg håper det -r* T I hope it will work (all right); I hope it will be O. K.; *denne gangen må det* ~ this time it 'must succeed (*el.* work *el.* be O. K.).

I. klage (*subst*) complaint; (*jamring*) wailing; *føre* ~ *over* complain of; *inngi en* ~ *på* lodge (*el.* make) a complaint against.

II. klage (*vb*) complain (*over* of, *til* to); *han -t sin nød for meg* he poured out his troubles to me; *gråte og* ~ weep and wail; *gråtende og -nde fulgte de kisten* weeping and wailing they followed the coffin; *de sto rundt den døende mannen og -t høylytt* lamenting loudly they stood round the dying man.

klage|brev letter of complaint. **-frist** period for entering a complaint; *-en er 10 dager* complaints must be submitted within 10 days; *-en utløper den 30. sept.* complaints (,appeals) must be lodged not later than September 30th. **-muren** the Wailing Wall. **-mål** complaint, grievance.

klagende plaintive.

klagepunkt (*jur*) complaint, grievance; (*i tiltale*) count (of an indictment), charge.

klager, -ske (*jur*) plaintiff.

klage|sang dirge, elegy, lament. **-skrift** written complaint.

klam clammy, damp. **-het** clamminess, dampness.

klamme (*typ*) bracket; *sette i -r* bracket, put in brackets, enclose in brackets; *runde -r* parentheses.

klammeri loud quarrel, brawl, row; *komme i* ~ get into a brawl.

klamp (*kloss*) block; ♣ chock, clamp, cleat; (*om foten*) drag, clog (*fx* be a c. on sby); S bind; *hun er en* ~ *om foten på ham* she is like a millstone round his neck; *-en i bånn!* S let her rip! step on it! US step on the gas!

klamre (*vb*): ~ *seg fast til* cling to.

klander blame, criticism; reprimand, rebuke.

klandre (*vb*) find fault with, blame, rebuke.

klang sound, ring; clink, chink. **-bunn** ♪ soundboard. **-farge** timbre, tone colour. **-full** sonorous, resonant. **-fylde** sonorousness, sonority. **-løs** toneless, dull.

klapp 1. slap; 2. applause, clapping (of hands).

klappe (*vb*) 1 (*i hendene*) clap (one's hands), applaud; 2 (*som kjærtegn*) pat, caress; ~ *en på skulderen* tap sby on the shoulder, tap sby's shoulder; *"... og så -r vi!"* (*også* US) let's give him a big hand! *-t og klart* (all) ready; T all set.

klapperslange ♫ rattlesnake.

klapp|jakt battue; *drive* ~ *på* round up (*fx* the police were rounding up the gangsters). **-myss** ♫ hooded seal.

klapp|salve round of applause. **-sete** folding seat; (*kino, teater*) tip-up seat. **-stol** folding chair.

klapre (*vb*) clatter, rattle; (*om tenner*) chatter. **klaps** slap.

klapse (*vb*) slap.

klar clear; (*lys, strålende*) bright; (*tydelig*) clear, plain, evident; *det er -t at* it is obvious (*el.* plain *el.* clear) that; *det er -t at vi ikke kan ... clearly* (*el.* obviously) we cannot ...; ~ *beskjed* 1. a plain answer; 2. definite orders; *telegrammet inneholdt et -t formulert avslag* the telegram contained a clearly worded refusal; *han ga meg ikke noe -t svar m.h.t. om han kunne komme* he gave me no definite (*el.* clear-cut) answer as to whether he could come or not; *taleren ga en* ~ *og grei orientering om den politiske situasjon* the speaker explained the political situation in clearly defined terms; *jeg har det ikke -t for meg selv ennå* I'm not clear about it myself yet; *-t som dagen* (*fig*) clear as day; ~ *flamme* bright flame; *han er* ~ (ɔ: *ferdig*) *nå* he is ready now; *-t til bruk* ready for use; ~ *til å vende* ♣ ready about; *gjøre -t skip* clear the ship (for action); *gå* ~ *av* clear, miss; *ha et -t blikk for* have an open eye for; *det sto -t for ham at ...* it was clear to him that ...; *det ligger -t i dagen* it is quite obvious; *bli* ~ *over noe* realize sth; *være* ~ *over* (fully) realize, fully (*el.* quite) understand; *klar, ferdig, gå!* on your marks, get set, go! *alt -t fra høyre* (,*venstre*)*!* all clear on the right (,left)!

klare (*vb*) clear; (*avklare*) clarify; (*kaffe*) allow to settle; (*greie*) manage; ~ *seg,* ~ *biffen* hold one's own, pull through, find a way out; manage; *de -r seg nok* T (*også*) they will muddle through (all right); ~ *seg uten* make do without, do without, manage without; (*se også* II. greie).

klarere (*vb*) clear; *inn-* clear (*fx* a ship) inwards; *ut-* clear outwards.

klarering (*merk*) clearance (inwards *el.* outwards).

klareringsdokument clearing bill, (bill of) clearance; (*for utklarering*) clearance label.
klarhet clearness; clarity; *bringe* ~ *i* throw light on; *få* ~ *i noe* have sth cleared up; T get sth straight.
klarhodet clear-headed.
klarinett ♪ clarinet.
klarinettist ♪ clarinettist; US clarinetist.
klaring clearing; clearance.
klarsynt clear-sighted.
klarsynthet clear-sightedness.
klarøyd bright-eyed; (*fig*) clear-sighted.
klase cluster, bunch.
klask smack, slap. **klaske** (*vb*) smack, slap.
klasse class; (*på skolen*) form, class; *han går i min* ~ he is in my class; *de går i for store -r* they are taught in oversized classes; *høyere* ~: *se høyere*; *sette i* ~ *med* class with; *skriftlig* ~ class with written work.
klasse|bevisst class-conscious. **-forskjell** class distinction. **-forstander** form master, f. teacher (*fx* f. t. to 3A); *han er* ~ *for to klasser i år* he is in charge of two forms this year; he is form master of (*el*. for) two forms this year. **-fradrag** family allowance. **-hat** class hatred. **-kamerat** classmate, form mate. **-kamp** class struggle. **-kart** seating plan, form chart, chart of the form (*el*. class). **-tur** form (*el*. class) outing (*el*. excursion); (*lengre*) form (*el*. class) trip; *de dro på* ~ *til Paris* the whole class went to (*el*. had a trip to) Paris. **-værelse** classroom, form room.
klassifisere (*vb*) classify, class.
klassifisering classification.
klassiker classic.
klassisisme classicism.
klassisk classic(al); ~ *musikk* US S longhaired music.
klatre (*vb*) climb; ~ *opp* (*ofte*) go up (*fx* he went up a rainpipe and climbed on to the roof); ~ *opp i et tre* climb into a tree, climb (up) a tree; ~ *opp i toppen på et tre* climb to the top of a tree; ~ *i trær* climb trees; ~ *rundt i trærne* climb about in the trees; ~ *møysommelig oppover en fjellside* toil (,T: slog) up a mountain.
klatre|fot climbing foot. **-fugl** climber.
klatrelag: ~ *i tau* roped party.
klatrer climber.
klatt (*blekk-*) blot; (*smør-*) lump (*fx* of butter).
klatte|gjeld petty debts, small debts. **-maler** slapdash painter. **-maling** daubing, slapdash painting.
klausul clause, proviso.
klauv: *se klov*.
klauvsyke foot-rot; hoof-rot; *munn- og* ~ the foot-and-mouth disease.
klave (cow's) collar.
klaver piano. **-konsert** piano(forte) recital; r. of piano music; (*stykke*) piano concerto, keyboard concerto. **-musikk** piano music, keyboard music.
klaviatur (*også typ*) keyboard.
kle (*vb*) clothe, dress; (*passe*) become, be becoming; *være -dd i* wear; ~ *på en* dress sby; ~ *på seg* dress; put on one's clothes; ~ *seg naken* strip; ~ *av seg* undress, take off one's clothes; strip; ~ *seg om* change; ~ *seg ut som* dress up as, get oneself up as.
klebe (*vi*) stick (*ved* to); (*vt*) stick, paste; (*se klistre*).
klebebånd adhesive tape.
kleberstein (*min*) steatite; (*også* US) soapstone.
klebestoff adhesive.
klebrig sticky, adhesive. **-het** stickiness, adhesiveness.
klede (*subst*) cloth.
kledelig becoming.
kledning covering; exterior finish; (*med planker*) planking; (*panel*) wood(en) panelling, wainscot, wainscot(t)ing, boarding; skin (*fx* a fibreglass quilt in the space between the inner and outer skins); (*plate-*) plating.
klegg 🐝 gadfly, horsefly.

kleiv steep path.
klekke (*vb*) hatch.
klekkelig substantial, sizable (*fx* sum of money); generous, handsome (*fx* tip).
klem pinch, crush; (*omfavnelse*) hug, squeeze; *på* ~ (*om dør*) ajar; *med fynd og* ~ forcibly.
klematis ♣ clematis.
I. klemme (*subst*) clip; (*fig*) difficulty, scrape; T tight spot; *komme i* ~ get into a scrape; *sette en i* ~ put (*el*. get) sby in a fix; put sby in a tight corner.
II. klemme (*vb*) squeeze; (*om skotøy, etc*) pinch; *jeg har (fått) klemt fingeren min* I've pinched my finger; ~ *av* pinch off; ~ *i vei* fire away, go ahead; work away (at sth); *klem i vei!* go ahead! get cracking! *han sto klemt mellom to tykke damer* he was wedged in between (*el*. sandwiched (in) between) two fat women; ~ *til* squeeze hard; ~ *seg sammen* squeeze together; *kysse og* ~ hug and kiss; ~ *på: se* ~ *i vei*.
klemt (*subst*) toll, clang.
klemt|e (*vb*) toll, ring, clang. **-ing** tolling.
klenge (*vb*) cling, stick; ~ *på* cling to, hang on to; attach oneself to; ~ *seg inn på* force one's company (up)on.
klenget(e) clinging (*fx* the child is so c.); importunate.
klengenavn nickname.
klenodie jewel, gem, treasure.
klepp (*hake*) gaff.
kleppe (*vb*) gaff (*fx* fish); 2. split (*fx* fish); (*jvf klippfisk*).
kleptoman kleptomaniac. **-i** kleptomania.
kleresi clergy.
klerikal clerical, church.
kles|børste clothes brush. **-drakt** dress, attire. **-henger** clothes hanger, coat hanger. **-klype** clothes-peg; US clothespin. **-korg** clothes basket. **-kott** (clothes) closet. **-plagg** garment, piece of clothing; (*se plagg*).
kles|skap wardrobe; (*innebygd*) (clothes) closet. **-snor** clothesline.
kli bran. **klibrød** bran bread.
klient client. **klientel** clientele.
I. klikk: *slå* ~ fail, come to nothing; go wrong.
II. klikk set, clique.
III. klikk (*om lyd*) click.
klikke (*vb*) 1. fail, misfire; 2. ~ *seg sammen* (⊃: *danne klikk*) clique; 3. click.
klikkevesen cliquishness, cliquism.
klima climate; *vi er på vei inn i et hardere økonomisk* ~ we are approaching harder times economically.
klimatisk climatic.
klimpr|e (*vb*) strum, thrum (*fx* on a piano); pick (*fx* the strings of a guitar); US plink, pluck; (*neds*) plunk. **-ing** (*også*) tinkle-tankle.
klin (*søl*) slop, smear; (*neds om kjærtegn*) petting.
kline (*vb*) 1. paste, smear; daub; 2 (*kjæle*) pet; ~ *til* dirty; ~ *seg inntil* stick close to.
klinefest S necking party.
I. klinge (*subst*) blade; *gå en på -n* (*for å få en avgjørelse, etc*) press the point; *da man gikk ham på -n, innrømmet han at* hard pressed, he admitted that . . .; *jeg gikk ham ikke nærmere inn på -n* I did not press him any further; *gå en hardt på -n* press sby hard (*fx* for an explanation); T put sby through it; *krysse* ~ *med* cross swords with.
II. klinge (*vb*) sound, ring; (*om glass, klokker*) chink, clink, tinkle, jingle; *-nde mynt* hard cash.
klingeling ting-a-ling.
klingklang ding-dong.
klinikk clinic.
klining (*det å kline*) petting; S necking; (*jvf kjæle & kjærtegne*).
klinisk clinical.
I. klinke door handle, lever handle.
II. klinke vb (*med glassene*) touch glasses (*med* with).

klinte ♣ corn cockle.
klipp clip, cut, snip.
I. klippe (*subst*) rock.
II. klippe (*vb*) cut; ~ *håret* cut one's hair; *jeg vil -s* I want a haircut; ~ *sauer* shear sheep; (*billett*) punch; (*ører, vinger*) clip; (*negler*) pare; (*hekk, hund*) trim; ~ *ut* cut out.
klippe|blokk (block of) rock. **-fast** firm as a rock.
klippe|grunn rocky ground. **-kort** punch card. **-kyst** rocky coast. **-vegg** rock wall.
klippfisk split cod, dried cod; (*faglig*) clipfish, klipfish; (*jvf kleppe 2*).
klirr clink, jingle, clank, clatter, rattle.
klisjé (*typ*) (printing) block; (*fig*) cliché, set phrase.
kliss sticky mass, stickiness; (*fig*) sentimental talk; S soppy talk.
klisse (*vb*) stick; (*ikke snakke rent*) lisp.
klisset smeary, sticky; US (*også*) gooey.
kliss-klass (*int*) splish-splash; US (*også*) slurp -slurp.
klissvåt soaking wet, drenched, soaked, wet through (and through).
klister paste; soft ski-wax.
klistre (*vb*) paste.
klo claw; (*en rovfugls*) claw, talon; *komme i klørne på* get into (sby's) clutches; *vise klør* (*fig*) show fight; *med nebb og klør* (*fig*) tooth and nail; *slå -a i* grab, pounce on, lay by the heels (*fx* the police will soon lay the thief by the heels).
kloakk sewer. **-anlegg** sewerage system; sewers, drains; *være tilkoplet det kommunale* ~ be connected to the municipal sewerage system; be on main drainage. **-innhold** sewage. **-ledning** sewer pipe, sewage p. **-renseanlegg** sewage (disposal) works (*el.* plant); sewage purification plant. **-rør** sewage pipe, sewer p.; (*mindre*) drain pipe.
klode planet; earth, world.
klodrian bungler, clumsy fool; US (*også*) oaf.
klok wise, clever; (*forsiktig*) prudent; ~ *kone* quack; *han er ikke riktig* ~ he is not quite all there; *jeg kan ikke bli* ~ *på det* I cannot make it out, I can make nothing of it.
klokelig (*adv*) wisely, sensibly.
klokk|e bell; (*ur*) clock, watch; (*slagur*) clock; *hva er -a?* what's the time? what time is it? *-a er tolv* it is twelve (o'clock); *-a er halv ett* it is half past twelve (o'clock); *-a er mange* it is late; *se hvor mange -a er* see what the time is; *si hva -a er* tell the (right) time; *-a mangler fem minutter på fem* it is five minutes to five (o'clock); *-a er ikke mye over sju* it is just over seven; *-a fire* at four o'clock; *si ham hva -en er slagen* tell him what's what; *vite hva -en er slagen* know where one stands; (*se se:* ~ *feil*).
klokke|blomst ♣ bellflower. **-bytte** watch trading. **-bøye** bell buoy. **-formet** bell-shaped. **-klang** the sound (*el.* ringing *el.* chime) of bells. **-lyng** ♣ bell heather.
klokker sexton; bell ringer; parish clerk; *når det regner på presten, drypper det på -en* [when it rains on the vicar, some drops will fall on the parish clerk]; i.e. when a prominent person obtains a great advantage, his subordinate gets a smaller one]; (*kan fx gjengis slik*) he benefited from what rained on the vicar (,on his boss, *etc*).
klokkerkjærlighet: ha en ~ *for* have a soft spot for, have a soft place in one's heart for.
klokke|slag stroke of a bell. **-slett** hour. **-spill** chimes, carillon; US (*også*) glockenspiel. **-streng** bell pull; *han henger i -en* he can't call his soul his own. **-støper** bell founder. **-time** hour by the clock. **-tårn** bell tower, belfry.
klokskap wisdom, prudence, cleverness.
klopp (rustic) footbridge.
I. klor ♂ chlorine.
II. klor (*merke etter kloring*) scratch.
kloral chloral.
klore (*vb*) scratch; (*om skrift*) scrawl; ~ *ned et par ord* scrawl a few words.

klorkalk ♂ chloride of lime.
kloroform ♂ chloroform. **-ere** (*vb*) chloroform.
klorvann chlorine water.
klosett lavatory, toilet. **-papir** toilet paper; *en rull* ~ a toilet roll. **-skål** (toilet) bowl, bowl of a water closet.
kloskate (*fisk*) starry ray.
I. kloss (*subst*) block; (*bygge-*) brick.
II. kloss (*adv*) close; ~ *opptil* quite close to.
klosset clumsy, awkward.
klossmajor bungler, (clumsy) fool; US big oaf, big clod, clumsy ox.
klossrevet ♣ (*med alle rev tatt inn*) close-reefed.
kloster cloister, monastery, convent; (*nonnekloster*) nunnery; *gå i* ~ turn monk; take the veil. **kloster|bror** friar, monk. **-kirke** chapel of a convent. **-liv** monastic life.
klov hoof (*pl:* hoofs *el.* hooves). **-dyr** cloven -footed animal; US cloven-hoofed animal.
klovn clown.
klovsyke foot-rot, hoof-rot; *munn- og* ~ the foot-and-mouth disease.
I. klubb (*blod-*) black pudding.
II. klubb club; (*ofte* =) society (*fx* the school film society).
I. klubbe (*subst*) wooden hammer (*el.* club), cudgel; (*som verktøy*) mallet; (*formanns-*) gavel.
II. klubbe (*vb*) club, gavel, call to order; ~ *ned en taler* stop a speaker with one's gavel; US take away the floor from a speaker.
klubb|formann (*fagforenings tillitsmann*) shop steward. **-genser** club sweater. **-lokale** club room. **-medlem** member of a club.
kludder bungling, mess; difficulty, unpleasantness.
kludre (*vb*) bungle.
klukk cluck.
klukke (*vb*) cluck; (*i flaskehals*) gurgle, glug.
klukkhøne brood hen, sitting hen.
klukklatter chuckle.
klukkle (*vb*) chuckle.
klump lump, clump; (*jord-*) clod; (*mel-*) lump of flour.
klumpe (*vb*): ~ *seg* lump, get (*el.* become) lumpy; ~ *seg sammen* (*om mennesker*) bunch together, huddle (together).
klumpet lumpy.
klumpfot clubfoot.
klunger ♣ bramble, brier. **-kjerr** bramble bush. **-rose** ♣ dog rose.
klunk 1 (*av noe flytende*) gurgle; 2 (*tiur-*) call (of a capercailzie); 3 (*på instrument*) strumming; (*jvf klimpre*); 4. drink, swig (*fx* from the bottle).
klunke (*vb*) 1. gurgle; 2 (*om tiur*) call; 3 (*på instrument*) strum; (*se også klimpre*).
kluss 1. mess, trouble; 2. blot; *ha* ~ *med* have trouble with (*fx* the engine); *det må være noe* ~ *et eller annet sted* T something must have gone wrong somewhere; something must be wrong somewhere.
klusse (*vb*) blot; ~ *med* (*fig*) tamper with, mess with; (*se også klå & klåfingret*).
klut rag, cloth; *hver eneste* ~ ♣ every stitch of canvas.
klutepapir rag paper.
I. klynge (*subst*) cluster, group, knot.
II. klynge (*vb*): ~ *seg til* cling to; (*jvf klenge & klenget(e)*); ~ *opp* T string up (*fx* a criminal).
klynk whimper, whine.
klynke (*vb*) whimper, whine.
I. klype (*subst*) clip; (*liten mengde*) pinch (*fx* of salt).
II. klype (*vb*) pinch; (*se knipe*).
klyse clot.
klyss ♣ (*hull til ankerkjettingen*) hawsehole.
klystér enema, cylster.
klystérsprøyte enema syringe.
klyve (*vb*) climb; (*se klatre*).
klyveled stile.
klyver ♣ jib. **-bardun** jib guy.
klær clothes; *fare i -ne* scramble into one's

clothes; ~ *skaper folk* fine feathers make fine birds; *i fulle* ~ fully dressed.

klø (*vt*) scratch; (*vi*) itch; ~ *seg i hodet* scratch one's head; *jeg -r i fingrene etter å* my fingers itch to; *jeg -r i fingrene etter å fike til ham* (*også*) I'm just itching to slap his face.

kløe itch(ing).

kløft cleft, crevice; (*mellom grener*) fork.

kløftet cleft, having crevices; forked.

kløkt shrewdness, sagacity, cleverness.

kløktig shrewd, clever, sagacious.

kløne bungler, clumsy person; (*jvf klossmajor*).

klønet awkward, clumsy.

klotsj clutch; *trå inn -en* depress the c. pedal, declutch.

kløv pack.

kløver 1. ♣ clover; 2. ♣ club; *melde fire* ~ bid four clubs; ~ *er trumf* clubs are trumps.

kløver|blad ♣ clover leaf. **-eng** clover field. **-ess** ♣ (the) ace of clubs.

kløv|hest pack horse. **-meis** pannier. **-sal** pack saddle, pair of panniers.

kløyve (*vb*) cleave, split; ~ *ved* split wood.

klå (*vb*) finger, touch, monkey (about) with (*fx* stop monkeying (about) with those tools!); (*jvf klusse:* ~ *med*).

klåfinger [person with an urge to finger things]; (*omtr* =) twiddler, knob twiddler.

klåfingret apt to finger (*el.* tamper) with things; US itchy-fingered. **-het** urge to finger (*el.* twiddle with) things.

kna (*vb*) knead.

knabb knoll.

knabbe (*vb*) T (*ta uten lov*) grab, snatch.

knagg peg.

knake (*vb*) creak, groan; *det -r i trappen* the stairs creak; *-nde morsomt* T great fun.

knakke *vb* (*banke*) knock.

knakkpølse smoked sausage; US knackwurst.

knall report, explosion, crack, pop, bang.

knallbonbon cracker, party cracker; US party favor.

knalle (*vb*) bang, explode; *skuddet -t* the shot rang out.

knalleffekt sensation, startling effect; (*neds*) cheap effect, playing to the gallery.

knallert power-assisted cycle; T power-bike, pop-pop, pipsqueak.

knallgass oxyhydrogen gas, detonating gas.

knall|hette, -perle percussion cap.

knallrød fiery red, bright scarlet.

knallsuksess roaring success; tremendous hit (*fx* he made a t. h. with that play); US rousing success.

I. knapp *subst* (*i klær*) button; (*løs, til snipp, etc*) stud; *holde en* ~ *på* plump for (*fx* I think I'll plump for Mr. X); *telle på -ene* be undecided; try to make up one's mind; toss for it.

II. knap|p (*adj*) scant, scanty, short; *A har en* ~ *ledelse på B* A is just ahead of B; *det er -t med poteter i år* potatoes are short (*el.* in short supply) this year; *det begynner å bli -t med brød* bread is running low; *det er -t med penger* money is scarce; (*se også knapt & knepen*).

I. knappe (*vb*) button; ~ *igjen* button up; ~ *opp* unbutton, undo (the buttons of) (*fx* she undid her blouse); (*se også kneppe*).

II. knappe (*vb*): ~ *av på* cut down, reduce.

knappenål pin; *en kunne nesten høre en* ~ *falle* you could have heard a pin drop.

knappenåls|brev paper of pins. **-hode** pinhead. **-stikk** prick from a pin; (*fig*) pinprick.

knapphet scarcity, shortage (*på* of); brevity, briefness.

knapphull buttonhole.

knappsoleie: *se ballblom*.

knapt (*adv*) barely, scarcely, hardly; *han kunne* ~ *gå* he was barely able to walk; *vår tid er så* ~ *tilmålt at . . .* our time is so limited that . . .; (*se også II. knapp*).

knark: *gammel* ~ old fogey; S old geezer.

knas: *gå i* ~ break into a thousand pieces (*fx* mirror, glass, *etc*); *slå i* ~ smash (to smithereens), smash to shivers.

knase (*vb*) crackle, crunch, grate.

knaske (*vb*) crunch (*på noe* sth).

knastørr bone dry, dry as a bone; (*se knusk*).

knatt (*fjell-*) crag; (*se knaus*).

knaus crag, rock, knoll, tor; (*se fjell-*).

kne knee; (*ledd*) joint; *falle på* ~ go down on one's knees; *han har knær i buksene* his trousers are baggy at the knees; *han er kommet på knærne* (*fig*) he is on his last legs; he is a broken man; *trygle en på sine knær om noe* ask (*el.* beg) sby for sth on one's bended knees; T *beg* sby most humbly for sth; *tvinge en i* ~ bring sby to his knees; *være på knærne* T be hard up; be down on one's luck.

knebel gag.

knebelsbart (handlebar) moustache; US mustache.

kneble (*vb*) gag.

knebøying genuflection; (*gym*) knee-bending.

kne|dyp knee-deep. **-fall** kneeling, genuflection; (*plass foran alter*) communion rail. **-fri** (*om skjørt, etc*) that shows the knees; ~ *mote* above-the-knee look. **-frihet** above-the-knee length (*el.* look).

knegge (*vb*) neigh, whinny; (*le*) chuckle.

kne|gå (*vb*): ~ *en* give sby the knee. **-høy** knee-high. **-høne** (*feiging*) coward; US (*også*) chicken; (*en som jatter med*) yes-man.

kneik short, steep hill; short, sharp rise in the road; *den verste -a* (*fig*) the worst stumbling block; the biggest (*el.* worst) hurdle; *vi er over -a* we're over the worst; we've turned the corner; US we're over the hump.

kneipe pub, diver; US dive, saloon; (*se I. bule*).

kneise *vb* (*om ting*) tower, rear itself; ~ *med nakken* toss one's head; *idet hun -t med nakken* with her head in the air.

I. knekk (*brunt sukkertøy*) toffee; toffee squares.

II. knekk crack; (*slag*) blow; *få en* ~ receive a blow, be badly shaken; *det ga ham en* ~ *for livet* he was never the same man again; *ved X gjør dalen en skarp* ~ *på seg og fortsetter rett vestover* at X the valley makes a sharp turn (*el.* turns sharply) and continues straight westwards; *nesten ta -en på* take it out of, almost finish (*fx* that long climb almost finished me (*el.* took it out of me)); ~ *på kurven* a break in the curve.

knekke (*vb*) crack, snap; ~ *en nøtt* crack a nut; *grenen knakk* the branch snapped; *stemmen knakk* his voice cracked (*el.* broke); ~ *halsen* break one's neck; ~ *sammen* collapse.

knekkebrød crispbread; US (*omtr* =) rye krisp.

knekkende (*adv*): *det er meg* ~ *likegyldig* T I don't care two hoots; (*se også knusende*).

knekt fellow, chap; ♣ knave, jack.

knele (*vb*) kneel.

kneledd knee joint.

knelepute hassock, kneeler.

knep (*fiff*) trick; *bruke* ~ resort to tricks; *det er et* ~ *med det* there is a knack in (*el.* to) it; *det er et gammelt* ~ that's an old dodge; *han kan -ene* he knows the ropes; he knows (all) the tricks; he is up to all the dodges; he is up to every trick.

knepen: *se knapp*; *et -t flertall* a narrow majority.

knepp (*subst*) click.

kneppe (*vb*) button (up) (*fx* a garment); click; ~ *igjen alle knappene* do up all the buttons; ~ *opp* unbutton, undo (*fx* she undid her blouse); ~ *på* button on; *til å* ~ *på* button-on (*fx* b.-o. collar); ~ *på en felestreng* strum a fiddle string; (*se klimpre*).

knepping (*lyden*) clicking.

I. knert: *en liten* ~ T (= *dram*) T a tot, a swig.

II. knert blow, stroke, flick.

knerte *vb* (*slå lett*) flick; (*hogge*) chop; (*skyte*) pop.

kne|sette (*vb*) adopt. **-skade** a bad knee. **-skjell** kneecap. **-strømper** (*pl*) knee-length socks (*el.* stockings).

kniks curtsy. **-e** (*vb*) (drop a) curtsy.
knip pinch, squeeze; ~ *i magen* an attack of colic; (*se mageknip*).
knipe (*vb*) pinch; ~ *en tyv* catch (*el.* nab) a thief; *når det* **-r** *at* a pinch; *det knep!* that was a hard rub (*el.* a close shave); *det* **-r** *for ham* he is in difficulties; he is hard up; ~ *på* be sparing of; ~ *på maten* skimp sby in food (*fx* they skimped him in food); ~ *seg i armen* pinch one's arm.
knipen (*gjerrig*) miserly, stingy, niggardly.
knipe|tak pinch, scrape; *i et* ~ *at* a pinch. **-tang** pliers (*pl*), nippers (*pl*).
kniple (*vb*) make lace.
knipling lace, lacework.
kniplingsbesetning lace trimming.
kniplingskrage lace collar.
knippe bunch; bundle.
knips snap, rap.
knipse (*vb*) snap one's fingers (*til* at).
knipsk prudish. **-het** prudery.
knirk creak, squeak; *uten* ~ (*fig*) without a hitch.
knirke (*vb*) creak (*fx* the board, the hinge, the snow creaks); squeak; ~ *og knake* creak and groan; *samarbeidet* **-t** *en smule* their collaboration was not entirely smooth.
knirkefri without a jar (*el.* hitch); **-tt** *samarbeid* perfect collaboration; *det gikk* **-tt** it went off without a hitch (*el.* scratch).
knis giggling, giggle, titter, snicker, US snicker.
knise (*vb*) giggle, titter, snicker; US snicker.
knistre *vb* (*om hund*) whine.
knitre (*vb*) crackle; (*om løv, papir*) rustle; (*om snø*) creak.
kniv knife; *ha* **-en** *på strupen* (*fig*) have the halter round one's neck; *med* **-en** *på strupen* (*fig*) (*også*) at the point of the sword; *krig på* **-en** war to the knife.
kniv(s)blad blade of a knife (*fx* the b. of a knife).
kniv|skaft handle of a knife. **-skarp** as sharp as a razor; (*fig*) keen (*fx* competition). **-smed** cutler. **-spiss** point of a knife. **-stikk** stab; knife wound. **-stikker** stabber.
knok(e) (*anat*) knuckle; (*ben*) bone.
knokkel (*anat*) bone.
knoklet bony, angular; (~ *og mager*) rawboned, scraggy.
knoll knoll; ✿ tuber.
Knoll (*i tegneserie*) Fritz; (NB *Tott*: Hans); "~ *og Tott*" the Katzenjammer Kids.
knollet tuberous.
knollsoleie ✿ bulbous meadow buttercup.
knop knot.
knopp ✿ bud; *skyte* **-er** be in bud, put forth buds.
knoppe (*vb*): ~ *seg* bud.
knoppskyting ✿ budding, gemmation.
knort gnarl, knot.
knortekjepp knotty stick.
knortet knotty, gnarled.
knot affectation in speaking.
knote (*vb*) speak affectedly.
I. knott button, knob.
II. knott (*insekt*) midge, blackfly.
knubbord (*pl*) sharp words.
knudret rugged; rough; knotted, knotty.
knuge (*vb*) press, squeeze; *føle seg* **-t** *av angst* be weighed down by anxiety; ~ *til sitt bryst* clasp in one's arms; (*jvf omfavne*).
knugende oppressive; crushing; *en* ~ *fornemmelse* a feeling of oppression.
knurr growl, snarl; (*fisk*) gurnard.
knurre (*vb*) growl, snarl; (*fig*) grumble.
knurrhår whiskers (*pl*).
knusbedårende T: *for en* ~ *hatt!* what a love (*el.* dream) of a hat!
knuse (*vb*) crush, smash; break (*fx* a cup); shatter (*fx* all resistance); ~ *all motstand* (*en organisasjon, et politisk parti*) crush all resistance

(*,an* organization, a political party); *med knust hjerte* with a broken heart.
knusende crushing; *et* ~ *slag* a crushing blow; *det var ham* ~ *likegyldig* he did not care a damn (*el.* two hoots).
knusk tinder, punk. **-tørr** bone dry, dry as a bone, dry as dust.
knusle (*vb*): ~ *med* be stingy (*el.* niggardly) with.
knuslet stingy, niggardly.
knussel stinginess, niggardliness.
Knut Canute.
knute knot; (*utvekst*) bump, protuberance; *løse en* ~ untie (*el.* undo) a knot; **-n** *er så hard at det er umulig å få den opp* the knot is so tight that it is impossible to get it undone (*el.* to untie it); *slå en* ~ tie a knot; *det er* ~ *på tråden* (*fig*) they have had a tiff; *det er* **-n** (*ɔ: vanskeligheten*) there is the rub (*el.* catch); (*se uløselig*).
knutekål ✿ kohlrabi; (*jvf kålrabi*).
knutepunkt junction (*fx* a railway j.).
knuterosen ⚕ erythema nodosum.
knutt knout.
I. kny (*subst*) slightest sound; *han ga ikke et* ~ *fra seg* not the slightest sound escaped him.
II. kny (*vb*) breathe a word; *uten å* ~ without a murmur.
knyte (*vb*) tie; ~ *opp* untie, undo; (*se II. knytte*).
I. knytte (*subst*) bundle.
II. knytte (*vb*) 1: *se knyte*; 2 (*binde, filere*) knot, net; 3 (*fig*) attach, bind, tie; ~ *en forbindelse* establish a connection; ~ *neven* clench one's fist; ~ *neven til en* shake one's fist at sby; ~ *sammen* connect, link up; *de bånd som* **-r** *våre to land sammen* the bonds which unite our two countries; ~ *noen bemerkninger til* say a few words about, make a few comments on; ~ *en betingelse til sitt samtykke* attach a condition to one's consent; ~ *seg til* attach to, associate with; *en gave som det* **-r** *seg en betingelse til* T a gift with a string to it; *det* **-r** *seg en viss interesse til* some interest attaches to; *hans navn er* **-t** *til* his name is associated with; *den sak hans navn er så nøye* **-t** *til* the cause with which he (*el.* his name) is (so closely) identified; *det* **-r** *seg en historie til dette* thereby hangs a tale.
knyttneve clenched fist.
knøl mean (*el.* stingy) person.
knølen T stingy, mean.
knøtt: *se pjokk*.
knøttende: ~ *liten* tiny.
koagulere (*vb*) coagulate.
koalisjon coalition.
koalisjonsregjering coalition government, c. cabinet.
kobbe 🐾 seal.
kobbel: *se koppel.*
kobber: *se kopper.*
kobbunge 🐾 young seal.
koble (*vb*): *se kople.*
koblerske procuress.
kobolt cobalt.
kode code; (*på hest*) pastern.
kodeks (*legal*) code.
kodi|fikasjon codification. **-fisere** (*vb*) codify.
kodisill codicil.
koeffisient coefficient.
koffardi|fart merchant service; *fare i* ~ be in the merchant service. **-skip** merchantman, merchant ship.
koffein caffeine; US caffein.
koffernagle ⚓ belaying pin.
koffert suitcase; (*stor*) trunk.
kofte sweater; (*se lusekofte*).
kogger (*til piler*) quiver.
kohe|rens coherence. **-sjon** cohesion.
koie cabin, hut; US (*lumber*) camp.
koieovn camp stove; ~ *med tilhenger* c. s. with extension.
kok boiling, boiling state; *komme i* ~ (*fig*)

reach boiling point, boil (*fx* his blood boiled); *gemyttene kom i* ~ tempers rose to boiling point; *sjøen står i* ~ the sea is seething (*el.* boiling).
kokain cocaine.
kokarde cockade.
koke (*vb*) boil; (*lage mat*) cook; ~ *kaffe* make coffee; *det kokte i meg* my blood boiled; ~ *opp* boil up; ~ *over* boil over; *slutte å* ~ go off the boil; *eplene er godt egnet for koking* the apples are good for cooking (*el.* are good cookers).
koke|apparat cooking apparatus. **-bok** cookery book; US cookbook. **-hull** (*på ileggskomfyr*) cooking-plate aperture. **-kar** cooking vessel. **-kunst** (art of) cooking, culinary art. **-plate** cooking plate; (*elektrisk*) hot-plate. **-punkt** boiling point.
kokett coquettish.
kokette coquette, flirt.
kokettere (*vb*) flirt.
koketteri coquetry, flirtation.
kokhet boiling hot, piping hot.
kokk cook.
kokke (female) cook.
kokkerere (*vb*): *hun kunne da* ~ *litt* T she managed meals of sorts.
kokning boiling; cooking; (*se koke*).
kokong cocoon.
kokos|bolle snowball. **-makron** coconut macaroon. **-nøtt** coconut. **-palme** coco palm.
koks coke. **-boks** scuttle, coal scuttle.
koksalt cooking salt.
kol: *se II. kull.*
kolbe 1 (*på gevær*) butt; 2. ♂ flask.
koldbrann gangrene; *det går* ~ *i såret* the wound is becoming gangrenous.
kold|feber (*glds*) ♀ ague. **-gaffel** cold-meat fork.
koldjomfru salad waitress, salad hand.
koldkrem cold cream.
koldsindig cool, cold.
koldtbord fork (*el.* buffet) supper (,luncheon, *etc*); US (*også*) knee supper.
kolera ♀ cholera.
koleriker choleric.
kolerisk choleric.
kolibri 🐦 hummingbird.
kolikk colic.
kolje (*fisk*) haddock.
koll: *se II. kolle.*
kollbøtte somersault; *slå -r* turn somersaults; *bilen gjorde* ~ the car turned turtle.
I. kolle (*trekar*) wooden bowl.
II. kolle hill, peak, rounded mountain top.
III. kolle female animal without horns; (*om ku*) hornless cow; US muley cow.
kolle|ga colleague; *våre -ger i England* (ɔ: *de som har stillinger svarende til våre*) our opposite numbers in England.
kollegial (*kameratslig*) fraternal, loyal towards one's colleagues; *han handlet ikke -t* he did not act like a good colleague; *han er ikke* ~ he is not a good colleague; *av -e hensyn* out of consideration for (*el.* loyalty to) one's colleagues.
kollegialitet loyalty (to one's colleagues), professional loyalty; collegiate spirit.
kollegium collegium; *Det akademiske* ~ the Senate; *i samlet* ~ at a plenipotentiary meeting.
kolleksjon collection; assortment.
kollekt (*innsamling*) collection (*fx* take up the c.); (*bønn*) collect.
kollektiv (*subst & adj*) collective.
kolli package, parcel, piece (of luggage).
kolliantall number of packages.
kollidere (*vb*) collide; T prang; (*fig også*) clash; ⚓ (*også*) run foul of (*fx* two ships ran foul of each other in the fog); (*jvf bulke*).
kollisjon collision; *front-* head-on collision; (*se kiede-*).
kollisjonskrater impact crater.
kollisjonsskadd damaged by collision (*fx* a car d. by c.).

kolon colon.
koloni colony.
kolonial (*adj*) colonial.
kolonial|butikk grocer's (shop). **-bransjen** the grocery business (*fx* he is in the g. b.). **-handel** grocery trade. **-handler** grocer. **-varer** (*pl*) groceries.
kolonihage allotment (garden).
koloni|sasjon colonization. **-sere** (*vb*) colonize, settle. **-st** colonist, settler.
kolonnade colonnade.
kolonne column.
koloratur ♪ coloratura. **-sanger(inne)** coloratura singer.
kolorere (*vb*) colour; US color; ♪ embellish.
kolorist colourist; US colorist.
koloritt colour(ing); US color(ing).
koloss colossus. **-al** colossal, enormous, stupendous, staggering (*fx* a s. amount, sum).
kolportasje (book) canvassing; US door-to-door selling; (*av religiøse skrifter*) colportage; (*mottagelse av ordrer*) subscription bookselling.
kolport|ere (*vb*) canvass, sell books by canvassing; sell books by subscription; US sell door-to-door; (*rykte, etc*) retail, circulate, spread (*fx* rumours). **-ør** canvasser; book salesman, travelling bookseller; US salesman, peddler (*fx* of books).
koma ♀ coma.
kombi [combined van and minibus].
kombinasjon combination. **-sevne** faculty (*el.* power) of combination.
kombiner|e (*vb*) combine; **-t** *renn* (*ski*) the Nordic Combination.
komediant (*neds*) play-actor; S ham actor.
komedie comedy; *spille* ~ act, play; (*forstille seg*) be play-acting; put on an act; *det er en ren* ~ it is a farce.
komet comet. **-bane** comet's orbit. **-hale** comet's tail.
komfort comfort. **-abel** comfortable.
komfyr kitchen range; (*elektrisk*) (electric) cooker; US range, stove; (NB US: cooker = elektrisk stekepanne).
komiker comedian.
komikk comedy, comic effect(s); *situasjonen er ikke helt blottet for* ~ the situation is not without comedy (*el.* is not completely lacking in c.), the s. has its comical side.
komisk comical, funny; *det -e ved det er at ...* the joke is that ...
komité committee; *personal-* staff c.; *redaksjons-* drafting c.; *danne en* ~ set up (*el.* establish) a c.; *nedsette en* ~ appoint a c.; *sitte i -en* be on the c.
komitébehandling consideration in a committee (*av* of); *-en tok lang tid* the committee stage took a long time.
komma comma. **-feil** misplaced (,omitted) comma; comma splice.
komman|dant commandant. **-dere** (*vb*) order; command; *du må ikke la ham* ~ *deg slik* you must not let him boss you about like that.
kommandittselskap limited partnership, partnership company.
kommando command; (*kommandoord*) word of command; *ha -en, føre -en* be in command. **-ord** word of command. **-plass** ✕: *fremskutt* ~ advanced headquarters; US advanced command post; (*jvf -stilling*). **-stav** baton. **-stilling** ✕ command.
kommandør (*i marinen*) commodore; (*av ridderorden*) commander.
kommandørkaptein (*i marinen*) captain.
I. komme (*subst*) coming, arrival; *vårens* ~ the coming of spring.
II. komme (*vb*) come; (*ankomme*) arrive; (*komme et sted hen*) get (*fx* how did you get to London?); *kjøkkenutstyr i plast er -t for å bli* plastic kitchen ware is here to stay; ~ *gående* come walkng; *jeg kommer!* (I'm) coming!

hvorfor kom du ikke? why did you not come? what kept you away? . . . *men han kunne ikke ~* but he could not come; T but he couldn't make it; *Kina -r i shipping* China emerges as a shipping nation; *dagen (el. den dag) kom da* the day came when; *natten kom* night came (on), night fell; *nå -r det an på hva han vil gjøre* the question now is what he is going to do; *det -r an på deg* it rests with you; *det -r an på* it depends, that depends; *det er ikke 'det det -r an på* (ɔ: *det det dreier seg om*) that's not the point; *kom an!* come on! *~ av (grunnen)* ⚓ come off, get off; *det -r av* it comes from, it is due to; *hva -r dette av?* why is this? *~ av sted* get away; get off, get going, start; *jeg må ~ meg av sted* T I must get a move on; *~ bort fra saken* wander (*el.* get away) from the subject; *man kom snart bort fra den tanken* this idea was soon dropped; *~ bort til* come up to; *~ etter* (ɔ: *for å hente*) *noe* come for sth; *~ etter med neste tog* come on by the next train; *~ forbi* come (*el.* pass) by; get by (*fx* please let me get by); *~ fore* (*om en sak*) come on; *~ fra hverandre* be separated, drift apart; *~ dårlig fra det* make a bad job of it; make a mess of it; *~ godt fra det* make a good job of it, give a good account of oneself, acquit oneself well; (*fra ulykke*) escape unhurt, not be hurt; (*fra frekkhet, vågestykke*) get away with it; *~ fram* get on; rise (in the world); *~ fram fra* emerge from; *~ fram med* produce, bring forward; *~ i dårlig selskap* get into bad company; *~ i forbindelse med* get into touch with, make contact with, form a connection with; *la oss ~ i gang* let us get on with it; *jeg har ikke -t i gang* (*med det*) *ennå* I haven't got started (on it) yet; *~ i hus* get indoors; *~ i veien for en* cross sby; *~ igjen* come back, return; *jeg skal ~ igjen en annen gang* I shall call again; *når -r toget hans inn?* what time does his train get in (*el.* arrive)? *han kom inn som nr. 27* he finished 27th (*fx* in the 500 metres); *~ inn i et arbeid* settle into a job; T get into a job (*fx* I haven't got into it yet); *jeg tror jeg vil like det når jeg -r inn i det* I think I'll like it when I get settled in; *~ inn på et spørsmål* touch on a question (*el.* subject); *greie å ~ en inn på livet* (ɔ: *oppnå å få kontakt med*) contrive to make contact with sby; *~ inn under en lov* come under an Act; *jeg -r ikke så langt i dag* I shan't get round to it today (*fx* I ought to mow the lawn, but I shan't get round to it today); *han ville bli jurist, men kom aldri så langt* he wanted to be a lawyer, but he never got that far; *hvorfor -r du med alle disse tåpelige argumentene?* why are you bringing up all these foolish arguments? *~ ned* get down; *~ nærmere* approach, come closer; *~ opp* (*til eksamen*) be examined (*fx* in French); *vi trenger ytterligere £5 for å ~ opp i det beløp som vil være nødvendig* we still need £5 to make up the required amount; *~ opp mot* compare with, equal; *det er ingenting som -r opp mot* there is nothing to touch (*fx* mountain air for giving you an appetite); *~ over* get over (*fx* he never got over it); (*støte på*) meet (*fx* when you m. a word you don't know, consult a dictionary); *~ på* happen, come to pass; come up (*fx* the trip came up very suddenly); (*pris*) come to; *når du -r på jobben i morgen tidlig, må du . . .* tomorrow morning when you get to your job, you must . . .; *~ på et tog* get on (to) (*el.* get into) a train, enter (*el.* board) a t.; *natten kom på* night came on; *jeg kan ikke ~ på navnet* I cannot think of his name; *hvordan kom De på det* (*innfallet*)? what put that into your head? *~ på tale* be mentioned; *det -r ikke på tale* (ɔ: *det er ute-lukket*) that is out of the question; *vi -r sent* we're late; *~ til* get at, reach; *nå -r turen til meg* now it is my turn; *~ til krefter* recover (one's strength), regain one's strength; recuperate; (*se ndf:* *~ seg*); *hvordan -r jeg raskest til stasjonen herfra?* which is the best way to get to

the station from here? *~ til en slutning* arrive at a conclusion; *det var nå -t til det at* matters had now arrived at such a pass that; *hertil -r at* besides, moreover, add to this that; *~ til å* (*tilfeldig*) happen to; *vi kom til å snakke om det* we got to talking about it; *hvordan kom hun til å ta ham for franskmann?* how did she come to taking him for a Frenchman? *hvis jeg skulle ~ til noe* if anything should happen to me; *det -r til å koste* it will amount to; *det -r til å koste* it will cost; *jeg -r til å gjøre det* I shall do it; *han vil ~ til å angre det* he will regret it; *~ til seg selv* (*etter besvimelse, etc*) come round, come to; *~ ut* get out (*fx* he couldn't get out); (*om bok*) be published; *det er -t ut blant folk* it has come out; it has become known; *~ ut av* get out of; *det kom ingenting ut av det* nothing came of it; *~ ut av det med en* get on with sby; *~ dårlig ut av det med en* get in wrong with sby; *dere -r godt ut av det med hverandre* you get on like a house on fire; *~ mye ut blant folk* go about (*el.* out) a great deal; *det -r ut på ett* it is all one, it comes to the same thing; *du har -t skjevt ut* (*om stiloppgave*) you have got off to a false start; *det kom uventet* it happened unexpectedly; it was quite unexpected; *~ ved* concern, regard; *det -r ikke saken ved* that is beside the point; *det -r ikke meg ved* it is no business of mine; *hva -r det meg ved?* what is that to me? what has this to do with me? *skal vi se til å ~ videre?* (ɔ: *gå vår vei*) T shall we make a move now? *~ seg* improve, be improving; (*bli frisk*) recover (*fx* he recovered slowly after his long illness), re-cuperate, regain one's strength; T pick up (*fx* he'll pick up all right); *~ seg av en sykdom* re-cover from an illness; *~ seg av sine sår* recover from one's wounds; *han -r seg godt* he is getting better; *jeg skal ~ meg dit på egen hånd i kveld* I'll make my way there alone this evening; *~ seg til å . . .* get down to (-ing) (*fx* he never got down to writing letters); (*se uforvarende*).
kommende coming, next; *i ~ uke* next week.
kommensurabel commensurable.
kommentar comment (*til* on); (*til tekst*) com-mentary; (*se også bemerkning & II. knytte*).
kommentere (*vb*) comment on; *ministerens tale ble livlig kommentert i pressen* there were lively comments in the press on the minister's speech.
kommersiell commercial.
kommisjon commission; *i ~* on commission; *på consignment; *ta varer i ~* take goods on consignment.
kommisjonsforretning 1. buying and selling goods on consignment; 2. transaction carried out by a commission agent for a principal.
kommisjons|gebyr commission. **-handel** (gene-ral) commission business. **-lager** commission stock, stock on commission. **-varer** (*pl*) consigned goods, goods on commission.
kommisjonær commission agent.
kommissariat commissariat.
kommissær commissary, commissioner.
kommittent (*vareavsender*) consignor.
kommode chest of drawers; US bureau.
kommunal (*i by*) municipal; (*ellers*) local authority, local, town; (*i England også*) council.
kommunalforvaltning local administration, local government.
kommune (*by-*) municipality; urban district; US township; (*land-*) rural district; *-n* (ɔ: *kom-munestyret*) the (county (,*etc*)) council; *de større -r* the larger local authorities; *-r det vil være naturlig å sammenligne oss med* local authorities in a comparable position; (*se også ligge: ~ an*).
kommune|arbeider council worker; US civic employee. **-skatt** local taxes; (*i England*) rates.
kommunestyre local council; (*i England*) county council; county borough council; (*i London*) London County Council; borough council, urban (,rural) district council; city (*el.* town) council (*fx*

Manchester City Council); (*se kommune* & *kommunalforvaltning*).

kommunestyremedlem local councillor; (*i England*) county councillor; borough councillor, district councillor.

kommunikasjon communication.

kommunikasjonsmidler (*pl*) means of communication.

kommuniké communiqué.

kommunion: *se altergang*.

kommunisere (*vb*) communicate.

kommunisme Communism.

kommunist Communist. **-isk** Communist(ic).

kompakt compact.

kompani ✕ company; (*ingeniør-*) squadron (*fx* engineer s.); *1.* ~ A Company (*fk* A Coy); (*jvf eskadron*).

kompanisjef company commander.

kompaniskap partnership.

kompanjong partner; *oppta som* ~ take into partnership; *passiv* ~ sleeping partner.

kompar|asjon comparison. **-ativ** (*subst*) the comparative (degree).

komparere (*vb*) compare.

kompass compass. **-nål** compass needle. **-rose** compass card. **-strek** point of the compass.

kompensasjon compensation.

kompetanse competence; (*se også undervisningskompetanse*).

kompetent competent.

kompis T pal, chum.

kompleks complex; (*av bygninger*) group of buildings; block.

komplement (*gram*) complement.

komplett complete; ~ *latterlig* utterly ridiculous; *i* ~ *stand* (when) complete. **-ere** (*vb*) complete; (*supplere*) supplement.

komplikasjon complication.

kompliment compliment.

komplimentere (*vb*) compliment (*for* on).

kompli|sere (*vb*) complicate. **-sert** complex, complicated.

komplott plot, conspiracy.

kompo|nere (*vb*) compose. **-nist** composer. **-sisjon** composition.

komposisjonslære theory of composition.

kompost compost. **-haug** compost heap, garden dump.

kompott compote, stewed fruit.

kompresjon compression; *motor med høy* ~ high-compression engine; *-en på en av sylindrene er merkbart dårligere enn på de andre* one of the compressions is noticeably weaker than the others.

kompresjons|forhold compression ratio. **-kammer** c. chamber. **-måler** c. gauge. **-slag** c. stroke.

kompress compress.

kompressor compressor.

komprimere (*vb*) compress.

kompromiss compromise. **-forslag** proposal for a compromise.

komse Lapp cradle.

kondens (*i forgasser*) condensation.

kondensator condenser.

kondens|ere (*vb*) condense. **-ering** condensation.

kondensstripe (*flyv*) condensation (*el.* vapour) trail; T contrail.

kondensvann water of condensation, condensation water; condensate.

konditor confectioner; (*glds*) pastry cook. **-i** confectioner's (shop); café, tea-room(s). **-kaker** (*pl*) French pastries, tea fancies. **-varer** (*pl*) confectionery.

kondol|anse condolence. **-ere** (*vb*) condole (with); (*ofte* =) sympathize (with); ~ *en i anledning av* condole with sby on.

kondor ♫ (*slags gribb*) condor.

konduite judgment, poise, savoir faire; *han har* ~ he can handle a situation; *vise* ~ show tactful understanding.

konduite|messig judicious, prudent, skilful. **-sak** matter left to individual judgment.

konduktør train ticket collector; (*togfører*) (passenger train) guard; (*trikke-, buss-*) conductor; (*kvinnelig*) T clippie; US conductor, ticket taker.

konduktørvogn (*jernb*) guard's van.

kone (*hustru*) wife; (*kvinne*) woman; *en gift* ~ a married woman; ~ *i huset* mistress of the house; *ta til* ~ marry, take for one's wife; *mannen ville én ting, kona noe annet* the husband wanted one thing, the wife another (*el.* something else).

konebåt umiak, women's boat.

koneplager wife-beater.

konfeksjon ready-made clothing.

konfeksjons|avdeling (*i forretning*) ready-made (clothes) department. **-fabrikk** clothing mill (*el.* factory). **-industri** ready-made clothing industry. **-klær** (*pl*) ready-made clothes; US store clothes. **-sydd** ready-made.

konfekt (assorted) chocolates; *han sparte ikke på -en* (*også* US) he didn't pull his punches.

konferanse conference.

konferere (*vb*) confer (*med* with; *om* about); (*sammenligne*) compare, check.

konfesjon confession, creed.

konfesjonsløs secular; (*om person*) undenominational.

konfidensiell confidential; *en* ~ *bemerkning* an off-the-record remark; *men det er helt konfidensielt da, vet du* but that's off the record, you know.

konfirmant candidate for confirmation, confirmand, confirmee.

konfirmasjon confirmation.

konfirmasjonsattest certificate of confirmation.

konfirmere (*vb*) confirm.

konfiskasjon confiscation, seizure.

konfiskere (*vb*) confiscate, seize.

konflikt conflict; *han har vært i* ~ *med loven før* he has been in trouble before.

konform conformal, in conformity (*med* with).

konfront|asjon confrontation; (*for å identifisere mistenkt*) identification parade. **-ere** (*vb*) confront.

konfus confused.

konføderasjon confederation, confederacy.

konføderert confederate.

kong (*byll*) boil, carbuncle.

konge king. **-dømme** monarchy; (*rike*) kingdom. **-familie** royal family. **-flagg** royal standard. **-flyndre** (*fisk*) plaice. **-hus** royal house (*el.* family), dynasty. **-krone** royal crown. **-kroning** coronation of a king.

kongelig royal, regal, kingly; *det -e hus, de -e hus* the Royal Family.

konge|losje royal box. **-makt** royal power. **-mord** regicide. **-morder** regicide.

konge|par royal couple. **-pjolter** [drink of brandy and champagne]. **-rekke** line of kings, list of kings. **-rike** kingdom.

konge|røkelse incense. **-stol** royal seat. **-tiger** ♫ Bengal tiger. **-venn** royalist.

kongeørn ♫ golden eagle.

kongle ♠ (*på nåletrær*) cone.

konglomerat conglomeration (*av* of); (*geol*) conglomerate.

kongoleser Congolese.

kongolesisk Congolese.

kongress congress.

kongru|ens congruity; (*mat.*) congruence; (*gram*) concord (*med* with). **-ent** congruent.

kongs|emne heir apparent; pretender to the throne. **-gård** King's royal palace; King's estate.

kongstanke great idea; *hans* ~ the great idea that inspired him.

konisk conical.

konjakk brandy; (*ekte*) cognac.

konjakkranser *pl* (*kaker*) brandy rings.

konjakklikør liqueur brandy.

konjektur conjecture.

konjugasjon (*gram*) conjugation.

konjugere *vb* (*gram*) conjugate.
konjunksjon (*gram*) conjunction.
konjunktur(er) 1 (*i sosialøkonomi*) economic (*el.* trade) cycle(s), business cycles; 2 (*merk*) state of the market, (general) trade outlook, general business (*el.* trading) conditions, trade conditions, business prospects (*el.* outlook); *dårlige -er* trade depression; bad state of trade; slump; *den fallende ~ skyldes årstiden* the downward economic trend is due to seasonal factors; *gode -er* (period of) trade prosperity, prosperous (*el.* good) times, period of good trade; *det er gode -er* (*også*) trade is flourishing; there is a boom; *det er for øyeblikket gode -er innen shipping* shipping is in a prosperous state at present; *gode og dårlige -er* periods of prosperity and depression; *gunstige -er* favourable trade conditions; a sellers' market; *nedadgående -er* downward tendency (of the market), downswing, trade recession; *stigende -er* rising (*el.* upward) tendency (of the market), upswing; *med de nåværende -er* in the present state of the market.
konjunktur|bedring a general improvement in trade, an upward movement (*el.* trend) of trade, trade revival. **-bestemt** conditioned by the state of the market. **-bevegelse** cyclical movement, cycle; *de periodiske -r* the trade cycle(s). **-bølger** (*pl*) economic cycles. **-forskning** research into trade cycles. **-omslag** turn of the market (*el.* the business cycle). **-oppgang:** *se -bedring;* **-en** (*også*) the rising business curve. **-oversikt** economic review. **-politikk** cyclical policy. **-skatt** excess profits tax. **-svingninger** (*pl*) fluctuations of the market (*el.* of prices *el.* of trade), trade fluctuations. **-utvikling** trend of trade.
konk S broke.
konkav (*buet innover*) concave.
konkludere (*vb*) conclude.
konklusjon conclusion.
konkret concrete.
konkubi|nat concubinage. **-ne** concubine.
konkurranse competition; *en ~* a competition, a contest; *fri ~* open competition, freedom of c.; *hensynsløs ~* cut-throat (*el.* reckless) c.; *illojal ~* unfair c.; *skarp ~* keen (*el.* severe) c.; *~ på kniven* cut-throat c.; *vi kan ikke følge med i -n* we are no longer able to compete; we have been outstripped by our competitors; *ta opp -n med* enter into c. with; *vi må ta opp -n* (*også*) we must try to meet (*el.* fight) this c.; *utelukke* (o: *trosse*) *all ~* defy c.;
[*Forb. med prep*] *-n* **om** *noe* the c. for sth; *melde seg* **til** *-n* enter for the c.; *utenfor ~* hors concours; *delta utenfor ~* take part without competing; *starte utenfor ~* start as a non-official competitor.
konkurranse|deltager competitor, entrant; contestant. **-dyktig** able to compete, competitive (*fx* prices, articles). **-dyktighet** competitive power, ability to compete. **-foretagende** rival (*el.* competitive) enterprise. **-forhold:** *-ene* (*pl*) the competition. **-sport** competitive sport.
konkurrent 1. competitor, rival; 2 (*ved konkurranse om stilling, etc, også*) candidate; *han har en ~* (2) he has a competitor (*el.* rival); there is another candidate in the field; *en farlig ~ a dangerous competitor* (*el.* rival) (*fx* a d. r. of the champion); *en farlig ~ til mesterskapstittelen* a dangerous rival for the championship; *-er til* competitors for (*fx* the prize); *slå sine -er* beat one's rivals (*el.* competitors).
konkurrere (*vb*) compete (*med* with, *om* for); *~ ut* oust (*fx* he ousted his competitors); (*se III. lik*).
konkurrerende competing, rival (*fx* r. firms).
konkurs bankruptcy, failure; *erklære ~* declare bankrupt; *gå ~* fail (in business); go bankrupt, go into bankruptcy; *slå til ~* make bankrupt; *firmaet er ~* the firm is bankrupt; *overlevere sitt bo til ~* file (*el.* present) a bankruptcy petition; (*om selskap*) file (*el.* present) a

petition for winding up. **-begjæring** bankruptcy petition, p. in b.; (*selskaps*) (company's) petition for winding up. **-behandling** proceedings in bankruptcy. **-bo** bankrupt estate, e. of a bankrupt, e. in bankruptcy. **-fordring** claim against a bankrupt estate. **-lov** Bankruptcy Act. **-masse** bankrupt estate, estate in bankruptcy.
konkylie conch, shell.
konossement bill of landing (*fk* B/L); *~ over* (*el.* på) B/L for; *gjennomgående ~* through B/L.
konsekvens 1 (*følgeriktighet*) consistency; *mangel på ~* inconsistency; 2 (*følge*) consequence; *ta -ene* (*av det*) take the consequences; 3 (*slutning*) conclusion; *dra -en av noe* draw the conclusion from sth.
konsekvent consistent; (*adv*) -ly.
konsentrasjon concentration.
konsentrasjonsevne power of concentration, ability to concentrate.
konsentrasjonsleir concentration camp.
konsentrat σ concentrate; (*fig*) condensation, condensed account (*av* of).
konsentrer|e (*vb*) concentrate; *~ seg* concentrate (*om* on); keep one's mind on one's job; *han -te seg ikke* his mind was not on his job; *han -te seg om landingen* (*også*) he gave all his attention to the landing; *ikke la dette affisere deg; hvis du det gjør, vil du ikke kunne ~ deg* you must not let this affect you; if you do, it will break your concentration.
konsept (rough) draft; (*se kladd*); *bringe fra -ene* disconcert, put out; *gå fra -ene* be disconcerted, lose one's head.
konseptpapir rough paper; draft paper; US scratch paper.
konsert concert; (*musikkstykke*) concerto; *holde en ~* give a concert; (*se klaverkonsert*).
konsert|flygel concert grand. **-sal** concert hall.
konservatisme conservatism.
konservativ conservative.
konservator 1. assistant keeper; (*ved mindre museer og samlinger ofte*) assistant curator; US associate curator; 2 (*første-*) keeper, deputy k.; curator; US chief curator; 3. *teknisk ~* (picture) restorer; chief restorer.
konservatorassistent: *teknisk ~* assistant restorer.
konservatorium conservatory.
konserve preserve; *-r* (*pl*) tinned (*el.* canned) goods; US canned goods; *når glasset først er åpnet, holder -n seg meget kort tid* once the jar is opened the contents only last for a very short time.
konservere (*vb*) keep, preserve.
konservering preserving, preservation; (*jvf hermetisere & sylte*).
konserveringsmiddel preserving agent (*fx* chemical p. agents).
konsesjon concession, licence (,US: license).
konsesjonshaver concessionaire.
konsignant (*merk*) consignor.
konsignator (*merk*) consignee.
konsignere *vb* (*merk*) consign.
konsil council.
konsipere (*vb*) draft; conceive.
konsis concise.
konsistens consistency. **-fett** cup grease.
konsolide|re (*vb*) consolidate. **-ring** consolidation.
konsoll console; (*hylle*) bracket.
konsonant consonant. **-fordobling** doubling of consonants, consonant doubling.
konsortium syndicate.
konspirasjon conspiracy, plot.
konspirere (*vb*) conspire, plot.
konstabel (police) constable, policeman; (NB *tiltales som* 'officer' (*fx* excuse me, o., but could you tell me the way to . . .)); (*i sjømilitære korps*) able-bodied seaman, A.B. seaman; US petty officer III.
konstant invariable, constant, stable.

Konstantinopel (geogr) Constantinople.
konstater|e (vb) ascertain, find; (bemerke) note (fx we are pleased to n. that . . .); (påvise) demonstrate (fx d. the presence of strychnine in the body); da man undersøkte de leverte varer, ble det -t betydelige skader an examination of the goods delivered revealed extensive damage; jeg bare -er faktum I merely state the fact; jeg -er at X ikke har snakket sant I want to place it on record (el. to call attention to the fact) that X has not spoken the truth; han -te (ɔ: slo fast) at . . . he made the point that . . .
konstellasjon constellation.
konstern|asjon consternation. -ert dismayed, taken aback.
konstitu|ere (vb) depute; ~ seg som set oneself up as, constitute oneself as; -erende generalforsamling statutory general meeting.
konstituert deputy, acting (fx a. minister).
konstitusjon constitution. -ell constitutional.
konstruere (vb) construct; (gram) construe.
konstruksjon construction; structure. -sfeil fault in design; f. in construction; structural defect. -soppgave (mat.) geometrical problem.
konstruktør constructor, designer.
konsul consul.
konsulat consulate. -gebyr consular fee. -vesen consular service.
konsulent adviser, consultant; (i etatene) principal (clerical officer); assistant principal (clerical officer); juridisk ~ legal adviser; teknisk ~ consulting engineer.
konsultasjon consultation.
konsultasjons|tid office hours; (leges) surgery hours. -værelse (legekontor) surgery, consulting room.
konsum consumption. -ent consumer.
konsumere (vb) consume.
kontakt contact, touch; holde seg i ~ med keep in touch with; komme i ~ med get in(to) touch with (fx sby); come into contact with; komme i personlig ~ med get into personal touch with; lette -en mellom lærere og elever facilitate communication between staff and pupils; miste -en med lose touch with; ha god ~ med verden utenfor have strong links with the outside world; søke ~ med get in(to) touch (el. contact) with; hun søker ~ she is trying (el. she wants) to get to know (some) people; she wants to make friends; (se forbindelse; skape & søke).
kontaktutvalg co-ordinating committee (fx a c.-o. committee was formed).
kontant cash; fiks ~ prompt cash; i -er in cash; netto ~ net cash; ~ mot dokumenter cash against documents; ~ ved levering cash on delivery; ~ salg cash sale; betale ~ pay cash (down), pay in cash; selge mot ~ sell for cash; han mangler -er he is short of cash (el. ready money); jeg kan ikke skaffe til veie de nødvendige -er I cannot find the necessary cash; I cannot put my hand on the n. c.
kontant|beløp cash amount; (ved kjøp på avbetaling) initial down payment; deposit (fx minimum deposits were increased). -betaling cash payment (el. terms), payment in cash. -rabatt cash discount, sight credit. -salg cash sale. -utlegg out-of-pocket expenses. -verdi cash value.
kontekst context.
kontinent continent; på K-et on the Continent.
kontinental continental.
kontingent ✕ contingent; (medlems-) subscription; T sub.
konto account (fk. a/c); betale a ~ pay on account; en a ~ betaling a sum paid on a.; debitere (,kreditere) Deres ~ for beløpet debit (,credit) your account with the amount; føre på ~ (fx om varer man kjøper i forretning) enter (fx did you want it entered, madam?); skal dette føres på Deres ~ eller betaler De kontant? is this to go on your account, or are you paying cash? den feilen

går på din ~ T you are to blame for that mistake; likvidere en ~ close an a.; sette penger inn på en ~ pay money into an account; sett det på min ~ (ɔ: anfør det på meg) put that down to me; skrive på ens ~ put down to sby's account; åpne en ~ i en bank open an account with a bank.
kontoinnehaver account-holder.
kontokurant account current (pl: accounts current).
kontor office; (leges) consulting room, surgery; på -et at (el. in) the office; yngstemann på ~ junior clerk.
kontorarbeid office (el. clerical) work; (som fag) office routine (el. methods); (hjemme hos seg selv) paper work.
kontorassistent (i etatene) clerical assistant; assistant clerical officer.
kontordame typist, office girl, lady (el. female) clerk; hun er ~ she is in an office.
kontorfullmektig: ~ I senior clerical officer; head clerk; ~ II clerical officer; clerk.
kontorist clerk.
kontorkrakk office stool; han sliter -en T (neds) he's a quill-driver (el. pen pusher); he pushes a pen all day.
kontor|personale office staff. -post job in an office; clerical appointment (fx apply for a c.a.); clerkship. -sjef office manager, head clerk; (i departement) assistant secretary. -søster (doctor's el. dentist's) receptionist. -tid office hours.
kontoutdrag statement (of account), S/A.
kontra versus; pro og ~ pro and con.
kontra|alt ♪ contralto. -bande contraband. -bas ♪ double-bass. -bok passbook.
kontra|hent contracting party. -here (vb) contract.
kontrakt contract; (ofte) agreement; slutte (el. inngå) ~ enter into a contract (el. agreement), make a contract (om for); i henhold til denne ~ under this contract; (se oppfylle).
kontrakt|brudd breach of contract; begå ~ commit a b. of c. -forhold contractual relation (el. obligation(s)); contract.
kontraktmessig contractual, according to contract.
kontraktstridig contrary to (the terms of) the contract, in contravention of the terms of the c.
kontraktsvilkår (pl) terms of the contract.
kontraktutkast draft agreement.
kontra|ordre counter-order, contrary order(s), orders to the contrary. -prøve counterverification, counter test. -punkt ♪ counterpoint. -signere (vb) countersign.
kontrast contrast. -ere (vb) contrast.
kontrastvæske ‡ contrast fluid (el. medium).
kontreadmiral rear admiral.
kontroll supervision, control; check, inspection; levere inn en avføringsprøve til ~ hand in a specimen of one's stool for examination (el. analysis).
kontrollampe warning lamp.
kontrollere (vb) check, verify, inspect.
kontrollmåle vb (tekn) check.
kontrollør inspector, supervisor.
kontrovers controversy.
kontur outline, contour.
kontusjon ‡ contusion, bruise.
konvall ⚘ lily of the valley.
konveks convex.
konveksitet convexity.
konvensjon (overenskomst; skikk og bruk) convention.
konvensjonell (hevdvunnen) conventional.
konversasjon conversation.
konversasjonsleksikon encyclopaedia.
konversere (vb) converse, chat, talk, make conversation, entertain (fx e. one's dinner partner).
konvertere (vb) convert.
konvertitt convert.
konvoi convoy. -ere (vb) convoy.
konvolutt envelope.
konvul|sivisk convulsive. -sjon convulsion.

kooperativ co-operative.
koordinasjon co-ordination.
kop (*subst*) gaping fool.
kope (*vb*) gape, stare.
kopi copy; (*om kunstverk*; *fig også*) replica; (*fot*) print. -**blekk** copying ink. -**blyant** indelible pencil.
kopiere (*vb*) copy, duplicate; (*med kalkerpapir*) trace; (*fot*) print, make prints.
kopipapir copying paper.
kople (*vb*) couple; ~ *av* (*fig*) relax, divert (*el.* amuse) oneself; ~ *fra* uncouple; ~ *inn* (*fig*) bring in (*fx* it looks as if the authorities will have to be brought in); ~ *til* connect (*fx* c. a lamp to a battery); plug in; (*om kringkaster*) link (up) (*fx* link up transmitters); ~ *en ringeklokke til lysnettet* (*også*) run a bell off the light circuit; ~ *ut* (*elekt*) cut off, cut out, interrupt; (*se også tilkoplet*).
kopling coupling; (*kløtsj*) clutch; **enkeltplate**-singleplate clutch.
koplingsboks clutch housing.
koplingsskjema (*elekt*) diagram of connections.
kopp cup; ~ *og skål* a cup and saucer; *en* ~ *te* a cup of tea.
kopparr pockmark.
kopparret pockmarked.
koppeattest vaccination certificate.
I. kopper (*sykdom*) smallpox.
II. kopper (*metall*) copper.
kopper|aktig coppery. -**gruve** copper mine. -**mynt** c. coin, copper. -**rød** copper-coloured. -**skilling** copper. -**smed** coppersmith. -**stikk** copperplate; (*ofte* =) print. -**vitriol** blue vitriol.
kopra copra.
kor chorus; (*sangerne*) choir; (*i kirke*) chancel, choir; *blandet* ~ mixed voices (*fx* for m. v.); *synge noe i* ~ sing sth in chorus; *de sang den i* ~ (*også*) they all joined in the song.
koral (*salmemelodi*) choral(e).
korall (*koralldyrs bolig*) coral.
koralløy coral island; atoll.
Koranen the Koran.
korde (*mat.*) chord.
kordong cordon; contraceptive, condom; T French letter; US T safe.
korg basket; (*stor*) hamper; (*se ellers kurv*).
korgutt choir boy, acolyte.
korint currant (raisin).
kork 1. cork; (*skru*-) screw cap, screw-on stopper; 2 (*trafikk*-) (traffic) jam.
korka: T *han er* ~ (*dum*) he's dense.
korkbelte cork belt.
korkemaskin corking gun.
korketrekker corkscrew.
korn corn, grain; US grain; (*gryn*, *partikkel*) grain; -*et står godt* the grain (*el.* corn) looks promising (*el.* is coming on well); *ta på* -*et* (*sikte på*) draw a bead on; (*etterligne*) hit off (exactly *el.* to a T) (*fx* he hit off Aunt Mary to a T).
korn|aks ear, spike of corn. -**avl** (*det å*) grain cultivation; (*grøden*) corn crop, cereal crop. -**blomst** cornflower. -**bånd** sheaf, sheaf of corn.
kornet granular, grainy.
kornett cornet.
korn|kammer granary. -**land** corn-growing country. -**mangel** scarcity of corn. -**mo** heat lightning. -**nek** sheaf of corn. -**rensing** winnowing. -**snø** (*kornet snø*) corn snow. -**sort** cereal, species of grain. -**åker** corn field, grain field.
korp raven.
korporal corporal; -*er og menige* other ranks; *vise*- lance corporal.
korporasjon corporation.
korporlig corporal, bodily.
korps corps, body; band; *Forsvarets bygningstekniske* ~ (*svarer i England omtrent til*) Royal Engineers; Royal Electrical and Mechanical Engineers; *Hærens våpentekniske* ~ = the Army Ordnance Corps.
korpsånd esprit de corps.
korpulense corpulence.
korpulent corpulent, stout.

korpus body.
korreks reprimand; (*jvf påpakning*).
korrekt correct; accurate, exact.
korrektiv corrective.
korrektur proof (sheet); *lese* ~ *på* read the proofs of; (*se spalte*-).
korrektur|ark proof sheet. -**avtrykk** proof sheet; *annet* ~ second proof, revise. -**godtgjørelse** charge for corrections. -**leser** proofreader. -**lesning** proofreading. -**rettelse** correction in the proofs. -**tegn** proofreader's mark.
korrespondanse correspondence.
korrespondent correspondent; (*på kontor*) correspondence clerk.
korresponder|e (*vb*) correspond; *toget* -*er med et annet i Crewe* the train connects with another at Crewe; *toget og båten* -*er i X* the train connects with a boat at X; *et* -*ende tog* a (train) connection.
korridor corridor.
korrigere (*vb*) correct.
korrupsjon corruption.
korrupt corrupt.
kors cross; *bære sitt* ~ bear one's cross; *gjøre* -*ets tegn* make the sign of the cross; *han la ikke to pinner i* ~ *for å hjelpe meg* he did not lift (*el.* stir) a finger to help me; *legge bena over* ~ cross one's legs; *med bena over* ~ cross-legged; *krype til* -*et* eat humble-pie, kiss the rod; ~ *på halsen!* cross my heart!
kor|sang choral singing; (*enkelt sang*) part song. -**sanger** chorister.
korsar corsair.
kors|blomstret cruciferous (plant). -**bånd** postal wrapper; *som* ~ by printed paper post, under open cover, by book post. -**båndsending** article sent under open cover (*el.* by book post), a. sent in a postal wrapper.
korse (*vb*): ~ *seg* cross oneself, make the sign of the cross; ~ *seg over* be shocked (*el.* scandalized) at.
korsedderkopp garden spider, cross spider.
korsett corset, stays.
kors|fane banner of the cross. -**farer** crusader. -**feste** (*vb*) crucify. -**festelse** crucifixion. -**formet** cruciform.
Korsika (*geogr*) Corsica. **k-ner, k-nsk** Corsican.
kors|lagt crossed, folded. -**nebb** crossbill. -**rygg** lumbar regions, small of the back. -**sting** cross stitch. -**tog** crusade. -**troll** starfish. -**vei** (*også fig*) crossroads (*fx* be at the c.); *være ved en* ~ (*fig*) be at the parting of the ways (*fx* when she was at the p. of the w. she was stricken by doubt).
I. kort card; *gi* ~ deal; *google* ~ a good hand; *jeg har elendige* ~ T I've got a hand like a foot; *kaste* -*ene* chuck one's hand in; *legge* -*ene på bordet* (*fig*) put one's cards on the table; *sette alt på ett* ~ (*fig*) stake all in a single throw; stake everything on one card (*el.* chance); T put all one's eggs in one basket; *spå i* ~ tell fortunes by cards.
II. kort (*adj*) short; (*kortfattet*) brief; *om* ~ *tid* soon, shortly, before long; *for* ~ *tid siden* a short time ago; recently; ~ *etter* shortly after; *på* ~ *sikt* (*merk*) at short sight; (*se I. sikt*); ~ *sagt* in short; ~ *og godt* in so many words; *komme til* ~ fail, be inadequate; ~ *for hodet* short-tempered, snappish, huffy; *gjøre* ~ *prosess* make short work of it; *trekke det* -*este strå* get the worst of it; US be on the losing end.
kortbeint short-legged.
korte (*vb*): ~ *av* shorten; ~ *av på* reduce, curtail; *de synger for å* ~ *veien* they sing songs to cheer the way.
kortevarer (*pl*) haberdashery.
kortfattet concise, brief.
korthalset short-necked.
korthet shortness; (*bare om tid og tale*) brevity, briefness; *i* ~ briefly, in a few words.
korthus house of cards; *hans planer falt sammen som et* ~ his plans collapsed like a house (*el.* pack) of cards.

korthåret short-haired.
kortklipt close-cropped.
kortkunst card trick.
kort|leik: *se -stokk.*
kortsiktig short, short-term; ~ *lån* short-term loan.
kortslutning 1. short circuit; *fremkalle* ~ short circuit; 2: = *-shandling*; *(se også overledning)*.
kortslutning(shandling) act committed in a moment of extreme strain *(el.* tension); a mental blackout; *hans selvmord var en* ~ his suicide was a sudden irrational reaction to a tense situation; *det må ha vært en kortslutning hos henne når hun giftet seg med den mannen* she must have had a mental blackout when she married that man; she must have married that man in a moment of madness.
kortspill card-playing; *i* ~ at cards.
kort|spiller card-player. **-stokk** pack (,US: deck) of cards. **-sving** *(ski):* *gjøre* ~ tail-wag.
kortsynt *(fig)* short-sighted. **-het** *(fig)* short -sightedness.
kortvarig short(-lived), transitory, brief. **-het** shortness, briefness.
kortvegg end wall, short wall.
korvett ⚓ corvette.
koryfé leader; T bigwig; US leader, top man; *en av -ene* T one of the bigwigs *(el.* big guns); US one of the brass.
I. kos T cosiness; US coziness; *(se hygge).*
II. kos *(se kurs); dra sin* ~ go away, make off.
kosakk Cossack.
kose *(vb)* make things cosy (,US: cozy) *(el.* pleasant) *(for* for); ~ *seg* have a good *(el.* enjoyable) time; *vi -r oss glugg i hjel* we are having the time of our lives; *(se for øvrig hyggelig).*
koselig comfortable, cosy (,US: cozy), snug, nice, pleasant; *(se hyggelig).*
kosinus *(mat.)* cosine.
kosmetikk cosmetics. **kosmetisk** cosmetic.
kosmetolog cosmetologist.
kosmonaut cosmonaut.
kosmopolitisk cosmopolitan.
kosmopolitt cosmopolite, cosmopolitan.
kosmos cosmos.
I. kost *(mat)* food, fare; ~ *og lønn* board and wages; *mager* ~ scanty fare, poor diet; *ha fri* ~ have free board; *ha en i -en* have sby as a boarder; *holde seg selv med -en* get one's own meals; *være i* ~ *hos* board with.
II. kost *(feiekost)* broom, brush; *nye -er feier best* new brooms sweep clean.
III. kost *(teater):* ~ *og mask* dress rehearsal.
kostbar precious, valuable; *(dyr)* expensive, costly; *gjøre seg* ~ require much pressing *(el.* asking). **-het** costliness, expensiveness.
koste *(vb)* cost; *(ofte)* be *(fx* butter was 2s. a pound; how much is that cigar?); *hva -r det?* how much is it? *det -r ikke noe* there's nothing to pay; *hva -r det Dem?* what does it cost you? *(det får)* ~ *hva det vil* at any price, at all costs; no matter what the cost, whatever the cost; ~ *mye på* spend a good deal of money on.
kostebinderi: *hele -et* T the whole caboodle *(el.* boiling).
kostelig costly; precious; *(morsom)* priceless.
kosteskaft broomstick.
kostforakter: *han er ingen* ~ he's not squeamish.
kostgodtgjørelse allowance for board; US per diem.
kost|hold fare, diet. **-penger** living expenses; housekeeping money *(fx* the h. m. won't go round). **-skole** boarding school.
kostyme costume. **-ball** fancy-dress ball; US costume ball. **-prøve** dress rehearsal.
kote *(på kart)* contour line; *sette av en* ~ run a c.l.
kotelett chop; *(liten, fx kalve-)* cutlet.
kotelettkam loin.
kotelettstykke *(på gris)* loin; *(jvf kam).*
koteri coterie.

kotiljong cotillon, cotillion.
kott *(lite)* closet; *(på loft, etc)* storeroom.
kovne *(vb)* be suffocating; be dying with heat.
kooye: *se kuøye.*
kr *(fk.f. krone).*
kra *(int):* *kra-kra!* caw-caw!
krabat *(fyr)* chap, fellow; *en viller* ~ *(om barn)* an unlicked cub; *(om gutt)* T a little monkey.
I. krabbe *(subst)* crab; *mate -ne* feed the fishes.
II. krabbe *(vb)* crawl, creep, scramble; ~ *til køys* scramble into bed.
krabbefelt creep(er) lane, lane for slow-moving traffic.
krafs scrape, scratch.
krafse *(vb)* claw, scratch; ~ *seg fram* scratch along; ~ *til seg* grab, snatch; *(se grafse:* ~ *til seg).*
kraft strength; *(evne, legemlig og åndelig)* power; *(makt)* force; *(kraftighet)* vigour; US vigor; *(energi)* energy; *(maskins)* power; *(kjøtt-, etc)* juice; *teatrets beste krefter* the best actors of the theatre; *unge krefter (fig)* youthful energy; *anspenne alle krefter* strain every nerve; *komme til krefter* recover one's strength; *legge* ~ *i* throw one's strength into; *går med full* ~ is going full speed; *prøve krefter med* try one's strength against; *av alle krefter* with might and main, with all one's might; *i sin ungdoms fulle* ~ in the full vigour (,US: vigor) of youth; *i* ~ *av* by virtue of; *sette i* ~ put in *(el.* into) force; *sette ut av* ~ annul, cancel, invalidate; *tre i* ~ come into force *(el.* operation), take effect, become effective; *med sine siste krefter nådde han stranden* with his last ounce of strength he reached the shore; *vie alle sine krefter til an oppgave* devote all one's energies to a task; *(se samspill; sette B).*
kraft|anstrengelse exertion, effort; *nye -r* fresh efforts. **-fôr** (feed) concentrates; grain feed; concentrated cattle foods *(el.* feed(ing) stuffs). **-forsyning** electricity (and gas) supply, power supply.
kraftfull vigorous.
kraftidiot prize idiot.
kraftig strong, powerful, vigorous, energetic; *(om mat)* heavy, nourishing; ~ *bygd* muscular, with a powerful frame.
kraftkar great strong hulk of a fellow; strong hulking chap; *han er en* ~ he is as strong as an ox.
kraft|ledning power line; US power transmission line. **-ledningsstolpe** power line pole. **-løs** powerless.
kraft|overføring transmission (of power). **-papir** brown wrapping paper. **-patriot** super-patriot; chauvinist. **-prestasjon** feat, display of strength. **-prøve** trial of strength. **-spill** waste of energy.
kraft|stasjon power station. **-tak** vigorous pull; *(fig)* all-out effort. **-uttrykk** oath, swear word; strong language. **-utvikling** generation of power.
krage collar. **-ben** collar bone, clavicle.
krake *(kroket tre)* stunted tree; *(svekling)* weakling; ~ *søker make* birds of a feather flock together; like will to like.
krakilsk cantankerous.
I. krakk *(handelskrise)* crash, collapse; *bank-* bank failure *(el.* crash *el.* smash).
II. krakk *(til å sitte på)* stool; (short) bench.
III. krakk poor wretch; *du kan kalle meg en* ~ *om* . . . I'll be blamed if . . . ; . . . *hvis ikke kan du kalle meg en* ~! . . . or I'm a Dutchman.
krakkmandel thin-shelled almond.
I. kram *(subst)* trash; *det passet inn i hans* ~ it suited his books; it was grist to his mill.
II. kram *(adj, om snø)* wet, sticky.
kram|bu general store, country store. **-kar** peddler, pedlar.
kramme *vb (klemme)* crumple, crush.
krampaktig convulsive; forced.
I. krampe *(jernkrok)* cramp.
II. krampe 🐟 spasm; convulsions; *(i ben, arm)* cramp.
krampe|anfall convulsive fit, spasm. **-gråt** convulsive sobbing. **-latter** hysterical laughter. **-trekning** convulsion; *ligge i de siste -er* be

breathing one's last; US be in the throes of death.
kramse (*vb*) finger, fumble at, paw; clutch.
kran crane; (*vann-, etc*) (water) tap, cock, faucet tap; *skru på -a* turn the tap; *jeg får ikke skrudd på -a* the tap won't turn.
kran|avgift cranage. **-fører** crane operator, crane driver, craneman.
krangel quarrel; *de kom i ~* they had a quarrel; T they had a row; (*se tilløp*).
krangle (*vb*) pick a quarrel, start trouble; bicker, wrangle. **-fant, -pave** quarreller, quarrelsome fellow. **-syk** quarrelsome.
kranium cranium, skull.
krans wreath, garland; *legge ned en ~* lay a wreath.
kransarterie (*anat*) coronary artery.
kranse (*vb*) crown, wreathe.
kranse|kake [cone-shaped pile of almond cakes]; (*stykker*) almond sticks. **-lag, -skål** [party to celebrate completion of roof of a new house] = topping-out ceremoni.
krapp (*kort*) short; (*trang*) narrow; (*brå*) sudden; *~ sjø* choppy sea; *en ~ sving* a sudden turn.
krapyl rabble, dregs of society.
krasle (*vb*) rustle, scurry.
krass gross, crass.
krater crater.
kratt thicket, scrub, underbrush.
krattbevokst covered with scrub.
krattskog thicket, scrub.
krav (*forlangende*) demand (*om* for; *til en* on sby); (*høfligere*) request (*om* for; *til en* to sby); (*fordring*) demand; (*jur*) claim (*fx* his c. for compensation; I have a claim on the company for compensation); (*ved eksamen*) requirement (*fx* the requirements in Latin); *lovens ~* the requirements of the law; *drøye ~* T stiff demands; *store ~* severe demands; *tidens ~* modern requirements; *etterkomme et ~* comply with a demand; *etterkomme hans ~* (*også*) satisfy his demands; satisfy his claims; *etterkomme lovens ~* comply with legal requirements; *fastholde et ~* insist on a claim; *frafalle et ~* waive (*el.* renounce) a claim; *fremsette et ~* make (*el.* advance) a demand; (*jur*) make (*el.* advance *el.* set up *el.* put forward) a claim; *gjøre et ~ gjeldende* put in (*el.* set up) a claim; advance (*el.* put forward) a claim; *gjøre hele -et gjeldende* claim the whole amount; set up the whole claim; *gjøre ~ på noe* demand sth; (*jur & fig*) claim sth, lay claim to sth; make a claim to sth (*fx* does anyone make a c. to this purse?); put in a claim for sth (*fx* nobody has put in a c. for the purse so far); *ha ~ på noe (,noen)* have a claim on sth (,sby); *penger jeg har ~ på* money due to me; *de har ~ på diettpenger* they are entitled to travelling and subsistence allowances; *stille ~ til* make demands on; *stille store ~* pitch one's demands high; *vi kan tilfredsstille ethvert ~ som måtte bli stilt til oss* we can meet (*el.* satisfy) any demand made upon us; *den vil dekke de ~ som stilles til et oppslagsverk i denne størrelsesorden* it will satisfy the requirements of a reference book of this size; *han stiller strenge ~* he is demanding (*el.* exacting); he is hard to please; (*se III. lov; oppfylle; III. reise; II. skjerpe; stå B*).
kravbrev collection letter, reminder, application for payment.
kravle (*vb*) crawl; *de -t om bord i en 1933-modell Morris* they piled into a 1933 Morris.
kravløs undemanding, unexacting.
krav|melding (*i bridge*) forcing bid; US demand bid. **-mentalitet** demanding attitude, materialistic a.; materialism. **-stor** exacting in one's demands, demanding, exacting.
kredit (*mots. debet*) credit; *føre til ens ~* enter (*el.* book *el.* pass *el.* place) to sby's c., pass (*el.* place) to the c. of sby's account; (*se også kreditt & tilgodehavende*).

kreditere (*vb*) credit; *~ en for et beløp* credit sby with an amount, credit an a. to sby; *~ ens konto for et beløp* enter (*el.* book *el.* pass) an amount to sby's credit; *De bes ~ oss beløpet pr. 1. januar* please (*el.* kindly) credit us for the amount as of January 1st; *... som vi ber Dem ~ oss ...* which kindly credit to our account.
kreditiv letter of credit (*fx* a l. of c. for £300 on Westminster Bank); *utstede et ~* issue a l. of c.
kreditnota credit note (*fk* C/N) (*fx* a credit note for £20).
kreditor creditor.
kredit|post credit item. **-saldo** credit balance. **-side** (*også fig*) credit side; (*i bokf.*) creditor side.
kreditt (*jvf kredit*) credit; *på ~* on credit; T on tick; *åpen ~* open c., open account; *en ~ på et beløp* a c. of an amount, c. for an amount; *gi* (*innrømme, yte*) *~* give (*el.* grant *el.* allow) c.; *forlenge -en* extend one's c.; *han ber om å få -en forlenget* he asks for an extension of c.; *han nyter utstrakt ~* his credit rating is excellent; *utvide en ~* expand a c., extend the amount of c.; *åpne en ~ for* open a c. in favour of.
kreditt- credit; (*se også sms med kredit-*).
kreditt|bank credit bank, commercial bank. **-brev** letter of credit. **-givning** the giving of credit. **-innsprøytning** injection of credit (*fx* into a business). **-opplag** 1. bonded warehouse; 2 (*om varene*) storage in bond; *varer på ~* goods in bond. **-opplysning** credit report, status (*el.* financial) report; *få ~ på en* get a credit rating on sby; obtain a report on sby, obtain information respecting the standing of sby; make a credit investigation about sby. **-opplysningsbyrå** commercial inquiry agency. **-svekkelse** impairment of credit. **-tilstramning** credit squeeze (*el.* stringency), restriction (*el.* contraction) of credit; tightening of credit facilities. **-utvidelse** expansion of credit. **-verdig** worthy of credit, credit-worthy, sound.
kreere (*vb*) create; *~ en til doktor* confer a doctorate on sby.
kreft cancer; (*i tre*) canker. **-aktig** cancerous; cankerous. **-svulst** cancerous tumour.
krek poor creature, poor thing.
kreke (*vb*) crawl, creep; *~ seg* drag oneself.
krekling ♣ crowberry.
krem whipped cream; (*hud-*) cream; (*egge-, vanilje-*) custard.
kremasjon cremation.
krematorium crematorium; US crematory.
kremere (*vb*) cremate.
krem|farget, -gul cream-coloured, creamy. **-fløte** full cream; US whipping cream.
kremmeraktig mercenary.
kremmer|hus cornet. **-sjel** mercenary soul; *han er en ~* he is a mercenary fellow.
kremt hawk(ing), clearing one's throat.
kremte (*vb*) clear one's throat.
krenge (*vb*) tilt on one side, careen, heel; (*om fly*) bank.
krenging ♣ heel, heeling (over); (*om fly*) banking.
krengningsstabilisator (*på bil*) stabilizer bar, anti-roll bar, anti-sway bar.
krenke (*vb*) violate; *~ en* hurt (*el.* offend) sby; *det -r vår rettferdighetssans* it offends our sense of justice.
krenkelse violation; infringement (*fx* an i. of our rights); offence (*av* against); *~ av bluferdigheten* offence against public decency; *~ av husfreden* (*jur*) violation of the privacy of a person's house; trespass (in a person's house, offices, etc); (*i Skottland*) hamesucken; *~ av privatlivets fred* (*også jur*) invasion of privacy; (*se husfred*).
kreol, -erinne Creole.
krepp crepe. **-nylon** nylon crepe.
kreps ♣ crawfish; *K-ens vendekrets* the Tropic of Cancer.
krepse (*vb*) catch crawfish.
krepsegang retrograde movement; *gå ~* go backward.

kresen particular, fastidious, squeamish; *dette skulle appellere til den kresne kjøper* this should appeal to the discriminating buyer.
kresenhet fastidiousness, squeamishness.
kreti og pleti every Tom, Dick, and Harry.
kretin|er cretin. **-isme** cretinism.
kretong cretonne.
krets circle; ring; *(omgangs-)* circle; *jordens* ~ the terrestrial orb; *(familie-)* family circle; *(distrikt)* district; *slå* ~ form a circle; *i vide -er* widely; *denslags gjøres ikke i våre -er* that sort of thing is not done in our circle.
kretsbevegelse circular motion, gyration.
kretse *(vb)*: ~ *om* circle *(fx* c. the moon).
krets|fengsel county gaol *(el.* jail). **-løp** circulation, circular motion; gyration.
kreve *(vb)* demand; claim; require; *dette arbeidet -r sin mann helt ut* one has to give oneself up completely to this work; *det -r mot* that takes courage; *det -s av disse at de kan norsk* these are required to have a knowledge of Norwegian; ~ *inn penger* collect money; ~ *til regnskap* call to account; ~ *sin rett* claim one's right; ~ *en for penger* press sby for money.
krible *vb (i huden)* tingle, prickle; ~ *og krable* crawl, creep; *det -r i fingrene mine* my fingers are tingling; I've got pins and needles in my fingers; *det -r i fingrene mine etter å* ... my fingers are itching to.
krig war; *under -en* during the war; *under hele -en* during the entire war; for the whole of the war; *erklære* ~ declare war on; *føre* ~ wage war, make war, carry on war *(med* against, on); *gå i -en* go to the war; *ligge i* ~ *med* be at war with; *tjene i -en* serve in the war; *slik er -ens gang* wars bring scars; *-ens midtpunkt* the focal point of the war; *(se også kjærlighet & styrte).*
kriger warrior. **-sk** martial, warlike, belligerent. **-ånd** warlike spirit.
krigførende belligerent; US warring.
krigføring warfare.
krigs|blokade military blockade. **-brud** war bride. **-bytte** booty, spoils (of war). **-dans** war dance. **-erklæring** declaration of war. **-fange** prisoner of war *(jk* POW). **-fangenskap** ✗ captivity; *komme i* ~ be taken prisoner. **-fare** danger of war. **-forbryter** war criminal. **-forbryterdomstol** war crimes tribunal. **-forbryterprosess** war crimes trial.
krigs|forlis loss due to war risk, l. due to enemy action. **-forlise** *(vb)* be lost by enemy action, be sunk, be mined, be torpedoed.
krigs|fot: *sette på* ~ place on a war establishment *(el.* on a war footing); *stå på* ~ *med (fig)* have a war on with. **-frykt** fear of war, war scare.
krigs|førsel warfare. **-gal** jingo, bent on war. **-galskap** jingoism, warmongering. **-gud** god of war. **-herjet** devastated (by war); US *(også)* war-torn. **-hisser** warmonger. **-humør:** *være i* ~ be on the warpath. **-hyl** war whoop; *han satte i et* ~ he let out a war cry. **-korrespondent** war correspondent. **-kunst** art of war, strategy. **-kyndig** skilled in the art of war. **-list** stratagem. **-makt** military power.
krigs|maling war paint. **-maskin** war machine. **-materiell** war material. **-minister** minister for war. **-ministerium** Ministry for War; *(i England)* War Office; US Defense Department. **-rett** court **-martial;** *stilles for* ~ be court-martialled. **-rop** war cry. **-rustning** armament. **-råd** council of war. **-skadeserstatning** war indemnity. **-skip** battleship, warship. **-skole** war college. **-skueplass** combat zone *(el.* area), area *(el.* theatre) of operations; front, scene of battle. **-stemning:** *piske opp en* ~ whip *(el.* stir) up a warlike atmosphere. **-stien** the warpath. **-tid** time of war. **-tilstand** state of war. **-tjeneste** active service. **-tummel** turmoil of war. **-vesen** military matters. **-viktig** of military importance. **-vitenskap** military science.
krik corner; *gå i -er og kroker* follow a zigzag course; *i alle kroker og -er* in every nook and corner.

krikkand 🦆 teal.
Krim *(geogr)* the Crimea.
kriminal criminal. **-betjent** *(ikke gradsbetegnelse, kan gjengis)* detective inspector, C.I.D. inspector; *(i løst språkbruk ofte)* detective. **-ist** criminalist. **-sak** criminal case.
kriminel|l criminal; *-t dårlig* T shamefully bad.
krimskrams rubbish; *(nipsting)* knick-knack.
kringkaste *(vb)* broadcast.
kringkasting broadcasting. **-ssjef** director of broadcasting.
kringle twist; coffee bread ring; US pretzel; *lette kaffekringler* light coffee twists.
kringvern ✗ all-round defence, perimeter.
krinkelkroker nooks and corners.
krinoline crinoline.
krise crisis *(pl:* crises). **-herjet** hard-hit, depressed *(fx* a d. area). **-tid** period of (economic) crisis, period of depression; *(se framtvinge).*
krisle *(vb)* tickle, tingle, prickle.
kristelig Christian; religious *(fx* a r. youth club).
kristen Christian; *en* ~ a Christian. **-dom** Christianity. **-domskunnskap** *(fag)* religious knowledge. **-het** Christendom. **-kjærlighet** charity. **-tro** Christian faith.
Kristian Christian.
Kristi blodsdråpe 🌸 fuchsia.
Kristi himmelfart the Ascension.
Kristi himmelfartsdag Ascension Day.
Kristine Christina.
kristne *(vb)* christianize.
Kristoffer Christopher.
kristtorn 🌿 holly.
Kristus Christ; *før* ~ B.C., before Christ. **-bilde** image of Christ.
krita: *på* ~ T on tick; *ta på* ~ buy *(el.* go) on tick.
kriterium criterion; *kriterier* criteria.
kritiker critic; *(anmelder)* reviewer.
kritikk criticism; *(anmeldelse)* review; *under all* ~ beneath contempt; unspeakable *(fx* these hotels are u.); *(se utsette:* ~ *seg for kritikk).*
kritikkløs uncritical.
kritisere *(vb)* criticize; *uten på noen måte å ville* ~ without in any way wishing to c.
kritisk critical.
kritt chalk.
krittaktig chalky.
kritte *(vb)* chalk.
kritthus: *være i -et hos en* T be in sby's good books *(el.* graces).
kritthvit white as chalk.
krittpasser board compasses.
kritt|pipe clay pipe, earthen pipe. **-tegning** crayon drawing.
I. kro *(vertshus)* inn, public-house; T pub; *(glds)* tavern.
II. kro *(hos fugler)* crop, craw.
III. kro *(vb)*: ~ *seg* strut, boast; plume oneself (on sth).
krok corner, nook; *(jern-)* hook; *(fiske-)* hook; *bite på -en (fig)* swallow the bait; *dra* ~ pull fingers; play finger-tug; *få på -en* hook; *den gamle -en* the poor old body; *en stakkars* ~ a poor creature; *(se kroke).*
krokan [crushed caramel and almond mixture]; *(svarer til)* crushed nougat; US almond brittle.
kroket crooked, bent, tortuous.
kroki (rough) sketch.
krokket croquet. **-bøyle** croquet hoop.
kroklisse bobbin lace, pillow lace, bone lace.
krokne *(vb)* become bent *(el.* crooked).
krokodille 🐊 crocodile. **-tårer** *(pl)* crocodile tears.
krokrygget with stooping shoulders; hunch -backed.
krokstige *(hakestige)* hook ladder.
krokus 🌸 crocus.
krokvei round-about way; *(fig)* crooked ways; *gå -er* use indirect *(el.* underhand) means.

krom chromium; US chrome.
kromatisk chromatic.
kronblad ✿ petal.
krondyr ⚥ red deer.
I. krone (*subst*) crown; (*på tann*) crown; (*pave-*) tiara; (*adels-*) coronet; (*tre-*) top, crown; *sette -n på verket* crown the achievement.
II. krone (*vb*) crown; ~ *med hell* c. with success.
kronemutter castellated nut.
kronerulling silver collection.
kronglebjørk crooked birch-tree.
kronglet(e) crooked, gnarled, twisted; difficult; *terrenget var* ~ the ground was difficult; *en -e sti* a difficult path, a winding path (*el.* track).
kron|gods crown land(s). **-hjort** ⚥ (royal) stag. **-hjul** crown wheel, bevel gear.
kronidiot prize fool.
kronikk chronicle; (*i avis*) feature article; (*i radio, etc*) report, news analysis.
kroning coronation.
kronisk chronic.
krono|logi chronology. **-logisk** chronological; ~ *sett* in order of time (*fx* in o. of time Caesar's work in Gaul was the prelude to...). **-meter** chronometer.
kronprins (*i England*) Prince of Wales; (*i andre land*) Crown Prince.
kronprinsesse (*prinsen av Wales' gemalinne*) Princess of Wales; (*ellers*) Crown Princess.
kron|rake (*vb*) shave the crown of. **-raket** tonsured. **-raking** tonsure.
kropp (*legeme*) body; (*uten hode, armer og ben*) trunk; *skjelve over hele -en* tremble all over; *han har ikke skjorta på -en* he has hardly a shirt to his back.
kropps|arbeid manual labour. **-bøyning** bending of the trunk. **-visitasjon** (*personal el.* bodily) search. **-visitere** (*vb*) search; T *frisk* (*fx* f. sby). **-øving** (*skolefag*) physical training (*fk.* p. t.), gymnastics; T gym.
krot scroll-work, decorative carving (,painting); scrawl, scribbling.
krote (*vb*) scroll, deck with scrolls, decorate by carving (,painting); (*rable*) scrawl, scribble.
krukk|e pitcher, jar; (*apoteker-*) gallipot; *-a går så lenge til vanns at den kommer hankeløs hjem* (*oftest*) he (,she, they, *etc*) did it once too often.
krull scroll, flourish; cluster, curl.
krum curved, crooked; *gå på med* ~ *hals* go at it hammer and tongs; *go at* (*el.* for) *it* bald headed.
krum|bøyd bowed, bent. **-kake** [cone-shaped, wafer-like sweet biscuit baked in a special iron]; (*kan gjengis*) wafer cone (*el.* cornet).
krumme *vb* (*gjøre krum*) bend, bow; *jeg vil ikke* ~ *et hår på hans hode* I will not hurt a hair of his head.
krumrygget bent, stooping.
krumspring caper, gambol; (*fig*) dodge; *gjøre* ~ cut capers; cavort.
krumtapp (*veivaksel*) crankshaft; (*også fig*) pivot.
I. krus mug.
II. krus (*stas*) fuss; *gjøre* ~ *av* make a great fuss about; *hun gjør for meget* ~ *av barna sine* she makes too much fuss over (*el.* about) her children.
kruse *vb* (*vann, etc*) curl, ripple; (*sterkere*) ruffle; (*hår*) curl.
krusedull flourish, scroll; *-er* (*fig*) circumlocutions.
krusemynt ✿ curled mint.
kruset curly, curled.
krusifiks crucifix.
krus(n)ing curling; (*på vann*) ripple.
kruspersille ✿ curled parsley.
krutt powder, gunpowder; *skyte med løst* ~ fire blanks; *han har ikke oppfunnet -et* he is no conjurer; he will never set the Thames on fire; *ikke et skudd* ~ *verd* not worth powder and shot; *spare på -et* (*fig*) hold one's fire, save one's energy;

nå spares det ikke på -et (ɔ: *nå settes det hardt mot hardt*) it's a fight to the finish; T they're not pulling their punches.
krutt|kjerring firecracker. **-lapp** cap (for toy pistol). **-røyk** gunsmoke. **-tønne** gunpowder barrel; (*også fig*) powder keg (*fx* the Balkans, the p. k. of Europe).
I. kry (*adj*) proud; stuck-up, cocky.
II. kry (*vb*) swarm, be full of; be alive with (*fx* the street was alive with vehicles).
krybbe manger, crib; *når -n er tom, bites hestene* when poverty comes in at the door, love flies out at the window.
krybbebiter crib-biter.
krydder, -i spice, seasoning.
kryddernellik ✿ clove.
krydre (*vb*) spice, season.
krydret spiced, seasoned.
krykke crutch; *gå med -r* walk on crutches.
krympe (*vb*) shrink; ~ *seg* flinch, shrink, wince; ~ *seg sammen* shrink.
krympefri unshrinkable; US shrink-proof.
kryp creepy thing, crawling insect; worm, snake; *stakkars* ~! (you) poor thing!
krypdyr ⚥ reptile.
krype (*vb*) creep; (*kravle*) crawl; (*om tøy*) shrink; *alle som kunne* ~ *og gå* all the world and his wife; *en må lære å* ~ *før en kan gå* we must walk before we run; ~ *for en* fawn on sby, cringe before sby; *lick sby's boots*; (*for lærere*) toady, crawl; *en kan likeså gjerne hoppe i det som* ~ *i det* we might as well get it over at once; ~ *sammen* crouch; *barna krøp sammen for å holde varmen* the children huddled together for warmth.
krypende crawling; fawning, cringing.
kryperi cringing, fawning.
krypinn little shed.
kryp|skytter poacher. **-skytteri** poaching.
krypsoleie ✿ creeping buttercup.
kryptogram cryptogram.
krysantemum ✿ chrysanthemum.
krysning cross, hybrid; crossing (*av* of); ⚓ cruising; tacking.
kryss cross; ♪ sharp; (*i tipping*) draw; (*vei-*) crossroads; *planfritt* ~ crossing with flyover (,US: overpass); ~ *i taket!* what a sensation! hoist the flag! *sette* ~ *ved det som passer* (*på skjema, etc*) check (*el.* tick (off)) as appropriate; (*se krysse:* ~ *av*).
kryssbytte (*vb*): ~ *hjulene* (*på bil*) interchange the front and rear wheels diagonally.
krysse (*vb*) cross; (*om dyr*) cross; (*om skip*) tack, beat; (*uten bestemt kurs*) cruise; ~ *av* (*på liste*) check off, tick off; (*sette kryss ved*) put a cross (*el.* mark) against; ~ *ens planer* thwart (*el.* cross) sby's plans; *jeg har ikke tenkt å* ~ *ham* I'm not going to beg him for anything; ~ *hverandre* cross each other, intersect; meet (*fx* the trains meet at Geilo); *våre brev har -t hverandre* (*også*) my letter has crossed yours; *han -r foran X* (*om skøyteløper*) he's crossing in front of X.
krysser ⚓ cruiser.
kryssfinér plywood.
kryss|forhør cross questioning; (*av motpartens vitne*) cross-examination. **-henvisning** cross reference.
kryssild (⚔ & *fig*) cross fire.
kryssordoppgave crossword puzzle.
kryssveksel (*jernb*): *dobbelt* ~ (,T: engelskmann) double crossover, scissors crossing; (*jvf skinnekryss*).
krystall crystal; cut glass, crystal (glass).
krystallaktig crystalline.
krystall|form crystalline form. **-klar** (clear as) crystal, crystal clear.
krystallisere (*vb*) crystallize.
krystallisering crystallization.
kryste (*vb*) crush, squeeze, press; (*omfavne*) clasp in one's arms, hug.
kryster (*feiging*) coward.
krøke (*vb*) bend, crook; *den må tidlig -s som*

god krok skal bli early practice makes the master; T there's nothing like starting young; it pays to catch them young; (*lett glds*) as the twig is bent, the tree is inclined; ~ *seg sammen* double up.

krøll (*subst*) curl, frizzle; *slå* ~ *på seg* curl up; *slå* ~ *på halen* curl one's tail.

krølle (*vb*) curl; (*om papir, klær*) crease, crumple, rumple; ~ *sammen* crumple up; ~ *seg* curl up, wrinkle.

krøllet curly; crumpled, creased; *-e bilder* crumpled (*el. bent*) pictures.

krølltang curling iron.

krølltopp curlyhead, curlytop.

krønike chronicle.

krøpling cripple.

krøtter cattle.

kråke ♫ crow; *stupe* ~ turn somersaults. **-bolle** ♫ sea urchin; US (*også*) sea porcupine. **-fot** ⚘ club moss. **-mål** gibberish. **-sølv** mica. **-tær** (*dårlig skrift*) pot-hooks, scrawls.

krås (*på fugl*) gizzard, giblets.

kråsesuppe giblet soup.

ku cow; *glo som ei* ~ *på en rødmalt vegg* stare like a stuck pig; gaze stupidly (*fx* at sth); *ha det som -a i en grønn eng* be in clover, be on velvet; *mens graset gror, dør -a* while the grass grows the steed starves.

kubaner, kubansk Cuban.

kubb log-ends; (*forst*) shorts.

kubbe log, stump. **-stol** log chair.

kube hive.

kubein (*brekkjern*) jemmy, crowbar; US (*også*) pinchbar.

kubikk|fot cubic foot. **-innhold** cubic content, cubage; ⚓ cubic capacity. **-rot** cube root; *utdragning av -a* extraction of the cube root. **-sjarmør** = rocker, ton-boy (*fx* black-leather -coated ton-boys). **-tall** cube, cube of a number.

kubisk cubic(al).

kubisme (*en kunststil*) cubism.

kubist cubist. **kubistisk** cubistic.

kubjelle 1. cowbell; 2 ⚘ pasqueflower.

kubus cube.

kue (*vb*) cow, subdue.

kufanger (*jernb*) cowcatcher.

kuguar ♫ cougar, puma, American panther, mountain lion.

ku|hale cow's tail. **-hud** cowhide.

kujon coward, poltroon; T funk; *han er en* ~ he's yellow. **-ere** (*vb*) bully, cow, browbeat. **-eri** cowardice.

kujur (*anat*) cow's udder.

kukake cow dropping; US (*også*) cow cake, cow pie.

kukelure (*vb*) mope, sit moping; *skal du sitte inne og* ~ *i hele dag?* are you going to stick in(doors) all day?

kukopper (*pl*) 🜁 cowpox.

kul boss, bulge, knob, protuberance; (*i terrenget*) bump; (*i hoppbakke*) brow (*fx* he just managed to get over the b.); (*etter slag*) bump, swelling.

kulant easy, expeditious; *-e vilkår* easy terms.

kulde cold, frost; (*egenskap*) coldness; frigidity; *gyse av* ~ shiver with cold; *15 graders* ~ 15 degrees of frost, 15 below zero, 15 below freezing.

kuldegrad degree of frost (*el. cold*).

kuldegysning cold shiver.

kuldskjær sensitive to cold. **-het** sensitiveness to cold.

kule 1. ball; 2 (*liten av papir, brød, etc, også fig*) pellet; 3 (*gevær-, etc*) bullet; (*kanon-*) ball; 4 (*på rekkverk, seng, etc*) knob; **-r og krutt** powder and shot; *hele kula* T the whole bunch (*el.* gang); *skyte en* ~ *gjennom hodet på en* blow sby's brains out; *støte en* ~ (*sport*) put the shot (*el.* weight).

kule|formet ball-shaped, globular. **-lager** ball bearing. **-ledd** ball joint, ball-and-socket joint. **-lyn** ball lightning. **-mage** pot-belly. **-penn** ball -point pen, biro. **-ramme** abacus.

kule|regn shower of bullets. **-rund** ball-shaped, round, spherical; (*om øyne*) beady. **-sprøyte**

machine gun. **-støt** (*sport*) shot put, shot-putting, putting the shot (*el.* weight). **-støter** shot -putter.

kuli (*subst*) coolie.

kulinarisk culinary.

kuling breeze, wind; *liten* ~ strong breeze; *sterk* ~ gale; *stiv* ~ near gale; (*jvf bris & storm*). **kulingvarsel** gale warning.

kulisse side scene, wing; *bak -ne* behind the scenes.

I. **kull** (*unger*) brood, hatch; (*av pattedyr*) litter.

II. **kull** (*tre-*) charcoal; (*stein-*) coal; ♂ carbon; *hvite* ~ (electricity generated by) water power; T white coal; *gloende* ~ living coals; *sanke gloende* ~ *på ens hode* heap coals of fire on sby's head; *ta inn* ~ coal, bunker.

kullbeholdning coal reserves (*el.* resources); *verdens* ~ the c. reserves of the world.

kullboks coal scuttle.

kullbørste carbon brush.

kulldistrikt coal region, coal-mining district.

kulle *vb* (*ta inn kull*) coal, bunker.

kullemper coal trimmer, coal heaver.

kullfelt coalfield.

kull|forbruk consumption of coal. **-forekomst** coal deposit. **-gruve** coal mine, coalpit, colliery. **-gruvearbeider** collier. **-gruvedrift** coal mining, working of coal mines. **-handler** coal dealer.

kullkaste (*vb*) upset (*fx* his calculations, his plans), frustrate (*fx* a plan); ~ *hans planer* T (*også*) put a spoke in his wheel.

kullkjeller coal cellar.

kull|opplag coal depot. **-os** carbon monoxide. **-produksjon** coal production; (*se unngå*).

kullstift charcoal pencil.

kullstoff carbon. **-holdig** carbonaceous.

kullsur -(*t*) *kali* potassium carbonate.

kullsvart coal-black, jet-black.

kull|sviertro blind belief (*på* in). **-syre** carbonic acid.

kulltegning charcoal drawing.

kullutvinning coal winning, coal getting.

kulminasjon culmination.

kulminere (*vb*) culminate.

kulp deep pool (in a river), hole (in a river).

kulse (*vb*) shiver, shudder with cold.

kult broken stones; (*til vei*) road stones, road metal.

kulten (*adj*) disgusting, annoying; *det var -t gjort* that was a dirty trick.

kultivator cultivator.

kultivere (*vb*) cultivate.

kultur culture, civilization.

kultur|arv cultural heritage. **-beite** cultivated pasture, enclosed p. **-film** documentary film. **-folk** civilized nation. **-gode** cultural asset. **-historie** history of civilization, cultural history; social history. **-historiker** cultural historian. **-historisk** cultural-historical; ~ *betinget* determined by c.-h. factors. **-krets** culture group, c. complex, cultural complex. **-politikk** cultural and educational policy. **-politisk** relating to cultural and educational policy; cultural, educational and political (*fx* considerations). **-språk** cultural language, civilized l.; l. that possesses a literature, literary l.

kultur|stat civilized country. **-trinn** stage of civilization (*el.* cultural development); level of culture. **-utvikling** cultural development.

kultus cult.

kulør colour; US color.

kulørt coloured; US colored.

kum bowl, basin; (*stor beholder*) tank.

kummann (*brannkonstabel*): *intet tilsv.;* US tillerman.

kummer grief, distress, affliction.

kummerlig miserable, wretched.

kumulere (*vb*) 1. cumulate; 2 [repeat a candidate's name one or more times on the ballot paper].

kun: *se bare.*

kunde customer, patron, client; *fast* ~ regular customer, **-behandling:** *gi individuell* ~ give individual attention to customers. **-krets** circle of customers; *forretning med en stor* ~ shop with a large custom; *skaffe seg en* ~ work up a connection. **-veileder** customer consultant.

kunne (*vb*) be able (to); *jeg kan* I can, I am able to; *jeg kan ikke* I cannot, I can't, I am unable to; *jeg kunne* I could, I was able to; *jeg har ikke -t* I have not been able to; *han kan komme hvert øyeblikk* he may come at any moment; *det kan du ha rett i* you may be right about that; *det kan godt være sant* it may (well) be true; *jeg hadde -t hjelpe hvis...* I could have helped if...; I could have been able to help if...; *jeg beklager ikke å* ~ *hjelpe* I regret not being able to help; *kanskje jeg* ~ *hjelpe deg* I might be able to help you; *kan jeg gå nå?* may (*el.* can) I go now? *ja, det kan du* yes, you may (*el.* can); *jeg er redd han kan (komme til å gjøre det)* I am afraid he may (do it); *hvor gammel kan hun være?* how old may (*el.* might) she be? *jeg synes godt De* ~ *hjelpe (lett bebreidende)* I think you might help; *...slik at vi kan (,kunne)...* so that we may (,might); *De kan stole på meg* you may rely on me; ~ *sin lekse* know one's lesson; *kan han engelsk?* does he know English? *hun kan sitte i timevis uten å si et ord (om vanen)* she will sit for hours without saying a word; ~ *jeg få en flaske øl?* (*i butikk*) I want a bottle of beer; US (*helst*) I would like a bottle of beer; (*privat anmodning*) may (*el.* could) I have a bottle of beer, please? (*når det spørres om man vil ha*) could I have a bottle of beer? I would like a b. of beer; *det kan ikke 'jeg gjøre for* it's not my fault; *han kan ikke for det* he can't help it; *det kan greie seg* that will do; *nå kan det være nok!* (*irettesettelse*) that's enough from you! ~ *sine ting* know one's business, know one's job; T know one's stuff; *arbeidet gikk som best det* ~ the work was done (just) anyhow; *det gikk som best det* ~ things were going as best they could; things were left to settle themselves; things were allowed to drift; they (,we, *etc*) muddled along; they (,we, *etc*) let things slide; *som best jeg kan* as best I can; *hvordan kan jeg vite at...* how am I to know that...; *det kan man ikke* (ɔ: *det er upassende*) it is not done; *han kan umulig være tyven* he cannot possibly be the thief; *den kan vel veie 4 kg* I should think it must weigh about four kilogrammes; *det skal jeg ikke* ~ *si* I couldn't say; I wouldn't know; *kan du tie stille!* will you be quiet! *man kan tva man vil* where there's a will there's a way; *det kan jeg ikke noe med* I am a poor hand at that; I am no good at that; *jeg kan ikke med ham (også)* T he's not my cup of tea.

kunngjør|e (*vb*) make known, announce; (*formelt*) notify, proclaim. **-ing** announcement; notification, proclamation.

kunnskap knowledge, information; *få* ~ *om* receive information of; be informed of; *gode -er i matematikk* a good knowledge of mathematics; *han har overfladiske -er i engelsk* he has a smattering of English; ~ *er makt* knowledge is power. **kunnskaps|krav** knowledge demanded (*fx* the k. d. by the school). **-nivå** level of learning (*fx* measure the l. of learning reached). **-rik** well -informed. **-tilfang** (wealth of) information, (store of) knowledge; *et stort* ~ great (*el.* wide) knowledge.

kunst art; (*behendig*) trick; *-en å herske* the art of ruling; *det er nettopp -en* that's the secret; that's where the difficulty comes in; *det er ingen* ~ that's easy enough; *gjøre -er* perform tricks; *de skjønne -er* the fine arts; ~ *og håndverk* arts and crafts; *kunst- og håndverksskole* college of arts and crafts; (*se ndf:* kunstakademi & kunstindustriskole); *det er hele -en* that is all there is to it; *ved* ~ artificially; *svarte- kunst* the Black Arts, black magic.

kunst|akademi academy of fine arts; *Statens* ~ the State Academy of Fine Arts; (*i England*) the Slade School. **-anmelder** art critic. **-art** (branch of) art, art form. **-elsker** art-lover. **-ferdig** (*om ting*) elaborate, ingenious. **-ferdighet** elaborateness, ingenuity. **-gjenstand** art object. **-gjødning** fertilizer. **-grep** (*knep*) trick, dodge, artifice. **kunst|handel** art shop. **-handler** art dealer. **-historie** art history. **-håndverk** handicraft(s); (*varer*) art wares, artware, handicraft products.

kunstig (*ikke naturlig*) artificial; (*etterligning*) imitation; (*særlig om kjemiske produkter*) synthetic; *ved -e midler* by artificial means; (*se befruktning*).

kunst|industri applied art; (*fabrikkmessig*) industrial art; *Statens Håndverks- og Kunstindustriskole* the State College of Applied Arts and Crafts. **-kjenner** judge of art, connoisseur. **-kritiker** art critic. **-kritikk** art criticism.

kunstlet affected, artificial.
kunstløp (*skøyte-*) figure skating.
kunst|løs artless, simple, unaffected. **-maler** artist, painter.
kunstner artist. **-bane** artistic career.
kunstnerinne (female) artist.
kunstnerisk artistic; ~ *dyktighet* artistic skill; ~ *leder* art director.
kunstner|liv artist's life; life in artistic circles. **-lønn:** *-er og stipendier* stipends and scholarships for artists, artists' s. and s. **-natur** artistic temperament. **-sjargong** art jargon. **-stolthet** artist's pride, professional pride. **-verd** artistic merits.
kunst|nytelse artistic enjoyment. **-pause** (rhetorical) pause, deliberate pause; *han gjorde en* ~ (*også*) he paused to give his words time to soak in. **-produkt** artificial product; work of art. **-retning** style (of art), school (of art). **-samling** art collection. **-silke** artificial silk, rayon. **-skatt** art treasure. **-skole** art school, school of art. **-stoppe** (*vb*) mend invisibly. **-stopping** invisible mending. **-stykke** feat, trick. **-utstilling** art exhibition; US art exhibit. **-verk** work of art.

kup: *se* kupp.
kupé compartment; (*bil*) saloon; (*finere*) coupé (*fx* a sports c.).
kupert hilly, undulating, broken, rolling (*fx* rolling country; broken country (*el.* ground)).
kuplett couplet.
kupong coupon; dividend warrant; *en* ~ *med 12 rette* (*i tipping*) an all-correct forecast.
kupp 1. coup; 2 (*journalistisk*) scoop; 3 (*stats-*) coup d'état; 4 (*ved tyveri*) haul; 5 (*overraskelse*) surprise; *gjøre et godt* ~ bring (*el.* pull) off a coup (,a scoop); (4) get away with a big haul; *ved et* ~ (5) by surprise.
kuppel cupola, dome; (*lampe-*) globe. **-formet**, **-formig** domed. **-hue** T: *ha* ~ have a hangover.
kuppelstein cobble-stone; *brulegge med* ~ cobble (*fx* the street is cobbled).
kuppkamp (*fotb*) cup tie.
I. kur: *gjøre* ~ *til* make love to, court.
II. kur (*helbredelsesmetode*) cure, treatment; *gjennomgå en* ~ undergo a treatment; *forebyggelse er bedre enn* ~ prevention is better than cure.
kuranstalt sanatorium; US sanitarium.
kurant *jur* (*gangbar*) current; (*salgbar*) marketable, merchantable, saleable.
kurator trustee; *sosial-* welfare officer; (*på sykehus*) almoner.
kure (*vb*) take a cure.
kurér courier.
kurere (*vb*) cure, heal; T doctor.
kurfyrst|e elector, electoral prince. **-endømme** electorate. **-inne** electress.
kurgjest visitor (to a health resort); patient.
kuriositet curiosity; *for -ens skyld* for the sake of c.; *jeg nevnte det for -ens skyld* I referred to it as a matter of c.; *som en* ~ as a curiosity; *om ikke annet skulle dette i hvert fall ha -ens interesse* this may be of (some) interest as a c. at least.
kuriosum curiosity; (*ting, også*) curio.

kurmakeri love-making, philandering.
kurre (*vb*) coo. **kurring** cooing.
I. kurs (*kursus*) course; *ta et ~ attend* (*el.* follow) a c.; *ta et ~ i* take a c. of, take (*el.* attend) classes in; *et ~ bygd opp etter ovennevnte retnings- linjer* (*også*) a course structured on the prin- ciples set out above; *det burde lages et spesielt språk-* a separate language course ought to be drawn (*el.* built) up (*el.* ought to be constructed).
II. kurs course; (*merk*) exchange rate, rate (of exchange); *fortsette sin ~* keep one's course; keep on; *skipet har ~ rett vestover* the ship bears due west; *sette -en hjemover* make for home; head for home; set one's course for home (*fx* the pigeons set their course for home); *sette -en mot* make for, shape (a) course for; set one's c. toward (*fx* he set his c. toward the ridge); *alle sammen satte -en mot baren* they all headed for the bar; *de satte -en østover* they headed east- ward; *regjeringen slo inn på en ny ~* the Govern- ment adopted a new policy (*el.* took a new line); *stikke ut en ~* plot a course; *han sto høyt i ~ hos sin* sjef his boss thought very highly of him; *beskjedenhet står vanligvis ikke høyt i ~ nå for tiden* modesty is not usually regarded highly nowadays; people generally attach little value to modesty nowadays; *disse verdipapirene står høyt i ~* these securities are in great demand; *stå lavt i ~* be at a discount; *høyt i ~ at* a pre- mium; *til dagens ~ at* today's (*el.* at the current) rate (of exchange); *til en ~ av* at the rate of; (*jvf II. styre & vei*).
kursal kursaal, pump room.
kursavgift fee for a (,the) course; *kvittering for betalt ~ medbringes* please bring receipt showing fee for course has been paid; please bring the receipt for the course.
kurs|beregning calculation of exchange. **-del- tager** student (at a course), participant (in a course). **-differanse** difference in the rate of exchange (*el.* in the e. rate). **-endring** change of course. **-fall** fall in rates. **-forandring** change of course. **-forskjell** (*valuta*) difference in exchange; (*verdipapirer*) difference in price.
kursiv italics. **-skrift** italics.
kursleder organizer of the course.
kursliste exchange list.
kursnotering exchange quotation.
kursorisk cursory; for general reading (*fx* a book f. g. r.).
kurs|svingning fluctuation of exchange. **-tap** loss on exchange.
kursted health resort.
kursus: *se I. kurs.*
kurtasje (*meglerlønn*) brokerage.
kurtisane courtesan.
kurti|sere (*vb*) flirt with. **-sør** flirt.
kurv basket; (*stor*) hamper; *hun ga ham -en* (*fig*) she refused him; she turned him down; *være eneste hane i -en* be the master of the harem; T be the only man at a hen party; (*føre det store ord*) be (the) cock of the walk.
kurv|arbeid basketwork, basketry. **-blomstret** ⚘ composite.
kurve (*subst*) curve, bend; *en skarp ~ a* sharp curve in the road; *veien slynger seg steilt oppover i krappe -r* the road winds upwards in a series of tight bends (*el.* curves); *når man kjører fort i -ne* when cornering fast; *han kjørte for fort i -n* he came round the corner too fast; (*se uover- siktlig*).
kurvestabilitet stability in curves, cornering stability.
kurveveksel (*jernb*) curved points; US curved switches.
kurv|flaske wicker bottle; (*svært stor*) demijohn. **-fletning** wickerwork; basketwork, basketry. **-maker** basket maker. **-stol** wicker chair.
kusine cousin.
kusk coachman, driver.
kuskebukk box, driver's seat.

kusma ⚕ mumps.
kust: *se kustus.*
kustus: *holde ~ på* keep under control, curb, check.
kut (*løp*) run; *ta -en* cut and run.
kutråkk cow path.
I. kutte (*subst*) (monk's) cowl.
II. kutte (*vb*) cut (*av* off); *~ ut* (ɔ: *sløyfe*) cut out, leave out, omit; (*bekjentskap*) drop (*fx* they have dropped him (altogether)).
kutter ⚓ cutter.
kutyme usage, custom; *det er ~ at* it is cus- tomary that.
kuvende ⚓ (*vb*) veer, wear.
kuvending ⚓ veering, wearing; (*fig*) about turn, about-face, volteface (*fx* execute a v.).
kuvert cover, place; *30 sh. pr. ~* 30/- per head. **-pris** cover charge.
kuøye ⚓ porthole.
kvabb fine sand.
kvad (*subst*) lay, song.
kvaderstein (*subst*) ashlar.
kvadrant (*subst*) quadrant.
kvadrat square; *to fot i ~* two feet square. **-fot** square foot. **-innhold** square content; (*areal*) area.
kvadratisk quadratic, square.
kvadratrot square root; *trekke ut -en av* extract the s. r. of.
kvadr|atur (*geom & astr*) quadrature. **-ere** (*vb*) square. **-ilje** quadrille.
kvae (*subst*) resin.
kvakk|salver quack. **-salveri** quackery.
I. kval agony, anguish, torment.
II. kval ♄: *se hval.*
kvalfull agonizing, painful.
kvalifikasjon qualification; (*se forutsetning*).
kvalifiser|e (*vb*) qualify; *et brukket ben -te til sykepermisjon a* broken leg rated sick leave.
kvalitativ qualitative.
kvalitet quality; *dårlig ~* poor (*el.* inferior) q.; *av utsøkt ~* first-class, choice; *dette stoffet er av langt bedre ~* this material is far better (*el.* supe- rior) in q.; this m. is of a much better q.; (*se III. like; I. skaffe; tilnærmelsesvis*).
kvalitets|arbeid workmanship of high quality, high-quality w. **-feil** defect (as regards quality); *~ i materialer* defects and deterioration in materials. **-forringelse** deterioration, reduction in quality.
kvalitets|stempel (*på gull- og sølvvarer, også fig*) hallmark; *fullstendig gale oversettelser gjentas fra ordbok til ordbok og erverver seg således et slags ~* entirely false translations are repeaetd from dictionary to dictionary and thus by dint of repetition acquire the stamp of authority. **-stål** high-grade steel.
I. kvalm *subst* (*støy*) row; *lage ~* T kick up a row; *~ i gata a* street brawl; (*se for øvrig bråk & II. lage:* ~ *bråk*).
II. kvalm (*adj*) 1.close, oppressive,stuffy; 2. sick.
kvalme (*subst*) nausea, sickness; *hodepine med ~ a* sick headache; (*se hodepine*).
kvalmende nauseating.
kvanti|tativ quantitative. **-tet** quantity.
kvantum quantity; *losset ~* outturn. **-srabatt** (*merk*) quantity discount.
kvart quarter; (*jvf hekto*).
kvartal 1. quarter (of a year); 2. block (of houses), row.
kvartals|avregning quarterly statement; (*opp- gjør*) quarterly settlement. **-beretning** q. report. **-vis** quarterly.
kvartark quarto sheet.
kvartbind quarto volume.
kvarte *vb* (T = *stjele*) T hook, pinch, pilfer; S whip.
kvarter quarter; (*om tiden*) quarter (of an hour); (*oppholdssted*) quarters; *klokka er et ~ over elleve* it is a quarter past eleven; *et ~ på tolv a* quarter to twelve; *gå i ~* take up quarters.

kvartermester (*sjøoffisers rang*) petty officer; *flagg-* chief p. o.
kvarterslag quarter-stroke; *slå* ~ (*pl*) strike the quarters.
kvartett ♪ quartet.
kvartformat quarto.
kvarts quartz. **-åre** vein of quartz.
kvas: *kvist og* ~ brushwood, faggots.
kvass sharp, keen.
kvast tassel, tuft; (*pudder-*) powder puff; ⚘ cyme.
kve (*subst*) pen, fold.
kvede (*frukt*) quince.
kvee *vb* (*sette i kve*) fold.
kveg cattle.
kveg|avl cattle breeding, cattle rearing; (live)stock breeding, stock farming, rearing of stock; (*især* US) stock-raising. **-bestand** stock of cattle; (*et lands*) cattle population. **-drift** herd of cattle, drove of cattle. **-driver** (*driftekar*) drover.
kveg|handel trade in cattle. **-oppdrett:** *se -avl.* **-oppdretter** stock breeder; cattle breeder. **-pest** cattle plague.
kveike (*vb*): *se tenne.*
kveil (*subst*) coil (of rope); (*enkelt*) fake.
kveile (*vb*) coil (up).
kveise: *se kvise.*
kveite (*fisk*) halibut.
kveke (*ugress*) couch grass.
kveker quaker.
kvekk (*om frosk*) croak; *han ga ikke et* ~ *fra seg* he did not utter a sound; *jeg forstår ikke et* ~ T I'm quite at sea.
kvekke (*vb*) croak.
kveld evening; (*se aften*); *fra morgen til* ~ from morning till night; *fra tidlig om morgenen til sent på* -en from early in the morning till late at night; *i* ~ this evening, tonight; *om* -en in the e.; *ta* -en knock off (work) (*fx* we knocked off at half-past five); *la oss ta* -en T let's pack up (*el.* shut up shop); let's call it a day; *det er på tide å ta* -en it's time to stop (,T: pack up) work; it's time to knock off.
kvelde *vb* (*om personer*) knock off (work at nightfall).
kvelding twilight, dusk; *i* -en at dusk.
kvelds|mat supper. **-møte** (*parl*) night sitting. **-runde** evening rounds. **-stell** evening work; T e. chores. **-vakt** late duty.
kvele (*vb*) strangle; (*ved noe i luftrøret*) choke; (*volde åndedrettsvansker*) choke, suffocate, smother; (*en motor*) stall; ~ *en gjesp* stifle a yawn; (*fig*) quell, stifle, smother; *jeg holder på å bli kvalt* I am nearly choking; ~ *i fødselen* nip in the bud; ~ *et opprør i fødselen* scotch a mutiny.
kvelerslange ☘ boa constrictor.
kvelning strangling, suffocation, choking.
kvelningsanfall choking fit.
kvelstoff nitrogen. **-holdig** nitrogenous.
kvelv (*båt-*): *se hvelv.*
kven person of Finnish stock.
kveppe (*vb*) give a start; *det kvapp i ham* he gave a start.
kverk throat; *ta* -en *på* (ɔ: *utmatte*) finish (*fx* that long climb nearly finished me); (*drepe*) S give the paid to.
kverke *vb* (*kvele*) throttle; (*drepe*) kill; S give the paid to.
kvern mill. **-kall** water wheel. **-renne** millrace.
kverulant quarrelsome (*el.* cantankerous) person.
kversill (*hestesykdom*) strangles.
kvese (*vb*): *se hvese.*
kvesse (*vb*) whet, sharpen.
kveste (*vb*) hurt, injure.
kvestelse bruise, contusion.
kvestor bursar.
kvestorat bursary, bursar's office.
kvidder chirp(ing), twitter.
kvidre (*vb*) chirp, twitter.
kvie (*vb*): ~ *seg for å* be reluctant to, shrink

from (*fx* one rather shrinks from doing anything of the sort).
kvige ☘ heifer. **-kalv** cowcalf.
kvik|k (*oppvakt*) alert, bright, clever, smart; (*livlig*) lively; *han er et -t hode* he is bright; he is a bright fellow; S there are no flies on him; he is quick in (*el.* on) the uptake; he is a live wire.
kvikke (*vb*): ~ *opp* cheer up, enliven, act as a tonic (on sby); T buck up (*fx* a drink will b. you up); *som -r opp* stimulating, tonic.
kvikk|sand quicksand. **-sølv** mercury, quicksilver. **-sølvtermometer** mercury thermometer.
kvin: *se hvin.*
kvinne woman (*pl:* women).
kvinneaktig effeminate.
kvinneaktighet effeminacy.
kvinne|forening women's club. **-hater** woman hater, misogynist. **-hånd:** *her trengs det en* ~ a woman's touch is needed here. **-ideal** ideal of a woman. **-jeger** woman-hunter. **-kjønn** female sex, womankind. **-klær** female dress, woman's clothes. **-lege** gynaecologist.
kvinnelig feminine; womanlike; womanly (*fx* w. virtues); (*av kvinnekjønn*) female, woman (*fx* female labour; a woman dentist); *det evig -e* the eternal feminine.
kvinnelighet womanliness, femininity.
kvinne|list female cunning, woman's wiles. **-menneske** (*ringeaktende*) woman. **-saken** feminism. **-sakskvinne** feminist. **-skikkelse** female figure; woman character (*fx* in a book). **-sykdom** women's disease. **-vis:** *på* ~ after the manner of women, in true female fashion.
kvinnfolk woman; (*pl*) womenfolk.
kvint 1 ♪ fifth; (*fiolinstreng*) soprano string, chantarelle; 2 (*i fekting*) quinte.
kvintessens quintessence.
kvintett ♪ quintet.
kvise (*subst*) pimple.
I. kvist (*gren*) twig, sprig; (*i trevirke*) knot.
II. kvist (*i et hus*) attic, garret.
kviste (*vb*) lop off (the twigs).
kvistet twiggy; knotty.
kvisteved brushwood, branchwood.
kvist|fri (*bord, etc*) knotless, free from knots. **-hull** knot-hole. **-kammer** (room in the) attic; (*især neds*) garret. **-leilighet** attic flat.
kvitt: *bli* ~ noe get rid of sth; *nå er vi* ~ now we are quits; *spille* ~ *eller dobbelt* play double or quits.
kvitte (*vb*): ~ *seg med* get rid of, dispose of; *du burde* ~ *deg med den uvanen* you should get out of that bad habit; (*se lagerbeholdning*).
kvitter chirping.
kvittere (*vb*) receipt (*fx* a bill); ~ *for mottagelsen av noe* sign for sth; ~ *med forbehold* give a qualified signature.
kvittering receipt; (*post*) certificate of posting (*fx* a c. of p. is given for a registered packet); ~ *følger vedlagt* please find receipt enclosed, r. is enclosed herewith; *mot* ~ against r.; US in return for r.; (*se kursavgift*).
kvitteringsblankett receipt form; *den mottatte* ~ *sendes tilbake i utfylt stand* the receipt received is to be completed (*el.* filled in) and returned.
kvitteringstalong receipt portion (*fx* the r. p. of the form).
kvote quota.
kvotient quotient.
kvotientrekke geometric(al) progression.
kykeliky! cock-a-doodle-doo!
kyklop Cyclops (*pl:* Cyclopes).
kyklopisk cyclopean.
kyle (*vb*) fling, toss (with violence).
kylling ☘ chicken; (*mat*) chicken (*fx* roast c.); (*liten*) spring chicken; poussin; (*stor*) broiler. **-høne** mother hen.
kyndig skilled, competent; (*sak-*) expert, competent; *språk-* proficient in languages; *under* ~ *veiledning* under expert guidance.

kyndighet knowledge; skill, proficiency.
kyn|iker cynic. **-isk** cynical. **-isme** cynicism.
kyrasér cuirassier.
kyrass cuirass, breastplate.
kyse (*subst*) bonnet.
kysk chaste. **-het** chastity; (*fig*) chasteness.
kyss (*subst*) kiss; S hit or miss.
kysse (*vb*) kiss; ~ *på fingeren til en* blow sby a kiss.
kyst coast, shore; *langs -en* along the coast, coastwise; *utenfor -en* off the coast; *krigsskipet krysset opp og ned utenfor -en* the warship cruised up and down off the coast; *seile til fjerne -er* sail to distant shores.
kystbatteri ✕ coastal defence battery.
kyst|beboer inhabitant of the coast. **-by** seaside town. **-båt** coastal steamer, coasting vessel, coaster. **-fart** coasting trade; coastal navigation. **-fartøy** coasting vessel. **-fiske** inshore fishing (*el.* fisheries), coast fishery. **-fisker** inshore fisherman. **-fyr** coast light. **-linje** coastline. **-strekning** stretch of coast. **-stripe** coast(al) strip. **-vakt** coastguard.
kyt bragging, boasting.
kyte (*vb*) brag, boast.
I. kø (*biljard*) cue.
II. kø queue; *stille seg i* ~ queue up; get in line; US get on line; *stå i* ~ stand in a q., wait in line; US wait on line.
København Copenhagen. **k-er** Copenhagener.
kølle club, cudgel; (*hockey-*) stick.
Køln Cologne.

I. køy(e) berth; (*hengekøye*) hammock.
II. køye *vb* (*gå til køys*) go to bed; T hit the hay.
køye|klær bedding. **-plass** berth. **-seng** bunk (bed); **-er** (*pl*) (a pair of) bunks; (*se etasjeseng*).
kål cabbage; *gjøre* ~ *på* make hay of, make short work of; S bump (*fx* sby) off; (*mat*) polish off (*fx* the food).
kål|blad cabbage leaf. **-hode** (head of) cabbage. **-mark** caterpillar. **-rabi** swedish (*el.* yellow) turnip, swede; (*især* US) rutabaga; (NB kohlrabi = *knutekål*). **-rabistappe** mashed swedes. **-rot:** *se -rabi*. **-rulett** stuffed cabbage leaf.
kåpe coat; (*fig*) cloak; *dekke med kjærlighetens* ~ cover with the cloak of charity.
I. kår circumstances (*pl*); *han sitter i dårlige* ~ he is badly off, he is in poor (*el.* bad *el.* straitened *el.* reduced) circumstances; *han sitter i gode* ~ he is well off, he is in easy (*el.* comfortable) circumstances.
II. kår [accommodation and support provided by the new owner of landed property for its former owner, esp. by a son for his father].
kårde sword, rapier. **-støt** sword thrust.
kåre (*vb*) choose, elect; select.
kår|mann [retired farmer living on his own farm]; (*jvf II. kår*). **-stue** [cottage in which the retired farmer lives]; (*jvf II. kår*).
kås|eri causerie. **-ør** causeur.
kåt wild, wanton; (*vulg*) fuckish; US horny.
-het wantonness; (*villskap*) wildness. **-munnet** flippant. **-munnethet** flippancy.

L

L, l L, l; *L for Ludvig* L for Lucy; *mørk l* dark l (*mots.* clear l).
l (*fk.f. liter*) litre; US liter.
I. la *vt* & *vi* **1** (*tillate*) let (*fx* he would not let me go; let me know what happened; don't let the fire go out; let us go now, shall we?), allow to (*fx* will you allow me to go now?), permit to (*fx* we have permitted our defences to be neglected); ~ *en få noe* give sby sth, let sby have sth (*fx* let him have your seat); ~ *en gjøre noe* let sby do sth; ~ *dem bare gjøre det!* let them! ~ *meg se* let me see (*fx* let me see, where did I put them?); **2** (*få gjort, bevirke*) have (*fx han lot huset rive* he had the house pulled down), cause to (*fx* we caused the roof to be mended); (*tvinge*) make (*fx* he made them pay a tribute to him); *forfatteren -r helten dø* the author makes (*el.* lets) the hero die; **3** (*etterlate*) leave (*fx* this theory leaves many things unexplained); *han lot det ligge der* he left it there; *han lot døra stå åpen* he left the door open; ~ *bli igjen* leave behind; *det -r meget tilbake å ønske* it leaves much to be desired; **4** (*overlate*) leave; ~ *meg om det* (ɔ: *overlat det til meg*) leave that to me; **5:** *se late*; ~ *det bli* (*el. være*) *med det* leave it at that; ~ *falle* (*også fig*) drop, let fall (*fx* drop one's knife; drop a hint; let fall a remark); ~ *noe fare* abandon sth, give up sth, let sth go; *jeg lot han forstå at* … I gave him to understand that; I intimated to him that; *man lot meg forstå at* I was given to understand that; *jeg har latt meg fortelle at* I have been told that; I have been given to understand that; ~ *gå!* all right! let it pass! ⚓ let go! cast off! *nå ja,* ~ *gå med det* (ɔ: *la oss ikke diskutere det nærmere*) well, let it go at that; ~ *det gå som best det kan* let things slide (*el.* take their own course); ~ *det* (*,ham, etc*) *gå ustraffet* let it (,him, *etc*) go unpunished; ~ *gå at han er dyktig* granting that he is efficient; ~ *hente* send for (*fx* the doctor); *han lot det skinne igjennom at* he intimated that.;. ~ *døra stå* (*åpen*) leave the door open; ~ *en vente* keep sby waiting; ~ *ham vite* let him know;

~ *være* (*avholde seg fra*) refrain from (*fx* doing sth); *men jeg lot være* but I refrained; *han lot være å skrive* (*,sove, etc*) (*også*) he did not write (,sleep, *etc*); ~ *det heller være* better not! I shouldn't do that; ~ *være!* don't! stop it! stop that! T cut it! drop it! chuck it! come off it! *de kunne ikke* ~ *være* they could not help it (*el.* themselves); *jeg kan ikke* ~ *være å tro at* . . . I cannot help thinking that …; ~ *en* (*,noe*) *være i fred* leave sby (,sth) alone; *det -r seg forklare* it can be explained (*el.* accounted for); *det -r seg gjøre* it can be done; *det -r seg ikke gjøre* it cannot (*el.* can't) be done; *det er umulig; så godt det -r seg gjøre* as well as in any way possible; ~ *seg høre* make oneself heard; *det -r seg høre!* now you are talking! that's something like! ~ *seg merke med at* show that . ., show signs of (-ing); T let on that (*fx* don't let on that you are annoyed); ~ *seg narre* let oneself be fooled; *det -r seg ikke nekte at* there is no denying (the fact) that; it cannot be denied that; ~ *seg nøye med* be satisfied with; ~ *seg operere* undergo (*el.* have) an operation; ~ *seg overtale* let oneself be persuaded, allow oneself to be persuaded (*fx* to do sth *el.* into doing sth); *han lot seg overtale til å* (*også*) he was persuaded to..; ~ *seg se* show oneself, put in an appearance; ~ *seg trøste* be comforted, take comfort.
II. la (*vb*): *se lade*.
laban (young) rascal, scamp, lout.
labank batten, crosspiece.
labb 1. paw; T (= *hånd*) hand; *betale kontant på -en* pay cash down; *suge på -en* go on short commons, tighten one's belt; **2** (*tekn*) lug.
labbe (*vb*) pad, trudge; lumber (*fx* he came lumbering in); ~ *av sted* (*også*) lump along.
labbelensk double Dutch, gibberish.
laber (*om vind*): ~ *bris* moderate breeze.
labil labile, unstable.
labilitet instability.
laborant laboratory assistant.

laboratorium laboratory.
labyrint labyrinth; *(som hageanlegg)* maze; *(fig)* labyrinth, maze. **-isk** labyrinthine.
ladd knitted oversock.
lade *vb (om våpen)* load; *(batteri)* charge; ~ *opp et batteri* recharge a battery.
ladegrep cock *(fx* of a gun, a pistol); *ta* ~ go through the loading motions; *ta* ~! load!
ladejarl *(hist)* earl of Lade.
lademester *(jernb)* running maintenance assistant.
ladestokk ramrod.
ladning *(vogn-)* load; *(skips-)* cargo; *(elekt)* charge.
laft cog joint, cogging joint; cogged joint; *(lag stokker i vegg)* log course.
lafte *(vb)* make a cogging joint; build with logs; ~ *sammen* join, notch *(fx* logs); *(se maskinlafte).*
laftehus log house.
lag layer, stratum; *(av maling, etc)* coat, coating; *(samfunns-)* class, social stratum, stratum of society; *(selskap)* company, party; *(fotball-, etc)* team, side *(fx* they have a strong s.); ✗ section; US squad; *(arbeids-)* gang; working party; *(båt-)* crew; *(forening)* association; *(i kryssfinér, bildekk, etc)* ply *(fx* a six-ply tyre); *de brede* ~ the masses, the common people, the lower classes; *de høyere* ~ the upper classes; *prisene er i høyeste (,laveste) -et* the prices are rather on the high (,low) side; *the prices are rather high (,low); i seneste (,tidligste) -et* rather *(el.* pretty) late *(,early); i lystig* ~ in merry company; *eie noe i* ~ own sth jointly; *i* ~ *med* in the company of; *gi seg i* ~ *med* tackle *(fx* I don't want to t. him; t. a project); start on *(fx* the new work); set about *(fx* sth *el.* doing sth); *gi sitt ord med i -et* say one's piece, put in one's oar; US put in one's two cents' worth; *det glatte* ~ ⚓ a broadside; *gi ham det glatte* ~ *(fig)* give him a broadside; let him have it; *ha (godt)* ~ *med barn* have a way with children; *ha et ord med i -et* have a say *(el.* voice) in the matter; *han er kommet i* ~ *med noen spillere* he has fallen in with *(el.* got mixed up with) a gambling set; *gjerne ville komme i* ~ *med en* want to get to know sby; *om (el.* på *el. ved)* ~ almost; about, approximately; *han er om* ~ *så gammel som du* he is about your age; *skille* ~ separate, part company; *slå (seg i)* ~ *med* join; *stå ved* ~ stand *(fx* our agreement still stands; the Court order stood), remain in force; *(se også I. lage & lags).*
lag|deling stratification. **-delt** stratified; *(med tynne lag)* laminated. **-dømmer** *(-mann)* presiding judge.
I. lage *(subst): i* ~ in order; *bringe (el. få) i* ~ set right; T put *(el.* set) to rights; *komme ut av* ~ get out of order; *ute av* ~ out of order; *(om person)* in a bad mood; *verden er ute av* ~ the world is out of joint.
II. lage *(vb)* **1.** make; *(ofte)* do *(fx* he did a bust of Churchill); *(fabrikkere)* make, manufacture; *(mat)* cook, prepare *(fx* food for sby); *jeg -r min egen mat* I do my own cooking; ~ *en kake* make a cake; *det burde -s et spesielt språkkurs* a separate language course ought to be drawn up *(el.* built up *el.* constructed); ~ *noe på bestilling* make sth to order; *-t på bestilling* made to order; US custom-made; ~ *til* prepare; *-t av* made of *(fx* it is m. of steel, wood, *etc);* made *(el.* manufactured) from *(fx* steel is made from iron; cigarettes made from choice tobacco); **2** *(fig):* ~ *bråk* kick up *(el.* make) a row, kick up a shindy; US make a racket; ~ *en historie* make up (, *neds:* fabricate, concoct) a story; ~ *mål* score a goal; ~ *skill i håret* make a parting, part one's hair; ~ *røre* create *(el.* cause *el.* make) a stir; ~ *en scene* make a scene; US *(også)* kick up a fuss; ~ **seg** *(ordne seg)* come right, be all right *(fx* that'll be all right), turn out all right; adjust itself *(fx* all this will a. itself in due course).

lager 1. store *(el.* storage) room, storehouse; *(pakkhus)* warehouse; **2** *(beholdning)* stock; **3** ⊕ bearing; **4** *lagerøl* dark lager (beer); *ha et stort* ~ be well stocked *(fx* we are well stocked in dark colours), have a large stock on hand, carry a large stock; *holde et* ~ keep a stock on hand, carry a large stock; *(se ndf:* ha på ~); *et* ~ *på 50 tonn* a stock of 50 tons; *ta inn et* ~ *av* stock, put in a stock of; *fra* ~ ex warehouse, ex store, from stock; *levere fra* ~ deliver from stock; supply from s.; *disse kan leveres fra* ~ these can be supplied from s.; *selge direkte fra* ~ execute orders from stock; *på* ~ in stock; US on stock; *ha på* ~ have in stock, keep in s., stock; US have on stock *(el.* hand); *da vi ikke har varene på* ~ owing to the goods not being in stock; *dette var de siste vi hadde på* ~ these were the last of our stock; . . . *som vi for øyeblikket ikke har på* ~ which are at present out of stock; *på* ~ *i to størrelser* stocked in two sizes; *ikke på* ~ out of stock; *(se lagerforsyning; utsolgt; velassortert).*
lager|arbeider warehouseman, storesman. **-avgift** warehouse charges, storage (charges). **-beholdning** stock, store; *(bokføring)* stock-in -trade; (NB *på eng. også fig, fx* that charm is part of his s.-in-t.); *han har kvittet seg med hele -en* he has disposed of his entire stock. **-betjent** *(jernb)* storesman, stores clerk. **-bygning** storehouse; *(pakkhus)* warehouse. **-ekspeditør** forwarding clerk. **-formann** *(jernb)* stores foreman. **-forsyning** stock; *så snart vi har fått inn nye -er* as soon as further stock comes to hand. **-fortegnelse** stock list. **-frakk** overall coat. **-kjøp** buying for stock; *(større)* stockpiling; *foreta* ~ stockpile. **-mester** *(jernb)* stores superintendent. **-parti** stock lot. **-personale** warehouse staff. **-plass** storage space. **-sjef** warehouse manager *(el.* keeper), storekeeper. **-vare** stock line *(fx* an ordinary s. l.); **-r** stock goods. **-øl** dark lager (beer).
lag|kake layer cake. **-leder** ✗ section leader; US squad l. **-mann** presiding judge. **-mannsrett** [court sitting with a jury]; *(kan gjengis)* assize court, assizes.
lagnad destiny, fate. **-stung** fateful, fatal.
lagre *(vb)* **1.** store; *(midlertidig)* warehouse; **2** *(for å forbedre kvaliteten)* season, mature *(fx* matured wines; seasoned timber; seasoned *(el.* ripe) cheese).
lagrett jury; *-ens kjennelse* the verdict (of the jury); *den ærede* ~ (the) gentlemen of the jury.
lagrettemann juror, juryman; *være* ~ *(også)* serve on the jury.
lagring storage; warehousing; seasoning, maturing.
lagringskjøp *(i stor målestokk)* stockpiling.
lags: *gjøre en til* ~ please sby, satisfy sby; *det er vanskelig å gjøre alle til* ~ it is hard to please everybody.
lagsarbeid = committee work *(fx* c. w. takes up a lot of his time); *han er aktiv og positiv både i skole- og* ~ he is keen and active in both school and out-of-school activities.
lagting [smaller division of the Norwegian Storting].
lagune lagoon.
lagvis in layers, stratified; by teams, team against team.
I. lake pickle; *(salt-, også)* brine; *legge i* ~ pickle.
II. lake *(fisk)* burbot, eel-pout.
lakei footman; *(også neds)* flunkey, lackey.
laken sheet. **-lerret** (linen) sheeting. **-pose** sheet sleeping bag. **-staut** (muslin) sheeting.
lakk *(segl-)* sealing wax; *(bil-)* (car) enamel; *(cellulose-)* cellulose; T (spraying) paint; *(ferniss)* lacquer, varnish; *(negle-)* nail varnish; *(båt-)* boat varnish; *(japan-)* japan; *en stang* ~ a stick of sealing wax; *bilen begynner å bli stygg i -en* the car is beginning to need respraying.

I. lakke vb (forsegle) seal.
II. lakke (vb): det -r mot kveld night (el. the dusk) is falling, evening is drawing near; det -r mot enden the end is drawing near.

lakker|e vb (sprøyte-) spray (fx a car); (om-) respray; (med pensel) brush paint (fx one's car); (kunstgjenstander, etc) lacquer; (med japanlakk) japan (fx lacquer el. japan a tea tray); (med ferniss) varnish; (ofte også) finish (fx f. the box in bright red); få bilen sin -t om have one's car resprayed; rødlakkert sprayed red.

lakkerings|arbeid spraywork. **-verksted** spraying shop.
lakk|farge lacquer, japan; varnish; enamel (paint). **-ferniss**: se -farge. **-segl** (wax) seal. **-sko** patent-leather shoe. **-stang** stick of sealing wax.
lakmus ♂ litmus. **-papir** l. paper.
lakonisk laconic.
lakris liquorice; US licorice. **-stang** l. stick.
laks salmon; ung ~ grilse; (i sitt annet år) smolt; røke- smoked s.; en glad ~ (fig) a gay dog.
lakse|art species of salmon. **-elv** s. river. **-farget** salmon(-coloured), s.-pink. **-flue** s. fly. **-garn** s. net; (bunngarn) s. trap, trapnet.
laksere (vb) loosen the bowels, purge.
laksering purging.
laksermiddel laxative; (sterkt) cathartic.
lakserolje castor oil.
lakse|trapp salmon ladder. **-yngel** s. fry; (mindre) alevin.
lakune lacuna; fylle en ~ fill (el. bridge el. stop) a gap, fill a void.
lalle (vb) babble; (om olding) maunder, drool; (om idiot) blither, drool, drivel.
I. lam ♫ (subst) lamb.
II. lam (adj) paralysed; US paralyzed; en ~ a paralytic; han er ~ i venstre arm his left arm is paralysed.
lama ♫ llama; (prest) lama.
lamell (elekt) lamella (pl: -e); (kløtsj-) disc, disk.
lamellkopling multiple-disc clutch.
lamhet paralysis.
I. lamme (vb) paralyse; US paralyze; -t av skrekk paralysed with fear.
II. lamme vb (få lam) lamb, bring forth lambs.
lammekjøtt (jvf fårekjøtt) lamb (meat); S (nice) little piece (of goods); (neds) bit of fluff; (se for øvrig kjei).
lammelse paralysis.
lammestek roast lamb; US lamb roast.
lammeull lamb's wool.
lampe lamp; (pære) bulb; (radio) valve; US (radio) tube.
lampe|feber stage fright. **-fot** lampstand. **-glass** lamp glass. **-kuppel** lamp globe. **-lys** lamplight. **-punkt** light point; (se overledning). **-skjerm** lamp shade. **-stett**: se -fot.
lampett bracket lamp, sconce.
lampe|veke, -veike lamp wick.
lamprett ♫ lamprey.
lamslå (vb) paralyse; US paralyze; (også fig) stun, stupefy; være -tt (av forbauselse) be dumbfounded, be stupefied; (av redsel) be paralysed with fear, be stupefied.
land (rike; landet mots. byen) country; (poet & fig) land (fx the Land of the Midnight Sun); (mots. hav) land; (kyst) shore; by og ~ town and country; fra ~ from shore; ♃ off the land; langt fra ~ ♃ far out; legge fra ~ put away from the shore; i ~ ashore; on shore; ~ i sikte! ♃ land ho! få ~ i sikte make (el. sight) (the) land; ha ~ i sikte be within sight of land; bringe i ~ bring ashore; drive i ~ be washed ashore; gå i ~ go ashore; land; sette i ~ put ashore; land; her i -et, (her) i vårt ~ in this country; stå inn mot ~ stand in for the land; by inne i -et inland town; lenger inne i -et further inland; over hele -et all over (el. throughout) the country; på ~ on land; bo på -et live in the country; dra på -et go into the country; på sjø og ~ on land and at sea; by land and sea; gå på ~ run ashore, ground; sette på ~ (skip)

beach; skipet står høyt på ~ the ship is high and dry; under ~ (kysten) (close) inshore; reise ut av -et leave the country; ute på -et in the country, in the countryside; her ute på -et out here in the country.
landauer landau.
landavståelse cession of territory.
landbefolkning rural population.
landbruk agriculture.
landbruker agriculturist, farmer.
landbruksdepartement ministry of agriculture.
landbruks|forhold agricultural matters. **-høyskole** agricultural college; (jvf -skole (ndf)).
landbruksprodukt agricultural product; -er a. products, a. (el. farm) produce.
landbruksskole agricultural school.
landdag (polit) diet.
lande (vb) land, come down (fx the plane came down on the sea), touch down (fx the plane touched down).
landefred the King's peace.
landegrense frontier; (mots. sjøgrense) land frontier.
landeiendom landed property; eier av ~ landed proprietor.
landemerke landmark.
lande|plage scourge (fx this tune is a positive s.); (public) nuisance, pest (fx the rabbits are a regular p. here). **-sorg** national mourning.
landevei highway; den slagne ~ (fig) the beaten track; ta -en fatt set out on foot.
landeveisrøver highwayman.
landfast connected with the mainland; ~ is land ice; Norge er ~ med Sverige Norway and Sweden are geographically joined.
landflyktig exiled, in exile.
landflyktighet exile; jage i ~ exile.
landgang 1. landing; raid, descent; gjøre ~ effect a landing; 2. gangway; US (også) gangplank.
landgangsbru gangway.
land|handel general store (el. shop). **-handler** village shopkeeper.
landing landing; få klarsignal for ~ (flyv) be cleared for let-down.
landingsplass landing place; (flyv) l. ground.
land|jorda: på ~ on (dry) land. **-kart** map. **-kjenning** ♃ landfall; få ~ make a l. **-kommune** = rural district. **-krabbe** land crab; (om person) landlubber.
landlig rural, rustic.
land|liv country (el. rural) life. **-lov** shore leave; (kort) liberty. **-lovsdag** liberty day. **-luft** country air. **-not** shore seine. **-måler** (land) surveyor. **-måling** surveying. **-område** area, tract of land; territory. **-postbud** rural postman; US rural carrier. **-reise** overland journey.
landsby village.
landsbygda the countryside; på ~ in the country; så å si på ~ (almost) in the breath of the country (fx cities were still so small that even the town-dweller lived almost in the b. of the c.); flukten fra ~ the flight from the land; the rural exodus; tilbake til ~! back to the land!
landsdel part of the country.
landsens of the country, rural, provincial; jeg er et ~ menneske I'm a countryman born and bred.
landsetning landing, disembarkation.
landsette (vb) land, disembark; (et skip) run ashore, beach.
lands|faderlig paternal. **-forræder** traitor. **-forræderi** treason. **-forræder(i)sk** treasonable. **-forvise** (vb) exile, banish.
lands|kamp international match; national final; (i cricket mellom England og Australia) Test Match.
landskap landscape; scenery.
landskaps|bilde landscape. **-maler** landscape painter.
landskilpadde ♫ tortoise.
landskjent nationally known, of nation-wide fame.

land|skyld land rent. **-skyss** overland conveyance.

lands|lag national team; *det engelske* ~ the All-England team; *det norske* ~ the All-Norway team; *han kom på det engelske* ~ he was capped for England; (*om hockeyspiller*) he won his hockey cap. **-lagsspiller** All-England (,All-Norway, *etc*) player; international.

lands|mann countryman, compatriot. **-mann-inne** countrywoman. **-mål** New-Norwegian. **-omfattende** nation-wide.

landsted country house (*el.* cottage); *et lite* ~ a little place in the country; *et stort* ~ *med tilliggende herligheter* a large country place with all the amenities (*el.* with the accompanying amenities.

landstryker tramp, vagabond; US (*også*) hobo.

landsulykke national calamity.

landsøl US near beer.

land|tunge isthmus, neck of land, tongue of land. **-tur** outing in the country (*fx* go for (*el.* on) an o. in the c.); (*med niste*) picnic (*fx* go on a p., go picnicking); *folk på* ~ picnickers.

landvern militia; territorial force. **-smann** militiaman; territorial.

landverts (*adv*) overland, by land.

landvinning land reclamation; (*erobring*) conquest.

lang (*adj*) long; (*høy*) tall (*fx* a t. man); (*langvarig*) long; (*langtrukken*) lengthy; *temmelig* ~ longish; *i* ~ *tid* for a long time; *i så* ~ *tid* for such a long time, for so long a time; *i lengre tid* for some considerable time; *ikke i noen lengre tid* not for any length of time; *i det -e løp* in the long run; *et lengre* (⊃: *ganske langt*) *brev* quite a long letter; *-t støt* (*i fløyte*) prolonged blast; *tiden faller ham* ~ time hangs heavy on his hands; *han ble* ~ *i ansiktet* his face fell; (*se ansikt*); *falle så* ~ *man er* measure one's length (on the ground), fall full length; fall flat on the ground (,on the floor); T come a cropper; (*se også langt & I. sikt*).

lang|aktig elongated, longish. **-bent** long-legged.

langdrag: *trekke i* ~ (*vt*) spin out (*fx* an affair), drag out (*fx* a speech); (*vi*) drag on (*fx* the war dragged on); *den måte hvorpå våre forhandlinger trekker i* ~ the protracted nature of our negotiations; the way in which our n. are dragging on.

I. lange (*fisk*) ling.

II. lange (*vb*) hand, pass; ~ *seg etter ballen* (*og redde*) (*om målmann*) make a flying catch; ~ *i seg* put away (*fx* a lot of food); polish off (*fx* he polished off an apple), devour; *han -r innpå* (*el. i seg*) T he eats like a good one; he is a good trencherman; ~ *til en* fetch sby a blow; ~ *ut* step out (briskly), stride along at a good steady pace.

langeleik ♪ Norwegian zither.

langemann middle finger.

langfart ⚓ long voyage; *gå i* ~ be engaged in overseas trade.

lang|finger middle finger. **-fingret** long-fingered; (*fig*) light-fingered.

langfredag Good Friday.

langgrun|n: *det er -t her* the bottom slopes very gradually here.

langhalset long-necked.

langkikkert telescope.

langkost 1. scrubbing brush with a long handle; 2. broom; (*gatefeiers, etc*) besom.

langlivet long-waisted; (*som lever lenge*) long-lived.

langmodig forbearing, long-suffering.

langmodighet forbearance, long-suffering.

langperm ✂ extended leave.

langrenn cross-country skiing (*el.* race). **-sski** (*pl*) racing skis.

langs along; ~ *med* along; ~ *siden av* alongside; *på* ~ lengthwise, longitudinally.

langside long side; (*sport*) straight; *bortre* (,*hitre*) ~ back (,home) s.; *siste* ~ (*oppløpsside*)

finishing straight; *på første* ~ on the first straight; *på -ne* on the straights.

langsiktig: ~ *kreditt* long-term credit; ~ *politikk* long-range policy; ~ *veksel* long(-dated) bill.

langsiktsveksel long(-dated) bill.

langsint relentless, implacable; *hun var aldri* ~ she never nursed any resentment for long.

langskips fore-and-aft; (*langs siden*) alongside.

langsom slow.

langsomhet slowness.

langstekt (*brasert*) braised; ~ *kalveschnitzel* braised veal schnitzel.

langstrakt long (and narrow), extended.

langstøvler (*pl*) rubber boots.

langsynt far-sighted, long-sighted; (*fig*) far-seeing.

langt *adv* 1. far; *det er* ~ *til X* it is a long way to X; *er det* ~ *til*...? is it far to...? *da de ikke hadde* ~ *igjen* (*å gå, kjøre, etc*) til X when they were only a short distance away from X; when they were approaching X; when it wasn't far to X; when they hadn't much farther to walk to get to X; *jeg har nå kommet så* ~ *at jeg kan klare å stenografere 70 ord i minuttet* I have now reached the stage of being able to do 70 words of shorthand a minute; 2 (*foran komparativ el. superlativ*) by far, much; ~ *bedre* far better, much better; *denne er* ~ *bedre* this one is better by far; ~ **den beste** *kvaliteten* the better quality by far, by far the best q.; ~ **mindre** far less; (*for ikke å snakke om*) let alone, not to mention, to say nothing of; ~ **den største** by far the largest; ~ **den største delen** by far the greatest part; ~ **verre** far worse; 3 (*med etterfølgende adv el. prep*): ~ **bort**, ~ *borte* far away, far off; ~ *borte fra* from afar, from far away; ~ *etter* far behind; ~ *foran* far ahead (*fx* he is f. a. of his competitors); ~ **fra** far from; *det være* ~ *fra meg å ville klandre ham* far be it from me to blame him; ~ *fra hverandre* far apart; *det er* ~ **fram** we have still some considerable way to go; (*fig*) much remains to be done; *se* ~ *fram i tiden* look far into the future, look far ahead, take a long view; ~ *fremme* well (*el.* far) advanced; *det er ikke* ~ **igjen** *til jul* Christmas is not far off; *det er* ~ **mellom** *ordrene* orders are few and far between; ~ *om lenge* at long last, at length, eventually; ~ *over* (*,under*) far above (,below); *han leste til* ~ **på** *natt* he went on reading far into the night; 4 (*forbindelser med vb*) **ha** ~ *hjem* have a long way home; *vi har* ~ *å gå* we have a long way to walk; *vi har* ~ *til toget* we live a long way from the nearest station; *vi kommer ikke* ~ *med 10 kasser* ten cases will not go very far (*el.* will not last (us) very long); *det kommer vi ikke* ~ *med* that won't get us very far; (*se strekke:* ~ *seg så langt man kan*).

langtekkelig dull, tedious, irksome.

langt fra far from; *han er* ~ *noen helt* he is far from being a hero.

langtidsprogram longe-range programme.

langtidsvarsel long-range weather forecast.

langtrekkende far-reaching; (*om våpen*) long-range.

langtrukken lengthy, long-drawn(-out), long-winded.

langtur long journey, long tour (,tramp, walk, etc) (*fx* he went for a long tramp in the woods); (*med bil*) long run (*fx* go on a l. r.).

langtømmer long-wood.

lang|varig long, protracted, long-lasting; *en* ~ *prosess* a long and slow process. **-veis:** ~ *fra* from far away. **-viser** minute hand.

lanke (*barnespråk*) handy-pandy.

lanse lance; *bryte en* ~ *for* stand up for.

lansere (*vb*) launch (*fx* a new plan).

lansett ⚕ lancet.

lanterne lantern.

Laos (*geogr*) Laos.

lapidarstil lapidary style.

lapis lunar caustic.

I. lapp (*tøy*) patch; (*papir*) scrap (of paper); *elevene kastet -er til hverandre* the pupils threw notes at each other; *rød* ~ (*på frontglasset for feil parkering*) T (*også* US) parking ticket; (*jvf fuskelapp*).

II. lapp Laplander, Lapp.

lappe (*vb*) patch, mend; ~ *på det verste* (*fig*) patch the worst bits (together); paper over the cracks.

lappekast (*ski*) kick-turn (*fx* do the k.-t.).

lappesaker *pl* (*for sykkel*) repair outfit.

lappeskomaker cobbler.

lappeteppe patchwork quilt.

lappisk Lapp, Lappish.

Lappland Lapland. **l-sk** Lapland, Lappish.

lappverk patchwork; *et grotesk* ~ *av uforenelige elementer* a grotesque p. of incompatible elements.

laps fop, dandy; US (*også*) dude.

lapset foppish, dandified; US (*også*) dudish.

lapskaus stew, hot pot; *brun* ~ gravy stew; (ɔ: *ikke av fugl, hare, etc*) brown stew; *saltkjøtt-*salt beef stew.

lapskauskjøtt stewing meat (*el.* steak).

lapsus slip (*fx* of the tongue, of the pen); (*det å huske feil*) lapse of memory.

larm noise, din.

larme (*vb*) make a noise (*el.* din).

larmende noisy.

larve caterpillar, grub, larva, maggot.

lasarett ✕ field hospital.

lasaron tramp; US (*også*) bum.

lasket flabby; obese.

lass load; *falle av -et* (*fig*) be unable to keep up (*fx* when you speak too fast, I can't keep up); *trekke -et* do all the hard work; bear the brunt; *de trekker ikke sin del av -et* (*fig*) they don't pull their weight; they don't do their share; *liten tue velter stort* ~ little strokes fell great oaks.

lassevis by the load.

lasso lasso, lariat.

I. last (*vanesynd*) vice; *en -ens hule* a cesspool of iniquity; *-enes sum er konstant* the sum of vices is constant.

II. last (*bør*) burden; (*ladning*) cargo; (*lasterom*) hold; (*trelast*) timber; (*el.* lumber; *høvlet* ~ planed wood (*el.* goods); *rund* ~ (*forst*) round timber; *saget* ~ sawn wood (*el.* goods); *brekke -en* ⚓ break bulk; *legge en noe til* ~ blame sby for sth; *stue -en* stow the cargo; (*se I. lik: partiet seiler med* ~ *i lasten*).

I. laste (*vb*) load; take in (,US: on) cargo; *skipet -r* (ɔ: *rommer*) *800 tonn* the ship carries 800 tons; *dypt -t* deeply (*el.* heavily) loaded (*el.* laden); *-t med kull* with a cargo of coal; *så snart varene har blitt -t om bord* as soon as the goods have been loaded in the ship.

II. laste *vb* (*klandre*) blame, censure.

lasteavgift loading dues.

lastebil lorry; (*faglig, også* US) truck; *hjelpe-mann på* ~ driver's mate; *-er fulle av politifolk* truckloads of police.

laste|båt cargo boat. **-dyr** beast of burden. **-evne** carrying capacity.

lastefull dissolute, depraved. **-het** depravity.

laste|klar ready to load. **-plan 1.** (truck) body; T (*også*) the back of a lorry; ~ *med lemmer* dropside body; ~ *uten lemmer* platform body; **2** ⚓ stowage plan. **-pram** lighter. **-rom** ⚓ hold.

lasting (*tøy*) lasting.

lastokk ramrod.

lastverdig reprehensible.

lastverk: *hastverk er* ~ more haste, less speed.

lasur glaze, glazing.

lat lazy, indolent.

I. late (*vi*) seem, appear; (*gi seg utseende av*) pretend, affect; *det -r til det* so it seems; ~ *som ingenting* behave as if nothing had happened; (*ikke bli forbløffet*) not turn a hair; (*se uskyldig ut*) look innocent; *jeg lot som om jeg sov* I pretended to be asleep; *la oss* ~ *som om vi er*... let's pretend we are...; T let's play pretending we are; ~ *som om man gjør motstand* make a show

of resistance; *det -r til at* it looks as though; it would seem that; ~ *til å* appear to, seem to.

II. late (*vt*): *se la;* ~ *sitt liv* lay down one's life; ~ *vannet* make water, urinate; T pump ship.

III. late (*vb*): ~ *seg: se dovne seg.*

latent latent.

lathet laziness, indolence.

latin Latin. **-er** (*nasjon*) Latin; (*studium*) Latin scholar, Latinist.

latinlinje (*ved skole*) classical side.

latinsk Latin; *-e bokstaver* Roman letters; (*typ*) Roman type.

latinskole (*hist; kan gjengis*) grammar school.

latmannsbør [lazy man's burden].

latmannsliv idle life; US (*også*) life of Riley.

latrine latrine.

latside: *ligge på -n* be idle, do nothing.

latskap laziness, indolence.

latter laughter; (*enkelt latterutbrudd, måte å le på*) laugh (*fx* we had a good l.; he has a nasty l.); (*fnisende*) giggle; *en god* ~ *forlenger livet* (*svarer omtrent til*) laugh, and the world laughs with you; *briste i* ~ burst out laughing; *han brøt ut i en hånlig* ~ he burst into a laugh of derision; *få seg en god* ~ have a good laugh; *gjøre en til* ~ make sby look a fool, hold sby up to ridicule, stultify sby; *gjøre seg til* ~ expose oneself to ridicule, make oneself look ridiculous, make a fool of oneself; *han satte i en skrallende* ~ he burst into a loud laugh; he went off into a fit of laughter; *rå* ~ dirty laugh; (*se også le*).

latterdør: *han slo -a opp* T he burst into a loud laugh.

latterhjørne: *være i -t* be in a laughing mood.

latterkrampe convulsive laughter.

latterlig ridiculous, ludicrous. **-gjøre** (*vb*) ridicule, hold up to ridicule; T take the mickey out of. **-het** ridiculousness.

latter|mild easily provoked to laughter, given to laughter, risible. **-mildhet** risibility. **-salve** burst of laughter. **-vekkende** laughable, ludicrous.

Latvia (*geogr*) Latvia.

latvi|er, -sk Latvian.

laug (*subst*) guild.

lauk: *se løk.*

laurbær bayberry; (*fig*) bays, laurels; *hvile på sine* ~ rest on one's laurels; *vinne* ~ win laurels.

laurbærkrans laurel wreath; (*se æresrunde*).

lausunge T illegitimate child; S by-blow.

lauv: *se løv.*

I. lav ⚘ lichen.

II. lav (*adj*) low; (*uedel*) low, mean; *-t regnet* put at a low figure; at a low estimate (*fx* the damage is £100, at a l. e.); *spille -t* play softly, play (quite) low.

lava lava.

lavadel gentry.

lavalder minimum age; *den kriminelle* ~ the age of consent.

lavangrep ✕ low-flying attack.

lavastrøm lava flow.

lave *vb* (*henge i mengde*) dangle, hang down (in clusters).

lavendel lavender.

lavere (*vb*) ⚓ tack, beat.

lavere|liggende lower, lower-lying. **-stående** inferior; lower (*fx* animals).

lavett (gun) carriage.

lavfrekvens low frequency.

lavine avalanche.

lavkonjunktur (acute) depression, slump; (*jvf konjunktur*).

lavland lowland(s), low-lying country; *da vi kjørte nedover mot -et* as we were going down towards (*el.* to) the lowlands; *on our way down towards the lowlands.*

lav|loftet low-ceilinged. **-mælt** low-voiced; ~ *samtale* hushed conversation (*fx* they carried on a h. c.). **-mål** minimum; *nå et* ~ T reach an all-time low; *under -et* beneath contempt, too bad for words; unspeakable (*fx* those hotels are u.).

lav|pannet low-browed; (*fig*) stupid, dense. **-pullet** low-crowned. **-punkt** lowest point; (*fig*) nadir; low (*fx* these figures represent a new low). **-sinnet** low-minded, base.

lavslette lowland plain.

lavspent low-tension.

lavtliggende low-lying, low.

lavtrykk low pressure; (*meteorol*) low, depression, low-pressure area.

lavtrykksmaskin low-pressure engine.

lavtskummende: ~ *vaskepulver* low-suds (washing) powder.

lavtstående low, inferior.

lavvann low water; (*ebbe*) low tide, ebb; *neste* ~ next low tide.

lavvannsmerke low-water mark.

I. le (*subst*) shelter; ⚓ leeward, lee; *en seiler i* ~! a sail to leeward! *ror i* ~! helm a-lee!

II. le (*vb*) laugh; ~ *hjertelig* laugh heartily; ~ *høyt* laugh out loud; ~ *en rett opp i ansiktet* laugh in sby's face; ~ *av* laugh at; *bli -dd av* get laughed at; *han lo bittert* he laughed (*el.* gave) a bitter laugh; ~ *bort* laugh off (*fx* he laughed the matter off); *vi lo ham fra det* we laughed him out of it; *hun lo hele tiden* (*også*) she kept laughing while she spoke; ~ *til en* (*gjengis best med*) give sby a smile; *jeg må* ~ it makes me laugh; ~ *over hele ansiktet* grin broadly; *han lo så tårene trillet* he laughed until he cried; ~ *en ut* laugh sby to scorn; US laugh sby down; ~ *seg i hjel* (*el. fordervet*) split (one's sides) with laughter, die with laughter; ~ *i skjegget* laugh up one's sleeve; *det er ikke noe å* ~ *av* this is no laughing matter; *den som -r sist, -r best* he laughs best who laughs last; (*ofte*) he had the last laugh; (*se hjertelig*; *sted B*: *le på riktig* ~).

lealaus loose-jointed; (*om stol, etc*) rickety.

led (*grind*) gate; US (*også*) barway.

ledd joint; (*i kjede*) link; (*del av paragraf*) subsection; (*ætte-*) generation; remove; ... *forekommer som første* ~ *i et sammensatt ord* ... occurs as the first component of a compound; *av* ~ out of joint; dislocated; *jeg fikk armen ut av* ~ my arm was put out of joint; *sette i* ~ set (*fx* a dislocated limb), reset; *som et* ~ *i en allerede eksisterende forretningsforbindelse* in the course of an already existing connection.

leddbånd (*anat*) ligament.

ledd|dannelse articulation. **-deling** segmentation, articulation. **-delt** articulate(d). **-dyr** articulate animal.

leddgikt ♏ arthritis.

lede *vb* (*føre*) lead; (*veilede, styre*) guide; (*ved rør*) conduct; (*styre*) direct; (*fig*) lead, conduct, guide; ~ *forhandlingene* preside at (*el.* over) the meeting; ~ *bort* (*vann*) carry off; drain (*el.* draw) off; *X -r på Y med åtte poeng* (*sport*) X leads Y by eight points; ~ *samtalen hen på* turn the conversation on to; (*med en baktanke*) lead up to; *la seg* ~ *av* be governed (*el.* guided) by.

ledebånd leading-strings; *gå i ens* ~ be tied to sby's apron strings.

ledelse direction, management, guidance; *under* ~ *av* under the leadership (*el.* management) of; *overta -n av* take over the management of; take charge of; *ha den daglige* ~ be in charge of the day-to-day running; *ha -n* (*stå i spissen*) be at the head of affairs, be at the helm; T boss the show.

ledemotiv ♪ leitmotif.

ledende leading; (*fys*) conductive; ~ *grunnsetning* guiding principle; ~ *tanke* leading idea.

leder guide; (*fys*) conductor; (*i avis*) leader; US editorial.

lederplass (*spalte i avis*) editorial column.

lederskap leadership.

ledeskinne (*jernb*) check (*el.* guard) rail.

ledestjerne guiding star, lodestar.

lede|tone leading note (*el.* tone). **-tråd** clue, guiding principle.

ledig 1 (*ubeskjeftiget*) idle, unoccupied; 2 (*om stilling, bolig, etc*) vacant; 3 (*om person, drosje*) disengaged, free; 4 (*om tid*) spare, leisure; 5 (*arbeids-*) unemployed, out of work; 6 (*ikke i bruk*) idle (*fx* capital, tonnage); 7 (*om klær*) loose, comfortable; *denne stolen er* ~ this chair is not taken; *er De* ~? (*til drosje*) are you free? are you engaged? *er du* ~ *i kveld*? are you free (*el.* doing anything) tonight? *løs og* ~ (*ugift*) single; ~ *stilling* vacancy, vacant post; *hvis du hører om noen* ~ *stilling, så vær så snill å la meg få vite det* T if you hear of any job going, please let me know; ~ *time* leisure hour, spare hour.

lediggang idleness; ~ *er roten til alt ondt* idleness is the root of all evil; an idle brain is the devil's workshop.

ledig|gjenger idler, loafer. **-het** (*arbeidsløshet*) unemployment. **-signal** (*tlf*) ringing tone; (*jvf summetone*).

ledning 1 (*rør*) pipe; (*hoved-*) main (*fx* power main); line (*fx* telephone line); 2 (*overføring*) transmission; (*fys*) conductor; *brudd på -en* (1) pipe burst, a burst pipe; (*se kraftledning*).

lednings|evne conductance, conductivity. **-mester** (*jernb*; *elektromester*) power supply engineer. **-nett** system of transmission lines; electric supply mains; overhead wires; (*i bil*) wiring. **-reparatør** (*jernb*) overhead traction lineman; *ekstra* ~ assistant o. t. l. **-tråd** conducting wire. **-vann** tap water. **-åk** (*jernb*) arched catenary support.

ledsage (*vb*) accompany; *forkjølelse -t av feber* a cold attended with fever.

ledsagelse accompaniment; attendance.

ledsager companion; escort; ♪ accompanist.

ledtog: *være i* ~ *med en* be in league with sby.

lee (*vb*): ~ *på* (*røre på*) move (slightly), just move.

lefse [thin pancake of rolled dough, served buttered and folded]. **-klining** buttered and sugared *'lefse'*.

legal legal.

legali|sere (*vb*) legalize; authenticate. **-sasjon, -sering** legalization; authentication.

legasjon legation.

legasjonssekretær secretary of legation (*fx* first secretary of legation).

legat legacy, bequest.

legatar legatee.

legatstifter legator; donor of a legacy.

legd (*glds*): *komme på* ~ come on the parish.

I. lege doctor, medical practitioner; *praktiserende* ~ (general) practitioner (*fk.* G.P.); *gå til* ~ see (*el.* consult) a doctor (*fx* you ought to see a d. about your cough).

II. lege (*vb*) heal, cure; *-s* heal (up).

lege|attest medical certificate. **-behandling** medical treatment. **-besøk** doctor's call. **-bok** medical book. **-bulletin** medical bulletin (*el.* report). **-distrikt** medical district. **-drikk** potion. **-erklæring** medical (*el.* doctor's) certificate. **-hjelp** medical attention, medical treatment; medical help (*fx* no m. h. could be found for him); *søke* ~ consult a doctor. **-kunst** medicine. **-kyndig** with medical knowledge.

legeme body.

legemiddel remedy; (*medikament*) medicament, medicine.

legemlig bodily, corporal, physical; ~ *arbeid* manual (*el.* bodily) work.

legemlig|gjøre (*vb*) embody, incarnate. **-gjørelse** embodiment, incarnation.

legems|bygning build, physique, bodily constitution. **-del** part of the body. **-feil** bodily defect. **-fornærmelse** assault, (assault and) battery. **-stor** life-size(d). **-straff** corporal punishment. **-størrelse:** *et portrett i full* ~ a life-size portrait. **-øvelse** physical exercise.

legendarisk legendary; *en* ~ *skikkelse* a figure of legend.

legende legend.

I. legere *vb* (*testamentere*) bequeath.

II. legere (*vb*) ♂ alloy.

legering ♂ alloy.
lege|råd medical advice; (*konkret*) remedy.
-standen the medical profession. **-tilsyn** medical attention. **-undersøke** (*vb*) examine (medically). **-undersøkelse** medical examination; T m. check -up. **-urt** medicinal plant. **-vakt** (*subst*) first-aid station; US (*også*) emergency ward. **-vitenskap** medical science, medicine. **-vitenskapelig** relating to medical science.

I. legg (*fold*) pleat; (*på klesplagg*) tuck.
II. legg (*anat*) calf; (*anker-*) shank.
III. legg (*det å legge håret*): «*bare* ∼» setting only; «*vask og* ∼» shampoo and set.
leggbeskytter (*cricket, fotball, etc*) pad.
legge (*vt & vi*) 1. put, lay, place (*fx* a book on the table); deposit (*fx* one's luggage on the seat); 2 (*henlegge tidspunkt*) put (*fx* the lectures at a later hour); time (*fx* one's visit so as to be sure of meeting him); 3 (= *legge egg*) lay;
A [*Forb. med subst*] ∼ *barna* put the children to bed; ∼ *egg* lay eggs; ∼ (*sin*) *elsk på* take a fancy to; ∼ *håret* have one's hair done (*el.* set); *jeg vil ha håret vasket og lagt* I want my hair shampooed and set; (*se III. legg*); ∼ *merke til* notice; ∼ *en plan* make (*el.* lay) a plan; (*se for øvrig forbindelsens subst*);
B [*Forb. med prep, adj & adv*] ∼ **an** plan, organize; (*skytevåpen*) (take) aim; *det må -s an på en fornuftig måte* it will have to be planned in a sensible way; it will have to be arranged sensibly; ∼ *an på* aim at, make it one's aim to, make it a point to; (*gå inn for*) go in for; ∼ *særlig an på å..* make a special point of (-ing); make it one's particular aim to; ∼ *an på å behage* try hard to please; *hun la an på ham* she set her cap at him (*el.* was out to hook him); she made a dead set at him; *han la an på henne* he made love to her; he courted her; he flirted with her; (*for å forføre*) he made a pass (*el.* passes) at her; ∼ **av** put aside, put by; (*typ*) distribute; *sats som skal -s av* (*typ*) dead matter; ∼ *av noe til en* put sth by for sby; ∼ *av seg* take off (*fx* one's rucksack); ∼ *av seg en feil* cure oneself of (*el.* rid oneself of) a failing; ∼ *av* (*seg*) *en uvane* break oneself of a bad habit; drop a b. h.; get out of a b. h.; ∼ *av sted* start off; ∼ *noe* **bak** *seg* leave sth behind (one); ∼ **bi** ♣ lay to, heave to; ∼ **bort** put aside, put away; ∼ **etter** *seg* leave behind; ∼ **for** *dagen* display, manifest, show; give proof of (*fx* the boy gave p. of clairvoyant power); ∼ *for hat* begin to hate; conceive hatred for; ∼ **fra** ♣ put off, set out; ∼ *fra land* put away from the shore; ∼ *noe fra seg* put sth down (*el.* away); ∼ **fram** *noe* put out sth (*fx* will you p. out a shirt for me?); display (*fx* the brochures displayed on the table); ∼ *fram et forslag* put forward a proposal; ∼ *saken fram for utvalget* put the matter before the committee; ∼ **i** *bakken* (*motstander*) get down (*fx* he got him down); ∼ *i mørke* black out; ∼ *i ovnen* lay the fire; (*tenne på*) light the fire; start the fire (*el.* stove); ∼ *mye arbeid i noe* put in a great deal of work on sth; take great pains over sth; ∼ *i bløt* (*tøy*) put in soak; ∼ *i film* load (*fx* l. a camera); ∼ *hendene i fanget* (*fig*) twiddle one's thumbs; let things take their course; ∼ *en annen mening i det* put another interpretation (*el.* construction) on it; put (*el.* read) sth else into it; ∼ *for mye i det* put (*el.* read) too much into it; ∼ *papir i en skuff* line a drawer with paper; ∼ *penger i* spend money on (*fx* I don't want to s. so much (money) on an overcoat); ∼ *i seng* put to bed; ∼ *hele sin sjel i noe* put the whole of one's soul into sth; ∼ *i vei* set out, start off; ∼ **igjen** leave behind; ∼ *igjen beskjed* leave a message; ∼ **inn** lay on (*fx* gas, water, electricity), install (*fx* gas, electricity); ∼ *inn lys i et hus* (*også*) wire a house (for electricity); ∼ *inn 'sentralvarme* install (*el.* put in) central heating; ∼ *inn en billett* reply to an advertisement; ∼ *inn en kjole* take in a dress; ∼ *inn på sykehus* send to (a) hospital; *bli lagt inn*

på sykehus be taken to h.; (*se også under C samt innlagt*); ∼ **ned** put down; lay down (*fx* arms); (*salte ned*) pickle; (*hermetikk*) tin, can; US can; (*sylte*) preserve; bottle (*fx* fruit); (*pakke ned fisk, etc*) pack; (*gjøre lenger*) let down (*fx* a skirt); ∼ *ned arbeidet* stop work; (*streike*) strike work (*fx* the men have struck w.), go out on strike; ∼ *ned masten* ♣ lower the mast; ∼ **om** change, alter, reorganize, rearrange; ∼ *om driften* reorganize (*el.* alter) production; ∼ *om et hjul* change a tyre (,US: tire); ∼ *om kursen* alter one's (*el.* the) course; *få stemmen sin lagt om* learn voice production; ∼ *om taktikken* change tactics; ∼ *veien om* go round by, travel via; ∼ **opp** cease work, close down, go out of business, give up business; (*masker*) cast on (*fx* c. on 18 stitches); (*stoff til eksamen*) offer (*fx* a play by Shakespeare); *de verker man har lagt opp* the books offered, the prepared books; *vi må* ∼ *opp Hamlet* Hamlet is a prescribed text (*el.* a set book); (*gjøre kortere*) shorten, take up (*fx* a skirt); lay up (*fx* reserves; a ship); (*spare*) save, put (*el.* lay) by (for a rainy day); provide against a rainy day; (*se også under C*); ∼ *opp en rute* plan a route; ∼ *opp til* prepare for (*fx* a strike); *alt var lagt opp til en kamp mellom . . .* the scene was laid for a struggle between . . .; ∼ *opp til en* (*fotball*) send a ball to sby; ∼ **over** (*diskutere*) discuss; ∼ *ansvaret over på* shift the responsibility on to; *han la rattet hardt over til venstre* he turned the wheel hard over to the left; ∼ *roret over* put the helm over; ∼ **på** put on; (*maling, etc*) apply; (*forhøye prisen*) put up (*el.* raise) the price of (*fx* butter); *er smøret lagt på?* has butter gone up? ∼ *på £5* put £5 on the price, raise the price £5; ∼ *på prisene med 15 °/₀* raise prices by 15 per cent; ∼ *på nye dekk* put on new tyres (,US: tires); ∼ *på husleien* put up (*el.* raise) the rent; ∼ *noe på hyllen* (*fig*) shelve sth; ∼ *noe på plass* put sth in place; ∼ *på igjen*) replace sth, put sth back; ∼ *på* (*røret*) (*tlf*) put down (*el.* replace) the receiver; hang up; *ikke legg på!* hold the line, please! *han la på for jeg fikk snakket ut* (*tlf*) he hung up on me; ∼ *skatt på* put a tax on; T clamp a t. on; ∼ *på seg* put on weight (*fx* is the baby putting enough w. on?); fill out; ∼ *på svøm* start swimming; ∼ *på ørene* (*om dyr*) put back its ears; twitch its ears (*fx* a horse that twitches its ears); ∼ **sammen** (*slå sammen*) fold (*fx* it folds with one easy movement); put together (*fx* p. two and two t.); (*addere*) add up, sum up; cast (*fx* a column of figures); T tot up; ∼ **til** (*føye til*) add; ♣ go (*el.* come) alongside (the quay); ∼ *godviljen til* try (*el.* do) one's best; do the best one can; ∼ *til grunn* use as a basis (*el.* starting point); ∼ *til grunn for* make the basis of (*fx* he made it the b. of his philosophy); *han har lagt disse forsøk til grunn for en teori* he has based a theory on these experiments; ∼ *en noe til last* blame sby for sth; ∼ *til rette* arrange, adjust, order; ∼ *til side* put aside, put on one side; (*spare*) put (*el.* lay) by; (*se ovf:* ∼ *opp*); ∼ **under** *seg* secure (*el.* gain) control of; (*erobre*) conquer; (*monopolisere*) monopolize; ∼ **ut** lay out (*fx* food for the birds); (*penger*) lay out, pay temporarily for sby; *kan du* ∼ *ut for meg til i morgen?* can you pay this sum for me till tomorrow? *jeg har lagt ut £2* I am out of pocket by two pounds; (*jvf utlegg*) (*gjøre videre*) let out (*fx* a dress); ∼ *ut på* set out on, start out on (*fx* a journey); ∼ **ved** (*i brev*) enclose; (*se vedlegge*); ∼ **vekk** *noe* put sth away (*el.* aside); ∼ *noe* **ode** lay sth waste;
C [*Forb. med "seg"*] ∼ *seg* lie down; (*gå til sengs*) go to bed; (*især om syk*) take to one's bed; (*spre seg som et lag*) settle (*fx* the soot settled all over the room); (*stilne av*) subside (*fx* the gale, the fever subsided); drop (*fx* the wind dropped); (*om sinne*) simmer down (*fx* his anger began to s. down); (*om korn*) be lodged; ∼ *seg så lang man er* lie down full length; *legg seg!* (*til hund*) down! *gå hjem og legg deg!* (*foraktelig*) T go on! get along with

you! *jeg vil gå hjem og ~ meg* I'm going home to bed; *~ seg* **etter** go in for, apply oneself to (*fx* the study of philosophy); *hun -r seg etter ham* she is running after him; *~ seg* **foran** (*i spissen*; *i veddeløp*) take the lead; *~* **i** *seg* put away (*fx* a lot of food); *~ seg* **imellom** (*megle*) intervene; (*blande seg bort i*) interfere, interpose; *~ seg* **inn** *på et sykehus* go to (*el.* in) a hospital; *han har lagt seg* **opp** *penger* he has a little nest egg; he has put sth by for a rainy day; *~ opp en reiserute* map out an intinerary; *~ seg opp i* interfere (*el.* meddle) in; *~ seg* **over** ⚓ (*krenge*) heel over, list; *~ på seg: se under B; ~ seg på siden* turn over on one's side; ⚓ heel over; *~ seg noe på sinne* bear sth in mind; make a mental note of sth; *~ seg til* **briller** start wearing glasses; *han har lagt seg til hytte på fjellet* he has acquired (*el.* bought *el.* got himself) a cabin in the mountains; *~ seg til* **skjegg** grow a beard; *~ seg til vaner* form (*el.* contract) habits; *han har lagt seg til en mengde unoter* he has got into a lot of bad habits; *~ seg til å dø* lie down and die; *~ seg til å sove* settle down to sleep; compose oneself for sleep; (*falle i søvn*) go to sleep; *~ seg* **ut** fill out, put on weight; run to fat; *~ seg ut med* quarrel (*el.* fall out) with; (*se kant: komme på ~ med*).
legge|brodd (*hos insekter*) ovipositor. **-høne** laying hen. **-tid** laying season; T (*på tide å legge seg*) bedtime. **-vann** (*for hår*) setting lotion.
legio legion, multitude.
legion legion. **legionær** legionary.
legitim legitimate, lawful.
legitimasjon legitimation. **-skort** identity card; US identification card.
legitimere (*vb*) legitimate; *~ seg* establish (*el.* prove) one's identity; *kan De ~ Dem?* can you produce papers to prove your identity?
I. lei: *på lang ~* far and wide, from far off; (*seilløp*) channel, course, fairway; *den indre ~* the inshore channel.
II. lei *adj* (*slem*) wicked; (*ubehagelig*) awkward; (*vanskelig*) awkward, hard; (*bedrøvet*) sorry; *jeg er ~ for at . . .* I am sorry that . . . ; *lut ~ det* sick and tired of it; *~ og kei av hele greia* T cheesed off, browned off; *hun ble aldri ~ av dem* she never tired of them; *bli ~ av det* get tired of it; *jeg har sett meg ~ på ham* he has got on my nerves; T he gets under my skin; S he gets my goat; *det var leit* that's too bad; *være ~ mot* be nasty to; *være ~ seg* feel sorry.
leide safe conduct. **-brev** letter of safe conduct.
leider ⚓ ladder.
I. leie (*subst*) couch; (*geol*) layer, stratum; (*elve-*) bed; ♪ range (*fx* of a voice).
II. leie (*subst*) hire; (*hus-*) rent; *til ~* to let; US for rent; *betale i ~* pay in rent; *-n, kr. 500 pr. mnd., betales forskuddsvis for et kvartal om gangen* the rent, kr. 500 per month, is to be paid quarterly, in advance; *mot en ~ av* at a rent of.
III. leie (*vb*) hire; (*hus, jord*) rent; *huset er ikke mitt, jeg -r det* the house is not mine, I have rented it; *~ bort* hire out; let, rent; *jeg -r hos dem* I have (taken) a room (,rooms) in their house; I lodge with them; *~ seg inn hos* take a room (,rooms) with, get lodgings with; *~ ut en bil* hire out a car, let a car out on hire; *-t arbeidshjelp* hired labour (,US: labor).
IV. leie (*vb*) lead (by the hand).
leie|avgift rent. **-bibliotek** lending library, circulating library. **-boer** lodger; tenant. **-forhold:** *oppsigelse av -et mellom X og Y* annulment of tenancy agreement between X and Y. **-gård** block of flats; US apartment house.
leiekontrakt tenancy agreement; (*for fast eiendom*) lease; (*for løsøre*) hire contract; *forlenge -en* prolong the period of tenancy, extend the t.
leier hirer; lodger; tenant.
leiesvenn hireling.
leietid (period of) tenancy; (*bygsel*) lease; *den i kontrakten fastsatte ~* the p. of t. fixed in the

contract; *-ens utløp* the expiration of the tenancy; *-ens varighet er ett år fra leierens overtagelse av leiligheten* the p. of the t. is one year from the tenant's occupation of the flat (,house).
leie|tjener hired waiter; (*ved hotell*) hotel porter. **-tropper** (*pl*) mercenaries.
leik, leike: *se lek, leke.*
leilending tenant farmer.
I. leilighet (*beleilig tid el.* øyeblikk) opportunity, chance; (*anledning*) occasion; *benytte -en* take the opportunity; *gripe en ~* seize an opportunity; *~ gjør tyv* opportunity makes the thief; *etter fattig ~* to the best of one's modest abilities; in a small way; (*se også anledning*).
II. leilighet (*bolig*) flat; US apartment; (*ungkars-, også*) rooms.
leilighets|arbeid (*tilfeldig arbeid*) odd jobs; (*det enkelte arbeid*) occasional job, casual job, odd job. **-arbeider** occasional worker, casual w., odd -job man. **-dikt** occasional poem. **-kjøp** chance bargain. **-tilbud** special offer. **-tyv** casual thief. **-tyveri** casual theft.
leilighetsvis occasionally, on occasion.
leir camp; *ha et ben i hver ~* (try to) have a foot in both camps; *ligge i ~* camp; *slå ~* pitch (one's) camp.
leirbål camp fire.
I. leire (*subst*) clay.
II. leire (*vb*): *~ seg* camp, pitch (one's) camp.
leiret clayey.
leir|fat earthenware dish. **-grunn** clayey soil. **-gulv** dirt floor, earthen floor. **-holdig** containing clay, argilliferous. **-jord** clay (*el.* clayey) soil; ◯ alumina. **-klint** mud-built (*fx* a m.-b. house). **-krukke** earthen jar, earthenware pot.
leirplass camping ground, camping site; ✕ barrack square, b. yard.
leirvarer (*pl*) earthenware, pottery.
I. leite (*omtrentlig tid*) approximate time; *ved dette ~* about this time.
II. leite (*vb*): *~ på tax* (*fx* it taxed my strength); tell on (*fx* the strain told on him a good deal); *det -t på T* it took it out of me (,him, *etc*).
III. leite (*vb*): *se lete.*
leiv (*brød-*) chunk (*el.* hunk) of bread.
I. lek game, play; *det ble enden på -en* that was the end of it; *det gikk som en ~* it was child's play; it went swimmingly; *holde opp mens -en er god* stop while the going is good.
II. lek (*adj*) lay. **-bror** lay brother. **-dommer** (*i lagrett*) juror, juryman.
I. leke (*subst*) toy, plaything.
II. leke (*vb*) play (*med* with); *~ med en pikes følelser* play fast and loose with a girl's feelings; *~ med ilden* play with fire; (*se letthet*).
lekegrind playpen.
lekekamerat playfellow, playmate.
leken playful, frolicsome.
lekeplass playground.
leke|stue playroom. **-søster** playfellow.
leketøy toy. **-sbutikk** toyshop.
lekfolk the laity.
lekk (*subst*) leak; (*adj*) leaky; *springe ~* spring a leak.
lekkasje leakage.
lekke (*vb*) leak; (*om fartøy også*) make water.
lekker dainty, nice, delicate. **-bisken** delicacy, titbit; US tidbit. **-munn** gourmet; *være en ~* have a sweet tooth.
lekmann layman.
lekmanns|preken lay sermon. **-skjønn** lay opinion.
lekpredikant lay preacher.
I. lekse (*subst*) lesson; homework; *gi en en ~* set sby a lesson, give sby homework (to do); *læreren har gitt oss mye i ~ i dag* the teacher has set (*el.* given) us (,US: assigned us) a lot of homework today; *kunne -n sin* know one's lesson; *lese på -ne* prepare one's lessons; do (*el.* prepare) one's homework; T do one's preps; *den gamle -n* (*fig*) the same old story.

II. **lekse** (*vb*): ~ *opp for en* give sby a good talking-to; lecture sby.

leksefri no homework (*fx* there is no h. the first day after the holidays).

leksehøring hearing pupils their homework, examining p. on their h., asking questions on pupils' h.; *det forutsettes at det vil bli lagt mindre vekt på* ~ *og karaktergiving* it is expected that less importance will be attached to examining pupils on their homework and giving marks.

lekselesing doing one's homework (,T: preps).

leksikalsk lexical.

leksik|ograf lexicographer. **-on** 1. dictionary; 2. encyclopaedia; *han er et levende* ~ he is a storehouse of information.

leksing (*unglaks*) grilse.

leksjon (*subst*) lesson.

lekte (*subst*) lath.

lekter (*flatbunnet pram*) lighter, barge.

lekterskipper bargeman, bargee.

lektor 1 [teacher of grammar-school streams, e. g. in a comprehensive or bilateral school]; (*kan gjengis*) master (,mistress) at a secondary school, secondary school teacher; (*jvf adjunkt*); **2** (*universitets-*) lecturer; US lecturer, instructor.

lektorat 1 teaching post at a secondary school; 2. lectureship.

lektoreksamen [final degree in humanities or science entitling successful candidate to degree of cand. philol. or cand. real. and qualifying for position as 'lektor']; (*svarer omtr. til*) M.A. degree; M. Sc. degree; (*jvf embetseksamen*).

lektorlag: *Norsk* ~ (*kan gjengis*) Norwegian Association of Secondary School Teachers.

lektyre reading; (*se lesestoff*).

lell (*adv*) T all the same; after all.

I. **lem** trapdoor; (*på lasteplan*) side; (*til å slå ned*) dropside; *bak-* tailboard, tailgate; (*til å slå ned*) downfold tailgate; *-mene kan slås ned under pålessing* the sides can be lowered for loading.

II. **lem** member; (*bare om armer og ben*) limb.

lemen 🐾 lemming.

lemfeldig lenient. **-het** lenience.

lemlest|e (*vb*) mutilate; maim, disable, cripple. **-else** mutilation; maiming.

I. **lempe**: *med* ~ gently; *med list og* ~ by hook or by crook.

II. **lempe** (*vb*) adapt, accommodate; (*en last*) trim (*fx* a cargo); ~ *kull* lift coal (*fx* into the furnace); ~ *seg etter* adapt (*el.* accommodate) oneself to; ~ *på* modify, ease; ~ *på et forbud* relax a prohibition.

lempelig (*adj*) gentle; *-e betingelser* easy terms.

lempelse modification.

lemster stiff (*fx* in the legs).

len (*hist*) fief; (*i Sverige*) county.

lende (*terreng*) ground; *i åpent* ~ in open country, in the open field(s).

I. **lene** (*subst*) rest; *arm-* arm rest; *rygg-* back rest.

II. **lene** (*vb*) lean; ~ *seg på* lean on; ~ *seg til* lean against.

lenestol armchair, easy chair.

lengde length; (*geogr*) longitude; *vestlig* (,*østlig*) ~ West (,East) longitude; *i -n* (*fig*) in the long run; *i sin fulle* ~ at full length.

lengde|grad degree of longitude. **-hopp** long jump; (*øvelse*) broad jump(ing); ~ *med tilløp* running broad jump. **-løpsskøyter** racing skates. **-mål** measure of length. **-retning** longitudinal direction; *i værelsets* ~ parallel to the length of the room (*fx* how many strips will be needed if the carpet is laid p. to the l. of the r.?). **-snitt** longitudinal section.

lenge long; *det varer* ~ *før han kommer* he is long in coming; *sitt ned så* ~ sit down while waiting; *adjø så* ~! so long! *han gjør det ikke* ~ he won't last long; *et stoff av denne kvalitet skal man lete* ~ *etter* a material of this quality will be hard to find; *for* ~ *siden* long ago; *jeg håper det blir* ~ *til* I hope it won't be for a long time yet; *det*

er ~ *til guttene kommer igjen* it's a long time till the boys come back; *da han merket at han ikke hadde* ~ *igjen* when he felt he had not long to live; when he felt he was soon going to die; *så* ~ *du har vært!* what a (long) time you've been! *det er ikke* ~ *til jul* Christmas will soon be here, C. is not far off (*el.* away); *12 timer er* ~ (*også*) twelve hours is a good space of time; *det var ikke* ~ *til han kunne høste pærene* the time was not far off when he would be able to gather in the pears; it wouldn't be long before he could (*etc*); (*se også lete*).

lenger (, *lengre*) 1 (*adj: komp. av lang*) longer; *lengre forhandlinger* prolonged (*el.* protracted) negotiations; (*om avstand, også*) extended (*fx* start an e. tour of the US); *i lengre tid* for quite a long time, for a considerable period, for some length of time; *hvis han skulle bli i lengre tid* if he should stay for any length of time; *bli lengre* become (*el.* grow) longer, lengthen; *gjøre lengre* lengthen; **2** (*adv: komparativ av langt*) farther, further; ~ *borte* farther away; farther on, farther on; ~ *nede* farther (*el.* lower) down (*fx* f. down the river; l. down on the page); *bussen går ikke* ~ *enn til X* the bus does not go further than (*el.* does not go beyond) X; *vi behøver ikke gå* ~ *enn til England* we need not go further than E.; 3 (*adv: komparativ av lenge*) longer; *bli* ~ stay longer; *ikke* ~ no longer, not any longer; no more (*fx* he is a schoolmaster no more); *det er ikke* ~ *siden enn i går at jeg så ham* I saw him only yesterday; *det er ikke* ~ *siden enn i går at han ... only yesterday he ...

lenges *vb* (*bli lenger*) become longer, lengthen.

lengsel longing, yearning.

lengselsfull longing.

lengst 1 (*adj: superlativ av lang*) longest; (*av to*) longer; *jeg har vært her den -e tiden* my stay is drawing to a close; *sette det -e benet foran* put one's best foot forward; *hvem brukte* ~ *tid på det?* who took the longest time over it? **2** (*adv: superlativ av langt*) farthest, furthest; ~ *borte* farthest off; ~ *nede i* at the very bottom of; 3 (*adv: superlativ av lenge*) for the longest time; *den av dem som lever* ~ the (last) survivor; *for* ~ *a long time ago, long ago, long since; *vi er for* ~ *ferdige* we finished long ago; ~ *mulig* as long as possible.

lengt: *se lengsel*.

lengte (*vb*) long (*etter* for); ~ *etter å* long to.

I. **lenke** (*subst*) chain; (*til bena, fotjern*) fetter; *legge i* ~ *r* put in irons, fetter; *ta -ne av* unchain.

II. **lenke** (*vb*) chain, fetter; (*sammenlenke*) link.

lens (*tom*) clear, empty; ⚓ free (from water); ~ *for penger* T broke; *slå* ~ (*urinere*) T pump ship, have a leak; *øse* ~ bale out (*fx* b. out a boat).

lens|adel feudal nobility. **-besitter** tenant-in -tail.

I. **lense** *subst* (*tømmer-*) timber boom.

II. **lense** *vb* (*tømme*) clear, empty, free; (*øse lens*) bale out.

III. **lense** ⚓ (*vb*) run before the wind; (*i storm*) scud; ~ *for takkel og tau* run (*el.* scud) under bare poles.

lens|ed oath of fealty. **-herre** feudal overlord.

lensmann 1 *hist* (*vasall*) vassal; 2 (*kan gjengis*) (police) sergeant; (*glds*) sheriff.

lensmannsbetjent = country policeman.

lens|tid feudal age. **-vesen** feudalism.

leopard 🐾 leopard.

lepe (*vb*) dip (*fx* the dress dips); come down on one side.

lepje (*vb*) lap; ~ *i seg* lap up (*fx* the cat lapped up the milk); (*se slurpe*: ~ *i seg*).

leppe lip; *bite seg i -n* bite one's l.; *ikke et ord kom over hans -r* not a word passed his lips; *det skal ikke komme over mine -r* my lips are sealed; *være på alles -r* be on everybody's lips.

leppe|blomstret 🌺 labiate. **-lyd** labial. **-stift** lipstick.

lerke 🐦 lark; (*lomme-*) flask; *glad som en ~* gay as a lark; happy as a sandboy.

lerketre 🌲 larch tree.

lerret linen cloth; (*malers*) canvas; *det hvite ~* the screen; *et langt ~ å bleke* an endless task.

les|e (*vb*) read; *han satt og -te* he sat reading, he was reading; *jeg satt nettopp og -te* (*også*) I was in the middle of reading; *~ feil* make a mistake in reading; *~ for en* read to sby; *~ i en bok* read a book; *jeg kan ~ det i ansiktet ditt* I can read it in your face; *~ opp av en bok* read from a book; *~ til eksamen* read for one's examination; *det -es hardt nå* some hard work is going on now; *~ ut* finish.

lesebok reader; *~ i engelsk, engelsk ~* English reader.

lese|briller (*pl*) reading glasses. **-ferdighet** ability to read; reading proficiency; *oppøve -en både for morsmålets og fremmedspråkenes vedkommende* train in reading proficiency in both the mother tongue and foreign languages.

lesehest bookworm; (*som studerer flittig*) T swotter.

leseil ⚓ studding-sail, stunsail.

lesekrets circle of readers.

leselekser (*pl*) reading (*el.* learning) homework.

leselig legible; (*leseverdig*) readable, worth reading.

lese|lyst love of reading. **-måte** manner of reading. **-plan** course of study, syllabus; curriculum; (*se også pensum*). **-prøve** (*teater*) read-through.

leser reader. **-brev** letter to the editor, reader's letter. **-inne** reader.

lese|sal reading room. **-sirkel** reading circle. **-stoff** reading matter; *av ~ velger jeg helst faglitteratur og populærvitenskap, da særlig bøker om radio og romfart* my favourite r. m. is on technical subjects and popular science, particularly books on radio and space travel. **-stykker** (*pl*) selected passages. **-vaner** (*pl*) reading habits (*fx* the students are hampered by poor reading and study habits). **-verdig** readable, worth reading. **-værelse** reading room. **-øvelse** reading exercise.

lesiden ⚓ the lee side.

lesjon injury, lesion.

leske (*vb*) slake, quench; *~ kalk* slake lime.

leskedrikk refreshing drink, cooling drink; T thirst-quencher.

lesning reading.

lespe (*vb*) lisp. **lesping** lisping.

lesse (*vb*) load; *~ av* unload; *~ ned en mann med pakker* load a man (down) with parcels; *~ på* load; (*jvf laste*).

lesse|formann (*jernb*) supervisory foreman; (*som selv utfører manuelt arbeid*) working foreman. **-spor** loading siding.

lest (*subst*) last; *bli ved sin ~* stick to one's last.

letar|gi lethargy. **-gisk** lethargic(al).

lete *vb* (*søke*) search, look (*etter* for); *det vil du måtte ~ lenge etter* you'll take a long time to find that; *det skal en ~ lenge etter* (ɔ: *det finner man knapt*) you'll have a long search for that; you'll take a long time to find that; *etter å ha lett temmelig lenge fant han det* after a considerable (*el.* long) search he found it; *after searching for quite a long* (*el.* for a considerable) *time he found it*; *~ fram* hunt out (*el.* up); *~ høyt og lavt* hunt high and low.

letne (*vb*) lighten; (*om tåke*) clear away, lift.
I. lett *adj* (*mots. tung*) light; (*mots. vanskelig*) easy; (*ubetydelig, svak*) slight; (*hurtig, behendig*) nimble; (*om tobakk*) mild; *~ til bens* light-footed; *han ble ~ om hjertet* his heart grew light; *det ville gjøre saken -ere for oss* it would facilitate matters for us; *det er ~ å komme til X med fly* you can get to X quite easily by plane; *det er så ~ at jeg kunne gjøre det i søvne* I could do that with my eyes shut (*el.* standing on my head); *ruten* (ɔ: *stien*) *var forholdsvis ~, men svært bratt på sine*

steder the track was relatively easy going, but very steep in some places; (*se hjerte; tråd*).
II. lett (*adv*) lightly; easily, readily; slightly; *~ såret* slightly wounded; *blir ~ . . .* is apt to be . . .; *han har ~ for språk* languages come easy to him; *han har ~ for å glemme* he is apt to forget; *ta ~ på* handle leniently; *han skriver ~* he is a ready writer, he has a ready pen; *for å gjøre det -ere for våre engelske kunder* for the greater convenience of our English customers.

lett|antennelig combustible, inflammable. **-bedervelig** (*om varer*) perishable. **-bevegelig** easily moved, impulsive, impressionable; *han var ~ av natur* he was by nature easily moved.

lette *vb* (*gjøre mindre tung*) lighten, ease; (*gjøre mindre vanskelig*) facilitate; (*løfte*) lift; (*sin samvittighet*) disburden (*fx* one's conscience); (*om skip*) get under way; (*om tåke*) clear away, lift; *~ anker* weigh anchor; *~ sitt hjerte* (*for noe*) get sth off one's chest; (*se også hjerte & lettet*); *~ en* (*om tyv*) pick sby's pocket; *været -r* it's clearing up; the weather is improving; *~ på: se løfte på*.

lettelse lightening; facilitation; (*hjelp*) relief; (*trøst*) comfort; (*lindring*) alleviation; *med tydelig ~* with obvious relief; (*se også lettet*).

letter (*innbygger i Lettland*) Latvian.

lettet (*fig*) relieved, eased; *føle seg ~* feel relieved; *puste ~* heave a sigh of relief; (*se også lette*).

lett|fattelig easily understood, plain. **-fengelig** inflammable. **-ferdig** loose, of easy virtue (*fx* a woman of e. v.); *omgås ~ med* treat frivolously, not be too careful about (*fx* the truth). **-ferdighet** frivolity, frivolousness; loose morals, moral laxity. **-flytende** of low viscosity. **-fordøyelig** easy to digest, digestible, easily digested. **-fordøyelighet** digestibility. **-fotet** light-footed.

letthet lightness; (*mots. vanskelighet*) ease, facility; *med ~* easily, with ease; *med lekende ~* with effortless ease.

letthåndterlig easy to handle.

lettisk Latvian.

lettkjøpt cheap (*fx* a c. witticism).

Lettland (*geogr*) Latvia.

lett|lest easily read. **-livet** frivolous, irresponsible.

lettmatros ⚓ ordinary seaman.

lettsindig frivolous; rash, reckless; irresponsible.

lettsindighet frivolity, frivolousness; loose morals; rashness, recklessness; irresponsibility.

lettsinn thoughtlessness, irresponsibility, rashness.

lettstyrt (*om bil*) light on the steering (wheel); *den er svært ~* the steering is quite light; the wheel can be spun with the little finger.

lett|troende credulous, gullible. **-troenhet** credulity, gullibility. **-vekt** lightweight. **-vint** handy, practical; (*om metode*) ready; (*om person*) agile, nimble.

Levant|en (*geogr*) the Levant. **-iner** Levantine.
I. leve: *utbringe et ~ for en* call three cheers for sby.
II. leve (*vb*) live, be alive; *lenge ~ kongen!* long live the King! *~ av* live by (*fx* the work of one's pen); (*spise*) live on; *~ av sine penger* have a private income; *ingenting å ~ av* no means of subsistence; *en lønn som er hverken til å ~ eller dø av* a starvation wage; *~ for* live for; *~ i sus og dus: se I. sus; ~ i uvitenhet om* be ignorant of; *~ seg inn i et diktverk* get into the spirit of a writer's work; *han er i stand til å ~ seg inn i barnesjelen* he can get inside the mind of a child; he can put himself in the place of the child; *~ med i det som skjer* take an active interest in what is going on; *~ opp igjen* revive; *~ over evne* live beyond one's means; *~ på* live on; *~ på en stor fot* live in great style; *~ på en løgn* live a lie.

levealder age, duration of life.

levebrød means of livelihood, living; (*stilling*)

job; T bread-and-butter *(fx* so that's the way he earns his b.-and-b.).

levebrødspolitiker *(neds)* professional politician. **leve|dag:** *aldri i mine -er!* never in all my born days! **-dyktig** capable of living. **-dyktighet** vitality.

leveforhold living conditions; *dra ned for å sette seg inn i -ene på stedet* go there to study *(el.* to make a study of) local conditions.

levekostnad cost of living; *(se lønnsgradering).* **levekostnadsindeks** cost-of-living index.

leve|lyst enjoyment of life, zest for life. **-mann** man about town, fast liver. **-måte** mode of living.

leven *(støy, moro)* noise, uproar; *holde ~ skylark,* have fun; *holde ~ med* tease; *(leke støyende med)* romp *(el.* frolic) about *(el.* around) with; *(se syndig).*

levende living; *(i live)* alive; *(især foran dyrenavn)* live; *de ~* the living; *dyr som føder ~ unger* viviparous animal; *~ hat* intense hatred; *han er et ~ leksikon* he's a storehouse of information; *~ lys* candlelight; *ikke et ~ ord* not a (blessed) word; *~ varme* open fire; *~ ønske* strong desire. **levendegjøre** *(vb)* animate; *(legemliggjøre)* embody.

leveomkostninger cost of living; *(se lønnsgradering).*

lever liver; *snakke fritt fra -en* speak *(el.* talk) straight from the shoulder, speak one's mind.

leverandør supplier, contractor; *(av matvarer)* caterer; *(i stor målestokk)* purveyor; *~ til staten* government contractor(s).

leveranse delivery; supply; *(bestemt ved kontrakt)* contract; *vi har hatt (denne) -n i mange år* we have had this contract for many years; *overta ~ av* contract to supply, take the contract for, undertake the delivery of; *vi er avhengig av -r fra . . .* we are dependent on supplies *(el.* deliveries) from . . .

leveransedyktig able to deliver, able to supply goods as required.

levere *(vb)* hand over; give up *(fx* your ticket at the barrier); *(skaffe fram til kjøperen)* deliver, give *(el.* effect) delivery; *(om evnen til å levere, det å være leveringsdyktig)* supply *(fx* we can supply these hats in all sizes); *fritt levert London f.o.b.* London; delivered in L.; *~ innen avtalt tid* deliver within the agreed time *(el.* within the time agreed upon); *~ til Dem også* supply your needs also; *~ tilbake* return; *(om rettede skoleoppgaver)* hand back; *~ tilbake de rettede oppgavene* hand *(el.* give) the marked papers back. **leveregel** rule (of conduct), maxim.

levering delivery; supply; *prompte ~* prompt delivery; *sen ~* delay in delivery; *~ må finne sted den 5. januar* delivery is required on 5th January; *~ vil skje som avtalt* delivery will be made *(el.* effected) as agreed; *~ skjer etter nærmere ordre (varene leveres etter nærmere ordre)* goods are deliverable on call; *bestilling for ~ etter nærmere ordre* order for goods to be delivered on demand *(el.* call); order with provision for staggered deliveries; US make-and-take order.

leveringsbetingelser *(pl)* terms of delivery. **leveringsdag** day of delivery. **leveringsdato** delivery date. **leveringsdyktig** able to deliver, able to supply goods as required. **-het** ability to deliver (the goods), ability to supply goods as required.

leverings|frist, -tid delivery date; final date *(el.* deadline) for delivery; time of delivery; *den -frist De ber om, er nokså kort, og vi håper De kan forlenge den med f.eks.* to uker the delivery date you ask for is rather short and we hope you can extend this, say by two weeks; *vi må beregne to måneders -tid* we must allow for two months' delivery date; we must allow for two months' delivery *(el.* for two months to deliver); *få varene til fastsatt -tid* receive the goods within the time stipulated for delivery; *overholde -fristen* observe the t. of d., deliver on time, deliver at the appointed time; *vi må ha lengre -tid*

we must have *(el.* allow) more time for delivery, we must have longer for delivery, we require more time to deliver *(el.* effect deliveries).

lever|postei liver paste. **-pølse** liver sausage. **-tran** cod-liver oil.

leve|sett mode of living. **-standard** standard of living, living standard; *redusere -en* bring down the s. of living.

leve|tid lifetime; *lang ~* long life, longevity. **-vei** business; career. **-vis** mode of living. **-år** years (of one's life).

levitt *(bibl)* Levite.

levkøy ♣ stock.

levne *(vb)* leave; *han -t ingenting til meg* he left nothing for me.

levnet life.

levnets|beskrivelse life, biography; *(som ledsager søknad)* personal history *(el.* data), curriculum vitae. **-løp** career. **-midler** *(pl)* victuals, provisions.

levning remnant; *-er (av mat)* left-overs; *jordiske -er* mortal remains; *-er fra oldtiden* ancient remains, relics of antiquity.

levre *(vb)* coagulate, clot.

levret clotted *(fx* blood).

lev vel farewell, good-bye.

I. li *(subst)* (wooded, grassy) mountain side.

II. li *vi (om tid)* wear on; *det lakker og -r* it's getting late, time is getting on; *det led utpå dagen* the day wore on.

III. li *vt & vi: se* lide.

lian ♣ liane, liana.

liberal liberal; *de -e* the Liberals. **-isme** liberalism. **-itet** liberality; generosity.

libertiner libertine.

liddelig T awfully.

lidderlig: *se* liderlig.

lide *vb (gjennomgå)* suffer, endure; *~ et tap* suffer *(el.* sustain) a loss; *~ av* suffer from; *man må ~ for skjønnheten* pride must bear pain.

lidelse suffering.

lidelsesfelle fellow-sufferer; *vi er -r* we are (all) in the same boat.

lidelseshistorie tale of one's sufferings; *Kristi ~* the Passion.

lidenskap passion.

lidenskapelig passionate, impassioned; enthusiastic. **-het** passion.

lidenskapsløs dispassionate.

liderlig lewd, lecherous. **-het** lewdness, lechery.

liebhaber collector, fancier; *(jvf* interessent).

liflig delicious.

liga league.

ligge *(vb)* lie; *(om høne)* sit; *(om by, hus, etc)* stand, lie, be situated; *~ og dra seg* laze in bed; *~ og hvile* be lying down, be resting; *han -r og hviler akkurat nå* he is lying down (for a rest) just now; he is having a rest just now; *la ~* leave *(fx* I left the book on the table), let lie; *som forholdene nå -r an* as matters now stand; in the present state of things; under existing conditions; *på boligsektoren -r vi godt an i forhold til kommuner det vil være naturlig å sammenligne oss med* in the housing sector we compare (very) favourably with local authorities in a comparable position; *~ bak (fig)* underlie *(fx* the idea underlying the poem); *det -r ikke for ham* it is not his strong point; *lønningene kommer derved til å bli -nde etter i kappløpet med prisene* this causes a time lag between the rise in prices and wages; *~ foran (sport)* lead; *makten -r hos* the power lies with; *skylden -r hos ham* the fault is his; it is he who is to blame; *det lå i luften* it was in the air; *jeg forstår ikke hva som -r i den bemerkningen* I don't understand the implication of that remark; *jeg vet ikke hva som -r i det ordet* I don't know what that word implies; *deri -r at* this implies that; the implication is that . . .; *det kan ~ så meget i et smil* a smile can convey so much; *~ i sengen* be in bed; *~ inne med* hold, have (on hand); *~ innerst (,ytterst) (i en seng)* lie *(el.* sleep) on

the inside (,outside); *jeg vil helst* ~ *helt innerst* I'd rather sleep right on the inside; ~ **lenge** *om morgenen* lie in bed till late in the morning; lie (*el.* stay) in bed late; ~ **med** (*ha samleie med*) sleep with, have intercourse with; *det -r* **nær** *å anta* it seems probable; ~ **på** (*om skihopper*): *han -r godt på* he has a good vorlage; *bilen -r godt på veien* the car holds the road well, the car has good roadholding; ~ **stille** lie still, be quiet; ~ **syk** be ill in bed; *det -r til familien* it runs in the family; *de lokale forhold -r til rette for en slik ordning* local conditions lend themselves to such an arrangement; ~ **tilbake** (*være tilbakeliggende*) (*fig*) be in a backward state; (*se underutviklet*); ~ **under** *for* (*en last*) be addicted to; (*falle for*) succumb to, yield to (*fx* a temptation); *det -r noe under* there is sth at the bottom of this (,it); *ligg* **unna** *ham!* S get off him! *huset -r* **ved** *elva* the house stands by (*el.* on) the river; (*se også liggende & søvnløs*).
ligge|dag (*om skip*) lay day. **-dagspenger** demurrage. **-høne** sitting hen, brood hen, brooder.
liggende: *bli* ~ stay (where one is), remain (lying); *snøen blir aldri* ~ the snow never stays; *han falt og ble* ~ he fell and did not rise again; *de flaskene som ble* ~ *etter dem* the bottles left by them; *dette silkestykket var blitt* ~ *igjen i kassen* this piece of silk had been left (lying) in the case; *ha noe* ~ have sth (in one's possession); *du må ikke ha den slags bøker* ~ you must not leave that kind of book (lying) about; *jeg har et dresstoff* ~ I have a suit-length stored (*el.* put) away; I have a s.-l. somewhere in the house; (*se også ligge*).
liggestol deck chair, folding sunbed.
ligne (*vb*) resemble, be like; look like; (*slekte på*) take after; (*om skatter*) assess; *portrettet -r ikke* the portrait is not a good likeness; *det -r ham!* that's just like him! that's him all over! *det kunne* ~ *ham å* he is very likely to; *det -r ingenting* it is too bad, it is absurd (*el.* unheard of); *dette -r ingenting* (*ɔ: er ubrukelig, etc*) this is impossible.
lignelse (*parabel*) parable; (*tankeuttrykk*) metaphor, simile.
lignende similar, like; *noe* ~ sth of the sort, sth like that.
ligning (*av skatt*) assessment; (*mat.*) equation.
lignings|direktør = *-sjef.*
ligningsfunksjonær (*i England*) Inland Revenue officer; US tax adjuster.
ligningskontor tax office; (*i England*) (local *el.* district) office of the Inspector of Taxes.
ligningsmyndighetene the taxation (*el.* taxing) authorities; (*i England*) the Inland Revenue.
ligningsnemnd (*kan gjengis*) assessment board.
ligningssjef = Inspector of Taxes.
liguster ♣ privet.
I. lik (*subst*) corpse, dead body; *blek som et* ~ deathly pale, (as) white as a sheet; *partiet seiler med* ~ *i lasten* there's a lot of deadwood in the party; the p. is carrying a lot of dead weight; *over mitt* ~! over my dead body!
II. lik ⚓ bolt rope, leech.
III. lik 1 (*adj*) like; *nøyaktig* ~ exactly like; identical; (*lignende*) similar; (*om størrelser*) equal (to); *hans innflytelse er* ~ *null* his influence is nil; *det er akkurat -t mannfolk!* that's men all over! *han er seg selv* ~ that's him all over! how like him! *nei, var det -t seg!* of course not! no indeed! *2 + 2* = *4* 2 plus 2 are (*el.* equals) 4; *dette mønstret er svært -t det bestilte* this pattern is very like the one ordered; *-t og ulikt* a bit of everything; ~ *lønn for likt arbeid* equal pay for equal work; *konkurrere under* ~ *vilkår* compete on equal terms; *under ellers* ~ *forhold* other things being equal; **2** (*adv*): *behandle -t* treat in the same way; *dele -t* share alike (*el.* equally), share and share alike; (*se II. like; IV. like & likere*).
lik|blek white as a sheet. **-brenning** cremation. **-bærer** pall bearer. **-båre** bier.
I. like (*subst*) match; (*se -mann*); *De og Deres* ~ you and people like you, you and your like;

T you and the likes of you; *uten* ~ unparalleled, unique, beyond (*el.* without) compare; *det fins ikke hans* ~ he is unrivalled; there is nobody to touch him; ~ *for* ~ tit for tat; fair is fair; measure for measure; *gi* ~ *for* ~ give as good as one gets; *med en frekkhet uten* ~ with unparalleled impudence; (*se uforskammethet:* ~ *uten like*).
II. like (*subst*): *holde ved* ~ keep in repair, maintain; (*se vedlikehold & vedlikeholde*).
III. like (*adj*) equal; (*mat.*) even (*fx* an e. number); *stå på* ~ *fot med* be on an equal footing with; ~ *og ulike tall* even and odd numbers; (*se III. lik*).
IV. like (*adv*) straight; (*i like grad*) equally; (*nøyaktig*) just, exactly; *gikk* ~ *bort til ham* went straight up to him; *han kom* ~ (*ɔ: helt*) *bort til meg* he came close up to me; ~ *etter* immediately after; ~ *for nesen på ham* under his very nose; ~ *fra* (*om stedet*) straight from; ~ *fullt* all the same, still, even so; nevertheless; ~ *før* immediately before; *de var* ~ *gale* they were equally mad; ~ *galt* (*som noensinne*) as bad as ever; ~ *gamle* of the same age; *jeg er* ~ *glad* it's all the same to me; I don't care; *en* ~ *god kvalitet* an equally good quality; just as good a q.; *se en* ~ *i ansiktet* look sby full in the face; ~ *lite* just as little; *i* ~ *høy grad* equally, in an equal degree; ~ *meget* just as much, the same quantity; ~ *meget som* as much as; ~ *ned* straight down; ~ *opp* straight up; ~ *overfor* right opposite (to), facing; (*fig*) in the presence of, in the face of, in view of; *stå* ~ *overfor hverandre* face each other; ~ *på nippen til å...* on the very point of (-ing); ~ *siden* ever since; ~ *stor* of the same size; *to* ~ *store deler* two equal parts; ~ *til London* all the way to London; ~ *under* right under; ~ *ved* close by, near by; ~ *ved banken* just by (*el.* beside) the bank; close by (*el.* to) the b.; ~ *ved stasjonen* close to the station, near the s.; *vi er* ~ *ved stasjonen* we are quite close to the station.
V. like (*vb*) like; *ikke* ~ dislike; not like, not care for, hate; *jeg -r ikke å måtte ...* I dislike having to; *han -r seg ikke* he does not feel comfortable (*el.* happy); *jeg -r å danse* I enjoy dancing; *han likte det godt* he very much liked it; *he liked it quite well; *han likte det ganske godt* he rather liked it; *han likte svaret så godt at...* he liked the answer so much that; *jeg -r pærer bedre* I like pears better; I prefer pears; *det bildet -r jeg bedre og bedre* that picture grows on me; *jeg -r at folk sier sannheten* I like people to tell the truth; *det kan jeg* ~! that's the spirit! *jeg -r meg her* I like it here; *jeg -r meg her i England* (*også*) I am enjoying myself here in England; *jeg -r meg ikke riktig i dag* I don't feel quite well today.
like|artet homogeneous. **-artethet** homogeneity. **like|bent** (*mat.*) isosceles. **-berettigelse** equal right, equality of rights. **-berettiget:** *være* ~ have an equal right (*el.* e. rights). **-dan** (*adv*) in the same manner; similarly. **-dannet** uniform; (*mat.*) similar. **-dannethet** uniformity; similarity.
likefrem *adj* (*direkte*) direct; (*liketil*) straightforward; (*åpenhjertet*) outspoken; (*oppriktig*) candid; (*formelig*) downright, simple; (*adv*) downright; simply; (*uten omsvøp*) straight out, roundly; bluntly, flatly, point-blank, outright.
likefremhet simplicity, straightforwardness.
like fullt all the same, still, even so; nevertheless.
likeglad happy-go-lucky; (*likegyldig*) indifferent; *jeg er* ~ I don't care; it's all the same to me; *jeg er* ~ *med hva du gjør* I don't care what you do.
likegyldig indifferent; unconcerned; careless; thoughtless; of no consequence.
likegyldighet indifference, unconcern; *disregard* (*for, of, concerning*).
likeledes (*adv*) likewise; in the same way; also, as well; (*dessuten*) moreover, in addition.

likelig (*adj*) equal, even; (*adv*) proportionally, in equal proportions, equally, evenly.
like|lydende 1. homophonic; 2. identical; *en* ~ *postering* a corresponding entry; *bokføre* ~ *book* in conformity. **-løpende** parallel. **-mann** equal, match (*fx* he has met his m.).
likere (*dial* = *bedre*): *ikke stort* ~ not much better.
likeretter (*elekt*) rectifier.
likesidet equilateral.
likesinnet similarly disposed, like-minded.
likestilling equality of status.
likestilt equal.
likestrøm (*elekt*) direct current (*fk*. D.C.).
likeså (*adv*) likewise, the same; (*ved adj*) as, equally; ~ ... *som* as ... as; ~ *lite* as little; ~ *gjerne* just as well.
liketil 1. easy, simple; 2: *se likefrem*.
likevekt equilibrium, balance; *bringe ut av* ~ throw out of balance; *gjenopprette -en* (*fig*) restore balance; *holde i* ~ keep in equipoise; *miste -en* lose one's balance.
likevektslære statics.
likevektspunkt point of equilibrium.
likevel still, yet, notwithstanding, nevertheless, for all that, all the same.
lik|ferd funeral. **-følge** funeral procession.
likgift ptomaine.
likhet likeness, resemblance, similarity; (*i rettigheter*) equality; (*overensstemmelse*) conformity; *i* ~ *med* like, in conformity with.
likhets|punkt point of resemblance. **-tegn** sign of equation; *sette* ~ *mellom* consider equal, equate (*fx* they tend to e. 'good' with 'European').
lik|hus mortuary. **-kiste** coffin; T long box. **-kjeller** (*på hospital*) mortuary. **-klær** grave clothes. **-laken** winding sheet, shroud.
likne (*vb*): *se ligne*.
lik|røver grave robber. **-skjorte** shroud. **-skue** inquest.
liksom (*lik*) like; (*som om*) as if; (*så å si*) as it were; *det var* ~ *jeg hørte noe* I seemed to hear sth; (*i noen grad*) somewhat, a little; T sort of (*fx* he sort of hinted that I was unwelcome); US kind of; (*se rar*).
lik|strå: *ligge på* ~ lie dead, be laid out. **-svøp** shroud, winding sheet.
likså: *se likeså*.
liktorn corn.
I. **likvid** *subst* (*fon*) liquid.
II. **likvid** (*adj*) liquid; *-e midler* liquid resources.
likvidasjon liquidation.
likvidere (*vb*) wind up, liquidate; (*drepe*) liquidate.
likvidering liquidation.
likvogn hearse.
likør liqueur; *konjakk-* liqueur brandy.
lilje ❀ lily.
liljekonvall ❀ lily of the valley.
lilla lilac, mauve.
lille: *se liten*; *den* ~ baby (*fx* b. is crying).
Lilleasia (*geogr*) Asia Minor.
lillefinger little finger; *hun snor ham om -en sin* she twists him round her little finger.
Lilleputt Lilliput.
lilleslem ♣ little slam.
lillesøster (*kjælenavn*) little sister, younger sister; T (*ofte*) baby.
lilleviser hour hand, little (*el*. short) hand.
lim glue.
limbånd adhesive tape.
lime (*vb*) glue.
limfarge distemper, colour wash.
liming gluing; *gå opp i -en* come unstuck; *fall* to pieces.
limonade lemonade.
limpinne: *gå på -n* swallow the bait; be taken in; T be led up the garden (path), be sold a pup; be (properly) had, be done brown; *de fikk ham til å gå på -n* (*også*) they played him for a sucker.

limpotte glue pot.
lin flax.
lind ❀ lime; (*især poet*) linden.
lindeblomst ❀ lime blossom.
lindete lime-blossom tea.
lindre (*vb*) relieve, alleviate, ease, assuage.
lindring relief, alleviation.
line line; (*til fiske*) longline; *løpe -n ut* go the whole hog; *la ham løpe -n ut* give him enough rope (to hang himself); *på slapp* ~ on the slack rope.
line|dans tightrope walking. **-danser** tightrope walker.
linerle 🐦 wagtail.
lin|farget flaxen. **-frø** flaxseed, linseed.
linjal ruler.
linje line; (*biapparat*) extension; (*i skole*) side; (*jernb*) line, track; (*buss-*) line; *kan jeg få en* ~ (*ut*)? (*tlf*) can I have a(n outside) line, please? *på* ~ *med* (*fig*) on a level with; *stille på* ~ *med* (*fig*) place on the same footing as; treat on a par with; *over hele -n* all along the line, all round; all (the way) through, the whole way; *de hadde hell med seg over hele -n* they were successful all the way (*el.* from start to finish); they were successful all along the line; they had uninterrupted success; *prikket* ~ dotted line; *rene -r* (*i en sak*) a clear-cut issue; *vi må ha rene -r* (*også*) we cannot have any compromises; *stiplet* ~ dot-and-dash line; *når disse -r skrives* at the time of writing; US at this writing; *still opp på to -r!* ✂ form two deep! *trekke en* ~ draw a line; *etter de -r som ble trukket opp* along the lines mapped out.
linjearbeider (*jernb*) lineman.
linje|avstand (line) spacing; *skrevet med enkel* (*,dobbel*) ~ typed in single-spacing (*,double* -spacing). **-brudd** disconnection; (*tlf, etc*) line break; *det var* ~ (*tlf*) the wires were down. **-båt** liner.
linjedeling (*i skole*) division into sides (*fx* the junior forms at grammar school are not divided into sides; this only takes place in the senior school).
linje|dommer (*fotb*) linesman. **-ettersyn** (*jernb*) permanent way inspection, line (*el.* track) inspection. **-fart** regular trade, liner trade. **-kapasitet** (*jernb*) density of a line, traffic turnover on a line. **-nett** rail network, (rail) system; *Norges Statsbaners* ~ the Norwegian State Railway system.
linjere (*vb*) line, rule.
linjeskip ⚓ ship of the line.
linklede linen cloth.
linn (*adj*) soft, mild, gentle.
linne: *se linnvær*.
linnea ❀ twinflower.
linnet linen. **-skap** linen cupboard.
linning (*på bukse, skjørt*) waistband, band; (*skjorte-*) neckband.
linn|saltet slightly salted. **-vær** thaw; mild weather.
linoleum linoleum; T lino.
linolje linseed oil.
linse 1 (*slags belgfrukt*) lentil; 2 (*glass-*) lens; 3 [small round cake of sweet short pastry with custard filling]; (*kan gjengis*) custard tart.
lintøy linen.
I. **lire** (*italiensk mynt*) lira.
II. **lire** (*vb*): ~ *av seg* reel off (*fx* sth one has learnt by heart).
lirekasse barrel organ, street organ; *spille på* ~ grind an organ.
lirekassemann organ grinder.
lirke (*vb*) wriggle, worm; ~ *med* cajole, coax; ~ *seg inn* i worm one's way into; ~ *nøkkelen inn i låsen* coax the key into the lock; ~ *seg ut av* wriggle out of.
Lisboa (*geogr*) Lisbon.
lisens licence; US license; *import-* import l.; *forlenge en* ~ extend a l.; *søke* ~ apply for a l.

lisensavgift licence fee; (*av patent*) royalty.
lisse lace, string; (*se krok- & sko-*).
I. list (*lurhet*) cunning, stratagem, ruse; *bruke ~ employ a stratagem* (*el.* a ruse); *med ~ og lempe cautiously*; (*på den ene eller den annen måte*) by hook or by crook.
II. list (*av tre*) list; (*profil-*) moulding; (*ramme-*) picture-frame moulding; (*gulv-*) skirting (board); (*på høydestativ*) bar.
I. list|e list; *sette seg på en ~* put one's name down (*for å få noe* for sth); *stå på ~* have one's name down (*for å få noe* for, *fx* he has his name down for a council house); *stå først på -a* head the list, be at the top of the list.
II. liste (*vb*) move gently, walk softly (*el.* stealthily), steal; *~ seg bort* slip (*el.* steal) away; *~ seg bakpå en* sneak up behind sby.
liste|bærer [person who hands out ballot papers for a political party outside polling station]. **-forbund** electoral pact (*fx* the two parties have entered into an e. p. (*el.* agreement)). **-fører** polling clerk; US poll clerk.
listig cunning, sly, wily.
listighet cunning, slyness.
I. lit trust, confidence; *feste ~ til* credit (*fx* there is no reason to c. this rumour), place confidence in; *sette sin ~ til* pin one's faith on, put one's trust in.
II. lit: *i siste -en* at the last moment, at the eleventh hour; in the nick of time; *vente til siste -en* put it off till the last moment.
lit-de-parade: *ligge på ~* lie in state.
litani litany.
Litau|en (*geogr*) Lithuania. **l-er, l-isk** Lithuanian.
lite (*vb*): *~ på* (*stole på*) trust, depend on, rely on; (*se stole på*).
lite(n) little, small; *lite eller ingenting* little or nothing, next to nothing; *liten glede* small joy; *en liten forskjell* a slight difference; *de har lite kapital* they have little capital; *en penny for lite* a penny short; *det skal lite til for å . . .* it would take very little to . . .; *det er litt lite* it's a bit (too) little; it's rather little; *likeså lite som* (*om graden*) no more than; (*se litt*).
litenhet littleness, smallness.
liter litre (= 1.76 pints); US liter; (*svarer i praksis til*) quart (= 1.136 l; US: 0.946 l).
lito|graf lithographer. **-grafere** (*vb*) lithograph. **-grafi** lithography. **-grafisk** lithographic(al).
litt a little; some; *~ bedre* a little better, slightly better; *~ billigere* slightly (*el.* a little) cheaper; *~ for kort* rather (*el.* a little too) short; *~ etter ~* little by little, gradually, by degrees; *om ~* shortly, presently; *det var ~ om handlingen i stykket* so much for the plot of the play.
littera (*i poststempel*) code letter.
litterat literary man, man of letters.
litteratur literature. **-anmelder** literary critic; *~ i a l. c. of* (*el.* on el. attached to). **-historie** literary history. **-historiker** literary historian. **-historisk** of the history of literature; (*kan ofte gjengis*) historical, critical.
litterær literary.
liturgi liturgy. **-sk** liturgic.
liv life; *-et* life; (*kjoleliv*) bodice; (*midje*) waist; (*virksomhet*) activity; (*livlighet*) gaiety, spirit, animation, go, stir; *~ og røre* hustle and bustle (*fx* of city, harbour, *etc*), goings-on (*fx* at a party); *så lenge det er ~*, *er det håp* while there's life, there's hope; *det var ikke noe ~ der* T there was nothing doing there; *i -e* alive (*fx* keep sby a., be a.); *i levende -e* in his (*,etc*) lifetime; *bringe ~ i* put (*el.* infuse) life into, give life to; *bringe litt ~ i leiren* (*fig*) stir things up a bit; liven the place (*,the company*) up a bit; *komme inn på -et av et problem* come to grips with a problem; *greie å komme en inn på -et* (*ɔ: få kontakt med*) contrive to make contact with sby; *med ~ og sjel* (with) heart and soul; wholeheartedly; *. . . og arbeidet gikk med ~ og lyst . . .* and the work went with

a swing; *han svever mellom ~ og død* his life hangs by a tread; *kamp på ~ og død* a mortal combat; *ta -et av* put to death; *ta -et av seg* take one's own life; commit suicide, do away with oneself; *du tar -et av meg* (*spøkef*) you will be the death of me; *ta en om -et* put one's arm round sby's waist; *sette en plan ut i -et* realize (*el.* execute) a plan, carry a plan into effect (*el.* into execution); *holde seg en fra -et* keep sby at arm's length; *kalle til -e* call into existence; *komme til -e igjen* come to life again, revive; *sette til -s* put away (*fx* an enormous amount of food); (*takk*,) *det står til ~!* (*spøkef*) I'll survive! I'm surviving! *ville en til -s* T have one's knife into sby; have it in for sby; *det praktiske ~* practical life; *-et i en storby* life in a city, city life, the activity of a large town; *det pulserende ~ i en storby* the throbbing life of a city; *-et utendørs* outdoor activities.
livaktig lifelike, vivid.
liv|aktighet lifelikeness, vividness. **-belte** life belt.
livberge (*vb*): *~ seg* keep body and soul together, manage to keep alive.
liv|bøye life buoy. **-bånd** sash. **-båt** lifeboat.
live (*vb*): *~ opp* cheer (up); T perk up.
livegen 1 (*subst*) serf; 2 (*adj*) adscript.
livegenskap serfdom.
livende: *~ redd* in mortal fear, scared to death.
liv|full animated, lively. **-garde** life guard. **-gardist** life guardsman. **-givende** life-giving, fertilizing (*fx* the l.-g. (*el.* f.) power of the rain). **-gjord** girdle.
livkjole dresscoat, tails.
livlege physician-in-ordinary, private physician.
livlig lively, vivacious, animated, spirited; (*også merk*) brisk; (*travel*) brisk, busy; (*beferdet*) busy.
livlighet liveliness, vivacity, animation.
livløs lifeless, inanimate. **-het** lifelessness.
livmor (*anat*) womb, uterus; *nedfallen ~* prolapse (*el.* prolapsus) of the womb.
livmor|hals servix (*el.* neck) of the womb. **-munn** mouth (*el.* orifice) of the uterus, os uteri. **-morutskrapning** uterine curettage; *man foretok ~ på henne* she was curetted.
livne (*vb*): *~ opp* revive; cheer up.
livnære (*vb*) keep alive; *~ seg* subsist.
livré livery.
livredd T scared stiff, in a funk.
livredning life saving.
livrem belt; *spenne inn -men* (*også fig*) tighten one's belt.
livrente annuity.
livrett favourite (,US: favorite) dish.
livsalig blessed, blissful.
livs|anskuelse view of life, attitude towards life. **-arving** heir (of the body), issue; *-er* (*pl*) issue. **-betingelse** vital necessity, sine qua non. **-eliksir** elixir of life. **-erfaring** experience (in life). **-fange** life prisoner; T lifer. **-fare** mortal danger. **-farlig** perilous; highly (*el.* mortally) dangerous. **-fjern** remote. **-fornødenhet** necessity of life.
livsforsikring life insurance, (life) assurance. **livsforsikrings|agent** life assurance agent. **-selskap** l. a. company.
livs|førsel life, conduct of life. **-glad** light-hearted, happy, cheerful. **-glede** joy of life. **-historie** history of one's life. **-holdning** attitude towards life. **-kilde** source of life. **-kraft** vitality. **-kraftig** vigorous. **-lede** spleen, depression, ennui. **-ledsager, -ledsagerinne** life partner. **-lyst** joy of life, happiness.
livsoppgave business (*el.* mission) in life.
livsopphold subsistence.
livssitil way of life; *afrikanernes ~ og tenkesett er i støpeskjeen* the Africans' way of life and thinking are in the melting pot.
livs|stilling position in life, profession, walk of life. **-tegn** sign of life. **-tid** lifetime; *på ~ for* life. **-tre** tree of life. **-trett** weary of life, world-weary. **-tretthet:** *se -lede*. **-tråd** thread of life.

livstykke (*på kjole*) bodice.
livsvarig for life; ~ *fengsel* imprisonment for life; US life imprisonment.
livsverk lifework.
livsytring manifestation of life.
livtak wrestling; *ta* ~ wrestle.
livvakt bodyguard.
livvidde waist measurement.
ljom echo. **ljome** (*vb*) resound, ring, echo.
ljore (*ljorehull*) smoke vent.
ljå scythe; *mannen med -en* the old man with the scythe, Old Man Time, The Grim Reaper.
I. lo (*på tøy*) nap; (*grov*) shag; (*på gulvteppe, etc*) pile; *-en var slitt av* the pile was worn off; *sjalet hadde slik deilig* ~ the shawl was so beautifully fluffy; (*se også loe* & *loet*).
II. lo (*utresket korn*) unthreshed grain.
loco (*merk*) on the spot, spot.
I. lodd (*skjebne*) lot, fate, destiny; *falle i ens* ~ fall to the lot of sby, fall to sby's lot; *det falt i min* ~ *å... (også*) it was my fate to; *en tung* ~ a hard lot (*el.* fate).
II. lodd (*del*) share, portion; (*i lotteri*) lot; lottery ticket; *kjøpe et* ~ buy a (lottery) ticket; *det store* ~ the big prize; *ta* ~ *på noe (ved utlodning)* buy a raffle ticket for sth; *trekke* ~ *om* draw lots for; (*ofte* =) toss (up) for; *vinne det store* ~ win the big money (*el.* prize); *når jeg vinner det store* ~ (*spøkef*) when I come into the money; *når my ship comes home*; *han har vunnet det store* ~ his ship has come home; *uttrukne -er* drawn lottery tickets.
III. lodd (*vekt-*) weight; (*loddemetall*) solder; ⚓ lead; *metall- i snor* plumb bob; *bruke -et* ⚓ sound, use the lead; *-et er kastet* the die is cast; *hive -et* ⚓ heave the lead; *i* ~ (*loddrett*) plumb; *ute av* ~ out of plumb.
I. lodde (*fisk*) capelin.
II. lodde *vb* (*måle havdybde*) sound; (*fig*) fathom, plumb; (*en vegg*) plumb; (*med loddemetall*) solder.
III. lodde (*vb*): ~ *ut* raffle; US raffle off; ~ *ut en dukke* raffle a doll.
loddelampe soldering lamp.
lodden shaggy; (*dunet*) downy; (*ullen*) woolly; (*håret*) hairy. **-het** shagginess; hairiness.
lodding (*av metall*) soldering; (*peiling*) sounding.
loddkast cast of the lead.
lodd|line ⚓ leadline. **-linje** plumb line.
loddrett perpendicular, vertical.
loddretthet perpendicularity, verticalness.
loddseddel lottery ticket; (*ved utlodning*) raffle ticket.
loddskudd ⚓ cast of the lead; (*dybdemåling*) sounding.
loddtrekning drawing lots; (*på basar*) raffle; *valgt ved* ~ *før kampen* chosen by d. l. before the game; *som takk for hjelpen blir De med i en* ~ *om...* as a token of our gratitude for your help we are including you in a raffle for ...
loe (*vb*) 1. give off fluff, leave a fluff; 2. pick up fluff (*fx* this coat is awful for picking up fluff); ~ *av: se loe 1.*
loet (*om tøy*) nappy, with a nap; (*om vevet stoff*) with a pile; (*med lang 'pile'*) shaggy; (*som har fått lo på seg*) fluffy; (*se loe*).
loff (*subst*): *en* ~ a loaf of white bread, a white loaf.
loffe (*vb*) ⚓ luff; (*drive omkring*) T bum, loaf around.
loft loft; attic.
lofts|bod storeroom, storage room, box room, lumber room. **-etasje** attic storey. **-luke** trapdoor (in a loft). **-rydding** turning out the attic, clearing up in the attic.
logaritme logarithm. **-tabell** table of logarithms.
logg ⚓ log.
loggbok ⚓ logbook, (ship's) log.
logge ⚓ heave the log.
logg|line ⚓ log line. **-rull** log reel.
logiker logician.
logikk logic; *en brist i hans* ~ a fault in his logic.

logisk logical; *en* ~ *brist i argumentasjonen* a lack of logic in the argument, faulty logic in the a.
logn *se lun.*
logre (*vb*) wag one's tail; ~ *for en (fig)* fawn on sby.
lojal loyal. **-itet** loyalty.
lok (*fagl*) = *lokomotiv.*
lokal local; *de -e forhold* local conditions; (*se leveforhold*).
lokal|administrasjon local government administration. **-bedøve** (*vb*) apply a local anaesthetic (to); *bli -t* have a l. anaesthetic; ~ *en tann* freeze a tooth.
lokale(r) premises (*fx* business (,office, shop) premises); (*forsamlings-*) assembly room (*el.* hall); (*i England ofte*) village hall.
lokali|sere (*vb*) localize. **-tet** locality.
lokal|kjennskap knowledge of local conditions (*el.* things), local knowledge. **-kjent** acquainted with the locality. **-patriot** local patriot. **-patriotisk** localistic, of local patriotism. **-patriotisme** local patriotism, regionalism, localism; (*neds*) parochialism. **-strekning:** *se lokaltog.*
lokaltog local train, suburban train; *det skal settes inn flere tog på lokalstrekningen X-Y* more local trains are to be run on the X-Y service.
lokaltrafikk local traffic.
I. lokk (*på gryte, eske, etc*) cover, lid.
II. lokk (*hår-*) lock; curl, ringlet.
III. lokk (*ku-*) call, cattle call.
I. lokke (*vb*): ~ *seg* (*om hår*) curl.
II. lokke (*vb*) allure, lure, entice, tempt, seduce; (*om fugl*) call; ~ *fram* elicit; ~ *noe fra en* coax sby out of sth; *jeg fikk -t ut av ham at* I wormed out of him that.
III. lokke *vb* (*bore hull*) punch.
lokke|due, **-fugl** decoy, stool pigeon.
lokkemat bait.
lokket curly.
lokomotiv locomotive, (railway) engine. **-formann** (*jernb*) running foreman. **-fører** (*jernb*) engine driver; US (locomotive) engineer; (*på elekt tog*) motorman. **-inspektør** (*jernb*) district running and maintenance engineer. **-mester** (*jernb*) shed master. **-personale** (*jernb*) footplate staff. **-stall** engine shed; (*ringstall*) roundhouse; (*med reparasjonsmuligheter*) motive power depot. **-stallbetjent** engine cleaner; (*vognvisitør*) carriage and wagon examiner; US car inspector. **-stallformann** shed chargeman.
lom ♫ (*små-*) red-throated diver; US loon; (*stor-*) black-throated d.; US arctic loon; (*is-*) great northern diver; US common loon.
lombard Lombard. **Lombardi** (*geogr*) Lombardy.
lomm|e pocket; *putte i -a* pocket; *ha penger i -a* be flush.
lomme|bok wallet, note case; US billfold, wallet. **-format** pocket size. **-kniv** pocket knife. **-lykt** (electric) torch; (*især* US) flashlight. **-ordbok** pocket dictionary. **-penger** (*pl*) pocket money, spending money; *gode* ~ adequate (*el.* plenty of) p. m.; a good spending allowance. **-rusk** pocket fluff. **-tyv** pickpocket. **-tyveri** pocket-picking; *begå* ~ pick pockets; pick a pocket. **-tørkle** handkerchief. **-ur** (pocket) watch.
lomvi ♫ common guillemot.
I. loppe ♫ flea.
II. loppe (*vb*): ~ *seg* rid oneself of fleas; US deflea oneself; ~ *ham (for alt hva han har)* (*fig*) fleece him.
loppe|bitt fleabite. **-jakt** flea hunting. **-kasse** T bed, fleabag. **-marked** flea market, jumble market. **-stikk** fleabite.
lorgnett pincenez; (*stang-*) lorgnette.
lort turd; (*smuss*) dirt, filth.
I. los (*jaktuttr.*) baying.
II. los pilot.
II. los pilot. **-avgift** pilotage. **-båt** pilot boat.
lose (*vb*) pilot.
los|fisk pilot fish. **-flagg** pilot flag.
losje (*i teater*) box; (*frimurer-*) lodge. **-plass** box seat. **-rad:** *første* ~ dress circle; *annen* ~ upper circle.

losjere (*vb*) lodge. **-nde** lodger.
losji lodging, lodgings.
loslitt threadbare.
losoldermann pilot master.
loss ⚓ loose; *kaste* ~ cast off.
losse (*vb*) discharge, unload; *-t kvantum* out-turn.
losse|bom derrick. **-dager** (*pl*) discharging days.
lossegjeng unloading team.
losse|plass place of discharge; (*brygge*) discharging berth. **-pram** lighter. **-rampe** (*jernb*) unloading platform. **-rulle** (*autorisert varefortegnelse*) list of goods.
lossing discharging, unloading.
los|stasjon pilot station. **-takst** rates of pilotage. **-tjeneste** pilotage duty.
lostvang compulsory pilotage.
losvesen pilotage; pilotage authorities.
Lothringen (*geogr*) Lorraine.
lott portion, share.
lotte ✂ W.R.A.C. (*fk. f.* Women's Royal Army Corps); (*flyv*) A.C.W. (*fk. f.* aircraftwoman).
lotteri lottery. **-gevinst** lottery prize. **-seddel** lottery ticket. **-spill** gamble, lottery.
lottfisker share fisherman.
I. lov (*tillatelse*) permission; *be om* ~ *til å* ask permission (*el.* leave) to; *få* ~ *til å* be allowed to, be permitted to; *get* permission to; *gi ham* ~ *til å gjøre det* permit (*el.* allow) him to do it; *give him* permission to do it; *får jeg* ~*?* may I? do you mind? *dog skal jeg få* ~ *til å si at...* however, I beg to say that...
II. lov (*ros*) praise, commendation; *Gud skje* ~! thank God!
III. lov (*jur*) law; (*en enkelt*) statute, Act (of Parliament); *-ens arm* the arm of the law; ~ *og rett* law and order (*fx* preserve l. and o.); (*law and*) justice (*fx* there is no j. in this country!); *etter -en* according to law; *etter -ens ånd og ikke etter dens bokstav* according to the spirit and not the letter of the law; *likhet for -en* equality before the law; *alle skal være like for -en* everybody is supposed to be equal before the law; *ifølge -en* according to law; *ifølge norsk* ~ under Norwegian law; *han har vært i konflikt med -en før* he has been in trouble before; *mot -en* contrary to law; *uten* ~ *og dom* without trial; *ved* ~ by Statute; *forpliktet ved* ~ required by law (*fx* the local authorities are r. by l. to appoint a finance committee); *anvende -en galt* apply the law wrongly; *misapply the Act; bli* ~ become law; *forvrenge -en* twist the law; *gi -er* make (*el.* enact) laws; *kjenne -en* know the law; *oppfylle -ens krav* comply with legal requirements; *oppheve en* ~ repeal an Act; *vedta en* ~ pass an Act; (*se også konflikt & rett*).
lovart: *se luvart.*
lov|bestemmelse legal (*el.* statutory) provision. **-bestemt** fixed by law, statutory, legal (*fx* rights, holidays); (*se lovfeste*). **-bok** Statute Book; code of laws. **-brudd** violation of the law. **-bud** Statute, enactment.
I. love: *på tro og* ~ on one's honour (,US: honor).
II. love *vb* (*prise*) praise.
III. love *vb* (*gi et løfte*) promise; ~ *bestemt* promise definitely; ~ *godt* promise well (*fx* it promises w. for the future); ~ *seg mye av* expect great things of (*el.* from); *å* ~ *er ærlig, å holde besværlig* saying and doing are two different things; (*se også forsverge; sinn*).
lovende promising; (*ikke om person*) auspicious; *lite* ~ unpromising; *situasjonen er ikke videre* ~ the situation is not very hopeful (*el.* promising).
lovendring amendment of an Act.
lovere ⚓ beat, tack.
lov|fast legal, regular. **-feste** (*vb*) legalize, establish by law; *-t fridag* legal holiday; *-de bestemmelser* statutory provisions.
lovformelig legal.
lovforslag bill.

lov|givende legislative; ~ *forsamling* legislative assembly; ~ *makt* l. power. **-giver** legislator. **-givning** legislation. **-givningsmakt** legislative power; (*riksdag, etc*) legislature.
lov|gyldighet validity (in law). **-hjemlet** authorized (*el.* warranted) by law. **-hjemmel** legal authority.
lovkyndig legally trained; ~ *bistand* legal aid.
lovkyndighet knowledge of the law.
I. lovlig (*temmelig*) rather, a bit.
II. lovlig lawful, legal; ~ *betalingsmiddel* legal tender; *han har* ~ *forfall* he has legitimate reason for being absent. **-het** lawfulness, legality.
lov|lydig law-abiding. **-lydighet** law-abidingness. **-løs** lawless. **-løshet** lawlessness. **-messig** according to the law, legal. **-messighet** lawfulness, legality.
lovord (*subst*) word(s) of praise.
lovott (*subst*) mitten.
lovover|tredelse offence. **-treder** offender.
lovprise (*vb*) praise, laud, speak in praise of (*fx* sby).
lovprisning praising; praise.
lovsamling body of laws, code.
lovsang song of praise, hymn, paean.
lovskraft legal force, legal validity.
lov|stridig illegal, contrary to (the) law. **-stridighet** illegality.
lov|synge (*vb*) praise, sing the praises of. **-tale** eulogy, panegyric, encomium; (*se lovprisning*).
lov|tidende (*i England*) Law Reports. **-trekker** pettifogger. **-trekkeri** pettifogging, chicanery. **-utkast** draft bill.
lubben plump; tubby (*fx* he's a t. little man); chubby.
Ludvik Lewis.
I. lue *subst* (*flamme*) blaze, flame; *slå ut i lys* ~ burst into flames; *huset står i lys* ~ the house is in flames; the h. is ablaze.
II. lue (*hodeplagg*) cap.
III. lue (*vb*) blaze, flame; ~ *opp* spring into flame.
luffe 🐾 flipper.
luft air; *i fri* ~ in the open air; *trekke frisk* ~ get a breath of (fresh) air; *take the air; gi sin harme* ~ give vent to one's indignation; *gå i -en* (ɔ: *eksplodere*) blow up; T go up; *ha litt* ~ *i ringene* put some air in the tyres; *et slag i -en* (*fig*) a waste of effort (*fx* that would be a w. of e.), an abortive (*el.* ineffectual) attempt, an ineffectual gesture; *sprenge i -en* blow (up); *det ligger i -en* it is in the air; *grepet ut av -en* utterly unfounded; *leve av* ~ live on air; *være* ~ *for* be nothing to; not mean a thing to (*fx* she doesn't mean a thing to me).
luftavkjølt air-cooled.
luft|ballong (*leketøy*) balloon. **-blære** 1. 🐾 bladder; 2 (*i væske, etc*) (air) bubble; (*i maling, påå*) blister. **-boble:** *se -blære 2.* **-bro** air lift. **-børse** air gun.
lufte (*vt*) air; ~ *bremsene* (*fx på bil*) bleed the brakes; *her må det -s* the room needs an airing; *han er ute og -r hunden* he has taken out the dog; ~ *sine synspunkter* air one's views; ~ *seg* get some air, get a breath of fresh air; ~ *ut* ventilate (*fx* a room).
lufte|inspektør (*ved eksamen*) invigilator. **-tur** walk, airing. **-vindu** (*trekantet, i bil*) quarter-light.
luftfart aviation, flying; (*flytrafikk*) air-borne traffic, air t.; air services.
luftfartsdirektoratet [the Directorate of Civil Aviation]; (*i England*) the Ministry of Transport and Civil Aviation.
luftfilter air cleaner.
luft|flåte air fleet. **-forandring** change of air (*fx* he went to X for a c. of a.). **-fornyelse** ventilation. **-forurensning** air pollution. **-fotografering** air (*el.* aerial) photography. **-frakt** airfreight. **-fraktgods:** *som* ~ by air freight. **-fyr** air navigation light.
luft|hamn, -havn airport.

lufthull air hole, vent(hole); (*flyv*) air pocket.
luftig airy; ~ *påkledd* scantily dressed.
luftighet airiness.
lufting airing.
luft|kamp air combat; (*mellom to, også* T) dog fight. **-kanal** air duct; (*i orgel*) wind trunk.
luftkastell castle in the air.
luftkrig air war.
luft|lag stratum of air. **-landeavdelinger** ✕ airborne troops. **-ledning** (*jernb*) overhead conductor, aerial conductor. **-linje** air line, air route; *i* ~ as the crow flies. **-madrass** air mattress, air bed. **-motstand** air resistance; (*flyv*) air drag.
luftning puff of air.
luft|post air mail. **-pute** air cushion. **-putefartøy** hovercraft. **-reise** journey by air, air journey (*el.* travel). **-rute** airline; (*jvf -linje*). **-rør** air pipe; ventiduct; (*i halsen*) windpipe, trachea.
luftskip air ship.
luft|slott castle in the air. **-speiling** mirage. **-staben** the Air Staff. **-strøm** air current. **-tett** airtight. **-tetthet** airtightness; (*luftens tetthet*) air density. **-tom: -t rom** vacuum. **-tomhet** vacuity.
lufttrafikk air traffic, airborne traffic.
lufttrykk (atmospheric) pressure; air pressure; (*etter eksplosjon*) blast; *-et i bilringene* the tyre pressures (*fx* test (*el.* check) the t. pressures).
lufttrykksmåler pressure gauge.
luftventil air valve; (*i bilring*) valve.
luftvern air defence; anti-aircraft defence(s). **-artilleri** anti-aircraft artillery, A.A. artillery.
lugar cabin. **-pike** stewardess, cabin maid.
lugg forelock, tuft of hair.
lugge (*vb*) pull by the hair.
lugger ⚓ lugger. **-seil** lug-sail.
Lukas Luke.
I. luke (*subst*) trapdoor; ⚓ hatch; (*åpningen*) hatchway; *luft i luka* T activity, life; (*jvf liv: bringe litt* ~ *i leiren*).
II. luke (*vb*) weed.
lukekarm ⚓ coaming.
lukesjakt (*i damanlegg*) gate shaft.
lukke (*vb*) shut (up), close; ~ (*igjen*) *døra* shut the door; ~ *døra forsiktig* (*igjen*) ease the door shut; ~ *døra for en* shut the door on sby; ~ *øynene for* (*fig*) refuse to see; ~ *en inn* let sby in; ~ *opp* (*åpne*) open; (*når det ringer*) answer the door (*el.* the bell); ~ *en ut* let sby out; ~ *en ute* shut sby out; exclude; ~ *seg* shut, close; ~ *seg inne* (⊃: *isolere seg*) isolate oneself; *for -de dører* behind closed doors; (*jur*) in camera.
lukkemuskel (*anat*) sphincter (*fx* the anal s.); (*muslings*) adductor muscle.
lukker (*fot*) shutter.
luknings|tid closing time. **-vedtekter** (*pl*) (early) closing regulations.
lukrativ lucrative.
luksuriøs luxurious.
luksus luxury; *all tenkelig* ~ T every mortal luxury; *det er* ~ *it is a l.* **-artikler** articles of luxury, luxuries. **-kvinne** [pampered woman living in luxury].
I. lukt smell; odour (,US: odor); (*bare om sansen*) smelling; (*duft, også*) scent; *brent* ~ burnt smell.
II. lukt (*adv* = *like*) straight.
lukte (*vb*) smell; ~ *godt* smell good; ~ *lunta* T smell a rat; ~ *av* smell of; *det -r litt av kjøttet* the meat smells a little; ~ *på noe* smell sth (*fx* s. a flower); (*prøvende*) smell at (*fx* the dog smelled at the bone).
luktesans sense of smell; (*se skarp*).
lukt|fri, -løs odourless; US odorless.
lukullisk Lucullan, sumptuous.
lulle (*vb*) lull (to sleep).
lummer sultry, close.
lummerhet sultriness.
lumpe [thinly rolled-out potato cake].
lumpen mean (*fx* that was m. of him); shabby (*fx* a s. trick); *he treated me rather shabbily*).
lumpenhet meanness, shabbiness.

lumsk (*adj*) cunning, sly, deceitful; (*også om sykdom*) insidious.
lumskhet cunning, deceitfulness.
lun sheltered, warm, snug, cosy (,US: cozy); (*om person*) quiet, pleasant, good-natured; *den -e, pålitelige ovnsvarme* the warmth and dependability of a stove.
lund grove.
I. lune (*subst*) humour (,US: humor), mood, spirits; (*innfall*) whim, caprice; *være i godt* (*dårlig*) ~ be in good (,bad) humour; *ved et skjebnens* ~ through a freak of chance; *reddet ved et skjebnens* ~ saved by a strange twist of fate.
II. lune (*vb*) shelter; warm.
lunefull, lunet capricious, whimsical.
lunge lung; *av sine -rs fulle kraft* at the top of one's voice.
lunge|betennelse pneumonia. **-kreft** lung cancer. **-mos** hashed lungs, chitterlings.
lunhet warmth, genial heat.
I. lunk (*svak varme*): *det skulle vært hyggelig med en liten* ~ *i ovnen nå* a spot of heat in the stove would be nice now.
II. lunk (*langsomt trav*) jog trot.
I. lunke (*vb*) take the chill off, warm up; ~ *på* warm up.
II. lunke (*vb*): ~ *av sted* jog along.
lunken tepid, lukewarm. **-het** tepidity, lukewarmness.
I. lunne (*subst*) pile of logs; (*på industritomt*) pile of pulpwood.
II. lunne *vb* (*i skogen*) skid, pile; (*på industritomt*) yard.
lunsj lunch, luncheon.
I. lunt|e fuse, (slow-)match; *han har kort* (,*lang*) ~ T he is quick (,slow) on (*el.* in) the uptake; *lukte -a* T smell a rat.
II. lunte *vb* (*gå langsomt*) jog along.
luntetrav jog trot.
lupe magnifying glass.
lupin ⚘ lupine.
I. lur: *ligge på* ~ lie in wait (*etter* for).
II. lur (*kort søvn*) nap, snooze, forty winks.
III. lur (*blåseinstrument*) lure.
IV. lur (*adj*) cunning, sly; knowing (*fx* he's a k. one); *det var jammen -t, må jeg si* that's clever, I must say; *han blunket -t* he winked knowingly.
I. lure *vb* (*blunde*) doze.
II. lure *vb* 1 (*bedra*) fool, dupe; play (sby) a trick; ~ *noe fra en* swindle sth out of sby; swindle sby out of sth, trick sby out of sth; (*se snyte*); ~ *en* (⊃: *lage spillopper med en*) T lead sby up the garden path; pull a fast one on sby; S sell sby a pup; *han er lett å* ~ he is easily taken in; *hun lurte ham ordentlig* he was properly taken in by her; *der ble jeg ordentlig lurt* I was badly caught there; ~ *på en spy on sby, watch sby secretly; *han -r på noe* he is up to some trick; *han lurte seg ned i en kurv* he slipped into a hamper; *en sjelden gang lurte de seg til en week-end sammen* on rare occasions they snatched a week-end together; 2 (*spekulere*) wonder; *jeg -r på om* I wonder if.
lurendreier sly fox, slyboots, wily bird; T a knowing one.
lurendreieri tricks, trickery.
lureri trickery; *han trodde det måtte være noe* ~ (⊃: *et trick*) *med det* he thought there must be some trick in it.
lurifas, luring slyboots, sly fox; T knowing one.
lurv shock (of hair).
lurveleven hubbub, hullabaloo, uproar.
lurvet shabby. **-het** shabbiness.
lus ⚘ louse (*pl*: lice).
luse|kjører T crawler, middle-of-the-road driver. **-kofte** Norwegian sweater.
luset lousy.
lushatt ⚘ aconite.
lusing box on the ear.
luske (*vb*) slink, sneak; ~ *av sted* slink away, sneak off.

I. lut (*subst*) lye; *gå for* ~ *og kaldt vann be* neglected, be left to take care of oneself; *det skal skarp* ~ *til skurvete hoder* desperate diseases need desperate remedies.

II. lut (*krumbøyd*) bent, stooping.

lut doven T bone-lazy.

I. lute *vb* (*legge i lut*) soak in lye.

II. lute *vb* (*bøye seg*) stoop, bend, lean (forward); *han -t seg over mot henne* he leant over towards her.

lutefisk [dried codfish prepared in a potash lye].

lutende stooping.

lutfattig penniless, desperately poor.

lutheraner Lutheran. **luthersk** Lutheran.

lutre (*vb*) purify. **lutring** purification.

lutt ♪ lute.

lutter pure, sheer; *jeg er* ~ *øre* I am all ears.

luv: *ta -en fra en* (*også* ⚓) take the wind out of sby's sails; *denne bilen tok -en fra alle de andre på utstillingen* this car stole the show.

luvart ⚓ : *til* ~ to windward; *gå til* ~ *av et skip* get to windward of a ship; *holde seg til* ~ *av* keep to windward of.

ly shelter, cover; *være i* ~ be sheltered; *søke* ~ seek (*el.* take) shelter; *i* ~ *av* under shelter of.

lyd sound; *han ga ikke en* ~ *fra seg* he did not utter a sound; *slå til* ~ *for* (*fig*) advocate.

lyd|bølge sound wave. **-bånd** recording tape. **-båndopptak** tape recording; (*se opptak*). **-båndopptaker** tape recorder.

lyddemper silencer, exhaust box; US muffler.

I. lyde (*vb*) sound; *avsnittet skal* ~ *som følger* the paragraph is to read as follows; *slik lød ordene* these were the words; he spoke to this effect; *brevet -r slik* the letter reads as follows; *det -r ennå for ørene mine* it is still ringing in my ears; *passet -r på hans navn* the passport is made out in his name; *sjekken lød på 5 pund* the cheque was for 5 pounds; *obligasjonen -r på ihendehaveren* the bond is payable to the bearer.

II. lyde *vb* (*adlyde*) obey; ~ *et navn* answer to a name (*fx* a. to the n. of Jeff).

lydelig (*adj*) audible, loud; (*adv*) audibly, loudly, aloud.

lydfilm sound film.

lyd|forhold acoustics. **-hør** sensitive (*overfor* to); (*aktpågivende*) attentive, heedful (*overfor* to).

lydig obedient (*mot* to).

lydighet obedience.

lydisolasjon sound insulation.

lydlengde quantity, length of a sound.

lydlig phonetic.

lydlikhet phonetic similarity.

lydlære acoustics(*pl*); phonology; phonetics(*pl*).

lydløs (*uten lyd*) soundless; (*om maskin*) noiseless, silent.

lydløshet silence; soundlessness.

lydmur sound barrier.

lydpotte silencer, exhaust box; US muffler.

lydrike dependency.

lydskrift phonetic script (*el.* notation *el.* spelling); (*omskrevet tekst*) phonetic transcription.

lydstyrke sound intensity, loudness; (*i radio, etc*) volume; *regulere* ~ *en* govern (*el.* vary) the v.

lyge (*vb*): *se lyve.*

lykke 1 (*-følelse*) happiness; 2 (*hell, medgang*) (good) fortune, (good) luck, success; 3 (*gode*) blessing, godsend, piece (*el.* stroke) of (good) luck; 2 (*personifisert*) fortune, Dame Fortune; *bedre* ~ *neste gang*! better luck next time! *en Guds* ~ a godsend; *hell og* ~! good luck; *en -ns pamfilius* T a lucky dog; *enhver er sin egen -s smed* everybody is the architect of his own fortune; *det er en stor* ~ *at . . .* it is very fortunate that . . .; *bringe* ~ (1) bring happiness; (2) bring luck; be lucky (*fx* four-leaved clovers are lucky); *forsøke -n* try one's luck; *gjøre* ~ (*om person*) be successful, achieve success; (*om ting*) be a success, score a s., be successful, make a hit, be a hit; *ha -n med seg* be fortunate (*el.* successful *el.* lucky),

succeed, prosper; ~ *på reisen* a pleasant journey! *på* ~ *og fromme* at random; in a haphazard way; ~ *til*! good luck! (*iron*) I wish you joy of it! *til* ~ *med dagen*! many happy returns of the day! *til* ~ *med dagen og fremtiden*! best wishes for the day and the future! *jeg ønsker Dem til* ~ *med utfallet* I congratulate you on the result; (*jvf hell*).

lykke|hjul wheel of fortune. **-jeger** fortune hunter.

lykkelig happy; ~ *over* happy about. **-vis** fortunately, luckily, happily.

lykkeridder adventurer, soldier of fortune.

lykkes (*vb*) succeed; prove a success; *det lyktes ham å* he succeeded in (-ing); *forsøket lyktes for ham* he succeeded in the attempt.

lykke|skilling lucky penny, lucky coin. **-stjerne** lucky star. **-treff** stroke of luck.

lykksalig happy, blissful. **-het** bliss.

lykkønsk|e (*vb*) congratulate (*med* on). **-ning** congratulation; (*se ovf under lykke: til* ~ *med dagen*).

lykt lantern; (*bil-*) lamp, light; (*til gatebelysning*) street lamp; *lete med lys og -e* hunt high and low (*etter* for).

lykteglass (*for bil*) lamp lens (*el.* glass) (*fx* headlamp lenses); *innfatning for front-* bezel.

lykte|stolpe lamp post. **-tenner** lamp lighter.

lymfe (*anat*) lymph. **-kjertel** lymph gland.

lyn lightning; flash of lightning, lightning flash (*fx* a fearful l. f. tore the darkness); (*fig*) flash; *som* (*et*) ~ *fra klar himmel* like a bolt from the blue; *som et olja* ~ T like greased lightning; *-et slo ned i huset* the house was struck by lightning.

lynavleder lightning conductor (*el.* rod).

lyne (*vb*) lighten, flash; *i -nde fart* with lightning speed; *-nde sint* furious.

lyng heather. **lyngbevokst** heathery.

lynglimt flash of lightning.

lyngmo heath, heathery moor.

lynild lightning.

lynne disposition, temperament; *det engelske* ~ the English character.

lynnedslag (stroke of) lightning; *det ble meldt om fire* ~ the lightning was reported to have struck four times.

lynsje (*vb*) lynch.

lynsjjustis lynch law.

lynsnar quick as lightning.

lyr (*fisk*) pollack.

lyre ♪ lyre.

lyriker lyric poet. **lyrikk** lyrical poetry.

lyrisk lyric(al); ~ *dikt* lyric, lyrical poem.

I. lys 1 (*mots. mørke*) light; (*skjærende*) glare (*fx* the g. of the tropical sun); 2 (*lyskilde*) light (*fx* electric l.); 3 (*stearin-*) candle; 4 (*belysning*) lighting (*fx* electric l.), illumination (*fx* the only i. was a candle); 5 (*fig*) light (*fx* throw l. on a problem); 6 (*begavet person*) luminary; shining light; *han er ikke noe* ~ he's not on the bright side; he won't set the Thames on fire; US he's no shining light; *bart* ~ naked light; *brutt* ~ (*fys*) refracted light; *elektrisk* ~ electric light(ing) (*fx* cabin with e. l.); *hytte med elektrisk* ~, *koking og oppvarming* cabin with electricity laid on for lighting, cooking, and heating; (*det elektriske*) *-et er borte* the electric light has failed (*el.* gone out); (*se også strøm*); *fullt* ~ (*på bil*) full (driving) lights (*fx* drive with full lights (on)); the main (*el.* high) beam; *sette på fullt* ~ turn up the headlights; light up; switch on the lights; *skru av* (*,på*) *-et* switch off (*,on*) the light; *dagens* ~ daylight, the light of day; *bringe for dagens* ~ bring into the light of day, bring to light; (*avsløre*) expose; *levende* ~ candlelight (*fx* by c.); *føre bak -et* hoodwink, dupe, impose on, take in; T lead up the garden path; *-et gikk*! the light's gone! the light's fused! (*sikringen har gått*) the fuse has blown! (*om lyspæren*) the bulb's gone! *det gikk et* ~ *opp for meg* a light dawned on me; *gå over gata mot rødt* ~ cross against traffic lights; *kjøre mot* *rødt* ~ drive into the red; *kjøre (over) på gult* ~ cross on the amber; *kjøre uten* ~ drive without (one's) lights (on); *lete med* ~ *og lykte etter* hunt high and low for; beat the bushes for *(fx* new talents); *det var* ~ *i vinduet* the window was lighted *(el.* lit up); *se saken i et annet* ~ see the matter in a different light; take a different view of the matter; *stille noe i et nytt* ~ throw (a) new light on sth; put another complexion on sth; *det stiller ham i et pent* ~ it places him in a favourable light; it speaks well for him; it puts a favourable complexion on his conduct; *det ville stille ham i et uheldig* ~ it would (,might) show him up in an unfavourable light; *opplysninger som kunne stille ham i et uheldig* ~ *(også)* information that might reflect adversely on him; *stå i -et for seg selv* stand in one's own light; *(se blinke & I. møte).*

II. lys *(adj)* 1. light, bright; 2 *(lysende, skinnende)* bright, shining, luminous; 3 *(om farge)* light, pale *(fx* a p. blue); *(om hår)* fair, blond(e); 4 *(fig)* bright *(fx* b. hopes, a b. future); 5 *(fon)* clear *(fx* vowels); *en* ~ *idé* a bright idea; *-ere forhold* brighter conditions; *et -t øyeblikk* a lucid interval; *se -t på tingene* take a cheerful view of things; *det begynner å bli -t* it is beginning to get light; *det var ikke -t ennå* it was not yet light.

III. lys *(adv)*: ~ *levende* as large as life; ~ *våken* wide awake.

lysalv elf of light, friendly elf.
lysanlegg lighting system.
lys|bilde (lantern) slide. **-bildeapparat** projector. **-bryter** electric light switch; T switch. **-brytning** refraction. **-bølge** light wave. **-bøye** ⚓ light buoy.
lyse *(vb)* light, shine; *banne så det -r* swear like a trooper; US swear a blue streak; *lampen -r godt* the lamp gives (a) good light; ~ *opp* illuminate, brighten, light up; ~ *til ekteskap* publish the banns (of marriage); ~ *velsignelsen* give the benediction; *gleden lyste ut av øynene på ham* his eyes beamed with joy; *iveren lyste ut av øynene på henne* her eyes shone *(el.* kindled) with excitement; ~ *en ut (,nedover trappene)* light sby out (,downstairs); *(se I. møte).*
lysende luminous, shining, bright.
lyseblå light blue.
lysekrone chandelier.
lysekte *(adj)* sun-resisting, fast to light.
lyse|stake candlestick. **-stump** candle-end.
lysevne illuminating power.
lys|gass illuminating gas. **-glimt** gleam (of light).
lyshorn light hooter, headlamp flasher.
lyshåret fair-haired, blond(e).
I. lysing: *se lysning.*
II. lysing *(fisk)* hake.
lyskasse window well.
lyskaster searchlight; *(på bil):* *-e (pl)* headlights; *dobbelte -e* dual headlights.
lyske *anat (subst)* groin; inguen.
lyskjegle beam of light.
lyskopi dyeline print; *(med blått trykk)* blueprint; *(se fotokopi).*
lyslett blond(e), fair.
lyslokket blond(e), fair-haired.
lysmast electric pylon.
lysmester *(jernb)* outdoor machinery assistant.
lysmåler (electric) light meter; *(fot)* exposure meter, photometer.
lysne *(vb)* brighten, become brighter; grow light(er); *(dages)* dawn; *det -r (om været)* it's clearing up.
lysnett (electricity) mains, light circuit; *kople en ringeklokke til -et* run a bell off the light circuit.
lysning 1. light; *(svak)* glimmer; *(i skog)* clearing, glade; *(åpning)* aperture, opening; internal diameter; 2 *(bedring)* improvement, brightening (up); 3 *(til ekteskap)* (publication of the) banns; *bestille* ~ *(til ekteskap)* ask the banns, give notice of the banns.
lysningsblad public advertiser, advertisement journal; *Norsk* ~ *(kan gjengis)* the Norwegian Gazette.

lys|punkt bright spot. **-pære** (light) bulb. **-reklame** illuminated advertising; *(skilt)* electric sign, neon sign; *(på tak)* sky sign. **-side** luminous side *(fx* of the moon). **-signal** light signal. **-skjær** gleam of light. **-sky** *(fig)* shady, fishy *(fx* methods). **-stripe** streak of light. **-stråle** ray of light. **-styrke** light brilliance.
lyst *(fornøyelse)* delight, pleasure; *(tilbøyelighet)* inclination, liking; *hver sin* ~ everyone to his liking; *kjødets* ~ the lust of the flesh; *-en driver verket* where there's a will there's a way; nothing seems hard to a willing mind; *få* ~ *til å* take a fancy to (-ing), take it into one's head to; *ha* ~ *til å* feel like (-ing); feel inclined to, have a (great) mind to; *gi en* ~ *til* make sby want to *(fx* do sth); *hver sin* ~ everyone to his taste; *så det er en* ~ *(ɔ: energisk)* with a will; *han arbeider så det er en* ~ *(også)* it's a treat to see him work; *med liv og* ~ with a will; ... *og arbeidet gikk med liv og* ~ and the work went with a swing; *ei blott til* ~ not for amusement only.
lystbetont *(psykol)* pleasurable, attractive, interesting; *det gjelder å gjøre oppgaven* ~ the task has to be made p. *(el.* a.); *(jvf ulystbetont).*
lyst|båt pleasure boat *(el.* craft). **-damper** pleasure steamer.
lystelig pleasant.
lysten desirous, covetous *(på* of); *(i seksuell bet.)* lascivious, lustful.
lystenhet lasciviousness, lust.
lyster *(fiskeredskap)* fish spear.
lyst|fartøy pleasure craft. **-fiske** angling. **-følelse** pleasurable sensation. **-hus** *(løvhytte)* arbour (,US: arbor), bower; US *(også)* garden pavilion.
lystig merry, gay, jolly; *hun gjorde seg* ~ *over hans lettroenhet* she made fun of his credulity; *en* ~ *fyr* a jolly fellow.
lystighet mirth, merriment, gaiety, jollity, hilarity; *det var en god del enkel, støyende* ~ there was plenty of simple, noisy jollity.
lyst|jakt *(fartøy)* yacht. **-kutter** yacht. **-motorbåt** private motor-boat.
I. lystre *(vb)* obey; *(roret)* answer (the helm); ~ *ens minste vink* be at one's beck and call.
II. lystre *(vb)* spear (fish).
lystreise pleasure trip.
lyst|seilas yachting. **-seiler** pleasure *(el.* private) sailing craft. **-slott** hunting lodge. **-spill** comedy. **-spillforfatter** writer of comedies. **-tur** pleasure trip.
lysverk *(elektrisitetsverk)* power station, power house; *Oslo -er* Oslo Electricity Board.
lysvirkning effect of light; light(ing) effect.
lysvåken wide awake.
lyte *(feil)* blemish, fault, defect.
lytefri faultless, flawless, without blemish.
lytt: *det er så* ~ *her* you hear every sound in this house; these walls let every sound through; one can hear every sound through these walls; this house is poorly soundproofed.
lytte *(vb)* listen; ~ *etter* listen for; ~ *til* listen to.
lyttepost ⚔ listening post.
lytteravgift (listeners') licence; *løse* ~ *hvert år* buy an annual licence.
lytterkrets group of listeners *(fx* this programme caters for a clearly defined g. of l.).
lytter|lisens: *se -avgift.*
lytterpost *(radio)* (radio) listener's correspondence.
lyve *(vb)* lie, tell a lie; ~ *for en* tell sby a lie; ~ *på en* tell lies about sby; ~ *oppad stolper og nedad vegger* lie up hill and down dale, lie like a trooper *(el.* gas meter *el.* lawyer); ~ *seg fra noe* get out of sth by a lie.
læge *(vb): se lege.*
lær leather. **-aktig** leathery.
lærd learned, erudite, scholarly; *(subst)* scholar; *de -e* the learned; *de -e strides* doctors disagree.
lærdom learning, erudition, scholarship; *(undervisning)* instruction.

I. lære subst (*læresetning*) doctrine, dogma; (*forkynnelse, undervisning*) teaching(s) (*fx* the t. of the church); (*advarsel*) lesson; (*håndverks-*) apprenticeship; *sette en i ~ hos* apprentice sby to.
II. lære vb (*undervise*) teach; (*lære selv*) learn, be taught; *jeg har tenkt å ~ fransk* I'm going to take up French; *~ å* learn (how) to; *du -r snart å gjøre det* you'll soon learn how to do it; you'll soon get into the way of doing it; *~ ham å . . .* teach him (how) to; *~ en å kjenne* get to know sby, become acquainted with sby; (*møte, også*) meet sby; *~ ham å kjenne som* find him to be, come to know him as; *en -r så lenge en lever* we live and learn; *en -r selv ved å ~ andre* one learns by teaching; *~ seg å . . .* learn to; *~ av* learn from; *~ av erfaring* learn by experience; *~ fra seg* teach; *~ opp* train; *~ utenat* memorize, learn by heart, commit to memory.
lære|anstalt educational institution. **-bok** textbook. **-gutt** apprentice. **-lyst** desire to learn. **-mester** master (of an apprentice); teacher. **-midler** means of instruction; teaching aids.
lærenem quick to learn. **-het** quickness (of intellect).
lærepenge lesson; *få en ~* learn a lesson; *gi en en ordentlig ~* teach sby a sharp lesson; *la det være en ~ for deg* let this be a lesson to you.
lærer teacher (*fx* t. of English), master (*fx* our English m.); *lærer!* (*elevs tilrop*) Sir! *~ i filologiske fag* arts teacher (NB *jvf formingslærer*); *~ i realfag* science teacher; *landets egne -e* (the) native teachers.
lærer|dyktighet: *vitnemål for praktisk ~* certificate of (practical) teaching competence. **-eksamen** teacher's certificate examination. **-gjerning** teaching.
lærerhøyskole [extension college for training -college educated teachers]; (*svarer til*) post -graduate training college.
lærerik instructive, informative.
lærerinne woman teacher, schoolmistress.
lærer|kollegium teaching staff. **-lag**: *Norges Lærerlag* (*svarer til*) the National Union of Teachers. **-post** teaching post **-råd** (*skoleråd*) staff meeting.
lærerskole (teachers') training college; college of education; US teachers' (training) college; *lektor ved ~* lecturer at a training college (*el.* at a college of education); US teachers' college professor - **kandidat** -Bachelor of Education,B.Ed.
lærer|stand teaching profession. **-utdannelse** teacher training. **-værelse** (teachers') common room, staff room. **-yrket** teaching, the teaching profession; *tvangsdirigere til ~* conscript teachers.
læresetning doctrine, dogma.
læretid apprenticeship; *gjøre seg ferdig med -en sin* work out one's time; *han er nesten ferdig med -en* he is almost out of his time.
lære|villig willing to learn. **-vogn** (*for øvelseskjøring*) learner-car, L-car; US driver-training car. **-år** (year of) apprenticeship.
lær|handel leather trade. **-rem** leather strap.
lø (*vb*) pile (up), stack.
lød (*farge*) hue, colour (,US: color).
lødig fine, pure.
lødighet fineness, pureness; (*fig*) sterling worth, merit, value.
løe (*subst*) barn; US hay barn.
løft lift; (*fig*) big effort.
I. løfte (*subst*) promise; *høytidelig ~* vow; *gi et ~ make* (*el.* give *el.* hold out) a p.; *gjøre alvor av et ~* make good one's p., carry out one's p., act on one's p.; *holde* (,*bryte*) *et ~* keep (,break) a promise; *ta det ~ av en at* make sby promise that.
II. løfte (*vb*) lift, raise; *~ arven etter en* (*fig*) carry on sby's work; *~ i flokk* join forces, join hands, pull together; *~ på* try the weight of; *~ på hatten til* raise one's hat to; *han -t hånden til hilsen* he raised his hand in a salute; *-t stemning* mood of exhilaration; *han var i -t stemning* (ɔ: *beduggel*) he was lit up.

løfte|brudd breach of promise. **-rik** promising, full of promise.
løfte|stang lever. **-ventil** lift valve.
løgn lie, falsehood; *liten ~ fib; uskyldig* (*el. hvit*) *~* white lie; *åpenbar ~* palpable lie; *det er ~ it is a lie; gripe en i ~* catch sby lying; *leve på en ~* live a lie; *med fradrag av ~ og overdrivelser er det fremdeles en god historie* it's still a good story when stripped of lies and exaggeration; after making allowances for lies and e. it's still a good story.
løgnaktig lying, mendacious. **-het** mendacity.
løgner, løgnerske, løgnhals liar; *gjøre en til løgner* give sby the lie.
løk 🌱 onion; *blomster-* bulb.
I. løkke (*subst*) 1. enclosure (in a field), paddock; 2. vacant lot.
II. løkke subst (*renne-*) loop, noose.
lømmel lout; scamp.
I. lønn 1 (*arbeids-*) pay, wages (*pl*); (*med foranstående bestemmelse el. etterfulgt av 'of' ofte*) wage (*fx* an hourly wage of 5s.); 2 (*gasje*) salary; 3 (*belønning*) reward; *som ~ for* (3) as a reward for; *få ~ som forskyldt* get one's deserts; *det var ~ som forskyldt* (*også*) it served him right; he was asking for it; he deserved all he got; *hans ~ er £20 i uken* his wages are (*el.* his wage is) £20 a week; *jeg betaler ham en god ~* I pay him a good wage (*el.* good wages); *en jobb med god, fast ~* a job with a good steady wage; *høy ~* high wages, a high wage, (a) high pay; (2) a high salary; *~ etter avtale* (2) salary according to arrangement; *lik ~ for likt arbeid* equal pay for equal work; *utakk er verdens ~* ingratitude is the way of the world; *få utakk til ~* be repaid with ingratitude; (*se ligge: bli -nde etter*).
II. lønn 🌱 maple.
III. lønn (*subst*): *i ~* (ɔ: *hemmelig*) secretly, in secret, clandestinely.
lønndom (*subst*): *i ~* secretly, in secret.
lønndør secret door.
lønne vb (*betale*) pay; (*gjengjelde*) repay; (*belønne*) reward; *~ seg* pay; (*være umaken verd*) be worth while; *det -r seg å* it pays to; *få noe til å ~ seg* make sth pay; *forretningen har nå begynt å ~ seg* the shop has now become a paying concern.
lønngang secret passage.
lønning (*subst*): *se I. lønn.*
lønnings|dag pay day. **-liste** wages list, pay sheet; US pay roll (*el.* list). **-pose** pay-packet.
lønnkammer private closet.
lønnlig secret.
lønnsavtale wage(s) agreement.
lønnsforhold: *undervisningskompetanse og ~ vil bli vurdert etter de retningslinjer som gjelder for . . .* teaching qualifications and salary scales will be considered in accordance with the regulations regarding . .; (*se undervisningskompetanse*).
lønns|forhøyelse increase of wages (,salary). **-forlangende** salary required (*fx* applications, stating s. r., to be addressed to . . .). **-gradering** grading of wages (,salaries); *spørsmålet om en ~ etter leveomkostningene* the question of grading wages and salaries in accordance with (*el.* on the basis of) the cost of living.
lønns|kamp wage war, wage conflict (*el.* dispute). **-klasse** salary class, (pay) grade (*fx* she is a Grade III clerk). **-konflikt** wage dispute. **-krav** pay claim (*fx* the nurses' p. c.), wages demand(s), wage claim(s), demand for higher wages. **-mottaker** wage earner (*fx* miners are wage earners, whereas teachers are salaried men). **-nedsettelse** wage (,salary) cut, reduction in (*el.* of) wages; *-r* (*pl*) wage (,salary) cuts, wage reductions, cuts in salaries. **-nemnd** wages board. **-nivå** wage level, level of wages; *en senkning av -et* a reduction in the wage levels.
lønnsom profitable. **-het** profitableness.
lønnsoppgjør wages settlement.

lønnspålegg increase of wages (,salary), wage increase; T rise (*fx* he has promised me a rise at New Year).

lønns|regulativ scale of pay, wage (,salary) scale. **-regulering** wage adjustment, adjustment of wages. **-sats** wage rate, rate of pay.

lønnsskala 1. salary scale (*fx* he is paid within the same s. s.; s. scales vary in length from four to twelve years); 2. scale of wages; *glidende ~* sliding scale (of wages).

lønns|slipp pay slip, salary slip. **-spørsmål** wages question. **-stopp** wage freeze; *tvungen ~* compulsory w. f. **-tariff** scale of pay, scale; (*se -trinn*). **-tillegg** increase of wages (,salaries); bonus; increment (*fx* annual increments). **-trinn** scale of pay (*fx* the lowest s. of p.), scale (*fx* he starts his career at a point in the scale which depends on age). **-utjevning** levelling of incomes (*fx* a great l. of i. has occurred since those days). **-økning:** *se -forhøyelse*.

lønnvei secret way.

løp run, course; (*om en elv*) course; (*i børse, pistol*) barrel; (*om tiden*) course; ♪ run; (*vedde-*) race; *i det lange ~* in the long run; *X leder etter to ~ (skøyter)* over two distances X is leading; *i tidens ~* in the course of time; *i -et av* in, in the course of, within, during; *i -et av de nærmeste dager* (with)in the next few days; *i -et av 15 år* over a period of 15 years.

løpe (*vb*) run; (*være i kraft*) be (*el.* remain) in force; (*om brunstig dyr*) be in heat; *han kom -nde* he came running along (*el.* up), he came up at a run; *~ hornene av seg* (*fig*) sow one's wild oats; *la munnen ~* jabber away; *~ sin vei* run away, cut and run, make off, decamp; *hissigheten løp av med ham* his temper got the better of him; *det fikk tennene til å ~ i vann på meg* it made my mouth water; *~ inn i en havn* put into a port; *det løp kaldt nedover ryggen på meg* cold shivers ran down my back; *~ på (møte tilfeldig)* run across; *noe å ~ på* a margin; *ha noe å ~ på* have something to fall back upon; *her -r trådene sammen* here the clues converge; *~ ut* ien spiss taper into a point; *hesten løp ut* the horse bolted.

løpe|bane (*et menneskes*) career. **-dag** (*om veksler*) day of grace. **-fot** ♣ cursorial foot. **-grav** trench. **-gutt** errand boy; (*i klubb, hotell*) T buttons; US bellhop. **-ild** ground fire; *bre seg som en ~* spread like wildfire. **-katt** (*jernb*) traverser carriage. **-kran** travelling crane.

løpende running; *~ konto* current account; *den ~ tilgang på sukker* the current supply of sugar, supplies of s. currently available; *det ~ år* the current year; (*se løpe*).

løpenummer serial number.

løpepass (*subst*) T: *få ~* be sacked, be fired, get the sack; US get one's walking papers; *gi en ~* sack sby, fire sby.

løper 1. runner; (*skøyte-*) skater; 2 (*i sjakk*) bishop; 3 (*bord-*) runner; (*trappe-*) (stair) carpet; *rød ~* red carpet.

løpeskinne guide rail.

løpetid (*dyrs*) rutting season; (*hundyrs*) period of heat; (*merk: for veksel*) currency; (*for lån*) term (of a loan); *en tispe i -en* a bitch on (*el.* in) heat.

løpsk: *hesten løp ~* the horse bolted; *en ~ hest* a runaway horse.

lørdag Saturday.

løs loose; (*slapp*) slack; (*løsaktig*) loose; *-e eksistenser* tramps, outcasts of society, waifs and strays; *fanden er ~* there's the devil to pay; *-e hunder* dogs without a leash (*el.* lead); unleashed dogs; *-t krutt* blank cartridges; *~ mave* lax bowels; *gjøre et -t overslag* estimate roughly; *-e rykter* vague rumours (,US: rumors); *-t skudd* blank shot; *-t snakk* idle talk; *nå går det ~!* now for it! *gå ~ på et problem* tackle a problem; *gå like ~ på saken* come straight to the point; *komme seg ~ fra* get free from; (*noe man henger fast i*) extricate (*el.* disengage) oneself from; *rive seg ~* break

away, free oneself; (*voldsommere*) wrench oneself free; tear oneself away; *pengene sitter -t hos ham* he is free with his money; *slippe ~ (andre)* let (*el.* turn) loose; (*selv*) escape; *slå ~* knock loose; *slå ~ på* hammer away at; *slå seg ~ (fig)* let oneself go, have a fling; S let one's hair down; *~ og ledig (ugift)* single, unattached; *-t og fast* all sorts of things; *vi snakket om -t og fast* we talked of this, that, and the other.

løsaktig loose; *~ kvinne* loose woman, w. of easy virtue; T tart.

løsaktighet (moral) looseness, loose living, (moral) laxity.

løsarbeid casual work. **-er** day labourer.

løsbryster (*pl*) S falsies.

løse (*vb*) loosen, unfasten; (*løse opp*) untie; *~ en knute* untie a knot; *~ billett* buy a ticket; *~ en gåte* solve a riddle; *~ en oppgave* solve (*el.* work out) a problem; *~ inn (noe pantsatt)* redeem.

løselig *adj* (*overfladisk*) superficial; perfunctory; (*hastig*) cursory; (*adv*) perfunctorily; superficially, cursorily (*fx* mention it c.); *etter ~ skjønn* at a rough estimate; *se ~ igjennom* run over.

løsen (*subst*) watchword; (*passord*) countersign; *dagens ~* the order of the day; *fremtidens ~* the coming thing.

løse|penger, -sum ransom; *kreve -penger for en* put sby to ransom.

løs|gi (*vb*) release, set free. **-givelse** release. **-gjenger** tramp; (*jur*) vagrant. **-gjengeri** vagrancy.

løsgjøre (*vb*) loosen, disengage; *~ seg (fra noe man henger fast i)* extricate (*el.* disengage) oneself from.

løskjøpe (*vb*) ransom.

løslate (*vb*) release, set free.

løslatelse release.

løsmunnet (*om person*) loose-tongued.

løsne (*vb*) loosen, relax; *~ et skudd* fire a shot.

løsning loosening, relaxation; (*av oppgave*) solution; *da slo -en ned i ham* then the s. struck him; *det er ingen lett ~ på problemet* there is no easy solution to the problem; *det er to mulige -er på forbrytelsen* there are two possible solutions of the crime.

løsrevet disconnected.

løsrive (*vb*): *~ seg* break away; (*med et rykk*) shake oneself free from (*fx* sby's embrace), wrench oneself free from; (*se III. si: ~ seg løs fra*).

løsrivelse detachment, severance; (*polit*) secession, separation, severance, emancipation.

løssalg (*av avis, etc*) sale of single copies, sale to non-subscribers.

løssloppen *fig* (*ubehersket*) unrestrained, unbridled (*fx* passion); (*kåt*) wild, abandoned; *~ dans* wild (*el.* riotous) dance; *~ munterhet* uproarious hilarity.

løssnø loose snow; *ny ~* fresh loose snow; *han kom ut i ~ og falt* he got into some loose snow and fell (,T: and had a spill).

løsøre (*subst*) movables; (*jur*) chattels personal; (*se uavkortet*).

løv 1. leaf (*pl:* leaves); 2. foliage, leafage, leaves.

løvblad leaf (*pl:* leaves).

løve ♏ lion.

løve|brøl roar of a lion (,of lions). **-jakt** lion hunting. **-munn** ♣ snapdragon.

løve|skinn lion's skin. **-tann** 1 (*en løves tann*) lion's tooth; 2. ♣ dandelion. **-unge** lion cub, young lion.

løvrive lawn rake.

løvsag fretsaw.

løvskog deciduous wood (*el.* forest), hardwood forest.

løvsprett leafing.

løvverk foliage.

løybenk couch.

løye (*vb*) ♣ drop, moderate; *~ av* calm, moderate.

løyer *pl* (*morskap*) fun, sport; *drive ~ med* make fun of, pull a fast one on.

løyerlig funny, droll; (*underlig*) queer, odd.
løyert (*glds: barnesvøp*) swaddling cloth; ⚓ (*ring i kanten av et seil*) cringle.
I. løype (*oste-*) rennet.
II. løype (*ski-*) ski track, course; *ute i løypa* along the track (*el.* trail); *gå foran og brøyte* ~ go ahead and break a (,the) track.
løypemage (*drøvtyggers*) rennet bag (*el.* stomach).
løype|sjef (*ski*) chief of the course. **-ski** (*pl*) touring skis. **-streng** aerial cable.
løytnant (*også sjøoffiser*) lieutenant; US ⚓ lieutenant, senior grade (*fk.* S.G.); l., junior grade (*fk.* J.G.); (*flyv*) flying officer, US first lieutenant; ~ (*M*) engineer-lieutenant.
I. løyve (*tillatelse*) permission, permit (*på, til* to).
II. løyve (*vb*) grant; allow, permit.
låghalt lame, limping.
lån loan; *få ordnet et* ~ negotiate a loan; *oppta et* ~ raise a loan (*fx* on a house); *til -s, som* ~ on loan; *få til -s* have the loan of; *han har den til -s* he has borrowed it; *leve på* ~ live by borrowing; *takk for -et!* thank you! *takk for -et av boka* thank you for lending me (*el.* for the loan of) the book.
låne (*vb*) borrow (*av* of, from); (*låne ut*) lend; US loan; ~ *med seg hjem* (*fra bibliotek*) take out (*fx* a book); *hun er flink til å* ~, *men mindre flink til å gi igjen* she is good at borrowing, but bad at giving back; *kunne De* ~ *meg en fyrstikk?* may I trouble you for a match? *jeg er ute for å* ~ (*spøkef*) T I'm on a borrowing spree (*el.* expedition *el.* trip); ~ *på kort sikt* borrow in the short term.
lånebeløp (*subst*): *hele -et* the full amount of the loan.

lånekapital loan capital.
låne|kasse loan office; loan fund. **-kontor** pawnshop, money-lender's office. **-midler** (*pl*) borrowed capital (*el.* money). **-seddel** pawn ticket.
lån|giver lender. **-ord** loanword. **-tager** borrower.
lår (*anat*) thigh; (*av slaktet dyr*) leg.
lårben (*anat*) thigh bone, femur.
låring ⚓ quarter, buttock.
lårkort: ~ *skjørt* miniskirt.
lårstek round steak.
lår|stykke (*av okse*) round of beef; (*av hjort*) haunch (of venison); (*av lam*) leg (of lamb); (*av kalv*) fillet of a leg (of veal); (*av fugl*) leg, drumstick. **-tunge** silverside.
lås lock; (*henge-*) padlock; (*på veske, armbånd, etc*) snap, catch, fastener; *sette* ~ *for* padlock; *døra falt i* ~ the door latched itself; *gå i* ~ lock; (*fig*) come off; *så sikkert som en* ~ T as sure as fate, as sure as eggs is eggs; *under* ~ *og lukke* under lock and key.
låsbar (*adj*) lockable, lock-up (*fx* garage, shed).
låse (*vb*) lock; (*sette hengelås for*) padlock; ~ *av* lock; ~ *ned* lock up; ~ *opp* unlock.
låse|mutter lock nut. **-skive** lock washer.
låsesmed locksmith.
låt sound, ring.
låte (*vb*) sound, ring; *de syntes dette låt godt* they thought this had a pleasant ring.
låve barn; US grain (,hay) barn. **-bru** barn bridge. **-dør** barn door; *han er ikke tapt bak en* ~ T he's up to snuff; there are no flies on him; he knows how to help himself. **-golv** threshing floor.
låvesvale 🐦 barn swallow.

M

M, m M, m; *M for Martin* M for Mary.
m (*fk.f. meter*) metre (*fk.* m); US meter.
maddik 🐛 maggot.
Madeira Madeira.
madjar Magyar. **-isk** Magyar.
madonna Madonna. **-bilde** picture of the Virgin Mary.
madrass mattress.
magasin storehouse, warehouse; (*blad*) magazine.
magasinovn storage stove; US base burner.
mage 1. stomach; T tummy; 2 (*underliv også*) abdomen; belly; 3. pot belly; T bay window; *han har vondt i -n* he has a pain in his stomach; he has indigestion; T he has tummy ache; (*lett vulg*) he has bellyache; *ha hard* ~ be constipated; *få* ~ (*bli tykk*) get paunchy; T put on (*el.* develop) spare tyres; *han begynner å få* ~ (*også*) T he's getting a bay window; *kaste seg på -n for* (*fig*) grovel before, kowtow to; *ligge på -n* lie flat (on one's stomach); *ligge på -n for* cringe to, kowtow to, grovel before; lick sby's boots; (*beundre*) idolize; (*se også rar & sult*).
mage- gastric, stomach.
mage|betennelse gastritis. **-katarr** gastric catarrh. **-knip** stomach ache; T tummy ache; (*lett vulg*) bellyache.
mage- og tarmlidelse gastrointestinal disease (*el.* disorder).
mage- og tykktarmbetennelse gastrocolitis.
mageplask T belly flop (*fx* take a b. f.), flatter.
mager (*mots. fet*) lean (*fx* bacon); (*om person*) thin, spare, lean; ~ *jord* thin (*el.* poor) soil; ~ *kost* scanty fare; ~ *trøst* poor consolation, cold comfort. **-het** leanness, thinness, spareness, meagreness.
mage|sekk (*anat*) stomach. **-syre** gastric juice. **-sår** gastric ulcer.
magi magic.

magiker magician.
magisk magic(al).
magister (*i humanistiske fag, omtr.* =) Master of Arts, M.A.; (*i naturvit. fag*) Master of Science, M.Sc. **-grad** = M.A. degree; M.Sc. degree.
magnat magnate; T tycoon.
magnesia (*avførende pulver*) magnesia.
magnesium (*mineral*) magnesium.
magnet magnet. **-isere** (*vb*) magnetize. **-isering** magnetization. **-isk** magnetic. **-isme** magnetism. **-nål** magnetic needle.
magnolia 🌸 magnolia.
mahogni mahogany. **-tre** mahogany.
mai May; *i* ~ *måned* in the month of M.; *i begynnelsen av* ~ early in M., at the beginning of M., in the early days of M.; *i slutten av* ~ at the end of M.; (*se også I. først; II. først*).
maie (*vb*): ~ *seg ut* bedizen oneself, rig oneself out (*el.* up) (*med* in).
maigull 🌼 golden saxifrage.
mais 🌽 maize, Indian corn.
maisild (*fisk*) allis shad.
mais|kolbe corncob. **-mel** maize flour, cornflour; US corn meal; (*fint*) cornstarch.
majestet majesty; *Deres M.!* Your Majesty!
majestetisk majestic.
majestetsforbrytelse lese-majesty.
majones mayonnaise.
major major; (*flyv*) squadron leader; US major.
majoritet majority; *være i* ~ be in a (*el.* the) majority.
mak ease, quiet, leisure; *i ro og* ~ leisurely, in peace and quiet, at one's ease; *gjøre innkjøp i ro og* ~ (*annonsespråk, ofte*) shop in safety and comfort.
makaber macabre; ~ *humor* sick humour (,US: humor).
makadamisere (*vb*) macadamize.

makaroni macaroni.

make (*subst*) match, equal; (*om ting som utgjør et par*) fellow; (*han el. hun; ektefelle*) mate; *jeg har aldri sett -n* I never saw the like of it (*el.* anything like it); well, I never! *skulle du ha hørt på -n!* the idea of it! *jeg har aldri sett hans* ~ I never saw the like of him.

makelig *adj* (*om stol, etc*) comfortable; (*om person*) indolent; ~ *anlagt* easy-going; *gjøre seg det* ~ take it easy. **-het** ease, comfort; (*om person*) indolence.

makeløs (*adj*) matchless, unparalleled, incomparable; (*uten like, enestående*) unexampled.

makeskifte (*subst*) exchange of real property; US e. of real estate.

makkabeerne (*pl*) the Maccabees.

makker partner. **-skap** partnership.

makko|trøye vest (*fx* a men's vest, a ladies' vest). **-undertøy** cotton interlock underwear.

makkverk bad job, scamped work, mess, botch.

makrell mackerel. **-fiske** mackerel fishery. **-sky** cirro-cumulus; *himmel mod -er* mackerel sky. **-størje** tunny; US (*også*) tuna.

makron (*kake*) macaroon.

maksimalbelastning maximum load.

maksimalpris maximum price; US ceiling price.

maksime maxim.

maksimum maximum. **maksimums-** maximum.

maksis: *hoppe* ~ (*om hund el. katt*) jump through a hoop formed by a person's arm.

maksvær moderate weather.

makt (*styrke, kraft*) force, power, strength; (*herredømme*) sway; power; *overnaturlige -er* supernatural forces; *av all* ~ with all one's might; *bruke* ~ use force; *dømmende* ~ judicial power; *eksemplets* ~ the force of example; *kunnskap er* ~ knowledge is power; *med* ~ by force, forcibly; *det står ikke i min* ~ it is not in (*el.* is out of) my power; *ha ordet i sin* ~ be eloquent; T have the gift of the gab; *komme til -en* come into power; *det står ved* ~ it is in force, it is valid; *vår avtale står fremdeles ved* ~ our arrangement (still) stands; *our* a. stays just as before; *ha -en* be in power.

maktbegjær lust for power.

makte (*vb*) manage; be able to, be equal to; cope with.

maklesløs powerless, impotent; (*ugyldig*) null and void.

makisløshet powerlessness, impotency.

makt|fullkommenhet absolute power. **-glad** eager for power. **-haver** ruler. **-middel** instrument of power. **-område** domain, sphere.

maktpåliggende important, pressing, urgent; essential, imperative.

makt|språk dictatorial language. **-stilling** position of power. **-stjele** (*vb*) render powerless; (*forhekse*) bewitch. **-syk** ambitious, imperious. **-utfoldelse** display of power.

makulatur waste paper; (*-ark*) waste sheet.

makulere (*vb*) make waste (*fx* these copies should be made waste); throw away; mark for destruction; obliterate (*fx* postage stamps).

I. male (*vb*) paint; ~ *med olje* paint in oils; ~ *med vannfarger* paint in water-colour; ~ *etter naturen* paint from nature; *la seg* ~ have one's portrait painted; *han -r på et landskapsbilde* he is painting a landscape.

II. male *vb* (*på kvern*) grind, mill (*fx* corn); (*pulverisere*) crush, pulverize; (*om vann*) churn; (*om katt*) purr.

malemåte manner (of painting), touch (*fx* that's his t.).

malende (*adj*) graphic, vivid, expressive; *en* ~ *skildring* a graphic account (*av* of).

maler painter, artist; (*håndverker*) (house) painter. **-arbeid** painting. **-farge** paint.

maleri painting, picture. **-handler** picture dealer, art dealer. **-kjenner** judge of pictures.

malerinne (woman) painter, (woman) artist.

maleri|ramme picture frame. **-samling** collection of paintings; picture gallery.

malerisk picturesque.

maleriutstilling picture exhibition (*el.* show), e. of paintings; (*losere*) art exhibition.

maler|kasse paint box. **-kost** paint brush. **-kunst** (art of) painting. **-mester** master painter. **-pensel** paint brush. **-pøs** paint pot; paint tin. **-skole** art school; (*kunstretning*) school of painters. **-skrin** paint box. **-stokk** maulstick. **-svenn** journeyman painter. **-varer** (*pl*) paints and colours (,US: colors).

I. maling painting; (*farge*) paint.

II. maling (*på kvern*) grinding; milling.

malingsboks paint tin, paint pot.

malje (*til hekte*) eye; *hekte og* ~ hook and eye.

malm ore; (*al*) heartwood, duramen.

malm|art species of ore. **-full** (*klangfull*) sonorous. **-holdig** metalliferous, ore-bearing. **-klang** metallic ring, clang. **-leie** ore deposit, ore-bed. **-rik** abounding in ore. **-røst** sonorous (*el.* ringing) voice. **-tung** deep, solemn. **-åre** lode (of ore).

malplassert ill-timed, ill-placed, untimely.

malstrøm whirlpool, maelstrom.

malt malt.

malte (*vb*) malt.

maltekstrakt malt extract.

malteser Maltese.

maltraktere (*vb*) maltreat, ill-treat; (*med kniv:* rispe) slash.

malurt ✿ wormwood. **-beger** cup of bitterness.

malva ✿ (*kattost*) mallow.

mamma mam(m)a, mummy. **-dalt** mummy's (*el.* mother's) boy (,girl).

mammon mammon.

mammon|dyrkelse mammon worship. **-dyrker** m. worshipper.

mammut mammoth.

mammutklasse over-large class; enormous class.

I. man (*subst*) mane.

II. man (*ubest pron*) 1 (*den tiltalte medregnet*) you; 2 (*den talende medregnet, den tiltalte ikke*) one; we; T a fellow, a girl; 3 (*om folk i alminnelighet*) one; (*mindre stivt*) they, people; 4 (*ofte brukes passiv konstruksjon*): ~ *sier at* it is said that; ~ *så at han klatret over muren* he was seen to climb over the wall; *som* ~ *ser* as will be seen; ~ *lot meg forstå at* I was given to understand that; ~ *fant at...* it was found that...; 5 (*andre konstruksjoner*): *når* ~ *betenker at* considering that; ~ *kan ikke vite hva...* there is no knowing (*el.* telling) what...; *ser* ~ *det!* really! indeed! *å dømme etter den måten han snakket på, skulle* ~ *tro jeg var en alminnelig tyv* from the way he talked anyone would have thought I was a common thief.

mandag Monday.

mandant principal.

mandarin mandarin (orange); (*oftest*) tangerine.

mandat 1 (*oppdrag*) commission, task; (*komités, etc*) terms of reference; 2 (*fullmakt*) authorization, authority; 3 (*i Stortinget*) seat (*fx* get 50 seats); 4 (*landområde, fullmakt til å styre et slikt*) mandate (*over* over, of) (*fx* the British m. of Tanganyika); *forlenge -et* (1) extend the term of office; *fornye -et* (1) renew the term of office (*el.* the appointment); *nedlegge sitt* ~ (3) resign one's seat.

mandatar (*jur & merk*) agent, authorized person, mandatory.

mandel almond; (*halskjertel*) tonsil. **-flarn** (*småkaker*) almond snaps. **-formet** almond-shaped. **-masse** almond paste. **-tre** ✿ almond tree.

mandig manful. **-het** manfulness.

mandolin ♪ mandolin(e).

mane *vb* (*ånder*) conjure, raise ghosts; ~ *fram* conjure up; ~ *bort* exorcise, lay (*fx* a ghost); ~ *en til noe* (ɔ: *tilskynde*) urge (*el.* prompt) sby to do sth; *det -r til forsiktighet* it calls for caution.

manér manner; fashion; *dårlige -er* bad manners, bad form.

manesje (circus) ring.

manet jellyfish; *brenn-* sea nettle, stinging jellyfish; *jeg brente meg på en* ~ I was stung by a nettle.

mang: ~ *en, mangt et*: *se mang en, mangt (ndf)*.

mangan manganese.

mange (*adj & pron*) many; *svært* ~ very many, a great many; *umåtelig* ~ an immense number; ~ *mennesker var til stede* lots of (*el.* a lot of) people were present; *a crowd of p. were p.*; ~ *møbler* much furniture; ~ *penger* much money, a lot of m., lots of m., plenty of m.; ~ *takk* thank you very much; *hvor* ~ *er klokka?* what time is it? what is the time? *klokka er* ~ it is late.

mange|armet many-armed. **-artet** multifarious. **-dobbelt** manifold, multiplied; (*adv*) many times. **-farget** many-coloured, multicoloured; US many **-colored**, multicolored. **-gifte** polygamy. **-kant** polygon. **-kantet** polygonal.

mangel want, lack; (*knapphet*) scarcity; (*feil*) defect, flaw, drawback; *lide* ~ suffer want; *av* ~ *på* for want of; *i* ~ *av* in default of; for lack (*el.* want) of, in the absence of; *i* ~ *av det* failing that.

mangeleddet with many joints; (*mat.*) multinomial.

mangelfull defective, faulty, imperfect; (*utilstrekkelig*) insufficient. **-het** defectiveness, faultiness, imperfection.

mangelsykdom ♈ deficiency disease.

mangelvare article (*el.* commodity) in short supply, scarce product; *lærere er* ~ teachers are in short supply, there is a shortage of teachers.

mangemillionær multimillionaire.

mang en, mangt many; ~ *en gang* many a time, often; in many cases; *mangt et hus* many a house.

mange|sidet many-sided; (*fig også*) versatile. **-sidethet** many-sidedness, versatility. **-steds** in many places. **-stemmig** of many voices; ♪ polyphonic. **-årig** of many years, of many years' standing, long-standing, of long standing.

mangfoldig manifold, a great many; **-e** ever so many. **-gjøre** (*vb*) multiply; (*kopiere*) duplicate. **-gjørelse** multiplication; duplicating. **-het** multiplicity, variety.

I. mangle *vb* (*ikke ha*) want, lack, be short of; (*ikke finnes*) be wanting, be missing; *vi* ~ *absolutt alt mulig* we are terribly short of everything; *hun sørget for at hennes gjester ikke -t noe* she saw to it (*el.* made sure) that her guests wanted (*el.* lacked) for nothing; *i hans hus -r det ingenting* his house has every comfort; *det skal ikke* ~ *penger til hans utdannelse* there will be money enough for his education; ~ *idéer* be hard up for ideas; *det skulle bare* ~! certainly not! I should think not! surely that's not asking too much! but of course! it's a pleasure! *it's skulle bare* ~ *at han ikke kom nå da vi har gjort alt i stand* it really would be nice if he didn't turn up now that we've made everything ready! shame on him if he doesn't come now that (*etc*); *den -r ti minutter på 5* it's ten minutes to five; *han -t 10 poeng på å vinne* he missed the prize by ten points; *det -t ikke meget på at han skulle vinne* he came very near to winning, he very nearly won (*fx* (the) first prize); *det -t ikke på* there was no lack of.

II. mangle *vb* (*rulle*) mangle.

manglende missing (*fx* the m. pages; supply the m. word); ~ *aksept* non-acceptance; *i tilfelle av* ~ *aksept* in case of non-acceptance, in case of refusal to accept; *i tilfelle av* ~ *betaling* in case of non-payment; *det* ~ what is wanting (*el.* missing), the deficiency; *det* ~ *stykke* the missing piece; ~ *erfaring* inexperience, lack of experience; *hans* ~ *evne til å* his inability to; *etterlevere det* ~ deliver the remainder later.

mangletre mangle.

mani mania, craze.

manifest manifesto. **-asjon** manifestation. **-ere** (*vb*) manifest.

manikyre manicure.

manikyrere (*vb*) manicure.

manipulasjon manipulation.

manipulere (*vb*) manipulate.

manisk maniacal, manic.

manke mane; (*del av hesterygg*) withers. **-brutt** wither-wrung, saddle-chafed.

manko (*merk*) deficiency, deficit; shortage (*på* of).

mann man; (*ekte-*) husband; ~ *og kone* man and wife; *alle* ~ ♒ all hands; *alle som en* ~ one and all; to a man; (*enstemmig*) with one voice, unanimously; ~ *for* ~ man for man; *være* ~ *for sin hatt* hold one's own (with anyone); *en kamp* ~ *mot* ~ a hand-to-hand fight; *kjempe* ~ *mot* ~ fight man to man; ~ *over bord* ♒ man overboard! *pr.* ~ per person; per head; *til siste* ~ to the last man.

manna manna.

mannbar sexually mature, nubile.

manndom manhood.

manndoms|alder (age of) manhood. **-kraft** manhood, the vigour (,US: vigor) of manhood.

mann|drap homicide; (*ikke overlagt*) manslaughter. **-draper** homicide; manslayer.

manne (*vb*) ♒ man; ~ *rærne* man the yards; ~ *seg opp* pull oneself together.

mannefall slaughter; (great) loss of life.

manne|keng, -quin mannequin; model.

mannevett human wisdom; common sense.

mannfolk male, man (*pl:* men). **-hater** man-hater. **-tekke** sex appeal, a way with men.

manngard body of men (or women); *gå* ~ raise a posse (*se finkjemme*).

mannhaftig (*om kvinne*) mannish.

mann|jevning (*styrkeprøve*) trial of strength. **-jevnt** (*adv*) in a body.

mannkjønn male sex.

mannlig male.

mannsalder generation.

manns|arbeid a man's job; men's work. **-avdeling** (*på sykehus*) men's ward. **-drakt** male attire. **-emne** boy, lad, youth; *et godt* ~ a promising lad.

mannshøy as tall as a man.

mannshøyde the height of a man.

mannskap (*tropper*) troops, men; (*skipsbesetning*) crew, ship's company.

manns|klær men's clothes. **-kor** male choir.

mannsling bit of a man, manikin.

mannsløft (*subst*): *det er et ordentlig* ~ it's (quite) as much as a man can lift.

mannsmot courage; T pluck, guts.

mannsperson man.

mannsside (*i familie*) male line.

mannsstemme man's voice, male voice.

mannsterk strong in number, in large force; *møte -t opp* turn up (*el.* out) in large numbers (*el.* in force); muster a large crowd (*fx* we mustered a l. c.).

mannstukt discipline.

manntall census; *holde* ~ take a census.

manntallsliste census paper; (*valgliste*) electoral (*el.* voters') register, register of electors; US registration list.

mannvond dangerous, vicious, likely to attack people.

manometer manometer.

mansjett shirt cuff; *støtt på -ene* (*fig*) piqued. **-knapp** cuff link, sleeve link.

mantilje mantilla.

mantisse mantissa.

manudu|ksjon coaching. **-ktør** coach; (*universitets-*) tutor. **-sere** (*vb*) coach; (*ved universitet*) tutor.

manuell manual.

manufaktur (*manufakturvarer*) drapery goods; US dry goods, textiles.

manufaktur|handel (*butikk*) draper's shop; US dry goods store. **-handler** draper; US dry-goods dealer. **-varer** (*pl*) drapery (goods); US dry goods.

manuskript manuscript, MS (*pl:* MSS); (*maskinskrevet*) typescript; (*til setteren*) copy; *lese boka i* ~ (*også*) read the book in typescript.

manuskriptsamling collection of MSS.
manøver manoeuvre; US maneuver.
manøvrere (*vb*) manoeuvre; US maneuver.
manøvrering manoeuvres; manoevring; US maneuvers; maneuvering.
mappe folder; (*i arkiv*) file; (*lær-*) briefcase.
marabu ⚘ marabou.
mare nightmare; *flygende* ~ (*i bryting*) flying mare.
marehalm ⚘ marram (grass).
marekatt ⚘ guenon, cercopith.
mareritt nightmare.
I. marg (*i bok*) margin; *i -en* in the margin; *bruke* ~ leave a m.; *bruk bredere* ~! leave a wider (*el.* bigger) m.! *alle linjene begynner med samme* ~ all lines start at the same m.; *helt ut mot -en* (*uten innrykk*) against the m.
II. marg (*i ben*) marrow; (*fig*) backbone, pith; *kulden gikk meg til* ~ *og ben* I was frozen to the marrow (*el.* to the bone).
margarin margarine; T marge.
marg|full marrowy, pithy. **-gresskar** ⚘ vegetable marrow. **-løs** marrowless, pithless.
margin margin; *vinne med god* ~ win by a wide margin; (*se rentemargin*).
marginalbemerkning marginal note.
marginalskatt tax differential.
Maria Mary, Maria; *jomfru* ~ the (Holy) Virgin, the Virgin Mary.
Maria|bilde image of the Virgin. **-dyrkelse** worship of the Virgin Mary.
mari|hand ⚘ orchis. **-høne** ⚘ ladybird. **-kåpe** ⚘ lady's mantle.
marine navy; *-n* (*i England ofte*) the Senior Service. **-bilde** seascape. **-blå** navy blue. **-kikkert** binoculars. **-maler** marine painter.
marinere (*vb*) marinate, pickle.
marinesoldat marine.
marinøklebånd ⚘ cowslip.
marionett puppet. **-spill**, **-teater** puppet show.
maritim maritime.
I. mark (*mynt*) mark.
II. mark maggot, worm; *full av* ~ maggoty.
III. mark field; ground, land; ~ *og eng* field and meadow; *-ens grøde* the growth of the soil; *i -en* in the field (*fx* studies in the f.); *arbeid i -en* field work (*fx* do f. w.); *føre i -en* (*fig*) advance, put forward (*fx* a new argument); muster (*fx* every argument he could m.); *notater gjort i -en* field notes; *rykke i -en* take the field (*mot* against); *slå av -en* (*fig*) beat, drive from the field.
markant marked, pronounced.
markblomst field flower, wild flower.
marked fair; fun fair; (*avsetningssted; avsetning av varer*) market; *bringe på -et* put (*el.* place) on the market; *komme på -et* come into the m.; *prøve å komme inn på et* ~ try to get into a m.; *det hadde vært* ~ there had been a fair; *det er godt* ~ *for kaffe* there is a good market for coffee; *kaste inn på -et* throw on (*el.* into) the market; *firmaet er allerede på dette* ~ the firm is already operating on this m.
markeds|analyse market analysis. **-bod** (market) stall; *i -en* at the stall (*fx* they have china at that s.). **-føre** (*vb*) market. **-plass** fairground(s); (*se munterhet*). **-pris** market price (*el.* quotation); *til full* ~ at the full market value. **-situasjonen** the condition of the market; (*se bilde*).
markere (*vb*) mark; indicate; *et markert standpunkt* a well-defined position.
markeringslys *pl* (*på bil*) side (clearance) lights; US parking lights.
marketenter (*hist*) sutler. **-i** sutlery; canteen.
marki marquess, marquis.
I. markise (*titel*) marchioness.
II. markise awning.
markjordbær ⚘ wild strawberry.
markkryper (*om ball*) flat shot, grounder.
markmus ⚘ field mouse.
markskriker ballyhooer. **-sk:** ~ *reklame* (advertising) ballyhoo.

markstukken worm-eaten.
Markus Mark.
marmelade marmalade.
marmor marble.
marmor|blokk marble block. **-bord** marble -topped table.
marmorere (*vb*) marble.
marmorplate marble slab; (*på bord*) m. top.
marodere (*vb*) maraud.
marodør marauder, straggler.
marokin morocco (leather).
marokkansk, Moroccan. **Marokko** Morocco.
mars (*måned*) March; (*se mai*).
Mars Mars.
marsboer Martian.
marsipan marzipan.
marsj march; *på* ~ on the march; *blåse i lang* ~ disregard completely, not give a hang; *gjøre på stedet* ~ mark time; *på stedet* ~! ✕ mark time! (*se II. rette: det -r seg i marsjen*).
marsjall marshal. **-stav** marshal's baton.
marsjandiser second-hand dealer.
marsjere (*vb*) march; ~ *bort enkeltvis* file off; ~ *i takt med* m. in step with.
marsjfart (*også* ⚓) cruising speed.
marsjkolonne ✕ column of march.
marsj|orden ✕ marching order. **-ordre** marching order. **-retning** line of march (*fx* we tried to discover the enemy's l. of m.) **-takt** march time.
marsk (*lavt kystland*) marsh; marshland.
marskland marshland.
marsvin ⚘ (*liten gnager*) guinea pig.
marter torture, agony.
martialsk martial.
martre (*vb*) torture. **-nde** excruciating.
martyr martyr; *gjøre til* ~ martyrize. **-dom** martyrdom.
martyrium martyrdom.
marvpostei (*liten kake*) congress tart.
mas (*besvær*, *møye*) trouble, bother; (*gnål*) importunity; *jeg hadde et farlig* ~ *med ham* he gave me a lot of trouble; *jeg håper De ikke betrakter dette som utidig* ~, *men* ... I hope you do not consider this unreasonably persistent, but ...
I. mase *vb* (*i stykker*) mash, crush, pound (*fx* to pieces).
II. mase *vb* (*gnåle*) be persistent; ~ *livet av en* worry the life out of sby; ~ *på en* worry sby (*fx* she's always worrying her mother for chocolate); be on to sby (*fx* he's always on to me to give him money); (*streve, gjøre bråk*) fuss (about), bother; ~ *med* have no end of trouble with.
masekopp nuisance; T little pest; US fusser, fuss-budget.
mase|kråke ~ *-kopp*.
maset bothersome, fussy; importunate.
I. maske (*i nett*) mesh; (*i strømpe*, *etc*) stitch; *felle av en* ~ cast off a stitch; *legge opp en* ~ cast on a stitch; *slippe en* ~ drop a stitch; *strikke to -r sammen* knit two together; *ta opp en* ~ pick up a stitch.
II. maske (*for ansiktet*) mask; (*skuespillers*) make-up; *ta* (*el.* *rive*) *-n av* unmask; (*se stram:* ~ *i masken*).
maskeball fancy-dress ball; US masquerade ball.
maskepi collusion.
maskerade masquerade, fancy-dress ball.
maskere (*vb*) mask; ~ *seg* mask, put on a mask.
maskin machine; (*damp-*) engine.
maskinarbeid machine work.
maskinarbeider machinist.
maskinavdeling (*jernb*) [engineering department]; (*intet tilsvarende; se bane-* & *elektroavdeling*).
maskindeler (*pl*) machine parts, engine parts.
maskindirektør (*jernb*): *intet tilsvarende; se bane-* & *elektrodirektør*.
maskineri machinery; (*se sand*).
maskinfabrikk engine (*el.* machine) works.

maskingevær machine gun.

maskiningeniør mechanical engineer.

maskinist engineer; (*jernb*: *som betjener omformerstasjon*) control operator; (*teater*) stage mechanic.

maskinklipt (*om håret*) machine-cut, close cropped.

maskin|kraft engine power. **-lafte** (*vb*) make a machined cogging joint; **-t tømmer** machine jointed timber. **-messig** like a machine, mechanical. **-mester** engineer. **-olje** engine oil, lubricating oil. **-rom** engine room. **-skade** engine trouble, breakdown.

maskinskrive (*vb*) type; ~ *et stenogram* type back shorthand notes, transcribe s. notes; (*jvf stenogram*).

maskinskriver(ske) typist.

maskinskrivning typing, typewriting.

maskin|telegraf engine-room telegraph. **-verksted** engineering (work)shop, engine shop (*el.* works), machine shop. **-verktøy** machine tool(s).

maskot mascot.

maskulin masculine.

maskulinum the masculine (gender); masculine.

mas|omn, -ovn blast furnace.

massakre massacre.

massakrere (*vb*) massacre, slaughter.

massarin (*svarer til*) Bakewell flan.

massasje massage.

masse mass; (*hoved-*) bulk (*fx* the b. of the cargo); (*boets*) assets, estate; (*papir-*) pulp; (*stor mengde*) masses (*fx* of snow); heaps (*fx* of beer, money); lots, a lot (*fx* lots of food, a lot of food); *en* ~ (*el. -r av*) *mennesker* a lot of people; lots (*el.* crowds *el.* heaps *el.* stacks) of people; a large crowd; *jeg har en* ~ *arbeid å gjøre* I have heaps (*el.* loads *el.* stacks) of work to do.

masse|artikkel mass-produced article. **-avskjedigelse** large-scale (*el.* wholesale) dismissals. **-beregner** (*ingeniør som beregner masser og priser*) quantity surveyor. **-grav** mass grave, common g. **-herredømme** mob rule. **-mord** wholesale (*el.* mass) murder. **-morder** wholesale (*el.* multiple) murderer; (*især polit: om masseutryddelse*) mass murderer. **-møte** mass meeting. **-opphud** large muster (*fx* of police); (*jvf storutrykning*).

masseproduksjon mass production.

massere (*vb*) massage.

masse|utnevnelse wholesale appointment. **-vis:** *i* ~ plenty of, lots of, any amount of; T heaps of (*fx* money).

massiv massive; (*ikke hul*) solid.

massør masseur. **massøse** masseuse.

mast ⚓ mast; *kappe -en* cut away the mast; *et skip uten -er* a dismasted ship.

mastetopp ⚓ masthead.

mastiks (*plante & stoff*) mastic.

mastodont 🦣 mastodon.

masurka mazurka.

mat (*føde, næring*) food; *lage* ~ cook; **-en** (*middags-, aftens-*) *er servert* dinner (,supper) is on the table (*el.* is ready); *det er* ~ *for Mons* that's the stuff! T (*også*) that's his (,her, *etc*) cup of tea! *uten* ~ *og drikke duger helten ikke* nobody can fight (,work, *etc*) on an empty stomach; eat and be healthy!

matador matador.

matboks lunch box.

mate (*vb*) feed; ~ *krabbene* (*være sjøsyk*) feed the fishes.

matematiker mathematician.

matematikerhjerne a mind of mathematical cast.

matematikk mathematics (*pl*); T maths; ~ *er vanskelig* m. is difficult; *han er svak i* ~ T his maths is weak. **-lærer** mathematics master. **-oppgave** mathematical problem; *han holder på med -ne sine* T he's doing maths; he's doing his maths prep.

matematisk mathematical.

mateple cooking apple.

materiale material.

materialforvalter storekeeper; (*jernb*) assistant to supplies and contracts manager; (*se forrådsdirektør*).

materialisme materialism.

material|ist materialist. **-istisk** materialistic.

materialprøveanstalt testing laboratory.

materie matter, substance; (*væske*) matter, pus; (*emne*) subject; *en bok i* ~ a book in sheets; *ånd og* ~ mind and matter.

I. materiell (*subst*): *rullende* ~ rolling stock.

II. materiell (*adj*) material; **-e nytelser** material pleasures.

mat|fat dish (of food). **-fett** dripping. **-frieri** cupboard love.

mathus a good house for food, a h. with plenty of good food.

matiné matinée, morning concert.

mat|jord humus, garden mould, top-soil; (*ofte*) loose soil. **-klokke** dinner bell, dinner gong. **-krok** hearty eater; S greedy-guts.

mat|lagning cooking, cookery; *hun er flink i* ~ she is a good cook; *vi tar det ikke så nøye med -en* we don't fuss very much over the cooking. **-lagningsmaskin** food mixer. **-lei** without appetite; (*fig*) blasé; lethargic, listless. **-leihet** lack of appetite; 𝑇 inappetence, anexoria. **-lukt** smell of cooking. **-lyst** appetite; *det ga meg* ~ it gave me an appetite. **-mor** mistress of the house. **-nyttig** edible, eatable, usable as food. **-olje** cooking oil. **-os** (unpleasant) smell of cooking.

mat|pakke (packed) lunch; lunch packet; picnic (*el.* sandwich) lunch. **-papir** sandwich paper; US wax paper. **-rester** (*pl*) left-overs; (*i tennene*) food debris.

matriarkalsk matriarchal.

matrikkel land register.

matrikulering registration.

matrise matrix (NB *pl*: matrices, matrixes).

matro peace (and quiet) during a meal; *la oss få* ~! let us have our meal in peace.

matrone matron. **-aktig** matronly; (*neds*) stout; ripe (*fx* her ripe figure; her ripe charms).

matros sailor, able seaman; (*se fullbefaren*).

matrosdress (*for barn*) sailor suit.

mat|skap food cupboard. **-stasjon** refreshment stand. **-stell** cooking. **-strev** toil for one's daily bread; material concerns.

matt (*svak*) faint; (*ikke skinnende*) dim, dull, dead, not glossy; (*fot, om papir*) matt; (*i sjakk*) mate.

matte (*subst*) mat; *holde seg på matta* T toe the line.

mattere *vb* (*gjøre overflaten matt*) frost.

matthet faintness; (*tretthet*) languor; (*merk*) dullness, flatness.

mattskinnende dully gleaming.

mattslipt frosted, ground.

matvarer (*pl*) food, provisions, victuals.

matvei: *i -en* in the way of food, in the f. line; *han er vanskelig i -en* he's very particular (*el.* fussy) about his food.

matvett: *ha godt* ~ know how to butter one's bread; know how to look after oneself; have an eye for a good opportunity; US know how to bring home the bacon; (*jvf næringsvett*).

matvin cooking wine.

maule (*vb*) munch; eat dry.

maur 🐜 ant.

maur|er Moor. **-isk** Moorish.

maur|sluker 🐜 ant bear, anteater. **-tue** anthill.

mausergevær Mauser rifle.

mausoleum mausoleum.

mave: *se mage*.

I. med (*landmerke*) landmark; *uten mål og* ~ aimlessly.

II. med (*prep*) **1** (*sammen med*) with; (*især om mat*) and (*fx* steak and onions; sausage and mashed potatoes); **2** (*om måte & ledsagende omstendighet*) with (*fx* with a threatening gesture; with his hands in his pockets); (*uttrykkes ofte ved*

absolutt konstruksjon, *fx* he approached me, hat in hand; thumbs in belts, the policemen stood at the entrance); in (*fx* in a loud voice; in other words; the address is written in pencil; printed in capital letters); **3** (*om midlet*) with (*fx* play with fire; write with a pen), by means of (*fx* kill him by means of poison); (*i visse forbindelser*) by (*fx* he amused himself by leaning out of the window; the machine is worked by hand; the chain by which he was fastened; elected by a large majority; win by two goals to nil; divide (,multiply) by seven; take it by force); (NB *ved enkelte verb oversettes "med" ikke,* *fx* the dog wagged his tail; he pointed his finger at me; he waved his hand); **4** (*om befordringsmiddel*) by (*fx* arrive by train, go by steamer; send by ship, post, rail); on (*fx* he came on the train, tram, boat); in (*fx* he came in his own car); **5** (*som har, som er utstyrt med*) with (*fx* a man with red hair; a fellow with brains); having (*fx* an industrial concern having branch factories in many countries); (*uttrykkes ofte ved endelsen* -ed, *fx* rubber -soled boots; the moneyed classes; a three -bedroomed house); (*især psykisk egenskap*) of (*fx* a man of ability, ideas, imagination); (*om påkledning*) in (*fx* a lady in a big hat); with (*fx* the man with the black tie), wearing (*fx* a girl wearing sun-glasses and a straw hat); **6** (*innbefattet*) including, counting (*fx* c. the driver, there were five of us in the car); **7** (*om innhold*) of (*fx* a barrel of grapes); **8** (*imot*) with (*fx* fight with them; we fought a war with Japan); against (*fx* we fought against France; his campaign against Cromwell); **9** (*tross, til tross for*) with (*fx* with all his faults, he is a charming man); in spite of; **10** (*i betraktning av*) with (*fx* with his talents he could have reached a high position); ~ *dette ber jeg Dem sende meg* I would ask you to send me...; *vente på en* ~ *maten* keep dinner (,*etc*) waiting for sby; *bollen* ~ *suppe* the bowl with the soup in (it); the b. containing the s.; ~ *Deres brev av . . .* with (*el.* enclosed in) your letter of; *Deres brev* ~ *sjekk på £30-0-0* your letter enclosing cheque for £30-0-0; *arbeide* ~ *latinsk grammatikk* work at Latin grammar; *arbeide* ~ *grøfter og slikt* work at digging ditches and suchlike; *han sendte ham et brev* ~ *en sjekk i* he posted him a cheque in a letter; *hva er det* ~ *deg?* what's the matter with you? (*især* US S) what's eating you? *hva galt er det* ~ *det?* what's wrong with (*el.* about) that? *hvis det ikke var (for) dette* ~ *pengene* if it wasn't for the money (*el.* for that business about the m.); *han er ikke* ~ (*på notene*) (*neds*) he is just not with it; *være* ~ *på det* join in it; T be in on it; *være* ~ *på hva som helst* be game for anything; ~ *skikkelig opplæring vil de kunne . . .* under proper training they will be able to . . .; (*se ha:* ~ *det med å . . .*).
medalje medal.
medaljong 1 (*smykke*) locket; 2. medallion.
medaljør 1. medal engraver; 2. medallist (,US: medalist).
medansvar joint responsibility.
medansvarlig jointly responsible; *han er* ~ he shares the responsibility.
medansøker fellow applicant, fellow candidate.
medarbeider co-worker, fellow worker, collaborator; (*i en avis*) contributor (to); *de faste -e* (*i avis*) the staff; *vår* ~ *i Paris* our (special) correspondent in Paris.
medarbeiderskap collaboration.
medarrestant fellow prisoner.
medarving joint heir (,heiress); co-heir(ess).
medbeiler, -ske rival.
medbestemmelsesrett voice (*fx* have a v. in the management); right to be consulted.
medbestemmende contributory (*fx* a c. factor); (*om årsak*) concurrent (*fx* a c. cause); *utenforliggende hensyn hadde vært* ~ *ved avgjørelsen* ulterior considerations had played their part in the decision.

medborger fellow citizen, fellow townsman; fellow countryman, compatriot.
medbringe (*vb*) bring (along with one).
medbringer (*i maskin*) carrier, dog.
medbør fair wind; (*fig*) success; *ha* ~ *be* successful, prosper.
meddele *vb* (*underrette om*) inform (*fx* sby of sth), advise (*fx* sby of sth); (*gi*) give, grant (*fx* permission); *han -r at* he states that...; he informs (*el.* advises) me that; *vi kan* (*el.* skal få) ~ *Dem at . . .* we would inform you that; we wish to say (*el.* inform you) that; *som svar på Deres forespørsel -s at* in reply to your inquiry, we are able to inform you (*el.* we wish to say) that...; *jeg kan* ~ *at* I am able to inform (*el.* advise) you that; I wish to i. you that; *vi må imidlertid* ~ *Dem at . .* we have to i. you, however, that . . .; *jeg skal skrive til Dem og* ~ *Dem resultatet* I shall write to you informing you about the result; ~ *sine kunnskaper* put one's knowledge across.
meddelelse information (*fx* this is a surprising piece of i.; this i. came as a complete surprise); message (*fx* a confidential m.); communication; (*merk*) advice; *gi* ~ *om* (*merk*) advise.
meddelsom communicative.
meddelsomhet communicativeness.
meddirektør co-director.
medeier joint owner, co-owner.
medfart treatment, handling; *boka fikk en hard* ~ *av kritikken* the book was roughly handled by the critics; (*se II. slem*).
medfødt inborn, native, congenital, innate; *det er* ~ he (she, *etc*) was born with it.
medfølelse sympathy, pity (*fx* feel p. for); *ha* ~ *med* feel (sympathy) for, sympathize with, be sorry for; *have* (*el.* take) pity on; feel pity for.
medfølge *vb* (*om bilag*) be enclosed. **-nde** enclosed (*fx* the e. letter).
medfør: *i embets* ~ officially; on official business; professionally; by virtue of one's office.
medføre *vb* (*fig*) involve, entail; bring (*fx* it brought protests from the workmen).
medgang prosperity, success.
medgi *vb* (*innrømme*) admit, grant.
medgift dowry, marriage portion.
medgjørlig manageable, amenable, complying.
medhjelper assistant, helper.
medhold approval, support; *i* ~ *av* (*jur*) pursuant to; *gi en* ~ agree with sby; support sby.
medhustru concubine.
medikament medicament, medicine, remedy.
medinnehaver partner, joint owner; part-owner.
medio in the middle of, mid- (*fx* in mid-June).
medisin medicine, remedy; (*legevitenskap*) medicine.
medisiner 1. medical student; 2 (*lege*) physician.
medisin|flaske, -glass medicine bottle (*el.* phial).
medisinsk medical; medicinal (*fx* medicinal bath).
medisinskap medicine cupboard.
medister minced fat and lean pork. **-pølse** pork sausage.
medium medium.
medkjensle: *se medfølelse.*
medkontrahent joint contractor, other contracting party.
medkristen fellow Christian.
medlem member; ~ *av Unge Høyre* a Young Conservative.
medlemsbok membership card; *ha -a i orden* be a card-carrying member (of a political party).
medlemskort membership card; (*se medlemsbok*).
medlems|liste: *stå oppført på -n* be on the books. **-tall** number of members, membership (*fx* a large m.).
medlidende compassionate, pitying, sympathetic.

medlidenhet pity, compassion, sympathy; *ha ~ med* have pity on, pity.

medlyd consonant.

medmenneske fellow being.

med mindre unless.

medredaktør co-editor, assistant editor.

medregent co-regent.

medregne (*vb*) count (in), include, take into account; *ikke -t* not counting (*fx* n. c. extra fees).

medreisende fellow traveller.

medsammensvoren (fellow) conspirator.

medsensor (*ved eksamen*) = second examiner; *være ~* = report as a second examiner.

medskapning fellow creature.

medskyld complicity.

medskyldig (*adj*) accessory (*i* to), implicated (*i* in), party (*i* to); (*jur: mots. hovedgjerningsmann*) principal in the second degree; *en ~* an accomplice.

medspiller fellow player; partner.

medta (*vb*) 1. include; 2: *se ta med; lakener og håndklær -s* sheets and towels not provided.

medtatt (*av støt*) battered; (*skadd*) damaged; (*slitt*) the worse for wear; (*av sykdom*) weak, worn out (by illness); (*trett*) exhausted.

medunderskrift countersignature.

medunderskrive (*vb*) countersign.

Medusa Medusa, (the) Gorgon.

medutgiver joint editor.

medveksel (*jernb*) trailing points; US t. switches; *kjøre over -en* trail the point, pass the point trailing.

medvind down wind, following wind, tail wind; (*fig*) success; *vi hadde ~* (*også*) we had the wind behind us (*el.* in our backs); (*fig*) fortune smiled on us; we were favoured by fortune.

medvirke (*vb*) contribute, be conducive (*til* to, towards); *~ ved* co-operate in; *de -nde* the actors, the performers, those taking part.

medvirkning co-operation, participation, assistance; *under ~ av* assisted by, with the co-operation of.

medviten (*det å se gjennom fingrene med*) connivance.

medvitende privy; *være ~ om* be p. to, know of, connive at (*fx* an offence, a crime).

medynk pity, compassion, commiseration; *ha ~ med* have pity on; feel compassion for.

meg (*pron*) me; (*refleksivt*) myself; *det er ~* it's me; *en venn av ~* a friend of mine; *han vasker ~* he washes me; *jeg vasker ~* I wash (myself).

megafon megaphone.

megen: *se mye; med ~ møye* with great pains.

meget 1 (*foran adj & adv i positiv*) very; 2 (*foran adj & adv i komparativ, ved subst & verb*) much; 3. a great deal of, large quantities of (*fx* food, tea); T a lot of, lots of; *altfor ~ er av det onde* all excess does one harm; *gjøre for ~ av det gode* (➔: *overdrive*) overdo it; *han er ~ vennlig, ~ vennligere enn du tror* he is very kind, much kinder than you think; *jeg er ~ glad i ham* I am very fond of him; *det gleder meg ~* I am very glad; *jeg omgås ham ~* I see him very often; *jeg ber ~ om forlatelse* I beg you a thousand pardons; *så ~ desto verre* the more's the pity; *så ~ mer som* the more so as.

megetsigende meaning, expressive; knowingly (*fx* she looked k. at him).

megle (*vb*) mediate, act as mediator; (*ved arbeidskonflikt*) arbitrate; *~ fred* negotiate a peace; *søke å ~ mellom partene* try to reconcile the parties, try to mediate between the p.

meglende mediatorial.

megler mediator; (*merk*) broker. **-forretning** broker's business. **-gebyr, -lønn** brokerage. **-rolle** the part of a mediator.

megling mediation, conciliation; arbitration.

meglingsforslag (proposed) compromise.

meglingsforsøk attempt at mediation.

mehe spineless person; T (*også* US) yes-man.

mei *subst* (*på kjelke, etc*) (sleigh) runner.

meie *vb* (*slå*) reap, mow (down).

meieri dairy. **-drift** dairy farming, dairying. **-produkter** (*pl*) dairy produce. **-smør** dairy butter.

meierist dairyman.

meierske dairymaid.

I. meis 1. rucksack frame; 2. willow basket.

II. meis ♫ titmouse.

meisel (*subst*) chisel.

meisle (*vb*) chisel, carve.

meite *vb* (*fiske m. stang*) angle. **-mark** angleworm, earthworm.

mekaniker mechanic; (*se bil-*).

mekanikk 1. mechanics (*pl*); 2 (*mekanisme*) mechanism.

mekanisk (*adj*) mechanical; automatic; *~ verksted* engineering workshop.

mekanisme mechanism.

mekle, mekler: *se megle, megler.*

mekre (*vb*) baa, bleat.

meksikaner, -inne, meksikansk Mexican.

mektig (*adj*) mighty, powerful; (*stor*) vast, huge, enormous; (*om mat*) rich; (*adv*) immensely, greatly.

mel meal; (*især hvete-*) flour (*fx* fine white f.); *ha rent ~ i posen* have a clear conscience; (*se II. røre*).

melaktig mealy, farinaceous.

melankoli melancholy. **-ker** melancholiac.

melankolsk melancholy.

melasse molasses.

melde (*vb*) report, notify; (*forkynne*) announce; (*omtale, fortelle*) mention; ✝ bid, call; (*angi til politiet*) turn in, denounce, report (*fx* sby to the police); *~ et barn inn på skolen* enter a child for school; *barna blir meldt inn på skolen i mai og begynner i august* the children are entered for school (*el.* have their names put down for school) in May and start in August; *~ seg (stå fram)* come forward (*fx* if there is a straightforward explanation, we would like the people responsible to come forward); *det har meldt seg mange søkere* there are many applicants; *når behovet -r seg* when the need arises; *et spørsmål -r seg* a question arises (*el.* suggests itself); *vansker -r seg* difficulties present themselves (*el.* crop up *el.* arise); *~ seg hos* report to; *~ seg inn* register, enrol(l); (*i forening*) join, apply for membership; *~ seg opp til en eksamen* enter for an exam; *~ seg på et kurs* enter for a course; T go in for a course; *~ seg syk* report sick; *~ seg til tjeneste* ✕ report for duty; *~ seg ut* resign (membership) (*fx* he resigned from the society); *la seg ~* send in one's card; (*se arving; respekt; skam*).

meldeplikt obligation to submit reports; (*som straff*): *få ~* be placed under police supervision.

melding announcement; statement; (*innberetning*) report; ✝ bid; *jeg greide -en* ✝ I made my contract; (*i skole*) letter, note; *han ble knepet i røyking på toalettet og fikk ~ med hjem* he was caught smoking in the lavatory, and this was reported to his parents; *har du ~?* (*sagt til elev*) have you brought a note? *når elevene har vært fraværende, må de ha med ~ hjemmefra til klasseforstanderen* after absence pupils must bring a note to the form master; (*se også uforberedt*).

meldingsfrihet (*for elever*) freedom to be absent without explanation; *det ble diskutert om elevene skulle ha adgang til ~* the question was discussed whether the pupils should be free to be absent without explanation.

meldrøye ♣ ergot.

meldugg ♣ mildew.

mele (*vb*) meal, flour; *~ sin egen kake* feather one's own nest; look after (*el.* take care of) number one.

melen (*om potet*) mealy.

melere (*vb*) mix.

melet mealy, floury.

melis icing sugar; US confectioner's sugar.

melisglasur icing; US frosting.

melk milk. **melkaktig** milky, lacteous.
I. melke (*hos fisk*) milt.
II. melke (*vt*) milk.
melke|bu dairy. **-butikk** dairy. **-fisk** milter.
-kapsel milk-bottle cap. **-kjertel** mammary gland.
-krakk milking stool. **-ku** milch cow. **-mann** milkman, milk roundsman. **-mugge** milk jug.
-prøver lactometer. **-ringe** [dish of slightly curdled full cream milk, eaten with sugar and crumbs]; = milk rennets. **-syre** lactic acid. **-tann** milk tooth.
melke|utsalg dairy, milk shop. **-vei** Milky Way.
-vogn milk cart.
melklister (flour) paste.
mellom between; (*blant*) among; ~ *barken og veden* between the devil and the deep (blue) sea; *er det noe* ~ *dem?* is there anything between them? *ha valget mellom to onder* have the choice of two evils; ~ *oss sagt* between ourselves, between you and me; (*se imellom & natt*).
   Mellom-Afrika Central Africa.
mellomakt interval; US intermission.
mellomaksel intermediate (*el.* lay) shaft; (*i bil*) drive (*el.* propeller) s.; (*i girkasse*) countershaft.
   Mellom-Amerika Central America.
mellomdekk between-deck; (*tredje plass*) steerage.
mellomdistanse|løp middle distance run. **-løper** m. d. runner.
mellomdør communicating door.
   Mellom-Europa Central Europe.
mellomfag [each of the two or three examinations for the degree of *cand. mag.*, the third may be replaced by an examination at elementary level]; intermediate subject, subsidiary s.; (*jvf grunnfag & hovedfag*).
mellomfolkelig international.
mellomfornøyd not very pleased, disgruntled.
mellomgass: *gi* ~ (*om bilist*) double de-clutch (*fx* when changing down).
mellomgrunn (*på el maleri*) middle distance.
mellomgulv (*anat*) midriff, diaphragm; *et slag i -et* a blow on the midriff.
mellomhandel intermediate trade.
mellomhand ♣ second hand.
mellomklasse middle class.
mellomkomst intervention, mediation.
mellomlanding (*flyv*) intermediate landing, stop.
mellomledd connecting link; (*person*) intermediary; *det manglende* ~ the missing link.
mellomlegg (*tekn*) shim; (*ved byttehandel*): *hvor meget får jeg i* ~ ? what will I get to make up the difference? *han fikk 5s. i* ~ he got 5s. into the bargain (*el.* thrown in).
mellomliggende lying between; ~ *tid* intervening time, interval.
mellommann middleman, intermediary.
mellommat snack (between meals).
mellomproporsjonal mean proportional.
mellomrepos (*arkit*) half landing.
mellomrett side dish.
mellomriks- international.
mellomrom interval; (*lite*) interstice; (*typ & ♪*) space; *med* ~ at intervals; *med lange* ~ at long intervals; *de døde med få dagers* ~ they died within a few days of each other.
mellomspill ♪ interlude.
mellomst: *den -e* the middlemost, the midmost.
mellomstasjon intermediate station, s. en route.
mellomstilling intermediate position.
mellomstor middle-sized, medium(-sized).
mellomstykke middle piece.
mellomstørrelse medium size.
mellomtid interval; *i -en* in the meantime, meanwhile.
mellomtilstand intermediate state.
mellomtime (*på skole*) free period.
mellomting something between.
mellomvegg partition wall.
mellomvekt (*i boksing & brytning*) middleweight.
mellomverk (*i håndarbeid*) insertion(s).

mellomværende 1 (*regning*) account; 2 (*strid*) difference; *gjøre opp et* ~ 1 (*regning*) settle accounts; settle (*el.* square) an account (*med en* with sby); 2 (*strid*) make up a difference; *til utligning av vårt* ~ *vedlegger jeg sjekk på £19. 5s.3d.* in payment of your account I enclose cheque for £19.5s.3d.
mellomøre (*anat*) middle ear.
melodi melody; (*til en sang*) tune; *på -en* to the tune of.
melodisk, melodiøs melodious.
melodrama melodrama.
melodramatisk melodramatic.
melon ♣ melon; US cantaloupe.
melrakke ♣ (*hvitrev*) arctic fox.
membran membrane.
memoarer (*pl*) memoirs.
memorandum memorandum.
memorere (*vb*) commit to memory, memorize.
I. men (*subst*) injury, harm; *varig* ~ i. of a permanent character.
II. men (*subst*) but; *ikke noe* ~! don't but me! *uten om og* ~ without ifs or ands; (*jvf aber*).
III. men (*konj*) but; ~ *så er han også* but then he is; ~ *det må likevel finnes en løsning* but still there must be some solution; ~ *vi skal gjøre vårt beste likevel* but we shall do our best; we shall do our best, however.
menasjeri menagerie.
mene *vb* 1 (*være av den mening*) think, be of opinion; 2 (*ha i sinne, tenke på, sikte til, ville si*) mean; 3 (*tenke, tro, holde for*) think; *jeg -r nei* I think not; *jeg -r å ha hørt navnet hans* I seem to have heard his name; *jeg hadde ikke ment å fornærme deg* I had no thought of offending you; *hva -r De om dette?* what do you think of this? *hva -r folk om dette spørsmålet?* what is the general feeling on this question? *hva -r du om et slag kort?* what about a game of cards? *man -r at* it is thought that; ~ *det godt med en* mean well by sby; *jeg mente ikke noe vondt med det* I meant no harm; *det var ikke slik ment* I didn't mean that; *det skulle jeg* ~ I should think so; ~ *det alvorlig* be in earnest; be serious about it; mean it seriously; T mean business; *du kan da ikke for alvor* ~ *det?* you can't be serious (about that)! you don't earnestly (*el.* seriously) mean that! *det var ikke alvorlig ment* that was not meant seriously; *disse truslene er alvorlig ment* these are no empty threats; *han -r det samme som jeg* he thinks of it the same as I do; *jeg -r absolutt vi bør* . . . I am absolutely in favour of (our) (-ing), I am all for (-ing); *han -r absolutt at jeg bør akseptere tilbudet* he is convinced that I ought to accept the offer.
mened perjury; *begå* ~ commit perjury.
meneder perjurer. **menedersk** perjured.
mengde quantity; multitude; (*overflod*) abundance; T lot (*fx* a lot of butter; a lot of people); *en* ~ *blomster* a great many flowers; *en* ~ *mennesker* a great number of people, lots of people, a crowd (of people); *en hel* ~ a lot of, a great many; *den store* ~ the masses; *en* ~ *forskjellige* a variety of.
menge (*vb*) mix, mingle.
menig: ~ *soldat* private; (*i Sjømilitære korps*) seaman; *-e* privates, men (*fx* officers and men); rank and file; *de -e* (*gruppebetegnelse*) the ranks, the rank and file.
menighet (*i kirken*) congregation; (*sognefolk*) parishioners; (*sogn*) parish.
menighetsblad parish magazine.
menigmann the common man; the man in the street.
mening 1 (*anskuelse*) opinion; 2 (*betydning, logisk sammenheng*) meaning, sense; 3 (*hensikt*) intention; *si sin* ~ speak one's mind; *det er delte -er* opinions differ; *det er ikke* ~ *skapt i det* there is not a grain of sense in it; *han sa at det ikke ville være noen* ~ *i å la denne strenge forholdsregel komme til anvendelse* (*også*) he said it was

out of all proportion to apply this rigorous measure; *det er det ingen* ~ *i* that is nonsense, there is no sense in that; *det er ingen* ~ *i det han sier* there is neither rhyme nor reason in what he says; *-en med denne ordningen er at* ... the idea of this arrangement is that ...; *hva er -en med* what is the meaning of; *være av den* ~ *at* be of opinion that; *det kan ikke være to -er om* ... there can be no two opinions as to; *det er min veloverveide* ~ *at* ... it is my considered opinion that; *etter min* ~ in my opinion; *i beste* ~ for the best *(fx* he did it for the best); *oppta i en god* ~ put a good construction on; *den offentlige* ~ public opinion; *få* ~ *i* make sense of; *gjøre seg opp en* ~ form an opinion; *det ville glede oss å høre Deres* ~ *angående (el. om) dette* we should be pleased to hear *(el.* have) *(el.* we should appreciate hearing) your view(s) *(el.* opinion) on this *(el.* on this question *el.* on this matter *el.* concerning this); *(se slutte:* ~ *seg til ens mening; ytterst).* **menings|berettiget** 1. entitled to give one's opinion (on sth); 2. competent to judge. **-bryt-ning** conflict of opinion. **-felle** person of the same opinion; fellow partisan; *være ens* ~ *(også)* share sby's views; *han har ingen -r* he stands alone (in his opinions); he is in a minority of one. **-forskjell** difference of opinion. **-frihet** freedom of opinion. **-full, -fylt** meaningful. **-løs** meaningless, absurd, senseless. **-måling** public opinion poll, Gallup poll.

menings- og ytringsfrihet freedom of opinion and expression.

meningsutveksling exchange of views.

menisk *(anat)* meniscus.

menneske man, human (being); person; *ikke ett* ~ not a soul; nobody, no one; *alle -r* everybody; *unge -r* young people; *komme ut blant -r* meet people; *(især US)* get around; *-t spår, Gud rår* man proposes, God disposes; *hva er det for et* ~ *?* what sort of a person is he (,she)?

menneske|alder *(slektledd)* generation. **-barn** mortal, human being; *(pl)* children of men. **-eter** cannibal; *(dyr)* man-eater. **-eteri** cannibalism. **-fiendsk, -fiendtlig** misanthropic. **-forstand** human intelligence; *(se I. alminnelig).* **-frykt** fear of man. **-føde** human food. **-hat** misanthropy. **-hater** misanthrope.

menneskeheten mankind, humankind.

menneske|kjenner judge of character. **-kjærlig** humane, charitable; philanthropic; *(se -vennlig).* **-kjærlighet** philanthropy, charity, love of mankind. **-kjøtt** human flesh. **-kunnskap** knowledge of human nature.

menneskelig *(adj)* human; *(menn eskekjærlig)* humane.

menneskelighet humanity.

menneske|liv human life; *tap av* ~ loss of life. **-mengde** crowd. **-mylder** swarm of people. **-natur** human nature. **-offer, -ofring** human sacrifice. **-par** couple of human beings. **-rase** race. **-rettighet** human right; *(i eldre historie)* right of man. **-røst** human voice. **-sjel** human soul. **-skikkelse** human shape.

menneskesky shy.

menneske|skyhet shyness. **-slekt** mankind, human race, humanity.

mennesketom deserted; *(ubebodd)* desolate.

menneske|venn philanthropist. **-vennlig** *(se -kjærlig):* *en* ~ *handling* a kind(-hearted) act. **-verd** (human) worth. **-verdig** fit for human beings, decent *(fx* live under d. conditions). **-verdighet** dignity as a human being.

menneske|verk work of man. **-vett** human intelligence. **-vrimmel** crowd, throng of people. **-ånd** human spirit.

mens *(konj)* while.

menstruasjon menstruation, menses.

menstruere *(vb)* menstruate.

mental mental. **-hygiene** m. hygiene.

mentalitet mentality; *hans* ~ *(også)* the cast of his mind.

mentalundersøke *(vb):* ~ *en* examine sby's mental condition. **-lse** mental examination.

mente: *en i* ~ *(mat.)* carry one; *ha i* ~ *(fig)* bear in mind.

mentol menthol.

menuett minuet.

meny bill of fare, menu.

mer more; *inntekter på* ~ *enn £1000* incomes exceeding £1,000; *ikke* ~ *enn* not more than; *(o: bare)* no more than; *ikke et ord* ~! not another word! *hva* ~ *?* what else? *hva* ~ *er* moreover; *jeg ser ham aldri* ~ I shall never see him again, I shall see him no more; *jeg kan ikke* ~ I give it up, I can't go on; *en grunn* ~ an additional reason; *jo* ~, *desto bedre* the more the better; *så meget* ~ *som* the more so as; ~ *eller mindre* more or less; *hverken* ~ *eller mindre* neither more nor less.

mergel marl. **-gjødning** marling. **-grav** marl pit. **-grus** marly gravel. **-jord** marly soil. **-lag** layer of marl. **-stein** marlstone.

mergle *(vb)* marl.

merian ♣ marjoram.

meridian meridian.

merinntekt excess profits; additional *(el.* extra) income.

merino merino.

meritter *pl (gale streker)* escapades.

merkantil commercial, mercantile.

merkbar *(adj)* discernible, perceptible, appreciable, noticeable, marked.

I. merke *(subst)* mark, token, sign; *(sjømerke)* beacon; *bite* ~ *i* note; *legge* ~ *til* notice; *sette* ~ *ved* put a mark against *(fx* the names of the absent pupils); tick (off), check; *sett* ~ *ved det som passer* check *(el.* tick (off)) as appropriate; *verd å legge* ~ *til* noteworthy, worthy of note.

II. merke *(vb)* mark; *(med bokstaver)* letter; *(med tall)* number; *(legge m. til)* heed, note, notice; get *(fx* did you get that look on his face?); *(kjenne)* feel; *vel å* ~ mind you; ~ *seg* mark; *vi har -t oss hva De sier* your remarks have been noted; *la seg* ~ *med* show, betray; *la deg ikke* ~ *med at du er ergerlig* don't let on that you are annoyed; ~ *opp* mark out *(fx* a lawn for tennis, a course for a race).

merke|blekk marking ink. **-dag** red-letter day. **-lapp** label; tag; *henge -er på varene* ticket the goods; *klebe* ~ *på bagasjen* label the luggage. **merkelig** *(adj)* remarkable, notable; *(underlig, interessant)* curious; peculiar, odd, strange; *det var* ~ how odd *(el.* strange *el.* peculiar *el.* funny); *(se underlig; undersøke)*; ~ *nok* strange to say, strange as it may seem.

merkepæl *(fig)* landmark, turning point.

merkesak *(polit)* leading issue, plank; *folke-pensjonen var en* ~ *for partiet* the people's pension was one of the party's leading issues.

merkesalg sale of badges; *(i England)* sale of flags.

merke|seddel label. **-stein** boundary stone. **-verksted** *(for biler)* dealer's workshop; specialist workshop *(fx* repairs should preferably be carried out by a s. w.). **-år** memorable year.

merknad remark, observation.

Merkur Mercury.

merkverdig remarkable, notable; *(underlig)* peculiar, curious; *(minneverdig)* memorable.

merle ♣ *(subst)* marl.

merlespiker ♣ marline spike.

merr mare; *(skjellsord)* bitch.

mers ♣ top.

merse|fall ♣ topsail halyard. **-rå** ♣ topsail yard. **-skjøt** topsail sheet.

merskum meerschaum.

mersseil ♣ topsail.

merutbytte extra profit.

merutgift additional expenditure.

mesallianse misalliance.

mesan ♣ spanker. **-mast** mizzen mast.

mesén patron of the arts (,of literature).

meske *vb (ved brygging)* mash; ~ *seg* gorge, stuff oneself.

meslinger (*pl*) the measles; ⚕ morbilli.
mesmerisme mesmerism.
Mesopotamia Mesopotamia.
I. messe (*kjøpestevne*) fair.
II. messe (*høymesse, sjelemesse*) mass; *holde* ~ celebrate mass; *høre* ~ attend mass; *lese* ~ say mass.
III. messe ✕ & ⚓ (*felles bord*) mess; (*om rommet*) messroom.
messebok missal.
messegutt mess boy.
messehakel chasuble.
messekamerat messmate.
messe|serk, -skjorte surplice; (*katolsk*) alb.
Messias the Messiah.
messing brass; *i bare -en* (*spøkef*) in one's birthday suit; *på bare -en* on one's bare bottom.
I. mest most; ~ *mulig* as much as possible; *det -e av* most of, the greater part of; *for det -e* mostly, for the most part, mainly; (*i alminnelighet*) generally; *men aller* ~ but most of all.
II. mest: *se nesten.*
mestbegunstigelse most-favoured-nation treatment; *ha* ~ enjoy m.-f.-n. treatment.
mestbegunstiget most-favoured; US most -favored.
mesteparten the bulk, the best (*el.* better *el.* greater) part (*av* of).
mester master; (*i sport*) champion; ~ *i svømming* champion swimmer; ~ *på ski* c. skier; *øvelse gjør* ~ practice makes perfect; *man blir ikke* ~ *på én dag* there is no royal road to proficiency (*el.* learning); *være en* ~ *i* be a master of, be a past-master in (*el. at el.* of); be a master cook (,player, *etc*).
mesterkokk master cook, (great) chef, master of the culinary art.
mesterlig masterly.
mesterlighet masterliness.
mesterskap (*i sport*) championship.
mesterskapstittel championship; *en farlig konkurrent til -en* a dangerous rival for the c.
mester|skudd masterly shot. **-skytter** crack shot. **-stykke** masterpiece; (*handlingen, etc, også*) masterstroke. **-svømmer** champion swimmer. **-trekk** masterly move; (*fig*) masterstroke. **-verk** masterpiece.
mestis (*blanding av hvit og indianer*) mestizo.
mestre (*vb*) master; manage.
meta|fysiker metaphysician. **-fysikk** metaphysics. **-fysisk** metaphysical.
metall metal. **-aktig** metallic. **-arbeider** engineering worker, metalworker. **-glans** metallic lustre.
metallisk metallic.
metallsløyd (*i skole*) metalwork.
metamorfose metamorphosis.
meteor meteor.
meteorolog meteorologist.
meteorologi meteorology.
meteorologisk meteorological; ~ *institutt* Weather Office; US Weather Bureau.
meteorstein aerolite, meteoric stone.
meter metre; US meter; *han kom inn som nr. 27 på 500-meter'n* (*skøyter*) he finished 27th in the 500 metres.
metersystemet the metric system.
metier trade, profession.
metning saturation. **-sgrad** degree of s.
metode method; *de spisse albuers* ~ using one's elbows (*fx* you'll have to use your elbows if you want to get on).
meto|dikk methodology. **-disk** methodical; *gå* ~ *til verks* proceed methodically.
metodisme Methodism.
metodist Methodist.
metrikk metrics (*pl*), prosody.
metrisk metrical.
mett satisfied; T full (up); *god og* ~ pleasantly satisfied, more than s.; T full (up); *er det helt sikkert at du er* ~? are you quite sure you have

done? are you quite sure you won't have any more? *takk, jeg er helt* ~ I've had quite enough, thank you; *se seg* ~ *på* gaze one's fill at; *spise seg* ~ get enough to eat, eat till one is satisfied; eat as much as one can (*på* of); *alle spiste og ble -e* (*bibl*) they did all eat and were filled; ~ *av år* full of years.
mette (*vb*) satisfy; ☞ saturate; *det -r ikke* it's not satisfying, it doesn't satisfy one's hunger.
mettende satisfying, substantial; (~ *og styrkende*) sustaining.
metthet satiety, fullness.
Metusalem Methuselah.
mezzosopran ♪ mezzo-soprano.
midd mite.
middag noon, midday; (*måltid*) dinner; *spise* ~ have dinner, dine; *bli til* ~ stay for dinner; *hva skal vi ha til* ~? what are we going to have for dinner? *sove* ~ take a nap after dinner.
middags|bord dinner table; *ved -bordet* at dinner. **-hvil** rest after dinner, siesta. **-høyde** meridian altitude. **-lur** after-dinner nap. **-mat** dinner; (*se proppe*). **-måltid** dinner; (*midt på dagen, også*) midday meal. **-pause** lunch hour. **-pølse** sausage. **-servise** dinner set. **-stund** noon; (*ofte* =) lunch hour. **-tid** noon; *ved* ~ (at) about noon; T round dinner time. **-utgave** lunch (*el.* midday) edition. **-varme** noonday heat, midday heat.
middel means; (*i en knipe*) expedient; (*hjelpemiddel*) remedy; *offentlige midler* public funds; *statens midler* the resources of the state; "*egne midler*" (*i oppstilling*) own contribution; provided privately; *av egne midler* out of one's own money (*el.* means); *han betalte det av egne midler* he paid it out of (*el.* with) his own money; *han ville ikke ha kunnet kjøpe huset for egne midler* he would not have been able to buy the house with his own means (*el.* without financial aid); (*se uforsøkt*).
middel|alderen the Middle Ages. **-alderlig, -aldersk** medi(a)eval; (*foreldet*) antediluvian.
middelaldrende middle-aged.
middelbar indirect, mediate.
middelhastighet average speed.
Middelhavet the Mediterranean.
middelhøyde medium (*el.* average) height; *under* ~ under the average height; *en mann under* ~ an undersized man.
middelklasse middle class; *-n* the m. classes.
middelmådig indifferent, mediocre.
middelmådighet mediocrity.
middelpris average price.
middelpunkt centre.
middels (*adj*) average, medium, middling; ~ *høy* of average height.
middelstand the middle classes; (*fys*) mean level.
middelstor of average size, medium(-sized).
middelstørrelse medium size.
middeltall (arithmetical) mean, average; *bestemme -et* strike an average.
middeltemperatur mean temperature.
middeltid mean time.
middelvei middle course; *den gylne* ~ the golden mean, the happy mean; *gå den gylne* ~ strike the golden (*el.* happy) mean; take (*el.* steer) a middle course; *det er stundom vanskelig å finne den gylne* ~ *mellom å gi for mye og for lite kreditt* it is sometimes difficult to arrive at the happy medium between giving too much or too little credit.
midje waist; *smal om -n* narrow-waisted, slim.
midlertidig (*adj*) provisional, temporary, interim; (*adv*) provisionally, temporarily; *det er bare noe* ~ (*noe*) (⊃: *provisorisk*) it's only a make-shift; ~ *ansatt* = unestablished (NB the 'unestablished' civil servant has no pension entitlement).
midnatt midnight; *ved* ~ at m.; *ved -stid* (at) about m.

midnatts|sola the midnight sun. **-time** midnight hour.

midt (*adv*) in the middle; ~ *etter* along the middle (of); ~ *for(an)* right in front of; ~ *i* in the middle of; ~ *i bakken* halfway up the hill; *omtrent* ~ *i august* about the middle of August; ~ *iblant* in the midst of; ~ *igjennom* through the middle of; straight through; ~ *imellom* halfway between; *gå* ~ *over* break in two; ~ *på dagen* in broad daylight; at noon, in the middle of the day; ~ *på natten* in the dead of night; at dead of n.; in the middle of the night; ~ *på* in the middle of; *til* ~ *på beinet* (reaching) halfway up the leg; ~ *under* immediately under (*el.* below), directly below; ~ *under arbeidet* in the middle of work; ~ *ute på havet* in mid-ocean; right out at sea.

midte middle; *i vår* ~ in our midst; among us.

midten the middle; ~ *av* the m. of; *på* ~ in the m.; *gå av på* ~ break in the m.

midterst middle, central, midmost; *den -e* the middle one.

midtfjords in the middle of the fjord.

midtgang (*i kino, etc*) gangway; *ved -en* on the g.

midt|linje centre line; (*fotb*) halfway line. **-parti** central part. **-punkt** centre; *når du kommer tilbake, blir du -et* (*fig*) T when you get back you'll be the whole show.

midtrabatt (*på vei*) centre strip; US median strip.

midtre middle.

midtskips midships.

midtsommer midsummer. **-s** in the middle of summer, at the height of summer.

midtstykke central piece.

midtveis halfway, midway.

midtvinters in mid-winter, in the middle of winter.

migrene migraine.

Mikkel: ~ *rev* Reynard the Fox.

mikkelsmess Michaelmas.

mikrobe microbe.

mikro|fon microphone; T mike. **-kosmos** microcosm. **-skop** microscope. **-skopisk** microscopic(al).

mikse (*vb*) T: *se fikse.*

mikstur mixture.

mil: *norsk* ~ (*10 km*) Norwegian mile (= 6.2 statute miles).

Mila|no Milan. **m-neser, m-nesisk** Milanese.

mild (*adj*) mild; (*lempelig*) lenient; (*blid, from*) gentle; ~ *bedømmelse* (*av skolearbeid*) lenient marking; *-e gaver* charities, benefactions; *-est talt* to put it mildly, to say the least of it.

mildhet mildness, gentleness, leniency.

mildne (*vb*) mitigate, alleviate; (*berolige*) soothe, appease.

mildvær mild weather.

mile charcoal kiln.

mile|lang miles long; (*fig*) endless (*fx* letters). **-pæl, -stolpe** milestone. **-vid:** i ~ *omkrets* for miles around. **-vidt** for miles; ~ *omkring* for miles around.

militarisme militarism.

militarist, -isk militarist.

mili(t)s militia.

militær (*adj*) military; *det -e* (*i England*) the Services; *han er i det -e* T he is in the military.

militær|lege army surgeon. **-musikk** military music. **-nekter** conscientious objector (*fk.* c. o.); T conchie. **-orkester** military band. **-tjeneste** military service; *få utsettelse med -n* obtain deferment of recruitment.

miljø milieu, surroundings, environment; *-ets påvirkning* environmental influences (*fx* the importance of e. i. in a person's development).

miljøbestemt determined by environment; environmental.

miljøskade (*psykol*) maladjustment.

miljøskadet maladjusted.

miljøskildring description of social background.

milliard milliard; US billion.

million million. **milliontedel** millionth (part).

millionvis (*adv*) by the million.

millionær millionaire.

milt spleen. **-brann** ∑ anthrax.

mimikk expression; gestures; mimicry.

mimisk mimic, expressive; ~ *talent* acting talent.

mimose ♣ mimosa.

mimre (*vb*) quiver, twitch; *han -t* his lips quivered.

min, mi, mitt, mine (*adjektivisk*) my; (*substantivisk*) mine; *barnet mitt* my child; *barnet er mitt* the child is mine; *jeg skal gjøre mitt til det* I'll do my best.

minaret minaret.

mindre (*adj*) smaller, less; minor, lesser; *enda* ~ still less; *ikke* ~ no less; *ikke* ~ *enn £5* not less than £5; (*ɔ: hele £5*) no less than £5; *et tidsrom på ikke* ~ *enn en måned* a period of not less than a month; *ikke* ~ *viktig fordi* not the less important because; *intet mindre enn et mirakel* nothing short of (*el.* nothing less than) a miracle; *ikke desto* ~ nevertheless, none the less; *jeg har ikke råd til å kjøpe en hest, langt* ~ *en bil* I cannot afford to buy a horse, let alone (*el.* not to mention *el.* far less) a car; ~ *god* not quite good; ~ *mat* less food; *en tomme* ~ *enn 6 fot* an inch short of six feet; *så mye* ~ the less; *så mye* ~ *som* the less so as; *hvor mye* ~ how much less; *med* ~ unless; ~ *behagelig* less agreeable; *av* ~ *betydning* of little (*el.* minor) importance; *en* ~ *butikk* a small shop; a small-sized shop; ~ *forandringer* minor changes; *i en* ~ *god forfatning* in a not very good (*el.* in a none too good) condition; ~ *kjente metaller* lesser known metals; ~ *tilfredsstillende* not very satisfactory; *i* ~ *grad* in a less degree; *i større eller* ~ *grad* in greater or less degree.

mindre|tall minority. **-verdig** inferior, shameful. **-verdighet** inferiority. **-verdighetsfølelse** a feeling of inferiority, inferiority complex.

mindreårig under age; *være* ~ be a minor, be under age; (*jvf lavalder: den kriminelle* ~).

mindreårighet minority.

I. mine (*uttrykk*) expression, air, look; (*litt.*) mien; *en barsk* ~ a stern look, a frown; *uten å fortrekke en* ~ without wincing (*el.* turning a hair); T without batting an eye(lid); *gjøre* ~ *til å* make as if to (*fx* he made as if to speak); *ingen gjorde* ~ *til å gripe inn* nobody made a move to interfere; *han gjorde* ~ *til å ville stille seg først i køen* he made (as if) to take the head of the queue; *gjøre gode -r til slett spill* put a good face on things, put the best face on it, grin and bear it; *uten sure -r* with a good grace (*fx* he did it with a good grace); (*se sette B:* ~ *opp en uskyldig mine*).

II. mine ✕ mine.

minebor drill for making blast holes.

minefelt ✕ mine field.

minelegge ✕ (*vb*) mine.

minelegger ⚓ minelayer.

mineral mineral.

mineralog mineralogist.

mineralogi mineralogy.

mineralogisk mineralogical.

mineralolje mineral oil, petroleum.

mineral|rike mineral kingdom. **-samling** collection of minerals.

mineralsk mineral.

mineralvann mineral water.

minere (*vb*) mine, blast.

mineskudd blast, blasting shot.

minespill facial expression; play of (sby's) features.

minesprengning explosion of a mine.

minesveiper ⚓ minesweeper.

miniatyr miniature; *i* ~ in miniature. **-maler** miniature painter. **-utgave** miniature edition.

minimal (adj) minimal, minimum, a minimum of (fx these flimsy clothes offer a m. of protection against the cold).
minimum minimum; redusere til et ~ minimize.
minimumsgrense minimum level (el. limit), bottom level (el. limit), floor (fx **set** (el. fix) floors for wages; set (el. fix) minimum levels for wages).
minister minister; (statsråd} cabinet m.; US minister; secretary (fx handels- s. of commerce).
ministeriell ministerial.
ministerium ministry; US department.
minister|krise ministerial crisis. **-president** premier. **-skifte** change of Government; (enkelt(e) post(er)) ministerial reshuffle. **-taburett** ministerial office (el. rank).
ministrant acolyte.
I. mink ♀ mink.
II. mink (svinn) decrease, dwindling, reduction.
minke (vb) decrease; dwindle, shrink; oljen begynte å ~ the oil was giving out; ~ på farten slow down; det -t på provianten provisions were running short (el. were giving out).
I. minne (erindring) memory, reminiscence, remembrance; (hukommelse) remembrance, memory; (erindringstegn, minnetegn) memento, souvenir, remembrance; (levning) relic; han gjenoppfrisket -ne fra skoledagene he passed in review the memories of his schooldays; ha i friskt ~ remember clearly, have a distinct recollection of; lyse fred over ens ~ [pray for sby's soul to be at rest]; vi lyser fred over hans ~ = peace be with him; det vil være et ~ om deg that will be sth to remember you by; til ~ om in commemoration of, in memory of; as a souvenir of (fx visit, journey, etc); til ~ om din venninne Ann to remind you of your friend Ann; til ~ om min reise as a memento (el. souvenir) of my trip; i manns ~ within the memory of man, within living memory; (jvf erindring).
II. minne (vb) remind, put in mind (om of); dette -t meg om noe this rang a bell for me; -r det ordet deg om noe? does that word ring any bell? ~ en om noe (ɔ: stadig la en få høre noe) never let sby hear the end of sth; han -r meg stadig om at jeg glemte fødselsdagen hans he keeps rubbing in the fact that I forgot his birthday; minn ham på den artikkelen (også) jog his memory about that article; minn meg på at ... remind me that ...; dette året vil -s som this year will go down in history as ...
minne|bok autograph album. **-dikt** courtly love-poem. **-fest** commemoration. **-frimerke** commemorative stamp. **-gave** remembrance, souvenir, keepsake.
minnelig amicable; ~ avgjørelse a. settlement; komme til en ~ overenskomst med settle things amicably with.
minnelighet: i ~ amicably, in a friendly (el. amicable) way.
minnelse (påminnelse) reminder.
minnerik rich in memories.
minnes vb (erindre) remember, recollect; jeg ~ at jeg har truffet ham I remember meeting him; om jeg ~ rett if my memory serves me.
minnesanger minnesinger.
minnesmerke monument, memorial.
minne|stein monumental stone. **-støtte** memorial column; reise en ~ over hans grav erect (el. raise) a memorial over his grave. **-tale** commemorative speech. **-tavle** memorial plaque.
minneutstilling commemorative exhibition.
minneverdig memorable.
minoritet minority; være i ~ be in a (el. the) minority.
minske (vb) diminish, lessen, reduce; ~ seil shorten sail.
minst (mots. mest) least (fx this room has the least sun; that is what pleased me least); (mots. størst) smallest; (av to) smaller (fx he is the smaller of the two); (yngst) youngest (fx the y. child); (ikke mindre enn) not less than (fx if you

order n. l. t. 1,000 cases); ikke det -e nothing at all; i det -e at least, at any rate, at all events; ikke i -e måte not in the least; gi meg det -e stykket, og behold det andre give me the smaller piece, and you keep the other; det ~ mulige a minimum; det -e av barna the youngest of the children; (adv) least; aller ~ least of all; det er det aller -e jeg kunne vente that is the very least I could expect; ikke det aller -e not the least bit; not a bit; ikke ~ er dette tilfelle med partiene som går over X this is particularly true of shipments via (el. by way of) X; not least is this true of ...; especially (el. particularly) is this so in the case of shipments ...; med ~ mulig bagasje (,anstrengelse) with a minimum of luggage (,effort).
minstelønn minimum wage.
minus minus; (fratrukket) less; ~ fem grader five degrees below zero.
minusflyktning hard core refugee.
minuskel lower-case letter.
minutiøs minute.
minutt minute; på -et to the minute; jeg skal være der på -et I shall be there in a minute.
minuttsikker: klokka går -t the watch is to the minute.
minuttviser minute hand.
minør miner.
mirakel miracle; gjøre mirakler do (el. work) miracles.
mirakuløs miraculous.
misantrop misanthrope.
misantropi misanthropy.
misantropisk misanthropic(al).
misbillige (vb) disapprove (of); -nde disapproving; -nde bemerkninger deprecatory remarks; snakke -nde om speak in deprecatory terms of.
misbilligelse disapproval.
misbruk abuse, misuse (av of); (se ordning).
misbruke (vb) abuse, misuse; det kunne bli misbrukt it might lend itself to abuse.
misdanne (vb) deform, misshape.
misdannelse deformity, malformation.
misdeder, -ske (glds) malefactor, misdoer.
misère failure, unfortunate affair; wretched situation.
misforhold disparity; disproportion, incongruity; stå i ~ til be out of proportion to; et skrikende ~ a crying disparity; (se sosial).
misfornøyd displeased, dissatisfied; (i sin alminnelighet) discontented.
misfornøyelse: se misnøye.
misforstå (vb) misunderstand; som lett kan -s apt to be misunderstood; hun er tunghørt og -r alt she is hard of hearing and gets everything wrong (el. misunderstands everything one says to her); ~ fullstendig get it (all) wrong.
misforståelse misunderstanding; (feiltagelse) mistake; (gal oppfatning) misapprehension, misconception; ved en ~ by mistake; through a misunderstanding.
misfoster monster, stunted offspring; (fig) monstrosity.
misgjerning misdeed, crime, offence.
misgrep mistake, error, blunder.
mishag displeasure, disapproval.
mishage (vb) displease.
mishagsytring expression of disapproval (el. displeasure).
mishandle (vb) ill-treat, maltreat.
mishandling ill-treatment, maltreatment.
misjon mission.
misjonsarbeid mission work.
misjonsstasjon mission (post el. station).
misjonær missionary.
miskjenne (vb) misjudge, fail to appreciate; et miskjent geni an undiscovered genius.
misklang dissonance, discord, jar.
miskle (vb) be unbecoming, not become.
miskmask hotchpotch, medley, mishmash.
miskreditt discredit; bringe i ~ bring into discredit.

miskunn (*bibl*) mercy. **-elig** (*bibl*) merciful.

mislig (*utilbørlig, forkastelig*) objectionable, improper, irregular. **-het** (*utilbørlig forhold*) irregularity; (*bedragersk, også*) malpractice; *-er ved regnskapene* irregularities in the accounts.

misligholde *vb* (*ikke oppfylle*) 1 (*kontrakt*) fail to execute, fail to fulfil, break; 2 (*obligasjon*) fail to redeem (*el.* carry out), violate; 3 (*veksel*) dishonour (,US: dishonor), fail to meet; 4 (*betaling*) fail to pay, default (in payment); 5 (*lån*) default on (*fx* they have defaulted on their past loans); *dersom kjøperen -r noen termin* should the buyer make default in any instalment.

misligholdelse non-fulfilment (of a contract), breach (of contract); non-payment (*fx* of a bill); (*se sikkerhet*).

misligholdsbeføyelser *pl* (*jur*) remedies for breach of contract; *gjøre ~ gjeldende* avail oneself of remedies for breach of contract.

mislike (*vb*) dislike.

mislyd dissonance, discord.

mislykkes (*vb*) fail, be unsuccessful, not succeed; *det mislyktes for ham* he failed; he did not succeed; *et mislyk(ke)t forsøk* an unsuccessful attempt; a failure.

mismodig despondent, dejected, dispirited.

misnøyd: *se misfornøyd*.

misnøye displeasure, dissatisfaction.

misoppfatning misconception, misunderstanding.

misstemning (*misnøye*) dissatisfaction; (*forstemthet*) dejection, gloom; (*uoverensstemmelse*) discord, discordant feeling; (*uvennlig stemning*) bad feeling; *dagen endte med ~* the day ended on a discordant note.

mistak error, mistake.

mistanke suspicion; *-n falt på ham* he was suspected; *fatte ~ til* begin to suspect; *ha ~ til en* suspect sby; *ha ~ om* suspect; (*se skjellig*).

mistbenk hotbed, frame.

miste (*vb*) lose.

misteltein ✿ mistletoe.

mistenk|e (*vb*) suspect (*for* of); *han er -t for å stjele* he is suspected of stealing.

mistenkelig suspicious.

mistenkeliggjøre (*vb*) render suspect, throw suspicion on.

mistenkelighet suspiciousness.

mistenksom suspicious; *se med -me øyne på* view with suspicion.

mistenksomhet suspiciousness, suspicion.

mistillit distrust, mistrust, lack of confidence (*til* in); *ha ~ til* distrust.

mistillitsvotum vote of no confidence, (vote of) censure.

I. mistro (*subst*) distrust, mistrust.

II. mistro (*vb*) distrust, mistrust.

mistroisk distrustful, mistrustful, suspicious.

mistroiskhet suspiciousness.

mistrøstig despondent.

mistrøstighet despondency.

mistyde (*vb*) misinterpret; misconstrue.

mistydning misinterpretation; misconstruction.

misunne (*vb*) envy, grudge; *~ en noe* envy sby sth; *~ en ens hell* grudge sby his success; *hun -r meg en drink nå og da* she grudges me an occasional drink.

misunnelig envious (*på* of); *være ~ på en for noe* envy sby sth; *han er bare ~!* (*også*) it's sour grapes to him!

misunnelse envy.

misunnelsesverdig enviable; *lite ~* unenviable, not at all to be envied.

misvekst crop failure.

misvisende misleading, fallacious, deceptive; *det ~ i å* the fallacy of (-ing); *~ kurs* magnetic course.

misvisning declination; US (magnetic) deviation; ⚓ variation.

mitraljøse mitrailleuse; machine gun.

mitt; *se min.*

mjau miaow; US meow. **-e** (*vb*) miaow; US meow.

mjød mead. **-urt** ✿ meadowsweet.

mjøl: *se mel.*

mjølk: *se melk.*

mjå: *se smal, slank.*

mnemoteknikk mnemonics.

I. mo (*subst*) heath, moor; (*ekserserplass*) drill ground.

II. mo (*adj*) weak; *~ i knærne* weak at the knees (*fx* I became w. at the knees); *T* seedy, wobbly (*fx* I felt quite w. with excitement).

III. mo: *~ alene* all by oneself.

mobb mob.

mobil mobile.

mobilisere (*vb*) mobilize.

mobilisering mobilization.

modal modal; *-e hjelpeverber* defective auxiliary verbs.

modell model; pattern; type, design; (*levende*) model; *stå ~* pose; sit for (*el.* to) an artist; *tegnet etter ~* drawn from a model; *etter levende ~* from (the) life; *etter naken ~* from the nude.

modellere (*vb*) model.

modell|skole life class. **-snekker** pattern maker. **-studie** study from life, painting (,drawing) from life.

modellør modeller.

moden ripe, mature; *etter ~ overveielse* after mature consideration; *after thinking the matter well over; *en ~ skjønnhet* a ripe beauty; *tidlig ~* precocious (*fx* child), early (*fx* apples); *~ for* ripe for, ready for; *tiden er ikke ~ ennå* the time for it has not come yet; (*se skolemoden*).

modenhet ripeness, maturity; *tidlig ~* precocity; (*seksuelt*) sexual precocity.

modenhets|alderen maturity. **-prøve** test of maturity.

moderasjon moderation; (*avslag*) price reduction, discount.

moderat moderate, reasonable.

moderere (*vb*) moderate; (*om uttrykk*) tone down.

moderkirke Mother Church.

moder|kjærlighet maternal love, a mother's love. **-land** mother country.

moderlig maternal, motherly.

moder|mord matricide. **-morder, -morderske** matricide.

moderne modern, fashionable, up-to-date.

modernisere (*vb*) modernize.

moder|selskap (*merk*) parent company. **-skip** mother ship; (*jvf hangarskip*).

modifikasjon modification; qualification; *en sannhet med -er* only a qualified truth.

modifisere (*vb*) modify; (*ved innskrenkning*) qualify.

modig courageous, brave, bold; *T* plucky; *gjøre ~* embolden; *gråte sine -e tårer* cry bitterly.

modist milliner, modiste.

modne *vb* (*modnes*) ripen, make ripe; (*fig*) mature.

modningstid ripening period.

modulasjon modulation.

modulere (*vb*) modulate.

modus (*gram*) mood.

mokasin moccasin.

mokka(kaffe) mocha (coffee).

mokka|kopp demitasse (cup). **-skje** d. spoon.

molbakke sudden, steep shelf of sea or lake bottom; sudden deep; (*se brådyp*).

molbo fool; *-ene* (*svarer til*) the wise men of Gotham. **-aktig** stupid, dull-witted, dense; narrow, provincial.

mold mould; US mold. **-jord** mould; US mold.

moldvarp ⚹ mole. **-arbeid** mole's work; (*fig*) underground work.

molefonken T dejected; T (down) in the dumps.

molekyl molecule.

molekylær molecular.

molest molestation. **molestere** (*vb*) molest.

moll ♪ minor; *i ~* in the minor key.

mollusk ♣ mollusk, mollusc.
molo mole, breakwater.
molte ♣ cloudberry.
molybden molybdenum.
moment (⊕, *fys*) moment; (*faktor*) element, factor; (*irritasjons*- source (*el.* element) of irritation; irritant.
momentan momentary.
mon I wonder (if), I should like to know; (*se III. si B*).
monade monad.
monark monarch. **-i** monarchy.
monarkisk monarchical.
mondén fashionable.
mongol Mongol.
Mongolia (*geogr*) Mongolia.
mongolsk Mongol, Mongolian.
monisme monism.
monn advantage, help, effect; bit, degree; *i noen* ~ somewhat, to some degree; *alle -er drar every little helps*; *i rikt* ~ in full measure; *ta sin* ~ *igjen* recoup oneself; even things up.
monne (*vb*) avail, help; *det er noe som -r that makes all the difference*; *det -r med innsamlingen the collection is doing well*; *det -r ikke it doesn't get you anywhere*; *it's a drop in the ocean*; *det -i lite it was of little avail*; *it didn't do much good*; *it didn't help much*; *slik at det -r so that it really helps*; *nå må du prøve å spise noe som -r now you must try to eat sth that will keep you going*; *først da begynte han å tjene penger som -t it was only then he started earning enough money to make any difference*; *tjene penger så det virkelig -r* (*sterkt*) earn money with a vengeance.
monogam monogamous.
monogami monogamy.
monokkel monocle, (single) eyeglass.
mono|log monologue, soliloquy. **-man** monomaniac. **-mani** monomania.
monoplan monoplane.
monopol monopoly (*på* of); *belegge med* ~ monopolize.
monopolisere (*vb*) monopolize.
monoton monotonous; monotonical.
monotoni monotony.
monstrans (*rel*) monstrance, ostensory.
monstrum monster. **monstrøs** monstrous.
monsun monsoon.
montere (*vb*) mount; fit (up), instal; (*prefabrikert hus, etc*) erect.
montering installation, mounting, fitting up; (*av prefabrikert hus, etc*) erection.
monterings|arbeider assembly worker. **-hall** assembly hall. **-lag** (*som monterer prefabrikert hus, etc*) erection team.
montre showcase.
montro: *se mon.*
montør fitter; (*elekt*) electrician.
monument monument (*over* to).
monumental monumental.
mops pug, pug-dog. **-enese** pug-nose.
mor mother; *bli* ~ become a mother; *han er ikke -s beste barn he is no angel*; *he is a bad lot*; *her hjelper ingen kjære* ~! it's no use begging for help here!
moral morals; (*hærs moral*) morale, moral; (*av fabel el. dikt*) moral (*fx what m. is to be drawn from this story?*).
moralisere (*vb*) moralize.
moralist moralist; moralizer.
moralitet morality.
moral|lov moral law. **-lære** ethics. **-predikant** moralist, moralizer. **-preken** (moralizing) lecture, sermon.
moralsk (*adj*) moral.
morarente interest on overdue payments.
morass morass.
moratorium moratorium.
morbror mother's brother, maternal uncle.
morbær ♣ mulberry.

mord murder (*på* of); *overlagt* ~ wilful murder; *begå et* ~ commit (a) murder.
mord|brann arson with intent to kill. **-brenner** incendiary, arsonist (who has set fire with intent to kill).
morder murderer. **-hånd:** *dø for* ~ die at the hand of a murderer.
morderisk murderous.
morderske murderess.
mord|forsøk attempted murder; T murder bid. **-våpen** murderous weapon.
more (*vb*) amuse, divert, entertain; ~ *seg* enjoy oneself, amuse oneself; ~ *seg med* amuse oneself with; *han -t seg med å lene seg ut av vinduet he amused himself by leaning out of the window*; ~ *seg over* be amused at.
morell ♣ (morello) cherry.
moréne moraine.
morfar mother's father, maternal grandfather.
Morfeus Morpheus.
morfin morphia, morphine.
morfinist morphine (*el.* morphia) addict.
morfinsprøyte 1 (*redskap*) morphia (hypodermic) syringe; 2 (*innsprøytningen*) morphia injection; T morphia shot, shot of m.
morfolo|gi morphology. **-gisk** morphologic(al).
morganatisk morganatic.
morgen morning; *en* ~ one m.; *en annen* ~ another m.; *god* ~ good morning; *i* ~ tomorrow; *i* ~ *kveld* tomorrow evening; *i* ~ *tidlig* (early) tomorrow morning; in the morning; *til i* ~ *på denne tid* till this time tomorrow; *fra* ~ *til kveld* from morning till night; *om -en* in the morning; *of a morning*; *tidlig på -en* early in the morning; *i morges* this morning; *i går morges* yesterday morning.
morgenandakt morning prayers.
morgen|blad morning paper. **-blund** morning sleep. **-bønn** morning prayer. **-dag** morrow.
morgen|demring dawn, daybreak. **-fugl** early riser. **-gave** morning gift. **-gretten** grumpy in the morning. **-grettenhet** breakfast-table grumpiness. **-gry** dawn, daybreak. **-gymnastikk** early morning exercises; early morning P.T.; *ta* ~ (*især*) take setting-up exercises. **-kaffe** morning coffee. **-kjole** house coat.
morgenkvist: *på -en* in the early morning (*fx are you hungry in the e. m.?*); T bright and early (*fx they set off b. and e.*).
morgen|kåpe dressing gown. **-røde** dawn, sunrise colours. **-side:** *på -n* towards morning; *komme hjem utpå -n* come home in the early hours, come h. with the milk. **-sol** morning sun. **-stjerne** morning star. **-stund** (the) early morning; ~ *har gull i munn* the early bird catches the worm.
morgentemperatur (*patients*) temperature taken in the morning, morning t.
morges: *se morgen.*
morgne (*vb*): ~ *seg* get the sleep out of one's eyes.
morian Moor; blackamoor.
morild phosphorescence (of the sea).
morkake placenta.
morken decayed, decaying, rotting; *morkne gulvplanker* decaying floorboards.
morkne (*vb*) decay, rot.
morløs motherless.
mormon Mormon. **-isme** Mormonism.
mormor mother's mother, maternal grandmother.
morn good morning; hello; US (*også*) hi; ~ *da* goodbye, bye-bye, cheerio; ~ *så lenge* so long, cheerio.
moro amusement, fun, merriment; *for* ~ *skyld for fun*; for the fun of it; S for kick; *han liker* ~ he is fond of fun; *han er full av* ~ he is full of fun; *ha* ~ *med en* make fun of sby, poke fun at sby; *jeg sa det bare på* ~ I said it only in (*el.* for) fun; *til stor* ~ *for* to the great amusement of; much to the entertainment of (*fx the onlookers*); (*jvf morsom & I. morskap*).

morsarv maternal inheritance.
morse (*vb*) morse. **-alfabet** Morse code.
morsinstinkt maternal instinct.
morsk fierce, gruff, severe.
I. morskap amusement, enjoyment, entertainment; *dans og* ~ (*ofte*) dancing and general merriment; (*se moro*).
II. morskap maternity, motherhood.
morskapslesning light reading.
morske (*vb*): ~ *seg* be fierce (*el.* gruff).
morskjærlighet maternal love, a mother's love.
mors|liv womb. **-melk** mother's milk; *få noe inn med -en* be imbued with sth from infancy. **-mål** mother tongue.
morsom amusing, enjoyable; interesting; funny, droll, witty; (*hyggelig*) nice, pleasant; *et -t lite rom* (*også*) a jolly little room; *jeg ser ikke noe -t i å gjøre det* I don't see the fun of doing that; *det er -t å seile* sailing a boat is great fun; *så -t at du kunne komme!* I'm so glad you could come! *det skulle vært -t å kunne spansk* it must be (*el.* would be) great fun to know Spanish; *det skulle vært -t å vite om* ... it would have been fun to know if ...; *dette er ikke -t lenger!* this is getting beyond (*el.* past) a joke!
morsomhet (*vits*) joke; *si -er* be witty, say witty things, crack jokes.
morspermisjon maternity leave.
morssiden: *onkel på* ~ maternal uncle.
mort (*fisk*) roach.
mortalitet mortality.
Morten Martin.
mortens|aften Martinmas eve. **-dag** Martinmas. **-gås** roast goose (to be eaten on Martinmas).
morter (*til støtning*) mortar.
mortér (*slags kanon*) mortar.
mortifikasjon annulment.
mortifisere (*vb*) declare null and void, annul.
mos pulp, mash; purée; *eple-* apple purée, apple sauce.
mosaikk mosaic. **-arbeid** mosaic (work), tessellation.
mosaisk Mosaic.
mose ♣ moss. **-aktig** mossy, moss-like.
mosebok [one of the books of the Pentateuch]; *de fem mosebøker* the Pentateuch; *1.* ~ Genesis; *2.* ~ Exodus; *3.* ~ Leviticus; *4.* ~ Numbers; *5.* ~ Deuteronomy.
mose|dott tuft of moss. **-fly** moss-covered mountain plateau. **-grodd** moss-covered, overgrown with moss; (*fig*) moss-covered. **-kledd** moss-clad.
Moseloven the Mosaic Law, the law of Moses.
moselvin moselle.
moser potato masher.
mosjon exercise; *ta* ~ take exercise (to keep fit); (*se sunn*).
mosjonere (*vb*) take exercise (to keep fit).
mosjonsgymnastikk keep-fit exercises.
mosjonsparti: *han går på et* ~ *en gang i uken* he attends a keep-fit classes once a week.
moské mosque.
moskito mosquito (*pl*: -es).
moskovitt, -isk Muscovite.
moskus ♣ musk. **-okse** musk ox. **-rotte** musk rat, musquash.
Moskva Moscow.
most (*eple-*) cider; (*drue-*) must.
moster mother's sister, maternal aunt.
I. mot (*subst*) courage; heart; T pluck; *fortvilelsens* ~ the c. of despair; *friskt* ~! cheer up! never say die! courage! (*høytideligere*) be in good heart! *være ved godt* ~ be of good cheer; (*høytideligere*) be in good heart; *ille til -e* ill at ease; *vel til -e* at ease (*fx* feel (*el.* be) at ease); **fatte** ~ take courage, take heart; *fatte nytt* ~ pluck up fresh c.; *de fattet nytt* ~ their courage revived; **gi en** ~ (*sette* ~ *i en*) encourage sby, cheer sby up; *gi en nytt* ~ hearten sby, put new heart into sby; (*se ndf:* sette nytt ~ *i*); **ha** ~ have c., be courageous; *ha* ~ *til å* have the c. to; *jeg har ikke*

riktig ~ *på det* I don't feel up to it; *ha sine meningers* ~ have the c. of one's convictions; **holde** *-et oppe* keep up one's spirits; keep a stiff upper lip; **miste** *-et* lose heart, lose c.; *mist ikke -et!* cheer up! keep smiling! never say die! **samle** *alt sitt* ~ pluck up c., take one's c. in both hands; *-et sank* his (,her, *etc*) courage ebbed away; *his* (,*etc*) heart sank; **sette** (*nytt*) ~ *i* encourage, cheer up, hearten, put some fight into, put new (*el.* fresh) heart into; infuse c. into; *medgangen gjorde i høy grad sitt til å sette nytt* ~ *i amerikanerne* the success greatly helped to revive the spirits of the Americans; *-et* **sviktet** *ham* his c. failed him; all his c. deserted him; **ta** *-et fra* discourage, dishearten; *ta* ~ *til seg* pluck up (*el.* summon one's) c., take heart; **tape** *-et: se* miste *-et* (*ovf*).
II. mot (*prep & adv*) **1** (*henimot, i retning av*) towards, in the direction of; ~ *slutten av året* towards the end of the year; **2** (*om motstand; mots. "med"*) against (*fx* the wind); *forsikre* ~ insure against; *enten med oss eller* ~ *oss* either with us or against us; *jeg vil ikke si hverken for eller* ~ I have nothing to say one way or the other; *tre* ~ *to* three (to) two (*fx* two wanted the window shut, three wanted it open; so there they were, three (to) two); *to* ~ *to* two all; **3** (*på tross av, stikk imot*) against, contrary to, in opposition to (*fx* in o. to (*el.* against) my wishes); **4** (*overfor*) to; *snill* ~ kind to; *oppmerksom* ~ attentive to; *hensynsfull* ~ considerate towards; *hans oppførsel* ~ *meg* his behaviour (,US: behavior) towards me; **5** (*sammenlignet med*) (as) against, as compared with, in comparison with; *dette er ikke noe* ~ *hva det kunne vært* this is nothing to what it might have been; *seks stemmer* ~ *én* six votes to one; **6** (*som vederlag for*) against (*fx* payment against documents); ~ *kvittering* against (,US: in return for) receipt; ~ *kontant betaling* for cash; *bare* ~ *betaling* av only on payment of; ~ *5 % provisjon* on the basis of a 5 per cent commission; **7** (*under forutsetning av, med forbehold av*) subject to (*fx* this offer is s. to cable reply); **8** (*jur & sport*) versus (*fk.* v.); (*se steil: stå -i mot hverandre*).
motarbeide (*vb*) counteract, oppose, work against.
motbakke acclivity, uphill, up-gradient; *starte i* ~ start while on a slope; *i* ~ on an up-gradient, on an uphill slope, uphill.
motbevis proof to the contrary, counter-evidence.
motbevise (*vb*) disprove, refute.
motbydelig disgusting, loathsome, abominable; revolting (*fx* the baboons are r.); (NB *franskmennene gjør opprør* the French are in revolt (*og ikke:* ... are revolting)).
motbydelighet loathsomeness, disgust, abomination.
motbør contrary wind; (*fig*) adversity, opposition; *møte* ~ be opposed.
mote fashion, mode; *på -(n)* in fashion; *angi -n* set the fashion; *det er blitt* ~ it is fashionable, it is in fashion, it is in vogue; *bringe på* ~ bring into fashion; *gå av* ~ go out of fashion; *siste* ~ the latest fashion; the last word (*fx* in hats); *etter nyeste* ~ in the latest fashion; *komme på* ~ come into fashion; become the fashion.
moteartikler (*pl*) milliners' supplies; *de nyeste* ~ the latest (novelties) in millinery.
mote|blad fashion journal. **-dame** lady of fashion. **-dukke** (*fig*) fashion doll. **-forretning** milliner's shop. **-handel** milliner's trade; milliner's shop. **-handler** milliner. **-journal** fashion journal (*el.* magazine).
mote|laps, -narr dandy, fop.
motepynt millinery.
motereklame fashion advertising.
mote|sak matter of fashion. **-slave** slave of fashion. **-tegner** fashion (*el.* dress) designer. **-verdenen** the world of fashion.

motfallen dispirited, dejected; (*jvf* molefonken).
motfallenhet dejection.
motforanstaltning counter-measure; *gripe til -er* resort to c.-measures; (*se motforholdsregel*).
motfordring counter claim (*fx* have a c. c. on sby for an amount).
motforestilling remonstrance.
motforholdsregel|el counter-measure; *ta -ler* (*nasjonaløkonomi:* retaliere) retaliate; (*se motforanstaltning*).
motforslag counterproposal, alternative proposal.
motgang adversity, hardship, misfortune.
motgift antidote.
mothake barb; *forsynt med -r* barbed.
motiv motive; *♪* motif, theme.
motiver|e (*vb*) 1 (*begrunne*) give (*el.* set out) (the) grounds (*el.* reasons) for, state the reason for; 2 (*være tilstrekkelig grunn til*) justify (*fx* nothing could j. such conduct); 3 (*psykologisk, fx i drama*) motivate; ~ *en avgjørelse med* base a decision on; *et utilstrekkelig -t forslag* a proposal resting on an insufficiently reasoned basis; *en -t henstilling* a reasoned request; *elever som er (sterkt) -t for videre skolegang* pupils with a strong motivation for staying on at school; *p.* who are motivated towards staying on at school.
motivering statement of reasons, explanatory statement; justification; motivation; *med den* ~ *at* on the ground(s) (*el.* plea) that; ~ *for skolegjerningen er det dårlig bevendt med over hele linjen* there is a general lack of motivation for teaching.
motkandidat rival candidate, opponent.
motklage countercharge.
motløs faint-hearted, despondent, disheartened; *jeg ble* ~ *my heart sank* (into my boots); I lost heart.
motløshet faint-heartedness.
motmæle reply, retort.
motor (*bil-, etc*) engine; (*især elekt*) motor; *en feil ved -en* an engine fault; (*se svikte*).
motorbåt motor boat.
motorisere (*vb*) motorize.
motorisk (*adj*) motory, motor.
motorsag power saw.
motor|skade engine trouble. **-stopp** engine trouble (*el.* failure); *vi fikk* ~ *our car broke down,* the engine of our car broke down; *vi prøvde ikke å tenke på* ~ *eller bremsesvikt* we tried not to think of engine trouble or failing brakes. **-sykkel** motor cycle. **-syklist** motor cyclist. **-vask** engine wash (*el.* cleaning); *hva koster en* ~? how much is an e. w.?
motorvei motorway; US freeway; (*avgiftsbelagt*) US turnpike, parkway; *på -ene går det fort* you get on quickly on the motorways.
motorvogn (*jernb*) railcar, motor coach; US motor car.
motorvogn|fører (*jernb*) motorman, railcar driver. **-sett** motor-coach train, motor train set, rail motor set; electric train set; multiple unit train.
motpart adversary, opponent, opposite party; *holde med -en* side with the opposite party; *-ens vitne* a hostile witness.
motpol opposite pole; (*fig*) opposite.
motregning set-off.
motsatt opposite, contrary; (*omvendt*) reverse; *i* ~ *fall* if not, otherwise; *nettopp det -e* the very opposite, quite the contrary (*el.* reverse); *uttale seg i* ~ *retning* express oneself to the contrary; *gjøre det stikk -e av* do the exact opposite of; (*se rekkefølge*).
motsetning opposition, contrast; *i* ~ *til* as opposed to, as distinct from; *i skarp* ~ *til* in sharp contrast with; *danne en* ~ *til* form a contrast to; *-er tiltrekker hverandre* there is a mutual attraction between opposites; opposites appeal to one another; (*se diametral*).
motsetningsforhold antagonism, clash of

interests; *det er et* ~ *mellom dem* they are opposed; they are not on good terms; their interests clash.
motsette (*vb*): ~ *seg* oppose, be opposed to, resist, set oneself against, set one's face against; *han ble skutt idet han motsatte seg arrest* he was shot while resisting arrest.
motsi (*vb*) contradict, gainsay; ~ *seg selv* contradict oneself.
motsigelse contradiction.
motsigende contradictory.
motsjø headsea.
motspill *✝* defence. **-er** opponent.
motstand resistance, opposition; *gjøre* ~ *mot* oppose, resist, offer resistance, fight back; *ikke gjøre* ~ offer no resistance.
motstander opponent, adversary.
motstandsdyktig capable of resistance, resistant (*overfor* to).
motstands|evne, -kraft power of resistance; *pasientens -kraft har med hensikt blitt svekket* the patient's r. has deliberately been weakened.
motstrebende (*adj*) reluctant; grudging.
motstrid (*subst*): *stå i* ~ *til* be inconsistent with, be contrary to.
motstridende (*adj*) incompatible; contradictory; conflicting (*fx* emotions, feelings).
motstrøm countercurrent; back current.
motstå (*vb*) resist, withstand.
motsvare (*vb*) correspond to; be equivalent to, be the equivalent of.
motsøksmål (*jur*) cross action.
motta *vb* (*få*) receive; (*ikke avslå, anta*) accept; (*hilse, reagere på*) receive, greet (*fx* the news was received with enthusiasm); (*ved ankomst*) welcome (*fx* he was there to w. the visitors); (*på stasjon, etc, også*) meet (*fx* there was nobody to m. him at the station); (*i sitt hjem*) receive; ~ *som gave* receive as a gift, be made a present of; *be given; jeg kan ikke* ~ *hans tilbud* I cannot accept his offer; *jeg har -tt et brev* I have received a letter; *vi har -tt Deres brev* we have (received) your letter; *we are in receipt of* y. l.; *når kan De* ~ *varene?* when can you take delivery of the goods? (*se bestilling*).
mottagelig: ~ *for* (*dannelse, følelse, inntrykk*) susceptible to; ~ *for fornuft* amenable to reason; *gjøre* ~ *for* predispose to; *være* ~ *for nye idéer* be receptive to (*el.* of) new ideas.
mottagelighet susceptibility; receptiveness.
mottagelse reception; (*av ting*) receipt; (*antagelse*) acceptance; *etter -n av Deres brev* on receipt of your letter; *løfte om levering innen seks uker fra -n av* ordren promise to deliver within six weeks from (*el.* of) receipt of order.
mottagelsesbevis receipt.
mottagelseskomité reception committee.
mottagelsesleir reception camp (for refugees).
mottager recipient; (*vare-*) consignee; (*i shipping*) receiver.
mottagerland receiving country, recipient.
mottagerstasjon (*radio*) receiving station.
mottakelig, mottakelse: *se mottagelig, mottagelse.*
motto motto.
mottrekk countermove.
motveksel (*jernb*) facing points (,US: switches); *kjøre over -en* pass the point facing, run over the facing point.
motvekt counterweight, counterbalance; (*fig*) counterweight.
motverge (*subst*): *sette seg til* ~ resist, offer resistance, fight back, put up a fight, defend oneself.
motvilje reluctance, repugnance (*mot* to); dislike (*mot* of, for); *fatte* ~ *mot* take a dislike to, form a distaste for; *den engelske* ~ *mot omfattende og systematisk nyordning er velkjent* the English dislike of comprehensive and systematic innovations is well known.
motvillig reluctant, grudging.
motvind contrary wind, headwind.
motvirk|e (*vb*) counteract, work against;

counter (*fx* competition). **-ning** counteracting; counteraction.

mudder mud, mire; (T = *støy*) noise, row; *gjøre* ~ T kick up a row.

mudder|maskin dredger. **-pram** mud boat.

mudre (*vb*) dredge. **mudret** muddy.

muffe muff.

muffens T funny business (*fx* there was some f. b. going on yesterday); foul play (*fx* the police suspected f. p.).

I. mugg (*sopp*) mould; US mold.

II. mugg (*slags tøy*) twill.

I. mugge (*subst*) ewer, jug, pitcher.

II. mugge *vb* (*være sur*) grumble, fret.

muggen musty, mouldy (,US moldy); (*om lukt, også*) fusty; (*mutt*) sulky; (*mistenkelig*) T fishy; *det er noe -t ved det* there is sth fishy about it.

muggenhet mouldiness (,US: moldiness); mustiness, fustiness.

mugne (*vb*) mould, go mouldy; US mold.

Muhammed Mohammed. **muham(m)edan|er, -sk** Mohammedan, Moslem.

mukk sound, syllable, word; *jeg forstår ikke et* ~ I'm completely at sea; I don't understand a word (of it all); it's Greek to me.

mukke (*vb*) grumble; (*protestere*) bristle up, bridle up (in protest), get one's back up; T kick, jib.

mulatt mulatto.

muld: *se mold.*

muldyr mule. **-driver** muleteer, mule driver.

mule (*munn*) muzzle.

mulepose nosebag.

mulegarn (*tekstil*) mule twist.

mulesel ♣ hinny.

mulig possible; (*gjørlig, gjennomførlig*) practicable; *all* ~ *hjelp* every possible help; *gjøre alt* ~ *for å* do everything possible to, make every effort to; *gjøre det* ~ *for oss å*... enable us to, make it possible for us to; *meget* ~ very likely, possibly (*fx* «He is a gentleman.» - «Possibly, but he does not behave like one!»); *det er meget* ~ *at han*... it may well be that he...; *det er meget* ~ *it* is quite possible; *om* ~ if possible; *så snart som* ~ as soon as possible; *mest* (,*minst*) ~ as much (,as little) as possible; *snarest* (*el. tidligst*) ~ at the earliest possible moment; *i størst* ~ *utstrekning* to the greatest possible extent; *det er meget* ~ *at han vet det* he very possibly knows; *he* very likely knows; *-e kjøpere* potential buyers; *det -e resultat* the possible result; ~ *tap* any loss that may arise; *så vidt* ~ as far as possible; (*jvf eventuell*).

muligens (*adv*) possibly.

muliggjøre (*vb*) make (*el.* render) possible.

mulighet possibility, chance (*for* of); (*eventualitet*) contingency; *det er en* ~ *for at* it is just possible that; *han har en stilling med gode -er* he has a job with good prospects; *dette yrket byr overhodet ikke på noen -er for tiden* this profession offers no prospects whatsoever at present; T this p. is a dead end; *er det ingen* ~ *for at vi kan bli enige?* is there no prospect (*el.* possibility) of our coming to terms (*el.* to an agreement)? can't we possibly come to terms? (*se avvise*).

muligvis: *se muligens.*

mulkt fine, penalty; (*se bot*).

mulktere (*vb*) fine.

mulm: *i nattens* ~ *og mørke* in the dead of night, at dead of night.

multiplikand multiplicand.

multiplikasjon multiplication. **-stegn** m. sign; (NB *på norsk brukes helst* ·, *på engelsk oftest* ×, *fx 4 × 5 = 20*).

multiplikator multiplier.

multiplisere (*vb*) multiply.

multiplum multiple (*av* of).

mumie mummy. **-aktig** mummy-like.

mumle (*vb*) mutter, mumble; ~ *i skjegget* mutter to oneself.

München Munich.

mundering, mundur (*glds*) uniform; T (*neds*) get-up; *i full mundur* in full uniform; wearing all the trappings of the trade.

munk monk, friar.

munke [raised, round cake fried in specially shaped pan]; (*se munkepanne*).

munke|drakt monk's habit. **-hette** cowl. **-kloster** monastery. **-kutte** cowl. **-lofte** monastic vow; *avlegge -t* take the vow. **-orden** monastic order. **-panne** [pan with small round wells in which to fry 'munker']. **-vesen** monasticism.

munn mouth; *bruke* ~ scold; T jaw; *bruke* ~ *på* an abuse sby, scold sby; *få -en på glid* get talking; *holde* ~ hold one's tongue; T shut up; *hold* ~! T shut up! S shut your trap! *holde* ~ *med* shut one's mouth about; *legge ord i -en på en* put words into sby's mouth; *slå seg selv på -en* contradict oneself; *snakke en etter -en* play up to sby; echo sby; *han snakker alle etter -en* T (*også*) he's a yes-man; *snakke i -en på hverandre* speak all at once; *stoppe -en på en* silence sby; T shut sby up; *-en står ikke på ham* he talks incessantly; he is always chattering; *ta -en for full* exaggerate; draw the long bow; *ta bladet fra -en* speak one's mind; not mince matters; *være grov i -en* be foul-mouthed.

munn|bitt (*på tømme*) bit. **-dask** slap on the mouth.

munn|full mouthful. **-hell** byword, (familiar) saying, adage. **-hoggeri** wrangling, bickering. **-hogges** (*vb*) wrangle, bicker; ~ *med* have words with, quarrel with, wrangle with. **-hule** oral cavity.

munning mouth, outlet; (*større, ved havet*) estuary; (*på skytevåpen*) muzzle.

munnkurv muzzle; *sette* ~ *på* muzzle.

munnlær: *ha et godt* ~ have the gift of the gab.

munn- og klovsyke foot-and-mouth disease.

munn|skjenk cupbearer. **-spill** mouth organ. **-stykke** holder (*fx* cigarette h.); (*på blåseinstrument*) mouth piece; (*på slange, etc*) nozzle.

munnsvær mere words, idle talk, hot air.

munn|vann mouthwash. **-vik** corner of the mouth.

munter merry, gay; *i* ~ *stemning* in high spirits; *det var et -t syn* it was a funny sight; (*sterkere*) it was quite hilarious to watch.

munterhet gaiety, merriness; *i den støyende -en på markedsplassen forsvant snart hans dårlige humør* in the bustling gaiety of the fairground his bad mood soon passed off.

muntlig (*adj*) verbal, oral; (*adv*) verbally, orally, by word of mouth; ~ *eksamen* viva voce examination, oral examination; *komme opp i tysk* (,*etc*) ~ have an oral (exam) in German (,*etc*); *ingen kom opp i fransk* (~), *men ett parti kom opp i norsk* nobody had a French oral, but one group had Norwegian.

muntrasjonsråd provider of fun (*el.* amusement); life of the party.

muntre (*vb*) cheer, enliven; ~ *seg opp* cheer oneself up.

mur wall.

murbolt stonebolt.

mure (*vb*) build (with brick *el.* stone); do masonry work; ~ *igjen* wall (*el.* brick) up; ~ *igjen et vindu* block out a window.

murer bricklayer; mason. **-håndlanger** hodman, hod carrier, bricklayer's assistant. **-håndverk** bricklayer's (*el.* stonemason's) craft (*el.* trade).

murerlære: *sette i* ~ apprentice to a bricklayer.

murersvenn journeyman bricklayer (*el.* mason).

murfast: *mur- og naglefaste innretninger* (*jur*) fixtures.

murhus brick house, stone house.

mur|kalk mortar. **-krone** wallhead.

murmeldyr ♣ marmot.

mur|mester master bricklayer. **-puss** plastering.

murre (*vb*) grumble, murmur.

mur|skje trowel. **-stein** brick.

murverk brickwork, masonry.

mus 🐁 mouse; *når katten er borte, danser -ene på bordet* when the cat is away, the mice will play; *skipet gikk under med mann og ~* the ship went down with all hands.

muse (*myt*) Muse.

muse|felle mousetrap. **-fletter** (*pl*) short plaits. **-hull** mousehole.

muselmann Mussulman, Moslem.

muselort mouse dirt.

musereir mouse nest.

museum museum.

museumsdirektør keeper; (*jvf førstekonservator*).

museumsgjenstand museum piece (*el.* specimen).

musikalsk musical; *meget ~ som han er, deltok han i...* with his great aptitude for music, he took part in (*fx* a number of musical activities at school).

musikant musician.

musiker musician.

musikk music; *sette ~ til* set to music (*fx* set a song to m.); *med ~ av Brahms* to music by Brahms.

musikkanmelder music critic.

musikk|forening musical society. **-forretning** gramophone shop, music shop; US music store. **-forståelse** appreciation of music. **-handler** music dealer. **-korps** (brass) band; *han har vært med i et ~* he has been in a band (*el.* has been a bandsman). **-stykke** piece of music. **-undervisning** music instruction.

musikus musician.

musisere (*vb*) make music, play.

muskat 🌰 nutmeg. **-blomme** mace.

muskedunder (*børse*) blunderbuss.

muskel muscle. **-brist** sprain, rupture of a muscle. **-bunt** muscle bundle, b. of muscles. **-feste** muscular attachment. **-kraft** muscular strength. **-spill** play of the muscles. **-sterk** muscular. **-trekning** muscle twitch. **-vev** muscular tissue.

musketer musketeer.

muskett musket.

muskulatur musculature.

muskuløs muscular.

musling bivalve; (*blåskjell*) mussel; clam.

muslingskall (sea) shell; cockleshell; scallop (shell).

musse (*fisk*) young herring.

musselin muslin.

mussere (*vb*) effervesce; fizz, bubble.

mustang 🐎 mustang.

musvåk 🦅 common buzzard.

mutasjon mutation.

mutt sulky. **-het** sulkiness.

mutter (*møtrik*) nut; *dra en ~ godt til* tighten a nut up (*el.* down) hard.

mye: *se meget.*

mygg 🦟 gnat, mosquito (*pl*: -es); *gjøre en ~ til en elefant* make a mountain out of a mole-hill; *han var helt oppspist av ~* he had m. bites all over.

myggestikk gnat bite, mosquito bite.

myggesverm swarm of gnats (*el.* mosquitoes).

myggolje gnat (*el.* mosquito) repellent.

myhank 🦟 crane fly, daddy-longlegs.

myk (*mots. hard*) soft; (*bøyelig*) pliable, flexible; (*smidig*) supple; *gjøre en ~* (*fig*) bring sby to heel; *~ som voks* submissive as a lamb.

myke (*vb*): *~ opp* soften up, make pliable; *~ opp våre støle lemmer* limber up (*el.* loosen up) our stiffened limbs.

Mykene (*hist*) Mycenae.

mykne (*vb*) become pliable, soften.

mylder throng, swarm, multitude.

myldre (*vb*) swarm, teem; *gatene -r av mennesker* the streets are swarming with people.

mynde 🐕 greyhound.

myndig 1 (*om alder*) of age (*fx* be of age); *full-* of full age; *bli ~* come of age, attain one's majority; 2 (*respektinngytende*) authoritative, masterful; *i en ~ tone* in a tone of authority.

myndighet 1 (*makt*) authority, power; *opptre med ~* act with a.; *tale med ~* speak with a.; *ha ~ til å* have a. to; *gjøre sin ~ gjeldende* make one's a. felt; 2 (*pl*): *henvende seg til de rette -er* apply to the competent authorities; *de stedlige -er* the local authorities; *komme på kant med -ene* get on the wrong side of the authorities, get across with the a.

myndighets|alder majority. **-område** sphere of authority.

myndling ward.

mynt coin; *gangbar ~* current coin; (*valuta*) legal tender; *~, mål og vekt* money, weights and measures; *betale med klingende ~* pay hard cash; *betale en med samme ~* pay sby (back) in his own coin; *~ eller krone* head(s) or tail(s); *slå ~ og krone om* toss up for; *slå politisk ~ på* make political capital out of; *slå ~ på folks dumhet* trade on (*el.* exploit) people's stupidity; *slå ~ på en idé* cash in on an idea.

mynte (*vb*) coin, mint; *det var -t på Dem* that was meant for you; *T* that was a dig (*el.* hit) at you.

mynte 🌿 mint.

mynt|enhet monetary unit. **-fot** standard (of coinage). **-kabinett** cabinet of medals and coins. **-kyndig** skilled in numismatics.

mynt|samler collector of coins. **-samling** collection of coins. **-sort** species of coin. **-system** monetary system. **-vitenskap** numismatics.

myr bog, marsh. **-aktig** boggy. **-bunn** boggy ground.

myrde (*vb*) murder.

myr|drag stretch of boggy land. **-hatt** 🌿 marsh cinquefoil.

myriade myriad.

myr|jern bog iron. **-jord** boggy soil. **-klegg** 🌿 lousewort. **-kongle** 🌿 water arum. **-lendt** boggy, marshy, swampy. **-malm:** *se -jern.*

myrra myrrh. **-essens** (tincture of) myrrh.

myrsnelle 🌿 marsh horsetail.

myrsnipe 🐦 (*også* US) dunlin; (*jvf bekkasin*); *hun er en ordentlig ~* (*kan gjengis*) she is very child-proud.

myrsoleie 🌿 marsh marigold.

myrt 🌿 myrtle.

myrtekrans myrtle wreath.

myrull 🌿 bog cotton, cotton grass.

I. myse (*subst*) whey, serum of milk.

II. myse *vb* (*med øynene*) peer, squint, screw up one's eyes.

mysost [brown whey cheese].

myst|erium mystery. **-eriøs** mysterious.

mystifikasjon mystification.

mystifisere (*vb*) mystify.

mystiker mystic.

mystikk (*rel*) mysticism; (*gåtefullhet*) mystery, mysteriousness; *omgitt av ~* wrapped in mystery.

mystisisme mysticism.

mystisk mystic(al); (*gåtefull*) mysterious; (*mistenkelig*) suspicious.

I. myte (*subst*) myth.

II. myte *vb* (*felle hår el. fjær*) moult.

mytisk mythical.

mytologi mythology. **-sk** mythological.

mytteri mutiny; *gjøre ~* mutiny; *få i stand ~* raise a mutiny; *deltagerne i -et* the mutineers.

Mähren (*geogr*) Moravia.

I. mæle (*subst*) voice; *miste munn og ~* be bereft of speech, become speechless.

II. mæle (*vb*) utter, speak, say.

møbel piece of furniture; *møbler* furniture; *noen få møbler* a few sticks of furniture.

møbel|arkitekt furniture designer. **-handler** f. dealer. **-lager** f. warehouse. **-lakk** f. varnish. **-plate** laminated (ply)wood. **-snekker** cabinet-maker. **-stoff** upholstery (material). **-tapetserer** f. upholsterer. **-trekk** (*løst*) loose f. cover; (*jvf varetrekk*).

møblement suite of furniture.

møblere (*vb*) furnish (*fx* a room).

mødrehygiene sex hygiene for mothers; (*svarer til*) family planning. **-kontor** family planning and maternity clinic.

mødrene maternal. **-arv** inheritance from one's mother, maternal inheritance.

møkk dung; (*vulg* = *skitt*) dirt, muck, filth; (*vulg* = *skrap*) rubbish, trash, muck, bilge, tripe.

møkkgreip dung fork.

mølje jumble.

møll moth; *det er gått ~ i frakken* the moths have been at the coat.

møll|e mill; *det er vann på -a hans* that is grist to his mill; *den som kommer først til -a, får først malt* first come, first served.

mølle|arbeider mill hand. **-bruk** 1. mill; 2 (*det å*) milling. **-dam** millpond.

møller miller.

møllestein millstone.

møllspist moth-eaten.

møne ridge of a roof.

mønje red lead, minium.

mønsås ridge pole; US (*især*) ridge beam.

mønster 1 (*tegning*) design, pattern; (*-prøve*) pattern; *lage etter ~* make to p. (*el.* d.); *levere etter ~* supply to p.; *~ til* p. (*el.* d.) for (*el.* of); 2 (*gram*) paradigm; 3 (*eksempel, forbilde*) model, pattern; *ta ham til ~* take him as one's model (*el.* p.); *stå som ~ for* serve as a model for; *passe inn i et ~* (*fig*) conform to a pattern; (*se I. etter; samfunnsmønster; skjema 2*).

mønster|bok pattern book. **-bruk** model farm. **-gyldig** model, exemplary, ideal. **mønster|skole** model school. **-verdig** exemplary. **-verk** standard work.

mønstre (*vb*) muster, review, inspect; (*fig*) examine critically, inspect, scrutinize, take stock of; *~ av* ⚓ sign off; *~ på* ⚓ sign on, ship.

mønstret figured; patterned.

mønstring muster, review, inspection.

mønstringskontor (*i England*) the Mercantile Marine Office.

mør 1 (*om kjøtt*) tender; 2. stiff, aching.

mør|banke (*vb*) 1. tenderize (by beating); 2. T beat black and blue, beat up. **-brad** (tender)loin, undercut; (*okse-*) undercut of sirloin, beef tenderloin. **-bradstek** (*kan gjengis*) roast sirloin (*el.* (tender)loin). **-deig** short-crust paste.

mørje (glowing) embers.

mørk dark, gloomy; *før det blir -t* before (it gets) dark; *det ble -t* darkness fell (*el.* came on), it got (*el.* grew *el.* became) dark; *det begynte å bli -t* it was getting dark; *-e tider* hard times; *-e utsikter* a gloomy outlook; *se -t på fremtiden* take a gloomy view of the future; *det ser -t ut for ham* things are looking black for him; prospects are black for him.

mørke dark, darkness, obscurity; (*dysterhet*) gloom; *-t ble tettere* the darkness became denser; *i ~* in the dark; *famle seg fram i ~* grope one's way in the dark; *et sprang i ~* a leap in the dark; *i nattens mulm og ~* in the (*el.* at) dead of night; *-ts gjerninger* dark deeds.

mørke|blå dark blue. **-brun** dark brown.

mørke|redd afraid of the dark; *jeg er veldig ~* I'm a terrible coward in the dark. **-rom** darkroom. **-tid** (*polarnatt*) polar night; (*fig*) dark age(s).

mørk|hudet dark(-skinned), swarthy. **-håret** dark-haired.

mørkne (*vb*) darken.

mørkning nightfall; dusk, twilight; *i -en* at dusk, in the twilight, in the gathering darkness.

mørser mortar.

mørtel mortar.

I. møte (*subst*) 1. meeting (*fx* he spoke at the m.); 2 (*tilfeldig, også sammenstøt*) encounter; 3 (*forsamling*) meeting, assembly, gathering; (*konferanse*) conference; 4 (*retts-*) sitting, session, hearing; 5 (*parlaments-, etc*) sitting, session; *komité-* committee meeting; *avtale et ~ med en* arrange to meet sby; make an appointment with sby; *heve et ~* close a meeting; (*inntil videre*)

adjourn a m.; *-t ble hevet* (*også*) the meeting terminated; the meeting came to an end; (*ofte*) the conference (*,etc*) rose; (*om retts-*) the Court rose; *-t ble hevet under alminnelig forvirring* the m. broke up in confusion; *-t er hevet* the meeting is closed (,adjourned); *erklære -t for hevet* declare the m. closed; *holde et ~* hold a meeting; meet; *-t er satt* the meeting (,sitting) is called to order; *åpne et ~* open a meeting; *jeg erklærer -t for åpnet* the sitting is open; the s. is called to order; **i ~** towards; *komme en i ~* come to meet sby; (*fig*) meet sby (half way); *løpe en i ~* run to meet sby; *fra det fjerne blinket et lys ham i ~* a distant light was winking at him; *lysene fra landsbyen blinket ham vennlig i ~* the friendly lights of the village greeted him; *en kald vind blåste ham i ~* a cold wind blew in his face; *en strålende vårmorgen lo ham i ~* a bright spring morning greeted him; *ødsligheten i værelset stirret ham i ~* he was met by the blank dreariness of his room; *se fremtiden engstelig i ~* look to the future with apprehension (*el.* apprehensively); *vi går bedre tider i ~* the outlook is brighter; *vi går en strålende fremtid i ~* we have a dazzling future before us; (*se undergang*); **på et ~** at a meeting.
II. **møte** (*vb*) meet; (*bli gjenstand for*) meet with (*fx* kindness); (*motstå*) face (*fx* danger without flinching); (*om motforanstaltning*) meet, counter; (*innfinne seg*) appear, attend, meet; *det er avtalt at X skal ~* (*fram*) kl. *14* it has been agreed that X is to come at 2 o'clock; it has been arranged for X to come at 2 o'clock; (*det*) *stedet hvor han skulle ~* where he was to go for the meeting; *~ en ansikt til ansikt* meet sby face to face; *~ ens blikk* meet sby's glance; *jeg skal ~ ham kl. 6* I am to meet him at 6 o'clock; I have an appointment with him at (*el.* for) 6 o'clock; *vel møtt!* welcome! *~ en etter avtale* meet sby by appointment; *~ fram* appear; T show up; *~ i retten* appear before the court; *~ i saken mot* appear in the court against; *~ opp* appear; T show up; *~ opp med* bring along (*fx* he brought all the papers along); bring forward (*fx* an argument).

møtes (*vb*) meet; *vi ~ i morgen* T see you again tomorrow!

møteplass (*på smal vei*) lay-by.

møte|plikt compulsory attendance; obligation to appear. **-sted** meeting place. **-tid** time of (a) meeting, the time fixed for a (, the) m.

møtrik nut; (*se mutter*).

møy maid, maiden, virgin.

møydom maidenhood; virginity.

møye pains, trouble; difficulty; *spill ~* a waste of energy; *det er spilt ~* (*også*) that's (so much) wasted effort; that's all for nothing.

møysommelig laborious, toilsome, difficult; (*adv*) with difficulty, laboriously.

møysommelighet trouble, difficulty.

må: *se måtte*.

måfå: *på ~* at random, in a haphazard way.

I. måke 🐦 (*subst*) gull.

II. måke (*vb*) clear away, shovel; *~ vei* clear a road.

I. mål 1 (*språk*) tongue, language, idiom; 2 (*mæle*) voice, speech.
II. **mål** measure; (*1000 m²*) 1/4 acre, 10 ares; *ett ~ selveiertomt* a freehold site of 10 ares; (*omfang*) dimension; (*hensikt*) goal, end, object; (*i fotball*) goal; (*ved veddeløp*) winning post; *i fullt ~* in full measure, to the full; *holde ~* be up to standard; be up to the mark; *sette seg et ~* set oneself a goal; *ha satt seg et ~* have an end in view; *når han først har satt seg et ~*, *forfølger han det også* when he has set himself a goal, he pursues it to the end; *han nådde sitt ~* he attained his end (*el.* object); he gained his point; *ta ~ av en til klær* take sby's measurements; measure sby for clothes; *ta ~ av hverandre* T size one another up; give each other the once-over; *-et for hans bestrebelser* the object

of his efforts; *han glir* i ~ *(om skiløper)* he glides up to the finish; *hestene løp side om side* i ~ the horses ran neck and neck past the post; *ha et* ~ *å streve* **mot** have a goal to strive for; *-et på hvor dyktig han har vært i sitt ordvalg, er at* ... the measure of how skilful he has been in his choice of words is the fact that ...; *skyte til -s* fire at a target; *føre til -et* lead to the desired result; **uten** ~ *og med* aimlessly; *nå er vi snart ved -et* the goal is within our reach *(el.* in sight).

målbevisst purposeful, determined. **-het** singleness of purpose.

mål|binde *(vb)* nonplus, silence. **-bytte** *(fotb)* change of goals, changing ends; T changing round. **-dommer** finishing judge.

måle *(vb)* measure; *(innhold av fat, etc)* gauge; ~ *opp (land)* survey; *kunne* ~ *seg med en* compare with, c. favourably *(‚US: favorably)* with, come up to; *kan ikke* ~ *seg med* cannot hold a candle to, (simply) isn't in it with.

måle|brev 1 [surveyor's certificate of area measure]; 2 ⚓ certificate of tonnage. **-bånd** tape measure. **-enhet** unit of measurement.

målegodslast ⚓ measurement cargo *(el.* goods).

måler meter; *(land-, etc, også fig)* measurer; *(se landmåler).*

målestokk standard; scale; *et kart i -en 1: 100 000* a map on the *(el.* with a) scale of 1:100,000; *i stor (‚liten)* ~ on a large (‚small) scale; *i forminsket (‚forstørret)* ~ on a reduced (‚an enlarged) scale; *bruke som* ~ take as a standard; *som* ~ *for* as a standard of; *(se anlegge).*

målføre dialect.

mållag [association of adherents of New Norwegian].

mållinje *(fotb)* goal line; *(ved løp, etc)* finish(ing) line; *(ofte =)* tape.

målløs 1. speechless, dumbfounded; 2. aimless.
I. **målmann** *(fotb)* goalkeeper; T goalie.
II. **mål|mann** adherent of the New Norwegian linguistic movement. **-reising** linguistic movement; *(i Norge)* movement to make New Norwegian the predominant language.

målsetting aim, purpose, goal, objective; *det kommer helt an på -en* it depends entirely on the aim *(el.* purpose); *det er -en som er forskjellig fra lærer til lærer* it's the aim *(el.* purpose) that varies *(el.* differs) from teacher to teacher.

mål|skyting target practice. **-snor** (finishing) tape. **-spark** goal kick. **-stang** *(fotb)* goal post. **-strek** finish(ing) line; *(også fig)* scratch.

mål|strev struggle carried on by or on behalf of the New Norwegian linguistic movement. **-strid** language dispute; conflict between adherents and opposers of New Norwegian.

måltid meal; *mellom -ene* between meals.

måltrost ♪ song thrush; *(poet)* mavis.

målvokter *(fotb)* goalkeeper; T goalie.

måne moon; *(på hodet)* bald spot; *-ns bane* the orbit of the moon; *-n er i avtagende* the moon is on the wane; *den tiltagende og avtagende* ~ the waxing and the waning moon.

måned month; *august* ~ the m. of August; *de -ene som har 31 dager* the odd months; *forrige* ~ last m.; *i august* ~ in the month of August; *i denne* ~ this m.; *den første i denne* ~ on the first of this m.; *i neste* ~ next m.; *pr.* ~ per m., a m.; *pr. 3 -er* at three months' date; *om en* ~ in a m.; *-en ut* (for) the rest of the m.

månedlig monthly.

måneds|befraktning monthly charter. **-lov** (monthly) holiday. **-nota** *(-oppgave)* monthly statement *(el.* account); *(kontoutdrag)* statement of account *(fk.* S/A). **-oppgjør** monthly settlement. **-penger** *(pl)* monthly allowance. **-skrift** monthly (journal, magazine, review). **-vis** by the month, monthly; *i* ~ for months.

måne|fase phase of the moon, lunar phase. **-formørkelse** eclipse of the moon. **-klar** moonlit, moonlight. **-krater** lunar crater. **-landings-**

fartøy lunar module *(fk* LM). **-lys** *(subst)* moonlight; *(adj): se -klar.* **-natt** lunar night; *(månelys natt)* moonlit night. **-skinn** moonlight; *i* ~ by moonlight. **-skinnsnatt** moonlight night. **-stråle** moonbeam.

måpe *(vb)* gape, stare open-mouthed; *sitte og* ~ sit gaping; sit wool-gathering.

mår ♪ marten.

måte 1 *(form for handling)* way, manner; *(ofte neds)* fashion; 2 *(måte å gjøre noe på)* way, method *(fx* of doing sth); 3 *(henseende)* respect; 4 *(måtehold)* moderation; *betalings-* mode of payment; *holde* ~ (4) be moderate, keep within bounds, exercise moderation; *han kan ikke holde* ~ *(også)* he does not know where to stop; *det var ikke* ~ *på det* there was no end to it; **i alle** *-r* in all respects, in every respect; in every way; *i like* ~! *(svar på ønske)* the same to you! *(svar på skjellsord)* you are another!; *i så* ~ in that respect; *(hva det angår)* on that score; **med** ~ moderately, in moderation; *alt med* ~ there is a limit to everything; moderation in all things; you may have too much of a good thing; **over** *all* ~ beyond (all) measure, inordinately, excessively; *hans* ~ *å smile* **på** the way he smiles; *på alle mulige -r* in every (possible) way; *på én* ~ *(på sett og vis)* in a way; *(men ikke tilfredsstillende)* in *(el.* after) a fashion; *(til en viss grad)* in a manner, to a certain extent, in a certain degree; in a *(el.* one) sense; *på mer enn én* ~ in more ways than one; *det kan ikke gjøres på noen annen* ~ it cannot be done (in) any other way; *på en annen* ~ in another way, differently; *det samme på en annen* ~ the same thing in another way *(el.* in a different guise); *på en eller annen* ~ somehow (or other), (in) one way or another; in some way (or other); by some means; *(for enhver pris)* by hook or by crook; by fair means or foul; *på annen* ~ *enn* otherwise than, by other means than; *på beste* ~ in the best possible way; *Deres ordre vil bli utført på beste* ~ your order will have *(el.* receive) our best attention; *ordne alt på beste* ~ arrange everything for the best *(el.* in the best possible way *el.* as well as possible); *på den -n* (in) that way, like that *(fx* don't talk like that!); *på den antydede* ~ in the way indicated *(el.* suggested); *på denne -n* in this way, thus, like this; at this rate; *på enhver* ~ in every (possible) way; in every respect; *på en fin* (ɔ: *taktfull)* ~ discreetly; *det er flere -r å gjøre det på* there are several ways of doing it; *på foreskreven* ~ in the approved manner; *på følgende* ~ as follows, in the following way; *på hvilken* ~ *han enn*... whatever way he...; no matter how he; *på ingen* ~ by no means, not at all; not in the least; certainly not; *ikke på noen som helst slags* ~ T *(spøkef)* by no manner of means whatever; *på samme* ~ in the same way; *(innledende)* likewise, so also; *på samme* ~ *som* in the same way as *(el.* that); as, like *(fx* you don't hold the pen as I do *(el.* like me)); *på en slik* ~ *at* in such a way as to; so as to; *(se tilsvarende).*

måte|hold moderation; *(i nytelser)* temperance. **-holden** moderate; temperate.

måtelig *(adj)* mediocre, indifferent; *(karakter)* [a bad mark below pass level].

måtte *(vb)* have to; *jeg må* I must, I have to; *jeg* ~ I had to, I was obliged to; *han sa han* ~ he said he must *(el.* had to); *uten å* ~ without having to; *jeg beklager å* ~ I regret having to; *må jeg få lov til å*...? may I...? *(høfligere)* might I *(fx* m. I make a suggestion?); ~ *De aldri angre det* may you never regret it; *enhver ordre De* ~ *sende meg* any orders you may send me; *hva han enn* ~ *si* whatever he may say; *det må så være* it has to be; it can't be helped; *det må så være* when needs must be; *det må til* it is essential; it can't be helped; it has got to be done; *vi 'må til* we shall have to do it; it's no good putting it off; we had better buckle to; *det må jeg si!* well,

I never! *om jeg så må si* if I may say so; *jeg må komme meg av gårde* I must be off; I must be going; I must be getting off; *jeg må hjem* I must go home; *jeg 'må hjem* I've got to get home; *det må mange penger til* much money is needed; *han må ut på jordet* he must go into the field; *må vite* (၁: *vet du*) you know, don't you know; *det fins ingen steder, det ~ da i så fall være i Kina* it is nowhere to be found, except perhaps in China; *(se nødvendigvis)*.

N

N, n N, n; *N for Nils* N for Nellie.
nabo neighbour; US neighbor; *nærmeste ~* next-door neighbour; *de nærmeste -ene* the near neighbours.
nabo- neighbouring (,US: neighboring), next.
nabo|by neighbouring town. **-bygd** neighbouring parish. **-folk** 1. neighbouring nation(s); 2. neighbours. **-hus** adjoining house, house next door; *han bor i -et* he lives next door. **-lag** neighbourhood (,US: neighborhood), vicinity; *fra -et* neighbouring *(fx* a n. farmer); *i -et* in the neighbourhood *(fx* live in the n.).
naboskap neighbourhood; US neighborhood; *godt ~* neighbourliness; US neighborliness.
nabovinkel adjacent angle.
nachspiel follow-on party; *hva sier dere til et ~ hjemme hos meg etterpå?* how about following on with a party at my place afterwards? *etterpå var vi på ~ hos John* afterwards we went round to John's place and had a party.
nafse *(vb)* snatch at, nibble, munch.
nafta naphtha. **-lin** naphthalene.
nag grudge, resentment, rancour; *bære ~ til en* have *(el.* bear) a g. against sby; *bærer du fremdeles ~ til ham?* T have you still got a chip on your shoulder against him?
nage *(vb)* gnaw; prey on, rankle; *-nde bekymring* gnawing anxiety; *-t av anger* stung by remorse.
I. nagle *subst (klink-)* rivet.
II. nagle *(vb)* rivet; *han satt som -t til stolen* he sat as if he were nailed to the chair.
naglefast: *~ inventar* fixtures.
naglegap: *-ene i hans hender* the prints of the nails in his hands.
naiv simple(-minded), naïve, naive, ingenuous, artless.
naivitet simple-mindedness, naïveté, naivety, artlessness.
najade naiad.
naken naked, nude, bare; *nakne kjensgjerninger* hard facts. **-het** nakedness, nudity. **-kultur** nudism.
nakke back of the *(el.* one's) head, nape of the neck; *(av svin, hos slakteren)* prime back of pork; *ha øyne i -n* have eyes at the back of one's head; *ta en i -n* take sby by the scruff of the neck; collar sby; *kaste på -n* toss one's head; *ta bena på -n* take to *(el.* pick up) one's heels, cut and run, take one's foot in one's hand, put one's best foot forward; *være på -n av en (fig)* be down on sby.
nakkedrag *(slag)* clout on the neck.
nakkegrop hollow of the neck.
nakkeribbe *(på gris)* spare rib.
nakkestuss trim (at the back of the head).
nam *(jur)* attachment.
napoleonskake vanilla slice.
Napoli Naples. **n-taner, n-tansk** Neapolitan.
napp tug; *(av fisk)* bite, nibble; *(jernb* T): *se frakopling: ~ under fart.*
nappe *(vb)* snatch; *(fange)* nab; *~ etter* snatch at.
nappetak set-to, tussle.
narhval 🐋 narwhal.
narkoman drug addict; US dope addict, narcotic; S junkie.
narkomani drug addiction, narcomania.
narkose narcosis, general anaesthesia (,US: anesthesia). **-lege:** *se anestesilege.*

narkotiker drug addict; US dope addict; narcotic; S junkie.
narkotisk narcotic; *~ middel* narcotic.
narr fool; *(hoffnarr)* jester; *(narraktig i påkledning & vesen)* coxcomb; conceited fool; *gjøre ~ av* poke fun at, make fun of, ridicule, hold up to ridicule; *holde for ~* make a fool of; *gjøre seg til ~* make a fool of oneself; *han gjør seg til ~ for hennes skyld* he is making a fool of himself about her.
narraktig foolish; conceited, vain. **-het** foolishness; conceit, vanity.
narre *(vb)* dupe, trick, take in, deceive, fool; *~ en for* disappoint sby of; *~ noe fra en* trick sby out of sth; *~ en til å gjøre noe* trick sby into doing something; *~ en til å tro* make sby believe.
narreri deception; fooling, foolishness.
narre|smokk comforter, dummy; *(også* US) pacifier. **-strek** foolish prank, tomfoolery.
narrifas coxcomb.
narsiss ⚘ narcissus *(pl:* -es *el.* narcissi).
narv grain side (of leather).
nasal nasal. **nasalere** *(vb)* nasalize.
nasjon nation; *Nasjonenes Forbund* the League of Nations; *De forente -er (FN)* the United Nations (UN).
nasjonal national.
nasjonal|bank national bank. **-drakt** national costume *(el.* dress). **-eiendom** national property. **-farger** *(pl)* national colours.
nasjonalisere *(vb)* nationalize.
nasjonalisering nationalization.
nasjonalisme nationalism.
nasjonalist nationalist.
nasjonalistisk nationalistic.
nasjonalitet nationality. **-smerke** n. sign.
nasjonal|sak matter of national importance. **-sang** national anthem. **-økonom** (political) economist. **-økonomi** political economy, economics. **-økonomisk** economic, pertaining to political economy.
naske *(vb)* filch, pilfer. **-ri** filching; petty larceny.
nat ⚓ seam.
natrium ♂ sodium.
natriumbikarbonat *(natron)* bicarbonate of soda, sodium bicarbonate.
natron ♂ 1. soda; 2 *(til baking):* se dobbeltkullsurt ~ *(ndf)*; *kullsurt ~* sodium carbonate; *dobbeltkullsurt ~* bicarbonate of soda, sodium bicarbonate.
natt night; *hele -en* all night; *ønske en god ~* wish sby a good night; *i ~ (foregående)* last night; *(kommende)* tonight; *i går ~* the night before yesterday; *i -ens stillhet* at dead of night, in the dead of night; *hele -en igjennom* all night, throughout the night; *om -en* in the night, at night, by night; *-en mellom den 6. og 7.* on the night of the 6th to the 7th; *sitte oppe om nettene* sit up nights; *-en over* all night; *bli -en over* stay the night; *bli der -en over (også)* make a night stop there; *-en falt på* night came (on), n. fell, darkness fell *(el.* came on); *langt ut på -en* late at night; *~ til søndag* (on) Saturday night, late (on) S. night; *til -en* tonight; at night *(fx* local coastal fog at n.); *gjøre ~ til dag* turn night into day; *(se ta A: ~ natten til hjelp).*
natt|arbeid night work. **-bord** bedside table; *(med skap og/eller skuff)* bedside cabinet. **-buss**

late night bus. **-drakt** nightwear; *(se pyjamas & nattkjole)*.

nattedugg (night) dew.

natte|frier [nocturnal visitor]. **-frieri** [nocturnal visit by lover (in the country)]. **-frost** night *(el.* ground) frost. **-gjest** 1. over-night guest; 2. = *-frier*. **-hvile** night's rest. **-kulde** cold of the night. **-leie** bed for the night; *et improvisert* ~ a shakedown. **-liv** night life; *gå ut og se på -et (også* US) go out on a round of the night spots, go round the n. s. **-losji** night's lodging, accommodation *(el.* lodging) for the night. **-luft** night air. **-ly** shelter for the night.

natte|løperi [nocturnal visits to girls (in the country)]. **-rangel** night revels. **-rangler** night reveller.

nattergal ♫ nightingale.

natteravn: *se nattmenneske.*

nattero night's rest, rest at night.

nattesvermer *(person)* night reveller.

natte|søvn night's sleep, sleep at night. **-tid** night-time; *ved* ~ at night. **-time** hour of the night. **-vakt** 1. night watchman; 2. night watch; *(handlingen)* night watch(ing); n. duty, n. service; *(hos syke)* n. nursing; *holde* ~ keep n. watch. **-vandrer** night wanderer. **-våk(ing)** losing *(el.* missing) (one's) sleep; lying awake at night; sitting up all night; keeping late hours; *(det å våke)* vigil; *all -en (også)* all the sleep we (,they, *etc)* lost *(el.* missed); *det ble meget* ~ *for dem p.g.a. babyen* they lost a lot of sleep on account of their baby; *(jøf barnevåk).*

natt|fiol ♣ night-smelling rocket. **-herberge** 1. night shelter; T doss house; US flophouse; 2. casual ward (of public assistance institution). **-hus** ♣ binnacle. **-kafé** all-night café, night spot. **-kikkert** night glass. **-kjole** night gown. **-klubb** night club, n. spot; *(med ublu priser)* clip joint.

nattlig nightly, nocturnal.

natt|lys night light; ♣ evening primrose. **-mat** midnight snack. **-menneske** night bird, fly-by -night; *være et* ~ *(også)* keep late hours. **-portier** night porter; US n. clerk. **-potte** chamber pot.

natt|signal night signal. **-skjorte** nightshirt. **-svermer** ♫ (night-flying) moth. **-syn** night vision. **-tjeneste** night service; *(jøf nattevakt 2).* **-tøy** nightwear, night clothes *(el.* things). **-verd:** *den hellige* ~ the Lord's Supper. **-verdbord** communion table.

natur nature; *(landskap)* scenery; *(om mennesker)* nature, temperament, temper, disposition; *-en* nature; *-en går over opptuktelsen* nature passes nurture; *den vakre* ~ the beautiful scenery; *av* ~ by n., naturally; *heftig* ~ impetuous disposition, violent temper; *han var en lett-bevegelig* ~ he was by nature easily stirred *(el.* moved); he was apt to be easily stirred; *-ens gang* the course of nature; *-ens orden* the natural order of things; *det ligger i sakens* ~ it is in the nature of the case *(el.* of things); *det ligger i sakens* ~ *at denne kontrollen ikke kan bli svært effektiv* this control cannot in the nature of things be very effective; *ifølge sin* ~ by nature, naturally; *det lå ikke for hans* ~ it was not in his nature; *tegne etter -en* draw from nature; *godt utrustet fra -ens hånd* well endowed by nature; *tre av på -ens vegne* ✕ fall out to relieve nature.

natura: *betale in* ~ pay in kind.

naturalhusholdning barter economy.

naturalier *(pl)* products of the soil.

naturalisere *(vb)* naturalize.

naturalisering naturalizing, naturalization.

naturalisme naturalism.

naturalistisk naturalistic.

natur|anlegg natural talent. **-barn** child of nature. **-begavelse** natural endowment, innate ability; *han er en* ~ he is naturally gifted; he is a natural genius. **-drift** natural instinct, natural impulse.

natur|fag (branch of) natural science; *(skole-*

fag) nature study. **-forhold** nature, natural conditions. **-forsker** naturalist, natural scientist.

naturfrede: *-t område* nature reserve.

naturfredning the preservation of natural resources *(el.* amenities), nature conservation.

natur|frembringelse natural product. **-historie** natural history. **-historiker** naturalist, natural historian. **-kraft** natural force; elemental force. **-kunnskap** knowledge of nature; *(se -fag).* **-lege** nature healer.

naturlig natural; *(ikke affektert)* artless; *(medfødt)* innate, natural; *dø en* ~ *død* die a natural death; *det faller ikke* ~ *for meg* it does not come naturally to me; *det går ganske* ~ *til* there is nothing mysterious about it; *det går ikke* ~ *til* there is some supernatural agency at work; *i* ~ *størrelse* life-size(d); *ad* ~ *vei* naturally, by natural means; *som* ~ *var, ble han irritert* he was naturally irritated.

naturlighet naturalness.

naturligvis of course, naturally.

natur|lov natural law, law of nature. **-lyrikk** nature poetry. **-menneske** child of nature; *(-elsker)* nature lover. **-nødvendighet** physical *(el.* natural) necessity. **-sans** feeling for nature, appreciation of nature. **-skjønn** picturesque, remarkable for the beauty of its scenery. **-skjønnhet** beauty of scenery. **-stridig** contrary to nature, unnatural. **-tilstand** natural state. **-tomt** [site left in its natural state (,in its naturally wooded state)]. **-tro** true to nature, natural. **-troskap** naturalness, fidelity to nature. **-vern** the preservation of natural resources *(el.* amenities), nature conservation. **-vitenskap** (natural) science; *alt som har med teknikk og* ~ *å gjøre* everything (that has) to do with technical and scientific subjects. **-vitenskapelig** scientific.

naturell nature, natural disposition.

naust boat-house.

naut *(fig)* fool, simpleton.

nautisk nautical.

nav *(hjulnav)* hub.

naver auger.

navigasjon navigation.

navigasjons|bok book of navigation. **-tabell** nautical table.

navigatør navigator; *(se kartleser).*

navigere *(vb)* navigate.

navkapsel *(hjul-)* hub cap.

navle navel. **-bind** umbilical bandage. **-brokk** umbilical hernia, omphalocele. **-streng** navel string, umbilical cord.

navn name; *(benevnelse)* appellation; name; *et annet* ~ *på* another name for . . . ; *hva er Deres* ~? what is your name? *hans gode* ~ *og rykte* his good name, his reputation; *sette sitt* ~ *under et dokument* put one's signature to a document; *ta ens* ~ *(ɔ: notere, om politimann, etc)* take sby's name; *vinne seg et* ~ make a name for oneself; *kjenne en av* ~ know sby by name; *fortjener* ~ *av* deserves the name of; *under* ~ *av* under the name of; *går under* ~ *av* goes by the name of; *er known as; i Guds* ~ in God's name; *kjært barn har mange* ~ a pet child gets many names; *(ofte* =) call it what you will; *Den industrielle revolusjon er -et på den store omveltning i næringslivet . . .* the industrial revolution is the name given to the great upheaval in trade and industry . . .; *pengene står på hans* ~ the money is banked in his name; *en mann ved* ~ *N.* a person by the name of N., a person by name N.; *kalle en ting ved dens rette* ~ call a thing by its right name; *call a spade a spade; -et skjemmer ingen* what's in a name? *(se skape 2:* ~ *seg et navn).*

navne *(subst)* namesake.

navne|blekk marking ink. **-bror** namesake. **-dag** name day; saint's day. **-forandring** change of name. **-liste** list of names. **-opprop** call-over; roll call; *foreta* ~ make *(el.* take) a roll call. **-plate** name plate. **-skilt** name plate. **-trekk** signature.

navn|gi (vb) name, mention by name. **-gjeten, -kundig** celebrated, renowned, famous. **-kundighet** renown, celebrity, fame.

navnlig particularly, specially, notably.

navnløs nameless. **navnløshet** namelessness.

navnord noun.

ne wane (of the moon); *i ny og* ~ off and on, once in a while.

nebb beak, bill; *henge med -et* T be down in the mouth; *hang one's head; være blek om -et* be green about (,US: around) the gills; *med* ~ *og klør* tooth and nail.

nebbdyr ♀ duckbill.

nebbes (vb) 1 (om fugler) peck at each other, bill; 2 (spøkef) bill and coo; 3 (trette) bicker, wrangle.

nebbet (fig) pert, saucy.

nebbetang (pair of) pliers.

ned down; *få* ~ (svelge): *jeg får det ikke* ~ it won't go down; *gå* ~ go down, descend; (om sol) set, go down; (om pris, temperatur, etc) fall; (om skip) go down; ~ i (down) into; ~ med... down with (fx the tyrant!); *slå* ~ knock down; *han slo mannen rett* ~ he knocked the man flat down; *jeg vil* ~ I want to get down; (se gate).
nedad: *se nedover.* **-gående** declining, sinking; (om pris, temperatur) falling; *for* ~ going down. **-vendt** turned (el. facing) downwards; downcast (fx with d. eyes).

nedarv|es (vb) be transmitted. **-et** inherited, handed down; hereditary.

nedblending (av billys) dipping (of the headlights). **-skontakt** dipper (el. dimmer) switch.

nedbrent burnt down, burnt to the ground.

nedbrutt broken; ~ *på sjel og legeme* broken in body and mind.

nedbryte (vb) break down, demolish.

nedbrytende destructive; subversive, detrimental; *virke* ~ *på* have a detrimental effect on.

nedbør precipitation; rainfall; *ubetydelig* ~ traces of rain (,snow).

nedbør|fattig dry. **-mengde** amount of precipitation. **-område** area of precipitation.

nedbøyd: ~ *av sorg* weighed down with grief.

neddykket (om undervannsbåt, etc) submerged.

neddynget: ~ *i arbeid* T snowed under with work.

neddysse (vb) hush up.

nede down; *der* ~ down there; *langt* ~ (fig) be low in health; be run down; (m.h.t. nervene) be in a bad nervous state; *den ene bilringen er* ~ one of the tyres is down; *de som ernæringsmessig sett er langt* ~ those who have considerable leeway to make up in nutrition.

neden|for (prep & adv) below; (nederst på siden) below, at the foot of the page; ~ *anført* under-mentioned, stated below; *som* ~ *anført* as stated. **-fra** from below; *sett* ~ (om illustrasjon, etc) underside view, view of underside.

nedenom round the foot (el. base) of; *hun gikk* ~ *steinrøysa* she walked down past the scree; *jeg gikk* ~ *i historie* T I came a cropper in history; *gå* ~ *og hjem* go to the bottom; go to the dogs, go to pot; *det gikk* ~ *med hele greia* the whole business went to pot (el. to the dogs).

nedenstående mentioned (el. referred to) below, given below; ~ *opplysninger* the following information; ~ *underskrift* the signature below.

nedentil below, in the lower parts; *hun har for lite på seg* ~ she has too little on the lower part of her body.

nedenunder beneath, underneath; (i huset) downstairs, below.

nederdrektig vile, base, villainous.

nederdrektighet vileness, baseness.

nederlag defeat; *lide* ~ be defeated, suffer defeat; (bukke under) go to the wall; (se også nedenom: gå ~).

Neder|land Holland, the Netherlands. **n-landsk** Dutch. **n-lender** Dutchman, Netherlander.

nederst lowest, bottom; (adv) at the bottom; ~ *på bildet* at the bottom (el. foot) of the picture; ~ *til høyre* (på bildet) at the b. on the right; *fra øverst til* ~ from top to bottom; (se øverst).

nedertysk Low German.

nedetter downwards, down.

nedfall (radioaktivt) (radio-active) fall-out.

nedfallsfrukt windfall, windfallen fruit.

nedfart descent.

nedfor 1. down; 2. dejected, despondent; (se nede: være langt ~).

nedføring (radio, etc) lead-down.

nedgang going down; entrance (fx all entrances were blocked); (fig) decline (fx in prices); falling off.

nedgangstid 1 (økon) slump, depression, crisis; 2 (åndelig) period of decline (el. decadence).

nedgradere vb (hemmelige dokumenter) down-grade.

nedgrodd overgrown, overrun (fx garden).

nedgående descending, going down; (om sola) setting.

nedhengende hanging (down), pendulous.

nediset icebound, ice-covered.

nedkalle (vb) call down, invoke.

nedkjørsel (stedet) way down (fx to the beach).

nedkomme (vb) be delivered (med of); ~ *med* (også) give birth to.

nedkomst delivery.

nedlate (vb): ~ *seg til* condescend (el. stoop) to.

nedlatende condescending; patronizing.

nedlatenhet condescension.

nedlegge (vb) 1 (arbeid, virksomhet) stop; close (down), shut down (fx a factory); ~ *arbeidet* strike, strike work, go on strike, down tools; 2 (hermetisk) preserve (fx fruit); pack, tin, can (fx fish); 3 (kapital) invest (fx i. capital in a business venture); 4 (andre forb.): ~ *befestninger* dismantle fortifications; ~ *forbud mot* prohibit, place a ban on (fx imports); ~ *innsigelse mot* put in (el. lodge) a protest against, protest against; ~ *en krans på en grav* place a wreath on a grave; ~ *en påstand* (jur) submit a claim; *aktor nedla påstand om 10 års fengsel for tiltalte* counsel asked for a 10-year sentence; ~ *vilt* bring down game, bag game.

nedleggelse closing (down), shutting down.

nedløpsrør downpipe.

nedover (adv) downwards, down; (prep) down; *seile* ~ *en elv* sail down a river; ~ *bakke* downhill, down the hill.

nedoverbakke (subst) downhill, declivity, down-hill slope, down-gradient; descending stretch of the road; *i en* ~ on a downgrade, on a downhill slope; (adv): *det går* ~ *med landet* the country is going down the slippery slope.

nedpå down; *slenge seg* ~ (T = legge seg) T kip down (fx he was dead tired and kipped down for half an hour).

nedrakke (vb) run down, abuse.

nedre lower; ~ *Donau* the lower Danube.

nedrent: *bli* ~ *av gjester* be overrun with guests.

nedrig base, mean. **-het** baseness, meanness.

nedringet low(-necked), décolletée, cut low.

nedrivning pulling down, tearing down, demolition.

nedrustning disarmament.

nedsable (vb) 1. cut down, massacre; 2. criticize caustically (el. scathingly), cut to pieces, slate, excoriate.

nedsatt diminished, reduced; ~ *arbeidstid* short time; ~ *e bøker* books offered at r. prices; *til* *-e priser* at r. prices.

nedsette (se også sette ned); 1 (i verdi) depreciate; 2 (i omdømme) disparage; lower; 3 (oppnevne) appoint (fx a committee); (se også ovf: nedsatt).

nedsettelse reduction (fx of prices); depreciation, disparagement; appointment; (se nedsette & sette ned).

nedsettende disparaging, depreciatory.

nedsittet with sagging springs; worn out; *en* ~ *stol* a chair with a worn-out seat; *stoppe om et* ~ *sete* re-upholster a sagging seat.

nedskjær|e (vb) reduce, cut down, curtail (*fx* expenditure (*el.* expenses)). **-ing** reduction, curtailment (*fx* of expenses).

nedskrive (vb) put down (in writing), commit to writing; (*redusere*) reduce, write down; ~ *pundet* devalue the £.

nedslag 1. fall, reduction (*fx* in prices); 2 (*ski-hoppers*) landing (*fx* the 1. should be supple with plenty of give); *ligge på helt til -et* maintain one's forward lean all the way on to the landing slope; (*se sleiv*); 3 (*om prosjektiler*) impact, hit; 4 (*stempels*) downstroke; 5 ♪ down'(ward) beat; US downbeat; (*taktdel*) thesis; 6 ♂ precipitation; 7 (*i pipe*) downdraft.

nedslags|distrikt fluvial basin; catchment area (*fx* the c. a. of a school). **-felt** ✕ field of fire, beaten zone. **-område** 1. catchment area; 2. = **-felt**.

nedslakte (vb): *se slakte*.

nedslakting killing, butchery.

nedslående disheartening, discouraging.

nedslått dejected, downcast, depressed.

nedsnødd snowed up, snowbound, covered with snow.

nedstamme (vb) descend, be descended; (*fig*) be derived (*fra* from).

nedstamning descent.

nedstemme vb (*begeistring*, *etc*) moderate, tone down; (*parl*) defeat, vote down; ♪ modulate, lower the pitch (*el.* tone) of.

nedstemt dejected, depressed, downcast.

nedstigende: *i rett* ~ *linje* in direct line of descent.

nedstyrtning (*flyv*) crash.

nedsunket: ~ *i fattigdom* sunk in poverty; ~ *i grublerier* deep in meditation.

nedsyltet: ~ *i forkjølelse* drenched with cold, in the midst of a bad cold; (*jvf neddynget*).

nedtegne (vb): *se nedskrive*.

nedtelling countdown.

nedtrapping stepping down, de-escalation, gradual reduction.

nedtrykt depressed, dejected.

nedtrykthet depression; dejection.

nedtrådt trampled down; *-e sko* down-at-heel shoes.

nedtur trip down; *på -en* on the way down.

nedverdig|e (vb) degrade, debase; ~ *seg* demean (*el.* degrade) oneself; ~ *seg til å lyve* stoop to lying. **-else** degradation, debasement.

ned|votere (vb) defeat, vote down. **-vurdere** (vb) disparage, downgrade; T pull down. **-vurdering** disparagement; *dette innebærer en* ~ *av hans bok* this implies d. of his book.

nefritt (*min*) nephrite.

negasjon negation.

negativ (*subst & adj*) negative; ~ *karakter* (*stryk-*) fail mark.

negativisme negativism.

negativist negativist.

neger negro, black; coloured person; (*neds*) nigger.

neger|arbeid drudgery; *gjøre alt -arbeidet* do all the dirty work. **-handel** slave trade. **-kvinne** negress, negro woman. **-slave** negro slave.

negerslaveri negro slavery; *motstander av -et* abolitionist.

negl (*anat*) nail; *bite -er* bite one's nails; *av-klippede -er* nail parings.

neglebit(t) stinging (*fx* I've got a frightful s. in my left thumb).

negle|børste nail brush. **-bånd** (*anat*) nail fold. **-fil** nail file. **-rot** root of the nail; *betent* ~ whitlow. **-saks** nail scissors.

neglisjé undress, négligé.

neglisjere (vb) ignore, overlook, neglect.

nei (*subst & int*) no; *få* ~ be refused, be rejected; *gi en sitt* ~ refuse sby, reject sby; *si* ~ *til en innbydelse* refuse an invitation; *han*

vil ikke høre noe ~ he won't take 'no' for an answer; ~ *forresten* oh, no (*fx* I'll have coffee, please. — Oh, no, I think I'll have tea all the same); ~ *og atter* ~ no, and no again! emphatically no! ~ *da!* really? indeed? is that so? ~ *slett ikke* not at all! by no means! certainly not; ~ *takk!* no, thank you! no, thanks; (*når en blir budt noe*, *også*) not for me, thanks! (*når en bys for annen gang*, *også*) no more, thanks! ~, *vet De hva!* (o: *det er da for galt*) really now! really, this is too bad; (o: *nei*, *så menn*) oh dear, no!

neie (vb) curtsey, make (*el.* drop) a curtsey.

neigu (*ed*) indeed not; ~ *om han det har* I'll be damned if he has.

neimen indeed not; ~ *om jeg skal fortelle ham noe mer* catch me ever telling him anything again; *det vet jeg* ~ *ikke* I'm hanged if I know; ~ *om jeg gjør som han sier* I'll be blessed if I'll do as he says.

nek sheaf (*pl*: sheaves).

nekrolog (*minneord*) obituary.

nekrologisk obituary.

nektar nectar.

nekte (vb) deny; (*avslå*) refuse; ~ *å gjøre* refuse (*el.* decline) to do; *han -t blankt å*... he refused point-blank to...; he flatly refused to; *det kan ikke -s* it cannot be denied; there is no denying it; T there is no getting away from it; *jeg kan ikke* ~ *for at*... I must admit that...; I must say that; *jeg tør ikke* ~ *for at han har gjort det* I cannot say for certain that he did not do it; *hun kan ikke* ~ *sin sønn noenting* she can deny her son nothing; *han -r seg ingenting* (*om vellevnet*) he does himself well; ~ *seg hjemme* refuse to see anybody.

nektelse denial; (*gram*) negative, negation.

nektende negative; *gi et* ~ *svar* answer in the negative.

nellik ♣ pink; carnation; (*krydder*) clove.

nellikspiker tack.

nemesis Nemesis.

nemlig 1 (*foran oppregning el. nærmere for-klaring*; *kan ofte sløyfes*) namely (*skrives ofte* viz., *fx* the price you quoted, [viz.] £50, is too high); that is to say (*fx* the rest of the crew, that is to say the deck hands and enginemen); 2 (*be-grunnende*) for, because, as, you see, the fact is that; (NB *oversettes ofte ikke*); *han var* ~ *svært trett* for he was very tired; (the fact is that) he was very t.; he was very t., you see; *byen var øde*, *det var* ~ *søndag* the town was deserted, it being Sunday.

nemnd committee; (*domsnemnd*) jury.

nennsom considerate, gentle; *med* ~ *hånd* with a gentle touch.

nennsomhet consideration, gentleness.

nepe ♣ turnip. **-formet** turnip-shaped; (*faglig*) napiform. **-gress** turnip top.

nepotisk nepotic. **nepotisme** nepotism.

neppe hardly, scarcely; ~ *nok* barely enough; ~... *før* no sooner...than, hardly...when.

Neptun Neptune.

nerts mink.

nerve 1 (*anat*) nerve; 2. ♣ (*blad-*) vein; 3 (*fig*) line of communication; feeling, spirit, temperament; *hun går meg på -ne* she gets on my nerves; *han vet ikke hva -r er* he does not know what nerves are; *gode -r* good (*el.* steady *el.* sound) nerves; *-r av stål* nerves of steel; *anspenne alle -r* strain every nerve; *det skal -r til å*... it takes a lot of nerve to.

nerve|anfall nervous attack. **-bunt** (*anat & fig*) bundle of nerves (*fx* she is one (quivering) b. of nerves). **-fiber** nerve fibre. **-knute** ganglion. **-lidelse** nervous disease; T nerve trouble. **-lære** neurology. **-pirrende** exciting, breath-taking, hair-raising. **-påkjenning** a strain on the nerves. **-rystende** nerveshaking. **-sammenbrudd** nervous breakdown; *hun hadde fått* ~ (*også*) her nerves had gone to pieces (*el.* were all to pieces). **-sentrum** nerve centre. **-slitende** nerve-racking. **-smerter** neuralgia. **-styrkende** tonic, bracing. **-svakhet**,

-svekkelse neurasthenia, nervous prostration.
-system nervous system.
nervøs nervous; *hun var svært* ~ *(også)* she was in a bad nervous state.
nervøsitet nervousness.
nes headland, promontory.
nese nose; *få lang* ~ be disappointed; *pusse -n* blow one's nose; *peke* ~ *av* cock a snook at; *rynke på -n av* turn up one's nose at; *like for -n på en* under one's (very) nose; *slå døra igjen for -n på en* slam the door in sby's face; *kaste en noe i -n* throw sth in sby's teeth; *ligge med -n i været* (ɔ: *være død*) have turned up one's toes; *sitte med -n i en avis eller en bok* T have one's nose stuck in a paper or book; *stikke -n sin i alt mulig* poke one's nose into every corner; *holde -n sin vekk fra* keep one's nose out of; *det kan du bite deg i -n på!* you bet your boots! *ta en ved -n* take sby in, do sby, dupe sby; *(se hjemover)*.
nese|ben nasal bone. **-blod** nose-bleeding; *blø* ~ bleed at (*el.* from) the nose. **-bor** nostril. **-brusk** nasal cartilage. **-forkjølelse** cold in the head (*fx* he has a cold in his head).
nesegrus flat on one's face, prostrate, prone.
nese|lyd nasal sound. **-rot** root of the nose. **-rygg** bridge of the nose. **-sjø** head sea. **-styver** punch on the nose. **-tipp** tip of the nose; *han ser ikke lenger enn til sin egen* ~ he can't see beyond his nose.
nesevis pert, saucy, impertinent.
neshorn ⚘ rhinoceros.
nesle ⚘ nettle.
neslefeber nettle rash, urticaria.
I. nest (*subst*) tack; *ta et* ~ *på den skjorta, er du snill* (ɔ: *reparer litt på den*) T put a tack (*el.* stitch) in that shirt, will you?
II. nest (*adj & adv*) next; ~ *best, den* ~ *beste* the next best, the second best; *den* ~ *eldste* the oldest but one; ~ *eldste sønn* second son; *den* ~ *nederste* the second from the bottom; *den* ~ *siste* the last but one; *den* ~ *største* the largest but one; the next largest; ~ *etter* next to, after (*fx* the most important office, next to that of the Presidency (*el.* second only to that of the P.)).
nest best next best, second best.
I. neste (*subst*) neighbour; US neighbor; *du skal elske din* ~ thou shalt love thy neighbour; *-n* our neighbour.
II. neste (*vb*) baste, tack together; *hun måtte* ~ *sammen et rift i skjorteermet hans* she had to tack a tear in his shirt sleeve.
III. neste (*adj*) next; *(følgende)* next, following; ~ *dag* (*,år*) (the) next day (*,year*); the following day (*,year*); ~ *gang* next time; ~ *morgen* (the) next morning, the m. after, the following m.; *hele* ~ *måned* all next month, the whole of next month; *i* ~ *måned* next month; *den 3. i* ~ *måned* on the third of next month; *(merk)* (on) the 3rd proximo (*el.* prox.); *sist i* ~ *måned* at the end of next month; *på* ~ *side* on the next (*el.* following) page, overleaf (*fx* there is a note o.); ~ *søndag* (*førstkommende*) next Sunday, on S. next; *(om åtte dager)* S. week; *den* ~ *som kom* the next to arrive; *den* ~ *igjen* the one after that (*,him, etc*); *det* ~ *vi må gjøre* the next thing to be done.
nesten (*adv*) almost, nearly, all but; ~ *et år siden* almost a year ago; T just on a year ago; ~ *ikke* hardly; scarcely (*fx* I s. know what to say); ~ *aldri* scarcely (*el.* hardly) ever; almost never; ~ *bare* almost exclusively, scarcely anything but; ~ *ingen* scarcely any; ~ *perfekt* (*også*) little short of perfect; ~ *umulig* hardly (*el.* scarcely) possible; *jeg hadde* ~ *glemt* I had almost forgotten; *vi er* ~ *stivfrosne* T we're about frozen stiff; *det må* ~ *et mirakel til for å redde ham* little short of a miracle can save him; *(se skam; synes)*.
nest flest: *X er den by i verden som har* ~ *barer pr. kvartal* X has the second largest number of bars per district of any city in the world; only

one city in the world has a larger number of bars per district than X.
nest|formann deputy chairman; vice-president. **-følgende** the following. **-kommanderende** second in command.
I. nett (*subst*) net; *(innkjøps-)* string bag.
II. nett neat, nice; *du er en* ~ *en* T you're a fine fellow, you are!
netthendt deft, handy, dexterous.
netthet neatness.
netthinne (*i øyet*) retina.
netting wire, netting; *(hønse-)* chicken wire. **-gjerde** wire fence; *sette opp* ~ *rundt* wire off (*fx* a corner of the garden is wired off).
netto net; *tjene* ~ net (*fx* we netted £50); *(spøkef* = *naken*) naked; *ganske* (*el. helt*) ~ stark naked; *betaling pr. sju dager* ~ our terms are net cash (with)in seven days. **-beløp** net amount. **-fortjeneste** net profit, clear profit (*el.* gain). **-inntekt** net income.
nettopp 1 (*nøyaktig*) just, exactly, precisely; ~ *hva jeg sa* just what I said; *ikke* ~ not exactly; *om ikke* ~ though hardly, if not exactly (*fx* he is quite intelligent, though hardly brilliant); *det er* ~ *det som er saken* that is just the point; ~ *hva jeg trenger* the very thing I need; ~ *denne nyansen* this particular shade; *han sa ikke* ~ *det, men det var det han mente* he did not say that in so many words, but that is what he meant; **2** (*akkurat*): *og så* ~ *han da, som ikke kunne et ord fransk* he, of all people, who could not speak a word of French; *han er* ~ *mannen for en slik jobb* he is the very man (*el.* 'the man) for the job; *hvorfor* ~ *Spania?* why Spain of all places? **3** (*i det*(*te*) *øyeblikk*) just (*fx* I've just seen him); at the very moment (when) (*fx* at the very m. when the car stopped a shot was fired); just now; just then; ~ *som,* ~ *idet* just as; *jeg skulle* ~ (*til å*) I was just oing to...; **4** (*ganske nylig*) just (now), only a moment ago, just this moment, only just (*fx* he had (only) just come); **5** (*det har De rett i!*) exactly! quite (so)!
nettopris net price.
netto|saldo net balance. **-utbytte** net proceeds; net profit(s). **-vekt** net weight.
nettverk network.
neve fist; *fra han var en* ~ *stor* since he was a tiny boy; *knytte -n* clench one's fist; *det sitter et par gode -r på ham* he can use his hands; *true en med -n* shake one's fist at sby; *en* ~ *jord* a handful of earth.
neve|drag blow with one's fist. **-kamp** boxing match.
neve|nyttig handy; *han er en* ~ *kar* (*også*) he can turn his hand to almost anything.
never birch bark.
neverett jungle law.
never|kont, -skrukke birch-bark knapsack. **nevertak** birch-bark roof.
nevne (*vb*) name; *(omtale)* mention; *for ikke å* ~ not to mention; *nevn følgende setning i alle personer* put the following sentence into all the different persons; ~ *et verb a verbo* rehearse a verb.
nevneform nominative.
nevnelse: *med navns* ~ by name.
nevner (*mat.*) denominator.
nevneverdig worth mentioning.
nevralgi neuralgia. **nevralgisk** neuralgic.
nevø nephew.
New Zealand (*geogr*) New Zealand.
ni (*tallord*) nine.
nid (*glds*) envy; spite, malice.
nidel (*niendedel*) ninth.
niding villain; coward.
nidingsverk piece of villainy; cowardly deed.
nidkjær (*meget ivrig*) zealous; *jeg Herren din Gud er en* ~ *Gud* I the Lord thy God am a jealous God.
nidkjærhet zeal.
nidobbelt ninefold.

nidvise (verse) lampoon, libellous ditty (*el.* song).

niende ninth; ~ (*og tiende*) *bud* the tenth commandment.

niendedel ninth.

nier (*subst*) nine.

niese niece.

nifold, -ig ninefold.

nifs (*adj*) creepy, frightening.

niglane (*vb*) stare hard (*på* at).

nihalet: *den -e katt* the cat-o'nine-tails.

nihil|isme nihilism. **-ist** nihilist. **-istisk** nihilistic.

nikant (*mat.*) enneagon.

nikk (*subst*) nod; *være på* ~ *med* have a nodding acquaintance with.

nikke (*vb*) nod.

nikkedukke (*fig*) yes-man, puppet, marionette.

nikkel nickel.

nikkers plus fours; (knee) breeches.

Nikolai, Nikolaus Nicholas.

nikotin nicotine. **-forgiftning** nicotine poisoning. **-slave** n. addict; heavy smoker.

Nildalen (*geogr*) the Nile valley.

Nilen (*geogr*) the Nile.

Nillandene (*geogr*) the Nile countries.

Nils Neil.

nimbus nimbus, halo.

I. nipp (*liten slurk*) sip.

II. nipp: *det var på nære -et* it was a near thing; ıt was a close thing (*el.* shave); *that was touch and go! være på -et til å* be on the point of (-ing), be within an ace of (-ing).

nippe *vb* (*ta små slurker*) sip; ~ *til vinen* sip the wine.

nippflo neap tide.

nips knick-knacks, bric-à-brac.

nips|gjenstand knick-knack, piece of bric-à-brac. **-saker** (*pl*) knick-knacks, trinkets.

nise 🐟 porpoise.

nisidet (*mat.*) enneagonal, nine-angled.

nisje niche, recess.

I. nisse brownie, leprechaun, pixie, puck; (*ondskapsfull*) gremlin; *en gammel* ~ (ɔ: *mann*) an old fogey.

II. nisse *vb* (*barnespr*) piddle, pee.

nisselue red stocking cap.

I. niste (*subst*) travelling provisions, packet of sandwiches; *enhver smører sin egen* ~ *til turen* each person is to make a packet of sandwiches for the trip.

II. niste (*vb*): ~ *ut* supply (*fx* sby) with food, provision.

nistirre (*vb*): *se niglane*.

nitall (figure) nine; (*se sekstall*).

nite (*i lotteri*) blank.

nitid (*adj*) neat, dainty, elegant.

nitrat ♂ nitrate.

nitroglyserin ♂ nitroglycerine.

nitte (*vb*) rivet (*fx* bolts); clinch (*fx* nails); butt (*fx* two plates together).

nitten (*tallord*) nineteen. **-de** nineteenth. **-(de)del** nineteenth (part). **-årig** nineteen-year-old, of nineteen (years).

nitti (*tallord*) ninety. **-ende** ninetieth. **-årig** nonagenarian. **-åring** nonagenarian.

nitute *vb* (*om bilist*) lean on the horn, blast one's horn; T drive on the horn.

nivellere (*vb*) level.

niveller|instrument levelling instrument. **-stang** levelling staff.

nivå level; (*fig også*) standard (*fx* maintain a high s.; be of a high s.); *et høyt moralsk* ~ a high moral standard (*el.* plane); *heve -et* raise the standard (*el.* level); *senke -et* lower the standard; *være på* ~ *med* be on a level with; *finne sitt eget* ~ (*om priser, etc*) find their own level, settle down, even out.

niøye 🐟 lamprey.

Nizza (*geogr*) Nice.

Noas ark Noah's ark.

nobel noble.

Nobelpris Nobel Prize. **n-tager** Nobel Prize winner.

noblesse nobility; upper classes.

noe (*adj: litt*) some; (*adj: noe som helst*) any; (*subst: et eller annet*) something; (*subst: noe som helst*) anything; (*adv: i noen grad*) somewhat, a little; *jeg har* ~ *øl* I have some beer; *jeg har* ~ *av det her* I have some of it here; *jeg har ikke* ~ *øl* I have not (got) any beer; ~ *usedvanlig var hendt* something unusual had happened; *kan jeg gjøre* ~ *for Dem?* can I do anything for you? ~ *bedre* slightly better; ~ *forandret* somewhat changed; ~ *kort* rather short; *ikke* ~ not anything, nothing; *hva for* ~? what? *hva er det for* ~? what is that? *De sier* ~! a good idea! *det er* ~ *for meg* that is just the thing for me; it's (in) my line; it's right up my street; that's (just) my cup of tea; *det var* ~ *for ham* (ɔ: *han nøt det*) it was meat and drink to him; ~ *til stykke!* sth like a piece! *det var* ~ *til unge!* that 'is a baby! *det er* ~ *som har vasket seg!* T that's sth like! *eller slikt* ~ or the like; *det blir nok* ~ *av ham* he will get on; ~ *nær* all but, almost; (*se I. noen*).

I. noen (*adj: en viss mengde*) some; (*adj: noen som helst*) any; (*subst om person: en eller annen*) somebody; (*subst om person: noen som helst*) anybody; *de ytte oss* ~ *hjelp* they gave us some help; *de kunne ikke yte oss* ~ *hjelp* they could not give us any help; *han har penger, har du* ~? he has money, have you any? ~ *må ha sagt noe* somebody must have said something; *er det ikke* ~ *som vil hjelpe meg?* isn't there anybody who will help me? ~ *gang* at any time, ever; ~ *som helst* (*adj*) any; (*subst*) anybody, any one.

II. noen *pl* (*adj*) some; (*subst*) some; ~ *bøker* some books; *ønsker De bøker? her er* ~ do you want books? here are some; ~ *tror* some people think; ~ *og tjue* twenty odd.

noenlunde tolerably, fairly, passably; (*karakter*) fair, fairly good; *en* ~ *god pris* a fair price.

noensinne ever, at any time.

noensteds anywhere.

noenting (*noe*) something; anything.

nok enough, sufficient; plenty; *én er* ~ one will do; *vi har mer enn* ~ we have got enough and to spare; *han får aldri* ~ he will never be satisfied; *det vil være* ~ *med noen ganske få* a very few will do; *seg selv* ~ self-sufficient; *ikke* ~ *med det* that is not all; not only that; *la det være* ~ enough of that; *det er* ~ *av dem som* there are plenty of people who; ~ *om det, jeg hørte deg i hvert fall* be that as it may, I heard you; *det blir* ~ *regn* it will (most) probably rain; *det kan* ~ *være* that may be so; *han kommer* ~ *i morgen* he'll come tomorrow all right; he's sure to come t.; *du er* ~ *ikke riktig våken ennå* you are not quite awake yet, I see; *syk var han* ~, *men han gjorde arbeidet sitt likevel* he was indeed ill but he did his work all the same; *De vet* ~ *hva jeg mener* you know well enough what I mean; *det tenkte jeg* ~ I thought as much; (*se ærlig: han var* ~ *nok til å . . .*).

nokk ⚓ (*rånokk*) yardarm.

noksagt: *han er en* ~ he's a you-know-what.

noksom (*tilstrekkelig*) enough, sufficiently; *jeg kan ikke* ~ *takke Dem* I can't thank you enough.

nokså fairly; rather, tolerably.

nokturne ♪ nocturne.

nomade nomad. **-folk** nomadic people. **-liv** nomadism, nomadic life.

nominativ nominative; *i* ~ in the n. (case).

nominell nominal. **nominere** (*vb*) nominate.

non (*tidspunkt*) hour of the afternoon meal; (*karakter*) (*omtr* =) third (class) (*fx* get a third).

nonchalanse nonchalance, off-hand manner.

nonchalant nonchalant, off-hand; casual (*fx* they are incredibly c. about these things).

nonne nun.

nonne|drakt nun's habit. **-kloster** convent. **-liv** life of a nun, convent life.

nonsens nonsense; (*se også vrøvl & vås*).

nord north; *rett* ~ due north; ~ *for* north of; *fra* ~ from the north; *i* ~ in the north; *i det høye* ~ in the far north, right up in the north; *mot* ~ north, northward(s).
norda|fjells north of the Dovre. **-for:** *se norden-for.*
Nord-Afrika North Africa.
Nord-Amerika North America.
nordamerikansk North American.
norda|storm northerly gale. **-vind** north wind, norther.
nordbo Northerner, Scandinavian.
norden|for to the north of. **-fra** from the north. **-om** (to the) north of.
nordfjording horse of the Nordfjord breed.
nordgrense northern frontier (,boundary, limit); *(se grense).*
nordgående: *for* ~ northward bound, northbound; ~ *strøm* northerly current; ~ *trafikk* northbound traffic.
Nordishavet the Arctic (Ocean).
nordisk northern, Scandinavian.
Nord|kapp (the) North Cape. **-kyst** north(ern) coast.
Nordland [county north of Trøndelag].
nordlig northern; *(retning)* northerly; in a northerly direction; ~ *bredde* north latitude; *på -e breddegrader* in northern latitudes.
nord|lys northern lights, aurora borealis. **-mann** Norwegian. **-om** (to the) northward of. **-ost** north east. **-ostlig** north-easterly; north -eastern; to the north east. **-over** northward.
nordpol north pole; *N-en* the North Pole.
nordpols|ekspedisjon arctic expedition, expedition to the North Pole. **-farer** arctic explorer.
nordpunktet the north (point).
nordpå up north; in the North; *(retning)* northward.
nordre northern.
nordside north side.
Nordsjøen the North Sea.
nordspiss northern(most) point.
Nordstatene the Northern States.
nord|stjerne north star, pole star. **-tysk** North German. **N-Tyskland** Northern Germany. **-vestlig** north-westerly. **-vestpassasjen** the North-West Passage. **-vestvind** north-westerly wind, north -wester. **-østlig** north-eastern, north-easterly.
Norge Norway.
norgesmester (Norwegian) national champion *(fx* national giant slalom champion).
norgesmesterskap Norwegian national championship *(fx* in giant slalom).
norm norm, standard; *anvende enhetlige -er* apply uniform standards.
normal normal; *(tilregnelig)* sane; *(mat.)* normal, perpendicular; *oppreise en* ~ *på en linje* erect a p. on a line.
normalarbeidsdag normal (working) day, standard hours.
normalisere *(vb)* normalize; standardize.
normalvekt standard weight.
Normandie *(geogr)* Normandy.
normanner, normannisk Norman.
normere *(vb)* regulate.
norne *(myt)* Norn.
norrøn Norse; ~ *linje (ved gymnas)* Germanic *(el.* Norse) side.
norsk Norwegian; *(gammel-)* Norse; *en norsk -engelsk ordbok* a |Norwegian-English dictionary.
norskamerikaner Norwegian-American.
norskfødt Norwegian by birth, Norwegian -born, born of N. parents.
norsk|het Norwegianness. **-sinnet** pro-Norwegian.
norvagisere *(vb)* Norwegianize.
norvagisme Norwegianism.
I. not *(fiske-)* seine.
II. not *(fure)* groove.
nota *(merk)* account, statement; *(regning)* bill.
notabel notable.

notabene (please) note (that), mark you.
notabilitet notability, VIP.
notam: *ta seg noe ad* ~ make a note of sth, note sth, take note of sth, keep sth in mind; *ta deg det ad* ~! put that in your pipe and smoke it!
notarius publicus notary public.
notat note; *i form av -er* in note form; *gjøre -er* take *(el.* make) notes; *ta -er fra* make notes on *(fx* an interesting passage).
not|bas master seiner. **-bruk** seines.
I. note note, annotation; *(under teksten)* footnote.
II. note (musical) note; *-r (musikalier)* music; *spille etter -r* play from music; *være med på -ne* enter into the spirit of the thing; play along; *han var med på -ne med én gang* he fell in with the idea at once; *skjelle ut etter -r* give him a proper dressing-down.
note|blad sheet of music. **-bok** music book. **-hefte:** *se -bok.* **-lesning** music reading. **-linje** line. **-mappe** music case. **-papir** music paper. **-pult** music desk.
noter|e *(vb)* note, record; *(om pris)* quote; *alle priser er -t fob engelsk havn* all prices are (quoted) f.o.b. English port; *vi må* ~ *en leveringstid på to måneder* we must allow two months for delivery; *(se ordre).*
notering noting; quotation.
noteringsoverføring *(tlf)* reverse call; *be om* ~ have the call reversed.
note|skrift musical notation. **-skriver** copier of music. **-system** notation.
notfiske seining.
nothøvel (groove and) tongue plane.
notis note; notice; *(i blad)* paragraph; *ta* ~ *av* take notice of. **-blokk** (scribbling) pad; US scratch pad. **-bok** notebook.
not|kast cast of a seine. **-lag** seine gang.
notorisk notorious.
notsteng [enclosure of fish in a seine; fish so caught]; *(se sildesteng).*
nov corner (of a log house).
novelle short story. **-forfatter(inne)** writer of short stories.
novellistisk in the form of a short story.
november (the month of) November.
novi|se novice. **-siat** noviciate.
Nubia *(geogr)* Nubia.
nudd brad, tack.
nudel noodle.
nud|isme nudism; *(evfemistisk)* naturism. **-ist** nudist; naturist. **-istisk** nudist.
null zero, nought, cipher; *(når man nevner sifrene i et tall, fx tlf)* 0 *(uttales som bokstaven 'o');* *(om person)* nonentity; nobody; *(ingenting)* naught, nought; *(i spill & sport)* mil; love; *stillingen er 0—0* the score is love all; *stå på* ~ be at zero; *er nesten lik* ~ is almost nil; (NB *2,03* *(skrives* 2.03 *og leses)* two decimal nought three; *0,07 (skrives* 0.07 *og leses)* decimal nought seven; nought point nought seven; *(se III. lik).*
nullitet nullity.
nullpunkt *(på termometer)* zero; *(ved oppmåling)* datum point.
numerisk numerical.
numismatik|er numismatist. **-k** numismatics.
numismatisk numismatic.
nummer number; *(jfr. No. el. no.)* (NB ~ *1 og* ~ *4* Nos. 1 and 4); *(av blad)* issue *(fx* today's i. of The Times); *(et enkelt* ~ *av blad)* number; *(størrelse)* size *(fx* what s. do you take in shoes? what s. shoes do you take?); *(på program)* item, number, feature; *(post på liste, i katalog, etc)* item *(fx* an i. on the list); *(på auksjon)* lot; *(på basar, etc)* raffle ticket; *ta* ~ *på noe* buy a r. t. for sth; *slå et* ~ *(tlf)* dial a number; *et* ~ *for lite* a size too small; *gjøre et stort* ~ *av* make great play with.
nummerere *(vb)* number; ~ *fortløpende* n. consecutively.

nummer|ering numbering. **-følge** numerical order. **-skive** (tlf) dial; *dreie på -n* turn the dial.

nuntius (pavelig sendemann) nuncio.

nupereller (pl) tatting; *slå ~* tat.

nupp small nob.

nuppe (vb) pluck, snatch.

nupret (om tøy) burled.

nurk (subst): *et lite ~* a little poppet; *det vesle -et som lå der* the little p. lying there.

nut mountain peak.

I. ny (månefase) change (of the moon), new moon; *i ~ og ne* off and on, once in a while.

II. ny new; (og usedvanlig) novel; (frisk, av året, annen) fresh; *~ i tjenesten* a new hand; *-e koster feier best* new brooms sweep clean; *den -ere historie* modern history; *i den -ere tid* in recent times; *fra -tt av* anew; *på -tt* anew, afresh, again; (se også nytt).

nyankommen new arrival, newcomer; newly arrived.

nyanse shade, nuance.

nyansere (vb) shade (off), vary.

nyanskaffelse new acquisition, recent a.

nybakt new, fresh, newly baked; (fig) newly fledged.

nybarbert freshly shaven.

nybegynner beginner, novice, tiro; (neds) greenhorn.

nybrent recently burnt; *~ kaffe* freshly roasted coffee.

nybrott newly cleared ground, new farm.

nybrottsmann backwoodsman; (fig) pioneer.

nybygd (subst) colony, settlement.

nybygg new building, house recently completed; house in the process of construction.

nybygger colonist, settler.

nybær (om ku) which has recently calved.

nydelig nice, charming, lovely.

nyere (komparativ) newer; (moderne) modern.

nyervervet recently acquired.

nyest (superlativ) newest; *-e nytt* the latest news.

nyfallen: *hvit som ~ snø* white as (the) driven snow.

nyfiken curious, inquisitive. **-het** curiosity.

nyforlovet recently engaged; *de nyforlovede* the recently engaged couple.

nyfundlender (hund) Newfoundland dog.

nyfødt new-born.

nygift newly married; *et ~ par* a newly married couple; *de -e* (også) the newlyweds.

nygresk Modern Greek.

nyhet (beskaffenheten) newness, novelty; (noe nytt) news, novelty; *en ~* a piece of news; (se interesse; nytt).

nyhetskremmer newsmonger.

nying fire (built in the open).

nykjernet freshly churned.

nykk jerk, tug.

I. nykke (subst): se *innfall, lune.*

II. nykke (vb) jerk, pull.

nyklekt recently hatched.

ny|kokt fresh-boiled, freshly boiled. **-komling** newcomer. **-konstruert** newly designed. **-lagt** new -laid, fresh (fx fresh eggs).

nylig lately, of late, recently; *nå ~* of late, lately; *inntil ganske ~* till quite recently.

nylon nylon.

nymalt freshly painted; *~ kaffe* freshly ground coffee.

nymfe nymph; (se *badenymfe*).

nymfoman nymphomaniac. **-i** nymphomania.

nymotens (neds) newfangled.

nymåne new moon; *det var ~ i går* there was a new moon yesterday.

nynne (vb) hum.

nynorsk 1. New Norwegian (one of Norway's two official written languages); 2 (norsk etter 1500) Modern Norwegian.

ny|omvendt newly converted; (subst) new convert, neophyte. **-oppdaget** recently discovered.

-oppført newly erected. **-ordning** rearrangement, reorganization; innovations; (se *motvilje*).

I. nype ♣ hip.

II. nype pinch; *en ~ salt* a pinch of salt.

III. nype (vb) nip, pinch.

nype|rose ♣ dog rose. **-torn** ♣ sweetbriar, (wild) briar.

nypløyd freshly ploughed.

nyre kidney. **-bark** renal cortex. **-belte** (for motorsyklist) body belt. **-fett** kidney fat. **-grus** renal calculus.

nyrekruttering fresh recruitment.

nyre|stein kidney stone. **-stek** (hos slakteren, av gris) kidney end of loin. **-sykdom** kidney disease.

nys (nysing) sneeze.

nyse (vb) sneeze.

nysgjerrig curious, inquisitive; *jeg spør fordi jeg er ~* (ofte) I should like to know as a matter of curiosity.

nysgjerrighet curiosity, inquisitiveness; (se *forgå*).

nysilt new, fresh from the cow.

nysing sneezing, sneeze.

nyskapende creative.

nyslipt newly sharpened.

nyslått (om gress) new-mown; (om mynt) new -struck; *blank som en ~ toskilling* bright as a new penny.

nysnø new snow.

I. nyss subst (vink, antydning) hint; *få ~ om* learn about, get wind of.

II. nyss (adv): se *nylig.*

nysølv German silver.

nyte (vb) enjoy; (spise, drikke) have; *~ godt av* benefit from (el. by), profit by (el. from), derive benefit from; *vi nøt oppholdet i Paris* (også) we enjoyed Paris; *~ livet* enjoy life (to the full); *~ tillit* enjoy confidence; *jeg har ikke nytt noe i dag* I have tasted no food today.

nytelse enjoyment; *en ~* a pleasure; *overdreven ~ av* over-indulgence in (fx food, drink); *avholde seg fra -n av* abstain from (fx alcohol); (se *sann*).

nytelsessyk self-indulgent, pleasure-loving.

nytelsessyke self-indulgence, love of pleasure.

nytenkning rethinking.

nytt (nyheter) news; *hva ~?* what news? what's the news? *intet ~ er godt ~* no news is good news; *gammelt og ~* things old and new; *spørre ~ om* get (el. hear) news of; US T get a line on; *spørre ~ om felles kjente* ask for news of mutual acquaintances.

I. nytte (subst) utility, use, benefit, advantage; *gjøre ~* be of use, be helpful; *dra ~ av* benefit from; *være en til ~* be of use to sby; *det er til ingen ~* it is (of) no use (el. of no avail); *det er til liten praktisk ~* it is of little practical use; *så sant det er til den minste ~, tar vi det med* if it's the smallest bit of use (el. if it's at all useful), we'll take it; *det gjorde samme -n* it did just as well, it served the same purpose; *det må gjøre -n* it will have to serve.

II. nytte vb (gagne) be of use (to sby), avail; (utnytte) turn to good account, make the most of; *det -r ikke* it is (of) no use, it is no good; *hva kan det ~?* what is the use of (that)? *hva kan det ~ å* what is the use of (-ing)? *~ høvet* take the opportunity, avail oneself of the opportunity; *~ tiden* (være flittig) make good use of one's time; *det gjelder å ~ tiden* (godt) it is a matter of making the most (el. the best use) of one's time; *han har -t tiden godt* 1. he has made good use of his time; 2. he has made the most of the opportunity.

nytte|betont practical (fx subjects). **-dyr** utility animal. **-hensyn** utilitarian consideration. **-last** maximum load, payload. **-løs** useless. **-moral** utilitarianism. **-vekst** useful plant. **-verdi** utilitarian value.

nyttig useful, of use, helpful, of service, serviceable; *~ for oss* of use (el. service) to us, useful to us; ~ *til* useful for (*fx* a purpose); *det er* ~ *å vite* it's useful to know; it's worth knowing; *det viste seg å være* (*meget*) ~ (*også*) it came in useful; *gjøre seg* ~ *i huset* make oneself useful about the house.

nyttiggjøre (*vb*): ~(*seg*) turn to account, utilize; ~ *seg noe* turn sth to practical use (*fx* he turned his new knowledge to p. u.); ~ *seg sine evner* make use of one's abilities, turn one's a. to account; *mennesket lærte tidlig å* ~ *seg ilden* man learned the use of fire early on; *man early learned the use of f.*; *han kan ikke helt ut få nyttiggjort seg bruken av radioen* he cannot turn the use of the radio to full account; *han greier ikke å* ~ *seg oppgitte gloser og uttrykk* he can't manage to make use of words and expressions that are given.

nyttår New Year; *godt* ~! Happy New Year!

nyttårs|aften New Year's Eve. **-dag** New Year's Day. **-salutt** New Year fireworks (*fx* the deafening sound (*el.* noise) of N. Y. f.); (*se saluttere*).

nyttårsønsker (*pl*) wishes for the New Year.

nyvalg: *utskrive* ~ issue writs for a new election, appeal to the country.

nyvinning new development (*fx* n. developments in science and technology); fresh gain, step forward.

nyår: *se nyttår*.

I. nær *adj* (*se også nærmere, nærmest*); 1. near (*fx* the station is quite n.); 2 (*fig*) intimate (*fx* they are i. friends); close (*fx* a close friend); (*bare som predikatsord*) at hand (*fx* the hour of victory is at hand); *komme i -t forhold til* become intimate with; *stå i* ~ *forbindelse med* be closely connected with; be in close connection with; *i* ~ *fremtid* in the near future, at an early date, very shortly; *-t samarbeid* close collaboration; *i* ~ *tilknytning til* closely connected with; *det var på -e nippet* that was a close shave; that was too close for comfort; that was a near one!

II. nær *adv* (*se også nærmere, nærmest*); near; (*nesten*) nearly; (*grad*) nearly, closely; ~ *beslektet* closely related, closely akin; *fjern og* ~ far and near; *for* ~ too near; ~ *forestående* approaching, coming, imminent (*fx* departure), near at hand; *ganske* ~ quite near; *ligge* ~ (*om sted*) be close to; *det ligger snublende* ~ it stares you in the face; *det ligger* ~ *å anta* it seems probable; *det ligger* ~ *å gjøre det* it seems the obvious thing to do; *den tanke ligger* ~ *at . . .* the idea naturally suggests itself that; *temmelig* ~ *det samme* pretty nearly the same (thing); *alle på to* ~ (*så* ~ *som to*) all but two, all except two; *stå en* ~ be intimate with sby, be closely connected (*el.* associated) with sby; *ta seg* ~ *av noe* take sth (greatly) to heart; take sth (very) hard; *grense* ~ *opptil* border on, be close to, adjoin; (*fig*) border on; *ikke på langt* ~ not nearly; T not by a long chalk; *ikke på langt* ~ *så rik* nothing like as rich, not anything like as rich; ~ *ved* close by, hard by, close at hand, near at hand, not far (away); ~ *ved å . . . on* the point of (-ing); *jeg var* ~ *ved å falle* I very nearly fell; I all but fell.

III. nær (*prep*) near (to), close to; (*se også II. nær:* ~ *ved*); *være døden* ~ be at death's door, be dying.

nær|beslektet closely related. **-bilde** close-up.

nære (*vb*) nourish, feed; (*en følelse*) entertain, cherish; ~ *avsky for* detest; ~ *håp* entertain hope; *jeg* ~*r ingen tvil om at* I have no doubt that; *jeg -r intet ønske om å . . .* I have no wish to . . .

nærende nutritious, nourishing.

nærgående aggressive (*mot* towards); *komme med* ~ *bemerkninger* indulge in personalities.

nærhet nearness; (*område*) neighbourhood; *i -en* in the neighbourhood; *gatene i -en* the neighbouring streets; *i -en av* near to, close to.

næring (*føde*) nourishment, fo●d; (*levevei*)

industry, trade; *gå en i -en* poach on sby's preserves; *ikke la noen gå deg i -en* (*også*) let no one do you out of your rights; *ta* ~ *til seg* take nourishment; *sette tæring etter* ~ cut one's coat according to one's cloth; (*se hente*).

næringsdrift trade, industry.

næringsdrivende in business, in trade; *de* ~ people who are self-employed; tradesmen, tradespeople; *en selvstendig* ~ a self-employed tradesman.

nærings|frihet freedom of trade. **-kilde** means of subsistence. **-livet** economic life, trade, industry, trade and industry. **-middel** article of food. **-sorger** (*pl*) financial difficulties.

næringsvei industry, trade, business; *Norges viktigste -er* the principal industries of Norway; (NB *jordbruk, fiske, etc er også* 'industries').

næringsverdi food value.

næringsvett economic know-how, a good business head; *ha* ~ know on which side one's bread is buttered; know how to look after oneself; *her gjelder det å ha* ~! (ɔ: *forsyne seg raskt*) it's a case of every man for himself here; (*jvf matvett*).

nærkamp hand-to-hand combat, fighting at close quarters; (*boksing*) infighting; ⚓ close action; (*flyv*) dogfight; *komme i* ~ *med* come to grips with.

nærliggende adjacent, neighbouring; *av* ~ *grunner* for obvious reasons.

nærlys (*på bil*) dipped lights, low beam.

nærme (*vb*) bring (*el.* draw) near; ~ *seg* approach, be approaching, draw near, near.

nærmere (*komparativ av nær*) nearer; (*ytterligere*) further; ~ *opplysninger* further particulars, particulars; *tenke* ~ *over* consider further; (*se ordre*).

nærmest (*superlativ av nær*) nearest; (*om nabo*) next-door; (*adv: nesten*) rather; (*adv: særlig*) more particularly; *ens -e* those nearest to one; *mine -e naboer* my next-door neighbours; *de feiret forlovelsen sammen med noen få av sine -e* they celebrated their engagement at a small family gathering (*el.* within the immediate family circle *el.* with a few of their closest friends); *jeg har medlidenhet med henne, mens jeg* ~ *misunner ham* I pity her, while I rather envy him; *enhver er seg selv* ~ charity begins at home; *den -e omegn* the immediate neighbourhood; *de -e dager* the next few days; *i løpet av de -e dager* (with)in the next few days.

nær|på (*adv*) nearly. **-stående** close, intimate. **-synt** short-sighted, near-sighted; (*fagl*) myopic. **-synthet** short-sightedness, near-sightedness; (*fagl*) myopia.

nærtagende touchy, (too) sensitive.

nærtrafikk local (*el.* suburban) traffic; (*tlf*) toll call.

nærvær presence; *i fremmedes* ~ before company; *i vitners* ~ in the presence of witnesses; *han behaget aller nådigst å beære oss med sitt* ~ he deigned to favour us with the honour of his presence.

nærværende present; this; ~ *bok* this book.

nød (*trang*) need, want, necessity, distress; *lide* ~ suffer want; ~ *bryter alle lover* necessity knows no law; *det har ingen* ~ no fear (of that); *i -ens time* in the hour of need; *med* ~ *og neppe* by the skin of one's teeth (*fx* we got to the top of the hill by the s. of our t.); *med* ~ *og neppe slapp han derfra* he had a narrow escape; *han klarte eksamen, men det var med* ~ *og neppe* he passed the exam, but it was a narrow squeak; *til* ~ in an emergency; T at a pinch; *det går til* ~ *an* it will just pass muster; it will just do.

nødanker ⚓ sheet anchor.

nødbrems emergency brake.

nøde (*vb*) oblige, constrain, force, compel; (*overtale*) urge, press; *jeg er nødt til å . . .* I'm obliged to . . . (*fx* do it); (*se nødsaget*).

nødflagg signal of distress.

nødhavn harbour of refuge.
nødhjelp makeshift; temporary expedient.
nødig (*ugjerne*) reluctantly; *jeg vil* ~ I do not like to, I object to; *jeg gjør det* ~ I do not like to do it, I would rather not.
nødlande (*vb*) make a forced landing.
nødlanding (*flyv*) forced landing; *foreta en* ~ make a forced landing; (*jvf buklanding*).
nød|lidende needy, destitute, distressed. **-løgn** white lie. **-mast** ⚓ jury mast. **-rakett** distress signal rocket. **-rop** cry of distress. **-ror** ⚓ jury rudder.
nødsaget compelled, obliged (*til å* to); *jeg seg meg* ~ *til å gjøre det* I find myself obliged (*el.* compelled) to do it, I am obliged to do it; (*lett glds*) I am under the necessity of doing it.
nødsarbeid relief work.
nødsfall: *i* ~ in case of need, in an emergency; T at a pinch.
nød|signal ⚓ distress signal. **-skrik**: se -rop.
nødstid time of need.
nødstilfelle emergency; *i* ~ in case of need, in an emergency.
nødtvunget forced, enforced, compelled (by necessity).
nødtørft: *forrette sin* ~ relieve nature, r. oneself.
nødtørftig (strictly) necessary, scanty; *det -e* what is strictly necessary.
nødtørftighet necessity, scantiness.
nødvendig necessary; (*sterkt*) essential; (*som trengs i et el. annet øyemed*) requisite (*fx* the r. money); *det er strengt* ~ *å* . . . it is absolutely essential to; *etter hvert som det blir* ~ as and when it becomes necessary; *er det* ~? (*også*) is there any necessity? *det er* ~ *at du gjør det med en gang* it is necessary that you should do it at once; *hvis det blir* ~ should the necessity arise; ~ *for* necessary to (*el.* for); *kull, et* ~ *drivstoff for den industrielle produksjon* coal, a fuel necessary to industrial production; *mangle det -e* lack the necessaries of life; (*se innse*).
nødvendiggjøre (*vb*) necessitate, render necessary.
nødvendighet necessity, matter of necessity; *av* ~ from necessity; *drevet av* ~ under the pressure of necessity; *gjøre en dyd av* ~ make a virtue of necessity; *dette er dessverre en* ~ this is an unfortunate necessity.
nødvendighetsartikkel necessary, necessity.
nødvendigvis necessarily, of necessity; *disse skattene må* ~ *gripe inn i det økonomiske liv* these taxes cannot but react on economic life.
nødverge self-defence; *i* ~ in s.-d.
nøff grunt, oink; *«*~*, *~*!»* oink! oink!
nøgd: se fornøyd.
nøkk river sprite, Nixie.
nøkkel key; ♪ clef; (*til gåte*) clue; ~ *til hoveddøra* front-door key; latchkey.
nøkkel|hull keyhole. **-ost** (Dutch) clove cheese. **nøkle|ben** (*anat*) collarbone, clavicle. **-blomst** ✿ cowslip. **-knippe** bunch of keys. **-ring** key ring.
nøktern sober. **-het** sobriety.
nøle (*vb*) hesitate; (*gi et nølende svar, også*) falter (*fx* the witness faltered). **-nde** hesitating; (*adv*) -ly.
nøre (*vb*): ~ *opp* light a fire; ~ *på varmen* feed the fire.
I. nøste (*subst*) ball (of thread, of cotton).
II. nøste (*vb*) wind up (thread) into balls.
nøtt nut; *en hard* ~ a hard nut to crack, a tough nut, a poser, a puzzler; *gi en en på -a* T give sby a crack on the nut.
nøttebrun nut-brown.
nøtte|hams husk of a nut. **-kjerne** kernel of a nut. **-knekker** (pair of) nutcrackers. **-olje** nut oil. **-skall** nutshell; (*båt*) cockleshell. **-skrike** ♫ jay.
nøyaktig (*adj*) exact, accurate; (*presis*) precise; (*om person*) accurate (*fx* in his work); (*ytterst nøyaktig*) punctilious; (*streng*) strict; (*samvittighetsfull*) scrupulous; *han er* ~ *i alt han foretar seg* he takes great pains in (*el.* with) everything he

does; (*adv*) exactly, accurately; *på* ~ *samme måte* in precisely (*el.* just) the same way.
nøyaktighet exactness, accuracy, precision.
I. nøye (*vb*): *la seg* ~ be content, content oneself (*med* with); ~ *seg med å* be content to.
II. nøye (*se også nøyaktig*) **1.** *adj* (*nær, intim*) close; intimate; (*grundig, inngående*) close; (*streng*) strict; (*om person: kresen*) particular; (*gnieraktig*) close, stingy; (*omhyggelig*) careful, painstaking, scrupulous; *ved* ~ *ettersyn* on close inspection; *vise* ~ *overensstemmelse med* show close agreement with; *ha* ~ *kjennskap til* have an intimate (*el.* accurate) knowledge of; *være* ~ *med* be particular about (*el.* as to) (*fx* what one says); *det er det ikke så* ~ *med* that does not matter (so) very much; **2** (*adv*) closely, intimately; (*nøyaktig*) exactly, accurately, strictly; *våre priser er meget* ~ *beregnet* our prices are calculated very closely; *beløpet husker jeg ikke så* ~ I forget the exact amount; *det vet jeg ikke så* ~ I don't know exactly; I couldn't tell e., I can't say e.; *han er* ~ *inne i* he has an intimate knowledge of, he is intimately acquainted with; *vi må ikke ta det så* ~ *med* . . . we must not be too particular about; *passe* ~ *på* take great care; *passe* ~ *på en* watch sby closely; *holde* ~ *rede på* keep an accurate account of; *legge* ~ *merke til* note carefully; *se -re på* look more closely at.
nøyeregnende particular (*med* about); (*påholdende*) close, close-fisted; *han er ikke så* ~ he is not particular.
nøysom easily satisfied; modest, unassuming.
nøysomhet contentment, moderation.
nøytral neutral; *holde seg* ~ remain neutral, observe neutrality.
nøytralisere (*vb*) neutralize.
nøytralitet neutrality.
nøytralitets|brudd breach of neutrality. **-erklæring** declaration of neutrality. **-krenkelse** violation (*el.* infringement) of neutrality.
nøytralitetsvakt [frontier guard duty against infringement of neutrality]; *landet hadde en sterk* ~ the country's frontiers were heavily guarded against infringement of n.; *han ble utkalt til* ~ he was called up for frontier guard duty.
nøytrum (*gram*) the neuter (gender).
I. nå (*vb*) reach, get at; gain; (*oppnå*) attain, reach; (*innhente*) catch up with; ~ *toget* catch the train; *ikke* ~ *miss* (*fx* he jumped but missed the bank and fell into the water); *ikke* ~ *toget* miss the t.; *det har ikke -dd hit* it has not reached here; ~ *høyere enn noensinne* T reach an all-time high; ~ *målet* reach one's goal, gain one's end; ~ *opp til* (*fig*) reach, attain (*fx* prices have reached a high level); *skipet -dde havn* the ship made port; *du -r det fint* (᙮: *du rekker det*) you can easily make it.
II. nå *adv* (*tid*) now, at present; (*spørrende*) well? (*oppmuntrende*) come, come; (*beroligende*) *irettesettende*) there, there! ~ *da!* oh, bother! *akkurat* ~ (᙮: *for et øyeblikk siden*) a moment ago; ~ *og da* now and again; ~ *da* . . . now that; *fra* ~ *av* from now on; (*høytideligere*) henceforth; ~ *må han være der* he must be there by now; *er du først* ~ *ferdig med arbeidet?* have you only just finished your work? haven't you finished your work until now? *han er* ~ *snill likevel* he's nice, in spite of everything; *i dag skal du* ~ *få den* today you're going to get it, in any case; ~ *som før* (now) as ever; *livet er det samme* ~ *som før* life is the same as it ever was.
nåda (*int*) now what, what next; oh, bother!
I. nåde (*subst*) grace, favour (,US: favor); (*mildhet*) clemency; (*barmhjertighet, medlidenhet*) mercy; *Deres* ~*!* your Ladyship (,Lordship)! your Grace! *nåde! nåde!* mercy! mercy on me! (*i skolespråk*) *pax! av Guds* ~ by the grace of God; *finne* ~ *for ens øyne* find favour in sby's eyes; *la* ~ *gå for rett* temper justice with mercy; *få avskjed i* ~ be honourably discharged; *be om* ~ plead for mercy; ask for mercy; *leve på andres* ~ live

on charity; *overgi seg på* ~ *og unåde* surrender unconditionally; *ta til* ~ restore to favour; *uten* ~ without mercy; *uten* ~ *og barmhjertighet* mercilessly.
II. nåde (*vb*): *Gud* ~ *dem!* God have mercy on them! . . . *da Gud* ~ *deg!* then God have mercy on you!
nådefull compassionate, merciful.
nådegave (*teol*) gift of grace; *frekkhetens* ~ T the cheek of the Devil! US a talent for brass.
nådeløs merciless, ruthless.
nådemiddel means of grace.
nåderik gracious.
nådeskudd coup de grâce, finishing shot; *gi en -et* give sby the c. de g. (by shooting him), put an end to sby's misery (by shooting him.)
nådestøt deathblow, coup de grâce.
nådig gracious; *Gud være oss* ~! God have mercy on us! *Gud være meg synder* ~! God be merciful to me, a sinner! *aller -st* (*iron*) graciously (*fx* he has been g. pleased to . . .); (*se nærvær*).
nål (*synål, magnetnål*) needle; (*knappe-*) pin; ♣ needle; (*idretts-*) badge; *stå som på -er* be on pins and needles; *træ i en* ~ thread a needle; *-a gikk dypt* (*el. langt*) *inn* the needle sank (*el.* went) in deep; *stikke en* ~ *i noe* stick (*el.* stab)

a needle into sth; *stikke -a dypt inn* stick the needle in deep (*el.* right in *el.* in a long way).
nåle|brev paper of needles (,pins). **-formet** needle-shaped. **-hus** needle case. **-pute** pin cushion. **-skog** coniferous forest. **-spiss** needle point, pinpoint. **-stikk** pinprick. **-tre** ♣ conifer.
nålevende (now) living, contemporary; (*se slekt*).
nåleøye eye of a needle.
når when, at what time; (*hvis*) if; ~ *så er* if so, if that is the case, that being so; ~ *bare* if only; *du tar feil* ~ *du tror at* . . . you are wrong in thinking that . . . ; ~ *det skal være* at any time; ~ *jeg ikke har skrevet før, så skyldes det at* . . . the reason I have not written you before is that . . . ; the fact that I have not written you before this is due to . . . ; ~ *kan jeg tidligst vente deg?* how soon may I expect you? ~ *som helst* (*konj*) whenever; (*adv*) at any time; no matter when.
nåtid present (time), present day; (*gram*) the present (tense); *-ens historie* modern history.
nåtidsmenneske modern (*fx* we moderns).
nåtildags nowadays.
nåtle (*vb*) stitch.
nåvel well (then).
nåværende present; prevailing, existing.

O

O, o O, o; *O for Olivia* O for Oliver.
oase oasis (*pl*: oases).
obduksjon post-mortem (examination), autopsy.
obdusere (*vb*) perform a post-mortem on.
obelisk obelisk.
oberst colonel; (*flyv*) group captain. **-inne** colonel's wife. **-løytnant** lieutenant-colonel (*fk.* Lt. Col.); (*flyv*) wing commander.
objekt object
I. objektiv (*subst*) objective, lens.
II. objektiv (*adj*) objective.
objektivitet objectiveness, objectivity.
oblat wafer.
obligasjon bond; (*stats-*) government bond; (*utstedt av bank, aksjeselskap, etc*) debenture; *pant-* mortgage bond.
obligasjonsinnehaver bondholder; debenture holder.
obligasjonsrett (*jur*) the law of contracts and torts.
obligat obligatory, inevitable; ♪ obligato.
obligatorisk compulsory, obligatory; ~ *fag* core subject (*mots: valgfritt fag* optional subject); *-e kurser* required courses.
obo ♪ oboe. **-ist** oboist.
observ|asjon observation. **-ator** observer; (*stillingsbet.*) (senior) observatory officer. **-atorium** observatory. **-ator** observer (*fx* diplomatic o.).
observere (*vb*) observe.
obskur obscure.
obskurant obscurant, obscurantist. **-isme** obscurantism.
obsternasig recalcitrant, refractory; stubborn.
obstruere (*vb*) obstruct.
obstruksjon obstruction.
odd (*spiss*) point.
I. odde (*pynt*) point, tongue of land, headland.
II. odde (*ulike*) odd, uneven. **-tall** uneven (*el.* odd) number.
ode ode.
odel allodial possession, allodium, freehold (land); *jeg gir deg det til* ~ *og eie* I make you a present of it.
odels|bonde freeholder, allodialist. **-gård** allodium, freehold (farm); ancestral farm. **-jord** allodium. **-rett** allodial law; allodial privilege.
Odelstinget [the larger division of the Norwegian parliament].

odiøs invidious (*fx* comparisons); unpleasant.
offensiv offensive; *ta -en* take the offensive.
offentlig (*adj*) public; (*adv*) publicly, in public; *-e anliggender* public affairs; (*statsanliggender*) State affairs; *opptre* ~ appear in public; *den -e administrasjon* 1 (*embetsverket*) the Civil Service; 2 (*lokalt*) the local administration; *den -e mening* public opinion; *det -e* the (public) authorities; (*staten*) the Government, the State; *få støtte fra det -e* be supported by public funds (*el.* by the State); *på det -es bekostning* at the public expense; *det -e har oppnevnt høyesterettsadvokat Richard Doe som forsvarer* Richard Doe, Barrister-at-Law, has been officially appointed to appear for the accused; *i det -e liv* in public life (*fx* a man who has never taken (any) part in p. l.); ~ *institusjon* public institution; ~ *straffesak* criminal case.
offentliggjøre (*vb*) publish, make public.
offentliggjørelse publication.
offentlighet publicity; *-en* (*almenheten*) the public, the general public; people at large.
offer (*til guddom*) offering, sacrifice; (*person*) victim; ~ *for* the victim of.
offerere (*vb*) offer.
offer|lam sacrificial lamb. **-prest** sacrificial priest.
offerte offer; (*prisoppgave*) quotation.
offervilje generosity; spirit of self-sacrifice.
offervillig self-sacrificing, generous.
offiser officer; *-er og menige* officers and men; (*se menig*).
offiserskolleger (*pl*) brother officers.
offisiell official.
offisiøs semi-official.
offside (*fotb*) offside.
ofre (*vb*) sacrifice; ~ *livet* sacrifice one's life; ~ *sin tid* (*,sitt liv*) *på* devote one's time (,one's life) to; ~ *det en tanke* give it a thought; ~ *seg* sacrifice oneself, devote oneself (*til* to).
ofte often; frequently; *hvor* ~ *må jeg si deg det?* how many times have I got to tell you? *titt og* ~ time and again; *ikke -re* never again; *som -st* as a rule, usually, generally; more often than not, as often as not.
I. og (*konj*) and; ~ *så videre* (*fk. osv.*) and so on (*fk.* etc).
II. og (*adv*) too, also; (*se også*).
også also, too, as well; *ikke alene* . . . *men* ~

not only ... but (also); *eller* ~ or else; *og han kom* ~ and he did come; *og han var da* ~ *den første som nådde byen* and he was in fact the first to reach the town; *det var* ~ *en måte å oppføre seg på* a pretty way to behave; *det var* ~ *et spørsmål* what a question! ... *og det gjorde du* ~ and so you did; *ja, det 'gjorde jeg* ~ well, so I did; ~ *uten det* even without that.
ohm ohm.
oker ochre. **-aktig, -gul** ochraceous, ochreous, ochry.
okkult occult. **okkultisme** occultism.
okkup|asjon occupation. **-ere** (*vb*) occupy.
okse ox (*pl*: oxen); bull.
okse|bryst brisket of beef. **-filet** fillet of beef. **-halesuppe** oxtail soup. **-karbonade**: *se karbonade*. **-kjøtt** beef. **-kotelett** beefsteak (on the bone); (*se for øvrig kotelett*). **-rull** (*som pålegg*) beef roll. **-stek** roast beef; (*hel stek*) joint of beef.
Oksidenten the Occident.
oksyd oxide. **-ere** (*vb*) oxidize. **-ering** oxidation.
oktant (*figur*) octant; (*instrument*) quadrant.
oktav (*format & bok*) octavo; ♪ octave. **-ark** octavo sheet. **-format** octavo.
oktober (the month of) October.
okulere (*vb*) bud.
olabukse blue jeans.
oldefar great-grandfather.
oldenborre ⚲ cockchafer.
olderman master of a guild.
old|frue (*på sykehus, etc*) housekeeper. **-funn** archaeological find. **-gransker** archaeologist. **-granskning** archaeology.
olding (very) old man.
oldingaktig senile.
old|kirke primitive church. **-kvad** ancient lay (*el. poem*).
oldnordisk Old Norse.
old|norsk Old Norwegian, Old Norse. **-saker** antiquities, objects of antiquity. **-saksamlingen** the University Museum of Antiquities. **-tid** antiquity. **-tidsminne** monument of antiquity. **-tidsvitenskap** archaeology.
Ole lukkøye the sandman.
oleander ⚘ oleander.
oligarki oligarchy. **oligarkisk** oligarchic(al).
oliven olive.
olivenolje olive oil.
I. olje (*subst*) oil; *helle* ~ *på ilden* add fuel to the fire; *den siste* ~ Extreme Unction; *jeg har nettopp vært inne og gitt mine tyskelever den siste* ~ (*spøke*) I've just been in and given my German pupils Extreme Unction (*el.* a last desperate briefing).
II. olje (*vb*) oil.
oljeaktig oily.
Oljeberget the Mount of Olives.
oljebrenner oil burner; (*til oppvarming*) oil heater.
oljefarge oil colour; *male med* -r paint in oil(s).
olje|gren olive branch. **-hyre** oilskins. **-lerret** oilskin, oilcloth. **-maleri** oil painting. **-tre** olive (tree). **-trykk** (*bilde*) oleograph; (*trykning*) oleography.
olm angry, mad; *et* -*t blikk* a nasty (*el.* glowering) look (*fx* he gave me a n. look).
olsok (*29. juli*) St. Olaf's Day.
Olymp Olympus.
olympiade Olympiad, Olympic Games.
olympisk Olympic; *de -e leker* the Olympic Games.
I. om (*prep*) **1.** round (*fx* a necklace round her neck; it's just round the corner); *ha noe* ~ *halsen* wear sth (a)round one's neck; (*litterært*) wear sth about one's neck; **2** (*angående*) about (*fx* a book a. gardening); of (*fx* an account of sth; convince him of sth; remind him of sth); on (*fx* his ideas on the subject; a debate on the Polish question; our talk ran on recent events); over (*fx* they quarrelled over their inheritance; T they had a row over it); *meldinger* ~ *at* ...

reports to the effect that ...; **3** (*for å oppnå noe*) for (*fx* fight for sth; apply to sby for information; ask for sth; compete with sby for sth); **4** (*om tid*) in (*fx* in the morning; in (the) summer; in a day or two; in a few days); by (*fx* travel by day; attack by night); ~ *mandagene* on Mondays; *hva gjør du* ~ *søndagene?* what do you do of a Sunday? *i dag* ~ *åtte dager* today week, a week today; ~ *åtte dager* in a week('s time); *i dag* ~ *et år* (in) a year from today, a year t.; *nå* ~ *dagene* just now, just at present, these days; *en gang* ~ *året* once a year; *£3* ~ *uken* £3 a week; *år* ~ *annet* one year with another; ~ *ikke så mange år* in a few years, before many years have passed; ~ *kort tid* shortly; *det er først* ~ *to dager* it's not for two days (yet); *det er først* ~ *en halv time* it's not (*el.* it won't be) for another half hour yet; **5** (*andre uttrykk*): *legge veien* ~ *Oslo* travel via Oslo; *det har vært flere* ~ *det* it is the work of several persons; *det må man være to* ~ *that* is a game for two; *la meg* ~ *det* leave that to me; *vi har vært mange* ~ *det* it has taken a good many of us to do it; a good many of us have been working together; *ham* ~ *det!* that's his affair (*el.* look-out)! T that's his funeral (*el.* headache); *være lenge* ~ *å gjøre noe* take (*el.* be) a long time doing sth; *det har du vært lenge* ~ you have been a long time about that; *være* ~ *seg* 1 (*foretaksom*) be enterprising; 2 (*driftig*) be go-ahead; US be a go-getter; 3 (*egoistisk*) look after number one, have an eye to one's own interests; *være* ~ *seg etter* T be on the make for.
II. om (*adv*): *se seg* ~ *etter* look round for; *gjøre det* ~ *igjen* do it (over) again; do it once more; do it a second time; ~ *og* ~ *igjen* again and again, over and over (again); repeatedly; *male veggen* ~ *igjen* repaint the wall; *lese boka* ~ *igjen* re-read the book; *jeg har lest boka* ~ *og* ~ *igjen* I have read and re-read the book.
III. om (*konj*) whether, if; ~ *enn* even if; ~ *når* as to when (*fx* he said nothing as to when he would return); *selv om* even if (*el.* though); ~ *jeg bare kunne!* how I wish I could! (*har du lyst til å være med?*) '~ *jeg har!* wouldn't I just! I should think I would; what do you think? (*likte du deg der, da?*) *ja,* '~ *jeg gjorde!* I should (jolly well) think I did! (*har du vin?*) '~ *jeg har!* To flasker til og med! haven't I just! Two bottles at that! (*om han er gjerrig?*) '~ *han er!* you bet he is! (*især* US) I'll say he is!
omadressere (*vb*) redirect, readdress, forward.
omarbeide (*vb*) recast, revise, rewrite, re-edit; (*for scenen*) adapt.
ombestemme (*vb*): ~ *seg* change one's mind.
ombestemmelse change of plan(s).
om bord on board; ~ *i* (*el. på*) on board (of); (*se all 1A*).
ombordbringelse taking on board.
ombordværende persons on board; *de* ~ those on board.
ombrekke *vb* (*typ*) make up; (*linjere*) overrun.
ombrekker maker-up, make-up compositor.
ombrekning making up.
ombring|e (*vb*) deliver. **-else** delivery.
ombudsmann ombudsman, parliamentary commissioner.
ombygging rebuilding, reconstruction; US remodeling; *etter -en fremstår operaen i ny skikkelse* the old opera house, now rebuilt, presents a new appearance.
ombytning exchanging; change; (*utskiftning*) replacement.
ombæring delivery; *under -en kl. 8* (*postbudets*) on the 8 a.m. delivery. **-srunde** delivery (round) (*fx* begin on the second d. at ten o'clock).
omdann|e (*vb*) transform, convert (*til* into). **-else** transformation, conversion.
omdebattert under discussion; *et meget* ~ *spørsmål* a keenly debated question, a much debated q.
omdiktning rewriting, recasting; (*konkret*) new versjon, recast.

omdisputert disputed; (se omstridt).

omdreining turning, revolution, rotation.

omdømme judgment, opinion; folks ~ public opinion; stå høyt i folks ~ enjoy a good reputation; ha sunt ~ be of sound judgment (fx he is a man of s. j.).

omegn neighbourhood (‚US neighborhood), surrounding country, environs (pl).

omelett omelette.

omen omen.

omfakturere (vb) re-invoice.

omfang (utstrekning) size, dimensions, extent; (omkrets) circumference; skadens ~ the extent of the damage; restriksjonene vil kun bli gjort gjeldende i begrenset ~ the restrictions will have only a limited application; -et av den forvoldte skade the amount of the damage sustained.

omfangsrik extensive, bulky.

omfatte vb (innbefatte) include, comprise, comprehend, embrace, cover (fx our price list covers all our products).

omfattende comprehensive, extensive; ~ og systematisk nyordning comprehensive and systematic innovations; (se motvilje).

omfavne (vb) embrace, hug.

omfavnelse embrace, embracing, hug.

omflakkende roving, wandering, roaming, vagrant; føre et ~ liv be a rolling stone.

omflytning exchange of places; moving.

omforme (vb): se omdanne.

omgang round (fx of drinks, of a boxing match); (i strikning) row; (fotb) half time (fx the score at h. t. was 3—2); (samkvem) intercourse; (behandling) treatment; i en ordentlig ~ a tough (el. bad) time (fx the dentist gave me a bad time); gi ham en ~ (pryl) give him a beating; i første ~ for the time being, for the moment, for now (fx you will have to make this do for now); ha ~ med associate with; det går på ~ they do it by turns.

omgangs|krets (circle of) acquaintances, circle. **-skole** ambulatory (el. mobile) school. **-språk** colloquial language. **-syke** epidemic. **-tone** (conversational) tone; social atmosphere. **-venn** friend, associate.

omgi (vb) encompass, surround, encircle; ~ seg med surround oneself with.

omgivelser (pl) surroundings; (miljø, levevilkår) environment; habitat (fx have you ever seen Russians in their natural h.? animal life in its natural h.); (se I. plage).

omgjengelig companionable, sociable, easy to get along with.

omgjengelighet sociability.

omgjerde (vb) fence in.

omgå (vb) evade; (spørsmål) fence; ⚔ outflank; ~ loven evade (el. get round) the law.

omgåelse: ~ av loven 1. evasion of the law; 2. way of getting round the law.

omgående: pr. ~ by return (of post); ~ levering delivery by return; ~ levering (er) en forutsetning prompt delivery (is) essential.

omgås (vb) associate with; jeg ~ dem ikke I don't see much of them; hun omgikkes tyskerne she mixed with the Germans; (behandle) handle, treat, deal with; ~ med tanker om be thinking about; si meg hvem du ~, og jeg skal si deg hvem du er a man is known by the company he keeps.

omhandle (vb) deal with, treat, treat of.

omheng curtain.

omhu care, concern; (se velge).

omhyggelig careful; painstaking; (grundig) thorough; være meget ~ exercise great care; være særlig ~ med devote special care to; neste setning er mer emfatisk og ~ avveiet the next sentence is more emphatically phrased and carefully balanced.

ominøs ominous.

omkalfatre (vb) turn upside down, transform radically; make a radical change in; ⚓ recaulk.

omkalfatring 1. ⚓ recaulking; 2. transformation

radical change; shake-up; ~ i regjeringen cabinet shake-up (fx the cabinet shake-up has to be confined largely to a reshuffle).

om kapp: se kapp.

omkjøring diversion; US detour.

omklamre (vb) clasp, cling to.

omkomme (vb) perish, be lost.

omkostning cost, expense, charge; betale -ene defray the expenses; diverse -er sundry expenses; idømmes saksomkostninger be ordered to pay (fx £100) costs; etter at alle -er er trukket fra deducting all charges; uten -er for Dem without cost to you; without any expense(s) on your part; free of cost to you; (se utrede).

omkostningsberegne (vb): hele anleggsplanen er -t til £3.185.000 construction costs for the entire project are estimated at £3,185,000.

omkostnings|fritt cost free, free (of charge). **-konto** expenses account, expense sheet; charges account.

omkranse (vb) wreathe, encircle.

omkrets circumference; i ti mils ~ for ten miles round; within a radius of ten miles; innsjøen er 40 miles i ~ the lake is 40 miles about.

omkring round, around, about; (omtrent) about; ~ 1550 in about 1550; spasere ~ walk about; gå ~ i byen (‚gatene) walk about the town (‚the streets).

omkring|boende neighbouring (‚US neighboring); de ~ the neighbours (‚US neighbors). **-liggende** surrounding. **-stående:** de ~ the bystanders, those standing by.

omkved refrain.

om lag about.

omland surrounding country.

omlaste vb (varer til annet skip) tranship; (laste om) reload.

omlastningsplass ⚔ supply point; ~ for jernbane (‚fly, lastebil) railhead (‚airhead, truckhead).

omlegge (vb) change, alter, re-adjust; (se legge om).

omlegning change, alteration, re-adjustment; ~ av arbeidstiden rearrangement of working hours; en ~ av driften a reorganization of the works; (se overveie).

omlessing reloading.

omlyd mutation, umlaut.

omløp circulation (fx put money into c.; the c. of the blood); (i sport) new race; arrangere ~ re-run a race; (astr) revolution; revolving (fx the moon's revolving round the earth); sette rykter i ~ circulate rumours, put about r., put r. in circulation; ha ~ i hodet have presence of mind, be quick(-witted).

omme (til ende) over, at an end; tiden er ~ time is up.

omn: se ovn.

omordne (vb) rearrange.

omorganisasjon reorganization.

omorganisere (vb) reorganize.

omplanting transplanting; replanting.

omramning: se kamin-.

omredigere (vb) rewrite.

om|registrering (av bil) re-registration (of a car). **-regne** (vb) convert (til into); -t til (beregnet som) reckoned in terms of (fx r. in t. of full lectureships at kr. 52,000 per annum).

omreisende itinerant, travelling, touring.

omringe (vb) surround, encircle; close round (fx the men closed round him).

omriss outline, contour.

områ (vb): ~ seg reflect, consider.

område territory, region; (fig) field; på alle -r in every field; spenne over et stort ~ range over a wide field.

områdeplan regional plan.

omseggripende spreading, growing.

omsetning (merk) turnover, sale(s), trade (fx we do a large t. in paper); fri ~ freedom of trade; det er liten ~ there is not much business (doing);

-en *pr. måned var gått ned med 5 %* monthly sales (*el.* the m. turnover) had gone down (*el.* fallen off *el.* decreased) by 5 per cent; *forretningen hadde en ~ på £50 forrige uke* the business turned over £50 last week; *øke -en* increase the trade, expand one's sales, push the sale; (*se også penge- & svikt*).

omsetnings|avgift purchase tax; US sales tax. **-beløp** turnover.

omsette *vb* 1 (*avhende*) dispose of, sell; 2 (*gjøre i penger*) realize; 3. = *oversette*; (*jvf omsetning*).

omsettelig negotiable, realizable (*fx* securities); *et ~ papir* a negotiable document; *-e varer* marketable goods.

omsetting (*typ*) resetting; (*oversettelse*) translation; (*jvf oversettelse*).

omsider at length, at last, finally, eventually.

omsikt circumspection; forethought.

omsiktsfull circumspect.

omskape (*vb*) transform (*til* into).

omskifte (*subst*) change, alteration.

omskiftelig changeable.

omskiftelighet changeableness.

omskiftelse change, vicissitude.

omskip|e (*vb*) tranship. **-ning** transhipment.

omskjær|e (*vb*) circumcise. **-else** circumcision.

om|skolere (*vb*) re-educate. **-skolering** re-education.

omskrive *vb* (*uttrykke annerledes*) paraphrase; (*fon*) transcribe; (*skrive på nytt*) rewrite.

omskrivning paraphrase; transcription; rewriting.

omslag 1 (*til bok*) cover; (*løst bok-*) (dust) jacket; 2 (*til postforsendelse*) wrapper; *i ~ in a w.*; 3. ⚓ compress (*fx* a cold c.); (*grøt-*) poultice; 4 (*forandring*) (sudden) change; *det kom et ~* (ɔ: *tendensen slo om*) the trend reversed; (*se vær-*).

omslutte (*vb*) enclose, envelop, surround.

omslynget: *tett ~* locked in an embrace.

omsmelting remelting.

omsorg care; *dra ~ for* take care of, look after.

omsorgsfull careful, considerate, thoughtful.

omspenne *vb* (*omfatte*) cover, extend over, embrace; (*se også II. spenne*).

omspurt in question, inquired about.

omstemme (*vb*): *~ en* make sby change his mind, bring sby round.

omstendelig (*adj*) circumstantial, detailed; (*unødig vidløftig*) long-winded.

omstendighet circumstance, fact; (*det særegne ved en begivenhet*) particular, detail; *den ~ at han har* the fact of his having; *-er* (*overdreven høflighet*) ceremony, a fuss; *etter -ene* according to circumstances; (*slik forholdene ligger an*) all things considered; taking everything into account; *formildende -er* extenuating circumstances; *inntrufne -er* unforeseen circumstances; contingencies; *ledsagende ~* concomitant (circumstance); *de nærmere -er* the circumstances; *en rekke -er* a chain (*el.* series) of circumstances; *gjøre -er* stand on ceremony; *det kommer an på -ene* it depends on circumstances; *that all depends; hvis -ene tillater det* circumstances permitting; *når -ene tillater det* when circumstances permit; *under alle -er* at all events, in any case; *under normale -er* ordinarily, under ordinary circumstances; *under disse -er* in (*el.* under) the circumstances; *ikke under noen ~ under* (*el.* in) no circumstances, on no account; *uten ytterligere -er* without any more ado (*el.* fuss); *være i -er* be pregnant, be in the family way; (*se allerede; sammentreff; uheldig; ulykksalig*).

omstendighets|kittel maternity smock. **-kjole** maternity dress (*el.* frock).

omstigning change.

omstille (*vb*) readjust, rearrange; switch over; *ovnen kan -s til vedfyring* the stove can be converted into a wood-burning unit (*el.* can be adapted for w.-b.); *~ seg til nye forhold* adapt oneself to new conditions; (*se håndgrep*).

omstreifende erratic, roaming, roving, vagrant.

omstreifer vagrant, tramp, vagabond.

omstridt at issue, in dispute, disputed.

omstyrt|e (*vb*) overthrow, subvert. **-else, -ing** overthrowing, overthrow, subversion.

omstøpe (*vb*) recast.

omstøte *vb* (*fig*) subvert; (*oppheve*) annul, invalidate, set aside; (*gjendrive*) refute.

omstående: *de ~* the bystanders; *på ~ side vil De finne en fortegnelse over* overleaf (*el.* on the next page) you will find a list of . . .; *se ~ side* see overleaf.

omsverme (*vb*) swarm round (*el.* about).

omsvermet (*adj*) fêted, much-courted.

omsving (*omslag*) sudden change.

omsvøp (*departementsmessig*) red tape; (*i alm.*) circumlocution; *gjøre ~* beat about the bush; *uten ~* plainly, without beating about the bush.

omsydd altered.

omsyn consideration. **-sledd** (*gram*) indirect object.

I. omtale (*subst*) mention, mentioning; report; *kjenne ham av ~* know him by report; *jeg kjenner ham av ~* (*også*) I have heard (a lot) about (*el.* of) him; *han fikk rosende ~* he was praised; he received a great deal of praise; he was complimented.

II. omtale (*vb*) mention, make mention of, speak of; refer to; *den omtalte bok* the book in question.

omtanke forethought, thoughtfulness, reflection; *hun er alltid så full av ~ for andre* she is always so thoughtful of others.

omtappe *vb* (*vin, etc*) rack (off).

omtelling re-count.

omtenksom thoughtful. **-het:** *se omtanke*.

omtrent about; (*nesten*) nearly; *~ det samme* much the same; *så ~* thereabouts.

omtrentlig approximate, rough; (*adv*) about, approximately.

omtumlet: *en ~ tilværelse* a stormy (*el.* unsettled) life.

omtvistelig debatable, disputable.

omtvistet disputed; (*se omstridt*).

omtåket (*uklar*) dim, hazy; (*drukken*) fuddled; *ett glass whisky er nok til å gjøre ham ~* one glass of whisky is enough to muddle him.

omvalg re-election.

omvandrende itinerant, travelling.

omvei roundabout way, detour; *gjøre en ~* make a detour; *på* (*el. ad*) *-er* by devious ways, by roundabout methods; *ad -er kom vi endelig fram* we finally got (*el.* arrived) there by an indirect route.

omveksling (currency) exchange; *man taper alltid på -en* you always lose something when you exchange currency.

omvending revolution; upheaval.

omvende *vb* (*rel*) convert; *~ seg* be converted; (*se omvendt*).

omvendelse conversion (*til* to).

omvendt inverted; the other way round; *en ~* (*rel*) a convert; *det -e av* the opposite of; *og ~* and conversely, and vice versa; *men i X var det* (ɔ: *forholdet*) *~* but in X the boot was on the other leg; *stå i ~ forhold til* be in reverse ratio to.

omverden surrounding world, surroundings.

omviser guide.

omvisning guided tour (*fx* of a museum).

omvurder|e (*vb*) revalue. **-ing** revaluation.

onani masturbation.

ond bad, evil, wicked; *-e tider* hard times; *-e tunger* wicked tongues; *-e øyne* evil eyes; *en ~ ånd* an evil spirit; *den -e* the evil one, the devil; *med det -e eller med det gode* by fair means or foul; *med -t skal -t fordrives* desperate ills need desperate remedies; US one must fight fire with fire; (*se vond*).

ondartet ill-natured; (*om sykdom*) malignant, virulent.

onde (*subst*) evil; (*sykdom*) complaint; trouble;

et nødvendig ~ a necessary evil; **av to -r velger man det minste** choose the lesser of two evils; (*se også mellom*).
ondsinnet ill-natured (*fx* gossip).
ondsinnethet ill-nature.
ondskap malice, wickedness, malignity, spite.
ondskapsfull malicious, malignant, spiteful.
ondulere (*vb*) wave.
onkel uncle; (*om lånekontor*) pawnbroker; *hos* ~ (ɔ: *pantelåneren*) T at (my) uncle's; **S up the spout.**
onn (work) season (on a farm); (*se høy-, vår-*).
onsdag Wednesday.
opal opal.
opera (*spill, bygning*) opera; (*bygning*) opera house. **-bygning** opera house. **-sanger, -sangerinne** opera singer. **-selskap** opera company. **-sjef** general manager of an (,the) opera.
operasjon operation; *foreta en* ~ undertake (*el.* perform) an o., operate (*fx* I'm afraid we shall have to operate); *foreta en* ~ *på en* operate (*el.* perform an o.) on sby; *en mindre* (*,større*) ~ a minor (,major) o.; *utføre en* ~ (*også mat. etc*) perform an o.; *underkaste seg en* ~ undergo an o.; T have an o.; (*se også operere*).
operasjons|basis operational base. **-bord** operating table. **-felt** field of operation; ⚔ operative field. **-sal** operating theatre; (*mindre*) operating room. **-sjef** ⚔ force commander. **-søster** theatre nurse (*el.* sister); US (*også*) operating sister.
operatekst book (of an opera), libretto.
operatør operator.
operer|e (*vi*) operate; (*vt*) operate on; ~ *bort* remove (*fx* I had my appendix removed *el.* I had my a. out); ~ *for* operate for (*fx* appendicitis); ~ *med* operate with (*fx et begrep* a concept), employ; *bli -t* be operated on, undergo (*el.* have) an operation; *la seg* ~: *se bli -t*; *som kan -es* operable; *som ikke kan -es* inoperable.
operette musical comedy.
opiat opiate.
opinion (public) opinion; *-en er på hans side* popular sympathies are on his side; he is backed up by public feeling; p. feeling is on his side; *skape en* ~ *for* create a public opinion in favour of.
opinionsytring expression of public opinion.
opium opium. **-dråper** laudanum.
opp up; (*opp i en høyere etasje*) upstairs; *lukk* ~ *døra* open the door; *vinduet fløy* ~ the window flew open; ~ *gjennom årene* through the years; *stå* ~ *mot* (*fx en vegg*) stand against; ~ *ned* wrong way up; ~ *og ned* up and down; *vende* ~ *ned* turn upside down; ~ *av vannet* out of the water; ~ *av senga* out of bed; *ta steiner* ~ *av bakken* take stones out of the ground; *opp med deg!* get up! (*se II. få & ordne*).
oppadgående upward (*fx* move, tendency); *for* ~ on the upgrade.
oppad|strebende aspiring. **-vendt** upturned.
oppagitert worked up.
oppamme (*vb*) nurse, suckle.
oppankret anchored.
opparbeide (*vb*) work up.
oppbevare (*vb*) keep.
oppblande (*vb*) mix; (*spe*) dilute.
oppblomstrende flourishing, prosperous.
oppblomstring flourishing; prosperity, growth, rise.
oppblussing fresh outbreak (*fx* of a fire); (*av følelser, også*) sudden outburst, flash; *en kort* ~ (*fig*) a flash in the pan.
oppbløte (*vb*) soften.
oppblø(y)tt soaked; sodden, soggy.
oppblåst inflated; swollen, arrogant; conceited, pompous.
oppbrakt (*sint*) exasperated; (*se også oppbringe*).
oppbrakthet exasperation.
oppbrent (*om ved, etc*) burnt through.
opp|brett turn-up. **-brettet** rolled up; turned up.
oppbringe *vb* (*et skip*) seize, capture (a ship).
oppbringelse capture, seizure.

oppbrudd breaking up, departure; *det var alminnelig* ~ (*fra selskap, etc*) everybody was leaving.
oppbruddssignal signal for departure.
oppbrukt consumed, exhausted; (*om penger*) spent.
oppbrusende quick-tempered, hot-headed, hot-tempered, fiery.
oppbud (*styrke*) force (*fx* a strong f. of police); posse; (*utskrevet*) levy; *med* ~ *av sine siste krefter* with a mustering of his (,her, *etc*) ebbing strength, mustering his (,her, *etc*) last ounces of strength, mustering his (,her, *etc*) last resources.
oppby (*vb*) use, exert, summon (*fx* all one's strength).
oppbygge *vb* (*virke moralsk oppbyggende på*) edify.
oppbyggelig edifying (*fx* (*iron*) that was e. to listen to!).
oppbyggelse (*rel*) edification.
oppbygging building up, construction; structure; composition; (*se pensum & bygge opp*).
oppbyggingsarbeid constructive work, w. of construction.
oppdage (*vb*) discover; (*oppspore, komme på spor etter*) detect; (*få øye på*) catch sight of, see, spot; (*bli klar over*) find out, find.
oppdagelse discovery; detection.
oppdagelses|betjent: *se kriminal-*. **-reise** expedition; voyage of discovery. **-reisende** explorer.
oppdager discoverer.
oppdekning laying; *det var en praktfull* ~ the table was laid in a splendid way.
oppdel|e (*vb*): *se dele opp*; *-ing av et tog* splitting up of a train.
oppdemme (*vb*) dam up.
oppdikte (*vb*) fabricate, invent, make up (*fx* a story); *en -t historie* a fabrication, an invention.
oppdiktet fictitious, imaginary, made up.
oppdisk(n)ing spread, sumptuous meal; *for en* ~! what a spread! what a marvellous meal!
oppdra (*vb*) educate, bring up.
oppdrag task, commission; *i hemmelig* ~ on a secret mission; *etter* ~ *fra* on the instructions (*el.* authority) of; *ha i* ~ *å* be charged with the task of; *fast* ~ (*banks for kunde*) standing order.
oppdragelse education, upbringing; (*det å være veloppdragen*) good manners; *mangle* ~ have no manners; (*se veloppdragen*).
oppdragelsesanstalt (*i England*) approved school; (*ofte*) Borstal institution; US reform school.
oppdragende educative, educational.
oppdrager educator.
oppdragsgiver principal; employer; *etter avtale med min* ~ by agreement (*el.* arrangement) with my employer.
oppdrett breeding, rearing, raising (of cattle); young cattle.
oppdrette (*vb*) breed, raise.
oppdretter breeder.
oppdrift buoyancy; (*fig*) ambition, drive.
oppdrive *vb* (*skaffe til veie*) obtain, procure; *det er ikke* (*til*) *å* ~ it is not to be had; *en godt oppdrevet gård* a well-cultivated farm; *i et høyt oppdrevet tempo* at a forced pace.
oppdynging heaping up, accumulation.
oppdyrke (*vb*) reclaim, bring under cultivation.
oppdyrking cultivation, culture.
I. oppe (*adv*) up; (*ikke lukket*) open; (*ovenpå i huset*) upstairs; (*ute av sengen*) up, out of bed; (*frisk igjen*) up (and about); *der* ~ up there; *her* ~ up here; ~ *fra* from above; ~ *fra taket* from the roof; *han er ikke* ~ *ennå* he is not out of bed yet; *han er tidlig* ~ *om morgenen* he is an early riser; *være* ~ *i årene* be getting on in years; *være* ~ *i fransk* be sitting for (*el.* be taking) an examination in French; (*se eksamen*); ~ *i et tre* up a tree; in a tree; *stå midt* ~ *i det* (*fig*) be in the thick of it; *hun var* ~ *i nesten 20 sigaretter pr. dag* she was up to nearly twenty cigarettes a day now; *prisen var* ~ *i* . . . prices stood at . . .

II. oppe (*vb*): ~ *seg* show off.
oppebie (*vb*) await, wait for.
oppebære (*vb*) receive, collect.
oppebørsel receipt, collection.
oppegående (*om pasient*) ambulatory, not confined to bed.
oppelske *vb* (*fig*) foster, nurture, cherish; encourage.
oppetter up; upwards.
oppfange (*vb*) catch; pick up; (*oppsnappe*) intercept, pick up.
oppfarende fiery, hot-tempered, irascible, testy.
oppfarenhet irascibility, testiness.
oppfatning apprehension; (*fortolkning*) interpretation, reading; *etter min* ~ in my opinion, as I understand it; *være sen i* -*en* T be slow on (*el.* in) the uptake.
oppfatningsevne (power of) apprehension.
oppfatte (*vb*) apprehend, perceive; (*fortolke*) interpret, read; *jeg hadde ikke* -*t navnet hans* his name had escaped me; ~ *et vink* take a hint; *det kan ikke* -*s med sansene* it is not perceptible to the senses.
oppfinn|e (*vb*) invent. -**else** invention. -**er** inventor. -**som** inventive. -**somhet** ingenuity, inventiveness, resourcefulness.
oppflamme (*vb*) inflame, fire.
oppflaske (*vb*) bring up on the bottle.
oppflytning remove; promotion.
oppflytte *vb* (*på skolen*): *se flytte opp*; *bli* -*t* get a remove.
oppfor up; ~ *bakke* uphill.
oppfordre (*vb*) call on, invite, exhort; request.
oppfordring invitation, call; request; *på* ~ on (*el.* by) request, when requested; *på hans* ~ at his request; *rette en* ~ *til* appeal to.
oppfostre (*vb*) rear, bring up; (*fig*) foster.
oppfriske (*vb*) freshen up, touch up; (*fig*) revive; (*kunnskaper*) brush up; (*bekjentskap*) renew.
oppfylle (*fig*) fulfil (,US: fulfill); ~ *en bønn* grant a request; ~ *sine forpliktelser* meet one'st engagements (,obligations, liabilities); ~ *en kontrakt* fulfil a contract; ~ *et løfte* fulfil a promise; ~ *et ønske* fulfil a wish, meet a wish; *oppfylt av beundring* filled with admiration.
oppfyllelse fulfilment; *gå i* ~ be fulfilled, come true.
oppfyring lighting a fire (*el.* fires).
oppfør|e *vb* (*bygge*) construct, erect; (*om skuespill*) perform, act; produce; (*i et regnskap*) put down, enter, specify; *to elever ble* -*t som fraværende* two of the pupils were marked absent; -*t i fakturaen* invoiced, charged in the invoice, stated on your (,*etc*) i.; ~ *på debetsiden* enter on the debit side; ~ *emballasjen med kr. . . . .* charge the packing at; ~ *seg* behave (oneself); ~ *seg dårlig* behave badly; *oppfør deg ordentlig*! behave yourself! behave yourself properly! (*se også*).
oppførelse (*av bygning*) erection; (*av skuespill*) performance; *huset er under* ~ the house is being built (*el.* is in process of construction); *hus under* ~ houses in construction.
oppf|øring: *se* -*førelse*.
oppførsel behaviour (,US: behavior), conduct; manners; ~ *mot* behaviour to (*el.* towards); *hva er det for slags* ~? (*irritert*) where are your manners? what a way to behave!
oppførselskarakter conduct mark.
oppgang ascent, rise; (*i et hus*) stairs; staircase; entrance (*fx* e. A); (*forbedring*) rise, improvement.
oppgangstid boom period, p. of prosperity.
oppgave (*merk*) statement; (*i detaljer*) specification; (*til løsning*) problem, task; (*stil-*) subject; (*eksamens-*) paper; (*verv*) business, job, task; *utvalgets* ~ *er å . . .* the purpose of the committee is to . . . ; *ikke noen lett* ~ not an easy job; *kandidaten må forsøke å besvare alle deler av* -*n* all sections of the paper should be attempted; *han har kommet til* ~ *nr. 3* he is on the third problem; *skrive en* ~ write a paper; (*stil-*) write an essay; *det er vår* ~ *å* it is our business to;

jeg ser det som min ~ *å . . .* I consider it my duty to; *være* -*n voksen* be equal to the task; *ifølge* ~ as advised; *nærmere* ~ *over* particulars of; *dette må være en intern* ~ *for den enkelte skole* this must be a (private) matter for the individual school; *det er en lærers* ~ *å hjelpe elevene* it's a teacher's business to help the pupils.
oppgavesamling set of exercises.
oppgi (*vb*) 1 (*meddele*) state, give (*fx* give details; state name and address); ~ *en pris* state (*el.* quote) a price; -*tt glose* word provided (*fx* 3 words are provided in this translation); *forelese over* -*tt emne* lecture on an assigned subject; *den* -*tte pris* the price quoted (*el.* stated); *vennligst* ~ *oss Deres priser på følgende varer . . .* will you please quote for the following items . . . ; kindly quote us your prices for the goods listed below; ~ *uriktig* misstate; 2 (*gi fra seg*) give up, relinquish; (*la fare*) give up, abandon (*fx* a plan); ~ *kampen* give up the struggle; T throw up (*el.* in) the sponge; ~ *en plan* (*også*) drop a plan; *planen er* -*tt* (*også*) the project is off; ~ *en sak på halvveien* let a matter drop halfway; ~ *mer av sin nasjonale suverenitet* renounce a larger measure of one's national sovereignty; ~ *ånden* give up the ghost.
oppgitt (*se også oppgi*) dejected, in despair; (*resignert*) resigned.
oppgivelse 1. statement; 2. abandonment, relinquishment, giving up; ~ *av suverenitets-rettigheter* delegation of sovereign rights; ~ *av deler av den nasjonale suverenitet* renunciation of part of one's national sovereignty.
oppgjør settlement; (*i forsikring*) adjustment; *be om* ~ ask for a s.; *jeg ba ham sende* ~ *for fakturaene av 2. og 6. oktober* I asked him to remit us for (*el.* send us a remittance in settlement of) the invoices dated October 2nd and 6th; *foreta* ~ make a s.; *ha et* ~ *med en* (*fig*) call sby to account; T have it out with sby.
oppgjøre (*vb*): *se gjøre opp; saken er oppgjort* the matter is settled; *saken er opp- og avgjort* the m. is settled and done with.
oppglødd (*fig*) enthusiastic (*over* about).
oppgravning digging-up, disinterment, exhumation.
oppgulp regurgitation.
oppgående rising; *for* ~ upward bound.
oppgått well-trodden (*fx* let's go along this path; it's more w.-t.); ~ *is* (*på bane*) chopped-up ice; (*se velbrukt 2*).
opphav origin, source.
opphavsmann originator, author.
oppheng(n)ing hanging, suspension.
oppheng(n)ingspunkt point of suspension.
opphengt hung, slung, suspended (*i, etter* by; *i, fra* from); *jeg er veldig* ~ *akkurat nå* T I'm terribly tied up just now.
opphete (*vb*) heat; ~ *for sterkt* overheat.
oppheve (*vb*) 1 (*avskaffe*) abolish, do away with (*fx en tollavgift* a duty); (*kontrakt*) cancel; (*jur*) annul; (*et importforbud*) remove (*el.* lift *el.* raise) a ban on imports; (*en lov*) repeal (an act); (*midlertidig*) suspend; (*kjennelse*) quash (*fx* a verdict); 2 (*en virkning*) neutralize, nullify (*fx* the effect of); ~ *hverandre* neutralize each other; ~ *en beleiring* raise a siege.
opphevelse (*se oppheve*) abolition; cancellation; annulment; repeal; suspension, neutralization; *uten* -*r* without further ceremony; *gjøre mange* -*r over* make a big fuss about.
opphisse (*vb*) excite, stir up, provoke; (*se hisse opp*).
opphogging breaking up; cutting up (*fx* wood).
opphold stay; (*stans*) break; (*pause*) interval; *uten* ~ without a break, without intermission; (*nøling*) without delay, without loss of time; *tjene til livets* ~ earn one's living.
oppholde *vb* (*hefte*) keep (*fx* I'm keeping you); (*sinke*) delay, hold up; (*la vente*) keep waiting; ~ *seg* (*midlertidig*) stay; (*på besøk*) be on a visit to; (*bo*) live; ~ *seg ved noe* dwell on sth.

oppholds|sted (place of) residence. **-tillatelse** residence permit.

oppholdsvær interval of fine weather, a dry spell.

opphope (*vb*) accumulate, amass, pile up.

opphoping accumulation.

opphovnet swollen. **opphovning** swelling.

opphør cessation, stop(page); (*avbrytelse*) interruption, discontinuance; *bringe til ~* bring to a conclusion (*el.* close), put an end to, cause to cease; *uten ~* incessantly, unceasingly, without a stop; (*se kontrakttid*).

opphør|e (*vb*) cease, stop, come to an end; *firmaet er -t* the firm no longer exists; *ilden -er!* ✗ cease fire!

opphørssalg clearance sale; closing-down sale; US closing-out sale.

opphøye (*vb*) raise, elevate; exalt; *~ et tall i 2. potens* square a number; *~ i tredje potens* raise to the third power; *cube* (*fx c. a number*); *~ en til ære og verdighet* raise sby to honour and dignity; *-t ro* sublime calm; *med -t forakt* with lofty scorn; (*se potens*).

opphøyelse raising, elevation; exaltation.

oppildne (*vb*) inflame, incite, rouse (*fx* sby to action).

oppimot 1. against; 2. close to, approaching.

oppirre (*vb*) irritate, exasperate, provoke.

oppjaget jittery, harassed; (*om vilt*) flushed.

oppkalle (*vb*) name (*etter* after).

oppkappet: *~ ved* logs of wood.

oppkast vomit; T puke, spew, sick (*fx* the cabin smells of sick).

oppkaste (*vb*) throw up; (*grave*) dig; *~ seg til dommer* set oneself up as a judge; *~ seg til kritiker* set up for (being) a critic, pose as a critic; (*se også kaste opp*).

oppkavet bustling, flurried; (*jvf oppjaget*).

oppkjøp buying up (wholesale).

oppkjøpe (*vb*): *se kjøpe opp.*

oppkjøper (wholesale) buyer; (*spekulant*) speculator.

oppkjørsel 1. driving up; 2. approach, drive; US driveway.

oppkjørt (*om vei*) cut up, rutty, rough; *en ~ vei* a badly cut-up road.

oppklare (*vb*) clear up.

oppkliebning pasting, sticking, gluing, mounting; *~ av plakater forbudt!* stick no bills!

oppklort full of scratches, badly scratched.

oppklossing ⚓ deadwood.

oppknappet unbuttoned.

oppkok 1. parboiling; 2 (*ny kokning*) reboiling; 3 (*fig*) re-hash (*fx* of old stories); *gi et lett ~* parboil.

oppkomling upstart, new rich, parvenu.

oppkomme (*subst*) issue of water; spring, vein; (*fig*) source (*fx* of inspiration, of strength); *det er ikke noe ~ i ham* he offers little in the way of original ideas.

oppkomst origin, rise; (*fremgang*) development; *i ~* rising.

opp|krav: *sende mot ~* send C.O.D. (*fk.f.* cash on delivery). **-kravsbeløp** trade charge (amount), amount of the trade charge. **-kreve** (*vb*) collect; (*fx* the amount will be collected on delivery); (*pålegge*) levy; *en avgift på 6d. -s ved utleveringen* a fee of 6d. is charged on delivery. **-krever** collector.

oppkveilet coiled up.

oppkvikke (*vb*) refresh, liven up.

oppkvikker 1. stimulant, tonic; 2 (*alkohol*) pick-me-up.

opplag (*av varer*) stock, store; (*av en bok*) edition; (*opptrykk*) reprint, impression; *en avis med et ~ på . . .* a newspaper with a circulation of . . . copies; *boka kom i ti ~* the book ran into (*el.* through) ten editions; *nytt ~* reissue; *i ~* (*på tollbod*) in bond; *skip i ~* laid-up ships (*el.* tonnage).

opplagret stored; warehoused.

opplags|avgift storage, warehouse rent. **-plass** storage yard, depot; warehouse accommodation. **-sted** place of storage. **-tomt** stocking grounds; stock yard; timber yard; (*se også skraphandler*: *-s opplagstomt*). **-tonnasje** laid-up tonnage.

opplagt in a good mood, fit, in form; (*selvfølgelig*) obvious; *en ~ vinner* (*i hesteveddeløp*) a sure bet; *et ~ tilfelle av bestikkelse* a clear case of bribery; *~ og full av arbeidslyst* fit and full of (*el.* bursting with) energy; *han var ikke ~ på spøk* he was in no mood for joking; *~ til å* in the mood for (-ing); *jeg er ikke ~ til å . . .* I don't feel like (-ing); *jeg føler meg ikke ~ til det i kveld* I don't feel up to it tonight.

oppland hinterland; *Oslo har et stort ~* Oslo serves a large area.

opplate (*vb*): *~ sin røst* raise one's voice, speak.

opplegg laying up (*fx* of ships); (*i strikning*) casting on; (*elektrisk*) wiring; *skjult ~* concealed wiring; (*av fonds*) reserves; general arrangement (*fx* the plan and g. a. of the dictionary remain substantially the same); *det passer fint inn i vårt ~* that fits in very well; *de handlet etter et bestemt ~* they were acting on definite plans; *de to ordbøkene er vidt forskjellige i intensjoner og ~* the two dictionaries are widely different in purpose and arrangement; *-et for denne nye utgaven . . .* the plan adopted for this new edition; *-et av en tale* the presentation of a speech; (*se røropplegg*).

oppleser reciter.

opplesning reading (aloud); recitation.

oppleve *vb* (*erfare*) experience, meet with; (*gjennomleve*) go through; *~ (å se)* live to see (*fx* he didn't live to see the liberation).

opplevelse experience, adventure; *vi ble en ~ rikere* this (experience) gave us a memory for life.

opplive (*vb*) revive, reanimate; (*oppmuntre*) enliven, cheer, exhilarate. **-nde** exhilarating, cheering.

opplosset landed, discharged.

opplys|e (*vb*) light up; illuminate; (*underrette*) inform; *etter hva han -er* according to him, as stated by him, according to his statement; *han -te at . . .* he informed us that; he said (*el.* stated) that . . .; he gave us the information that; *det ble -t at . . .* they informed me (,*etc*) that . . .; they stated that . . .; *etter hva som blir -t, befinner han seg ikke lenger her i landet* he is, we understand, no longer in this country; *videre bes -t om . . .* in addition, information is desired as to whether . . .

opplysende (*forklarende*) explanatory, informative; (*lærerik*) instructive; *~ eksempel* illustration; *~ med hensyn til* illustrative of.

opplysning lighting; (*åndelig*) enlightenment; education; information; *-en* (*tlf*) directory inquiries (*fx* lift the receiver and dial XOX for 'd. i.'); *en ~* a piece (*el.* item) of information; *en nyttig ~* a useful piece of i.; *andre -er* other i.; *hvis det ikke foreligger andre -er* failing i. to the contrary; *nærmere -er* particulars, further particulars; *etter de -er vi fikk fra . . .* according to i. supplied by . . .; *ifølge de -er han gir* as stated by him, according to him; *om meg selv kan jeg gi følgende -er* I should like to give the following information about myself; *allow me to give* (*el.* may I add) the f. i. about myself; *innhente -er* procure information; *samle inn -er bak de tyrkiske linjer* collect information behind the Turkish lines; (*se nedenstående*).

opplysnings|arbeid educational work. **-byrå, -kontor** inquiry office, information office.

opplyst lit (up), illuminated; well-informed, enlightened, educated; *det -e induluet* the lit-up window, the lighted window; *gatene var godt ~* the streets were brightly lit up; *vinduene var strålende ~* the windows were ablaze with lights.

opplæring training.

opplært trained.

oppløfte (*vb*): *ingen -t sin røst* nobody spoke (up).

oppløftende heart-warming, uplifting, edifying; *et ~ syn* an edifying spectacle; *dette synet må virke ~ på enhver* this sight must have an uplifting (*el.* edifying) effect on everyone.

opplop disturbance, riot; (*veddeløp, etc*) finish; (*fotball*) attack, run (*fx* they have had one or two runs); *i -et* at the finish; *det ville bli ~ hvis ...* a crowd would collect if ...

opplopen overgrown, lanky.

opplopssiden (*skøyter*) the home straight; (*jvf langside: siste ~*).

oppløse *vb* (*hær*) disband, demobilize; (*forsamling, vennskap, ekteskap*) dissolve; (*desorganisere*) disorganize; *○* resolve, decompose; (*mekanisk, tilintetgjøre sammenhengen*) disintegrate; *oppløst i tårer* dissolved in tears; *~ seg* dissolve, melt, resolve, be dissolved (*i* into); disperse; *forsamlingen oppløste seg* the assembly broke up.

oppløsning breaking up; dissolution; disorganization; *○* resolution, dissolution, decomposition; (*konkret*) solution; *nasjonal ~* national disruption; *Stortingets ~* the dissolution of the S.; (*se storting*).

oppløsningstilstand state of decomposition; (*fig*) state of disintegration.

oppmagasinere (*vb*) store,· warehouse.

oppmann umpire, arbitrator; (*sport*) referee; (*ved eksamen*) extra examiner, another examiner.

oppmannssensur [referring an examination paper to an extra examiner for a decision].

oppmarsj marching up; (*strategisk*) concentration.

oppmerke (*vb*): *se merke opp; dårlig -t vei* inadequately signposted road.

oppmerksom 1 (*aktpågivende*) attentive, observant; 2 (*forekommende*) attentive; (*hensynsfull*) considerate (*mot* to, towards); *bli ~ på* notice, become aware of; *vi følger -t med i denne sak* we are following this matter with close attention; *gjøre ~ på* call (*el.* draw) attention to; *gjøre ~ på at* draw attention to the fact that ...; point out that; *gjøre en ~ på noe* call (*el.* draw) sby's a. to sth; *vi har gjort vår kunde ~ på dette* we have brought this matter to the attention (*el.* notice) of our customer; *jeg er blitt gjort ~ på at ...* I have been informed that; it has been brought to my notice that; it has come to my notice that; my attention has been drawn (*el.* called *el.* directed) to the fact that; *det ble uttrykkelig gjort ~ på dette forhold* this condition was expressly stated; *være ~ på* be aware of; realize, realise, notice; *vi må være ~ på at* (*ɔ: ta i betraktning at*) we must bear in mind that ... ; we must take into account that; *jeg var ikke ~ på at* I was unaware that; I had overlooked the fact that; *vi beklager at vi ikke var ~ på at ...* we regret having overlooked the fact that.

oppmerksomhet 1 (*aktpågivenhet*) attention; 2 (*vennlighet*) attention; (*det å være forekommende, også*) attentiveness; 3 (*gave*) present, token of esteem; *en ~ mot* an attention to, an act (*el.* mark) of a. to; *som en liten ~ tillater vi å overrekke Dem en flaske sjampanje* as a mark of our regard we are making you a small gift of a bottle of champagne; (*se også overrekke*); *avlede -en* distract attention; *ha sin ~ henvendt på* be aware of; *vi har vår ~ henvendt på saken* the question (‚the matter) is engaging (*el.* receiving) our attention; *henlede* (*ens*) *~ på* draw (*el.* call *el.* direct) sby's attention to; *påkalle ~* claim attention; *vekke ~* attract a.; *vise en en ~* show sby an a.; *vise henne små -er* show her little attentions; (*se unndra; unngå; vie*).

oppmudring dredging.

oppmuntre (*vb*) cheer; (*gi mot*) encourage; (*fremme*) encourage, promote. **-nde** encouraging; *lite ~* discouraging.

oppmuntring encouragement, incentive; *mangel på ~* lack of encouragement.

oppmuntringspremie consolation prize.

oppmykningsøvelser (*pl*) limbering-up exercises.

oppmåling surveying.

oppmålingsfartøy surveying vessel.

oppmålingsforretning survey, surveying.

oppmålingssjef city surveyor; (*ofte slått sammen med kommuneingeniørstillingen*) city engineer and surveyor; (*jvf teknisk rådmann*).

oppnavn nickname.

oppnevne (*vb*) appoint; (*oppstille*) nominate; *det offentlige har oppnevnt høyesterettsadvokat Richard Doe som forsvarer* Richard Doe, Barrister -at-Law, has been officially appointed to appear for the accused; *offentlig oppnevnt forsvarer* publicly appointed Defence Counsel.

oppnå (*vb*) attain, gain; *her -r fjellet en anselig høyde* the mountains rise here to a considerable height; *~ enighet* arrive at an agreement, obtain agreement; *~ en pris* obtain (*el.* get) a price (*fx* for an article); *~ et resultat* achieve a result; *han -dde det han ville* (*også*) he gained his point; *det -r vi ikke noe ved* T that won't get us anywhere; that won't do us any good; *~ å* manage to; *han -dde ikke å ...* he failed to ...; *du -r ikke noe hos meg med det der!* that won't get you anywhere with me.

oppnåe|lse attainment. **-lig** attainable.

oppofre (*vb*) sacrifice.

oppofrelse sacrifice.

oppofrende self-sacrificing.

oppom (*adv*) up past, up to; *han la veien ~ Galdhøpiggen* he went up to the top of G.; *jeg kommer ~ i morgen* I'll come round tomorrow; *jeg kommer ~ deg når jeg er i byen* I'll look you up when I'm in town; *han stakk ~ oss i går* he popped (*el.* dropped) in to see us yesterday; T he blew in here (*el.* at our place) y.; he put in an appearance y.

opponent opponent.

opponere (*vb*): *~ mot* oppose, raise objections to.

opportun expedient, opportune.

opportunist, opportunistisk opportunist.

opposisjon opposition; *i ~ til* in o. to; *stille seg i ~ til* oppose; *være i ~ til* oppose, be opposed to.

opposisjonell oppositional, given to contradiction.

opposisjons|lyst argumentativeness, contrariness. **-lysten** argumentative, disputatious. **-parti** opposition party.

oppover up (*fx* up the stairs); (*~ bakke*) uphill, up the hill.

oppoverbakke up-gradient, acclivity, ascending stretch of the road.

opp|pakning pack. **-passer** ✕ batman. **-pisket:** *en bevisst ~ krigsstemning* a warlike atmosphere that has been deliberately whipped (*el.* stirred) up. **-plantet** *adj* (*bajonett*) fixed. **-pussing** touching up, renovation, decoration; (*se pusse opp*).

oppramsing rattling off, reeling off.

oppredd (*seng*) made.

oppregning enumeration.

oppreise (*vb*) erect (*fx* a perpendicular on a line); *~ fra de døde* raise from the dead.

oppreisning reparation, redress; (*æres-*) satisfaction; *forlange ~* demand satisfaction.

oppreist erect, upright.

oppreklamert boomed, boosted, puffed.

opprenskningsoperasjoner (*pl*) ✕ mopping-up operations.

opprett upright, erect, straight.

opprette (*vb*) 1 (*grunnlegge, sette i gang*) establish (*fx* an agency, a business); found (*fx* a university); (*få i stand*) make (*fx* a contract), conclude (*fx* a contract, an agreement), enter into (*fx* an agreement); (*ta skrive*) draw up (*fx* a document); 2 (*gjøre godt igjen*) make good (*fx* an error, the damage); repair (*fx* a loss, losses), make up for (*fx* a loss); 3 (⊕ *rette opp*) align, line up; true (up) (*fx* a plate).

opprettelse establishment, foundation; reparation.

oppretterverksted (*for biler*) panelbeater's (shop).

opprettholde (*vb*) uphold; maintain; keep up (*fx* he won't be able to k. up this extravagant way of life for long); (*se straffeutmåling*).

opprettholdelse maintenance.

opprevet cut, torn up; (*om nerver*) shattered, shaken.

oppriktig sincere; candid; frank; ~ *talt* frankly speaking; to tell the truth.

oppriktighet sincerity; candour (,US: candor), frankness.

oppring(n)ing call.

opprinne (*vb*) dawn; *den dag -r aldri* that day will never come.

opprinnelig (*adj*) original; (*adv*) originally.

opprinnelighet originality.

opprinnelse origin, source.

opprinnelsespostverk administration of origin.

opprinnelsessertifikat certificate of origin.

opprivende agonizing, harrowing.

opprop (*navne-*) roll call; (*fig*) appeal.

opprulle (*vb*): *se rulle opp.*

opprulling rolling up; revelation, exposure (*fx* of a plot).

opprustning rearmament. **-skappløp** armaments race (*fx* a furious a. r.).

opprydding clearing.

oppryddingsarbeid clearance work.

opprykk advancement, promotion; (*se avansement & forfremmelse*).

opprykk|muligheter (*pl*) chances (*el.* prospects) of promotion; «gode ~» good prospects (of promotion). **-stilling** post for promotion.

opprykning promotion.

oppromt elated, in high spirits.

oppromthet elation, high spirits.

opprør (*uro*) uproar; (*oppstand*) rebellion, sedition, insurrection; (*tumult*) riot; (*mytteri*) mutiny, revolt; (*i sinnet*) agitation, excitement; *få i stand et* ~ stir up a revolt; *gjøre* ~ revolt, rebel; *franskmennene gjør* ~ the French are in revolt (NB *ikke* 'are revolting'; *se motbydelig*); *de gjorde* ~ they revolted.

opprøre (*vb*) rouse to indignation, make indignant, shock, disgust (*fx* his business methods d. me).

opprørende shocking; (*om behandling*) outrageous; *det er* ~ *å høre* it makes one's blood boil to hear; *et* ~ *syn* a shocking sight.

opprører rebel, insurgent.

opprørsk rebellious, seditious, mutinous.

opprørskhet rebelliousness, seditiousness.

opprørt (*om havet*) rough, troubled; (*fig*) indignant, shocked; *alle er* ~ *over det* T everybody is up in arms about it.

opprådd at a loss; perplexed; *vi er* ~ *for disse stolene* we are in urgent need of these chairs; we need these chairs urgently.

oppsalt ready saddled. **oppsaling** saddling.

oppsamling collection, accumulation.

oppsang work song; (*sjømanns-*) shanty.

oppsats (*på bordet*) centre-piece; cruet stand; (*se oppsett*).

oppsatt: ~ *på* bent (up)on, keen on (*fx* doing sth); ~ *avdeling* ✕ activated unit; ~ *hår* 1. hair (put) on top; 2. hair in curlers (*el.* rollers).

oppseiling: *være under* ~ 1 (*om skip*) be approaching, be drawing near; 2 (*fig*) be under way, be in the air, be in the offing; *et uvær er under* ~ a storm is brewing.

oppsetsig refractory, stubborn, insubordinate; *bli* ~ T kick over the traces, cut up rough.

oppsetsighet refractoriness, insubordination.

oppsett 1. layout (*fx* of a page, of an advertisement); 2 (*måte å publisere noe på*) display (*fx* of an article); 3. notice, news item (*fx* the Daily Mail had a 12-line news item about the matter); piece (*fx* there is a p. about it in the paper);

før vi går i detaljer når det gjelder -et av forretningsbrev (1) before we go into the details of the composition of business letters. . .

oppsette *vb* (*utsette*) put off, defer, postpone; (*se oppsatt*).

oppsettelse postponement, delay, deferment, putting off.

oppsi *vb* (*leier, leilighet*) give notice; (*stilling*) resign; give notice; (*kontrakt*) terminate a contract; (*lån*) call in; *bli oppsagt* get notice (to quit), be given notice; (*jvf si opp*).

oppsigelig terminable; (*obligasjon*) redeemable; (*om funksjonær*) subject to dismissal; (*om embetsmann*) removable.

oppsigelse dismissal, notice (to quit); (*av kontrakt*) termination; (*av lån*) calling in; *en måneds* ~ a month's notice; *3 måneders gjensidig* ~ (*om stilling*) the employment is terminable by either side giving three months' notice; *inngi sin* ~ tender one's resignation; *uten* ~ without giving notice.

oppsigelsesfrist: *3 måneders gjensidig* ~ three months' notice on either side; *for stillingen gjelder 3 måneders gjensidig* ~ the employment is terminable by either side giving three months' notice.

oppsigelsestid term (*el.* period) of notice.

oppsikt attention; (*sterkere*) sensation; *vekke* ~ attract attention, create a stir; cause a sensation; (*se oppsyn*).

oppsiktsvekkende sensational.

oppsitter tenant farmer; (*jur*) freeholder.

oppskak|ende upsetting, perturbing. **-et** perturbed, flustered, upset.

oppskjær (*pålegg*) cooked meats; US cold cuts.

oppskjørtet (*fig*) flustered, excited; bustling.

oppskremt alarmed, startled.

oppskrift recipe; ~ *på en omelett* recipe for an omelette; (*norm*) formula (*fx* a familiar f.); *etter god gammel* ~ (*fig*) in the good old way; on the good old lines; *det er ikke etter min* ~ (*fig*) it does not suit my book; T it's not my cup of tea (*el.* my ticket).

oppskrubbet abraded, scraped (up); (*jvf oppklort*).

oppskrudd: ~ *pris* exorbitant price.

oppskrytt overpraised, puffed up, blown up, overadvertised, ballyhooed.

oppskåret cut, sliced; (*flenget opp*) s lashed.

oppslag (*på klesplagg*) cuff, lapel; (*jvf buksebrett*) (*kunngjøring*) notice; (*plakat*) bill, placard; (*av forlovelse*) breaking off; (*i ordbok*) entry.

oppslagsbok book of reference.

oppslagsord entry, entry word, head word, words for reference (*fx* in our choice of w. for r. . .).

oppslagstavle notice board; (*også* US) bulletin board.

oppslagsverk reference work (*el.* book).

oppsluke (*vb*) swallow up, absorb.

oppslå (*vb*): *se slå opp; en -tt bok* an open(ed) book; *-tt krage* turned-up collar; *med -tt paraply* with one's umbrella up.

oppsnappe *vb* (*fig*) catch; (*brev*) intercept.

oppsop sweepings.

oppspart: *-e penger* savings; *jeg har noen penger* ~ I have some money saved up; I have something (*el.* some money) put by (for a rainy day).

oppspedd diluted, thinned.

oppspilt distended; (*fig*) worked up, wound up (*fx* the children were so wound up that we could scarcely get them to bed); *med* ~ *gap* with mouth wide open; *med -e øyne* wide-eyed.

oppspinn fabrication, an invention.

oppspist: *han er helt* ~ *av mygg* he has mosquito (*el.* gnat) bites all over.

oppspore (*vb*) track down, trace, run to earth.

oppspytt expectoration; sputum (*fx* a cough with blood-stained sputum).

oppstand rebellion, revolt, insurrection, rising; *gjøre* ~ rise (in rebellion), rebel, revolt; *deltager i* ~ insurgent; (*jvf opprør*).

oppstandelse (*fra de døde*) resurrection; (*røre*) excitement, hullabaloo, hubbub, stir, commotion.

oppstaset T dressed up to the nines, dressed to kill.

oppstemt (*i godt humør*) in high spirits.

oppstigende ascending, rising.

oppstigning ascent.

oppstille (*vb*) set up, put up; arrange; (*se også stille opp*).

oppstilling setting up, putting up; arrangement, disposition; layout (*fx* the l. of a business letter); (*kommando*) ~! fall in! *ta* ~ take up one's position; (*om soldat*) fall into line.

oppstillingssporgruppe (*jernb*) set of splitting -up sidings.

oppstiver: *se oppstrammer.*

oppstoppernese snub nose, turned-up nose.

oppstrammer tonic, pick-me-up; (*skarp tiltale*) rating, talking-to, dressing-down, tick-off.

oppstuss hullabaloo, stir, commotion.

oppstykke (*vb*) divide, split up.

oppstyltet (*fig*) stilted.

oppstyr hullabaloo, stir, commotion.

oppstøt belch, burp; regurgitation; *ha* ~ belch; (*om baby*) burp; *ha sure* ~ have an acid stomach; suffer from acidity; *jeg får* ~ *av maten* my food repeats.

oppstå (*vb*) **1** (*bli til*) come into being (*el.* existence); (*hurtig*) spring up (*fx* new towns sprang up); (*om brann, epidemi*) break out; (*om brann, også*) originate; **2** (*melde seg*) arise (*fx* a conflict, a difficulty, a quarrel arose); *det oppsto en pause* there was a pause; *forat det ikke skal* ~ *noen tvil* in order that no doubt shall arise; to forestall any doubts about the matter; **3** (*fra de døde*) rise (from the dead); (*se forsinkelse*).

oppsuge (*vb*) absorb.

oppsummere (*vb*) sum up.

oppsummering summing up.

oppsving advance, progress; (*i næringslivet*) boom; (*etter nedgang*) (trade) recovery; *i sterk* ~ rapidly improving, booming; *en* ~ *i eksporten* an export surge; *bruktbilsalget har fått en voldsomt* ~ the sale of used cars has received (*el.* been given) a tremendous impetus; *få en* ~ (*etter nedgangstid, også*) recover, revive.

oppsvulm|et swollen. **-ing** swelling.

oppsyn supervision, control; *under* ~ *av* under the supervision of; *ha* ~ *med* look after, superintend, have charge of; *jeg liker ikke -et på ham* T I don't like the look of him.

oppsyns|fartøy patrol boat, inspection vessel; fishery protection vessel. **-havende** superintending, in charge. **-mann** inspector, superintendent, attendant, warden; (*ved idrettsplass*) groundsman; (*jernb: ved anlegg*): *intet tilsv.*, *se banemester.* **-personale** (*fx ved museum*) warding staff.

oppsøke *vb* (*besøke*) go and see, look up, call on.

oppta *vb* (*plass, tid, oppmerksomhet*) take up, occupy; (*som kompanjong, medlem, etc*) admit (*fx* sby as a partner); ~ *bestillinger* take (*el.* book) orders; ~ *forhør* over examine; ~ *forretningsforbindelse med* open up (*el.* form) a business connection with; ~ *en fortegnelse over* draw up a list of, make a list of; ~ *et lån* raise a loan (*på* on); ~ *saken til ny behandling* re-hear the case; ~ *som en fornærmelse* take (*el.* look upon) as an insult; *spørsmålet -r oss* the question occupies our thoughts; *bankfolk er -tt av spørsmålet* the question is engaging the minds of bankers; (*se også opptatt*).

opptagelse taking (up), admission; adoption.

opptagelsesprøve entrance examination.

opptak (*bånd-, etc*) recording; (*radio-*) broadcast commentary (*fx* a b. c. on the Derby from Epsom); (*film-*) shot; (*det å*) shooting; *gjøre et* ~ *record*, make a recording; *gjøre* ~ *på stedet* (*film*) shoot location scenes; ~ *på tid (fot)* time exposure; *nytt* ~ (*film*) retake.

opptakt ♪ upbeat; (*i metrikk*) anacrusis; (*fig*) prelude (*til* to); preliminaries; *-en til* (*også*) the opening of; *disse diskusjonene dannet -en til konferansen* these discussions formed the prelude to the conference.

opptatt (*om person*) busy, engaged; taken up (*av, med* with); preoccupied (*av* with), absorbed, engrossed (*av* in, by); (*om drosje, tlf, w.c.*) engaged; ~! (*tlf*) line engaged! US line busy; *denne plassen er* ~ this seat is taken; *alt* ~ (*i hotell, etc*) full up, booked up; ~ *med* taken up with (*fx* he was so t. up with the difficult questions which he worked at that . . .); *han er* ~ *med en pasient akkurat nå* he's engaged with a patient just now; ~ *med å gjøre noe* busy doing sth, engaged in doing sth; *jeg er svært* ~ I'm very busy; *er du* ~ *i kveld?* have you anything on for tonight? are you doing anything with yourself tonight? (*se også oppta*).

opptegnelse note, memorandum, record.

opptelling counting, count; (*oppregning*) enumeration.

opptog procession; *barna var med i et* ~ the children were in a p. (*el.* took part in a p.).

opptrapping stepping up (*fx* the s. u. of the war in X), escalation; (*jvf nedtrapping*).

opptre (*vb*) **1** (*vise seg*) appear, make one's appearance; ~ *i radio* (*i TV*) appear on the radio (,on TV); ~ *i radio* (*også*) broadcast; ~ *i retten* appear in court; (*på scenen*) appear, act, perform; (*om dresserte dyr*) perform; (*oppføre seg teatralsk*) pose, act a part; **2** (*oppføre seg*) behave (*mot, overfor* to); (*fungere*) act (*fx* act as host); ~ *på egen hånd* act on one's own; ~ *på ens vegne* act for sby, represent sby; ~ *på Deres vegne* act on your behalf; ~ *bestemt overfor en* be firm with sby; ~ *under falsk navn* go by a false name; **3** (*ytre seg, forekomme*) occur.

opptreden **1.** appearance, performance; **2.** behaviour (,US: behavior), conduct; (*handlemåte*) action; **3** (*forekomst*) occurrence; *første* ~ (**1**) first appearance, début; *fast* ~ (ɔ: *handlemåte*) firm action; *hans* ~ *mot meg* his conduct towards me; *han har en høflig, dannet* ~ he is polite and courteous; *samlet* ~ joint action.

opptredende (*pl*): *de* ~ the performers; (*om skuespillere*) the actors.

opptrekkbar: *-t* (*om flys understell*) retractable.

opptrek|ker swindler. **-keri** swindling; extortion; *slike priser er det rene* ~ prices like that (*el.* those) are sheer robbery; such prices are simply extortionate.

opptrinn scene; episode, incident.

opptrukket (*flaske*) opened, uncorked; ~ *linje* full-drawn line; (*på ny*) touched-up line (NB the line is touched up with a pencil); (*mots. stiplet linje*) solid line; *innenfor den opptrukne ramme* within the framework established.

opptrykk impression, reprint.

opptråkket well-trodden; (*se oppgått*).

opptuktelse discipline; (*se natur*).

opptur journey up.

opptøyer (*pl*) riots, a riot, disturbances.

oppunder up under; ~ *land* near land; *støtte* ~ support.

oppvakt bright, intelligent.

oppvakthet brightness, intelligence.

oppvarme (*vb*) heat, warm; (*om mat*) warm up, re-cook; T hot up (*fx* hotted-up food).

oppvarming heating; (*mindre sterkt*) warming; (*se I. lys*).

oppvarmingstid (*ovns*) heating (-up) period; *presse ovnen i begynnelsen av -en* force the stove when starting to heat up.

oppvarte (*vb*) wait on, attend on, serve; (*uten objekt*) wait, serve; ~ *ved bordet* wait at table; (*se også varte opp*).

oppvarter waiter.

oppvartning waiting, attendance; *gjøre en sin* ~ wait on sby, pay one's respects to sby.

oppvask washing-up; (*det som vaskes*) dishes;

hjelpe til med -en lend a hand with the dishes; *la -en stå* leave the washing-up till later.

oppvask|balje washing-up bowl. **-benk** sink unit; US sink cabinet, cabinet sink. **-gutt** dishwasher, washer-up. **-klut** dishcloth. **-kost** dish brush. **-kum** sink, bowl (*fx* sink unit, with stainless steel bowl). **-maskin** dishwashing machine. **-stativ** dish draining rack. **-vann** dishwater.

oppveie (*vb*) **l** (*erstatte, gjenopprette, etc*) compensate for (*fx* a disadvantage, a loss); make up for; make good; be an offset to, offset (*fx* in order to o. this disadvantage); counterbalance (*fx* the two forces c. each other); *mer enn* ~ outweigh (*fx* the advantages o. the drawbacks); **2** (*være like god som*) be as good as, be equal to, be a (good) substitute for; **3** (*nøytralisere*) neutralize (*fx* a force); *hans gode egenskaper -r hans mangler* his good qualities make up for (*el.* offset) his shortcomings; *vi har ingenting som kan* ~ *alle våre offer* (*også*) we have nothing to show for all our sacrifices.

oppvekke (*vb*): *se vekke*; ~ *fra de døde* raise from the dead.

oppvekst adolescence; *i* (*el. under*) **-en** during his (,her, *etc*) a.; during a.; while growing up; *hemmet i* **-en** stunted (in one's growth).

oppvigl|e (*vb*) stir up; ~ *til voldshandlinger* instigate acts of violence. **-er** agitator. **-eri** agitation; subversive activities.

oppvind (*meteorol*) upwind; (*for seilfly*) up **-current**.

oppvise (*vb*) show, exhibit; (*med stolthet*) boast (*fx* the college boasts a beautiful garden); ~ *gode resultater* show good results.

oppvisning display, show.

oppvoksende: *den* ~ *slekt* the rising (*el.* coming) generation.

oppvåkning awakening.

opp|øve (*vb*) train; develop (*fx* an oral command of French); (*se leseferdighet*). **-øvelse** training.

oppå on, upon, on top (of).

optiker optician. **optikk** optics.

optimisme optimism; *det er grunn til behersket* ~ *på treforedlingsmarkedet* there is reason for mild optimism on the wood products market.

optimist optimist. **-isk** optimistic.

optisk optical; ~ *bedrag* optical illusion.

or ⚕ (*tre*) alder.

orakel oracle.

orakelsvar oracular reply.

orangutang orang-outang, orang-utan.

oransje orange. **-gul** orange.

oratorisk oratorical.

oratorium ♪ oratorio; (*rel*) oratory.

ord word; ~ *og uttrykk* words and phrases; (*se nyttiggjøre seg*); *tomme* ~ empty (*el.* idle) words; *for gode* ~ *og betaling* for love or money; *-et er fritt* the meeting is open for discussion; *med ett* ~ in a word; *med andre* ~ in other words; *med rene* ~ in so many words; *et* ~ *i rett(e) tid* a word in season; *det er mitt siste* ~ *i saken* I've said my last word on the matter; ~ *til annet*, ~ *for* ~ word for word, verbatim; *det er rene* ~ *for pengene* that is plain speaking; T that is short and sweet; *be om -et, forlange -et* request leave to speak; *jeg ber om -et!* I ask to speak! US I ask for the floor; *jeg frafaller -et* I waive my right to speak; *jeg fratar taleren -et* (*formelt*) I direct the speaker to discontinue his speech; *føre det store* ~ dominate, be (the) cock of the walk; T be the big noise; *føre -et* be the spokesman; act as spokesman (*for* for); (*snakke meget*) do the talking; (*dosere*) lay down the law; *gå fra sitt* ~ break one's word; *jeg har gitt ham mitt* ~ *på det* I have given him my word on it; *jeg gir -et til herr N. N.* I call on Mr. N. N.; *ha* (,*få*) ~ *på seg for å have* (,get) the reputation of (-ing); *han har ikke det beste* ~ *på seg* he does not enjoy the best of reputations; *ha -et* be speaking, have (*el.* hold) the floor; *holde sitt* ~ be as good as one's word, keep one's word; *dette kommer til -e i noen ameri-*

kanske kommentarer this is voiced in some American comments; *legge inn et* (*godt*) ~ *for en* put in a good word for sby; *det ene -et tok det andre* one word led to another; *ta -et* rise (to speak); address the meeting; US take the floor; *ta til -e for* advocate (*fx* reform); *ta til -e mot* oppose, speak up against; *ta sterkt til -e mot* argue strongly against; *ta en på -et* take sby at his word; *De kan tro meg på mitt* ~ you may take my word for it; *før man visste -et av det* T before you could say knife (*el.* Jack Robinson); (*se II. gli & levende*).

ordbetydning literal signification.

ordbok dictionary; ~ *som på et tilfredsstillende grunnlag dekker norsk dagligtale* a d. which covers Norwegian everyday speech in a basically sound way; (*se I. ramme & satse*).

ordboksartik|kel entry (in a dictionary); **-ler** entries (in dictionaries).

ordboks|forfatter dictionary-maker, lexicographer, the compiler of a dictionary. **-publikum**: *de krav et norsk* ~ *uvegerlig vil stille* the unfailing requirements of potential Norwegian purchasers of the dictionary (,of dictionaries). **-sredaktør** editor of a dictionary.

ordbssituasjonen: ~ *her i landet er fortvilt vanskelig* the position as regards dictionaries is desperately difficult in this country.

ord|bøyning inflection. **-dannelse** word formation.

orden (*i alle betydninger*) order; *for -s skyld* as a matter of form, to make sure; *for the record*, to keep the record straight; *i* ~ in order; T O.K.; *det er i* ~ that's all right; *De kan således anse denne sak for å være i* ~ (ɔ: *avgjort*) you may thus regard this matter as settled; *alt er i* ~ *mellom dem igjen* everything is all right (*el.* back to normal) again between them; *få* ~ *på*, *bringe i* ~ put in order, put right, get straight (*fx* get one's affairs s.); *gå i* ~ be settled, be arranged; *det går nok i* ~ that will be all right; that will sort itself out; it will all work out; *i sin* ~ as it should be; *i tur og* ~ one after the other; one after another; *kalle til* ~ call to order; *det hører til dagens* ~ it is of everyday occurrence; that is an everyday occurrence; *bli opptatt i en* ~ be admitted into an order.

ordens|bror brother of a religious order. **-bånd** ribbon. **-drakt** habit (of an order). **-mann** 1. a person of regular habits, (very) methodical person; *han er en* ~ he is a very methodical man; (*lett neds*) he's a stickler for order; 2 (*i skoleklasse*) monitor. **-menneske**: *se -mann 1*. **-politi** uniformed police; US patrolmen, policemen on the beat; riot squad. **-promosjon** presentation ceremony (of royal orders). **-regel** (*rel*) rule (of an order); *-regler* (*i skole, etc*) (school) rules, house rules, regulations (*fx* observe the regulations). **-sans** sense of order. **-tall** ordinal number. **-tegn** badge (of an order of chivalry).

I. ordentlig (*adj*) **1** (*om renslighet, properhet*) orderly, well-ordered (*fx* home), well-regulated (*fx* business); (*pent, ryddig*) tidy (*fx* room, bookshelves), neat; *det var pent og* ~ *i huset* the house was clean and tidy; the h. was nice and clean (and tidy); **2** (*som har ordenssans*) orderly, methodical; **3** (*stø, etc*) steady, of regular habits; *han fører et svært* ~ *liv* he leads (*el.* lives) a well-regulated life; *en* ~ *pike* a decent girl; **4** (*punktlig, nøyaktig*) accurate, punctual, careful (*fx* he's very c. with his work); **5** (*riktig, anerkjent*) regular, proper (*fx* doctor, nurse); *en* ~ *ferie* a regular (*el.* real) holiday (,US: vacation); *et* ~ *måltid* a real (*el.* square) meal; **6** (*som forslår*) regular, thorough (*fx* give the engine a t. overhaul); T colossal (*fx* a c. celebration); terrible (*fx* I've got a t. cold); and no mistake (*fx* he's a fighter, and no m.); S some (*fx* det var en* ~ *sigar!* some sigar (that)!); **7** (*god*) good (*fx* a g. fire), decent; *han bestiller ikke noe* ~ he doesn't do any real work; *det er på tide han lærer noe* ~ it's (high) time he learnt sth useful; *en* ~ *dumhet* a colossal blunder; *De har sannelig* hatt en ~ ferie you (certainly) have had a holiday! what a h. you have had! -e klær decent clothes; bli et ~ menneske (om forbryter, etc) go straight, reform; en ~ omgang (juling) a sound beating; vi spiller ikke på ~ we're not playing for keeps; ikke på ~ not really.

II. ordentlig adv (se I. ordentlig) properly; tidily, neatly; decently; duly (fx a duly addressed and stamped letter); thoroughly (fx I got t. wet; we beat them t.); awfully (fx it hurt a.); T like anything (fx they worked l. a.); well (fx you must be able to speak the language w.); du har arbeidet ~ i dag you certainly have worked today; betale ~ pay well; pay a decent wage (,price); det brenner ikke ~ it doesn't burn properly; oppføre seg ~ behave properly; oppfør deg ~! behave yourself! sitte ~ sit properly; det var ~ snilt av deg that was really extremely nice of you; bli ~ redd be thoroughly frightened.

ord|fattig having a limited vocabulary; taciturn, of few words (fx he's a man of f. w.). **-flom** torrent of words. **-forklaring** definition (el. explanation) of a word (,of words). **-forråd** vocabulary (fx a rich v.).

ordfører (i engelsk bykommune) mayor (fx m. of a county borough); (i landkommune) chairman (fx of a county council); (i Londons City og enkelte andre byer) Lord Mayor; (i Skottland) provost; Lord Provost; (om ikke eng. forhold ofte) burgomaster; (i forening) president; (i forsamling) chairman; (ved deputasjon, etc) spokesman; lagrettens ~ foreman of the jury.

ordgyter windbag.

ordgyteri verbosity, verbiage.

ordholden as good as one's word, honest, reliable; han er ~ (også) he is a man of his word.

ordholdenhet fidelity to one's promises, honesty.

ordinasjon (rel) ordination; (leges) prescription.

ordinat (mat.) ordinate.

ordiner|e (vb) ordain; (om lege) prescribe; la seg ~, bli -t take (holy) orders, be ordained; -t in (holy) orders.

ordinær (normal) ordinary; (simpel) common, vulgar; ~ generalforsamling ordinary general meeting.

ordklasse part of speech.

ord|kløver hairsplitter. **-kløveri** hairsplitting, quibbling.

ordknapp taciturn, sparing of words, reticent; en ~ mann a man of few words.

ordknapphet taciturnity, reticence.

ordlyd (uttrykksmåte) wording; (på veksel, etc) tenor; etter -en literally; etter kontraktens ~ according to the terms of the contract.

ordne (vb) fix; arrange, put in order; (i klasser) classify; (regulere) regulate; (en tvist) adjust (fx a dispute); (et lån) negotiate; jeg skal ~ det I'll take care of it; I'll fix it; hvis De trenger et værelse, så kan jeg ~ det if you need a room I can make the necessary arrangements (el. I can fix it up for you); jeg håper De kan ~ saken for meg I hope you will be kind enough (el. be able) to put the matter right for me (el. settle (el. arrange) this matter for me); det -r seg (nok) everything will be all right; det -t seg til slutt it came right in the end; ~ med attend to, see about (fx a matter); ~ med å få brakt varene om bord arrange for putting the goods on board; ~ med betaling av fakturaen arrange for settlement of the invoice; ~ opp put things straight, put matters right; ~ opp (i det) sort it out; ~ (på) rommet sitt put one's room straight; han -t det slik at alle ble tilfreds he so arranged matters as to please everybody; jeg skal ~ det slik at varene blir sendt I shall arrange for the goods to be sent.

ordnet orderly; organized; ordnede forhold orderly conditions; et ~ samfunn 1. an organized community; 2 (velordnet) an orderly c.; ordnede skoleforhold normal school routine; organized school life (el. routine).

ordning arrangement; med mindre annen ~ er truffet in the absence of other arrangement; -en kan lett misbrukes the system is open to abuse; bli enige om en eller annen ~ agree on some arrangement (or other); komme fram til en ~ som begge parter kan akseptere arrive at an arrangement satisfactory to both parties; (se mening).

ordonnans ✕ orderly.

ordre (også merk) order, orders; effektuere (el. utføre) en ~ execute an order; vennligst underrett oss om De kan notere -n på disse betingelser kindly inform us whether you can book the order on these terms; etter ~ by orders; ~ på order for; til N. eller ~ to N. or order; parere ~ obey; T toe the line; løpende ~ standing order; (se bestilling, betinge, levering, såpass).

ordreblankett order form, order sheet.

ordrebok order book.

ordrekke series of words.

ordrett literal, verbatim. **-rik** rich in words; (vidløftig) verbose, wordy. **-rikdom** richness in words; verbosity, wordiness.

ord|samling vocabulary. **-skifte** exchange of words, argument. **-skvalder** verbiage. **-spill** pun, play on words. **-språk** proverb; som reven i -et like the proverbial fox. **-språkslek** (game of) charades.

ord|stilling word order. **-strid** altercation, dispute, argument. **-strøm** torrent of words. **-styrer** chairman (of a meeting), moderator. **-tak** saying, adage. **-tilfang** dagliglivets ~ the vocabulary of everyday speech. **-valg** choice of words. **-veksel** (brief) exchange of words.

ore (på seletøy) lug.

ore|kratt alder thicket. **-tre** alder tree.

organ (del av legemet, stemme, avis) organ; (taleorgan) organ of speech; han har et vakkert ~ he has a fine voice.

organisasjon organization, organisation.

organisasjons|frihet freedom to organize. **-spørsmål** organization problem. **-talent** organizing ability. **-tvang** (the principle of) the closed shop; US union shop.

organisator organizer.

organisatorisk organizing; ~ evne o. ability.

organiser|e (vb) organize, organise; -te arbeidere trade-unionists, organized (el. union) labour; ikke -te arbeidere non-unionists, non-union (el. unorganized) labour.

organisk organic; ~ kjemi organic chemistry.

organisme organism.

organist organist.

orge (vb) T steal; S flog.

orgel organ. **-brus** organ peal. **-konsert** organ recital. **-pipe** organ pipe. **-punkt** pedal point. **-spiller** organ player. **-verk** organ.

orgie orgy.

orient|aler, -alerinne Oriental. **-alist** orientalist. **-alsk** oriental.

Orienten the East, the Orient.

orienter|e vb (rettlede) direct, guide; brief (fx the parachutists were briefed about the features of the area in which they were to land); supply with information; (især polit) orientate; (vende mot et bestemt verdenshjørne) orient (fx the road system is oriented towards the strategic frontier); ~ kartet set the map; ~ seg find (el. get el. take) one's bearings; get an idea of the lie of the land; orientate oneself; jeg kunne ikke ~ meg I had lost my bearings; ~ seg i inform oneself on (fx a question); ~ seg om noe inform oneself about, acquaint oneself with, gather information about; være -t be informed (i et spørsmål on a question); godt -t well-informed, thoroughly briefed; være godt -t T be in the know; dårlig -t i et emne badly informed about a subject, unfamiliar with a s.; -t i retningen øst-vest east-west oriented; -t mot sør (om hus) facing south; sosialistisk -t of a Socialist outlook; sympathetic to Socialism; gravitating |towards Socialism; (se velorientert).

orienterende: ~ *bemerkninger* introductory (*el.* explanatory) remarks.

orientering (*m. h. t. retningen*) orientation; (*rettledning*) briefing, guidance, information; (*idrett*) orienteering; *til Deres* ~ for your information (*el.* guidance); *gi en kort* ~ explain briefly; *taleren ga en grei* ~ *om den politiske situasjon* (*også*) the speaker explained the political situation in clearly defined terms; *som en kort* ~ *i forbindelse med*... as a brief guide to... **orienterings|evne** sense of direction (*el.* locality); T bump of locality (*fx* he lacks the b. of l.). **-fag** (*i skole*) theoretical subject.

orienteringsløp [cross-country race in which the runners must plot their own course by map and compass]; orienteering race; (*for biler*) map-reading trial (*el.* run *el.* rally).

orienterings|sans sense of direction (*el.* locality). **-tavle** informative sign; (*veiviser*) route sign.

I. original (*subst*) original (*fx* don't send the o., send a copy); (*i maskinskrivning*) top copy; (*om person*) character, eccentric; *han er litt av en* ~ he's quite a character; *en langhåret* ~ a long-haired freak.

II. original (*adj*) original; (*om person*) eccentric, queer, odd.

original|faktura original invoice. **-flaske** original bottle; *på -r* bottled by the brewer (,distiller, producer, *etc*) (*fx* wine bottled by producer).

originalitet originality; eccentricity.

originalpakning original package; *i* ~ as packed by the producer.

orkan hurricane.

orkanaktig hurricane-like; ~ *bifall* a storm of applause.

ork effort, strain; (*jvf tiltak*).

orke (*vb*) be able to, be capable of, be good for; *hun spiste til hun ikke -t mer* she ate till she could eat no more.

orkester orchestra, band. **-dirigent** conductor (of an orchestra), bandleader, bandmaster.

orkestermusikk orchestral music.

orkidé ♣ orchid.

Orknøy|ene (*geogr*) the Orkneys, the Orkney Islands.

orlogs|flagg naval flag. **-gast** seaman; T bluejacket. **-kaptein** commander; ~ (*M*) engineer -commander. **-stasjon** naval base.

orlov furlough, leave (of absence).

orm (*slange*) snake, serpent.

orme (*vb*): ~ *seg* wriggle along (like a snake).

orme|bol vipers' nest. **-gras ♣** fern. **-ham** slough, cast-off skin of a snake.

ornament ornament. **-ere** (*vb*) ornament.

ornamentering ornamentation.

ornamentikk ornamentation, decoratio n(s), tracery.

ornat vestment(s).

ornito|log ornithologist. **-logi** ornithology.

ornitologisk ornithological.

orr|e ♣ black grouse. **-fugl** black grouse. **-hane** blackcock. **-høne** grey hen, heath hen.

ortodoks orthodox. **ortodoksi** orthodoxy.

ortografi orthography, spelling.

ortografisk orthographic, orthographical.

ortoped orthop(a)edist. **-i** orthop(a)edy.

ortopedisk orthop(a)edic.

orv handle of a scythe.

I. os (*røyk, damp*) smoke (of lamps, candles); strong odour, reek; (*jvf matos*).

II. os (*elve-*) mouth of a river, outlet.

ose (*vb*) smoke; (*om lampe*) burn black; (*lukte sterkt, også fig*) reek (*fx* of liquor).

osean ocean. **-damper** ocean liner.

oson ozone. **-holdig** ozonic. **-holdighet** amount of ozone.

osp ♣ aspen.

oss us; (*refleksivt*) ourselves; *han forsvarer* ~ he defends us; *vi forsvarer* ~ we defend ourselves; *en venn av* ~ a friend of ours; *vi tok det med* ~

we took it with us; *mellom* ~ *sagt* between ourselves, b. you and me (and the gatepost).

I. ost (*øst*) East; (*se øst*).

II. ost cheese; *lage* ~ make cheese; *revet* ~ crumbled cheese; *smørbrød m/ost* (open) cheese sandwich.

ostaktig cheese-like, cheesy, caseous.

oste (*vb*): ~ *seg* curdle.

oste|anretning (assorted) cheese. **-forretning** cheese shop, cheesemonger's. **-handler** cheesemonger. **-høvel** cheese slicer. **-klokke** cheese-dish with cover. **-løype** rennet; (*jvf melkeringe*).

ostentativ ostentatious.

oste|skorpe cheese rind. **-stoff** casein.

Ostindia the East Indies.

ostindisk East Indian.

ostrakisme ostracism.

osv. (*fk. f. og så videre*) etc.

oter ☂ otter; (*fiskeredskap*) otter. **-fjøl** otter board. **-skinn** otter skin.

otium leisure; *nyte et velfortjent* ~ enjoy a well-earned leisure (in retirement).

I. otte (*tidlig morgen*) early morning; *stå opp i otta* get up at the crack of dawn; rise with the lark, be up with the lark.

II. otte (*frykt*) fear.

ottesang matins.

ottoman ottoman.

outrere (*vb*) exaggerate, overdo.

outrigger outrigger.

outsider outsider.

ouverture ouverture.

ova-: *se oven-*.

oval (*subst & adj*) oval.

ovarenn (*i skibakke*) in-run.

ovarium ovary.

ovasjon ovation.

oven: *fra* ~ from above; (*fra himmelen*) from on high; ~ *i kjøpet* into the bargain; ~ *senge* out of bed; ~ *vanne* afloat, above water.

oven|bords ~ *skade* damage to upper works. **-for** (*adv*) above, higher up (than). **-fra** from above, from the top; *alt godt kommer* ~ all good things are sent from heaven above; T you never know what's going to drop out of the sky; S it's a good job cows can't fly!

oven|nevnt above(-mentioned), above-named, mentioned above. **-på** (*prep*) on, upon; on top of; *han er* ~ (*i en høyere etasje*) he is upstairs; (*fig*) he has the upper hand; T he is top dog; (*gunstig stilt*) he is well off; T he is in clover; *komme* ~ (*få overtaket*) come out on top, get the best of it.

oven|stående the above, the foregoing. **-til** above; in the upper parts; on the upper part of one's body; (*se nedentil*).

I. over (*prep*) 1 (*utbredt over, loddrett over*) over (*fx* a rug lying over the sofa; pull a blanket over sby); 2 (*hevet over, høyere enn*) above (*fx* the stars a. us; a general is a. a colonel in rank); ~ *middels* above the average; ~ *pari* above par; 3 (*mer enn*) over, above (*fx* over 5 miles long; above (*el.* over) 500 members; ten degrees above zero; he is over 50), more than (*fx* it will cost more than (*el.* over) £50); *en vekt på ikke* ~ *tre tonn* a weight not exceeding three tons; *Deres pris ligger langt* ~ *hva vi har betalt før* your price is far beyond what we have paid before; 4 (*tvers over*) across, over (*fx* a bridge across (*el.* over) the river; run across the street; pass over the frontier); 5 (*via*) via, by (way of); 6 (*utover*) beyond (*fx* go b. that price; far b. his expectations); 7 (*om tid*) past, after (*fx* it is a quarter past ten; it was past (*el.* after) ten o'clock); *straks* ~ *jul* immediately after Christmas; *da høytideligheten var* ~ (*også*) on the completion of the ceremony; 8 (*på grunn av*) at (*fx* annoyed, impatient, offended at sth); of (*fx* complain of sth; proud, glad of sth); *han var henrykt* ~ *det* he was delighted at it; 9 (*etter ord som fortegnelse, liste, katalog, oversikt, etc*) of (*fx* a list (,catalogue, survey) of); *et kart* ~

Norge a map of Norway; **10** (*andre tilfelle*): ∼ *hele landet* throughout (*el.* all over) the country; ∼ *det hele* all over, everywhere; *bli natten* ∼ stay the night, stay overnight; *før mørket falt på, var snøstormen* ∼ *ham* before dark the blizzard caught up with him (*el.* was upon him); *forelese* ∼ *Dickens* lecture on Dickens; *vi fikk hele regnskuren* ∼ *oss* we caught (*el.* had) the full force of the shower; we got the brunt of the shower; *få uværet* ∼ *seg* get caught in a storm, be overtaken by a storm; (*se også overraske*); *han skalv* ∼ *hele kroppen* he trembled all over; *skrive et skuespill* ∼ *dette emnet* write a play round this subject; *vi er* ∼ *det verste* we are over the worst; the worst is over; we have turned the corner; T we are over the worst hurdles; *det er noe nervøst* ∼ *ham* there is sth nervous about him.
II. over (*adv*) over; (*om klokkeslett*) past; (*tvers over*) across (*fx* shall I row you a. (the river)?); (*i tu*) in two, to pieces; *arbeide* ∼ *work overtime*; *skjære* ∼ cut in two, cut across, cut over, cut through; *sette* ∼ *kjelen* put the kettle on; *gå* ∼ *til dem* (ɔ: *der hvor de bor*) go round to them; (ɔ: *til deres parti*) go (*el.* come) over to them.
overadjutant (*ved hoffet*) principal aide-de-camp; (*se adjutant*).
overadministrert bureaucratized, tied up in red tape.
overall (*arbeidstøy*) overalls.
overalt everywhere; (*hvor som helst*) anywhere; ∼ *hvor* wherever; *har* ∼ *vunnet anerkjennelse* has gained universal recognition; ∼ *i verden* in all parts of the world, all over the world.
overanstreng|e (*vb*) overwork, over-exert, overstrain; ∼ *seg* overstrain (*el.* over-exert) oneself, overwork, work too hard, overtax one's strength; T overdo it; *han -er seg ikke* he won't break his back working; he won't die of overwork; T he doesn't put himself out; *han har nå ikke akkurat -t seg da* he hasn't exactly over-exerted himself, has he? he hasn't exactly worked his fingers to the bone, has he?
overan|strengelse overwork, over-exertion. **-strengt** overworked.
overarm upper (part of the) arm.
overbalanse: *ta* ∼ overbalance; lose one's balance.
overbefolket over-populated.
overbefolkning excess of population.
overbegavet extraordinarily gifted, too clever; *hun er ikke akkurat* ∼ she's not what you would call brilliant.
overbelaste (*vb*) overload; (*fig*) overtax.
overbetjent 1 (*politi-*) chief inspector; **2** (*i fengsel*) chief officer, class II.
overbevise (*vb*) convince (*om* of); ∼ *en om det motsatte* convince sby of the contrary. **-nde** convincing.
overbevisning conviction.
overbibliotekar librarian; US chief librarian.
overbitt overbite, receding jaw; (*odont & vet*) overshot jaw.
overblikk (general) view, panorama; (*fig*) breadth of outlook (*el.* view); (*fremstilling*) survey; (*kortere*) outline (*over* of); *han mangler* ∼ his knowledge is fragmentary (*el.* scrappy); he loses himself in details; he lacks a broad view of things; *ta et* ∼ *over situasjonen* survey the situation.
over bord overboard; *gå* ∼ go overboard; *kaste* ∼ (*også fig*) throw overboard; (*last, for å bringe skipet flott*; *også fig*) jettison; (*fig*) throw (*el.* fling *el.* cast) to the winds (*fx* care, prudence).
overbrannmester assistant divisional (fire) officer; US battalion (fire) chief.
overbringe (*vb*) deliver, convey, bring; (*unnskyldning, etc*) convey (*fx* we can only leave it to you to c. our sincere apologies to both firms).
overbringer bearer.
overbud higher bid.
overby (*vb*) outbid, bid higher than.

overbygd covered, roofed over.
overbygning superstructure.
overbygningsdekk ⚓ superstructure deck.
overbærende indulgent, lenient (*med* to).
overbærenhet indulgence, leniency.
overdekk upper deck.
overdel upper part.
overdenge (*vb*) load, heap on (*fx* h. abuse on sby).
overdimensjonert oversize(d).
overdra (*vb*) **1** (*rettighet, forpliktelse*) transfer, convey, make over; hand over, surrender; (*polise*) assign; (*myndighet*) delegate (*fx* one's power to sby); *som kan -s* transferable (*fx* securities); *som ikke kan -s* non-transferable; ∼ *en et verv* delegate a task to sby; ∼ *sine rettigheter til en annen* (*også*) relinquish one's rights to another; *når leiligheten etter skilsmissen -s hans kone* when the flat is settled on his wife after the divorce; **2** (*betro, overlate*) entrust (*en noe sby* with sth); *vi har -tt ham vårt eneagentur for Norge* we have given him our sole agency for Norway; *vi har -tt ham vårt agentur* (*også*) we have placed our agency in his hands; we have appointed him our agent.
overdragelse (*se overdra*) transfer, transference; conveyance (*fx* of real property), making over, handing over; assignment (*fx* of a policy); delegation; entrusting; ∼ *av eiendomsrett* transfer of ownership.
overdragelsesdokument (*især = skjøte*) deed of conveyance; (*om aksjer*) share-transfer.
overdrager transferor (*fx* the t. transfers to the transferee); assignor.
overdreven exaggerated, excessive, extravagant (*fx* praise); (*om pris*) excessive, extravagant, exorbitant; (*jvf pengeopptrekkeri*); (*ved visse adj*) over- (*fx* over-anxious, over-scrupulous); US (*også*) overly; ∼ *beskjedenhet* excessive modesty; *det er overdrevet* that is exaggerated.
overdrive (*vb*) exaggerate, overdo; overstate; T come it strong, draw the long bow; (*jvf overdreven*).
overdrivelse exaggeration, overdoing; overstatement; *forsiktig inntil* ∼ cautious to a fault; (*se løgn*).
overdyne eiderdown.
overdynge (*vb*) shower, heap (*en med noe sth on sby, fx* heap kindness on sby); ∼ *en med bebreidelser* shower (*el.* heap) reproaches on sby.
overdøve (*vb*) drown; ∼ *samvittighetens røst* stifle the voice of conscience.
overdådig lavish, sumptuous, luxurious.
overdådighet sumptuousness, luxury.
overeksponert (*om foto*) over-exposed.
over ende: *gå* ∼ fall flat; *kaste en* ∼ throw sby down; (*se falle*).
overens: *stemme* ∼ agree; *ikke stemme* ∼ disagree; *komme* ∼ *om* agree on, come to an agreement about; (*se enighet: komme til* ∼).
overenskomst agreement; (*avtale*) arrangement; (*forlik*) compromise; *treffe en* ∼ make an agreement; *etter felles* ∼ by mutual consent; *muntlig* ∼ verbal arrangement.
overensstemmelse accordance, agreement, conformity; *i* ∼ *med* in accordance with; *handle i* ∼ *med sine prinsipper* (*også*) square one's practice with one's principles; (*se II. nøye*).
overensstemmende: ∼ *med* in accordance with, consistent with, in agreement with.
overernære (*vb*) overfeed.
overfall assault; (*se legemsfornærmelse; sakesløs*).
overfalle (*vb*) fall upon, assault, attack; *hele gjengen overfalt ham* (*også*) they ganged up on him.
overfallsmann assailant.
overfart passage, crossing.
overfladisk superficial, shallow. **-het** superficiality, shallowness.
overflate surface; *på* (,*under*) *-n* on (,below) the surface.

overflod abundance, plenty; *i* ~ in abundance, in profusion; *det er* ~ *på markedet* (*merk*) there is a glut in the market; *det er til* ~ *klart at* ... it is abundantly clear that ...

overflytte (*vb*) transfer.

overflyvning ✕ overflight.

overflødig (*adj*) superfluous, redundant.

overflødighet superfluity.

overflødighetshorn cornucopia, horn of plenty.

overfor 1 (*prep*) facing (*fx* f. the station there is a hotel; he sat f. me), opposite (to); (*fig*) towards (*fx* their attitude towards the Government); to (*fx* his kindness to me); ~ *myndighetene inntok han en steil holdning* he adopted a rigid attitude towards the authorities; ~ *bokhandlerne har vi hevdet at* ... to the booksellers we have maintained that ...; *forpliktelser* ~ obligations to (*el.* as regards); *det er ikke riktig* ~ *piken* it is not fair on the girl; *hans følelser* ~ *meg* his feelings towards me; *være ærlig* ~ *seg selv* be honest with oneself; *like* ~ right (*el.* directly) opposite (to) (*fx* he lives right o. the church); faced with (*fx* difficulties); *på skrå* ~ diagonally (*el.* almost) opposite; US kitty-cornered to; *stå* ~ (*bokstavelig*) face, stand opposite to, stand facing; (*fig*) face, be faced (*el.* confronted) by (*el.* with); *vi står* ~ *å skulle reformere* we are faced by the necessity of reforming; **2** (*adv*) opposite (*fx* the house o.; he lives o.); *huset* ~ (*også*) the house across the road (,street); (*se imøtekommenhet; innrømmelse: gjøre -r overfor*).

overforbruk (*elekt*) excess consumption (*fx* we have 500 kW at the fixed tariff, and pay 10 øre per kW in excess of that).

overforfinelse over-refinement.

overforfinet over-refined.

overformynder (*kan gjengis*) public trustee.

overformynderi (*kan gjengis*) public trustee's office.

overfrakk overcoat.

overfuse (*vb*) abuse, shower abuse on; ~ *en* (*også*) jump upon sby; US bawl sby out, jump all over sby.

overfylt overcrowded, packed, crammed; *markedet er* ~ the market is glutted.

overfølsom hypersensitive; US oversensitive.

overføre (*vb*) convey, transport, transfer; (*til ny side i regnskap*) bring forward, carry forward, carry over; (*til annen konto*) transfer; ~ *mitt tilgodehavende samlet fra England* transfer what is owing to me in a lump sum from E.; *dette siste beløpet må -s på annen måte* this last sum will have to be transferred in another way; (*se også overdra*).

overføring 1 (*i radio*) transmission; *direkte* ~ live t. (*el.* programme); (*TV også*) live (*el.* direct) relay; (*av stevne*) commentary; *direkte* ~ running c. (*fx* the BBC is broadcasting a r. c. on the match); **2** (*blod-*) transfusion; **3** (*av sykdom, elektrisk kraft*) transmission; **4** (*psykol*) transference (*fx* of affections); **5** (*merk*): *se overførsel*.

overførsel (*merk*) transfer; balance brought forward; (*det å*) bringing (*el.* carrying) forward, carrying over; *en* ~ a carry forward.

overgang 1 (*også om stedet*) crossing, passage; (*fjell-*) pass; **2** (*til en annen religion*) conversion; (*til fienden*) desertion; **3** (*forandring, utvikling*) transition, change; change-over (*fx* the c.-o. to a national hospital service); (*språkvitenskap*) change; **4** (*mellomtilstand*) intermediate phase (*el.* stage), passing stage; link (*fx* this animal forms a l. between reptiles and birds); **5** (*i skibakke*) change of gradient (*fx* in the in-run, in the landing slope); *det er bare en* ~ it won't last; it is only a passing phase; *det er bare en* ~, *sa reven, han ble flådd* = one gets used to it, like an eel to skinning; *som en* ~ for a while (*fx* we shall have to use this method f. a w.); *sørge for god* ~ *mellom avsnittene* (*i stil*) see that one paragraph leads on to the next.

overgangs|alder 1. (years of) puberty; **2.** change of life, climacteric, menopause; *hun er i -en* she is in the m. **-billett** transfer (ticket). **-foranstaltning** temporary (*el.* interim *el.* provisional) measure. **-form** transitional (*el.* intermediate) form; (*se også -stadium*). **-stadium** transition(al) (*el.* intermediate) stage, transitory stage; (*ofte* =) halfway house (*fx* a h. h. between capitalism and socialism). **-tid** transitional period, time (*el.* period) of transition. **-tilstand** transition(al) state, intermediate state, transitory state, state of transition.

overgi (*vb*) deliver, hand over; (*også* ✕) surrender; ~ *seg* surrender.

overgitt despairing, despondent; (*utmattet*) exhausted, played out; (*forbløffet*) astonished.

overgivelse ✕ surrender.

overgiven hilarious, gay, light-headed; (*se munter*).

overgivenhet exuberant mirth, hilarity, gaiety.

overgrep encroachment, infringement; (*urettferdighet*) injustice.

overgrodd overgrown, overrun.

overgå (*vb*) exceed, outdo, surpass, outshine, eclipse; ~ *seg selv* surpass oneself; (*se virkelighet*).

overhaling overhaul; (*rulling*) lurch; T ticking -off, telling-off; *få en* ~ T get ticked off, get a wigging; *gi en en* ~ haul sby over the coals; *ta en* ~ (*krenge over*) lurch.

overhendig tremendous, violent; *det var* ~ *sjø* there was a very heavy sea; ~ *vær* a violent storm.

overhengende 1. projecting; overhanging; **2** (*truende*) impending, imminent; (*sj*) overhanging.

overherredømme supremacy, hegemony.

overhode head, chief.

overhodet (*adv*) on the whole, in general, altogether, at all (*fx* he hasn't been here at all).

overhoffmesterinne Mistress of the Robes.

overholde (*vb*) observe, comply with, keep; ~ *fristen* keep to the time limit; T meet the deadline; *de overholdt ikke betalingsfristen* they did not keep to the date agreed upon for payment; (*se også oversitte(lse); strengt*).

overholdelse observance (*av* of).

overhud cuticle, epidermis.

overhus Upper House; (*i England*) the House of Lords.

overhøre (*vb*) **1** (*eksaminere*) examine, catechize; **2** (*ikke høre*) miss, not hear; **3** (*late uenset*) ignore.

overhøring (*eksaminasjon*) examination.

overhøvle *vb* (*fig*) dress down, rate, rebuke sharply.

overhøyhet: *se overherredømme*.

overhånd: *få* ~ *over* get the better of; *ta* ~ (*bli overmektig*) become predominant, get out of control, get the upper hand; (*bli utbredt*) become rampant.

overhåndtagende growing, spreading, rampant.

overilelse rashness.

overilt (*adj*) rash, precipitate, hasty.

overingeniør chief engineer; (*i kommune*) divisional engineer; district (*el.* area) e.; (*se ingeniør*).

overjordisk above ground; (*fig: overnaturlig*) supernatural; (*himmelsk*) celestial; (*eterisk*) ethereal.

overjordmor superintendent midwife.

overkant top, upper edge; *i* ~ rather on the big side, too big (of anything); a little too much (,big, *etc*); *prisene ligger i* ~ the prices are on the high side.

overkasse (*støpe-*) top-half mould, cope.

overkikador (*spøkef*) self-appointed supervisor.

overkjeve upper jaw.

overkjørt: *bli* ~ get run over; (*se kjøre:* ~ *over*).

overklasse upper class; *-n* the upper classes.

overkokk chef.

overkommando 1. supreme (*el.* high *el.* chief) command; **2** (*stedet, institusjonen*) General Headquarters, G.H.Q.; *ha -en* be in supreme command; *Hærens* ~ (*fk. HOK*) Army Headquarters,

overkomme (*vb*) manage, cope with (*fx* I have more work than I can cope with).

overkommelig practicable; (*om pris*) reasonable.

overkonstabel (*i politiet*) (police) sergeant.

overkropp upper part of the body; *med bar* ~ stripped to the waist.

overkurs: *til* ~ at a premium.

overkøye upper berth (*el.* bunk).

overlag (*adv*) exceedingly, extremely.

overlagt (*adj*) deliberate, premeditated; wilful; ~ *mord* wilful murder.

overland (*bakland*) [skyline as seen from the sea].

overlangsynt hypermetropic; extremely far -sighted.

overlast molestation, injury; *lide* ~ suffer wrong.

overlate (*vb*) **1** (*gi fra seg*) hand over (*fx* he handed over all his wages to his wife); (*la få*) let have (*fx* I will let you have the book when I have done with it); (*avse*) spare (*fx* could you spare me a cigarette?); **2** (*betro*) entrust (*fx* we have been entrusted with this work; I hope you will e. the representation of your firm to me); *det -r jeg til Dem* (*å avgjøre, etc*) I leave (*el.* put) the matter in your hands; *i så fall må jeg* ~ *saken til min advokat* in that case I shall have to place the matter in the hands of my solicitor; *overlat det til meg!* leave it to me! **3** (*ved å unndra sin hjelp*): *de overlot ham til sin skjebne* they left (*el.* abandoned) him to his fate; *overlatt til seg selv* left alone, thrown upon oneself, left to one's own devices; *man overlot intet til tilfeldighetene* nothing was left to chance.

overledelse chief direction; (*hovedkvarter*) headquarters.

overledning (*elekt*) current leakage, leakage (current), leak, sneak current; short circuit; T short; *undersøke om det er* ~ *i lampepunktet* test the light point for a short circuit (,T: for a short).

overlege chief physician, chief surgeon; US director of medicine; (*i fengsel*) principal medical officer; *administrerende* ~ (medical) superintendent; *assisterende* ~ (*tidligere: avdelingslege*) consultant (physician *el.* surgeon); US attending (physician *el.* surgeon).

overlegen superior; (*i vesen*) supercilious, haughty; *være en* ~ be superior to sby; *vinne -t* win by a wide margin, win with ease, win easily.

overlegenhet superiority, haughtiness.

overlegg premeditation, reflection; *med* ~ deliberately.

overlegning deliberation, discussion.

overleppe upper lip.

overless|e (*vb*) overload (*fx* one's stomach), crowd (*fx* a room with furniture); ~ *med arbeid* overwhelm with work, overburden; *-et med møbler* over-furnished; *-et stil* (*litt.*) florid (*el.* ornate) style. **-ing** overloading, overburdening.

over|leve (*vb*) survive; outlive. **-levende** surviving.

overlevere (*vb*) deliver, hand over (to) (*fx* he handed it over to me); surrender.

overlevering delivery, handing over; surrender.

overligge|dag demurrage day. **-dagspenger** demurrage.

overliggende: ~ *varer* left-overs; (NB *se matrester*).

overligger 1 (*over dør, vindu*) lintel (*fx* lintels of old timber); **2** (*fotb*) crossbar.

overligningsnemnd (*m.h.t. eiendomsskatt*) = (local) valuation court.

overliste (*vb*) dupe, outwit, take in.

overlys ceiling light.

overlær (*på sko*) upper; (*forreste del*) vamp.

overlærer headmaster, head; (*jvf rektor*).

overløper deserter; T rat.

overløping (*til fienden*) desertion; T ratting.

overmakt superior force; *bukke under for -en* be overcome by superior force; *kjempe mot -en* fight against (heavy) odds.

overmann superior; *han fant sin* ~ he found his match; *være hans* ~ be more than a match for him.

overmanne (*vb*) overpower, overwhelm.

overmaskinist ⚓ (*inntil 1960: første-*) chief engineer; T chief.

overmektig superior (in power), overpowering.

overmenneske superman.

overmenneskelig superhuman.

overmoden overripe.

overmodenhet overripeness.

overmodig presumptuous, arrogant, insolent, overweening. **-het:** *se overmot.*

overmorgen: *i* ~ the day after tomorrow.

overmot presumption, arrogance, insolence, overweening pride (*el.* confidence).

overmunn upper part of the mouth; *ingen tenner i -en* no upper teeth.

overmål superabundance; excess; *til* ~ to excess, excessively.

overmåte (*adv*) exceedingly, extremely.

overnasjonal supranational.

overnatt|e (*vb*) stay overnight, stay (*el.* stop) the night, put up for the night, spend the night (*fx* at a hotel); *det ble -et på X hotell* an overnight stay was made at X hotel. **-ing** night stop, overnight stop.

overnattings|gebyr overnight fee. **-mulighet** (some) overnight accommodation. **-sted** overnight stop, night stop (*fx* B. was the next n. s.).

overnaturlig supernatural, preternatural.

overoppsyn superintendence, supervision; *føre* ~ *med* superintend, supervise.

overordentlig (*adv*) extraordinarily, exceedingly, extremely.

overordnet superior; *en* ~ *stilling* a responsible position; *folk som i de fleste tilfelle er våre overordnede* people who are senior to us in most cases.

overpris overcharge; *jeg måtte betale* ~ I was overcharged; T I had to pay a fancy price.

overproduksjon over-production.

overraske *vb* (*se også overrasket*) surprise, take by surprise; *det -r meg ikke* I'm not surprised, I don't wonder (at it), it is not to be wondered at; ~ *en* catch sby off his guard, come upon sby unexpectedly; *natten -t oss* (the) night overtook us; *bli -t* be surprised (*fx* be greatly s. at sth); *vi ble -t av regnvær* we were caught in the rain; *de ble -t av uværet før de nådde hjem* the storm caught them before they got home; *de ble -t av uværet* (*også*) the storm caught up with them; (*se også I. over 10*); *-t over* surprised at; (*se også overrasket*).

overraskelse surprise; *det kom som en stor* ~ *for oss* it came as (*el.* it was) a big surprise to us; *du kan vente deg en* ~ there is a s. in store for you; *til min store* ~ to my great surprise; much to my s.

overraskelsesmoment element of surprise.

overraskende surprising; *et* ~ *godt resultat* a surprisingly good result.

overrasket (*se også overraske*) surprised, taken aback (*over noe* at sth; *over å høre* to hear); *behagelig* ~ pleasantly s.; *meget* ~ very much s.; *jeg så* ~ *på ham* I looked at him in surprise.

overreise passage, crossing.

overrekke (*vb*) hand; (*høytidelig*) present (*en noe sby with sth*); *det ble overrakt ham et gullur* he was presented with a gold watch; (*se også oppmerksomhet*).

overrekkelse presentation.

overrenne *vb* (*plage*) pester.

overrettssakfører (*glds*): *se advokat.*

overrisle (*vb*) irrigate. **overrisling** irrigation.

overrumple (*vb*): ~ *en* take sby by surprise, catch sby off his guard.

overrumpling surprise; surprise attack.

overs: *til* ~ left (over), remaining; (*overflødig*) superfluous; (*til å avse*) to spare; *ha til* ~ *for* like, have a liking for; be fond of; *(jvf klokker-kjærlighet).*

oversanselig supersensual, transcendental; *læren om det -e* metaphysics *(pl).* **-het** transcendentalism, transcendentality.

overse *vb (ikke se)* overlook, miss, pass over, fail to see *(el.* notice); *(ikke ense, neglisjere)* disregard, neglect, take no account of, pay no attention to; *(ignorere, ringeakte)* slight, disregard *(fx* a host must not d. any of his guests); neglect, look down on; *(bære over med)* overlook *(fx* I will o. your mistake this time); *(se gjennom fingrene med)* connive *(el.* wink) at; *det har jeg -lt (også)* that has escaped my notice.

oversende *(vb)* send, dispatch, transmit, submit; *de oversendte kvaliteter* the qualities sent you.

oversendelse dispatch, transmission.

oversette *(vb)* translate, turn, render, do *(til norsk* into Norwegian); *~ med* render by; *~ galt* mistranslate; *ikke videre lurt oversatt* not very well *(el.* wisely) rendered; not very good! *samvittighetsfullt oversatt ved hjelp av (en) ordbok* conscientiously translated with the aid of a dictionary; *(se forvirre).*

oversettelig translatable.

oversettelse translation; version; *skaffe translatøren helt dekkende engelske -r* provide the translator with accurate and workable equivalents in English.

oversettelsesfeil mistake in translation, error in t., mistranslation.

oversetter translator.

overside top.

oversikt survey, general view; *kort ~* summary, synopsis; *av hensyn til -en i de tabeller som skal lages* in order to make the tables that are to be drawn up clearer *(el.* easier to read); *for -ens skyld vil jeg* ... to simplify the matter, I will ...; in the interest of simplicity, I will ...; *for å lette -en* to facilitate a (general) survey; to facilitate matters for the reader; *(se også overblikk).*

oversiktlig surveyable; well arranged; clearly set out *(fx* the accounts are clearly set out); *(klar, om fremstilling)* lucid, perspicuous.

oversiktskart small-scale map.

oversitte *(vb)* fail to comply with; *~ fristen* exceed the time limit.

oversittelse: *~ av fristen* exceeding the time limit; T failure to meet the deadline; *(se overholde).*

oversivilisert over-civilized.

oversjøisk oversea, overseas.

overskap *(i kjøkken)* wall cupboard; kitchen wall unit.

overskjegg moustache; US mustache.

overskjønn revaluation, reappraisal; ⚓ resurvey.

overskott: *se overskudd.*

over skrevs astride, straddling.

overskrid|e *(vb)* 1 *(gå over)* cross *(fx* a frontier); 2 *(fig)* exceed, overstep, go beyond. **-else** exceeding, overstepping, going beyond; excess.

overskrift heading; *(i avis)* headline.

overskudd surplus, excess; *(fortjeneste)* balance; profit, margin (of profit); *gå med ~* be run at a profit; *et ~ på* a surplus of *(fx* £100); *jeg har ikke ~ til å gjøre det* I haven't got the surplus energy to do it; *(se også lønne: ~ seg).*

overskuddsmenneske: *han er et ~* he's a person with plenty of surplus energy; he's an unusually energetic person.

overskue *(vb)* survey, take in.

overskuelig: *se oversiktlig; i en ~ framtid* in the foreseeable future, in the reasonably near future, in the not-too-distant future, within measurable time; T in the visible future.

overskyet cloudy, overcast.

overskygge *(vb)* overshadow.

overskylle *(vb)* flood, overflow.

overskytende surplus, excess; *det ~ beløp* the surplus, the excess; *for hver ~ dag* for each additional day.

overskåret: *et ~ wienerbrød* a slice of Danish pastry; *(se wienerbrød).*

overslag estimate; *gjøre et ~* make an estimate *(over* of); *(se riktig; virkelighet).*

overspent overwrought, highly strung, high -strung, excitable; *så ~ som han nå er* in his present overwrought state.

overspenthet overwrought state.

oversprøyte *(vb)* sprinkle, spray; *(tilsøle)* bespatter.

overstadig *(adj)* 1 *(lystig)* hilarious, giddy, bubbling (over with high spirits); 2 *(lett beruset)* exhilarated, merry, elevated; 3 *(overdreven)* excessive; *(adv)* excessively; *~ beruset* excessively drunk; *i ~ glede* bubbling with joy.

overstadighet exuberant spirits, hilarity, giddiness.

overstell top; upper part, top part.

I. overstemme *(subst)* ♪ upper part.

II. overstemme *(vb)* outvote.

overstemple *(vb)* overprint; *(frimerke)* cancel; surcharge.

overstige *(vb)* exceed *(fx* their production is exceeding the demand); surpass, be in excess of.

overstikk ✢ overtrick, trick over the minimum; *jeg fikk to ~* I had two over the m.; T I'm two up.

overstrykning *(med maling)* coating; *(utstrykning)* crossing out, deletion.

overstrødd: *~ med* strewn with *(fx* flowers); scattered with *(fx* a table s. with papers and books); sprinkled with *(fx* sugar).

overstrøket: *se stryke: ~ over, ~ ut.*

overstrømmende exuberant; profuse, effusive.

overstråle *(vb)* outshine, eclipse.

overstykke upper part, top part.

over styr: *gå ~* fail, come to nothing; *sette ~* squander, fritter away.

overstyre top management.

overstyring *(i bil)* oversteer.

overstyrmann *(inntil 1960: førstestyrmann)* chief officer, first officer; *(på mindre skip)* first mate.

overstå *(vb)* get over *(el.* through); *få det -tt* get it over; *det er -tt* it is over (and done with); *det verste er -tt* the worst is over; we have turned the corner; *det var fort -tt* it was a quick business; it was quickly over.

oversvømme *(vb)* flood; inundate; *(fig)* flood, gut.

oversvømmelse flood(s), inundation.

oversykepleierske assistant matron; *administrerende ~* matron, nursing superintendent; *(jvf forstanderinne).*

oversyn: *~ over* survey of, view of.

oversøster: *se oversykepleierske.*

oversådd strewn, sprinkled *(med* with).

overta *(vb)* take over *(fx* an agency, a parcel *(vareparti),* duties, responsibilities); *(påta seg)* undertake; *~ dette firmaets agentur for Norge* take over the representation of this firm in Norway; *firmaer som kunne ~ vårt agentur* firms that might be interested in taking over our agency *(el.* the representation of our firm); *~ en avdeling* take charge of a department; *~ en arv* take possession of an inheritance; *han overtok huset for meg* he took the house off my hands; *(se uavkortet).*

overtagelse taking over *(av* of), take-over *(fx* the Persian t.-o. of oil wells); taking possession of *(fx* an inheritance); *~ av makten* assumption of power; coming into p.; *(om kongemakten)* accession (to the throne).

overtak 1 *(i brytning)* arm grip; 2. *-et* the upper hand *(på* of), the whip hand *(på* of, over); *få -et på en* get *(el.* gain) the upper hand of sby, get the whip hand over sby, get the better of sby; *ha -et* have the upper hand; T be top dog.

overtakst revaluation.

overtale *(vb)* persuade, induce, prevail upon, talk

round (*fx* I succeeded in talking him round); ~ **en til å gjøre noe** persuade sby to do sth, p. (*el.* talk) sby into doing sth; *la seg* ~ allow oneself to be persuaded, let oneself be p.; *han lot seg* ~ *til å selge huset* he let himself be talked into selling the house; ~ *en til ikke å gjøre det* dissuade sby from doing it; persuade (*el.* prevail upon) sby not to do it.

overtalelse persuasion; *etter mange -r* after much persuasion.

overtalelses|evne persuasive powers, powers of persuasion, **persuasiveness. -kunst** art of persuasion.

overtalende (*adj*) persuasive.

overtall majority; *være i* ~ be in the (*el.* a) m.

overtallig supernumerary, in excess (*fx* the women were in excess of the men), redundant, extra, spare; *-e eksemplarer* spare (*el.* extra) copies.

overtann upper tooth.

overtegne *vb* (*lån*) over-subscribe.

overtegning over-subscription.

overtid overtime; *arbeide* ~ work o., put in o.; *stå på* ~ be on o.

overtidsarbeid overtime work.

overtre(de) (*vb*) break, infringe, transgress, violate, contravene; ~ *denne lovs bestemmelser* commit an offence under this Act.

overtredelse breach, infringement, transgression, violation, contravention (*av* of); offence (*av* against); ~ *av motorvognloven* motoring offence; ~ *vil bli påtalt* = trespassers will be prosecuted; (*oppslag på transportmiddel*) = infringement of this Regulation will render a passenger liable to prosecution.

overtreffe (*vb*) exceed, surpass.

overtrekk cover; (*lag*) coat, coating (*fx* of chocolate, paint, varnish); (*melis- på kake*) icing; US frosting; (*av konto*) overdraft.

over|trekke (*vb*) overdraw (*fx* an account); *jeg har -trukket min konto* (*med 50 kroner*) I have overdrawn my a. (by 50 kroner); I have an overdraft (of 50 kroner); T (*også*) I'm (50 kroner) overdrawn, I'm overdrawn by (*el.* to the extent of) 50 kroner.

overtren|e (*vb*) overtrain; *-t* (*også*) muscle -bound.

overtrett (*adj*) over-tired, exhausted; T dead -beat; *være* ~ (*også*) be dropping with fatigue; T be all in.

overtro superstition. **-isk** superstitious.

overtrukket overdrawn (*fx* an o. account); ~ *beløp* overdraft; (*se overtrekke*).

overtrumfe (*vb*) outdo, go one better than.

overtyde (*vb*): *se overbevise.*

overtøy: *se yttertøy.*

overvann surface water; (*i gruve*) flood water; ⚓ water shipped; *ta* ~ ⚓ ship water.

overvei|e *vb* (*tenke over el.* igjennom) consider, think over; (*nære planer om*) contemplate; ~ *på ny* reconsider; ~ *omhyggelig* consider carefully, give (*fx* a matter) one's careful (*el.* close) consideration; *vi har -d alle sider ved denne sak* we have considered this matter in all its aspects; *vi -er å legge om driften* we are contemplating a reorganization of our works; *vel -d* considered (*fx* my c. opinion), well-advised; deliberate (*fx* a d. step); *mindre vel -d* (rather) ill-considered, ill-advised; (rather) rash.

overveielse consideration, deliberation; contemplation, thought; *fornyet* ~ reconsideration; *etter moden* ~ after (*el.* on) careful (*el.* mature) consideration; after much thought; *etter* (*el. ved*) *nærmere* ~ on (further) consideration; on closer reflection; on second thoughts, on thinking it over, after thinking the matter well over; *det fortjener* ~ it is worth consideration (*el.* thinking over); *det krever nøye* ~ it needs careful consideration; *ha under* ~ be considering, be contemplating; *vi har under* ~ *å bygge* ... we contemplate building; we are considering the question of building; *vi har saken under* ~ the matter is under consideration; *ta under* ~ consider; *ta noe under alvorlig* ~ give serious consideration to sth, give sth one's careful c., consider sth carefully; *han må ta under alvorlig* ~ *om han skal* ... he must urgently consider whether to ... ; *ta under fornyet* ~ reconsider; (*se moden & velvillig*).

overveiende 1 (*adj*) predominant, prevailing, preponderant; *være* ~ (*i antall, etc*) preponderate, predominate; *det* ~ *antall av* the majority of; *den* ~ *del av* the best part of; *den langt* ~ *del av* by far the greater part of; **2** (*adv*) chiefly, mainly, predominantly; (*i værvarsel*) mostly (*fx* m. dry), mainly (*fx* m. fair weather); *det er* ~ *sannsynlig at* it is highly probable that, the odds are that, there is every probability that; *med* ~ *svensk kapital* with mainly Swedish capital; (*se sannsynlig*).

overvekt overweight, excess weight; (*fig*) preponderance; predominance; *få -en* get the upper hand; *med to stemmers* ~ by a majority of two.

overvektig (*adj*) overweight (*fx* the letter is o.).

overvelde (*vb*) overwhelm; overpower, overcome.

overveldende overwhelming, staggering; *et* ~ *flertall* a sweeping majority; *et* ~ *nederlag* a crushing defeat; *en* ~ *seier* a sweeping victory.

oververk (*på orgel*) swell-box.

overvettes (*adj*) excessive; (*adv*) excessively.

overvinne (*vb*) conquer, defeat, get the better of; (*se stadium*).

overvinnelse conquest; *det koster meg* ~ it goes against the grain with me; I have to force myself; *det koster* ~ (*også*) it requires an effort.

overvintre (*vb*) winter, spend the w.

overvurdere (*vb*) over-estimate, overrate, overvalue.

overvurdering over-estimate; overrating.

overvær: *se nærvær.*

overvære (*vb*) be present at, attend, witness, watch (*fx* a football match).

overvåke (*vb*) look after, watch over; (*føre tilsyn med*) oversee (*fx* a pharmacist should o. the sale of this drug).

overvåkingspolitiet = (MI 5 and) Scotland Yard Special Branch.

overømfintlig over-sensitive (*for* to).

overøse *vb* (*fig*) heap upon, overwhelm with, shower upon.

ovn (*kakkelovn*) stove; (*baker-*) oven; *legge i -en* light a fire (in the stove); (*se også håndgrep*).

ovns|emaljert stove-enamelled. **-fyrt** stove -heated (*fx* room). **-krok** chimney corner, inglenook. **-rør** stovepipe. **-varme** stove heat; (*se lun*).

P

P, p P, p; *P for Petter* P for Peter.

padde 🦎 toad.

paddehatt toadstool; *skyte opp som -er* (*fig*) spring up like mushrooms.

paddetorsk (*fisk*) lesser forkbeard.

padle (*vb*) paddle.

padleåre paddle.

paff taken aback, dumbfounded, speechless; *jeg ble helt* ~ T I was knocked all of a heap.

pagi|na page. **-nere** (*vb*) page, paginate.

pagode (*indisk tempel*) pagoda.

pai pie.

pakk (*pøbel*) rabble, riff-raff, ragtag and bobtail; *pikk og* ~ bag and baggage.
pakkbu warehouse.
I. pakke (*subst*) 1. parcel (*fx* a p. containing his lunch; she made the shirts into a neat p.); 2 (*mindre originalpakning*) packet; US (*også*) pack (*fx* a p. of cigarettes); *lage i stand en* ~ make up a parcel.
II. pakke (*vb*) pack (*fx* a parcel; clothes into a suitcase); (*tett*) cram, stuff; (*gjøre seg reiseklar*) pack (*fx* have you packed?); *temmelig dårlig -t* indifferently packed; ~ *inn* wrap up, do up, make a parcel of; *de -t ham inn i en drosje* they bundled him into a taxi; ~ *seg godt inn* (*mot kulde*) muffle oneself (up) well; wrap (oneself) up well; *skal jeg* ~ *det inn?* shall I wrap it up? would you like me to do it up for you? shall I make it into a parcel? ~ *ned* pack (away), stow away; ~ *om* repack; ~ *opp* (*el. ut*) unwrap, unpack; ~ *sammen* pack up (*fx* the tent packs up easily); pack up and go (*fx* he may as well p. up and g. after this last affair); *nå kan vi* ~ *sammen!* (o: *nå er alt spolert*) that's torn it! *vi -t oss av sted* we bundled off; *pakk deg ut!* get out! scram!
pakke|avdeling packing department. **-nelliker** (*pl*) T traps, odds and ends, oddments. **-ombringelse** delivery of parcels. **-porto** parcel post rate. **-post** parcel post (*fx* by p. p.). **-postavregning** p. p. account. **-postkart** (*post*) parcel bill.
pakker packer, wrapper.
pakkestrikk rubber band.
pakkesel pack ass; (*person*) beast of burden.
pakkhus warehouse, storehouse; *lagre i* ~ warehouse. **-leie** warehouse rent.
pakkis pack ice, ice pack.
pakk|kasse packing case; (*sprinkelkasse*) crate. **-kurv** hamper. **-mester** (*post-*) (*omtr* =) sorter. **-papir** packing paper, wrapping paper.
pakning packing; (*skive*) washer.
pakt pact, treaty, agreement; (*bibl*) covenant; *slutte* ~ *med* make a pact with; *i* ~ *med* (*i samklang med*) in keeping with, in harmony with; (*i ledtog med*) in league with; *i* ~ *med tiden* in tune with the times.
pal ⚓ pawl.
palass palace. **palassaktig** palatial.
palatal (*fon*) palatal.
palaver palaver, talk.
pale (*småsei*) young coalfish.
palé mansion.
paleografi (*studium av gamle håndskrifter*) pal(a)eography.
paleontologi (*forsteiningslære*) pal(a)eontology.
Palestina Palestine.
palett palette; *legge farger på -en* set the p.
palisade palisade, stockade.
palisander palisander, Brazilian rosewood.
paljetter (*pl*) spangles, sequins.
pall (*benk*) bench; (*forhøyet golv*) raised floor. **palla** (*kat.: stivet serviett som dekker kalken*) pall.
palltosk ♏ stone crab.
palme palm; *stå med -r i hendene* come off with flying colours.
palmehage palm court.
palmesøndag Palm Sunday.
pamfilius: *en lykkens* ~ a lucky dog.
pamflett (*smedeskrift*) lampoon.
pamp (*kan gjengis*) trade-union careerist; (*se partipamp*).
pampevelde tyranny of party bosses.
Pan Pan.
panegy|riker panegyrist. **-rikk** panegyric. **-risk** panegyric(al).
panel wainscot.
panele (*vb*) wainscot.
pang (*int*) bang.
pangermanisme Pan-Germanism.
panikk panic, scare; *få* ~ get panicky; *det oppsto* ~ (a) panic set in; there was a panic; *a p. broke out; bli grepet av* ~ panic, get panicky;

grepet av ~ seized with panic, panic-stricken; *de flyktet i* ~ they fled in a panic.
panikkartet panicky.
panisk panicky; panic; ~ *skrekk* panic fear; *jeg har en* ~ *skrekk for hunder* T I'm scared stiff of dogs.
I. panne (*stekepanne*) frying pan; pan; *være pott og* ~ be the boss; be made much of; *stekt i* ~ pan fried.
II. panne (*ansiktsdel*) forehead; (*mest poet & fig*) brow; *rynke -n* knit one's brows, frown.
pannebånd headband, fillet; (*jvf hårbånd*).
pannefødsel brow presentation.
pannehår fringe.
pannekake pancake. **-røre** (pancake) batter.
panne|lugg: *se -hår*.
panoptikon waxworks.
panorama panorama; (*utsikt, også*) view.
panorer|e *vb* (*med filmkamera*) pan. **-ing** pan shot.
panser (*på skip, etc*) armour(-plating); US armor; (*på dyr*) carapace, (*protective*) shell; (*motor-*) bonnet; US hood. **-bil** armoured (,US: armored) car. **-dør** steel door. **-granat** armour-piercing shell. **-hvelv** strongroom; US (walk-in) safe. **-spiss** ✗ armoured spearhead. **-vern** anti-tank defences. **-vogn** armoured car; tank.
pansre (*vb*) armour, armour-plate; US armor; *-t* armoured; US armored; (*hist*) mailed (*fx* m. knights); *den -de neve* the mailed fist.
pant (*konkret & fig*) pledge (*fx* a p. of goodwill); (*sikkerhet*) security; (*i fast eiendom*) mortgage; (*i pantelek*) forfeit; (*flaske-*) deposit (on the bottle); *betale* ~ *for flasken* pay a deposit (*fx* of 6d) on the bottle; *innløse et* ~ redeem a pledge; *låne ut mot* ~ lend on security; *sette i* ~ give as security; mortgage; pledge.
pante (*vb*) pledge; (*fast eiendom*) mortgage; ~ *en for skatt* distrain on sby for taxes.
pante|bok register of mortgages. **-brev** mortgage deed. **-gjeld** mortgage debt.
panteisme pantheism. **panteist** pantheist.
panteistisk pantheistic(al).
pantelek (game of) forfeits.
pantelån mortgage loan; *oppta* ~ raise (*el.* take out) a mortgage; *oppta* ~ *på en eiendom* mortgage an estate, encumber an e. with a mortgage.
pantelåner pawnbroker; *hos -en* (,T: *hos onkel*) at the pawnbroker's, in pawn; S up the spout.
pantelånerforretning pawnshop; T popshop.
panter ⚹ panther.
pante|rett 1. law of mortgages and pledges; 2. mortgage (right), lien; (*sjø-*) maritime lien; ~ *for tollbeløpet* a lien on the goods for the amount of duty. **-sikkerhet** security; mortgage.
panthaver pledgee, mortgagee.
pantobligasjon mortgage bond.
pantomime pantomime.
pantseddel pawnbroker's ticket.
pantsette (*vb*) pawn; (*fast eiendom*) mortgage.
papatasi|feber sandfly fever. **-mygg** sandfly; (*jvf sandloppe*).
papegøye parrot. **-aktig** parrot-like.
papel ⚹ papule.
papiljott curler.
papir paper; (*se sikker: et -t papir*).
papir|fabrikant paper-maker, p. manufacturer. **-fabrikasjon** manufacture of paper. **-fabrikk** paper mill. **-forretning** stationer's (shop). **-handel** stationery business. **-handler** stationer. **-kniv** paper knife, paper cutter. **-kurv** wastepaper basket; *havne i -en* be consigned to the w. b. **-masse** (paper) pulp. **-mølle** paper mill; (*fig*) red tape; *la -a gå* spin much red tape. **-omslag** paper wrapper. **-penger** paper money. **-pose** paper bag.
papisme papism, popery, papistry.
papist papist.
papistisk papistic(al), popish.
papp (*limet*) pasteboard; (*takpapp*) roofing paper; (*kartong*) cardboard.

pappa papa; T daddy, dad.
pappagutt spoilt son of rich parents.
papparbeid pasteboard work.
pappbeger paper drinking cups.
pappenheimer: *jeg kjenner mine -e (spøkef)* I know what to expect of them.
papp|eske cardboard box. **-kartonnasje** boards. **-masjé** papier mâché.
papyrus papyrus.
par pair; couple; *et ~* a couple of, one or two, two or three; *om et ~ dager* in a day or two; *et ~ hansker* a pair of gloves; *to ~ sko* two pairs of shoes; *et lykkelig ~* a happy pair (*el.* couple); *et elskende ~* a loving couple; a pair of lovers; *et nygift ~* a newly-married couple; T a pair of newlyweds; *et ~ og tjue* twenty-odd; *~ og odde* even and odd; *i siste ~ går X og Y (skøyteløp)* X and Y are the last pair to race; *vi kan ordne det slik at det blir ~* (ɔ: *likt antall damer & herrer*) we can arrange for even numbers.
parabel parable; (*mat.*) parabola.
parade parade; (*i fektning*) parry. **-antrekk** full dress. **-marsj** parade march; (*hanemarsj*) goose step.
paradere (*vb*) parade.
paradigma (*bøyningsmønster*) paradigm.
paradis paradise; *hoppe ~* play hopscotch. **-fugl** bird of paradise. **-hopping** hopscotch.
paradisisk paradisiac(al).
paradoks paradox.
paradoksal paradoxical.
parafin paraffin, kerosene. **-kanne** p. can.
parafrase paraphrase.
paragon (*merk*) sales slip.
paragraf (*avsnitt, lov-*) section; (*i traktat, kontrakt, etc*) clause, article. **-tegn** section mark.
parallakse parallax.
parallell parallel (*med* to).
parallell|forskyve (*vb*) displace parallel to sth. **-forskyvning** parallel displacement.
parallellogram parallelogram.
paralyse paralysis.
paralysere (*vb*) paralyse; US paralyze.
paralytiker paralytic.
paralytisk paralytic.
paranøtt Brazil nut.
paraply umbrella; *slå opp en ~* put up an umbrella; *slå ned en ~* close an umbrella.
parasitt parasite. **parasittisk** parasitic.
parasoll parasol, sunshade.
parat ready, in readiness; *~ til å* ready to; *holde seg ~* keep oneself ready, be prepared, stand by.
paratyfus paratyphoid (fever).
paravane ⚓ paravane.
pardong quarter; *gi ~* give quarter.
pare (*vb*) 1 (*ordne parvis*) match, pair (*fx* socks, horses); 2 (*han og hun*) mate; pair; *-s, ~ seg* pair, mate, copulate.
parentes parenthesis (*pl:* parantheses); brackets (*pl*); *i ~* in p., parenthetic(al).
parentetisk parenthetic(al); (*adv*) parenthetically.
parere (*vb*) parry; (*fig*) ward off; (*adlyde*) obey; *~ ordre* obey orders; T toe the line.
paret (*se pare*) (1) matched, paired; (2) mated, paired.
parforsejakt hunt, hunting, riding to hounds.
parfyme perfume.
parfyme|forretning perfumer's (shop). **-handler** perfumer, perfume dealer.
parfymere (*vb*) scent, perfume.
parfymeri perfumery, perfumer's (shop).
pargas T (= *bagasje*) luggage.
pari par; *i ~* at par; *over ~* above par, at a premium; *til ~* at par; *under ~* below par, at a discount.
paria pariah; social outcast.
pariser Parisian. **pariserinne** Parisienne.
parisienne (*kake*) palm leaf.
pariserloff French stick, (large) Vienna stick.

park (*anlegg*) park; (*dyre-*) deer park; (*vilt-*) game park; (T: *se parkeringslys*).
parkamerat (*skøyter, etc*) opponent; *få som ~* be paired with.
parkering parking.
parkerings|bot parking fine; (NB *rød lapp* (*også* US) parking ticket); (*se forelegg*). **-fil** (*på motorvei*) lay-by. **-lys** (*på bil*) parking light (*el.* lamp); *jeg kjørte med ~* (,T: *på park*) *hele veien* I had my parking lights on all the way. **-plass** parking place, p. space, p. ground; US p. lot; (*større*) car park.
parkett 1 (*i teater*) stalls; US orchestra; 2. parquet (floor).
parklys (*på bil*) parking light (*el.* lamp); (*se parkeringslys*).
parkometer parking meter. **-vakt** parking meter attendant.
parktante [supervisor of outdoor kindergarten].
parkvakt park keeper.
parkvesen [municipal department for parks and recreation grounds]; (*se herreds- og bygartner*).
parla|ment Parliament. **-mentarisk** parliamentary. **-mentarisme** parliamentary system. **-mentere** (*vb*) parley, negotiate. **-mentering** parley, negotiation.
parlaments|medlem Member of Parliament, M.P. **-møte** sitting of Parliament. **-samling** session. **-valg** (Parliamentary) election, general election; (*jvf stortings-*).
parlamentær negotiator.
parlamentærflagg flag of truce.
parløp pair skating. **-er** pair skater.
parlør phrase book.
parmesanost Parmesan cheese.
parnass Parnassus.
parodi parody.
parodiere (*vb*) parody; (*imitere, også*) take off.
parodisk parodic(al).
parole slogan, watchword; ✂ countersign, password; (*ordre*) order(s).
parsell lot (of ground).
parsellere (*vb*) parcel out (land into lots).
part part, portion, share; (*jur*) party; side; *~ i en sak* (*jur*) party to a case; *jeg for min ~* I for my part; I for one; *få ~ i* i get a share in; *hver av -ene* each party; either side (*fx* e. s. can appeal against this judgment to a higher court); *ingen av -ene ville fire* neither side (*el.* party) would give way; (*se stridende*).
partere (*vb*) cut up, carve; (*en henrettet*) quarter.
parterr(e) pit.
parthaver part-owner.
parti 1. parcel, lot; (*konsignert*) consignment; (*post*) batch; *-er på minst 20 sendinger* (*post*) batches of at least 20 packets; (*se I. gjelde*); **2** (*del, stykke*) part; **3** (*politisk*) party; (*se I. lik*); **4** (*giftemål*) match; **5.** ♪ part; **6** (*spill*) game (*fx* of whist); **7** (*motiv*) view (*fx* a v. of Dartmoor); **8** (*gruppe elever ved muntlig eksamen*) group; (*se også muntlig*); *et godt ~* (4) a good match; *gjøre et dårlig ~* (4) throw oneself away; *det bestilte ~* the goods ordered; the quantity ordered; *hvor stort ~?* what quantity? *meddel oss hvor stort ~ De trenger* inform us of the quantity required (*el.* needed); i. us how large a q. you require (*el.* need); *i -er på . . . in lots of . . .; i små -er* in small lots (*fx* pack the goods in small lots); *et ~ silkevarer* (*ofte*) silk goods; *det ~ sigarer som . . . (ofte*) the cigars that *. . . ; det -et som ble sendt i går* the goods forwarded yesterday; *ta ~* take sides; *ta ~ for* side with, take the side of; *ta ~ mot* side against, take sides against.
parti|apparatet the party machine. **-ben** pickings, perquisites; T perks; *systemet med ~* US the spoils system; (NB if one's membership of the party is in order it's easy to turn that to good advantage). **-bok:** *se medlems-*.
partiell partial.

parti|felle member of one's own party. **-fører** party leader; T party boss.

partigjenger party man.

partihensyn party consideration; (se *partipolitisk*).

partikkel particle.

partikongress = party rally.

partikulær particular (*fx* p. average).

parti|løs independent, outside the parties. **-mann** party man. **-pamp** (*kan gjengis*) trade-union careerist; *-ene* (*i løsere språkbruk, også*) the party bosses; (se *pampevelde*).

parti|politikk party politics. **-politisk** party-political (*fx* pay attention to p.-p. considerations).

partisan partisan.

partisipp participle; *nåtids-* the present participle; *fortids-* the past participle.

partisippkonstruksjon participle construction.

partisk partial, bias(s)ed.

partispørsmål party issue.

parti|stilling position (*el.* strength) of the parties. **-strid** party strife (*el.* conflict). **-traver** party hack.

partitur ♩ score.

partivesen parties, the party system.

partiånd party spirit.

partout: *han ville* ~ he insisted on (-ing). **-kort** (permanent) pass.

partsforhandlinger (*pl*) [negotiations between the parties involved].

partsinnlegg 1 (*jur*) plea (made by one of the parties); 2. bias(s)ed (*el.* one-sided) presentation.

parveny upstart, parvenu.

parvis in pairs, in couples; *ordne* ~ group in pairs, pair off (*fx* the guests).

parykk wig.

pasient patient.

pasif|isere (*vb*) pacify. **-isme** pacifism. **-ist** pacifist. **-istisk** pacifist.

pasja pasha.

pasje page.

pasjehår page-boy hair(cut).

pasjon passion.

pasjonert ardent, keen (*fx* a k. golfer); ~ *røker* inveterate smoker; *en* ~ *sportsfisker* an angling enthusiast.

pasjonsblomst ✤ passion flower.

pasjonsskuespill passion play.

pasning (*passform*) fit; (*i fotb*) pass.

pasningsplate match plate.

I. pass (*reisepass*) passport; (se I. *lyde*).

II. pass ✤ no bid, pass; *melde* ~ say no bid, pass; (*fig*) throw up the game (*el.* sponge), give (it) up.

III. pass (*fjellpass*) pass, defile.

IV. pass (*tilsyn, pleie*) attention, care; nursing.

V. pass: *det er til* ~ *for ham!* (it) serves him right! *han føler seg ikke riktig til* ~ he is not (*el.* does not feel) very well; he is out of sorts.

passabel passable, not too bad.

passasje passage, passageway; *fri* ~ a clear road; *fri* ~ (ɔ: *adgang*) *til* free access to; *gi fri* ~ give (*fx* emergency vehicles) the right of way.

passasjer passenger; (*drosjesjåførs*) fare; ~ *i forsetet* front-seat, p., p. in front. **-båt** passenger ship. **-gods** (passengers') luggage. **-liste** passenger list. **-skip** p. ship. **-trafikk** p. traffic.

passat trade wind.

passbåt speed boat.

I. passe *vb* ✤ pass, say no bid.

II. passe (*vb*) fit; (*være passende*) be appropriate, be to the purpose; (*stemme overens*) agree, tally (with), correspond (with); (*egne seg*) suit, be suitable; *det -r* (*fint*) that's fine; *jeg skal* ~ (ɔ: *vokte*) *meg for å gjøre det en gang til!* T catch me doing that again! *pass Dem for hunden!* mind the dog! *kjolen -r godt* the dress fits well; ~ *sammen* go together, suit each other; *fit to-gether*; ~ *sine forretninger* mind one's business; ~ *telefonen* answer the telephone; ~ *tiden* be punctual, be in time; *det -r meg ikke* it does not

suit me; *det -r utmerket* that fits in very well; ~ *for* suit; *jeg håper at dette fremdeles -r for deg* I hope that still fits in with you; ~ **inn** fit in (*fx* f. in the holiday dates); *jeg er glad for at dere mener jeg vil* ~ *inn* (*i selskapet*) I'm (so) glad you think I'll fit in; ~ **inn** *i* fit in with; ~ **inn** *i et mønster* (*fig*) conform to a pattern; *ovnen -r inn i ethvert interiør* the stove blends easily with any scheme of furnishing; ~ **med** agree (*el.* tally) with; ~ **på** take care of, look after; *pass på å spørre alle gjestene hva de heter* be careful to (*el.* don't forget to) ask all the guests their names; *pass på!* take care! beware! look out! ~ **til** go (well) with, match; *nøkkelen -r til låsen* the key fits the lock; *han -r ikke til å være lærer* he is not suited for teaching; he is not suited to be a teacher; ~ **seg** be fitting, be proper; *det -r seg ikke* it is not fitting (*el.* proper); it is not good form; *det -r seg ikke for ham å snakke slik* he shouldn't talk like that; (*litt.*) it ill becomes him to talk in that strain; ~ **seg selv** take care of oneself; *pass Dem selv!* mind your own business!

III. passe: ~ *stekt* done to a turn; ~ *stor* just the right size; *så* ~: *se passelig: så* ~.

passelig fitting, suitable; *så* ~ just passable, tolerable; T so-so.

passende 1 (*egnet, skikket*) suitable; appropriate (*fx* on an occasion); 2 (*sømmelig*) proper, decent, correct; (*jvf ovf: passe seg*) 3 (*rimelig*) suitable, reasonable (*fx* price, reward, salary); *med* ~ *mellomrom* at suitable intervals; *noen* ~ *ord* some appropriate words; *jeg anser det ikke for* ~ *å* ... I do not consider it the proper thing to ...

passer (pair of) compasses; (*stikk-*) dividers.

passerben leg of a pair of compasses.

passere (*vb*) pass, pass by, pass through; turn (*fx* the collection has turned the thousand dollar point; he has turned forty); ~ *linjen* cross the line (*el.* equator); ~ *revy* pass in review; *la* ~ (ɔ: *godta*) pass (*fx* let it pass); *det kan* ~ (ɔ: *gå an*) it will just pass muster.

passerseddel pass, permit.

pass|gang pace, amble, ambling. **-gjenger** pacer, ambler.

passiar talk, chat; *slå av en* ~ have a chat.

passiare (*vb*) talk, chat, have a talk (*el.* chat) (*med* with).

passinnehaver passport holder.

I. passiv (*gram*) the passive (voice).

II. passiv (*adj*) passive; unresisting.

passiva liabilities; (se *aktiva*).

passivitet passivity.

passkontroll passport check.

pass|kort ✤ passing hand. **-melding** bid of pass.

passtvang obligation to have a passport; *det er* ~ passports are compulsory.

passus passage.

passutstedelse the issue of passports.

passvisering the visaing of passports.

pasta paste.

pastell pastel.

pastellmaler pastellist.

pasteurisere (*vb*) pasteurize.

pasteurisering pasteurization.

pastill pastil, pastille, lozenge; (se *hals-*).

pastinakk ✤ parsnip.

pastor: ~ *B.* (*i omtale*) the Rev. John B.; (*på brev*) the Rev. Mr. B.; (NB *fornavn el.* Mr. *må tas med*); (*i tiltale*) Mr. B.; *-en* the Rector, the Vicar (*,etc; se prest*).

pastoral pastoral.

pastorat living benefice, cure.

patena (*katolsk*) paten.

I. patent (*subst*) patent; (*sertifikat*) certificate; commission; *ha* ~ *på sannheten* have a monopoly of the truth; *ta* ~ *på* take out a patent for.

II. patent (*adj*) dependable, first-class.

patentanmeldelse application for a patent.

patentere (*vb*) patent.

patent|haver patentee. **-kontor** patent office.

pater Father.
patetisk *(følelsesfull)* emotional; *(høytidelig)* solemn; *(bombastisk)* high-flown; *(adv)* emotionally, with intense feeling; (NB pathetic *betyr «rørende»*).
patina patina.
patinere *(vb)* patinate.
patologi pathology. **patologisk** pathological.
patos pathos.
patriark patriarch. **patriarkalsk** patriarchal.
patriot patriot. **-isk** patriotic; *(se I. streng).* **-isme** patriotism.
patrisier patrician. **patrisisk** patrician.
I. patron cartridge; *(til kulepenn)* refill; *skarp ~* ball cartridge; *løs ~* blank cartridge.
II. patron *(beskytter)* patron.
patronat patronage.
patronhylse cartridge case.
patronramme cartridge clip.
patronvis: *~ ild* ✕ single rounds.
patrulje patrol.
I. patte *(subst)* nipple; *(på dyr)* teat.
II. patte *(vb)* suck.
patte|barn suckling. **-dyr** mammal. **-gris** sucking pig.
pauke ♪ kettledrum.
paulun *(glds)* pavilion, tent; *(spøkef)* abode, dwelling.
Paulus Paul.
pause pause, stop; ♪ rest; *(i forestilling, etc)* interval *(fx* there will be a short i. for refreshments; two minutes' i.); US intermission; *med -r innimellom* at intervals, intermittently; *det ble en ~* there was a pause; *ta en ~* pause make a pause.
pausere *(vb)* pause, stop.
pave pope.
pavedømme papacy.
pavelig papal.
pave|kirke the Church of Rome, the Roman Catholic Church. **-makt** papacy, papal authority. **-sete** papal see. **-valg** papal election.
paviljong pavilion.
peau-de-pêche-jakke velveteen jacket.
pedagog pedagogue, educationalist.
pedagogikk pedagogics, pedagogy.
pedagogisk pedagogic(al); *~ kvotient* educational quotient *(fk.* E. Q.); *~ seminar* institute of education; *eksamen fra ~ seminar (svarer til)* Diploma of Education; *(kurset)* Diploma of Education course; *har De (eksamen fra) ~ seminar?* have you got your Diploma of E.?
pedal pedal.
pedalsett: *dobbelt ~ (i bil)* dual control unit.
pedant pedant. **-eri** pedantry. **-isk** pedantic.
peile *(vb)* ⚓ take a bearing, take bearings; *(om fyr)* bear *(fx* the light bears S.E.); *(bestemme væskehøyden i; lodde)* sound; *(se peiling).*
peiling bearing; *få ~ på* learn about; *han har ikke ~ S* he hasn't a clue, he's quite clueless; *ta ~ på* head for; aim at; ⚓ take a bearing *(på noe* on sth).
peis *(ildsted)* open fireplace; *ved -en* by (el. at) the fireside, by the fire; *nå skulle det vært deilig med fyr på -en* it would be nice to have a bit of fire now.
peisbål open fire; *kose seg ved -et* enjoy the open fire.
peise *(vb):* *~ på* go ahead, work hard; go very fast.
peisestue [room with an open fireplace].
peis|hylle mantelpiece. **-krakk** fireside stool. **-krok** fireplace corner, inglenook. **-varme** heat of a fireplace *(fx* the lively flames and pleasant heat of a fireplace).
pek: *gjøre ham et ~* play a trick on him.
peke *(vb)* point *(på* at, to); *~ fingrer av* point derisively at; *~ på (ɔ: gjøre oppmerksom på)* call attention to; *~ på et viktig moment (el. forhold)* raise an important point; *hun får alt hun*

-r på she gets everything she asks for *(el.* wants); she only has to point at sth and she gets it *(el.* to get it); *~ ut* point out, select.
peke|finger forefinger, index finger; *det å skrive på maskin med -en* = hunt and peck; *det var Guds ~* that was a warning sign from heaven, that was the (warning) finger of God. **-pinne** *(fig)* hint, pointer. **-stokk** pointer.
pekuniær pecuniary.
pelagisk pelagic.
pelargonium ⚘ geranium.
pelikan ⚘ pelican.
Peloponnes *(geogr)* the Peloponnese.
pels fur; *(frakk el. kåpe)* fur coat; *få på -en* T get a beating.
pelsdyr fur-bearing animal.
pelsfôre *(vb)* fur-line.
pels|frakk fur coat. **-handler** furrier. **-jeger** trapper. **-kåpe** fur coat. **-verk** furs.
pemmikan pemmican.
pen *(adj)* nice *(fx* face, dress, girl, house); *(om person, også)* good-looking; *(pen og ordentlig)* neat *(fx* dress, handwriting); *(se kjekk & ordentlig); (om vær)* fine; *(om tanke)* kind *(fx* a k. thought); *(god, ganske god)* (quite a) good *(fx* quite a good result), nice *(fx* a nice piece of work), fair *(fx* a fair amount of trade), tidy *(fx* a tidy sum of money), handsome *(fx* a h. trade); *(ærbar, anstendig)* respectable, decent *(fx* she is a d. girl); nice *(fx* no nice girl swears); *(veloppdragen)* nice *(fx* a nice young man; he has nice manners); *(vennlig)* nice, kind *(fx* how nice of you; it was kind of him to help me); *~ og ren* nice and clean; *~ i tøyet* neatly dressed; *(adv)* nicely, neatly, well, decently, fairly, tolerably; *motoren går -t* the engine is running smoothly (el. sweetly); *(se kjekk).*
penal pen-case, pencil case.
pendant counterpart, match, companion piece (,picture, *etc).*
pendel pendulum.
pendelaksel swing axle shaft.
pendelslag oscillation of a pendulum.
pendeltog shuttle-service train.
pendeltrafikk *(jernb)* shuttle service.
pendress best suit.
penge-: *se penger; jeg fikk det for en billig ~* I picked it up cheap.
penge|anbringelse investment. **-brev** [registered letter containing money].
pengeforbruk expenditure, spending *(fx* we must be more careful with our s.); *skjære ned på sitt ~* cut down on *(el.* limit) one's spending *(el.* expenditure).
penge|forhold: *han hadde god orden i sine ~* his finances were in good order *(el.* were in a good state). **-forlegenhet** pecuniary embarrassment; *(se også -knipe).* **-grisk** money-grubbing, avaricious; **-griskhet** avarice, rapacity, cupidity. **-hjelp** pecuniary aid. **-knipe** pecuniary difficulty *(el.* embarrassment), financial straits; *være i ~* be awkwardly placed over money matters, be short of money; T be hard up, be on the rocks.
pengekrise financial crisis.
pengelens penniless; T broke.
pengelotteri: *Statens ~* the State Lottery.
penge|mangel scarcity of money; lack of money. **-mann** moneyed man, capitalist. **-marked** money market. **-omløp** circulation of money. **-omsetning** turnover *(fx* the t. on the Stock Exchange ran into big figures); *(se omsetning & pengeomløp).* **-puger** miser. **-pung** purse; *med slunken ~* with a slender purse; *(se II. ramme).*
penger *(pl)* money; *falske ~* bad money; *mange ~* much money; a lot of m.; *rede ~* ready money, cash; *det koster mange ~* that costs a great deal of m.; T that costs a packet (of m.); *tjene ~* make money; *tjene store ~* make a pile, earn a packet, make heaps *(el.* piles *el.* stacks *el.* pots) of money; *leve av sine ~* have a private income;

det er ingen ~ *blant folk* money is scarce; *det er mange* ~ *blant folk* there's plenty of money about; *gjøre noe i* ~ turn sth into money; *sette* ~ *i invest* money in; *slå om seg med* ~ spend money like water; *jeg har ingen* ~ *på meg* I have no money on (*el.* about) me; *slå* ~ *på noe* (*neds*) make money out of sth, trade on sth; *gifte seg til* ~ marry money; *komme til* ~ come into money; *hvor skal vi få* ~ *til det fra?* how are we going to find the money (for that)? *det er bare det at vi ikke har* ~ *til det* it's just that the money (for it) isn't there; *hvordan vil du ha pengene?* how will you take (*el.* have) the money? *hvordan er det med* ~*?* (ɔ: *har du nok*) how are you off for money? are you all right for m.? (*se II. bord; II. rulle; smør; strekke:* ~ *til; strø:* ~ *om seg*).

pengesaker (*pl*) money matters.
penge|seddel bank note; US (bank) bill. **-sending** remittance. **-skap** safe. **-skrin** money box. **-skuff** (*i en butikk*) till. **-sorger** pecuniary (*el.* financial) worries. **-stolt** purse-proud. **-stolthet** purse pride. **-stykke** coin. **-tap** loss of money, financial loss. **-transaksjon** money transaction. **-understøttelse** financial support (*el.* backing). **-utlegg** (*pl*) financial outlays. **-utlåner** moneylender, **-utpresning** 1. blackmail; 2 (*gangsterbandes, etc*) racket(eering); *drive* ~ (1) practise blackmail; (2) run a racket. **-utpresser** 1. blackmailer; 2 (*gangster*) racketeer; *brev fra* ~ blackmailing letter. **-vanskeligheter:** *se -knipe.* **-velde** plutocracy. **-verdi** money (*el.* monetary) value. **-vesen** money matters; finances.
penibel painful.
penn pen; *føre en god* ~ write well; (*se skarp*).
pennal pen-case, pencil case.
penne|feide literary controversy. **-skaft** penholder. **-skisse** pen-and-ink sketch. **-smører** quill-driver. **-splitt** nib. **-strøk** stroke of the pen. **-tegning** pen-and-ink drawing.
pens (*jernb*) points; US switch.
pense (*vb*) shunt; US switch; *vi må* ~ *ham inn på andre tankebaner* we must start him thinking along different lines; (*se skiftekonduktør, sporskifter & sporskiftning*).
pensel brush; (*kunstmalers*) oil colour brush. **-strøk** stroke of the brush.
pensjon 1. pension; *selskapet har fri* ~ the company provides a non-contributory pension scheme; 2 (*kost*) board and lodging; *full* ~ full b. and l.; *ha en i* ~ have sby as a boarder.
pensjonat boarding house. **-skole** boarding school.
pensjonere (*vb*) pension.
pensjonist pensioner.
pensjonsalder pensionable age.
pensjonsberettiget entitled to a pension.
pensjons|fond, -kasse pension fund. **-lov** Pensions Act. **-ordning** pension scheme; (*jvf pensjon 1*). **-rettigheter** (*pl*) pension entitlement.
pensjonær (*kostgjenger*) boarder.
pensle (*vb*) paint, swab (*fx* a wound).
pensum (*fagkrets*) curriculum; (*students*) syllabus; **-ets** *oppbygning* the construction of the syllabus; *de prinsipper* ~ *er bygd opp etter* the principles governing the construction of the syllabus; *komme gjennom* ~ get through the syllabus; *eksamens-* examination requirements (*pl*).
pensum|bøker (*pl*) books prescribed for study, set books. **-liste** list of set (*fx* English) reading; list of set books. **-tekster** (*pl*) prescribed texts, set texts.
peon 🌱 peony.
pepper pepper.
pepper|bøsse pepperbox. **-kake** gingersnap; (*jvf sirupssnipp*). **-mynte** peppermint. **-mø** old maid. **-svenn** bachelor.
pepre (*vb*) pepper.
pepsin pepsin. **peptisk** peptic.
Per Peter; ~ *og Pål* Tom, Dick, and Harry.

perfeksjonere (*vb*) perfect; ~ *seg i* improve one's knowledge of.
perfeksjonist perfectionist.
perfekt (*adj*) perfect (*i* in); *være* ~ *i fransk* have a thorough knowledge of French; know F. thoroughly; *han er* ~ *i fransk* (*også*) his F. is perfect; *han snakker* ~ *fransk* he speaks perfect F., he speaks F. perfectly; his F. is perfect; *han kan sine ting* ~ he knows his stuff to perfection.
perfekt|ibel perfectible. **-ibilitet** perfectibility.
perfektum the perfect (tense).
perforere (*vb*) perforate.
pergament parchment; (*fint*) vellum.
pergola pergola.
perifer 1 (*avsidesliggende*) remote; 2 (*anat*) peripheral (*fx* nerves).
periferi periphery.
periferisk peripheral.
periode period. **-dranker** dipsomaniac. **-vis** (*adj*) periodical; (*adv*) periodically.
periodisk periodic.
periskop periscope.
peristalt|ikk peristalsis. **-isk** peristaltic.
perkusjon percussion.
I. perle (*subst*) pearl; (*av glass, etc*) bead; (*naturskjønt sted*) beauty spot; *kaste -r for svin* cast (one's) pearls before swine.
II. perle (*vb*) bead, form (in) beads; *svetten -t på hans panne* beads of perspiration covered his forehead.
perle|broderi beadwork. **-fisker** pearl diver, pearl fisher. **-halsbånd** pearl necklace. **-humør** excellent spirits; *han var i* ~ T (*også*) he was in bubbling spirits. **-høne** Guinea hen. **-kjede** string of pearls (,beads). **-mor** mother-of-pearl. **-musling** pearl oyster. **-rad** row of pearls (,beads). **-venner:** *de er* ~ they are fast friends; (*se erteris*).
I. perm cover; *fra* ~ *til* ~ (*om bok*) from c. to c; *mellom disse -er* between the covers of this book, between these covers.
II. perm ✗ T: *se permisjon.*
I. permanent (*subst*) permanent wave; T perm.
II. permanent (*adj*) permanent; perpetual.
permisjon leave (of absence); (*se tjuvperm*); ~ *uten lønn over et passende tidsrom* an appropriate period of unpaid leave; *den med rektor avtalte -(stid) utløp* the leave allowed by the head expired.
permisjonsantrekk ✗ walking-out dress; ⚓ shore kit; US class A uniform.
permittent serviceman on leave; *-er* (*også*) leave personnel.
permitter|e (*vb*) grant leave (of absence); (*sende bort*) dismiss, send away; (*hjemsende*) disband, send home. **-t** on leave.
perpendik|kel pendulum. **-ulær** perpendicular.
perpleks taken aback, bewildered, nonplussed; T flummoxed.
perrong platform.
pers: *måtte till* ~ be in for it.
I. perse (*subst*) press.
II. perse (*vb*) press.
perser Persian.
persesylte mock brawn, head cheese, collared head.
Persia Persia.
persianer(skinn) Persian lamb.
persienne Venetian blind.
persille 🌿 parsley.
persisk Persian.
person person; *i egen* ~ in person; *uten -s anseelse* without respect of persons.
personalavdeling: *administrasjons- og personalavdeling* (*jernb*) establishment and staff department; (*se personalkontor*).
personaldirektør: *administrasjons- og personaldirektør* (*jernb*) chief establishment and staff officer; (*jvf personalsjef*).
personale personnel, staff; *teknisk* ~ technical staff; *butikk-* sales staff; (*se rydde:* ~ *opp i personalet*).

personalia biographical data, personalia.
personalkomité staff committee.
personalkontor personnel office; (se søknad).
personalsjef personnel manager; (se også personaldirektør).
personalstyrke staffing; tilstrekkelig (,høyeste) ~ adequate (,maximum) staffing.
personalunion (polit) personal union.
persongalleri (i litt. verk) (cast of) characters; Dickens' ~ the characters in Dickens.
personifikasjon personification.
personifiser|e (vb) personify; han er den -te hederlighet he is the soul of honesty.
personifisering personification.
personlig (adj) personal; en ~ bemerkning a p. remark; ~ frihet individual liberty; min -e mening my p. (el. private) opinion; (adv) personally, in person; jeg er ikke ~ interessert I am not directly concerned; (se seier).
personlighet personality, individuality; (personlig hentydning) personality; han er en helstøpt ~ he is a man of sterling personality.
person|takst fare. -tog passenger train.
perspektiv perspective; (se også avstand & uhildet).
perspektivisk perspective.
perspektivlære science of perspective.
pertentlig correct, meticulous, punctilious; T pernickety; US T persnickety; han er meget ~ T (også) he likes everything just so. -het meticulousness, punctiliousness.
Peru (geogr) Peru. p-aner, p-ansk Peruvian.
pervers perverse, perverted; (seksuelt) sexually depraved, perverted, unnatural (fx an u. crime, vice); en ~ person a (sexual) pervert.
perversitet sexual perversion, abnormality; pervertedness.
pese (vb) pant, puff.
pesk reindeer jacket.
pessar pessary.
pessimis|me pessimism. -t pessimist.
pessimistisk pessimist, pessimistic.
pest pest, plague; avsky som -en hate like poison.
pestaktig pestilential.
pestbyll bubo (pl: buboes).
pestilens pestilence.
petit (typ) brevier, 8-point.
petitartikkel paragraph; T par.
petroleum petroleum.
Pfalz (geogr) the Palatinate. p-greve Count Palatine.
pianist, -inne pianist.
I. piano (subst) piano; hennes dyktighet ved -et her proficiency at the p.
II. piano (sakte) piano.
pianoforte piano, pianoforte.
piano|krakk music stool. -stemmer piano tuner.
piassava piassava.
pidestall pedestal; rive ned av -en T debunk.
piece piece; (short) play.
pietet reverence, veneration, respect; (fromhet) piety.
pietetshensyn: av ~ from (el. out of) reverence (el. respect).
pietetsløs irreverent.
pie|tisme pietism. -tist pietist.
pietistisk pietistic.
pigg spike; (på piggtråd) barb; pinnsvinets -er the quills of the hedgehog; (fjell-) peak; ⚓ forepeak.
pigge (vb) spike, prod; ~ av T make oneself scarce; hop it; ~ av gårde T hurry off; T push off.
pigget prickly, spiky.
pigghå (fisk) piked (el. spiny) dogfish.
piggkjepp pikestaff.
piggrokke (fisk) sting ray.
pigg|stav pikestaff. -tråd barbed wire.
piggvar (fisk) turbot.

pigment pigment.
pikant piquant, intriguing; spicy (fx stories, pictures).
pikanteri piquancy.
piké piqué.
pike girl; (hushjelp) maid, servant girl, maid servant; en -nes Jens a ladies' man. -barn young girl; slip of a girl. -dager (pl) girlhood days. -historie affair. -jeger skirt chaser, girl chaser. -luner (pl) girlish whims. -navn maiden name; girl's name.
pike|skole girls' school. -speider girl guide.
pikett (vaktpost) picket.
pike|værelse maid's room. -år (pl) girlhood.
I. pikk (penis) (vulg) prick, cock, tool.
II. pikk: ~ og pakk bag and baggage.
pikke (vb) tap, knock.
pikkoline page girl.
pikkolo (fløyte) piccolo; (hotellgutt) page boy; buttons; US bellhop, bellboy.
piknik picnic.
I. pil ⚓ willow.
II. pil (til bue) arrow; (liten kaste-) dart; (fig) dart, bolt, shaft; (se bue).
pilar pillar; (bru-) pier.
pilaster pilaster.
Pilatus Pilate.
pile (vb) hurry, run, scurry (av sted off).
pilegrim pilgrim. pilegrims|ferd pilgrimage. -vandring pilgrimage.
pile|regn shower of arrows. -spiss arrowhead. -skudd arrow shot; bowshot (fx within a b. of).
pilk (fiskeredskap) jig.
pilke (vb) jig.
I. pille (subst) pill; en bitter ~ å svelge a bitter p. to swallow; sukre -n gild the pill.
II. pille vb (jvf plukke) pick, pluck; shell (fx peas, prawns); ~ seg i nesen pick one's nose; ~ fjærene av en fugl pluck a bird; ~ i maten pick at the food; fuglen -r seg the bird is preening itself; ~ ved finger, touch.
pillråtten rotten to the core.
pils(ner) (øl) lager.
pimpe (vb) tipple, guzzle (fx he sat guzzling beer all evening).
pimpestein pumice, pumice stone.
pinaktig painful.
pinaktighet pain, distress.
I. pine (subst) pain, torment, torture; død og ~! by Jove!
II. pine (vb) torment, torture.
pine|benk rack; bli spent på -benken be put on the rack. -full painful.
ping-pong ping-pong.
pingvin ⚓ penguin.
pinjong pinion.
pinje ⚓ stone pine.
pinlig painful.
pinne stick; (i bur) perch; (vagle) roost; (i cricketgjerde) stump; (strikke-) knitting needle; (om maskene på en pinne) row; (plugg) pin, peg; (i leken «vippe ~» cat; T (= dram) nip (fx a nip (of whisky, etc)), shot; felle en maske i slutten av -n decrease a stitch at the end of the row; ikke legge to -r i kors not lift a finger (fx for sby); skyte en hvit ~ etter noe whistle for sth; stiv som en ~ stiff as a poker (el. board); stå på ~ for en be at sby's beck and call; «vippe ~» (leken) tipcat; vippe ham av -n T knock him off his perch; (sørge for at han får sparken) give him the push; nyheten vippet ham nesten av -n (også) T the news nearly bowled him over.
pinnekjøtt [salted and dried ribs of mutton].
pinne|stol spindleback chair. -ved kindling wood; bli slått til ~ be shattered to bits.
pinnsvin ⚓ hedgehog.
pinol (på dreiebenk) (lathe) centre.
pinolrør (på dreiebenk) tail spindle.
pinse Whitsun; (jødisk) Pentecost.
pinseaften Whit Saturday, the day before Whitsunday.

pinsedag: *første* ~ Whitsunday; *annen* ~ Whit Monday.
pinseferie Whitsun holidays.
pinse|fest Pentecost. **-helg:** *se pinse.*
pinsel torture, torment.
pinselilje ♣ white narcissus.
pinse|morgen Whitsunday morning. **-tid** Whitsuntide.
pinsett (pair of) tweezers.
pinseuke Whit Week.
pion ♣ peony.
pionér pioneer.
pip (*lyd*) cheep, chirp, peep; (*int*) cheep! (*se pipp*).
I. **pipe** (*subst*) pipe; (*på bygning*) chimney; (*gevær-*) barrel; *danse etter ens* ~ dance to sby's pipe; be at sby's beck and call; *da fikk -n en annen lyd* that made him change his tune; *-n hadde fått en annen lyd* the song had changed; *stikke -n i sekk* climb down, sing small, pipe down, change one's tune; *en* ~ *tobakk* a pipe(ful) of tobacco.
II. **pipe** (*vb*) cheep; (*om dør, stemme*) creak, squeak (*fx* the door squeaked badly on its hinges); (*om åndedrett*) wheeze, whistle; *kulene pep oss om ørene* the bullets whistled past our ears; *vinden pep i riggen* the wind whistled through the rigging; ~ *en ut* boo sby, hiss sby; *bli pepet ut* S get the bird.
pipe|brann chimney fire. **-hode** pipe bowl. **-konsert** hissing; catcall. **-nøkkel** socket wrench. **-nøkkelsett** socket set. **-renser** pipe cleaner. **-stilk** pipestem. **-veksling** framing around the chimney.
piple (*vb*) trickle.
piplerke 🐦: *stor* ~ Richard's pipit.
pipp (*kvitring*) chirp, cheep, peep; courage, strength; *ta -en fra en* T take it out of one; *det tok nesten -en fra oss* (*også*) it almost knocked us out.
I. **pir** (*liten makrell*) young mackerel.
II. **pir** (*utstikkerbrygge*) pier.
pirat pirate.
pirk 1 (*pirkearbeid*) fiddling work; *det er noe ordentlig* ~ it's f. w.; 2 (*kritikk*) petty criticism.
pirke (*vb*) pick, poke (*i* in); fiddle, finger (*ved* at); ~ *seg i tennene* pick one's teeth; ~ (ɔ: *hakke*) *på en* carp at sby; US pick at sby.
pirkearbeid: *se pirk 1.*
pirket pedantic; pin-pricking; (*om kunstverk*) niggling.
pirre (*vb*) stimulate; titillate, tickle, excite.
pirrelig irritable.
pirrelighet irritability.
pirringsmiddel stimulant.
piruett pirouette.
pisk whip; (*hårpisk*) pigtail; *få av -en* get a flogging; *være under ens* ~ be under sby's thumb.
piske (*vb*) whip, lash, flog; (*egg, etc*) beat (up) (*fx* eggs, cream), whip; *regnet -r på rutene* the rain patters against the panes; *snøen -t oss i ansiktet* the wind was beating the snow into our faces; *han henger i som et -t skinn* he works as if possessed; T he works flat out; *stivpisket* whipped to a froth (*fx* three eggs whipped to a f.); ~ *opp en krigsstemning* stir (*el.* whip) up a warlike atmosphere; (*se I. skinn*).
piskeorm 🐛 whipworm.
piskesmell crack of a whip.
piskesnert whiplash; (*slag*) flick (of one's whip).
piss T piss, urine. **-e** (*vb*) T piss.
pissoar urinal.
pist (*av fugl*) chirp, cheep, peep.
pistol pistol. **-hylster** holster. **-kolbe** (pistol) butt.
pittoresk picturesque.
pjalt: *slå sine -er sammen* (*gifte seg*) T splice up.
pjatt 1. overdressed dandy; 2. empty chatter; nonsense, twaddle.
pjatte (*vb*) chatter idly.
pjekkert pea jacket.

pjokk (*liten gutt*) little fellow (*el.* chap); toddler; *den vesle -en* that little chap; T that little nipper; US that little shaver; (*se nurk*).
pjolter whisky and soda; US highball.
pjuske (*vb*) tousle; rumple, ruffle, dishevel.
pjusket rumpled; dishevelled (*fx* hair); *våt og med -e fjær* (*om fugl*) wet and with ruffled feathers; (*se pjuske*).
pladask flop, plop, plump; *falle* ~ *på baken* fall smack on one's seat; *han falt* ~ *på gulvet* he fell smack on the floor.
plaff (*int*) bang!
plaffe (*vb*) shoot, pop; ~ *løs på* blaze away at; ~ *ned* pick off; T plug.
I. **plage** (*subst*) bother, worry, nuisance; *hver dag har nok med sin* ~ (*bibl*) sufficient unto the day is the evil thereof; *fluene er en sann* ~ the flies are an unbearable nuisance; *den ungen er en sann* ~ *for sine omgivelser* that child is a holy terror.
II. **plage** (*vb*) bother, pester, torment, worry; ~ *livet av en* worry sby to death.
plageånd nuisance, pest; tormentor.
plagg garment; *en slik jakke er et meget anvendelig* ~ a jacket like that is a most useful garment.
plagiat plagiarism. **plagiator** plagiarist.
plagiere (*vb*) plagiarize.
plagsom annoying, troublesome.
I. **plakat** placard, bill, poster; (*teaterplakat*) playbill; (*forstørret fotografi brukt som veggdekorasjon*) photomural; *sette opp en* ~ stick (*el.* post) a bill.
II. **plakat:** ~ *full* T plastered, dead drunk.
plakatsøyle advertising pillar, advertisement display pillar.
I. **plan** 1 (*flate*) plane; 2 (*nivå*) level; *ligge i samme* ~ *som* be on the same level as, be on a level with; *på et annet* ~ on a different level; 3 (*tegning,kart*) plan (*over* of); 4 (*prosjekt*) plan, scheme, project; *arbeids-* (*i skole*) scheme of work, work scheme; *det er liten balanse i -en* it is not a very balanced framework; *eventyrlige -er* wildcat schemes; *man har -er om å bygge flere studenthjem* plans are under consideration for more halls of residence to be built; *jeg omgås med en* ~ I'm nursing a scheme; *-er om plans for; *på det indre* ~ in the inner world of the mind; in the inner sphere; *handlingen foregår på det indre* ~ the action takes place in the inner world of the mind; *på det ytre* ~ in the sphere (*el.* world) of external circumstances; *på et høyere* ~ (*kulturelt, etc*) on a higher plane; *vi arbeider faktisk på to* ~ we do, in fact, work on two levels; *sette en* ~ *ut i livet* carry a plan into effect (*el.* execution); *våre -er tegner bra* our plans are shaping well; (*se fadder; korthus; II. skulle* 3; *utarbeide*).
II. **plan** (*adj*) flat, level, plane.
planere (*vb*) level; plane; ~ *en vei* level a road; ~ *ut* level, even up (*fx* the ground); make even (*fx* m. the ground e.).
planet planet.
planetarisk planetary.
planetsystem planetary system.
planfri: *se kryss: planfritt* ~.
plangeometri plane geometry.
planhusholdning economic planning.
planke plank; (*av furu el. gran*) deal; (*jvf IV. bord*).
plankegjerde! board fence, boarding, hoarding; *sette* ~ *rundt* board in (*fx* a building site).
planke|kapp deal ends. **-kjøring:** *det er bare* ~ (*fig*) that's only routine work; that's mere routine; that's child's play. **-kledning** planking.
plankelegge (*vb*) plank.
plankton plankton.
plan|legge (*vb*) make plans for, plan. **-legging** planning; organizing; ~ *på lang sikt* long-range planning; *under den videre* ~ *av ordboksprosjektet* in working out further plans for the dictionary

project. **-løs** planless, aimless, unmethodical; T go-as-you-please. **-løshet** aimlessness, absence of method. **-messig** (*adj*) systematic; (*adv*) according to plan, systematically; ~ *lønnsøkning* planned growth of wages. **-messighet** regularity, method.

plansje plate (*fx* in a book); wall chart. **-verk** book containing plates.

planskive (*på dreiebenk*) (lathe) face plate.

plantasje plantation. **-eier** planter.

I. plante (*subst*) plant; *han er en fin* ~ T he's a nice specimen; *du er meg en fin* ~! well, you're a nice one!

II. plante (*vb*) plant; *han -t de svære, skitne føttene sine på teppet* he planted his big dirty feet on the carpet; ~ *om* transplant; replant; ~ *til med* plant up with (*fx* softwoods); ~ *ut* plant out, bed out; ~ *seg foran en* plant oneself in front of sby.

plante|etende herbivorous. **-føde** vegetable food. **-geografi** geographical botany. **-liv** plant life. **-rike** vegetable kingdom. **-saft** sap, juice of plants. **-skole** nursery. **-verden** vegetable world. **-vev** plant tissue.

plantrigonometri plane trigonometry.

planøkonomi (*system*) planned economy.

plapre (*vb*) chatter away, gabble; ~ *ut med noe* blurt out sth; *han -t ut med det hele* T he let the cat out of the bag.

plasere (*vb*): *se plassere*.

plask splash; (*lite*) plop.

plaske (*vb*) splash, plash; (*om enkelt lyd*) plop; ~ *med armer og ben* thrash the water.

plaskregn heavy shower, pelting rain.

plaskvåt dripping wet, drenched, soaked.

plass 1 (*sted*) place; spot; *på* ~ in p.; in its (right) p.; (*i rekke, serie, etc*) place, position; **2** (*rom*) room, space (*fx* it takes up a great deal of s.); (*i bok, etc*) space; *merkantil engelsk inntar en bred* ~ *i ordboken* commercial English claims considerable space (*el.* takes up much space) in the dictionary; **3** (*sitteplass*) seat (*fx* this seat is taken); *det er* ~ *til 12 ved dette bordet* this table seats 12; *ta* ~ take a seat; (*især US*) have a seat; *du har tatt -en min!* T you've bagged my place! **4** (*mandat*) seat (*fx* in Parliament); **5** (*stilling*) post, job; (*hushjelps, lett glds*) situation; (*se huspost*); **6** (*husrom, havneplass, etc*) accommodation (*fx* a. for 50 guests); **7** (*i veddeløp*) place; *han besatte 4.* ~ he came in fourth; he was fourth; *bytte* ~ change places (*fx* with sby); *han kom inn på 13.* ~ *på 500 m* he finished 13th in the 500 metres; (*om skøyteløper også*) he skated 13th; *med 13.* ~ *blant 42* with 13th place out of 42; *spilte du på ham som vinner og på* ~ ? (*i hesteveddeløp*) did you bet (on) him each way (*el.* both ways)? **8.** ⚓ (*posisjon*) position (*fx* the lightship is not in p.); **9** (*høre hjemme, være berettiget*): *på sin* ~ appropriate; suitable; *ikke på sin* ~ out of place, inappropriate, misplaced; *var det ikke på sin* ~ *å advare ham?* might it not be well to warn him? *illustrasjoner er på sin* ~ *når det gjelder å holde et publikums oppmerksomhet fanget* illustrations have their place in keeping a lecture audience attentive; *innta -ene!* (*sport*) on your marks! take your marks! *dette problem inntar en bred* ~ *i hans forskning* this problem takes up (*el.* occupies) a large part of his research work; *sette en på* ~ (o: *irettesette en*) put sby in his place; T tell sby where he gets off; *vike -en for* give way to; (*se også åpen*).

plass|anviserske (*på kino*) usherette. **-besparende** space-saving. **-bestilling** seat booking, seat reservation. **-billett** (*jernb*) (seat) reservation, reserved seat.

plassere (*vb*) place; (*penger*) place, invest; (*vaktpost, etc*) place, station (*fx* a guard at the gate); (*om ting, også*) locate (*fx* the battery is located under the bonnet); ~ *seg* place oneself seat oneself; *bli plassert* (*i sport*) be placed; *hester som ikke oppnådde å bli plassert* unplaced

horses; also-rans; ~ *en ordre hos* (*merk*) plac, an order with; *jeg kan ikke riktig* ~ *ham* (*fig*) I can't place him.

plassering placing; *en hest som har fått* ~ **a** placed horse; *hesten fikk ingen* ~ the horse was not placed.

plass|hensyn considerations of space. **-mangel** lack of space (*el.* room); (*på hotell, etc*) lack of accommodation; *på grunn av* ~ owing to lack of space. **-oppsigelse** 1. discharge; 2. walkout; (*se oppsigelse*).

plast plastic(s).

plaster plaster (*fx* put a p. over the wound, apply a p. to the w.); *som et* ~ *på såret* (*fig*) by way of consolation.

plastikk 1. *se plast*; 2. plastic art; 3. plastic gymnastics (*el.* dancing).

plastisk (*adj*) plastic (*fx* p. surgery; a p. operation; p. clay).

platan ♣ plane tree.

plate 1 (*metall-, tynn*) sheet; (*tykkere*) plate; (*byggnings-*) wallboard; (*av sten, etc*) slab (*fx* a s. of marble); (*glass-*) sheet (*fx* of glass); (*bord-*) table top; 2 (*grammofon-*) record; 3 (*elekt: koke-*) hotplate; 4 (*løgn*) lie, fib; *han er ikke så nøye på å slå en* ~ (4) he is apt to tell fibs; he is casual about telling the truth; he is not too truthful; *han gnåler alltid på den samme gamle -n* (*fig*) he is always harping on one (*el.* on the same) string.

plate|bar melody-bar. **-blokk** (*tekn*) slab ingot. **-emne** slab. **-innspilling** disk recording. **-musikk** (*i radio, som programpost*) record session. **-prater** disk jockey. **-spiller** (*automat*) record player. **-valseverk** slabbing mill.

platina platina, platinum.

platonisk platonic.

platt flat; (*i tale el. stil*) vulgar, low; flat; *kaste seg* ~ *ned* throw oneself flat.

plattenslager swindler, cheat.

plattform platform; *overbygget* ~ covered p.; *åpen* ~ open p.

platt|fot flatfoot. **-fotet, -føtt** flatfooted.

platthet flatness; platitude.

plattysk Low German.

platå plateau (*pl:* -x *el.* -s).

plausibel plausible.

plebeier, plebeiisk plebeian.

plebisitt plebiscite.

pledd (*travelling*) rug; US lap robe, lap rug.

pledere (*vb*) plead.

I. pleie *subst* (*pass*) nursing; care.

II. pleie *vb* (*være vant til*) be used to, be accustomed to, be in the habit of; *jeg -r å gjøre det* I usually (*el.* generally) do it; I am in the habit of doing it; *han pleide å komme hver dag* he used to come every day.

III. pleie *vb* (*passe*) look after; nurse, take care of.

pleie|barn foster child. **-foreldre** foster parents. **-hjem** nursing home.

pleier male nurse.

pleierske (*female*) nurse.

plen (*gress-*) lawn.

plent (*adv*): *sette seg* ~ *ned* sit right down; *svare* ~ *nei* give a flat refusal.

plenum plenary.

plenumsbehandle (*vb*) discuss in plenary assembly (*,parl:* session).

plenumsbeslutning plenary decision.

pleonas|me pleonasm. **-tisk** pleonastic.

I. plett: *se flekk*; *på -en* on the spot; *sette en* ~ *på hans rykte* stain his reputation; *en* ~ *på hans gode navn og rykte* (*også*) an imputation on his character.

II. plett plate (*fx* silver p.).

III. plett (*kake*) girdle (,US: griddle) snap.

plettfri spotless, immaculate.

plikt duty (*mot* to, towards); *en kjær* ~ a pleasant duty, a privilege; *en tung* ~ a painful duty; *gjøre sin* ~ do one's duty; *han har* ~ *til å* it is his duty to, he is in duty bound to,

he is under an obligation to; *jeg har først og fremst -er overfor kone og barn* my duty is to my wife and children; *-en kaller* duty calls; *utover hva -en krever* beyond the call of duty.
plikt|arbeid duties; *(se hoveri)*. **-dans** duty dance, obligatory dance.
plikte *(vb)*: *han -r å* it is his duty to, he is in duty bound to.
plikt|forsømmelse neglect of duty, dereliction of duty; *grov* ~ gross d. of d. **-følelse** sense of duty.
pliktig (in duty) bound, obliged.
pliktmessig conformable to duty, dutiful; *as* in duty bound.
pliktoppfyllelse fulfilment *(el.* discharge) of one's duty *(el.* duties).
pliktoppfyllende devoted (to duty); conscientious; *han er en interessert,* ~ *og flittig elev* he is an interested, conscientious and hard-working pupil *(el.* student).
pliktsak matter of duty.
plikt|skyldigst *(adv)* as in duty bound. **-tro** faithful (to one's duty), loyal, dutiful; conscientious. **-troskap** devotion to duty; conscientiousness.
plir blink, squint.
plire *(vb)* blink, squint *(mot* at).
plissé pleating.
plog plough; US plow; *føre -en* guide the p.; *legge under -en* put *(el.* bring) under the p., clear the ground; *(se bakkeplog, bæreplog; vendeplog).* **-før** fit to draw *(el.* capable of drawing) a (,the) plough. **-får** (p.) furrow. **-lag** [ploughing pool]. **-skjær** plough share. **-sving** *(på ski)* snow-plough turn. **-velte** sod turned up by the plough; furrow. **-ås** plough beam.
plombe 1. (tooth) filling; 2. (lead) seal.
plombere *(vb)* 1. stop, fill *(fx* a tooth); 2. seal.
plombering 1. stopping; 2. sealing.
I. plomme *(i egg)* yolk; *ha det som -n i egget* be in clover, be as snug as a bug in a rug.
II. plomme *(frukt)* plum.
plommetre plum tre.
pludder *(snakk)* jabber, gabble; *(babys)* prattle.
pludre *(vb)* jabber, gabble; *(om baby)* prattle.
plugg peg; plug; *en kraftig* ~ a sturdy fellow; *en kraftig, tettvokst liten* ~ a strong, sturdy little chap.
plukke *(vb)* pick; *(frukter, blomster)* pick,gather; *(en fugl)* pluck; *(en person)* fleece; ~ *av* pick off; *han har -t opp en god del tysk* he has picked up a lot of German; ~ *på* pick at *(fx* a wound, a scab); ~ *ut* pick out.
plukkfisk stewed codfish; *(fig)* hash *(fx* make hash of), mincemeat; *slå ham til* ~ make mincemeat of him.
plukkhogst *(forst)* selection felling *(el.* cutting).
I. plump *subst (dump lyd)* flop, plop; splash.
II. plump *adj (rå)* coarse, low, vulgar; *(klosset)* clumsy.
plumpe *(vb)* flop, plop, plump; ~ *ut med noe* blurt out sth.; ~ *ut med det* T let the cat out of the bag; spill the beans; *så -t han ut med det hele (også)* then it all came out; ~ *uti en råk: se råk.*
plumphet coarseness, vulgarity; *(klossethet)* clumsiness.
plumpudding plum pudding.
plun|der bother, trouble. **-dre** *(vb)* toil, have no end of trouble.
pluralis the plural.
pluralitet plurality.
pluskvamperfektum the pluperfect (tense).
pluss plus; *et* ~ *(fordel)* an advantage.
plusse *(vb)*: ~ *på* add.
plutselig *(adj)* sudden; *(adv)* suddenly, on *(el.* of) a sudden; ~ *forsto han at... (også)* in a flash he realized that...; *stanse* ~ stop short.
plutselighet suddenness.
plyndre *(vb)* plunder, pillage, rifle; *(erobret by)* sack, loot.
plyndring plundering, pillage, rifling; sack, loot.

plysj plush.
plystre *(vb)* whistle.
pløse blister, swelling; *(etter slag)* weal; *(i sko)* tongue.
pløset bloated, swollen.
pløye *(vb)* plough; US plow; ~ *gjennom (fig)* wade through, work one's way through *(fx* a book); ~ *ned* p. under; ~ *opp* turn up.
pnevmatisk pneumatic.
podagra *(glds)* gout.
I. pode *(subst)* graft; *(fig)* scion, offspring; *håpefull* ~ young hopeful.
II. pode *(vb)* graft; ⚥ inoculate; ~ *inn: se innpode.*
podekvist scion.
podium platform.
poeng point; *(kjernepunkt)* gist; *få 30* ~ score *(el.* get) thirty points; *-et ved historien* the point of the story; *tape (,vinne) på* ~ lose (,win) on points; *fjerne -et fra en anekdote* take the point out of an anecdote; *fikk du tak i -et?* T *(også)* did you get the message? *du har oppfattet -et riktig* you have grasped the point; *(se også utarbeidelse).*
poeng|beregning calculation of points. **-seier** victory on points. **-stilling** score; *hvordan er -en?* what's the score? **-sum** the total of points, the grand total; *han fikk -men 100* he got the total of 100 points.
poengtere *(vb)* emphasize, stress; *han poengterte meget sterkt at...* he emphasized very strongly that...
poesi poetry.
poet poet.
pokal cup.
poker ♣ poker. **-ansikt** p. face.
pokker the devil, the deuce; *så for* ~! oh, bother! oh, hang it! *hva* ~ ... what the deuce, what the blazes; ~ *også!* hang it! blast! damn! *gå* ~ *i vold!* go to blazes! *som bare* ~ like blazes; *det var da som bare* ~! what a damned nuisance! *et -s leven* an infernal noise; *en -s jente* the devil of a girl; *han tror visst han er* ~ *til kar* he really thinks he's 'it; he thinks no small beer of himself; *de har et -s hastverk* they are in a devil of a hurry.
pokulere *vb (glds)* carouse.
pol pole; *negativ* ~ negative pole; *positiv* ~ positive pole; *Nordpolen* the North Pole; *Sydpolen* the South Pole.
polakk Pole.
polar polar.
polaregner *(pl)* polar regions; *de nordlige* ~ the arctic regions; *de sydlige* ~ the antarctic regions.
polarkrets polar circle; *(nordlige)* Arctic C.; *(sydlige)* Antarctic C.
polarreise arctic voyage.
polemiker controversialist, polemist.
polemikk controversy; *(som begrep)* polemics.
polemisere *(vb)*: ~ *mot* polemize *(el.* carry on a controversy) against.
polemisk polemic, controversial.
Polen *(geogr)* Poland.
polenta polenta.
polere *(vb)* polish; burnish.
polergarn wool waste, waste wool.
poliklinikk polyclinic, out-patients' department.
polise policy; *tegne en* ~ effect *(el.* take out) a policy.
polisk arch, sly. **-het** archness, slyness.
politi police.
politiadjutant *(omtr* =) chief superintendent.
politi|aspirant policeman under training. **-av-delingssjef:** *se* -stasjonssjef. **-betjent** station sergeant; US (precinct) police sergeant. **-bil** police car, patrol car. **-etaten** the police service. **-forbund:** *Norsk* ~ *(svarer til)* the Police Federation. **-forhør** p. interrogation. **-forvaring:** *være i* ~ be in the custody of the police, be in p. custody. **-fullmektig** police superintendent. **-førstebetjent** police inspector; US (precinct) police lieutenant,

district lieutenant. **-hund** police dog. **-inspektør** (*i London: sjef for et* 'department') assistant commissioner; (*sjef for et* 'district') commander; (*sjef for en* 'sub-section') chief superintendent. **politikammer** police headquarters; police station.

politiker politician.

politikk (*framgangsmåte*) policy; (*statskunst*) politics; *det er dårlig* ~ it is bad policy; *snakke* ~ talk politics; *føre en barnevennlig* ~ follow (*el.* pursue) a policy favourable (*el.* beneficial) to children (*el.* to large families); *det er gått* ~ *i saken* it has become a political issue; *la det gå* ~ *i det* make a political issue of it.

politi|konstabel (police) constable. **-kølle** truncheon, baton. **-mester** chief constable; US police commissioner, chief of police; **-en** *i Oslo* the Commissioner of the Oslo Police; *vise-* deputy commissioner (of police); US deputy police c., deputy chief of police; (*i London*: the Commissioner is assisted by a Deputy Commissioner and four Assistant Commissioners).

politimyndighet police authority; *gi en* ~ invest sby with p. a.; . . . *bes melde fra til nærmeste* ~ . . . is (,are) requested to report to the nearest police station.

politisere (*vb*) talk politics.

politi|overbetjent chief inspector; US senior police captain. **-overkonstabel** (police) sergeant; (*ved kriminalpolitiet*) detective sergeant; US (precinct) police corporal.

politisk political; *slå* ~ *mynt på noe* use sth to political ends, make political capital out of sth.

politi|skilt policeman's badge. **-stasjon** police station; *bli trukket på* **-en** T be hauled up, be run in. **-stasjonssjef** (police) inspector; US (precinct) police captain, district captain; (*jvf -førstebetjent*). **-styrke** police force. **-utrykning**: *en stor* ~ a large muster of police (*fx* there was a large m. of p.); (*se storutrykning & utrykning*) **-vedtekt(er)** police regulation(s).

politur polish.

polka polka.

poll [round fjord with narrow inlet].

pollen ♣ pollen.

polonese polonaise.

polsk Polish.

polstre (*vb*) pad, stuff, upholster.

poly|gami polygamy. **-gamisk** polygamous. **-glott** polyglot. **-gon** polygon.

Polynesia (*geogr*) Polynesia.

polypp (*slags havdyr*) polyp; 🏵 polyp|us (*pl: -i*); (*i nesen*) adenoids.

polyteisme polytheism. **polyteist** polytheist.

polyteknisk technological.

pomade pomade.

pomadisert pomaded.

pomerans ♣ bitter orange.

Pommern (*geogr*) Pomerania.

pommersk Pomeranian.

pomp pomp; ~ *og prakt* p. and circumstance.

pompøs pompous, dignified, stately.

pondus authority, gravity, weight.

pongtong pontoon. **-bru** pontoon bridge.

ponni 🐾 pony.

poppel ♣ poplar.

popularisere (*vb*) popularize.

popularisering popularization.

popularitet popularity.

populær popular.

populærvitenskap popular science.

populærvitenskapelig popular science; *et* ~ *tidsskrift* a p. s. magazine.

pore pore.

pors ♣ sweet gale, bog myrtle.

porselen china, porcelain; *bein-* bone china.

porselens- china.

porselens|fat china dish. **-varer** chinaware.

porsjon (*tilmålt mengde*) portion, share; (*mat*) portion; helping; *i små* **-er** in small doses, in

(small) instalments; (*om mat*) in small helpings; *en* ~ *juling* a good beating.

port gate, doorway; *jage på* **-en** send packing.

portal gateway, portal.

portefølje portfolio; *minister uten* ~ minister without p.

portemoné (*pengepung*) purse.

portforbud curfew; ✗ confinement to barracks; T C.B.; *han har* ~ he is confined to barracks; US he is restricted to quarters.

portier (*dørvokter*) commissionaire, doorman; (*jernb*) hall porter; (*jvf innkaster*).

portiere (door) curtain, portière.

portklokke gate bell.

portner porter, doorman. **-bolig** porter's lodge.

portnøkkel gate key.

porto postage; *hva er* **-en** *på et brevkort til N.?* how much is a postcard to N.? *hva er* **-en** *på brev til utlandet?* what is the postage on foreign letters? what is the overseas p. on a letter?

portofrihet free postage; *misbruke* **-en** abuse the franking privilege.

porto|fritt post-paid, post free. **-nedsettelse** reduction of postage. **-takst(er)** postal rate(s). **-tillegg** (*straffeporto*) (postal) surcharge.

portrett portrait. **-byste** portrait bust.

portrettere (*vb*) make (,paint, draw) a portrait of, portray.

portrettmaler portrait painter.

port|rom gateway. **-stolpe** gatepost.

porttårn gate tower; (*glds & hist*) barbican.

Portu|gal Portugal. **p-giser, p-giserinne** Portuguese; *p-giserne* the Portuguese.

portugisisk Portuguese.

portulakk ♣ purslane.

portvakt gatekeeper.

portvin port, port wine.

porøs porous. **-itet** porousness, porosity.

I. pose bag; pouch; *få både i* ~ *og sekk* have it both ways; *du kan ikke få både i* ~ *og sekk* (*også*) you can't eat your cake and have it; *med -r under øynene* pouchy-eyed; *snakke rett ut av -n* speak straight from the shoulder, speak one's mind, not mince matters, speak plainly, speak out; *ha rent mel i -n* have a good (*el.* clear) conscience.

II. pose *vb* (*henge løst*) bag.

posere (*vb*) pose; strike poses.

poset (*løst hengende*) baggy.

posisjon position.

positiv (*subst & adj, også gram*) positive (*fx* the p. degree); *en* ~ *elev* (*kan gjengis*) a pleasant, interested and helpful pupil; *han er aktiv og* ~ *både i skole og lagsarbeid* he is keen and active in both school and out-of-school activities; *reagere -t* respond (*fx* the pupils responded well); (*se lagsarbeid*).

positiv|isme positivism. **-ist** positivist.

positur affected attitude, pose; *stille seg i* ~ strike an attitude.

possessiv possessive.

post 1 (*stilling*) post; (*hus-*) domestic post (*fx* take a d. p.); *ta* ~ *i England* take up employment in E.; take a post (,T:job) in E.; **2** (*postvesen*) post, mail; US mail; *sende med* **-en** send by post (*el.* mail), send through the post; *med samme* ~ by the same post (*fx* we are sending you by the same p . . .); *med vanlig* ~ by surface mail; *er det noe* ~ *til meg?* (is there) any mail for me? *jeg fikk mye* ~ *i dag* (*også*) I had a heavy post today; **3** (*i regnskap*) item; (*postering*) entry; (*beløp*) amount, sum; **4** (*vareparti*) lot; parcel; **5** (*vakt*): *stå på* ~ (*om vaktpost*) stand guard; *være på* ~ (*fig*) be on one's guard, be on the alert; *bli på sin* ~ remain at one's post.

postadresse postal address; *oppgi nøyaktig* ~ give exact p. a.

postal postal.

post|anvisning money order. **-arbeid** (*post*) post-office work. **-assistent** (*kan gjengis*) junior postal officer. **-behandling** (*post*) treatment of mails; *påskynde -en* accelerate the t. of m. **-bil** mail van. **-bud** postman; US mailman, mail carrier, letter carrier; *(se landpostbud)*. **-datere** *(vb)* postdate.

postdirektør *(i England)* Director General of the Post Office; (NB the Postmaster General is the political head of the British Post Office and, with the Assistant Postmaster General, speaks for it in Parliament).

poste *(vb)* post, mail; US mail; ~ *et brev (også)* take a letter to the post.

postei pie; *(liten)* patty.

postekspeditør *(svarer omtr. til)* postal (and telegraph) officer.

postere *(vb)* 1 *(stille på post)* post, station; 2 *(i regnskap)* post, enter.

poste restante poste restante, to be called for; left till called for; US general delivery; *(som oppslag over luken)* callers' letters.

postering *(se postere)* (1) posting, stationing; (2) posting, entry, item; *foreta en* ~ enter an item, make an entry.

posteringsfeil misentry; error in the books.

post|forbindelse: *se -gang*. **-fullmektig** *(omtr =)* chief (postal) inspector; (postal) inspector. **-gang** postal service(s), postal communication. **-giro-konto** post-office transfer account, postal account. **-hus** post office.

postkass|e letter box; US mailbox; *sitte med skjegget i -a* T be in the soup, be in a tight corner; S be in a tight *(el.* tough) spot; *bli sittende med skjegget i -a* T be left holding the baby.

post|kasserer *(inlet tilsv.; kan gjengis)* [post -office cashier]. **-kontor** post office; *under-*suboffice, branch post office. **-kort** postcard; US postal card. **-kunde** poster (NB 'posters are reminded that...'). **-mann:** *se -bud*. **-mengde** volume of mail. **-mester** postmaster; postmistress; *(ved hovedkontor)* head postmaster; *(i London)* district postmaster. **-ombringelse** delivery (of mail). **-oppkrav** cash (,US: collect) on delivery; C.O.D.; *post mot* ~ send C.O.D. **-opp-kravsbeløp** trade charge; US (amount of) C.O.D. charge. **-ordreforretning** mail-order business. **-pakkmester** *(svarer til)* sorter. **-sending** item of mail, postal item; *avgående -er* outward traffic; *visse slags -er* certain classes of traffic. **-sjåfør** mail-van driver. **-sparebank** post-office savings bank. **-stedsfortegnelse** directory of post offices. **-stempel** postmark.

Poststyret the post office authorities; *(i Engl)* the General Post Office; *et fremmed poststyre (faglig)* a foreign administration.

postulat postulate.

postvesen post-office *(el.* postal) services.

postvogn mail coach; *(jernb)* mail van.

postyr *(glds)* fuss.

post|åpner sub-postmaster. **-åpneri** rural sub-office.

pote paw.

potens potency, sexual power; *(ofte =)* sexual prowess; *(mat.)* power; *opphøye i annen* ~ square *(fx* s. a number); *opphøye i tredje* ~ raise to the 3rd power, cube *(fx* c. a number); *a i fjerde* ~ a to the fourth (power).

potensial potential.

potensiell potential.

potentat potentate.

potet potato; *ta opp -er* pick *(el.* dig) potatoes; *slå vannet av -ene* drain the potatoes; *(ved hjelp av dørslag)* strain the p.

potetferie autumn holiday (given to allow schoolchildren in country districts to help with the potato harvest).

potetgrateng potatoes au gratin.

potet|mel potato flour; *(i England brukes)* cornflour (= *maismel*). **-nese** T bulbous nose. **-opptaker** (rotary) potato digger, potato spinner. **-puré** creamed *(el.* mashed) potatoes. **-ris** potato tops *(el.* plants); *(vissent)* potato haulms. **-skrell** potato peel *(el.* peelings); skin (of a cooked

potato). **-stappe** mashed potatoes. **-åker** potato field.

potpurri potpourri *(av* of).

pottaske potash.

potte pot; *(nattmøbel)* chamber pot.

pottemaker potter.

potteplante pot(ted) plant.

potteskår potsherd.

pottestol potty-chair.

pr. 1 *(om sted)* near *(fx* n. Oslo); 2 *(om middel)* by *(fx* by rail); 3 *(om tid)* per, a *(fx* per annum; a year); *betaling* ~ *30 dager* payment in *(el.* at) 30 days; ~ *kontant* for cash; *våre betingelser er 2 % pr. 30 dager* our terms are 2 per cent (discount) on payment within 30 days; our terms are 2 % (discount) at 30 days.

pragmatisk pragmatic.

Praha *(geogr)* Prague.

praie *(vb)* call, hail; ~ *en drosje* hail a taxi.

prakke *(vb):* ~ *noe på en* palm sth off on sby.

praksis 1 *(øvelse, erfaring)* practice, experience; *med* ~ *i papirbransjen* with e. of the paper trade; *det fordres* ~ *i bokføring* previous e. of book-keeping required; *med allsidig* ~ with all-round e.; *det er* ~ *som teller* p. is the important thing; *(se også øvelse)*; 2 *(handling):* i ~ in practice; *i teori og* ~ in theory and p.; *ugjennomførlig i* ~ impracticable; *føre ut i* ~ put into p.; 3 *(leges, etc)* practice *(fx* sell a p.); *lege med alminnelig* ~ general practitioner *(fk.* G.P.); *4 (sedvane)* practice, custom, usage; *hevdvunnen* ~ a p. sanctioned by usage; a time-honoured custom; *følge vanlig* ~ conform to the usual practice; *følge vanlig forretnings-* adhere to *(el.* conform to) the usual business p.; *denne kunde, som ikke engang retter seg etter (el. følger) vanlig forret-nings-* this customer, who does not even comply with the usual p. in business; *(se søknad)*.

prakt pomp, magnificence, splendour.

praktbind de luxe binding.

prakteksemplar magnificent specimen, beauty; jewel *(fx* a j. of a wife), model *(fx* a m. husband).

prakt|elskende splendour-loving, fond of display. **-full** splendid, magnificent, gorgeous.

praktikant trainee, probationer.

praktikanttjeneste trainee service; *se (praktikum)*.

praktiker practical man, practician.

praktikum *(for ingeniører)* industrial training; *(hospitering ved skole for prøvekandidat)* school practice; *(jvf hospitering)*.

praktisere *(vb)* practise (,US: practice), put into practice.

praktisk *(adj)* practical; *i det -e liv* in practical life; *for å gjøre det mer* ~ *for våre kunder på det norske* marked for the greater convenience of our Norwegian customers; *(adv)* practically; ~ *talt* practically, virtually; *(se regning & I. skjønn)*.

praktkar brick, first-rate fellow.

prakt|stjerne ✿ campion. **-stykke** showpiece, museum piece. **-utgave** de luxe edition.

pral boasting, swaggering.

pralbønne ✿ scarlet runner, runner bean.

prale *(vb)* boast, brag *(av* about); ~ *med* show off, flaunt.

pram (flat-bottomed) rowboat *(el.* rowing boat); *(lekter)* barge, lighter.

prange *(vb)* be resplendent; ~ *med* show off.

prat chat, talk; nonsense.

prate *(vb)* chat, talk; ~ *seg bort* talk away without noticing the time; *han har det med å* ~ *seg bort* he's apt to forget the time when he's talking.

pratmaker loquacious person; *(neds)* windbag.

predestinere *(vb)* predestine.

predikant preacher; *en voldsom* ~ a tub -thumper.

predikat designation; *(gram)* predicate.

predisponert predisposed.

preferanse preference. **-aksje** preference share.

preg impression, stamp, impress; *sær-* distinctive character; *bære* ~ *av* be marked by, show signs of, bear evidence of; *sette sitt ~ på* leave one's mark on.

prege (*vb*) stamp, imprint, impress; (*kjennetegne*) mark, characterize, distinguish; feature (*fx* knolls and ridges which featured the landscape); ~ *seg inn* i make its mark on; *-t i hukommelsen* (indelibly) stamped on my (*,etc*) memory.

pregnans pithiness, pregnancy.

pregnant pithy, pregnant.

prek: *se prat*.

preke (*vb*) preach.

preken sermon; *holde en ~* deliver a sermon.

prekensamling book (*el.* collection) of sermons.

prekestol pulpit.

prektig splendid, magnificent, grand; (*utmerket*) excellent, noble, fine; (*se I. skue*).

prekær precarious.

prelat prelate.

preliminær preliminary.

prelle (*vb*): ~ *av* glance off; ~ *av på* (*fig*) be lost on.

preludium prelude.

premie premium; (*belønning*) reward; (*pris*) prize; (*se sette*: ~ *opp en premie*). **-liste** prize list.

premiere (*vb*) award (*el.* give) a prize to; put a premium on (*fx* we don't want to put a p. on laziness).

première first night; (*films*) first performance.

premierminister premier, prime minister.

premisser (*pl*) terms; *basert på falske ~* based on false premises; *på giverlandets ~* in accordance with the conditions laid down (*el.* the premises stated) by the donor (country).

prent print; *på ~* in print.

prente (*vb*) print; ~ *inn i* imprint into.

preparant technician; *første-* senior technician.

prepa|rat preparation. **-rere** (*vb*) prepare.

preposisjon preposition.

prerogativ prerogative.

presang present, gift. **-kort** gift token.

presbyterian|er Presbyterian. **-isme** Presbyterianism. **-sk** Presbyterian.

presedens precedent; *det fins ingen ~ for* there is no precedent for.

presenning (*for bil*) car cover; ⚓ tarpaulin.

presens the present (tense); ~ *partisipp* the present participle; ~ *konjunktiv* the present subjunctive.

present (*adj*): *jeg har det ikke ~* it has slipped my memory.

present|abel presentable. **-asjon** 1 (*merk*) presentation (*fx* of a bill); *ved ~ on p.*, when presented; 2 (*forestilling*) introduction; (NB «May I introduce you to my friend . . .?» // «This is Mr. X» — «I'm so glad to meet you!»// «I'm so glad to have the opportunity of meeting you (*el.* of making your acquaintance)»).

presentere (*vb*) introduce (*for* to); *presenter gevær!* present arms! ~ *en regning* present a bill.

preseptorisk *adj* (*jur*): ~ *lov* [law the operation of which cannot be dispensed with by agreement between the parties].

preservere (*vb*) preserve.

president president. **-valg** presidential election.

presidere (*vb*) preside (*ved* at, over).

presidium presidium; (*forsete*) chairmanship.

presis (*adj*) precise, punctual; ~ *kl.* 1 at one o'clock sharp; *båten går ~* the boat leaves on time (*,T:* bang on time).

presisere (*vb*) define precisely; amplify (*fx* a statement); (*poengtere*) stress, emphasize.

presisjon precision.

press pressure; strain, stress; *det vil uvegerlig føre til ~ på prisene* it will inevitably lead to (*el.* result in) prices being strained; *legge i ~* weight (down) (*fx* bent (*el.* crumpled) pictures with a paperweight); *legge blomster i ~* press flowers; *øve ~ på* (*fig*) apply pressure.

I. presse (*subst*) press; *få god ~* have a good press.

II. presse (*vb*) press, force; squeeze; ~ *noe ut*

av en extort sth from sby; ~ *penger av en* blackmail sby; ~ *ham hardt* press him hard; ~ *prisene ned* force (the) prices down; ~ *ned prisen* (*ved å underby*) cut the price; ~ *på* press forward; (*drive opp farten*) press on, push forward; (*for å få betaling*) press for payment; (*for å få en avgjørelse, etc*) press the point; *jeg -t ikke på* I did not press the point; ~ *på for å få et svar* (⊃: *kreve svar*) press the question; *han ville ikke ~ på* (*fig*) he did not want to push the matter (*el.* push things); ~ *en hel del fakta sammen på noen få linjer* crowd a great many facts into few lines; *tre familier var -t sammen på et lite rom* three families were crowded into one small room.

presse|byrå news agency. **-folk** pressmen.

pressefrihet liberty of the press.

pressemelding press release; T handout.

presseorgan press organ.

presserende urgent, pressing (*fx* the need for such experts is pressing and continuous); *den sak han nevner er ikke ~* there is no immediate hurry in the matter to which he refers.

pressesjef publicity manager; (chief) public relations manager (*el.* officer).

pressgruppe pressure group.

prest clergyman; T parson; (*katolsk & hedensk*) priest; (*sogne-*) rector, vicar; (*kapellan*) curate; (*fengsels-, sjømanns-, etc*) chaplain; (*mest i Skottl. og om dissenter-*) minister; *-ene* the clergy; *bli ~* take (holy) orders; (*se regne*).

prestasjon performance, achievement, feat; *en bra ~* (*om skolearbeid, etc*) a good effort; well done!

preste|gjeld parish. **-gård** rectory, vicarage, parsonage. **-kall** living, benefice. **-krage** T clergyman's ruff; (*i England*) bands; 2. ✿ oxeye daisy; 3. ♣ ringed plover.

prestelig clerical, priestly.

prestere (*vb*) achieve, perform, do.

preste|stand clergy, priesthood. **-vie** (*vb*) ordain. **-vielse** ordination.

prestisje prestige; (*se øke*).

prestisjehensyn: *personlige ~ spiller også inn* considerations of personal prestige also play a (*el.* their) part.

pretendent pretender.

pretendere (*vb*) pretend (to), lay claim (to); *en bok som ikke -r noe i retning av stil* a book without any pretence to style.

pretensiøs pretentious.

pretensjon pretension.

Preussen (*geogr*) Prussia.

preventiv (*subst*) contraceptive; T French letter; (*adj*) preventive, prophylactic; *-e midler* contraceptives.

prikk dot; point; *på en ~* to a T, to a nicety; *sette ~ over i'en* dot the i; *til punkt og -e* to the letter, in every particular, exactly.

prikke *vb* (*punktere*) dot; (*stikke med en nål*) prick; *det -t i huden* his (*,her, etc*) skin tingled.

prikket dotted.

prikkfri (*fig*) excellent, faultless, perfect.

prim [soft, sweet, brown whey-cheese].

prima first-class, first-rate.

primadonna (*ved teater*) leading lady; (*ved opera & fig*) prima donna; *nykker: ha ~* queen it.

primas primate.

primaveksel first of exchange.

primitiv primitive.

primitivitet primitiveness.

primo in the early part of, early in (*fx* May).

primtall prime number.

primula ✿ primrose.

primus (*slags kokeapparat*) primus (stove).

primær primary.

prins prince. **prinselig** princely.

prinsesse princess.

prinsgemal Prince Consort.

I. prinsipal employer; chief.

II. prinsipal (*adj*) principal, primary, chief.

prinsipalt (adv) in the first instance; alternatively, principally, primarily.

prinsipiell fundamental; in principle; ~ enighet agreement in p; a. on fundamentals.

prinsipp principle; av ~ on principle; i -et in principle.

prinsippfast firm, of principle; han er ~ he is a man of principle.

prinsippfasthet firmness of principle.

prinsippløs unprincipled.

prinsipp|løshet lack of principle. **-rytter** doctrinaire; T a great one for principles. **-rytteri** doctrinarianism. **-spørsmål** question of principle.

prinsregent Prince Regent.

prior prior. **priorinne** prioress.

prioritere (vb) give preference to; (jur) give priority to; ~ arbeidsoppgavene (ɔ: bestemme rekkefølgen) decide work priority; (se også prioritert & privilegere).

prioritert secured (fx s. creditors); preferential; en ~ fordring a preferential claim; være ~ have (el. take) priority.

prioritet priority; (jur) mortgage; første ~ i first m. on; (se sikkerhet).

prioritets|aksje preferential share, preference share. **-gjeld** mortgage debt. **-haver** mortgagee. **-liste** priority (list) (fx the school was high on the p.). **-lån** (pantelån) mortgage loan.

prioritetsspørsmål: det er utelukkende et ~ it is solely a question of priorities.

prippen (moralsk) prudish, prim, priggish; (pirrelig) testy, touchy.

I. pris price, rate; -ene hjemme og ute prices at home and abroad; home and foreign prices; (forlangt betaling) charge; faste -er fixed prices; nedsatte -er reduced prices; for enhver ~ at any price; (fig, også) at all costs; ikke for noen ~ not at any price, not for (all) the world, not on any account; barn under 14 halv ~, under 4 gratis children under 14 half price, under 4 free; med våre nåværende -er at our present prices; mot tillegg i -en for an additional sum; -en på the price of; -en på kull steg med 10 shilling pr. tonn coal advanced 10/- a ton; til en ~ av at the (el. a) price of; til en billig ~ at a low price; cheaply; til nedsatt ~ at a reduced price; oppgi Deres laveste ~ for ... quote your lowest price for ...; vennligst oppgi Deres -er på følgende (varer): ... will you please quote for the following items: ...; kindly quote us your prices for the goods listed below; sette ~ på value, appreciate; treasure (fx t. sby's friendship); sette stor ~ på noe set great store by sth, value sth very highly; vi satte stor ~ på ditt brev your letter was a great joy to us; våre priser har allerede blitt skåret ned til et minimum our prices have already been cut to the minimum possible; spørre om -en på dem ask the price (of them), ask their price; -ene stiger prices are rising (el. going up); (se innbefatte; inklusive; kappløp; II. nøye; press; II. presse; skru: ~ opp; sterkt; til).

II. pris (belønning, premie) prize; vinne -en win the prize, carry off the prize.

III. pris (snus) pinch (of snuff).

pris|avslag allowance, discount, rebate, reduction. **-avtale** price agreement. **-belønne** (vb) award a prize to. **-belønnet** prize (fx a p. novel).

I. prise ⚓ (et oppbrakt skip) prize.

II. prise (vb) praise, extol, celebrate; ~ seg lykkelig count oneself lucky.

pris|fall fall in prices; nye ~ i treforedlingsindustrien new drop in prices on the wood products market; (se sterk). **-forhøyelse** rise in prices.

prisgi (vb) give up, abandon.

prisklasse price range (fx knitted goods at various p. ranges; may I show you sth in a higher p. r.?).

priskrig price war.

pris|kurant price list. **-lapp** price tag (el. ticket), p. label. **-leie**: se -nivå. **-liste** price list.

prismatisk prismatic.

prisme prism.

prisnedsettelse reduction in (el. of) prices, price cut.

prisnivå price level; på et lavere ~ at a lower p. l., in a lower price bracket.

prisnotering quotation.

prisoppgave (premie-) prize subject; (besvarelsen) prize paper (el. essay).

prisstigning rise in prices; (se sterk).

prissvingning fluctuation in prices.

pristakst estimated value (fx sell the house at its e. v.).

prisverdig praiseworthy, commendable.

prisverdighet praiseworthiness.

privat private; personal; (adv) privately, in private; han kom til England på et ~ besøk he arrived in E. for a private visit.

privat|bil private car. **-bolig** p. residence. **-brev** personal letter. **-bruk**: til ~ for personal use. **-detektiv** private detective; (også) inquiry agent; T private eye; S dick. **-detektivbyrå** inquiry agency, private detective's office. **-elev** private pupil. **-forbruk** private consumption.

privatim privately, in private.

privatist [candidate for a public examination who has been educated privately or at an unauthorized school]; han gikk opp (til eksamen) som ~ he entered for the exam after preparing for it privately.

privatisteksamen [exam taken by a candidate not from a recognized school].

privatlivet private life; krenkelse av -s fred (jur) invasion of privacy; (se også krenkelse).

privat|mann private individual. **-rett** civil law, private law. **-sak** private (el. personal) matter. **-skole** private school.

privilegere (vb) privilege; bli privilegert get privileges; han blir alltid privilegert he is always getting privileges; he is always favoured unduly; he is always treated differently.

privilegium privilege; kvinnens ~ woman's prerogative.

pro: ~ anno per annum (fk. p.a.); ~ og kontra pro and con; ~ persona per person.

probat effective, unfailing, sure; en ~ kur an effective (el. efficacious) cure.

problem problem; komme inn på livet av et ~ come to grips with a problem; (se innlate & vei A).

problematisk problematic.

problembarn problem child.

problemstilling approach (to the problem), way of presenting the problem(s); en interessant ~ an interesting way of stating the problem (el. the question); det er en helt gal ~ that's an entirely wrong approach to the problem; that's the wrong way to look at the p., that's a wrong way of looking at the p.; (ofte) that's asking the wrong questions.

produksjon production, manufacture; output; gå i gang med -en proceed with (el. start) production; være i ~ (om film) be on the floor; mens -en pågår while p. is in progress (el. is proceeding); (se også ujevn).

produksjons|evne productive (el. production) capacity. **-utstyr** items required for production purposes. **-vekst** rise in production.

produkt product.

produktiv productive.

produktivitet productivity.

produsent producer.

produsere (vb) produce.

profan profane.

profanasjon profanation.

profaner|e (vb) profane, debase. **-ing** profanation.

profesjon trade, occupation, profession; av ~ by profession; (se også yrke).

profesjonell professional.

profesjonist professional.

professor professor; ~ i historie p. of history.

professorat professorship (*fx* a p. in history); chair (*fx* a c. of history).
profet prophet. **profetere** (*vb*) prophesy.
profeti prophecy.
profetisk prophetic(al).
profil profile; (*omriss*) profile, outline; *halv* ~ three-quarter face; *i* ~ in profile (*fx* draw sby in p.); (*snitt*) section, profile; (*liste*) moulding; (*på bildekk*) tread (pattern).
profilstål structural steel.
profilvalseverk structural mill.
profitere (*vb*) profit (*av* by).
profitt profit; *med* ~ at a profit.
profitør profiteer.
proforma (*adj*) pro forma (*fx* a pro forma invoice); (*adv*) as a matter of form; *rent* ~ as a mere matter of form; *det er rent* ~ it's just a m. of f.; it's merely a matter of form; (*ofte =*) it's a mere matter of routine.
profylakse prophylaxis.
prognose prognosis; *stille en* ~ make a p., prognosticate.
prognostisere (*vb*) foretell, prognosticate.
program programme; US program; *et fyldig* ~ a very full p.; *legge et* ~ arrange (*el.* draw up) a p.; *alt gikk etter -met* everything went according to p.; *på -met* in (*el.* on) the p.; *har du noe på -met i kveld?* have you anything on for tonight? *ta det opp* (*el. med*) *i -met* embody it in one's p.
programleder editor, producer.
program|messig according to the programme. **-post** item on the programme.
progresjon progression.
progressiv progressive; ~ *inntektsskatt* graduated income tax.
projeksjon projection.
projeksjonstegning descriptive geometry.
projisere (*vb*) project (*på* on).
proklama (legal) notice. **-sjon** proclamation.
proklamere (*vb*) proclaim.
prokura procuration; *pr.* ~ per procuration (*fk.* p. p. *el.* per pro.).
prokurator (*glds*) attorney.
prokurist confidential clerk.
proletar proletarian.
proletariat proletariat(e).
prolog prologue.
prolongere (*vb*) prolong.
prolongering prolongation; extension.
promenade promenade.
promille per thousand (*fx* five per thousand); (NB if the amount of alcohol in a drunken driver's blood is found to be more than 0.5 per thousand, he is 'under the influence').
promosjon the conferring of degrees; (*seremonien*) degree-giving; (*dagen*) degree day; US commencement.
promovere (*vb*): ~ *en* confer a doctor's degree on sby.
prompe (*vb*) break wind, fart.
prompte prompt.
pronomen pronoun.
propaganda propaganda; *drive* ~ *for* make propaganda for.
propell screw, propeller.
proper tidy, clean.
properhet tidiness.
propor|sjon proportion. **-sjonal** proportional, proportionate (*med* to); *-t* (*adv*) *-ly*, in proportion (*med* to); *omvendt* ~ inversely proportional, in inverse ratio (*med* to).
proporsjonalitet proportionality.
proporsjonert proportioned.
propp stopper; plug.
proppe *vb* (*stoppe*) stuff, plug; ~ *seg med mat* stuff oneself with food; ~ *i seg biff med løk* (*også*) tuck into steak and onions; ~ *litt middagsmat i ham* stuff (*el.* push) a bit of dinner into him.
proppfull brimful, chock-full, crammed.
proppmett T full up (and fit to burst); *jeg er* ~ (*også*) I've had delicate sufficiency.

proprietær (*hist*) landowner, country gentleman.
pro rata pro rata, proportionately.
prosa prose; *på* ~ in prose.
prosaisk prosaic; pedestrian; (*om person*) prosaic, unimaginative, banal, ordinary, trivial.
prosaist prose writer.
prosedere *vb* (*jur*) plead, conduct (*fx* a case); (*drive sak*) litigate; ~ *på frifinnelse* ask for the case to be dismissed.
prosedyre 1 (*fremgangsmåte*) procedure; 2 (*rettslig fremgangsmåte*) (legal) procedure; 3 (*sivil saksbehandling*) hearing, trial; 4 (*kriminalsaks behandling*) hearing, trial; 5 (*advokatens*) pleading, plea; *aktors og forsvarers* ~ the final speeches of the prosecution and defence; *muntlig* ~ (2) oral proceedings (*pl*); (5) oral pleading.
proselytt proselyte, convert.
prosent (*etter tall*) per cent (*fx* six per cent, 6 p. c., 6 %); (*ellers*) percentage (*fx* a large, small, high, low p.); *betale visse -er av* pay a certain p. of; *-en er meget høy* the percentage is a very high one; *hvor mange* ~? *hvor høy* (*el. stor*) ~? what percentage? how much per cent? *fødselsbirth rate*; *mange* ~ *bedre* a great deal better; *gi -er på* (ɔ: *rabatt*) give a discount on; *til 5 %* at 5 per cent; *4 ³/₄ %, av £135 4 ³/₄ % on £135*; *uttrykt i* ~ expressed as a percentage; *uttrykt i* ~ *av det hele* expressed in percentage of total.
prosent|del percentage. **-vis** per cent, percentage(s); *det blir foretatt* ~ *fordeling av utgiftene* the expenses are (to be) shared according to percentage; ~ *fordeling av forskningsutgifter* (*overskrift i tabell, etc*) specification of expenditure on research, expressed in percentages.
prosesjon procession.
prosess 1 (*rettssak*) lawsuit, suit, action (at law), case, (legal) proceedings; (*jvf rettssak, sak*); *føre* ~ *med, ligge i* ~ *med* be involved in a lawsuit with; *tape* (,*vinne*) *en* ~ lose (,win) a case; 2 (*rettergangsorden*) legal procedure; *straffe-criminal procedure*; 3 (*utvikling*) process (*fx* a chemical p.); 4 (*måte noe utføres på*) process (*fx* a new technical p.); *gjøre kort* ~ settle the question out of hand, make no bones about it; *gjøre kort* ~ *med en* make short work of sby, give sby short shrift.
prosess|fullmektig (*advokat*) counsel; *klagerens* (*el. saksøkerens*) ~ counsel for the plaintiff; *saksøktes* ~ c. for the defendant. **-førsel** procedure, conduct of a case. **-omkostninger** (*pl*) costs of a lawsuit, costs of litigation (*el.* proceedings), costs (of the action). **-uell** procedural.
prosit (*int*) (God) bless you! (NB *lite brukt på engelsk*).
prosjekt project, scheme; (*se satse*). **-ere** (*vb*) project, plan.
prosjektil projectile, missile.
prosjektør flood-light; (*teater-*) spotlight; (*til film*) projector.
proskripsjonsliste proscription list.
prospekt prospectus.
prospektkort picture postcard.
prost 1 (*dom-*) dean; 2. [rector in charge of several parishes]; (*kan gjengis*) senior rector.
prostata ꭲ the prostate.
prosti 1. deanery; 2. [ecclesiastical area presided over by a '*prost*'].
prostituere (*vb*) disgrace; ~ *seg* make a fool of oneself, stultify oneself.
prostituert (*subst*) prostitute; T pro.
prostitusjon disgrace; (*kvinners*) prostitution.
prote|gé protégé. **-gere** (*vb*) patronize.
proteksjon patronage. **-ist**, **-istisk** protectionist.
proteksjon|isme protection(ism).
protektorat protectorate.
protest protest; (*se skarp 2*). **-ant** Protestant. **-antisk** Protestant. **-antisme** Protestantism.
protestere (*vb*) protest (*mot* against); ~ *mot noe* T (*også*) kick against sth, jib at sth, be up in arms against sth.

protestmøte protest meeting.
protestskriv letter of protest.
protokoll 1 (*regnskaps-*) ledger; 2 (*forhand-lings-*) minute book; 3 (*referat fra møte*) minutes (*pl*), record; 4 (*diplomatisk*; *diplomatetikette*) protocol; *føre* ~ *over* (3) keep the minutes of (*fx* the meeting); *godkjenne -en* approve the minutes.
protokollere (*vb*) register, record.
protokollering registration.
protokoll|fører keeper of the minutes. **-tilførsel** entry into the minutes.
protokollutskrift extract from the records.
protoplasma protoplasma.
prov deposition, evidence; (*se vitneforklaring*).
proviant provisions, supplies; (*se I. niste*).
proviantere (*vb*) provision, take in supplies.
proviantforvalter ⚓ purser.
provins province; *i -en* in the country.
provinsiell provincial.
provisjon commission; *fast* ~ flat c.; ~ *av salget* a c. on the sales (*fx* the agent receives a certain c. on the sales).
provisjons|basis: *på* ~ on a commission basis. **-oppgjør** commission (settlement) (*fx* you may deduct this amount when you remit me my c. for March).
provisor head dispenser.
provisorisk provisional, temporary; *det er bare (noe)* ~ it's only a makeshift.
provisorium provisional law; p. measure.
provokasjon provocation.
provokatorisk provocative.
provosere (*vb*) provoke.
prr! (*til hest*) whoa!
prunk pomp, ostentation, display.
prunkløs unostentatious.
prunkløshet unostentatiousness, lack of ostentation.
prust snort. **pruste** (*vb*) snort.
prute *vb* (*tinge*) haggle, bargain; ~ *ned prisen* beat down the price; ~ *ham ned to pence* beat him down twopence.
prutningsmonn margin (for haggling).
pryd ornament, adornment. **-busk** � ornamental shrub. **-bønne** 🌱 kidney bean.
pryde (*vb*) adorn, decorate.
prydelse decoration, ornamentation.
prydplante ornamental plant.
pryl (*bank*) a thrashing, a beating, a licking; *få* ~ get a beating (*,etc*); *få en ordentlig drakt* ~ get a good (*el.* sound) beating (*el.* drubbing).
pryle (*vb*) beat, thrash; lick.
prylestraff corporal punishment.
prærie prairie.
I. prøve 1 (*vare-*) trade sample; (*mønster-*) pattern; (*-eksemplar*) specimen; *en* ~ *av* (*på*) (*en vare*) a sample of; (*mønster-*) a pattern of; *nøyaktig lik -n* exactly like sample; exactly like our (*,etc*) pattern; *levering av blå sjeviot etter den -n De sendte oss* delivery of blue serge in accordance with (*el.* of the same quality as) the sample you sent us; *som vedlagte* ~ as per (*el.* according to) enclosed sample; *sende som* ~ *uten verdi* send by sample post; 2 ⊕, ⚲ test, testing; (*av edle metaller*) assay(ing); (*undersøkelse*) examination, trial, test, testing; (*eksperiment*) experiment; 3 (*skole-*) test; examination; 4 (*på forestilling, etc*) rehearsal; (*med henblikk på filmrolle*) test (*fx* she was given a test); 5 (*det å prøve tøy*) fitting (*fx* I can come for a f. next week); *bestå -n* pass (*el.* stand) the test; *det har bestått -n* (*også*) it has met the test; (*se også stå:* ~ *sin prøve*); *bestille etter* ~ order from (*el.* by) sample; *kjøpe etter* ~ buy on (*el.* by) sample; *selge etter* ~ sell by sample; *på* ~ on trial; *bli flyttet opp på* ~ (*i skole*) get a conditional remove; *løslatt på* ~ released on probation; US released on parole; *sette på* ~ put to the test; *try* (*fx* he did it to t. me); *sette* ~ *på om noe er riktig* test whether sth is right; *sette* ~ *på om svaret er riktig*

check (the result) back; *få gå opp til* **utsatt** ~ (*om elev*) be referred (for re-examination); T re-sit an exam; (*det å*) reference (*fx* r. is usually allowed in one subject only); *elev som er oppe til utsatt* ~ re-examinee; *inspisere* **ved** *utsatt* ~ *i engelsk* T invigilate at the re-sit in English; (*se også utsatt*).
II. prøve (*vb*) 1. ⚲, ⊕ test, try, give (sth) a trial; 2 (*klær*) try on, fit on; 3 (*konkursbo*): ~ *fordringer* examine claims; ~ *seg* try, have a go (*på noe* at sth); ~ *seg fram* proceed tentatively.
prøve|ark proof (sheet). **-ballong** (*fig*) kite, feeler; *sende opp en* ~ put out a feeler; fly a kite. **-drift** experimental operation. **-eksemplar** sample (copy). **-felt** test(ing) site, testing ground. **-fly** (*vb*) test, test-fly. **-kandidat** student teacher; US practice t. **-kjøre** (*vb*) test-drive (*fx* a car); ~ *en bil* (*også*) give a car a test (*el.* trial) run. **-kjøring** test-driving; (*en tur*) trial run, test run, road test. **-klut** (*fig*) guinea pig.
prøvelse trial; affliction, ordeal; *han er en* ~ S he is (*el.* he gives me) a pain in the neck.
prøvemanuskript 1. specimen manuscript (*fx* 10 pages of s. m.*); 2 (*utkast*) draft manuscript.
prøve|mønster pattern. **-nummer** (*fx av avis*) specimen copy.
prøveordre trial order.
prøvesamling collection of samples.
prøve|skilt (*for bil*) (*pl*) trade plates. **-stein** touchstone, acid test (*på of*). **-stykke** sample, specimen. **-tid** period of probation; experimental (*el.* trial) period. **-trykk** trial print (*el.* impression); proof impression. **-tur** trial trip.
prøyss|er, -isk Prussian.
prås: *det gikk en* ~ *opp for ham* a light dawned on him.
psevdonym (*subst*) pseudonym.
psykiater psychiatrist.
psykiatri psychiatry. **-ker** psychiatrist.
psykisk psychic(al).
psykoanalyse psychoanalysis.
psyko|log psychologist. **-logi** psychology.
psykologisk psychological.
psykose psychosis.
pubertet puberty. **-salder** (age of) puberty.
publikasjon publication; **-*er i boktrykk*** publications in print, printed p.
publikum the public; (*tilhørerne*) the audience; *et takknemlig* ~ an appreciative audience.
publisere (*vb*) publish, make public, give publicity to; (*se utgi*).
publisitet publicity.
puddel 🐩 poodle.
pudder powder. **-dåse** powder box; (*liten*) compact. **-kvast** powder puff.
pudding pudding.
pudre (*vb*) powder.
pueril puerile.
I. puff (*støt*) push, shove.
II. puff (*til å sitte på*) pouffe.
III. puff (*på klær*) puff, pouf(fe).
puffe *vb* (*støte*) thrust, push, shove.
puge (*vb*): ~ *sammen penger* hoard up money.
pugg swotting, cramming. **-e** (*vb*) swot (up), cram; T mug up.
pugghest swot; US grind; (*som arbeider tungt, også*) plodder.
I. pukke (*vi*): ~ *på noe* insist on, stand on (*fx* one's rights).
II. pukke (*vt*) crush (*fx* stones).
pukkel hump, hunch; *få på -en* T get it in the neck; S cop it hot. **-rygget** hunch-backed.
pukkstein crushed stone, road metal.
pukkverk stamp mill.
pulje (*sport*) group; heat (*fx* they were in the same heat); *komme i* ~ *med* (*også*) be put up against; *i -r på tre og tre* by groups of three. **-inndeling** grouping. **-vis** by groups.
pulk pulka, pulk, reindeer sleigh.
pull (*på hatt*) crown.
pullover pull-over.

puls pulse; *føle en på* -en feel sby's pulse; *-en er svak* the pulse is feeble.

pulse|re (*vb*) beat, throb, pulsate; *det -rende liv i en by* the throbbing life of a city. **-ring** pulsation.

puls|slag pulsation, beat of the pulse. **-åre** artery.

pult desk.

pulterkammer lumber-room; box room, storeroom; T glory-hole.

pultost [soft, sharp cheese].

pulver powder. **-heks** hag, old witch.

pulverisere (*vb*) pulverize, smash.

puma ♣ puma.

I. pumpe (*subst*) pump.

II. pumpe (*vb*) pump; (*utfritte*) pump; ~ *opp ringene* pump (*el.* blow up *el.* inflate) the tyres (,US: tires); ~ *magen* empty (*el.* pump out) the stomach, siphon the s.; ~ *magen på en* (*især*) stomach-pump sby.

pumps (*sko*) court shoes.

punche (*vb*) punch. **-dame** punch girl.

pund pound; *et* ~ *sterling* one pound sterling.

pundbeløp sterling amount.

puner (*hist*) Phoenician.

punerkrig Punic War.

pung purse; (*pose*) bag; (*hos pungdyr*) pouch.

pungdyr pouched animal, marsupial.

punge (*vb*): ~ *ut med* fork out.

pungmeis ♣ perduline tit.

punkt point; (*prikk*) dot; (*fig*) point, particular, head, item, article; ~ *for* ~ point by point (*fx* they went through this report p. by p.); ~ *6* (*i oppregning, etc*) item 6; *på alle -er* on all points; (*se II. skille: de -r seg fra hverandre på vesentlige punkter; springende*).

punkter|e (*vb*) (*om ringen*) be punctured; 2 (*om bilisten*) have a puncture; *jeg -te* I had a puncture; *jeg har -t* (*også*) T I've got a flat; *den -te* (o: *prikkede*) *linje* the dotted line.

punktering puncture, (tyre) blowout; (*prikking*) dotting.

punkthus tower block.

punktlig (*adj*) punctual; (*adv*) punctually.

punktlighet punctuality.

punktsveising spot welding.

punktum full stop, period; (*typ, også*) single stop (*fx* printed with a single stop instead of a colon).

punktvis point by point.

punsj punch.

punsjebolle punch bowl.

puntlærsmage cast-iron stomach.

pupill 🍎 pupil.

pupp (*barnespr.* = *bryst*) teat, tit.

puppe ♣ chrysalis, pupa (*pl:* pupae); (*kokong*) cocoon. **-hylster** cocoon.

pur (*ren, skjær*) pure; *av* ~ *ondskap* out of pure malice; *dette er det* ~ *vrøvl* this is sheer nonsense; (*adv*) ~ *ung* very young.

puré purée.

purisme purism. **purist** purist.

puritaner 1. puritan; 2 (*hist*) Puritan.

puritansk 1. puritan; (*neds*) puritanic; 2 (*hist*) Puritan(ic).

purk T (= *politimann*) bobby; S copper; US T cop.

purke (*grise-*) sow.

purpur purple.

purpur|farge purple colour. **-farget** purple.

I. purre ♣ (*subst*) leek.

II. purre *vb* (*vekke*) call, rouse, turn out; (*minne om*) remind, press (*på for, fx* press for payment); *firmaet har -t på svar* (*også*) the firm has repeated its request for a reply; *han -t opp i håret* he ran his fingers through his hair; (*jvf purring*).

purreløk: *se I. purre.*

purring (*vedr. betaling*) reminder; application; (*jvf purrebrev*); *første* ~ first application; *annen* ~

second *a.*; *gjentatte* -*er* repeated applications; *til vår beklagelse må vi fastslå at De ikke har reagert på våre gjentatte* -*er* we regret to have to state that you have not responded to our repeated reminders; ~ *på betaling* application for a settlement, request for payment.

pus pussy.

pusle (*vb*) potter (about) (*fx* in the garden); *han går alltid og* -*r med noe* he's always busying himself with sth.

pusle|arbeid fiddling work. **-spill** puzzle; (*til å legge sammen*) jig-saw puzzle; picture bricks.

puslet(e) delicate, frail; T groggy; *han ser litt* ~ *ut* he doesn't look very well; he looks a bit groggy.

pusling manikin.

I. puss (*materie*) pus.

II. puss (*pynt*) finery; (*mur-*) plaster (finish), plastering; *i full* ~, *i sin stiveste* ~ in one's Sunday best; T dressed up to kill, dressed up to the nines; all spruced up; in one's best bib and tucker.

III. puss (*listig påfunn*) trick; *spille en et* ~ play a trick on sby.

IV. puss: ~ *ta'n* (*til hund*) at him! worry him! US sic 'im!

pussa (*adj*) T squiffy, tiddly.

I. pusse (*vb*): ~ *en hund på en* set a dog on sby.

II. pusse (*vb*) clean, polish; (*en mur*) plaster, render; ~ *et gevær* clean a rifle; ~ *nesen* blow one's nose; ~ *et lys* snuff a candle; ~ *støvler* clean boots; ~ *av* (*tørke av*) wipe (off); ~ *opp* (*leilighet, etc*) (re)decorate, renovate, do up (*fx* a house); ~ *på engelsken* brush up one's English.

pusse|garn cotton waste. **-lanke** (*om barnehånd*) handy-pandy; (NB tootsy-wootsy = toe or foot). **-middel** polish.

pusseskinn wash leather, chamois leather, shammy (leather).

pusshøvel smoothing plane.

pussig droll, amusing, funny, odd.

pussighet funny thing; *det var enkelte små* -*er ved ham, som man ikke kunne la være å legge merke til* there were a few funny things one could not help noticing about him.

pussvisitasjon ✗ kit inspection.

pust (*vindpust*) puff, gust, whiff; (*ånde*) breath; (*pause*) breather, pause; *et* ~ *fra den store verden* a glimpse of the outside world; *ta -en fra en* (*fig*) take sby's breath away; *her oppe var det en frodighet som nesten tok -en fra en* the vegetation was breathtakingly luxuriant up here.

puste (*vb*) breathe; (*tungt*) pant; *nå kan jeg* ~ *fritt igjen* now I can breathe again; ~ *på varmen* blow on the fire; (*fig*) add fuel to the fire; ~ *seg opp* (*fig*) puff oneself up, blow oneself out; US swell up, inflate oneself; ~ *til en trette* fan a quarrel.

pusterom breathing space (*el.* spell) (*fx* get a moment's b. s.).

pusterør T blowgun; (*leketøy*) peashooter.

pusteøvelser (*pl*) breathing exercises.

pute pillow; cushion; pad. **-krig** pillow fight. **-var** pillow case, pillow slip.

putre (*vb*) bubble, simmer; (*om motor*) chug; US chuff, puff.

putte (*vb*) put (*fx* put sth in one's pocket; put a child to bed); ~ *i lommen* (*også*) pocket.

pygmé pygmy.

pygméisk pygmy.

pyjamas pyjamas; US pajamas.

pyk|niker (*psykol*) pyknic. **-nisk** pyknic.

I. pynt (*odde*) point.

II. pynt (*stas*) finery.

pynte (*vb*) decorate; trim; ~ *på* touch up; smarten up; ~ *på regnskapet* doctor the accounts; ~ *seg* dress up; spruce oneself up, make oneself smart; T tog (*el.* doll) oneself up, get oneself up (to the nines *el.* to kill); -*t til trengsel* S got up regardless (*fx* she was got up r.); (*se også påpyntet*).

pyntedukke (*fig*) doll.

pyntelig proper, tidy; neat; ~ *språk* proper language.

pynte|list (*for bilkarosseri*) chromium strip, decorative (*el.* belt) moulding. **-ring** (*for hjulfelg*) rim (*el.* wheel) embellisher, wheel trim (*fx* plastic wheel trims).

pyramidal pyramidal.

pyramide pyramid.

Pyrenéene (*geogr*) the Pyrenees.

Pyrenéerhalvøya The (Iberian) Peninsula.

pyroman pyromaniac; US firebug.

pyromani pyromania.

pyse (*subst*) weakling, sissy; S drip.

pytisk Pythian.

I. pytt (*subst*) puddle.

II. pytt! (*int*) tut! pooh! ~ *sann* it doesn't matter; that's all right.

III. pytt: ~ *i panne* Norwegian hash.

pæl pole; stake; (*stolpe*) post; (*grunn-*) pile. **pæle|bru** pile bridge. **-bygning** pile dwelling; lake dwelling.

I. pære ⚡ pear; (*elekt*) (electric) bulb; S (= *hode*): *bløt på pæra* balmy (on the crumpet), soppy; *høy på pæra* stuck-up, high and mighty.

II. pære (*adv*) utterly, very; ~ *dansk* out-and-out Danish; ~ *full* dead drunk; S plastered.

pæretre ⚡ pear tree.

pøbel mob, rabble; *ung* ~ young rowdies (*el.* hooligans).

pøbelaktig vulgar.

pøbelherredømme mob rule.

pøl pool, puddle.

pøls|e sausage; (*wienerwurst*) frankfurter; *varme -er* hot dogs; *det er ingen sak med den -a som er for lang* it's better to have too much than too little; *ei* ~ *i slaktetida* a drop in the ocean; *hva er vel ei* ~ *i slaktetida?* I might as well be hanged for a sheep as for a lamb; (ɔ: *la oss ikke være pedantiske*) don't let us fuss over trifles. **-pølse** (*el. pønske*) (*vb*) ponder, muse, meditate; ~ *på hevn* plan revenge; *han -r på noe* he's planning sth; T he is up to sth; ~ *ut* devise, think out.

pøs bucket.

pøse (*vb*): *det -r ned* it's pouring down, it's coming down in sheets (*el.* buckets).

pøsregn pouring (*el.* pelting) rain, heavy downpour.

pøsregne (*vb*): *det -r* T it's raining (in) buckets, it's coming down in sheets (*el.* buckets).

I. på (*prep*) **1** (*ovenpå, oppe på, med noe som bakgrunn el. underlag*) on, upon (*fx* on the floor, wall, chair; on a bicycle; on one's knees); ~ *høyre hånd* on the right hand; ~ *side 4* on page 4; *slå opp* ~ *side 50* open your book(s) at page 50; **2** (*i, innenfor et område*) in; (*om øy*) in; (*om små el. fjerne øyer*) on, at; (*ved navn på bydeler, gater, plasser*) in; US on; ~ *et bilde* in a picture; ~ *flasker* in bottles; ~ *gata* in (,US: on) the street; *bo* ~ *en gård* live on a farm; ~ *himmelen* in the sky; ~ *hjørnet* at (*el.* on) the corner; ~ *landet* in the country; ~ *prekestolen* in the pulpit; ~ *slagmarken* on the battlefield; ~ *et sted* in (*el.* at) a place; *drept* ~ *stedet* killed on the spot; ~ *torget* in the market place; ~ *hans værelse* in his room; **3** (*om sted av liten utstrekning, punkt; stedet hvor noe skjer, adresse, etc*) at; *bo* ~ *et hotell* stay at a hotel; ~ *en kafé* at a café; ~ *kontoret* at (*el.* in) the office; ~ *stasjonen* at the station; **4** (*mål for bevegelse*) at (*fx* look at, shoot at; knock at the door), on (*fx* drop sth on the floor), into (*fx* put sth into a bottle); (*se også fylle på*); to (*fx* go to the post office, to the station); *dra* ~ *landet* go into the country; **5** (*om tida som går med til noe*) in; ~ *mindre enn 5 minutter* in less than 5 minutes; *han kommer ikke tilbake*

~ (ɔ: *før om*) *en uke* he won't be back for a week; **6** (*om tidspunkt*) at; (*dato, dag*) on; ~ *denne tid av året* at this time of the year; ~ *en søndag* on a Sunday; ~ *søndag* next Sunday, on Sunday; **7** (*om klokkeslett*) to (*fx* it is 5 (minutes) to 8); US of (*fx* a quarter of eleven); **8** (*måte*) in (*fx* in this way); **9** (*gjentagelse*) after (*fx* shot after shot); *gang på gang* time after time, again and again; **10** (*beskrivelse, samhørighet*) of (*fx* a sum of £10; an army of 10,000 men; a girl of ten (years); the roof of the house; the leaves of the trees; he was captain of the «Eagle»); *mordet på fru X* the murder of Mrs. X; *prisen på sement* the price of cement; **11** (*språk*) in (*fx* in Norwegian, in English); **12** (*andre tilfelle*): ~ *hans anbefaling* on (the strength of) his recommendation; ~ *betingelse av at . . .* on condition that; *blind* ~ *ett øye* blind in one eye; *være rik* ~ be rich in; ~ *ferie* on (a) holiday; *der gikk han fem* ~ T he was badly taken in over that; *gå løs* ~ go for, rush at; *jeg har ingen penger* ~ *meg* I have no money about (*el.* on) me; *jeg kjenner ham* ~ *stemmen* I know him by his voice; ~ *én nær* except one; *ut* ~ *landet* out into the country; *skrive* ~ *en bok* be writing a book; *spille* ~ *fløyte* play the flute.

II. på (*adv*) on (*fx* the lid is on); *med frakken* ~ wearing a coat, with a coat on; *noe å sove* ~ sth to make you sleep; *gulvteppet er ikke* ~ the carpet is not down; *turen kom brått* ~ the trip came up very suddenly.

påbegynne (*vb*) begin, start, commence.

påberope (*vb*): ~ *seg noe* plead sth; invoke sth (*fx* Britain invokes the principle of . . .); ~ *seg sin ungdom* (*og manglende erfaring*) plead the inexperience of youth; *begge parter vil kunne* ~ *seg at . . .* both parties will be able to plead (*el.* urge) that . . .

påberopelse: *under* ~ *av* pleading.

på|bud order, command. **-by** (*vb*) order, command.

pådra (*vb*): ~ *seg ansvar* incur responsibility; ~ *seg en sykdom* contract a disease; ~ *seg en forkjølelse* catch a cold; ~ *seg gjeld* contract (*el.* incur *el.* run into) debt.

pådutte (*vb*): ~ *en noe* impute sth to sby.

påfallende (*slående*) conspicuous, striking.

påfriskende: ~ *sørlig bris* freshening southerly breeze.

påfugl 🦚 peafowl, peacock; (*hun*) peahen. **påfugl|fjær** peacock feather. **-hane** peacock. **-høne** peahen.

påfunn device, invention.

påfyll: *skal det være litt* ~? (*mer kaffe, te, etc*) shall I warm it up (*el.* fill it up) for you? (*se også påtår*).

påfyllings|deksel (*for bensintank*) filler cap. **-slange** (*for bensinpumpe*) filling tube.

påfølgende following, subsequent; *med* ~ *middag* with dinner to follow (*el.* on top of it).

påføre *vb* (*dokument*) insert in, add to; ~ *fakturaen* charge on the invoice; (*forårsake*) cause (*fx* sby a loss), bring upon; ~ *en utgifter* put sby to expense.

pågang influx (*fx* of tourists).

pågangsmot go-ahead spirit, push.

pågjeldende in question (*fx* the amount in question).

pågripe (*vb*) apprehend, seize, arrest.

pågripelse apprehension, arrest.

pågå (*vb*) be proceeding, be in progress; *mens produksjonen -r* while production is in progress (*el.* is proceeding); *den undersøkelse som nå -r* the inquiry now in progress. **-ende** (*i opptreden*) pushing, aggressive, importunate; *de* ~ *drøftelser* the discussions now proceeding (*el.* now in progress).

pågåenhet aggressiveness, importunity.

påheng hanging on; hanger(s)-on; US (*også*) heelers.

påhengelig importunate.
påhitt device, invention.
påholdende close-fisted.
påholdenhet close-fistedness.
påhvile (vb) be incumbent on, lie with, rest with.
påhør presence; i hans ~ in his presence.
påk stick.
påkalle (vb) call on, invoke; ~ ens oppmerksomhet attract sby's attention; (se oppmerksomhet). **-lse** invocation; (bibl) supplication.
påkjenne vb (jur) decide. **påkjennelse** decision.
påkjenning strain, stress; (jvf belastning).
påkjære (vb) appeal; ~ en dom appeal against a sentence.
påkjør|e (vb): hunden ble -t av en bil the dog was hit by a car; (se kjøre: ~ over, ~ på).
påkjørsel 1 (det å ramme annet kjøretøy) bumping; (se også kjøre: ~ inn i hverandre); 2 (det å ramme fotgjenger) running (el. knocking) down; running over; (se kjøre: ~ over, ~ på).
påkledd dressed, fully clothed.
påkledning attire, clothes.
påkommende: i ~ tilfelle in case of need, in an emergency, if necessary; should the occasion arise.
påkrav demand; etter ~ on demand.
påkrevet necessary, essential; absolutt ~ imperative.
pålandsvind onshore wind.
pålegg 1 (forhøyelse) increase, rise; US raise (på in); få lønns- get a rise; 2 (befaling) injunction, order; jeg skal etter ~ få meddele Dem ... I am directed to inform you ... ; 3 (avgift, skatt) imposition; duty; 4 (smørbrød-) meat; cheese; (oppskjær) cooked meats; US cold cuts; (til å smøre på) sandwich spread.
pålegge vb 1 (skatt, etc) impose (fx a duty on sby); (forhøye prisen) advance; husleien er pålagt the rent has been raised; 2 (befale) direct, instruct.
påleggpølse German sausage; US (ofte) dry.
pålessing loading; (se I. lem).
påligge (vb) be incumbent on, lie with, rest with.
pålitelig reliable, dependable; (vederheftig) trustworthy, responsible.
pålitelighet reliability, dependability; trustworthiness. **-sløp** (for biler) reliability trial.
I. pålydende (subst) face value.
II. pålydende: ~ verdi face value.
påløp|e vb (om rente) accrue; accumulate; det -er stadig renter interest accumulates; den -ne rente the accrued interest; (over flere terminer) the accumulated i.; the amount accumulated in interest; med -ne renter with accrued interest; -ne utgifter expenses incurred; omfanget av den -te (el. forvoldte) skade the amount of the damage sustained.
påløpende: de ~ renter the accruing interest.
påminnelse admonition, warning; reminder.
påmønst|re (vb): se mønstre på. **-ring** engagement (of seaman); signing on.
pånøde (vb) press (el. force) on (fx press a gift on sby).
påpakning T dressing-down, ticking-off; telling -off; få ~ (også) be hauled over the coals; S be blitzed, be browned off; (se røffel).
påpasselig (aktpågivende) attentive, vigilant, watchful; (omhyggelig) careful; mindre ~ remiss (fx in one's duties), careless, slack; ~ med careful about; ~ med å... careful about (-ing).
påpasselighet vigilance, attentiveness, watchfulness; care, carefulness.
påpeke (vb) point out, indicate, call attention to; ~ overfor en at... point out to sby that ...
påpekende (gram) demonstrative.
påpyntet T (all) dressed up, dolled up, togged up, got up to the nines, got (el. done) up to kill.
påregne (vb) count on, reckon on.
pårørende relation, relative; nærmeste ~ next of kin.

påsatt attached, put on; (om brann) intentional, incendiary.
påse (vb) see (to it) that, take care that.
påseile (vb) run foul of, run into.
påsellet (spøkef) three sheets in the wind, half-seas over.
påseiling ⚓ collision, running foul of.
påske Easter; -n Easter; i -n at Easter; til ~ next Easter. **-aften** Easter Eve.
påskebrun (adj) with an Easter tan; det var bare -e fjes å se every face we saw was tanned by the Easter sun.
påskedag Easter Sunday; annen ~ Easter Monday; første ~ Easter Sunday.
påskeegg Easter egg.
påske|ferie Easter holidays, Easter vacation. **-helg** Easter holidays. **-lam** paschal lamb.
påskelilje ✿ daffodil.
påske|tid Easter. **-tur** Easter trip. **-uken** Easter week.
påskjønne (vb) appreciate; (belønne) reward (fx sby with £10).
påskjønnelse appreciation; reward; som en ~ av in appreciation of.
påskrevet: få sitt pass ~ T be hauled over the coals, be ticked off; (se også påpakning).
påskrift inscription; (på veksel, etc) endorsement; (på bokomslag, arkivmappe, etc) title; (på frimerke) print, legend; (underskrift) signature; en sjekk med -en 'up to Fifty Pounds' a cheque marked (el. bearing the words) 'up to Fifty Pounds'; a c. with the inscription ... on (el.) a c. with the words ... added in front.
påskudd pretext, pretence, excuse; under ~ av on (the) pretext of.
påskynde (vb) hasten, accelerate, quicken; ~ dette arbeidet press (el. push) on with this work; ~ levering expedite (el. push on) delivery.
påskyndelse hastening, acceleration.
påstand (se påstå) 1. assertion, contention; (uten bevis) allegation; bevise sin ~ establish (el. prove) one's case; sette fram en ~ make an assertion; komitéen fant at -ene medførte riktighet the committee found the allegations substantiated; Deres ~ om at kassene var så dårlige your assertion that the cases were so poor (el. were of such a bad quality); 2 (jur) plea; (som nedlegges) claim; aktor nedla ~ om 10 års fengsel counsel asked for a 10-year sentence; saksøkerens ~ statement of claim; saksøktes ~ defence; saksøkeren fremsetter sin ~ plaintiff states the nature of his claim; saksøkte fremsetter sin ~ defendant delivers his defence; ta en ~ til følge allow a claim; ta saksøkerens ~ til følge find for the plaintiff; ~ står mot ~ it's your word against his; (jur) there is a conflict of evidence; støtte en ~ på base an assertion on; (2) base a claim on; (se II. stå B & nedlegge).
påstemple (vb): en sjekk -t 'up to Fifty Pounds' a cheque marked 'up to fifty Pounds'; (se påskrift).
påstigning: stoppe for ~ stop to take up passengers; av- og påstigning utenom holdeplassene forbudt passengers may not enter (el. board) or leave the train except at the appointed stopping places; (jvf overtredelse).
påstå vb (bestemt uttale) assert, declare, allege; (uberettiget) pretend; (opponerende) contend, argue; (hevde) maintain, hold; det vil jeg ikke ~ I will not maintain that; (det er jeg ikke sikker på) I am not positive as to that; han -r seg å være he claims (el. pretends) to be; han -r at han har vunnet en stor seier (også) he claims to have won a great victory; jeg tør ~ I venture to say; det kan trygt -s at it can confidently be asserted that.
påståelig (self-)opinionated, obstinate, stubborn, mulish, pig-headed. **-het** obstinacy, stubbornness; mulishness, pig-headedness.
påsyn: i alles ~ in public, publicly.
påta (vb): ~ seg (ta på seg et arbeid) undertake, take on (fx a job); (forpliktelser) undertake, take

upon oneself; assume (*fx* a guarantee for sth), engage (*fx* I will e. to do it in a month); (*ved kontrakt*) contract; ~ *seg å* undertake (*el.* engage) to; ~ *seg for mye* undertake too much; *han har -tt seg for mye* (*også*) he has bitten off more than he can chew; *jeg har -tt meg en hel del ekstraarbeid* I've let myself in for a lot of extra work; (*se også ekstraarbeid*); ~ *seg ansvaret for noe* assume (*el.* take (on) *el.* undertake *el.* accept) (the) responsibility for sth; ~ *seg en sak* take on a matter; take a m. in hand; ~ *seg et verv* undertake (*el.* take on) a task; (*se også påtatt*).

på|tagelig, -takelig palpable, tangible; (*åpenbar*) obvious; *det er* ~ *at* ... it is obvious (*el.* manifest) that . . .

I. påtale (*subst*) 1 (*tilrettevisning*) censure; *hans oppførsel fortjener* ~ his conduct is deserving of c.; 2 (*jur*) complaint, charge; (*det å bringe for domstolen*) prosecution; (*se tiltale*). **-myndighet** 1 (*rett til å reise tiltale*) the power to institute prosecution; 2. (public) prosecution; prosecution; prosecuting authority; *representere -ene* appear for the Prosecution (*el.* the Crown). **-unnlatelse** withdrawal of the charge; (NB the Attorney General entered a nolle prosequi).

påtatt assumed, put on, false; *under et* ~ *navn* under an assumed name; *være* ~ (o: *ikke ekte*) be put on, be assumed.

påteg|ne (*vb*) sign; (*til bekreftelse*) endorse.

-ning signature; endorsement; (*merknad*) remark; *en anbefalende* ~ a recommendatory endorsement.

påtenkt intended, contemplated, planned, projected (*fx* a p. dictionary).

påtrengende obtrusive, importunate; ~ *nødvendig* urgently necessary, of urgent necessity.

påtrengenhet importunity, obtrusiveness.

påtrykk pressure; (*tekst*) imprint; *etter* ~ *fra* under p. from (*fx* he wrote the letter under p. from his boss); (*mildere*) at (*el.* on) the instigation of; (*se også I. trykk: øve* ~ *på*).

påtvinge (*vb*) force on, thrust on; *han ble påtvunget oss* T he was wished on us.

påtår T (another) drop; (*jvf påfyll*).

påvente: *i* ~ *av* in anticipation of; pending (*fx* p. his arrival (*el.* return)); in the event of (*fx* in the e. of further requirements).

påvirke (*vb*) affect, influence; *la seg* ~ *av* be influenced by; *han lar seg lett* ~ he is easily influenced; *i -t tilstand* under the influence of drink; in liquor; T under the influence; (*se promille*).

påvirkning influence; *under* ~ *av* influenced by, under the influence of.

påvise (*vb*) point out, show; (*bevise*) prove; (*godtgjøre*) establish; (*demonstrere*) demonstrate. **-lig** demonstrable, provable; traceable; *uten* ~ *grunn* for no apparent reason.

påvisning pointing out, demonstration.

R

R, r R, r; *R for Rikard* R for Robert.
ra: *se morene.*
rabagast devil-may-care fellow, rogue.
rabalder noise; T hullabaloo.
rabaldermøte tumultuous meeting, (a) bear garden.
rabarbra ♣ rhubarb. **-grøt** stewed rhubarb. **-stilk** rhubarb stalk.
I. rabatt discount; *gi 5 prosent* ~ give (*el.* allow) a discount of 5 per cent; give (*el.* allow) a 5 per cent discount; *ved bestilling av større kvanta gis det* ~ discount is allowed for substantial quantities; *jeg er villig til å gi en spesiell* ~ *på dem på 5 %* I am prepared to make a special allowance on them of 5 %.
II. rabatt 1 (*blomsterbed*) border; 2 (*vei-*) verge; (*især* US) shoulder; US (*også*) berm; (*midt-*) centre strip; US median strip, mall.
rabattbeløp discount (*fx* he had a d. due to him).
rabattsats discount; *hvilke -er kan De gi meg?* what discounts can you allow me?
rabb(e) (barren) ridge, mound of rock; (*jvf fjell-* & *ås-*).
rabbel scribbling.
rabbiner rabbi.
rabiat rabid, raving.
rable (*vb*) scribble; ~ *ned* jot down; *hun -t ned stilen på ti minutter* she knocked (*el.* dashed) off the essay in ten minutes; *det -r for ham* T he is going off his head.
rabulist demagogue, agitator. **-isk** agitatorial, demagogic.
rad (*rekke*) row; *i* ~ in a row; *tre dager på* ~ three days running (*el.* on end *el.* in succession); *det tredje år på* ~ the third successive year; *sistemann på hver* ~ *samler inn stilebøkene* the last person in each row is to collect the exercise books.
radar radar.
radbrekke *vb* (*person, som straff*) break on the wheel; *han -r det engelske språk* he murders the Queen's English.
radd fellow; rascal.
radere (*vb*) etch; (*skrape ut*) erase.
radergummi (ink) eraser.

radering 1 (*bilde*) etching; 2 (*utskrapning*) erasure.
rader|kniv eraser. **-nål** etching needle. **-vann** ink eradicator.
radiator radiator.
radiatorvifte (*på bil*) (radiator) fan.
radig without a hitch, smoothly; *det gikk* ~ *med slåtten* the mowing was getting on like a house on fire; they were getting through the m. like wildfire.
radikal radical; *-t* (*adv*) radically; (*se II. verk: gå radikalt til -s*).
radikalisme radicalism.
radio wireless, radio; US radio; *høre* ~ listen (in); listen to the radio; *høre noe i -en* hear sth on the w. (*el.* r.), hear sth on the air; *det ble sagt i -en at* . . . it was said (*el.* stated) on the radio that . . .; *sette på -en* turn (*el.* switch) on the w. (*el.* r.).
radio|aktiv radioactive; (*se nedfall*). **-antenne** (wireless) aerial, radio antenna. **-apparat** wireless (set), radio (set). **-bil** 1 (*i fornøyelsespark*) bump -you car, joy car; dodgem (car); 2 (*politiets*) radio car. **-grammofon** radiogramophone.
radiolytter listener.
radiometer radiometer.
radio|mottager wireless receiver. **-rør** valve, tube. **-samband** radio link; *i* ~ *med* in r.l. with.
radiostasjon radio station; (*senderstasjon*) transmitting station.
radiostøyfilter static filter, reducer; *verktøy med* ~ internally suppressed tool.
radiotelefoni radio telephony.
radio|telegrafering radio telegraphy, wireless t. **-telegram** radiogram.
radioutsendelse broadcasting, wireless (*el.* radio) transmission; (*den enkelte*) broadcast.
radium radium.
radius radius (*pl*: radii); *i en* ~ *av* within a r. of, within a range of.
radmager: *han er* ~ he is as thin as a rake, he has no flesh on his bones.
raffinade lump sugar; loaf sugar, cube sugar.
raffinement refinement, subtlety; studied elegance, sophistication.

raffinere (*vb*) refine (*fx* oil, sugar).
raffineri refinery.
raffinert refined, subtle; of studied elegance; sophisticated; ~ *grusomhet* refined cruelty.
raffinerthet refinement; subtlety; studied elegance; sophistication.
rafse (*vb*): ~ *til seg* grab; (*se grafse*).
raft (*takås*) purlin.
ragarn (*slags fiskegarn*) leader, range.
rage (*vb*): ~ *fram* jut out, protrude, project; ~ *opp* rise; (*uklart*) loom; (*høyt*) tower; ~ *opp over* tower above; (*fig*) stand (*el.* be) head and shoulders above; *han -r langt opp over kollegene* he is head and shoulders above his colleagues; ~ *ut over* project over, overhang.
ragg goat's hair; shag.
raggarungdom (*tenåringer med scootere*) = S mods.
raggesokk thick woollen sock.
ragget rough-haired, shaggy.
raggmunk (*potetpannekake*) potato girdle (,US: griddle) cake.
ragu ragout.
raigras rye grass; *giftig* ~ darnel.
rajah rajah.
rak (*rett*) direct, straight, erect.
I. rake *vb* (*angå*) concern, regard; ~ *uklar med* fall out with; *hva -r det deg?* what's that to you? *det -r ikke deg* it's none of your business; it does not concern you.
II. rake *vb* (*røre*) stir, stir up; (*m. rive*) rake (*fx* r. the hay); ~ *i varmen* poke the fire; stir up the fire; ~ *sammen* rake up (*fx* hay); ~ *seg* (*barbere seg*) shave.
rakefisk half-fermented trout.
rakekniv razor.
rakerive horse rake.
rakett rocket.
rakettbase ✕ missile base.
rakett|drevet rocket-propelled, rocketed (*fx* a r. missile). **-drift** (*flyv*) rocket (*el.* jet) propulsion. **-fly** rocket plane. **-kanon** rocket-firing gun. **-motor** rocket engine. **-oppskytning** rocket launching.
rakitis rickets. **rakitisk** rickety.
rakk riff-raff, rabble.
rakke (*vb*): ~ *ned på* run down, throw dirt on, abuse; T drag one's name through the mud; ~ *til* (*gjøre skitten*) dirty, soil.
rakker (*bøddelens hjelper*) executioner's assistant; (*fig*) villain. **-pakk** rabble, riff-raff.
rakle ♣ catkin.
rakne *vb* (*om søm, tøy*) come unsewn (*el.* unstitched); (*om damestrømper*) ladder, run; (*fig*) go phut.
raknefri run-proof.
rakrygget erect, upright.
rakørret half-fermented trout.
rallar navvy, casual labourer.
ralle (*vb*) rattle (in the throat).
ralling (death) rattle.
I. ram: *få* ~ *på en* get at sby; T catch sby bending.
II. ram (*om lukt, smak*) pungent, acrid, rank; *for -me alvor* in dead earnest; *det er mitt -me alvor* I am perfectly serious; ~ *til å . . .* prone to . . .
ramaskrik outcry (*fx* there was an o. against it).
rambukk pile driver.
ramle (*vb*) rumble, rattle; ~ *sammen* collapse, fall in, cave in; ~ *over ende* fall.
I. ramme (*subst*) frame; (*bakgrunn*) setting (*fx* of a story); (*omfang, grenser*) scope, framework; *innenfor -n av* within the framework of; *innenfor denne lovs* ~ within the scope of this Act; *innenfor den oppdrukne* ~ within the framework established; *det faller utenfor -n av min oppgave* that is outside the scope of my task; *denne ordboka har gitt seg selv en altfor snever* ~ this dictionary unduly restricts its terms of reference;

sette i ~ frame (*fx* a picture); *i glass og* ~ framed and glazed; (*se storting*).
II. ramme *vb* (*treffe*) hit, strike (*fx* he was struck by a falling stone; the snowstorm struck London just before the evening rush-hour; he was stricken by infantile paralysis); (*hende*) overtake, befall (*fx* the disaster which befell him); (*berøre*) affect (*fx* many factories are affected by the strike); (*renne inn i*) ram; ~ *ned* drive in (*fx* piles); (*skildre treffende*) hit (off); *min bemerkning -t* (*også*) my remark went home (*el.* hit the mark *el.* took effect); *hardt -t* hard (*el.* badly) hit (*fx* this industry was hard hit); *det tap som har -t ham* the loss he has suffered; ~ *en på pengepungen* victimize sby financially.
ramme|antenne frame aerial. **-avtale** framework agreement. **-fortelling** frame story.
rammel clatter, noise.
rammelager: *se veivakssellager*.
ramme|list (picture-)frame moulding. **-lov** framework law. **-maker** maker of picture frames. **-verk** framework (*fx* of a bridge, of a house).
ramp rabble, riff-raff, mob.
rampe ramp; (*teater-*) apron.
rampe|lys footlights; (*fig*) limelight (*fx* be in the l.); *være fremme i -et* (*fig, også*) be in the public eye. **-strek** dirty trick.
rampet(e) rude, ill-mannered, badly behaved.
ramponere (*vb*) damage.
rams: *lære på* ~ learn by rote.
ramsalt (*fig*) caustic (*fx* remark, wit).
I. ramse (*subst*) long string of words (,names, etc); (*neds*) rigmarole; (*barne-*) jingle.
II. ramse (*vb*): ~ *opp* reel off, rattle off.
ran robbery.
rand (*stripe*) stripe; (*på glass*) brim; (*kant*) edge; (*på ski*) groove; (*fig*) verge, brink (*fx* on the brink of ruin); *være på fortvilelsens* ~ (*også*) be at the point of despair.
randbebyggelse ribbon building (*el.* development).
randbemerkning marginal note.
randet(e) striped.
randskrift (*på mynt*) legend.
randstat border state.
rane (*vb*) rob; ~ *noe fra en* rob sby of sth.
rang rank; (*forrang*) precedence; *av første* ~ first-class; *av høy* ~ of high rank, high-ranking; *gjøre en -en stridig* dispute sby's position; *ha* ~ *blant* rank among; *ha* ~ *fremfor* rank before (*el.* above), take precedence of.
rangel booze; *gå på* ~ T go on the booze (*el.* bust), go on the spree.
rangere (*vb*) rank; (*jernb*) shunt; US shunt, switch; ~ *foran* take precedence of, rank above.
rangfølge order of precedence, ranking.
rangklasse rank.
I. rangle *subst* (*leketøy*) rattle.
II. rangle *vb* (*rasle*) rattle; (*gå på rangel*) T go on the booze (*el.* bust), go on the spree.
ranglefant T boozer, toper.
rangsperson person of rank.
rangstige hierarchy; social ladder.
rank straight, erect.
I. ranke: *ride* ~ sit on the knee, ride a cock horse, be dandled; *la et barn ride* ~ dandle a child.
II. ranke (*subst*) tendril; (*vinranke*) vine.
III. ranke (*vb*) straighten; ~ *seg* straighten oneself (up), draw oneself up (proudly), stiffen one's spine; (*sno seg*) twine.
rankhet straightness, erectness.
ransake (*vb*) search, ransack; ~ *en* search sby; T frisk sby.
ransel knapsack.
ransmann robber.
ranunkel ♣ buttercup, crowfoot.
rap belch; (*babys*) (baby's) burp.
rape (*vb*) belch; (*om baby*) burp, bring up wind.
I. rapp (*subst*) rap, blow; *på røde -et* at once, this minute.

II. rapp (*adj*) quick, swift, brisk.
I. rappe *vb* (*en mur*) roughcast.
II. rappe (*vb*): ~ *seg* be quick about it, hurry; ~ *til en* T take a smack at sby.
rapp|fotet light-footed, swift-footed, nimble-footed. **-hendt** nimble-handed, deft.
rapphøne ⚜ partridge grouse; (NB *pl*: grouse).
rapp|kjetta T: *se -munnet.*
rappmunnet glib, quick.
rapport report; *avlegge* ~ report, send in one's (*el.* a) report; *skrive en* ~ draw up a r., make a r.
rapportere (*vb*) report.
rapp|tunget: *se -munnet.*
raps (*oljeplante*) rape.
rapse (*vb*) pilfer, filch, pick and steal; T pinch, bone.
raptus fit, craze; *når den -en kommer over ham* when the fit is on him.
rar odd, quaint, queer, strange; funny (*fx* it made me feel quite f.); *jeg føler meg* ~ *i magen* I've got a funny feeling in my stomach (,T: tummy), I'm feeling funny in my s.; I've a squeamish feeling in my s.; T I have butterflies in my tummy; *jeg føler meg ikke så* ~ (ɔ: *frisk*) T I'm not feeling so good; (*jvf frisk*); *de var ikke -e sjømenn* they weren't much in the way of sailors; *vil du se noe -t?* do you want to see something funny? *hva -t er det i det?* what's strange about that? what's so funny about that? *det blir ikke -t igjen* there won't be much left (worth having); the remainder isn't worth much; *det er -t med det, men . . .* it's (a) funny (thing), but . .; *det er -t med det, men man synes ikke godt man kan si nei takk* it's a funny thing, but you feel you can't very well refuse; *det er så -t med det, men vi er jo liksom gamle kjente nå* it's a funny thing, but it's just as if we'd known each other for a long time now; *det er ikke så -t at . . .* it's not to be wondered at that; *det var ikke så -t i betraktning av at . . .* that was no wonder, considering that . . .; *John var henrykt, og det var ikke så -t, for hun var en vakker kvinne* John was entranced, as indeed he might have been, for she was a beautiful woman; *det er da ikke så -t* there is nothing surprising about (*el.* in) that; ~ *i hodet* queer in the head; *sette opp et -t ansikt* pull a funny face.
raring queer fellow; T queer fish, queer bird, queer stick, oddbody, rum customer.
raritet curiosity, curio.
ras landslide, landslip; (*se steinras*).
I. rase (*subst*) race; stock (*fx* he comes of old English s.); breed (*fx* artists are a curious b.); (*dyre-*) breed; stock, race; *blandet* ~ mixed breed, hybrid race; *av blandet* ~ half-caste, half-breed; (*om dyr*) half-breed, hybrid, half-bred, crossbred; *ren* ~ (*om dyr*) pure breed; *av ren* ~ thoroughbred, pure-bred.
II. ras|e (*vb*) **1** (*være meget sint*) rage, be in a rage, rave, be furious, be in a fury, fume; **2** (*om uvær, krig, etc*) rage; **3** (*fare*): ~ *av sted* tear along; **4** (*bruke munn*) rage (*mot* against), storm (*mot* at); *han -te av sted* he was tearing along; he rushed madly off; *få -t ut* cool off, calm down; (*om ungdommen*) sow one's wild oats, have one's fling; *han hadde -t ut* his fury was spent.
rase|biolog racial biologist. **-biologi** racial biology. **-biologisk:** ~ *spørsmål* question of racial biology; ~ *undersøkelse* study in racial b. **-blanding** mixture of races, racial mixture.
rasediskriminering (*el.* racial) discrimination, colour (,US: color) bar; (*m.h.t. boliger, skoler, transportmidler*) segregation; (*i Sør-Afrika*) apartheid.
rase|dyr thoroughbred (animal); (*ofte* =) pedigree animal. **-eiendommelighet** racial characteristic (*el.* peculiarity). **-fanatiker** racist. **-fanatisme** racism. **-felle** member of the same race. **-fellesskap** community of race. **-fordom** racial prejudice; (*ofte* =) racial feeling. **-hat** racial (*el.* race) hatred. **-hest** blood horse. **-hygiene**

eugenics. **-kamp** racial struggle, race conflict. **-merke** racial characteristic, race mark.
rasende furious, in a rage; *i* ~ *fart* at a furious pace; ~ *over* furious at; ~ *på* furious with; *bli* ~ fly into a rage.
raseopptøyer (*pl*) race riots, disturbances between white and coloured people.
rasere (*vb*) raze, level with the ground.
raseri rage, fury.
rasfare danger of a landslide.
rasjon ration; *hente -ene* ✕ draw rations; *sette på* ~ ration.
rasjonal rational.
rasjonalisere (*vb*) rationalize.
rasjonalisering rationalization; (*som fag*) efficiency engineering, industrial efficiency.
rasjonaliseringsekspert (business) efficiency expert.
rasjonal|isme rationalism. **-ist** rationalist. **-istisk** rationalist(ic).
rasjonell rational.
rasjonere (*vb*) ration.
rasjonering rationing.
rasjonerings|kort ration card. **-system** rationing system.
I. rask (*subst*) lumber, rubbish; trash.
II. rask (*adj*) quick, fast, swift; *være* ~ *og rørig* be in the best of health; T be in the pink of condition; be fit as a fiddle; (*om eldre mennesker, også*) be hale and hearty; *være* ~ *til bens* be a good walker; *-t* (*adv*) fast, quickly; *gå -t* walk fast; *la det nå gå litt -t!* T get a move on!
raske (*vb*): ~ *med seg* snatch (up); grab; ~ *på* hurry up; ~ *sammen* scrape together.
raskhet quickness.
rasle (*vb*) rattle; (*om tørre blader, etc*) rustle.
rasp rasp.
raspe (*vb*) rasp; (*med rivjern*) grate.
rasper (*hestesykdom*) scratches.
rast halt, stop, rest; *holde* ~ halt, stop, rest, take a breather.
raste (*vb*) rest, stop.
rastløs restless, fidgety.
rastløshet restlessness.
ratata (*spøkef*) T behind.
rate instalment.
ratebetaling payment by instalments; (*se avbetaling*).
ratevis by instalments.
rati|fikasjon ratification. **-fisere** (*vb*) ratify.
ratt (steering) wheel; *bilen er tung på -et* the car is heavy on the (s.) w.; (*se også legge B*; *lettstyrt*; *tungstyrt*). **-gir** steering column mounted change (*el.* gear lever). **-kjelke** [toboggan equipped with steering wheel and brake]. **-kors** spider. **-stamme** steering column.
raudhå (*fisk*) common dogfish.
rauk (*av kornband*) shock.
raut (*av ku*) low. **raute** (*vb*) low.
I. rav (*subst*) amber.
II. rav (*adv*): ~ *ruskende gal* stark staring mad.
rave *vb* (*vakle*) totter, reel, stagger, lurch.
ravfarget amber(-coloured).
ravn ⚜ raven; *stjele som en* ~ steal like a magpie.
razzia raid.
re (*vb*): ~ *en seng* make a bed; *som man -der, så ligger man* you have made your bed and you must lie on it.
reagens reagent. **-glass** test tube. **-papir** test paper.
reagere (*vb*) react (*på* to, against); respond (*på* to, *fx* respond to a stimulus); ~ *på* (ɔ: *virke tilbake på*) react on; *elevene reagerte positivt* (*på dette*) the pupils responded well; *få en til å* ~ (*også*) get a rise out of sby; (*se purring*).
reaksjon reaction; *hennes* ~ *var skjellsord* her r. was (to utter) words of abuse. **-slengde** (*ved bremsing*) thinking distance.
reaksjonær reactionary; *de -e* the reactionaries.

reaktor reactor, pile.

real trustworthy, reliable, honest, fair; ~ *behandling* fair treatment; *et -t mannfolk* a regular he-man; *det er ikke -t overfor piken* it is not fair on the girl; *få en ~ omgang juling* get a proper hiding; *et -t slagsmål* a really fine fight, a decent fight; a real slogging match; *et -t stykke kjøtt* a good-sized piece of meat.

real|artium [the Norwegian equivalent of the G. C. E. (Advanced Level) on the science side]; *(jvf artium).* **-fag** science and mathematics; *et ~* a science subject; *(se anlegg 6).*

realisasjon realization, realisation.

realisasjonssalg clearance sale.

realisere *(vb)* realize, realise, dispose of.

realisme realism.

realist 1. realist; 2. [holder of degree of *cand. real.* or *cand. mag.*]; *(kan gjengis)* holder of a science degree; *(jvf filolog).*

realistisk realistic.

realitet reality; *i -en* in reality; *sakens ~* the real point.

realitets|behandle *(vb)* deal with *(el.* consider) the practical aspects of *(fx* a question); *~ et lovforslag* debate the factual aspects of a bill. **-spørsmål** question of fact.

real|kandidat science graduate; *(jvf realist 2).* **-linje** *(på skole)* science side; *komme inn på -n (om elev)* get into the s. s. **-lønn** real wages. **-lønnsnivået** the real wage standards.

realpolitiker practical politician.

realpolitikk practical politics.

realskole *(omtr =)* [junior forms at grammar school]; US high school; *(se ungdomsskole).*

realskole|eksamen the ordinary level G.C.E., G.C.E. (O); *(jvf artium).* **-vitnemål** = General Certificate of Education (Ordinary Level).

realunion *(polit)* legislative union.

reassur|andør reinsurer. **-anse** reinsurance.

reassuranseavdekning reinsurance cover.

reassurere *(vb)* reinsure.

rebell rebel.

rebelsk refractory; T boshy.

rebus picture puzzle, rebus. **-løp** *(billøp)* treasure hunt.

rectum ♈ rectum.

red ⚓ roads, roadstead.

redaksjon 1 *(kontoret)* editorial office(s); 2 *(personale)* editorial staff; *(redaktører)* editors; 3 *(det å redigere)* editing; *(avfattelse)* wording, drafting, framing.

redaksjonell editorial.

redaksjonsartikkel leading article, leader, editorial.

redaksjonssekretær subeditor.

redaktør editor. **-stilling** editorship, editorial post.

redd frightened, afraid; *(av natur)* timorous; *være ~ for* be afraid of; *(bekymret for)* be afraid for, be anxious about; *~ for å være* afraid to be, a. of being; *bli ~* get frightened *(el.* scared), take fright; *meget ~* (very) much afraid; T scared stiff; *du er ikke ~!* you have got a nerve! *(se stygg).*

redde *(vb)* save; *(berge)* rescue; *vi er -t* we're in the clear; ~ *stumpene (fig)* pick up the pieces.

reddhare funk; US fraidycat.

reddik ♣ radish.

I. rede nest.

II. rede: *få ~ på* find out, ascertain; *gjøre ~ for* explain, give an account of; account for; *(gi et overblikk over)* review *(fx* the chairman reviewed the situation); *han må gjøre ~ for hver øre han bruker* he must account for every penny he spends; *ha god ~ på* know all about; *holde ~ på (forstå, følge)* understand, grasp, follow; *(holde orden i)* keep in order; *jeg kan ikke holde ~ på disse tallene* I keep getting these figures mixed up; *holde nøye ~ på: se II. nøye.*

III. rede *(parat)* ready, in readiness; ~ *penger*

ready money, cash; *han har alltid et svar på ~ hånd* he's never at a loss for an answer.

redegjøre *(vb)* give an account *(for* of); account for; *(se sak B).*

redegjørelse account; statement.

redelig *(adj)* upright, honest.

redelighet honesty, integrity.

reder (ship)owner.

rederi shipowners, shipping company.

redigere *(vb)* edit; *(avfatte)* draft, draw up, formulate.

redning rescue; *(fotball)* save, catch *(fx* a flying c.); *det ble hans ~* that was his salvation; *det er ingen ~* there is no hope (of salvation); *den eneste ~* the only way out.

rednings|anker *(fig)* sheet anchor, last hope. **-apparat** life-saving apparatus. **-belte** lifebelt. **-bøye** lifebuoy. **-båt** lifeboat. **-dåd** life-saving exploit; *(ofte =)* rescue *(fx* a spectacular r.). **-flåte** life raft, float.

rednings|korps salvage corps; *(se fjellsikringstjenesten).* **-løs: -t fortapt** irretrievably lost. **-mann** rescuer. **-mannskap** rescue party. **-medalje** life-saving medal; *(i England)* the Royal Humane Society's medal. **-patrulje** *(i fjellet)* rescue squad. **-planke** last resort, last hope, one's only hope *(fx* that's my only hope). **-skøyte** lifeboat; rescue boat. **-vest** life jacket, safety jacket.

redoble *(vb)* ♣ redouble.

redsel fear, horror, terror; *inngyte ~* terrify, strike with terror.

redsels|budskap terrible news. **-full** terrible, horrible, dreadful, appalling; *en ~ unge* T a (holy) terror *(fx* he's three years old and a h. t.). **-herredømme** reign of terror. **-kabinett** chamber of horrors.

redselslagen horror-struck, horror-stricken, in terror.

redskap tool; *(større)* instrument; *(fig)* tool, instrument.

redskaps|bu tool shed, garden shed. **-skur:** *se -bu.*

reduksjon reduction; *en ~ på 10 %,* a r. of 10 %.

reduksjons|tabell conversion table. **-ventil** reducing *(el.* reduction) valve.

redusere *(vb)* reduce, lower, bring down, cut (,US: cut down) *(fx* the price of an article); mark down *(fx* m. down (the price of) an article); *(skjære ned)* whittle down *(fx* this part of the story could be whittled down to advantage); ~ *sterkt* reduce drastically; *(priser, også)* slash prices; *til reduserte priser* at reduced *(el.* cut) prices; *billetter til reduserte priser* tickets at reduced rates; reduced *(el.* cheap) tickets; *(se levestandard).*

reell real; genuine; honest, fair, trustworthy; ~ *behandling* fair treatment; *ha -e hensikter* have honourable intentions; *(jvf real).*

referanse reference; *personlige -r* character references.

referat report. **referent** reporter.

referere *(vb)* report; give an account of; ~ *seg til* relate to; ~ *til* refer to, make reference to; refer back to *(fx* we often r. back to these exercises, especially for revision before tests); *(se repetisjon(slesning)); (gjelde)* refer to, have reference to *(fx* the consignment to which this payment has reference).

refleks reflection; *(fysiol)* reflex.

refleksbevegelse reflex movement.

refleksbrikke = reflector disc.

refleksiv *(gram)* reflexive.

refleksjon reflection, thought.

reflektant applicant; prospective buyer, possible buyer.

reflektere *(vb)* reflect; ~ *over* r. on; ~ *på (svare på)* reply to, answer *(fx* an advertisement); *(ville kjøpe)* intend *(el.* offer) to buy; *(søke om)* apply for *(fx* a post); *(forslag, etc)* consider, entertain; ~ *på tilbudet* consider *(el.* entertain) the offer.

reflektor reflector; (*astr*) reflecting telescope.
reform reform.
reforma|sjon reformation. **-tor** reformer.
reformatorisk reformatory.
reform|ere (*vb*) reform; *den -erte kirke* the Reformed Church.
reformering reformation.
reformkostforretning health food store.
reformvennlig reformist.
refreng refrain; *det er vel på tide vi tenker på -et* (○: *går hjem*) T it must be time to think of making a move.
refrengsanger crooner.
refse (*vb*) chastise, castigate, punish; reprimand.
refselse chastisement, castigation; reprimand.
refundere (*vb*) refund, reimburse.
refusjon repayment, reimbursement.
regalier (*pl*) regalia.
regatta regatta.
regel rule; *gjøre seg til* ∼ *å* make it a rule to, make a point of (-ing); *mot reglene* against the rules, contrary to all rules; *i -en* as a (general) rule, usually, generally, ordinarily, normally. **-bundet** regular. **-bundethet** regularity. **-messig** (*adj*) regular; (*adv*) regularly. **-messighet** regularity. **-rett** regular, according to rule.
regener|asjon regeneration. **-ator** regenerator. **-ere** (*vb*) regenerate.
regent ruler, regent, sovereign. **-skap** regency.
regi stage management; (*iscenesettelse*) direction, production, staging (*fx* of a film); *i N.N.'s* ∼ under N.N.'s direction.
regime regime, rule, government.
regiment ✕ 1. regiment (*fx* two regiments of infantry); 2 (*feltavdeling i infanteriet, svarer til*) infantry brigade; US infantry regiment.
regimente (*regjering*) rule, government.
region region.
regionalplanlegging regional planning.
regissør stage manager, producer; (*film-*) film director.
register register; (*innholds-*) index, table (of contents); (*i orgel*) stop; *med* ∼ (*om bok, etc*) indexed.
register|aksel (*kamaksel*) camshaft. **-kjede** timing chain. **-tonn** register ton.
registrere (*vb*) register; record; notice, take note of; (*se sertifisere*).
registrering registration. **-snummer** (*fx bils*) r. number.
regjere (*vb*) govern, reign, rule.
regjering government; (*kongelig styre:* regjeringstiden*) reign; *under denne konges* ∼ during (*el.* in) the reign of this king.
regjerings|advokat Solicitor-General; (*jvf riksadvokat*). **-dannelse** (the) formation of (a) Government. **-dyktig:** ∼ *flertall* working majority. **-fiendtlig** oppositional; anti-government. **-form** (form of) government. **-forslag** Government bill. **-kretser:** *i* ∼ in Government circles. **-krise** Cabinet crisis. **-makt** government, (supreme) power. **-organ** Government organ. **-sjef** prime minister; premier. **-tid** reign. **-vennlig** pro-government.
regle rigmarole, jingle; (*jvf I. ramse*).
reglement regulations. **-ert** regular, statutory, prescribed.
regn rain; *øsende* ∼ pouring rain; *det ser ut til* ∼ it looks like rain; *overveiende skyet, kan hende litt* ∼ *av og til* mainly cloudy, possible occasional rain or drizzle.
regn|bue rainbow. **-buehinne** iris. **-byge** shower. **-dråpe** raindrop.
I. regne (*vb*) rain; *det -r kraftig* it is pouring down; *det -t noe aldeles forferdelig* T it rained like billy-(h)o, it rained like old boots; *det -t med æresbevisninger* honours were showered upon him; *det ser ikke ut til at det skal holde opp å* ∼ *med det første* the rain looks like lasting; *når det -r på presten, drypper det på klokkeren* [when it rains on the vicar, some drops will fall on the parish

clerk; i.e. when a prominent person obtains a great advantage, his subordinate gets a smaller one]; (*kan fx gjengis slik*) he benefited from what rained on the vicar (,on his boss, etc); (*se pøsregne & styrtregne*).
II. regne (*vb*) 1. reckon, figure, calculate, compute, do arithmetic, do sums; T work out sums (,a sum); *han sitter og -r* he is doing sums; T he's working out a sum (,sums); (*jvf matematikkoppgave*); 2 (*kalkulere*) calculate, compute; 3 (*anslå*) estimate, reckon; ∼ *en oppgave* work out a problem in arithmetic; ∼ **blant** reckon among (*fx* we r. him among our supporters), include among; ∼ **etter** (○: *om*) go over again, check up (on); ∼ **feil** (*også fig*) miscalculate, make a miscalculation, make a mistake; (NB you've got all your sums wrong); ∼ **for** consider, regard as, look (up)on as, count (*fx* c. oneself lucky); *han -s for å være rik* he is believed (*el.* supposed) to be rich; he is accounted rich; *det er for intet å* ∼ it is next to nothing; *det er for intet å* ∼ *mot* it is nothing to (*el.* compared with); ∼ **fra** (○: *trekke fra*) deduct; *renter -t fra* interest deducted; *-t fra i dag* counting (*el.* reckoning) from today; as from today; ∼ **galt:** *se* ∼ *feil* (*ovf*); **høyt** *-t* at the outside, at (the) most, at the utmost; at the highest possible estimate; *man -r vanligvis at den middelengelske periode sluttet omkring 1450* the close of the Middle English period is generally put at about 1450; ∼ **i** *hodet* make a mental calculation; *jeg -t det ut i hodet* I did it in my head; **lavt** *-t* at a low (*el.* conservative) estimate, at least; **løst** *-t* at a rough estimate, roughly; ∼ **med** 1 (*innbefatte*) include (*fx* the wine is not included (in the bill)); count (in); 2 (*ta med som faktor*) allow for, include in one's reckoning; *man -r med en periode på 3 år for opplæring av personale* a 3-year period is envisaged for the training of personnel; *planen -r med ansettelse av 100.000 personer* the plan envisages the employment of 100,000 persons; 3 (*ta hensyn til, legge vekt på*) take into account, reckon with; 4 (*gå ut fra, stole på*) count on (*fx* you can c. on immediate delivery); rely on, reckon on; T bank on (*fx* I had banked on their accepting my offer); *De kan ikke* ∼ *med å ha varene til Deres disposisjon før tidligst om tre uker* you cannot count on having the goods at your disposal for another three weeks at the earliest; *dette viser at man -r med samme utbetalingsmåte som under mitt opphold i England* this shows that the same mode of payment is reckoned with as at the time of my stay in England; *-r De med at noen annen person eller båt er ansvarlig for havariet?* do you consider any other individual or craft responsible for the accident? *-r De med at De vil bli holdt ansvarlig for annen manns båt eller eiendom?* do you consider that you are likely to be held responsible for the craft or property of another party?
∼ **om** *til* convert into (*fx* c. pounds into kroner); ∼ **opp** enumerate (*fx* the articles enumerated in this list); ∼ **over** check (*fx* have you checked these figures?); (*gjøre et overslag over*) calculate, make an estimate of; ∼ **riktig** (*fig*) calculate correctly, be right in one's calculations; guess right; (NB he'd got all his sums right); ∼ **sammen** add up, sum up, reckon up; T tot up; ∼ **til** allow for (*fx* a. £10 for travelling expenses); *skaden -s til* the damage is estimated at; ∼ **seg til** (○: *slutte*) infer, think out (for oneself); deduce; ∼ **ut** calculate, work out, figure out.
regne|bok arithmetic (book). **-feil** arithmetical error, miscalculation. **-kunst** arithmetic. **-maskin** calculating machine. **-mester** arithmetician. **-måte** method of calculation. **-oppgave** sum, arithmetical problem.
regne|stykke: *se -oppgave; det er et enkelt* ∼ (*fig*) it's a simple sum. **-tabell** arithmetical table. **-time** arithmetic lesson.
regn|frakk mac(k)intosh, raincoat; T mac.

-full rainy. -hette rain hat (*fx* ladies' plastic r. hats).

regning (*fag*) arithmetic; (*regnskap*) account; (*på varer, arbeid, etc*) bill; (*beregning*) calculation, computation; *være flink i* ~ be quick at figures; *ifølge* ~ as per statement; *for egen* ~ on one's own account, at one's own expense; for my (*,etc*) own account, at my (*,etc*) cost; *en stor* (*el. høy*) ~ a heavy bill; T a stiff bill, a big bill; *en kjempestor* ~ a huge bill; *strek i -en* disappointment; **føre** *noe i* ~ place sth to account (*fx* place an item to a.); *føre* ~ over keep an account of; **gjøre** *opp en* ~ settle an account; *gjøre* ~ *på* reckon (*el.* calculate) on; *gjøre* ~ *uten vert* reckon without one's host; **holde** ~ med keep count of, keep track of (*fx* I just didn't keep t. of the time); **kjøpe** *i fast* ~ buy firm (*el.* outright); buy on firm account; **sende** ~ send (in) one's bill; **sette** (*el. skrive*) *på* -en put down in the bill; charge in the bill (*fx* c. it in the bill); *skrive på ens* ~ put down to sby's account; *skrive ut en* ~ write (*el.* make) out a bill; **ta** *på* ~ buy on credit; T buy (*el.* go) on tick.

regnings|art: *de fire* -er the four basic arithmetical operations. -bilag voucher. -blankett blank bill. -bud bill collector. -svarende remunerative, profitable; *drive skolen på* ~ *måte* run the school as a paying proposition (*el.* concern).

regn|kappe mac(k)intosh, raincoat; T mac. -kløft (*erosjonskløft*) gully. -løs rainless, dry. -mengde rainfall. -måler rain gauge, udometer.

regnskap account; (*i spill, sport*) score; *avlegge* ~ give an account (*for* of), account for (*fx* you must a. to the schoolmaster for what you have done); *føre* ~ *over*, *holde* ~ *med* keep an account of; *gjøre opp et* ~ settle an account; *-et pr. 31. des. i fjor* the balance sheet on 31st Dec. last year; *kreve en til* ~ call sby to account; *stå til* ~ *for* account for; (*se mislighet; pynte; reise*).

regnskaps|avdeling accounts department. -bok account book. -direktør (*post*) director of finance and accounts. -fører accountant, bookkeeper, treasurer; (*i spill*) scorer; (*i hær, flåte*) paymaster; (*på passasjerskip*) purser. -førsel keeping of accounts, accounting; bookkeeping; (*som fag*) accountancy. -kyndig skilled in accounts. -plikt duty to keep accounts. -utdrag abstract of accounts. -vesen keeping of accounts, accounts, accountancy; bookkeeping. -år financial year.

regn|skur shower; (*se I. over 10*). -skyll heavy shower. -tid rainy season. -tung heavy with rain; ~ (*idretts*)bane soggy track. -vann rain water. -vær rainy weather. -værsdag rainy day.

regress (right of) recourse; legal remedy; *søke* ~ *hos* have recourse against.

reguladetri the rule of three.

regu|lativ (*lønns-*) scale of wages, wage scale. -lator regulator; governor. -lerbar adjustable. -reguler|e (*vb*) regulate; set, adjust; control; (*se innstille; tenning*). -ing regulation; *selm om -en* (o: *betalingen*) *for tiden er* sen even if he is (*,they are, etc*) slow in settling up (*el.* in paying) at present. -ingssjef city planning officer; (*se teknisk rådmann*).

regulær regular.

rehabiliter|e (*vb*) rehabilitate. -ing rehabilitation; (*se attføring*).

reie (*vb*): *se re.*

reim: *se rem.*

I. rein ♄ reindeer; US caribou.

II. rein (*adj*): *se ren.*

reineclaude ♣ (*slags plomme*) greengage.

reinfann ♣ tansy.

reinmose ♣ reindeer moss.

reinsdyr ♄: *se I. rein.*

reir nest.

reip: *se rep.*

reis (*forst*) [pile of wood stacked in V-form].

I. reise (*subst*) 1 (*især lengre*) journey (*fx* a long j.); 2 (*lengre sjø-*) voyage; 3 (*især kortere tur*) trip; 4 (*overfart*) passage, crossing; 5 (*rund-,*

fx turist-) tour; 6 (*som uttrykk for avstand*) journey (*fx* a day's j. from here); (♄ *og om bil- og togreise, også*) run (*fx* it was a three days' run from X to Y); *foreta en* ~ make (*el.* undertake) a journey (*,voyage, etc*), journey, travel; *fri* ~ ♄ (a) free passage; *jeg fikk fri* ~ *for bryet* I had my journey for my trouble; *god* ~! a pleasant journey! *ønske en god* ~ (*også*) wish sby godspeed; *han vil få en lang* ~ *til og fra* messen he will have quite a long way to go (*el.* quite a long journey) to and from the Fair.

II. reise (*vb*) 1 (*fra ett sted til et annet*) go (*fx* go to England); 2 (*dra av sted*) leave (*fx* when are you leaving?), start, depart, set out, go off, go away; 3 (*være på reise*) travel, journey, make a journey; (*om handelsreisende*) travel; T be on the road; *han -r meget* he travels a lot; he gets about a great deal; *jeg var ute og reiste* I was away travelling; *han skal ut å* ~ *igjen* T he's off on his travels again; *ryk og reis!* go to hell! ~ *sin vei* go away; ~ *samme vei* travel by the same route; ~ **bort** go away, leave; *jeg skal* ~ *bort i ferien* I'm going away for my holidays; *når jeg må* ~ *bort i forretninger* when I have to be away on business; ~ **for** *et firma* travel for a firm; ~ **forbi** pass, go past; ~ **fra** leave; ~ *fra byen* leave town; ~ *fra hotell* (*idet man betaler sin regning*) check out (*fx* he checked out yesterday); ~ **hjem** go home, go back; ~ **i** *forretninger* travel on business (*fx* he has to t. a lot on b.); ~ *en i møte* (go to) meet sby; *han -r i tekstiler* he travels in textiles; ~ **inn til** *byen* go in to town; (*til London el. annen storby*) go up (to town); ~ **med** *båt* (*el.* travel) by boat; *han reiste med båten til B.* he took the boat to B.; ~ *med toget* go by train, travel by rail; *det er mange som -r med dette toget* many people take (*el.* go by el. travel by) this train; ~ **nordover** go (toward the) north; ~ **omkring** go about, travel about; ~ **over** *Bergen* go by (way of) B.; go via B.; ~ **over** *land* go by land, travel by land, travel overland; ~ **over** *til England* go over to E.; go across to E.; ~ **på** *3. klasse* go (*el.* travel) third (class); ~ **til** *utlandet* go abroad; ~ **viden om** travel far and wide.

III. reise *vb* (*stille opp, bygge*) erect, put up, raise; ~ *et spørsmål* raise a question; ~ *krav mot en* (*jur*) claim against sby; ~ *seg* get up, rise; *han reiste seg for å gå* he got up to go.

reise|akkreditiv letter of credit. -beskrivelse book of travel; travelogue. -brosjyre travel folder. -byrå tourist agency, travel agency, travel bureau. -ferdig ready to start. -følge 1. travelling companions; 2. party of tourists.

reisegods accompanied luggage; US baggage; *skrive inn* -*et sitt* register one's luggage, have one's l. registered.

reisegods|ekspedisjon luggage room (*el.* office). -forsikring luggage insurance. -rampe luggage platform. -vogn luggage van; US baggage car.

reise|håndbok guide (book). -kamerat fellow traveller, travelling companion. -kasse travel(ling) funds; travel pool. -kledd dressed for the journey, dressed for travelling.

reiselektor (*omtr* =) peripatetic teacher.

reiseliv travelling; -*ets farer* the dangers of travelling, the dangers incidental to travel; -*ets strabaser* the trials (*el.* hardships) of travelling (*el.* of a journey), the trials incidental to a journey.

reiselivsforening touring association.

reisende traveller; US traveling salesman; (*se også handelsreisende*).

reise|penger (*pl*) money for travelling; travelling funds; (*se reisekasse*). -pledd travelling rug; US lap robe. -rute route. -selskap party of tourists. -sjekk traveller's cheque; US traveler's check. -stipendium travel grant. -tid travelling (*el.* journey) time. -utgifter (*pl*) travelling expenses. -valuta foreign travel (holiday) allowance. -vant used to travelling. -vekkerur travelling alarm clock.

reisning (*oppstand*) rising, revolt, rebellion; (*holdning*) carriage.

reisverk framework (construction), half -timbering.

reisverks|bygning half-timbered (*el.* framework) building. **-vegg** half-timbered wall, timber -framed wall.

I. rek (*subst*) drift, jetsam, trash.

II. rek. (*fk.f.* rekommandert) Regd. (*fk.f.* registered); (*se rekommandert*).

rekapitulasjon recapitulation.

rekapitulere (*vb*) recapitulate, sum up.

I. reke (*subst*) shrimp; prawn; *renske -r* shell shrimps.

II. reke (*vb*) loiter, drift, roam (*fx* he roams about town).

rekel: *lang(t)* ~ tall, lanky fellow; T tall weed, tall weedy person, lamppost; (*om kvinne*) maypole.

I. rekke (*subst*) 1 (*rad*) row; (*geledd, plass*) rank; *i rad og* ~ in a row; ✗ in serried ranks, drawn up in ranks; *i første* ~ in the front rank; (*fig*) above all, primarily, first of all, in the first place; *komme i annen* ~ (*fig*) take second place, be a secondary consideration; *være i første* ~ (*o: blant de beste*) be in the front rank, take front rank, lead the field; *innen våre -r* (*fig*) in our ranks; *still opp på to -r!* ✗ form two deep! *tett* ~ close column; 2 (*antall*) number; (*serie*) series (*fx* of articles), succession (*fx* of kings, losses), range; *hele -n av produkter* the whole range of products; *en* ~ *begivenheter* a series (*el.* chain) of events; *en hel* ~ *av* a long list of, a large number of; *feilen ved en* ~ *av de eldre ordbøker* the weakness of so many of the older dictionaries; *prøver i en* ~ *kvaliteter* samples in a (wide) range of qualities; *en* ~ *år* a number of years; 3 (*av tall under hverandre; tippe-*) column; 4 🐾 phylum; 5. ⚓ (ship's) rail; *over rekka* overboard.

II. rekke (*vb*) 1 (*nå*) reach; ~ *båten* catch the boat; US (*også*) reach the boat; *han kan ennå* ~ *å gjøre det* there is still time for him to do it; *du -r det fint* you have plenty of time; T you can easily make it; (*om skytevåpen*) have a range of (*fx* 1,000 yards); (*om stemme*) carry; ~ *opp til* touch, reach (to); 2 (*være tilstrekkelig*) suffice, be enough, be sufficient; *dette beløpet -r ikke langt* this amount will not go far; 3 (*strekke fram*) stretch, extend; (*levere*) hand, reach (*fx* he reached me the book); pass (*fx* pass me the salt, please; pass sth out through the window); ~ *en hånden* offer sby one's hand, shake hands with sby; ~ *hånden fram* hold out one's hand; ~ *hånden i været* put up one's hand; ~ *hånden ut etter noe* reach out for sth; ~ *tunge til en* put out one's tongue at sby; *så langt øyet -r* as far as the eye can reach.

III. rekke (*vb*): ~ *opp* unravel.

rekkefølge order, succession; (*sport*) standing, ranking; *endelig* ~ (*sport*) final ranking; *i* ~ in succession, in consecutive order; *i alfabetisk* ~ in alphabetical order; *i hurtig* ~ in rapid succession; *i omvendt* ~ in reverse order; *i samme* ~ *som* in the same order (*el.* sequence) as.

rekkehus (*pl*) undetached houses, houses built together.

rekkemotor (*flyv*) in-line engine.

rekkevidde reach; (*skudd-*) range (of fire); (*fig*) range, scope; (*omfang*) extent (*fx* the e. of the damage); *innen(for)* ~ within reach; *utenfor* (*min*) ~ beyond (my) reach.

rekkverk rail; (*trappe-*) banisters; US banister.

reklamasjon 1 (*klage, påtale av mangler*) complaint; 2 (*krav*) claim; *avvise en* ~ repudiate a claim, decline to entertain a claim; *godta en* ~ allow a claim; ~ *på* (*el.* over) a complaint about (*el.* of).

reklamasjonsbrev letter of complaint; claim.

reklame advertising; *gjøre* ~ *for* advertise.

reklame|arbeid advertising. **-artikkel** advertising_article. **-byrå** a. agency. **-kampanje** a. (*el.*

publicity) campaign. **-plakat** poster. **-pris** special offer price, bargain price.

reklamer|e (*vb*) 1 (*se reklamasjon*) complain; claim; ~ *over varer* complain about (*el.* of) goods; *vi har -t overfor rederiet* we have claimed against the shipowners (*fx* for short delivery); 2 (*se reklame*) advertise; ~ *for et nytt produkt* a. a new product; *opp-* puff, boom.

reklame|sjef advertising manager. **-skilt** a. sign. **-tegner** advertising designer, publicity (*el.* commercial) artist.

rekognosere (*vb*) reconnoitre.

rekognosering reconnoitring, reconnaissance.

rekommandasjon (*av brev*) registration.

rekommander|e (*vb*) register; *-t brev* registered letter; *-t sending, rek.-sending* registered packet; *-t som tjenestesak* officially registered; (*se II. rek*).

rekonstruere (*vb*) reconstruct.

rekonstruksjon reconstruction.

rekonvalesens convalescence.

rekonvalesent convalescent; *være* ~ be recovering.

rekord record; *slå en* ~ beat (*el.* break) a record; *sette en* ~ set up a record; *det slår alle -er!* that takes the cake! *tangere en* ~ equal (*el.* touch) a record.

rekordinnehaver record holder.

rekordjag craze for record-breaking.

rekreasjon recuperation, rest; (*adspredelse*) recreation; *dra til X på* ~ go to X for one's health. **-shjem** rest home. **-ssted** health resort.

rekreere (*vb*): ~ *seg* recuperate, take a rest (*el.* a holiday).

rekrutt recruit; National Service man. **-ere** (*vb*) recruit. **-ering** recruiting.

rekrutteringsstillinger (*pl*) posts for recruitment.

rekruttskole drill school for recruits, (infantry, etc) training school; *være på -n* (*også*) be on the square.

rekt|angel rectangle. **-angulær** rectangular.

rektifisere (*vb*) rectify. **rektifisering** rectification.

rektor headmaster; principal; *universitets-* (*omtr* =) vice-chancellor; US president.

rektorat headmastership.

rektømmer (*krabbas*) unidentified timber; (*se også tømmer*).

rekvirere (*vb*) requisition.

rekvisisjon requisition.

rekvisita (*pl*) accessories, equipment.

rekvisitt requisite; (*til teater*) property.

rekvisitør property master.

rekyl recoil.

relasjon relation.

relativ relative; *et -t begrep* a relative term; *alt er -t* everything is relative.

relativitetsteorien the theory of relativity.

relé relay; (*strømbryter*) circuit.

relegere (*vb*) expel, relegate, dismiss.

relé|ramme (*jernb*) relay rack. **-spole** relay coil. **-stillverk** (*jernb*) relay interlocking plant.

relieff relief; *stille dem i* ~ throw them into relief.

religion religion.

religions|filosofi philosophy of religion. **-frihet** religious liberty. **-krig** religious war. **-stifter** founder of a religion. **-strid** religious dispute. **-tvang** constraint in religious matters. **-undervisning** religious instruction.

religiøs religious; *-e brytninger* a r. crisis.

religiøsitet religiousness, piety.

relikvie relic.

reling rail; (*i åpen båt*) gunwale.

rem strap (*fx* a wrist-watch strap); (*smal*) thong; (*driv-*) driving belt.

remburs documentary credit, commercial (letter of) credit; (*u*)*bekreftet* ~ (un)confirmed credit; (*u*)*gjenkallelig* ~ (ir)revocable credit; *åpne* ~ *til fordel for* open a credit with a bank in favour of.

remburs|avdeling commercial credits department. **-banken** the paying bank.

rembursere (*vb*) reimburse.
remfabrikk belting factory.
reminisens reminiscence; (*se erindring*).
remisse remittance. **remittere** (*vb*) remit.
remje (*vb*) howl.
remlås ⊕ belt fastener.
remontere (*vb*) remount.
remplasere (*vb*) replace.
remse 1. strip; 2. string of words, jingle.
remskive pulley.
   I. ren (*adj*) 1 (*motsatt skitten*) clean; *gullende* ~ clean as a new pin, spotlessly clean; ~ *og pen* nice and clean; 2 (*ublandet, uforfalsket, moralsk* ~) pure; *de -e av hjertet* the pure of heart; ~ *samvittighet* a clear conscience; *av -este vann* of the first (,US: purest) water; 3 (*ren og skjær*) pure (*fx* nonsense), sheer (*fx* ignorance, impossibility, madness); *det er -e, skjære dovenskapen* it is laziness pure and simple; 4 (*ubeskrevet*) clean, blank (*fx* a b. page); *et -t ark* a clean sheet of paper; 5 (*om fortjeneste*) clear (*fx* a c. profit of £20); *et -t tap* a dead loss; 6 (*om omriss*) clean -cut, clear; 7 (*om språk*) pure, faultless; 8. ♪ (*om tone*) true;
   [*Forskjellige forbindelser*] ~ *for* free from; *gjøre -t i et værelse* clean a room; *rommet burde gjøres -t* the room could do with a clean-up; *holde -t i rommene* keep the rooms clean; *feie -t i rommet* sweep out the room; *-e barnet* a mere child; *jeg ga ham* ~ *beskjed* I gave him a piece of my mind; *gjøre -t bord* make a clean sweep of it; US (*også*) clear the decks; *av* ~ *nødvendighet* out of pure necessity; *det er -e ord for pengene* that is short and sweet; that is plain speaking; *med -e ord* plainly, bluntly, in so many words; *den -e sannhet* the plain truth; ~ *sjokolade* plain chocolate; ~ *skjønnhet* perfect beauty; ~ *smak* pure taste; *ved et -t tilfelle* by the merest chance, by sheer accident; *det -e vanvidd* sheer madness; *bringe på det -e* ascertain, clear up; *bringe brannårsaken på det -e* ascertain (*el.* establich *el.* find out) the cause of the fire; *bringe saken på det -e* clear up the matter; get to the bottom of the m.; *bringe forholdet på det -e* find out how matters stand, ascertain the facts of the case; *før vi har dette forhold på det -e, kan vi ikke*... until this matter is made clear we cannot...; *det er nå på det -e at*... it is now certain (*el.* clear) that; it is now settled that; *det er helt på det -e at* (*også*) it has now been established beyond doubt that; *jeg er helt på det -e med at* I fully realize that...; I am quite aware that; (*se også rent* (*adv*); *I. sti: holde sin* ~ *ren*).
rendyrk|e (*vb*) cultivate; *-et* in a state of pure cultivation, pure. **-ning** (pure) cultivation.
renegat renegade.
renessanse renaissance; *-n* the Renaissance.
rengjøring cleaning, clean-up. **-shjelp** cleaner (*fx* male, female cleaners).
renhet cleanness, purity.
renhold cleaning.
renholdsverk cleansing department (*fx* Oslo Cleansing Department). **-ssjef** director of public cleansing.
renke intrigue, plot; *smi -r* scheme.
renke|full intriguing, plotting, underhand, crafty. **-smed** intriguer, plotter.
renkultur cultivation; (*resultatet*) pure culture.
renn run; (*sport*) race, run; *det var et forferdelig* ~ *hele dagen* people kept running in and out all day; *vi har et* ~ *av tiggere* we are overrun by beggars.
   I. renne *subst* (*tak-*) gutter; (*i farvann*) channel; (*i isen*) channel, lane; (*grøft*) ditch; (*fordypning*) groove.
   II. renne (*vb*) run; (*flyte*) run, flow; (*lekke*) leak; ~ *hodet mot veggen* (*fig*) run one's head against a wall; ~ *på dørene hos en* pester sby with visits; ~ *sin vei* run away, take to one's heels; ~ *ut* run out, flow out, leak out; (*av sekk, etc*) run out, spill out; ~ *tom* run dry (*fx* the

tank has run dry); *flasken -r tom* the bottle is leaking.
rennegarn warp.
renne|løkke, -snare running knot, noose.
rennestein gutter.
renning (*i vev*) basic fabric.
renn|komité (*ski*) race committee. **-sjef** (*ski*) organiser (*el.* supervisor) of the race.
renommé reputation, repute.
renons ♣: *være* ~ *i hjerter* be void of hearts; *gjøre seg* ~ clear one's hand (*fx* of hearts).
renonsere (*vb*): ~ *på* give up, renounce.
renovasjon removal of refuse.
renovasjons|mann dustman, scavenger. **-vesen** sanitation; scavenging. **-vogn** dust cart.
rense (*vb*) clean; cleanse, purify; (*korn*) winnow; (*bær*) pick over (*fx* I'm just going to pick the berries over); (*om stikkelsbær, etc også*) top and tail (*fx* gooseberries must be topped and tailed); ~ *for mistanke* clear of suspicion.
rensefjel chopping board.
rensekniv cleaning and trimming knife.
renselse cleaning; purification.
rensemiddel cleaning compound, cleansing agent.
renseri (dry-)cleaner's.
renske (*vb*): *se rense*.
ren|skrift fair copy. **-skrive** (*vb*) make a fair copy of; write out (*fx* the final version can be written out in ink); (*brev, etc på maskin*) type out; ~ *et stenogram* write out a shorthand note; extend a s. n.; (*jvf føre inn*).
renslig clean, cleanly; (*om hund, også spøkef om barn*) house-trained.
renslighet cleanliness.
renspille ♣ (*vb*): ~ *en farge* strip a suit.
rent (*adv*) cleanly; purely; (*helt, aldeles*) quite; *det hadde jeg* ~ *glemt* I had clean forgotten it; *snakke* ~ (*om barn*) speak properly; *synge* ~ sing in tune, sing true; ~ *tilfeldig* by pure chance, by sheer (*el.* pure) accident, accidentally; ~ *ut sagt* to put it bluntly, not to mince matters, to use plain language; frankly; *nekte* ~ *ut å*... refuse point-blank to..., flatly decline to...
rentabel profitable, remunerative; *være* ~ (*også*) pay its way (*fx* this airline does not pay its way); *drive skolen på en* ~ *måte* run the school as a paying proposition (*el.* concern).
rentabilitet profitableness, remunerativeness.
rente interest (*fx* a small rate of i. is paid by the bank on money on deposit); *-r interest*: *-r beregnes av hele lånebeløpet* interest is charged on the full amount of the loan; *gi -r* bear interest; *gi en igjen med -r* (*fig*) pay sby back in his own coin, pay sby back for sth, get even with sby; *trekke -r* carry interest; *låne ut penger mot -r* lend money at interest; (*jvf påløpe*).
rente|bærende interest-bearing, bearing interest. **-fot** rate of interest. **-fri** free of interest. **-frihet** exemption from interest.
rentenist gentleman of independent means, independent gentleman.
rentemargin (*merk*) interest differential.
renteregning computation of interest.
rentesrente compound interest.
rentetap loss of interest.
rentier: *se rentenist*.
rentrykk clean proof.
renvaske (*vb*) wash clean; (*fig*) clear (*fx* sby's name of suspicion); *-t* clean, shining with soap and water.
reol shelves (*pl*); (*bok-*) bookcase.
reorganisasjon reorganization; (*se omlegning*).
reorganisere (*vb*) reorganize.
rep rope.
reparasjon repair(s); (*omfattende, av bil, etc*) overhaul; reconditioning (*fx* of an engine); *trenge* ~ be in need of repair; *være til* ~ be undergoing repairs, be under repair.
reparasjonsarbeid repairs, repair work.
reparasjonsverksted repairing shop.

reparatør repairer, mender, repairman; *skrive-maskin-* typewriter mechanic.

reparere (*vb*) repair, mend; T fix up; *som kan -s* repairable; *den kan ikke lenger -s* it is past repair.

repertoar repertory, repertoire.

repetere (*vb*) repeat; (*pensum*) revise; (*vi*) do revision.

repetisjon repetition; (*av pensum*) revision. **-skursus** refresher course. **-slesning** (*før eksamen*) revision; *holde på med* ~ do revision.

replikk reply, retort, rejoinder; (*jur*) replication; (*teater*) speech, lines.

replikk|skifte exchange of words. **-veksel** = **-skifte**; (*se ordskifte*).

replisere (*vb*) reply, retort, rejoin.

reportasje reporting; (*det meddelte*) report, coverage; (*radio-*) (running) commentary.

reporter reporter.

repos (*trappe-*) landing.

represalier (*pl*): *ta* ~ make (*el.* resort to) reprisals (*mot* against); start reprisals.

representant representative.

representantskap committee, board, council.

representasjon representation; entertainment; *det ville glede oss om De er interessert i å overta -en på det britiske marked* (*merk*) we should be pleased if you would be interested in representing us on the British market; (*se overta*).

representasjonsgodtgjørelse entertainment allowance.

representativ representative.

representere (*vb*) represent (*fx* he represents the firm in some special article only); (*drive selskapelighet*) entertain; (*parl*) be member for, sit for.

reprimande reprimand; *gi en* ~ reprimand; *få* ~ ✕ be checked (*fx* he was checked for not saluting); (*jvf påpakning*).

reprise 1 (*om film*) re-issue, re-release; *som* ~ on re-issue, on re-release (*fx* 'Mrs Miniver' turned up last week on r.-r.); 2 (*byggetrinn*) stage (*fx* erect the factory in several stages).

reprisekino second-run (*el.* repertory) cinema.

reproduksjon reproduction.

reprodusere (*vb*) reproduce.

republikaner republican.

republikansk republican.

republikk republic.

reseda ✤ mignonette.

resept prescription; *ekspedere en* ~ make up a prescription; *gi en* ~ *på noe* prescribe sth for sby; *det fås kun på* ~ it is only obtainable by doctor's prescription.

reservasjon reservation, reserve.

reserve|del spare (*el.* replacement) part; *originale -deler* genuine r. parts; (*se del*). **-fond** reserve fund. **-hjul** spare wheel. **-lege** senior registrar; US senior (*el.* chief) resident. **-mannskap** spare hands.

reservere (*vb*) reserve; ~ *seg* reserve; ~ *seg imot* guard against; (*jvf bestilling* & *forbeholde*).

reserve|styrke ✕ reserve forces. **-tank** (*for bensin*) reserve tank, spare t., extra t. **-tropper** (*pl*): *se -styrke*.

reserveutgang emergency exit.

reservoar reservoir.

residens residence. **residere** (*vb*) reside.

resig|nasjon resignation. **-nere** (*vb*) resign.

resiprok reciprocal.

resitere (*vb*) recite.

resolusjon resolution; *vedta en* ~ adopt (*el.* pass *el.* carry) a r.

resolusjonsforslag proposal for a resolution.

resolutt resolute, determined.

resonans resonance. **-bunn** sounding board, resonator.

resonnement reasoning, argumentation, (line of) argument, drift of an argument; *ut fra det* ~ *at det er bedre å tilby noe enn ikke noe* on the basis of it being better to offer sth than nothing;

based on the argument (*el.* reasoning) that it's better to offer sth than nothing; (*se skjev A*).

resonnere (*vb*) reason; (*diskutere*) argue, discuss; ~ *over et spørsmål* ponder a question, reason over a q; **-nde stil** expository essay.

respekt respect (*for* for); (*aktelse*) esteem; ~ *for seg selv* self-respect, self-esteem; *handle slik at en mister -en for seg selv* lower oneself; *han var, med* ~ *å melde, nokså beruset* he was, with all due respect, somewhat intoxicated; *sette seg i* ~ make oneself respected; *læreren kan ikke sette seg i* ~ *i klassen* the teacher has no authority in the class.

respektabel respectable.

respektere (*vb*) respect.

respektiv respective; *-e* (*adv*) respectively (*fx* for loading and discharge r.).

respektløs disrespectful.

respirator respirator.

respitt respite. **-dager** (*pl*) days of grace.

ressort province, department; (*se I. felt*).

ressurser (*pl*) resources; (*se ubenyttet*).

rest rest, remainder; (*i glass*) heeltap; (NB no heeltaps! = *drikk ut!*); **-en av disse kassene** the remainder of these cases; *-er* (*levninger*) remnants; (*jvf matrester*); *for -en* (*for øvrig*) for the rest; *stå til* ~ be still due; (*om person, m. betalingen*) be in arrears.

restanse arrears (*pl*); *husleie-* arrears of rent; T back rent.

restaurant restaurant.

restaurasjon (*gjenoppbygging*) restoration.

restauratør restaurant keeper.

restaurere (*vb*) restore.

restbeholdning stock in hand, balance.

restbeløp balance, remainder.

restemiddag scratch dinner.

resterende: *det* ~ *beløp* the remaining (*el.* outstanding) amount, the balance.

restesalg clearance sale.

restituere (*vb*) restore, restore to health.

restitusjon restitution; restoration.

rest|oppgjør (*merk*) balance. **-opplag** remaining copies. **-parti** remainder.

restriksjon restriction; (*se omfang*).

restskatt (income) tax arrears.

resultat result, upshot, outcome; *endelig* ~ final result; *heldig* ~ success, successful result; *uten* ~ without result, to no purpose; (*forgjeves*) in vain; *avvente -et* see how it turns out, wait and see; abide the issue; *den krig som ble -et* the resulting war; *-et ble at* the result was that, the upshot of the whole matter was that; *komme til det* ~ *at* come to (*el.* arrive at) the conclusion that; decide that (*fx* he decided that it was too late); *det* ~ *utvalget kom til* the conclusions of the committee; *i et tidligere forsøk var man kommet til samme* ~ in an earlier (*el.* previous) experiment the same result had been obtained; *hvordan kommer du til det -et?* how do you work that out? *oppnå et* ~ obtain (*el.* achieve *el.* attain *el.* get) a result; *det heldige* ~ *som er oppnådd* the success achieved; *vise et godt* ~ (*også*) show good results; *regjeringen kan oppvise gode -er* the Government has considerable achievements to its credit, the G. can point to considerable achievements; (*se også oppvise*).

resultatløs without result, vain, fruitless.

resulter|e (*vb*) result; ~ *i* result in, lead to; *det -te bl. a. i at . . .* one result of this was that . . .

resymé summary, resumé.

resymere (*vb*) sum up, summarize, recapitulate.

retardasjon (*fartsreduksjon*) retardation.

retardere *vb* (*sette ned farten, bremse*) retard.

retirere (*vb*) retreat, beat a retreat.

retning direction; (*ånds-*) movement, school (of thought), trend; ~ *fremad!* ✕ cover off! ~ *høyre!* ✕ right dress! *i* ~ *av* in the direction of; (*fig*) in the way of; on the line of (*fx* a pattern more on the line of roses and lavender); *eller noe i den* ~ or something of the kind; *noe i* ~ *av* sth resembling; sth in the nature of; (se *uttale*: ~ *seg i samme retning*).

retningslinje (*fig*) line; -*r* directions, instructions, directive(s); *alminnelige* -*r* general lines; *etter de* -*r som er gitt av* . . . on the lines laid down by . . .; *jeg fortsetter etter disse* -*r inntil videre* I shall proceed on those lines until further notice.

retningsviser (*på bil*) direction indicator, traffic i., trafficator.

retorikk rhetoric. **retorisk** rhetorical.

retorsjon (*jur*) retaliation.

retorsjons- (*jur*) retaliatory (*fx* r. customs duties).

retorte retort.

retrett retreat; *gjøre* ~ retreat; (se *tilbaketrekning*).

I. rett *subst* (*mat*) dish; (*som del av større måltid*) course; *dagens* ~ today's special.

II. rett 1 (*det som er riktig*) right; **2** (*rettferdighet*) justice, right; **3** (*rettighet*) right (*fx* his r. to the Throne); title; *du har ingen* ~ *til å være her!* (*også*) you have no business to be here! **4** (*domstol*) court (of justice), law court; tribunal; **5** (*rettslokale*) court(-room); **6** (*lov*) law; *folke-* international law; *forakt for* -*en* (*jur*) contempt of court; contumacy; ~ *skal være* ~ fair is fair; you must give the devil his due; *skjelne mellom* ~ *og urett* distinguish between right and wrong; *få* ~ prove right, turn out to be r.; (*få medhold*) carry one's point; *gi en* ~ agree with sby, admit that sby is right, fall in with sby's view; *De gjorde* ~ *i å komme* you were right in coming; you did right to come; *gjøre* ~ *og skjel for seg* do the right thing; *og det gjorde De* ~ *i* and quite right too; *ha* ~ be right; *det har du* ~ *i!* you are right (there)! how right you are; *De har aldeles* ~ you are quite right; *ha* -*en på sin side* be in the right; *ha* ~ *til noe* have a right to sth, be entitled to sth; *la nåde gå for* ~ temper justice with mercy; *med full* ~ with (*el.* in) perfect justice; *vi kan med full* ~ *si at* . . . we are perfectly justified in saying that . . . ; *bringe saken for* -*en* take the matter to court, bring an action; *hvis de bringer saken for* -*en* (*også*) if they take court action; *ad* -*ens vei* through the process of the court (*fx* obtain payment through the p. of the c.); by (means of) legal proceedings; *gå* -*ens vei* go to law, take legal action (*el.* proceedings); take court action; *komme for* -*en* (*om sak*) come to court, be brought before (the) court; (*om person*) appear in court; *møte i* -*en* appear in court, a. before the court; *jeg er i min fulle* ~ I am (quite) within my rights; *med den sterkeres* ~ by (right of) superior force, by brute force; *sette* -*en* open the proceedings; -*en er satt* the court is in session; (se *rimelig*); *stå B:* ~ *på sin rett*).

III. rett (*adj*) 1 (*ikke krum*) straight; *en* ~ *vinkel* a right angle; *på* ~ *kjøl* on an even keel; 2 (*riktig, korrekt*) right, correct, proper; (*tilbørlig*) due, proper; *det* -*e inntrykk* the right impression; *det* -*e ord* the proper word; *han er den* -*e mann* he is the right man; ~ *mann på* ~ *plass* the right man in the right place; *der kom han til den* -*e: se II. rette*; -*e vedkommende* the person concerned; the proper authorities, the proper quarters; *ikke mer enn* ~ *og rimelig* only fair; *eller,* -*ere sagt* or rather; or, to be more correct; or, to put it more exactly; (se *også sted B:* på rette ~).

IV. rett (*adv*) 1 (*direkte, uten omvei*) straight, direct (*fx* the boat runs d. to Hull; it goes there d.); ~ *forut* right ahead; ~ *fram* straight on; *vinden var* ~ *imot oss* the wind was dead against us; ~ *nord* due north; ~ *overfor* directly opposite; 2 (*like*): ~ *før jul* shortly before Christmas; *treffe* ~ *i blinken* hit the mark, get home; ~ *og slett* merely, simply, purely; *han er* ~ *og slett en spekulant* he is a speculator pure and simple; ~ *som det var* 1. all of a sudden, suddenly; 2 (*ofte*) every now and again; *forstå meg* ~ don't misunderstand me; T don't get me wrong; *gå* ~ *på sak* go (*el.* come) straight to the point; *jeg*

skal gå ~ *på sak* (*også*) I shall come to the point at once; *om jeg husker* ~ if I remember rightly; if my memory serves me right; *hvis jeg kjenner ham* ~ if I know him (at all).

I. rette (*mots. vrangside*) right side (*fx* the r. s. and the reverse (*el.* wrong) side).

II. rette (*vb*) 1 (*gjøre rett*) straighten (out); 2 (*korrigere*) correct (*fx* a mistake, examination papers; proofs (*korrektur*); correct me if I am wrong!); (*for å sette karakterer*) mark (*fx* papers); 3 (*regulere, justere*) adjust; 4 (*stille inn*) direct (*mot* towards), turn (*mot* to), aim (*mot* at, *fx* aim a gun at sby), level (*mot* at, *fx* a gun at sby), play (*mot* on, *fx* play a hose on the fire); 5 (*henvende*) address, direct (*fx* one's remarks to sby); 6 (*glds = henrette*) execute; ~ *bena* stretch one's legs; ~ *manglene* correct the defects; ~ *oppgaver* correct exercises; (*med henblikk på karakterene*) mark papers; US grade papers; *levere tilbake de* -*de oppgavene* hand (*el.* give) the marked papers back; ~ *for hverandre* (*om elever*) correct each other's work; *slurvet* (*,dårlig*) -*t!* carelessly (,badly) corrected! ~ *ryggen* straighten one's back, draw oneself up; ~ *inn* (*gym &* ⚔) dress (*fx* the ranks); *rett inn!* ⚔ pick up your dressing! *den kritikk som ble* -*t mot ham* the criticism levelled against him; ~ *sin oppmerksomhet mot* turn (*el.* direct) one's attention to; ~ *opp* right; ~ *på forholdet* take remedial measures; *det er* (*det*) *lett å* ~ *på* that can easily be remedied; we can easily do sth about that; *det* -*r seg i marsjen* T things will right themselves in the end; the matter will straighten itself out (all right); *skipet* -*t seg opp igjen* the ship righted itself; ~ *seg etter ens ønske* comply with sby's wishes; *jeg må ha noe å* ~ *meg etter* I must have sth to go by; ~ *seg etter vanlig forretningspraksis: se praksis*.

III. rette: *den* ~ the right man (,woman, *etc*); 'the man (,*etc*); *du er meg den* ~*!* I like that! *du er meg den* ~ *til å komme med en slik bemerkning* that remark comes strangely from you; *du er ikke den* ~ *til å kritisere ham* it is not for you to criticize him; *der kom han til den* ~ he came to the right address; he caught a tartar; (se *kam*); *det* ~ the right thing, 'the thing; *det eneste* ~ the only right thing; *langt fra det* ~ wide of the mark; *med* ~ rightly, justly, deservedly; *og 'det med* ~ and rightly (*el.* justly) so; and quite right too; *med* ~ *eller urette* rightly or wrongly; *finne seg til* ~ (*med*) reconcile oneself to; (*tilpasse seg*) accommodate oneself to; find one's legs; (*føle seg hjemme*) feel at home; *han har funnet seg godt til* ~ *her* he has settled down well here; *hjelpe en til* ~ lend sby a helping hand, put sby on the right way; *legge til* ~ arrange, order, adjust; *legge seg godt til* ~ *i senga* snuggle up in bed; *ligge godt til* ~ *for* be favourable for, offer favourable conditions for; (se *ligge:* ~ *til rette for*); *sette seg til* ~ settle oneself (*fx* in an armchair); *snakke en til* ~ bring sby to reason, make sby see (*el.* listen to) reason; *forsøke å snakke en til* ~ reason with sby; *stå til* ~ *for* answer for, be called to account for; *ta seg selv til* ~ take the law into one's own hands.

rettearbeid (*lærers*) marking.

rettelig (*adv*) by right(s), rightfully, justly.

rettelse correction; (*beriktigelse*) rectification.

rettenkende right-minded.

rettere (*adv*): *eller* ~ *sagt* or rather.

rettergang legal procedure; (*prosess*) action, lawsuit.

rettersted place of execution.

rettesnor guide; rule (of conduct); (*jvf retningslinje*).

rettferdig just; *sove de* -*es søvn* sleep the sleep of the just.

rettferdiggjøre (*vb*) justify, warrant; ~ *seg* exculpate (*el.* clear) oneself.

rettferdiggjørelse justification.

rettferdighet justice; *det er bare simpel* ~ (ɔ: *det er det ikke noe å si på*) it is only fair.

rettferdighetssans sense of justice; *(se krenke).*
retthaveri cavilling; pig-headedness.
retthaversk cavilling; pig-headed.
rettighet right, privilege.
rett|lede, -leie *(vb)* direct, guide.
rettledning guidance; *dette ville være en viss ~ for oss* this would be some g. for us.
rettløs lawless.
rettmessig lawful, legitimate, rightful. **-het** lawfulness, legitimacy.
retts|akt legal document; **-er** *(pl)* papers of legal procedure. **-avgjørelse** court decision, d. of the c. **-begrep** idea *(el.* concept) of justice, legal conception. **-belæring** summing up, directions to the jury; (NB the judge sums up the case for the benefit of the jury); *feilaktig ~* misdirection. **-betjent** officer of justice. **-bevissthet** sense of justice. **-ferie** vacation (of the court), court vacation; *i -n* during the v. of the court. **-forfølgning** prosecution; legal proceedings. **-forhandling** legal *(el.* court) proceedings; hearing; trial. **-følelse** sense of justice. **-gyldig** valid in law. **-gyldighet** validity in law. **-handling** judicial act. **-historie** legal history, history of law.
rettshjelp legal aid; *få fri ~* receive legal aid free of charge; *(i England)* receive free legal aid and advice; (NB the Legal Aid and Advice Act; a party to a civil case can sue in forma pauperis).
rettside: *se I. rette.*
rett|sindig upright. **-sindighet, -sinn** uprightness, rectitude.
rettsinstans *(institusjon)* judicial authority; *vende seg til en annen (el. høyere) ~* go to a higher court.
rettskaffen upright, honest.
rettskaffenhet integrity, uprightness; honesty.
rettskraft legal validity, force of law.
rettskrivning orthography, spelling.
rettskyndig learned in the law, legally trained.
rettslig legal, judicial; *ta -e skritt mot* take legal action against; *(se etterspill).*
I. rettslærd *(subst)* jurist.
II. rettslærd *(adj)* learned in the law.
retts|lære jurisprudence. **-medisin** forensic medicine. **-medisiner** medical expert, e. on forensic medicine. **-medisinsk** medico-legal. **-møte** (court) session. **-norm** rule of law. **-ordning** 1. constitution of the courts; 2. statutes governing the c. of the courts. **-pleie** administration of justice. **-sak** case, lawsuit. **-sal** court(room). **-sikkerhet** law and order. **-stilling** legal status. **retts|stridig** contrary to law, illegal. **-stridighet** illegality. **-studium** study of law.
retts|tilstand state of the law *(el.* of justice). **-vern** legal protection (of inventions and trade marks). **-vesen** administration of justice; judicial system. **-vitenskap** jurisprudence. **-virkning** legal effect. **-vitne** [court witness].
rett-tenkende right-thinking *(fx* all **r.** -t. people), straight-thinking, right-minded.
rett-troende orthodox.
rett-troenhet orthodoxy.
rettvinklet rectangular, right-angled.
rettvis fair, just.
retur return; *varer sendt i ~* goods returned; *tur ~* there and back; *på ~ (fig)* on the decline, on the downgrade, on the wane; *(i avtagende)* declining *(fx* his reputation is d.). **-billett** return ticket; US *(også)* round-trip ticket. **-frakt** return cargo; *(beløpet)* return freight, home freight.
returgods: *tomt ~* returned empties; *(jvf tomgods).*
returnere *(vb)* return.
retur|porto return postage. **-tast** *(på skrivemaskin)* backspace key, back spacer. **-veksel** redraft.
retusj retouch. **-ere** *(vb)* retouch, touch up.
I. rev *(lavt skjær)* reef.
II. rev 🦊 fox; *ha en ~ bak øret* be up to some trick, have sth up one's sleeve; *(se overgang).*

III. rev ⚓ *(i seil)* reef; *stikke ut et ~* shake out a reef; *ta inn et ~* take in a reef; *ta ~ i seilene (fig)* watch one's step, be more careful.
revaksinasjon revaccination.
revaksinere *(vb)* revaccinate.
revaktig foxy, fox-like, vulpine.
revansj(e) revenge; *få ~* have one's revenge.
reve ⚓ *(seil)* reef.
revebjelle 🌿 foxglove.
revehule fox earth, (fox) burrow.
revelje ✕ reveille.
revepels fox fur; *(fig)* fox, sly fellow.
revers reverse (side); *sette bilen i ~* put the car in reverse.
reversdrev reverse *(el.* reversing) gear.
reve|saks fox trap. **-skinn** fox skin; *(pelsverk)* fox fur.
revidere *(vb)* revise; *(som revisor)* audit.
revisjon revision; *(revisors)* audit(ing).
revisor auditor; *(yrkesbetegnelse)* accountant; *statsautorisert ~* chartered *(el.* certified) a.; US certified public a.; *statsautorisert ~ L. Fry* L. Fry, C.A., (NB Messrs Fry & Co., Chartered Accountants, have been appointed auditors to the Company).
I. revle *(sandbanke)* (sand) bar, longshore bar.
II. revle [piece of weaving, strip of cloth].
revmat|isk rheumatic. **-isme** rheumatism.
I. revne *subst* crack, chink, cranny, fissure, crevice; *(i tøy)* tear, rent.
II. revne *(vb)* crack, burst, part; *(om tøy)* tear, split.
revolte revolt. **revoltere** *(vb)* revolt.
revolusjon revolution. **-ere** *(vb)* revolutionize.
revolusjonær revolutionary.
revolver revolver. **-mann** gunman.
revunge 🦊 fox cub.
revy *(mønstring)* review; *(teater)* revue; *passere ~* file past; *(fig)* pass in review.
revynummer show number.
Rhinen *(geogr)* the Rhine.
rhinsk- Rhine *(fx* wine).
Rhodos *(geogr)* Rhodes.
Rhône *(geogr)* the Rhone.
I. ri *subst (anfall)* fit, attack; spell; paroxysm *(fx* of laughter); *smertene kommer i -er* the pain comes intermittently.
II. ri *vb* ride; *~ stormen av* weather *(el.* ride) out the gale; *~ for ankeret* ride at anchor; *‹Comet›, -dd av Jones* Comet with Jones up; *han -r ikke den dag han saler* he's a slow starter, he takes his time; *den tanken -r meg som en mare* I am haunted by that idea.
I. ribbe *(subst)* rib.
II. ribbe *subst (gym)* wall bar.
III. ribbe *(vb)* pluck *(fx* a chicken, a goose); US pick; *(plyndre)* rob *(en for noe* sby of sth).
ribben *(subst)* rib.
ribbet *(forsynt m. ribber)* ribbed.
ridder knight; *vandrende ~* knight errant; *slå til ~* knight.
ridderborg castle.
ridderkors cross of an order of chivalry.
ridderlig chivalrous.
ridderlighet chivalry, chivalrousness.
ridder|orden order of chivalry. **-roman** novel *(,*romance) of chivalry. **-skap** knighthood; chivalry. **-slag** accolade. **-spore** knight's spur; 🌿 larkspur. **-stand** knighthood, chivalry. **-tiden** the age of chivalry. **-vesen** chivalry.
ride *(vb):* *se II. ri.*
ride|bane riding ground. **-drakt** riding dress; *(dames)* riding habit. **-hest** saddle horse. **-kunst** horsemanship. **-lærer** riding master. **-pisk** horsewhip. **-skole** riding school. **-støvler** riding boots. **-tur** ride.
I. rifle *subst (gevær)* rifle.
II. rifle *subst (fure)* groove, flute.
III. rifle *(vb)* rifle *(fx* a gun); flute.
rift tear *(fx* he has a t. in his shirt sleeve), rent; *(spalte)* crevice; *(på kroppen)* scratch; *det*

er stor ~ om det there is a great demand for it; it is in great demand.

rigg ⚓ rigging.

rigge (*vb*) rig (*fx* a ship); ~ *i stand et måltid* get up a meal; ~ *opp* rig up (*fx* an apparatus); ~ *til* fix, prepare; equip with clothes.

rigger rigger.

rigorøs rigorous, severe, strict.

rik rich, wealthy, opulent; ~ *på* rich in, abounding in; ~ *anledning til å* ample opportunity for (*fx* practising French); every facility for (*el.* of) (-ing) (*fx* there is every f. for bathing and tennis); *den -e* the rich man; *de -e* the rich; *i -t mål* abundantly; amply; *et -t liv* a full life; (*se opplevelse*).

rikdom riches, abundance; wealth; *en ~ på* a wealth of, an abundance of.

rike kingdom; empire; realm; *komme ditt ~* (*bibl*) thy kingdom come.

rikelig plentiful, abundant; *han har sitt -e utkomme* he is well off.

rikfolk rich people, the rich.

rikholdig rich, copious, abundant.

rikke (*vb*) move; ~ *seg* move, stir; *han -t seg ikke fra sofaen* he refused to budge from the sofa.

rikmann capitalist, rich man, plutocrat.

rikosjett ricochet, rebound.

rikosjettere (*vb*) ricochet, rebound, glance off.

riksadvokat (*svarer til*) Attorney General; (*i ikke-engelsktalende land*) Public Prosecutor. **riks|antikvar** chief inspector of the Inspectorate of Ancient Monuments and Historic Buildings). **-antikvariatet** (NB *offisielt: Riksantikvaren*) Inspectorate of Ancient Monuments and Historic Buildings. **-arkiv** Public Record Office; (*i Skottland*) Scottish Record Office. **-arkivar** keeper of public records; US archivist of the United States. **-bank** national bank.

riksdag Parliament; (imperial) diet; *-en i Worms* the diet of Worms.

riks|eple orb. **-forsamling** national assembly. **-grense** (*på kart*) international boundary. **-kansler** chancellor. **-klenodier** (*pl*) regalia. **-kringkasting** state broadcasting system (*fx* the Norwegian Broadcasting System).

riksmeklingsmann (*svarer i England til*) National Arbitration Tribunal.

riks|mål standard Norwegian. **-regalier**: *se -klenodier*. **-rett**: *bli stilt for ~* (*svarer til*) be impeached. **-telefon** trunk call, long distance call; US long distance call (*fx* make a l. d. c.); *bestille en -samtale med tilsigelse* book a personal trunk call; (*se nærtrafikk*).

riktig 1 (*adj*) right; (*nøyaktig*) exact, accurate; (*feilfri*) correct; (*virkelig, ekte*) real; (*sann*) true; (*passende*) right, proper, due; *ganske ~* quite right; ... *og ganske ~* and sure enough; ~ *avskrift* a true copy; *en ~ sterk dosis* a good strong dose; *vi fant det -st å* ... we found it best to ... ; *gjøre det -e* do the right thing; *det var ikke ~ av Dem å* ... it was not right of you to ... ; *det er ikke ~ mot ham* it's not fair on him; *det er ~ at* it is true that; *overslaget er langt fra ~* the estimate is very wide of the mark; *han er ikke ~* he's not right in his head; he's crazy; **2** (*adv*): *gjette ~* guess right; *det går ikke ~ for seg* there's something wrong; there's more in this than meets the eye; *handle ~* act right(ly); *skrive ~* write correctly; *jeg vet ikke ~* I don't exactly know; *jeg vet ikke ~ hva han vil gjøre* I do not quite know what he will do; ~ *livlig* quite lively; ~ *meget* (*el. mye*) quite a lot; *han er ikke ~ frisk* he's not quite well.

riktighet correctness; exactness, accuracy; (*berettigelse*) fairness, justness; *det har sin ~* it's quite correct; it's true, it's a fact.

riktignok correct, to be sure, indeed; ~ *har jeg* ... true, I have ... ; it's true that I have ... ; ~ *kan jeg ha tatt feil* I may, indeed, be wrong; I admit that I may be mistaken.

I. rim (*rim*/*frost*) hoarfrost, white frost, rime;

det var ~ på vinduet the window was rimed over, there was rime on the w.

II. rim (*i vers*) rhyme. **-brev** rhymed epistle.

I. rime (*av frost*) rime; *det -r på vinduet* the window is rimed over; there is rime on the window.

II. rime (*i vers*) rhyme; ~ *på* rhyme with; *det -r ikke med* (*fig*) it does not tally with.

rimelig 1 (*fornuftig*) reasonable; *det fins ingen ~ grunn til at vi* ... there's no earthly reason why we ... ; **2** (*rettferdig*) fair; *det er ikke mer enn* (*rett og*) ~ it's only fair (*el.* reasonable); *han sa ja takk, som ~ var* he accepted, as well he might; *et ~ forlangende* a fair demand; **3** (*moderat*) reasonable, moderate; *en ~ pris* a reasonable price; *-e priser* (*også*) moderate prices; *til ~ pris* at a reasonable price; *et ~ krav* a reasonable demand (*,claim*); **4** (*sannsynlig*) likely; *det er ikke ~ at han kommer* he is not likely to come, it's not likely he will come; **5** (*forståelig*): *Siden ulykken i fjor går hun ikke gjerne ut alene.* — *Nei, det er ~* Since her accident last year she doesn't like going out by herself. — No, I'm sure she doesn't (*el.* No, I can (well) imagine *el.* No, I suppose not).

rimelighet reasonableness; fairness; moderation; likelihood; *innenfor -ens grenser* within (the limits of) reason; *alt innenfor -ens grenser* anything in reason.

rimeligvis (*adv*) most likely, as likely as not, in all probability; *det blir ~* ... there's likely to be ...

rimfri unrhymed; (*se II. rim*).

rimfrost hoarfrost, white frost.

rimordbok rhyming dictionary.

rimsmed poetaster; (*neds*) rhymester.

rimtåke frosty mist.

ring ring; (*krets*) circle; (*bil-*) tyre; US tire; *kontrollere lufttrykket i -ene* check the tyres; *-er under øynene* circles round (*el.* under) one's eyes; *i denne leken går deltakerne rundt i en ~ og synger* (*også*) in this game the circle (*el.* ring) moves round singing; *følgene av denne uheldige episode spredte seg som -er i vannet* the consequences (*el.* effects) of this unfortunate incident were gradually felt further and further afield.

ringblomst 🌼 marigold.

ringbom (*fløtning*) temporary storage boom, spool boom.

ringbrynje chain mail, byrnie.

ringdue 🐦 wood pigeon.

I. ring|e (*vb*) ring; *det -er* the bell rings, there's the bell; there goes the bell; ~ *av* (*tlf*) ring off; (*især US*) ring up; ~ *etter* ring for (*fx* a servant; a cup of tea); (*tlf*) phone for; ~ *for siste runde*: *se I. runde*; ~ *inn* (➔: *omringe*) encircle; surround; *har det -t inn?* has the bell gone for the lesson? *da det -te inn til neste time* when the bell rang for the next period to begin; ~ *med en klokke* ring a bell; ~ *opp* (*tlf*) ring up; *ring meg opp igjen* T give me a ring back; ring (*el.* call) me back; call (*el.* phone) me up later; *kanskje du -er meg opp, så kan vi avtale et møte* T would you phone and we'll fix a meeting; *kan jeg få ~ Dem opp igjen om noen minutter?* can (*el.* may) I ring you back in a few minutes? may I give you a ring back? ~ *på* ring the (door)-bell; ~ *på hos en* ring sby's doorbell, ring the bell at sby's door; *ring på hos X* ring X's doorbell; *han -te på hos familien over gangen* he rang the bell across the landing (*el.* way *el.* hall); *vi hørte at noen -te på døra* we heard a ring at the door; ~ *på tjeneren* ring for the servant; ~ *til en* ring sby up, (tele)phone sby, put a call through to sby; *den man -er til* the called person; *han -te til sin far og fortalte ham nyheten* he phoned the news to his father; ~ *City 2023* phone (*el.* call) City 2023 (*uttales: two o two three*); *du er meg en hyggelig person å ~ til* (*bebreidende*) you're a cheerful (*el.* nice) person to ring up! ~ *til begravelse* toll (the funeral bell); ~ *til gudstjeneste* ring the bell(s) for divine service; ~ *ut* ring out; *har det -t ut?* has the bell gone for the end of the lesson? *det -te ut* the bell rang for break.

II. ringe *adj* (*ubetydelig*) small, slight, insignificant; (*om kvalitet*) poor, inferior; *etter min ~ evne* to the best of my humble ability; *ingen -re enn* no less a person than (*fx* he was no less a p. than the owner himself); *intet -re enn* nothing short of; *ikke den* (*aller*) *-ste interesse* not the slightest interest.

ringeakt contempt, disdain; scorn.

ringeakte (*vb*) despise, look down on; scorn.

ringeaktende contemptuous.

ringeapparat bell; *elektrisk ~* electric bell.

ringeledning bell wire.

ringer ringer.

ringfinger ring finger.

ringforlovet formally engaged.

ringformet annular.

ringle (*vi*) tinkle, jingle.

ringorm ringworm.

ringperm ring leaf book; ring leaf file; US loose -leaf binder.

ringrev 1. atoll; 2 (*person*) (sly) fox.

ringspill (game of) quoits.

ringstall (*jernb*) roundhouse.

rinne: *se renne.*

rinskvin hock, Rhine wine.

rip 1. scratch; 2. ♣ (*esing*) gunnel.

ripe (*subst & vb*) scratch.

ripost (*i fektning*) riposte; (*fig*) repartee.

ripostere (*vb*) riposte; (*svare*) retort.

rippe (*vb*): ~ *opp i gamle sår* open up old wounds, rip open old wounds, re-open o. w.; US drag (*el.* rake) up old wounds; ~ *opp i et gammelt sår* (*også*) revive an old sorrow; *la oss ikke ~ opp i det* (*også*) let bygones be bygones.

I. rips (*slags tøy*) rep.

II. rips ♣ currant (*fx* red currants). **-busk** currant bush. **-gelé** currant jelly. **-saft** currant syrup.

I. ris (*papir*) ream.

II. ris (*kratt, kvist*) brushwood, twigs; (*til straff*) rod, birch (rod); *få ~* get a birching; (*med hånden*) be spanked; *gi ~* birch, thrash; (*med hånden*) spank; *han skulle ha ~* he wants a good smack; T he wants his behind smacking!

III. ris (*kornart*) rice; *japansk ~* puffed rice.

I. rise (*kjempe*) giant.

II. rise *vb* (*slå med et ris*) birch, flog; (*med hånden*) spank.

risengryn rice. **-sgrøt** rice pudding.

risikabel risky.

risikere (*vb*) risk.

risiko risk, peril; *for kundens regning og ~* for account and risk of customer; *sendt på kjøperens ~* sent (,shipped) at the risk of the purchaser; *på egen ~* at one's own risk; *løpe stor ~* take (*el.* run) a big risk.

risikomoment element of risk.

riskrem cream ⟨ :rice, creamed rice.

risle (*vb*) murmur, ripple.

rismel ground rice, rice flour.

risp slit, slash; scratch.

rispe (*vb*) slit, slash, tear; scratch; (*maltraktere med kniv*) slash.

riss 1 (*tegning*) (thumbnail) sketch; (*grunn-*) ground plan; 2 (*kontur*) contour, outline; 3 (*risset merke*) mark, scratch; 4 (*utkast*) outline, sketch, draft.

risse (*vb*) scratch; ~ *opp* outline, sketch, draft.

rissebord marking-off table.

risse|fjær, -penn drawing pen. **-kurs** pattern cutting course.

I. rist (*på foten*) instep.

II. rist (*jernrist, i ovn*) grate; (*gitterverk*) grating (*fx* a g. over a drain; holes in the wall with gratings over them).

I. riste *vb* (*steke*) grill; US broil; ~ *brød* toast bread; make toast (*fx* make a lot of toast); *-t brød* toast; *et stykke -t brød* a piece (*el.* slice) of toast.

II. riste *vb* (*skjære el. hogge inn*) carve, cut; ~ *runer* carve runes.

III. riste (*vb*) shake; ~ *på hodet* shake one's head; ~ *av seg* shake off, fling off (*fx* one's pursuers); (*se skape & ryste & virre*: ~ *med hodet*).

risting shaking; (*skaking, vibrering*) judder, juddering.

ristsveiv (*til ovn*) grate crank, crank handle for the grate.

ritt ride.

rittmester (*glds*) captain (of horse).

ritual ritual, service.

ritus rite.

rival, -inne rival.

rivalisere (*vb*) rival.

rivalitet rivalry, competition.

I. rive (*subst*) rake.

II. rive *vb* (*flenge*) tear; *han rev i annet forsøk* (*om høydehopper*) he failed in his second attempt; ~ *ost* grate cheese; ~ *farger* grind colours; *revne grønnsaker* raw-grated vegetables; *revet skall av sitron* grated lemon rind; ~ *av en fyrstikk* strike a match; ~ *av seg vitser* crack jokes; ~ *seg løs fra* tear oneself away from, disengage oneself from; *la seg ~ med av* be carried away by; ~ *i* (*noe*) tear at sth; *jeg -r i* (ɔ: *jeg spanderer*) I'll stand treat; S I'll pay the piper; ~ *seg i håret* tear one's hair; ~ *og slite i* tear at (*fx* sth); ~ *i stykker* tear up, tear to pieces; ~ *i* (*betale for noe*) pay for; ~ *løs* tear off, pull off, detach; *hun rev publikum med seg* she carried the house; *leseren -s med av en rekke begivenheter* the reader is carried along (quickly) by a number of events; ~ *ned* tear down, break down; ~ *opp døra* fling the door open; ~ *over* tear across (*fx* a piece of paper); ~ *over ende* knock over; ~ *seg på noe* scratch one's hands (,arms, *etc*) on sth; ~ *ut av villfarelsen* disillusion, undeceive.

rivende: *i* ~ *fart* at a furious pace; ~ *gal* stark staring mad; (*feil*) quite wrong, right off the mark; *gjøre* ~ *fremskritt* progress by leaps and bounds; ~ *strøm* violent (*el.* rapid) current; *ha det* ~ *travelt* be in an awful rush; *en* ~ *utvikling* a violent process of change.

riveskaft rake handle.

Rivieraen the Riviera (*fx* on the R.).

rivjern grater; (*fig*) shrew.

rivning (*fig*) friction, discord; *det var -er mellom dem* there was a certain amount of friction between them.

I. ro (*hvile*) rest; (*stillhet*) quiet; (*rolighet*) tranquillity; *opphøyd* ~ serenity; ~ *i salen!* the meeting will come to order! *i fred og* ~ in peace and quiet; *i* ~ *og mak* at (one's) leisure; (*om hastighet*) at a leisurely pace; *gjøre innkjøp i* ~ *og mak* (*også*) shop in safety and comfort; *falle til* ~ compose oneself, calm (*el.* quieten) down; settle down; *etter at sinnene var falt til* ~ after people had calmed down; *etter at huset var falt til* ~ *for natten* after the house had settled down for the night; *han har ingen* ~ *på seg* he is restless; *slå seg til* ~ settle (down); *slå seg til* ~ *med* resign oneself to; (*se skape 2*).

II. ro (*subst*) (*krok*) corner.

III. ro (*vb*) row; (*fig*) crawfish, try to back out (*fx* of an awkward situation); *nå er han ute og -r* (*fig*) now he's trying to backslide (*el.* slide out of it); now he's trying to dodge (*el.* crawl *el.* get) out of it; now he's trying to pull up the ladder; (NB *uttrykkes ofte kun ved*) Jack! ~ *med raske tak* row a fast stroke.

robber (*i spill*) rubber.

robust robust, rugged, sturdy.

robåt rowboat, rowing boat.

roe ♣ turnip, beet.

roer rower, oarsman.

roesukker ♣ beet sugar.

I. rogn (*av fisk*) hard roe; spawn; *legge* ~ spawn.

II. rogn ♣ rowan. **-ebær** rowanberry.

rogn|fisk spawner. **-gyting** spawning.

rojalisme royalism.
rojalist royalist.
rojalistisk royalist.
rokade (*i sjakk*) castling.
rokere (*vb*) castle.
I. rokk spinning wheel; S (=*sykkel*) grid.
II. rok(k) (*sjø-*) sea spray.
I. rokke *subst* (*fisk*) ray; *pigg-* sting ray.
II. rokke *vb* (*rugge*) budge, move; *steinen er ikke til å* ~ the stone cannot be moved; (*se også rikke*).
rokke|hjul wheel (of a spinning wheel); (*leketøy*) hoop. **-hode** distaff.
rokokko rococo.
rolig quiet, calm, tranquil; (*fredelig*) peaceful; steady (*fx* a s. flame, a s. market); *holde seg* ~ keep quiet; ~ *søvn* sound sleep; *han er* ~ *og stø* he has a quiet and steady manner; *det kan De være* ~ *for* you need not worry about that; *ta det* ~ take it easy; calm down; S keep your shirt (*el.* hair) on! (*se time*).
rolle part, character, rôle, role; *en takknemlig* ~ a rewarding part, a part offering scope to the actor; *bli i -n* keep up one's part; *falle ut av -n* forget one's part; *få legens* ~ play the physician; *spille en* ~ play (*el.* act) a part; *hun var den elskverdige vertinne og spilte sin* ~ *godt* she acted the gracious hostess and put it over well; *spille en aktiv* ~ *i* play a vigorous part in; *han spilte en svært ynkelig* ~ he cut a very pitiful figure; *det spiller ingen* ~ it does not matter; *penger spiller ingen* ~ money (is) no object; *hvilken* ~ *spiller det om vi er fattige?* what does it matter if we are poor?
rollebesetning cast.
I. rom (*verdens-*) space; *-met* space; 2 (*værelse*) room; 3 (*plass*) room; 4 (*avdelt*) compartment; 5 (*laste-*) hold; *et lufttomt* ~ a vacuum; *det gir ikke* ~ *for tvil* it leaves no room for doubt.
II. rom (*spiritus*) rum.
III. rom (*adj*) roomy, spacious; *i* ~ *sjø* in the open sea; *holde seg i* ~ *sjø* keep out to sea.
Roma (*geogr*) Rome.
romalder space age.
roman novel; *-en er henlagt til en engelsk industriby* the novel is set in an English industrial town.
romanforfatter, -inne novelist.
romanse romance, ballad.
romansk Romance (*fx* language).
romantiker romantic.
romantikk romance; (*litteraturretning*) romanticism.
romantisk romantic.
rombe rhomb, rhombus.
rombisk rhombic.
romer Roman. **-bad** Turkish bath. **-inne** Roman lady.
romer|kirken the Roman (Catholic) Church, the Church of Rome. **-rett** Roman law.
romersk Roman.
romerskkatolsk Roman Catholic.
romertall Roman numeral.
rom|fang volume, cubic content. **-farer** astronaut, space traveller, spaceman. **-fart** space travel. **-ferd** space journey, space trip. **-forhold** proportion.
rom|helg, -jul days between Christmas and New Year's Eve.
romkake [small tart filled with rum-flavoured custard].
romlig of space, relating to space.
romme (*vb*) contain; (*ha plass for*) hold, take; (*fig*) contain, convey.
rommelig roomy, spacious; (*om tid*) ample.
rommelighet spaciousness.
rompudding rum pudding.
romskip space ship.
romslig: *se rommelig.*
romstere *vb* (*rote omkring*) rummage.
rop cry, call, shout.

rope (*vb*) call (out), shout; ~ *noe inn i øret på henne* shout sth in(to) her ear; ~ *opp navnene* call over the names; read (*el.* call) out the names; *han ble ropt opp* his name was called; ~ *på* call for, shout for (*fx* help); ~ *på en* call sby; ~ *på noe* (*o: kreve*) call for; (*sterkere*) clamour for; *folket ropte på hevn over tyrannen* the people clamoured loudly for revenge on the tyrant.
ropert megaphone, loud-hailer.
ror rudder, helm; *komme til -et* (*fig*) take over the helm, come into power; *lystre -et* answer the helm.
ror|benk thwart. **-bu** fishermen's shanty (at a fishing station).
ror|gjenger helmsman. **-kult** tiller.
rors|folk rowers. **-kar** rower.
rortørn ⚓ trick (*el.* turn) at the helm.
ros (*pris*) praise.
rosa, -farget pink, rose-coloured.
I. rose ♣ (*subst*) rose; *ingen ~ uten torner* no rose without a thorn; *livet er ingen dans på -r* life is no bed of roses; T life is not all jam; life is not all beer and skittles.
II. rose (*vb*) praise, commend; ~ *seg av* pride oneself on; *-nde: se ndf: rosende.*
rosemaling [peasant style of painting for decorating furniture, etc, and consisting of floral designs].
rosemalt: *et* ~ *hjørneskap* a corner-cupboard decorated with painted floral pattern.
rosen (*sykdom*) erysipelas.
rosenbusk ♣ rose bush.
rosende commendatory, laudatory; *tale* ~ *om* speak highly of, speak in high terms of; *få* ~ *omtale* be praised, receive a great deal of praise, be complimented.
rosen|knopp ♣ rose-bud. **-krans** (*katolsk*) rosary; *be sin* ~ tell (*el.* say) one's beads. **-kål** (Brussels) sprouts. **-olje** rose oil, attar.
rosenrød rosy, rose-coloured, rose-red.
rosenskjær rosy hue.
rosett rosette.
rosettbakkels crullers (*pl*).
rosignal (*tappenstrek*) taps, tattoo (*fx* sound the t.); («*lang tone*») lights out.
rosin raisin; *-en i pølsen* the climax; *den* culminating treat.
rosmarin rosemary.
rosse (*stormbyge*) squall; (*fallvind*) eddy-wind, sudden gust of wind.
rosverdig praiseworthy, commendable, laudable.
rosverdighet praiseworthiness.
I. rot root; *avling på* ~ standing crop; *rykke opp med -en* tear (*el.* pull) up by the roots; (*fig*) uproot, root out, wipe out, abolish root and branch; *slå* ~ strike root, take root, push out roots; *trekke ut -en* extract the root; *-en til alt ondt* the root of all evil; *uten* ~ *i virkeligheten* without foundation in reality.
II. rot mess; muddle, confusion; T mess-up; (*uorden*) disorder; ~ *og uorden* mess and disorder (*fx* I've never seen so much mess and d. anywhere); *for et* ~! what a mess!
rotasjon rotation.
rotasjonspresse rotary press.
rotbetennelse (*i tann*) periodontitis.
rotere (*vb*) rotate, revolve; *-nde* rotary, revolving.
rote (*vb*) rummage; make a mess of things; ~ *noe fram* dig sth out (*el.* up); ~ *opp* dig up, scrabble up (*fx* the dog scrabbled up a bone); ~ *opp i en sak* (*o: rippe opp*) rake up a matter; ~ *seg bort i noe* get oneself involved (*el.* mixed up) in sth; get into trouble; ~ *til* mess up, clutter up.
rote|bukk: *se -kopp.*
rotekopp messy (*el.* untidy) person; (*som forplumrer el. skaper rot*) bungler, muddler.
rotende (*av stokk*) butt-end.
roteskuff muddle drawer.
rotet(e) messy, untidy, mixed-up.

rotfeste (*vb*): ~ *seg* take root; *en -t fordom* a deeply ingrained prejudice.
rotfestet rooted; (*se forankre*).
rotfrukter (*pl*) roots.
rotfylling (*tannl*) root filling.
rot|hogge (*vb*) cut off at the roots. **-løs** rootless.
rotor (*i motor*) distributor rotor.
rotpris (*forst*) stumpage rate.
rotskudd ♣ sucker; (*se skyte*: ~ *rotskudd*).
rotstokk (*tømmer-*) butt log.
I. rotte ⅄ (*subst*) rat.
II. rotte (*vb*): ~ *seg sammen* conspire (*mot* against); T gang up (*mot on*, *fx* the way you guys g. up on me).
rotte|fanger ratcatcher; (*fagl*) rodent officer.
-felle rattrap. **-gift** rat poison. **-rumpe** rat's tail; (*sag*) compass saw; ♣ pepper elder.
rotting rattan.
rotunde rotunda.
rotur row, boating; *ta en liten* ~ go for a little row; *de har vært ute på en liten* ~ they have been out rowing.
rotvelte (*subst*) windfall; US wind slash.
rov prey, spoil, plunder; (*røveri*) rapine, robbery; *gå ut på* ~ go in search of prey; *leve av* ~ live by rapine; *ute på* ~ on the prowl, in search of prey; in search of booty.
rovdrift overworking; ruthless exploitation; (*agr*) soil exhaustion; *drive* ~ exploit ruthlessly; (*agr*) exhaust the soil.
rovdyr beast of prey.
rove: *se hale*.
rover (*spider*) rover.
rov|fisk predatory fish. **-fiske** overfishing; *drive* ~ overfish, deplete (*fx* a lake). **-fugl** bird of prey. **-grisk** rapacious, predatory. **-hogst** overcutting; *skog hvor det har blitt drevet* ~ culled forest. **-lyst** rapacity. **-lysten** rapacious. **-mord** murder with intent to rob. **-morder** robber and murderer.
ru rough; (*om stemme*) hoarse, husky; ~ *å ta på* rough to the touch.
rubank jointer (*el.* jointing) plane.
rubb: ~ *og stubb* lock, stock, and barrel.
rubel rouble, ruble.
rubin ruby.
rubrikk column; space (*fx* state name and occupation in the space on the right); (*overskrift*) heading, title.
rubrisere (*vb*) classify; (*se bås*).
rudiment rudiment. **-ær** rudimentary.
ruff ⚓ deckhouse; poop.
ruffer pimp, procurer. **-i** procuring. **-ske** procuress, pimp.
rug ♣ rye.
rugaks ear of rye.
rugbrød rye bread; *et* ~ a loaf of r. b.
rugde ⅄ woodcock. **-trekk** flight of woodcocks.
ruge (*vb*) brood, sit; ~ *over* (*fig*) brood over, pore over (*fx* one's books); ~ *ut* hatch (out).
ruge|høne sitting hen, sitter. **-kasse** sitting box, nest box. **-maskin** incubator. **-tid** brooding time; (*årstid*) breeding season.
rugg: *se rusk*.
rugge (*vb*) 1. move; (*se rokke*); 2. rock.
rugle *vb* (*ligge ustøtt*) lie insecurely; (*rokke*, *ryste*) shake, move; **-te bokstaver** shaky letters.
rugmel rye flour; *siktet* ~ sieved r. f.
ruhet roughness.
Ruhr (*geogr*) the Ruhr.
ruhåret rough-coated; (*om hund*) wire-haired.
ruin ruin; *økonomisk* ~ financial ruin; **-er** ruins, remains; (*etter brann, etc*) debris (*av* of); (*ofte =*) rubble; *ligge i -er* be in ruins; *bygningen lå halvveis i -er* the building was in (a) semi -ruinous condition; *et slott som ligger i -er* a ruined castle; (*se grus*).
ruinere (*vb*) ruin, destroy; **-nde** *for* ruinous to.
rujern (*råjern*) pig iron.
rukkel trash, junk, tripe, bilge, hogwash; *hele ruklet* T the whole damned thing.

rulade roulade; (*kake*) Swiss roll, jam roll.
rulett ♩ roulette, run; (*kål-*) stuffed cabbage leaf.
rull (*valse*) roller; (*noe sammenrullet*) roll; (*se kalve- & okse-*); (*tobakk*) twist (*fx* of chewing tobacco); *en* ~ *metalltråd* a coil of wire.
I. rulle (*rullestokk*) roller; (*kles-*) mangle; ✗ register; (*gym*) roll; *en baklengs* (*,forlengs*) ~ a backward (,forward) roll.
II. rulle (*vb*) roll (*fx* the ship rolled badly); ~ *sigaretter* make one's own cigarettes; *la pengene* ~ make the money fly, spend (the) money like water; *tordenen -r* the thunder is rolling (*el.* rumbling); ~ *ned* roll down; turn down (*fx* one's collar); draw (*fx* the blind); ~ *opp* roll up; turn up (*fx* one's collar); (*illegal organisasjon*) roll up; destroy; (*forbrytelse*) unravel (*fx* a crime); ~ *opp gardinen* pull up the blind; *okkupasjonstiden -s opp i Oslo Byrett* the time of the Occupation is being recalled in the City of Oslo Stipendiary Magistrate's Court; attention is being focus(s)ed in the . . . on the time of the German occupation; ~ *på r'ene* roll one's r's; ~ *seg* roll (*fx* in the grass); ~ *seg sammen* curl up, roll oneself up, roll oneself into a ball.
rulle|bane runway. **-blad** record; *rent* ~ a clean record. **-data** ✗ personal data. **-fører** ✗ [officer in charge of a recruiting area]; (*kan gjengis*) registrar. **-gardin** (roller) blind; US (*også*) (window) shade. **-lager** roller bearing. **-skøyte** roller skate. **-stein** (*liten rund stein*) pebble. **-stol** invalid chair, wheeled chair; US wheelchair. **-sylte** brawn roll. **-tøy** flatwork.
rumen|er, -sk Roumanian.
rumle (*vb*) rumble.
rummel rumble, rumbling noise.
rumpe behind, bottom, backside; (*jvf I. bak*).
rumpetroll ⅄ tadpole.
rund (*adj*) round (*fx* ball, table, sum, numbers); ~ *og god* (*om kvinne, ikke neds*) plump and pleasant; *et -t svar* a diplomatic answer; (*adv*) round; *døgnet -t* night and day, all the 24 hours; *reise jorda -t* go round the world; *sove døgnet -t* sleep the clock round; US sleep around the clock; *hele året -t* all the year round; *by -t* hand round; *flytte -t på møblene* move the furniture about; *han går -t og sier at . . .* he goes about saying that . . . ; *det går -t for ham* his head is in a whirl; (*han er svimmel*) his head is swimming; *det går -t for meg i dag* my head is going round (*el.* is swimming) today; *han går alltid -t med revolver på seg* he always carries a gun about with him; *-t regnet* about, approximately, roughly, on a rough calculation (*el.* estimate); in round numbers; roughly speaking; (*gjennomsnittlig*) on an (*el.* the) average; *reise -t* travel about; *snurre -t* spin (round), whirl round, rotate; *vise en -t* show sby round (*el.* over the place); *de viste meg -t i huset* (*også*) they took me over the house.
rund|aktig roundish. **-biff** rump steak; T best steak. **-brenner** (*spøkef*) Casanova; (*ovnstype*) continuous (*el.* constant) burner. **-bue** (*arkit*) round arch; (*i Engl ofte*) Roman arch. **-buestil** Romanesque style; (*i Engl ofte*) Norman (style). **-dans** round dance.
I. runde (*subst*) 1. round (*fx* the night watchman makes his rounds every hour; this had never happened to him before in his rounds on Saturday night); (*politikonstabels*) beat, round; 2 (*i bokse-kamp*) round; 3 (*tur*) turn (*fx* take a t. in the garden); 4 (*rundt banen*) lap; *gå en* ~ *på 35 sekunder* cover a lap in 35 seconds; *siste* ~ *går!* last lap! (*i boksekamp*) last round! *han ledet i de to første -ne* he led during the first two laps; *når han om et øyeblikk passerer mål, ringes det for siste* ~ when he passes the finish in a moment, the bell will sound for the last lap (*el.* the signal will be given for the last lap).
II. runde (*vb*) round; *han har -t de førti* he has turned forty; ~ *en pynt* round a point; ~ *av* round off; ~ *av et beløp oppad* bring an amount

up to a round figure, round an amount off to a higher figure.
runde|anviser (*sport*) lap scorer. **-bordsdebatt** panel discussion. **-bordskonferanse** round table conference.
rundelig (*rikelig*) abundant, ample.
rundetid (*jvf I. runde 4*) lap time.
rundgang round, circuit, turn.
rundhet roundness, rotundity.
rundholt ⚓ spar.
rundhåndet generous, liberal.
rundhåndethet generosity, liberality.
runding rounding.
rundjule (*vb*) thrash, lick, beat up thoroughly.
rundkast somersault; *gjøre et* ~ turn a s.
rundkjøring (*subst*) roundabout; US traffic circle; *i en* ~ on a roundabout.
rundkysse (*vb*) kiss thoroughly.
rundorm 🐛 roundworm.
rundpinne round (knitting) needle.
rundreise circular tour, round trip.
rundreisebillett circular (tour) ticket, tourist ticket.
rundrygget round-shouldered, stooping.
rund|skrift round hand. **-skriv** circular.
rundspørring poll (*av of*).
rundstykke roll; *et halvt* ~ an open roll, half a roll.
rundtjern rounds (*pl*).
rune rune, runic letter. **-innskrift** runic inscription. **-skrift** runic writing. **-stein** rune stone.
runge (*vb*) ring, resound, boom.
runolog runologist.
rus (*beruselse*) intoxication, inebriation; *få seg en* ~ get drunk; *sove -en ut* sleep it off.
rusdrikk intoxicant.
I. ruse (fish) trap.
II. ruse (*vb*): ~ *motoren* race the engine.
rushtid: *i -en during* (the) *peak* (*el.* rush) hours.
I. rusk mote, speck of dust; *få et* ~ *i øyet* get sth in one's eye; get a speck of dust in one's eye; ~ *og rask* rubbish, trash.
II. rusk: *en svær* ~ T a thumping big one; *en svær* ~ *av en stein* T a thumping big stone.
III. rusk (*adj*) T (= *fra sans og samling*) out of one's mind.
ruske (*vb*) pull, shake; jerk; ~ *en i håret* rumple sby's hair; *høre vinden* ~ *i trærne* hear the wind rustling (*el.* making a noise) in the branches of the trees; hear the w. shaking the b. of the trees.
ruskevær drizzly, unpleasant weather.
ruskomsnusk hotchpotch.
rusle (*vb*) potter, pad (*omkring* about); *han -t ut av rommet* he padded out of the room; *vi foretrakk å* ~ *rundt på egen hånd* we preferred to go round by ourselves.
russ [grammar school boy or girl sitting for final exams]; *-en* (*kollektivt, kan gjengis*) the school leavers; (*se for øvrig artium & blåruss*).
russe|avis [newspaper published only in May by the school leavers of the year]. **-fest** [celebration party held by school leavers]. **-formann** [chairman of school leavers]. **-frokost** [school leavers' breakfast party on Independence Day (May 17)]. **-lue** [red (,blue) cap worn by boys and girls between higher school-leaving examination and the announcement of the results]. **-prinsesse** [beauty queen elected among girls leaving grammar school].
russer, -inne Russian.
russetid [period when red (,blue) cap is worn, between higher school-leaving examination and the announcement of the results].
russisk Russian.
Russland Russia.
russlær Russia leather.
rust rust; *banke* ~ *av* ⚓ chip (*fx* chip the deck).
rust|angrep the ravages of rust. **-beskyttende** anti-corrosive (*fx* paint).

I. ruste *vb* (*bli rusten*) rust, become rusty; ~ *fast* (*om mutter, etc*) rust in; (*se istykkerrustet*).
II. ruste *vb* (*væpne*) arm; ~ *seg* arm; ~ *seg til en reise* make preparations for a journey, get ready for a journey.
rusten rusty; ~ *stemme* hoarse voice.
rustfjerner de-rusting liquid; (*olje*) penetrating oil.
rustflekk rust stain.
rustfri: *-tt stål* stainless steel; (*se innredning*).
rustifisert countrified.
rustikk (*adj*) rustic.
rustning (*til å ta på*) armour; US armor; *full* ~ complete suit of armour; *i full* ~ in complete armour; armed cap-à-pie; *-er* (*pl*) armaments.
rustnings|industri armament industry. **-kapplop** armament(s) race, arms race.
rustolje penetrating oil (*fx* use p. o. for obstinate nuts).
I. rute (*firkant*) square; (*rombe*) diamond, lozenge; (*vindus-*) window pane; (*i paradis*) compartment; *slå i stykker en* ~ break a window.
II. rute 1 (*vei*) route (*fx* travel by another r., they descended by an easier r.); *-n var forholdsvis lett, men svært bratt på sine steder* the track was relatively easy going, but very steep in some places; *2* (*postbuds*) delivery (*fx* he has 300 houses in his d.); *3* (*befordringstjeneste*) service (*fx* a weekly s., a regular s. between Oslo and Newcastle); run (*fx* there are no double-decker buses on that r.); route (*fx* they run Pullman cars on that route); ~ *langs kysten* ⚓ coastal route; *etter -n according to schedule; skal etter n ankomme* ... is due (*el.* scheduled) to arrive; *for sent etter -n* behind time (*el.* schedule); overdue; *i* ~ in time; *gå i fast* ~ *mellom A og B* ply (*el.* run) between A and B; *på -n* en route (*fx* X and other ports en r.); *holde -n* maintain the schedule, keep schedule time, run on schedule; *ligge foran -n* be ahead of schedule; *opprettholde fast* ~ maintain (*el.* run) a regular service; *sette inn i -n* put into service (*fx* the ship will be put into the Oslo -Newcastle service); *skipet ble tatt ut av -n* the ship was taken off its usual run; (*se også fart 3*).
rute|bil bus; (*især til lengre strekninger*) motor coach. **-bilsentral** bus (,coach) station. **-bok** rail way guide. **-båt** coastal steamer; (*linje-*) liner. **-fart** regular service; (*se fart 3*). **-fly** airliner. **-flyvning** air service(s). **-forbindelse** (regular) service, connection. **-nett** network (*fx* railway n.); (*på kart*) grid system. **-oppslag** (*på jernbanestasjon*) (train) indicator. **-papir** (*millimeter-*) graph paper, squared paper.
ruter ♦ diamond; *en liten* (*,stor*) ~ a small (,high) diamond. **-konge** the king of diamonds. **-melding** diamond bid.
rutet check, checked; chequered; (*om papir*) cross-ruled, squared; *en rød- og hvitrutet duk* a red and white check(ed) tablecloth; *en* ~ *kjole* a check dress; *et skotsk- skjørt* a plaid (*el.* tartan) skirt.
rutine routine; *ha* ~ *i* be experienced (*el.*skilled) in; *det krever en viss* ~ it requires a certain amount of practice (*el.* skill *el.* experience); (*se rutinesak*).
rutinemessig routine.
rutinert practised, experienced, skilled; (*adv*) in a practised manner.
rutinesak: *det er en ren* ~ it is purely (*el.* solely) a matter of routine.
rutsje (*vb*) glide, slide.
rutsjebane switchback; US roller coaster.
rutte (*vb*): *det er ikke noe å* ~ *med* there is nothing to spare.
ruve (*vb*) bulk (large), loom, tower (up).
ry (*berømmelse*) renown, fame.
rydde (*vb*) clear; ~ *salen* clear the hall; ~ *av veien* remove, clear away; *rydd bort bøkene dine* put your books away; ~ *opp* tidy up (*fx* we must t. up after ourselves); (*i spillebuler*) clean up (*fx* gambling dens); ~ *opp i personalet* weed out the

undesirables from the staff; ~ *opp i et værelse* tidy (*el.* straighten) up a room; ~ (*opp*) *på loftet* clear up in (*el.* turn out) the attic; ~ *veien for* clear the way for.

ryddegutt (*i restaurant*) table clearer; US bus boy.

ryddig orderly, tidy, clear.

rydning clearing.

rydnings|arbeid (*fig*) pioneer work. **-mann** pioneer.

rye (*teppe*) (floor) rug.

rygg back; (*fjell-, jord-, tak-*) ridge; *falle i -en* attack in the rear; *vende en -en* turn one's back on sby; *ha noe i -en* (ɔ: *penger*) have resources of one's own; *med denne styrke i -en kunne han* . . . with this force at his back he could . . .; *ha -en fri* have a retreat open; *la et barn sitte på -en* take a child on one's back; T give a child a pick-a -back; (*se skyte*: ~ *rygg*).

rygge (*vb*) 1. back, reverse (*fx* a car; do not r. from a side road into a main road); 2. step back.

ryggelys (*på bil*) reverse lamp.

ryggesløs depraved, loose, dissolute, profligate.

ryggesløshet depravity, profligacy, loose living.

rygg|finne dorsal fin. **-hvirvel** thoracic vertebra. **-marg** spinal marrow, spinal cord. **-positiv** ♪ choir organ. **-rad** spine; (*fig*) backbone. **-sekk** rucksack; ~ *med meis* (metal) frame rucksack. **-skjold** carapace. **-stø** back; (*fig*) backing, support. **-støtte** (*for bilfører*) back rest. **-tak** wrestling; *ta* ~ wrestle.

I. ryke (*vb*) 1 (*sende ut røyk*) smoke; (*ose*) smoke, reek; 2 (*gå i vasken*) T go, go to pot; *planen røk* the plan came to nothing; ~ *uklar* fall out (*med* with); *de røk i tottene på hverandre* they came to blows, they set about each other, they had a set-to; ~ *over ende* fall over, be upset; ~ *i stykker* go to pieces; *og dermed røk vennskapet* and that put the lid on their friendship.

rykk tug, jerk; T yank; *med et* ~ with a jerk.

rykke (*vb*) pull, jerk; T yank; (*kreve*) dun; ~ *fram* advance; ~ *i marken* start a campaign; ~ *inn* insert (*fx* sth in a paper); (*typ*) indent; ~ *inn et avertissement* insert an advertisement; ~ *opp* advance, move up; be moved up, be promoted; ~ *nærmere* approach, draw nearer; ~ *sammen* sit closer, close up, move closer together; ~ *til- bake* retreat, draw back, move back, step back; ~ *et skritt tilbake* step back a pace; ~ *ut* (*ved alarm*) turn out; (*marsjere*) march off, move off, start off, set out; ~ *ut noe* pull (,jerk) sth out; *snøplogene står klare til å* ~ *ut* the snow ploughs are ready to go out; ~ *ut med* (*skille seg med*) part with; ~ *ut med en artikkel* (,*med sannheten*) come out with an article (,with the truth); ~ *ut med hemmeligheten* divulge the secret; T let the cat out of the bag.

rykker dun.

rykkerbrev reminder, dunning letter; (*jvf purrebrev* & *purring*).

rykkevis by fits and starts, in jerks, jerkily, spasmodically.

rykte 1 (*forlydende*) rumour (,US: rumor), report; *løse -r* unfounded (*el.* baseless) rumours, vague (*el.* idle) reports; *avlive et hårdnakket* ~ scotch (*el.* put an end to) a persistent rumour; *det går det -t at* . . . there's a rumour going about (*el.* around) that . . .; there's a r. abroad (*el.* afloat) that . . .; it is rumoured that; *-t har intet for seg* the rumour is without foundation; *jeg har hørt -r om at* I have heard it rumoured that . . .; *-t har løyet* the rumour is untrue; *sette ut et* ~ spread (*el.* put about *el.* circulate) a rumour; *det -t spredde seg at* . . . the rumour spread that; *spore -t tilbake til kilden* trace the rumour to its source; *-ne svirrer* the air is thick with rumours; **2** (*omdømme*) reputation (*fx* he has not the best of reputations); *ens gode navn og* ~ one's good name, one's reputation; *han er bedre enn sitt* ~ he's not so black as he is painted; *han svarer til sitt* ~ he lives up to his reputation.

ryktes (*vb*) be rumoured (,US: rumored), get about; *det* ~ *at* it is (,was) rumoured that . . ., the rumour has (,had) it that; *det* ~ *at han var død* there were rumours of his death.

ryktesmed rumour-monger.

I. rynke (*subst*) wrinkle; pucker; (*på tøy*) fold; (*fure*) furrow.

II. rynke (*vb*) wrinkle, pucker; (*tøy*) gather; ~ *på nesen av* turn up one's nose at; ~ *pannen* knit one's brows, frown.

rynket wrinkled; furrowed, lined.

rype ♠ grouse; (*se kjei*). **-jakt** grouse shooting. **-kull** brood of grouse. **-kylling** grouse chick. **-stegg** cock grouse.

rysj ruche.

ryste (*el. riste*) (*vb*) shake; ~ *av seg* shake off; ~ *på hodet* shake one's head; *bli -t sammen* (*fig*) be thrown together (*fx* they were thrown together on the journey).

rystende shocking, appalling.

rystelse shaking; (*jord-*) tremor; (*forferdelse*) shock.

rytme rhythm. **rytmikk** rhythmics.

rytter horseman, rider.

rytteri horse, cavalry.

rytter|statue equestrian statue. **-veksel** accommodation bill.

rær: *pl av I. rå*.

ræv (*vulg*) arse, bum; *sette seg på -a* T take the weight off one's feet; (*vulg*) park one's arse; *kyss meg i -a!* (*vulg*) to hell with you! S balls to you! *sitte på -a hele dagen* spend the whole day sitting down; (*vulg*) sit on one's arse (*el.* bum) all day long.

rød red; *bli* ~ turn red, redden; *han ble både* ~ *og blek* his colour came and went; *-e hunder* German measles, rose-rash, roseola, scarlet rash; (*se tråd*).

rød|bete beetroot; US beet. **-brun** reddish brown; (*om hest*) bay; (*om hår*) auburn.

rød|flekket red-spotted. **-glødende** fiery red; (*også fig*) red hot. **-grøt** [red jelly-like sweet made of thickened fruit juice]; (*kan gjengis*) red jelly. **Rødhette** Little Red Riding Hood.

rød|huder (*pl*) redskins. **-håret** red-haired. **-kinnet** red-cheeked. **-kjelke** ♠ robin (redbreast). **rødkål** ♠ red cabbage.

rød|lett red-faced. **-lig** reddish.

I. rødme (*subst*) blush, flush.

II. rødme (*vb*) redden, blush, colour (up); ~ *av skam* blush with shame.

rødmusset red-cheeked, ruddy.

rød|neset red-nosed. **-rutet** red-check(ed); red -chequered; (*se rutet*).

rødspette (*fisk*) plaice.

rødsprengt florid, ruddy; (*om øyne*) bloodshot.

rødsprit methylated spirit.

rødstripet red-striped.

rødstrupe ♠ robin.

rød|topp (*om person*) redhead. **-vin** red wine; (*bordeaux*) claret; (*burgunder*) burgundy. **-vins- toddy** [claret punch]. **-øyd** red-eyed.

røffel rebuke, reprimand; T ticking-off, telling -off, wigging; *få en* ~ be reprimanded; T get told off (properly); get ticked off; get a wigging; catch it; be hauled over the coals; S be bawled out.

røfte bit, lot; (*skåre*) strip, length.

røk, røke: *se røyk, røyke.*

røkelse incense. **-skar** censer.

røkt care, tending.

røkte (*vb*) tend, take care of; ~ *sitt kall* stick to one's last, follow one's trade.

røkter animal caretaker.

røllik ♠ milfoil, yarrow.

rømling runaway.

I. rømme [heavy sour cream, esp. that formed on top of milk allowed to thicken].

II. rømme (*vi*) decamp, run away; desert; (*om fange*) escape; (*vb*) leave, quit; (*fjerne seg fra*) vacate, evacuate; ~ *hjemmefra* run away

from home; ~ *til sjøs* run away to sea; ~ *fra fengslet* escape from prison, break gaol (*el.* jail); ~ *seg* clear one's throat, hum and haw.
rømmegrøt sour cream porridge; (*se I. rømme*).
rømmekolle [dish, consisting of clabbered milk, strewn with sugar and crumbs].
rømning flight, escape; desertion; evacuation.
rønne hovel, shack.
røntgen 1 (*-stråler*) X-rays; 2: *se -behandling*; 3 (*enhet*) roentgen; *behandle med* ~ treat with X-rays, X-ray. **-avdeling** radiotherapy department. **-behandling** X-ray treatment, radio-therapy. **-bestråling** X-raying. **-bilde** X-ray picture, radiograph; ~ *av piken viste at* ... X-rays on the girl showed that ...
røntgenfotografere (*vb*) X-ray.
røntgen|olog radiologist. **-søster** sister in the radiotherapy department. **-undersøkelse** X-ray examination, radioscopy.
røpe (*vb*) betray, disclose, give away, divulge (*fx* a secret); (*legge for dagen*) show, evince; ~ *seg* betray oneself.
I. **rør** pipe (*fx* stove p., water p.); (*kollektivt*) piping; (*glass-*, *metall-*) tube; (*radio-*) valve; US tube; (*kollektivt*) tubing; (*bambus-*, *sukker-*) cane; (*plante*) reed; (*suge-*) straw; (*tlf*) receiver; *legge på -et* hang up (the receiver); replace (*el.* put down) the r.; ring off; *ta av -et* take off (*el.* lift) the r.
II. **rør** (*vås*) nonsense; *sludder og* ~! stuff and nonsense!
rørehassis tubular chassis.
I. **røre** (*vaffel-*, *etc*) batter (*fx* b. for waffles); (*rot*) muddle; (*virvar*) confusion; (*oppstyr*) stir (*fx* create, cause, make a s.); excitement, commotion (*fx* there was a tremendous c.); *skape* ~ (*o: sensasjon, oppstyr, også*) make a splash; *liv og* ~ life and movement, busy activity, hustle and bustle (*fx* he'll be struck by the h. and b. he sees and hears); (*se I. lage*).
II. **røre** (*vb*) 1 (*berøre*) touch; *se, men ikke* ~ look, but don't touch; 2 (*sette i bevegelse*): *uten å* ~ *en finger* without lifting (*el.* stirring) a finger; ~ *seg* move, stir; 3 (*bevege, fig*) move, stir, touch (*fx* he was deeply stirred (*el.* moved) by the news); ~ *i grøten* stir the porridge; ~ *om i en kaffekopp* stir a cup of coffee; *rør sukker ut i melken* stir sugar in(to) the milk; *rør melet ut i vann* mix (*el.* blend) the flour with water; *rør smør og sukker hvitt* cream the fat and sugar until fluffy (*el.* until light and foamy); ~ *ved* touch; tamper with.
rørelse activity, stir, bustle; (*se I. røre: liv og* ~); (*sinnsbevegelse*) emotion.
rørende touching, moving, pathetic.
rør|fletning (split) canework. **-fløyte** reed pipe. **-formet** tubular. **-gate** (*i kraftverk*) penstock; (*oljeledning*) pipeline, pipe track.
rørlig: *rask og* ~ hale and hearty.
rørighet vigour; US vigor.
rør|ledning conduit, pipeline. **-legger** plumber.
rørlig movable; ~ *gods* personal property.
rørmuffe pipe socket, p. union.
røropplegg (*fx i hus*): *skjult* ~ concealed piping. **rør|post** pneumatic dispatch. **-stol** cane chair. **-sukker** cane sugar. **-sete** cane seat.
røske (*vb*): *se rykke.*
røslig sturdy, husky, big and strong.
røsslyng ♣ heather.
I. **røst** voice; (*som*) *med én* ~ with one voice; *med høy* ~ in a loud voice; *med skjelvende* ~ shakily; *oppløfte sin* ~ raise one's voice; (*bibl*) lift up one's voice; (*se også oppløfte*).
II. **røst** (*på hus*) gable.
røve (*vb*) plunder, rob, steal; *-t gods* loot, spoils.
røver robber; (*sjø-*) pirate; *en halvstudert* ~ a half-educated rascal, an ignoramus. **-bande** gang of robbers. **-gods** loot, spoils. **-historie** cock-and-bull story.
røverhule den of robbers (*el.* thieves, thieves' kitchen.
røveri robbery.
røver|kjøp a great bargain; *det er et* ~ *it is*

dirt cheap. **-pakk** robbers. **-reir** den (*el.* nest) of robbers, den of thieves, thieves' kitchen.
røver|stat predatory state. **-unge** scamp, rascal.
røy ♣ capercaillie hen; (*jvf tiur*).
røye (*fisk*) char.
røyk smoke; *det gikk som en* ~ it was done in a jiffy; *gå opp i* ~ be consumed by fire; (*fig*) end (*el.* go up) in smoke, come to nothing; T go phut, go to pot; *ta seg en* ~ have a smoke; *ingen* ~ *uten ild* (there is) no smoke without fire; where there is s., there is fire; *det er gutten i -en!* that's my boy! that's a boy!
røykaktig smoky.
røyke (*vb*) smoke; (*mot smitte*) fumigate; (*tobakk*) smoke; ~ *inn en pipe* season (*el.* break in) a pipe; ~ *ut* smoke out (*fx* an animal); (*fig*) force sby to tell the truth.
røykekupé smoking compartment, smoker.
røyket (*adj*) smoked, smoke-cured.
røykeværelse smoking-room, smoke-room.
røyk|fang smoke bonnet. **-fri** smokeless. **-fylt** smoky, smoke-filled. **-gass** flue gas, furnace gas. **-hatt** chimney pot.
røyking smoking; (*mot smitte*) fumigation; ~ *forbudt* no smoking.
røykkrage flue flange.
røyk|nedslag return smoke. **-sky** cloud of smoke. **-søyle** column of smoke. **-tut** flue.
røyne (*vb*): ~ *på* tell on; *når det -r på* at a pinch, in an emergency; US when things get tough.
røys (*stein-*) heap of stones.
røyskatt ♣ stoat; (*i vinterdrakt*) ermine.
røyte (*vb*) moult, shed.
I. **rå** ⚓ (*subst*) yard.
II. **rå** (*adj*) 1 (*ukokt, ubearbeidet*) raw (*fx* meat, products); *en* ~ *biff* an underdone steak, a rare steak; (*ikke raffinert*) crude (*fx* oil, sugar, ore); ♂ unrefined, crude, raw; (*ugarvet*) raw, untanned; 2 (*om luft*) raw (*fx* a raw foggy morning; raw air, weather, wind); damp; 3 (*grov*) coarse, rude, gross; 4 (*brutal*) brutal; 5 (*om pris*) exorbitant, shameless; (*se opptrekkeri*); *-tt forarbeidet* roughly made, rough, rude; *sluke noe -tt* (*fig*) swallow sth raw (*el.* uncritically); T swallow sth hook, line and sinker.
III. **rå** (*vb*) 1. advise (*til* to), recommend (*fx* we would r. that you accept this offer); ~ *fra* advise against; advise (*fx* sby) not to do (*fx* sth); *hva -r De meg til å gjøre?* what would (*el.* do) you advise me to do? 2 (*bestemme, ha makt, herske*) be master, command, rule; *hvis han fikk* ~ if he had his will; ~ *seg selv* be one's own master; *hvis han får* ~ *seg selv* if he is left to himself; *jeg kunne ikke* ~ *for det* I could not help it; ~ *med* control, handle, manage; ~ *over* (*bestemme over*) have at one's disposal (*el.* command), have control of; *det skyldes forhold som jeg ikke -r over* it's due to circumstances beyond my control (*el.* over which I have no control); *la tilfellet* ~ let chance decide, leave it to chance; ~ *grunnen alene* hold the field, have it all one's own way; (*se I. grunn*); 3 (*være fremherskende*) prevail, be prevalent; *de forholdene som -r* prevailing conditions; *de priser som nå -r* the prices now ruling; *det -r en meget trykket stemning* great depression is prevalent; there is a very strained atmosphere; *det -r tvil om hvorvidt* ... there is doubt (as to) whether ...; *det -r et godt forhold mellom dem* their relations are good; they are on good terms with each other.
rå|balanse (*merk*) trial balance. **-barket** coarse, rough; (*om lær*) undertanned. **-bukk** ♣ roebuck. **-bygg** main part (*el.* body) of a building.
råd 1 (*veiledning*) (piece of) advice (*fx* a p. of a.; his a. is sound; this is good a.; give sby some a.); (*høytideligere*) counsel (*fx* sage counsels); *mange gode* ~ much (*el.* a lot of) good advice; *et godt* (*,dårlig*) ~ a piece of good (,bad) advice; *her er gode* ~ *dyre* good advice would be worth its weight in gold; this is where we could do with some really sound advice! now we're in a mess;

følge ens ~ take (*el.* follow *el.* act on) sby's advice; *kommer tid, kommer* ~ time brings wisdom; time solves all problems; it's sure to be all right; *spørre en til -s* consult sby, ask sby's advice; *med* ~ *og dåd* in word and deed; **2** (*økonomi*): *ha dårlig* ~ be badly off; T be hard up; *han har ikke* ~ *til det* he cannot afford it; *vi har ikke* ~ *til å holde bil* we can't (*el.* don't) run to a car; **3** (*middel*) means, way (out) (*fx* I wish sby could think of a way out), expedient, resource; (*legemiddel*) remedy; *det blir vel en* ~ sth will be sure to turn up; I suppose it can be managed somehow; *jeg vet ikke min arme* ~ I'm at my wits' end; I'm quite at a loss; *det er ingen* ~ *med det* there's no hjelp for it; it can't be helped; *jeg så ingen annen* ~ *enn å ...* I had no choice but to ...; there was nothing for it but to ...; *så snart* ~ *er* as soon as (in any way) possible; **4** (*styre, forsamling*) council, board.
I. råde *subst* (*veivstang*) connecting rod, con-rod.
II. råde (*vb*): *se III. rå*.
rådebank (*i bilmotor*) big-end trouble.
rådelager big-end bearing.
rådelig advisable.
rådende existing, prevailing.
råderom scope, liberty of action, latitude.
rådføre (*vb*): ~ *seg med en* consult sby; ask sby's advice.
rådgivende advisory, consultative.
rådhus town hall; (*i engelsk «city» og i USA*) city hall; (*i London*) London County Hall.
rådighet: *ha* ~ *over* have at one's disposal (*el.* command); *stå til ens* ~ be at sby's disposal.
rådløs perplexed, puzzled, at a loss what to do; helpless.
rådmann chief officer; *teknisk* ~: *intet tilsv.; dennes underordnede — bygningssjef, kommuneingeniør, oppmålingssjef* (*se disse*) — *er i England alle rådmenn;* (*se bolig-* & *finans-*).
rådmannsfullmektig deputy chief (*fx* d. c. welfare officer).
rådsforsamling council, board; (*møte*) council (*el.* board) meeting.

rådsherre (*hist*) senator, councillor.
råd|slagning consultation, deliberation. **-slå** (*vb*) deliberate, consult (*med* with). **-snar** resourceful; resolute. **-snarhet** resourcefulness.
rådspørre (*vb*): ~ *en* consult sby, ask sby's advice.
rådvill perplexed, at a loss, puzzled; irresolute.
rådvillhet perplexity, irresolution.
rådyr ♂ roe, roe-deer.
råemne raw material.
rågjenger T jay walker.
rågummi crepe rubber.
råhet rawness; (*fig*) crudity, rudeness, roughness; brutality.
råk (*i isen*) 1. lane through the ice; 2. hole (in the ice); *gutten plumpet uti en* ~ the boy fell through a hole in the ice.
råkalkyle rough estimate.
råkjøre (*vb*) scorch; drive recklessly (*el.* dangerously).
råkjører speeder, speedhog; reckless (*el.* dangerous) driver; (*jvf bilbølle*).
rå|kost raw (*el.* uncooked) vegetables and fruit, raw food. **-kostjern** grater. **-malm** crude ore. **-melk** colostrum, first milk.
råne ♂ (*hangris*) boar.
rånokk ⚓ yardarm.
råolje crude oil, crude petroleum.
råprodukt raw product.
rårand (*i brød*) raw streak in the bread; *brødet hadde* ~ *og smakte ikke godt* the bread was partly raw and wasn't good to eat.
rå|seil ⚓ square sail; *føre* ~ be square-rigged. **-silke** raw silk. **-skap** coarseness; brutality; vulgarity. **-skrelle** (*vb*) peel (*fx* potatoes) while raw. **-stoff** raw material (*for* for). **-sukker** unrefined sugar. **-tamp** rowdy, hoodlum.
råte rot, decay; (*tørr-*) dry rot.
råtne (*vb*) rot, decay, deco mpose.
råtten rotten, decayed; (*moralsk*) rotten, corrupt.
råttenskap rottenness, decay; corruption.
råvare raw material.
råvær raw weather.

S

S, s S, s; s. (*fk. f. side*) p. (*fk. f. page*); **S** *for Sigurd* S for Sugar.
Saar (*geogr*) the Saar.
sabb slow, slovenly person.
sabbat Sabbath; *bryte -en* break the S.; *holde -en* keep the S.
I. sabbe (*kvinne*) slattern, slut.
II. sabbe (*vb*) shuffle (*fx* along), pad (*fx* he padded across the floor).
sabel sword; (*rytter-*) sabre; *rasle med -en* (*fig*) rattle the sabre.
sabelrasling sabre-rattling.
sable (*vb*): ~ *ned* cut down; (*om kritikk av bok, etc*) cut to pieces, slate; (*jvf sønder: kritisere* ~ *og sammen*).
sabotasje sabotage; *øve* ~ sabotage, carry on sabotage (activities).
sabotere (*vb*) sabotage.
sabotør saboteur.
Sachsen (*geogr*) Saxony. **Sachsen- Saxe** (*fx* Saxe-Coburg-Gotha, Saxe-Meiningen, Saxe-Weimar).
sadel: *se sal*.
sadisme sadism. **sadist** sadist.
sadistisk sadistic.
safir sapphire.
safran saffron.
saft 1. juice (*fx* lemon j., raspberry j.); (*med høyt sukkerinnhold*) syrup (*fx* raspberry syrup); **2** (*sevje*) sap; ~ *og kraft* (*fig*) vigour (,US: vigor); pith; *uten* ~ *og kraft* insipid; ~ *og vann* [fruit

syrup and water]; (*kan gjengis*) juice, squash (*fx* a glass of s.).
saftfull, saftig juicy, succulent; *saftig gress* lush grass; *saftig historie* racy story; *saftig uttrykk* pithy phrase.
saftighet juiciness, succulence; (*grovhet*) raciness.
saftrik 1. juicy, succulent; 2 (*rik på sevje*) sappy.
sag 1. saw; 2 (*-bruk*) sawmill.
saga saga; *det er snart en* ~ *blott* it will soon be but a memory; *det er en* ~ *blott* it's a thing of the past; it has had its day.
sag|blad saw blade. **-bruk** sawmill. **-bue** saw frame; (*på bausag*) bow.
sage (*vb*) saw (*av* off), (*over* through); ~ *av den grenen man selv sitter på* (*svarer til*) cut off one's nose to spite one's face; bring about one's own downfall.
sagflis sawdust; *han har bare* ~ *i øverste etasje* T he's got nothing between the ears; his head is solid ivory; he's bone-headed.
sagkrakk sawhorse.
sagmugg (fine) sawdust.
sagn legend, myth, tradition; *ifølge -et* according to (the) legend; according to tradition; *-et forteller at ...* tradition says that ...; *få syn for* ~ see for oneself; obtain ocular proof (*el.* demonstration) of sth.
sagn- legendary, mythical, fabulous. **-figur** legendary (*el.* mythical) character (*el.* figure).

-omsust wrapped in legends, storied (*fx* a country with a s. past); fabled. **-verden** mythical world.
sago sago.
sago|gryn pearl sago. **-mel** sago flour.
sagskur(d) 1. sawing; 2. saw-cut.
sag|takket serrated, serrate, jagged, saw -toothed. **-tann** saw tooth.
Sahara (*geogr*) the Sahara.
sak 1 (*retts*-) case (*fx* a murder case; the Dreyfus case); (*søksmål*) (law)suit, action; (*kriminal*-, *også*) trial (*fx* spy trial); **2** (*anliggende*) matter (*fx* the m. I am speaking of; religious matters), business; (*emne*) subject; (*punkt på dagsorden*) item on (*el.* of) the agenda; (*spørsmål*) question, issue; **3** (*noe man kjemper for, samfunns-, etc*) cause (*fx* he fought for the cause of freedom); **4** (*oppgave*) concern, business, matter (*fx* an easy m.); T look-out, funeral (*fx* that's his f.), headache (*fx* that's his private h.); (*se også ndf*: *det blir min* (*,din*) ~); **5** (*i departement, etc*) business (*fx* this Minister is responsible for b. relating to civil aviation; who is in charge of that b.?); **6** (*akter*) file (*fx* get me the file relating to X); **7** (*det sanne forhold*): *-en er nemlig den at* ... the fact (of the matter) is that; *se -en som den er* face the facts; **8.** *-er* (*pl*: = *effekter, ting*) things, belongings, gear; *pengesaker* money matters; *trykksaker* printed matter;
A [*Forb. med subst, adj & pron*] *en* **alvorlig** ~ a serious business (*el.* matter); *det er en* **annen** ~ that's another (*el.* a different) matter; that's different; that's another story; *det er en ganske* (*el.* *helt*) *annen* ~ that's quite another matter (*el.* thing); that makes all the difference; T that's another pair of shoes; that's a different kettle of fish altogether; *det er en annen* ~ *med deg* you are in a different case; yours is a different case; *det gjorde ikke -en* **bedre** it did not mend matters; *-ens* **behandling** (1) the proceedings (*pl*); (*om kriminal*-) the trial; (2) the way in which the matter has been handled (*el.* dealt with); the procedure; *det er din* (*hans, etc*) ~: *se 4 ovf*; *det blir min* (*,etc*) ~ T (*også*) that's my (*,etc*) pigeon; *det blir din* ~ *å* it's up o you to ... ; *det må det bli din* ~ *å finne ut* that's for you to find out; *det er ikke enhvers* ~ *å* ... it's not just anybody's business to ... ; it is not everybody who can; it is not granted to everybody to ... ; it does not fall to the lot of everybody to ... ; *det er en* **farlig** ~ *å* ... it is a dangerous matter to ... ; *så ble det* **fart** *på -en* then things began to move; *gjøre* **felles** ~ *med en* join forces with sby; stand in with sby; make common cause with sby; cast (*el.* throw) in one's lot with sby; *gjøre felles* ~ join forces; *det er* **fine** *-er!* that's something like! that's the goods! (*jvf I. greie*); *den foreliggende* ~: *se foreliggende*; *en* **fortrolig** ~ a confidential matter; *det er en* **frivillig** ~ *om man vil gjøre det* one is free to do it or not; it is entirely voluntary; there is no compulsion; *en* **god** ~ a good cause, a worthy c.; *det er* **hele** *-en* that's all there is to it; that's the long and the short of it; *det er ikke* **hvermanns** ~ it's not just anybody's business; *det er* **ingen** ~ that's no problem; that's an easy matter; *det er ingen* ~ *å* ... it's easy enough to ... ; *en* **lett** ~ an easy matter; *en rent* **personlig** ~ a purely personal matter; *-ens* **realitet** the real point; *han er* **sikker** *i sin* ~ he is sure of his ground; he is certain that he is right; *sterke -er* spirits; US hard liquor; *det var sterke -er!* that was powerful stuff! *det er* **så** *sin* ~ it's an awkward business (*el.* matter); *det er så sin* ~ *å* ... it's an awkward business to ... ; *det er en* **ærlig** ~ there's nothing to be ashamed of in that; that's no crime;
B [*Forb. med vb*] **anlegge** ~ *mot* bring an action against, proceed against, sue (sby at law), institute proceedings against; *anlegge* ~ *mot en* (*også*) take sby to court, go to law with sby; **avgjøre** *en* ~ decide a matter; *-en er ennå ikke avgjort* the matter has not yet been decided upon;

det **avgjør** *-en* that settles it; *det* **forandrer** *-en* that alters the case; that makes all the difference; T that's another pair of shoes; (*se også ovf*: *det er en ganske annen* ~); *vi tror ikke det ville ha forandret -en om vi hadde* ... we do not think it would have made any difference if we had ... ; **føre** *en* ~ carry on a lawsuit; (*om advokat*) conduct a case; **gavne** *hans* ~ benefit him; **gjøre** *ens* ~ *til sin* adopt (*el.* sponsor) sby's cause; *gjøre sine -er dårlig* (*,bra*) give a bad (*,good*) account of oneself; *det gjør ikke -en bedre at mange av våre ansatte er sykmeldt p.g.a. influensa* the position is not helped by the fact that we have quite a number of staff off with flu; *det gjør -en verre* that makes things (*el.* matters) worse; **holde** *seg til -en* keep to the point under discussion (*fx* «I request the speaker to keep to the p. under d.»); **kunne** *sine -er* know one's stuff; *skal vi la -en* **ligge**? let's drop the subject! shall we leave it at that? **redegjøre** *for hvordan -en forholder seg* state the case; **reise** *en* ~ (*ikke jur*) bring up a matter; (*ofte* =) raise a point; *enhver* ~ *kan* **ses** *fra to sider* there are two sides to every question; **sette** *-en på hodet* get hold of the wrong end of the stick; **skade** *hans* ~ harm him; *slik* **står** *-en* that is how matters stand; *slik som -ene står* as things are; as matters stand; as the case stands; as it is; in the (present) circumstances; **tape** (*,vinne*) *en* ~ lose (*,win*) a case; *som* **vedkommer** *-en* relevant; *det vedkommer ikke -en* it is irrelevant; it is not to the point; it is beside the point; *mens -en* **verserer** *for retten* pending a decision of the court; while the matter is sub judice; *det er nettopp -en!* that's (just) the point! *-en er at* ... the fact is that ... ; *det er -en* that's the question;
C [*Forb. med prep*] **for** *den -s* **skyld** for that matter; for the matter of that; if it comes to that; T come to that; *for -ens skyld* in the interest of the cause; *arbeide* (*,lide*) *for en* ~ work for (*,suffer in*) a cause; *det er en* ~ *for seg* that is(quite) another matter (*el.* story); that is a thing apart; that is irrelevant (to this matter); **i** *-ens* **anledning** in this (*el.* the) matter (*fx* we hope to hear from you in this m. by return (of post)); *blande seg i andres -er* meddle in other people's business; T poke one's nose into other people's business; *ligge i* ~ *med* (1) be involved in a lawsuit with; *være inne i -ene* know all about it; T know the ropes; *part i -en* a party to (*el.* in) the case; *det blir en* ~ *dem imellom* they must settle that between them; *-en kommer* **opp** *neste uke* the case comes on (*el.* is coming on) next week; *etter å ha tenkt nærmere* **over** *-en har jeg kommet til at* ... on thinking it over I have come to the conclusion that ... ; *gå rett* **på** ~ go (*el.* come) straight to the point; *jeg skal gå rett på* ~ I shall come to the point at once; *enden på -en ble at* ... the end of the matter was that; **til** *-en!* let us come to the point! *kom til -en!* (*tilrop i forsamling*) question; *holde seg til -en* stick to the point; *anmode den talende om å holde seg til -en* request the speaker to keep to the point under discussion; *komme til -en* come to the point; *get* (*el.* *come*) *to* business; T get down to brass tacks; *gå* **utenom** *-en* wander from the subject (*el.* point); *det kommer ikke -en* **ved** that is beside the point; that is not the point at all; that is neither here nor there; (*se II. følge*; *ha B*: ~ *oppe*; *henlegge*; *henstå*; *II. knytte*; *I. lys*; *oppmerksom*; *oppta*; *orden*; *overveie*; *sammenheng*; *sette B*; *II. skade*; *II. slå B*; *IV. stille*; *II. stå A*; *syn*; *uforrettet*; *undersøke*; *utenfor*: *vanskelig*; *vende*; *II. vente*; *verden*; *vinne*).
sakarin saccharin.
sakbetegnelse (*i brev*) subject matter.
sake ✢ (*vb*) discard, throw away (*fx* one's useless cards); ~ *hjerter* discard (*el.* throw away) one's hearts; clear one's hand of hearts, get rid of one's hearts.
sakesløs blameless, innocent; *overfall på* ~ *person* unprovoked violence.

sakfører: *se advokat.*

sakførsel the conduct of a case.

sakke *(vb):* ~ *akterut* fall *(el.* drop) behind; *(om skip)* drop astern; ~ *av* slow down; ~ *på farten* slacken speed, ease (down) the speed.

sakkunnskap expert knowledge (of the subject); T know-how; *militær* ~ expert knowledge of military affairs; *den militære* ~ military experts; *-en* (ɔ: *de sakkyndige*) (the) experts *(fx* experts agree that . . .); *uttale seg med* ~ speak with knowledge *(el.* authority).

sakkyndig expert *(fx* consult an e.; an e. botanist), competent; *en* ~ an expert; *de -e* (the) experts; those (who are) able to judge; ~ *bistand* expert advice *(fx* seek e. a.); skilled assistance; *(jvf btstand);* *innhente* ~ *uttalelse i spørsmålet* consult an expert opinion on the matter, seek expert advice on the m.; *fra* ~ *hold* from experts, in competent quarters, from competent persons.

sakkyndighet expert *(el.* special) knowledge, competence; *hva sier -en ?* what do the experts say?

saklig *(nøktern)* matter-of-fact; *(ofte =)* businesslike; *(upartisk)* just, fair, unbias(s)ed *(fx* criticism), unprejudiced, impartial; *(objektiv)* objective, positive, founded on facts; *(som vedrører fakta)* factual *(fx* f. knowledge); *en* ~ *bedømmelse* an objective estimate; *en* ~ (ɔ: *rammende) bemerkning* a pertinent remark; *hans -e, ufølsomme beretterstil* his objective, unemotional narrative style; *en kort,* ~ *erklæring* a brief, factual statement; *av* ~ *e grunner* on grounds of fact; *(ofte =)* for technical reasons; *etter (el. ut fra) -e hensyn* objectively; on its (,his, *etc)* merits; *fremstille noe på en* ~ *måte* give an objective account of sth.

saklighet objectivity, impartiality.

sakliste 1 *(jur)* court calendar; *oppta på -n* put on the calendar; 2 *(sakregister)* subject index, table of contents.

sakn(e) *(vb): se savn(e).*

sakomslag *(mappe, perm)* jacket.

sakral consecrated, holy, sacred.

sakrament sacrament; *alterens* ~ the Eucharist, the Lord's Supper, Holy Communion, the Sacrament.

sakramental sacramental.

sakregister subject index, table of contents.

saks scissors *(pl); (større)* shears *(fx* garden s., sheep s.); *(skihoppers)* crossed skis, 'scissors'; *(se ndf); (fangstredskap)* trap; ✛ tenace (position); *en* ~ a pair of scissors (,shears); *-a* the scissors *(fx* the s. are blunt); the shears; *tre -er* three pairs of scissors (,shears); *-ene er sløve* (all) the pairs of scissors (,shears) are blunt; *gå i -a (fig)* fall into the trap; *nå har vi ham i -a* now we've got him (by the short hairs); *sitte i -a (fig)* be in a cleft stick; *få* ~ *(om skihopper, også)* develop 'scissors' *(fx* he developed 'scissors' during the latter half of his jump *(el.* flight)); *han hadde* ~ *(også)* one of his skis sagged in flight *(el.* during the jump); *han hadde* ~ *i nedslaget* his skis opened like scissors as he came down; *han hadde* ~ *i begynnelsen av svevet, men tok den inn igjen* he had his skis crossed to begin with, but got them straight again; *han ble trukket for* ~ he was marked down for crossed skis; *(se for øvrig knipe; sakse).*

saksanlegg (legal) proceedings *(pl),* action; *gå til* ~ *mot* bring an action against; *(se sak: anlegge* ~ *mot).*

saksbehandler [official responsible for dealing with applications, *etc];* *(kan ofte gjengis)* official in charge, officer in charge; ✕ action officer; *(for sosialsaker, også* US) case worker; *jeg er ikke Deres* ~ I am not the one who is in charge of your case.

saksbehandling 1 (mode of) treatment; 2 *(jur)* (form of) procedure; 3 *(rettsforhandling)* court proceedings; trial; *-en (også)* the hearing of the case.

sakse *(vb)* cut out *(fx* cut an article out of a newspaper); *dette har vi -t fra . . .* we have taken this from . . . ; *han -t i nedslaget (kan gjengis)* his skis were not parallel when he landed; his skis opened like scissors as he came down; *han -t under hele svevet (kan gjengis)* all through the jump his skis were parted like the blades of a pair of scissors; *(se også saks).*

sakse|dyr 🐝 earwig. **-klo** 🐝 pincers. **-krok** ⚓ sister hook.

sakser *(geogr)* Saxon.

saks|forberedelse preparation of a case (for trial). **-forhold:** *et komplisert* ~ a complicated case.

saksifraga ⚘ saxifrage.

saksisk Saxon.

saksofon saxophone; T sax.

saksomkostninger *(pl)* (legal) costs; US court costs; *dømt til å betale* ~ ordered to pay costs; ~ *ble ikke idømt* no order was made as to costs; *bli tilkjent* ~ be awarded costs *(fx* the defendant was awarded costs).

saksøke *(vb)* bring an action against, take *(fx* sby) to court, proceed against, sue *(fx* sue sby for damages, sue sby for libel, *etc);* ~ *selskapet til betaling av skadeserstatning* sue the company for damages, bring an action for damages against the c.

saksøker *(jur)* plaintiff; *ta -ens påstand til følge* find for the plaintiff; *(se påstand).*

saksøkte *(jur)* the defendant; *(se påstand).*

sakte 1 *(om fart)* slow; *ganske* ~ dead slow; *gå med* ~ *fart* go slow, run at a slow speed; ~ *men sikkert* slow and sure; slowly but steadily; *klokka går for* ~ the clock is slow; 2 *(om lyd, tale)* soft(ly); quietly; in a low voice.

saktens no doubt, I dare say; *ja, du kan* ~ *le!* it's easy enough for you to laugh; it's all right for you to laugh; it's all very well for you to l.; *det kan man* ~ that's quite all right.

saktne *vt & vi* 1 *(gjøre langsommere)* slacken *(fx* one's pace); ~ *farten* slow down, reduce speed; 2 *(om klokke)* lose (time).

sal 1 *(stort rom)* hall; *forsamlings-* assembly room *(el.* hall); *-en (tilhørerplassene)* the floor *(fx* they refused to hear criticism from the floor); 2 *(heste-)* saddle; *føle seg fast i -en (fig)* feel secure; *sitte fast i -en* have a sure seat; *(fig)* sit tight in one's saddle; be secure, be in a secure position; *sitte løst i -en* have a poor seat; *(fig)* be insecure, be in an insecure position; *hjelpe en opp i -en* help sby into the saddle; T give sby a leg-up; *holde seg i -en (også fig)* keep one's seat; *med en bedre jockey i -en* with a better jockey up *(fx* the horse might have won with a b. j. up); *svinge seg i -en* vault into the saddle; *legge* ~ *på en hest* saddle a horse; *ri uten* ~ ride bareback; *(se I. ro:* ~ *i salen!).*

salamander 🐝 salamander.

salami(pølse) salami.

salat *(plante)* lettuce; *(rett)* salad; *grønn* ~ dressed lettuce; *italiensk* ~ Italian mayonnaise. **salat|bestikk** salad set. **-fat** salad bowl. **-hode** (head of) lettuce.

sal|bom saddle tree. **-brutt** saddle-galled. **-dekken** saddle blanket.

saldere *(vb)* balance.

saldo balance; ~ *i vår favør* balance in our favour (,US: favor); *overføre -en* carry forward the balance.

sale *(vb)* saddle; ~ *av* unsaddle; ~ *om* change one's tactics, try another tack; change one's policy; *(skifte parti)* change sides; *han rir ikke den dag han -r* he is a slow starter; he takes his time.

salg sale; *(omsetning)* sales, sales turnover *(fx* s. are up (,down) this year); *«kun kontant* ~» 'cash sales only', 'no credit given'; *han får en viss provisjon av -et* he receives a certain commission on the sales; *-et gikk bra* sales were good; *(om sesongsalg)* the sale went well; *-et gikk strykende*

S the sale went swimmingly; *slutte et* ~ close (*el.* conclude *el.* effect) a sale; *formidle -et av* arrange (*el.* negotiate) the sale of; *til -s* for sale; *fremby til -s* offer for sale; *være til -s* be for sale, be on sale.

salgbar salable, saleable, marketable (*fx* the less m. kinds of fish); *lite* ~ hard to sell.

salgbarhet salability, sal(e)ableness; (*egenskaper*) selling features.

salgjord (saddle) girth; US cinch.

salgsargumenter (*pl*) sales talk.

salgs|analyse marketing analysis. **-arbeid** sales promotion. **-avdeling** sales department. **-betingelser** (*pl*) terms of sale, purchase conditions. **-brev** (*merk*) sales letter. **-fullmakt** power of sale. **-honorar** (*forfatters*) royalty. **-konto** sales account. **-kvote** sales quota. **-oppgave** description (*fx* it says in the d. that there is a road right up to the site). **-overenskomst** agreement to sell. **-pris** selling price (*fx* the s. p. barely covers the cost). **-provisjon** commission on sales. **-regning** account sales (*pl*: accounts sales); (*fk*: A/S). **-representant** sales representative. **-sjef** sales manager. **-statistikk** marketing statistics, statistics of sales; sale chart(s). **-sum** selling price. **-teknikk** salesmanship, sales technique. **-utbytte** sales proceeds (*pl*). **-vare** article, commodity, product; *en god* ~ a marketable article, a good selling line, an a. of good merchantable quality. **-verdi** sales value, market (*el.* selling) value. **-vilkår:** *se -betingelser.*

salig blessed, saved; (*lykksalig*) blissful; T (*drukken*) gloriously drunk; *min* ~ *far* my late (*el.* poor) father; *enhver blir* ~ *i sin tro* let everyone keep his own convictions; *let him* (,her, *etc*) believe it if it makes him (,her, *etc*) happy.

salig|gjørelse salvation. **-gjørende:** *det eneste* ~ (*fig*) the only possible solution; the only thing that will help; *det er det eneste* ~ it's absolutely the only thing.

salighet salvation, blessedness; bliss; *her er det* (*jammen*) *trangt om -en* T there is hardly room to turn round here; T there isn't room to swing a cat in here.

saling ⚓ (*på skip*) cross trees (*pl*); (*lang-*) trestle trees.

salisyl ♂ salicyl. **-syre** salicylic acid.

sal|knapp pommel. **-maker** saddler; (*bil-*) motor upholsterer.

salme hymn; (*især Davids*) psalm; *Salmenes bok* the (Book of) Psalms.

salme|bok hymn book. **-dikter** hymn writer; US hymnist. **-diktning** hymn writing. **-sang** hymn singing.

salmiakk ♂ sal ammoniac, ammonium chloride.

salmiakkspiritus ♂ ammonia water.

Salomo(n) Solomon. **salomonisk** Solomonic.

salong drawing-room; (*på hotell, skip*) lounge. **salong|bord** coffee table, occasional table. **-gevær** saloon rifle. **-gutt** captain's boy.

salpeter ♂ nitre, saltpetre. **-aktig** nitrous. **-holdig** nitrous. **-syre** nitric acid.

sal|pute saddle pad. **-rygget** sway-backed.

I. salt (*subst*) salt; *han tjener ikke til* ~ *i maten* he does not earn even a bare living.

II. salt (*adj*) salt.

saltaktig saltish, saline.

saltaske saddlebag.

saltbøsse saltcellar; saltshaker, salt sprinkler.

saltdannelse salification.

salte (*vb*) salt; (*i lake*) pickle; cure; (*lett-*) corn; *-t oksekjøtt* corned beef; *-t vann* brine; *lettsaltet vann* lightly-salted water.

salt|holdig saline. **-holdighet** salinity. **-kar** saltcellar; (*stort, til kjøkken*) salt box. **-kjøtt** salt meat; (*okse-, også*) pressed beef. **-kjøttlapskaus** salt beef stew. **-korn** grain of salt. **-lake** brine, pickle.

saltomortale somersault; *slå en* ~ somersault, turn (*el.* make) a s.

saltpeter: *se salpeter.*

salt|støtte pillar of salt. **-sjø** salt lake. **-syre** ♂ hydrochloric acid. **-vann** salt water; sea water. **-vannsfisk** salt-water fish.

salutt salute; *det lød en* ~ *fra 13 kanoner* 13 guns boomed; (*se nyttårs-*).

saluttere (*vb*) salute, fire a salute; let off fireworks (*fx* on New Year's Eve).

I. salve ✗ volley, salvo; (*fra maskingevær, etc, også*) burst; (*bifalls-*) round (of applause); (*se gevær-*).

II. salve (*smurning*) ointment, unguent, salve; (*se brann- & sår-*).

III. salve (*vb*) anoint; *Herrens -de* the Lord's Anointed.

salvekrukke ointment jar.

salvelse (*fig*) unction; *preke med* ~ preach with unction.

salvelsesfull unctuous; (*adv*) unctuously.

salvie 🌿 sage.

salving anointing, anointment.

salær fee; (*jvf honorar*).

samarbeid working together, collaboration, co-operation; *knirkefritt* ~ perfect collaboration; *-et knirket en smule* their collaboration was not entirely smooth.

samarbeide (*vb*) work together, co-operate, collaborate; ~ *med* (*også*) work closely with (*fx* the other departments).

samarbeidstiltak: *praktiske* ~ (*pl*) practical measures of co-operation.

samarbeidsutvalg liaison committee; *det forutsettes nedsatt et* ~ *for å lette kontakten mellom lærerråd og elevråd* a l. c. is to be set up to facilitate communication between the staff and pupils' councils (*el.* bodies).

samarbeidsvillig co-operative.

samarie (*prestekjole*) cassock, chasuble.

samaritan Samaritan; *den barmhjertige* ~ the good S.

samaritt practical nurse. **-elev** practical nursing student.

samband 1. communication, connection; *i* ~ *med* in connection with; *sett i* ~ *med* seen in association with; **2.** union; **3.** ✗: *Hærens* ~ (*kan gjengis*) the Army Signals Corps; (*svarer til*) the Royal Corps of Signals (*fk*: RCS); *være i -et* (*om soldat*) T be in the Signals; (*se radiosamband*).

sambands|kontor ✗ signal office. **-mann** signaller. **-nett** ✗ signals net; US communication network. **-soldatene** T the Signals.

Sambandsstatene the United States (of America).

sambygding fellow villager; (*se hjembygd*).

samdrektig harmonious, unanimous.

samdrektighet harmony, unanimity; *i skjønn* ~ in perfect harmony.

samdrift joint operation.

same Lapp.

sameie joint ownership; (*det som eies*) joint property; (*jvf særeie*).

samferdsel communication, transport.

samferdselsdepartement (*i England*) Ministry of Transport.

samfrukt 🌿 (*frukt i stand*) syncarp.

samfull: *tre -e dager* three whole days, three days running.

samfunn community, society; *-et* society; *et religiøst* ~ (*også*) a religious body.

samfunns|bevarende conservative. **-borger** citizen, member of society. **-drama** (social) problem play. **-farlig** dangerous to the community (*el.* to society). **-fiende** enemy of society, public enemy. **-fiendtlig** antisocial, inimical to society. **-forhold** social conditions. **-form** social system (*el.* organization *el.* structure). **-gagnlig** of public utility; socially beneficial. **-gode** social (*el.* public) asset. **-hensyn** social considerations; ~ *krever at . . .* the welfare of the community requires that . . . **-hus** community centre. **-interesser** (*pl*) the interests of the community, public interest(s). **-klasse** class (of the community); *de høyere -r* the upper classes. **-liv** social (*el.* community) life; the life of the community. **-lære** sociology; (*skolefag*) citizenship; US civics. **-maskineri** machinery of society. **-messig** social; *-e hensyn* social considerations. **samfunnsmønster** pattern of society; *passe inn i -et* fit into the p. of s. **samfunns|nedbrytende** subversive (*fx* activities). **-orden** social order. **-sak** social question. **-stilling** social position; social status. **-ånd** public spirit. **samfølelse** fellow feeling, solidarity. **sam|handel** commerce, trade (*fx* Anglo-Norwegian t.) **-hold** concord, union, unity; solidarity, team spirit, loyalty. **-hørig** interdependent, mutually dependent. **-hørighet** interdependence, solidarity. **-kjensle:** *se -følelse.* **-kjøre** (*vb*) co-ordinate (*fx* electric power stations). **samklang** harmony, unison. **samkvem** intercourse; *ha ~ med* have contact (*el.* dealings) with; (*seksuelt*) have (sexual) intercourse with. **samle** (*vb*) collect, gather; *~ rikdommer* lay up riches; *~ inn* collect (*fx* «Don't forget I'm collecting those maps from you on Thursday.»); *sistemann på hver rad -r inn stilebøkene* the last person in each row is to collect the exercise books; *~ opp* catch (*fx* a barrel to catch rain water); (*ta opp*) pick up; *~ på* collect; *ikke noe å ~ på* not worth (while) having; T not worth much; *~ sammen* gather (together), collect, pick up, get together; (*se også II. få*); *~ seg* gather, assemble; (*o: sine tanker*) collect oneself (*el.* one's thoughts); *-s* gather (together), assemble, meet, congregate; *mens Stortinget er -t =* while Parliament is sitting; (*se storting*); *-t verdi* aggregate (*el.* total) value; *-t opptreden* joint action; *samlede verker* collected works; *-t* (*adv*) together, jointly, collectively. **samlebånd** conveyor belt, assembly belt. **samleie** coitus, sexual intercourse; (*evfemistisk*) intimacy (*fx* he strangled her after i.); *ha ~ med* have sexual intercourse with; T sleep with, go to bed with; *de hadde ~* T they got down to it. **samler** collector. **-mani** collection mania. **samling** assembling, assembly, collection; (*av folk*) meeting; (*av planter*) collection; (*av Storting*) session; *gå fra sans og ~* lose one's senses; *har du gått fra sans og ~!* have you taken leave of your senses! are you out of your mind! **samlingsregjering** coalition Government. **samlingssted** place of meeting, rendezvous. **samliv** life together. **samløp** (*skøyter*) [race between two contestants]; (*kan gjengis*) heat; *X vant -et* X was (*el.* came out) winner of the pair; *X vant -et med Y* X won his pair (*el.* heat) against Y. **sammalt** ground whole; *~ hvetemel* wholemeal flour, Graham flour; *fint ~ hvetemel* flour of patents grade, patent flour, patents flour. **samme** (*adj*) the same (*fx* the s. year); *en og ~* one and the same; *det ~ om og om igjen* the same thing over and over again; *det går for det ~* that's no extra trouble; *han mener det ~ som jeg* he thinks the same (way) about it as I do; *det er ikke det ~* that is not the same thing; *det er det ~ for meg* it makes no difference to me; *it's all the same to me;*❞*det kan være det ~ når De kommer* it does not matter when you come; *med det ~ vi kom* T when we first arrived; *det kan være det ~ med de bøkene* never mind those books! *... og det ~ var det!* and a good thing too! *det er det ~ som et avslag* it amounts to a refusal; *det er det ~ som å si ...* that is as good as saying; *i det ~* just then; at the same moment; *med det ~* straight avay, at once; then and there; this instant; *med det ~ du driver* (*med det*) while you're about it. **sammen** (*adv*) together; (*i fellesskap*) jointly; *arbeide ~* work together; *~ med* along with, in company with; (*også, så vel som*) together with,

hun ble alltid sett ~ med X she was always seen about with X; (*se også all, alle, alt, invitere*). **sammenbitt:** *med ~ energi* doggedly, with relentless energy; *med -e tenner* with clenched teeth. **sammenblande** (*vb*) mix (together), mingle (together), blend (together); (*forveksle*) mix up, confuse. **sammenbrudd** breakdown, collapse; *nervøst ~* nervous breakdown. **sammen|drag:** *~ av* summary of; *X leder i -et etter to løp* (*skøyter*) X is leading over two distances. **-fatte** (*vb*) sum up, summarize, give a summary of, recapitulate. **-filtre** (*vb*) tangle. **-føye** (*vb*) join. **-føyning** joint; (*det å*) joining; *gå opp i -en* come asunder (*el.* apart). **sammenheng** (*forbindelse*) connection, relation; (*kontinuitet*) continuity; (*indre, logisk ~*) coherence; (*i tekst*) context (*fx* a quotation detached from its c.); *«dårlig ~ her»* (*kommentar til stil*) disjointed here; *sakens rette ~* the true facts of the case; *i den store -en* in the big scheme of things; *kjenne hele -en* know the true facts of the case, know all about it; *sett i ~ med* seen in association with; (*jvf bakgrunn & I. lys*); *sett i korthet dette utdraget inn i sin ~ og forklar ...* briefly refer this extract to its context and explain ...; *ha ~ med* be connected with, have connection with, be bound up with; *mangel på ~* incoherence; *-en mellom årsak og virkning* the nexus of cause and effect; (*se tydelig*). **sammenhengende** connected, coherent, continuous, consecutive; *en ~ tekst* (*o: tekstsammenheng*) a continuous context, a textual context; (*adv*) coherently. **sammenholde** (*vb*) compare. **sammenhopning** accumulation, piling up; (*jvf opphopning*). **sammenkalle** (*vb*) call together, summon, convene; *~ et møte* call (*el.* summon *el.* convene) a meeting. **sammen|klemt** compressed, squeezed together. **-klumpe** *vb* (*om mennesker og dyr*) crowd, pack together, huddle, cluster together. **-komst** meeting, gathering; T get-together; (*av gamle kamerater, etc*) reunion; *selskapelig ~* social gathering; T social; (*se også samvær*). **-krøpet** crouching, crouched, huddled up (*fx* he lay h. up in bed). **-lagt** combined, put together; (*se sammendrag*). **sammenleggbar** collapsible. **sammenligne** (*vb*) compare; *~ med* c. with; (*især rosende el. billedlig*) compare to (*fx* as an orator he may be compared to X; c. wisdom to gold); liken to; *-t med* compared with, as compared with, as against; *han påsto at papiret var av avgjort dårligere kvalitet -t med tidligere sendinger* he maintained that the paper was of a quality decidedly inferior to (that used in) earlier (*el.* previous) shipments (*el.* ... was of a much poorer quality compared to (*el.* with) earlier shipments); *tannpine er ingenting -t med det* toothache is nothing by comparison; *dette er ingenting -t med hva jeg har sett* this is nothing to what I have seen; *som kan -s* comparable (*med* with *el.* to); *de kan ikke -s* they cannot be compared, they are not in the same class; *kommuner det vil være naturlig å ~ oss med* local authorities in a comparable position; (*se ligge: ~ godt an*). **sammenlignende** comparative. **sammenligning** comparison; *dra* (*el.* trekke) *en ~* make a comparison; *slik at du kan foreta dine -er* so that you can make a comparison; *i ~ med* in comparison with, (as) compared with; *uten ~* without c.; (*ved superl.*) by far, far and away (*fx* by far the best); *uten ~ for øvrig må man ha lov til å si at X er flinkere i fransk* without making invidious comparisons, one must be permitted to say that X is better at French; (*se I. sinke & tåle*).

sammenpakket packed together; (fig) crowded.
sammenpresset pressed (el. squeezed) together.
sammenrotte (vb): ~ seg conspire, plot (mot against).
sammensatt made up (el. composed) (av of); compound; (innviklet) complex; ~ ord compound word; ~ (,usammensatt) tid (gram) compound (,simple) tense; ekte ~ verb inseparable verb; uekte ~ verb separable verb; regjeringen, slik den nå er ~ the Government as it is now constituted; (se for øvrig sette: ~ sammen).
sammensetning composition; (konkret) compound; lagets ~ the personal composition of the team.
sammenskuddsfest Dutch treat; (som overraskelse) surprise party; holde ~ go Dutch.
sammenslutning union, combination.
sammenslynget interwoven, intertwined, interlaced.
sammen|smelte (vb) melt together; (fig) amalgamate. **-smelt(n)ing** fusion; amalgamation.
sammenspart -e penger savings; en liten ~ sum T a nest egg.
sammenstille (vb) place together; group; (sammenligne) compare.
sammenstilling placing together (el. side by side); juxtaposition, collocation; comparison.
sammenstimling crowd; crowding together; (jvf oppløp).
sammenstuet crowded (el. huddled) together, closely packed (together).
sammenstøt collision; conflict; clash (fx violent clashes between Greeks and Turks); frontalt ~ head-on collision; (jvf kollisjon); naturligvis har vi hatt et ~ en gang iblant, men .. T we've had the odd scrap, of course, but . . .
sammensunket: sitte ~ sit hunched up; han lå ~ over rattet he lay slumped over the wheel.
sammensurium mess, hotchpotch (fx of ingredients); jumble (fx of words, sounds); medley.
sammensveise (vb) weld (together); (fig) fuse; (se sveise).
sammensverge (vb): ~ seg conspire (om å to).
sammensvergelse conspiracy, plot.
sammensvor|en (adj) conspiring; de -ne the conspirators.
sammentelling summing up.
sammentreff coincidence; et heldig ~ a lucky chance, a fortunate coincidence; et ~ av omstendigheter a coincidence (of circumstances); ved et ~ av omstendigheter har forsendelsen blitt forsinket circumstances have conspired to delay the dispatch.
sammentrekning contraction.
sammentrengt condensed, concise.
sammentrykning compression.
sammentrykt compressed.
sammenvevd woven together.
sammenvokst grown together, coalesced, fused; hans øyenbryn er ~ his eyebrows meet; -e tvillinger Siamese twins.
samme|steds in the same place. **-stedsfra** from the same place; (jvf hjembygd).
samnorsk pan-Norwegian.
samrå (vb): ~ seg consult together, deliberate.
samråd (joint) deliberation; consultation; i ~ med in (el. after) consultation with; in agreement with.
sams: se enig.
samskipnad organization, organisation, association.
samspill ♪ ensemble (playing); (sport; på teater) teamwork; (vekselvirkning) interplay (fx a happy i. between road and rail traffic); interaction (fx of the heart and lungs); et ~ av krefter a harmonious combination of forces; det var utmerket ~ they played together excellently.
samstemme (vb) harmonize, bring into harmony.
samstemmig unanimous. **-het** general agree-

ment, unanimity; det er ~ om at . . . (også) the consensus of opinion is that . . .
samsvar accordance, agreement, conformity; i ~ med in accordance with, in agreement (el. keeping) with.
samsvarende corresponding.
samsyn (fysiol) binocular vision.
samt together with; and also, plus.
I. samtale (subst) conversation; talk; en lavmælt ~ a hushed c., a c. in low tones; føre en ~ carry on a conversation; få -n i gang (også) set (el. start) the ball rolling; innlede ~ med enter into conversation with; komme i ~ med get into conversation with; (se innlate).
II. samtale (vb) converse, talk (med with).
samtaleemne topic (of conversation).
samtid: -en the age in which we live, our own times; (om fortiden) that age, that time; hans ~ his (,our) contemporaries.
samtidig 1 (på samme tid) simultaneous (fx events); 2 (som hører til samme tid) contemporary, contemporaneous; 3 (adv) at the same time, simultaneously; utrette forskjellige ærend ~ do various errands at one go; get v. e. done at the same time; ~ vil jeg be Dem . . . at the same time I would ask you . . . ; I take this opportunity to ask you; ~ sender vi Dem . . . by the same post we are sending you; sende tratten ~ med fakturaen send the draft along with the invoice; ~ med denne utviklingen side by side with this development, along with this d.; ~ som at the same time as.
samtlige (one and) all, each and all.
I. samtykke (subst) consent, approval, sanction; få ens ~ obtain sby's consent; gi sitt ~ til consent to (-ing), give one's c. to; (se II. knytte).
II. samtykke (vb) consent (i to); ~ i at prisene blir satt ned c. to prices being reduced; nikke -nde nod assent (fx he nodded a.).
samvirke (subst) co-operation, cooperation, joint action. **-lag** co-operative (el. cooperative) society.
samvittighet conscience; en god (,ren) ~ a quiet (,clear) conscience; det kan du gjøre med god ~ you can do it with a good c.; ha dårlig ~ overfor en feel guilty about sby; (stivt) be troubled by conscience in regard to sby; en romslig ~ an accommodating c.; hvordan kan du forsvare det overfor din ~? how do you square (el. reconcile) it with your c.? så får du det på -en then you will have that to answer for; jeg ville ikke ha ~ til å gjøre det I would not have the c. to do it; (se overdøve & våkne).
samvittighetsfull conscientious, scrupulous; -t oversatt ved hjelp av en ordbok conscientiously translated with the aid of a dictionary.
samvittighets|fullhet conscientiousness, scrupulousness. **-kval** pangs of conscience. **-løs** unprincipled, unscrupulous.
samvittighets|nag remorse, compunction, pangs (el. qualms) of conscience; (se samvittighet). **-sak** matter of conscience. **-spørsmål** question of c.; indiscreet question.
samvær being together; company; (sammenkomst) gathering; vårt behagelige ~ the pleasant time we spent together; etter en times ~ after one hour together; kameratslig ~ friendly gathering; selskapelig ~ social gathering; takk for behagelig ~ (svarer til) this has been a very pleasant party (,journey, etc); (se for øvrig takk).
sanatorium sanatorium (pl: -ria el. -s).
sand sand; løpe ut i -en (fig) come to nothing, peter out, fizzle out; strø ~ i maskineriet (fig) throw a spanner (,US monkey wrench) in the works; et eller annet sted må det være noen som har strødd ~ i maskineriet somewhere in this machine the wheels are not turning smoothly; strø ~ på (fig) fall in with (fx the Cabinet will usually fall in with the recommendation of the Ministry); strø ~ på veien sand the road, sprinkle (el. spread) sand on the road.

sandal sandal.
sand|banke sand bank. **-bunn** sandy bottom.
sandeltre ♠ sandalwood tree.
sandet sandy, sanded.
sand|flyndre (*fisk*) dab. **-loppe** ♠ chigoe (flea), jigger (flea), sand flea.
sandjord sandy soil.
sand|kake [cup-shaped shortbread biscuits]; (*kan gjengis*) shortbread patty. **-kakeform** small fluted tartlet tin, patty tin. **-kasse** sandbox. **-korn** grain of sand. **-lo** ♠ ringed plover. **-løper** ♠ sanderling.
sandpapir sandpaper; *slipe med* ~ sand down.
sand|stein sandstone, grit. **-strø** (*vb*) sand, sprinkle sand on.
sand|tak sand-pit. **-ørken** sandy desert.
sanere *vb* (*om foretagende*) reorganize, reconstruct; restore (*fx* finances); (*bebyggelse*) effect slum clearance; *strøket skal -s* slum clearance is to be carried out in the district; the district is to be cleared of its slums.
sang song; (*det å*) singing; (*del av større dikt*) canto. **-bar** singable, melodious. **-barhet** melodiousness.
sangbunn sound board, sounding board.
sanger singer, vocalist; (*fugl*) warbler; songbird. **-fest** choral festival.
sangerinne singer.
sang|forening choral society, glee club. **-fugl** songbird, warbler. **-kor** choir. **-lerke** ♠ skylark. **-lærer(inne)** singing master (‚mistress).
sangstemme singing voice.
sangundervisning singing lesson.
sangviniker sanguine person.
sangvinsk sanguine.
sanitet ⚔ medical service; **-en** (*svarer i England til*) the Royal Army Medical Corps (*fk*: the R.A.M.C*); US the Medical Corps.
sanitetsforening [women volunteer workers who provide non-professional care and services for the sick and convalescent].
sanitets|kompani ⚔ medical company. **-soldat** medical orderly, hospital o.; US corpsman, medic.
sanitær sanitary; **-e forhold** sanitary conditions.
sanitæranlegg sanitary installation; plumbing.
sanke (*vb*) gather, collect; ~ *aks* glean; *han har -t erfaringer i livets skole* he has gathered experience in the school of life.
sanksjon sanction, assent.
sanksjonere (*vb*) sanction; approve of.
sanktbernhardshund St. Bernard dog.
sankthans|aften Midsummer Eve. **-bål** Midsummer Eve bonfire. **-dag** Midsummer Day. **-natt** Midsummer Night. **-orm** glowworm.
sanktveitsdans the St. Vitus('s) dance, chorea.
san|n true; (*virkelig*) real; (*naturtro*) true-to-life (*fx* give a t.-t.-l. picture of the farmer and his work); *det skal være meg en* ~ *glede* I shall be delighted to; *en* ~ *nytelse* a (great) treat, a real treat; *det kan være noe -t i det* there might be an element of truth in that; there might be something in that; *det var et -t ord* that's true (enough); *S & US* you said a mouthful; *det er så -t som det er sagt* that's for sure (el. certain); *-t å si* to tell the truth; *så -t as* sure as; (*hvis bare*) if only; provided; *så -t jeg står her* T as sure as I'm standing here; *så -t jeg lever* as I live; *så -t hjelpe meg Gud* so help me God; *det er -t* (*apropos*) by the way; *ikke et -t ord* not a word of truth; *det er godt, ikke -t?* it is good, isn't it? *han så det, ikke -t?* he saw it, didn't he?
sanndru veracious, truthful; (*se sannferdig*).
sanndruhet veracity, truthfulness.
sanndrømt; *han er* ~ he has dreams that foretell the future.
sanne (*vb*) admit the truth of.
sannelig indeed, truly, in truth; (*glds & bibl*) verily; *det har De* ~ *rett i* you are dead right; *nei så* ~ *om jeg vil!* I'll be hanged if I do! *jeg vet* ~ *ikke* T I don't know, I'm sure.

sannferdig truthful; veracious; *han er ikke så* ~ *at det gjør noe* T he is not too truthful; he's casual about telling the truth.
sannferdighet truthfulness, veracity.
sannhet truth; *den rene* ~ the plain truth; *si -en* speak the truth; *når jeg skal si -en* to tell the truth; (*se holde*: ~ *seg; modifikasjon; I. skulle B*).
sannhets|kjærlig truth-loving, veracious. **-kjærlighet** veracity, love of truth.
sannhetsord word of truth; word of admonition, warning.
sanning: *se sannhet*.
sannsi(g)er soothsayer.
sannspådd [prophesying truly or accurately]; *han er* ~ he predicts the truth; he forecasts the future accurately; *han var* ~ (*også*) his predictions came (*el.* proved to be) true.
sannsynlig likely; probable; *en* ~ *historie* a convincing story; *det var en lite* ~ *historie* that was not a very likely story; *en lite* ~ *forklaring* a not very plausible explanation; *det er* ~ *at* it is probable that; *det er ikke* ~ *at prisene vil falle* it is not probable that prices will fall; p. are not likely to fall; *det er høyst* (*el. meget*) ~ it is very (*el.* highly) probable; *det er høyst* ~ *at jeg treffer deg igjen* I shall very (*el.* most) likely see you again; *det er overveiende* ~ *at* there is every probability that; *det er neppe* ~ *at* it is hardly probable (*el.* likely *el.* to be expected) that; it is not very likely that; *det er neppe* ~ (*som svar*) I should hardly think so; *det -ste er at* the odds (*el.* chances) are that . . .; (*se overveiende*).
sannsynlighet likelihood, probability; *etter all* ~ in all probability. **-sberegning** calculation of probability; (*mat.*) calculus of probability. **-sbevis** circumstantial evidence; *føre* ~ *for* demonstrate (*el.* show) the probability of
sannsynligvis probably, in all likelihood; *han kommer* ~ he is likely to come, he will probably come.
sans sense; *sunn* ~ common sense; **-enes** *bedrag* the deception of the senses; *ha* ~ *for* have a sense of; *han har* ~ *for musikk* he's got a good ear for music; *han har ingen* ~ *for musikk* he has no ear for music; *han har en levende* ~ *for skjønnhet i naturen og i kunsten* he has a deep feeling for beauty in nature and art; *han har ingen større* ~ *for naturens skjønnhet* he has not much feeling for natural beauty; *det kan ikke oppfattes med -ene* it is not perceptible to the senses; *være fra* ~ *og samling* be out of one's senses (*el.* mind); (*se stedsans*).
sanse (*vb*) perceive, notice, become aware of; (*huske*) remember.
sansebedrag deception (of the senses); sense illusion.
sansekake (*ørefik*) box on the ear.
sanselig (*legemlig*) physical, perceptible, material; (*som angår sansning*) sensuous; (*m.h.t. erotikk*) sensual, carnal; ~ *begjær* carnal desire; ~ *person* sensualist; *den -e verden* the material (*el.* external) world.
sanselighet sensualism, sensuality.
sanse|løs senseless. **-løshet** senselessness. **-organ** sense organ. **-rus** intoxication of the senses.
sanskrit Sanskrit.
sans(n)ing perception, sensation.
sara|sener, **-sensk** Saracen.
sardell anchovy.
sardin sardine (*fx* sardines in oil).
Sardinia (*geogr*) Sardinia. **sardinsk** Sardinian.
sarkasme sarcasm. **sarkastisk** sarcastic.
sarkofag sarcophagus (*pl*: -phagi).
sart delicate, tender.
Satan Satan.
satanisk satanic, fiendish, diabolical.
satans (*adj*) damned, blasted; (*grovt uttrykk*) bloody.
sateng sateen.
satinere (*vb*) glaze.

satire satire (*mot* on). **satiriker** satirist.
satirisere (*vb*) satirize. **satirisk** satirical.
sats 1 (*typ*) type (*fx* keep the t. standing);
composition, (composed) matter (*fx* stående ~
standing m.); *sette en* ~ compose a piece of work;
~ *som skal legges av* dead matter; *i* ~ in type;
2 (*takst, etc*) rate; *til fastsatt* ~ at the appropriate
rate (*fx* Customs duty at the a. r. is charged);
(*opprett*)*holde de nåværende -er* hold the present
rate; **3** (*sand, sement og vann*) (concrete) mix
(*fx* a 1:4 mix); **4.** ♪ movement (*fx* of a sonata);
5. spring; (*ski*) take-off; *i -en* (ɔ: *i satsøyeblikket*) at
take-off; *ta* ~ take off (for a spring); *stående* ~
(*idrett*) standing jump; *helt vellykket* ~ a perfectly
timed spring; *svak* ~ feeble s.; *for sen* ~ late s.; *for
tidlig* ~ premature s.; *det ble litt for tidlig* ~ the
(*el.* his) s. was a little premature; **6** (*most*) must;
han har en (*brennevins*)- *stående* (*svarer til*) he's
got a still going; **7** (*tenn-*) friction composition,
head (*fx* of a match); **8** (*påstand*) assertion;
proposition; thesis; **9** (*mat.*) theorem; (*se
stramme*).
satse (*vb*) **1.** stake (*på* on), put (*fx* p. a fiver on a
horse), gamble (*på* on); ~ *fem pund* bet a fiver;
det må -s mer på prosjektet the project must be
given more backing; ~ *langt mer på å få ut-
arbeidet en pålitelig ordbok* go much more in for
the compilation of a reliable dictionary; ~ *på å
bygge opp* . . . (*også*) direct one's efforts towards
building up . . . ; ~ *sterkt på* make a strong bid
for (*fx* the German High Command made a
strong bid for the Ardennes); **2** (*ski*) take off.
satt (*adj*) sedate, staid; *i* ~ *alder* of mature
years.
satyr satyr.
sau ♌ sheep; (*søye*) ewe; (*skjellsord*) blockhead,
nincompoop, ninny.
sau|bukk ♌ ram. **-farm** sheep station. **-fjøs**
sheep cot(e). **-flokk** flock of sheep. **-kjøtt** mutton.
-kve sheep fold, sheep cot(e). **-skinn** sheepskin.
-skinnspels sheepskin coat.
saumfare (*vb*) go over (critically), examine
minutely.
saus sauce; (*kjøttsaft*) gravy; *brun* ~ brown s.;
sauce à la maître d'hôtel melted butter with
parsley and lemon juice.
saus|blokk [sauce tablet]. **-skål** sauceboat,
gravy dish (*el.* boat).
savn (*mangel*) want, lack; (*nød*) hardships
(*fx* h. of the war period), want, privation; *lide* ~
suffer privation; (*tap*) loss, bereavement; *han
etterlater seg et smertelig* ~ he is sadly missed; he
leaves a terrible void; *føle -et av noe* miss sth;
avhjelpe et ~ supply a want (*el.* need); *boka
avhjelper et lenge følt* ~ the book meets a long
-felt want.
savne (*vb*) **1** (*føle tapet av*) miss (*fx* I shall m.
you); **2** (*mangle*) lack, be without, want, be
wanting in, be lacking in, be short of (*fx* money);
3 (*trenge til*) want (*fx* they want discipline);
4 (*konstatere at noe er borte, ikke kunne finne*)
miss (*fx* the bicycle was missed an hour later;
he missed his spectacles); *flere skip er -t* several
ships are missing; *i tabellen -s oppgaver fra mange
land* the figures for many countries are missing
from this table; *jeg -r det ikke* I can do without
it; ~ *ethvert grunnlag* be entirely without founda-
tion; be completely unfounded; *de -r ikke noe*
they want for nothing; they have all they need;
vi -r ham sterkt we miss him badly (*el.* sadly).
Savoia (*geogr*) Savoy.
scene scene; (*del av teater*) stage; *for åpen* ~
with the curtain up; in full view of the audience;
(*fig*) in public; *gå til -n* go on the stage; *sette et
stykke i* ~ stage (*el.* produce *el.* get up) a play;
det kom til en ~ there was a scene.
scene|anvisning stage direction. **-arrangement**
stage setting. **-forandring** change of scene.
-instruktør (stage) director, producer. **-kunst**
acting, dramatic art. **-vant** experienced, practised,
confident. **-vanthet** (stage) experience, confidence.

seenisk scenic, theatrical.
schizofren schizophrenic. **-i** schizophrenia.
Schlesien (*geogr*) Silesia. **schlesisk** Silesian.
schæfer(hund) Alsatian (dog).
se (*vt & vi*) **1.** see; ~ *godt* (*,dårlig*) have good
(,bad) eyes; *jeg er så sliten at jeg simpelthen ikke
kan* ~ I just can't see for tiredness; *det er ikke
noe å* ~ there is nothing to be seen; *man så at
han klatret over muren* he was seen to climb the
wall; *når en -r kassene, skulle en tro at* . . . to
see the cases one would think that; *der -r du*
I told you so; *han er en rik mann, -r du* you
see, he's a rich man; *jeg -r gjerne at* . . . I should
be (very) glad if, I should appreciate it if; *jeg
så helst at du lot være* I would rather you didn't;
I should much prefer you not to (do it); *stort
-tt* (taking it) by and large; ~ *selv* see for oneself;
2 (*besøke som turist*) visit, see; T do (*fx* he did
Oxford); **3** (*se lysbilder, etc*) view (*fx* everyone
has viewed the slides).
A [*Forb. med subst, pron & adj*] *det gleder meg å
~ Dem* I'm very glad to see you; I'm pleased to
see you; *nå har jeg aldri -tt så galt!* well I never!
how extraordinary! wonders never cease! *-r man
det!* indeed! really! *vi -r med beklagelse at* . . . we
note with regret that . . . ; we regret to note
that . . .; *jeg -r tingene som de er* I look the facts
in the face; I take a realistic view of things;
B [*Forb. med vb*] *vi får* ~ we shall see (about
that); time will show; *som man snart vil få* ~ as
will presently become apparent; *jeg gadd* ~ *den
som kan gjøre det* I'd like to see the man (,etc) who
can do that; *der kan du* ~! there you are! I told
you so! what did I tell you? *det kan da enhver* ~
anyone can see that; T it sticks out a mile; *de
kan ikke* ~ *skogen for bare trær* they can't see the
wood for the trees; *ikke det jeg kan* ~ not that I
can see; *jeg kan ikke* ~ *annet enn at du må gjøre
det* I don't see how you can avoid doing it;
så vidt jeg kan ~ as far as I can see; *jeg kan ikke* ~
å lese I can't see to read; *la en* ~ *noe* let sby see
sth, show sth to sby, show sby sth; *han het — la
meg* ~ — *nei, jeg har glemt det* his name was —
let me see (*el.* think) — there, I've forgotten!
la meg nå ~ *at du låser døra!* mind you don't
forget to lock the door! *jeg skal* ~ *om jeg kan
få tid* I'll try to find (the) time to do it; I'll see
if I can spare the time; ~ *å bli ferdig!* do hurry up!
look sharp about it! *jeg må* ~ *å komme meg av
sted* I must be getting along;
C [*Forb. med prep & adv*] ~ *en an* size sby up;
man må ~ *sine folk an* one must know who(m)
one has to deal with; ~ *tiden an* wait and see,
bide one's time, play a waiting game; US (*også*)
sit back and wait; *jeg -r av Deres brev at* . . . I see
(*el.* note) from your letter that; *vi -r til vår
overraskelse av Deres brev at* . . . we note with
surprise from your letter that; *man -r av dette at*
from this (*el.* hence) it will be seen that; *from this*
(*el.* hence) it appears that; ~ **bort** look away,
look the other way, avert one's eyes; ~ *bort fra*
(*fig*) leave out of account, disregard; discount
(*fx* the risk of invasion could not be discounted;
he was not discounting the possibility that . . .); ~
etter look(*fx* I looked in all the rooms); *jeg skal* ~
etter I'll look (and see); ~ *etter* (ɔ: *lete etter*)
look for, search for; (ɔ: *passe på*) look after
(*fx* the children), mind; (ɔ: *følge med blikket*)
follow with one's eyes; ~ *bedre etter* look more
closely; ~ *etter i boka* consult the book; *hvis De
-r etter i vårt brev av* if you refer to our letter of;
~ *etter om* see if; ~ *etter hvem det er som banker på
døra* (,*som ringer på*) (go and) see who's at the
door; *jeg så feil på klokka* I got the time all
wrong; I mistook the time; *jeg så en time feil på
klokka* I misread the time by one hour; ~
noe for seg visualize sth; *jeg -r det for meg*
I can (just) see it; *jeg -r ham for meg* I can see him
in my mind's eye; I can picture him; ~ *fra den
ene til den andre* look from one to the other;
~ **fram** *til* look forward to (*fx* sth; -ing); ~

fremover look ahead; ~ **gjennom** look through, look over; (*flyktig*) run through; ~ *en avgjørelse rolig i møte* await a decision calmly; *ikke* ~ *i boka!* (*lærer til elev*) don't look (*el.* you needn't look) at your book! ~ **innom** *en* look in on sby, look sby up, drop in on sby; come round and see sby; *jeg kan ikke* ~ *så langt* I cannot see as far as that; ~ *langt etter en* give sby a wistful (*el.* lingering) look; *det er det lett å* ~ that is easy to see; T it sticks out a mile; ~ **med** *en* share sby's book (*fx* Mary says she hasn't brought her book. Can she share yours?); *du kan* ~ *med Tom* you can share (book) with Tom; *vi -r med beklagelse at . . .* we note with regret that, we regret to note that . . . ; ~ *noe med andres øyne* put oneself in sby else's place; *-tt med andres øyne* seen through other people's eyes; *-tt med* (*fx regjeringens*) *øyne* seen through the eyes of (*fx* the Government); ~ *det med egne øyne* see it with one's own eyes; ~ *med uvennlige øyne på* take an unfavourable view of; frown on; ~ **ned** look down; ~ *ned på* look down on; (*fig, også*) turn up one's nose at; ~ **om** see if (*fx* he's at home); ~ *om du kan hjelpe ham* do try and help him! see if you can't help him; ~ **opp** look up; «~ *opp for dørene!*» «mind the doors!», «stand clear of the doors!»; ~ *opp til en* look up to sby; ~ **på** look at; *hvordan -r De på saken?* what is your opinion of the matter? *hvordan man enn -r på det* no matter how you look at it; *man kan ikke* ~ *det på ham* he does not show it; you wouldn't think so to look at him; *jeg så det på ansiktet hans at . . .* I could tell by his face that; ~ *godt på ham* take a good look at him; *vi -r alvorlig på saken* we take a grave view of the situation; we regard the s. as serious; ~ *lyst på saken* take an optimistic view of the matter; ~ *mørkt på situasjonen* take a gloomy (,T: dim) view of the situation; ~ *stivt på* stare at; *det -r vi stort på!* we don't worry about (a little thing like) that! ~ *svart på fremtiden* be pessimistic about the future; ~ *velvillig på en sak* give a matter sympathetic consideration; ~ *på det med andre øyne* see it in another (*el.* in a different) light; (*se også ovf under ,,med''*); *vi har ikke -tt noe* **til** *varene* we have seen nothing of the goods; ~ *til at* see (to it) that; take care that; ~ *til en* (go and) see sby, visit sby; *vi -r ikke stort til ham* we don't see much of him; ~ **tilbake** *på* look back on; ~ **ut** look (*fx* happy, old); (o: *kaste blikket ut*) look out (*fx* look out of the window); *hvordan -r varene ut?* what do the goods look like? *han bryr seg ikke om hvordan han -r ut* he does not bother about his appearance; ~ *annerledes ut* look different; *det begynner å* ~ *bedre ut* the outlook is brightening; things are looking up; ~ *godt ut* (o: *være pen*) be good-looking; (o: *være frisk*) look well, look fit; *hun -r godt ut* T she's a good-looker; S she's easy on the eye; *det -r slik ut* it looks like it; ~ **ut som** look like (*fx* he looks like a sailor); ~ *ut som et fugleskremsel* look a perfect fright; *det -r ut som om det er rotter som har vært på ferde* it looks like rats; *det -r ut som om han kommer til å vinne* he looks like winning; *hunden -r ut som om den biter* the dog looks like biting; *det -r* **ut til** *regn* it looks like rain; *det -r ut til at ingen visste hva som var hendt* it seems that nobody knew what had happened; *det -r ut til å gå dårlig* the outlook is none too bright; things seem in a bad way; things are looking bad; *det -r ut til å være en eller annen feil* there appears (*el.* seems) to be some mistake; (*se vei C & sees*).

D [*Refleksive forbindelser*] ~ *seg blind på noe* become hypnotized by sth; ~ *seg for* look where one is going; *Å, unnskyld! Jeg så meg ikke for!* I'm so sorry, (but) I simply wasn't looking (where I was going)! *hun så seg sint på ham* he got on her nerves; ~ *seg mett på* gaze one's fill at; feast one's eyes on; ~ *seg om* look round (*fx* don't look round!); (*reise omkring*) travel about; T get around; ~ *seg om etter* (o: *lete etter*) look about for; look round for; ~ *seg godt om* have a good look-round; ~ *seg om i værelset* look about (*el.* round) the room; ~ *seg tilbake* look back, look round; *uten å* ~ *seg tilbake* without a backward glance; ~ *seg ut* pick out for oneself; choose.

seanse séance.

sebra zebra; (*jvf fotgjengerovergang*).

sed (*skikk*) custom, usage; *gode -er* good morals.

sedat: *se salt*.

sedativ sedative.

seddel slip of paper; (*pengeseddel*) (bank) note. **-bank** bank of issue. **-bok** note-case; wallet. **-utsendelse** issue of notes.

sedelig of good morals, moral; (*se undergang*). **-het** morality, moral conduct. **-hetsforbrytelse** sexual crime (*el.* offence). **-hetsforbryter** sex criminal; (*jur*) sexual offender.

sedelære ethics; moral philosophy.

seder ❦ (*tre*) cedar.

sedvane custom, usage, habit, practice, wont.

sedvanemessig customary.

sedvanerett common law.

sedvanlig (*adj*) usual, ordinary, customary; *det er det -e* that is the usual thing; *som* ~ as usual.

sedvanligvis (*adv*) usually, generally, ordinarily.

seende seeing, with the power of sight.

seer seer, prophet.

seer|blikk prophetic eye. **-gave** gift of prophecy.

sees (*el. ses*) *vb* (*av se*) see one another (*el.* each other); meet; *vi ses på torsdag* T see you on Thursday; *hvis vi så(e)s oftere* if we saw more of each other.

sefyr zephyr.

seg (*pron*) 1 (*i forb. med vb*) oneself (*fx* defend o.); himself, herself, itself (*fx* the animal defended i.); themselves (*fx* they defended t.); 2 (*med prep*) one, him, her, it, them (*fx han så* ~ *om* he looked about him); *ha med* ~ have with one (*fx* he had some friends with him), bring with one, bring along, take along, bring; *har han boka med* ~? has he brought the book?

[*Forskjellige forbindelser*] *han slo* ~ he hurt himself; *døra har slått seg: se slå* ~; *redd av* ~ (naturally) timid, timid by nature; *for* ~ for oneself (,himself, *etc*) (*fx* everybody must answer for himself);(*atskilt*) separate (*fx* it was a s. room), by itself (*fx* it forms a class by i.); in itself (*fx* it is a whole science in i.); *holde piker for* ~ *og gutter for* ~ keep girls and boys apart; *pakk det for* ~ pack it separately; pack it in a separate case; *det er noe* (*helt*) *for* ~ that is sth (quite) special; that is in a class by itself; *han er noe for* ~ he is not like other people; *han holdt* ~ *for* ~ *selv* he kept himself apart; he kept himself to himself; *hver for* ~ separately, apart; independently (*fx* they reached the same conclusion i.); *individually* (*fx* address each person i.); *i og for* ~ in itself, per se; as far as it goes; *han er ikke dum i og for* ~ he is not actually stupid; ~ *imellom* among themselves; *nei, var det likt* ~! why, of course not! *opp med* ~! up! (*til barn*) ups-a-daisy! *være om* ~: *se om;* (*se for øvrig også selv*).

I. segl seal, signet; *min munn er lukket med sju* ~ wild horses wouldn't drag it out of me.

II. segl: *se seil.*

segle (*vb*): *se seile.*

segllakk sealing wax.

segne (*vb*) sink down, drop; collapse.

segneferdig ready to drop (with fatigue), tired out; T dog-tired, dead-beat.

sei (*fisk*) coalfish, US pollack.

seidel tankard.

seier victory; *hale -en i land* secure the victory; T come out on top; *vinne* ~ gain a victory; (*mindre*) score a success; *vinne en personlig* ~ score a personal triumph.

seierherre conqueror, victor.

seierrik victorious, triumphant; *han gikk* ~ *ut av kampen* he emerged victorious from the struggle.

seiersgang triumphal progress; *gå sin* ~ *go* from strength to strength, carry everything before it.

seiersikker confident of success.

seiers|krans triumphal wreath; US laurel w., victory w. **-rus** intoxication of victory. **-vilje** determination to win.

seig tough; *lange, -e (åre)tak* long, steady pulls. **seig|het** toughness. **-livet** tenacious of life. **-pine** put on the rack, torment.

seil sail; *berge* ~ take in sail; *heise et* ~ hoist a sail; *sette* ~ set sail; *ta inn* ~ furl the sails; *være under* ~ be under sail; *seile for fulle* ~ crowd all sail(s); *ta rev i -ene* ♣ reef the sails; *(fig)* watch one's step; be more careful.

seilas sailing, navigation; voyage; regatta.

seil|båt sailing-boat; US *(oftest)* sailboat. **-duk** canvas.

seile *(vb)* sail; *la en* ~ *sin egen sjø* leave sby to his own devices; *(se I. lik & sjø)*.

seiler sailing-ship; *en* ~ *i sikte* a sail in sight; *en god* ~ a good sailer; *(se skarp 2)*.

seilføring spread of canvas, canvas; *med full* ~ all sails set; *etter hvert som -en økte* under the steadying pressure of the sails.

seil|skip, -skute sailing-ship, sailing vessel. **seilskutetiden:** *i* ~ in the days of sail *(el. sailing ships)*; *i -s siste dager* during the last days of sail.

sein: *se sen.*

sein(ere), seinest, seint: *se sen, etc.*

seire *(vb)* conquer, win, gain the victory, be victorious, be triumphant. **-nde** victorious.

seising ♣ seizing.

sekel century.

sekk sack, bag; *kjøpe katta i -en* buy a pig in a poke; *man kan ikke få både i pose og* ~ you cannot eat your cake and have it; you cannot have it both ways.

sekke|lerret sackcloth, sacking. **-løp** sack race. **-paragraf** omnibus *(el. umbrella)* section, section that gathers up all the loose ends. **-pipe** ♪ bagpipe. **-post** omnibus item, item composed of odds and ends. **-strie** burlap.

sekret secretion.

sekretariat secretariat.

sekretær secretary; *(i offentlig administrasjon)* senior executive officer.

seks *(tallord)* six.

seksdobbelt sixfold, sextuple.

sekser six, number six.

seksfotet having six feet, hexapod; ~ *vers* hexameter.

seksjon section. **-smøbler** *(pl)* unit-furniture.

sekskant hexagon.

seks|kantet hexagonal, six-sided. **-løper** six -shooter. **-sidet** hexagonal, six-sided.

sekstall (figure) six; *et* ~ a six; *-et* the figure six.

sekstant sextant.

seksten *(tallord)* sixteen.

sekstende *(tallord)* sixteenth.

seksten(de)del sixteenth (part); *-s note* ♪ semi-quaver.

sekstenårig of sixteen *(fx* a boy of sixteen); sixteen-year-old.

sekstett sextet.

seksti *(tallord)* sixty.

sekstiden: *ved* ~ (at) about six (o'clock).

seksual|angst sex phobia; frigidity. **-drift** sexual urge *(el.* instinct). **-forbrytelse** sex *(el.* sexual) crime. **-forbryter** sex criminal; *(jur)* sexual offender. **-hygiene** sex hygiene.

seksualitet sexuality.

seksual|liv sex *(el.* sexual) life. **-moral** sexual morality. **-mord** sex murder. **-opplysning** sex guidance. **-organ** sexual organ. **-problem** sex *(el.* sexual) problem. **-undervisning** sex instruction.

seksuel|l *(adj)* sexual; ~ *opphisselse* s. excitement; *-le problemer* sex *(el.* sexual) problems; ~ *tiltrekning* sexual attraction; sex appeal *(fk.* S.A.); *-t underernært* sex-starved; *-le utskeielser* sexual excesses.

seks|årig, -års of six *(fx* a child of s.); six -year-old *(fx* a six-year-old child).

sekt sect, denomination.

sekterer sectarian.

sekterisk sectarian.

sektor sector; *(fig, også)* field; *(se vie)*.

sekund second; *på -et* immediately.

sekunda second, second-quality *(fx* goods).

sekundant second.

sekundaveksel *(merk)* second of exchange.

sekundere *(vb)* second.

sekundviser second hand.

sekundær secondary.

sel 🐾 seal.

I. **sele** *subst (seletøy)* harness; *(reim)* strap; *(for barn)* reins; *legge* ~ *på en hest* harness a horse; *legge seg i -n (fig)* put one's shoulder to the wheel; put one's back into it, exert all one's strength, put all one's strength into it; *-r (pl) (bukse-)* braces; US suspenders; *et par bukse-seler* a pair of braces *(,US:* suspenders).

II. **sele** *(vb)* harness; ~ *av* unharness; ~ *på* harness (up).

selelaken [baby's sheet with shoulder straps attached].

sele|pinne shaft pin, thill pin, pole pin. **-tøy** harness.

sel|fanger *(person & skip)* sealer. **-fangst** sealing.

selge *(vb)* sell; *(avsette)* market; *(bli av med)* dispose of; ~ *billig* sell cheap; ~ *dyrt* sell dear, sell at a high price; ~ *sitt liv dyrt* sell one's life dear(ly); ~ *etter prøve* sell by sample; ~ *for et beløp* sell for an amount; ~ *igjen* resell; ~ *på avbetaling* sell under hire-purchase, sell on the hire-purchase system; ~ *noe til en* sell sby sth, sell sth to sby; ~ *til en høy pris* sell at a high price; ~ *ut* sell out, clear off *(fx* all one's stock); ~ *ved auksjon* sell by auction, auction; ~ *varer ved dørene* sell goods from door to door; hawk *(el.* peddle) goods; *den mest solgte ovn på det norske marked* the stove with the biggest sales on the Norwegian market; *det mest solgte vaske-pulver i landet* T the biggest-selling washing powder in the country; *denne boka er det solgt mer enn 10 000 eksemplarer av* this book has sold more than 10,000 copies; ~ *skinnet før bjørnen er skutt* count one's chickens before they are hatched; *han er solgt* T he's done for; he's a goner; *(se også utsolgt)*.

selgelig saleable, marketable.

selger seller; *(av yrke)* salesman.

selhund 🐾 seal.

selje 🌿 sallow, goat willow.

selleri 🌿 celery.

selot zealot. **selotisk** fanatical.

selskap company, society; *(selskapelig sammenkomst)* party; *(forening)* association, society; *holde en med* ~ keep sby company; *holde et* ~ give a party; T throw a party; *følg meg til stasjonen for -s skyld* go with me to the station for company.

selskapelig social; *(som liker selskap)* sociable; *(om dyr)* gregarious; ~ *samvær* social gathering; T social.

selskapelighet sociability; entertainment; parties; *de har stor* ~ they entertain a good deal.

selskaps|antrekk evening dress. **-dame** (lady's) companion. **-kjole** evening gown. **-kledd** dressed for a party. **-livet** social life, society; parties. **-løve** social success. **-mann** diner-out, man about town. **-menneske** a pleasant man (,woman) to have at a party; *han er ikke akkurat noe* ~ he has no social graces *(el.* accomplishments). **-reise** conducted tour. **-veske** evening bag.

selskinn sealskin.

selsnepe ❀ cowbane.
selsom strange, singular, odd.
selspekk seal blubber.
selters seltzer (water).
selunge ⚓ young seal.

I. selv (*pron*) myself, yourself, himself, herself, itself, ourselves, yourselves, themselves; (*omskrives ofte med*) own (*fx* he carried his own luggage; we bake our own bread); *det må du ~ bestemme* you must decide that for yourself; that is up to you; *døm ~* judge for yourself; *han er hederligheten ~* he is the soul of honour; *om jeg ~ skal si det* though I say it myself; *han vet ikke ~ hva han sier* he does not realize what he is saying; *hun er sunnheten ~* she looks (*el.* is) the picture of health; *være seg ~* be oneself (*fx* I'm not quite myself today); *han er ikke lenger seg ~* he is not his old self; *være seg ~ nok* be self-sufficient; *for seg ~* for oneself (*fx* work for o.); *han hadde et bord for seg ~* he had a table to himself; *en hel liten by for seg ~* a small town in its own right; *en verden for seg ~* a world of its own; *a w.* in itself; *snakke med seg ~* talk to oneself, soliloquize; *gå inn til deg ~!* go to your room! *komme til seg ~* (*etter besvimelse*) come to, come round, recover consciousness; *tenke ved seg ~* think to oneself.

II. selv *adv* (*endog, til og med*) even; *~ hans venner* even his friends.

III. selv (*konj*): *~ da* even then; *~ når* even when; *~ om* even if, even though.

selv|aktelse self-respect; *som har ~ self*-respecting. **-angivelse** (income) tax return; (*skjema*) (income) tax form; *sende inn sin ~* file one's (income) tax return; *innlevere en uriktig ~* make a false return.

selv|antennelse spontaneous ignition. **-bebreidelse** self-reproach. **-bedrag** self-delusion, self-deception.

selvbeherskelse self-command, self-control.

selv|bekjennelse (voluntary) confession. **-berget** self-supporting; *være ~ med mat* be s.-s. in food, have enough food. **-berging** self-support. **-beskatning** self-taxation, voluntary assessment. **-bestaltet** self-appointed, self-constituted; self-assumed. **-bestemmelse** self-determination. **-bestemmelsesrett** (right of) self-determination; (NB the right of a nation to self-determination).

selvbetjening self-service; *med ~* self-service (*fx* a s.-s. café*). **selvbetjenings|forretning** self-service store. **-vaskeri** launderette.

selv|betjent automatic, self-worked. **-bevisst** self-conceited, self-opinionated. **-bevissthet** self-conceit, self-importance, arrogance. **-binder** reaper and binder. **-biografi** autobiography. **-bygger** [person who builds his house with his own hands]. **-bærende** (*om karosseri*) self-supported.

selvdød (*adj*) dead (from accident or disease); *-e dyr* dead beasts.

selve himself, herself, itself; *~ kongen* the king himself; *~ innholdet* the actual contents; the c. themselves; the c. proper; *~ den luften han innånder* the very air she breathes; *på ~ bakken* on the bare ground.

selv|eier freeholder. **-eiertomt** freehold site. **-erkjennelse** self-knowledge. **-ervervende** self-supporting, self-employed. **-ervervet** self-acquired. **-forakt** self-contempt. **-fornedrelse** self-abasement. **-fornektelse** self-denial. **-fornektende** self-denying. **-forskyldt** self-inflicted; *det er ~* he has brought it on himself. **-forsvar** self-defence. **-forsynt** self-contained (*fx* campers must be fully self-contained). **-følelse** self-esteem, self-respect.

selvfølge matter of course; *ta noe som en ~* take sth for granted.

selvfølgelig (*adj*) inevitable; (*adv*) of course. **selvfølgelighet** matter of course.

selvgjort self-made; *~ er velgjort* ['self-done is well done', i.e. if you want it done well you must do it yourself].

selvgod conceited, priggish.
selv|godhet conceit, priggishness. **-hevdelse** self-assertion. **-hjelp** self-help; helping oneself; *hjelp til ~* helping people to help themselves. **-hjulpen** self-supporting, self-sufficient; *økonomisk ~* (*om stat*) economically self-sufficient. **-innlysende** self-evident, obvious.

selvisk selfish; *~ streben* selfish endeavour.
selviskhet selfishness.
selvklok opinionated, wise in one's own conceit.
selvkost: *se selvkostende.*
selv|kostende: *selge til ~* sell at cost. **-kritikk** self-criticism. **-laget** of one's own making, home-made, self-made. **-lyd** vowel.

selvmord suicide; *begå ~* commit suicide.
selv|morder(ske) suicide. **-mordersk** suicidal. **-mordforsøk** attempted suicide. **-motsigelse** self-contradiction; (*se innvikle*). **-motsigende** self-contradictory. **-nøyd** self-complacent.

selv om (*konj*) even if; even though.
selvoppholdelsesdrift instinct of self-preservation.
selv|oppofrelse self-sacrifice. **-oppofrende** self-devoting, self-sacrificing. **-portrett** self-portrait, portrait of the artist. **-ransakelse** self-examination. **-ros** self-praise; *~ stinker* self-praise is no recommendation. **-rådig** self-willed, wilful. **-rådighet** wilfulness.

selv|sagt: *se -følgelig.* **-sikker** self-assured, self-confident; (*neds*) cocksure. **-skreven** (*til noe*) the very man; *han er ~ til stillingen* he is the very man for the post.

selv|skyldner surety. **-skyldnerkausjon** surety. **-starter** self-starter.

selvstendig independent; *~ næringsdrivende* self-employed (tradesman); (NB a self-employed painter and decorator).

selv|stendighet independence. **-studium** private study; self-tuition. **-styre** self-government.

selvsuggestion auto-suggestion.
selvsyn: *ved ~* by personal inspection (*el.* observation).
selvtekt taking the law into one's own hands.
selvtilbedelse self-worship.
selvtilfreds self-satisfied, (self-)complacent, smug.
selvtilfredshet self-satisfaction, (self-)complacency, smugness.
selvtillit self-confidence, self-reliance; *mangel på ~* diffidence, self-distrust, lack of self-confidence.
selvtukt self-discipline.
selvvirkende automatic, self-acting.

semafor semaphore.
sement cement. **-ere** (*vb*) cement; (*jvf* støpe).
semester term (of six months); US (*også*) semester; *i -et* during term(-time).
semikolon semicolon.
seminar seminar; (*presteskole*) seminary; (*se lærerskole*).
semitt Semite.
semittisk Semitic.
semske: *-t skinn* chamois leather; *-de sko* suede shoes.
semulegryn semolina.

sen *adj* (*langsom*) slow; (*om tid*) late; *~ betaling* delayed (*el.* late) payment, postponed p.; *den -e betalingen* the delay in making payment; the delay in paying; the delayed settlement (*el.* payment); *han var ikke ~ om å komme* he was not long in coming; *bedre -t enn aldri* better late than never; *han kommer ofte -t hjem p.g.a. trafikken* the traffic often makes him late getting home; *han var ikke ~ om å starte bilen* he was not long in starting the car; (*se også senere, senest, sent*).

senat senate. **senator** senator.
sende (*vb*) send, dispatch, forward; (*også radio*) transmit; (*penger*) remit; post (*fx* he posted him a cheque in a letter); *~ bud etter* send for; *~ bud til en* send word to sby; *~ direkte* (*radio, TV*) broadcast (*el.* transmit) live;

~ opp en drage fly (el. put up) a kite; ~ noe i retur return sth; hans mor sendte ham i seng (også) his mother bundled him off to bed. **sende|bud** messenger. **-mann** ambassador.

sending (vareparti) consignment; US (også) shipment; (med skip) cargo, shipment; (post, også) item, parcel; article; (radio) broadcast; direkte ~ live broadcast (el. transmission); gjøre i stand flere -er til prepare more shipments for dispatch to . . . ; get more shipments ready for . . . ; make more goods ready for shipment to . . . ; get ready further shipments to . . .

sendrektig slow, dilatory.

sendrektighet slowness, dilatoriness.

sene 1 (anat) sinew, tendon; 2 (fortom) gut; (med flue på) cast; (lang, istdf snøre) trace (fx a nylon t.).

senehinne (anat) synovial membrane; (øyets) sclera. **-betennelse** synovitis; (i øyet) sclerotitis, sclerititis.

seneknute (anat) ganglion.

senere 1 (adj) later; (etterfølgende) subsequent; (kommende) future; et ~ tog a later train; i den ~ tid lately, recently, of late; i de ~ år in (el. of el. during) recent years, of late years, in the last few years; det er først i de ~ år at it is not till the last few years that; 2 (adv) later (on); (etterpå) afterwards; før eller ~ sooner or later; ~ hen later on; ikke ~ enn not later than; litt ~ a little later, after a little while; some time later; ~ på året later in the year; ser deg ~ ! T see you later; I'll be seeing you.

seneskjede (anat) synovial (el. tendon) sheath. **-betennelse** tenosynovitis, tenovaginatis.

senest 1 (adj) latest; de -e meldinger the latest reports; 2 (adv): ~ fredag on or before Friday; not later than F.; han kommer onsdag kveld eller ~ torsdag morgen he is coming on Wednesday night or at the latest on Thursday morning; ~ 3. april by (el. on) April 3rd at the latest; not later than April 3rd; on or before April 3rd; ~ fra 4. mai from May 4th at the latest; (tlgr & annonse) from latest May 4; ~ en uke fra dato not later than a week from today; within a w. from today; in a w. at the latest; ~ om tre uker in three weeks' time at the latest; ~ i morges only this morning.

senestrekk sprain.

seng bed; ~ til å slå opp pop-up bed; i ~ in bed; bytte på -a change the bedclothes; re -a make the bed; gå i ~, gå til -s go to bed; T turn in; S (også US) hit the hay; (når man er syk) take to one's bed; nå vil jeg i ~ I am for bed now; holde -a keep one's bed, be confined to one's bed; T be laid up; jeg ble jaget opp av -a kl. 6 i dag morges (også) they routed me out of bed at six this morning; legge seg godt til rette i -a snuggle up in bed; ligge til -s med ⚡ be laid up with; (se forte seg).

senge|forlegger (bedside) rug. **-halm** bedstraw. **-hest** bedstaff (pl: bedstaves). **-himmel** tester. **-kamerat** bedfellow; bedmate; hans lille ~ (ɔ: pike) T his little bit of fluff. **-kant** edge of a bed (fx he sat down on the e. of the b.). **-plass** sleeping accommodation; (se I. skaffe). **-stige** bed-steps. **-stolpe** bedpost. **-teppe** (som bres over senga) bedspread, coverlet. **-tid** bedtime; det er over ~ for deg it's past your b. **-tøy** bedding, bedclothes. **-varme** the warmth of the bed, warmth in bed. **-væter** bed-wetter.

senhet slowness; (sendrektighet) slowness, dilatoriness.

senhøstes in late autumn.

senior senior.

seniorsjef senior partner.

senit zenith.

senk: bore et skip i ~ sink a ship; skyte i ~ sink (by gunfire).

senke (vb) sink); let down, lower; ~ blikket cast down one's eyes; ~ prisene lower (el. reduce) prices; ~ et skip sink a ship, kill a ship; han -t

stemmen til en hvisken he sank his voice to a whisper; ~ seg fall (fx night was falling); med -t blikk with downcast eyes; ~ ned (i vann) submerge, immerse.

senking sinking; lowering, reduction; en ~ av lønnsnivået a reduction in the wage levels; (se senkning).

senkning 1 (i terreng) hollow, dip, depression; 2. = senking.

senkningsreaksjon (blood) sedimentation rate; (jvf blodsenkning).

senn: smått om ~ gradually, little by little. **sennep** mustard. **senneps|frø** mustard seed(s). **-krukke** mustard pot.

sensasjon sensation; lage ~ cause (el. make) a s. **sensasjonell** sensational.

sensasjonslysten sensation-seeking, avid for sensation.

sensibel sensitive, touchy; T thin-skinned.

sensor 1. censor; 2 (til eksamen) external examiner (fx e. e. in written English for O-level).

sensu|alisme sensualism. **-ell** sensual.

sensur 1. censoring; censorship; 2. (list of) examination results; -en faller i morgen the results will be announced tomorrow; sette under ~ (1) subject to censorship.

sensurere (vb) 1. censor; 2 (gi karakter) mark; US grade; (allerede rettede oppgaver, i England) moderate.

sent (adv) late; ~ og tidlig at all times; for ~ too late; to timer for ~ two hours late; 10 minutter for ~ ute 10 minutes late; komme for ~ be late, arrive too late; komme for ~ til noe be late for sth, miss sth (fx miss the train); være ~ oppe stay up late; så ~ som as late as (fx as l. as the 19th century); så ~ som i går only yesterday, as recently as yesterday; så ~ på året so late in the year; som ~ skal glemmes that will not soon be forgotten; (se også sen).

sentenkt slow-thinking, slow-witted.

sentens maxim, saying.

senter|bor centre (,US: center) bit. **-forward** (fotb) centre (,US: center) forward. **-half** centre (,US: center) half(-back).

sentimental sentimental.

sentimentalitet sentimentality.

I. sentral (subst) central agency; (tlf) (telephone) exchange; US (også) t. central; -en svarer ikke I can't get through to the exchange. **-bord** switchboard; (se sprenge). **-borddame** switchboard operator. **-fyring** central heating. **-fyringsanlegg** central heating plant; (se fjernvarme).

II. sentral (adj) central; -t beliggende centrally situated; ~ beliggenhet central position; vi bor -t we live in a central (el. convenient) position; vi bor -t, like ved X T we're nice and near X. **sentrali|sasjon** centralization. **-sere** (vb) centralize. **-sering** centralization.

sentralstillverk (jernb) (relay) interlocking plant; (bygning) control tower.

sentralstyre central board.

sentring (fotb) pass.

sentri|fugalkraft centrifugal force. **-fuge** (til tøy) spin drier; (agr) cream separator. **-petalkraft** centripetal force.

sentrum centre; US center.

sentrumsbor centre (,US: center) bit.

separasjon separation.

separat (adj) separate; (adv) separately; (om postsending, også) under separate cover.

separatfred separate peace.

separa|tisme separatism. **-tist** separatist. **-tistisk** separatist.

separere (vb) separate.

september September; ~ måned the month of S.

septer sceptre.

septett septet.

septiktank septic tank, soil tank. **septisk** septic.

seraf seraph. **serafisk** seraphic.

serber Serbian, Serb.

Serbia (geogr) Serbia. **serbisk** Serbian.

seremoni ceremony. **seremoniell** (*subst*) ceremonial; (*adj*) ceremonious, ceremonical.
seremonimester master of ceremonies, M.C.
serenade serenade.
serie series; (NB *pl:* series); set (*fx* a complete set of stamps).
serinakake [small tea cake].
serk slip; (*glds*) shift; *brude-* bridal shift.
serpentin serpentine.
sersjant ✗ sergeant.
sertifikat certificate; *skipsfører-* master's c; (*førerkort*) driving licence; US driver's license.
sertifisere (*vb*): ~ *en bil* register a car.
sertifisering (*av bil*) **1.** registration of a (new) car); **2** (*periodisk kontroll*) vehicle (fitness) test (*fx* annual vehicle test on cars more than ten years old); (NB even after registration a car cannot be used on the roads until it is licensed).
serum serum.
servant washstand.
servelatpølse saveloy; polony (sausage).
server|e (*vb*) serve; (*varte opp*) wait (at table); *middagen er -t* dinner is served; *kom, det -es is* come along, there are ices going; ~ *en noe* serve sby with sth (*fx* the waiter served us with soup).
servering service; (*motsatt selvbetjening*) table service; *Hva slags ~ skal det være?* - *Det blir stående buffet* What kind of meal will be served? - There will be a (standing) buffet (,buffet lunch (,*etc*)). **-sdame** waitress. **-sluke** service hatch.
service service. **-bil** breakdown lorry (*el.* truck); S crash wagon; US tow truck; wrecker. **-mann** (*ved fx smørehall*) garage hand. **-stasjon** service station.
serviett napkin, serviette. **-ring** napkin ring.
servil servile. **servilitet** servility.
servise service, set (*fx* dinner s.).
servitutt (*jur*) servitude, easement.
sesjon session; attendance at (the)medical board; *bli innkalt til ~* ✗ come up before the m. b.
sesong season; *den stille -en* the dull (*el.* slack *el.* dead) s.; *den travle -en* the busy (*el.* rush) s.; *-en er snart forbi* the s. will soon be over; we are now at the end of the s.; *tiden mellom -ene* the off season; *så langt ute i -en* so late in the s.; *det er allerede langt ute i -en* the s. is already far advanced; *utenfor -en* in the off s.; *det er jordbær-nå* T strawberries are now in.
sesong|arbeid seasonal work. **-billett** season ticket. **-hjelp** (seasonal) casual (*fx* a Christmas c.).
sess seat; *tung i -en* slow-moving.
sete seat; (*legemsdel*) buttocks; ~ *for* the seat of.
setebad hip bath, sitz bath.
setefødsel ⚇ breech presentation.
seter 1. mountain (summer) pasture; alpine pasture (*el.* meadow); 2. mountain (*el.* alpine) (dairy) farm.
seter|bruk mountain dairy farming; alpine d. f. **-bu** mountain (*el.* alpine) hut. **-drift** = *-bruk.* **-hytte** = *-bu.* **-jente** dairymaid (at a mountain farm). **-vang** [fenced-in meadow near mountain farm]. **-vei** cattle track, farm road. **-voll** = *-vang.*
setning (*gram*) sentence; clause; (*mat.*) theorem; (*påstand*) thesis.
setnings|bygning sentence structure. **-lære** syntax. **-mønst|er** sentence pattern; *korrekte -re* patterns on which correct sentences are made.
setre (*vb*) keep cattle and sheep at a mountain farm.
sett 1 (*subst*) set (*fx* of tools, of underwear); 2 (*måte*) manner, way; *på ~ og vis* in a way; (*i grunnen*) in a sense; (*på en eller annen måte*) somehow (or other), in some way or other; 3. jump, start; *det ga et ~ i henne* she gave a start; *med et ~* with a start (*fx* he awoke with a s.), suddenly; 4 (*rekkefølge*): *i ett* ~ all the time; (*se kjør: i ett* ~); 5 (*perf part av «se»*): *rent forret-ningsmessig ~* from a purely commercial point of view; *stort ~* broadly speaking, roughly speaking; *stort ~ pent* (*vær*) mainly fair; 6 (*imperativ av*

sette 4): ~ *at...* suppose, supposing (*fx* s. he comes, what am I to say? s. it rains, what shall I do?); let us suppose that, granting (*fx* g. that this is true).
settbord nest of tables.
sette *vb* 1 (*anbringe*) place, put, set (*fx* a cup on the table); T stick (*fx* just s. the vase over there); (*i sittende stilling*) seat (*fx* s. the patient on a couch); 2 (*fastsette*) fix, set, appoint; 3 (*anslå*) put, estimate (*til* at); 4 (*anta, forutsette*) suppose (*fx* let us s. that what you say is true); (*se også oppslaget «sett» 6. ovf*); 5 (*som innsats*) put (*fx* a fiver on a horse), stake; 6 (*typ*) compose, set (up) (*fx* a page); set up type; 7 (*plante*) plant, sow; 8 (*garn, trål, etc*) throw (*fx* the nets), cast (*fx* a net into the water); shoot;
[*A: Forb. med subst; B: med prep & adv; C: med «seg»*];
A: *artikkelen var allerede satt* the article was already in type; ~ *barn på en pike* T get a girl with child; ~ *barn til verden* bring children into the world; *jeg -r aldri mine ben der i huset mer* I'll never set foot in that house again; ~ *farge på* add colour to; ~ *farge på tilværelsen* (*også*) give (*el.* lend) zest to life; ~ *en felle for* set a trap for; ~ *en grense for* set (*el.* fix) a limit to, confine within a limit; set bounds to; ~ *knopper* bud; ~ *livet til* lose one's life; *møtet er satt* the sitting is open; the sitting is called to order; ~ *punktum* put a full stop; ~ *en stopper for* put a stop (*el.* an end) to; ~ *en strek under noe* underline sth; (*se for øvrig under vedk. subst: blomst, bo, gang, rekord, skrekk, spiss, ære m. fl.*);
B: ~ *av* (*passasjer*) put down, set down; discharge, deposit (*fx* a bus which has stopped to receive or d. passengers); T drop (*fx* I can drop you at the hotel); ~ *av til* (*el formål*) set apart (*el.* aside) for (a purpose); earmark (*fx* a sum for travelling expenses); (*om midler*) allocate to; (*til reserve*) set aside for the reserve fund (*el.* account); (*amputere*) amputate; ~ *av sted* set off; ~ *bort et barn* (*i pleie*) put a child out to nurse; ~ *bort en* (*skole*)*time* hand a lesson over to a substitute (*el.* deputy); ~ *etter* set off in pursuit of, give chase to; *vi satte etter dem* (*også*) we cut after them; *de satte etter ham* (*også*) they gave chase; ~ *fast* (*arrestere*) arrest; T run in; ~ *noe fast på noe* fix sth on sth (*fx* a lid on a box); ~ *glasset for* munnen put the glass to one's lips; ~ *en skjerm 'for* interpose a screen; ~ *fra* (*land*) shove off, push off; ~ *fram* 1. put out, set out; ~ *fram mat til en* put out (*el.* get out) food for sby; ~ *fram vin til en* set wine before sby; ~ *fram stoler til gjestene* place chairs for the visitors; 2 (*forslag*) put forward (*fx* a proposal); (*krav*) make, put in, put forward (*fx* a claim); ~ *høyt* value highly (*el.* greatly), rate highly, think much of, have a high opinion of; T think a lot of; ~ *i* (*investere*) invest in, put into (*fx* put one's money into houses); ~ *i arbeid* (*merk: om bestilling*) put in hand; *vi skal ~ gardinene i arbeid med en gang* we will have work started on the curtains at once; (*merk*) we will put the c. in hand at once; ~ *i avisen* put (*el.* insert) in the newspaper, print (*fx* the editor won't p. that); *orkesteret satte i* the band struck up; *hun satte et fiskebein i halsen* she got a fishbone (stuck) in her throat; *a f. stuck in her t.*; ~ *i et hyl* let out a yell; ~ *i å* (suddenly) begin (*el.* start) to (*fx* cry), start (-ing); ~ *i å gråte* (*også*) burst into tears; ~ *i å le* (*også*) burst out laughing; ~ *i å synge* (*også*) burst into song, break into a song; ~ **igjennom** carry through (*fx* a scheme), carry into effect; effect (*fx* one's purpose (*sitt forehavende*)); *foreldrene har satt igjennom at...* the parents have succeeded in (*fx* obtaining a week's holiday for their children); *vi har endelig fått satt igjennom hos sjefen at...* we have at last succeeded in persuading the boss to (*fx* give us Saturday off); we have at last induced (*el.* prevailed upon) the boss to...; *de fikk satt*

igjennom at ministeren ble avsatt they succeeded in getting the minister relieved of his post; ~ *igjennom en plan* get a plan carried out, put through a plan; ~ *igjennom sin mening* gain acceptance for one's opinion; ~ *sin vilje igjennom* get one's way; ~ **inn** put in (*fx* a new window pane), fit in, set in; insert (*fx* another word); coat, impregnate (*med* with); (*som innsats*) stake; ~ *inn tropper* bring troops into action; ~ *inn flere tog* run (*el.* put on) more trains; *det vil bli satt inn to dieselelektriske lokomotiv på Bergensbanen* two Diesel-electric locomotives will be put into service on the Oslo—Bergen line (*el.* will be added to the Oslo—Bergen service); ~ *inn £5 på sparekonto* 1. open a savings account with £5; 2. put (*el.* place *el.* deposit) £5 in one's savings account; (*begynne*): *det satte inn med frost* it started to freeze; *det satte inn med regn* it started to rain, it came on to rain; *det satte inn med tett tåke* (a) dense fog set in; ~ *en inn i* (*embete*) install sby (in office); (*en sak*) give sby a briefing (about sth); ~ *en inn i saken* put sby in the picture; show sby how matters stand; ~ *alt inn på å ...* concentrate on (-ing), make (*el.* use) every effort to; do one's utmost to; exert all one's influence to; *alle krefter må -s inn på å ...* no effort must be spared to ...; ~ *noe inn på å ...* make an effort to ...; ~ **mot** bet against (*fx* I'll bet my car against your horse); ~ *hardt mot hardt* meet force with force; ~ *skulderen mot* put one's shoulder to; ~ **ned** put down, set down, deposit; (*pris*) reduce, put down; ~ *ned prisen på en vare* lower the price of an article; ~ *ned farten* reduce speed; ~ **om** (*typ*) reset; ~ *om til* (*oversette til*) translate into, turn into (*fx* turn it into English); ~ **opp** put up (*fx* a house, a tent, a fence); fit up; set up; (*pris*) put up, raise, advance; *det var vi som satte ham opp* (o: *fikk ham til å gjøre det*) we put him up to it; ~ *opp et alvorlig ansikt* put on (*el.* pull) a grave face; ~ *opp et rart ansikt* pull a funny face; ~ *opp et uskyldig ansikt* assume an air of innocence; ~ *opp dampen* raise (*el.* get up) steam; ~ *opp farten* speed up, put on speed, accelerate; *det vil bli satt opp et ekstratog* they are running an extra train; (*jvf* ~ *inn* (*ovf*)); ~ *opp håret* 1. put one's hair up; 2. put one's hair in curlers; ~ *opp en liste* make up (*el.* draw up *el.* prepare) a list; ~ *opp en uskyldig mine* put on an innocent air, assume an air of innocence; *det er satt opp 1000 kroner i premier* prizes to the value of 1,000 kroner are offered; ~ *opp et* (*teater*)*stykke* put on a play; ~ *dem opp mot hverandre* turn (*el.* set) them against each other; make bad blood between them; *hans kone må ha satt ham opp til det* his wife must have put him up to that; ~ **over** leap (over), jump (over), clear (*fx* a ditch), take (*fx* the horse took the fence); cross (*fx* a river), ferry across (*el.* over); (*vann til kaffe, etc*) put the kettle on, put (the) water on to boil; (*tlf*) put through (*fx* I'm putting you through to the secretary); «*Er De der?* — *vil -r jeg Dem over.*» (*tlf*) Are you there? I'm putting you through now; (*sette høyere enn*) put above (*fx* put Keats above Byron), rate higher than, prefer; (*som foresatt*) put over (*fx* put a younger man over me); ~ *partiets interesser over landets* put party before country; ~ *noe over alt* prize sth above everything; *vi -r Dem nå over til X* (*radio*) we now take you over to X; ~ **på** (*fastgjøre*) fix, fit on (*fx* a new tyre), affix; *det er satt hengsler på lokket* the lid is fitted with hinges; ~ *noe på noe* put sth on sth, fit sth to sth, fix sth on sth, affix sth to sth; ~ *på gata* throw out; (*om leieboer*) evict, throw (*el.* put) out on the street; ~ *på porten* throw (*el.* kick *el.* chuck) sby out; ~ *alt på ett kort* stake everything on one card (*el.* throw); put all one's eggs in one basket; ~ *hunden på en* set (*el.* sic) a dog on sby; ~ *på en kalv* raise a calf; ~ *en på tanken* suggest the idea to sby; ~ **sammen** put together (*fx* a letter, the parts of a mechanism),

join (together); write, turn out (*fx* an article); draw up (*fx* a programme); (*maskin*) assemble; ~ *sammen et brukket ben* set a broken leg; reduce a (leg) fracture; ~ *sammen en god middag* put together a good dinner; ~ *sammen et togsett* marshal a train; US form a train; ~ **til** (*tilsette*) add; (*blande*) mix; (*om pris*) fix at (*fx* f. the price at £5); put at (*fx* I should put his income at £5,000 a year); estimate at; ~ *en til å gjøre noe* set sby to do sth, charge sby with doing sth; *to mann ble satt til å passe på ham* (*også*) two men were told off to watch him; *de som er satt til det* the people whose duty it is to do it; the people charged with doing it; ~ *ord til en melodi* write the words for a tune; ~ *til side* put aside (*fx* we have put the goods ordered aside in our warehouse; the goods ordered have been put aside); (*se* ~ *av til, tilsidesette*); ~ *en til veggs* get the better of sby, floor sby; (*med argumenter, også*) T blow sby sky-high; ~ **tilbake** put back, replace (*fx* a book); return to its place; (*i vekst, utvikling, etc*) delay, retard; (*økonomisk*) put back, check; *dette tapet har satt ham svært tilbake* this loss has hit him hard (*el.* has put him back a long way); *det har satt eleven flere måneder tilbake* it has made the pupil several months behindhand; ~ *sitt navn under* put (*el.* set) one's name to, set one's hand (*el.* signature) to; ~ **ut** put out (*fx* put a boat out); ~ *ut et barn* expose a child; ~ *ut skiltvakter* post sentries; ~ *ut et rykte* put about a rumour; ~ *ut av drift* put out of operation; (*se også drift*); ~ *ut av kraft* invalidate, annul, cancel; ~ *ut i livet* realize, realise, execute (*fx* a plan), launch (*fx* a programme); carry (*el.* put) into effect; ~ *en utenfor* exclude sby (*fx* measures to e. foreign competitors); *han følte seg satt utenfor* (*fig*) he felt left out (of things); he felt out of it; ~ **utfor** *for første gang* (*på ski*) make one's first real downward run;

C: ~ **seg** (*ta plass*) sit down, take a seat, seat oneself; (*om fugl, etc*) perch (*fx* on a twig); settle (*fx* the butterfly settled on my hand); (*om fundament*) settle; subside; (*om støp*) set; (*bunnfelle seg*) settle (*fx* let the wine s.); ~ *seg* **bakpå** get (*el.* sit) up behind; ~ *seg* **bort til bordet** sit up to the table; ~ *seg* **fast** stick, get stuck; (*om maskindel, etc*) jam; (*få fotfeste*) get (*el.* gain *el.* secure) a foothold; *de satte seg fast i landet* they established themselves in the country; ~ *seg fast på* stick to (*fx* burrs stick to one's clothes); ~ *seg* **fore** *å* decide to, plan to, propose to, intend to, set oneself the task of (-ing), set out to; *han hadde satt seg fore å ...* he was concerned to; ~ *seg* **i bevegelse** start moving; ~ *seg i forbindelse med* get in touch with; ~ *seg i gjeld* run (*el.* get) into debt; ~ *seg i hodet at* take it into one's head that; ~ *seg i ens sted* put oneself in sby's place (,*el.* T: shoes); ~ *seg* **imot** oppose, protest against; resist, make a stand against; ~ *seg* **inn** i get up (the details of the case), study, acquaint (*el.* familiarize) oneself with; (*kunne forstå*) realize, realise, appreciate (*fx* I quite a. your difficulties); *kunne* ~ *seg inn i* enter into (*fx* sby's feelings (,ideas)); ~ *seg* **ned** sit down; ~ *seg* **opp** sit up; ~ *seg opp for natten* perch (*el.* roost) (for the night); ~ *seg opp mot* revolt against, rise against, rebel against; ~ *seg opp på* mount (*fx* a horse, a bicycle); ~ *seg* **plent:** *se plent;* ~ *seg på* sit down on (*fx* a chair); (*tilegne seg*) appropriate; T grab; ~ *seg på enden* sit down, fall on one's behind; ~ *seg på sykkelen* get on (*el.* mount) one's bicycle; ~ *seg* **til** settle down (*fx* for a talk), stay; *det ser ut som om han har tenkt å* ~ *seg til* it looks as if he intends to stay; ~ *seg til å gjøre noe* set about doing sth, set oneself to do sth; ~ *seg til bords* sit down at (the) table; ~ *seg til motverge* offer resistance, fight back, defend oneself, resist; ~ *seg til rette* settle oneself (*fx* in a chair); ~ *seg* **ut over** disregard, take no notice of (*fx* an objection, the way people talk);

set aside, overrule (*fx* a decision, an objection); ignore (*fx* a prohibition); override (*fx* an objection); (*brutalt*) ride roughshod over (*fx* his objections).

sette|dommer (*jur*) substitute judge. **-fisk** [hatchery-produced fish for stocking]; (*kan gjengis*) young fish. **-garn** set net. **-kasse** (*typ*) (letter) case. **-maskin** (*typ*) type-setting machine; linotype; (*for poteter*) potato planter. **-potet** seed potato.

I. setter (*hund*) setter.

II. setter (*typ*) compositor.

setteri composing room.

severdig worth seeing.

severdigheter (*pl*) sights; *bese* ~ go sightseeing.

sevje sap; *full av* ~ sappy.

sfinks sphinx.

sfære sphere; *hun svever oppe i de høyere* -*r* she has her head in the clouds; *she is up in the clouds.*

sfærisk spherical.

shampoo shampoo; (*se hårvask*).

sherry sherry.

shetlandsk Shetland.

Shetlandsøyene *pl* (*geogr*) the Shetland Isles, the Shetlands.

shetlender Shetlander.

shipping shipping.

I. si: *på* ~ on the side (*fx* earn money on the s.), in addition.

II. si (*pron*): *se sin.*

III. si (*vb*) 1. say, speak, tell; 2 (*fortelle*) tell; 3 (*bety*) mean (*fx* it means a lot), signify; 4 (*nevne, omtale*) mention (*fx* I had forgotten to m. that; I shall m. it to him); 5 (*om ting: lyde*) go (*fx* crack went the whip);

[*A: forskjellige forb.; B: forb. med infinitiv:* (å) *si; C: med prep, adv, konj; D: sies; E: sagt*].

A: ~ *en noe* tell sby sth; ~ *en komplimenter* pay sby compliments; *så* -*er* vi **det!** (ɔ: *så er det en avtale*) that's settled, then! all right, then! ~ *ikke det for sikkert* don't be too sure (*el.* certain) about that; *ja, det sa jeg det!* yes, that's what I said! (*reiser han?*) — *ja, han* -*er så* (*el. han* -*er det*) (is he leaving?) — so he says; *du* -*er ikke det!* you don't say; (*iron*) you're telling me! *det* -*er jeg Dem!* let me tell you! take it from me (*fx* t. it from me, you'll be sorry for this!); *hvem har sagt det?* who said that? who told you (that *el.* so)? *det* -*er meg ingenting* that doesn't convey anything to me; -*er* '*det navnet deg noe?* T (*også*) does that name ring a (*el.* any) bell? ~ *meg det!* tell me! *jeg* -*er det til mor!* I'll tell mum! *det* -*er jeg alltid* -*er* that is what I always say; . . .*og det* -*er ikke så lite* . . .which is saying (*el.* which means) a good deal (*el.* a lot); *han sa han var* **enig** *i det alt vesentlige* he described himself as being essentially in agreement; **hva** -*er De?* (ɔ: *hva behager*) (I beg your) pardon; what did you say? *etter hva han* -*er* according to him (*el.* to what he says); *han vet ikke hva han selv* -*er* he does not realize what he is saying; *det var ikke godt å forstå hva hun sa, for hun lo hele tiden* one could not properly understand what she said, for she kept laughing while she spoke; *hva var det jeg sa?* (ɔ: *var det ikke det jeg (forut)sa?*) what did I tell you! didn't I tell you (so)! I told you so! *man kan ikke høre hva man selv* -*er* (*p.g.a. støy*) you can't hear yourself speaking; *nei, hva er det jeg* -*er* (*ved forsnakkelse*) no, what am I saying; no, listen to me; **man** -*er at* it is said that; they say that, people say that; they tell me that; *det* -*er man* that is what they say; *som man* -*er as they say*; *as the saying goes;* (*uttrykk for forbehold*) as you might say; *man* -*er så* **mangt** (*el.* **meget**) people will talk, you know; you hear all sorts of things; *han* -*er ikke så meget* he does not say very much; (*neds*) he has not got very much to say for himself; *hvilket ikke* -*er så meget* which isn't saying much; *det* -*er meg ikke så meget* that doesn't help (*el.* tell) me very

much; that doesn't convey very much to me; ~ *ikke* **mer!** say no more! ~ **sannheten** speak (*el.* tell) the truth; ~ *en sannheten* tell sby the truth; -*er og skriver 10* ten — repeat ten; ~ **seg** *løs fra* dissolve one's connection with; break away (*el.* secede) from (*fx* the Commonwealth); *det* -*er seg selv* (*at*) it goes without saying (that); *it stands to reason (that); it is an understood thing (that); slikt* -*er man ikke!* T that's no way to talk! *what a thing to say!* *vel, som jeg sa, så* . . . well, as I was saying . . . ; *som Shakespeare* -*er seg* S. says (*el.* has it); *som ordspråket* -*er* as the saying goes; *gjør som jeg* -*er* do as I say (*el.* tell you); *jeg* -*er det som det er* I merely state facts; ~ *en* **takk** thank sby, express one's gratitude to sby (*for* for); **unnskyld** *at jeg* -*er det* excuse (*el.* forgive) me saying so; ~ *en* **veien** tell sby the way; **vi** -*er ti* (*ved fastsettelse av beløp, etc*) we'll make it ten; shall we say ten?

B: *for å* ~ *det som det er* to tell the truth, frankly; *not to mince matters; not to put too fine a point on it; for ikke å* ~ not to say; *for ikke å* ~ *for meget* to say the least of it; *la meg imidlertid få* ~ *hvor verdifullt* . . . *may* I say, however, how valuable . . . ; *hva har det å* ~*?* what does it matter? *jeg har ikke noe å* ~ I have no say in the matter; *det har lite* (,*ikke noe*) å ~ it counts for little (,*for nothing*); *det har så lite å* ~ it means so little; *det har meget* (*el. mye*) å ~ it counts for much; it means a great deal (to me, *etc*); *han har meget å* ~ *hos* he has great influence with, his word carries weight with; T *he has (a) pull with; det har mindre* (*el. ikke så meget*) å ~ it does not matter so much, it does not much matter (*fx* whether you do it or not); *det hadde noe å* ~ *dengang* that counted (*el.* went) for sth in those days; *du har ikke noe å* ~ *over meg* I don't take my orders from you; *jeg har hørt* ~ *at* I have heard (it said) that; *du kan så å* ~ quite (so); yes, indeed! *hvordan kan du* ~ *det!* how can you say that! *ja,* '*det kan* '*du* ~, *det!* it's all right for 'you to say that! *du kan* ~ *hva du vil, men* . . . you may say what you like, but . . . ; *jeg kan ikke* ~ *annet enn at* . . . all I can say is that; *jeg kan ikke* ~ *Dem hvor det gleder meg* I cannot tell you how pleased I am; *kan De* ~ *meg veien til stasjonen?* can you tell me the way to the station? *det skal jeg ikke kunne* ~ *Dem* I wouldn't know; I couldn't tell; *det bedrøver meg mer enn jeg kan* ~ it grieves me more than words (*el.* I) can say; it grieves me beyond expression; (*ja,*) *det kan man godt* ~ well, in a way; *man kan ikke* ~ *annet enn at han gjør fremskritt* there is no denying that he is making progress; you can't say that he is not improving; *ingen skal kunne si om oss at vi kaster bort tiden* nobody will be able to say that we are wasting our time; *jeg har latt meg* ~ *at* I have been told that; *det må jeg* ~! well, I never! good Lord! can you beat it! (*indignert*) I like that! can you beat it! *jeg må* ~ *jeg er overrasket* I must say I am surprised; I am surprised, I 'must say; *jeg må* ~ *han er ikke* **gjerrig** I 'will say that for him that he isn't stingy; *jeg må* ~ *det var pent av ham* (*også*) I call that handsome (of him); *om jeg så må* ~ if I may say so; *sant å* ~ to tell (you) the truth; *if the truth must be told; as a matter of fact; jeg skal* ~ *deg hva som hendte* I will tell you what happened; *det skal jeg* ~ *deg* I'll tell you; well, it's like this; *jeg traff ham i går*, *skal jeg* ~ *deg* I met him yesterday, you see; *jeg skal* ~ *deg noe!* I'll tell you what! *nå skal jeg* ~ *deg en ting!* let me tell you one thing! I'll tell you what! *om jeg selv skal* ~ *det* though I say it myself (*who shouldn't*); *jeg skal* ~ *fra far at* . . . *father asked me to say that* . . . ; (*jvf hilse fra*) *ja, hva skal man* ~ *til det?* well, what can one do about it? well, there it is! *skal vi* ~ shall we say . . . , *let us say* . . . ; *say* . . . ; *vel, vel, la oss* ~ £*10!* all right, make it £10; *så å* ~ so to say, so to speak, as it were; (ɔ: *nesten*) practically, almost, as good as; *uten å ~ noe* without speaking; without saying anything; *det vil ~* (fk. *dvs.*) that is (fk. i.e.), that is to say; that means (fx that means he must be ruined); *jeg kjenner ham, det vil ~ jeg har truffet ham noen ganger* I know him, at least I have seen him a few times; *De har å passe på, det vil jeg bare ~ Dem!* you have got to be careful, let me tell you! *vil du ~ meg hvilken jeg bør ta?* (også) will you advise me which to take? *vil du dermed ~ at ...?* do you mean to say (el. do you imply) that ...? *hva mon han vil ~?* what will he say, I wonder? *det var nettopp det jeg ville ~* that was just what I was going to say; *han vet hva det vil ~ å være fattig* he knows what it is (like) to be poor; *det er ikke godt å ~ når ...* there is no saying (el. telling) when ...; *det er ikke mer å ~* there is nothing more to be said;

C: ~ **bort** give away (fx a secret); ~ **etter** repeat (fx r. it after me!); imitate (fx the parrot can i. everything you say); ~ **fra** (gi beskjed) say so (fx if you want anything, say so); say the word; *du må bare ~ fra* you have only to say the word; (synge ut) speak one's mind; speak up (in no uncertain manner), speak straight from the shoulder; ~ *fra hvis ...* let me know if ...; *gå (sin vei) uten å ~ fra* go without leaving word, leave without any warning; *han ville ikke ~ hverken til eller fra* he refused to (el. would not) commit himself; he would not say anything one way or the other; ~ **fram** recite (fx poetry); ~ **imot** contradict; (se D); ~ **det med** blomster say it with flowers; ~ **opp** give notice (fx the cook has given notice); (jvf inngi & oppsigelse); ~ *opp en avis* cancel (el. discontinue) one's paper; ~ *opp en kontrakt* terminate an agreement; ~ *opp en leieboer* give a tenant notice (to quit); ~ *opp leiligheten* give notice that one is giving up (el. is leaving) one's flat; *jeg har sagt opp stillingen til 1. mai* I have handed in my notice for the first of May; *ha noe å ~ på* en find fault with sby; *det eneste man kan ha å ~ på* ham the only thing that can be said against him; *ham er det ikke noe å ~ på* he is all right; *det er det ikke noe å ~ på* no one can object to that; that is only fair; fair enough; I don't blame you (,him, etc); ~ *noe* til *en* tell sby sth; ~ *til en* at han skal gjøre noe tell sby to do sth (fx tell him to come; he was told not to come); *jeg sa til ham at han skulle la være* I told him not to; *hva -er du til ...?* what do (el. would) you say to (fx having lunch now?), what about (fx w. about a drink?), how would it be if (fx we invited Smith?); *hva sa han til det?* what did he say to that? ~ *ja* til accept (fx an invitation); *han visste ikke hva han skulle ~ til det* he did not know what to make of it; ~ *til seg selv* say to oneself;

D: *det -es* that is what people (el. they) are saying; *det -es at ...* it is said that ..., they (el. people) say that; *han -es å være ...* he is said (el. reputed) to be ...; they say he is ...; *etter hva som -es according* to what people say; *det -es så mangt* people will talk (you know); you hear all sorts of things; *det samme kan -es* om the same holds good (in respect) of; *det kan -es at* (ɔ: *brukes som argument*) it is arguable that; *det kan -es meget både for og imot* there is a good deal (el. a lot) to be said on both sides; *det må -es å være billig* that must be said to be cheap; *det skal -es at ...* (ɔ: *innrømmes*) it must be admitted that ...; *så meget kan -es* this much may be said;

E: *det er blitt sagt meg at* I have been told that; *dermed er alt sagt* that is all there is to be said about it; there is no more to be said; *dermed er det ikke sagt at ...* it does not follow that ...; *han kan få sagt det* he knows how to say these things; *han fikk sagt hva han ville* he had his say; *kort sagt* in short, briefly, to make a long story short; *det er lettere sagt enn gjort* it is easier said

than done; *det er meget sagt* that is a big assertion to make; *det er for meget sagt* that is saying too much; that is putting it too strongly; that is overstating it; that is an exaggeration; I would not go as far as that; *det er ikke for meget sagt at* it is no exaggeration to say that; *mellom oss sagt* between ourselves; between you and me (and the gatepost); *jo mindre sagt om det, desto bedre* least said, soonest mended; *rent ut sagt* frankly; to tell the truth; *eller rettere sagt* or rather; *han har ikke noe han skal ha sagt* he has no say in the matter; he has no influence (on it); he doesn't matter (el. count); *har du mer du skal ha sagt?* is that all? *som sagt, det kan jeg ikke* as I told you, I cannot; *som sagt så gjort* no sooner said than done; it was the work of a moment.

Siam (geogr) Siam, Thailand. **siameser** Siamese. **siamesisk** (adj) Siamese; *-e tvillinger* S. twins. **Sibir** (geogr) Siberia. **sibirsk** Siberian.
Sicilia Sicily.
sicilianer, -sk Sicilian.
sid 1 (vid) ample (fx garment), full (fx skirt), loose-fitting (fx clothes); 2. long (and loose); (se fotsid); 3 (om terreng) (low and) swampy, marshy, boggy; 4: *han er ~ til å drikke* T he is a heavy drinker.
sidde length (of garment).
side side; (om dyr) flank; (i bok) page; (av en sak) aspect; *han har sine gode -r* he has his good points; *jeg kjenner ham ikke fra den -n* I don't know that side of his character; *hans svake (,sterke) ~ his* weak (,strong) point; *se et spørsmål fra alle -r* examine a question in all its bearings (el. from all angles), study a q. from every side (el. angle); *fra hvilken ~ man enn ser saken* whatever view one takes of the matter; *fra begge -r* (om personer) mutually; *med hendene i -n* with arms akimbo; ~ *om ~* side by side; *legge til ~* put aside, put on one side, put by; *ved -n av* beside, next to; (foruten) along with; (like) *ved -n av* next door (fx he lives n. d. to us); (se sikker: *det er best å være på den sikre siden*).
side|bane (jernb) branch line. **-be(i)n** rib. **-blikk** sidelong glance. **-bygning** annex; wing. **-dal** side valley (fx a s. v. off Hallingdal). **-flesk** (ved partering) belly (of pork); røkt ~ bacon; (NB *kvalitetsbenevnelser*: flank, prime streaky, thick (,thin) streaky). **-gate** side street; *en ~ til Strand* a street off the Strand, a s. leading into the S. **-hensyn** ulterior motive. **-lengs** sideways. **-linje** 1 (jernb) branch line; secondary railway; US shortline railroad; 2 (på bane) side line; (fotball) touchline. **-lomme** side pocket.
sidelykt side light.
sidemann neighbour (,US: neighbor); person sitting next to one.
I. siden (adv) since; afterwards, subsequently; (derpå, dernest) then; *like ~* ever since; *lenge ~* long since; *ikke lenger ~ enn i går* only yesterday; *for et par dager ~* a couple of days ago; *for mindre enn en halv time ~* less than half an hour ago; within the last half hour.
II. siden (prep & konj) since; ~ *hans død* since his death; ~ *han ønsker å* since it is his wish to; seeing that it is his wish to; *det er tre år ~* it is three years ago; (se også etter at).
sidensvans 🐦 waxwing.
sideordnende (adj) co-ordinating (fx conjunction).
sideordnet (adj) co-ordinate (fx clauses).
sider (eplevin) cider.
sideror (flyv) rudder.
sidespor (jernb) side track, siding.
sidesprang side leap; (digresjon) digression.
sidestille (vb) 1. place side by side; juxtapose; 2 (sammenligne) compare (med with, to), liken (med to); 3 (likestille) put (el. place) (fx two people) on the same (el. on an equal) footing; *de kan ikke -s* (2) they are not comparable; (se også -stilt).

sidestilling (2) juxtaposition; (2) comparison; (3) equality (med with).

sidestilt (adj) (3) co-ordinate (fx two c.-o. departments), on an equal footing (med with), (placed) on the same footing (med as); ♣ & ♠ lateral.

sidestykke side (piece); (fig) pendant, parallel, counterpart, companion (piece); uten ~ without parallel, unparalleled, unprecedented; dette er uten ~ i historien there is no precedent to this in history.

side|vei byroad, branch road, side road. **-vogn** (til motorsykkel) sidecar. **-værelse** adjoining room; **-t** (også) the next room.

sidlendt low-lying, swampy.

sidrikke (vb) drink hard, guzzle.

sidrumpa T with a seat in one's trousers.

siffer figure; (skrift) cipher. **-brev** letter in cipher. **-nøkkel** cipher key. **-skrift** cipher, cryptography.

sifong siphon; (jvf hevert).

sig (subst) slow motion, slight headway; (sakteflytende væske) gentle flow, ooze, trickle; (bekke-) trickle (of water); et jevnt ~ av folk a steady trickle (el. stream) of people; et stadig ~ av vann a steady (el. constant) trickle of water; ~ i knærne giving at the knees; gå med ~ i knærne walk with knees slightly bent; ha ~ forover just move ahead; komme i ~ begin to move, get under way; være i ~ be in motion, be under way.

sigar cigar; S weed; tenne en ~ light a cigar; -en trekker ikke the cigar does not draw.

sigaraske cigar ash.

sigarett cigarette; S fag; ~ med munnstykke tipped c.; ~ med korkmunnstykke cork-tipped c.; ~ uten munnstykke plain c.; rulle en ~ roll (el. make) a c.

sigarett|etui cigarette case. **-munnstykke** c. holder. **-papir** c. paper. **-stump** c. end (el. stub); US c. butt. **-tenner** lighter.

sigar|etui cigar case. **-kasse** cigar box. **-munnstykke** cigar holder. **-spiss** cigar tip. **-stump** cigar end, stump of a c., c. stub; US c. butt.

sigd (subst) sickle.

sige (vb) just move; ooze, trickle; ~ fremover move slowly (forward); ~ igjen close slowly; karene seig inn etter hvert the men drifted in gradually; stimen -r inn the shoal gradually makes its way inshore; ~ inn over (om tretthet, etc) steal upon; ~ ned sag, settle slowly; ~ over ende sink to the ground; ~ sammen collapse; ~ tilbake sink back; isen har seget fra land the ice has drifted away from the shore.

sigel sign, symbol.

sigen (sliten) tired; exhausted.

sigende report, rumour (,US: rumor); etter ~ from what I, (,we, etc) hear; etter eget ~ by his (,her, etc) own account.

signal signal; gi ~ signal, give a signal.

signalbilde (jernb) signal aspect, s. indication.

signalement description.

signalere (vb) signal.

signalhorn horn.

signalisere (vb) signal.

signalskive (jernb) signal disc.

signalstiller (jernb) signal indicator.

signalsystem signalling system.

signalåk (jernb) signal gantry, signal bridge.

signatur signature.

signe (vb) make the sign of the cross over; bless.

signekjerring wise woman.

signere (vb) sign; (se undertegne).

signet seal, signet.

sigøyner gipsy; (især US) gypsy. **-aktig** gipsy-like, Bohemian. **-inne** gipsy (,US: gypsy) woman. **-liv** gipsy life. **-pike** gipsy girl. **-språk** gipsy language, Romany.

sik (fisk) gwyniad.

sikkativ siccative, drier, drying agent.

sikkel slobber, slaver, drivel.

sikker adj (se også sikkert); 1 (trygg, utenfor fare) safe, secure; 2 (pålitelig, drifts-) reliable, dependable; 3 (viss) sure, certain; 4 (fast, uryggelig) firm, positive; (om person) reliable, trustworthy; (i sin opptreden) confident, assured; 5 (som ikke slår feil) sure, certain, reliable, unfailing, unerring; 6 (som holder, bærer) safe (fx is the ice safe?); 7 (som ikke skjelver eller vakler) steady (fx with a s. hand); ~ dømmekraft unerring judgment; sikre fordringer good debts; i ~ forvaring in safe keeping; (om fange) in safe custody; i den sikre forvissning at in the certain assurance that; confident that; ~ fremtreden confident bearing, confidence, poise, aplomb, self-possession; på ~ grunn on sure ground; en ~ inntekt an assured income; et -t instinkt for an unerring instinct for; et -t papir a good security; a safe investment; (ofte =) a gilt-edged security; en ~ pengeanbringelse a safe (el. sound) investment; det er helt -t that is a dead certainty; så meget er -t that (el. this) much is certain; så meget er -t at ... so much is certain that ... ; er det -t? are you sure (el. certain) (of that)? is that a fact? det er -t og visst it is dead certain, there is no doubt about it; (o: det har du rett i) yes indeed! how right you are! US S you said it! det er så -t som jeg står her it is dead certain; T it's as sure as eggs is eggs; det er det sikreste that will be the best plan; det er best å være på den sikre siden it is better to be on the safe side; it is better to play safe; sikre stikk ♣ sure winners; et -t tegn på at a sure sign that; ha en ~ tro på have a firm belief in;

[Forb. med prep] ~ for secure from (el. against); safe from (fx attack); være ~ i noe master sth, be well up in sth; han er ~ i sin sak he is quite sure; he is sure of his ground; et ~t middel mot a sure (el. certain) cure for; ~ mot vann proof against water, waterproof; være ~ på noe be sure of sth, be certain of sth, be positive of sth, be satisfied of sth (fx I am s. of his honesty); hvis man forbyr ham det, kan man være helt ~ på at han (går hen og) gjør det if it is forbidden him he is absolutely certain to (go and) do it; det er jeg nå ikke helt ~ på I'm not so sure; jeg er ikke så ~ på at (også) I don't know that (fx I don't k. that I want to be rich); være ~ på bena be steady on one's legs; (om atlet, hest, etc) be sure -footed; er du ~ på det? are you sure (of that)? være ~ på hånden have a steady hand.

sikkerhet safety, security; (visshet) certainty; (selvtillit) assurance, confidence; for -s skyld for safety's sake, to be on the safe side, as a (matter of) precaution; bringe i ~ carry into safety, remove out of harm's way, secure, make safe; komme i ~ get out of harm's way, reach safety, save oneself; med ~ with certainty, for certain; vite med ~ know for certain, know for a certainty, know for a fact; en 1. prioritet på £2000 med ~ i a first mortgage of £2,000 secured on (fx the Company's property); mot ~ (o: garanti) on security; som ~ for as security for (fx a debt); som ~ for tilfelle av misligholdelse av leiekontrakten as a guarantee against any breach of the tenancy agreement; stille ~ for guarantee, furnish security for.

sikkerhetsbelte safety (driving) belt, safety harness, seat belt; feste for ~ seat belt anchorage.

sikkerhets|foranstaltning precautionary measure; security step. **-lenke** safety chain. **-nål** safety pin. **-sele** se -belte. **-ventil** safety valve.

sikkerlig: se sikkert.

sikkert adv (se også sikker) 1 (uten fare el. risiko) safely; han kjører ~ he is a safe driver; 2 (utvilsomt) for certain, for a certainty, for a fact (fx I know it for a fact), (most) certainly; (uttrykkes ofte ved) be certain to (fx he is c. to come), be sure to, be bound to (fx he is b. to turn up some time); De vil ~ være enig i at you will, I feel sure, agree that; 3 (formodentlig) probably, very (*el.* most) likely, I suppose (*fx* I s. he will do it); (*sterkere*) almost certainly, in all probability; (*uttrykkes ofte ved*) be likely to (*fx* he is l. to win); stand to (*fx* we s. to lose by it); I am sure (*fx* I am s. you will win); *det ville han ~ like enda mindre* he would like that even less; *De venter ~ at jeg skal* no doubt you expect me to; *De har ~ rett* you are no doubt right; *4 (uten å vakle)* steadily (*fx* walk s.); *langsomt men ~ slowly* but surely; (NB «slow and steady does it!»); (*om opptreden*) self-confidently, with complete self-assurance, with aplomb.

sikle (*vb*) slobber, slaver, drivel; dribble (*fx* babies often d. at the mouth).

siklesmekke bib.

sikling (cabinet) scraper (*fx* dress sth with a s.).

sikori chicory.

sikre *vb* **1** (*beskytte*) secure (*fx* we are secured against loss); safeguard (*mot* against, from); secure the safety of; (*ved bevoktning*) guard; (*konsolidere*) consolidate (*fx* one's position); (*trygge økonomisk*) secure; guarantee; make provision for; **2** (*skaffe*) ensure (*fx* e. him enough to live on), secure (*fx* an advantage for a friend); **3** (*sørge for*) ensure (*fx* that the law is carried out), secure (*fx* a good sale); **4** (*skytevåpen*) apply the safety catch, half-cock (*fx* a rifle); put (*fx* a rifle) at safety; *-t* (*om skytevåpen*) at safety; *~ ens fremtid* provide (*el.* make provision) for sby; *~ seg* provide for one's safety, protect oneself, take precautions; secure (*fx* we have secured a good agency), make sure of (*fx* you should m. sure of these 20 pieces); m. sure of his support); *~ seg at* make sure that, satisfy oneself that; *~ seg ens person* secure sby's person; *~ seg mot noe* secure oneself against sth (*fx* interruption), provide against (*fx* accidents).

sikring 1 (*det å beskytte*) securing (*mot* against, from), protection, safeguarding; **2** (*elekt*) fuse; **3** (*på skytevåpen*) safety (catch) (*fx* he got the s. off his pistol and fired); **4** (*jur*) preventive detention (*fx* 5 years' p. d.); *få en ~ til å gå* (2) blow a fuse; *-en er gått* the fuse has blown; T the light has fused; *heve -en* (3) release the safety catch (*fx* of a rifle).

sikrings|anlegg (*jernb*) railway signalling plant (*el.* installation), interlocking plant; (*se stillverk*). **-anordning** safety device. **-anstalt** institution for preventive detention. **-boks** fuse box. **-fond** guarantee fund. **-mekanisme** safety mechanism (*el.* device).

siksak zigzag; *bevege seg i ~* zigzag. **-linje** zigzag line. **-lyn** chain (*el.* forked) lightning.

I. sikt 1 (*merk*) sight; **2.** visibility; *det er god ~* (2) the visibility is good; **etter** *~* after sight, (*fx* 30 days after s.); *på 30 dagers ~* at 30 days' sight, at 30 d/s; **på kort** *~* at short sight; (*fig*) on a (*el.* the) short view; *veksel på kort ~* short (-dated) bill; *bedømme noe på kort ~* take a short view of sth, take a short-range view of sth; *om ikke akkurat på kortere ~* though not in the near future, if not in the short term (*fx* home industry, which ultimately, if not in the short term, will have to compete with the emergent nations); **på lang** *~* (*fig*) on a (*el.* the) long view; far ahead (*fx* they are planning far ahead); *arbeide på lang ~* plan far ahead, take a long view, follow a long-term policy; **på lengre** *~* in the longer term; *virkningene av krisen på lengre ~* the long -range (*el.* long-term) effects of the crisis; *hans politikk på lengre ~* his long-view policy; *han har øyensynlig kommet hit på lengre ~* he has obviously come here with the idea of staying for a time; **ved** *~* at sight (*fx* payable at s.), on demand, on presentation.

II. sikt (*sil*) sieve; strainer.

siktbar clear.

siktbarhet visibility; (*se I. sikt 2*).

I. sikte (*subst*) **1.** sight; **2** (*mål*) aim; **3** (*på skyte-våpen*) sight; *få land i ~* sight land; *ha land i ~*

be in sight of land, sight land; *ha i ~* (*fig*) have in view; *en politikk som har de lange mål i ~* a long-term policy; *ute av ~* out of sight; (*se øye*); *ta ~ på å* aim at (-ing); *med ~ på* with a view to.

II. sikte (*vb*) **1.** sift; pass through a sieve; (*mel; også*) bolt; *-t hvetemel* sifted white flour; **2** (*granske*) sift, screen (*fx* applicants are screened by a committee); *forfatteren burde ha -t sitt materiale bedre* the author ought to have sifted his material better.

III. sikte *vb* (*mot mål*) aim (*på* at), take aim; (*om landmåler*) sight, point, aim; *~ etter noe* aim at sth; *~ godt* aim straight, aim accurately, take accurate aim; *~ høyt* (*også fig*) aim high; *~ høyere* (*også fig*) look higher (*fx* she married a farm hand, but she might have looked higher); *~ lavt* (*også fig*) aim low; *~ mot* (*el.* på) aim at, draw a bead on (*fx* sby); *~ på noe* (*også fig*) aim at sth; *~ til* (*hentyde til*) allude to, mean, be talking about; *er det meg De -r til* (*,kanskje*)? are you (possibly) referring to me? *hva -r De til?* (*også*) what are you driving (*el.* getting) at?

IV. sikte *vb* (*jur*): *~ for* charge with; *-t for* charged with, on a charge of (*fx* theft); *han er -t for* he is charged with, he is (*el.* stands) accused of; *han er -t for en forbrytelse* he is charged with a crime; he is on trial.

siktede (*jur*): *den ~* the defendant, the accused.

sikte|korn (*på våpen*) fore sight. **-linje** line of sight.

siktelse charge, indictment; (*jvf I. påtale*).

siktemel bolted flour.

siktepunkt purpose, aim; *ordboken har i første rekke et praktisk ~* the dictionary is primarily practical in purpose (*el.* approach); (*se snarere*).

sikteskår (*på våpen*) notch of the rear sight.

sikttratte (*merk*) sight draft.

siktveksel (*merk*) bill payable at sight.

sil strainer, filter.

sild ⚓ herring; (*så*) *død som en ~* as dead as a doornail; *ikke verd en sur ~* not worth a brass farthing; *som ~ i* (*en*) *tønne* packed like sardines (in a tin).

silde|anretning assorted herrings (*pl*). **-be(i)n** (*også om mønster*) herringbone. **-fiske** herring fishery. **-kongе** ribbon fish, oar fish. **-lake** herring brine. **-mel** h. meal. **-not** h. seine. **-olje** h. oil.

silder purl, trickle; (*bekke-*) small brook.

silde|salat [salad of sliced pickled herring, beet-root, onion, etc]. **-steng** catch of herring (*fx* there has been a big c. of h. in the fjord); (*jvf notsteng*). **-stim** shoal of herrings, herring shoal.

I. sildre ✿ saxifrage.

II. sildre (*vb*) trickle, murmur.

silduk straining cloth.

sile (*vt*) strain, filter.

sileklede filtering cloth, straining cloth.

silhuett silhouette.

silke silk. **-aktig** silky. **-kubb** (*forst*) clean -barked pulpwood, sap-peeled pulpwood. **-fløyel** silk velvet. **-kjole** silk dress. **-orm** silkworm. **-papir** tissue paper. **-tøy** silk fabric.

silo silo.

silregn steady, pouring rain.

simle ✿ female reindeer.

simpel plain, simple; (*alminnelig*) common, ordinary; (*ringe, tarvelig*) poor, humble, ordinary; inferior, bad; vulgar; *-t flertall* a simple majority; *han er en ~ fyr* he is a common fellow; *det var -t gjort av deg* that was mean of you; *av den simple grunn at* for the simple reason that; *-t snyteri* T daylight robbery (*fx* 5/- for this article is d. r.).

simpelhet plainness, simplicity; commonness, meanness.

simpelthen simply.

simplifi|sere (*vb*) simplify. **-sering** simplification.

simulant simulator; malingerer; T scrim-shanker.

simulere (*vb*) simulate, feign.

sin, *sitt; pl: sine* (*pron*) his (*fx* he took his hat; each of them took his hat; each of us took his hat); her, (*substantivisk*) hers (*fx* she took her hat; she took my hat and hers); its (*fx* it has its own function); one's (*fx* hurt one's finger; do what one likes with one's own); *sine* their, (*substantivisk*) theirs (*fx* they took their books; they took my books and theirs);

[*Forskj. forb.*] *ernære seg og sine* support oneself and one's family (*el.* one's dear ones); *hver fikk sitt værelse* each was given a separate room; *gi enhver sitt* give everyone his due; *gjøre sitt (til noe)* do one's share (,T: bit) (towards sth); *dette gjør sitt til å . . .* this helps (*el.* tends *el.* conduces) to . . .; *gå sin vei* leave; go one's way (*fx* he went his way); *han gikk sin vei (også)* he left; *de gikk hver sin vei* they went their several (*el.* separate) ways; they separated; *det har sin sjarm* it has a charm of its own; *there is sth attractive about it; det (,han) har sine grunner* there are (,he has) good reasons for it; *han håpet engang å kunne kalle henne sin* he hoped to win her; *Herren kjenner sine* (*bibl*) the Lord knoweth them that are his; *passe sitt* mind one's own business; *det tar sin tid* it will take some time; it's not done in a hurry; *han tenkte sitt* he had his own ideas (on the subject); *han tjener sine femti tusen i året* he earns his fifty thousand a year; he makes (a cool) fifty thousand a year;

[*Forb. med prep*] **i** *sin og sine venners interesse* in his own interest and that of his friends; *i sin alminnelighet* in general, in a general way, generally; *i sin tid (fortid)* once, formerly, in the past, at one time; (*den gangen*) at the time; *vi mottok i sin tid* . . . we duly received . . ., we received in due course; *de var venner i sin tid* they used to be friends (at one time); *ha sitt på det tørre* have nothing to worry about; *tenke på sitt* be occupied with one's own thoughts; *på sine steder* in places, here and there, sporadically; *holde på sitt* stick to one's point (,T: one's guns); *hjem til sitt* home; *de gikk hver til sitt* they went their several (*el.* separate) ways; they separated; *bli ved sitt: se ovf: holde på sitt.*

sinders patent coke.

sindig calm, careful; deliberate, steady, sober(-minded).

sindighet calm, calmness (of mind); steadiness, soberness.

sinekyre sinecure. **-stilling** sinecure.

singel (*grov sand*) coarse gravel, shingle.

sing(e)l (*singling*) jingling, tinkling (*fx* of falling glass).

single (*vb*) jingle, tinkle.

singularis (*gram*) (the) singular.

sink zinc.

I. sinke (*subst*) backward (*el.* retarded) pupil; US reluctant (*el.* slow) learner; *jeg er en ren ~ i sammenligning med ham* I simply am not in it with him; I am not a patch on him.

II. sinke *vb* (*forsinke*) delay, impede the progress of; (*utviklingen*) retard.

III. sinke *vb* (*snekkeruttrykk*) dovetail.

sink|etsing zinc etching. **-holdig** zinciferous. **-hvitt** zinc white. **-plate** zinc plate (*el.* sheet).

sinn mind; temper; disposition; *et lett ~ a* buoyant disposition; *skifte ~* change one's mind; *i sitt stille ~* inwardly, to oneself, secretly, in one's secret heart; *jeg lovte i mitt stille ~ at* I registered a vow that . . . ; *ha i -e* intend, mean, propose; *han har (v)ondt i -e* he means mischief; *i sjel og ~* to the core, through and through; *sette -ene i bevegelse* cause a stir; (*iron*) flutter the dovecotes; *etter at -ene var falt til ro* after people had calmed down; (*se sjel; III. stri; syk*).

sinna: *se sint.* **-tagg** hotspur, spitfire.

sinnbil(le)de symbol, emblem.

sinnbilledlig symbolic(al), emblematical.

sinne anger, temper; *fare opp i (fullt) ~* flare up, fly into a passion; *ha ondt i ~* mean mischief, mean no good; *han har ondt i ~* he is up to no good; *svare i ~* answer in a fit of temper.

sinnelag disposition, temper.

sinneri fit of anger.

-sinnet -phile (*fx* Anglophile); pro- (*fx* pro -German), with (*fx* Danish) sympathies.

sinnrik ingenious, clever. **-het** ingenuity, cleverness.

sinns|bevegelse emotion, excitement, agitation. **-forvirret** mentally deranged, unhinged, distracted, insane; T loony; (*se sprø*). **-forvirring** mental derangement, distraction, insanity. **-likevekt** mental balance, equanimity. **-opprør** tumult (of mind), (state of) agitation (*fx* be in a s. of a.).

sinnsro equanimity, calm, coolness, cool -headedness, imperturbability; *da stryk ikke forekommer, går de til eksamen med den største ~* as it is impossible to fail, they sit for their examinations with the greatest confidence.

sinnsstyrke strength of mind.

sinnssvak 1. insane, mad; 2. absurd, preposterous; *det var da helt -t (å bære seg at på den måten)* what a mad thing to do.

sinnssyk insane, mentally deranged; (*i lettere grad*) mentally disordered; *en ~* an insane person, a mentally deranged person, a madman (, a madwoman), a lunatic.

sinnssykdom mental disease (*el.* disorder); (*som bevirker galskap*) insanity, mental derangement.

sinnssyke|anstalt mental hospital; mental home; (*især for kroniske pasienter*) mental institution; (*glds*) (lunatic) asylum. **-lege** alienist, specialist in mental diseases, mental specialist, psychopathist; (*psykiater*) psychiatrist.

sinnstilstand state of mind, frame of mind.

sinober (*stoff*) cinnabar. **-rød** vermilion.

sint angry (*for* about, *på* with); US T mad (*fx* she is mad at me); *~ som en tyrk* (as) angry as a bear with a sore head; *bli ~* get angry; *han blir ~ for ingenting* he gets angry over nothing; *god og ~* good and angry.

sinus (*anat*) sine; (*mat.*) sinus.

I. sippe (*subst*) blubberer, sniveller; whiner.

II. sippe (*vb*) blubber, snivel.

sippet(e) whining.

sirat ornament.

siregn steady, pouring rain.

sirene siren; (*fabrikk-*) (factory) hooter.

sirenetone: *en stigende og fallende ~* a rising and falling sound of sirens.

siriss ♫ cricket.

Sirius Sirius.

sirkel circle; *slå en ~* describe a circle. **-bue** circular arc. **-formet** circular. **-periferi** circumference (of a circle). **-rund** circular.

sirkelsag circular saw.

sirkulasjon circulation.

sirkulasjonsplate (*i ovn*) flue baffle.

sirkulere (*vb*) circulate.

sirkulærakkreditiv circular letter of credit.

sirkulære (*rundskriv*) circular; *meddele pr. ~* circularize.

sirkumfleks circumflex.

sirkus circus.

sirkus|artist circus performer. **-direktør** circus manager (*el.* master). **-manesje** circus ring. **-telt** circus tent; *det store -et* the big top.

sirlig neat, tidy, orderly.

sirlighet neatness, tidiness, orderliness.

sirs print, printed calico.

sirup treacle; syrup.

sirupssnipp [thin diamond-shaped biscuit made with treacle and spice]; (*kan gjengis*) treacle gingersnap; (*jvf pepperkake*).

sisel|ere (*vb*) chase; (*bokbinderuttrykk*) tool; *-ert snitt* tooled edges.

siselør chaser.

sisik ♫ siskin.

sisselrot ♣ common polypody.

I. sist (*adj*) last; (*av to*) latter (*fx* the latter half of June); (*endelig, avsluttende*) last, final (*fx* put the f. touches to sth); (*nyest*) latest (*fx* the latest models; his latest book); **aller** ~ last of all; **de** *to* **-e** the last two; **den** **-e** the last (man, *etc*); **den -e** *som* **kom** the last to arrive, the l. who arrived, the l. comer; *den* **-e** *som så ham* the last who saw him, the l. to see him; *den aller* **-e** the very last; (*nyeste*) the very latest; *den nest* **-e** the last but one; *det* **-e** the last (thing); *det var det -e jeg ville gjøre* that is the last thing I should do; *ligge på det* (*el. sitt*) **-e** be near one's last, be at death's door; *til det* **-e** till (*el.* to) the last; *kjempe til det* **-e** fight to a (*el.* the) finish; *Deres* **-e** *brev* your last letter; *de* **-e** *dager før jul* the last few days before Christmas, the few days immediately preceding Christmas; *de* **-e** *dager i hver måned* the last days in (*el.* of) each month; *det har regnet de* **-e** *dagene* it has been raining for (*el.* during) the past (*el.* last) few days; T it's been raining these last few days; *de* **-e** *dagene i juni* the last days of June; *de* **-e** *dagers hellige* the Latter-Day Saints; **-e** *del av eksamen* the final part of an examination; (*the*) final(s) (*fx* he is studying for his finals); *-e frist: se frist; -e nytt* the latest news; (*om motenytt*) the latest fashions; *har du hørt -e nytt?* have you heard the latest? *-e uke* (ɔ: *forrige*) last week, the past week; *som en -e utvei* as a last resource; *hans* **-e** *vilje* his last will and testament; (*nå*) **-e** *vinter* during the past winter; *hans* **-e** *ønske* his dying wish, his last wish;
    [*Forb. med prep*] ~ *i juli* late in July, in late July; towards the end of July; ~ *i måneden* late in the month, in the latter part of the m.; ~ *ved enden av m.; ~ i tjueårene* in the late twenties; *i det* **-e** recently; (*især spørrende el. nektende*) lately; *vi har ikke fått noen ordrer fra Dem i det* **-e** we are without any recent orders from you; *i løpet av de* ~ *månedene* during the past (*el.* last) few months; *i et av de* **-e** *årene* in a recent year; ~ *på sommeren* late in the summer; *synge på* **-e** *verset* (*fig*) be on one's last legs.

II. sist (*adv*) *da jeg* ~ *så ham* when last I saw him, the last time I saw him; when I saw him last; *det er lenge siden* ~ it's a long time since we met (*el.* since I've seen you); it's been a long time since last we met (*el.* saw one another); **takk for** ~ 1. [thank you for (your hospitality) the last time we were together]; 2 (ɔ: *like for like*) tit for tat; (*se for øvrig takk*); *komme* ~ come last; ~ *men ikke minst* last, (but) not least; *likeså godt først som* ~ just as well now as later; *fra først til* ~ from first to last; *til* ~ at last, finally, in the end; eventually, ultimately; (*langt om lenge*) at long last, at length; (*etter de andre*) last (*fx* he came last); (*i slutten*) at the end (*fx* of the letter); *gjemme noe til* ~ save sth till the last; *til syvende og* ~ finally, at last; (*fig*) when all is said and done; in the last resort (*fx* in the l. r. it is a question of energy); *... og til* ~ *vil jeg nevne at . . .* and finally (*el.* lastly) I will mention that *. . .* ; *stå* ~ *på listen* be the last on the list, be at the bottom of the list.
    sistemann the last one; *vil* ~ *slukke lyset?* will the last one switch (*el.* turn) off the light? ~ *på hver rad samler inn stilebøkene* the last person in each row is to collect the exercise books; (*se også skanse*).
    sisten (*lek*) tag; *leke* ~ play tag, play he (*el.* it); *den som har* ~ the tagger; *du har'n!* you're it (*el.* he)!
    sist|leden last (*fx* in March last). **-nevnte** the last -mentioned; (*av to*) the latter. **-på** at last, finally.
    sisu stamina, perseverance.
    Sisyfos (*myt*) Sisyphus. **s-arbeid** Sisyphean labour (*el.* task).
    sitadell citadel.
    sitant (*jur*) plaintiff; (*se saksøker*).
    sitar ♪ zither.
    sitat quotation; *slå om seg med* **-er** throw quotations about.

sitere (*vb*) quote; ~ *galt* misquote (*fx* an author, a passage).
sitre (*vb*) tremble, quiver.
sitring trembling.
sitron 🍋 lemon; *revet skall av* ~ grated lemon rind; (*se II. rive*). **-fromasj** (*omtr* =) lemon mousse. **-gul** lemon-coloured. **-olje** lemon oil. **-presse** lemon squeezer. **-saft** lemon juice. **-skall** lemon peel; (*se sitron*). **-skive** slice of lemon, lemon slice. **-syre** citric acid.
sitt: *se sin.*
sitte *vb* (*se også sittende*) **1.** sit, be seated; (*om fugl el. som en fugl, også*) perch (*fx* on the arm of a chair); *vil du ikke* ~? won't you sit down? **2** (*om ting: være anbrakt*) be (*fx* the key was in the door); **3** (*bli husket*) stick; **4** (*om regjering*) be in office; **5** (*ikke falle ut, fx om spiker*) stay in, stay put, hold; *en spiker som* **-r** *godt* a nail that holds well; **6** (*om bemerkning: ramme*) go home (*fx* that remark went home); *den satt!* (*også*) that touched him (,her, *etc*) on the raw; that got under his (,her ,*etc*) skin; **7** (*i forb med vb*) be -ing (*fx* ~ *og lese* be reading); (*når den sittende stilling poengteres*) sit -ing (*fx* sit reading); *han satt og leste* (*også*) he was in the middle of reading; *de satt og snakket* they sat talking, they were talking, they were sitting talking;
    [*Forb. med adv & prep*] ~ *dypt* (*om svulst, etc*) be deep-seated; ~ *dårlig* (*om klær*) be a bad fit, be ill-fitting; (*fx i teater*) have a bad seat, be badly seated; ~ *fast* stick, be stuck; ~ *fast i isen* (*om skip*) be stuck in the ice, be ice-bound; ~ **for** *en maler* sit to an artist; ~ *godt* (*fx i teater*) have a good seat; (*om fx spiker*) hold well; (*se ovf: 5*); (*om klær*) fit; *den -r godt* (*fx om jakke*) it's quite a good fit; ~ *godt etter* (*om klær*) fit smoothly; ~ **hjemme** stay at home; *nøkkelen* **-r** *i* the key is in the lock; *korken* **-r** *i* the cork is in the bottle; *den platen skruen* **-r** *i* the plate in which the screw is fixed; ~ *dårlig i det* (*økonomisk*) be badly off, be in straitened circumstances; T be hard up; ~ **fint i det** (*iron*) be in a spot (*el. fix el.* mess), be in a pretty pickle; S be in the soup; *nå -r du fint i det!* T you've cooked your goose! ~ **godt i det** (*økonomisk*) be comfortably (*el.* well) off; *folk som -r godt i det* well -off people, well-to-do people; ~ **trangt i det** be badly off, be in straitened circumstances; ~ **vanskelig i det** be in financial difficulties, be in embarrassed circumstances; T be in Queer Street; be hard up; ~ **i fengsel** be in prison (*el.* jail); ~ **i gjeld** (*til opp over begge ørene*) be (head over ears) in debt; ~ **i hell** (*i spill*) be in luck, have a run of luck; T have a break; ~ *i en komité* sit (*el.* be) on a committee; *sykdommen -r i lungene* the disease is seated in the lungs; it is the lungs that are affected; ~ **i Parlamentet** sit (*el.* be) in Parliament; ~ **i regjeringen** hold ministerial rank; *så lenge han -r* (,*satt*) **i stillingen** during his tenure of office; ~ *noe* **i stykker** break sth by sitting on it; ~ **i uhell** be in bad luck; have a run of bad luck; ~ **igjen** be left (behind) (*fx* she was left a widow with five children); (*på skolen*) be kept in, have to stay in (*fx* he had to stay in for an hour today), be detained (*fx* lazy pupils are sometimes detained at school to do extra work after ordinary lessons are finished); *hos meg har det blitt -nde igjen svært lite av den historien jeg lærte på skolen* very little of the history I learnt at school has stuck in my memory; (*se også sittende ndf*); ~ **inne** keep (*el.* stay) indoors, stay at home; (*være i fengsel*) be in prison (*el.* jail); ~ *inne med* hold (*fx* hold shares; h. the key to the puzzle; h. a record); possess (*fx* a document), be in possession of, be possessed of (*fx* ample means); *vinduet satt svært* **lavt** the window was very low; ~ **løst** be loose (*fx* the stone (,the tooth) is l.); (*om klær*) be a loose fit; ~ **med** *noe* (ɔ: *være belemret med*) be saddled with; have sth on one's

hands; (*ha*) have (*fx* have a large income); ~ *med en stor gjeld* be deeply in debt; ~ *med lav husleie* pay a low rent; ~ *med nøkkelen til gåten* hold the key to the puzzle; ~ *med ryggen til en* sit with one's back to sby; ~ **ned** (ɔ: *sette seg*) sit down, take a seat; *sitt ned!* please sit down! do sit down! T take a pew! *vinduet satt meget langt nede* the window was very low to the ground; ~ **oppe** sit up (late); ~ *oppe og vente på en* sit (*el.* wait) up for sby (*fx* I don't know when I shall be back — don't wait up for me); *sitt ordentlig!* sit properly! behave yourself! ~ **over** (*i spill*) sit out (*fx* three people will have to sit out this time); ✛ be dummy; ~ *over en dans* sit out a dance; ~ **overfor** *en ved bordet* face sby across the table; sit opposite sby; ~ *over skrevs på noe* sit astride (on) sth, straddle sth; *sitt* **pent!** (*sagt til barn*) sit still and don't fidget! (*jvf* ~ *urolig*); sit properly! behave yourself! (*til hund*) beg! ~ **på** noe sit on sth (*fx* a bench, a chair); (*ikke ville gi det fra seg*) hold on to sth; *vil du* ~ *på?* would you like a lift? may I offer you a lift? *jeg lot ham* ~ *på et lite stykke* I gave him a lift (for) a little (*el.* short) way; *får jeg* ~ *på et lite stykke, da?* may I have a lift (for) a little way, please? *la en fornærmelse* ~ *på seg* pocket (*el.* sit down under) an insult, take an insult lying down; *det vil jeg ikke ha sittende på meg* (*også*) I won't have anybody believe that of me; ~ **på** *huk* squat; ~ *på spranget* (*om katt, tiger, etc*) crouch for a spring; (*fig*) be all alert; ~ *som på nåler* be on tenterhooks; ~ **rett** be straight (*fx* your tie isn't straight); (*om person*) sit straight; *omsider fikk hun hatten til å* ~ **riktig** at last she got the hat right; ~ **skjevt** be awry; ~ **stille** sit still, keep still, be still (*fx* he is never still for a minute); *sitt stille med bena!* keep your feet quiet! ~ **stramt** (*om tøy*) fit tightly, be a tight fit; ~ *tett:* *se tett;* ~ **til bords** sit (*el.* be) at table; ~ *til doms over* sit in judg(e)ment on; ~ *til hest* be on horseback, be mounted; ~ *til rors* be at the helm; ~ **urolig** (ɔ: *virke nervøs*) fidget; ~ *tiden ut* (*fx i et embete*) continue for the full period; (*i fengsel*) serve (*el.* do) one's time; ~ **ute** sit outdoors; ~ **uvirksom** be idle; T twiddle one's thumbs; ~ **ved** *bordet* be (sitting) at table; *det kan* ~ *12 personer ved dette bordet* this table seats twelve; ~ *ved middagsbordet* be at (one's) dinner; *frk. X satt ved pianoet* Miss X was at the piano; ~ *ved peisen* sit by the fire(side).

sittende (*se også sitte*) 1. sitting, seated; 2 (*om regjering*) in office, holding office, in power; present (*fx* the p. Government); (*om stortings-representant*) sitting (*fx* the sitting member); ~ *arbeid* sedentary work; **bli** ~ keep one's seat, remain sitting (*el.* seated), sit on; (*ikke komme videre*) be stuck (*el.* stranded) (*fx* the car broke down and we were stuck in X for three days); (*sitte fast*) stick; keep on (*fx* the lid won't keep on); *regjeringen blir* ~ the Government remains in office; *bli endelig* ~! don't get up! *bli* ~ *til det er over* sit it out; *bli* ~ *med skjegget i postkassa* T be left holding the baby (‚US: the bag); (*se også under sitte ovf*).

sitteplass seat (*fx* we have seats); *-er* seats; (*til et visst antall*) seating capacity (*el.* accommodation); *40 -er* (*som oppslag*) Seating Capacity 40; To Seat 40; *det er -er til 500* the hall can seat 500; *ekstra -er* additional seating; *det er ikke flere -er!* standing room only.

situasjon situation; *-ens alvor* the gravity of the situation; *den* ~ *jeg befant meg i* my situation; *-en er flytende* the whole situation is in a state of flux; *denne forsinkelse fra Deres side setter oss i en kjedelig* ~ *overfor vår kunde* this delay on your part puts us in a very awkward position towards **our customer**; *-en er spent* the s. is tense; *-en voksen* equal to the occasion; *redde* ~*en* save the situation; *vi ser alvorlig på -en* we take a grave view of the situation; we regard the s. as serious;

sette en inn *i -en* show sby how matters stand; brief sby; *ta -en* handle the situation (*fx* he was uncertain how to h. the s.); *se hvordan -en utvikler seg* watch developments (*fx* in the Near East); (*se bilde; lovende; sette B; tåle; utvikle*).

situert situated (*fx* how is he s. financially?); *godt* ~ well off.

siv ✿ rush, reed.

sivbukk 🦌 reedbuck.

sive (*vb*) ooze, filter; percolate (*fx* water percolates through porous stone); (*dråpevis*) trickle; ~ *inn* ooze in; (*ved utetthet*) trickle in; ~ *ut* (*fig*) leak out; *la det* ~ *ut til pressen* leak it to the Press; *det har -t ut noe* there has been a leakage.

sivil civil; *-t antrekk* civilian clothes; plain clothes; *hva er du i det -e liv?* what are you in civil life?

sivil|befolkning civilian population. **-flyver** commercial pilot. **-forsvar** civil defence (*fk.* C.D.).

sivilingeniør (*som tittel intet tilsv.; kan gjengis*) graduate engineer (*fx* graduate civil engineer, g. electrical engineer); (NB *en* 'graduate engineer' *kan av sin organisasjon bli tildelt tittelen* 'chartered engineer', *fx* chartered electrical engineer); (*se ingeniør & kjemiingeniør*).

sivilisasjon civilization.
sivilisere (*vb*) civilize. **sivilisering** civilization.
sivilist civilian.
sivil|kjøp (*jur*) contract of sale; (NB in Norway a contract between a commercial firm and a private citizen); (*jvf handelskjøp*). **-kledd** in civilian clothes; (*om politimann*) in plain clothes. **-prosess** civil proceedings. **-rett** civil law. **-økonom** Bachelor of Commerce, B. Com.
sivåt drenched, soaking wet.
sj. (*fk. f. sjelden*) (*adj*) rare; (*adv*) rarely.
sjablon template, pattern; (*til fargelegging*) stencil. **-messig** according to a set pattern, mechanical, stereotyped, routine.
sjah shah.
sjakal 🦊 jackal.
sjakett morning coat; US cutaway.
sjakk chess; ~! check! check! *si* ~ check, give check, say check; *holde i* ~ keep in check; *spille* ~ play chess.
sjakk|brett chessboard. **-brikke** chessman.
sjakkmatt checkmate; *gjøre* ~ checkmate; *være* ~ (*fig*) be knocked-up, be all in, be dead-beat.
sjakk|parti game of chess. **-spill** 1. = *-parti;* 2 (*brikker*) set of chessmen. **-spiller** chessplayer.
sjakt shaft, pit.
sjal shawl.
sjalte (*vb*) switch; ~ *inn* switch on, turn on; (*fig*) bring in (*fx* it looks as if the authorities will have to be brought in); ~ *ut* cut out, switch off, turn off; (*fig*) eliminate, leave out of account.
sjalottløk ✿ shallot.
sjalu jealous (*på det*).
sjalupp ⚓ barge. **-roere** bargemen.
sjalusi 1 (*skinnsyke*) jealousy; 2. roll top (of desk); 3: *se persienne.*
sjampinjong (*mark-*) field (*el.* edible) mushroom; (*liten*) button mushroom.
sjampo shampoo; (*se hårvask*).
sjamponere (*vb*) shampoo.
sjangle (*vb*) stagger, reel; *full så en -r* reeling drunk.
sjanse chance (*for* of); T break (*fx* give a man a b.); *en enestående* ~ a chance in a thousand; a unique opportunity; T the chance of a lifetime; *ha gode -r til å vinne* have a fair (*el.* good) chance of winning, stand to win (*fx* we stand to win); *der har du -n* there's your chance; *nå har du -n* now's your time; *det er alle tiders* ~ that's really a grand chance; that's the chance of a lifetime.
sjanse|seilas, -spill (*fig*) gamble.
sjapp (*neds*) shop; *stenge sjappa* T close up shop.
sjarlatan charlatan, quack, mountebank.

sjarlataneri charlatanism, charlatanry.

sjargong jargon.

sjarm charm; *det har sin* ~ it has a charm of its own; there is sth attractive about it; *(se interesse).*

sjarmant charming.

sjarmere (*vb*) charm. **-nde** charming; *(se kjekk).*

sjarm|offensiv charm offensive. **-troll** *(kjæleord)* bundle of charm.

sjasket 1 *(sjusket, uflidd)* slovenly, slatternly; 2.: ~ *stoff* shabby, shapeless material.

sjasmin ♣ jasmine.

sjatte|re (*vb*) shade. **-ring** shade (of colour).

sjau T trouble *(fx* we had a lot of trouble getting him home).

sjaue (*vb*) 1. work at loading or unloading; 2. T toil, drudge.

sjauer *(brygge-)* docker, lumper.

sjef (*for forretning*) principal, head; T chief; S boss; ✗ commanding officer. **-psykolog** principal (*el.* chief) psychologist. **-redaktør** chief editor; (*i avis*) editor-in-chief.

sjefsregulativet the top-grade salary scale; *stillingen er plassert øverst på* ~ the post heads the top-grade salary scale.

sjeik sheik.

sjekk cheque (*på* for); US check; *skrive ut en* ~ write out a cheque; *en stor* ~ a large c. *(fx* she paid him a l. c. for a book to be published in a year's time); *-en er blitt avvist i banken grunnet manglende dekning* the c. has bounced; *(se også utstede).*

sjekkbok cheque book; US checkbook.

sjekte [type of fishing boat, about 20 feet long pointed fore and aft, open or with washboards].

sjel 1. soul *(fx* pray for sby's soul); **2** (*primus motor*) (life and) soul, moving spirit *(fx* of the enterprise); **3** (*person*) soul *(fx* a good old soul; a kind soul); *ikke en levende* ~ not a (living) soul; *av hele sin* ~ with all one's heart; *det var ikke tvil i hans* ~ *om hvem som hadde rett* there was no doubt in his mind as to who was right; *tvilende -er* (*spøkef*) Doubting Thomases; *rystet i sin -s innerste* shaken to the core of one's soul (*el.* being); deeply shocked; *i* ~ *og sinn* to the core *(fx* English to the core); through and through; *med liv og* ~ heart and soul; *han gikk inn for arbeidet med liv og* ~ he put his heart and soul into his work; *frisk på kropp og* ~ (*el. på* ~ *og legeme*) sound in mind and body; *nedbrutt på legeme og* ~ broken in body and mind.

sjelatin: *se gelatin.*

sjelden 1 (*adj*) rare, scarce, uncommon, unusual, infrequent; (*merkelig*) remarkable, singular, exceptional; (*utmerket*) rare *(fx* beauty), outstanding *(fx* ability, bravery); *bli mer og mer* ~ grow rare(r); *slike bestillinger er sjeldne* such orders are few and far between; *en* ~ *gang* on rare occasions; once in a while, at rare intervals; *et -t menneske* a noble (*el.* sterling) character; *et -t tilfelle* a rare case; *en* ~ *vare* (*fig*) a rare thing; *i* ~ *grad* to an exceptional degree, exceptionally, unusually; **2** (*tidsadv*) seldom, rarely, infrequently, at rare intervals; *det er* ~ *at en kunde ...* it is seldom that a customer ... ; it is unusual for a c. to ... ; it is a rare thing for a c. to ... ; ~ *eller aldri* seldom or never, seldom (*el.* rarely) if ever; hardly ever; *ikke så* ~ not infrequently; T as often as not, more often than not; *kun* ~ seldom, only on rare occasions; *ytterst* ~ very infrequently indeed; **3** (*gradsadv*) remarkably, unusually, exceptionally, outstandingly, uncommonly; *en* ~ *dyktig mann* a man of singular ability; *en* ~ *fin vare* an exceptionally fine quality, an exceptional quality.

sjeldenhet scarceness, scarcity, rarity, infrequency; (*sjelden begivenhet*) rare event, (event of) rare occurrence; *høre til -ene* be rare, be a rare thing *(fx* it is a rare thing for him to go out); *det hører ikke til -ene* it is by no means a rare thing.

sjeldsynt rarely seen; *noe* ~ a thing rarely seen.

sjele|fred peace of mind. **-glad** delighted (*over* at); overjoyed; *han kommer til å bli* ~ S he'll be tickled pink. **-kval** agony (of soul).

sjelelig mental; (*psykisk*) psychical; *-e lidelser* mental sufferings; ~ *tilstand* state of mind; *det -e* the spiritual (*el.* psychological) element (*el.* factor).

sjele|liv mental life, spiritual life. **-messe** requiem, mass for a departed soul. **-nød** mental agony. **-sorg** spiritual guidance. **-sørger** spiritual adviser, clergyman, pastor. **-trøst** spiritual comfort. **-vandring** transmigration of souls.

sjelfull soulful, expressive.

sjelfullhet soulfulness, expressiveness, spirit.

sjelløs soulless.

sjels|evner (*pl*) mental (*el.* intellectual) faculties; *han har varig svekkede* ~ he has permanently impaired mental faculties. **-styrke** strength of mind (*el.* character). **-tilstand** mental state, state of mind.

sjenere (*vb*) **1** (*hemme*) hamper, handicap *(fx* he was handicapped by a stammer), interfere with *(fx* these clothes i. with my movements), bother *(fx* the heat bothers me); **2** (*volde besvær*) inconvenience, incommode; **3** (*plage*) trouble, be troublesome, annoy, be a nuisance to; *såret -r ham ennå* the wound is still giving him trouble; **4** (*gjøre forlegen*) embarrass, be embarrassing to, make uncomfortable; **5** (*forstyrre*) disturb, interfere with, bother *(fx* he is always bothering me with his interruptions); *-r det Dem at jeg røker?* do you mind if I smoke? do you mind my smoking? *sjener Dem ikke* (*også iron*) don't mind me; ~ *seg for å . . .* not like to *(fx* I did not like to ask for another cup).

sjenerende embarrassing; troublesome *(fx* a t. cough); T bothersome; ~ *hårvekst* superfluous hair; *kulden føles ikke* ~ the cold does not cause any discomfort.

sjenert shy, (self-)conscious; bashful; (*brydd*) embarrassed.

sjenerthet shyness, bashfulness; embarrassment.

sjenerøs generous, liberal; (*se gavmild*).

sjenever Hollands.

sjeselong chaise longue, couch, sofa.

sjette (*tallord*) sixth; *det* ~ *bud* (*svarer hos anglikanerne til*) the seventh commandment. **-del, -part** sixth (part); *fem -er* five sixths.

sjeviot (*stoff*) cheviot; *blå* ~ blue serge.

sjikane petty spite, malice. **-re** (*vb*) spite; annoy, badger, vex.

sjikanøs spiteful.

sjikt layer, stratum; *det ledende* ~ *av politiske tillitsmenn* the top layer of political representatives.

sjimpanse ♣ chimpanzee.

sjiraff ♣ giraffe.

sjirting bookbinder's cloth; *innbundet i* ~ clothbound, in cloth.

sjirtingsbind cloth binding.

sjofel mean. **-het** meanness.

sjokk shock; T turn *(fx* the news gave me quite a turn); *få et* ~ get a shock; *det hele var litt av et* ~ T the whole thing was a bit of a shock.

sjokkbehandling ⚕ shock treatment.

sjokke (*vb*) shuffle, shamble, pad.

sjokker|e (*vb*) shock; *-t over* shocked at (*el.* by).

sjokolade chocolate. **-farget** chocolate-coloured. **-kake** c. cake. **-plate** tablet of c. **-stang** bar of c.

sjokoladetrekk chocolate icing (,US: frosting); *med* ~ chocolate-iced.

sjongler|e (*vb*) juggle; ~ *med fakta* juggle the facts around; *han -te med en rekke tall* he juggled (*el.* operated) with a lot of figures.

sjonglør juggler.

sju (*tallord*) seven.

sju|dobbelt: *se -fold.*

sjuende (*tallord*) seventh; *det* ~ *bud* (*svarer hos anglikanerne til*) the eighth commandment; *til* ~ *og sist* at long last, ultimately; eventually, in the end; *i den* ~ *himmel* in the seventh heaven; ~ *sans* pocket diary.

sju(ende)del seventh.

sjuer seven.

sjufold, sjufoldig sevenfold, septuple.

sjuk: *se syk.*

sjuklig T sickly person.

sjumilsstøvler (*pl*) seven-league boots.

I. sjuske (*subst*) slattern, slut.

II. sjuske (*vb*) scamp (*el.* botch) one's work; ~ *med noe* scamp sth.

sjusover stay-abed; (*litt.*) lie-abed, US sleepyhead.

Sjustjernen the Pleiades.

sju|tall (figure) seven; (*se sekstall*). **-tiden:** *ved* ~ *about* seven. **-årig, -års** seven-year-old, of seven (*fx* a child of seven); (*som varer i sju år*) of seven years.

sjy (*kjøttsaft*) gravy.

sjø (*innsjø*) lake; (*hav*) sea, ocean; (*bølge*) sea, wave; (*sjøgang*) sea (*fx* there is not much (of a) sea); *på -en* at sea; *ved -en* at the seaside; by the sea(side); *et hus ved -en* (*også*) a house beside the sea; *svær* (*el. høy*) ~ a heavy sea; *det er svær* ~ there is a heavy sea, the sea is running high; *holde -en* (*om skip*) be seaworthy; *til -s* at sea; *dra til -s* go to sea; *hoppe til -s* jump overboard; *reise til -s* (ɔ: *sjøveien*) go (*el.* travel) by sea; *gutten stakk til -s* the boy ran away to sea; *stå til -s* stand (out) to sea; put (out) to sea; *i åpen* (*el. rom*) ~ in (*el.* on) the open sea, on the high seas; (*et stykke fra land*) in the offing; *vi fikk svær* ~ *over oss* we shipped a heavy sea; *stikke i -en* put (out) to sea; *la ham seile sin egen* ~ let him shift for himself; leave him to his own devices; let him paddle his own canoe; (*se også seile*).

sjøassuranse marine insurance.

sjøbad (*subst*) 1. swim in the sea, bathe (in the sea); 2 (*stedet*) seaside resort.

sjøhilde seascape.

sjøbu warehouse; wharfside shed.

sjøby seaport, seaside town.

sjødyktig seaworthy. **-het** seaworthiness.

sjø|farende seafaring. **-farer** seafarer; *Sindbad -en* Sinbad the Sailor. **-fartsbok** discharge book. **-fartslov** maritime law; Merchant Shipping Act. **-fly** seaplane. **-folk** seamen, sailors, mariners.

sjøforklaring maritime (statutory) declaration; (*forhøret*) (court of) inquiry; *avgi* ~ make the statutory declaration; *det vil bli holdt* ~ *i forbindelse med dette forliset* an inquiry will be held into the loss of this ship; *la oppta* ~ (*etter meldt protest*) extend the protest; (*jvf sjøprotest*).

sjø|forsikring marine insurance. **-forsvar** naval defences.

sjøgang (heavy) sea; *det begynner å bli litt* ~ the sea is getting up; *det var svær* ~ there was a heavy sea running; *i aldri så lite* ~ *vil en slik farkost kullseile* in anything of a sea such a craft will capsize.

sjøgutt sailor boy.

sjøgående sea-going.

sjø|handel maritime trade. **-handelsby** seaport. **-helt** naval hero. **-hyre** sea-going kit.

sjø|kadett naval cadet. **-kart** chart. **-kartarkiv** hydrographic office. **-klar** ready for sea, r. to sail. **-krig** maritime war, naval war. **-krigshistorie** naval history. **-ku** ♣ sea cow.

sjøkyst sea-coast, seaboard.

sjøl: *se selv.*

sjøluft sea air.

sjølve: *se selve.*

sjøløve ♣ sea lion.

sjømakt naval force; (*stat*) naval power.

sjømann sailor; (*offisiell betegnelse*) seaman; (*i kunngjøringer ofte*) mariner.

sjømannsbedrift feat of seamanship, maritime exploit.

sjømannsdyktighet seamanship.

Sjømannsforbundet the Seamen's Union.

sjømannshjem sailors' home.

sjømannskirke seamen's church.

sjømanns|klær sailors' clothes; slops. **-liv** seafaring life. **-messig** seamanlike, sailorly. **-misjonen** the Missions to Seamen; T the Flying Angel Club. **-misjonær** missionary in the Missions to Seamen. **-prest** seamen's (*el.* sailors') padre, minister to seamen. **-skap** seamanship. **-skikk** maritime custom, sailor's usage. **-skole** seamen's school, navigation school; (NB the Gravesend Sea School). **-språk** sailors' language, nautical l. **-standen** sailors, seamen, seafarers. **-uttrykk** nautical expression. **-vis:** *på* ~ seaman-like, sailor-fashion. **-vise** sea shanty.

sjømerke beacon, seamark; buoy.

sjømil sea mile, nautical mile.

sjømilitær: *S-e korps* (*fk. SMK*) Petty Officers' Schools and Depot.

sjø|offiser naval officer. **-ordbok** nautical dictionary. **-orm** sea serpent. **-pant** (*jur*) maritime lien, lien m. **-panthaver** maritime lienor.

sjøprotest (ship's) protest, sea protest.

sjøpølse ♣ sea cucumber, synaptid.

sjøreise sea voyage.

sjørett (*domstol*) maritime court; (*i England oftest*) Admiralty Court; (*lovsamling*) maritime law. **-besiktigelse** maritime court survey. **-ssak** maritime case; (*i England*) Admiralty case.

sjø|rokk sea spray; (*se sjøsprøyt*).

sjørøver pirate.

sjørøveri piracy.

sjørøversk piratical.

sjørøverskip pirate (vessel).

sjørøyk spindrift, mist; (*jvf sjøsprøyt*).

sjøsette (*vt*) launch, set afloat.

sjøside: *på -n* on the seaward side, seaward; *fra -n* from the seaward side, from the sea.

sjøskadd damaged at sea.

sjøskade sea damage; (*i forsikring*) average loss; (*jvf havari*).

sjø|slag sea battle, naval battle. **-sprøyt** sea spray; *-en sto over baugen* the sea splashed over the bows; (*jvf sjørøyk*).

sjøsterk: *være* ~ be a good sailor.

sjø|stjerne ♣ starfish. **-styrke** naval force.

sjøsyk seasick.

sjø|syke seasickness. **-territorium** territorial sea (*el.* waters); (*jvf territorialgrense*). **-transport** carriage by sea. **-trefning** naval engagement. **-tunge** (*fisk*) sole. **-tur** sea voyage; trip to sea.

sjøudyktig unseaworthy; *gjøre* ~ disable.

sjøulk old salt, (jack) tar, sea dog, shellback (*fx* a real old s.).

sjøuttrykk nautical (*el.* sea) term.

sjøvant used to the sea.

sjøvei sea route; *-en* (ɔ: *med skip*) by sea (*fx* goods shipped by sea); by (the) sea route.

sjøvern shore defence; (*sjømakt*) naval force.

sjøverts by sea, by (the) sea route; ~ *forbindelse* sea communication.

sjøvesen maritime matters, naval affairs.

sjøørret sea trout.

sjåfør driver; (*privat-*) chauffeur.

sjåfør|lærer driving instructor. **-skole** school of motoring, driving school.

sjåvin|isme jingoism, chauvinism. **-ist** jingo, chauvinist. **-istisk** jingo, chauvinistic.

skabb (*vet*) scab; (*især på hunder*) mange; ♣ the itch, scabies; (*jvf brennkopper*).

skabbet scabby, mangy.

skabelon (*legemsbygning*) figure, shape.

skaberakk monstrosity.

skadd damaged; (*om frukt*) bruised; (*se for øvrig II. skade*).

I. skade (*subst*) **1** (*beskadigelse*) damage (NB *kun i entall*) (*fx* d. by fire); (*havari*) accident; (*se havari*); injury; (*legems-*) injury; (*maskin-*) (engine) breakdown; e. trouble (*el.* damage); **2** (*tap, ulempe, uheldig virkning, ugagn*) harm, mischief; (*forringelse, det at noe går utover noe*) detriment (*fx* to the d. of ...);

[A: forb. med adj, subst, m.m.; B: med vb; C: med prep]

A: *alvorlig* (*,betydelig*) ~ serious (*,considerable*) damage; *den forvoldte* ~ the damage (caused); *gammel* ~ (*ben-, etc*) old trouble (*fx* how is the old t.?); *dette var grunnen til -n* this was the reason for (*el.* the cause of) the damage; *materiell* ~ (material) damage; *-ns omfang* the extent of the damage; *store -r* great damage; *ubotelig* ~ irreparable damage (*el.* harm);

B: *anmelde en* ~ (*ass*) advise a claim, notify a loss; *anrette* ~ do (*el.* cause *el.* inflict) damage; *betale -n* pay for the damage; (*betale erstatning*) pay damages; *skipet har fått store -r* the ship has been badly damaged; *gjøre* ~ : *se ovf:* anrette; *slike filmer gjør mer* ~ *enn gagn* such films do more harm than good; *slike rykter gjør stor* ~ such rumours work great mischief; *godtgjøre -n* make good the damage (,the loss); *komme i* ~ *for å* . . . have the ill-luck to; *komme til* ~ get hurt (*el.* injured); (*se for øvrig C ndf*); *det er ingen* ~ *skjedd* there is no harm done; T there are no bones broken; *-n var skjedd* the damage was done; *ta* ~ (*om ting*) be damaged, suffer (*el.* sustain) damage; *det tar han ingen* ~ *av* that won't hurt him; that won't do him any harm; *han har ikke tatt* ~ *av det* he is none the worse for it; *han hadde tatt* ~ *på forstanden* (*også*) his brain had been affected; *tilføye en* ~ do harm to sby, injure sby; *vurdere -n* estimate the damage (*fx* the d. was estimated at £1,000);

C: *av* ~ *blir man klok* once bitten twice shy; *bli klok av* ~ learn by experience; *han er blitt klok av* ~ he has been taught by bitter experience; *klok av* ~ *besluttet han å* . . . taught by (bitter) experience he decided to . . . ; ~ *på* damage to (*fx* the roof); injury to (*el.* the body); ~ *på grunn av hardt vær* ⚓ damage by heavy weather; *til* ~ *for* to the injury (*el.* detriment) of; (*jur*) to the prejudice of; *til* ~ *for våre interesser* detrimental to our interests; *til stor* ~ *for meg* to my great damage; greatly to my detriment (*el.* prejudice); *komme til* ~ get hurt, hurt oneself, come to harm, be injured, come to grief; *uten* ~ (ɔ: *med fordel*) with advantage; *uten* ~ *for* without detriment (*,jur:* prejudice) to.

II. ska|de (*vb*) **1** (*tilføye ytre skade*) damage (*fx* brannskadd damaged by fire); do damage to (*fx* the rain did some d. to the crops); bite (*fx* the frost will bite the fruit blossom); bite (into) (*fx* strong acids bite (into) metals); (*person*) hurt, injure (*fx* he hurt his back; the ship was damaged and two passengers were injured (*el.* hurt)); *han ble -dd i hodet* (*også*) he suffered injuries to the head; *varene er ankommet i -dd tilstand* the goods have arrived damaged; (*forderve*) spoil; (*svekke*) impair; be bad for (*fx* that light is bad for the eyes); ~ *sin helbred* injure (*el.* impair) one's health; ~ *seg* hurt oneself; ~ *seg i benet* hurt one's leg; **2** (*fig*) damage, prejudice (*fx* p. one's chances of success, one's career), be detrimental to; *tiltak som -der våre interesser* measures detrimental to our interests; ~ *sitt rykte* damage (*el.* be damaging to) one's reputation; ~ *ens gode navn og rykte* cast a slur on sby's character; ~ *sin sak* damage (*el.* prejudice) one's case; *det -der ikke hans gode navn og rykte* (*også*) it does not detract from his reputation; *det vil* ~ *deg hos publikum* (*også*) that will go against you with the public; *det -der ikke å forsøke* there can be no harm in trying; where is the harm in trying? *det -der ikke å komme litt for tidlig* there is no harm in being a little before time; *det ville ikke* ~ *om De* . . . it would do no harm if you . . . ; *litt sukker til puddingen ville ikke* ~ a little sugar with the pudding would not come amiss (*el.* will do no harm); *høflighet -der ikke* there is no harm in being polite.

skade|anmeldelse (*ass*) claim advice, advice of claim; (*jvf havarianmeldelsesskjema*). **-bevis** ⚓ certificate of damage. **-dyr** vermin, noxious animal, pest. **-forsikring** general insurance, non-life i. **-fri:** *godtgjørelse for -tt år* (*ass*) no-claim bonus.

-fro [rejoicing in the misfortune of others]; = malicious (*fx* a m. laugh); *være* ~ *over noe* gloat over sth. **-fryd** malicious pleasure, malice. **-insekter** (*pl*) insect pests. **-lidende:** *den* ~ the sufferer, the injured party; *de* ~ *områder* the affected areas; *ingen ble* ~ no one sustained any loss.

skadelig bad (*fx* for the digestion, for the eyes); injurious, harmful, detrimental; (*meget*) pernicious; very harmful; (*giftig*) noxious; (*ond*) baneful; *en meget* ~ *innflytelse* a pernicious (*el.* baneful) influence; *-e damper* noxious fumes; *-e følger* harmful effects (*el.* consequences); *-e insekter* (*også*) insect pests; *-e luftarter* noxious gases; ~ *virkning* deleterious (*el.* harmful) effects; ~ *for* detrimental to, damaging to, prejudicial to (*fx* our interests); *virke* ~ *på salget* have a detrimental effect on the sales. **skadelighet** harmfulness; noxiousness. **skadeserstatning** indemnity, compensation; (*jur*) damages (*pl*); *betale* ~ pay damages (*fx* pay d. to sby); *kreve* ~ claim damages; (*for retten*) sue (*fx* sby) for damages; *bli tilkjent* ~ recover damages; *få £100 i* ~ receive £100 as (*el.* in) compensation; *yte* ~ pay damages; *pliktig til å yte* ~ liable for damages; (*jur*) liable in damages.

skadeskyte (*vb*) wound. **skadesløs:** *holde* ~ indemnify. **skadesløsholdelse** indemnification.

I. skaffe (*vb*) **1** (*bringe til veie*) procure, get, find (*fx* I must £. £500 by next Friday); obtain; T come by (*fx* this book is difficult to come by); secure (*fx* he tried to s. seats (,tickets)); provide, supply, get (*fx* get a taxi; could you get me a glass of water?); T fix up; *vi håper De kan* ~ *oss bestillingen* we hope you will be able to pass us the order; ~ *en en jobb* fix sby up with a job; ~ *en sengeplass for natten* fix sby up for the night; *den beste kvalitet som kan -s* the finest quality procurable; *vi tviler på at vi vil kunne* ~ *denne kvaliteten* we doubt being able (*el.* we doubt if we shall be able) to obtain this quality; ~ *til veie* procure; ~ *av veien* get sby out of the way; (ɔ: *drepe*) put sby out of the way; do away with sby; S bump sby off; ~ *seg* procure, get (oneself); (*sikre seg*) secure; ~ *seg en ny bil* get (oneself) a new car; ~ *seg adgang* gain (*el.* secure) admission, gain access; *denne fremgangsmåten -t ham mange fiender* this procedure made him many enemies; ~ *seg kunnskaper* acquire knowledge, improve one's mind; *hans dristige tyverier -t ham en dom på 6 år* his audacious thefts brought him a jail sentence of six years; **2** (*volde*) cause (*fx* it caused me endless worry); ~ *en bry* put sby to trouble (*fx* this has put us to (*el.* given us) a great deal of trouble).

II. skaffe (*vb*) ⚓ eat, mess. **skaffetøy** ⚓ mess gear. **skafott** scaffold. **skaft** handle, haft; (*på søyle*) shaft; (*støvel- og strømpe-*) leg; (*økse-*) helve, axe handle. **skaftekasserolle** (sauce)pan. **skaftestøvler** (*pl*) top boots; (*politi-, militær-*) jackboots.

skake (*vb*) shake, jolt; judder; ~ *av sted* bump (*el.* jolt) along; ~ *opp* (*fig*) disturb, agitate; (*jvf støkk*). **skaking** shaking; (*risting, støt*) jolt, jolting; (*risting, vibrering*) judder, juddering.

skakk: *se skjev.*

I. skakke (*subst*): *på* ~ aslant, tilted.

II. skakke (*vb*): ~ *på* slant; ~ *på hodet* cock one's head, put one's head on one side; *skakk ikke på bordet* don't wobble the table.

skakkjørt (*fig*) perverse, wrong-headed.

skakt: *se skjakt.*

skal: *presens av skulle.*

skala scale; (*på radio*) dial; *i stor* ~ on a large scale.

skald (*glds*) scald, skald.

skalde|dikt skaldic poem. **-kvad** skaldic lay.

skaldskap skaldic art, minstrelsy.

skalk (*brødskalk*) **1.** outside slice, first cut (of a loaf); US heel; **2.** bowler hat.

skalke (*vb*): ~ *lukene* ♫ batten down the hatches.

skalkeskjul blind; *et* ~ *for* a (mere) blind for; *bare et* ~ just a blind.

skall shell; (*frø-*) hull; (*hakk*) chip (*fx* two of the glasses had chipped edges); *appelsin-* orange peel; *banan-* banana skin; US b. peel; *komme ut av sitt* ~ (*fig*) come out of one's shell; *trekke seg inn i sitt* ~ (*fig*) withdraw into oneself, retire into one's shell.

skalldyr 🐚 shellfish.

I. skalle (*subst*) 1. skull; 2 (*støt med hodet*) butt.

II. skalle (*vb*) **1** (*støte hodet mot noe*) knock (*el.* bang *el.* bump) one's head against sth (*fx* he was so tall that he banged (*el.* bumped) his head as he went through the doorway); **2** (*støte med hodet*) butt; ~ *til en* butt sby.

III. skalle (*vb*): ~ *av* peel (off); (*om maling*) scale off; (*jvf flasse*).

skallet bald(-headed).

skallethet baldness.

skallfrukt 🌰 cariopsis.

skalmeie ♪ shawm.

skalp scalp; *de er ute etter din* ~ (*fig*) T they are after (*el.* out for) your blood.

skalpel scalpel.

skalpere (*vb*) scalp.

skalte (*vb*): ~ *og valte* manage things one's own way, do as one likes; *han -r og valter som han selv finner for godt* he does exactly as he likes; he manages everything his own way.

skam shame, disgrace, ignominy; *for -s skyld out of common decency* (*fx* he thought he had to do it out of c. d.), in decency (*fx* he could not in d. refuse); *jeg måd med* ~ *melde at jeg glemte det* I'm ashamed to say that I forgot it; *det er nesten* ~ *å ta imot pengene* it seems a shame to take the money; *det er en* ~ *av deg å behandle ham slik* you ought to be ashamed of yourself treating (*el.* to treat) him like that; *det er stor* ~ *at* it is a great shame that; *bite hodet av all* ~ ignore the dictates of common decency; *eier han ikke* ~ *i livet?* has he no sense of shame (*el.* decency)? *han eier ikke* ~ *i livet* he is lost to all (sense of) shame; he is past shame; *våre forhåpninger ble gjort til -me* our hopes were baffled; our expectations were frustrated; *bli sittende med -men* T be left holding the baby.

skamben (*anat*) pubic bone, pubis.

skambite (*vt*) tear, savage (*fx* the horse savaged his arm), bite severely.

skam|bud ridiculous bid (*el.* offer), disgracefully low offer (*el.* bid). **-by** (*vb*) make a disgracefully low offer.

skamfere (*vb*) damage, spoil.

skamfile ♫ chafe.

skamfull ashamed. **-het** shame.

skamhogge (*vb*) cut severely, maim; spoil (*fx* a forest) by excessive cutting.

skamløs shameless, brazen; *en* ~ *tøs* a brazen hussy.

skamløshet shamelessness, brazenness.

skamme (*vb*): ~ *seg* be ashamed of oneself; ~ *seg over* be ashamed of; *skam deg!* (for) shame! shame on you!

skammekrok corner; *gå i -en med deg!* stand in the corner! *i -en* (ɔ: *i unåde*) S in the doghouse.

skammel footstool.

skammelig disgraceful; infamous, scandalous.

skam|plett stain (*fx* a s. on one's reputation). **-pris** absurdly low price.

skamrose (*vb*) praise fulsomely.

I. skamrødme (*subst*) blush of shame.

II. skamrødme (*vb*) blush with shame.

skamslå (*vt*) beat up, manhandle.

skandale scandal; *gjøre* ~ create a scandal, cause a scene; *der har vi -n!* there now, I was sure it would happen! T that's torn it!

skandalehistorie (piece of) scandal.

skandaløs scandalous, disgraceful.

skandere (*vt*) scan.

skandering scansion.

skandinav Scandinavian. **S-ia** Scandinavia. **-isk** Scandinavian. **-isme** Scandinavianism.

skank shank.

skanse entrenchment; redoubt; ♫ quarter-deck; *frihetens siste* ~ the last bulwark (*el.* bastion) of freedom; *dø som sistemann på -n* (*fig*) die in the last ditch; *holde -n* (*fig*) hold the fort (*el.* field); *være sistemann på -n* (*fig*) be the last one to yield.

skansekledning ♫ bulwark.

skant (*forst*) measuring stick.

skap cupboard; (*finere*) cabinet; (*kles-*) wardrobe; (*mat-*) cupboard, safe (*fx* a meat safe); (*penge-*) safe; *det er hun som bestemmer hvor -et skal stå* she wears the breeches; the grey mare is the better horse; US she wears the pants in that (*el.* the) family.

skapaktig affected. **skapaktighet** affectation.

skapdranker [person who drinks on the sly].

skape (*vb*) **1** (*forme, danne*) form, make; (*frembringe*) create, make (*fx* the cotton trade made Manchester), call (*el.* bring) into existence, bring about (*fx* a change), call into being (*fx* call new industries into being); establish (*fx* a tradition); about; *klær -r folk* fine feathers make fine birds; clothes make the man; *ikke det -nde grann* not a blessed (*el.* damn) thing; not the least bit; *de ekstraordinære forholdene som krigen har skapt* the exceptional circumstances brought about by (*el.* arising out of) the war; ~ *hygge* create a pleasant atmosphere; ~ *interesse for* arouse an interest in; ~ *kontakt med* establish contact with; ~ *noe nytt* create sth new; break new ground; ~ *ro omkring saken* produce a calmer atmosphere (about the question); ~ *tillit* inspire confidence; ~ *utilfredshet* cause (*el.* give rise to) dissatisfaction; cause bad blood; ~ *uro* (*ved agitasjon, etc*) make trouble; ~ *uro omkring skolen* expose the school to criticism; ~ *vanskeligheter for en* cause (*el.* create) difficulties for sby, put d. in sby's way; ~ *seg* be affected, attitudinize; (*spille komedie*) put on an act (*fx* he is not hurt, he is only putting on an act); (*for å imponere*) show off; T carry on (*fx* I don't like the way she carries on); (*gjøre seg viktig*) give oneself airs; ~ *seg en fremtid* make (*el.* carve out) a career (for oneself); ~ *seg et navn* make a name for oneself.

skapelse creation.

skapelses|akt act of creation. **-historien** (*bibl*) Genesis.

skapende: *se ovf:* skape.

skaper creator, maker.

skaperglede creative zest.

skaperi (*jåleri*) affectation.

skaper|makt creative power. **-verk** (work of) creation; *Guds* ~ the Creation.

skapning creature; (*noe som er frembrakt*) creation.

skapsprenger safecracker, safeblower; S peterman; (*se sprenge*).

skapsprenging safeblowing; S peter-popping.

skar(d) (*i fjellet*) gap, pass.

I. skare (*uordnet mengde*) crowd; (*mindre*) band, flock, troop.

II. skare (*på snø*) (snow)crust; *det dannet seg* ~ *på snøen* the snow crusted over. **-føre** hard surface. **-snø** crusted (*el.* hard) snow; (*se også skavlesnø*). **-voks** (*skismøring*) crust wax.

skarevis in crowds.

skarlagen scarlet. **-rød** scarlet.

skarlagensfeber scarlatina, scarlet fever.

skarp (*adj*) **1** (*som kan skjære, etc*) sharp (*fx* edge, knife, tooth); (*især poet*) keen (*fx* a k. sword); **2** (*som munner ut i en spiss*) sharp (*fx* nose); pointed; **3** (*tydelig*) sharp (*fx* image);

clear-cut (*fx* division, features, profile), distinct (*fx* outlines); **4** (*om sansning*) sharp, keen, acute (*fx* hearing, sight); quick (*fx* these animals have very quick hearing); (*jvf 10*); **5** (*i intellektuell henseende*) sharp (*fx* T he is (as) sharp as a sack of monkeys), keen (*fx* intelligence, mind, wits); penetrating (*fx* analysis); trenchant (*fx* reasoning, style); pungent (*fx* phrase, style); **6** (*heftig, hard*) keen (*fx* competition, competitor, fight); **7** (*streng*) sharp (*fx* a s. rebuke), severe (*fx* criticism); biting (*fx* satire); strong, drastic (*fx* measures); **8** (*om klimatiske forhold*) keen; (*fx* the k. air of the mountains); **9** ⚓ (*spiss for og akter*) fine (*fx* the boat has very fine ends); **10** (*om smak, lukt*) pungent (*fx* taste, smell), sharp (*fx* taste); piquant (*fx* sauce), acrid (*fx* taste, smell, smoke); **-t** (*adv*) sharply, keenly, acutely (*,etc*); ~ *bemerkning* sharp (*el.* cutting *el.* biting) remark; *under* ~ *bevoktning* closely guarded; *ha en* ~ *hørsel* (*også*) have a quick ear; ~ *luktesans* sharp (*el.* keen) sense of smell; ~ *lyd* (*fx* shrill) sound; *-t lys* glaring light; *en* ~ *måte å si det på* a cutting way of saying it; ~ *note* (*polit*) stiff note; ~ *ost* strong cheese; ~ *patron* ✕ *ball* (*el.* live) cartridge; *hans -e penn* his mordant style; *en av landets skarpeste penner* one of the keenest writers in the country; ~ *protest* energetic protest; ~ *seiler* fast sailer; *i -t trav* at a smart trot.
   skarphet (*se skarp*) sharpness, keenness; acuteness, pungency; piquancy, acridness, acridity.
   skarpklatring rock-face climbing.
   skarpladd loaded (with live cartridges).
   skarpretter executioner; hangman.
   skarpseiler fast sailer.
   skarpsindig acute, shrewd, perspicacious, discerning, keen, penetrating.
   skarp|sindighet acuteness, acumen, shrewdness, perspicacity, keenness, discernment. **-skodd** roughshod; (*fig, om person*) extremely competent. **-skytning** firing (live cartridges). **-skytter** sharpshooter. **-skåre|n** clear-cut, sharp, sharp-cut; *et -t ansikt* a rugged face. **-slepet** sharp-edged. **-syn** 1 (*gode øyne*) sharp sight, sharp eyes; **2.** = *-sindighet*. **-synt** sharp-sighted, sharp-eyed. **-synthet** sharp-sightedness.
   skarre (*vi*): ~ (*på r'en*) burr, use a uvular r. **skarring** burr.
   I. skarv ⚓ cormorant.
   II. skarv (*slyngel*) rogue, scoundrel.
   skarve (*adj*) miserable, wretched.
   skarvepakk rabble, riffraff.
   skatoll bureau, secretary.
   I. skatt (*kostbarhet*) treasure; (*kjæleord*) darling, sweetheart, ducky; (*især US*) honey; (NB *om menn brukes bare* «darling» *og* «ducky»).
   II. skatt (*til staten*) tax; (*inntekts-*) income tax; (*til kommunen*) local taxes; (*i England*) rate(s) (*fx* the county rates; the rates on my house; the poor rate); (NB *rates brukes ikke i USA*); **-er** *pl* (*kollektivt*) rates and taxes; **-er og avgifter** taxes, duties and licences; ~ *av årets inntekt* (*systemet*) the Pay-As-You-Earn system, (the) P.A.Y.E. (system); *ettergivelse av* **-(en)** tax remission, r. of taxation; *legge* ~ *på* tax, put (,T: clamp) a tax on; *sende inn klage på* **-en** appeal against an excessive assessment; *den kommer til å sluke hele fortjenesten din* the tax office (*el.* the Inland Revenue) will swallow up all your profits.
   skattbar taxable; rat(e)able; assessable. **-het** taxability, ratability.
   skatte *vb* (*verdsette*) estimate, value, appreciate, prize; (*yte skatt*) pay taxes (*til* to).
   skatte|ansettelse assessment. **-betaler** taxpayer; ratepayer; US taxpayer; (*se skattyter*). **-byrde** burden of taxation; *den stadig økende* ~ the ever increasing b. of t.; *en annen fordeling av* **-n** a shifting of the tax burden.
   skattedirektør: **-en** *i Oslo* [Director of the Oslo Inland Revenue Department].

skatte|evne taxable capacity, taxability; ratability. **-fradrag** deduction (*fx* a d. of £60 in respect of one child and of £50 in respect of each subsequent child); allowance (*fx* a Life Assurance a.; an a. may be claimed for contributions to an insurance scheme); relief (*fx* small income r.; age r.; judges get no special tax relief and no special expense allowance). **-fradragsregler** (*pl*) = allowances and reliefs.
   skatte|fri tax-free, tax-exempt(ed); **-fritt fradrag** tax-free allowance. **-frihet, -fritak** exemption from taxation; (*ofte* =) relief (*fx* a wife's earned income r.). **-graver** treasure hunter.
   skattejuridisk [relating to, or concerned with, legal aspects of taxation]; ~ *ekspert* legal specialist in tax law; ~ *konsulent* [solicitor specializing in questions of income tax].
   skatte|klage appeal against an excessive assessment (*fx* he has appealed against an excessive a. to the Revenue Authorities). **-lettelse** tax relief, reduction of taxation; (*se også -fradrag & utsikt*). **-ligning** assessment (of taxes); (*se ligning*). **-messig** from the point of view of taxation, from a fiscal point of view, fiscal; (*adv*) fiscally; *sakens -e side* (*også*) the taxation aspect. **-myndighetene:** *se lignings-*. **-nedsettelse** tax reduction. **-objekt** object of taxation. **-omlegning** change (*el.* reform) of taxation, tax change. **-ordning** system of taxation.
   skatte|plikt tax liability. **-pliktig** liable to (pay) tax; (*om gjenstand el. verdier*) taxable (*fx* income); chargeable (with tax), subject to tax. **-politikk** fiscal policy. **-prosent** rate (of taxation), rate of tax; US tax rate. **-pålegg** 1. imposition of taxes, taxation; 2 (*forhøyelse*) increase of taxation. **-restanse** unpaid (balance of) taxes (,rates), (income) tax arrears. **-rett** tax law(s). **-rettslig** concerned with tax law(s); *den -e side av saken* the legal side of the matter. **-seddel** notice of assessment; (*kravet*) income tax demand note; US tax bill. **-snyter** (income) tax evader; T tax dodger. **-snyteri** tax evasion; T tax dodging. **-system** tax structure; *forandre -et* change the t. s.
   skattetakst valuation of property for rating purposes; (*verdien*) rat(e)able value (*fx* of a house); (*jvf pristakst*).
   skattetrekk deduction of tax (at its source). **skatte|trykk:** *se -byrde*. **-utjevning** 1. evening out of rates and taxes; 2. even distribution of rates and taxes. **-yter:** *se skattyter*. **-år** fiscal year, tax year.
   skattkammer treasury; (*fig*) storehouse (*fx* of information).
   skattland (*hist*) tributary country.
   skattlegge (*vb*) tax.
   skattyter taxpayer; ratepayer; *stor* ~ upper -bracket t. (*el.* r.); big t. (*el.* r.); *vanlig* ~ middle -bracket t. (*el.* r.).
   skattøre: *se skatteprosent*.
   skaut headscarf; (*glds*) kerchief.
   skav scrapings, shavings.
   skavank fault, flaw, defect, shortcoming (*fx* he has his shortcomings).
   skave (*vb*) scrape.
   skavl (steep) snowdrift.
   skavlsnø wind slab; *skare innimellom skavlene* wind crust.
   skeie (*vb*): ~ *ut* kick over the traces; ~ *helt ut* go to the bad.
   skeis T: *det gikk* ~ it went phut; it went to pot.
   skeiv: *se skjev*.
   skepsis scepticism; US skepticism; *med en viss* ~ with a certain amount of s.
   skeptiker sceptic; US skeptic.
   skeptisisme scepticism; US skepticism.
   skeptisk sceptical; US skeptical.
   sketsj sketch.
   ski ski; (*på fly*) aircraft skid; *med* ~ (*om fly*) mounted on skids; *stå* (*el.* *gå*) *på* ~ go on skis, go skiing; *han gikk dit på* ~ he went there on

skis; stå (på ~) ned en bakke ski down a slope; vi skal ut og gå på ~ i dag we are going (out) skiing today; (se beinfly).
skibakke ski hill; (mindre, for begynnere) nursery slope; (hopp-) (ski-)jumping hill.
skibbrudd shipwreck: lide ~ be shipwrecked; (fig) go on the rocks, fail; lide ~ i livet fail in life.
skibbrudden shipwrecked, castaway (fx crew, sailor); den skibbrudne the shipwrecked man (,woman), the castaway.
skibinding ski binding.
skifer slate; tekke med ~ slate. **-stein** slate. **-tekt** slated.
skiflyvning ski flying.
skift 1 (arbeidsperiode) shift (fx an eight-hour s.; we work in three shifts); komme på ~ come on shift, come on (fx he came on at half past ten); **2** (klær) change (fx a c. of underwear).
skiftarbeid shift work.
I. skifte (subst) change; (arve-) division of an inheritance (,of an estate).
II. skifte (vb) change; (utveksle) exchange; (avløse hverandre) alternate; ~ **farge** ⚜ switch (on) to another suit; ~ **klær** change (one's clothes); ~ **olje** change the oil; ~ **på babyen** change baby's nappy, change baby; -s om å gjøre det take turns (doing it); hun -t på med konen nedenunder om å vaske trappen she took turns with the woman downstairs in washing the stairs; she and the w. d. washed the stairs in turn; ~ **ut** renew (fx a bulb).
skiftebehandling administration of an estate.
skifte|formann (jernb) (passenger) yard foreman. **-konduktør** head shunter; (se sporskifter). **-kontrollør** (passenger) yard inspector. **-leder-plass** hump cabin. **-lokomotiv** shunting (,US: switching) locomotive. **-mester** (passenger) yard master.
skiftende changeable, changing, varying; (se skydekke).
skiftenøkkel (adjustable) spanner; US monkey wrench.
skifterett 1. the law of the administration of estates; **2** (domstol) = probate court; (sorterer utenfor London under) county court; US surrogate's court.
skiftesamling [meeting of heirs].
skifte|signal (jernb) shunting (,US: switching) signal, marshalling yard signal. **-spor** shunting (,US: switching) track, siding. **-sporgruppe** set of sorting sidings. **-stillverk** marshalling yard control office, control cabin. **-tomt** shunting (el. marshalling) yard; US classification yard; flat ~ flat yard.
skiftevis by turns, alternately.
skiføre skiing (surface); godt ~ good skiing (surface el. snow); hvordan er -t i dag? how is skiing today? det var et elendig føre the going was wretched.
skiføring control over skis; nydelig ~ excellent c. of skis; for bred ~ skis too far apart.
skigard [rustic fence of diagonal design].
ski|heis ski lift. **-holder** (på bil) ski rack. **-hopper** ski jumper. **-kjelke** sledge with skis as runners.
skikk custom, usage, practice; ~ **og bruk** the custom; customary; ha for ~ å ... be in the habit of (-ing); få ~ på get (el. lick) into shape.
skikke (vb): ~ seg bra shape well.
skikkelig decent, respectable; et ~ måltid a square meal; beregn Dem en ~ timelønn allow yourself proper (el. adequate) payment per hour; sørg for at De blir ~ betalt see that you are properly paid; oppføre seg ~ behave properly; oppfør deg ~! behave yourself!
skikkelse form, shape, guise (fx in the g. of an angel); (i drama, maleri, etc) figure (fx the central f. of the drama); (person i roman, etc) character; ridderen av den bedrøvelige ~ the Knight of the Sorrowful Countenance; han smøg sin lange ~

gjennom døråpningen he slid his long frame through the doorway; en legendarisk ~ a figure of legend; etter ombyggingen fremstår operaen i ny ~ the old opera house, now rebuilt, presents a new appearance.
skikket fit, suitable; ~ for (el. til) suitable for, suited for, fit(ted) for (fx the man best fitted for the post), cut out for (fx he is not cut out for that sort of work); mindre ~ for hardly suited for; gjøre seg ~ til qualify oneself for.
skiklubb skiing club.
skilderhus ⚔ sentry box.
skilderi picture.
skildre (vb) portray, depict, describe.
skildrer portrayer.
skildring picture, description, portrayal; (se malende).
skill (i håret) parting; US part.
I. skille (subst) division; vann- watershed; vei- crossroads (NB a crossroads); (fig): se skille-vei & veiskille; et skarpt ~ a sharp distinction.
II. skille (vb) **1** (fjerne fra noe annet) part, separate; (voldsomt) sever (fx the head from the body); ~ at separate; til døden ~ r oss at till death do us part; ~ fra separate from; ~ noe ut (fra noe annet) separate sth (from the rest), sort sth out; (J disengage; (felle ut) precipitate; **2** (danne grense mellom) divide (fx the river divides my land from his); **3** (vekke splid) divide (fx we must not let such a small matter d. us); det skal ikke ~ oss (også) we won't quarrel over that; **4** (skjelne) distinguish (mellom between); for å ~ her blir deres stillinger omtalt som ... to make this distinction their positions are referred to as ...; **5** (om person): ~ en av med noe relieve sby of sth, take sth off sby's hands; ~ lag separate, part company; -s som (gode) venner part (good) friends; de skal -s they are going to be divorced; (se skilles).
[Forb. med seg] ~ seg av med part with (fx one's house, one's money); ~ seg fra (ɔ: være forskjellig fra) be different from, differ from; han skilte seg (el. lot seg ~) fra sin kone he divorced his wife; de -r seg fra hverandre på vesentlige punkter they have significant points of difference from each other; ~ seg godt (,dårlig) fra noe acquit oneself well (,ill); give a good (,bad) account of oneself; ~ seg ut fra be different from (fx other people), differ from; ~ seg ut fra mengden stand out from the crowd (el. the rest); lift oneself out of the ruck; ~ seg ved part with (fx one's house); (se også hårfin & skilles).
skille|linje dividing line, line of demarcation (mellom between). **-merke** distinguishing mark. **-mur** partition wall. **-mynt** small coin, (small) change. **-rom** partition.
skilles (vb) part (fx they parted the best of friends), part company (fx they parted c. for the night); separate; (om selskap også) break up (fx the party broke up at 12 o'clock); (ved opp-løsning av ekteskap) be divorced; (ved opphør av ekteskapelig samliv) separate (fx they have decided to s.); her ~ våre veier this is where our ways part; deres veier skiltes their ways parted; der hvor veiene ~ at the parting of the ways; ~ fra en part from sby; (se også II. skille 5).
skilletegn punctuation mark.
skillevegg partition (wall).
skillevei crossroads, parting of the ways; stå på -en be at the parting of the ways, be at a crossroads.
skilling (hist) farthing; spare på -en og la daleren gå be penny-wise and pound-foolish.
skillinge (vb): ~ sammen club together, get up a subscription.
skilnad: se forskjell.
skilpadde 🐢 tortoise; (hav-) turtle; forloren ~ mock turtle. **-skall** tortoise shell. **-suppe** turtle soup.
skilsmisse divorce; begjære ~ start (el. institute) divorce proceedings; (jur) file a petition (el. a suit)

for divorce; US file for divorce; *de ligger i* ~ they have entered into divorce proceedings; *oppnå* ~ obtain a divorce; (*se overdra*).

skilsmisse|barn child of divorced parents; child of divorce. **-begjæring** petition (*el.* suit) for divorce. **-dom** decree of divorce, d. decree; *få* ~ get a divorce. **-grunn** ground(s) for divorce. **-prosess** divorce proceedings, d. suit. **-sak** divorce case; (*se -prosess*). **-søkende:** *den* ~ *ektefelle* the petitioner (for divorce).

skilt badge (*fx* a policeman's badge); (*uthengs-*) (hanging) sign, signboard; (*navne-*) name plate; plate (*fx* a keyhole plate).

skilte (*vb*): ~ *med* display, parade, show off, make a show (*el.* parade) of (*fx* one's learning), make great play with.

skiltvakt ✕ sentry, sentinel; *stå* ~ stand sentry, be on sentry duty; (*se sette B:* ~ *ut*).

ski|løper skier. **-løype** ski track (*el.* trail); (*se løype*).

skimlet mouldy; US moldy; (*om hest*) dappled; (*hvit-*) roan; (*grå-*) dapple-grey.

skimmel *subst* (*hest*) dapple; (*grå-*) dapple-grey (horse); (*hvit-*) roan.

skimre *vb* (*skinne svakt*) shimmer, glimmer.

skimt glimpse; (*se glimt*).

skimte (*vb*) catch a glimpse of; see dimly.

skingrende shrill; ~ *falsk* painfully out of tune; *med* ~ *stemme* in a shrill voice, shrilly.

skinke ham; (*ved partering*) leg (of pork); ~ *med ben* (*hos slakteren*) fillet on the bone; *benfri* ~ (*hos slakteren*) boned fillet; *kokt* ~ boiled ham; *ristet* ~ fried ham.

skinkestykke (*røkt*) = gammon hock, corner (,middle) gammon.

I. skinn (*hud*) skin, hide; (*dyrs pels*) coat; (*pelsverk*) fur; (*preparert*) leather; (*på frukt*) peel, rind; *det gylne* ~ the Golden Fleece; *en skal ikke selge -et før bjørnen er skutt* don't count your chickens before they are hatched; *han er bare* ~ *og ben* he's a bag of bones; *gå ut av sitt gode* ~ jump out of one's skin; *hva i djevelens* ~ *og ben!* what the hell! *holde seg i -et* control oneself; keep oneself in; (*ikke trosse forbud, etc*) toe the line; *gråte som et pisket* ~ cry to beat the band; *han henger i som et pisket* ~ he works as if possessed; T he works flat out; *løpe som et pisket* ~ run like mad; *redde -et* T save one's bacon; *risikere -et* (*fig*) stick one's neck out; *våge -et sitt* risk one's life; *våt til -et* soaked to the skin.

II. skinn light; (*sterkt*) glare; (*fig*) appearance; *-et bedrar* appearances are deceptive; *bevare -et* keep up appearances; *bevare et* ~ *av nøytralitet* preserve an air of neutrality; *han har -et imot seg* appearances are against him.

skinn- mock, sham, pseudo.

skinnangrep mock attack, feint.

skinnanlegg ✕ dummy installations.

skinnbarlig (*adj*) incarnate; *den -e djevel* the devil incarnate.

I. skinndød (*subst*) asphyxia, suspended animation.

II. skinndød (*adj*) apparently dead, asphyxiated.

I. skinne 1 (*jernbane-*) rail; (*pl ofte*) metals; (*løpe-*) guide rail; **2** (*for brukket arm, etc*) (surgical) splint; **3** (*del av rustning; ben-*) greaves; (*for lår*) *cuisse*; (*for arm*) arm guard; *gå av -ne* run off (*el.* leave *el.* jump off) the rails (*el.* the metals); be derailed; *gå på -r* run on rails; *legge -r* lay (down) rails.

II. skinne (*vb*) shine; *sola -r* the sun is shining, t is sunny, it is a sunny day; ~ *av* shine with *fx* his face shone with happiness), sparkle with *fx* his eyes sparkled with joy); ~ *igjennom* *hine through*; (*kunne ses gjennom*) show through *fx* the old paint shows through); *det -r igjennom beretningen at* one can read between the lines *of the report that*; *det skinte igjennom at han var skuffet* he was obviously disappointed; *la det* ~ *igjennom at* hint that, intimate that.

skinneben (*anat*) shin(bone); (*fagl*) tibia; *sparke en over -et* kick sby's shins; (*i fotball, også*) hack (*fx* h. an opponent).

skinnebensbrudd 🜨 fracture of the tibia.

skinne|brems (*jernb*) rail brake; US (car) retarder. **-brudd** rail breakage. **-buss** railbus. **-forbinder** rail bond. **-fot** base (*el.* foot) of the rail, rail base. **-gang** track, runway, rails. **-helling** rail cant (*fx* rail inward c.). **-hode** rail head. **-høyde** height of a rail. **-kant** running edge (of a rail). **-klemme** rail anchor, anti-creeper. **-kontakt** rail contact. **-kropp** web of the rail. **-kryss** crossing, frog; *dobbelt* ~ double frog, diamond crossing; (*se kryssveksel*). **-lask** fishplate. **-legger** platelayer. **-legning** track laying. **-løfter** rail lifter (*el.* jack). **-løs** trackless. **-presse** rail press (*el.* straightener), r. straightening machine. **-profil** rail form, r. section. **-rydder** guard iron, rail guard; US cowcatcher. **-skjøt** rail joint. **-skrue** coach screw, rail s. **-spiker** rail spike, dog spike, screw spike. **-spor** track. **-stol** rail chair. **-streng** rails (*pl*). **-støt** = rail joint. **-vandring** rail creep (*el.* motion), creeping of the rails. **-vei:** *se -gang*.

skinnfektning sham fight (*el.* battle).

skinn|fell fur rug, fur bedcover; US (*også*) fell; *ikke strekke seg lenger enn -en rekker* cut one's coat according to one's cloth. **-ille** (*liten hudlapp*) patch of skin. **-foret** fur-lined.

skinnhanske leather glove.

skinnhellig hypocritical. **-het** hypocrisy.

skinn|kant fur edge. **-kåpe** fur (cloak).

skinnlue fur cap.

skinnmager lank-sided, skinny; *han er* ~ he's a bag of bones.

skinnpels fur coat.

skinnskjerf (*for damer*) fur cravat.

skinnsyk jealous (*på* of). **skinnsyke** jealousy.

skinntryte 🌿 bog whortleberry.

skinn|trøye leather jacket. **-tøy** furs.

skip (*typ*) ship, vessel; (*i kirke*) nave; (*typ*) galley; *brenne sine* ~ burn one's boats; *forlate et synkende* ~ desert a sinking ship; *få et* ~ *å føre* obtain the captaincy of a ship; *get a ship; føre et* ~ command (*el.* be in command of) a ship; *«mitt* ~ *er ladet med . . .»* (*lek*) = «a name beginning with . . .»; *legge opp et* ~ lay up a ship; *gå om bord i et* ~ go on board a ship; (*for å reise*) take ship (*fx* he took ship for X); embark; *sende varer med* ~ send goods by ship, ship goods; *varene sendes med norske* ~ the goods are shipped (*el.* sent) in Norwegian bottoms; *om bord på et* ~ on board (*el.* aboard) a ship, on a ship; (*stundom*) on shipboard (*fx* any excitement on s. is contagious); *pr.* ~ by ship.

I. skipe (*vb*) ship (*fx* goods); ~ *inn* take on board, embark; ~ *seg inn til Oslo* take ship for Oslo; ~ *ut* export by sea, export overseas; (*se utskiper & utskipning*); (*losse*) unload, discharge, unship (*fx* cargo).

II. skipe (*vb*): ~ *til* arrange; ~ *seg vel* turn out well.

skiping shipping.

skipnings|advis advice of shipment. **-dagen** (the) date of shipment. **-oppgave** particulars of cargo. **-ordre** shipping instructions.

skipper master (of a vessel), shipmaster, skipper; *S-n* (*tegneserie*) Popeye (the Sailor).

skipper|eksamen examination for the master's certificate. **-skjønn** rule of thumb; rule-of-thumb methods. **-skrøne** tall story, cock-and-bull story; *fortelle -r* draw the longbow. **-tak** all-out effort, sudden effort; *ta et* ~ make an all-out effort, make a spasmodic effort.

skips|aksje shipping share. **-apotek** ship's dispensary. **-assuranse** marine insurance. **-besetning** (ship's) crew. **-besiktelse** survey (of ships). **-besiktelsesmann** (ship) surveyor; *maskinkyndig* ~ engineer s.; *sjøkyndig* ~ nautical s. **-bygger** shipbuilder. **-byggeri 1.** shipbuilding (industry); **2.** (*verft*) shipbuilding yard, shipyard. **-bygging** shipbuilding. **-byggingsprogram** shipbuilding programme; (*se gang D*). -**dagbok** (ship's) log, logbook. -**dokumenter** (*pl*) ship's papers. -**fart** shipping; (*seilas*) navigation. -**fartsforholdene** the state of the shipping trade. -**fører** master (of a ship), shipmaster. -**førereksamen** examination for the master's certificate; *han har* ~ he holds a master's certificate. -**handel** ship chandler, marine store dealer. -**journal**: *se -dagbok*. -**kjeks** ship's biscuit, hardtack. -**kontroll** inspection of ships; *S-en* [the Government Inspection of Ships]. -**led** fairway, channel; (*gjennom pakkis*) lead. -**leilighet** shipping opportunity; *få* ~ *til* obtain a passage to; *med første* ~ by the first ship. -**lege** ship's doctor. -**mannskap** (ship's) crew. -**megler** shipbroker. -**reder** shipowner. -**rederi** shipowners, shipping company (*el.* business). -**side** ship's side; *fritt fra* ~ free overside, free ex ship; *levere fritt ved* ~ deliver free alongside ship. -**skrog** hull (of a ship). -**tømmermann** ship's carpenter; T chippy, chips. -**verft** shipbuilding yard, shipyard.

skirenn skiing competition (*el.* race *el.* contest), ski meet(ing).

skisma schism. **skismatiker** schismatic.

skismatisk schismatic(al).

skismøring ski wax.

skispor ski track (*el.* trail).

skisse sketch. -**bok** sketchbook.

skissere (*vb*) sketch, outline.

skistav ski stick; US ski pole; (*jvf stav*).

skiterreng skiing country.

skitne (*vb*): ~ *til* dirty.

skitrekk ski tow.

skitt dirt, filth, muck; rubbish, trash; ~ *i det!* to hell with it; *det er noe* ~ it's no good, it's rotten; (*vulg*) it's no bloody good; *kaste* ~ *på en* (*fig*) smear sby, throw mud at sby.

skitten dirty, filthy; (*uanstendig*) smutty, obscene; *han var* ~ *i ansiktet* his face was dirty, he was dirty in his face; *hele huset er -t* everything in the house is dirty; the h. is dirty all over; all parts of the h. are dirty; *han liker ikke å bli* ~ *på hendene* he doesn't like to get his fingers dirty. **skitten**|**ferdig** dirty, slovenly. -**tøy** soiled linen. -**tøykurv** soiled linen basket.

skitt|**unge** T brat. -**viktig** T stuck-up.

skitur skiing trip; (*lengre*) skiing tour; *dra på* ~ make (*el.* take *el.* go on) a skiing trip; go skiing; *skal vi ta en liten* ~? shall we do a bit of skiing? *han liker å gå på -er* he likes cross-country skiing; (*se beinfly*).

skive (*subst*) disk; disc; (*til skyting*) target; (*av brød, kjøtt*) slice; (*på ur*) face, dial; *skyte på* ~ shoot at a target.

skiveskyting target practice.

I. skje (*subst*) spoon; (*om kvantum*) spoonful; *gi ham det inn med -er* spoon-feed him; . . . *men vi skal ha oss frabedt å få det inn med -er!* but we won't have it rammed down our throats! *ta -en i den andre hånden* mend one's ways.

II. skje (*vb*) happen, occur (*fx* a few minutes later the explosion occurred); come to pass; be done; *Gud* ~ *lov!* thank God! *betalingen -r gjennom banken* payment is effected through the bank; *betalingen -dde i dollar* payment was made (*el.* effected) in dollars; *det har -dd en ulykke* there has been an accident; (*se levering*).

skjeblad bowl of a spoon.

skjebne fate, destiny; fortune; -*n* fate; *han forbannet sin* ~ he cursed his lot; *finne seg i sin* ~ be resigned to one's fate; *han fikk en trist* ~ he came to a sad end; *la -n råde* leave everything to chance; let things drift; *takk* ~! that's just like my luck! *utfordre -n* ask for trouble (*fx* that's asking for t.); (*se I. lune & overlate*).

skjebnesvanger fateful; (*ødeleggende*) fatal, disastrous.

skjebnetro (*subst*) fatalism.

skjede scabbard, sheath; (*anat*) vagina.

skjefte (*subst*) stock (of a gun).

skjegg beard; (*på nøkkel*) bit; *ukegammelt* ~

a week's growth of beard; *mumle i -et* mutter (to oneself); *le i -et* laugh up one's sleeve; *la -et vokse* grow a beard; *bli sittende med -et i postkassa* T be left holding the baby (,US: the bag).

skjeggape ♀ wanderoo.

skjegget bearded; (*ubarbert*) unshaved, unshaven (*fx* he is unshaved; an unshaven person).

skjegg|**løs** beardless. -**meis** ♀ bearded titmouse. -**sopp** sycosis, barber's itch. -**stubb** stubble. -**torsk** (*fisk*) bib, pout. -**vekst** growth of beard.

skjel: *gjøre rett og* ~ give everyone his due; do the right thing; *komme til -s år og alder* grow up, reach the age of discretion; (*se II. rett*).

skjele (*vb*) squint; ~ *til* look askance at.

skjelett skeleton; (*fig*) framework (*fx* the f. of a novel).

I. skjell (*grense*) boundary, borderline.

II. skjell (*fiske-*) scale; (*muslingskall*) shell; (*musling*) shell, mussel.

skjellakk shellac.

skjell|**dannet** scaly. -**dekt**: *se skjellet*.

skjelle (*vb*): ~ *og smelle* storm and rage; T blow one's top off; ~ *en ut* abuse sby; T call sby names; blow sby up.

skjellet scaly, shelly.

skjellig just, reasonable; ~ *grunn* good reason; *det foreligger* ~ *grunn til mistanke* there are adequate grounds for suspicion.

skjellsord invective, insult, term of abuse, word of abuse.

skjelm (*skøyer*) rogue, wag; *neste gang er en* ~ take the chance while you have it; *ha en* ~ *bak øret* have sth (*el.* a trick) up one's sleeve.

skjelmsk roguish, waggish.

skjelne (*vb*) distinguish, discern, make out, discriminate; *jeg kunne ikke* ~ *dem fra hverandre* I could not tell them apart.

I. skjelv shaking, trembling; *hun hadde nå fått -en i seg* she was now all of a tremble.

II. skjelv (*adj*): *han er* ~ *på hånden* his hand is unsteady.

skjelve (*vb*) tremble, shake, shiver; quake (*fx* the earth quaked); quiver; vibrate (*fx* the outlines vibrated in the heat); ~ *av frykt* tremble with fear; ~ *for* (o: *av angst for*) tremble before (*fx* they trembled before him (,before his anger)); ~ *i buksene* (o: *være redd*) T shake in one's shoes; ~ *som et aspeløv* tremble like an aspen leaf; (*se skjelvende*).

skjelvende (*se skjelve*) trembling, shaking, shivering; *med* ~ *stemme* (*el.* røst) with a quiver (*el.* shake) in his (,her, *etc*) voice.

skjelving trembling, shaking, shivering; tremble, shake, shiver, quiver, quake.

skjeløyd squint-eyed, squinting; T cross-eyed.

skjema 1 (*blankett*) form; US blank; (*spørre-*) questionnaire; *fylle ut et* ~ fill up (*el.* in) a form, complete a form; 2. pattern, scheme (*fx* his novels all conform to the same scheme); *gå fram etter et* ~ act according to a fixed pattern.

skjemat spoon food, food eaten with a spoon.

skjematisere (*vb*) schematize.

skjematisk schematic (*fx* a s. survey of the pros and cons; his method is too s.); ~ *fremstilling* schematic (*el.* general) outline.

skjemavelde rule of red tape; (*jvf papirmølle*).

skjemme *vb* (*vansire*) disfigure (*fx* the scars disfigured his face; these houses d. our countryside); *mar* (*fx* a few mistakes marred the performance); *stilen -s av en opphopning av fremmedord og sjeldne og vanskelige engelske ord* the style is marred by a superfluity (*el.* an accumulation) of foreign terms and uncommon and esoteric (*el.* difficult) English words; (*gjøre sløv*) dull (*fx* a knife); ~ *bort* spoil (*fx* a child); (*se også II skjemt*).

skjemmes (*vb*): *se skamme seg*.

I. skjemt banter; jest, joke; *på* ~ in joke, in jest, for the fun of the thing, just for a joke (*el.* for a lark).

II. skjemt (*om mat*) bad (*fx* the meat is (*el.* ha

gone) bad); *kjøttet er litt* ~ the meat is slighthy off; (*om kniv, etc*) blunt, dull.

skjemte (*vb*) banter; jest, joke.

skjemte|dikt jesting poem. **-vise** comic song.

skjemtsom bantering, jocular; merry.

skjende 1 (*vanhellige*) desecrate; 2 (*voldta*) rape, ravish.

skjendig (*vanærende*) disgraceful, shameful; (*skammelig*) outrageous, gross; (*se skammelig*).

skjendighet disgracefulnes, shamefulness, outrageousness.

skjene vb (*om kyr*) stampede; ~ *ut* swerve.
  I. skjenk (*møbel*) sideboard.
  II. skjenk: *se gave.*
  III. skjenk (*drikk*) a drink, drinks.

skjenke vb 1 (*gi*) give, present with (*fx* p. sby with sth); donate (*fx* d. a fortune to charitable institutions); 2 (*helle opp*) pour (*fx* I'll pour), pour (out) (*fx* pour (out) the tea; he poured himself (out) another glass of wine); ~ *i* pour (*fx* tea); ~ *vin i glassene* pour wine into the glasses; ~ *glasset fullt* fill (up) the glass.

skjenke|rett licence (for retailing liquor); US (on-sale) liquor license. **-stue** taproom. **-vert** barkeeper.

skjenk(n)ing pouring; retailing liquor.

skjenn scolding; *få* ~ be scolded, get a scolding; T be told off.

skjenne (*vi*) scold; ~ *på* scold (*fx* sby for sth).

skjennepreken scolding; (*jvf påpakning*).

skjenneri quarrel; wrangle, bickering, squabble.

skjensel infamy, disgrace, dishonour, ignominy.

skjenselsgjerning infamous deed, outrage.

skjeppe bushel; *stille sitt lys under en* ~ hide one's light under a bushel.

skjerf scarf (*pl:* scarfs *el.* scarves); *ull-* woollen (*el.* knitted) scarf, muffler; (*se skinn-*).

skjerm screen; (*for øynene; lampe-*) shade; (*på bil*) mudguard; wing; US fender; ♣ umbel.

skjermbilde X-ray (*fx* I've just been to the health centre to have a Pirqué and an X-ray).

skjerm|blomstret ♣ umbelliferous. **-brett** folding screen; (*foran ovn, kamin*) fire screen (*el.* guard).

skjerme (*vb*) shield, protect (*mot* from, against); (*elekt*) screen.

skjerp (*min*) prospect; (*utmålt felt*) claim; *merke opp -et* (*sitt*) peg one's claim, stake out a claim.
  I. skjerpe vb (*søke etter malm*) prospect (for ore); drill for oil.
  II. skjerpe vb (*gjøre skarp*) sharpen; ~ *appetitten* give an edge to (*el.* whet) the (,one's) appetite; ~ *bestemmelsene* make the rules more stringent; (*ofte*) tighten up the rules; ~ *kontrollen over* tighten (up) the control of; ~ *sine krav* raise (*el.* intensify) one's demands; *-nde omstendigheter* aggravating circumstances.

skjerpelse intensification, tightening (up) (*fx* the t. up of the control); (*av straff*) increase (of a sentence).

skjerpende aggravating; *det foreligger særdeles* ~ *omstendigheter* there are particularly aggravating circumstances attached to this.

skjerv mite; *yte sin* ~ offer (*el.* contribute) one's m.

skjev 1 (*usymmetrisk, unormalt skrå*) wry (*fx* face, neck, nose); crooked (*fx* nose, legs); lopsided (*fx* window); skew (*fx* teeth); (*om skohæl*) worn down on one side; (*bøyd*) bent (*fx* the pedal is bent); 2 (*skrå, ikke loddrett el. vannrett*) slanting (*fx* letters); oblique (*fx* line); 3 (*fig*) lopsided (*fx* a l. version of the affair); crooked (*fx* reasoning), warped (*fx* a w. account of the event); maladjusted (*fx* system); (*ensidig*) one-sided, bias(s)ed. *-t* (*adv*) (1,2) awry, askew (*fx* the blind was pulled up askew); aslant, slantingly, slantways, slantwise (*fx* cut sth s.); obliquely; (3) wrongly, lopsidedly, crookedly, one-sidedly;
  A [*Forb. med subst*] *et -t bilde* (*fig*) a distorted view (*fx* of the situation); *-t blikk* oblique glance; *komme i et -t forhold til en* be placed in a false position as regards sby; *la tingene gå sin -e gang*

let things slide, leave matters to settle themselves; drift along, muddle along; *det gikk sin -e gang* things were allowed to drift; *han er* ~ *i munnen* his mouth is awry; (NB make a wry mouth at sby: *geipe til en*); ~ *mur* wall out of plumb, sloping (*el.* leaning *el.* inclined) wall; *han har* ~ *nese* his nose is askew (*el.* crooked); (*etter beskadigelse*) he has a broken nose; *-t resonnement* unsound reasoning; ~ *rygg* ♂ curvature of the spine; *-e sko* shoes worn down on one side; *det -e tårn i Pisa* the Leaning Tower of Pisa; ~ *vinkel* oblique angle; *-e øyne* oblique (*el.* slanting) eyes; *med -e øyne* (*også*) slant-eyed;
  B [*Forb. med vb*] *alt gikk -t* everything went wrong; *det går -t* things are going badly (*for ham* for him); *bildet henger -t* the picture is crooked (*el.* not straight); *gardinen hang -t* the curtain hung askew (*el.* crooked); *komme -t ut* (*i stilopp-gave*) get off to a false start (*fx* you've got off to a f. s.); *han har kommet -t ut* he has had a bad start; *he has manoeuvred himself into a false position; *se -t til en* cast a sidelong glance at sby, look sideways at sby, look at sby out of the corner of one's eye; (*med uvilje, etc*) look askance at sby; *myndighetene så -t til det* the authorities frowned on it; *hatten din sitter -t* your hat is awry (*el.* not straight); *smile -t* give a wry smile, smile crookedly.

skjevbent crooked-legged.

skjevann ♂ nitric acid.
  I. skjeve (*subst*): *på* ~ aslant, askew, on the slant, slantwise, obliquely, on the skew; *hun hadde hatten på* ~ she had her hat on askew; *det gikk på* ~ *med forretningen* the business went all wrong; (*se skjev B*).
  II. skjeve (*vb*): ~ *skoene sine* wear the heels of one's shoes down on one side.

skjevhalset wrynecked.

skjevhet wryness, obliqueness, distortion; (*også fig*) obliquity.

skjevøyd with slanting (*el.* oblique) eyes, slant-eyed.
  I. skjold (*flekk*) stain, discoloration, blotch.
  II. skjold shield; buckler; *føre i sitt* ~ have in mind, intend.

skjold|borg rampart of shields, testudo. **-brusk** ♂ thyroid cartilage. **-bruskkjertel** ♂ thyroid gland.

skjoldet discoloured (,US: discolored), stained, blotched.

skjoldlus ♣ scale insect, mealy bug.

skjoldmøy female warrier, amazon.

skjort|e shirt; *i bare -a* in his shirt; *han eier ikke -a på kroppen* he hasn't got a shirt to his back.

skjorte|bryst shirt front. **-erme** shirt sleeve; *i -ne* in (his) shirt sleeves. **-flak** shirt tail. **-knapp** shirt button; (*løs*) stud. **-krage** shirt collar. **-linning** wristband; (*hals-*) neckband. **-stoff** shirting.

skjul cover, shelter; (*skjulested*) hiding place; (*ved-*) shed; *legge* ~ *på noe* make a secret of sth; *ligge i* ~ be hidden.

skjule (*vb*) hide, conceal (*for* from); ~ *seg* hide; ~ *sine hensikter* disguise one's intentions.

skjulested hiding place.

skjult hidden; (*om feil, etc*) latent (*fx* defect danger); *-e reserver* hidden reserves; *holde seg* ~ keep out of sight.

skjæker: *pl av* skåk.
  I. skjær *subst* (*lys*) gleam; glow (*fx* the g. of the fire); glimmer(ings) (*fx* the first glimmerings of dawn); (*fargetone*) tinge.
  II. skjær (*plogskjær*) ploughshare; US plowshare; (*skøyte-*) stroke; *med lange, fine* ~ with long gliding strokes.
  III. skjær (*i sjøen*) rock, skerry; ~ *i overflaten* rock awash; *et blind-* a sunken rock; *livet er fullt av* ~ life is full of dangers.
  IV. skjær *adj* (*ren*) pure; (*om kjøtt*) solid, meaty.
  I. skjære *subst* ♣ magpie.

II. skjære *(vb)* cut; ~ *ansikter* make faces; ~ *av* cut off *(el.* away); ~ *bort* cut away; ~ *tenner* grind *(el.* grit *el.* gnash) one's teeth; ~ *hverandre* *(geom)* intersect; ~ *for* carve; ~ *i skiver* slice (up); *(med forskjærkniv)* carve; ~ *noe i to* cut sth in two; *ord som -r en i øret* words that offend the ear; ~ *i tre* carve in wood; ~ *navnet sitt inn i et tre* carve one's name in a tree; *lyset -r meg i øynene* the light hurts my eyes; *det -r meg i hjertet* it breaks my heart; ~ *ned* cut down, reduce, lower; ~ *opp* cut open; *(i stykker)* cut up, cut to pieces; ~ *over* cut, cut in two; ~ *halsen over på en* cut sby's throat; ~ *seg (om melk)* turn; *melken -r seg* the milk is on the turn; *(om stempler)* seize up; ~ *seg i fingeren* cut one's finger; ~ *seg på en kniv* cut oneself with a knife; ~ *til (tøy)* cut out *(fx* a blouse); *(se kam).*

skjærende cutting; *(om lyd)* shrill, piercing, strident *(fx* voice); ~ *ironi* scathing irony; ~ *motsetning* glaring contrast.

skjæretann incisor.

skjærgård skerries *(pl).*

skjærgårdsidyll island idyll, idyll(ic scene) among the skerries.

skjæring cutting; *(jernb)* cutting.

skjærings|linje line of intersection; *(mat.)* secant. **-punkt** (point of) intersection.

skjærmyssel ⚔ skirmish.

skjærsild purgatory; *(fig)* ordeal; *i -en* in purgatory.

skjærsliper (knife-and-scissors) grinder.

skjærtorsdag Maundy Thursday (NB *ikke fridag i England).*

skjød lap; bosom; *i familiens* ~ in the bosom of one's family; *hva fremtiden bærer i sitt* ~ what the future holds in store; *legge hendene i -et (fig)* fold one's arms, sit back, remain a (passive) spectator; *sitte med hendene i -et* be idle, twiddle one's thumbs.

skjødehund lap dog.

skjødesløs careless, negligent; *(om arbeid)* slapdash; *hans -e måte å være på* his offhand manner; ~ *med sitt utseende* careless of one's appearance *(el.* person).

skjødesløshet carelessness, negligence; nonchalance; *en* ~ a piece of carelessness.

skjøge prostitute, harlot, whore; *(jvf prostituert).*

skjølp gouge; ⚓ score *(fx* in a block).

I. skjønn 1 *(forstand, dømmekraft)* judg(e)ment, faculty of judgment; understanding, discernment; **2** *(dom)* judg(e)ment, estimate; *(mening)* opinion; *(se uttalelse);* **3.** *jur (fastsettelse av beløp, etc)* valuation, appraisal; *(official)* assessment; ⚓: *se besiktelse;* **4** *(forgodtbefinnende)* discretion; *praktisk* ~ rule of thumb *(fx* work by r. of t.); *etter beste* ~ to the best of one's judgment *(el.* understanding); *etter et løst* ~ at a rough estimate; *(se skjønnsmessig); etter mitt* ~ in my opinion *(el.* judgment); *handle etter eget* ~ use one's own discretion; *basert på (et løst)* ~ based on a rough estimate; *jeg overlater det til Deres* ~ I leave the matter to your discretion; you must exercise your own discretion; (please) use your own d.; I leave it to you; *det overlates til den enkeltes* ~ it is left to individual judgment.

II. skjønn beautiful, lovely *(fx* colour, face, picture, woman); *(om mat)* delicious; *den -e* the fair (one); *det -e* the beautiful *(fx* a love of the b.); *de -e kunster* the (fine) arts; *-e løfter* fair promises; *i den -este orden* in perfect order; T in apple-pie order.

skjønne *(vb)* understand; see; *(om spebarn)* notice *(fx* baby notices everything now), take notice *(fx* baby is beginning to take notice); ~ *på* appreciate; *(se påskjønne);* ~ *seg på* know about *(fx* I know nothing about engines); be a judge of; *jeg -r meg ikke på ham* I can't make *(,US:* figure) him out; *jeg skjønte på ham at . . .* I could tell by his manner that . . . ; I could see

from his manner *(el.* expression) that . . . *-r du* you know, you see; *så vidt jeg -r (el.* kan ~ as far as I can see *(el.* make out), in my opinion; *så vidt man -r* to all appearance; as far as can be seen.

skjønner connoisseur; a good judge *(fx* horses).

skjønnhet beauty; *hun er en* ~ she is a beauty *man må lide for -en* pride must bear pain.

skjønnhetskonkurranse beauty contest.

skjønnhets|middel cosmetic, beauty preparation. **-plett** beauty spot; mole. **-salong** beauty parlour *(,US:* parlor). **-sans** sense of b. **-spesialist** b. specialist. **-verdi** aesthetic *(,US:* esthetic) value. **-åpenbaring:** *en* ~ a marvel of beauty; a stunning beauty, a revelation of beauty.

skjønnlitteratur fiction, belles-lettres; (N fiction *omfatter ikke drama og poesi).*

skjønnlitterær fictional; ~ *forfatter* writer fiction, fiction writer.

skjønnsforretning survey, valuation.

skjønnskrift copy-book writing; *(skolefag* writing. **-bok** writing book, copybook.

skjønns|mann surveyor, appraiser, value **-messig** *(adj)* approximate, rough *(fx* a r. est mate); *(adv)* approximately, at a rough estimat **-nemnd** commission of appraisers.

skjønnsom judicious, discriminating; *et utvalg* a judicious selection.

skjønnsomhet discretion, judiciousness, discr mination.

skjønnssak matter of judg(e)ment *(el.* opinion

skjønnsvis at a rough estimate.

skjønnånd bel-esprit *(pl:* beaux-esprits).

skjønt *konj (enskjønt)* though, although.

skjør brittle, fragile; T crazy; *(jvf sprø).*

skjørbuk ⚕ scurvy; *som lider av* ~ scorbuti

skjørhet brittleness; fragility; T craziness.

skjørt skirt; *(neds = kvinne)* skirt.

skjørteregimente petticoat government.

skjørteveien: *gå* ~ use female influence.

I. skjøt *(på frakk)* tail.

II. skjøt ⚓ *(tau)* sheet.

III. skjøt joint; *uten* ~ in one piece.

I. skjøte *(jur)* deed (of conveyance).

II. skjøte *vb (overdra)* convey; deed *(fx* dee sth to sby).

III. skjøte *(vb)* join; *(forlenge)* lengthen; ~ *p* lengthen.

skjøteledning *(elekt)* extension lead; US e. corc ~ *med lampe i den ene enden* wandering lea **skjøtemaskin** *(for film)* splicer.

skjøtlask *(skinnelask)* fishplate.

skjøtsel care, management.

skjøtte *(vb)* look after, attend to, mind; *forretningen* ~ *seg selv* leave the business to tak care of itself; *han -r ikke forretningen* he neglect his business.

skli *(vb)* slide *(fx* the boys are sliding on th ice); *(om hjul)* skid; *bilen skled tvers over veie* the car skidded right across the road.

sklie *(subst)* slide *(fx* we made slides on th road).

I. sko *(subst)* shoe; *over en lav* ~ wholesale *vite hvor -en trykker* know where the shoe pinche *(fx* everyone knows best where his own sho pinches).

II. sko *(vb)* shoe; ~ *seg* enrich oneself *(a* other people's expense).

skobesparer (shoe) cleat, stud.

skobørste shoe brush.

I. skodde mist; *(dis)* haze; *tykk* ~ fog.

II. skodde *(vindus-)* (window) shutter.

skoeske shoebox.

skoft *(fravær)* absenteeism; staying away fro work, cutting work; *(jvf fravær).*

skofte *(vb)* absent oneself from work; cut *(e* miss *el.* stay away from) work; shirk; *han -t h* cut work, he missed *(el.* stayed away from work; *en som -r* absentee; *(som er arbeidsskt* shirker, slacker; *(se skulke).*

skog wood; (stor) forest; (skogbevokst egn) woodland; ~ kommet etter urskog second growth; ens avkastning the forest yield, the wood harvest; ens nettoavkastning the forest rental, the net yield from the forest; dekket av ~ (densely) wooded, dense-wooded, covered with (dense) forests; (se skogbevokst); ferdes i ~ og mark walk about the woods and fields; som man roper ut i -en, får man svar one gets the answer one deserves; han ser ikke -en for bare trær he can't see the wood for the trees; **Direktoratet for statens -er**[the Directorate of State Forests]; (i England) the Forestry Commission; (i Canada) the Federal Department of Forestry; (se statsskogsjef & under-direktør; jvf skogdirektoratet & skogdirektør).

skog-: se også skogs-.
skog|almenning common forest land, public forest. **-beskatning** forest taxation. **-bestand** forest stand. **-bevokst** wooded; well-wooded, well-timbered (fx country). **-bjørn** (wood) tick; dog tick. **-bonitering** classification of forest soils. **-brannbeskyttelse** forest fire protection. **-bruk** forestry. **-bryn** edge of a forest. **-bunn** forest (el. woodland) floor. **-bygd** (el. -distrikt) wooded country; woodland (el. forest) district (el. area).
skog|direktorat: S-et [the Forestry Directorate]; (intet tilsvarende i England el. Canada; se skog: Direktoratet for statens skoger). **-direktør** [Director of Forestry]; (intet tilsv.; se statsskogsjef).
skog|due ♣ (ringdue) wood pigeon. **-eier** forest owner. **-fattig** poorly wooded (el. forested). **-flora** woodland (el. sylvan) flora. **-fornyelse** refore-station, regeneration, reproduction. **-forvalter** district forest officer; (i Canada) supervisor of rangers. **-forvaltning** (distrikt) forest district; (i Canada) ranger district; (se skogskjøtsel).
skoggangsmann (hist) outlaw.
skogger|latter roar of laughter; (neds) guffaw, horselaugh. **-le** (vb) roar with laughter; (neds) guffaw.
skog|grense timber line. **-holt** grove; spinney. **-inspektør** conservator; (i Canada) district forester. **-inspektørdistrikt** conservancy; (i Canada) forest district. **-kledd** wooded; (poet) wood-clad. **-kratt** thicket, copse, bushes. **-lendt** wooded. **-li** wooded slope. **-løs** treeless, unwooded, devoid of trees. **-mark** forest land; f. soil.
skognag sore feet, blistered feet (,heels), blisters (fx he got blisters on his feet; his shoes gave him blisters).
skogplanteskole forest nursery.
skogplanting forestation, forest work.
skogrik well forested (el. wooded) (fx a well -wooded district), heavily timbered.
skogs|arbeid forest labour; forestry work, forest (el. woods) operation; US (også) lumbering; han er ute på ~ he is out working in the forest. **-arbeider** woodman, forest worker (el. labourer); lumberman; US lumberjack, busher. **-arbeidslære** science of forest labour. **-drift** forestry (work).
skogselskap: Det norske ~ the Norwegian Forestry Society.
skogs|folk (pl): se -arbeider. **-fugl** ♣ woodland bird. **-kar** woodman; US lumberjack.
skogskjøtsel silviculture.
skog|skole school of forestry. **-slette** glade. **-snar** grove; spinney. **-snipe** ♣ green sandpiper. **-sti** forest (,woodland) path, path through the wood(s). **-stjerne** ✿ chickweed wintergreen. **-strekning** stretch of forests (,woods). **-stue** (i Canada) lumber camp.
skogsvei forest road, woodland road, road through the wood(s).
skogsvin litter lout; (også US) litterbug.
skog|teig strip of wood. **-tekniker** forest technician. **-teknologi** forest technology. **-troll** woodland troll. **-tur** outing in the woods, picnic. **-tykning** thicket. **-vesen** forest service. **-vokter** forester; (i Canada) forest ranger; (viltvokter, i England) gamekeeper.

sko|horn shoehorn. **-hæl** heel (of a shoe).
skokk crowd, flock.
skokrem shoe polish.
skolastiker scholastic. **skolastikk** scholasticism.
skolastisk scholastic.
skole school; schoolhouse; (også om elevene) school (fx the whole s. knew it); (folke-) primary school; US grade school; forsømme -n miss school, be absent from s.; (jvf skulke); -ns folk educationists; (se uttrykk; vie); skolen fikk fri the school was given a holiday; gjennomgå en hard ~ be schooled in hardship; go through a hard (el. rough) s.; go through the mill (fx they put him through the m.); holde ~ give lessons; høyere ~ secondary school; dette kunne forandre radikalt den høyere ~ i 80-årene this could radically alter the pattern of secondary studies in the eighties; -ns ledelse the school authorities; (se gymnas);
[Forb. med prep & adv] en maler av Rafaels ~ a painter of the school of Raphael; være av den gamle ~ be (a man (,lady, etc)) of the old school; komme hjem fra -n come home from school; gå i ~ hos ham be his pupil; study under him; bli satt i ~ (glds) be put (el. sent) to school; ta en i ~ (fig) take sby to task; melde et barn inn på -n enter a child for school; barna blir meldt inn på -n i mai og begynner i august the children are entered for school (el. have their names put down for school) in May and start in August; (se innmelding); på -n at school; (m.h.t. under-visning også) in class; på -ns område on the school premises; begynne på -n start school, go to school (fx he is old enough to go to s. now); begynne på en ~ (også) enter a school; de begynner på denne -n når de er 7 år they begin to attend this school at the age of 7; they start at this s. when they are 7; gå på -n (1) go to school, attend school; (2) walk to school (fx he walks to s.); den -n hun går på the school she attends; hvilken ~ går du på? what school are you at? what s. do you go to? what's your school? han gikk på Harrow he was at H.; he is an old Harrovian; vi gikk på -n sammen we were at school together; dengang vi gikk på -n sammen when we were boys (,girls) at school together; hvordan går det på -n? how goes school? ta en ut av -n take sby out of school; remove sby from (the) school; (se almdannende).
skole|alder school age (fx children of s. a.). **-arbeid** school work; (som gjøres hjemme) home-work; (se lagsarbeid). **-attest** se -vitnesbyrd. **-avis** school paper; school magazine. **-barn** school child; (især større) schoolboy; schoolgirl. **-benk** form; som kommer rett fra -en fresh from school; (se pult). **-bestyrer:** se -styrer. **-bok** schoolbook. **-bruk:** til ~ for school purposes, for (the use of) schools. **-bygning** schoolhouse.
skoledag school day (fx in my school days); -en er forbi school is over; det er siste ~ før ferien i dag school breaks up today.
skoledemokrati democracy at school, school d.
skoledirektør chief education officer.
skoleeksempel textbook example (på of), perfect illustration (på of); object lesson (fx she was an o. l. in how not to grow old).
skole|elev pupil, schoolboy, schoolgirl. **-fag** school subject. **-ferie** school holidays (pl), vacation; US vacation; -n (ɔ: sommerferien) the summer holidays; han kom hjem i -n he returned from school for the summer holidays.
skole|film educational film. **-fly** training plane. **-folk** (pl) educationists; (se uttrykk; vie). **-fri: ha ~** have a day off from school. **-frokost =** school lunch.
skolegang schooling, school attendance; (under-visning) schooling; tvungen ~ compulsory school attendance; denne eksamen tas etter ti års ~ this examination is taken after a ten-year course (el. after ten years of school); etter endt ~ dro han til X on leaving school he went to X.
skolegjerning teaching; deres manglende inter-

esse for -en their lack of interest in teaching; *motivering for -en er det også smått bevendt med over hele linjen* there is also a general lack of motivation for teaching.

skole|gård schoolyard. **-hygiene** school hygiene. **-idrett** school athletics, school sports. **-idrettsstevne:** *et* ~ an inter-school sports. **-inspektør** education officer. **-jakke** school blazer. **-kamerat** schoolfellow, school friend; *vi er -er* we are (,were) at school together. **-kjøkken** school kitchen. **-kjøkkenlærerinne** domestic science teacher. **-kjøring** driving a learner's car. **-klasse** school class. **-korps** marching band. **-krets** school district. **-kringkasting** school radio, s. broadcast(s). **-lege** school medical officer. **-lov** education act. **-lærer** teacher. **-mann** educationist; teacher.

skolemat (school child's) lunch packet, packet of sandwiches for school; *han hadde glemt -en* he had forgotten his p. of sandwiches.

skolemester (glds): *se skolelærer.* **-aktig** magisterial. **-tone** magisterial (*el.* hectoring) tone.

skolemoden ready for school (*fx* most children are not ready for s. before the age of six at the earliest).

skole|myndigheter (pl) education authorities. **-patrulje** (*i trafikken*) school crossing patrol. **-penger** (pl) school fees; US tuition; *skole hvor det betales* ~ fee-charging school. **-plikt** compulsory school attendance. **-pliktig** of school age; ~ *alder* compulsory school age; *forlengelse av den -e alder* the raising of the (compulsory) school age; *jeg har to barn i* ~ *alder (også)* I have two children at school. **-psykolog** school psychologist.

skolere (vb) train, school.

skoleråd (lærerråd) staff conference (*el.* meeting).

skolesending (radio) school broadcast. **skole|skilt** (på lærevogn) L-plate; (se -vogn). **skole|skip** ♘ training ship. **-stil** essay (,composition) written in class; composition (,essay) test at school. **-styre** school authorities; *-t* the Local Education Authority, the L.E.A.; *-ts kontor* the education office. **-styrer** headmaster; (se *rektor*). **-system** school system; education(al) system; (se *-vesen*).

skole|søster school nurse. **-tannpleie** school dental service (*el.* care). **-teater** theatrical performance especially for schools.

skoletid school hours (*fx* during (,out of) s. h.), school (*fx* after (,before) s.); *hele -en ut* right to the end of one's school career.

skoletime lesson, period (*fx* four periods a week are devoted to history).

skoletrett: -e barn children disinclined to go to school.

skoletur school outing (*el.* excursion); (lengre) school trip; holiday tour (for school children); *det ble arrangert en* ~ *til Eidsvoll* a school outing to E. was arranged.

skole|tvang: *se -plikt.*

skole|ungdom youth of the schools. **-utdannelse** schooling. **-utgave** school edition. **-vei** way to school; *gå -en* (fig) go in for teaching. **-vesen** education, educational matters; education(al) system; *få innblikk i det engelske* ~ gain insight into the English education system.

skole|veske school bag; briefcase. **-vitnesbyrd** school certificate, s. report. **-vogn** learner car, L-car. **-år** school (*el.* scholastic) year.

skolisse shoe lace; US shoestring, shoelace.

skolm ♣ pod, shell.

skolopender 🐛 (tusenben) scolopendra.

skolt (T: *hode*) noodle.

skomaker shoemaker; (lappe-) cobbler.

skonnert ♘ schooner.

skonrok ship's biscuit, hardtack.

skopuss shoeshine, shoe polishing.

skopusser shoeblack; US shoeshine.

skore(i)m shoe lace; US shoestring, shoelace.

skorpe crust; (på sår) crust, scab; (oste-) cheese rind; *danne en* ~ form (*el.* throw) a crust; *det har dannet seg* ~ *på såret* a scab has formed on the wound.

skorpedannelse incrustation.

skorpet crusty; 💢scabby.

skorpion ♏ scorpion.

skorsonerrot ♣ viper's grass.

skorstein chimney; (på skip) funnel, smokestack.

skorsteins|feier chimney sweep(er). **-pipe** chimney pot.

skorte (vb): *det -r på* there is a lack (*el.* shortage) of.

skosverte shoe polish.

skosåle sole (of a shoe).

skotsk 1. Scottish (*fx* the S. Border, the S. chiefs); Scotch (*fx* terrier, whisky); (især i *Skottland*) Scots; **2** (språket) Scotch (*fx* Lowland S.), (især i *Skottland*) Scots (*fx* talk S.).

skott ♣ (skillerom i skip) bulkhead.

I. skotte (subst) Scot, Scotsman, Scotchman; *-ne* the Scots.

II. skotte (vb): ~ *bort på en* steal a glance at sby, look at shy out of the corner of one's eye.

skottehistorie anecdote about stingy Scot(s).

Skottetoget the Scottish Campaign (of 1612).

Skottland Scotland.

skotøy footwear.

skovl 1. shovel; **2** (på gravemaskin) bucket, dipper; (gripe-) grab; (på muddermaskin) bucket; **3** (i turbin) blade, vane; **4** (hjul-) paddle; **5** (på vaskemaskin) spinner.

skovlblad blade of a shovel.

skovle (vb) shovel, scoop.

skovlhjul paddle wheel.

skral poor; (om vinden) scant; (syk) poorly; *det er -t med ham* he is in a poor way; *det står -t til med helsa* his (,her, *etc*) health is only so-so; *he (,etc)* is in a poor way; (se for øvrig *dårlig*).

skrall bang, crash; (torden-) clap (*fx* of thunder); peal, crash; (av blåseinstrument) blare.

skralle (vb) peal, ring (out); (om blåseinstrument) blare; rattle; *en -nde latter* a roar of laughter.

skramle (vb) clatter, rattle; ~ *med* rattle (*fx* the saucepans).

skramlekasse (om bil) rattletrap, (old) crock; S (også US) flivver.

skramleorkester children's percussion group.

skramme scratch (*fx* on the face; in the paint).

skrammel lumber, rubbish, junk; (lyden) clattering, rattling; clanking.

skrangel rattle, rumble.

skrangle (vb) jolt, lumber; rattle; *ei kjerre kom -nde forbi (også)* a cart came grinding past.

skranglekjerre: *se skramlekasse.*

skranglet 1. rattling; rickety; **2.** thin and bony, skinny.

skranglevei bumpy road.

skranke 1 (sperring) barrier (*fx* tickets must be shown at the b.); bar (*fx* the bar of the House of Commons); (i rettssal) bar (*fx* at the b., appear at the b.); (se *advokat*); **2** (gym) parallel bars; **3** (i bank, *etc*) counter; (lav, på tollbod) (examination) bench; **4** (fig) barrier, bar; *sette -r for* set bounds to (*fx* sby's activities); *tre i -n for* enter the lists for, take up the cudgels for; champion (*fx* a cause); T stick up for.

skrankeadvokat barrister; US trial lawyer.

skranke|ekspedisjon counter business. **-ekspeditør** (post) counter officer. **-gjøremål:** *se -eks-pedisjon.*

skrante (vb) be ailing, be in poor health.

skranten (adj) ailing, sickly.

skranting sickliness.

skrap (rask) rubbish, trash, junk; (for omsetning) salvage.

I. skrape (subst) reprimand; (skramme) scratch; (redskap) scraper; (jvf sikling).

II. skrape (vb) scrape (*fx* metal a carrot,

the bottom of a ship); scrape down (*fx* a wall); scale (*fx* fish); (*om dyr*) paw (the ground); *bukke og* ~ bow and scrape; ~ *av* (*el. bort*) scrape off (*el.* away), remove; *jeg hørte kjølen* ~ *mot skjærene* I could hear the keel grinding on the rocks; ~ *sammen* scrape together; ~ *pengene sammen på en eller annen måte* scrape the money together somehow; dig up the m. somehow; ~ *ut* 🖝 curette; ~ *nde lyd* a rasping sound.

skraphandelsbransjen: *han er i* ~ he's in the junk business.

skrap|handler rag and waste dealer; (*også* US) junkman; (*grossist*) junk merchant; -*handlers opplagstomt* salvage depot. -**haug** scrap (*el.* junk) heap; *kaste på -en* scrap. -**jern** scrap iron. -**kake** (*spøkef om yngstebarnet i en søskenflokk*) T afterthought.

skratt (*om fugler*) chatter; (*latter, neds*) guffaw.

skratte *vb* (*om fugler*) chatter; (*le skrattende*) cackle; *en -nde latter* a roar of laughter; (*neds*) a guffaw, a horselaugh, a cackle.

skrattle (*vb*) roar with laughter; (*neds*) guffaw.

skraver|e (*vb*) hatch, hachure; (*meget tett*) shade; *dobbelt -t* cross-hatched; *loddrett -t* vertically hatched.

skravl (*snakk*) chatter, jabbering; S natter; *hold -a på deg*! shut your trap! *la -a gå* chatter away.

skravle (*vb*) chatter, jabber; S natter.

skravlebøtte chatterbox.

skred landslide; (*snø-*) avalanche; (*pris-*) collapse of prices; *det ble et voldsomt pris-* (*også*) the bottom fell (*el.* dropped) out of the market; (*se også valgskred*).

skredder tailor. -**sydd** tailored, tailor-made.

skredfare danger of an avalanche (,of avalanches).

skrei (*torsk*) (spring *el.* winter) cod.

skrekk fright, terror; *få seg en* ~ *i livet* get a fright; *jeg fikk en* ~ *i livet* it gave me quite a turn; (*se også redsel*).

skrekkelig terrible, dreadful; *en* ~ *hodepine* a splitting headache; *et* ~ *rot* a terrible mess; (*adv*) terribly, dreadfully; T awfully (*fx* it's a. hot in here).

skrekkinnjagende terrifying.

skrekkslagen terror-stricken, terrified.

skrekkvelde (reign of) terror.

I. **skrell** peel (*fx* of an apple), rind (*fx* apple r.); *appelsin-* orange peel; *potet-* potato peel; (*når det sitter på el. skrubbes av*) potato skin; *poteter kokt med -et på* potatoes boiled in their jackets; (*se for øvrig skall*).

II. **skrell** (*om lyd*): *se skrall*.

I. **skrelle** (*vb*) peel, pare; ~ *av* peel off; (*jvf flasse*).

II. **skrelle** (*vb*): *se smelle*.

skremme (*vb*) scare; frighten, startle; (*med trusler, etc*) intimidate; ~ *livet av en* frighten sby to death, scare sby to death (*el.* out of his wits); ~ *bort* frighten (*el.* scare) away; ~ *en fra å gjøre noe* scare sby out of doing sth; ~ *opp* (*vilt*) flush (*fx* we flushed two cheetah cubs); start, unharbour; (*få til å fly*) start, put up (*fx* a partridge); *bli skremt opp* (*om vilt*) break cover.

skremme|bilde bugbear, bogey. -**skudd** warning shot.

skremsel fright, scare; (*fugle-*) scarecrow.

skrense (*vb*) swerve; *bilen -t borti gjerdet* the car swerved into the fence.

skrent steep slope.

skreppe (*subst*) bag, knapsack. -**kar** pedlar, peddler.

skrev crutch, fork; (*lyske*) groin.

skreve (*vb*) straddle, sit (,stand) with feet far apart; *med -nde ben* with legs far apart; ~ *over* step over.

skrevs: ~ *over* astride (*fx* sit a. a chair), straddle.

skribent writer.

skrible (*vb*) scribble.

skribler scribbler.

skribleri scribbling.

skride (*vb*): ~ *fram* proceed, progress, advance; *arbeidet -r fram* the work is making good progress; the w. is getting on; *etter hvert som arbeidet -r fram* as the work proceeds; *arbeidet -r hurtig* (*,jevnt*) *fram* the work is progressing rapidly (*,steadily*); (*om tiden*) wear on (*fx* as the century wore on); ~ *inn* (ɔ: *gripe inn*) intervene, interfere, take action; ~ *inn mot* take action (*el.* measures) against, interfere with; ~ *til handling* take action; ~ *til verket* set to work.

I. **skrift** writing; (*typ*) type, letter, fount; *S-en* Scripture; Holy Writ; the Scriptures.

II. **skrift** publication, pamphlet; *Det Kongelige Norske Videnskabers Selskabs Skrifter* Transactions of the Royal Norwegian Society of Sciences.

skriftart sort of type.

I. **skrifte** (*subst*) confession (*fx* go to c.).

II. **skrifte** (*vb*) confess.

skrifte|barn penitent. -**far** (father) confessor.

skriftekspert handwriting expert, graphologist.

skrifte|mål confession; *avlegge* ~ confess; *motta ens* ~ confess sby. -**stol** confessional.

skrift|fortolker exegete. -**fortolkning** exegesis. -**kasse** (*typ*) type case.

skriftklok *subst* (*bibl*) scribe.

skriftlig written, in writing; (*pr. brev*) by letter (*fx* inquiries should be made by letter); in black and white (*fx* I want your promise in black and white); *jeg har ikke noe* ~ (*bevis, etc*) I have got nothing in writing; I haven't got it down in black and white; ~ *eksamen* written examination; *stryke i* ~ fail (at) the w. examination; *gi en* ~ *fremstilling av noe* write an account of sth; ~ *henvendelse* application by letter; *rette en* ~ *henvendelse til* apply by letter to; -*e lekser* written homework; *meldinger må gis* ~ all notices must be given in writing.

skrift|lærd: *se -klok*.

skrift|prøve specimen (*el.* sample) of handwriting. -**språk** written (*el.* literary) language. -**sted** (scripture) text. -**system** system of writing. -**tegn** character.

skrik cry, shriek; (*dyrs*) call; (*om hvinende brems*) screech (*fx* he braked with a s.); *siste* ~ the latest thing (*fx* in hats).

skrike (*vb*) 1 (*rope*) cry, call (*fx* for help); 2 (*sterkere, uartikulert*) scream (*fx* with pain, for help; the baby screamed all night), shriek (*fx* with pain); (*hyle*) howl, yell; (*neds*) squall (*fx* he hates squalling babies); (*skingrende, også om hvinende bremser*) screech; (*om gris*) squeal; (*om høne, kylling*) squawk; (*om gris, gås, papegøye, ugle*) screech; (*om påfugl*) scream, screech; 3 (*om farger*) scream (at you), be loud, be glaring; (*se skrikende*); ~ *av full hals* scream at the top of one's voice, bawl, yell; (*se sult*); ~ *opp om* T make a song and dance about (*fx* it is nothing to make a s. and d. about); ~ *på* roar for (*fx* the crowd roared for his blood); scream for (*fx* the baby was screaming for its milk); ~ *som en besatt* scream like mad; ~ *som en stukken gris* squeal like a stuck pig.

skrikende (*se skrike*) 1. screaming (*,etc*); 2 (*grell*) glaring (*fx* a g. contrast); (*om farge*) glaring, garish, gaudy, loud (*fx* a loud tie); *være kledd i* ~ *farger* be loudly dressed; *farger som står i en* ~ *motsetning til hverandre* colours that swear (*el.* shriek) at each other, colours that clash with each other; *en* ~ *stemme* a screaming (*el.* screechy) voice; *en* ~ *urettferdighet* a crying (*el.* flagrant) injustice; (*se misforhold*).

skrikerunge (*neds*) howling brat; (*om baby*) cry-baby.

skrikhals 1. person who cries or yells; loud-mouth; 2. cry-baby; (*se skrikerunge*).

skrin (*smykke-*) jewel box; (*glds*) j. casket; (*penge-*) money box; (*relikvie-*) reliquary, shrine.

skrinlegge (*vb*) abandon, shelve.

skrinn lean; scraggy; (*om jord*) poor, barren.

skritt 1. step, pace; (*langt*) stride; **2** (*skrittgang*) walking pace (*fx* ride at a w. p.); **3** (*fig*) step (*fx* a few steps nearer the grave; a s. in the right direction); (*foranstaltning*) step, move, measure; **4** (*anat*) crutch, fork; (*lyske*) groin (*fx* kick him in the groin); **5** (*i benklær*) crutch; length of inside seam; **6** (*sjakk*) square (*fx* the king may move one square only); *neste ~ i utviklingen av skolesystemet* the next step in the development of the school system; *gå et ~* take a step, walk a step; (*se ndf*: *gå et ~ videre*); *det er det første ~ som koster* only the beginning is difficult; *ta ~ for å* take steps to (*fx* prevent it); *ta -et fullt ut* go the whole length; T go the whole hog; *ta det avgjørende ~* take the decisive step; *bring matters to a head*; *ta det første ~* make the first move (*fx* towards peace), take the first step; *ta de nødvendige ~* take the necessary steps (*el.* action); *ikke vike et ~* not budge (*el.* give way) an inch; stick to one's guns; *han viker aldri et ~ fra henne* he never lets her out of his sight;

[*Forb. med prep & adv*] *~ for ~* step by step; *følge en ~ for ~* dog sby's footsteps; (*fig*) follow sby step by step; *vike ~ for ~* fall back step by step; *for hvert ~* at each (*el.* every) step; *vi kunne ikke se et ~ foran oss* we could not see a step before us; *noen ~ fra huset* a few steps from the house; *et par ~ herfra* a few steps away (*el.* from here); **i ~** (2) at a walking pace; *det er et ~ i riktig retning* that's a step in the right direction; T that's sth like! *gå med avmålte ~* walk with measured steps; *gå med lette ~* step lightly; **med raske ~** rapidly, apace (*fx* winter is coming on apace); *gå med slepende ~* drag one's feet; *gå med tunge ~* walk heavily; *et ~ på veien* a stage on the way; an intermediary stage, a halfway house (*fx* to the Socialist state); *et første ~ på veien mot suksess* a first stepping stone to success; *det første ~ på veien til fred* the first step towards peace; the first s. on the way (*el.* road) to peace; *gå et ~ videre* (*fig*) go a (*el.* one) step further.

skritte (*vb*): *~ opp* pace out (*el.* off) (*fx* a distance); *~ ut* (o: *gå raskt*) step out (briskly).
skritt|gang walking pace. **-teller** pedometer.
skrittvis (*adj*) step-by-step, gradual; (*adv*) step by step, gradually.

skriv (*subst*) letter.
skrive (*vb*) write (*fx* w. a letter, this pen writes well); (*på maskin*) type; (*stave*) spell, write (*fx* the word is written (*el.* spelt) with a 'p'); *~ falsk* commit forgery; *~ falsk navn* forge a signature; *~ pent* write neatly (*el.* nicely), have a nice handwriting, write a nice hand; *du -r pent* (*også*) your handwriting is nice; *skriv pent!* write neatly! *mens dette -s* at the time of writing; *~ av* copy, take a copy of; *som straff ba jeg ham ~ av avsnittet tre ganger til neste engelsktime* I told him to write (*el.* copy) out the passage three times for his (*el.* the) next English lesson by way of (*el.* as a) punishment; *hvis elevene sitter for tett, -r de av etter hverandre* if the pupils sit too close together, they copy each other's work; (*se avskrive*); *~ etter* write for (*fx* he wrote for more money); *~ med blyant* write in (*el.* with a) pencil; *skrevet med blyant* written in pencil; *~ ned pundet* lower the £; *~ om igjen* rewrite; *~ om noe* write about sth; comment in detail on (*fx* ... the poet's powers of description); *~ opp* (*notere*) write down, make a note of; *~ en opp* (o: *ta ens navn*) take sby's name; *det kan du ~ opp!* (o: *det skal være sikkert!*) you can say that again! *~ over i kladden* write on top of the rough draft; *~ til en* write (to) sby; *~ under* sign (one's name); *~ under på* sign, put one's name to (*fx* a document); (*fig*) endorse; *~ ut* finish (*fx* an exercise book); *du har ikke skrevet den ut ennå* you have not finished it yet; *~ ut en regning* make (*el.* write) out a bill; *~ ut en sjekk* write (out) a cheque; *~ seg fra* date

from; (*kan føres tilbake til*) be ascribed to; (*stamme fra*) arise from; *~ seg noe bak øret* make a mental note of sth.
skrive|arbeid writing, desk (*el.* paper) work. **-blokk** writing pad. **-bok** exercise book; (*til skjønnskrift*) copybook. **-bord** (writing) desk. **-bordsarbeid** (*kontorarbeid*) paper work, desk work. **-bordslampe** desk lamp. **-bordspolitiker** armchair politician. **-feil** slip of the pen, clerical error, error in writing; (*på maskin*) typing error. **-ferdighet** proficiency in writing. **-klaff** (*på møbel*) drop-leaf writing surface. **-kløe** itch to write. **-krampe** writer's cramp; (*faglig*) mogigraphia. **-kunst** art of writing; (*det å skrive pent*) penmanship. **-kyndig** able to write.
skrive|lyst: *se -kløe.* **-lysten** itching to write. **-lærer** writing master. **-måte 1** (*stavemåte*) spelling; **2** (*stil*) style (of writing); ♪ style. **-mappe** (*med konvolutter og skrivepapir*) writing compendium.
skrivemaskin typewriter.
skrivemaskin- typewriter (*fx* desk, table, cover).
skrivemaskin|dame typist; (*se stenograf*). **-papir** typing paper; (*se gjennomslagspapir*).
skrivepapir writing paper, notepaper.
skriveri (*neds*) scribbling (*fx* rude scribblings on the walls of lavatories).
skrive|saker (*pl*) writing materials, stationery. **-stell** writing set; inkstand. **-stilling** (*måte å sitte på*) writing posture. **-underlag** blotting pad. **-øvelse** (*i skjønnskrift*) writing exercise.
skrofulose scrofula. **skrofuløs** scrofulous.
skrog ⚓ hull; (*på fly*) fuselage.
skrot (*skrap*) rubbish, trash; junk; (*se skraphandler*).
skrott carcass; *få noe i -en* get sth to eat.
skru (*vb*) screw; (*dreie*) turn; (*om is*) be packed together, pack; *~ av* screw off, unscrew (*fx* a bolt); loosen; turn off (*fx* the water); switch off (*fx* the light); *~ ballen* give a twist (*el.* screw) to the ball; *~ fast* screw up; screw on (*fx* a lid), fasten with screws; *~ fast en lås på en dør* screw a lock on (to) a door; *~ fra hverandre* unscrew; *~ i* screw in; *~ igjen* turn off (*fx* the water); *~ inn* screw in; *~ helt inn* screw home; *~ løs* unscrew, loosen; (*skru av*) screw off; *~ ned* turn down (*fx* the lamp); *skipet ble -dd ned av isen* the ship was pressed down by the ice; *~ ned lønningene* force down wages; *~ opp* open, turn up; (*åpne*) unscrew; (*forhøye*) raise (*fx* one's demands); *~ opp prisene* raise (*el.* increase) prices, force (*el.* send) up prices; *~ på* turn, screw; (*feste med skruer*) screw on (*fx* a lid); *~ på lyset* switch on the light; *~ på vannet* turn on the water; *~ (o: *dreie*) på krana* turn the tap; *jeg får ikke -dd på krana* the tap won't turn; *~ sammen* screw together; *~ seg* screw, twist, spiral; *isen -r seg opp* the ice packs; *~ seg opp* (*fig*) work oneself up (*fx* into a rage); *~ til* (o: *~ fast*) screw up, tighten up (*fx* a nut, a bolt); (*lukke ved hjelp av skruer*) screw up, screw down (*fx* a box, a coffin); *~ en skrue* (*godt*) *til* drive a screw (well) home; *~ tiden tilbake* put back (the hands of) the clock.
skruball (*i sport*) screwed ball, ball with a twist (*el.* break).
I. skrubb scrubbing brush.
II. skrubb: *se ulv*; *sulten som en ~*: *se skrubbsulten.*
skrubbe (*vb*) scrub; *~ av skitten* scrub off the dirt; *~ med foten* (*under aking*) brake with one's foot (when sledging or tobogganing); *~ seg på albuen* scrape (,US: skin) one's elbow; *han falt og -t* (*seg på*) *kneet sitt* (*også*) he fell and cut his knee open.
skrubbet (*ujevn*) rough, coarse, uneven.
skrubbhøvel rough plane; (*også* US) scrub plane.
skrubbhøvle (*vb*) rough-plane.

skrubbsulten ravenously hungry; *jeg er* ~ (*også*) I'm starving; I could eat a horse.

skrubbsår graze.

skrublyant propelling pencil; US automatic pencil.

skrud garb; *mitt fineste* ~ (*spøkende*) my best bib and tucker.

skrue 1. screw; 2. ⚓ screw, propeller; *en under-lig* ~ a queer chap; S a queer bird (*el.* card); US a queer duck.

skrue|fjær (*faglig*: spiralfjær) helical spring, spiral (*el.* coil) spring. **-gang** screw thread. **-hode** screw head. **-stikke** vice; US vise. **-tvinge** clamp, holdfast.

skruis pack ice.

skrujern screw driver.

skrukk (*subst*) wrinkle, line; (*se I.* rynke).

skrukke (*vb*) wrinkle; (*se II.* rynke).

skrukket wrinkled.

skrukketroll 🐛 wood louse (*pl*: wood lice).

skrukork screw-on stopper, screw cap; *med* ~ screw-capped.

skrull|et crack-brained, crazy. **-ing** crackbrain, crackpot.

skrulokk screw cap.

skrumpe (*vb*): ~ *inn* (*el. sammen*) shrink; shrivel (up).

skrumpet shrivelled, shrunk.

skrunøkkel: *se skiftenøkkel.*

skruppel scruple; *få skrupler* have scruples; *som lett får skrupler* squeamish (*fx* a s. person); *gjøre seg skrupler over* have scruples about; scruple (*fx* he had no scruples about taking the money; he did not scruple to take the m.); *uten skrupler* without scruple.

skruskøyter (*pl*) Dutch skates.

skrutrekker screw driver.

skryt 1. boasting; bragging; 2 (*esels*) braying.

skryte *vb* 1 (*prale*) boast, brag, talk big; 2 (*om esel*) bray; ~ *av* boast of, brag of (*el.* about); *ikke noe å* ~ *av* T nothing to write home about; nothing to make a song and dance about; not up to much; US S notsohot.

skrytende boasting, bragging; swaggering.

skryter boaster, braggart.

skryteri: *se skryt.*

skrømt (*spøkeri*) ghosts; uncanny things (*el.* goings-on).

I. **skrøne** (*subst*) 1. fib, lie; 2. cock-and-bull story, tall story; 3. risky story (*el.* anecdote); *fortelle -r* (3) T tell spicy anecdotes (*el.* stories); (*se skipper-skrøne*).

II. **skrøne** (*vb*) lie, tell a fib, tell fibs.

skrønemaker fibber, storyteller.

skrøpelig frail, ramshackle; (*helse*) fragile, frail (*fx* he is getting very frail), delicate (*fx* her d. health); (*fortjeneste*) poor (*fx* earnings); *hans -e engelsk* his poor English.

skrøpelighet frailty, fragility.

I. **skrå** *subst* (*tobakk*) quid (of tobacco), plug.

II. **skrå** *vb* (*tygge skrå*) chew tobacco.

III. **skrå** (*vb*): ~ *over gaten* cross the street diagonally.

IV. **skrå** (*adj*) sloping, slanting, oblique, inclined; *på* ~, *skrått* (*adv*) aslant, slantingly; *de* ~ *bredder* the stage, the boards; ~ *kant* chamfered (*el.* bevelled *el.* sloping) edge, chamfer, bevel; *med* ~ *kant* chamfered, bevelled, bevel -edged; *kjøre på* ~ *ned en bratt bakke* (*ski*) traverse down a steep hill; *klippe et stoff -tt* cut a material on the bias; *han la hodet på* ~ he put his head on one side.

skrå|bjelke 1 (*heraldikk*) bend; *venstre* ~ bend sinister; 2. = -**bånd.**

skrå|bånd (diagonal) brace, cross brace, strut. **-kjøring** (*ski*) traversing; (*se IV.* skrå: kjøre på ~). **-klippe** (*om tøy*) cut (*fx* a material) on the bias.

skrål bawl, shout, howl, yell; (*babys*) howl(ing); (*neds*) squall; *skrik og* ~ vociferous cries, bawling, hullabaloo.

skråle (*vb*) bawl, shout, yell, howl, vociferate;

(*om baby*) howl; (*neds*) squall; ~ *av full hals* bawl (*el.* yell) at the top of one's voice.

skrålhals vociferous person, bawler.

skråne (*vb*) slope, slant, tilt; ~ *jevnt* slope gradually (*el.* gently); ~ *nedover* slope downwards, slope down; dip (*fx* the road dips towards the plain); *terrenget -r nedover mot vannet* the ground is sloping (*el.* slopes) downwards towards the lake.

skrånende sloping (*fx* street); shelving (*fx* shore).

skråning slope, declivity, incline; (*se nedover-bakke & oppoverbakke*).

skråplan inclined plane; (*fig*) downward path; *komme på -et* go off the straight path; US wander from the straight and narrow; *være på -et* be on the downward path; be going downhill; *hun var allerede på -et* (*også*) she was already below the hill.

skråpute (*i seng*) bolster.

skråsikker quite sure, positive; (*neds*) cocksure.

skrå|snitt bevel cut. **-stilling** oblique position. **-stilt** tilted, angular, aslant, slantways. **-stiver:** *se -bånd.* **-strek** (*typ*) shilling stroke. **-tak** slanting (*el.* pitched) roof; (*leskur*) lean-to roof, penthouse. **-tobakk** chewing tobacco.

skråttliggende sloping, slanting.

skråttstilt: *se skråstilt.*

skubb push, shove; *gi en et* ~ push sby, give sby a push.

skubbe (*vb*) push (*fx* sby aside); shove; (*i trengsel*) shove, jostle; ~ *seg mot noe* rub against sth; ~ *til en* give sby a push.

skudd 1 (*med skytevåpen*) shot; (*jvf streifskudd*); 2 (*i ballspill*) shot; 3 ⚓ shoot; *løst* ~ (1) blank shot; *skarpt* ~ (1) round (of live ammunition); *ball* (*el.* live) cartridge; *det falt et* ~ (1) a shot was fired; there was a shot; *-et gikk av* (1) the gun (,pistol, *etc*) went off; *det siste* ~ *på stammen* trives utmerket (*spøkef*) the latest addition to the family tree is flourishing; *som et* ~ (ɔ: *hurtig*) like a shot (*fx* he was off like a shot; he came like a shot); *komme i -et* become popular; *et* ~ *for baugen* ⚓ a shot across the bows; *jeg ga ham et* ~ *for baugen* (*fig*) I fired a shot across his bow.

skudd|fri: *gå* ~ get off scot-free. **-hold** range (of fire); *komme på* ~ come (*el.* get) within range; *komme en på* ~ (*fig*: greie å oppnå kontakt med*) contrive to make contact with sby; *utenfor* ~ out of range. **-linje** (*også fig*) line of fire (*fx* be in the l. of f.); *han var i -n* (*fig*, *også*) he was in the danger zone; he was in an exposed position. **-penger** (*pl*), **-premie** reward for shooting; US bounty (*fx* put a b. on eagles). **-sikker** bullet-proof; bomb-proof; shell-proof. **-sår** bullet wound; gunshot wound. **-takt** rate of fire. **-veksling** exchange of fire (*el.* shots). **-vidde:** *se -hold.* **-år** leap year.

I. **skue** (*subst*): *stille til* ~ expose to view, exhibit, display, show; *stille sine følelser til* ~ wear one's heart on one's sleeve; *det var et prektig* ~ it made a magnificent show.

II. **skue** (*vb*) behold, see; *det var herlig å* ~ (*poet*) it was a magnificent sight; *man skal ikke* ~ *hunden på hårene* appearances are deceptive (*el.* deceitful).

skuebrød (*bibl*) shewbread; *det er bare* ~ (*fig*) it's only window dressing.

skuelysten curious, eager (to see); *de skuelystne* the curious; US T (*også*) the rubbernecks.

skueplass scene (*for* of); *-en for* the scene of.

skuespill play; (*fig*) spectacle.

skuespiller actor; (*hist*, *også*) player; *bli* ~ go on the stage.

skuespillerfaget the theatrical profession.

skuespillerinne actress.

skuespillerselskap theatrical company.

skuespillforfatter playwright, dramatist.

skuff (*i kommode*, *skap*) drawer; *av samme* ~ of the same kind; *dra* (*el.* trekke) *ut en* ~ pull out a d.; *skyve igjen en* ~ push a d. shut (*el.*

to); *-en går lett* the d. runs smoothly; *-en går ikke godt* the d. does not run easily; *-en går litt trangt* the d. is a little tight.

I. skuffe (*subst*) shovel; (*mindre*) scoop; (*jvf skovl*).

II. skuffe (*vb*) shovel; scoop; ~ *i seg mat* shovel food into one's mouth; S scoff; ~ *inn penger* scoop in money.

III. skuffe *vb* (*bedra, narre*) disappoint; T let down (*fx* he'll never l. d. a friend); *du har -t meg* I am disappointed in you; *-t kjærlighet* disappointed love; *være dypt -t* be deeply (*el.* greatly) disappointed; *være -t over noe* be disappointed with sth; *være -t over en* be disappointed in (*el.* with) sby; *jeg var -t over hennes mangel på forståelse* I was disappointed at her lack of understanding; *han var meget -t over ikke å ha blitt invitert* he was very disappointed at not having been invited.

skuffelse disappointment; *en alvorlig* (*el. stor*) ~ a great (*el.* keen) d.; *hennes* ~ *over det var stor* her d. (at it) was great.

skuffende deceptive, striking (*fx* likeness).

skulder shoulder; *trekke på skuldrene* shrug (one's shoulders).

skulder|blad shoulder blade; (*faglig*) scapula. **-bred** broad-shouldered. **-trekk** shrug; *bare ha et* ~ *til overs for* shrug at (*fx* he merely shrugged at their sufferings).

skule (*vb*) scowl, glower; ~ *bort på* scowl at.

skuledunk swill tub.

skuling scowl; scowling.

skulke (*vb*) shirk (one's duty); (*om skoleelev*) play truant, shirk school; US (*også*) play hooky; ~ *en forelesning* cut a lecture; *han -r timer i øst og vest* T he is missing lessons left, right and centre; ~ *unna* shirk one's duty; S swing the lead; *en gutt som -r* (*skolen*) a truant boy.

skulke|syk malingering. **-syke** malingering, truancy.

skulking shirking (one's duty); (*i skolen, især*) truancy; (*se også unnaluring*).

I. skulle *vb* (*i hovedsetning*) **1** (*futurum & kondisjonalis*): *jeg skal be ham komme* I shall ask him to come; (*jvf 2*); *de* ~ *komme neste dag* they would come next day; they were to come next day; (*jvf 8*); *skal 'du i kirken* (*nå*) *også?* T shall 'you be going to church too? **2** (*løfte, trusel*) (*1. person*) will (*fx* I will send you the book soon); (*2. & 3. person*) shall (*fx* you shall have the money today); *dette skal han få betale for!* he is going to pay for this! (*glds*) he shall pay for this! *dette* ~ *han få betale!* he was going to (have to) pay for this; **3** (*påbud*) must (*fx* you must do it at once); be to (*fx* he was to go to England); (*ved direkte ordre el. beskjed*) will (*fx* you will report to the headmaster at once; teachers will send in their reports by Friday); *du skal ikke ha det så travelt!* T you don't want to be in such a hurry! you mustn't be in such a hurry! **4** (*råd, advarsel = burde*) ought to (*fx* you ought to have done that before), should (*fx* you (,they, etc) should not speak like that to him); *det* ~ *du ikke gjøre* you shouldn't do that; you'd better not do that; T I wouldn't do that, you know; (*se II. skulle 9*); **5** (*spådom*): *du skal dø i morgen* you shall die tomorrow; **6** (*om det ventede*): *de* ~ *være her nå* they ought to be here by now; *det* ~ *være rart om han ikke var kommet nå* it would be funny if he hadn't come now; *vi* ~ *nå* (*fram til*) X *før det blir mørkt* we ought to reach (,T: make) X before dark; (*se også under A*); **7** (*forlydende*): *han skal være rik* he is said to be rich; they say he is rich; *tidligere skal det ha stått en romersk festning her* it is thought that there was once (*el.* formerly) a Roman fortress on this site; **8** (*avtale, bestemmelse, hensikt, plikt*) be to (*fx* I am to meet him tomorrow; they told us that we were to receive extra rations); *det skal bygges en isbryter* an icebreaker will be built; *de tabeller som skal settes opp* the tables that are to be drawn up; *den*

tekniske utbygging skal foregå i fire etapper technical construction work is planned to proceed by four different stages; *det skal dannes et selskap* a company is to be formed; *kassen* ~ *sendes straks* the case was to be sent at once; *hvordan skal kassen merkes?* how is the case to be marked? *det* ~ *være en overraskelse* it was meant to be a surprise; it was meant as a surprise; *det* ~ *være en spøk* it was meant as a joke; *skal De reise i morgen?* are you leaving tomorrow? T shall you be leaving tomorrow? *toget* ~ (*ha*) *gått for en time siden* the train was due (*el.* scheduled) to leave (*el.* the train should have left) an hour ago; *han* ~ *til England* he was going to E.; he was to go to E.; *jeg* ~ *si* (*Dem*) *at* . . . I was to tell you that . . . ; *jeg* ~ *meddele Dem at* . . . (*formelt*) I am directed (*el.* instructed) to inform you that . . . ; *ordren* ~ *til et annet firma* the order was meant (*el.* intended) for another firm; *skal vi snart spise?* are we going to eat soon? ~ *til å* (*ɔ: være i ferd med å*) be going to (*fx* we were going to telephone him); *vi* ~ *nettopp til å pakke* we were just going to pack; we were about to pack; *jeg* ~ *nettopp til å forlate London* I was on the point of leaving L.; I was just going to leave L.; **9** (*i spørsmål, især om hva man skal gjøre*) shall (*fx* shall I tell him?); *skal vi bytte* (*tog*) *i X?* do we change (trains) at X? *hva skal vi gjøre?* what are we to do? what shall we do? T what do we do? *hva foreslår De at vi skal gjøre?* what do you suggest we should do? *hva skal man tro?* what is one to believe? *hvordan* ~ *det gjøres?* **1** (*fortidig*) how was that to be done? how would that have to be done? **2** (*om eventualitet*) how would that have to be done? *hvordan* ~ *jeg vite det?* how was I to know? *når skal jeg komme tilbake?* when am I to return? when shall I return? when do you want me to r.? (*se også 11*); **10** (*i indirekte spørresetning*): *hvem* ~ *ha trodd at* . . . who would have thought that . . . ? *hvem* ~ *ha trodd det?* who would have thought (*el.* believed) it? *kanskje det* ~ (*el. ville*) *hjelpe?* perhaps that would help? (*se også 14 & 20*); **11** (*henstilling el. forslag*) shall (*fx* shall we take a taxi?); *skal jeg fortelle ham det?* shall I tell him? I'll tell him, shall I? *skal jeg bli med deg?* shall I come with you? would you like me to come with you? *skal vi tilby ham en belønning?* (*også*) how would it be if we offered him a reward? **12** (*i forretning*): *jeg skal ha en flaske øl* I want a bottle of beer; US I would like a b. of b.; **13** (*om tidligere truffet avtale*): *var det i dag jeg* ~ *prøve den jakken jeg har bestilt?* is it today I'm supposed to try on the jacket I ordered? **14** (*uttrykker nødvendighet*): *hva skal han med tre biler?* what does he want with three cars? *hva* ~ *han med så mange?* (*også*) what did he need so many for? ~ *til* be necessary; *det skal til* it is necessary; you've got to have it (,do it); *alt det som skal til* everything necessary; *det som skal til for en lang reise* what is needed for a long journey; *gjøre det som skal til* (*ɔ: ta de nødvendige skritt*) take the necessary steps; do the needful; *det* ~ *lite til for å* . . . it would take (*el.* require) very little to . . . ; *very little would be needed to* . . . ; *det skal så lite til for å glede et barn* it takes so little to make a child happy; *det skal ikke lite til for å imponere henne* it takes a lot to impress her; *det* ~ *to mann til for å holde ham* it took two men to hold him; *det skal mye til for å måle seg med ham* it takes a great deal to measure up to him; he takes a great deal of measuring *det skal mye til for å gjøre ham tilfreds* he is hard to please; *det skal en meget god grunn til for å gjøre det* there wants some very good reason to do that; *det skal tid til å gjøre denslags* it takes time to do that sort of thing; **15** (*om det skjebnebestemte*) be to (*fx* I was never to see him again); be fated to (*fx* the scheme was fated to fail); *det* ~ *vel så være* (well, well,) it was to be;

16 (*ønske:*) *jeg* ~ (*gjerne*) *treffe herr X* I wish to see Mr. X; *vi* ~ *gjerne* we should (*el.* would) like to; *vi* ~ *mer enn gjerne* ... we would gladly ... ; **17** (*ironisk tillatelse*): *han* ~ *bare prøve!* let him try! **18** (*uttrykker forbehold*): *en* ~ *nesten tro at* ... one would think that; **19** (*formodning*): *det* ~ *jeg tro* I should think so; I rather think so; *det er bare et sammentreff,* ~ *jeg tro* it is a mere coincidence I should say; *en* ~ *tro han var gal* one (*el.* anyone) would think he was mad; *dette* ~ *vel danne et utgangspunkt* this would appear to form a point of departure; **20** (*muligget*): *det* ~ *vel ikke være det at han er redd?* could it be that he is afraid? *du* ~ *vel ikke vite hans adresse?* you don't happen to know his address, do you? do you by any chance know his a.? (*jvf II. skulle 9*); [*A:* forb. med infinitiv; *B:* med prep, adv & pron; *C:* andre forbindelser];
A: *jeg* ~ *be Dem om å* ... I was to ask you to ... ; *hva skal dette bety?* what is the meaning of this? T what is the big idea? *det skal bli as you wish*; as you like; *det* ~ *bli enda verre* (15) there was worse (yet) to come; *det skal du få se* (2) you will see; *jeg skal si far er stolt!* and 'is daddy proud! *det skal jeg ikke kunne si* I couldn't tell (*el.* say); I wouldn't know; ~ *vi ikke se til å komme av sted?* hadn't we better be starting? *det skal jeg ikke kunne si* I couldn't tell (*el.* say); I wouldn't know; *hva var det jeg* ~ *sagt?* what was I going to say? *jeg skal ha skrevet to brev* I have two letters to write; *det var ikke det vi* ~ *snakke om* that's not what we were supposed to talk about; *vi* ~ *tro kunden var klar over dette da han ga Dem ordren* one would think that the customer must have been aware of this) when he gave you the order; *hvor* ~ *jeg vite det fra?* how should I know? *hva skal det være?* **1** (*når man tilbyr en noe*) what will you have? (*om drink, også*) T what's yours? **2** (*hva skal det forestille*) what is that supposed to be? *hva skal det være godt for?* what would be the use (*el.* the good) of that? what is the idea? *hvor det skal være* anywhere; no matter where; *nå* ~ *posten være her* (6) (*også*) the mail is due now; ~ *det være mulig?* is that possible? *skal det være, så skal det være* do the thing properly or not at all; *det skal du ikke være for sikker på* don't (you) be too sure (about that); (*se også II. skulle 5*);
B: *du skal nå også* **alltid** *kritisere* you are always criticizing; *jeg skal av her* I want to get off here; this is where I get off; *hvor skal jeg gå av?* where do I get off? *sannheten skal* **fram** the truth has got to be told; *hvor skal du hen?* where are you going? (*jvf I. skulle C*); *hva skal du* **her**? what are you doing here? what do you want here? *jeg skal* **hjem** I am going home; **hvorfor** *skal den være så tung?* why must it (*el.* why has it got to) be so heavy? *jeg skal i kirken* I am going to church; *det brevet skal i postkassen* that letter must be posted (*,især* US: mailed); *han skal til X, og jeg skal være* **med** he is going to X, and I am (*el.* shall be) going with him; (*jvf 11*); *hva skal jeg med det?* (*ɔ: det har jeg ikke bruk for*) what good (*el.* use) is that going to be to me? *jeg skal* **på!** (*trikk, buss, etc*) I want to get on! *jeg skal på skolen* I am going to school; *jeg skal til middag hos dem* I am having dinner with them; (*stivt*) I am dining with them; (*jvf I. skulle 14 & C*); *jeg skal* **ut** I am going out; *jeg skal ut i kveld* I am going out tonight; I shall be going out tonight; *jeg skal ut med en masse penger* T I (shall) have to fork out (*el.* part with) a lot of money; I shall have to pay out a lot of money; *han skal ut med pengene* T he will have to fork out;
C: *jeg* '*skal* (*ɔ: på WC*) I want to go somewhere; *skal — skal ikke* = I am in two minds what to do; *hva skal* '*De?* what do 'you want? *hvor skal De?* (*når man vil hjelpe vedkommende på rett vei*) where do you want to go? *jeg skal*

til X (*ɔ: jeg vil gjerne vite veien til X*) I want to get to X; (*se også I. skulle B*); *skal tro om* ... I wonder if ...
II. skulle *vb* (*i bisetning*) **1** (*indirekte tale*) *han* (*,jeg*) *sa han* (*,jeg*) ~ *komme* he (,I) said he (,I) would come; *jeg sa jeg* ~ *hjelpe ham* I said I would help him; I promised to help him; *han sa han* ~ *hjelpe meg* he said he would help he; he promised to help me; *han sa De* ~ *få varene i morgen* he said you should (*el.* would *el.* were to) have the goods tomorrow; *du sa vi* ~ *få se den i ettermiddag* you said we should see it this afternoon; *han sa jeg* ~ *vise henne inn* he told me to show her in; he said to show her in; **2** (*i spørsmål*): *han spurte meg om han* ~ *skrive* he asked me if he should write; *han spurte meg om jeg ville at han* ~ *skrive* he asked me if I wanted him to write; he asked me if I would like him to write; **3** (*etter vb som foreslå, forlange, kreve, ønske, etc oversettes «skulle» ofte ikke*): *han foreslo at prisen* ~ *settes ned* he suggested that the price (should) be reduced; *de foreslo at planen* ~ *settes i verk med én gang* they suggested that the plan be implemented at once; *de forlangte at han* ~ *skaffe opplysninger* they demanded that he supply information; *han holdt strengt på at det* ~ *gjøres* he insisted that it must be done; **4** (*i hensikts- el. følgesetning*) might, should; *for at han ikke* ~ *tro at* ... so that he might (*el.* should) not think that; *for at båten ikke* ~ *synke* in order that (*el.* so that) the boat should not sink; *jeg telegraferte, slik at du* ~ *ha nyheten i god tid* I telegraphed so that you might have the news in good time; **5** (*i forb. med spørreord som* what, which, who, where, when, how, whether): *jeg visste ikke hva jeg* ~ *gjøre* I did not know what to do; *han sa hva jeg* ~ *gjøre* he told me what to do; *vi viste ham hvorledes han* ~ *gjøre det* we showed him how to do it; *hva vil du at jeg skal gjøre?* what do you want me to do? *hun visste ikke om hun* ~ *le eller gråte* she did not know whether to laugh or cry; *si til ham at han skal gjøre det* tell him to do it; *jeg vet ikke hva jeg skal tro* I don't know what to think; **6** (*indirekte spørsmål*): *jeg spurte ham når jeg* ~ *komme tilbake* I asked him when I was to return (*el.* when he wanted me to r.); *jeg spurte ham når han* ~ *reise* I asked him when he was leaving (*el.* when he was going to leave); **7** (=*måtte*): *han sa at jeg* ~ *sende kassene straks* he said that I was to send the cases at once; he said that the cases were to be sent at once; *han ga ordre om at varene* ~ *sendes* he gave instructions for the goods to be sent; *kapteinen ga ordre til at båtene* ~ *låres* the captain ordered the boats to be lowered; the c. ordered that the boats should be lowered; **8** (*norsk: at-setning med subjekt + inf* = eng: objekt + infinitiv *eller en rekke vb som uttrykker ønske el. befaling*): *jeg sa til ham at han* ~ *være stille* I told him to keep (*el.* be) quiet; *jeg vil ikke at De skal tro at* ... I do not want you to think that ... ; I would not have you think that ... ; *han ville at vi* ~ *he* wanted us to; (*formelt*) he wished us to; *jeg sa at han* ~ *vente noen dager* I told him to wait a few days; **9** (*betingelsessetninger*): *hvis alt går som det skal* if everything goes according to plan; if it comes off (*jɛ* if it comes off we shall make a fortune); *hvis alt gikk som det* ~, *burde han arve eiendommen* by rights he ought to inherit the estate; *hvis vi skal selge disse varene* if we are to sell these goods; *hvis han* ~ *spørre deg* if he should ask you; *hvis noe* ~ *hende meg* if anything were to happen to me; *hvis jeg* ~ (*komme til å*) *glemme* if I do happen to forget; *hvis jeg* ~ *gi så lang kreditt, ville jeg snart være konkurs* if I were to give (*el.* grant) such long credit I should soon be bankrupt; *hvis jeg var i ditt sted,* ~ *jeg* if I were you, I should ... ; (*jvf I. skulle 4*); *hvis jeg hadde penger,* ~ *jeg* if I had the money, I should (*el.* would) ... (*jɛ* give a lot to the poor); *selv om jeg* ~ ... even if I were to.

skulpe ❖ 1 (*lang-*) silique; 2 (*kort-*) silicle, silicule.
skulptur sculpture.
skulptør sculptor.
skuls: *være* ~ be quits.
skum (*subst*) foam; (*såpe-*) foam, lather; (*på øl*) foam, froth, head (*fx* the head on a glass of beer); (*på hest*) foam, lather (*fx* the horse was all in a l.; the horse was lathered); (*fråde*) foam, froth.
skumaktig foamy, frothy.
skumgummi foam rubber.
skumgummimadrass foam rubber mattress; ~ *med trekk på* covered f. r. m., f. r. m. with a cover (on).
skumle (*vb*) make ill-natured remarks (*om* about).
skumleri ill-natured remarks, insinuation, nnuendo.
I. skumme (*vi*) foam, froth; *såpa -r* the soap lathers; ~ *av raseri* foam with rage.
II. skumme (*vt*) skim; *-t melk* skim milk.
skummel gloomy, dismal, sinister, eerie; shady (*fx* a s. type followed me in the street); *skumle transaksjoner* dubious transactions; (*se type*).
skummelhet gloominess, gloom.
skump jolt.
skumpe (*vi*) bump, jolt; ~ *til hverandre* jostle each other.
skumre (*vb*): *det -r* night (*el.* twilight) is falling, night is closing in; it is getting dark.
skumring dusk, twilight; *i -en* in the dusk (*el.* twilight), at dusk.
skumristel plough jointer.
skum|skavl (*på bølge*) crest of foam. **-slokker** foam extinguisher. **-sprøyt** spray; (*se sjøsprøyt*). **-svett** (*om hest*) in a lather. **-topp** (*på bølge*) crest of foam.
skunk 🐾 skunk.
I. skur shed; lean-to; shanty.
II. skur (*regn-*) shower (of rain); *vi fikk hele -a over oss* we caught (*el.* had) the full force of the shower; we got the brunt of the s.
III. skur(d) (*korn-*) cutting; (*tømmer*) dressed, finished timber; sawn timber.
skurdfolk: *se skurfolk.*
skurdonn: *se skuronn.*
skure (*vt*) scrub, scour; (*skrape*) scrape; *vi* (*om fartøy*) scrape (*fx* against the bottom); grate, grind; *jeg hørte kjølen* ~ *mot skjærene* I could hear the keel grinding on the rocks; *la det* ~ let things slide; US let it ride.
skure|børste scrubbing brush. **-bøtte** bucket, pail. **-fille, -klut** floor cloth. **-kone** cleaner, charwoman. **-pulver** scouring powder.
skurfolk harvesters, reapers.
skuring scrubbing, scouring; *det er grei* ~ that's plain sailing.
skuringsmerke (*geol*) stria (*pl*: striae).
skurk scoundrel, villain. **-aktig** villainous, scoundrelly. **-aktighet** villainy.
skurkefjes hangdog face.
skurkestrek (piece of) villainy, vile trick; T dirty trick.
skurlast sawn wood (*el.* timber); sawn goods.
skuronn reaping (*el.* harvesting) season; harvest work, harvesting.
skurre (*vb*) grate, jar (*i ørene*: on the ear).
skurring grating, jarring.
skurtresker combine (harvester); ~ *med* (*påmontert*) *halmpresse* combine baler.
skurtømmer saw timber, saw logs.
skurv 🌱 favus; (*glds*) scaldhead; (*vet: hos hester*) honeycomb ringworm.
skusle (*vb*): ~ *bort* waste, throw away.
skussmål character (*fx* he gave the boy an excellent c.; the girl had always borne a good c.), testimonial, reference; *han ga ham et godt* ~ (*også*) he spoke very highly of him.
skute ❖ vessel, ship; (*se skip*).
skutte (*vb*): ~ *seg* shake oneself, shrug.
skval (*også fig*) dishwater; (*se skvip*).

skvalder babble, noisy talk, chatter.
skvaldre (*vb*) babble, chatter.
skvaldrebøtte babbler, chatterbox.
skvalp: *se skvulp.*
skvalpe (*vb*): *se skvulpe.*
skvalpe|sjø choppy sea. **-skjær** rock awash.
skvatre *vb* (*om skjære*) chatter.
skvett splash; (*lite kvantum*) dash, drop.
skvette 1 (*vt*) splash; (*stenke*) sprinkle; 2. *vi* (*fare sammen*) start, give a sudden start; *han skvatt høyt* he leapt into the air; ~ *opp* jump up; *det er som å* ~ *vann på gåsa* it's like water off a duck's back.
skvetten skittish, nervous, jumpy; *han er ikke* ~ *av seg* T he has plenty of spunk.
skvettgang ⚓ washboard.
skvett|lapp (*på bil*) mud flap; US splash guard. **-skjerm** mudguard; US fender.
skvip dishwater, hogwash.
skvulp ripple, splash.
skvulpe (*vb*) ripple, lap, splash; ~ *over* splash over; T slosh over.
I. sky (*subst*) cloud; *bakom -en er himmelen alltid blå* every cloud has a silver lining; *-ene løser seg opp* clouds are breaking up; *-ene trekker sammen* the sky is clouding over; *heve til -ene* praise to the skies; *sveve oppe i -ene* be in the seventh heaven, have one's head in the clouds; *i vilden* ~ at the top of one's voice; *jeg var som falt ned fra -ene* I was completely dumbfounded (*el.* flabbergasted); T you could have knocked me down with a feather.
II. sky (*vb*) avoid, shun, give (*fx* sby) a wide berth; *vi skal ikke* ~ *noen anstrengelse for å* we will spare no effort to; *ikke* ~ *noe middel* stick at nothing; *ikke* ~ *noen utgift* spare no expense; *brent barn -r ilden* once bitten twice shy.
III. sky (*adj*) shy, timid; (*se arbeids-*).
skybanke bank of clouds.
skybrudd cloud burst.
skydekke cloud cover; *skiftende* ~, *perioder med sol* variable cloud, sunny periods.
sky|dekt cloud-covered. **-dott** cloudlet.
skye (*vb*): ~ *over* cloud over.
skyet cloudy, overcast; *delvis* ~ partly cloudy.
skyffel hoe, scraper.
skyfri cloudless, unclouded, without a cloud.
skyfull cloudy, overcast.
I. skygge (*subst*) shade; (*slagskygge*) shadow; (*på lue*) peak; US visor; *fortidens -r* shades of the past; *en* ~ *av seg selv* a shadow of one's former self; *ikke* ~ *av tvil* not a shade of doubt; *ligge i -n* lie in the shade; *stille i -n* (*fig*) throw (*el.* put) into the shade, outshine (*fx* sby); dwarf (*fx* this question dwarfs all other considerations); *bli stilt i -n av* (*også*) be overshadowed by, be dwarfed (*el.* obscured) by; (*se også bakgrunn*).
II. skygge (*vb*) shade; (*følge etter*) shadow; T tail; *han lar meg* ~ T he has a tail on me; ~ *for en* stand in sby's light; ~ *for øynene* shade one's eyes.
skygge|aktig shadowy, shadowlike. **-bilde** shadow figure, silhouette. **-full** shady, shadowy. **-legge** (*vb*) shade (*fx* a drawing). **-lue** peaked cap; US cap with a visor. **-løs** without shade, shadowless, shadeless.
skyggeregulering shadow cabinet.
skygge|riss outline. **-side** shady side; (*fig: også*) dark (*el.* seamy) side; (*mangel*) drawback. **-til-værelse:** *føre en* ~ lead a shadow life. **-verden** world of shades, shadow world.
skyhet shyness.
skyhøy sky-high.
skyhøyde (*meteorol*) height of cloud base (*el.* ceiling).
skylag cloud layer.
skylapper (*pl*) blinkers; *gå med* ~ be (*el.* run) in blinkers.
skyld 1 (*brøde*) guilt; 2 (*daddel*) blame, fault; 3 (*gjeld*) debt; *bære -en* be to blame, be responsible; *frita for* ~ exculpate; *få -en* get the blame; *få -en for* get the blame for; be blamed for; *gi en -en for noe*

blame sby for sth; put (*el.* lay) the blame for sth on sby; T blame sth on sby (*el.* sth) (*fx* they blamed it on the war); *de gir hverandre* -*en* they blame each other; *han ga nervene* -*en for det* he put it down to nerves; **ha** -*en* be to blame; *han har* -*en* (*også*) it's his fault; *du har den største* -*en* you are the most to blame; *han hadde ingen følelse av* ~ he had no sense of guilt; **legg** -*en på meg* blame it on me; blame me; *legge* ~ *en på: se gi en* -*en*; *være* ~ *i* be to blame for; **for ens** ~ for the sake of sby, for sby's sake, on sby's account (*fx* I was nervous on his account); *han dummer seg ut for hennes* ~ he is making a fool of himself about her; *for Deres* ~ for your sake; *for familiens* ~ for the sake of one's family; *for noes* ~ for the sake of sth; (ɔ: *på grunn av*) for sth (*fx* he married her for her money), on account of sth; over sth (*fx* don't break your heart over that); *for Guds* ~ for God's sake; *for én* **gangs** ~ for (this) once; *for* **ordens** ~ as a matter of routine (*el.* form); for the record; to keep the record straight; *for den* **saks** ~ for that matter, for the matter of that; *for* **sikkerhets** ~ for safety's sake, to be on the safe side; as a (matter of) precaution, to make assurance doubly sure; *for et* **syns** ~ for the sake of appearances; *for alle* **tilfellers** ~ (just) in case; *for gammelt* **vennskaps** ~ for the sake of our old friendship; *for* **min** ~ for my sake, (just) to please me (*fx* have another cake just to please me); *for min* ~ *kan han dra pokker i vold* he can go to hell for all I care; *for min* ~ *behøver du ikke forandre det* as far as I am concerned you need not change it; *gjør deg ikke noe bry for min* ~ don't trouble yourself on my account; *spesielt for min* ~ especially for my benefit (*fx* we are having another show especially for my b. this evening); **uten** ~ blameless (*fx* he is b. in the matter); *uten egen* ~ through no fault of one's own; (*se sak* C).

skyld|betynget guilty, conscience-stricken. **-bevisst** conscious of guilt, guilty. **-bevissthet** consciousness of guilt, guilty conscience.

skylddele (*vb*) survey; *tomta må* -*s før den kan selges* the site must be surveyed before it can be sold; (*se tinglyse*).

skylde (*vb*) **1.** owe; ~ (*bort*) *penger* (*til en*) owe (sby) money; owe money (to sby); be in debt; *han betalte £8 a konto på de £16 han skyldte* he paid £8 on account of the £16 owing by him; *hvor meget* -*r jeg* (*Dem*)? how much do I owe you? how much am I in debt (*el.* indebted) to you? T what is the damage? *han* -*r penger i øst og vest* he owes money all round; *den respekt man* -*r sine foreldre* the respect due to one's parents; **2** (*ha å takke for*) owe, be indebted to; *jeg* -*r Dem stor takk* I owe you my best thanks; I am greatly (*el.* deeply) indebted to you; *vi* -*r våre foreldre meget* we owe a great deal to our parents; *hva* -*r jeg æren av Deres besøk?* to what do I owe this honour? **3** (*om plikt*): ~ *en respekt* owe respect to sby; owe sby respect; *jeg* -*r Dem en forklaring* I owe you an explanation; **4**: ~ *en for noe: se beskylde:* ~ *en for noe;* ~ *på* put the blame on, blame; *han var sent ute og skyldte på de overfylte bussene* he blamed his lateness on the crowded state of the buses; ~ *på sin ungdom og manglende erfaring* plead the inexperience of youth; *han skyldte ingenting på huset* he owed nothing on the house; (*se skyldes*).

skyldes (*vb*) be due to (*fx* it was due to an oversight on his part; it was due to an accident); be owing to (*fx* it was o. to him that I got the job); (*kunne tilskrives*) be attributable to; (*bero på, være forårsaket av*) be due to, be the result of, result from, arise from, spring from (*fx* these differences spring mainly from the nature of the area); be caused by; *dette* ~ *at . . . this* is due to the fact that . . . ; *hans død skyldtes et ulykkestilfelle* his death was owing to an accident; *døden skyldtes drukning* death was by drowning.

skyldfolk relatives.

skyldfri 1 (*gjeldfri*) free from debt; (*om eiendom*) unencumbered; **2** (*uskyldig*) innocent; blameless, guiltless. **-het 1.** = *gjeldfrihet;* **2.** innocence, blamelessness, guiltlessness.

skyldig guilty (*i* of); (*tilbørlig*) due (*fx* he was treated with all due respect); *det* -*e beløp* the amount owing; *finne en* ~ *i alle tiltalens punkter* (*jur*) find sby guilty on all counts; *gjøre seg* ~ *i* be (*el.* render oneself) guilty of, commit (*fx* a fault); *gjøre seg* ~ *i en feiltagelse* be guilty of an error; fall into an error; *nekte seg* ~ assert one's innocence, deny the charge; (*for retten*) plead not guilty; *bli svar* ~ be at a loss for an answer; *han ble ikke svar* ~ he had a ready answer; *være en takk* ~ owe sby thanks, be indebted to sby; (*se også I. tiltale*).

skyldighet duty, obligation.

skyldner debtor; *gjøre ham til min* ~ place him under an obligation to me.

skyldsetning taxation, assessment.

skyldsette (*vb*) tax, assess.

skyldskap relationship.

skyldspørsmål question of guilt; *avgjøre* -*et* decide the verdict; *det ble anket over straffe-utmålingen, men derimot ikke over* -*et* there was an appeal against the sentence but not the verdict (of guilty).

skyll (*regn-*) downpour.

skylle (*vb*) rinse; (*om sjø*) wash (*fx* he was washed overboard); ~ *et glass* rinse out a glass; ~ *munnen* rinse one's mouth; ~ *i land* wash ashore; ~ *i seg* wash down; *regnet skylte ned* the rain poured down.

skylle|bøtte 1. flood of abuse; **2:** *se* -*dunk.* **-dunk** garbage pail.

skyllevann rinsing water; US rinse water.

skylling rinse; rinsing.

skynde (*vb*): ~ *på en* hurry sby, hustle sby; ~ *seg* hurry, hurry up, make haste; *skynd deg!* hurry up! get a move on! (*med å komme i gang*) get cracking! ~ *seg med arbeidet* press on with the work, hurry up with the work; *jeg skulle ønske du ville* ~ *deg med det brevet* I wish you would hurry up over that letter; *la oss* ~ *oss å komme i gang* T let's hurry and get cracking; *jeg må* ~ *meg* (*av sted*) T I must fly (*el.* scoot).

skyndsom hasty, hurried; -*t* (*adv*) hastily, in haste; -*st* in the greatest haste.

skypumpe waterspout.

skyseil ⚓ skysail.

skyskraper skyscraper.

skyss conveyance; *få* ~ get a lift; (*især* US) get a ride; *takk for* -*en!* thank you for the lift (*el.* ride)!; *reise med* ~ (*hist*) travel post, travel with post-horses.

skyssbonde (*hist*) farmer conveying travellers; (NB in England: innkeeper).

skysse (*vb*) carry, convey, drive; ~ *en over vannet* ferry sby across the lake; *de* -*t ham av sted* (*el. av gårde*) they bundled him off; ~ *en ut av huset* bundle sby out of the house; *han prøvde å* ~ *dem ut så fort som mulig* he tried to get rid of them as quickly as possible.

skysshest post-horse.

skysspenger (*pl*) fare.

skysstasjon posting station, posting inn, coaching inn.

skyssvogn stagecoach; (*lettere*) post chaise.

skyte (*vb*) **1** (*med skytevåpen*) shoot; (*gi ild*) fire; (*i fotball*) shoot; **2** (*fare*) shoot, flash (*fx* it flashed past); **3.** ⚓ put forth (*fx* leaves, roots); ~ *blader* come into leaf, leaf, put forth leaves; ~ *bom* miss (the mark); (*jvf treff*); ~ *fart* gather headway, put on speed; ~ *god fart* make good headway; ~ *knopper* bud, put forth buds; ~ *liggende med albuestøtte* ✕ fire from rest with elbow support; *hans øyne skjøt lyn* his eyes flashed; ~ *mål* (*i fotball*) score (*el.* shoot el. kick) a goal; send the ball into goal; ~ *rot* strike (*el.* take) root; ~ *rotskudd* throw out suckers, sucker;

~ **rygg** (*om katt*) put up (*el.* arch) its back; ~ **satsen** (*typ*) lead the lines; *skutt sats* leaded matter; ~ **en serie** ✕ fire a burst; ~ *et skudd* fire a shot; ✕ fire a round; ~ *spurver med kanoner* break a butterfly on a wheel; ~ *rask vekst* make rapid progress (*el.* headway), grow apace; ~ *seg en kule for pannen* put a bullet through one's head, blow one's brains out;

[*Forb. med prep*] ~ **bort** use up, shoot away (*fx* all one's ammunition); (*fjerne ved skudd*) shoot off; ~ **etter** shoot at, fire at; *det kan du* ~ *en hvit pinne etter* you may whistle for that; ~ **forbi** miss (the mark); miss (the goal); ~ **fra** *hoften* fire from the hip; ~ **i** *senk* ⚓ sink (by gunfire); ~ *i været* shoot up (*fx* looking at her clothes I realize how quickly she has shot up); flames shot up from the wreck); ~ **inn** put in (,into), contribute, invest (*fx* money); ~ *inn en bemerkning* throw in (*el.* interject) a remark; ~ **inn** *et våpen* fire in a weapon; ~ *seg* **inn** under quote as an excuse; shelter behind; *han skjøt seg inn under bestemmelsen om at* . . . he quoted as an excuse the provision that . . . ; ~ **med** *revolver* shoot with a revolver; use a r.; ~ **ned** shoot down; kill on the spot; (*flyv*) shoot down, bring down, account for; ~ **opp** (ɔ: *vokse raskt*) shoot up; ~ *opp som paddehatter* spring up like mushrooms; ~ **over** (ɔ: *for høyt*) overshoot the mark, aim too high, hit above the mark; ~ **på** *en* shoot at sby, fire at sby; ~ **sammen** (*spleise*) club together (*fx* they clubbed together to buy the house); ~ *en landsby sønder og sammen* shoot up a village; ~ **til** contribute, add; ~ **ut** (ɔ: *oppsette*) put off, postpone; (*i lagretten*) exclude; *som skutt ut av en kanon* like a shot; like a streak of greased lightning.

skyte|bane rifle range; (*på tivoli, etc*) shooting gallery. **-bas** dynamiter, blaster. **-bomull** guncotton. **-ferdighet** marksmanship. **-hull** loophole, embrasure. **-matte** blasting mat.

skyter (*hist*) Scythian.

skyte|skår: *se* **-hull**. **-skive** target; (*fig*) butt. **skyte|våpen** (*pl*) firearms. **-øvelse** target practice.

Skythia (*hist & geogr*) Scythia.

skyts ordnance, artillery.

skyts|engel guardian angel. **-gud** tutelary god (*el.* deity), patron-deity. **-gudinne** tutelary goddess. **-helgen, -patron** tutelary saint, patron saint. **-ånd** guardian spirit.

skyttel (*veveredskap*) shuttle.

Skytten (*stjernebildet*) Sagittarius, the Archer.

skytter marksman; *en god* (,*dårlig*) ~ a good (,bad) shot. **-grav** trench. **-grop** slit trench; US foxhole. **-lag** (*i England*) rifle club. **-linje** 1. ✕ line abreast formation; 2. hunters posted to intercept game.

skyve (*vb*) push, shove; (*forsiktig*) ease (*fx* e. the door shut; e. the box into the corner); ~ **slåen for** draw the bolt; *førersetet lar seg ikke* ~ *langt nok fram* the driving seat won't go far enough forward; *setet lar seg ikke* ~ *lenger fram* the seat won't go any further forward.

skyve|dør sliding door. **-tak** (*på bil*) slide-back top. **-vindu** sash window.

skøy fun, mischief; *på* ~ for fun.

skøyer rogue (*fx* she's a little r.); rascal, mischief; *din* ~! you rogue! *din vesle* ~! you little mischief! *den -n John* that rogue (*el.* rascal) John.

skøyer|aktig roguish. **-strek** prank.

I. **skøyte** ⚓ smack (*fx* fishing s.).

II. **skøyte** skate; *gå på -r* skate; *hurtigløp på -r* speed skating.

skøyte|bane skating rink. **-jern** blade, runner. **-løp** skating; *hurtigløp på skøyter* speed skating. **-løper** skater; (*hurtigløper*) speed skater.

skåk (*pl: skjæker*) shaft (of a carriage) (*fx* a horse in (*el.* between) the shafts).

skål (*bolle*) bowl; (*vekt-*) scale; (*til kopp*) saucer; *kopp og* ~ a cup and saucer; (*som drikkes*)

toast; ~! your health! T cheerio! chin chin! cheers! S down the hatch! (NB «To you, Joe!» he said. «To yourself, Mr. Blake!»); ~ *for oss selv*! here's to ourselves! *besvare en* ~ respond to a toast; *drikke en* ~ drink a toast (*el.* health); *vi drakk Kongens* ~ we drank the King; (NB Gentlemen, (I give you) the King!); *drikke en* ~ *for herr X* drink (to) the health of Mr. X; *utbringe en* ~ *for* propose the toast of; (NB Ladies and Gentlemen, I give you Mr. X!).

skåld|e (*vb*) scald. **-het** scalding (hot).

I. **skåle** (*skur*) shed, woodshed.

II. **skåle** (*vb*) drink healths; ~ *for en* drink (to) the health of sby; ~ *med en* drink a toast with sby; ~ *med hverandre* drink to one another.

skål|harv disk (*el.* disc) harrow. **-tale** toast (speech). **-vekt** balance, (a pair of) scales.

skåne (*vb*) spare, treat with lenience; ~ *seg* be careful of oneself; ~ *øynene* take care not to strain one's eyes.

skånsel mercy, leniency; *vise* ~ show pity; *uten* ~ merciless; (*adv*) -ly.

skånselløs merciless, remorseless.

skånsom lenient; gentle; considerate. **-het** leniency; consideration; gentleness.

skår (*potteskår*) shard; (*hakk*) cut; incision; chip; (*i bildekk*) cutting; *lage* ~ *i* chip (*fx* who has chipped the edge of this glass? these cups chip easily); *det var et* ~ *i gleden* it was a fly in the ointment.

skåre (*i slåtten*) swath.

I. **skått|e** *subst* (*for vindu*) shutter; (*for dør*) bar; *skyve -a fra* unbar.

II. **skåte** (*vb*) back the oars.

slabbe|dask lazy, good-for-nothing fellow; ne'er-do-well. **-ras**: *se kaffe-*.

sladder gossip; *fare med* ~ spread gossip, gossip. **-aktig** gossiping. **-hank** gossip; talebearer; chattering busybody; (*skoleuttrykk*) sneak; US tattletale. **-historie** piece of gossip; (T: *som sverter en*) smear story.

sladre (*vb*) **1** (*opptre som angiver*) tell tales (*på* on); T split, peach (*på* on); blab; (*jvf tyste*); **2** (*fare med sladder*) gossip, spread gossip, talk scandals; tittle-tattle; ~ *av skole* tell tales out of school; S spill the beans; ~ *på en* (*i skole*) sneak (,T: snitch) on sby; US tattle on sby; ~ *til rektor* tell the head; T peach to the head.

sladre|kjerring gossip, scandal-monger. **-speil** driving mirror, rear-view mirror.

slafs noisy chewing.

slafse (*vb*) eat noisily, slurp (*fx* ice cream); ~ *i seg maten* champ (one's food) noisily, gulp down one's food noisily; *han -t i seg en tallerken suppe* (*også*) he lapped up (*el.* down) a plate of soup.

slafseføre: *se slapseføre*.

I. **slag** (*handlingen*) blow, stroke, hit; (*med pisk*) cut, lash; (*av hest*) kick, fling; (*hjertets*) beat, throb; (*i krig*) battle, action, engagement; (*av klokke*) stroke; (*av fugl*) warbling; (*sykdom*) heart attack, stroke; ⚓ (*under kryssing*) tack; (*fig*) blow, shock; stroke; *et* ~ *kort* a game of cards; *med ett* ~ with one stroke (*fx* of the axe), at a (single) blow, at one blow; (ɔ: *brått*) all at once, in the twinkling of an eye, with a run (*fx* prices (,the temperature) came down with a run); ~ *i* ~ in rapid succession, thick and fast (*fx* new reports arrived t. and f.), without intermission; *få* ~ have a heart attack; *få et* (ɔ: *presis*) on the stroke (*el.* dot) (*fx* he was there on the stroke); *på -et 3* on the stroke of 3; *i -et ved Waterloo* at the battle of W.; *slå et* ~ *for* (*fig*) strike a blow for (*fx* higher wages); *her sto -et* here the battle was fought.

II. **slag** (*sort*) description, kind, sort; (*se slags*).

slag|anfall (*apoplectic*) stroke, heart attack. **-benk** turn-up bedstead. **-bjørn** killer bear. **-bom** turnpike.

slag|en beaten, stricken; *en* ~ *mann* a defeated man; *den -ne landevei* the beaten track.

slager hit tune.

slagferdig quick-witted. **slagferdighet** ready wit.

slagg cinders, slag, scoria.

slaggaktig cindery, slaggy, scoriaceous.

slaggsamler sediment bowl.

slagkraft striking power; effectiveness.

slag|lengde (length of) stroke; *motor med stor* ~ long-stroke engine. **-linje** line of battle. **-lodde** hard solder; braze.

slagmark battlefield.

slag|ord slogan, motto, watchword; (*især neds*) catchword. **-orden** order of battle, battle array. **-plan** plan of action; *legge en* ~ devise a p. of a. **-regn** hard, lashing rain.

slags sort, kind, description; *alle* ~ all kinds, every kind (*el.* sort) (*fx* of fruit), every description (*fx* of boots); *av alle* ~ of all kinds, of every description; *varer av alle* ~ every description of goods, g. of every d., goods of various kinds, v. kinds of g.; *forskjellige* ~ of different (*el.* various) kinds; *det er mange* ~ *stoler i handelen* there are many (*el.* lots of) different kinds of chairs on the market; *den* ~ *gjøres ikke blant oss* that sort of thing is not done by (*el.* among) people like us (*el.* is not done in our circle); *en* ~ a sort of, some kind of (*fx* she was wearing a sort (*el.* some kind) of cloak); of sorts (*fx* we had some coffee of sorts; he is a politician of sorts); after a sort (*fx* a translation after a sort); *de snakket en* ~ *engelsk* they spoke English after a fashion; they spoke a sort (*el.* kind) of E.; they spoke in E. of sorts; *den* ~ *ting* that sort of thing; things like that; *hva* ~ *menneske er han?* what sort of man is he?

slagsbror fighter, brawler.

slagside list (*fx* a list to port); (*fig*) lopsidedness; *ordbok med teknisk* ~ dictionary with a technical bias; *få* ~ take a list; *ha* ~ list, have a list.

slagskip battleship.

slagskygge shadow.

slagsmål fighting, fight; *komme i* ~ get into a fight; *det kom til* ~ they came to blows; *han har vært i* ~ (*også*) he has been in the wars; (*se real*).

slagtilfelle (apoplectic) stroke, heart attack.

slag|verk striking mechanism (*el.* train) (*fx* of a clock); (*i orkester*) percussion. **-vol** beater (*el.* swingle) of a flail, swip(p)le. **-volum** piston displacement.

slakk slack; (*om kurve, etc*) gentle; *så gikk det slakt nedoverbakke til X* then the path (,road) slanted easily downhill to X.

slakke (*vb*) slacken; ~ *av* (*fig*) relax, slacken; ~ *på farten* slow down, slacken speed; ~ *på roret* ease her helm.

slakne (*vb*): *se slakke.*

slakt animal to be slaughtered; (*ofte* =) (piece of) fat stock, (piece of) beef, cattle beef.

slakte (*vb*) 1. kill, slaughter; 2. massacre, butcher, slaughter; ~ *gjøkalven* kill the fatted calf; ~ *og rense et dyr* kill and dress an animal.

slaktehus slaughterhouse.

slakter butcher. **-benk** (*også fig*) shambles (*pl*). **slakte|ri:** *se slaktehus.* **-tid** killing season.

slakt(n)ing killing, slaughtering.

slalåm slalom; *stor-* giant slalom.

slam mud, ooze.

slamp lout. **-et** loutish.

slang slang; *bruke* ~ talk slang.

slange 🐍 snake; (*hage-, etc*) hose; (*til bildekk, etc*) inner tube. **-agurk** 🌱 (snake) cucumber. **-bitt** snake bite. **-løs** (*om dekk*) tubeless. **-menneske** contortionist. **-serum** anti-snakebite serum. **-temmer** snake charmer.

slank slim, slender.

slanke (*vb*): ~ *seg* slim, reduce.

slankekur reducing (*el.* slimming) treatment.

slankhet slimness, slenderness.

slapp (*adj*) slack, relaxed, loose; flabby; (*ikke sterk, fx etter sykdom*) limp, listless (*fx* feel listless after an illness); **-e trekk** flabby features; *henge slapt ned* hang slack, sag.

slappe (*vb*): ~ *av* 1 (*hvile*) relax; 2 (*bli mindre energisk*) flag, slack off; backslide (*fx* you're doing excellent work now; I hope you won't b.); *vi må ikke* ~ *av* we must not slacken in (*el.* relax) our efforts (*el.* work); there must be no slacking off (*el.* no relaxation of our efforts).

slappelse relaxation (*fx* of discipline, muscles); falling off, flagging (*fx* of interest).

slappfisk spineless fellow, slacker.

slapphet slackness, looseness, flabbiness; (*mangel på energi*) spinelessness; (*etter sykdom*) limpness, listlessness.

slaps slush.

slapseføre slushy roads.

slapset slushy, sludgy, splashy, muddy and wet.

slaraffen|land land of milk and honey. **-liv:** *leve el.* ~ live on the fat of the land.

slark play; ~ *på forhjulene* play of the front wheels; *det begynner å bli* ~ *i styringen* the steering is becoming sloppy; (*se kingbolt*).

slarke (*vb*) fit too loosely, be loose; (*om hjul, aksel, etc*) wobble; *begynne å* ~ work loose.

slarket loose; wobbly.

slarv (*snakk*) idle gossip, tattle.

slarve (*vb*) gossip, tattle.

slask: *doven* ~ T lazybones.

slaske (*vb*) flap, flop.

slasket loose, flabby, limp.

I. slave (*subst*) slave.

II. slave (*vb*) slave, toil, drudge.

slavebinde (*vb*) reduce to slavery, enslave.

slavehandel slave trade (*el.* traffic); *hvit* ~ white-slave traffic.

slave|handler slave dealer (*el.* trader), slaver. **-hold** slave-holding.

Slavekysten (*geogr*) the Slave Coast.

slaver (*folkenavn*) Slav.

slaveri slavery; *født i* ~ slave-born; *komme i* ~ fall into slavery.

slaveskip slave ship; slaver; (*jvf slavehandler*).

slavinne (female) slave; slave girl.

slavisk 1 (*adj til slave*) slavish, servile; 2 (*adj til slaver*) Slav, Slavonic.

slede 1 (*især større*) sledge (,US sled) (*fx* reindeer s.; dog s.); sleigh; (*jvf dombjelle*); **2** (*kjelke*) toboggan; (*se kjelke & sleid*).

slegge sledgehammer; (*sport*) hammer. **-kast** (*sport*) throwing the hammer.

sleid (*på fx dreiebenk*) slide; (*på dampmaskin*) slide valve.

sleide|aksel spline shaft. **-drev** sliding gears.

sleike (*vb*): *se slikke.*

sleip (*glatt*) slippery; (*glattunget*) mealy -mouthed, smooth-tongued, smooth-spoken, glib.

I. sleiv (*øse*) ladle.

II. sleiv: ~ *i nedslaget* [sideways, skidding movement of the skis on touching the snow of the landing slope]; *han hadde* ~ *i nedslaget* his skis skidded as he landed (after the jump); (*jvf nedslag*).

sleivet careless, slovenly.

sleivkjeft gossipmonger; US flapjaw.

sleivkjeftet gossiping.

slekt 1 (*familie*) family; **2** (*beslektede*) relations (*pl*), relatives; (*især litt.*) kin; (*jvf pårørende*); *hans nærmeste* ~ his nearest relations; **3** (*avstamning*) stock (*fx* be of good s.; he came of Sussex peasant s.); (*især fornem*) lineage (*fx* his ancient l.); *bonde-* peasant (*el.* farming) stock; **4** (*generasjon*) generation, age (*fx* from g. to g., from a. to a.); *kommende* ~ *er* coming generations; *generations to come*; *den nålevende* ~ the present g.; *den oppvoksende* ~ the rising g.; **5** (♀ & ♂) genus (*pl:* genera); *han er i* ~ *med oss* he belongs to our family; he is related to us; he is a relation of ours; *hvordan er han i* ~ *med Dem?* how is he related to you? what relation is he to you? *de er langt ute i* ~ *med hverandre* they are distantly related; *de er i nær* ~ *med hverandre* they are closely related; ~ *og venner* friends and relatives, relations and friends.

slekte (*vb*): ~ *på en* take after sby (*fx* one's mother).

slektledd generation.

slektning relation, relative; (*især litt.*) kinsman; kinswoman; *fjern* ~ distant relation.

slektskap relationship; kinship; ♂ affinity.

slektskapsforhold relationship, connection.

slektskjensle family feeling; (*sterk*) clannishness.

slektsledd: *se slektledd*.

slekts|merke generic mark. **-navn** family name, surname. **-roman** family chronicle, (family) saga (*fx* the Forsyte Saga). **-tavle** genealogical table, table of descent. **-tre** genealogical (*el.* family) tree, pedigree; (*se skudd; stamtavle*).

I. slem ✛ (*subst*) slam; *bli store-* be grand slam.

II. slem (*adj*) **1.** bad (*fx* cold, cough, habit, mistake), severe (*fx* a s. cold), sad (*fx* a s. mistake); **2** (*uoppdragen*) bad, naughty; *være* ~ *mot en* treat sby badly; ~ *som en heks* bad as a witch; *komme i en* ~ *knipe* get into a bad fix; *være* ~ *til å be given to*, be prone to (*fx* lying); have a weakness for (*fx* boasting); *han er* ~ *til å bryte sine løfter* he has a nasty habit of breaking his promises; *få en* ~ *medfart* be roughly treated (*el.* handled); come in for some rough treatment; *det ser -t ut* it looks bad; *sitte -t i det* be in a bad way.

slemme (*vb*) wash.

slendrian jog-trot; *gammel* ~ old jog-trot (way).

I. sleng swing, toss; *han har en egen* ~ *på kroppen når han går* he has an individual way of walking; *han har en egen* ~ *på uttalen* he has an individual way of speaking.

II. sleng (*flokk*) crowd, gang.

slengbemerkning casual remark.

slenge (*vt & vi*) **1** (*om ting*) dangle, flop, swing; **2** (*om mennesker*): *gå og* ~ idle, loaf; *han går og -r i byen hele dagen* he idles about town all day; he hangs about the town all day; **3** (*kaste*) fling; T pitch, chuck; *ligge og* ~ (*om ting*) lie about; US lie around; *han hadde det så travelt at han slengte på seg klærne* he was in such a hurry that he put his clothes on anyhow; ~ *en noe i ansiktet* throw sth in sby's face; ~ *igjen en dør* slam a door shut (*el.* to); ~ *igjennom* (*til eksamen*) scrape through (an examination); *han kom -nde inn en time for sent* he sauntered in an hour late; *det -r en svær rusk iblant* now and then a big one comes along; *de ble slengt ut av setene* they were jerked out of their seats; *sleng hit et av de eplene* T chuck (*el.* pitch) me one of those apples; *han slengte av seg den tunge sekken* he flopped down the heavy bag; *jeg ville ikke ha det om jeg fikk det slengt etter meg* I wouldn't have it if it were given away with a pound of tea; ~ *med armene når en går* swing one's arms when one walks; *hun slengte ned stilen på 10 minutter* T she dashed off the essay in ten minutes; (*se rable:* ~ *ned*); ~ *seg nedpå* (T = *legge seg*) lie down; T kip down (*fx* he was dead tired and kipped down for half an hour).

slenge- T (*om klær: hverdags-, til daglig bruk*) for everyday wear, everyday, casual.

slengebruk: *jakken går godt an til* ~ the jacket is all right for knocking about in (*el.* is all right for everyday wear).

slenge|jakke everyday jacket, casual j.; T j. for knocking about in. **-navn** nickname. **-sko** casual shoes; shoes for knocking about in.

slenget(e) loose-jointed; (*om gang*) lounging, slouching.

sleng|kappe (Spanish) cloak. **-kyss** blown kiss; *sende en et* ~ blow sby a kiss. **-ord** (*finte, spydighet*) gibe; (*finte, hånlig tilrop*) taunt; (*pl også*) jeers; (*jvf gapord*). **-skudd** random shot.

slentre (*vb*) saunter, stroll, drift (*fx* down the street), lounge.

slep **1** (*på kjole*) train; **2** (*slit*) toil, drudgery; **3** (*det å buksere*) tow; *slit og* ~ toil and moil; *ha* (*,ta*) *på* ~ have (*,take*) in tow.

slepe (*vb*) drag, haul, tow, tug; ~ *på noe* drag (*el.* lug) sth about with one; ~ *seg av gårde* drag oneself along; ~ *seg hen* (*om tid*) wear on (*fx* time wore on); *tiden slepte seg hen* (*også*) time dragged slowly by; (*se skritt*).

slepe|båt tug (boat). **-lanterne** ♣ towing light. **-line** ♣ towline, hauling line. **-lønn** towage.

slepen (*vesen*) polished, urbane.

slepenot drag net, townet.

slepepuller ♣ towing-bitts, t. post, t. bollards.

sleper tug (boat).

sleperist skid bank.

sleperive hay sweep.

slepe|tau tow(ing) rope. **-trosse** hawser.

sleping towing, towage.

slepphendt apt to drop things, butterfingered.

slesk oily, wheedling, fawning, smirking, obsequious; mealy-mouthed.

sleske (*vb*): ~ *for* fawn on, make up to; T soap down, butter up (*fx* b. sby up); suck up to (*fx* sby).

sleskhet wheedling, fawning, obsequiousness.

slett 1 (*dårlig*) bad, poor; ~ *selskap* bad company (*fx* get into b. c.); (*ond*) bad, evil, wicked; (*adv*) badly, ill, wickedly; **2** (*flat*) flat; (*jevn*) level; (*glatt*) smooth; **3** (*forskjellige uttrykk*): *rett og* ~ pure and simple (*fx* it is envy pure and simple), downright (*fx* a d. swindler), sheer (*fx* it is s. robbery); (*simpelthen*) simply, purely; ~ *ikke* not at all (*fx* not at all surprised; not s. at all; he did not work at all); ~ *ikke dårlig* not altogether bad; T not so dusty; *det er* ~ *ikke vanskelig* it is not at all (*el.* not in the least) difficult; *en slik pris er* ~ *ikke for høy* such a price is not at all (*el.* is by no means) too high; *nei*, ~ *ikke!* not at all! by no means! ~ *ingen* none at all (*fx* any job is better than none at all); none whatever.

I. slette (*subst*) plain; level (*el.* flat) country; (*avslutning av hoppbakke*) out-run; *på sletta* in the plain; (*på flatmark*) on the level (*el.* flat), along the level (*fx* skiing along the level), on the straight; *på sletta like før X* (*også*) on the straight just before X.

II. slette (*vb*) **1** (*jevne*) level; (*gjøre glatt*) smooth; **2**: ~ *ut* delete, erase; (*utrydde*) wipe out; ~ *ut vanskene* smooth the difficulties away; (*se stryke* (*ut*)).

sletteland level (*el.* flat) country.

sletthet badness, poorness; wickedness; (*jvf slett*).

sletthøvel smoothing plane.

slettvar (*fisk*) brill.

slibrig 1 (*glatt*) slippery; **2.** dirty (*fx* language, story), smutty (*fx* joke, story); indecent, obscene (*fx* an o. book), salacious, lubricous (*fx* speech, book, picture). **-het** (2) dirtiness, smuttiness; *en* ~ an obscenity; a smutty joke.

I. slik (*adj*) such (*fx* s. a firm); *en* ~ *artikkel* (*også*) this kind (*el.* that sort) of article; *en* ~ *mann* such a man, a man like that; *de firmaer som disse* firms such as these, such firms as these, firms like these; *-e artikler* articles of this kind; *-e artikler som* ... articles such as ... ; a. like ... ; *hva koster en* ~ *maskin?* what does a machine like that cost? *et -t tap til* (⊃: *enda et -t tap*) another such loss; ~ *er han* that's his way, he is like that; *noe -t* a thing like that; anything like that; (*omtrent slik*) sth like that; *jeg har aldri sagt noe -t* I never said anything of the sort; *noe -t som* **1.** a thing like (*fx* smoking); **2** (= *omtrent*) sth like (*fx* he left sth like a million); ... *og -t noe* and that kind of thing; and things like that; and things; and the like; *har du hørt -t!* did you ever hear the like (of it)! US have you ever heard the likes! *-e idioter!* the idiots! (*i tiltale*) idiots! ~ *en dårskap!* what folly! *-t sludder!* what nonsense! *-t vær!* what a day! ~ *som like* (*fx* I don't want to be like him); as (*fx* I want to get on, as you have done); (*vulg*) same as (*fx* the girl has to make a living same as everybody else); the way (*fx* she cannot live on her pension with prices the way they are now); ~ *som det blåste!* what a strong wind there was! *-t hender* such things will happen; *-t hender ofte* such things often happen; ~ *er det* that's the way it is; ~ *er det nå engang (her i verden)* that's the way things are; ~ *er livet!* such is life! ~ *er jeg (nå engang)* that's the sort of man (,woman) I am; I can't help being like that; I suppose I am made that way; ~ *er det alltid med ham* that's how he (always) is; *har han vært* ~ *lenge?* has he been like this long? ~ *er mennene!* that's the way men are! that's men all over! men are like that! ~ *er det å være berømt* this is what it is like to be famous; ~ *skal det være* good! that's it! that's right! that's the stuff! that's the ticket! T that's the barber! (*se også II. slik*).

II. slik (*adv*) like that, (in) that way; like this (*fx* you must do it like this), (in) this way; (*i en så høy grad*) so (*fx* her feet were so light and her eyes shone so); ~ *at* in such a way that; *send brevet lørdag,* ~ *at vi får det mandag morgen* post the letter on Saturday so that we may have it on Monday morning; *jeg forsto Dem* ~ *at* I understood you to say (,mean) that; *ikke* ~ *å forstå at han var uærlig* not that he was dishonest; *det er ikke* ~ *å forstå at jeg vil . . .* this must not be taken to mean that I will . . . ; *fabrikken ligger* ~ *til at . . .* the factory is so situated that. . ; *han ordnet det* ~ *at* he so arranged matters that; he arranged matters in such a way that; *vi skal ordne saken* ~ *som De foreslår* we shall arrange the matter in the way suggested by you; ~ *saken nå står* as matters now stand; *det passer seg dårlig for ham å snakke* ~ (*litt.*) it ill becomes him to talk in that strain; *hvis du fortsetter* ~, *går det utover helsa* if you go on at that rate you will injure (*el. ruin*) your health.

slikk: *for en* ~ *og ingenting* T for a song.

slikke (*vb*) lick (*på noe* sth); ~ *noe i seg* lap up sth; ~ *seg om munnen* lick one's chops (*el. lips*).

slikkeri (*søte saker*) sweets; US candy.

slikkmunn sweet-tooth.

slikkmunnet sweet-toothed.

slim mucus; (*av snegler, fisk*) slime.

slimet mucous; slimy.

slimhinne mucous membrane.

slimål (*fisk*) hagfish, borer.

slinger: *ingen* ~ *i valsen* no nonsense, no dillydallying, no shilly-shally; *vi vil ikke ha noen* ~ *i valsen* T we won't have any nonsense; we don't want any spokes in the wheel.

slingre *vb* ⚓ (*rulle*) roll; lurch; (*fig*) vacillate, waver; (*rave*) reel, lurch, stagger (*fx* about, to and fro).

slingre|brett ⚓ fiddle. **-bøyle** ⚓ gimbals. **-kjøl** ⚓ bilge keel.

slingring rolling, roll, lurch; reeling, stagger-(ing). **-smonn** tolerance. **-sstabilisator** (*på bil*) stabilizer bar, anti-roll bar, anti-sway bar. **-sstropp** (*i bil*) hand strap.

slintre fibre.

slipe (*vb*) **1.** grind; (*fin-*) hone; (*edelsten, glass, etc*) cut; (*glatt-*) polish; ~ *inn* grind in; (*se ventil*); **2** (*med papir*) rub (down); flat down; (*vann-*) wet rub; (NB the dry stopper is rubbed as a wet operation; after a light flatting down, apply a second coat of paint).

slipe|papir rubbing-down paper; dry paper; (*faglig*) abrasive p.; (*vann-*) wet (abrasive) p. **-pasta** grinding compound (*el. paste*).

slipers (*jernb*) sleeper; US tie.

slipestein grindstone.

I. slipp ⚓ slipway, slip; (*verksted*) boat yard.

II. slipp: *gi* ~ *på noe* let sth go, let go of sth.

slippe (*vb*) **1.** let go of; (*la falle*) drop; *slipp!* let go! *slipp meg!* let me go! **2** (*bli spart for*) be spared from, be let off (*fx* he was to have been punished, but he was let off); *det kan man ikke* ~ there is no getting away from it; there is no

escape from it; *han -r ikke operasjon* he will have to undergo an operation; *jeg hadde håpet jeg skulle* ~ *å bry Dem enda en gang* I had hoped I should not have to worry (*el. bother*) you yet again (*el.* once again); I had hoped not to have to bother you yet again; *jeg skulle ønske jeg kunne* ~ *å . . .* I wish I could get out of (-ing); *de lot ham* ~ *skolen* they let him off school; *la ham* ~ *å arbeide i hagen* let him off working in the garden; *ikke hvis jeg kan* ~ not if I can avoid it; not if I can get out of it; *får jeg* ~ *å spise det, da?* (please,) may I leave it? *kan jeg få* ~ (*å spise mer*) *nå?* (please,) may I leave the rest? *kan jeg få* ~ *å spise mer fisk nå?* (please,) may I leave the rest of the fish now? **3** (*holde opp*) leave off (*fx* he began where his father left off); *hvor var det vi slapp sist?* where did we leave off (reading) last time? where did we stop last time? *hvor var det jeg slapp?* where was I? where did I leave off (*el.* get to)? *han stoppet, og hun tok over der han slapp* he paused, and she took up the tale; **4** (*refleksivt*): ~ *seg løs* let oneself go; (*jvf slå:* ~ *seg løs*);

[*Forskjellige forb.*] ~ *billig* get off (*el.* be let off) cheaply (*el.* lightly *el.* easily); US get off easy; ~ *en (fjert)* (*vulg*) break wind; (*vulg*) fart; *kaken vil ikke* ~ *formen* the cake sticks to the tin; ~ *fri* escape; be let off (*fx* I was punished but he was let off); ~ *en fri* let sby go, let sby escape, release sby; (*se også* ~ *løs*); ~ *kløtsjen* let in the clutch; *la en* ~ let sby off (*fx* I'll let you off this time); (*se ovf under 2*); ~ *lett: se* ~ *billig; han fikk lov å* ~ he was let off; ~ *løs* 1 (*vt*) let loose, turn loose (*fx* the horses), release (*fx* the prisoners); set free; ~ (*løs*) *kuene* turn out the cattle; **2** (*vi*) break loose, get away, escape, make one's escape; ~ *taket i* let go one's hold of; ~ *en vind* break wind;

[*Forb. med adv & prep*] *han slapp henne ikke av syne* he did not let her out of his sight; he never took his eyes off her; ~ *bort* get away; (*flykte*) escape, succeed in escaping, make (good) one's escape; ~ *bort fra* get away from; ~ *forbi* get past; slip past; get by; ~ *fra en* get away from sby, escape from sby; T give sby the slip; ~ *levende fra katastrofen* survive the disaster; ~ *fra det med livet (i behold)* escape with one's life, survive; ~ *godt fra det* get away with it (*fx* he passed himself off as a Frenchman and got away with it); (*se for øvrig ovf:* ~ *billig*); ~ *heldig fra det* have a lucky escape; ~ *helskinnet fra det* escape unhurt; get off scot-free; *jeg er glad jeg slapp helskinnet fra det* I was glad to get off unhurt; I'm glad I got out of it; I'm well out of it; ~ *lett fra det* (*m.h.t. arbeid*) have an easy job of it; (*se for øvrig ovf:* ~ *billig*); *han slapp pent fra det* (*m.h.t. prestasjon, etc*) he gave a good account of himself; he acquitted himself well; ~ *fram* get by, get past; *han slapp det* (*i gulvet*) he dropped it (on the floor); *det slapp ham i pennen* it (just) slipped in; ~ *igjennom* slip through; (*eksamen*) get through; (*med nød og neppe*) squeeze through, scrape through; ~ *inn* get in, be admitted; *han slapp inn i* (*o: kom seg inn i*) *huset uten å bli sett* he got (*el.* slipped) into the house without being seen; ~ *en inn* let sby in, admit sby; ~ *med* get off with, be let off with (*fx en advarsel* a caution); ~ *med en brukket arm* escape with a broken arm; ~ *med skrekken* be more frightened than hurt; *han slapp henne ikke med øynene* he never took his eyes off her; he did not let her out of his sight; ~ *ned* (manáge to) get down; ~ *opp kløtsjen* let in the clutch; ~ *opp for* run out (*el.* short) of (*fx* we have run out of this article); give (*el.* run) out (*fx* supplies have run (*el.* given) out); *om man skulle* ~ *opp for olje* if oil supplies were to run out; *jeg -r snart opp for bensin* I am running short of petrol; *vi -r snart opp for vann* the water supply is getting low (*el.* is coming to an end); *jeg har sloppet opp for bensin* I have run out of petrol; I am out of petrol; I am at the end of my petrol; *la ungdommen* ~ *til* give the young people a chance; ~ **unna** get off, get away, escape; ~ **ut** get out, escape; (*ved en forsnakkelse*) slip out; (*fra fengsel*) be released, be discharged; be set free; ~ *ut kuene* turn out the cattle; *ikke slipp ut vannet* (ɔ: *ikke la det renne ut*) don't let the water (run) out; *det slapp ut av hendene på meg* it slipped from (el. out of) my hands; it slipped through my fingers; *det slapp ut av munnen på meg* it just slipped out; *det* (ɔ: *hemmeligheten*) *slapp ut av ham* he let the cat out of the bag; (*se også unnslippe*).

slips tie; *knyte -et* knot one's tie.
sliptømmer (mechanical) pulpwood; (*mots. cellulosetømmer* chemical pulpwood).
slire scabbard, sheath. **-kniv** sheath knife.
I. sliske (*subst*) skid.
II. sliske (*vb*) fawn (*for* on); (*se sleske:* ~ *for*).
slit 1 (*hardt arbeid*) toil, drudgery; hard going (*fx* what with all this h. g. and the burden of our rucksacks it took us a good five hours to descend the scree); 2 (*slitasje*): *medtatt av* ~ *og elde* showing signs of wear and tear.
slitasje wear and tear; *det viser tegn på* ~ it shows signs of wear.
slite (*vb*) pull, tear (*i* at); (*klær*) wear; (~ *og slepe*) toil (and moil), drudge; ~ (*hardt*) work hard; ~ *for hardt* (*også*) burn the candle at both ends; *det -r på humøret* it puts one out (of humour); ~ *ut* wear out; ~ *seg i hjel* work oneself to death.
slitebane (*på dekk*) tread.
sliten tired, weary, fagged, worn out.
slitesterk durable.
slitsom hard, strenuous.
slitt worn; the worse for wear.
slodde (*vb*) drag.
slokke (*vb*): *se slukke.*
slokne (*vb*): *se slukne.*
slott palace, castle.
slotts|bygning palace building. **-kirke** (palace) chapel. **-plass** palace square.
slu sly, crafty, cunning.
slubbert scamp; T bad hat, bad egg.
slubre (*vb*): ~ *noe i seg* gulp sth down, lap up sth (*fx* he lapped up (el. down) a plate of soup).
sludd sleet.
sludder (stuff and) nonsense, rubbish; T rot, bosh; *det er noe* ~ S it's all balls; that's all my eye (and Betty Martin); that's all boloney.
sludre (*vb*) talk nonsense; (*passiare*) chat, have a chat; *de har nok å* ~ *om* T they have plenty to jaw about.
sluffe two-seated sleigh.
sluhet slyness, cunning, craftiness.
I. sluk (*fiskeredskap*) spoon bait.
II. sluk (*avgrunn*) abyss; (*kloakk-*) gully.
sluke (*vb*) swallow, devour; gobble up; (*la være å uttale*) swallow; ~ *maten* bolt one's food; *bilen -r kilometerne* the car eats up the miles; (*se II. rå*).
slukhals glutton.
slukke (*vb*) **1.** put out (*fx* a candle, a fire), extinguish (*fx* a fire); (*lys*) switch off; (*gå ut*) go out; **2** (*stille*) quench, slake (*fx* one's thirst); *så er den sorgen -t* so that's all right.
slukkøret crestfallen, dispirited, dejected; *se* ~ *ut* look small.
slukne (*vb*) go out (*fx* the light went out).
sluknings|apparat (fire) extinguisher. **-arbeid** fire-fighting (operations).
slukt gorge, ravine; US canyon.
slum (*fattigkvarter*) slum. **-kvarter** slum area.
slummer slumber, doze, nap.
slump 1 (*treff, tilfeldighet*) chance (*fx* it was by mere c. (el. accident) I discovered it); 2 (*ubestemt*) some; *en god* ~ *penger* T a tidy sum of money, a nice bit (of money); 3 (*rest*) remainder, rest; *-en av pengene* the rest of the money; *på* ~ *at random*; (*omtrentlig beregning*) roughly, at (el. on)

a rough estimate; *velge på* ~ (*også*) choose in a haphazard way; *han lar alt gå på* ~ he has a happy-go-lucky approach to things.
slumpe (*vb*) **1.** do (sth) at random; ~ *i vei* set out without a definite plan; **2** (*hende*): *det kunne* ~ *at* it might happen that; *han -t til å gjøre det* he chanced to do it; *jeg -t på en god metode* I hit on a good method.
slumpe|hell stroke of luck. **-skudd** random shot. **-treff** chance; (*hell*) stroke of luck; *ved et rent* ~ by the merest chance.
slumre (*vb*) **1.** doze, slumber; **2.** lie dormant, be quiescent. **-nde** (*fig*) dormant (*fx* passions).
slumset careless.
slunken lean; *en* ~ *pung* a slender purse.
sluntre (*vb*): ~ *unna* shirk one's duty.
slupp ⚓ sloop.
slure (*vb*) skid (*fx* the rear wheels were skidding (vainly) on the icy road).
slurk gulp, swallow, pull (*fx* he took a pull at the beer); *han tok en dyp* ~ he took a deep swallow.
slurpe (*vb*): ~ *i seg* imbibe noisily, slurp, lap up (*fx* he lapped up the soup).
slurv carelessness, negligence; scamped work; *jeg retter ikke* ~! = what I can't read I shan't correct!
I. slurve (*subst*) slattern, slovenly woman.
II. slurve (*vb*) scamp one's work; rush through one's work.
slurvefeil careless mistake, slip (of the pen).
slurvet careless, negligent; ~ *arbeid* sloppy (*el.* slapdash) work, slipshod work.
sluse lock; (*til vannstandsregulering*) sluice; *himmelens -r åpner seg* the rain is pouring down; (*litt.*) the heavens are opening.
sluse|mester lock keeper. **-penger** lockage. **-port** lock gate.
slusk rowdy, ruffian.
I. sluske (*subst*): *se I. slurve.*
II. sluske (*vb*): *se II. slurve.*
sluskeri carelessness, negligence.
slusket slovenly; unkempt, untidy.
slutning 1 (*avslutning*) close, conclusion; *freds-* the conclusion of peace; 2 (*konklusjon*) conclusion, inference; *trekke en* ~ *reach* (el. come to el. arrive at) a c.; *trekke den* ~ *at* draw the conclusion that; *derav trekker jeg den* ~ *at* from this I conclude (el. infer) that; *trekke forhastede -er* jump to conclusions, draw hasty conclusions; *en falsk* ~ a wrong conclusion, a fallacy.
slutt *subst & adj* (*avslutning*) close, conclusion; (*ende*) end; (*utgang*) issue, result; *en lykkelig* ~ a happy ending; *det ble* ~ *på det* it came to an end; *få* (*el.* *gjøre*) ~ *på noe* finish sth, put an end to sth, bring sth to an end; *vi får aldri* ~ *på dette* we shall never see the end of this; *la oss få* ~ *på det* let us get done with it; *vi vil ha* (*en*) ~ *på det* (*også*) we want to get it over (with); *den nærmer seg -en* it is coming to an end; it is drawing to a close; *ta* ~ end, come to an end; *møtet tok endelig* ~ the meeting came to an end at last; *dette tar aldri* ~ this seems endless (*el.* interminable); *forsyningene tok snart* ~ supplies soon ran (*el.* gave) out; *varebeholdningen holder på å ta* ~ stocks are getting low (*el.* are running out); *vår beholdning av denne varen tar snart* ~ we are getting (*el.* running) short of this article; *nå må det være* ~ this state of things must end; this cannot go on; this has got to be stopped; *sesongen er nesten* ~ the season is nearly over; *the s. is drawing to a close; the s. will soon be over* (*el.* at an end); *før uken er* ~ before the week is out; *begynnelsen er bedre enn -en* (*om stiloppgave*) the beginning is better than the end; the opening is better than the conclusion; [*Forb. med prep*] *etter møtets* ~ when the meeting was over; **i** *-en av* at the end of (*fx* the book, the letter, the month, the sentence); at the close of (*fx* the speech); *i -en av oktober* late in October, in late O.; *i -en av året* at (*el.* towards) the end

of the year; *først* (*el. ikke før*) *i -en av oktober* not till the end of October; *senest* (ɔ: *ikke senere enn*) *i -en av* not later than the end of; *han er i -en av trettiårene* he is in the late thirties; *det er ~ med min tålmodighet* I am at the end of my patience; *my p.* is exhausted; *det ble fort ~ med pengene* the money was soon spent; *det er ~ mellom oss* we have done with each other; *mot -en av* towards the end (*el.* close) of; at the closing stages of (*fx* the fight, the industrial revolution); *mot -en av hans liv* at (*el.* towards) the close of his life; *-en* **på** the end of; (ɔ: *siste rest av*) the last of; *gjøre ~ på: se ovf; -en på det hele ble at . . .* the result (*el.* upshot) was that . . . ; it ended in (*fx* his apologizing); *se -en på noe* see the end of sth; *vi er nå på -en av sesongen* we are now at the end of the season; *det er på -en med proviantene* provisions are beginning to run short (*el.* are running (*el.* giving) out); **til** ~ 1 (*endelig*) at last, finally, in the end; eventually (*fx* e. he settled down in England), ultimately; (*jvf omsider*); 2 (*som avslutning*) in conclusion, to conclude; *til ~ vil jeg nevne* finally I wish to mention . . . ; **til siste** ~ to the very last, to the end; *vi skal forfølge saken til siste ~* we shall see the matter through to the bitter end; **ved** *arbeidstidens ~* at the end of (the) working hours; *ved møtets ~* at the end (*el.* close) of the meeting; *ved årets ~* at the end of the year.

sluttakt final act.

sluttbehandle *vb* (*et spørsmål*) conclude the discussion of; (*treffe endelig beslutning om*) finalize.

sluttbemerkning closing (*el.* final) remark; (NB in conclusion I want to make one more remark).

sluttdividende final dividend.

slutte (*vt & vi*) 1. *vt* (*tilendebringe*) finish (*fx* one's work, a letter), finish off (*fx* a job, a piece of work), close, conclude, bring to an end (*el.* to a close), end (*fx* a letter); 2. *vi* (*opphøre*) stop, end, finish (*fx* the examination finishes today), come to an end (*el.* close), terminate; 3 (*utlede*) conclude (*fx* from this I conclude that . . .), infer, draw the conclusion (*at* that); 4 (*sitte stramt*) fit closely, fit tightly; *lokket -r ikke til* the lid does not fit; *vinduet -r ikke ordentlig til* the window does not shut tight; *disse bordene -r ikke til hverandre* these boards do not meet; 5 (*elekt*) close (*fx* a circuit); 6 (*inngå*) enter into, conclude (*fx* an agreement); 7 (*frakt, certeparti*) close (*fx* a freight, a charter); 8 (*samle*): *-t selskap* private party; *slutt rekkene!* ✕ close ranks! *i -t orden* ✕ in close(d) order; *i -t tropp* in close formation; ~ *opp* (*rykke nærmere*) close up, move up; (*fig*) come into line;

[*A: Forb. med subst & adj; B: med adv & prep; C: med «seg».*]

A: ~ *et* **bo** wind up an estate; ~ *et* **certeparti** close a charter; ~ *en* **handel** conclude a deal, put through a deal; ~ **kontakt** make contact; ~ **kontrakt** sign (*el.* make *el.* enter into) a contract (*med* with); *møtet -t* the meeting terminated (*el.* came to an end); ~ *et skip* fix a ship; ~ (*på*) **skolen** leave school; *han har nettopp -t på skolen* he has just left school; he is fresh from school; he comes straight from school; *skolen -r* (*for ferien*) school breaks up; ~ **vennskap** *med en* strike up (*el.* form) a friendship with sby; make friends with sby;

B: ~ **av** (*vi*) finish; *la oss ~ av med en sang* let us end up with a song; (*se avslutte*); *jeg -r av Deres merknader at* I conclude (*el.* infer) from your remarks that; ~ **brått** come to an abrupt end (*el.* termination); *vinduet -r dårlig* the window does not shut tight; *han har -t* **hos** *oss* he has left us; ~ *en i sine armer* (*poet*) clasp sby in one's arms; ~ *i en stilling* give up one's position; T chuck up one's job; ~ **opp:** *se 8* (*ovf*); ~ **opp om** support, go in for (*fx* a cause); ~ *opp om en* support sby; give sby one's support; rally round

sby; range ourselves (,themselves) on sby's side; **C:** ~ **seg om** close round, grip; ~ **seg sammen** unite, join hands, join forces, combine; (*om firmaer*) become amalgamated, become merged, form a merger; amalgamate, merge; ~ *seg sammen med* unite with, join hands (*el.* forces) with; ~ *seg sammen mot* unite against, band together against; T (*neds*) gang up on; ~ **seg til** 1. join (*fx* a party; I'll join you in a few minutes), come up with (*fx* they soon came up with the rest of the party); 2 (*en handling, opptreden*) associate oneself with, join in (*fx* the protest, the singing); 3 (*tenke seg til*) conclude, infer; *De kan ~ Dem til resten* you may infer (*el.* imagine) the rest yourself; *jeg -r meg fullt og helt til dette* I concur (*el.* agree) entirely; ~ *seg til flertallet* come into line with the majority; ~ *seg til et forslag* (,*ens ønsker*) accede to (*el.* fall in with) a proposal (,sby's wishes); ~ *seg til ens mening* fall in with (*el.* come over to) sby's opinion; concur in sby's opinion; ~ *seg til en oppfatning* concur in (*el.* subscribe to) an opinion; come round to an opinion; adopt a view; ~ *seg til en uttalelse* endorse a statement.

sluttelig finally, in conclusion.

slutter (*glds*) gaoler, jailer, turnkey.

slutt|kamp final, finals. **-oppgjør** final settlement. **-resultat** final (*el.* ultimate) result.

sluttsats ♪ final movement.

sluttseddel contract note; (*utstedt av megler til kjøper*) bought note; (*utstedt av megler til selger*) sold note.

slutt|spurt final spurt. **-stein** keystone. **-strek:** *sette ~ under* (*fig*) conclude, finish, complete, bring to a close (*fx* b. sth to a close). **-sum** (sum) total, total amount. **-tid** finishing time.

slyng loop, winding.

I. slynge *subst* (*våpen*) sling.

II. slynge *vb* (*kaste*) fling, hurl; ~ *seg* wind (*fx* the road winds down the hill).

slyngel rascal, scoundrel. **-aktig** rascally, scoundrelly. **-alderen** the awkward age; the tens.

slyngelstrek dirty trick.

slyngkraft centrifugal force.

slyngning winding (*fx* the windings of the road).

slyng|plante creeper, rambler. **-rose** rambling rose. **-tråd** ♣ tendril.

I. slør veil.

II. slør ⚓ sidewind.

sløre (*vb*) ⚓ run before the wind.

sløret: ~ *stemme* husky voice.

sløse (*vb*): ~ (*bort*) waste.

sløseri waste (*med* of).

sløset wasteful, extravagant.

sløv blunt; (*fig*) dull.

sløve (*vb*) blunt; (*fig*) dull, dim (*fx* her humdrum life had not dimmed her sense of humour).

sløvhet bluntness; lethargy, apathy, stupor.

sløyd woodwork, sloyd; (*i Engl ofte*) carpentry.

sløydbenk carpenter's bench.

sløydlærer woodwork teacher (*el.* master).

I. sløye *vb* (*fisk*) gut, clean.

II. sløye (*vb*): *se løye*.

I. sløyfe (*subst*) bow; (*buktet linje*) loop; ♪ slur, tie.

II. sløyfe *vb* (*utelate*) leave out, cut out, omit; (*hoppe over*) skip; ♪ slur (*fx* two notes); ~ *et tog* 1 (*for en enkelt gang*) cancel a train; 2 (*for godt*) take a train out of service; *vi har -t uvesentlige detaljer* we have cut out unimportant details.

I. slå *subst* (*dør-*) bolt (of a door); *skyve -en for* (,*fra*) bolt (,unbolt) the door.

II. slå *vb* 1 (*tildele slag*) beat; hit, strike; (*glds & bibl*) smite; 2 (*støte*) knock (*fx* one's foot against a stone), strike, hit; (*beskadige ved støt*) hurt (*fx* one's knee); bump; 3 (*beseire*) beat (*fx* Oxford beat Cambridge); defeat (*fx* an army, another candidate); get the better of; T lick; (*overlegent*) beat (sby) hollow; wipe the floor with (sby);

(glds & bibl) smite (fx Israel was smitten); (en brikke, i spill) take (fx a pawn; the queen takes at any distance in a straight line), capture; 4 (overgå) beat (fx you won't easily beat that); T lick (fx that licks everything); (m.h.t. prestasjon, også) better (fx we cannot better this performance); 5 (falle en inn, gjøre et visst inntrykk på) strike (fx it struck me that he was behaving very oddly); (imponere) impress (fx I was much impressed by the sight); 6 (virke lammende på) stun, overcome, overpower (fx the heat overpowered me); 7 (kaste, i terningspill) throw (fx he threw three sixes); 8 (helle) pour, throw, dash (fx water on the fire); 9 (tegne) draw (fx a circle); 10 (om klokke) strike (fx the clock struck two; I heard the clock strike); 11 (signalere) ✕ beat (fx the reveille, the retreat); 12 (gress, etc) mow (fx the grass, the lawn), cut (fx the grass); 13 (skrive på maskin) strike (fx a single letter); ~ ned noen få ord ·type a few words; 14 (om hest: sparke bakut) kick, lash out; 15 (i cricket) bat; 16 (om hjerte, puls) beat, throb; 17 (om sangfugl) sing, warble; (om nattergal, også) jug; 18 (daske) flap (fx the sails were flapping against the mast); vinden fikk seilene til å ~ the wind flapped the sails; 19 (om dør, vindu) be banging; døra sto og slo the door was banging; [A: forskjellige forb.; B: forb. med prep & adv; C: med «seg»].

A: han behøver ikke å ~ to ganger he never needs to hit twice; whoever he hits is out for good; ~ en bevisstløs knock sby senseless; ~ blærer blister (fx the paint blistered); ~ en fordervet beat sby into a jelly, maul sby, thrash sby within an inch of his life; ~ frynser fringe, make fringes; ~ gnister strike sparks (av from); ~ en både gul og blå beat sby black and blue; klokka har -tt hel it has struck the hour; ~ hull i knock a hole in; ~ hull på et egg crack an egg; ~ en hvirvel (på tromme) beat a roll; det ble -tt klart på maskintelegrafen stand-by was rung on the engine-room telegraph; ~ en knute tie a knot; (se knute); ~ penger på noe make money on sth; ~ en rekord: se rekord; det -r alle rekorder! (fig) that beats everything! ~ en strek over det cross it out; (fig) cut it out; forget about it; ~ takten beat time; avskjedens time har -tt the hour of parting has come; (se alarm, glass, hånd, kollbøtte, rot, saltomortale);

B: ~ an (tangent, tone) strike (fx a key, a note); (om vaksine) take (fx the vaccine did not take); (gjøre lykke) catch on (fx the play did not catch on); get across (fx the play could not get across), take on, make a hit, become popular; (om vare, også) find a ready market; ~ an en advarende tone sound a warning note; ~ an en annen tone (fig) change one's tune; ~ an med en make up to sby; pick up with sby; ~ av knock off (fx k. sby's hat off), strike off; (skru av) turn off, switch off (fx the radio); (m.h.t. pris) knock off, take off (fx k. (el. t.) a penny off the price); ~ asken av en sigarett flip (el. knock el. flick) the ash off a cigarette; ~ av en handel strike a bargain, make (el. do) a deal; ~ av en prat have a chat; ~ vannet av potetene drain (,het dørslag: strain) the potatoes; bli -tt av (5) be struck by (fx sby's beauty); be impressed by (fx his arguments); ~ av på sine fordringer reduce one's demands; ~ etter strike at, aim a blow at; ~ 'etter (i en bok) look up (fx an address); ~ det 'etter i en ordbok look it up in a dictionary, consult a d.; ~ fast fix (fx a loose plank), nail down; (fig = konstatere) ascertain; (påvise) establish; (uttale, bevitne) record; (se fastslå); ~ feil fail, be a failure; fall through (fx his plans fell through); go wrong (fx my plan went wrong); høsten har -tt feil the harvest is a failure; våre beregninger slo feil we calculated wrongly; we made a miscalculation; ~ fra seg defend oneself, hit back, fight back; ~ det fra deg (ɔ: ~ den tanken fra deg) put the idea out of

your head; ~ slike tanker fra seg (også) dismiss such thoughts (from one's mind); ~ det hen (ɔ: bagatellisere det) make light of it, wave it aside; pooh-pooh it; ~ det hen i spøk pass it off as a joke; laugh it off, pass it off with a laugh; ~ i en spiker drive (el. knock el. hammer) in a nail; ~ en spiker i veggen drive a nail into the wall; ~ en i ansiktet slap sby's face, hit (el. slap el. strike) sby in the face; ~ i bordet thump the table; ~ salget i kassen ring up the sale (on the cash register); ~ igjen hit back (fx she hit me and I hit back), strike back; fight back; (smelle igjen) slam down, bang (fx the lid of a box); ~ igjen en dør bang a door (shut), shut a door with a bang, slam a door (to); ~ igjennom (om væte, etc) soak through; (om blekk, etc) come through on the other side; (fig) make a name for oneself, be successful, win one's way to recognition, win through, score a success; ~ en i hjel kill sby; ~ inn drive in, knock in, beat in, hammer in (fx a nail); (knuse) smash in, bash in (fx a door), smash (fx a window); (= ~ ut) knock in (fx two of his teeth); (om sykdom) strike inwards; bølgene slo inn over dekket the waves washed over the deck; ~ inn på (beskjeftigelse, etc) enter upon (fx a career), take up (fx gardening); go in for, embark (up)on (fx a policy of reconciliation); ~ inn på noe nytt break new ground, strike a new path; (se kurs); ~ lens ⚓ dry the hold; (vulg: urinere) have a leak; han slo løs he laid about him; he hit out (in all directions); ~ noe løs knock sth loose; ~ løs på en pitch into sby; bli -tt med blindhet be struck blind (el. with blindness); ~ ham med en båtslengde beat him by a (boat's) length; fisken slo med halen the fish flapped its tail; hesten slo med halen the horse flicked its tail; tigeren slo rasende med halen the tiger lashed its tail furiously; ~ dem med 3-2 (fotb) beat them (with) three goals to two; beat them three two; ~ ned knock down; (motstand) beat down (fx opposition); (om lynet) strike; det slo ned i huset the house was struck by lightning; (ramme ned) drive (in) (fx en pæl a pile); (prisen) put down (el. reduce) (fx the price); ~ ned paraplyen put down one's umbrella; ~ ned prisene (som ledd i priskrig, også) cut prices; ~ ned en revolt quell a revolt; ~ ned på swoop down on, pounce on (fx a mistake); T crack down on (fx the authorities cracked down on the illicit distillers); ~ om (forandre seg, også om været) change; (om vinden) shift, veer round (fx the wind shifted (el. veered round) to the west); (om fremgangsmåte) shift one's ground, alter one's tactics; try another line; ~ papir om noe wrap up sth (in paper); ~ et rep om grenen hitch a rope round the branch; ~ om seg lay about one, hit out (in all directions); ~ om seg med penger splash one's money about, spend money like water, spend lavishly; ~ om seg med latinske sitater throw Latin quotations about; lard one's speech with Latin quotations; ~ om til pent vær change to fine (el. fair) (weather); ~ opp 1. throw open, fling open (fx a window); open (fx a book); 2 (ord) look up, turn up (fx look up a word, an address; turn up a number in the telephone book, a word in the dictionary); 3 (oppslag) put up, post (up) (fx a notice); artikkelen ble -tt stort opp the article was displayed conspicuously; the a. was splashed; begivenheten ble -tt stort opp the event was front-page (el. headline) news; ~ nyheten stort opp splash the news; saken ble -tt stort opp i alle avisene the matter was given extensive coverage in all the newspapers; the m. was splashed all over the newspapers; ~ opp paraplyen put up one's umbrella; ~ opp sengen turn down the bed (el. the bedclothes); ~ opp et stolsete (på klappstol) tilt back a seat; ~ opp i en ordbok consult a dictionary; ~ opp et ord i en ordbok look a word up (el. look up a word) in a dictionary; ~ egg opp i en bolle break eggs into a bowl; ~ opp med en break off (one's engagement) with sby; *hun slo opp med ham* she jilted him; T she gave him his cards; S she packed him up as a bad job; *(se båt: gi en på -en)*; ~ *opp bøkene på side 11* open your books at page 11, please; ~ *opp et telt* pitch *(el.* put up) a tent; ~ *en over fingrene* rap sby over the knuckles; rap sby's knuckles; ~ **over i** break into *(fx* a gallop, a run, a trot); *(et annet språk)* change into, switch into *(el.* over to); *han slo lynsnart over i tysk* like a flash, he switched over to German; ~ *over i en annen gate (fig)* alter one's tactics; try another line; *(skifte tema)* change the subject; switch over to sth else; ~ *over i en annen tone (fig)* change one's tune; ~ **over til:** *se* ~ *over i;* ~ *over ende* knock down, knock over; *(fig)* overthrow; ~ **på 1.** strike (on) *(fx* the wall sounds hollow when struck), beat (on), knock (on); *(ganske lett)* tap (on); **2** *(med bryter)* switch on, turn on; **3** *(antyde)* hint at, throw out hints about; *han slo på at . . .* he hinted that . . . ; *jeg skal* ~ *på det overfor ham* I will drop him a hint (about it); ~ *på bremsene* jam on the brakes; ~ *på flukt* put to flight, rout; ~ *på sitt glass (om bordtaler)* = call for silence; ~ *saus på duken* spill sauce over the tablecloth; *hun slo suppe på kjolen sin* she spilt soup down her dress; ~ *stort på (m. h. t. levemåte)* live on a grand scale; live in style; T make a splash; *(leve over evne)* live it up; *(foretagende)* start in *(a)* grand style; start an ambitious scheme; ~ *større på enn man kan makte* bite off more than one can chew; ~ *på tromme* beat a drum, drum; ~ *på tråden til en* T give sby a ring; ~ *vann på en* splash water on sby; ~ **sammen** *(folde sammen)* fold (up); *(forene)* combine, throw together; knock *(fx* two houses) into one, unite *(fx* two gardens); pool *(fx* they pooled their resources); *(merk)* merge, amalgamate; *(snekre)* knock together *(fx* k. sth together out of wood); ~ *hælene sammen* click one's heels; ~ *seg sammen med* unite *(el.* combine) with; *(i kamp)* join forces with; ~ *seg sammen med en kvinne* take up with a woman; ~ **til 1.** hit *(fx* a ball), strike; **2** *(aksep-tere)* accept, close with *(fx* an offer, the terms); *(raskt)* jump at *(fx* he jumped at the offer at once); *jeg -r til!* all right! **3** *(vise seg å være riktig)* prove correct, come true; *spådommen har -tt til* the prophecy has come true; ~ *hardt til* strike hard, take severe measures; *fisket har -tt bra til* the fishery has given good results; the f. has turned out well; ~ **tilbake 1.** hit back *(fx* a ball); *(an-grep)* beat off, repel; **2** *(sprette tilbake)* rebound; *(om fjær)* spring back, recoil; ~ **under** *seg* subju-gate; *(fig)* gain control of, monopolize; ~ **ut** *(med slag)* knock down; *(i konkurranse)* beat, defeat, outstrip, worst, cut out; *(jvf jekke ut); (tømme ut)* empty; *(om utslett)* break out *(fx* he broke out in red spots); T come out *(fx* c. out in spots); *(om viser på måleapparat)* move; *røyk og ild slo ut av maskinen* smoke and flames poured out of the machine; ~ *ut i lys lue* burst into flames; ~ *ut med armene (gestikulere)* gesticulate, fling one's arms about; *(for å omfavne)* open *(el.* spread out) one's arms; ~ *vekk: se:* ~ *det hen;* ~ *bena under ham* *(fig)* bowl him over; knock him off his feet;

C: ~ **seg** hurt oneself; *(om tre)* warp *(fx* the door has warped); ~ **seg for** *brystet* beat one's breast *(el.* chest); T thump one's chest; ~ **seg fordervet** be badly hurt; ~ **seg fram** make *(el.* fight) one's way (in the world), get on; ~ **seg igjennom** *(klare seg)* manage, rub along; *(krise, sykdom)* pull through; *(økonomisk, også)* make both ends meet; ~ *seg igjennom med £300 i året* manage on £300 a year; *(jvf B:* ~ *igjennom);* ~ **seg i hjel** be killed; ~ **seg løs** *(more seg)* enjoy oneself; T have one's fling, kick over the traces, go the pace; S let one's hair down; ~ **seg ned** settle (down); *(om fugler, også)* perch; *(bosette seg)* settle, make one's home *(fx* in Canada); ~ *seg ned hos* make one's home with; *(midlertidig)* (come to) stay with,

establish oneself *(fx* much to my dislike he esta-blished himself in my home for two months); ~ **seg opp** rise in the world, make one's way, get on; ~ *seg opp på* make capital of; ~ **seg på** bump against, hurt oneself on; *(begynne med)* go in for, take up *(fx* he has taken up politics); *(om sykdom: angripe)* affect, attack; ~ *seg på flasken* take to drink; ~ *seg på lårene* slap one's thighs; ~ **seg sammen** unite, combine, join (forces); *(m. h. t. penger)* club together; go Dutch; *(se spleise);* ~ *seg sammen mot en* join forces against sby; T *(neds)* gang up on sby; *alt slo seg sammen mot oss* everything conspired against us; *(se B:* ~ *sammen);* ~ **seg til** settle; *har han tenkt å* ~ *seg til her (for godt)?* does he intend to stay here for good? does he intend to settle down here? *(jvf ovf:* ~ *seg ned hos);* ~ *seg til ro* settle down; take it easy; *(se mynt; slag:* slå *et* ~ *for; strek:* slå *en* ~ *over).*

slåbrok dressing gown (NB *ordet betyr også morgenkåpe);* US robe.

slående striking *(fx* resemblance); *et* ~ *bevis* på a convincing proof of.

slåmaskin reaper.

slåpe ♣ sloe, blackthorn.

slåpen gaunt, lank, lean.

slåpetorn blackthorn, sloethorn.

slåss *(vb)* fight; ~ *med* fight *(fx* he fought a big boy); ~ *om* fight over *(el.* about); ~ *som ville dyr* fight tooth and nail; fight like cats.

slåsshanske knuckleduster.

slåsskjempe fighter; bully, rowdy.

I. slått ♪ (country) air.

II. slått haymaking (season); cutting, mowing; *han var kommet for å hjelpe til med -en* he had come to help with the haymaking.

slåtte|folk mowers, haymakers. **-kar** haymaker, mower. **-teig** strip of hayfield.

slåttonn 1. cutting *(el.* mowing) season; **2.** cutting *(el.* mowing) operation.

smadder: *slå i* ~ smash to pieces.

smadre *(vb)* **1.** smash to pieces; **2.** annihilate, destroy.

smak taste; *(velsmak)* relish; *(en kunstners, tidsalders)* manner, style; ~ *og behag er forskjellig* tastes differ; there is no accounting for tastes; *hver sin* ~ each to his taste; *dårlig* ~ *(også fig)* bad taste; *etter* ~ according to taste; to taste *(fx* add sugar to taste); *falle i ens* ~ be to sby's taste *(el.* liking); *få -en på* acquire a taste for; *når de først har fått -en på det* when they have acquired a taste for it; *ha en vemmelig* ~ *i munnen* have a bad *(el.* nasty) taste in one's mouth; *kle seg med utsøkt* ~ dress in perfect taste; *tilfredsstille moderne* ~ cater for modern tastes.

smake *(vb)* taste; *det -r godt* it tastes good; *hvordan -r middagen Dem?* how do you like your dinner? *det -r meg ikke* I do not like it; ~ *av* taste of; smack of; *det -r litt av løk* it has a faint taste of onions; *it tastes faintly of onions; det -r fat av denne vinen* this wine has a tang of the cask; *nå skulle det* ~ *med en kopp te* I feel like a cup of tea; ~ *på* taste, try, sample.

smakebit sample, taste.

smakfull in good taste, tasteful; *meget* ~ in perfect taste.

smakfullhed good taste, tastefulness.

smakløs tasteless, in bad taste.

smakløshet bad taste; tastelessness.

smaksforvirring lapse of taste.

smaksnerve gustatory nerve.

smaksorgan taste organ.

smaksprøve sample.

smaks|sak matter of taste. **-sans** sense of taste. **-stoff** taste-producing substance, taste substance.

smal narrow; ~ *kost* short commons; *det er en* ~ *sak for ham* it's quite easy for him.

smale *(subst): se sau.*

smalfilm 8 mm film. **-kamera** cinecamera.

smalhans: *det er* ~ *i dag* there is little to eat today.

smal|het narrowness. **-legg** small of the leg.
smalne (*vb*): ~ (*av*) narrow, taper.
smal|skuldret narrow-shouldered. **-sporet** (*jernb*) narrow-gauge.
smaragd emerald.
smart smart, clever.
smarthet smartness.
smask 1. noisy chewing; 2 (*lyden av kyss*) smack.
smaske (*vb*) 1. smack one's lips when eating; 2 (*kysse*) smack.
smatte (*vb*) smack one's lips; ~ *på hesten* click (*el.* cluck) to the horse; ~ *på pipa* suck one's pipe.
smau alley, lane, narrow passage.
smed smith; (*grov-*) blacksmith; *passe på som en* ~ keep a sharp look-out, keep all one's eyes about one.
smede|dikt lampoon. **-skrift** libel.
smekk rap, smack, flick; *slå to fluer i ett* ~ kill two birds with one stone; *megler Smekk* (*i tegneserie*) inspector; (*se bukse-*).
I. **smekke** (*barne-*) bib.
II. **smekke** (*vb*) click, smack, snap; ~ *med tungen* click one's tongue; ~ *igjen en dør* (*slik at den faller i lås*) latch a door; ~ *til en* T take a smack at sby.
smekker slender, slim; (*om båt*) elegant, trim. **-het** slenderness, slimness.
smekkfull chock-full, bung-full.
smekk|lås latch. **-låsnøkkel** latchkey.
smekte (*vb*) languish, pine.
smektende languishing (*fx* eyes, look), languorous; *synge* ~ sing in a melting (*el.* lush) voice; ~ *toner* melting (*el.* languorous *el.* lush) notes.
smell crack, smack; pop; bang, crack (*fx* of a rifle), report (*fx* of a gun).
smellbonbon firecracker.
smelle (*vb*) crack, smack; (*svakere*) pop; (*brake*) bang, slam; *-r det?* does it go bang? *en dør slo og smalt* a door was banging; ~ *med en pisk* crack a whip; ~ *igjen døra* slam (*el.* bang) the door; *skjelle og* ~ fuss and fume, storm and rage; T blow one's top off; (*se også skjelle*).
smell|feit plump, very fat. **-kyss** smacking kiss, smack. **-vakker** stunningly beautiful; (*jvf skjønnhetsåpenbaring*).
smelte (*vi & vt*) melt; (*bare om erts*) smelt; (*fig*) melt; *jeg holder på å* ~ (*av varme*) I'm simply melting (with heat); ~ *om* melt down, remelt; ~ *sammen* fuse (together) (*fx* f. two wires); (*fig*) fuse, become fused; ~ *sammen med* merge into, be merged with; (*jvf sveise:* ~ *sammen*).
smelte|digel crucible, melting pot. **-ovn** melting furnace; pig-iron furnace. **-punkt** melting point.
smergel emery. **-papir** e. paper. **-skive** e. wheel.
smergle (*vb*) polish (*el.* grind) with emery.
I. **smerte** (*subst*) pain, ache; (*sorg*) grief, affliction; *han har store -r* he is in great pain.
II. **smerte** (*vi*) hurt, ache; (*vt*) pain, grieve.
smertefri painless, without pain.
smertefrihet painlessness, absence of pain.
smerte|full, -lig painful; *et -lig tap* a grievous loss; (*se savn*).
smertensbarn enfant terrible, problem child.
smertensbudskap sad news; (*glds*) sad tidings.
smertestillende pain-stilling, analgesic; ~ *middel* analgesic; (*også fig*) anodyne.
smette (*vb*) slip; *han smatt inn like foran meg* he nipped in just in front of me; ~ *av seg* slip off; ~ *i klærne* slip into one's clothes; ~ *unna* slip away.
smi *vb* (*også fig*) forge; ~ *mens jernet er varmt* strike while the iron is hot; make hay while the sun shines; go while the going is good.
smidig supple; pliable, flexible. **-het** suppleness; pliancy, flexibility.
smie (*subst*) forge, smithy. **-avle** (*esse*) (smith's) forge. **-belg** forge bellows.
smiger flattery.

smigre (*vb*) flatter; *jeg -r meg med at* ... I like to think that ..., I flatter myself that ...
smigrende flattering; *lite* ~ hardly flattering, not very complimentary.
smigre|r flatterer. **-ri** flattery.
smijern wrought iron.
smil smile; *lite* ~ faint smile; *skjevt* ~ wry s.; *med et* ~ *om munnen* with a s. on his (,her, *etc*) lips; *hun ønsket ham velkommen med et* ~ she smiled a welcome to him; (*se innlatende*).
smil|e (*vb*) smile; ~ *av noe* smile at sth; ~ *bittert* s. a bitter smile; ~ *gåtefullt* s. enigmatically; *hun -te for seg selv* she smiled to herself; ~ *inne i seg* s. within oneself; *han -te over hele ansiktet* he was all smiles; he was wreathed in smiles; ~ *svakt* give a faint s.; ~ *til en* s. at sby, give sby a smile; (*især fig*) s. on sby; *hun -te strålende til ham* (*også*) she beamed on him; *lykken -te til ham* fortune smiled on him; (*se skjev B*).
smilebånd: *trekke på -et* smile.
smilehull dimple.
I. **sminke** (*subst*) paint, rouge, make-up.
II. **sminke** (*vb*) paint, rouge; *hun er svært -t* she is heavily (*el.* very much) made up.
sminkør make-up artist.
smiske (*vb*): ~ *for* try to ingratiate oneself with, fawn on; (*se sleske*).
smitt: *hver* ~ *og smule* every particle.
I. **smitte** (*subst*) infection, contagion.
II. **smitte** (*vb*) infect; *bli -t* catch the infection, catch a disease; *du har -t meg med den forkjølelsen din* you have given me your cold; ~ *av* rub off, come off.
smitte|bærer carrier (of infection). **-fare** danger of infection. **-farlig** infectious. **-fri** non-infectious. **-kilde** infection source, source (*el.* centre) of i.
smittende infectious, contagious, catching, catchy (*fx* laughter).
smittsom infectious, contagious, catching.
smittsomhet infectiousness, contagiousness.
smoking dinner jacket; US tuxedo.
smokk: *se finger- & tåte-.*
I. **smug** alley, lane, narrow passage.
II. **smug:** *i* ~ secretly, on the sly, on the quiet; T (*jk.*) on the Q.T.
smugbrenner illicit distiller.
smugle (*vb*) smuggle, run (*fx* liquor, guns, *etc*).
smugler smuggler.
smuglergods smuggled goods, contraband.
smugling smuggling.
smukk pretty, handsome; *det -e kjønn* the fair sex.
smul smooth, calm; *i -t farvann* in calm waters.
smuldre (*vb*) crumble; ~ *bort* c. away.
I. **smule** particle, bit, scrap; (*av brød*) crumb; *en* ~ a little, a bit; (*adv*) slightly (*fx* s. nervous); *den* ~ *innflytelse han hadde* such influence as he had.
II. **smule** (*vb*) crumble; ~ *seg* crumble, fall into small pieces.
smult (*subst*) lard; *baking i* ~ *eller olje* deep-fat frying.
smult|ebolle doughnut. **-ring** dough ring.
smurning grease, lubricant; (*bestikkelse*) bribe(s), trimmings (*fx* there are sometimes trimmings attached to government contracts); (*se smøre*).
smuss dirt; (*sterkere*) filth. **-blad** gutter paper, mud-raking paper.
smussig 1. soiled, dirty; 2 (*fig*) foul, smutty.
smuss|litteratur pornography. **-omslag** dust cover.
smuss|presse gutter press. **-titel** (*typ*) half title.
smutte (*vb*) slip, glide; ~ *bort* slip away; ~ *fra* slip away from, give (*fx* sby) the slip.
smutt: *kaste* (*el.* slå) ~ play ducks and drakes.
smutthull hiding place; (*fig*) loophole (*fx* find a l. in the law); *det er mange* ~ *i loven* (*også*) there are plenty of ways of getting round the law.
smyge (*vb*) slip, steal; creep; ~ *av seg* slip off (*fx* one's clothes); *barnet smøg seg inntil moren* the child snuggled (*el.* cuddled) up to its mother.

smygvinkel bevel square.

I. smykke (*subst*) ornament, trinket.

II. smykke (*vb*) adorn, decorate.

smykkeskrin jewel box, jewel case.

smør butter; *brunet* ~ brown(ed) butter; *smeltet* ~ melted butter; *ha tykt med* ~ *på brødet* spread (the) butter lavishly on the bread; *det er* ~ *på flesk* that's the same thing twice over; it's a tautology; **jammen sa jeg** ~! don't you believe it! *i et fritt land, jammen sa jeg* ~! (*iron*) in a free country, I don't think! *idealisme, jammen sa jeg* ~! idealism my foot! *han ser ut som om han har solgt* ~ *og ingen penger fått* he makes a face as long as a fiddle; he looks as if he's lost a shilling and found sixpence.

smørblid (*neds*) smirking.

smør|blomst ✿ buttercup. **-brød** open sandwich; ~ *m/kokt skinke* boiled ham sandwich. **-brødfat** dish (*el.* platter) of sandwiches.

smørbukk (*om barn*) roly-poly.

smøre (*vb*) smear; (*med fett*) grease; (*med olje*) oil; lubricate; (*bestikke*) bribe, tip; (*male dårlig*) daub; *det gikk som det var smurt* it went on swimmingly; ~ *smør på butter*; ~ *tykt på* (*fig*) lay it on thick; (*se hase & smør*).

smøreanvisning lubricating instructions.

smørebukk (*for biler*) greasing ramp.

smøregrop (*for biler*) (service) pit, greasing bay; (*især* US) lubritorium.

smørekanal lubricating channel, lubricant groove.

smøre|kanne oil can. **-kopp** oil cup. **-middel** lubricant. **-nippel** grease nipple. **-olje** lubricating oil.

smører greaser, oiler.

smøreri scribble; (*maleri*) daub.

smøring (*av maskin*) lubrication, greasing, oiling; (*se bestikkelse*).

smørje T: *hele smørja* the whole caboodle.

smørkranser (*pl*) piped biscuits; US pressed cookies.

smørpapir greaseproof paper; sandwich paper. **smør|side** buttered side. **-spade** butter pat. **-tenor** lush tenor. **-øye** lump of butter (in the centre of a plateful of porridge).

små (*pl av liten*) small; *de* ~ the little ones; *i det* ~ on a small scale; *-en* the little one, the kid; *-tt* (*adv*) slowly; gradually; *-tt om senn* little by little; *med -tt og stort* including everything; *begynne -tt* start in a small way; *gjøre -tt* (*om barn*) do small jobs, do number two, tinkle; *Har hunden gjort stort på gulvet i natt?* — *Nei, men den har gjort -tt så det forslår!* Has the dog dirtied the floor in the night? — No, but it has flooded it!

småbakker (*pl*): *i* ~ on gentle slopes.

små|barn little children. **-borger** 1. lower middle class person, petit bourgeois; 2 (*spøkef*) baby. **-bruk** small farm (*el.* holding) **-bruker** small holder, farmer in a small way. **-buss** minibus. **-by** small town. **-folk** 1. common people; 2 (*barn*) little ones. **-forlovet** (*spøkef*) going steady.

småfyrster (*pl*) princelings, petty princes.

små|gater (*pl*) side streets. **-glimt** (*pl*) short glimpses. **-gutt** little boy. **-jente** little girl. **-kaker** (*pl*) = (sweet) biscuits; US cookies.

småkjekle (*vb*) bicker. **-koke** (*vb*) simmer. **småkonge** petty king.

små|kornet small-grained. **-krangel** bickerings. **-krangle** (*vb*) bicker. **-kupert**: ~ *terreng* undulating (*el.* hillocky) country (*el.* ground), rolling country. **-kårsfolk** (*pl*) people of humble means.

småle (*vb*) chuckle.

smålig 1. narrow-minded, petty; 2 (*gjerrig*) niggardly, stingy, mean.

smålighet 1. narrow-mindedness, pettiness; 2. meanness, stinginess.

smålom ⚭ red-throated diver.

småmynt small coin(s).

småmønstret small-patterned.

små|ord (*pl*) particles. **-penger** (*pl*) (small) change; (NB Excuse me, could you change (this) sixpence for some coppers for the phone?). **-piker** (*pl*) little girls. **-plukk**: *det er* ~ that is a (mere) trifle. **-prate** (*vb*) chat, make small talk. **-pussig** droll, amusing. **-regn** drizzle, light rain. **-regne** (*vb*) drizzle. **-rolling** toddler; tiny tot; (*se -troll*). **-rutet** 1 (*om vindu*) with small window panes; 2 (*om stoff*) pin-checked; (*se rutet*). **-skjenne** (*vb*) grumble (*på* at). **-skog** coppice, copsewood.

småskole [the three lowest classes of Norwegian primary school] = infants' and junior school.

små|skrammer (*pl*): *han slapp med noen* ~ he got off with a scratch or two. **-skrifter** (*pl*) pamphlets. **-snakke** (*vb*) chatter; ~ *med seg selv* mutter to oneself. **-springe** (*vb*) jog along. **-stein** pebble. **-stumper, -stykker** (*pl*) small pieces (*el.* bits). **-summer** (*pl*) small sums, small amounts; trifling amounts (*el.* sums); (*neds*) paltry amounts. **-syre** ✿ field sorrel. **-ting** (*pl*) little things; trifles, small matters. **-torsk** codling.

småtroll *pl* (*spøkef*) kids, kiddies, tiny tots; *de yndige -ene* (*kjærlig*) the little poppets.

småtterier small matters, trifles; £500 *er sannelig ikke* ~ £500 is quite a sum of money (*el.* is not to be sneezed at); £500, just think of that!

småtærende: *være* ~ be a small eater, eat like a bird.

småutgifter (*pl*) petty expenses.

småvask smalls.

småved sticks for lighting a fire, kindling.

småvirke (*forst*) small dimensions, small thinnings.

småøyer (*pl*) islets, small islands.

snabb bit, end (*fx* of a sausage).

snabel 1 (*på elefant*) trunk, proboscis; 2 (*på romerske krigsskip*) rostrum, peak.

snadde (short) pipe.

snadre (*vb*) chatter, cackle, jabber.

snakk talk; *å* ~! nonsense! *gi seg i* ~ *med* start (*el.* open) a conversation with, enter into conversation with.

snakke (*vb*) talk (*med* with, to; *om* about); *du -r!* well, I never! ~ *fag* talk shop; ~ *hull i hodet på en* talk till sby's head begins to go round (*el.* swim); ~ *tull* talk nonsense; S talk through one's hat; ~ *seg bort*: *se prate*: ~ *seg bort*; ~ *forbi hverandre* talk at cross purposes; ~ *en fra noe* talk sby out of sth; ~ *frempå om* hint at; *vi kan jo* ~ *om det* let's talk it over; ~ (*rundt*) *omkring* saken talk round the subject; beat about the bush; ~ *over seg* be delirious, be wandering (in one's mind), rave; ~ *til en* (*irettesette*) talk to sby, give sby a talking to; *du er ikke til å* ~ *til* (*bebreidende, til irritabel person*) T you're like a bear with a sore head; you're not fit to be with civilized people; ~ *rett ut av posen* speak straight from the shoulder; ~ *en rundt* put sby off with a lot of talk; ~ *ut med en* have a good talk with sby; (*oppgjør*) have it (*el.* things) out with sby; *snakk vekk!* fire away! (*se også prate & II. vær*).

snakkehjørnet: *være i* ~ be in the mood for a talk.

snakkesalig talkative, garrulous, loquacious.

snakkesalighet talkativeness, garrulity, loquacity.

snakketøy: *ha godt* ~ have the gift of the gab.

snakksom: *se snakkesalig*.

snappe (*vb*) grab, snatch, snap (*etter* at); ~ *etter været* gasp for breath.

I. snar (*subst*) brushwood, scrub, thicket.

II. snar (*adj*) quick, swift; (*se snart*).

snare snare, trap.

snarere *adv* (*heller*) rather; (*nærmest*) if anything; *jeg tror* ~ *at* ... I am more inclined to think that ...

snarest (*adv*) as soon as possible, at the earliest possible date, as early as possible; *jeg ville bare* *stikke innom som* ~ I just wanted to pop in for a moment.

snarlig: *Deres -e svar imøteses, jeg imøteser Deres -e svar* I look forward to (receiving) an early reply; your early reply would be appreciated. **snarrådig** resourceful. **-het** resourcefulness, presence of mind.

snart soon, shortly, before long; presently; *meget* ~ very soon, very shortly; *kom så* ~ *som mulig* come as soon as possible; T come as soon as may be; *så* ~ *jeg fikk Deres brev* as soon as I received your letter; *så* ~ *du viser tegn til frykt, vil hunden angripe deg* once you show any sign of fear, the dog will attack you; ~ *varmt,* ~ *kaldt* now hot, now cold.

snar|tenkt quick-witted. **-tur** flying visit, short visit; *ta en* ~ *til Bergen* pay a short visit to Bergen. **-vei** short cut; back double; *ta en* ~ (*også*) cut off a corner.

snau scant, scanty; (*bar*) bare (*fx* rock); *en* ~ *måned* scarcely a month.

snaufjell bare (*el.* naked) rock.

snau|hogge (*vb*) clear-fell; US clear-cut. **-hogst** complete deforestation, clear-felling; US clear -cutting. **-klippe** (*vb*) crop close.

sne: *se snø.*

snedig wily, cunning, crafty.

snedighet wiliness, cunning, craftiness.

I. snegle (*med hus*) snail; (*uten hus*) slug.

II. snegle (*vb*): ~ *seg av sted* go at a snail's pace; (*se tjærekost*).

snegle|fart: *med* ~ at a snail's pace; (*se tjærekost*). **-hus** snail shell.

I. snei (*avskåret skive*) slice.

II. snei: *på* ~ (*på skrå*) aslant, askew; (*se I. skjeve*).

sneie (*vb*): ~ *borti* graze, brush against.

sneis: *se snes.*

I. snekke: *se sjekte.*

II. snekke ⊕ worm, endless screw.

snekkedrev ⊕ worm gear (*el.* drive).

snekkehus ⊕ steering-box, steering-gear housing.

snekker joiner; (*kunst-*) cabinet maker. **-gutt** joiner's apprentice. **-lære**: *være i* ~ be apprenticed to a joiner. **-mester** master joiner. **-svenn** journeyman joiner, joiner's mate. **-verktøy** joiner's tools.

snekkeutveksling ⊕ worm gearing.

snekre (*vb*) do joiner's work, carpenter, do carpentering.

snelle (*også fiske-*) reel.

snerk skin.

snerp (*på korn*) awn.

snerpe (*subst*) prude, nice Nellie; (*jvf tertefin*). **snerperi** prudery, prudishness. **snerpet** prudish, prim.

snerre (*vb*) snarl, growl.

snert (*på pisk*) whiplash; (*fig*) sarcasm, sarcastic (*el.* cutting) remark; T crack; (*glimt*) glimpse (*av* of).

snerte (*vb*) 1. flick; 2 (*streife*) graze, touch. **snerten** natty, neat.

snes score.

snesevis: *i* ~ in scores, by the score.

snev touch; suggestion, trace; *en liten* ~ *av influensa* a mere touch of influenza.

snever narrow, restricted; *i snevrere forstand* in the more restricted sense (of the word); *i en* ~ *vending* at a pinch.

sneverhet narrowness; (*trangsynthet*) narrow -mindedness.

sneversyn narrow-mindedness, narrowness of view. **-t** narrow, narrow-minded.

snik (*subst*) sneak.

snike (*vb*) sneak, slink; ~ *seg vekk* steal (*el.* slip) away; (*på en fordektig måte*) sneak (*el.* slink) away; ~ *seg inn* steal (*el.* slip) in; (*om feil i tekst, etc*) creep in; ~ *seg innpå en* steal upon sby.

snikksnakk nonsense, rubbish; (*utrop*) (stuff and) nonsense! fiddlesticks!

snik|mord assassination. **-morder(ske)** assassin. **-myrde** (*vb*) assassinate. **-skytter** ✕ sniper.

snill good-natured, kind; (*om barn*) good; ~ *mot* kind to; *vær så* ~ *å la meg vite* please (*el.* kindly) let me know.

snipe ♙ snipe. **-jakt** snipe shooting.

snipp 1 (*om halsen*) collar; 2 (*av et tørkle, etc*) corner, end.

snippkjole dress coat.

snippstørrelse neck size.

snirkel (*arkit*) scroll; (*med penn*) flourish. **snirklet** scrolled; (*buktet*) tortuous.

snitt cut, incision; (*på bok*) edge; *han så sitt* ~ he saw his chance.

snitte (*vb*) cut, chip. **-bønner** (*pl*) (chopped) French beans, string beans.

snittflate cut.

I. sno (*subst*) biting wind.

II. sno (*vi*) blow cold.

III. sno (*vt*) twist, twine; ~ *seg* twist, wind; *han vet å* ~ *seg* T there are no flies on him; he's a downy bird.

snobb snob. **-eri** snobbery, snobbishness.

snobbet snobbish.

snodig droll, funny.

snohale prehensile tail.

snok ♙ grass snake.

snor string; (*gardin-*) cord; (*kles-*) clothesline; (*WC*) chain (*fx* pull the chain); (*mål-*) tape; (*på fx slåbrok*) girdle, cord; (*besetning, fx på møbler*) braid; (*se I. perle*).

snorbesatt braided.

snork snore.

snorke (*vb*) snore.

snorksove (*vb*) lie snoring, sleep and snore.

snorrett straight as an arrow (*el.* line).

snu (*vb*) turn; (*vende om*) turn back; *han -dde hodet og så seg tilbake* he turned his head (round) and looked back; ~ *opp ned på forholdene* turn things upside down; reverse the order of things; ~ *ryggen til* turn one's back on; ~ *seg* turn.

snubbe *vb* (*streife*) graze, touch.

snuble (*vb*) stumble (*over* over); ~ *i sine egne ben* trip over one's own feet; fall over oneself; *det ligger -nde nær* it is not far to seek; T it sticks out a mile; it stares you in the face; *han -r i ordene* he trips over the words.

snue cold (in one's head).

snufs sniff.

snufse (*vb*) sniff, sniffle.

snurpe (*vb*): ~ *sammen* sew up anyhow; ~ *munnen sammen* purse (up) one's lips.

snurpenot purse seine.

snurr: *på* ~ at an angle, on one side; *på en* ~ (ɔ: *beruset*) T squiffy, pickled.

snurre (*vb*) buzz, whirr; (*om bevegelse*) spin, whirl, rotate.

snurrebass humming top.

snurrepiperier *pl* (*kruseduller*) frills; (*gjenstander*) curiosities; (*fig*) pedantic formalities.

snurrig droll, funny; (*se pussig & småpussig*).

snurt 1: *se fornærmet;* 2. *jeg har ikke sett -en av pengene hans* I haven't seen the colour of his money.

snus snuff; *en klype* ~ a pinch of snuff; *få -en i* get wind of.

snusdåse snuffbox.

snuse (*vb*) sniff; (*tobakk*) take snuff; (*spionere*) nose about, nose (a)round; T snoop; ~ *etter* nose about for; T snoop about for; ~ *opp* nose out (*fx* a secret).

snusfornuft matter-of-factness, stolidity, pedestrian outlook.

snusfornuftig matter-of-fact, stolid, pedestrian.

snushane snooper, Paul Pry.

snusmalt: ~ *kaffe* (*traktekaffe*) finely ground coffee, percolating coffee.

snustobakk snuff.

snute snout, nozzle; (*på skotøy*) toe.

snutebille ♙ weevil.

snylte (*vb*) be a parasite; (*om menneske*) sponge (*fx* on sby).
snylte|dyr ♣ parasite. **-gjest** parasite, sponger, hanger-on. **-liv** parasitism. **-plante** parasitic plant.
snylter parasite. **snylting** parasitism.
snyte (*vb*) cheat, swindle; T do (*fx* you have been done over that business); ~ *en for noe* cheat sby (out) of sth, swindle sby out of sth, swindle sth out of sby; T diddle sby out of sth; (*se bedra*).
snytepave cheat, swindler.
snyteri cheating, fraud, swindle; (*jvf opptrekkeri*).
snyteskaft (T = *nese*) T snoot; S boko, conk, snitch.
I. snø (*subst*) snow; *avskåret fra omverdenen p. g. a.* ~ snowbound (*fx* alone on a s. farm); cut off by snow (*fx* she was cut off on the farm by snow); (*se nedsnødd; tilføket*).
II. snø (*vb*) snow; *det -r inn* (ɔ: *snøen trenger inn*) the snow is getting in.
snøball snowball.
snøbar snowless.
snø|blind snow-blind. **-bre** snowfield. **-briller** (*pl*) snow goggles. **-brøyting** snow clearing; (*jvf brøyte*). **-dekt** snow-covered, covered with snow. **-drev** drifting snow. **-drive** snowdrift. **-fall** snowfall.
snøfloke snowflake; *kjempestore -r dalte sakte mot jorden* huge snowflakes pussyfooted down.
snø|fnugg snowflake; (*se -floke*). **-fokk** drifting snow. **-fonn**: *se -drive*. **-freser** rotary snow cutter.
snøft snort.
snøfte (*vb*) snort.
snøgg quick.
snø|grense snow line. **-hvit** snow-white, snowy (white); *S-* Snow White. **-kam** (*på bre*) snow cornice. **-kjettinger** (*pl*) snow chains.
snøklokke ♣ snowdrop.
snø|mann snowman. **-mus** ♣ snow weasel. **-måking**: *se -brøyting*. **-plog** snow plough; US snowplow; (*jvf snøfreser*).
I. snøre (*subst*) cord, string; (*fiske-*) line; (*se sene 2*).
II. snøre (*vb*) lace (up); ~ *opp* unlace; ~ *sammen* (*el. til*) draw together; lace up; *hjertet mitt snørte seg sammen av skrekk* my heart jumped into my mouth; *strupen hans snørte seg sammen* his throat contracted; he had a choking sensation.
snøre|hull eyelet. **-liv** stays; *et* ~ a pair of stays.
snørydding snow clearing; (*se brøyte*).
snø|skjerm (*jernb*) snow fence. **-skred** snowslide; (*lavine*) avalanche. **-slaps** slush. **-spurv** ♣ snow bunting. **-storm** snowstorm, blizzard; (*se himmel*). **-vann** water from melted snow.
snøvle (*vb*) snuffle, speak through one's nose.
snøvær snowy weather.
snål (*snurrig*) odd, queer, droll.
snåling character, oddbody.
soaré soirée.
sobel ♣ sable. **-skinn** sable.
soda soda. **-pulver** bicarbonate of soda. **-vann** soda (water).
sodd broth, soup.
sodomi sodomy; (*vulg, neds*) buggery.
sodomitt sodomite; (*vulg, neds*) bugger.
sofa sofa.
sofabenk [upholstered bench]; (*jvf sovesofa*).
sofis|me sophism. **-t** sophist. **-teri** sophistry.
sofistisk sophistic(al).
sogn parish.
sogne (*vb*): ~ *til* (*fig*) belong to.
sogne|barn parishioner. **-folk** parishioners. **-kall** living, incumbency. **-kirke** parish church. **-prest** rector, vicar, parson.
soignert neat, trim.
sokk sock.
sokkeholder (sock) suspender; US garter; (*se bukseseler*).
sokkel (*arkit*) pedestal; base, plinth.
sokkelest: *se strømpelest*.

sokne (*vb*) drag, sweep; ~ *i elva* drag the river.
sol sun; (*fyrverkeri*) Catherine wheel; *-a står opp* the sun is rising (*el.* rises); *-a går ned* the sun sets (*el.* is setting); the sun goes down; *ingen kjenner dagen før -a går ned* don't halloo till you are out of the wood; *når en snakker om -a, så skinner den* talk of angels (and you will hear the flutter of their wings); *stå opp med -a* rise (*el.* be up) with the lark, get up at the crack of dawn.
solaveksel (*merk*) sole bill (of exchange).
solbad sun bath. **-olje** suntan oil.
solblender 1 (*i bil*) sun visor; 2 (*fot*) lenshood.
solbrent 1. sunburnt; 2 (*brun*) tanned; *hun har lett for å bli* ~ she has a skin that burns easily; she is easily burnt by the sun; (*jvf påskebrun*).
solbrenthet 1. sunburn; 2. tan.
solbriller (*pl*) sun glasses.
solbær ♣ black currant.
sold (*hist*: *soldats lønn*) pay; (*bibl*) reward.
soldat soldier.
sole (*vb*) sun; ~ *seg* bask in the sun, sun oneself.
solefall sunset.
soleie ♣ (*eng-*) upright meadow buttercup.
soleihov ♣ (*bekkeblom*) marsh marigold, kingcup or mayblob.
soleklar clear as noonday, crystal clear, obvious; *det er -t* T it hits you in the eye; it sticks out a mile.
soleksem sunrash; (*fagl*) solar dermatitis.
solemerke: *etter alle -r å dømme* to all appearance; in all probability.
sol|flekk sunspot. **-formørkelse** eclipse of the sun, solar eclipse. **-gangsvind** wind shifting with the sun's motion. **-gløtt** glimpse of the sun. **-gud** sun god. **-hjul** sun wheel. **-hverv** solstice. **-hvervsdag** day of solstice. **-høyde** altitude of the sun.
solid solid; strong, substantial, sound; (*pålitelig*) trustworthy, reliable; *-e kunnskaper i fransk* a thorough knowledge of French.
solidarisk solidary; (*adv*) jointly; ~ *ansvar* joint and several liability; *erklære seg* ~ *med* declare one's solidarity with.
solidaritet solidarity.
solidaritetsfølelse (feeling of) solidarity.
soliditet (*se solid*) solidity, strength, soundness; trustworthiness, reliability.
solidum: *in* ~ jointly.
solist soloist.
soll (*bær-*) [soft fruit soaked in milk and with sugar].
solliv suntop.
sollys 1 (*subst*) sunlight; 2 (*adj*) sunny.
solnedgang sunset; *ved* ~ at sunset.
solo solo; (*alene*) alone, by oneself.
soloppgang sunrise; *ved* ~ at sunrise.
solosanger solo singer, soloist.
sol|rik sunny. **-ring** halo round the sun. **-seil** ⚓ awning. **-side** sunny side. **-sikke** ♣ sunflower. **-skinn** sunshine; *klart* ~ bright sunshine; *i -et* in the sunshine (*el.* sunlight). **-skinnsdag** sunny day. **-skinnstak** (*på bil*) sun roof, sliding roof. **-skinnsvær** sunshine. **-stek** hot, broiling sun; *i -en* in the hot, broiling sun. **-stikk** sunstroke. **-stråle** sunbeam. **-strålefortelling** (*iron*) charming little story. **-tilbedelse** sun worship. **-tilbeder** sun worshipper. **-ur** sundial.
solusjon rubber solution (*fx* r. s. and patches).
sol|varm sunny. **-varme** warmth of the sun. **-vegg** sunny wall.
solvens solvency. **solvent** solvent.
solår solar year.
I. som (*pron*) 1 (*om personer*) who, that; (*som objekt*) who(m), that; (*etter prep*) whom (*fx* the man to whom I wrote); (NB *i unødvendige relativsetninger kun* who, *fx* ten Frenchmen, who formed the crew, were drowned); 2 (*om ting*) that, which, (NB *i unødvendige relativsetninger kun* which, *fx* the cargo, which was valuable, was lost); 3 (*kan, som i norsk, sløyfes i nødvendig*

relativsetning, *hvis det ikke er subjekt); det firma du nevner* the firm (that) you mention; *4 (etter the same og such) as (fx* the same books as I prefer; such goods as we have been able to send); *(om absolutt identitet etter the same)* that *(fx* this is the same revolver that I saw him buy); (NB he wished to be placed in the same grave with his parents);
    den som he (,she) who, he (,she) that; *(ubestemt relativ)* whoever *(fx* w. smashed the pane must pay for it); *de som* those who *(el.* that); *de som var til stede* those present; *var det deg som banket?* was that you knocking? *det som* that which, what *(fx* what he said was quite true; sitting in the sun is what she likes best).
    II. som *(konj)* **1** *(slik som, i likhet med)* like *(fx* speak like a fool); *(slik som, i overensstemmelse med)* as *(fx* as I said before); **2** *(som om)* as if; **3** *(som for eksempel)* such as, like, as for instance; **4** *(i egenskap av)* as, in one's capacity as *(el.* of); **5** *(som utgjør for)* as *(fx* as a punishment for their sins; as a reward), by way of *(fx* by way of reply she shook her head; by way of reward); **6** *(som tjener et formål)* as, for *(fx* four teapots from which I selected one for *(el.* as) a wedding present); **7** *(i form av)* as, in the shape of; **8** *(utkledd som)* as; **9** *(foran superlativ):* som oftest usually, generally; *som snarest* for a moment *(fx* I just wanted to pop in for a m.); *da det regnet som verst* when the rain was at its worst *(el.* height); **10** *(forsterkende):* jøss, som du snakker goodness, how you talk; **11** *(hvor)* where *(fx* the places where he had been); **12** *(= da):* ... *og nå som det er lørdag kveld (og allting)* just when it's Saturday night (and all that); *som barn* as a child; when he (,she, etc) was a child; *som barn pleide vi å ...* when we were children we used to ...
    somle *(vb)* dawdle, be slow, waste time; ~ *bort* manage to lose; *(forlegge)* mislay; ~ *bort tiden* dawdle away *(el.* waste) one's time; ~ *med noe* dawdle over sth *(fx* over one's work); *Hva er det dere -r med? Tror dere vi har evigheter å ta av?* what do you think you're doing? Do you think we've got a month of Sundays?
    somle|bøtte dawdler, slowcoach; US *(også)* slowpoke. **-kopp, -pave:** *se -bøtte.*
    somlete dawdling, slow.
    somletog local train, slow t.; US milk train.
    somme *(pron)* some.
    sommel-dawdling.
    sommer summer; *om -en* in (the) summer; *i ~* this summer; *(når den er forbi)* during the summer *(fx* d. the s. we did some repair work); *i fjor ~* last summer; *til -en* next summer.
    sommer|bolig summer cottage. **-bruk:** *til ~* for summer use; *(om klær)* for summer wear. **-dag** summer day. **-ferie** summer holidays; US s. vacation. **-fugl** butterfly. **-halvår** summer half-year. **-hete** summer heat. **-kjole** summer dress *(el.* frock). **-kledd** wearing summer clothes. **-sol(h)verv** summer solstice. **-tid:** 1. *se sommer;* 2 *(forandret tid)* summer time; *loven om* ~ Daylight Saving Act. **-tøy** summer clothes; summer things. **-vær** summer weather.
    sommesteds in some places.
    sommetider sometimes.
    I. somnambul *(subst)* somnambulist, sleepwalker.
    II. somnambul *(adj)* somnambulistic.
    somnambulisme somnambulism, sleepwalking.
    sonate ♪ sonata.
    sonde ⚕ probe, sound.
    sondere *(vb)* ⚕ sound, probe; *(fig)* sound *(fx* he sounded the Minister); ~ *mulighetene for* explore the possibilities of; ~ *terrenget* reconnoitre; *(fig)* see how the land lies, make careful inquiries.
    sondre *(vb)* distinguish *(mellom* between).
    I. sone *(subst)* zone.
    II. sone *(vb)* expiate, atone for; ~ *en bot* be

imprisoned for non-payment of a fine; T work out a fine; ~ *en straff* serve a sentence.
    sonett sonnet.
    soning 1. atonement, expiation; 2. serving (of a sentence).
    sonoffer propitiatory sacrifice.
    sonor sonorous.
    sope *(vb)* sweep. **-lime** besom, broom; *(jvf feiekost).*
    soper *(vulg = sodomitt)* bugger; *(se sodomitt).*
    sopp mushroom; fungus *(pl:* fungi); *denne -en er spiselig* this mushroom is edible; *(se sjampinjong).*
    sopran soprano.
    sordin ♪ mute, sordine.
    sorenskriver district stipendiary magistrate.
    sorg sorrow; grief; *(klededrakt)* mourning; *den tid, den* ~ I'll worry about that when the time comes; let's not cross that bridge until we come to it; *bære* ~ be in *(el.* wear) mourning; *-en er lettere å bære når man er to* = a trouble shared is a trouble halved; *ikke ta -ene på forskudd* don't cross your bridges before you come to them; *livet er fullt av små -er* life is full of small troubles. **-fri** free from care, carefree. **-frihet** freedom from care(s). **-full** sorrowful, sad, mournful. **-løs** careless, unconcerned. **-løshet** freedom from care(s). **-tung** grief-stricken, bowed down with sorrow.
    I. sort *(subst)* sort, kind; *av beste* ~ (of the) best *(el.* finest) quality, high-grade, A1; *(se slag).*
    II. sort *(adj): se svart.*
    sortere *(vt)* sort; *(på harpe- el. skakebrett)* riddle; *(jvf II. harpe); (klassifisere)* classify; *(vi):* ~ *under* come under, belong to.
    sorteringsspor *(jernb)* sorting siding, marshalling track. **-gruppe** set of sorting sidings.
    sorti exit.
    sortiment assortment.
    sosial social; *-e misforhold* social inequality.
    sosialdemokrat social democrat. **-i** social democracy. **-isk** social democratic.
    sosialdepartement: *S-et (i Norge)* Ministry of Social Affairs.
    sosialisere *(vb)* socialize, nationalize.
    sosialisering socialization, nationalization.
    sosialisme socialism.
    sosialist socialist.
    sosialistisk socialistic.
    sosialkomedie comedy of manners.
    sosialkurator social worker, welfare officer; *(på sykehus)* almoner.
    sosialminister Minister of Social Affairs.
    sosialrådmann chief welfare officer; *(se rådmann).*
    sosial|sekretær: *se -kurator.* **-sjef** *(intet tilsv.; kan gjengis)* deputy chief welfare officer.
    sosietet society.
    sosiolog sociologist. **-i** sociology.
    sosiologisk sociological.
    sot soot.
    sotbelegg carbon deposit, d. of soot.
    sote *(vb)* soot.
    sotet sooty.
    sotfri sootless, sootfree, soot-proof.
    soting *(på tennplugg)* carbon deposit *(el.* formation), sooting.
    sotskraping decarbonizing, carbon (deposit) removal.
    sott *(glds)* sickness, disease.
    souvenir souvenir, memento, keepsake; *et hyggelig* ~ *fra vår ferie* a pleasant s. of our holiday; *fotografier er alltid hyggelige -er (også)* photos always make pleasant mementos.
    sove *(vb)* sleep, be asleep; ~ *fast* sleep soundly, be fast asleep; ~ *godt* sleep well, have a good sleep; *(vanemessig)* be a sound sleeper; ~ *lett* sleep lightly; ~ *trygt* sleep soundly; ~ *som en stein* sleep like a log, sleep like a top; *legge seg til å* ~ go to sleep; *foten min -r* my foot is asleep; ~ *på noe* sleep on sth; ~ *ut* sleep late *(fx* you can s. l. tomorrow morning; s. l. on Sundays);

~ *ut på søndag* T have a good lie in on Sunday; *jeg fikk ikke ~ ordentlig ut i dag morges* I had to get up too early this morning; *jeg har ikke fått ~ ut noen morgen* I haven't been able to sleep late any morning; ~ *rusen ut* sleep it off.
sove|hjerte: *ha et godt ~* be a sound sleeper. **-middel** soporific, sleeping medicine. **-plass** sleeping accommodation; berth.
sove|sal dormitory. **-sofa** sofa bed, studio couch, bed couch (*el.* settee). **-syke** sleeping sickness. **-vogn** sleeping car, sleeper. **-vogns-konduktør** sleeping car attendant. **-vognskupé** sleeping compartment, sleeper. **-værelse** bedroom. **-værelsesmøblement** bedroom suite.
sov-i-ro ear plugs.
Sovjetsamveldet the Soviet Union, the U.S.S.R.
sovne (*vb*) fall asleep; ~ *hen* (*el. inn*) (ɔ: *dø*) pass away.
spa (*vb*) spade; ~ *om hagen* dig (up) the garden.
spade (*subst*) spade; (*som mål*) spadeful; *bruke -n* ply (*el.* use) the spade.
spadeblad blade of a spade; *et ~* the b. of a s.
spade|skaft spade handle. **-stikk** spit (*fx* dig it two spit(s) deep); *ta det første ~* cut (*el.* turn) the first sod; US break the first ground.
spagaten the splits; *gå ned i ~* do the splits.
I. spak (*subst*) lever, handle; (*gir-*) gear lever; ♱ handspike; (*flyv*) control column, stick; S joystick.
II. spak (*adj*) meek, unresisting, submissive, mild (*fx* a m. protest); *gjøre en ~* T make sby sing small; *-t* (*adv*) meekly, lamely, submissively; mildly.
spakne (*vb*) 1. become more amenable; 2 (*om vinden*) moderate, drop (*fx* the wind has dropped), come down (*fx* the wind has come down a little this evening).
spalier espalier; *danne ~* form a lane; line the street (*el.* route).
I. spalte (*subst*) split, slit, cleft, fissure; (*typ*) column.
II. spalte (*vb*) split.
spaltekorrektur galley proof.
spalteplass space; *avisen gir ham ~* the columns of the newspaper are open to him.
spalt(n)ing splitting, (*fig*) division, rupture.
spandabel generous.
spandere (*vb*) stand treat (*fx* I'll stand treat); ~ *noe på en* treat sby to sth; ~ *noe på seg selv* treat oneself to sth.
Spania Spain.
spanier, -inne, spanjol Spaniard.
spankulere (*vb*) strut.
I. spann bucket, pail; *melke-* milk pail.
II. spann (*hester*) team.
spannevis: *i ~* by the bucket.
spansk Spanish; ~ *flue* cantharides, Spanish fly; ~ *pepper* Guinea pepper; *han gikk omkring og brisket seg som en ~ hane* he pranced about as if he were cock of the walk; he stalked around like a cock on a dunghill.
spanskesyken the Spanish influenza.
spanskgrønt verdigris.
spanskrør cane. **-stokk** cane.
spant ♱ rib (frame) timber; (*flyv*) rib.
spar ♣ spades; *en ~* a spade.
spardame queen of spades.
spare (*vb*) 1 (*penger, tid, bry*) save (*fx* money, time, trouble); ~ *plass* save space (*el.* room); (*legge til side*) save (up), lay up, put by; (*være sparsom*) save, be economical, economize (*fx* on the fuel); *spinke og ~* pinch and scrape; 2 (*skåne, frita for*) spare (*fx* death spares no one); *han -r seg ikke* he doesn't spare himself; *det kunne man ha spart seg* all the trouble was for nothing; it was a waste of effort; *du kan ~ deg dine bemerkninger!* (I'll thank you to) keep your remarks to yourself! *du kan ~ deg dine forklaringer!* don't trouble to explain! *du kunne ha spart deg bryet* you might as well have saved your pains; *du kan ~ deg å komme hit oftere* you may save yourself the trouble of coming here again; ~ *en for noe spare*

sby sth (*fx* spare me the details!); ~ *inn* save (*fx* we have saved three days; how much time is saved by this method of dispatch?); *man håper derved å kunne ~ inn 12 millioner tonn kull årlig* it is hoped that this will save 12 million tons of coal annually; ~ *inn på budsjettet* tighten the budget; make (*el.* effect) some savings (*el.* economies) in the b.; ~ *opp* save (up), lay by, put by; ~ *på* cut down on, economize on (*fx* I must e. on the tobacco), save; T go easy on (*fx* go easy on the butter!); ~ *på* kreftene save (*el.* husband) one's strength; ~ *på kruttet* (*fig*) hold one's fire; ~ *på skillingen og la daleren gå* be penny wise and pound foolish; ~ (*sammen*) til save up to buy (*fx* I'm saving up to buy a car); save up for (*fx* Xmas, one's old age).
spare|bank savings bank. **-bøsse** savings box, money box. **-gris** (*også* US) piggy bank. **-hensyn:** *av ~* for reasons of economy. **-kasse** savings bank. **-kniven** the axe; *falle som offer for ~* (ɔ: *bli avskjediget som følge av innsparing på statsbudsjettet*) T get the axe. **-konto** savings account (*fx* open a s. a.); *jeg skal sette inn 100 kroner på min ~* I want to deposit (*el.* place *el.* put) 100 kroner in my (savings) account. **-penger** (*pl*) savings; T nest egg (*fx* he has a little n. e.).
sparess ♣ ace of spades.
spark kick; *få -en* (*miste jobben*) T get the sack, get the push, be (*el.* get) sacked, be (*el.* get) fired.
sparke (*vb*) kick; ~ *mot brodden* knock one's head against the wall; (*bibl*) kick against the pricks.
sparkebukse rompers; (*med ben*) romper suit.
sparkel 1 (*stoffet*) stopper; 2 (*redskapet*) stopping (*el.* filling) knife; putty knife.
sparke|pike chorus girl, show girl. **-sykkel** scooter.
sparkle (*vb*) stop (up).
sparkstøtting [chair sledge].
sparsom 1. sparse, scanty, thin; 2. economical, thrifty. **-het** sparseness.
sparsommelig economical, thrifty.
sparsommelighet economy, thrift.
spartaner, spartansk Spartan.
spas: *se spøk.* **spase:** *se spøke.*
spaserdrakt coat and skirt, (tailor-made) costume, suit.
spasere (*vb*) walk, take a walk.
spaser|stokk walking stick, cane. **-tur** walk, stroll.
spat (*min*) spar.
spatel spatula.
spatiere (*vb*) space out.
spatium (*typ*) space.
spatt (*sykdom hos hester*) spavin.
I. spe: *spott og ~* derision, mockery, ridicule; *være til spott og ~ for hele byen* be the laughing stock of the whole town.
II. spe (*vb*): ~ *opp* dilute, thin.
III. spe (*adj*) tender, delicate, slender, tiny.
speaker commentator; announcer.
spebarn baby, infant.
spebarn|kontrollstasjon (*i England*) infant welfare clinic; *hun har vært på spebarnkontrollen med barnet* she has taken the baby to the clinic. **-pleie** baby care. **-skrik** crying of babies.
spebygd slight (in person); *hun var liten og ~* she was small and slight in person.
spedalsk leprous; *en ~* a leper. **-het** leprosy.
spedisjon forwarding (of goods).
spedisjons|firma (firm of) forwarding agents. **-omkostninger** (*pl*) forwarding charges.
speditør forwarding agent; ♱ (*også*) shipping agent.
speedometer (*i bil*) speedometer.
speedometer|vaier, -wire speedometer cable.
speide (*vb*) scout, watch; reconnoitre.
speider boy scout; (*pike-*) girl guide; *i speider'n var han aktiv og energisk* in the Boy Scouts he was active and energetic,

speil looking glass, mirror; ⚓ stern; *se seg i -et* look into the mirror, look at oneself in the glass (*el.* mirror).

speil|bilde reflection, image. **-blank** glassy, smooth as a mirror.

I. speile (*subst*): *se speil.*

II. speile *vb* (*egg*) fry; ~ *seg* be reflected (*el.* mirrored); (*se seg i speilet*) look at oneself in a mirror.

speilegg fried eggs; *steke* ~ fry eggs.

speil|glass mirror glass; (*vindus-*) plate glass. **-glassvindu** plate-glass window. **-glatt:** *se -blank.* **-vendt** as if seen through a mirror, seen in reverse (*fx* a picture seen in reverse); the wrong way round (*fx* no, this is the w. w. round!).

spekalv sucking calf.

speke (*vb*) cure.

speke|fjel chopping board. **-sild** salt herring. **-skinke** smoked, cured ham.

spekk blubber.

spekke (*vb*) stuff, lard; ~ *en tale med sitater* interlard a speech with quotations; *-t med nyheter* primed with news.

spekkhogger (*hvalart*) grampus.

spektralanalyse spectrum analysis.

spektroskop spectroscope.

spektrum spectrum.

spekul|ant speculator. **-asjon** speculation, venture; *på* ~ on speculation.

spekulativ speculative.

spekulere (*vb*) speculate (*i* in); ~ *på* puzzle over (*el.* about), ponder (on), meditate on, speculate about; US (*også*) mull over (*fx* a problem).

spe|lemmet: *se -bygd.*

spene *anat* (*på dyr*) teat.

spenn (*i bru*) span; (*spark*) kick; *i* ~ tense, under tension.

I. spenne (*subst*) buckle, clasp.

II. spenne (*vb*) stretch, strain, tighten; strap; (*ved spenner*) buckle; (*sparke*) kick; ~ *noe fast* strap sth down; ~ *på seg* fasten on (*fx* one's skis); gird on (*fx* one's sword); ~ *seg fast* strap (*el.* buckle) oneself in (*el.* down), fasten one's seat belt; ~ *buen for høyt* (*fig*) aim too high; *spent gevær* a cocked gun; ~ *ens forventninger* raise one's expectations; ~ *ben for en* trip sby up; ~ *for* (*hest*) harness; ~ *fra* (*hest*) unharness; ~ *over* cover (*fx* a wide field), embrace (*fx* the book embraces the whole field of Greek history); span (*fx* the bridge spans the river; his life spanned nearly a century); (*se også område*); *han -r mindre vidt enn ...* (*om forfatter*) he is narrower in range than.

spennende exciting, thrilling; ~ (*fortsettelses*)*-roman* (*el. valg*) (*ofte*) cliffhanger; (*se spenning*).

spennesko (*pl*) buckled shoes.

spenning tension; (*elekt*) voltage; (*sinnsstemning*) excitement; *holde i* ~ keep in suspense; *en handling som holder en i* ~ *fra begynnelse til slutt* (*også*) a plot which keeps the tension taut from start to finish; *det er stor* ~ *i Europa når det gjelder den franske francs og den tyske marks skjebne* it's a cliffhanger in Europe over the fate of the French franc and the German mark; *oppheve en* ~ (*psykol & som kunstnerisk virkning*) resolve a tension; *en uutholdelig* ~ (*også*) an agony of suspense; *åndeløs* ~ breathless suspense.

spenningsmåler voltmeter.

spenningsregulert (*om dynamo*) with voltage control.

spennkraft elasticity; resilience; tension.

spenntak foothold; *ta* ~ (*også fig*) dig one's heels in.

spenstig elastic, resilient, springy; (*smidig*) supple.

spenstighet elasticity; resilience; springiness; suppleness.

spent 1. tense, tight, taut (*fx* muscle, rope); 2 (*oppfylt av spenning*) anxious, curious, in suspense; (*adv*) anxiously; *et* ~ *ansiktsuttrykk* a

tense expression; *et* ~ *forhold til* strained relations with; *i* ~ *forventning* in tense expectancy, on tiptoe with expectation; agog with expectation; *være* ~ *på* be anxious (*el.* curious) to know (*om* if); be anxiously awaiting (*fx* the results).

sperma sperm.

spermasitthval 🐋 sperm whale.

I. sperre (*subst*) rafter.

II. sperre (*vb*) bar, block (up); ~ *veien for en* bar sby's way; ~ *en inne* lock sby up; *-t konto* blocked account; ~ *opp* open wide (*fx* o. one's eyes wide).

sperre|gods bulky goods. **-ild** barrage. **-pakke** bulky (*el.* cumbersome) parcel. **-tak** raftered ceiling.

sperring (*hindring*) obstruction.

speseri spice.

spesialiser|e (*vb*) specialize, specialise. **-ing** specialization, specialisation.

spesialist specialist.

spesialitet speciality, specialty.

spesialkarakterer (*pl*) separate marks.

spesialklasse (*i skole*) special class.

spesialkonstruert specially designed (*fx* a s. d. car).

spesialløp (*på skøyter*) free skating.

spesialskole special school (*fx* for handicapped children).

spesi|ell special, particular; *-elt* (more) especially, particularly. **-fikk** specific. **-fikasjon** specification. **-fisere** (*vb*) specify, itemize, list separately (*fx* please list the various deliveries separately in the account).

spetakkel uproar, hullabaloo, row, racket; din (*fx* an awful d.); *holde* ~ kick up a row. **spetakkelmaker** noisy person; (*jvf bråkmaker*).

I. spett (*jern-*) bar, crowbar.

II. spett (*el. spette*) 🐦 (*fugl*) woodpecker.

spetteflyndre (*fisk*) plaice.

spettet (*adj*) spotted, speckled.

spidd spit; *sette på* ~ spit.

spidde (*vb*) spit (*fx* the animal tried to spit him with its straight, needle-sharp horns); (*om dyr med horn, også*) gore (*fx* g. sby).

spiker nail. **-slag** nailing strip; (*stolpe*) stud.

spikke (*vb*) whittle.

spikre (*vb*) nail; ~ *fast* nail down; *han satt som -t til stolen* he sat as if (he were) glued to his seat.

I. spile (*subst*) lath; (*i paraply*) rib; (*i korsett*) stay.

II. spile (*vb*): ~ *ut* stretch, distend; ~ *øynene opp* open one's eyes wide.

I. spill play; (*med kort, etc*) game; (*høyt*) gambling; ⚓ (*gang-*) capstan, windlass; *et* ~ *kort* a pack of cards; *drive et farlig* ~ play a dangerous game; *holde seg til -ets regler* play fair, play cricket; *slik er -ets regler* that's part of the play; *være inne i -et* be up to the game; *med klingende* ~ (with) drums beating; *sette på* ~ stake, hazard; *stå på* ~ be at stake; *sette ham ut av -et* put him out of the running; *være ute av -et* be out of the running; *-et er ute* the game is up; (*se fordekt*).

II. spill loss, waste; *et* ~ *av krefter* a waste of energy; (*ved å spre seg for mye*) the dissipation of one's energies; *gå til -e* go to waste.

spilldamp waste steam.

I. spille (*vb*) play; (*oppføre*) act, perform; ~ *høyt* gamble, play for high stakes; ~ *fallitt* go bankrupt, fail; ~ *hasard* gamble; ~ *en komedie* play a comedy; ~ *komedie* (*fig*) put on an act, be play-acting; ~ *kort* play cards; ~ *en et puss* play a trick on sby; *personlige prestisjehensyn -r også inn* considerations of personal prestige also play a (*el.* their) part; ~ *om penger* play for money; ~ *opp* strike up; *de -r opp til hverandre* they play into each other's hands; ~ *piano* play the piano; ~ *på et lag* play in a team; *play on a side*; ~ *half back* play h. b.; ~ *en* *melodi på pianoet* play a tune on the piano; ~ *ut* lead; *(idet man åpner spillet)* open *(fx* open clubs); ~ *den ene ut mot den andre* play off one against the other; ~ *under dekke med en* act in collusion with sby; *det at hun var så flink til* ~ her musical skill; ~ **seg inn** get into practice (in sth); *(sport)* play oneself in; *(om lag, orkester, etc)* play *(el.* practise playing) together; learn to work together as a team; become co -ordinated; ~ *seg inn på et instrument* get the feel of an instrument (by playing it *el.* by practising on it).

II. spille *vb (miste)* spill, drop; *(forspille)* lose; *(ødsle bort)* waste; *det er spilt på ham* it is wasted on him.

spille|automat gambling machine. **-bord** card table. **-bule** gambling house, gambling den. **-dåse** musical box. **-film** feature film. **-mann** fiddler, musician. **-plan** 1. repertoire, repertory; 2 *(sport)* fixture list.

spiller player; gambler; ✝ *(også)* hand *(fx* we want a fourth h.).

spilleregel rule (of the game); game *(fx* he introduced them to the g.).

spillerom scope, play; margin, latitude; ~ *mellom tannhjul* backlash; *gi en fritt* ~ give sby a free hand *(el.* rein), give sby free scope; *gi ham for meget* ~ give *(el.* allow) him too much rope.

spilletime music lesson.

spillfekteri make-believe, humbug, pretence.

spilljakt shooting during the mating season.

spillopper *(pl)* fun, pranks, monkey-tricks; *drive* ~ *med en* pull a fast one on sby, play tricks on sby.

spilloppmaker wag; little mischief.

spiltau *(i stall)* box, stall.

spinat 🌶 spinach.

spindel spindle.

spindelvev cobweb, spider's web.

spinett ♪ spinet.

spinke *(vb):* ~ *og spare* pinch and scrape.

spinkel slight, thin; *(skjør)* fragile.

spinn *(edderkopps)* web.

spinne *(vb)* spin; *(om katt)* purr.

spinne|maskin spinning machine. **-ri** spinning mill. **-rokk** spinning wheel.

spinnerske (female) spinner.

spinnesiden the distaff side; the female line of the family; *på* ~ on the mother's side.

spion spy.

spionasje espionage.

spionere *(vb)* spy.

spir spire.

spiral spiral; *gardin-* spiral wire. **-fjær** spiral spring.

spiralformig spiral, helical.

I. spire *(subst)* germ, sprout; *(fig)* germ.

II. spir(e) ⚓ *(subst)* boom, spar.

III. spire *(vb)* sprout, germinate; *(komme opp av jorden)* sprout, come up; *det -r og gror i hagen* everything in the garden is doing splendidly.

spirea 🌶 spiraea.

spiredyktig capable of germinating.

spirit|isme spiritualism, spiritism. **-ist** spiritua- list, spiritist. **-ualisme** spiritualism. **-ualist** spiritualist. **-ualistisk** spiritualistic. **-ualitet** *(ånd- rikhet)* brilliancy, wit. **-uell** brilliant, witty. **-uosa** *(pl)* spirits, liquor; US hard liquor; *viner og* ~ wines and spirits.

spiritus spirits, alcohol.

spirrevipp whippersnapper.

spise *(vb)* eat; *jeg tror ikke jeg kan* ~ *noe riktig ennå* I don't feel up to having another meal just yet; ~ *frokost* have breakfast; ~ *middag* have dinner; dine; ~ *aftens* have supper; ~ *seg mett* eat one's fill; *spis pent av tallerkenen din!* clear your plate! ~ *for* to eat enough for two; ~ *en av med noe* put sby off with sth; ~ *opp* eat up, finish off *(el.* up), finish *(fx* we have finished the pie); *bli spist opp (fig)* be frittered away *(fx*

the claimed benefit of devaluation would be frittered away); ~ *sammen (på kafé, etc)* take meals together; US eat together; *(se orke).*

spise *(subst)* food, victuals.

spise|bestikk *(kollektivt)* cutlery; US flatwear; *et* ~ a knife, fork and spoon. **-bord** dining table. **-brikke** place mat. **-kart** bill of fare, menu. **-krok** dining alcove; *(se boligkjøkken).*

spiselig eatable, edible.

spise- og drikkekalas T blowout.

spise|pinne chopstick. **-plikt** obligation to order food; *det er* ~ you have to order food with wine. **-rør** aesophagus (,US: esophagus), gullet. **-sal** dining hall, refectory. **-seddel** bill of fare, menu. **-skje** tablespoon; *(som mål)* tablespoonful. **-smekke** feeder, bib. **-sted** café, restaurant; *et godt* ~ a good place to eat; *et billig og godt* ~ *for sjåfører* T a good pull-up for carmen. **-stue** dining room. **-tid** meal time. **-vogn** dining car, diner; US diner.

' **spiskammer** larder, pantry.

I. spiss *(subst)* point; *(finger-)* tip; *(penne-)* nib; *(fig)* head; leading member *(fx* of an organiza- tion); *gå i -en* lead the way; *i -en for* at the head of *(fx* a procession); *sette seg i -en for* put oneself at the head of; *sette* ~ *på* add zest to, add relish to; *sette en* ~ *på selskapet* give the party an extra something *(fx* do bring that film of yours; that would give the p. an extra something); *sette noe på -en* state sth in its extreme form; *satt på -en vil dette bety at* pushed to its logical conclusion, this would mean that; *sette saken på -en* push things to extremes.

II. spiss *(adj)* pointed; *(skarp)* sharp; *(om vinkel)* acute; *-e, forrevne fjell* craggy, sharp -pointed mountains; *(fig)* cutting, sarcastic, crisp; *... sa hun litt -t ...* she said crisply.

spissborger narrow-minded bourgeois. **-lig** narrow-minded, matter-of-fact. **-lighet** narrow -mindedness.

spissbue pointed arch, ogive.

spissbuestil Gothic style.

spisse *(vb)* point; *(blyant)* sharpen; *(se I. øre).*

spissfindig subtle, hair-splitting, quibbling, sophistic, captious.

spissfindighet subtlety, hair-splitting, quibb- ling, captiousness, sophistry.

spiss|hakke pickaxe. **-ing:** *forhjulenes* ~ the toe-in (of the front wheels). **-kål** spring cabbage. **-mus** 🐭 shrew (mouse).

spissrot: *løpe* ~ run the gauntlet.

spissvinklet acute-angled.

Spitsbergen *(geogr)* Spitzbergen.

spjeld damper, throttle valve, butterfly valve.

spjeldventil throttle valve, choke.

spjelke *(vb)* reduce *(fx et brudd* a fracture); *det høyre benet hans var -t* he had his right leg tied up in splints; *(se I. skinne 2).*

spjære *(vb)* rend, rip, tear.

spjåke *(vb):* ~ *seg ut* rig oneself out grotesquely.

spjåket grotesque; T dolled up (like a Christmas tree).

spleis splice; *(sammenskuddslag)* Dutch treat.

spleise *(vb)* splice; *(T: vie)* splice (up); *bli -t* T *(også)* be hitched (up); *(skyte sammen)* club together *(fx* with sby), go Dutch; ~ *med en (også)* stand in with sby *(fx* let me s. in with you if it's expensive).

spleiselag Dutch treat.

splid discord, dissension; *så* ~ *innen partiet* sow discord (with)in the party.

splint splinter; *(tekn)* cotter (pin), split pin.

splinter: ~ *ny* brand new.

splintre *(vb)* splinter, shatter, smash to smithe- reens; *-s* be shattered *(el.* smashed).

splitt split, rent; *(penne-)* nib.

splitte *vb (spre)* disperse, scatter; *(kløve)* split; *(skille at)* divide, separate; *splitt og hersk* divide and rule; *et -t folk* a disunited people; *fienden -t sin styrke ved å ...* the enemy dissipated his strength by (-ing).

splittelse (*uenighet*) discord, dissension, division; cleavage (*fx* in a party); (*oppdeling*) disruption (*fx* of an empire), split-up, break-up (*fx* of a party), disintegration (*fx* the d. of the Roman Empire).

splitter: ~ *gal* stark, staring mad; ~ *naken* stark naked.

I. spole (*subst*) spool; bobbin; (*film-*) reel; (*elekt, radio*) coil.

II. spole (*vb*) spool, wind, reel; (*film*) reel.

spoleben (*anat*) radius.

spolere (*vb*) spoil, ruin, wreck (*fx* it wrecked the whole evening for her); *han har spolert det hele* he has spoilt (*el.* made a hash of) everything.

spolorm ⚡ (*slags rundorm*) Ascaris lumbricoides; (NB *ingen eng. bete gnelse, se rundorm*).

spon (*pl*) chips; (*høvel-*) shavings; (*fil-*) filings; (*tak-*) shingles.

spontak shingle roof.

spontan spontaneous. **-itet** spontaneity.

spor 1 (*fotspor, etc*) footprint, footmark, track (*fx* the police followed his tracks); trace (*fx* traces of an ancient civilization have been found; the trace of some heavy body was still visible); trail (*fx* we picked up his trail in the mud; a trail of blood); **2** (*fert*) scent (*fx* the hounds picked up (,lost) the scent); **3** (*fig*) clue (*fx* the police are following up several clues), lead (*fx* I have a lead); **4** (*skinnepar*) track; line; *dobbelt* ~ double track; *enkelt* ~ single track (*el.* line); *skifte* ~ (*jernb*) change the points; US throw the switches; *bli kastet av -et* (*jernb*) be thrown off the track; *bære* ~ *av* show traces of; *ikke* ~ *av tvil* not the slightest doubt, not the faintest (shadow of a) doubt; *ikke et* ~ *bedre* not a whit better; *komme av -et* (*jernb*) be derailed; *komme på -et av en* (,*noe*) get on the track of sby (,sth); *sette dype* ~ *etter seg* (*fig*) make a lasting impression; *være på -et* be (hot) on the scent; be following up a clue; *du er på feil* ~ (*også*) T you've got hold of the wrong end of the stick.

sporadisk sporadic.

spor|avstand distance between (the) tracks. **-bredde** (track) gauge. **-diagram** track diagram.

I. spore (*subst*) spur; (*fig*) stimulus, incentive.

II. spore ⚘ spore.

III. spore *vb* (*anspore*) spur, urge on.

IV. spore (*vb*) trace, track; (*se rykte*).

sporedannelse formation of spores, sporulation.

sporenstreks there and then, straight away.

sporeplante ⚘ spore plant.

spor|forbindelse track connection (*el.* junction); (*sporsløyfe*) crossover. **-gruppe** set of tracks, group of lines.

sporhund bloodhound; (*fig*) sleuth(hound).

spor|krans (*på hjul*) flange. **-kryss** crossing (of lines *el.* of tracks). **-leie** track bed.

spor|løs trackless. **-løst** (*adv*) leaving no trace, without leaving a trace. **-mål** (*jernb*) gauge; US gage. **-nett** network (*el.* system) of lines, grid. **-renser** track cleaner. **-rille** groove (of a rail).

spor|skifte: *se -veksel*.

sporskifter (*jernb*) shunter; US switchman; (*se skiftekonduktør*).

sporskifting shunting; US switching.

spor|sløyfe crossover. **-sperre** scotch (*el.* stop) block.

sport sport(s); *drive* ~ go in for sports.

sports|artikler (*pl*) sports accessories. **-fiske** angling. **-fisker** angler. **-forretning** sports dealer's. **-journalist** sporting journalist. **-mann** athlete, sportsman. **-revyen** (*TV*) the Sports Review (*el.* News). **-stevne** sports meeting. **-strømper** (*pl*) knee-length socks.

spor|vei tramway (line); US streetcar (*el.* trolley) line. **-veislinje** tram line; US streetcar (*el.* trolley) line.

sporveksel (*jernb*) points; US switches; *avvisende* ~ trap points (,US: switches); *fjærende* ~ spring points (,US: switches).

sporveksel|betjening point (,US: switch) work,

the working of points. **-bukk** switch-lever stand. **-hytte** pointsman's (,US: switchman's) house. **-lampe** (point) indicator lamp. **-sikring** point (,US: switch) locking. **-stang** point rod; US switch lever. **-stiller 1.** track indicator; 2 (*håndbetjent*) point (,US: switch) lever. **-tunge** switch blade (*el.* tongue).

sporvidde (*bils*) track (*fx* a wide t.), tread; (*jernb*) gauge; US gage.

sporvogn tramcar, tram; US streetcar, trolley.

spotsk mocking, derisive.

spott mockery, derision, scoffing, ridicule.

spotte (*vb*) scoff at, make fun of, deride, ridicule, mock (at), jeer at; *det -r all beskrivelse* it baffles (*el.* beggars) description.

spottefugl ⚡ mocking-bird.

spottpris absurdly low price, bargain price; *få det til* ~ T get it dirt cheap.

spove (*el.* spue) ⚡ curlew.

sprade (*vb*) show off, strut, swagger.

spradebasse fop, dandy, coxcomb.

spraglet variegated, parti-coloured.

sprake (*vb*) crackle, splutter.

sprang jump, leap, bound; *dødt* ~ (*sport*) no-jump; *stå på -et* be on the point (*til å* of (-ing)); *våge -et* take the plunge.

spre(de) (*vb*) spread; (*til alle kanter*) scatter, disperse; **-s** scatter, disperse; ~ *seg for mye* (*fig*) spread oneself (too much); ~ *seg som ild i tørt gress* spread like wildfire; *følgene av denne uheldige episode spredte seg som ringer i vannet* the consequences (*el.* effects) of this unfortunate incident were gradually felt further and further afield.

spreder sprinkler; (*i forgasser*) spray(ing) nozzle, (spray) jet; *hoved-* high-speed nozzle.

spredning spreading; diffusion; dispersion; ~ *av ferien* the staggering of holidays; *forhjulenes* ~ *i sving* toe-out on turns.

spredt scattered (*fx* a s. population); *-e tilfelle av* isolated (*el.* sporadic) cases of; *bo* ~ live far apart.

sprek active, vigorous.

sprekk crevice, chink, crack, fissure; *slå -er* crack.

sprekke (*vb*) crack, burst; (*om hud*) chap; ~ *av latter* split one's sides with laughter; *sprukne hender* chapped hands. **-ferdig** nearly bursting.

sprell: *gjøre* ~ make a fuss; kick up a row.

sprelle (*vb*) squirm, wriggle, kick about; (*om fisk*) wriggle, flop (*fx* the fish were flopping in the bottom of the boat).

sprellemann jumping jack.

sprelsk unruly; frisky.

spreng 1 (*tann*) inter-dens; 2: *arbeide på* ~ work at high pressure; work against time (*fx* to finish the orders); work to capacity (*fx* we are working to c. to meet the demand); *lese på* ~ cram; T swot.

sprenge (*vb*) **1** (*bryte opp, briste, få til å briste*) burst (*fx* b. open a door; b. a water pipe); split (*fx* one's glove), break (*fx* a rope); ⚡ rupture (*fx* a blood vessel), burst (*fx* an eardrum, a blood vessel); (*minere*) blast; ~ *i lufta* blow up; ~ *i tusen stykker* shatter; **2** (*splitte*) disperse, scatter, break up (*fx* a crowd); **3** (*overbelaste*): *havnen er sprengt* the port is congested; *lagrene var sprengt* the warehouses were bursting with goods; *alle skoler er sprengt* all schools are crowded; *sentralbordet er sprengt* the switchboard is swamped; the lines are blocked; (*se bank*); **4** (*lettsalte*) salt slightly.

sprengfly (*vb*) run for all one is worth, race along; (*jvf beinfly*).

spreng|granat high-explosive shell. **-kjøre** (*vb*) drive at breakneck speed. **-kraft** explosive force. **-kulde** severe cold. **-ladning** explosive charge. **-lærd** crammed with learning.

sprengning bursting, splitting, blowing up; dispersal, scattering; (*se sprenge*).

sprengnings|arbeid blasting; «~ *pågår*» «Danger,

Blasting in progress.» **-forsøk** attempt at blasting. **-kommando** ⚔ demolition party. **spreng|sats** charge, explosive composition. **-skive** spring (*el.* elastic) washer. **-stoff** explosive.

sprett kick, bound, start; (*om ball*) bounce. **I. sprette** (*vi*) bound, leap, kick; start; (*om trær*) come into leaf, put forth shoots, bud. **II. sprette** (*vt*): ~ *av* rip off; ~ *opp* rip open, unstitch, unpick (*fx* a garment).

spretten frisky.

sprettert slingshot; catapult.

sprettkniv flick-knife.

sprike (*vb*) spread out, stand out stiffly; ~ *med armer og ben* sprawl.

spring (*vann-*) tap, water-tap; (*især* US) faucet.

springar (Norway) roundel.

spring|brett springboard; (*fig*) stepping stone, jumping-off ground. **-brønn** (*i oljedistrikt*) gusher. **-dans** (Norway) roundel.

springe (*vb*) 1 (*hoppe*) jump, leap; 2 (*løpe*) run; 3 (*eksplodere*) explode, burst; (*om kork*) pop; ~ *fram* jut out, project, protrude; (*fra skjulested, etc*) jump out; *skipet sprang i lufta* the ship blew up; *det -r en i øynene* it hits you in the eye; ~ *ut* 1 (*om tre*) burst into leaf; 2 (*om blomst*) open, come out; 3 (*om knopp*) burst, open; *en knopp som er i ferd med å* ~ *ut* an opening bud; *rosene har sprunget ut* the roses are out.

springende (*adj*) disconnected, incoherent; desultory (*fx* reading, remarks), discursive; *det* ~ *punkt* the salient point, the crux of the matter.

springer 🐬 dolphin; (*i sjakk*) knight.

spring|fjær spring. **-flo** spring tide. **-hval** grampus. **-madrass** spring mattress. **-marsj** double march; *løpe* ~ march at the double.

spring|stav jumping pole. **-vann** tap water.

sprinkel bar. **-kasse** crate. **-verk** trellis, lattice.

sprit spirit, alcohol; (*spirituosa*) spirits, liquor; US hard liquor.

sprog: *se språk.*

sprosse crosspiece, crossbar; (*på stige*) rung.

sprudle (*vb*) gush, well, bubble.

sprut squirt, gush, spurt.

sprut|bakkels: *se vann-*.

sprute (*vb*) splash, squirt, spurt; *hold opp med å* ~ *vann* stop splashing water about; *ikke sprut på meg!* hold opp med å ~ *på meg!* stop splashing me!

sprutrød scarlet.

sprø crisp; (*skjør*) brittle, friable; ~ (*på nøtta*) S batty, dotty, soppy, nuts, crackers, crazy, loony.

sprøyt nonsense, rubbish; *filmen var noe søtladent* ~ the film was a lot of sloppy rubbish.

I. sprøyte (*subst*) squirt; 🎺 syringe; (*brann-*) fire engine; (*innsprøytning*) hypodermic, shot (*fx* morphia shots to ease the pain), injection; *han kjørte -n inn* he plunged the hypodermic home; *de ga ham en* ~ *i armen* (*også*) they jabbed a needle in his arm.

II. sprøyte (*vb*) squirt, spray; spurt; 🎺 inject; ~ *vann på et brennende hus* play the fire hoses on a burning house.

sprøyte full dead drunk.

sprøyte|lakkere (*vb*) spray, spray-paint. **-lakkeringsverksted** spraying shop. **-pistol** spraying gun.

språk language; *skriftspråket* the written language; *talespråket* the spoken language; *et fremmed* ~ a foreign l.; *på et* ~ in a language; *ut med -et!* speak out! out with it! *hun ville ikke ut med -et* she did not want to come out with it; *han bruker et forferdelig* ~ he uses shocking language.

språk|bruk usage. **-feil** grammatical error, solecism. **-ferdighet** command of (*el.* proficiency in) a language. **-forderver** corrupter of the l. **-forsker** linguist, philologist. **-forskning** linguistics; philology. **-forvirring** confusion of languages. **-historie** language history, the h. of l.; *engelsk* ~ the h. of the English l. **-kjenner** linguist. **-kunnskaper** (*pl*) language qualifications,

knowledge of languages. **-kurs** language course; *lage et spesielt* ~ draw up (*el.* build up) a separate l.c. **-kyndig** skilled in languages. **-kyndighet** knowledge of languages.

språklig linguistic; *være* ~ *begavet* have a gift for languages; *en* ~ *-historisk embetseksamen* = an Arts degree (Honours), an Honours degree in Arts.

språk|lære grammar. **-lærer** language teacher, teacher of languages. **-norm** linguistic norm. **-område** area in which a language is spoken; *det engelske* ~ the English-speaking area. **-riktig** correct, grammatical. **-sans** linguistic instinct. **-stamme** family of languages. **-strid** language dispute. **-stridig** incorrect, ungrammatical. **-studium** study of a language (,of languages); linguistic studies. **-talent** talent for languages. **-undervisning** language instruction (*el.* teaching); ~ *til grunn- og mellomfag* l. teaching at elementary and intermediate level. **-vitenskap** linguistics; *almen* ~ general linguistics. **-øre:** *han har et godt* ~ he has a good linguistic ear.

spunning (*fuge i skipskjøl*) rabbet.

spuns bung.

spunse (*vb*) bung up.

spunshull bunghole.

spurt spurt.

spurte (*vb*) spurt, put on a spurt.

spurv 🐦 sparrow; *skyte -er med kanoner* break a butterfly on a wheel; use a steamroller to crack nuts. **-efugl** 🐦 passerine bird.

spurvehauk 🐦 sparrow hawk.

spy (*vb*) vomit; ~ *ut* (*fig*) belch forth.

spyd spear; (*kaste-*) javelin.

spydig sarcastic, caustic.

spydighet sarcasm.

spyflue bluebottle, blow-fly.

spygatt (*hull i skipssiden*) scupper.

spyle (*vb*) wash; ~ *dekket* wash down the deck.

spytt spit, spittle, saliva. **-kjertel** salivary gland. **-slikker** lickspittle, toady. **-slikkeri** toadyism.

spytte (*vb*) spit; (*sprute*) splutter, sputter. **spytte|bakk** spittoon. **-klyse** clot of spittle.

spøk joke, jest, pleasantry; ~ *til side* joking apart; *i* (*el. for*) ~ as a joke, in jest, for fun; *dette er ikke* ~ this is no joking matter.

I. spøke *vb* (*skjemte*) joke, jest; crack a joke; ~ *med noe* make a joke about sth; *jeg bare spøkte med deg* I was only joking with you; *han er ikke til å spøke med* he is not to be trifled with.

II. spøke *vb* (*gå igjen*) haunt (the house); *det -r i huset* the house is haunted; *det -r for forretningen hans* it's touch and go with his business; *den tanken -r stadig i min hjerne* I am haunted by that idea.

spøke|fugl joker, wag. **-full** playful, full of fun, jocose, jocular. **-fullhet** jocularity, jocoseness.

spøkelse ghost, spectre; T spook; *mane fram et* ~ raise a ghost; *se -r ved høylys dag* be frightened by one's own shadow; be easily alarmed; *jeg trodde jeg så -r* (*fig*) I thought my eyes were deceiving me.

spøkelses|aktig ghostlike, spectral, weird; T spooky. **-historie** ghost story.

spøkeri ghosts (*pl*).

spørger questioner.

spørre (*vb*) ask, ask questions, put a question to (*fx* sby); ~ *dumt* ask a stupid question (*fx* ask a s. q. and you get a stupid answer); *en dåre kan* ~ *mer enn ti vise kan svare* a fool may ask more questions in one hour than a wise man can answer in seven years; *må jeg* ~ (*også iron*) may I ask; (*høfligere el. iron*) might I ask; *det spørs om* . . . it is doubtful whether . . . ; *the question is whether . . .; det kan -s om . . . ; man kan* ~ *om* . . . it is open to question whether . . . ; *man spør seg om* . . . one wonders whether . . . ; *it may be asked whether . . . ;* ~ *etter* 1. ask for (*fx* Mr. Brown has been asking for you); inquire for (*fx* a book at a bookseller's); 2 (*m.h.t.* velbefinnende*) ask after, inquire after; 3 (*for å hente*) call for (*fx* a person, a parcel); ~ **seg for** make inquiries; *jeg skulle* ~ **fra** *herr Smith om han kunne få låne . . .* (*formelt, også*) Mr. Smith sends his compliments, and could he borrow . . .; T Mr. Smith would like to know if he can borrow . . .; ~ **om** ask (*fx* sby's opinion, the price; ask him when he will come); ~ *ham om hans navn* ask (him) his name; ~ *nytt om felles kjente* ask for news of mutual acquaintances; ~ *en om råd* ask sby's advice; ~ *en ut* question sby; (*se grave*).

spørrekonkurranse quiz; *en som deltar i* (*en*) ~ quizzee.

spørresetning interrogative sentence.

spørreskjema questionnaire.

spørresyk (very) inquisitive.

spørretime (*parl*) question time.

spørsmål question, query; *-et ble nå om mennesket kunne . . .* the question became one of whether Man could . . . ; *stille en et* ~ ask sby a question, put a question to sby; *ta opp hele -et på nytt* reopen the whole question; (*se omdebattert*).

spørsmålsstilling: *en interessant* ~ an interesting formulation of the question; *an* i. statement of the q. (*el.* problem).

spørsmålstegn question mark; *man må sette* ~ *ved alt han sier* you have to be careful about believing what he says; *sette* ~ *ved noe* query sth.

spå (*vb*) prophesy, predict, foretell; (*uten objekt*) tell fortunes; ~ *en* tell sby his fortune; *bli -dd* have one's fortune told; ~ *en i hånden* read sby's hand; (*se kaffegrut*); *mennesket -r, Gud rår* Man proposes, God disposes; *dette -r godt for fremtiden* this augurs well for the future.

spådom prophecy, prediction.

spåkone fortune teller.

spåmann fortune teller.

sta obstinate, stubborn.

stab staff; *tilhøre -en* be on the staff.

I. stabbe (*subst*) stump; (*hogge-*) chopping block.

II. stabbe (*vb*) trudge (along), toddle along.

stabbestein (roadside) guard stone.

stabbur [storehouse on pillars].

stabeis: *gammel* ~ old fogey, old codger.

stabel pile, stack; ⚓ stocks; *la et skip løpe av -en* launch a ship; *skipet løp av -en* the ship was launched; *på -en* on the stocks.

stabelavløpning launching; launch.

stabil stable. **-isere** (*vb*) stabilize.

stabilisering stabilizing. **stabilitet** stability.

stable (*vb*) pile, stack.

stabssjef ✕ chief of staff.

stad city, town.

stadfeste (*vb*) confirm; ~ *en dom* dismiss an appeal.

stadfestelse confirmation; dismissal (of an appeal).

stadig (*adj*) steady; constant; (*stabil*) stable; (*om vær*) settled; (*adv*) constantly; *prisene stiger* ~ prices are constantly rising; *det blir* ~ *vanskeligere å* it is becoming more and more (*el.* increasingly) difficult to; *i* ~ *stigende grad* to an ever-increasing extent.

stadighet steadiness; constancy; stability.

stadion stadium.

stadium stage, phase, *et overvunnet* (*el. tilbakelagt*) ~ a thing of the past; *jeg har nådd det* ~ *da jeg kan stenografere 70 ord i minuttet* I have now reached the stage of being able to do 70 words of shorthand a minute.

stadsfysikus chief medical officer.

stafettløp relay race; *etappe i* ~ leg (*fx* run the second l.).

stafettpinne baton.

staffasje ornaments, decor; *han er bare* ~ he is (*el.* his functions are) purely ornamental.

staffeli easel.

stag ⚓ stay; *gå over* ~ tack, put about.

stagge (*vb*) check, curb, restrain; (*berolige*) hush, soothe.

stagnasjon stagnation.

stagnere (*vb*) stagnate.

stag|seil ⚓ staysail. **-vending** putting about, tacking.

stahet obstinacy, stubbornness.

I. stake (*subst*) pole, stake; (*lyse-*) candlestick; (*sjømerke*) spar buoy.

II. stake (*vb*) stake, pole; ~ *seg fram* pole (*el.* punt) (a boat) along.

stakitt picket fence; (*jern-*) railing.**-port** wicket.

I. stakk: *se høy-*.

II. stakk: *se skjørt.*

stakkar poor creature, miserable wretch.

stakkars (*adj*) poor, unfortunate, wretched; pitiable (*fx* their p. little collection of furniture); (*neds om pengesum*) wretched (*fx* a w. ten pounds); ~ *deg!* poor you! ~ *fyr!* poor fellow! ~ *unger!* (*også*) poor little devils!

stakkato staccato.

stakkåndet breathless, out of breath, short of breath. **-het** breathlessness, shortness of breath.

stall stable; US (*også*) barn. **-gutt** stableboy.

-kar groom; (*i vertshus*) ostler. **-trev** hayloft.

stam stammering; *være* ~ stammer.

stamaksje ordinary share, equity (share); founder's share.

stam|bane trunk line. **-far** progenitor, ancestor.

-fisk parent fish. **-gjest** regular customer. **-gods** family estate.

stamkafé one's regular café; (*ofte =*) local café.

I. stamme *subst* (*av tre*) trunk; (*folke-*) tribe; (*landbruk*) race, breed; (*se skudd*: *siste* ~ *på stammen*).

II. stamme (*vb*): ~ *fra* be descended from, descend from, come of; originate from, stem from; (*komme fra et sted*) come from, hail from; (*skrive seg fra, om tid*) date from, date back to.

III. stamme (*vb*) stammer, stutter.

stamming stammering, stuttering.

stammor (first) ancestress.

stamord root word, etymon.

stamp (*balje*) tub.

I. stampe (*subst*): *stå i* ~ be at a standstill; *forhandlingene står i* ~ negotiations have reached a deadlock; *saken står i* ~ (*også*) things are hanging fire; we're merely marking time.

II. stampe (*vb*) stamp; ⚓ pitch; (T: *pantsette*) T pop; ~ *i jorda* stamp the ground; ~ *mot brodden* knock one's head against the wall; (*bibl*) kick against the pricks.

stampesjø head sea.

stamtavle genealogical table, family tree; pedigree; (*se skudd*: *siste* ~ *på stammen*).

stamtre pedigree, genealogical tree.

stand 1 (*tilstand*) condition, state, order; *i* ~ in working order; *i god* ~ in good condition (*fx* the goods arrived in g. c.); (*om bygning, etc*) in good repair, in a good state of repair; (*om maskin*) in good working order; *i utmerket* ~ in perfect condition; **2** (*samfunnsklasse*) (social) class; *rikets stender* the estates of the realm; **3** (*ervervsgruppe*) profession; (*om handel, håndverk, etc*) trade; **4** (*barometers, termometers*) reading, level, state; (*vann-*) water level, height of tide; *huset, i den* ~ *det nå er, vil bli ledig i mai* the house, such as it is, will be available in May; *gi i en forsoning* bring about (*el.* effect) a reconciliation; **gjøre i** ~ (*ordne*) arrange; put straight (*fx* put one's room straight); (*reparere*) repair, mend, put in order; (*gjøre ferdig*) prepare, get ready (*fx* please get my bill ready); *gjøre i* ~ *flere sendinger til . . .* prepare more (*el.* further) shipments to; *få gjort i* ~ *leiligheten* have the flat redecorated; *få gjort i* ~ *noe* (*også*) have sth seen to; *holde* ~ stand one's ground, stand firm; *holde* ~ *mot* hold one's own against; *holde i god* ~ keep in good order (*el.* condition), keep up to scratch; keep in repair; *komme i* ~ be arranged, be brought about; (*bli virkeliggjort*) be realized,

be carried into effect; (*finne sted*) take place; *se seg i ~ til å* be in a position to, find oneself able to; see one's way to (*fx* help him); *sette en i ~ til å* enable sby to, put sby in a position to; *være i ~ til å* be able to, be capable of (-ing); (*se seg i stand til*) be in a position to; *være ute av ~ til å* be unable to, be incapable of (-ing); *jeg trodde ikke han var i ~ til å . . .* I didn't think he had it in him to . . .
standard standard.
standardisere (*vb*) standardize.
standart banner, standard.
stander (*vimpel*) pennant.
standfugl stationary bird.
standhaftig steadfast, unflinching, firm.
standhaftighet steadfastness, firmness.
stand|kvarter headquarters. **-plass** stand.
standpunkt (*synspunkt*) standpoint, point of view; (*nivå*) level; (*m.h.t. kunnskaper*) standard (*fx* his s. in mathematics is low); (*som man inntar*) attitude; *innta et klart ~: se ndf:* *ta et klart ~; ta ~ til* make up one's mind about, decide (*fx* a question; what to do), come to a decision on; (*søknad*) consider; *før en tar ~ til søknaden* before the application can be considered; *ta et klart ~ i dette spørsmålet* take a definite stand on this question; *han vil ikke ta noe ~ i saken* he refuses to take a (definite) stand in the matter; (*jvf synspunkt*).
standpunktkarakter [average mark, based on classwork, in one particular subject]; *han fikk -en Mtf i tysk skriftlig* he was given Very Good as an average mark in written German.
standrett court-martial.
stands|fordom class prejudice. **-forskjell** difference of rank (*el.* station); (*se klasse-*). **-messig** fitting one's position; T (*også*) elegant, high-class; *leve ~* keep up one's position.
standsperson person of rank.
stang bar; pole; (*stempel-*) rod; (*brille-*) side-bar, bow; (*metall-*) bar; (*på herresykkel*) top tube, cross-bar; *en syklist kjørte barnet hjem på -en* a cyclist took the child home on the cross-bar; *sitte på -en* sit on the c.-b.; *jeg fikk sitte på -en med ham* he gave me a lift on his c.-b.; *på halv ~* at half-mast; *en ~ lakk* a stick of sealing wax; *holde en -en* hold one's own against sby, keep sby at bay.
stang|bissel curb bit. **-bønner** (*pl*) climbing (*el.* pole) beans.
stange (*vb*) butt; gore; *~ i hjel* gore to death.
stangfiske rod fishing, angling.
stang|jern bar iron. **-såpe** bar soap.
stank stench; T stink.
stankelben ♫ crane fly; daddy-longlegs.
stanniol tinfoil.
stans break, intermission, pause; stop, cessation.
I. stanse (*presse*) press, die, stamp; stamping machine.
II. stanse 1 (*vi*) stop, pause; *~ ved* stop at; 2 (*vt*) stop, put a stop to; (*bil, etc*) stop, pull up; *~ blodet* staunch the blood.
stansearbeider press operator.
stansemaker press toolmaker.
stansemaskin stamping machine.
stapelplass (*hist*) mart.
I. stappe *subst* (*potet-*) mashed potatoes.
II. stappe (*vb*) stuff, cram.
stappfull crammed full.
start start.
startbane (*for fly*) runway, airstrip.
starte (*vb*) start (up) (*fx* a car, an engine); *motoren vil ikke ~* the engine won't start; (*se konkurranse*).
starter starter.
startforbud: *få ~* be grounded; *p.g.a. dårlig vær har alle passasjerfly fått ~* bad weather has grounded all passenger planes.
startklar ready to start; (*om fly*) ready to fly (*el.* take off), ready for take-off.

stas finery; *hele -en* T the whole caboodle, the whole lot; *det ble stor ~ i familien da han kom* the family made a great fuss of him when he came; *gjøre ~ av* make much of; make a fuss of; *hun vil bare sitte på ~* she just wants to be a lady of leisure; *til ~* for show (*fx* an army for fighting and not for show); *det var ingen ~* it was no fun.
stasdrakt dress clothes.
staselig fine, handsome; *en ~ dame* a fine figure of a woman.
stasjon station; *fri ~* board and lodging, all found.
stasjonere (*vb*) station.
stasjonsbetjent (*jernb*) porter.
stasjonsby [built-up area connected with country railway station].
stasjonselektriker (*jernb*) electrician; *ekstra ~* electrician's mate.
stasjonsformann (*jernb*) 1. leading porter; 2 (*som kontrollerer billetter ved sperringen*) ticket collector; 3: *~ i særklasse* station foreman; (NB a Ticket Collector ranks above a Leading Porter but below a Station Foreman).
stasjonsmester (*jernb*) station master.
stasjonsvogn shooting brake, estate car; US station wagon.
stasjonær stationary.
stas|kar fine fellow. **-kjole** party dress. **-stue** drawing room; (*best*) parlour; US parlor.
stat state; *en ~ i -en* a state within the state; *-en* the State, the Government; *~ og kommune* the State and local authorities, national and municipal a.; *Direktoratet for -ens skoger* (*i England*) the Forestry Commission; (*i Canada*) the Federal Department of Forestry; (*se stats-skogsjef*).
statelig stately. **-het** stateliness.
statikk statics.
statisk static; *~ sans* (*fysiol*) posture sense.
statist (*film*) extra; T super; (*ved teater*) walker-on, supernumerary; T super.
statistiker statistician.
statistikk statistics (*pl*); *-en viser at. . . s.* show that . . . ; *utarbeide ~* compile s.; *utarbeide en ~ over . . .* take (*el.* collect) s. of (*el.* relating to).
statistisk statistical; *Statistisk sentralbyrå* (*kan gjengis*) National Bureau of Statistics; (*i England*) the General Register Office.
statistrolle walking-on part, walk-on, super-numerary part.
stativ stand, rack; (*til kamera*) tripod.
statsadministrasjon 1 (*det at noe administreres av staten*) state control; 2 (*stats indre styre*) State administration, public a.; *-en* (o: *myndighetene*) the State (administration), the Government Departments, the central authorities, the (public) authorities, the Executive, the Civil Service.
stats|advokat public prosecutor; US district attorney. **-almenning** Crown lands. **-anliggende** affair of state. **-ansatt** (*subst*) permanent Government employee; (*se statstjenestemann*). **-autorisert** chartered; US certified; *~ revisor* chartered accountant; US certified public accountant.
statsbaner (*pl*) national railways; *Norges S-* the Norwegian State Railways; *Norges S-s hovedstyre* (*kan gjengis*) the Norwegian State Railway Executive.
stats|bank national bank. **-bankerott** national bankruptcy. **-bidrag** government grant (*el.* subsidy). **-borger** citizen, subject. **-borgerlig** civic (*fx* rights); *-e rettigheter* civil (*el.* civic) rights; (*se fradømmelse*). **-drift** State management. **-eiendom** State property. **-forfatning** constitution. **-forfatningsrett** (*jur*) constitutional law. **-form** form of government.
statsforvaltning public administration. **-slære** theory of public a. **-srett** (*jur*) administrative law.
stats|funksjonær civil servant; (*høyere*) Government official. **-gjeld** national debt. **-hemmelighet** state secret, official secret. **-inntekter** (*pl*) revenue.

-institusjon Government institution. -kalender [official yearbook]; (*i England*) Whitaker's Almanack. -kassen the public purse; (*institusjonen, dels*) the Treasury; (*dels*) the Exchequer. -kirke State church, established church. -kup coup d'état. -lån Government loan.

statsmakt 1 [authority held or exercised by a state (in accordance with a valid constitution or theory) over its territory and subjects]; 2 [each of the main branches (and the institutions connected with them) which are constitutionally fixed and independent of each other, and among which the collective authority of the State is distributed]; -en 1 (*statens makt*) the power of the State (*fx* he was crushed by the p. of the State); 2 (*regjeringen*) the State, the Government, the Executive; *de tre -er* (ɔ: *regjering, storting og høyesterett*) = the three estates; *den fjerde* ~ (*spøkef*) the press, the fourth estate. stats|mann statesman. -mannskunst statesmanship, statecraft. -mannsmessig statesmanlike. -minister prime minister, premier. -obligasjon government bond. -religion State religion. -rett constitutional law. -rettslig constitutional; *Islands -e forhold* the (international) status of Iceland.

statsråd 1. cabinet minister; 2. cabinet meeting; *konsultativ* ~ (1) minister without portfolio. stats|sekretær (*intet tilsv.; svarer etter rangsforholdene til*) permanent secretary; (*jvf departementsråd*); (NB *i England med ministers rang:*) Secretary of State; (*se også utenriksminister*). -sjef head of State. -skatt tax. -skog Crown forest. -skogsjef (*i England*) director general (of forestry); (*i Canada: forskjellig for de forskjellige provinser, fx*) chief forester, director of forests (*el.* forestry), provincial forester, deputy minister of forests; (*se underdirektør*). -tjeneste Government service. -tjenestemann civil servant. -tjenestemannsforbund = Civil Service Alliance. -vitenskap political science. -økonom political economist. -økonomi political economy. -økonomisk concerned with political economy.

stattholder governor, vicegerent.
statue statue.
statuere (*vb*): ~ *et eksempel* set a warning example; T give a horrid warning; ~ *et eksempel* (*på en*) make an example of sby.
statuett statuette.
status status; (*skriftlig*) balance sheet; *gjøre opp* ~ strike a balance, draw up a balance sheet.
status quo status quo.
statussymbol status symbol.
statusverdi snob value (*fx* it has a s.v.); snob appeal (*fx* it has a s. a.; it has acquired a s. a.).
statutt regulation, statute.
statuttmessig statutory.
staude ⚘ perennial.
staup drinking cup, goblet.
staur pole.
I. staut (*subst*) sheeting.
II. staut (*adj*) fine, stalwart.
stav staff, stick; *bryte -en over* condemn, denounce; *falle i -er* (*fig*) go off into a reverie; be lost in thought; *han hiver seg på -ene* (*om skiløper*) he pushes himself vigorously along with his sticks.
stavbakterie rod(-shaped) bacterium), bacillus (*pl:* bacilli).
stave (*vb*) spell.
stavelse syllable.
stavelsesdeling (*typ*) word division.
stavelsesgåte charade.
stavemåte spelling, orthography.
staving spelling.
stavkirke stave church.
I. stavn (*hjem-*) (native) soil; (*jvf hjemstavn-*(*srett*)).
II. stavn ⚓ (*for-*) stem; (*poet*) prow; (*bak-*) stern; *fra* ~ *til* ~ from stem to stern.
stavnsbundet bound to the soil, adscript.

stavnsbånd adscription; (*mindre presist*) villeinage, serfdom.
stavre (*vb*) stump (along *el.* about); (*om gamle, også*) dodder (along).
stavrim alliterative verse.
stavsprang pole vaulting; pole vault.
stavtak (*skiløpers*): *med kraftige, dobbelte* ~ *glir han i mål* using powerful double strokes of his sticks, he glides up to the finish; using both sticks simultaneously, he propels himself to the finish.
stearin ♂ stearin. -lys stearin candle; (*oftest* =) (paraffin wax) candle.
stebarn stepchild; *et av samfunnets* ~ an underling.
sted place, spot; (*i bok*) passage (*fx* an obscure p. in Milton); (*lokalitet*) locality, place, spot (*fx* the people on the spot; the people of the locality); (*hytte, landsted, etc*) place (*fx* we have a little place in the country); (*gård*) homestead; (NB *et rolig (,etc)* ~ (*også*) somewhere quiet (,etc) (*fx* let's go somewhere quiet); *-ets postmester* the local postmaster.
A [*Forskjellige forb.*] alle -er (*overalt*) everywhere; US (*også*) every place; *alle -er hvor* wherever; *et annet* ~ another place; in another place, somewhere else (*fx* look s. else); US T (*også*) someplace else; *et hvilket som helst annet* ~ any other place; (*adverbielt*) anywhere else; *intet annet* ~ no other place; (*adverbielt*) nowhere else; andre -er other places; (*adverbielt*) elsewhere; *alle andre -er* all other places; (*adverbielt*) everywhere else; *ingen andre -er* no other places; (*adverbielt*) nowhere else; (*på*) *mange andre -er* in many other places; begge -er (in) both places (*fx* both places are pleasant; there are hotels in both places); dette ~ this place; et ~ somewhere (*fx* he lives s. in Australia); *det er her et* ~ it's here somewhere; *et visst* ~ (*WC*) somewhere (*fx* go s.); *jeg skulle vært et visst* ~ where can I pay a call? finne ~ take place; happen, occur, pass off (*fx* the election passed off in comparative order); T come off (*fx* when will it come off?); *levering må finne* ~ *den 5. januar* delivery is required on 5th January; *møtet fant* ~ (*også*) the meeting was held; *den dag da møtet fant* (*el. skulle finne*) ~ (on) the day of the meeting; *når møtet finner* ~ (*også*) at the time of the meeting; flere -er (*på sine -er*) in (some *el.* various) places, here and there; ((*på*) *atskillige -er*) in several places; *-et hvor* the place where; (NB the scene of the murder); *dette er ikke noe* ~ *for deg* (*,for unge piker*) this is no place for you (,for young ladies); ingen -er nowhere; *det hører ingen -er hjemme* it is quite out of place; (*det vedkommer ikke saken*) it is neither here nor there; *et ømt* ~ (*på kroppen*) a sore place (*el.*spot);
B [*Forb. med prep*] av ~ away (*fx* drive along); *av* ~ *med deg!* off you go! (be) off with you! T buzz off; *få varene av* ~ get the goods off; *komme av* ~ get off, get away, get (*el.* be) going; *la oss komme av* ~ let us be off; *jeg må se til å komme av* ~ I must be off (*el.* going); T I must get a move on; I must push off; I must scoot; *sende av* ~ dispatch, send off; *fra det* ~ *hvor* from (the place) where (*fx* from where I stood I could see the house); *de kom alle -er fra* they came from everywhere; *i* ~ (ɔ: *for litt siden*) a little while ago; *i -et* instead; *i -et for* instead of; in (the) place of; *sette noe i -et for det* put sth in its place; replace it with (*el.* by) sth; substitute sth for it; *sette seg i ens* ~ put oneself in sby's place; *være i ens* ~ be in sby's place; T be in sby's shoes; *i Deres* ~ (if I were) in your place; if I were you; *være en i mors* ~ be (like) a mother to sby, mother sby; på *et* ~ in a place; *på -et* on the spot (*fx* the people on the spot; our representative on the spot; the police were on the spot five minutes later); local (*fx* our local representative); (*straks*) immediately, instantly, on the spot (*fx* he was killed on the spot); *på -et hvil!* hvil! stand easy! easy! *de drepte ham på -et* (*også*) they killed him

out of hand; *bo på -et* live on the spot; (*i hus*) live on the premises; (*om tjenere, etc*) live in; *på -et marsj* (*også fig*) marking time; *nyte på -et* consume on the premises (*fx* licenced to retail beer, wine, spirits, and tobacco to be consumed on the premises); **på rette** ~ (*fig*) in the proper quarter; *han har hjertet på rette* ~ his heart is in the right place; *på rette tid og* ~ at the proper time and place; *le på det riktige -et* laugh at the right place; *på samme* ~ in the same place; *anbringe noe på et sikkert* ~ put sth in a safe place; *på sine -er* in (some *el.* various) places; *gå på et visst* ~ T go somewhere; (NB «Where can I pay a call?»); *enhver ting på sitt* ~ everything in its proper place; *komme til et* ~ arrive at a place; *komme til -e* come, arrive (on the scene) (*fx* he arrived on the scene from a neighbouring bar); *være til -e* be present; (*finnes, eksistere*) occur, exist; *disse betingelser er ikke til -e* these conditions do not exist; *det var mange til -e* (*også*) there was a large attendance (*fx* at the meeting); *når andre er til -e* (*også*) before other people, in public, in the presence of others; *nevn det ikke når barna er til -e* don't mention it in front of (*el.* before) the children; *til -e var X, Y, Z, etc* there were present X, Y, Z, etc; *til -e var også X, Y, Z* also present were X, Y, Z; (*se også av sted*).

stedatter stepdaughter.
stedbunden attached to one (,to the) locality.
sted|egen local, peculiar to the locality; (*om sykdom*) endemic. **-fortreder** deputy, substitute; *stille en* ~ provide a substitute; *være* ~ *for en* (*også*) deputize for sby; (*se også vikar & vikariere*).
stedig: *se sta.* **-het**: *se stahet.*
stedkjent acquainted with the locality.
stedlig local.
stedsangivelse indication of locality; information as to location; *nøyaktig* ~ *for havariet* precise location of (the) accident.
stedsans: *ha* ~ have a sense (*el.* the bump) of locality.
stedsnavn place name; toponym.
stedsnavnsforskning toponomy.
stedstillegg cost-of-living bonus; (*departemental stil også*) weighting.
stedt: *være ille* ~ be in a bad way.
stefar stepfather.
steg (*skritt*) step.
stegg ♫ (*hanfugl*) cock, male bird.
steik, steike: *se stek, steke.*
steil steep, abrupt; precipitous; (*fig*) rigid, stiff-necked; (*stri*) stubborn, obstinate; (*prinsippfast*) uncompromising; *stå -t mot hverandre* be sharply opposed to each other; *overfor myndighetene inntok han en* ~ *holdning* he adopted a rigid attitude towards the authorities.
steile (*vb*) rear (up); (*fig*) be staggered; (*bli forarget*) bridle (up) (*fx* she bridled at this remark).
steilhet steepness; abruptness; obstinacy; uncompromising attitude.
steilskrift backhand.
stein stone; (*liten*) pebble; (*mur-*) brick; *det falt en* ~ *fra mitt hjerte* it was (*el.* it took) a load off my mind; I was greatly relieved; *han kunne erte en* ~ *på seg* he would drive a saint to distraction; *det kunne røre en* ~ it would melt a heart of stone; *sove som en* ~ sleep like a log.
steinaktig stony.
stein|alder stone age. **-bed** rock garden, rockery. **-bedplante** rock-garden plant, rockery p. **-bit** ♫ wolf-fish. **-brudd** stone quarry. **-brulegning** (*av kuppelstein*) cobble-stone pavement; (*ofte*) cobble stones. **-bukk** ♫ ibex; *S-en* (*stjernebilde*) Capricorn; *S-ens vendekrets* the Tropic of Capricorn.
steindød stone-dead.
steine (*vb*) stone.
steineik ♧ holm oak.
steinet stony, pebbly.
steinfrukt ♧ stone fruit.
steingjerde stone wall.

steinkast stone's throw.
stein|kol, -kull anthracite. **-mel** stone dust. **-purke** (*fisk*) ruff.
steinras rockslide; rock avalanche.
steinrøys scree.
steinsprang 1. sliding of rock (on a steep hillside); 2. marks caused by small stones on car enamel.
steintrapp (flight of) stone steps.
steintøy stoneware, crockery.
steinull rock wool.
stek roast, joint; *et stykke av -en* a cut off the joint; *den som vil være med på leken, får smake -en* one must take the rough with the smooth.
steke (*vb*) fry; (*i ovn*) roast; bake (*fx* apples); (*på grill*) grill, broil; (*i fett el. smør i panne*) fry (*fx* fish, potatoes); chip (*fx* chipped potatoes *el.* T chips); (*i lukket beholder*) braise; ~ *i sitt eget fett* T stew in one's own juice; ~ *noe i olje* fry sth in oil; *kjøttet er ikke nok stekt* the meat is not done enough; *legg det inn i ovnen igjen og stek det litt til* put it back in the oven and do it a little longer; *jeg liker fisken brunstekt* I like my fish done brown; *godt stekt* (*om stek*) well done; *for lite stekt* underdone; *for meget stekt* overdone; ~ (*brød*) *for lite* slack-bake (bread); *passe stekt* done to a turn; ~ *noe i svak* (,*sterk*) *varme* (*i stekeovn*) cook sth in a gentle (,brisk) oven; *sola stekte* the sun scorched (*el.* beat down); *-nde hett* baking hot, sweltering.
steke|fett dripping. **-kniv** spatula. **-ovn** oven. **-ovnsplate** baking shelf. **-panne** frying pan; US fry pan. **-spidd** spit.
stekke (*vb*) clip (the wings of a bird).
stell management; (*redskaper*) gear, things; (*ramme, skrog, skjelett*) framework; (*servise, verktøy*) set; *te-* tea set, tea things (*pl*) *det er dårlig* (*el. smått*) ~ things are in a poor way.
stelle (*vb*) 1 (*pleie*) nurse, look after, care for, attend to; 2 (*holde i orden*) keep in order; ~ *pent med* treat well, care well for; (*ting*) handle with care; ~ (*huset*) *for en* keep house for sby; T do for sby (*fx* a woman came every morning and did for him); ~ *barnet for natten* make baby ready for bed; *han fikk stelt det slik at . . .* he so arranged matters that . .; he fixed it so that . .; ~ *i hagen* (*pusle med noe*) potter about out of doors; ~ *om* (*i hagen*) ~ *på* (*ɔ: reparere*) fix, repair; ~ *til bråk* stir up trouble; T kick up a row; ~ *seg* get ready (*fx* for the party).
stellebord = bathinette.
stemjern (wood) chisel.
I. stemme (*subst*) voice; ♪ part, voice (*fx* a song for three voices); (*ved valg*) vote; *med høy* ~ in a loud voice; *avgi sin* ~ vote, record one's vote, cast one's vote; *antall avgitte -r* the number of votes cast; *mot én* ~ with one dissentient (vote); (*se overvekt*).
II. stemme *vt* (*fon*) voice (*fx* a sound); voiced sounds).
III. stemme 1. *vi* (*avgi stemme*) vote, cast (*el.* record) one's vote; (*om parlament*) divide; ~ *for* vote for, vote in favour of; ~ *mot* vote against; *to stemte mot* (*også*) there were two dissentients (*fx* there were five in favour and two dissentients); ~ *ned* vote down (*fx* a proposal); ~ *over* vote on (*fx* a question); ~ *over forslaget punkt for punkt* vote on the motion item by item (*el.* article by article); ~ *over hele forslaget under ett* vote on the motion as a whole; ~ *på* vote for; 2 (*vt*) ♪ tune (*fx* a piano); ~ *i* begin to sing, strike up (*fx* a song); (*se II. stemt*); 3. *vt* (*person*): ~ *en til vemod* make sby sad; (*se III. stemt*); 4. *vi* (*være riktig*) be correct (*fx* the accounts are c.); (*være i overensstemmelse*) agree (*fx* the totals agree; the accounts agree), tally; (*om regnestykke*) add up right (*fx* it adds up right); *det -r!* that's right! that's correct! quite so! (*ɔ: De kan beholde resten*) (you can) keep the change; *det -r ikke* that's not true (*el.* correct); ~ (*overens*) *med* agree with (*fx* it agrees with what he said), tally with, square

with (*fx* the statement does not square with the facts), be in agreement (*el.* keeping) with, fit in with (*fx* this fits in with my theory); be suited to (*fx* a plan better suited to the demands of the situation).

IV. stemme *vb* (*stanse*) stem, stop; ~ *føttene imot* thrust one's feet against; ~ *strømmen* stem the tide.

stemmeberettiget qualified to vote; *en* ~ an elector; *de stemmeberettigede* the electors.

stemmebruk voice production.

stemmebånd (*anat*) vocal chord; US vocal cord.

stemme|flertall majority of votes. **-gaffel** tuning fork. **-givning** voting. **-høyde** pitch. **-kveg** ignorant voters. **-likhet** an equality of votes, a tie in the voting; US tie vote. **-nøkkel** ♪ tuning key (*el.* hammer).

stemme|rett right of voting, franchise; *alminnelig* ~ universal suffrage. **-seddel** voting slip; (*parl*) ballot paper. **-skifte:** *han er i -t* his voice is beginning to crack (*el.* break). **-tall** number of votes. **-tap** 1. 𝄞 loss of the voice; 2 (*ved avstemning*) loss of votes (*fx* a great l. of v. to Labour). **-telling** counting of votes. **-urne** ballot box.

stemming ♪ tuning.

stemning atmosphere; feeling; (*om sinnstilstand*) mood; *-en i gater og butikker før jul* the gaiety of the streets and shops before Christmas; *-en er opphisset* feeling is running very high; *-en var trykket* there was a strained atmosphere; *han ødela -en* he was a wet blanket; *det var ingen* ~ *for forslaget i forsamlingen* the motion did not find favour with the meeting; *brakt i mild* ~ *av et glass konjakk* (*også*) under the genial influence of a glass of brandy; (*jvf* humør).

stemningsbetont emotional, sentimental.

stemningsbølge wave of public feeling; a wave of sentiment.

stemningsfull full of warmth, instinct with feeling, evocative, with an atmosphere of its own; (*ofte* =) poetic, lyrical.

stemningsmenneske impulsive person.

ste|moderlig unfair, unjust; *bli* ~ *behandlet* be treated unfairly. **-mor** stepmother.

stemorsblomst ⚘ pansy.

stempel stamp; (*i motor*) piston.

stempel|avgift stamp duty. **-bolt** piston pin, gudgeon pin; US wrist pin. **-fjær** piston spring. **-klaring** play (*el.* clearance) of the piston. **-merke** stamp. **-pakning** piston packing, p. seal. **-papir** stamped paper. **-ring** piston ring. **-stang** piston rod.

stemple (*vb*) stamp, brand; (*med poststempel*) postmark; (*gull og sølv med kontrollmerke*) hallmark; (*kontrollkort på arbeidsplass*) clock on (*el.* in); (*når man går*) clock out; (*ved å slå hull igjennom*) punch; ~ *ham som* ... stamp (*el.* brand) him as; label him as ... ;

sten: *se stein.*

I. steng (*fangst*) catch, seine-full; (*se silde-*).

II. steng ✠ guard, covering card; *et snøtt* ~ *i spar* a bare g. in spades; *dame-* queen covered (*el.* guarded).

stenge *vb* (*lukke med tverrstang*) bar; (*med slå*) bolt (*fx* a door); (*en havn*) block, close; (*låse*) lock (up); (*med hengelås*) padlock; ~ *inne* (*,ute*) shut in (*,out*).

stengel ⚘ stem, stalk.

stengsel bar, barrier.

stenk (*fig*) touch, sprinkling, dash.

stenograf stenographer, shorthand writer; (*på kontor*) shorthand typist.

stenografere (*vb*) write shorthand, take down in shorthand; ~ *etter sjefens diktat* take the principal's dictation down in shorthand; ~ *70 ord i minuttet* do 70 words of shorthand a minute; (NB *se anslag*).

stenografi shorthand, stenography.

stenografisk shorthand, stenographic.

stenogram shorthand note (,report); *renskrive et* ~ write out (*el.* extend) a shorthand note; *kan De (være så snill å) ta et* ~ (*for meg*)*?* could you (please) take sth down in shorthand (for me)?

stensil stencil; *skrive* ~ type a stencil, cut a stencil.

stensilere (*vb*) stencil, duplicate (*fx* a letter).

I. steppe (*subst*) steppe.

II. steppe (*vb*) tap dance.

stereo|metri stereometry. **-skop** stereoscope. **-typ** stereotyped. **-typere** (*vb*) stereotype. **-typi** (*typ*) stereotype; (*biol*) stereotypy.

steril sterile. **sterilisere** (*vb*) sterilize.

sterilitet sterility.

sterk *adj* (*se også sterkt* (*adv*)) **1.** strong; (*om lyd*) loud; ~ *emballasje* strong (*el.* substantial) packing; *det -e kjønn* the sterner sex; ~ *kulde* severe (*el.* intense) cold; *en* ~ *mistanke* a strong suspicion; *-e nerver* strong nerves; *et -t prisfall* a heavy (*el.* sharp) drop (*el.* fall) in prices, a heavy slump; *en* ~ *prisstigning* a steep (*el.* violent) rise in prices; ~ *i troen* of strong religious convictions, with s. religious beliefs, with a s. faith; *bruke -e uttrykk* use strong language; ~ *varme* intense heat; (*se side*); **2** (*holdbar*) solid, lasting, durable; (*se slitesterk*).

sterkbygd strongly built.

sterkstrøm power current.

sterkt *adv* (*se også sterk* (*adj*)); ~ *etterspurt* in great demand; ~ *fristet* greatly (*el.* strongly) tempted; ~ *interessert* keenly interested; ~ *krydret* highly seasoned; ~ *mistenkt* strongly suspected; ~ *overdrevet* greatly exaggerated; ~ *skadd* badly damaged; *vi beklager* ~ *at* we keenly regret that; *jeg tviler* ~ *på om* I greatly doubt whether; *prisene steg* ~ prices rose sharply; *selge til* ~ *reduserte priser* sell at greatly reduced prices; *stå* ~ (*fig*) be in a strong position; ~ *økte arbeidsomkostninger* greatly increased working costs.

sterling sterling.

ste|sønn stepson. **-søster** stepsister.

steto|skop stethoscope. **-skopere** (*vb*) stethoscope.

stetoskopi stethoscopy.

stett stem (of a glass).

stev 1 [burden of an old Norse poem]; 2 [short, improvised poem].

I. stevne (*subst*) rally, meeting; gathering; *sette en* ~ make an appointment with sby.

II. stevne *vb* (*styre*) head (*mot* for).

III. stevne *vb* (*innkalle*) summon; ~ *en for retten* 1 (*om den man saksøker*) take sby to court, sue sby, bring an action against sby; take legal proceedings (*el.* action) against sby; go to law against sby; 2 (*la en innkalle som vitne*) summon sby to appear in court.

stevnemøte rendezvous; T date.

stevnevitne (*jur*) bailiff, sheriff's officer.

stevning (*innkallelse*) summons; writ; *forkynne* ~ *for motparten* serve a summons (,writ) on the defendant; *ta ut* ~ issue a writ.

I. sti (*vei*) path; *holde sin* ~ *ren* keep to the straight and narrow path.

II. sti (*på øyet*) sty (on the eye(lid)) (*fx* he's got a sty in his eye).

I. stift pin, tack; (*grammofon-*) needle.

II. stift: *se bispedømme.*

I. stifte (*vb*) found, institute, establish; (*volde*) cause, do; ~ *fred* make peace; ~ *gjeld* contract a debt (,debts), run into debt; ~ *hjem* marry and settle down.

II. stifte *vb* (*feste med stift*) tack, pin (up).

stiftelse foundation, establishment, institution; *velgjørende -r* charitable institutions.

stiftelses|brev deed (*el.* instrument) of foundation. **-dag** day of foundation, anniversary (of a foundation).

stiftemaskin stapler.

stifter founder; (*opphavsmann*) originator. **-inne** foundress.
stifteåpning (*i fordeler*) breaker point gap.
stifttann pivot tooth.
stig: *se II. sti.*
stigbrett running board.
stigbøyle stirrup; (*i øret*) stapes.
I. stige (*subst*) ladder; (*på køyeseng*) bedsteps.
II. stige (*vb*) mount, rise, ascend; (*fig*) increase; *min engstelse steg* my anxiety mounted; I grew more and more alarmed; *hvis prisene fortsetter å* ~ if prices continue to advance (*el.* go up); ~ *av* get out (of a car), alight (from a carriage), dismount (from a horse), get off; *stig ikke av toget i fart* do not alight from moving train; ~ *i ens aktelse* rise in sby's esteem; *det får ham til å* ~ *i min aktelse* it raises him in my e.; ~ *inn* get in; ~ *ned* come (*el.* go) down; descend; *bakom husene* -*r fjellet opp* behind the houses the mountains rise up; ~ *opp på en stol* step up on to a chair; ~ *til hest* mount (a horse); *en vin som* -*r til hodet* a heady wine; ~ *ut* get out, alight; (*se aktelse*).
stigebil (*brannbil*) turntable ladder.
stigende rising (*fx* ground, tide; the barometer is r.); increasing; (*om priser*) rising, advancing; *arbeidsløsheten er* ~ unemployment is on the increase; *en* ~ *etterspørsel etter* a growing demand for; ~ *frakter* rising freights; *i* ~ *grad* increasingly, more and more, to an increasing extent; *under* ~ *munterhet* in the face of mounting amusement; ~ *tendens* rising (*el.* upward) tendency; *prisene har en* ~ *tendens* prices have an upward tendency; *være i* ~ be on the increase (*el.* up-grade).
stiger 1. foreman of miners; 2 (*støperiuttrykk*) riser, rising gate.
stigning rise, increase; (*på vei, etc*) (upward) gradient, rise, climb; *være i* ~ be on the increase; be on the up-grade.
stignings|evne (*bils*) climbing ability. **-forhold** gradient; *et* ~ *på 1:12* a g. (*el.* rise) of one in twelve.
stigtrinn footboard, step; *«det er forbudt å gå ned i* -*et før vognen stanser»* = "wait until the train stops".
I. stikk (*subst*) stab; ✛ trick; (*se sikker*); ♣ hitch; (*av et insekt*) sting; *holde* ~ hold good (*fx* the rule does not hold good here); hold water (*fx* this theory does not hold water); (*om spådom*) come true; *dette* (ɔ: *disse beregningene*) *viste seg å holde* ~ this worked out all right; *la en i* -*en* leave sby in the lurch.
II. stikk (*adv*) direct, right, due; *vinden var* ~ *øst* the wind was due east; ~ *i stavn* right (*el.* straight) ahead; ~ *imot* dead (*el.* right) against; ~ *imot vinden* dead in the wind's eye.
stikkbrev 'wanted' circular; warrant (of arrest); *sende* ~ *etter en* put out a warrant for sby's arrest; (*ofte=*) circulate sby's description.
I. stikk|e (*subst*) stick, peg, pin; -*a* (*i fly*) T the joystick.
II. stikke *vb* (*gjennombore*) pierce, stab; (*med knappenåler; om torner*) prick; (*om insekter*) sting; (*om loppe el. mygg*) bite; ✛ take, cover; win (the trick); *sola* -*r* it is sultry, there is a sultry glare; *stikk den!* can you beat it! did you ever! ~ *en gris* stick a pig; *skipet* -*r for dypt* the ship draws too much water; ~ *nåla dypt inn* stick the needle right in; *ettersom det* -*r meg* as the fancy takes me; ~ *av* (*fortrekke*) make off, cut and run; T decamp; *stikk av!* hop it! hook it! US beat it! *dette* -*r av imot...* this forms a contrast to...; *han ble stukket av en moskito* he was bitten by a mosquito; ~ *bort til ham* (ɔ: *besøke ham*) go round to him; ~ *etter en* (*med våpen*) stab at sby, jab at sby; (*løpe etter en*) run after sby; ~ *fram* jut out, stick out, project, protrude; (*kunne ses*) peep out; (*med objekt*) thrust out (*fx* one's chin), put out (*fx* one's hand), stick out (*fx* one's chest); ~ *seg fram* make oneself conspicuous, be pushing, push oneself forward; *sola* -*r*

meg i øynene the sun hurts my eyes; ~ *noe i lomma* put sth in one's pocket, pocket sth; ~ *i brann* set on fire, set fire to; ~ *seg i fingeren* prick one's finger; ~ *nesen sin i* poke one's nose into; *jeg vet ikke hva det* -*r i* I don't know why; ~ *en i hjel* stab sby to death; *han stakk inn på et konditori* nettopp *idet jeg fikk se ham* he dived into a teashop just as I caught sight of him; *stikk innom når du kommer her forbi* drop in when you come our way; *jeg kan ikke bare* ~ *innom dem* I can't just drop in on them; *jeg* -*r innom og hilser på deg* I'll come round and see you; *folk som* -*r innom* (*også*) callers; ~ *om en vin* siphon a wine; *stikk over til bakeren* T nip across to the baker('s); ~ *hull på et fat* broach a cask; ~ *hull på en byll* puncture an abscess; ~ *noe til side* put sth by (for a rainy day); ~ *til seg* pocket; ~ *til sjøs* ♣ put (out) to sea; ~ *et dokument under* stol(*en*) suppress a document; *det* -*r noe under* there is something at the bottom of this; ~ *ut en kurs* plot a course; (*fig, også*) mark out a course; ~ *ut en jernbane* peg out (*el.* stake) a railway line, mark out a track; ~ *ut i pausen* slip out in the interval.
stikkelsbær ♣ gooseberry. **-busk** gooseberry bush.
stikkkontakt 1. wall outlet, electric outlet, socket (outlet); (*ofte=*) point (*fx* there are points in all the rooms); 2 (*støpsel*) plug.
stikk|ord cue; (*oppslagsord*) entry, head word; *falle inn på* ~ take one's cue. **-ordkatalog** (*i bibliotek*) catchword catalogue. **-passer** (pair of) dividers. **-penger** (*pl*) a bribe. **-pille** suppository; (*fig*) sneer, taunt. **-renne** subdrain. **-sag** compass saw. **-spor** dead-end track (*el.* siding *el.* line).
stikleri sneer.
stikling ♣ cutting, slip.
stikning (*søm*) stitching.
stiknings|assistent (*jernb*) assistant surveyor. **-formann** (*jernb*) surveyor.
stil 1 (*uttrykksmåte*) style (*fx* a clear style); manner of writing (*fx* the scientific m. of w.); writing (*fx* good w. should be clear and direct); touch (*fx* you can always recognize Eliot's touch); (*art, preg*) style (*fx* sth in the same style); (*ski-hoppers*) jumping style; US (the jumper's) form; (*i kunst*) manner, touch, style; 2 (*skoleoppgave*) essay; (*med selvvalgt emne*) (free) composition; (*både om oppgaven og besvarelsen*) paper (*fx* the teacher set us an easy p.; he wrote a good paper on the Crusades); *fortellende* ~ descriptive essay; *norsk* ~ Norwegian essay; (*som fag*) Norwegian composition; *resonnerende* ~ expository essay; *få sving på* -*ene hans* improve the style of his essays; *polish up his essays*; -*en skjemmes av en opphopning av fremmedord og sjeldne og vanskelige engelske ord* the style is marred by a superfluity (*el.* an accumulation) of foreign terms and uncommon and esoteric (*el.* difficult) English words; *hun gjorde* -*en unna på ti minutter* she knocked (*el.* dashed) off the essay in ten minutes; -*en skal være ferdig innført til fredag* your essay must be copied out by Friday; *innholdet i besvarelsen hans er utmerket, men* -*en er elendig* the matter of his essay is excellent, but the style is deplorable; *bunden og ubunden* ~ verse and prose; *i den* ~ T on those lines (*fx* I want sth on those lines); *i stor* ~ on a large scale; (*se også saklig*).
stilart style.
stildrakt period costume.
stile (*vb*) word, compose; ~ *til* address to; ~ *høyt* aim high, have great ambitions; ~ *på* aim at; ~ *henimot* make for.
stilebok exercise book; (*jvf innføringsbok*).
stilett stiletto. **-hæler** (*pl*) stiletto heels.
stilfull stylish, elegant, in good taste.
stilig elegant, smart, stylish.
stilisere (*vb*) conventionalize.
stilisert conventionalized, conventional.
stilist stylist.
stilistisk stylistic.

stilk stem, stalk.

stilkarakterer pl (skihoppers) style markings; US score for form.

stillas scaffold, scaffolding.

stillbar adjustable.

I. stille (subst) calm; i storm og ~ in calm and stormy weather.

II. stille vb (tilfredsstille) satisfy (fx one's hunger); (berolige, lindre) allay (fx pain, their uneasiness); alleviate, soothe, assuage; ease (fx morphia shots to e. the pain); ~ sin tørst quench (el. slake) one's thirst.

III. stille vb (sette på plass) put, place, set, stand (fx he stood his stick in a corner); (justere) adjust; ~ betingelser make conditions; ~ krav (pl) make demands (til on, fx this makes great demands on one's energy); ~ et ur set a watch (etter by); ~ vitner call witnesses; ~ inn set; (fot) focus, adjust; ~ nøyaktig inn (radio) tune in accurately; ~ inn avstanden (fot) focus the camera; ~ inn på tune (in) to (fx a radio station); ~ inn på den ønskede stasjon tune (in) to the required station, tune the r. s.; ~ inn på uendelig (fot) focus on (el. for) infinity, set at (el. to) infinity; (se også innstille; regulere); ~ opp set up, arrange; ~ opp en regel lay down a rule; ~ opp en teori put forward (el. advance) a theory; ~ opp med et sterkt lag (i friidrett) field a powerful team; vi har intet å ~ opp we have no remedy to suggest; there is nothing we can do (about it); hva kan man ~ opp mot et slikt argument? how can one argue with that? what can one say to an argument of that sort (el. an a. like that)? det er ikke noe å ~ opp mot henne there is nothing doing with her; still opp på to rekker! ✕ form two deep! bli stilt overfor et problem be faced with a problem; be up against a problem; ~ sammen compare; associate, combine; ~ et ur tilbake set back a watch; ~ tilfreds content, (keep) quiet; ~ ut exhibit, display; ~ ut varer i vinduet show (el. put) goods in the window; put goods on show; ~ ut vaktposter post sentries; ~ seg place oneself, take one's stand (fx near the door); (om spørsmål, sak) stand (fx that is how the matter stands at present); ~ seg som kandidat (ved valg) run as candidate for an election; ~ en opp som kandidat til guvernørstillingen run sby for Governor; slik -r saken seg these are the facts; the facts are these; saken vil ~ seg annerledes hvis ... it will be a different matter if ... ; han kom og stilte seg opp foran meg he came and stood squarely before me; ~ seg i kø queue up, get in line; (se kø); ~ seg opp take one's stand; (i kø) queue up; hvordan -r De Dem til saken? where do you stand in the matter? (ɔ: hva er Deres syn på saken?) what are your views on the matter? (se I. lys: stille noe i et nytt ~).

IV. stille adj (rolig) still, quiet, tranquil; (taus) quiet; ♣ calm; sitt ~! sit still! (til barn, også) don't fidget! stå ~ stand still; (fig) be at a standstill, be stagnant; tie ~ be silent; ti ~! T shut up! den ~ uke Holy Week; i mitt ~ sinn inwardly, privately; den ~ sesongen the dull season; ~ vann har dyp grunn still waters run deep.

stillegående (om motor) quiet-running (fx a q.-r. engine).

Stillehavet the Pacific (Ocean).

Stillehavskysten the Pacific shore.

stillesittende sedentary.

stilleskrue adjusting screw.

stillestående stationary; (om vann) stagnant.

stillet: være godt (,dårlig) ~ be well (,badly) off; be in a good (,bad) position; slik er jeg ~ that is how things are with me; uheldig ~ in an unfortunate (el. unfavourable) position.

stillferdig gentle, quiet-mannered; det gikk ~ for seg it (el. things) passed off quietly.

stillferdighet gentleness, quietness.

stillhet stillness, silence, calmness, quietness;

i (all) ~ privately, quietly; on the quiet; T on the q.t. (el. Q.T.); (se storm).

stilling 1 (geogr, ✕, etc) position; gå i ~ ✕ move into position; **2** (yrke) occupation; profession; navn og ~ name and occupation; **3** (økon, sosial, etc) standing, status; være i en hjelpeløs ~ be on one's beam ends; **4** (post) post, position, appointment; (embete) office; T job; før jeg begynte i min nåværende ~ before joining my present employers ... ; den som får -en, vil måtte ... the successful candidate will be required to ... ; hun har en ~ hos she has a post (el. job) with, she has employment with; han har en ~ i regjeringen he has got a position in the Government; søke ~ ved et gymnas apply for a post at a grammar school; skjønt jeg allerede har ~, søker jeg å ... although already employed, I am desirous of (-ing); en fast ~ a permanent post; (se ansettelse); en ledig ~ a vacant post, a vacancy; få en ~ get (el. obtain) a post; De ansettes i full ~ f.o.m. den you are appointed in a full-time post from ..; (se også post & tiltre); **5** (forhold, tilstand) position; situation (fx the present economic s.); -en på markedet the state of the market; som -en er i dag as things are today; han kunne komme i en kjedelig ~ it might put (el. get) him in an awkward position; T it might land him in a tight spot; komme i en vanskelig ~ be placed (el. find oneself) in a difficult position; get into a d. p.; i en lignende ~ in a similar position, similarly placed; denne forsinkelsen har satt oss i en vanskelig ~ this delay has placed (el. put) us in a difficult (el. an awkward) position; ... har satt oss i en uheldig ~ (også) ... has placed us at a great disadvantage; være i en utsatt ~ be in an exposed position; be in the danger zone; **6** (måte hvorpå noe er anbrakt) position (fx horizontal p.); (kroppens ~) position (fx an uncomfortable p.), attitude, posture (fx she rose to a sitting p.; a reclining p.; in a graceful p.); pose (fx the young lady was sitting in a pose of studied negligence on the sofa; she assumed a languid pose); **7** (standpunkt, holdning) attitude (fx the a. taken up by the Government); hva er selskapets ~ til dette spørsmålet? what is the attitude of the company towards this question? where does the company stand in this matter? ta ~ til noe make up one's mind about sth, come to a decision as to (el. on) sth; vi har ennå ikke tatt ~ til saken (el. spørsmålet) we have not yet come to any decision on the question; det spørsmål som det skal tas ~ til the question under consideration; **8:** holde -en stand one's ground; (se også tiltre & ufordelaktig).

stillings|betegnelse designation of occupation; rank, title; designation of post; tre -r the d. of three posts; (se gradsbetegnelse). **-krig** trench warfare. **-struktur** appointments structure.

stilliss 🐦 goldfinch.

stillongs ['tights' worn as winter underclothing].

stillstand standstill; stagnation.

stilltiende tacit; (adv) tacitly.

stillverk (anlegg) (relay) interlocking plant; (bygning) control tower; (se også blokkpost & skiftestillverk).

stillverks|apparat interlocking frame. **-betjent** signalman; US towerman. **-formann** chief signalman (,US: towerman). **-mester** signal engineer; (se elektromester). **-montør** installer.

stilløs devoid of style.

stilne (vb) abate, calm, slacken, subside; det -t helt av it fell dead calm.

stiloppgave subject for composition; essay paper; (se stil 2).

stilren pure, in pure style.

stilretting marking of papers.

stilsans sense of style.

stilsikker with a sure touch, with a sure feeling for style.

stiløvelse composition exercise.

I. stim (*fiske-*) shoal; (*stimmel*) crowd, multitude, throng.

II. stim: *se tummel.*

stimann (*glds*) highwayman.

stime *vb* (*stimle sammen*) throng, crowd, swarm (together).

stimle (*vb*) crowd, flock, throng.

stimmel throng, crowd; (*mer litt.*) concourse.

stimulans stimulant; (*fig*) stimulus, stimulant, incentive.

stimulere (*vb*) stimulate, incite (*til* to).

stimulering stimulation.

sting stitch; *han har ~ i siden* he has a stitch in his side; *~ i brystet* a stabbing pain in one's chest.

stinkdyr ⚹ skunk.

stinke (*vb*) stink; (*se selvros*).

stinn distended; stiff.

stipend: *se stipendium.*

stipendiat scholarship holder; scholarship recipient; (*se forsknings- & universitets-*).

stipendium scholarship; (*reise-*) travel grant.

stirre (*vb*) stare, gaze (*på* at); *~ olmt på en* glare at sby; *~ stivt på en* look (*el.* stare) hard at sby; *~ med store øyne* be all eyes.

stiv stiff, rigid; (*egensindig*) stubborn, obstinate; (*av vesen*) stiff, formal; *~ og kald* (*i døden*) stark and cold; *~ av kulde* numb (*el.* stiff) with cold; *~ pris* stiff price; T steep p.; *~ som en pinne* stiff as a poker; *en ~ time* a solid hour; *~ i good at* (*fx* history); *gjøre ~* stiffen; (*stramme*) tighten; *se -t på en* look hard (*el.* fixedly) at sby; *med -e permer* (*om bok*) in boards.

stivbent stiff-legged.

stivbind (*bok i stivt bind*) hardback.

stive *vb* (*med stivelse*) starch; *~ stivetøy* starch linen.

stivelse (*til tøy*) starch; ♂ amyl.

stiver prop, stay.

stive|skjorte dress shirt. **-tøy** starched linen; linen to be starched.

stivfrossen frozen stiff; *vi er nesten stivfrosne* T we're about frozen stiff.

stivhet stiffness, rigidity; (*fig*) stiffness, formality, reserve.

stiv|krampe ☤ tetanus. **-nakket** (*fig*) stiff -necked.

stivne (*vb*) stiffen, get stiff; (*om gelé, etc*) set; *settes på et kaldt sted til den -r* put in a cool place to set; (*koagulere*) coagulate; *får blodet til å ~ i mine årer* makes my blood run cold.

stivpisket: *~ fløte* whipped cream.

stiv|sinn obstinacy, stubbornness. **-sinnet** obstinate, stubborn.

stjele (*vb*) steal.

stjeler: *heleren er ikke bedre enn -en* the receiver is no better than the thief.

stjerne (*også fig*) star; (*typ*) asterisk; *lese i -ne* read in the stars; *ha en høy ~ hos en* stand high in sby's favour; *full av -r* star-studded; *-ne på himmelen* the heavenly bodies; (*ofte =*) the stars in their courses.

stjerne|bane orbit of a star. **S-banneret** the Star -Spangled Banner; the Stars and Stripes. **-bilde** constellation. **-himmel** starry sky. **-idrett** sport for the champions. **-kikker** star-gazer. **-klar** starlit, starry; *det er -t ute* it's a starry night. **-lys** (*subst*) starlight. **-observasjon** stellar observation.

stjerne|skudd shooting star, falling star. **-tyder** astrologer. **-tydning** astrology. **-tåke** (*stellar*) nebula (*pl:* -ae).

stjert tail; (*tau*) lanyard.

stjertmeis ⚹ long-tailed titmouse; (*jvf pungmeis & skjeggmeis*).

stjålen (*adj*) furtive, stealthy; *stjålne øyekast* furtive glances.

stoff 1 (*fys*) matter, substance (*fx* chemical substances); (*motsatt:* ånd) matter; (*motsatt:* form) matter (*fx* form and m.); 2 (*tekstil*) fabric

(*fx* silk and woollen fabrics; dress fabrics); (woven) material; T stuff (*fx* the s. her dress is made of); 3 (*fig, uten pl*) material (*fx* collect m. for a book); matter (*fx* reading m.; useless m.); (*journalistisk*) copy (*fx* murders are always good copy; this would make good copy); (*i en bok*) subject matter; (*emne*) subject, topic (*fx* the way in which the poet treats his subject); 4 (o: *narkotika*) T stuff, dope; 5. *-stoff* (*ofte =*) agent (*fx* contact agent); *brennbare -er* combustibles; *fast ~* solid (substance *el.* matter); *et flytende ~* a liquid; *vevede -er* woven fabrics; textiles; *han var gjort av et annet ~* he was made of sterner stuff; *komme gjennom -et* (*fx på skolen*) get through the syllabus; *~ til ettertanke* food for thought.

stoiker stoic. **stoisisme** stoicism. **stoisk** stoic.

stokk stick, cane; (*tømmer-*) log; (*rot-*) butt log; *over ~ og stein* over stock and stone, at full speed; *den faste -en* (o: *arbeidsstokken*) the regular staff.

stokkand ⚹ mallard.

stokkdøv stone-deaf, deaf as a post.

stokkfisk stockfish.

stokk konservativ ultra-conservative.

stokkrose ⚘ hollyhock.

stokkskinne (*jernb*) stock rail.

stokkverk story, floor.

stol chair; (*uten rygg*) stool; (*på fiolin*) bridge; *den pavelige ~* the Holy See; *sette fram en ~* place a chair; *stikke noe under ~* conceal sth; *keep sth back*; *stikke et dokument under ~* suppress a document; (*se kirke-, preke-, vev-*).

stol|arm arm of a chair. **-ben** leg of a chair.

stole (*vb*): *~ på* rely (*el.* depend) on, trust; (*regne med*) count on; T bank on (*fx* a success); *du kan ~ på at han forteller henne det!* (iron) trust him to tell her! *vi stolte fullt ut på Deres tidligere løfte om å* ... we had implicit confidence in (*el.* we relied confidently on) your previous promise to ... ; *stol på det!* without fail (*fx* I'll be there at five o'clock w. f.); *ikke ~ på* distrust.

stoll (mining) drift, gallery; (*i fjellvegg el. åsside*) adit.

stolpe post; *snakke oppover vegger og nedover -r* talk nineteen to the dozen; talk and talk; talk a lot of nonsense.

stolpre (*vb*) totter, walk stiffly; blunder (*fx* she blundered on in her uncomfortable shoes).

stol|rygg back of a chair. **-sete** bottom of a chair, seat.

stolt proud; (*hovmodig*) haughty, supercilious; *~ av* proud of; *være ~ av* be proud of, take pride in; *en ~ bygning* a grand (*el.* magnificent) building.

stolthet pride; (*hovmod*) haughtiness; *det var hans ~ at* it was his boast that (*fx* he never forgot a name); *sette sin ~ i noe* take pride in sth, pride oneself on sth; (*se også svelge*).

stoltsere (*vb*) strut about.

I. stopp (*i pute, etc*) padding, stuffing.

II. stopp (*på strømpe, etc*) darn; *~ i ~* all darns.

III. stopp (*stans*) stop; (*i produksjon, etc*) stoppage; *si ~* (*fig*) call a halt (*til* to, *fx* it is time they called a halt to these experiments); *nå må vi dessverre si ~* I'm afraid we shall have to stop (,call a halt) now; *si ~* (*når det skjenkes i*) T say when.

IV. stopp! (*imperativ av stoppe*) stop! *~ tyven!* stop thief!

stoppe (*vb*) **1.** fill, cram, stuff; (*salmakerarbeid*) upholster; **2** (*stanse*) stop; come to a stop, pull up (*fx* let's pull up at the next village); (*om motor, også*) stall; **3** (*strømper*) darn, mend; *~ munnen på en* silence sby; T shut sby up; *~ en pipe* fill a pipe; *~ igjen* stop up (a hole); *~ opp* stop, come to a stop; *~ ut* (*om dyr*) stuff.

stoppe|distanse overall stopping distance. **-garn** mending wool; (*av bomull*) darning cotton. **-klokke** stop watch. **-knast** stop. **-nål** darning needle.

stoppeplikt obligation to stop (*fx* at traffic signals).

stopper ⚓ stopper; *sette en ~ for noe* put a stop to sth; *sette en ~ for planene deres* (*også*) scotch their plans.

stoppesignal 1. halt signal; 2 (*jernb*) stop signal.

stoppesopp darning egg.

stoppesplint cotter (pin), split pin.

stoppested 1. stop (*fx* bus stop; there is one more stop before Piccadilly); 2 (*jernb*) manned halt; (*jvf holdeplass*).

stoppforbud stopping restriction on vehicles; (*skilt*) 'no stopping'.

stopplys (*på bil*) stoplight.

stor *adj* (*se også større & størst*) 1 (*om omfang, mål*) large (*fx* building, car, garden); (*mer subjektivt*) big (*fx* what a big cigar! he has a big house of his own; a big dog ran after me); 2 (*som angir at man har en egenskap i særlig høy grad*) great (*fx* he is a great coward); big (*fx* he is a big fool); 3 (*beundrende, om åndelig etc storhet*) great (*fx* a great artist, author); 4 (*voksen*) grown(-)up (*fx* when you are grown up); 5 (*om barn*) big (*fx* you are quite a big girl for your age); 6 (*tallrik*) large, numerous, great, big (*fx* family); 7 (*megen, rikelig*) much (*fx* done with much care; with much difficulty); ample (*fx* resources), generous (*fx* a g. helping of pie); 8 (*trykkende, svær*) heavy (*fx* losses, taxes); 9 (*høy*) tall; 10 (*om bokstaver*) capital; (*om størrelsen*) large, big; 11 (= *til et beløp av*) for (*fx* a cheque for £10); 12. ✂ high (*fx* a h. spade); *de -e barna* 1. the big children; 2. the older (*el. bigger*) children; *~ fart* great (*el.* high) speed, great (*el.* high) velocity; *i* (*el. med*) *~ fart* at great speed, at a great velocity, at a great pace; *-e forpliktelser* heavy engagements; *-e kolli* bulky packages; *et -t kvantum* a large quantity; *en ~ regning* a big bill; *uhyre ~* huge, vast; *uhyre -e kvanta* enormous quantities; *når han blir ~* when he grows up; *når jeg blir ~* T when I'm big; *så ~ han har blitt!* how he has grown! *gjøre -t* (*om barn*) do big jobs, do number two; *Aleksander den -e* Alexander the Great; *det hele -e S* the big thing; *i det -e og hele* on the whole, in general, taking it by and large, generally speaking, broadly (speaking) (*fx* b., it would be true to say that . . .); on balance (*fx* on b. we stand to gain by it); *det -e flertall* the great majority, the greater part; a large majority (*av* of), the bulk (*av* of, *fx* the bulk of producers); *hvor ~ erstatning* what compensation; *nokså ~* biggish, largish, fair-sized, good-sized; *~ på det* T high and mighty, too big for one's boots; *til min store beklagelse* (*,forundring, etc*) much to my regret (*,astonishment, etc*); *-t anlagt* on a large scale, on a generous scale, large-scale; *ikke -t* not (very) much; *jeg bryr meg ikke -t om det* I don't care much about (,for) it; I don't much care about (,for) it; *se -t på det* take a liberal (*el.* broad) view of it; *det ser vi -t på* we don't worry about (a little thing like) that; *han utretter ikke -t* he does not do much; *vinne -t* win hands down, win big; *slå -t på* live on a grand scale; live in style, live it up, make a splash; *det er -t bare det at han snakker med Dem* it is a great thing that he condescends to speak to you; *det var -t at han kom seg* it is a wonder he recovered; *det er ikke -t ved ham* there is not much to him; T he's not up to much; he's no great shakes.

storartet grand, magnificent, splendid, marvellous, wonderful.

storbedrift 1. (large-scale) industrial concern; 2. great achievement.

stor|blomstret with large flowers. **-bonde** large (*el.* big) farmer; well-to-do farmer.

Storbritannia Great Britain.

storby city; *livet i en ~* city life, life in a city. **storbyvrimmel:** *hun følte seg helt fortapt i -en*

she felt completely lost in the hustle and bustle of the big town.

stor|båt longboat. **-dåd** great achievement.

storebror big brother.

storeslem ✂ grand slam.

stor|eter heavy eater. **-finansen** high finance. **-folk** great people; T bigwigs, big guns, VIP's. **-forbryter** super-criminal; US T big-time criminal. **-fremmed** distinguished guest. **-fugl** (*tiur*) capercaillie, wood grouse.

stor|fyrste (*hist*) grand duke. **-fyrstedømme** (*hist*) grand duchy. **-gate** main street. **-gråte** (*vb*) cry loudly (*el.* outright), sob. **-hertug** (*hist*) grand duke. **-hertugdømme** (*hist*) grand duchy. **-hertuginne** (*hist*) grand duchess. **-het** greatness. **-industri** large-scale industry, big industry.

stork 🐦 stork.

storkapitalen the big capitalists.

storkar bigwig; S (*også* US) big shot; T (*også* US) VIP, V.I.P. (*fk.f.* very important person).

storkenebb stork's beak; 🌸 crane's bill.

storkors (*av orden*) Grand Cross.

storkunge 🐦 young stork.

storleik: *se størrelse.*

storlemmet large-limbed.

storlom 🐦 black-throated diver.

storluke ⚓ main hatch.

storm 1. gale; storm; 2 (*meteorol*): *liten ~* (*vindstyrke 9*) strong gale; *full ~* (*vindstyrke 10*) storm; *sterk ~* (*vindstyrke 11*) violent storm; (*med uvær*) storm; (*på barometer*) stormy; 3 (*fig*) storm (*fx* a s. of applause, indignation, protests); turmoil (*fx* of passions); 4. ✕ storm, assault; *få ~* ⚓ meet with a gale; *det er en forrykende ~* T it's blowing great guns; *løpe ~ mot* assault (*fx* a position), make an assault on; *ri av en ~* ⚓ ride out a gale; (*fig også*) weather a storm; ride out a storm; *-en er stilnet av* the gale (*el.* the storm) has spent itself (*el.* blown itself out); *det er ~ i vente* ⚓ a storm is gathering (*el.* brewing); *stillheten før -en* the lull before the storm; *en ~ i et vannglass* a storm in a teacup; *ta med ~* take (*el.* carry) by storm (*el.* assault); *ta ham med ~* (*fig*) carry him off his feet; *melodien tok London med ~* (*også*) the tune swept London; *-en på byen* ✕ the assault on the town; the storming of the t.; *gå til ~* ✕ proceed to an assault.

stor|makt Great Power. **-makts-** big-power, great-power (*fx* a b.-p. declaration).

stormangrep assault, storm.

stormannsgalskap megalomania; *en som lider av ~* a megalomaniac.

stormast ⚓ main mast.

storm|dag stormy day. **-dekk** ⚓ hurricane deck.

storme *vb* (*se også stormende*) 1 (*vi*) storm, blow heavily; *det -r* a gale is blowing; 2. *vi* (*fare*) rush, tear (*fx* along, in, out, downstairs); 3. *vi* (*rase*) storm, rage, fume; 4. *vt* (*løpe storm mot*) make an assault on, assault; (*om politiet*) raid (*fx* a gambling den); rush (*fx* our office was rushed by people wanting to buy; they rushed the barricades); *~ fram* dash forward; *~ inn i rommet* burst into the room; *~ løs på en* rush at sby, make a rush at sby; T go for sby; *mengden -t salen* the crowd broke into the hall; the crowd invaded (*el.* rushed) the hall.

stormende stormy; (*fig*) stormy, tempestuous, tumultuous; *~ begeistring* wild enthusiasm; *en ~ velkomst* a boisterous (*el.* rousing) welcome.

stormester Grand Master.

storm|flod storm surge; (*oversvømmelse*) flood (caused by high winds); (*ofte =*) flood(s). **-full** stormy. **-kast** gust of wind, squall. **-klokke** tocsin. **-kolonne** storm troops. **-krok** window hook. **-kur:** *gjøre ~ til* make furious love to; T make a dead set at. **-løp** ✕ assault, onslaught (*mot* on).

storm|signal storm signal. **-skritt:** *med ~ by leaps and bounds.* **-svale** (*også* US) Leach's petrel. **-varsel** gale warning. **-vind** storm, gale. **-vær** stormy weather.

stor|mønstret large-patterned. **-nøyd** pretentious, exacting. **-politikk** high politics, high-level politics, international politics. **-politisk** high political. **-rengjøring** house cleaning, thorough cleaning (*el.* clean-down) (*fx* I've given the room a thorough clean-down); (*se vårrengjøring*).

storr(gras) ♣ sedge grass.

storrutet large-chequered.

stor|seil ⚓ mainsail. **-sinn** magnanimity. **-skate** ⚓ (common) skate, blue s., grey s. **-skog** big forest, deep woods. **-skolen** (*om folkeskolens øverste klasser, kan gjengis*) the senior school. **-skratte** (*vb*) laugh uproariously. **-skrike** (*vb*) scream vociferously, bawl. **-skryter** swashbuckler. **-slalåm** giant slalom. **-slegg|e** sledge hammer; *bruke -a (fig)* use one's big guns (*på noe* on sth). **-slått** grand, magnificent; *en ~ gave* a munificent gift. **-snutet** arrogant, haughty; T high and mighty. **-snutethet** arrogance, haughtiness. **-spove** ⚓ curlew. **-stilet** large-scale, on a large scale; (planned) on generous lines; comprehensive, grandiose; (*om gave, etc*) munificent; *~ veldedighet* munificent charities; (*se også storting*).

stortalende grandiloquent, bombastic.

stortalenhet grandiloquence, bombast.

storting parliament, national assembly; *S-et* [the Norwegian Parliament]; the Storting; *S-ets oppløsning* the dissolution of the Storting; *storstilet ramme omkring S-ets oppløsning* splendid setting for the d. of the S.; *komme inn på S-et* become a member of the S., enter the S., be returned (as) a member of the S.; (*svarer til*) become a Member of Parliament, become an M.P.; *hvis det blir vedtatt i S-et* if the S. gives its assent; if Parliament passes it; T (*også*) if the S. gives its O.K.

stortings|bygning Parliament Building; (*i England*) Houses of Parliament; US the Capitol. **-debatt** debate in the Storting; parliamentary debate. **-kandidat** candidate for the Storting; (*svarer til*) candidate for Parliament, parliamentary c. **-kretser:** *i ~* in circles connected with the S.; in parliamentary circles. **-mandat** seat in the S. **-mann** member of the Storting; (*svarer til*) Member of Parliament, M.P. **-medarbeider** reporter at the S.; parliamentary reporter. **-møte** sitting of the Storting. **-president** president of the Storting. **-proposisjon** bill before the S.; (*svarer til*) parliamentary bill. **-referent:** *se -medarbeider*. **-representant:** *se -mann*. **-sesjon** session (of the Storting). **-tidende** [official report of the proceedings of the Storting; (*svarer til*) Hansard; US (*omtr =*) Congressional Record. **-valg** general election; *han vil ikke stille seg som kandidat ved neste ~* he will not contest the next g. e. **-vedtak** resolution of (*el.* by) the S.; parliamentary resolution.

stortrives (*vb*) enjoy oneself very much; *han riktig ~ i sine nye omgivelser* he is in his element in his new surroundings; T he feels well away in his n. s.

stor|tromme ♪ bass drum, big drum; *slå på -tromma (fig)* bang (*el.* beat) the big drum; (*neds*) talk big. **-tå** (*anat*) big toe.

storutrykning (*brann-*) large turn-out, turn-out in force; *brannvesenet hadde ~ til en gård i Xgt i går* the fire brigade turned out in force yesterday in response to a call from (*el.* to deal with a fire in) X Street; (*se utrykning*).

stor|vask wash; washing day; *ha ~* have one's washing day. **-vei** highway, main road. **-veies** (*adj*) grand, magnificent. **-verk** great achievement, monumental work. **-vilt** big game. **-visir** grand vizier. **-ættet** high-born. **-øyd** big-eyed, wide-eyed.

stotre (*vb*): *se stamme*.

strabaser (*pl*) hardships; hardship (*fx* avoid unnecessary h.); rigours (*fx* the r. of a forced march).

strabasiøs fatiguing.

straff punishment, penalty; (*dom*) sentence (*fx* he got a severe s.); *bli idømt strengeste ~* get the maximum sentence.

straff|ansvar liability to prosecution; *medføre ~* involve criminal liability; *det medfører ~ (også)* it is a criminal offence; *det er under ~ forbudt å . . . it* is prohibited (*el.* forbidden) by law to . . . **-arbeid** penal servitude, imprisonment with hard labour; US i. at hard labor.

straffbar punishable (*fx* a p. offence). **-het** 1 (*persons*) liability to punishment; 2 (*handlings*) criminal nature, criminality.

straffe (*vb*) punish; (*tukte*) chastise.

straffe|dom: *Guds ~* the judgment of God (*over* on). **-eksersis** ✗ punishment drill; (*ofte =*) kit drill (*fx* he is doing k. d.), pack drill; US punishment tour, fatigue drill. **-ekspedisjon** punitive expedition. **-forfølgning** criminal prosecution. **-lekse** imposition (*fx* get an i.). **-ligne** (*vb*) fine for tax evasion (*fx* he was fined 500 kroner for t. e.). **-lov** penal code. **-middel** (means of) punishment. **-preken** lecture, sermon; *holde en ~ for en* read sby a lecture. **-porto** surcharge. **-renter** (*pl*) penal interest(s). **-rett** criminal law.

straffe|sak criminal case; *det vil bli reist offentlig ~ mot N.N.* N.N. will be charged with (*fx* larceny); there will be a criminal case against N.N. **-spark** (*fotball*) penalty (kick); *dømme ~* award a p. (k.).

straffeutmålingen the (fixing of the) sentence, the apportioning of the sentence; *det ble anket over ~, men derimot ikke over skyldspørsmålet* there was an appeal against the sentence, but not the verdict (of guilty); *aktoratet anket til Høyesterett over ~* the prosecution appealed to the Supreme Court against the sentence; *Høyesterett opprettholdt ~* the Supreme Court upheld the sentence.

straffri unpunished; (*adv*) with impunity.

straffrihet impunity.

straffskyldig deserving of punishment, culpable, guilty.

strak erect, straight, upright; *på ~ arm* at arm's length (*fx* lift sth at arm's length).

straks at once, immediately, straight away, forthwith; *klokka er ~ tolv* it is close on twelve (o'clock); *~ etter* immediately after(wards); *~ etter at* immediately after.

stram tight; ⚓ taut (*fx* haul a rope t.); (*stiv*) erect, upright, stiff; (*om lukt, smak*) rank, acrid; *en ~ knute* a tight knot; *bli ~ i masken (fig)* look disapproving; *gjøre ~ honnør* ✗ salute smartly (*el.* stiffly); *gå på ~ line* walk a tightrope; *holde en i -me tøyler* T keep a tight rein on sby; hold sby on a short leash.

stramhet tightness; ⚓ tautness; (*om lukt, smak*) rankness, acridity.

stramme (*vb*) tighten; *~ opp* tighten up, draw tight; *et forsøk på å ~ satsene* an attempt to stiffen the rates; *~ en opp* buck sby up; *~ seg opp* pull oneself together; key oneself up (*fx* to do sth); *prisene -s* prices are hardening; (*se også strutte*).

stramtsittende tight-fitting.

strand shore, seashore; (*sand-*) beach; (*poet*) strand; *på -en* on the shore; on the beach; (*ved innsjø*) on the lake shore, by the lakeside; by the waterside; (*jvf vannkant*).

strandbredd beach, waterside; (*se strand*).

strande (*vb*) run aground, be stranded; be shipwrecked; (*fig*) fail, miscarry (*på on account of*), break down, come to nothing.

strandhogg (*hist*) (predatory) descent, raid, foray.

strand|kant waterside, water's edge (*fx* down by the water's edge). **-linje** shoreline, seaboard; private beach; *tomt med ~ til salgs* site with private beach for sale. **-nellik** ♣ thrift, armeria. **-promenade** esplanade, sea front, promenade; T prom. **-rett** access to (the) beach, shore rights;

(*jur også*) riparian rights; *tomt med* ~ site with access to beach; (*se båtfeste* & *strandlinje*).
strand|rug ♃ lyme grass. **-sette** (*vb*) beach. **-snipe** ♫ common sandpiper. **-svin** (*person som etterlater seg avfall på stranden*) litter bug. **-tomt** site with private beach. **-tusse** ♫ natterjack. **-vipe** ♫ dunlin.

strangulasjon strangulation.
strangulere (*vb*) strangle.
strateg strategist. **strategi** strategy.
strategisk strategic.
stratenrøver (*glds*) highwayman.
strebe (*vb*): ~ *etter* strive for (*el.* after); aim at; aspire to (*fx* the throne); ~ *en etter livet* seek sby's life; (*se også streve*).
streber climber; US (*også*) status seeker.
strede 1. lane; 2 (*sund*) strait(s).
streif 1. gleam, ray (*fx* of sunshine); 2 (*berøring*) graze; brush, light touch; 3 (*antydning*) touch.
streife (*vb*) 1 (*berøre*) graze, brush, touch lightly, just touch; (*om lys*) (just) touch; 2 (*omtale flyktig*) touch (lightly) on; *kula -t halsen hans* the bullet grazed his neck; ~ *om på gatene* roam (about) the streets; *tanken har aldri -t meg* the idea has never occurred to me; *tanken -t meg* the idea just crossed my mind; *en uforklarlig frykt -t henne* an inexplicable fear crossed her mind.
streif|lys gleam of light; (*fig*) sidelight (*fx* throw a s. on). **-skudd** grazing shot. **-sår** graze. **-tog** raid, incursion, inroad.
streik strike; *gå til* ~ go on strike, strike (work); *avblåse en* ~ call off a strike.
streike (*vb*) strike (work), go on strike.
streikebryter strike-breaker, blackleg; (*især* US) scab.
streike|kasse strike fund. **-vakt** picket.
strek 1. line, stroke; 2 (*puss*) trick, prank; 3 (*på kompass*) point; *slå en* ~ *over* cancel (*fx* a debt); (*fig*) wipe out, pass the sponge over;(*se også stryke*: ~ *ut*); *la oss slå en* ~ *over det* let's forget it; *gå over -en* go too far, overstep the mark; *dum* ~ stupid trick; *gale -er* mad pranks; (*se også regning*).
streke (*vb*) rule, draw lines; ~ *over* strike out, cross out, run a line through; ~ *under* underline.
strekk tension; stretch; *i ett* ~ at a stretch, on end (*fx* for two hours on end); *without a break* (*fx* I've been working w. a b. since seven o'clock).
strekkbar elastic, ductile, extensible. **-het** elasticity, ductility, extensibility.
strekkbukse skiing trousers; US ski pants.
strekke (*vb*) stretch, draw out; *armer oppad strekk!* arms upward stretch! ~ *bena* stretch one's legs (*fx* I'm going out to s. my legs); ~ *armen fram* stretch (*el.* reach) out one's arm; ~ *hånden fram* hold (*el.* put) out one's hand, stretch (*el.* reach) out one's hand (*etter noe for* sth); ~ *kjølen* (*til el. skip*) lay (down) the keel (of a vessel); ~ **seg** 1 (*utvide seg*) expand (*fx* the material expands when exposed to heat), stretch; (ɔ: ~ *lemmene*) stretch (oneself) (*fx* he yawned and stretched); 2 (*nå*: *i tid el. rom*) stretch (*fx* the line stretches from A to B; the valley stretches for miles; the period stretches down to the fifteenth century); reach (*fx* his Empire reached from the Mediterranean to the Baltic); (*om rom, også*) extend (*fx* my garden extends as far as the river); 3 (*ha retning*) trend (*fx* the coast trends to the east; mountains trending ENE); lie (*fx* the coast lies east and west); stretch (*fx* the plain stretches southward); ~ **seg etter** reach for; ~ *seg så lang man er* stretch oneself (out) at full length; ~ *seg så langt man kan* (*fig*) do the best one can; go to the greatest possible length (*fx* to meet your wishes); *jeg vil* ~ *meg langt* (*fig*) I am willing to go to considerable lengths; *jeg kan ikke* ~ *meg lenger* (*fig*) I can go no further than that; (*m.h.t. pris, også*) I cannot go beyond that price; T that's the best I can do; *jeg er villig til å* ~ *meg noe* (*fig*) I am willing to stretch

a point; *vi -r oss ikke så langt som til å holde bil* we don't run to a car; *dalen strakte seg ut foran oss i flere kilometers lengde* the valley spread before us for miles; *et vakkert landskap strakte seg ut foran oss* a beautiful landscape unfolded before us; ~ *til* be enough, (be enough to) go round (*fx* there was not enough beer to go round); *disse pengene -r til en måned til* (*også*) this money will see me (,him, *etc*) through the next month; *pengene -r ikke til* the money won't go as far as that; *inntektene mine -r ikke til bilhold* my income does not run to a car; *mon kontantene -r til?* will the cash run to it? *få det til å* ~ *til* make it (*fx* the butter) go round; (*om penger*) make both ends meet; *tida -r ikke til for ham* T he is hard up for time; *slaget strakte ham til jorden* the blow sent him to the ground.
strekkmuskel (*anat*) extensor (muscle).
strekmåt marking gauge.
strekning 1 (*det å*) stretching; 2 (*av vei, elv, etc*) stretch; (*fagl*) section; (*se bane-*); 3 (*distanse*) distance, way (*fx* it's a short (,long) way); *over en* ~ *på ti engelske mil* for (a stretch of) ten miles; *disse vognene brukes bare på korte -er* (*jernb*) these coaches are only used on short runs; *det skal settes inn flere lokaltog på -en X-Y* more local trains are to be run on the X-Y service; *tilbakelagt* ~ distance covered; *tilbakelegge en lang* ~ cover a long distance.
I. streng (*subst*) string, chord; (*poet & fig*) chord; (*klokke-*) bell-pull, bell wire; *slå på de patriotiske -er* appeal to patriotic feeling; *touch patriotic chords*; *han spiller på mange -er* (*også*) he has a foot in every camp; *han spiller alltid på samme* ~ he is always harping on one (*el.* on the same) string.
II. streng (*adj*) severe, strict, stern; ~ *frost* severe frost, hard frost; *-e krav* stringent demands; ~ *kulde* severe cold; *hans -e moral* his austere morals; ~ *nøytralitet* strict neutrality; *tårnets -e skjønnhet* the severe beauty of the tower; *ta -e forholdsregler* take severe measures; *være* ~ *mot* be strict (*el.* severe) with; *være for* ~ *mot* be too hard on, treat too severely; (*se også strengt*).
strenginstrument stringed instrument.
strenghet strictness, severity; hardness; rigour (,US: rigor); stringency; austerity.
strengt (*adv*): *behandle* ~ treat severely, deal harshly with; ~ *bevoktet* closely watched (*el.* guarded); ~ *forbudt* strictly prohibited (*el.* forbidden); *han holdt* ~ *på at det skulle gjøres* he insisted that it must be done; *holde seg* ~ *til sannheten* keep strictly to the truth; (*ikke*) *mer enn* ~ *nødvendig* (no) more than strictly necessary; *det* ~ *nødvendige* what is strictly necessary; ~ *oppdratt* strictly brought up; *overholde noe* ~ *observe* sth strictly (*fx* the terms must be strictly observed); ~ *rettferdig* scrupulously just; *straffe* ~ punish severely; ~ *tatt* strictly (*el.* properly) speaking; in the strict sense of the word; ... *men alle disse er* ~ *underordnet hovedtemaet* all these, however, are strictly subsidiary to the main theme.
strev toil, struggle; *etter meget slit og* ~ *fikk vi den opp trappen* after much lugging and tugging we got it upstairs; (*se også II. svare*).
streve (*vb*) work hard, strive, struggle; toil; ~ *med leksene* (ɔ: *arbeide langsomt og besværlig*) plod (*el.* plug) away at one's lessons; *de som hadde strevd slik med å arrangere utstillingen* those who had so painstakingly arranged the exhibition; *those who had taken such great pains to arrange the e.*; (*se II. stri*: ~ *med*).
strevsom hard-working, industrious, plodding; (*jvf streve*).
strevsomhet industry, diligence.
I. stri (*subst*) toil; daily struggle; (*se jule-*).
II. stri (*vb*): ~ *for*: *se kjempe for;* ~ *med* work hard at, struggle with; (*jvf streve*); ~ *med døden* be in one's last throes; *ha mye å* ~ *med* have

one's hands full; have many things to worry about; *-de mot loven* be contrary to the law; be illegal; *det -der mot våre interesser* it conflicts with our interests; *-de om* dispute *(el.* argue) about; *(se strides).*

III. stri *adj* 1 *(strittende, stiv)* rough, wiry *(fx* hair); bristly *(fx* beard, hair); 2 *(om strøm)* swift, rapid, stiff *(fx* current); torrential *(fx* river); 3 *(hård, ubøyelig)* stubborn, obstinate; *et -tt sinn* a stubborn temper; *en ~ dag* a strenuous day; *jeg har hatt en ~ dag i dag* I've had a very trying day today; I 'have had a time of it today; *det regner i -e strømmer* it is pouring down; *(jvf striregn).*

stribukk *(neds)* pigheaded *(el.* mulish) person.

strid 1. fight, struggle; 2 *(uenighet)* discord, strife, dispute *(fx* about wages); *(vitenskapelig, litterær, etc)* controversy, polemic; 3 *(mellom følelser, idéer, etc)* clash *(fx* the clash of opposing interests *(,principles));* conflict *(fx* a c. between love and duty); *et -ens eple* a bone of contention; *bilegge en ~* settle a dispute; *yppe ~ med* pick a quarrel with; *i ~ med* at variance with *(fx* one's previous statement); contrary to *(fx* local custom, one's obligations); in defiance of *(fx* the law, the facts, common sense); against *(fx* the regulations); *som er i ~ med forfatningen* unconstitutional *(fx* methods); *stå i ~ med (også)* conflict with, be in conflict with; *stå i direkte ~ med* be in direct conflict with, be at complete variance with; *vekke ~* stir up strife, cause strife.

stridbar quarrelsome, pugnacious, bellicose. **-het** quarrelsomeness, pugnacity, pugnaciousness, bellicosity.

stride *(vb): se II. stri & strides.*

stridende fighting, struggling; *(i ord, skrift)* contending, disputing; *de ~ parter* the contending parties; the parties to the dispute; *(i rettssak)* the litigants; ⚔ the belligerents, the combatants, the combatant parties.

strides *(vb)* quarrel; *(disputere)* argue, dispute; *~ om* quarrel *(el.* argue *el.* dispute) about; *(kappes om å oppnå)* contend for, contest *(fx* a prize), be rivals for; *~ om pavens skjegg* quarrel about nothing; split hairs; *et spørsmål man kan ~ om* a question open to dispute, an open q., a moot point.

stridig *(sta)* headstrong, obstinate, stubborn; *gjøre en noe ~* dispute sth with sby, contend for sth with sby; *gjøre en rangen ~* contend for precedence with sby; *(fig)* emulate sby, run sby close.

stridighet *(stahet)* obstinacy, stubbornness; *(strid)* dispute, controversy.

stridsdyktig fit for (military) service, fit for active service.

strids|emne controversial question, (matter at) issue; *(jur)* point at issue. **-eple** bone of contention. **-hanske** gauntlet. **-innlegg** contribution to a (,the) controversy; *komedien føles som et alvorlig ~ i humoristisk form* the comedy is felt to be a serious contribution (in humorous form) to the controversy. **strids|krefter** *(pl)* (military) forces, armed forces. **-punkt** point at issue, moot point, issue. **-skrift** polemic pamphlet. **-spørsmål** (matter at) issue, controversial question *(el.* issue); *(jur)* point at issue. **-øks** battle axe; *(indiansk)* hatchet; *begrave -a* bury the hatchet.

strie sacking; *(bær-)* tammy (cloth).

I. strigle *(subst)* currycomb.

II. strigle *(vb)* rub down, currycomb, groom *(fx* a horse).

stri|gråte *(vb)* weep floods of tears. **-håret** rough-haired; *(især om hund)* wiry-haired.

strikk elastic (band), rubber band.

strikke *(vb)* knit. **-garn** knitting wool. **-pinne** knitting needle.

strikkerske knitter.

strikketøy knitting.

strikking knitting; *(vrang-)* purling.

strikkmotor *(på leketøy el. modell fly)* elastic motor; *drevet med ~* elastic band propelled.

striks strict.

strime stripe, streak.

strimet striped, streaked.

strimmel strip, ribbon, shred.

stringens cogency, stringency.

stringent cogent, stringent, closely reasoned *(fx* train of thought).

stripe stripe, streak. **stripet** striped, streaked.

strippe *(vb)* T strip.

stripønta S dressed to the nines, dressed to kill.

striregn lashing *(el.* pouring *el.* torrential) rain. **stri|regne** *(vb)* pour down. **-renne** *(vb)* rush, gush; *blodet -rant fra et sår på kinnet* blood was gushing out of *(el.* was pouring from) a wound on his cheek.

striskjort|e: *begynne med -a og havrelefsa igjen* take up the toil and moil of everyday life; (NB *ofte =)* «back to the salt mines».

stritte *vb (stå stivt)* bristle; *~ imot* resist; *~ imot med hender og føtter (også fig)* resist tooth and nail. **-nde** *(om håret)* bristly, on end; *(se bust).*

strofe stanza; *(i gresk tragedie)* strophe.

stropp strap, strop; *(hekte)* loop.

strunk: *stiv og ~* stiff as a poker.

I. strupe *(subst)* throat; *skjære -n over på en* cut sby's throat; *sette en kniven på -n (fig)* give sby an ultimatum.

II. strupe *(vb)* throttle, choke.

strupe|hode larynx. **-hoste** croup. **-lyd** guttural sound. **-tak** stranglehold; *ta ~ på* throttle, strangle. **-tone** guttural accent.

struts 🐦 ostrich.

strutsefjær ostrich-feather.

strutte *(vb)* burst, bristle; *buksen -r over enden* the trousers are too tight across the seat; her (,his) trousers are stretched across her (,his) seat *(el.* behind); *~ av sunnhet* be bursting with health.

stry tow; *narre en opp i ~* take sby in, dupe sby, hoodwink sby.

I. stryk *(pryl)* beating, drubbing.

II. stryk *(i elv)* rapid; run (of fast water) *(fx* runs and waterfalls follow in quick succession).

stryke *(vb)* 1 *(streke over)* cross out, cut out, delete *(fx* a word); *~ over noe (også)* run a line through sth; 2 *(annullere, oppheve)* cancel *(fx* an order, a debt); *~ en post (,postering)* cancel *(el.* strike out) an item (,entry); 3 *(fjerne)* remove *(fx* an item from a list); cross off *(fx* cross a name off the list); *~ en bevilgning* withdraw *(el.* discontinue) a grant; 4. ⚓ *(hale ned)* strike *(fx* one's colours); 5 *(med strykejern)* iron; *lommetørklærne var lettere og raskere å ~* the handkerchiefs were quicker and easier to iron; it was a quicker and easier job to iron the h.; *Mary syntes hun måtte hjelpe til med å ~ noe* Mary thought she had better help with the ironing; 6. *vi & vt (til eksamen)* fail *(fx* fail a candidate in an exam; the c. failed); *jeg strøk i historie* I failed (,T: was ploughed) in history; T I came a cropper in h.; *de strøk ham* T *(også)* they ploughed him; 7 *(bevege seg hurtig)* rush *(fx* he rushed off); *fuglen strøk henover vannflaten* the bird skimmed (across) the surface of the lake; 8. ♪ bow *(fx* one's fiddle); 9 *(la hånden gli henover)* stroke *(fx* he stroked his beard); *~ av* wipe off, rub off, remove; *~ av en fyrstikk* strike a match; *~ ens navn av en liste* strike sby's name off a list, cross sby's n. off a list; *staten ble strøket av europakartet* the state was blotted off the map of Europe; *~ av tavla* wipe *(el.* clean) the blackboard; *~ av sted* T dash off; *~ sin kos* T disappear; T clear out, beat it, decamp; *~ bort* brush away *(fx* a tear, a strand of hair), brush off; *han strøk forbi meg* he brushed past me; *bilen strøk tett forbi ham* the car just shaved past him; *~ med* be killed, die, lose one's life; *(bli feid bort)* be swept away; *(bli ødelagt)* be destroyed; *~ en mot hårene (fig)* rub sby the wrong way; *katten*

strøk seg **opp mot** benet mitt the cat rubbed itself against my leg; ~ **over** cross out (fx a word), delete; run a line through; (se også ndf: ~ ut); ~ en over håret stroke sby's hair; ~ over noe med maling give sth a coat of paint, coat sth with paint; ~ seg over haken stroke one's chin; han strøk seg med hånden over munnen he passed his hand across his mouth; ~ til eksamen: se 6; ~ håret tilbake brush one's hair back; ~ ut wipe off (fx a drawing from the blackboard), wipe out, rub out (el. off); (med viskelær) erase, rub out; (sette en strek over) cross out, delete, strike out; (med strykejern) iron out (fx a crease); ~ ut ord eller forandre på ordstillingen cross out words or change their order; (se også strykende & strøken).
   stryke|bord ironing table. **-brett** ironing board. **-fjel** se -brett. **-flate** (på fyrstikkeske) striking surface. **-instrument** ♪ stringed instrument. **-jern** iron (fx an electric i.), flatiron. **-kandidat** possible failure (in examination). **-karakter:** se strykkarakter. **-klede** ironing cloth. **-kvartett** ♪ string quartet.
   strykende (adj & adv): i en ~ fart at a rattling pace; hans forretning går ~ he is doing a roaring trade; he is making money hand over fist; det går ~ it goes swimmingly; things are moving fast.
   stryke|orkester string band. **-prosent** [percentage of candidates failing their exams].
   stryker 1. ♪ string (player); -ne the strings; 2. = strykekandidat.
   strykeri = laundry.
   stryke|tørr ready for ironing. **-tøy** ironing.
   strykgrensen: han står på ~ T he's a borderline case.
   strykkarakter (i skole) fail mark.
   stryknin ♂ strychnine.
   strykning ironing; crossing-out, striking-out; deletion; failure; (se stryke).
   strø (vb) scatter, spread, strew; ~ om seg med penger splash money about; spend money like water; ~ sand på (fig) fall in with (fx appointments of this kind have to be approved by the Cabinet, but this will usually fall in with the recommendation of the Ministry); ~ sand på veien sand the road, sprinkle (el. spread) sand on the r.; ~ sukker på en kake sprinkle (el. dust) a cake with sugar; ligge -dd utover lie scattered about; litter (fx newspapers littered the table).
   strøbil (for sand) sand lorry.
   strøk stroke; (egn) tract, region, neighbourhood (, US: neighborhood); part; (maling-) coat.
   strøk|en: tre -ne teskjeer salt three flat teaspoonfuls of salt.
   strøm river, stream; (strømning) current; (elekt) (electric) current (fx electric c. is obtained by using the waterfalls); T juice; (som kraft)power (fx Sweden supplies p. to Denmark); -men er blitt borte the electric light has failed (el. has gone out el. has been extinguished); sterk ~ (i elv, etc) a strong current; en ~ av tårer a flood of tears; i -mer in torrents (fx it rained in torrents); in streams (fx beer flowed in streams); følge -men (fig) follow the crowd.
   strømavgift electricity charges (fx increase e. c. by up to 3s. in the £); power prices; går -en opp? (avisoverskrift) power prices up?
   strømbehov demand for electricity (fx cover the constantly growing d. for e.); (se øke).
   strøm|brudd power failure (fx there is a p. f.), interruption of current. **-bryter** (elekt) circuit breaker, switch. **-forbruk** consumption of electricity (el. current), current consumption; ~ i-følge måler (faglig) current c. by the instrument. **-forbruker** (electricity) consumer. **-kilde** power supply. **-krets** circuit. **-leder** conductor. **-linje** streamline. **-linjet** streamlined. **-løs** dead (fx a d. wire).
   strømme (vb) stream; ~ en i møte (om vann) flow towards sby; (om lukt, lyd) meet sby; regnet

har -t ned the rain has been pouring down (in torrents); ~ over av overflow with; blodet -t til hodet på meg the blood rushed to my head.
   strømmåler electric meter.
   strømning 1. flow, current; 2 (fig) trend (fx literary trends).
   strømpe stocking.
   strømpebukse pantie-socks.
   strømpebånd garter; (se bukseseler).
   strømpe|holder suspender, stocking suspender; (se bukseseler). **-lest:** på -en in one's stockings. **-skaft** leg of a stocking. **-stropp** (stocking) suspender; US garter.
   strømskifte 1. turn of the tide; 2 (fig) reversal (el. shift) in public feeling.
   strømstans: se strømbrudd.
   strømstyrke amperage.
   strøsukker castor sugar.
   strøtanker (pl) aphorisms.
   strå blade of grass, straw; ikke legge to ~ i kors not lift a finger; trekke det korteste ~ get the worst of it; come off second best; trekke det lengste ~ have the better of it; være høyt på ~ be a person of consequence; T be a bigwig.
   strå|fletning straw plaiting; straw plait. **-gul** flaxen. **-hatt** straw hat.
   I. stråle (subst) ray, beam; (om vann) jet; en ~ av håp a gleam of hope, a ray of hope.
   II. stråle (vb) radiate, beam, shine; diamanten -r the diamond sparkles.
   stråle|brytning refraction. **-bunt** pencil of rays. **-formet** radiate(d). **-glans** radiance, refulgence. **-hav** ocean of light. **-krans** halo. **-mester** (brannmann) branchman; US nozzleman.
   strålende beaming, radiant; (fig) brilliant, marvellous, wonderful; er det ikke ~! (også iron) isn't it marvellous! den ~ innsatsen dere har gjort the wonderful effort you have made; (se innsats).
   stråleovn electric heater.
   strålingsfare radiation danger.
   strå|mann middleman, intermediary; (især US) stooge. **-tak** thatched roof. **-tekke** (vb) thatch.
   stubb stub; (av korn) stubble; (om sang) a little song; a few lines (el. notes) of a song, a snatch of song.
   stubbe (tre-) stump.
   stubbe|bryter stump puller. **-loft** double (el. framed) floor. **-loftsgulv:** se -loft.
   stubbmark stubble field.
   stud. fk. f. studiosus; (NB tiller med «stud.» har ingen ekvivalent på eng.); være ~ jur. = be a law student; read for the bar; være ~ med. be a medical student, study medicine.
   student undergraduate, (university) student; (NB ved det enkelte universitet brukes ofte undergraduate om -er som ennå ikke har tatt sin B.A.-eksamen; student brukes mer generelt, også om ikke-akademiske studerende og ofte om ikke-engelske universitetsforhold); bli ~ matriculate; kvinnelig ~ woman student (pl: women students); (ung, også) T girl student.
   studenteksamen: se artium.
   student(er)hjem students' hostel, hall of residence.
   studenter|liv student (el. undergraduate) life. **-lue** student's cap. **-samfunn** students' association.
   studentfabrikk T cramming shop.
   studere (vb) study; la en ~ send sby to the university; ~ på noe (o: spekulere på) ponder sth (fx a problem), ponder over (el. on) sth, meditate on sth, speculate about sth, puzzle over (el. about) sth; en studert mann a university man.
   studerende student; (se student).
   studerværelse study.
   studie study.
   studiebegrensning restricted entry; (se studium).
   studie|gjeld: han sliter med en svær ~ he has a huge debt to pay off for his studies. **-leder** leader of

a study group. -lån loan for studies, student loan; *oppta et ~* raise a loan for one's studies. -materiale study material. -opphold stay for purposes of study; period of residence for studying. -ordning curriculum *(fx* the curricula have been revised); *jeg kjenner ikke -en ved det universitetet* I'm not familiar with the c. at that university. -plan *(trykt, etc)* syllabus *(fx* please send me the s.); *(pensum, etc)* curriculum; *(se pensum).* -reise study tour. -retning *(i skole)* stream. -semester *(for universitetslærer)* sabbatical term. -sirkel study circle.

studie|tid period of study; *-en er lang for dette fagets vedkommende* this subject entails a long period of study; it takes a long time to qualify in this subject; *de må regne med en lang og kostbar ~* they have a long, expensive period of study to take into consideration; *i min ~ when* I was a student; in my undergraduate days. -veileder adviser of studies. -øyemed: *i ~* for purposes of study, for study purposes *(fx* visit London for s. p.).

studium study; *fem års ~* five years of study; *ta opp studiet av* take up the study of; *et lukket ~* a course with restricted *(el.* limited) entry; *medisin er et lukket ~ i Norge* medicine is a subject with restricted entry in Norway; the medical schools are hard to get into in Norway; *(jvf studie|begrensning, -tid, søkning).*

I. stue *(subst)* room; *(daglig-)* sitting-room; *(hytte)* cottage; *(på sykehus)* ward.

II. stue *vb (mat)* stew; *(grønnsaker)* cream; *-de grønnsaker* creamed vegetables.

III. stue ⚓ *vb (om last)* stow.

stue|arrest house arrest. -gods stowed cargo. -gris stay-at-home. -pike housemaid. -plante indoor plant, room plant.

stuer ⚓ stevedore.

stueren *(spøkef om barn el. hund)* house-trained.

stuert steward. -skole training establishment for stewards.

stuetemperatur room temperature.

stueur wall clock.

I. stuing *(mat)* stew; *grønnsak-* creamed vegetables.

II. stuing ⚓ stowing.

stukk stucco.

stukkatur stucco (work).

stulle *(vb): ~ omkring* potter about.

stum mute, dumb, speechless; *(som ikke uttales)* mute, silent.

stum|film silent (film). -het dumbness, muteness.

I. stump *(subst)* stump, fragment; *(rest, levning)* scrap, remnant; *(sigarett-)* stump, stub; T fag-end; *en hyssing-* a piece of string; *slå i -er og stykker* knock to pieces, smash; *redde -ene* save something out of the wreck, pick up the pieces.

II. stump *(adj)* blunt, dull; *(vinkel)* obtuse; *(kjegle)* truncated.

stumpevis bit by bit.

stump|halet short-tailed. -het bluntness. -nese snub nose. -neset snub-nosed.

stumtjener hat-and-coat stand.

stund while; *ledige -er* o dd moments; *enda en ~* a while longer; *en liten ~ etter* after a little while, soon after(wards), shortly afterwards; *om en liten ~* in a little while; *all den ~* considering, seeing that.

stundesløs restless, fussy.

stundimellom occasionally.

stundom sometimes, at times.

stup cliff, precipice, sheer drop; *(svømming)* dive; *rett ~* high *(el.* plain) dive; *svikt-* fancy dive; *baklengs ~* back dive.

stupbratt precipitous.

stupbrems *(på fly)* air brake.

stupe *vb (i vannet)* dive, plunge *(fx* into the water); *~ kråke* turn a somersault; *~ på hodet ut i vannet* plunge head foremost into the water; take a header; *(se også falle).*

stupebrett diving board; *10-meteren* the ten -metre board.

stupid stupid. stupiditet stupidity.

sture *(vb)* mope. -n *(adj)* moping, sad.

stuss 1 *(hår-)* (hair) trim; 2 *(tekn)* connecting piece; end piece; pipe stub.

I. stusse *(vb)* trim *(fx* a hedge, a horse; have one's hair trimmed); crop *(fx* the mane of a horse); *~ et tre* prune a tree.

II. stusse *(vi)* be astonished, be startled; be taken aback; *dette beløpet fikk meg til å ~* this sum made me wonder; *~ over noe* T prick up one's ears at sth; *jeg har også -t litt ved postene X og Y* I was also a little surprised by items X and Y.

stusslig empty, sad.

stut bullock; ox; *(skjellsord)* boor, oaf.

stutteri stud farm.

stygg 1 *(ubehagelig)* bad, nasty *(fx* habit, sight); ugly *(fx* wound, weather); foul *(fx* foul weather); 2 *(slem)* naughty; bad; 3 *(om utseende)* ugly *(fx* an ugly face); *en ~ ulykke* a bad accident; *det ser stygt ut* it looks bad; *det var stygt gjort* that was a dirty trick; *det var stygt av ham* that was mean of him; *være ~ mot en* be mean to sby; *han er ~ til å . . .* he has a bad habit of (-ing); *snakke stygt* (⚬: *bruke skjellsord)* use bad language; *jeg er stygt redd for at* I'm really afraid that; *(se lakk).*

stygge|dom horror, abomination; devilry. -lig *(adv)* badly; *ta ~ feil* be grievously mistaken.

stygghet ugliness.

stygging ugly fellow, scarecrow.

stygg|sint furious. -vær bad *(el.* foul) weather.

I. stykke 1. piece *(fx* a piece of paper, cake, chalk, string, wood); bit *(fx* a bit of string); part *(fx* go part of the way on foot; part of the territory was annexed); *(stump, bruddstykke)* fragment, (broken) piece, scrap; *(av tale, sang)* snatch *(fx* a s. of a song); *(skive)* slice *(fx* a s. of bread, cake, melon); cut *(fx* a cut off the joint); *(tekst-)* passage; T bit; 2 *(oppsett, avisartikkel)* piece *(fx* there is a p. about it in the paper); article; *(lese-)* passage *(fx* 30 passages have been selected); 3 *(vei-)* distance *(fx* he lives a short d. away); way *(fx* the boy could only swim a little way); 4 *(regne-)* problem; *(addisjons-)* sum; 5. ♪ piece; 6 *(skuespill)* play; T piece; 7 *(i samling)* piece *(fx* the finest p. in the collection); 8 *(jord-lapp)* patch *(fx* a potato p., a p. of rye); 9 *(hen-seende)* respect *(fx* in that r.); *et ~ (om avstand)* some distance; *bilen stoppet et ~ borte i veien* the car stopped some way along the road; *han bodde et ~ fra X* he lived at some distance from X; he lived not far from X; *et godt ~ (om avstand)* a considerable distance, a good way *(el.* distance); *veien fulgte dalen et godt ~* the road followed the valley for some considerable distance; *et godt ~ borte (el. herfra)* (også) a good way off; *det er enda et godt ~ til stasjonen* it is still a good way (to go) to the station; the s. is still a good way off; *et lite ~ a* short *(el.* little) way *(el.* distance) *(fx* a little way from X); *et lite ~ fra X (også)* a short distance from X; not far from X; *jeg fulgte ham et lite ~ på hjemveien* I walked part of the way back *(el.* home) with him; *(se også sitte: ~ på);* *han bor et lite ~ unna* he lives a short distance away; *huset står et ~ unna veien* the house stands back from the road; the h. stands at some distance from the road; *et pent ~ arbeid* a neat *(el.* fine) piece of work; *et ~ barbersåpe* a shaving stick; *et ~ koppertråd* a length of copper wire; *50 -r kveg* 50 head of cattle; *et ~ sukker* a lump *(el.* cube) of sugar; *hva får vi høre om i dette -t? (under eksaminasjon)* what's this story (,T: this bit) (all) about? *(stivt)* what do we hear about in this story? *et ~ ute i fortellingen* towards the middle of the story; *gå i -r* break, go to pieces, fall *(el.* come) to pieces; *(i to -r)* break in two, come in half; *noe gikk i -r i ham (fig)* sth broke in him; *glass går lett i -r* glass breaks easily; *motoren har*

gått i -r the engine has broken down; **rive i -r** tear to pieces (*el.* to bits), tear up; **slå i -r** break, break to pieces, smash (up), smash to pieces; (*ved å la det falle*) break (*el.* smash) (sth by dropping it); *bli slått i -r* (*også*) break up (*fx* the wreck will soon break up); **være i -r** be broken, be damaged, be out of order; *klokka er i -r* the watch won't go, the w. is out of order (*el.* is damaged); *en klokke som er i -r* a watch that won't go, a broken w.; *skrivemaskinen er i -r* the typewriter is damaged (*el.* out of order); *stolen er i -r* the chair is broken (*el.* damaged); *radioen vår er i -r* T our radio has packed up (*el.* conked out); US our radio has gone on the blink; *pr. stk.* (*fk. f.* ~) apiece, each; *når det kommer til -t* when it comes to the point; when all is said and done; after all, when it gets down to brass tacks; (*jvf I.* **støkke**).
   II. stykke (*vb*): ~ *opp* split up, divide; ~ *ut* parcel out (*fx* land).
   stykkevis by the piece, piecemeal.
   stykkgods general cargo.
   stykkgodsfart general cargo trade.
   stylte (*subst*) stilt; *gå på -r* walk on stilts.
   stymper poor devil, poor wretch.
   stymperaktig wretched.
   I. styr (*støy, uro*) hubbub; *holde* ~ have a lark, romp, make fun; *er du helt på* ~ ? are you out of your mind?
   II. styr: *gå over* ~ come to nothing; *sette over* ~ squander, squander away, run through; *holde* ~ *på* keep in check; *jeg kan ikke holde* ~ *på alle disse tallene* I keep getting all these figures mixed up.
   styrbar capable of being steered; dirigible, guided (*fx* a g. missile).
   styrbord ⚓ starboard; ~ *med roret!* starboard the helm! *om* ~ on the s. side.
   I. styre (*på sykkel*) handlebars; (*ledelse*) rule, management; (*direksjon*) board of directors; (*i forening*) executive committee; *i -t* on (*el.* a member of) the board, on the committee; *valg av* ~ election of (executive) committee; e. of officers; *bli valgt inn i -t* be elected to the committee; *stå for* ~ *og stell* be at the head of affairs.
   II. styre (*vt*) 1. steer; (*lede*) direct, guide, conduct, manage; 2 (*beherske*) rule, control; ~ *etter* steer by (*fx* the stars); ~ *en kurs* steer a course; ~ *mot* make (*el.* head *el.* steer) for; *skipet -r mot havn* the ship is heading for a port; ~ *rett mot noe* head straight for; ~ *utenom noe* steer round sth, avoid sth; *hun -r huset* she runs the house; ~ *sitt sinne* control one's anger; *-r akkusativ* governs (*el.* takes) the accusative.
   styre|apparat steering gear. **-arm** steering drop arm. **-egenskaper** (*pl*) steering characteristics. **-fart** steerage way. **-form** system of government. **-formann** chairman; (*se fratredende*). **-hus** ⚓ wheel house. **-ledd** ⊕ steering joint. **-leie** ⊕ pilot bearing.
   styrelse: *ved forsynets* ~ by an act of Providence, thanks to Providence.
   styre|medlem committee member, executive member (*fx* e. m. of the engineering union), officer, member of the board; (*se I.* **styre**). **-møte** committee meeting; directors' meeting, board m. **-protokoll** 1. minute book; 2. minutes of a board meeting.
   styrer ruler, director; (*ord-*) chairman (*fx* of a meeting).
   styreskinne guide rail.
   styre|snekke ⊕ steering worm. **-stag** ⊕ steering rod, drag link.
   styrevalg election of (executive) committee; e. of officers; election of directors.
   styrevedtak resolution by the committee (*el.* board); *ifølge -et* in accordance with the committee's resolution (*el.* decision).
   styring ⚓ steering; *miste -en* lose control (*på* of); (*se også slark*).

styringsplakaten ⚓ Regulations for Preventing Collisions at Sea; (*ofte omtalt som*) the Rules of the Road (at sea).
   styringsverk (the) administration, government.
   I. styrke (*subst*) strength; (*vindens, krigs-*) force; *han brukte all sin* ~ he put out all his strength; *gi ny* ~ give fresh strength; *prøve* ~ *med en* try one's strength against sby; *han har ikke sin* ~ *i latin* Latin is not his strong point.
   II. styrke (*vb*) strengthen, fortify; *-nde midler* tonics, restoratives.
   styrkeprøve trial of strength; test.
   styrmann ⚓ mate; *annen-* third (*,før 1960*: second) mate; (*på større skip*) third (*,før 1960*: second) officer; *første-*: *se* **førstestyrmann** & *overstyrmann*.
   styrmannseksamen mate's examination.
   styrmannssertifikat mate's certificate.
   I. styrt (*dusj*) shower (bath).
   II. styrt (*forhjulenes*) camber (of the front wheels).
   styrte (*vi*) fall down, tumble down; (*om fly*) crash; (*fare*) dash, rush; (*vt*) overthrow (*fx* a government); ~ *en i fordervelse* bring about sby's ruin; ruin sby; ~ *et land ut i krig* plunge a country into war; *han -t med hesten* the horse fell with him; *regnet -t ned* the rain poured down; ~ *seg over* fall upon; ~ *sammen* fall (*el.* tumble) down.
   styrte|gods bulk cargo. **-renne** shoot, chute. **-regn** heavy downpour, pouring rain. **-regne** (*vb*): *det -r* it's pouring down; it's coming down in sheets (*el.* buckets); it's raining (in) buckets. **-rik:** *være* ~ be rolling in money, have tons of money. **-sjø** heavy sea, breaker.
   styrvol: *se rorpinne*.
   styver (*nese-*) punch on the nose.
   I. stær 🐦 (*fugl*) starling.
   II. stær 🍀 (*øyensykdom*): *grønn* ~ glaucoma; *grå* ~ cataract; *operere for* ~ couch a cataract.
   stærblind purblind.
   stærkasse starlings' nest box.
   I. stø *subst* (*båt-*) landing place; (*se også ryggstø*).
   II. stø (*adj*) steady; *han er rolig og* ~ he has a quiet and steady manner; *bordet står ikke -tt* the table is not (*el.* does not stand) firm.
   støkk start, shock; *sette en* ~ *i en* give sby a turn (*fx* the news gave me quite a turn); *sette en* ~ *i ham* (ɔ: *skremme ham*) T (*også*) put the wind up him.
   I. støkke S: *et bra* ~ a bit of jam, a (little) bit of all right; (*se kjei*).
   II. støkke (*vb*) give a start; *det støkk i ham* he gave a start.
   I. støl (*subst*): *se seter*.
   II. støl (*adj*) stiff; *stiv og* ~ very stiff indeed; (*se myke*: ~ *opp*).
   stønn moaning, groaning, moan, groan.
   stønne (*vb*) moan, groan.
   støp cast; (*sats*) concrete mix.
   støpe (*vb*) cast; (*i en form*) mould; (*i betong*) concrete (*fx* a floor); pour (concrete); *pillarene vil bli støpt på stedet* concrete for the pillars will be poured on the site; ~ *grunnmur* build (*el.* lay) the foundations of a house; ~ *en trapp opp til huset* (*ofte*) build a flight of steps up to the house; *sitte som støpt* fit like a glove.
   støpearbeid concrete work.
   støpe|form mould; US mold. **-gods** castings (*pl*). **-jern** cast iron.
   støper caster, founder.
   støperi foundry.
   støperiindustri foundry (*el.* founding) industry.
   støpeskje casting ladle; *afrikanernes livsstil og tenkesett er i -en* the Africans' way of life and thinking are in the melting pot.
   støpestål cast steel.
   støpning casting, founding; pouring; *av en annen* ~ (*fig*) of a different cast; *heltinner av den* ~ heroines of that cast.

støpsel (*elekt*) plug (*fx* a three-pin plug); *dobbelt-* (plug) adapter.
stør (*fisk*) sturgeon.
størje (*fisk*) tunny.
størkne *vb* (*om sement*) set, harden; (*om blod*) coagulate, congeal.
større (*komp. av stor*) 1. larger, bigger, greater, taller (*,etc; se stor*); 2 (*ganske stor*) largish, biggish, good-sized, fair-sized; considerable (*fx* a considerable number, a c. sum, a c. part of the country); substantial (*fx* amount, figure, sum); big (*fx* business, sum); major (*fx* undergo a m. operation; we are not strong enough to take part in a m. war); large-scale (*fx* investments, military operations); 3. *adv* (=*meget*) much (*fx* he doesn't much care); *av* ~ *betydning* of major importance; *ikke av* ~ *betydning* of no great importance; *bli* ~ (*om person*) grow, grow taller; (*øke*) increase; grow larger; (*om kløft, etc*) widen, be widening (*fx* an ever widening circle; the gap widened); *en* ~ *del av* a large part of, a major p. of; *være født* (*,bestemt*) *til noe* ~ be born (,destined) for higher things; *gjøre* ~ make greater, increase, add to (*fx* this added to my difficulties); *gjøre en* ~ (ɔ: *få til å se* ~ *ut*) make sby look taller, add to sby's height; *en* ~ *kunde* a big (*el.* important) customer; ~ *mengder* (*også*) quantities (*fx* we can deliver q.); *en* ~ *ordre* a large (*el.* substantial *el.* good-sized) order; *en* ~ *remisse* a substantial remittance; *ikke noe* ~ not much; nothing much (*fx* I did not eat much for breakfast; I had nothing much to complain of); *jeg går ikke noe* ~ (ɔ: *ikke så ofte*) *i teatret* T I'm not much of a playgoer; *det er ikke noe* ~ it is no great matter; it is nothing of importance; it is nothing very much; *det er ikke noe* ~ *ved ham* he is not much good; he is not up to much; T he's no great shakes; *uten* ~ *vanskelighet* without much difficulty; *i* ~ *og* ~ *utstrekning* to an ever-increasing extent; *vise* ~ *iver enn noensinne før* be more zealous than ever; redouble one's zeal; *være* ~ *enn* be greater (,larger, *etc*) than; exceed (*fx* the assets exceed the liabilities); be in excess of; (*om antall, også*) outnumber; (*se også stor & størst*).
størrelse 1. size; 2 (*om noe som opptar plass*) bulk (*fx* the b. of the parcel); its large (,small) b.); 3 (*omfang*) extent (*fx* the e. of the damage); volume (*fx* the v. of sales depends on advertising; the v. of exports); 4 (*pengebeløp*) amount (*fx* the a. of my expenses; (*ofte =*) figures (*fx* the f. for the export trade); (*aksjes, pengeseddels*) denomination; 5 (*mat.*) quantity (*fx* a mathematical q.); 6 (*format*) size, format; *av én* ~ of a size; *av middels* ~ medium-sized; *av* ~ *som* (of) the size of, about the size of; *av passende* ~ of a suitable (*el.* reasonable) size; *etter* -n according to size; *i full* ~ (in) full size; *portrett i hel* ~ full-length portrait; *i naturlig* ~ full size (*fx* drawn f. s.), as large as life, life-size; *på* ~ *med* the size of (*fx* it's the size of an egg); *han er omtrent på min* ~ he is about my size; *vi brukte samme* ~ *i skjorte* we took the same size (in) shirts; *jeg bruker* ~ *nr. 6 i hansker* I take sixes in gloves; *sko i* ~ *nr. 5* size five shoes; *stor* ~ (*om klær*) large size, outsize (*fx* outsize jackets, shoes); *en vinkels* ~ the size of an angle.
størrelsesforhold proportions; *tegningen viser ikke de faktiske* ~ the drawing does not indicate the actual proportions.
størrelsesorden size;... *vil dekke kravene til et oppslagsverk i denne* ~ ... will satisfy the requirements of a reference book of this size.
størst *adj* (*se stor*) largest, biggest, greatest, tallest, maximum, maximal; *av den aller -e betydning* of prime (*el.* supreme) importance; *den -e* (*av to*) the larger (,bigger, *etc*); *i den -e fare* in the utmost danger; *den -e forbauselse* intense surprise, the utmost s.; *til hans -e forbauselse* (*også*) to his utter s.; *med den -e fornøyelse* with the greatest pleasure; *med den -e letthet* with the

greatest ease; *den -e interesse* the greatest (*el.* highest *el.* most profound) interest; ~ *mulig* as large (,*etc*) as possible; *i* ~ *mulig utstrekning* to the greatest possible extent; ~ *mulig effektivitet* the maximum of efficiency; (*se også stor & større*).
største|delen: ~ *av* 1 (*med entallssubst*) most of, the greater part of, the major part of, the bulk of (*fx* the population), the better (*el.* best) part of (*fx* his fortune); 2 (*med flertallssubst*) most of, the greater part (*el.* number) of; *for* ~ for the most part, mostly. **-parten:** *se -delen.*
støt push, thrust; (*med hodet*) butt; (*med dolk*) stab; (*ved sammenstøt & fig*) shock, blow; (*av vogn*) jog, jolt; (*elekt*) electric shock; (*vind*) gust, puff; (*i trompet*) blast; *avverge -et* ward off the blow; *korte* ~ (*pl*) (*i tlf*) pips (*fx* the pips go); *langt* ~ (*i fløyte*) prolonged blast; (*se også støyt*).
støtdemper shock absorber.
støte *vb* (*puffe*) push, thrust; (*fornærme*) offend, hurt; (*virke -nde på*) jar on; (*i morter*) pound, pestle; (*om gevær*) kick, recoil; (*om skip*) strike bottom, ground; *bli støtt* be offended, take offence; ~ *an* offend; *bli støtt over noe* take offence at sth; ~ *på* run into, come upon; ~ *sammen* collide; ~ *til* (*uhell, etc*) happen, supervene.
støtende (*fig*) offensive, objectionable; jarring.
støter (*i morter*) pestle.
støtfanger bumper. **støtfanger|arm** bumper arm. **-horn** overrider. **-skinne** bumper bar.
støtpute buffer.
støtsikker (*fx om ur*) shock-proof.
støtstang: *se ventilløfter.*
støtt (*stadig*) always, constantly; (*se II. stø*).
støttann tusk.
I. støtte (*subst*) support, prop; (*søyle*) column, pillar; (*billed-*) statue; (*stiver*) prop, support; *dette har* ~ *i virkelige forhold* this is borne out by actual facts; ~ *til utdanningsformål* education grant; training grant; *trykt med* ~ *fra* printed on a grant from.
II. støtte (*vb*) support, sustain, prop (*el.* shore) up, stay; (*fig*) back up, bear out; ~ *seg på* (*el. til*) lean upon (*el.* against); (*fig*) rely on.
støttebandasje supporting bandage, elasticised b.
støttefag [subsidiary subject for master's degree].
støttehåndtak (*for medpassasjer*) grab handle.
støttelån (*fin*) support loan.
støttepunkt point of support.
støttone (*fon*) glottal catch (*el.* stop).
støttropper (*pl*) shock troops.
støtvis by fits and starts; (*om vind*) in gusts.
støv dust; *hun har* ~ *på hjernen* she's got dust on the brain; *tørke* ~ dust.
støv|bærer, -drager ✿ stamen.
støve (*vb*) raise (the) dust; ~ *av* dust; ~ *opp* track down (*fx* game); ferret out.
støve|klut duster. **-kost** duster, dusting brush.
støvel boot; *høye støvler* (*politi-, militær-*) jackboots; *dø med støvlene på* (*fig*) die in harness; die with one's boots on; *slå ned i støvlene* (*i konkurranse*) T beat hollow, beat all to nothing, beat into a cocked hat, lick.
støver ✿ hound; *en* ~ *til å...* (*fig*) very good at (-ing).
støvet dusty, covered with dust.
støv|frakk dust coat. **-grann** speck of dust, dust particle. **-knapp** ✿ anther. **-lett** ankle boot. **-plage** dust nuisance. **-regn** drizzling rain, drizzle. **-sky** cloud of dust, dust cloud. **-suger** vacuum cleaner. **-tråd** ✿ filament.
støy noise; *lage* ~ make a noise; (*jvf bråk*).
støybegrenser (TV) noise suppressor.
støye (*vb*) make a noise; (*jvf bråke*).
støyende noisy, boisterous; (*se lystighet*).
støyfilter (*elekt*) static filter; reducer.
støykulisse (*teater, film*) sound effects.
støyt (*drikk*) drink; *ta seg en* ~ T have a drink;

ta -en take one's medicine, take the rap (*fx* he let her take the rap); T carry the can; face the music; *jeg har skylden for alt, så nå får jeg ta -en* I'm to blame for everything and I must take what's coming to me; (*se også støt*).

I. stå (*subst*): *gå i* ~ come to a standstill (*fx* matters have come to a s.; the conference came to a s.), break down (*fx* negotiations have broken down), fail (*fx* all our plans have failed); come to a halt (*fx* the advance of the army has come to a halt); (*om urverk, etc*) run down; (*i tale, etc*) T be stuck, get stuck; (*om motor*) stop, fail, stall; T conk out; *ha gått i* ~ be at a standstill; *forhandlingene har gått i* ~ (*også*) (the) negotiations have reached a deadlock; *holde på å gå i* ~ (*også*) flag (*fx* the conversation flags; the whole campaign is flagging); *gå helt i* ~ come to a dead stop.

II. stå *vi* **1.** stand (*fx* I could hardly s.; I have been standing all day); stand up; **2** (*befinne seg, være*) be (*fx* the box is on the table; there is a big tree in front of the house); stand (*fx* in a corner stood a bookcase; the cups s. on the shelf); (*forbundet med «og» + et annet vb*) be (doing sth), stand (doing sth), stand and (do sth) (*fx* he was looking at the church; I stood looking at him; I stood for a while and looked at the building; don't stand there gaping!); (*forbundet med «og» + «skulle» = skulle nettopp til å*) be about to (*fx* we were about to wash up); be on the point of (*fx* I was on the point of leaving for London); **3** (*om slag*) be fought (*fx* the battle was fought here); **4** (*være oppført på liste, etc*) be (*fx* he is not on the list); stand (*fx* he stands first on the list); **5** (*om kort*) be good (*fx* the nine is good); **6** (*for en som skal hoppe bukk*) make a back (*for en* for sby); **7** (*til eksamen*) pass (in) the examination; pass; **8** (*være uvirksom*) be idle (*fx* all the machines are i.), be at a standstill; *en motor som -r* (*flyv*) a dead engine; [*A: forskj. forb.*; *B: forb. med prep & adv*; *C: med «seg»*].

A [*Forskjellige forb*] ~ *alene* stand alone (*fx* no man is strong enough to stand alone); be alone (*fx* I was alone in the world); ~ *anklaget for mord* stand accused of murder; ~ *brud* be married; *når skal bryllupet* ~*?* when is the wedding to be? *den som -r* (*i gjemsel*) the blind man; *det -r at* (*i bok, brev, etc*) it says that; *det -r i avisen at* it says in the paper that; *det -r i avisen* it is in the paper; *det -r ikke noe om det i brevet* there is nothing about it in the letter; *mønstret -r ikke i katalogen* the pattern is not shown in the catalogue; *mitt navn må ikke* ~ *på kassene* my name must not appear on the cases; *et hus hvor det sto «lege» på porten* a house where it said «doctor» on the gate; a h. which had the word doctor on the gate; *hva -r det på skiltet?* what does it say on the signboard? *døra -r ikke hele dagen* T people are in and out all day; *det hele -r og faller med ham* it all depends on him; (*om hovedperson i foretagende, også*) he is the kingpin of the whole undertaking; *det hele -r og faller med været* the success (*fx* of the picnic, *etc*) turns on the weather; *vi -r og faller med hverandre* we stand or fall together; ~ *full* *av* be full of (*fx* the ditch was full of water); be filled with; *kom som du -r og går* come as you are; *de klærne jeg -r og går i* the clothes I stand up in; **la** *noe* ~ let sth stand (*fx* let the bottle s. in the sun); leave sth (*fx* you must not leave your bicycle in the rain); (*ikke stryke ut*) leave sth, keep sth; *la det* ~ leave it; *han lot ordet* ~ (*strøk det ikke ut*) he left the word in; he kept (*el.* retained) the word; *la deigen* ~ *natten over* allow the pastry to rest overnight; ~ *oppreist* stand up; ~ **parat** stand (*el.* be) ready (*til noe* for sth); *hvordan -r* **regnskapet**? (‡‡, *etc*) what's the score (now)? *hans* **rekord** *-r ennå* his record still stands; *hans* **sak** *-r dårlig* (*jur*) he has no case; he hasn't (got) a leg to stand on; *se hvordan sakene -r* see

how matters stand; *slik -r saken* that is how matters stand; *slik som saken nå -r* as things are now; in the present state of things; as the case now stands; as things are (now); as it is; T the way things are; ~ **vakt** stand guard;

B [*Forb. med prep & adv*] ~ **bak** stand behind; (*støtte*) support, back up, stand behind (*fx* the whole nation stands behind the Government); (*være den som trekker i trådene*) be behind (*fx* who is b. this movement?); be at the bottom of (*fx* he is at the b. of all this); *adverbet -r bak verbet* the adverb comes after (*el.* is placed behind) the verb; *firmaet -r* **dårlig** the firm is in a bad way; *han -r dårlig* (*fig*) he is in a weak position; *så det -r etter* with a vengeance; T like anything; ~ **fast** stand firm; (*fig*) stand firm (*el.* fast), be firm; T dig one's toes in; (*se også ndf*: ~ *på sin rett*); ~ **for 1** (*symbolisere*) stand for; **2** (*forestå*) be in charge of (*fx* the arrangement, the house); **3** (*stå i spissen for*) be at the head of; **4** (*vise seg for ens indre*): ~ *for en* be before sby (*fx* his cold eyes are still before me); be present to sby's mind (*fx* the dream is still vividly p. to my mind); haunt sby (*fx* the dreadful spectacle will haunt me as long as I live); **5** (*forekomme*): *det -r for meg at . . .* I seem to remember that . . . ; it seems to me that . . . ; *det sto for meg som den lykkeligste dag i mitt liv* it seemed to me the happiest day of my life; **6** (*motstå*): *han kunne ikke* ~ *for henne* he could not resist her; he fell for her; ~ *for en nøyere undersøkelse* bear a close examination; ~ **foran** *noe* stand in front of sth; (*i tid*) be on the brink of sth (*fx* war); be on the eve of sth (*fx* of a revolution); face (*fx* they are facing a major war); *når det -r vokal foran* when preceded by a vowel; *men hvem vil* ~ **fram** *og si det? . . .* but who will stand up and say so? ~ **fritt** have a free hand; be a free agent (*fx* I am not entirely a free agent; *det -r deg fritt om du vil gjøre det eller ei* you can decide for yourself whether you will do it or not; *la saken* ~ **hen** let the matter stand over; *det spørsmålet må vi la* ~ *hen* we must leave that question open for the present; *om det er sant eller ei, får* ~ *hen* whether it is true or not must remain undecided; *sola -r høyest kl. 12 middag* the sun is highest at noon; ~ **høyt** stand high, be highly developed; *aksjene -r høyt* the shares are at a premium; *deres kultur sto høyt* (*også*) they were at a high level of civilization; ~ *høyt i folks aktelse* stand high in popular esteem; *sola sto høyt på himmelen* the sun was high in the sky; *vannet sto fem fot høyt* the water was five feet deep; ~ **i** (*om kurs*) be at, be quoted at; *kjøpe for 2s. noe som opprinnelig sto i 4s.* buy for 2s. what was originally priced at 4s; (*om penger*: *være investert i*) be (invested) in; (*om gram form*) be in (*fx* the plural); *han har mye å* ~ *i* he is very busy; he has a lot on; he has a great deal to do; he has his hands full; ~ *i med en pike* carry on with a girl; ~ *i veien for en* stand in sby's way; *-r jeg i veien for Dem?* (ɔ: *slik at De ikke kan se*) am I blocking your view? *verbet -r i flertall* the verb is in the plural; ~ **igjen** (*gjenstå*) be left, remain (*fx* how much is there left?); *de varer som -r igjen på tidligere ordrer* the goods left over from previous orders; *de poster som -r igjen* (*ubetalt*) the unpaid (*el.* outstanding) items; the items that remain unpaid; *mye -r igjen* (*fig*) much remains to be done; ~ **imot** resist; *få noe å* ~ *imot med* fortify oneself; *valget -r* **mellom** *A og B* the choice lies between A and B; *interessene sto steilt* **mot** *hverandre* interests were sharply opposed; *påstand -r mot påstand* there is a conflict of evidence; (*to ville ha vinduet lukket, to åpent*), *så der sto de da to mot to* so there they were, two all; . . . *tre mot tre* three (to) two; ~ **ned** *en liten bakke* (*ski*) ski down a short slope; ~ *rett ned en bratt kneik* ski down a steep slope; ~ **opp** (*reise seg*) stand up, get up, rise (to one's feet), get on one's feet; (*av sengen*) get up, rise (*fx* r. with the

sun); get out of bed; *han har ikke -tt opp ennå*
he is not up yet; ~ *opp fra de døde* rise from the
dead; ~ *sent opp* get up late; *(vanemessig)* be a
late riser; *jeg er ikke videre glad i å* ~ *opp tidlig*
I don't like getting up early; T I'm not much of a
one for getting up early; ~ **over** 1 *(overvåke)* stand
over *(fx* if I don't stand over him he does nothing);
2 *(ha en høyere stilling)* be above *(fx* he's above me
in rank), rank above *(fx* a colonel ranks above a
captain); 3 *(være bedre enn)* be superior to; ~
overfor be faced with, be confronted with, face
(fx if we do that we shall have to face another
difficulty); be confronted by *(fx* I am c. by many
difficulties); be faced by *(fx* we are faced by the
necessity of reforming the whole school system);
de vanskeligheter vi -r overfor (også) the difficulties
confronting us; *jeg -r overfor et alvorlig problem*
I am up against a serious problem; *det virkelig
store problem vi -r overfor er at . . . (også)* the
major problem confronting us is that . . . ; *man
må forestille seg at man faktisk -r overfor dette
problemet* one has to imagine oneself actually
faced by this problem; ~ **på** *(vare)* last; *(om radio,
etc)* be on, remain on; *(gå for seg)* be going
on, be proceeding, be in progress; *mens det sto
på* while it lasted; *det -r på ham* it depends on
him; it rests *(el.* lies) with him; *det skal ikke* ~
på 'det never mind about that; that need be no
obstacle; *det skal ikke* ~ *på meg* (ɔ: *jeg skal gjøre
mitt)* I shall not fail to do my share; *han kan ikke*
~ *på det vonde benet sitt* he can't stand *(el.* walk)
on his sore foot; ~ *på hendene* do handstands; ~
som på nåler be on tenterhooks; ~ *på sin rett* in-
sist on one's right(s); stick up for one's right(s);
claim one's right(s); ~ *på sitt* be adamant; T stick
to one's guns; ~ *fast på sitt krav* stand *(el.* hold)
out for one's claim (,demand); stick up for one's
claim (,demand); ~ *på ski ski;* ~ *på spill* be at
stake, be involved; *viseren -r på tre* the hand points
to three; ~ **sammen** stand together; *vi må* ~ *sam-
men* we must stick together; ~ **stille** stand still;
(fig, også) stagnate; *(om kjøretøy)* be stationary, be
at a standstill; ~ **sterkt** be in a strong position; be
on strong ground; *(jur)* have a strong case; ~ **til**
(passe til) go well with, harmonize with; *(m.h.t.
karakter, etc)* stand to get; *han -r til 2,0 (også)*
he has a 2.0 coming to him; *hvis det sto til ham*
if he had his way; *det -r dårlig til med ham* he
is in a bad way; *la det* ~ *til (fig)* take the plunge;
take the risk *(el.* chance); *(være likeglad)* let things
drift *(el.* slide); let matters take their course; *det
-r til Dem å . . .* it is up to you to . . . ; *hvordan -r
det til (med deg)?* how are you? *hvordan -r det til
hjemme?* T how are things at home? *(takk,)
det -r til liv!* *(spøkef)* I'm surviving! I'll survive!
~ **tilbake** *(i utvikling)* be backward; *tilbake
-r den kjensgjerning at* the fact remains that;
ikke ~ *tilbake for noen* be second to none; *veien -r*
under *vann* the road is under water; *beløp som
-r ute* outstanding accounts; *vi kan ikke la disse
beløpene* ~ *ute på ubestemt tid* we cannot allow
these accounts to stand over indefinitely; *varene
har -tt ute i regnvær* the goods have been left out
in the rain; ~ **ved** stand by *(fx* I stand by what I
have said; s. by one's promise); *jeg vil ikke si mer
enn jeg kan* ~ *ved* I don't want to say too much;
  C *[Forb med «seg»]* ~ *seg i konkurransen* stand
one's ground, hold one's own; ~ *seg godt med en* be
on good terms with sby; *kunne* ~ *seg mot en* be a
match for sby; *du kan ikke* ~ *deg mot ham* you are
no match for him; ~ *seg på å . . .* gain by (-ing);
du -r deg på å være overbærende med ham it will
pay you to be patient with him; *man -r seg best
på å . . .* it pays to; *(se uimotsagt).*
  stående standing; *et* ~ *uttrykk* a set phrase;
bli ~ remain standing; *bli* ~ *ubetalt* remain
unpaid; *bli* ~ *ved (bestemme seg for)* decide on,
decide in favour of; *han ble* ~ *ved døra* he stopped
at the door; *(se fot).*
  ståhei T row, hullabaloo; *stor* ~ *for ingenting*
a lot of fuss over a trifle; *(jvf bråk).*

ståk din, noise; fuss; *i -et og lystigheten på
markedsplassen* in the bustling gaiety of the
fairground.
ståke *(vb)* make a noise; bustle, fuss.
ståkort ⚜ winning card, master card.
stål steel; *rustfritt* ~ stainless steel.
stålampe standard lamp, floor lamp; *(mots.
hengelampe)* standing light.
stål|grå steel-grey. **-hjelm** steel helmet; T tin
hat. **-orm** slow worm, slowworm; US blindworm.
-plate steel plate. **-produksjon** steelmaking,
steel production. **-rør** steel tube. **-rørsmøbler**
(pl) tubular steel furniture. **-tråd** (steel) wire.
-trådgjerde wire fence; *sette* ~ *rundt* wire off
(fx a corner of the garden is wired off). **-ull** steel
wool. **-verk** steelworks *(sing).* **-visp** spiral whisk.
ståplass standing place.
subb refuse; waste.
subbe *(vb)* sweep; *(med bena)* shuffle; ~ *inn
penger* rake in money.
subjekt subject; *foreløpig* ~ provisional s.
subjektiv subjective. **-itet** subjectivity.
subjektantyder formal subject; US anticipatory
subject.
sublim sublime.
sublimat sublimate.
sublimere *vb* 1 *(psykol)* sublimate; 2 *(kjem)*
sublime, purify, refine.
subordinasjon subordination.
subordinere *(vb)* subordinate.
subsidier *(pl)* subsidies.
subsidiere *(vb):* ~ *en* subsidize sby.
subsidiær subsidiary; *-t* alternatively.
subskribent subscriber.
subskribere *(vb)* subscribe *(på* to).
subskripsjon subscription.
subskripsjonsinnbydelse prospectus.
subskripsjonsliste list of subscribers.
substans substance.
substansiell substantial.
substantiv noun.
substantivisk substantive, substantival.
substituere *(vb)* substitute.
substitusjon substitution.
substitutt substitute.
substrat substratum.
subtil subtle.
subtrahend subtrahend.
subtrahere *(vb)* subtract.
subtraksjon subtraction.
Sudan the Sudan. **sudaneser** Sudanese.
Suderøyene the Hebrides.
Suezkanalen the Suez Canal.
suffiks suffix.
suffisanse self-importance, arrogance.
suffisant self-important, arrogant.
sufflere *(vb)* prompt.
sufflør prompter.
sufflør|bok promptbook. **-kasse** prompt(er's)
box.
suffløse prompter.
sug suction; *han hadde (el. følte) et* ~ *i magen
(el. mellomgulvet)* he had a sinking feeling; T
he had butterflies in the stomach.
suge *(vb)* suck; *dette har han neppe -t av eget
bryst* surely that wasn't his own idea? he surely
can't have made that up himself; *har du -t
dette av eget bryst?* have you thought of it all by
yourself? ~ *i seg,* ~ *til seg* suck in, absorb; ~ *opp*
suck up; ~ *på labben (fig)* tighten one's belt,
live on nothing; ~ *seg fast* stick on, cling, adhere
(by suction); ~ *seg fast til (om blodigle, etc)*
fasten on to, cling to.
suge|rør suction pipe; *(til drikk)* straw. **-skål**
sucking disc. **-snabel** 🐝 haustellum.
sugg (big) thumping fellow; *(se rusk).*
sugge 🐝 sow; *(fig)* fat, sloppy woman.
suggerere *(vb)* suggestionize; *(ofte =)* hypnotize.
suggestibel suggestible.
suggestion (hypnotic) suggestion.
suggestiv suggestive; compelling; *(stemnings-*

fremkallende) evocative; **-t spørsmål** (*jur*) leading question; (NB suggestive *ofte* = *pornografisk*).

suging sucking, suction.

suite retinue, suite; (*rekke*) suite (*fx* of rooms).

sujett subject, theme.

sukat candied peel.

sukk sigh; *trekke et* ~ heave (*el.* breathe *el.* fetch) a sigh.

sukke (*vb*) sigh; ~ *dypt* fetch a deep sigh; ~ *lettet* heave (*el.* breathe) a sigh of relief; ~ *etter* sigh for.

sukker sugar; *brunt* ~ Demerara sugar, brown sugar; (*se farin & raffinade*).

sukkerbit lump of sugar.

sukkerbrød = sponge cake. **-bunn** sponge cake base. **-deig** sponge cake mixture.

sukkerert ♣ sugar pea.

sukker|holdig sugary, containing sugar, sacchariferous. **-kavring** sweet rusk. **-klype** sugar tongs (*pl*).

sukkerlake syrup; *epler og pærer kokes først i -n og hermetiseres derpå i laken* apples and pears are pre-cooked in syrup, in which they are then bottled; (*jvf saft*).

sukker|raffineri sugar refinery. **-roe** ♣ sugar beet. **-rør** ♣ sugar cane. **-skål** sugar bowl. **-syk** diabetic. **-syke** diabetes. **-søt** sweet as sugar, sugary.

sukkertøy sweets (*pl*); US candy; *et* ~ a sweetmeat, a bonbon, a sweety; (*om «silkepute»*) a cushion.

sukkerunge little darling.

sukle (*vb*) gurgle.

sukre (*vb*) sugar; sweeten (*fx* s. according to taste); ~ *ned* preserve in sugar.

suksesjon succession.

suksess success.

suksessiv successive; ~ *levering* (*merk*) staggered deliveries; (*se levering*).

sulamitten: *hele* ~ S the whole caboodle (*el.* lot).

sulfapreparat sulpha (,US: sulfa) drug.

sulfat sulphate; US sulfate.

sull lullaby.

sulle (*vb*) hum, croon.

sullik good-for-nothing, lay-about.

sult hunger; *magen min skriker av* ~ my stomach is rumbling with hunger.

sultan sultan. **-at** sultanate.

sulte (*vi*) hunger, starve, go hungry; (*vt*) starve; ~ *i hjel* die of starvation; (*med objekt*) starve to death; ~ *seg* starve oneself; ~ *ut* starve out (*fx* a town).

sulte|fore (*vb*) underfeed. **-grense:** *på -n* on the edge of subsistence, close to the subsistence level (*fx* people lived close to the s. l.); (*jvf eksistensminimum*). **-kur** starvation diet.

sultelønn starvation wages; a s. wage.

sulten hungry (*etter* for); ~ *som en skrubb* (as) h. as a hunter; (*se skrubbsulten*).

sultestreik hunger strike.

sum sum; (*beløp*) amount (of money), sum (*fx* spend a large sum (*el.* amount)); figure (*fx* I don't know why we settled on this f.); (*fig*) sum (*fx* the sum of human misery; *den samlede* ~, *hele -men* the (sum) total, the total amount; *han har en pen* ~ *i banken* he has got a nice (little) sum of money in the bank; *en rund* ~ a round sum; *i runde -mer* in lumps (*fx* give away £15,000 in lumps ranging from £500 to £2,000); *selges dags dato for en* ~ *av . . .* (has been) sold (on) this day for the sum of . . .

summarisk (*adj*) summary; (*adv*) summarily.

I. summe (*vb*): ~ *seg* collect oneself.

II. summe (*vb*) buzz, hum, drone; *det -r i hodet på meg* my head is buzzing.

summere (*vb*): ~ *sammen* sum up, add up; T tot up; ~ *sammen regningen* US total up the bill.

summetone (*tlf*) dialling tone; US dial tone.

sump swamp. **-aktig** swampy.

sund (*subst*) sound, strait(s); *fjorden er bare et smalt* ~ the fjord is just a narrow neck of water.

sunn (*frisk*) healthy; (*gagnlig for sunnheten*) wholesome, healthy, salutary, salubrious; *sunt legeme* sound body; *en* ~ *sjel i et sunt legeme* a sound mind in a sound body; ~ *menneskeforstand* common sense; ~ *mat* wholesome food; ~ *luft* healthy air; ~ *fornuft* common sense; *sunt omdømme* sound judgment; *jeg mener det er sunt med mye mosjon* I believe in getting plenty of exercise; (*se også helse & helsebringende*).

sunnhet health; salubrity, wholesomeness; *drikke på ens* ~ drink to sby's health; *strutte av* ~ be bursting with health; (*jvf helse*).

sunnhets-: *se helse-*.

sunnhetsapostel (*spøkef*) health fanatic.

sup (*subst*) sip; drink, nip, swig, shot.

supe (*vb*) imbibe, suck; (*drikke for mye*) tipple; US T hit the booze (*el.* bottle).

supé supper; dinner; evening meal.

superb superb.

superfosfat ♂ superphosphate.

superklok overwise.

superlativ superlative.

supinum (*gram*) (the) supine.

supp|e soup; *et hår i -a* a fly in the ointment; *hele -a* S the whole caboodle.

suppeben napbone.

suppe|blokk (*omtr =*) powder soup. **-boks** tin of soup.

suppedas: *en fin* ~ T a pretty kettle of fish.

suppe|gryte soup pot. **-kjøtt** stewing meat. **-sleiv** soup ladle. **-tallerken** soup plate. **-terrin** (soup) tureen. **-øse** soup ladle.

supple|ant deputy, substitute. **-ment** supplement.

supplements- supplementary.

supplere (*vb*) supplement, eke out; ~ *hverandre* complement each other.

suppleringsvalg by-election.

supplikant petitioner, supplicant.

sur sour, acid; (*om umoden frukt*) sour, sharp; *en* ~ *jobb* a stiff piece of work, a stiff (*el.* gruelling) task; T a tough job; *gjøre livet -t for seg* embitter one's own life; *hun gjorde livet* ~ *for ham* she led him a dog's life; she made life a burden to him; *sette opp -e miner* frown, look surly; *ha -e oppstøt* have an acid stomach, suffer from acidity; *det var et -t eple han måtte bite i* it was a bitter pill he had to swallow; *-t tjent* hard-earned (*fx* h.-e. money).

surdeig leaven; *av samme* ~ (*fig*) tarred with the same brush.

surfacer primer-surfacer.

surhet sourness; acidity.

surkle (*vb*) gurgle. **-lyd** gurgling sound; (*se surkling*).

surkling gurgling (sound); *barnet har en lei* ~ *i brystet* there's a nasty gurgling sound on the child's chest.

surkål (*kan gjengis*) cabbage à la norvégienne; *svinekoteletter m/surkål* (*på meny, kan gjengis*) Pork Chops and Cabbage à la norvégienne.

surl 1. murmur, ripple; 2. buzz, drone (*fx* of voices).

surle (*vb*) 1. murmur, ripple; 2. buzz, drone (*fx* droning voices).

sur|lynt morose, surly. **-maget** (*fig*) cross, surly. **-melk** curdled milk. **-mule** (*vb*) sulk, mope.

surne (*vi*) turn sour, become sour.

I. surr: *det går i* ~ *for meg* I'm getting (all) mixed up; *jeg vil helst betale etter hvert, slik at det ikke går i* ~ I would rather pay when due, to keep things straight; *. . . slik at det ikke går i* ~ *for oss* so (that) we shan't get mixed up; then we shan't get into a muddle; *det gikk i* ~ *for ham med navnene* he got the names (all) mixed up; (*se også II. surr*).

II. surr buzz, hum, whir; *det går i ett* ~ *hele dagen* T we're in a whirl all day; the day passes in a whirl of activity; (*jvf surret(e)*).

I. surre vb (*summe*) hum, buzz, drone, whir; (*i stekepannen*) sizzle.

II. surre (vb) ⚓ (*binde fast med tau*) lash, secure, rope.

surret(e) muddle-headed, scatterbrained; *han har blitt så ~ i det siste* T he's got so scatterbrained lately.

surring ⚓ lashing, roping.

surrogat substitute (*for* for).

sursild pickled herring.

surstoff oxygen. **-holdig** oxygenous.

sursøt sweet-and-sour, sour-sweet (*fx* sauce); (*fig*) subacid (*fx* a s. smile).

surøyd bleary-eyed, rheumy-eyed.

I. sus: *leve i ~ og dus* live in a whirl of pleasures; go the pace; (*især* US) live the life of Riley.

II. sus (*susing*) whistling; (*for ørene*) buzzing (in the ears).

suse (vb) whistle; whizz; (*fare av sted*) tear along, scorch (along); zip (*fx* zip in and out of the gates (in slalom)); *det -r for ørene mine* my ears are buzzing; *det -r i trærne* the wind sighs through (*el.* in) the trees; *i -nde fart* at top speed, at full speed; *la humla ~* T let things slide (*el.* drift).

suset(e) T absent-minded; confused; muddled.

suspekt (*fordektig*) suspicious.

suspendere (vb) suspend.

suspensjon suspension.

suspensorium suspensory bandage.

sut 1. care, concern; 2. whimper, whine.

suter (*fisk*) tench.

sutre (vb) whimper, whine, fret.

sutring whimpering, whining, fretting.

sutt: *se narresmokk.*

sutte (vb) suck (at).

sutur 𝔗 suture.

suvenir: *se souvenir.*

suveren 1. sovereign; 2. S (=*finfin, kjempeflott, etc*) tops, the tops (*fx* he's the tops!); terrific, smashing (*fx* car, girl, *etc*).

suverenitet sovereignty; (*se oppgi; oppgivelse*).

sva: *se svaberg.*

svaber swab.

svaberg bare rock-face, slope of naked rock.

svabergast swabber.

svabre (vb) swab down, swab.

svada claptrap, fustian; T hot air.

svai 1 (*poet:* smekker, bøyelig) lissom(e), pliable, willowy); 2. sway-backed; hollow-backed; (*om hest*) long-backed; *~ rygg* hollow back; 𝔗 lordosis.

svaie (vb) 1 (*bøye seg*) sway (*fx* the trees were swaying in the wind); bend, swing; (*sterkt*) tossing (*fx* trees); 2 ⚓ swing (*fx* at anchor); *~ med hoftene når man går* swing the hips in walking; walk with a swaying gait.

svairygget sway-backed; hollow-backed; (*om hest*) long-backed.

svak weak; (*i høyere grad*) feeble; (*ubetydelig*) faint, slight; (*om drikk*) weak; *~ farge* (,*lys, lyd*) faint colour (,light, sound); *~ helbred* delicate health; *et -t håp* a faint hope; *det -e kjønn* the weaker sex; *en ~ støy* a slight noise; *stå på -e føtter* be weak, be feeble, be in a precarious state; *jeg kjenner hans -e sider* I know his weak points; *~ i* weak at (*el.* in) (*fx* he is weak in maths); (*se utarbeidelse*).

svakelig sickly, infirm, delicate.

svakelighet weakliness, delicate (state of) health, infirmity.

svakhet (*legemlig & åndelig*) weakness, feebleness, infirmity; (*svake punkt*) weakness, weak point; *ha en ~ for* have a weakness for (*fx* a person, strawberries); have a liking (*el.* fondness) for.

svakstrøm low current, low voltage, low power.

svakstrøms- low-power (*fx* vibrator); communication (*fx* c. engineer); electronic (*fx* engineer, technique).

svaksynt weak-sighted.

I. sval (*subst*) hall, hallway; (external) gallery.

II. sval (*adj*) cool.

I. svale 🐦 (*subst*) swallow; *én ~ gjør ingen sommer* one swallow does not make a summer.

II. svale vb (*kjøle*) cool.

svaledrikk cooling draught.

sval|gang: *se I. sval.* **-het** coolness.

svalne (vi) become cool.

svamp sponge; *han drikker som en ~* he drinks like a fish.

svampaktig spongy.

svampet spongy.

svane 🐦 swan. **-fjær** swan's feather. **-hals** swan's neck; (*fig*) swan-like neck. **-sang** (*fig*) swan song. **-unge** young swan, cygnet.

svange (*på dyr*) flank.

svanger pregnant. **-skap** pregnancy.

svangerskaps|avbrytelse induced abortion; *ulovlig ~* criminal abortion. **-periode** pregnancy, period of gestation. **-tegn** symptom of pregnancy.

svans tail.

svar answer; (*gjensvar*) reply; (*gjenklang, etterkommelse av bønn, etc*) response; *skarpt ~* retort; *et bekreftende* (,*benektende*) *~* an affirmative (,negative) answer; *~ betalt* reply prepaid; *~ utbes* r.s.v.p (*fk.f.* répondez s'il vous plaît); *få ~* receive (*el.* have) an answer (*el.* a reply); *som man roper i skogen, får man ~* one gets the answer one deserves; *gi en et ~* answer sby, give sby an answer, make a reply to sby, reply to sby; *gi en ~ på et spørsmål* answer sby's question; *reply to sby's q.; vi imøteser Deres snarlige ~* we look forward to (receiving) an early reply from you; we await your early reply; *når kan vi vente ~?* when may we expect a reply? *som ~ in* reply; *som ~ på* in reply to; in answer to; (*på anmodning, etc*) in response to (*fx* in r. to your request for information); *som ~ på Deres brev kan vi meddele at* . . . in reply to your letter we would (*el.* are able to) inform you that . . . ; *som ~ på Deres forespørsel meddeles at* . . . in reply to your inquiry, we are able to inform you (*el.* we wish to say) that . . . ; *jeg fikk til ~ at* I received (*el.* got) the reply that; (*se bindende*).

svar|brev letter of reply. **-brevkort** reply postcard, prepaid (*el.* reply-paid) p.

I. svare (vb) answer, reply; respond; (*jvf svar*); *~ toll* pay duty; *~ en answer* sby, reply to sby; *~ bekreftende* (,*benektende*) *på noe* return an affirmative (,negative) reply to sth; *han svarte ikke et ord* he did not say a word in reply; *det -r seg ikke* it does not pay; it is not worth while; *~ skarpt* answer sharply; *svar tydelig!* answer up! *~ unnvikende* give an evasive answer (*el.* reply); *~ for* (*garantere for*) answer for; be answerable for; *~ på et spørsmål* answer; reply to a question; *svar på mitt spørsmål!* answer my question! *~ til* correspond to (*fx* the sample), be equal to, be up to (the quality of) (*fx* the sample); meet (*fx* we hope the goods will m. your expectations); *~ til en beskrivelse* answer to a description; *et pund -r til ca. 20 kroner* a pound is equal to about 20 kroner; (*se plent*).

II. svare (*adj*): *et ~ strev* a tough job, heavy going.

svar|signal reply signal. **-skriv** reply.

svart (*sort*) black; (*skitten*) dirty; *ha noe ~ på hvitt* have sth in black and white.

svartaktig blackish.

svartale reply; (*som imøtegår noe*) rejoinder; (*som svar på takketale, fx:*) *i sin ~ takket tillitsmannen og uttalte* . . . returning thanks, the shop steward said . . .

svartalv (*myt.*) malignant elf.

svarte|bok book of magic. **-børs** black market. **-børshai** black marketeer. **-børshandel** black marketeering, black-market transactions.

svartedauden the Black Death.

Svartehavet the Black Sea.

svartekunst black magic, necromancy.

svartekunstner necromancer, sorcerer.

svartelegram telegraphic reply, reply (telegram).

svarte|liste black list. **-marja** Black Maria; US (*også*) paddy wagon.

svarteper ♣ black man.

svart|farget dyed black. **-hå** ⚓ spinax. **-hålke** black ice. **-håret** black-haired. **-kledd** (dressed) in black.

svartkopp [a cup of black coffee laced with spirits]; = cup of laced coffee.

svartkritt black chalk.

svartne (*vb*) blacken, grow dark; *det -t for øynene på meg* everything went black.

svart|or ⚘ black alder. **-trost** ⚓ blackbird.

sveis 1 (*godt lag*) knack; *ha en egen ~ med noe* have a way with sth; **2** (*hår-*): *så fin ~ du har!* your hair is looking very smart! **3** (*skjøt*) weld, welded joint.

sveisbar weldable.

sveise (*vb*) weld; *han prøvde å ~ sitt folk sammen til en nasjonal enhet* he tried to fuse his people into a national unit (*el.* into one nation).

sveisen chic, stylish, smart.

sveiser 1. dairyman; 2. welder.

sveising welding.

Sveits Switzerland.

sveitser Swiss. **-hytte** chalet, Swiss cottage. **-ost** Swiss cheese, Emmentaler, Gruyère.

sveitsisk Swiss.

I. sveiv (*på sel*) flipper.

II. sveiv (*tekn*) crank, crank handle; (starting) handle.

sveive (*vb*) crank (up).

svekke (*vb*) weaken, enfeeble; impair (*fx* his health (,our credit) has been impaired); pull down (*fx* an attack of fever soon pulls you down); *sykdommen har -t ham* his illness has left him weak; (*se sjelsevne & ta C: ~ på*).

svekkelse weakening; impairment.

svekling weakling.

svelg (*strupe*) throat, gullet; (*avgrunn*) abyss; (*slurk*) gulp.

svelge (*vb*) swallow; *~ sin stolthet* pocket one's pride; *~ i* revel in, wallow in; *hun -t tappert* (ɔ: *forsøkte å la være å gråte*) she choked (*el.* gulped) back her tears bravely.

svelle (*vb*) swell; *~ ut* bulge, swell out.

svenn (*håndverkssvenn*) journeyman (*fx* a j. carpenter).

svenneprøve journeyman's test.

svensk Swedish.

svenske Swede.

svepe whip. **-slag** lash of a whip. **-snert** whiplash.

sverd sword; *kvesse sitt ~* (*fig*) sharpen one's sword.

sverd|fisk ⚓ swordfish. **-lilje** ⚘ iris, flag (flower). **-slag** sword blow; *uten ~* (*fig*) without striking a blow, without firing a shot.

sverge (*vb*) swear; *~ falsk* perjure oneself; commit perjury; *~ på* swear to; *~ ved alt som er hellig* swear by all that's holy; *svorne fiender* sworn enemies.

Sverige Sweden.

sverm swarm; (*av mennesker, også*) crowd.

sverme (*vb*) swarm; *~ for* T be crazy about; have a crush (*el.* pash) on; be gone on (*fx* sby).

svermer 1. dreamer; 2. ⚓ hawkmoth.

svermeri 1 (*forelskelse*) infatuation; T crush, pash; (*personen*) flame (*fx* my old f.); **2** (*rel*) fanaticism.

svermerisk 1. romantic (*fx* a r. young girl); 2 (*upraktisk*) visionary (*fx* ideas, schemes).

I. sverte (*subst*) blacking.

II. sverte (*vb*) blacken; (*fig*) blacken, run down; T smear.

svett (*adj*) sweaty; *bli ~* begin to sweat; T get into a sweat; *han var drivende ~* he was running with sweat; T he was all of a sweat; (*se også I. svette*).

I. svette (*subst*) perspiration, sweat; *være badet i ~* be bathed in perspiration, be perspiring

all over, be in a sweat; T sweat like a pig; be all of a sweat.

II. svette (*vb*) perspire, sweat; *~ blod* sweat blood; *~ sterkt* perspire profusely; be streaming with perspiration; (*jvf I. svette*); *~ av angst* sweat with fear; *~ ut* (*en forkjølelse*) sweat out a cold; *du må ~ ut* you must sweat it out.

svettedrivende sudorific.

svettedråpe drop of perspiration.

svette|lukt sweaty smell. **-re(i)m** (*på hatt*) sweatband. **-tokt** attack of sweating; sweat (*fx* a good s. often cures a cold).

svev (*skihoppers*) flight; jump; *gjennom hele -et* all through the jump; *når en hopper først er i -et* once a jumper is airborne; (*se avslutning*).

I. sveve ⚘ hawkweed.

II. sveve (*vb*) hover, float; (*gli*) glide; *~ mellom liv og død* be hovering between life and death; (*se sky & sfære*).

svevebåt hovercraft.

svevende 1. floating, hovering; 2 (*usikker*) vague, uncertain.

svi 1 (*vt*) burn, singe, scorch; 2 (*vi*) smart, suffer; *han får ~ for det en dag* he'll be the worse for it some day; one fine day he'll have to pay for it; *dette skal han få ~ for!* he's going to pay for this! I'll see that he pays for it! he shall catch it from me! I'll let him have it! *dette skulle han få ~ for!* he was going to (have to) pay for this! *han måtte ~ for det* (*også*) he was left to foot the bill; S he was left holding the baby; he had to take the rap; *det kommer han til å måtte ~ for* the consequences will be unpleasant for him; T he will get it in the neck for that; *grønnsakene har -dd seg* the vegetables have stuck to the pan; *kjøttet er -dd* the meet is burnt; *melken har -dd seg* the milk has caught; *røyken begynte å ~ ham i øynene* the smoke began to sting his eyes; *~ av et hus* burn a house down; (*se også sviende*).

svibel ⚘ hyacinth.

svibrent: *~ meg!* (*når man leker gjemsel*) I'm home!

svie (*subst*) smarting, (*el.* stinging) pain; *erstatning for tort og ~* damages for pain and suffering.

sviende scorching, biting; (*fig*) biting, pungent, scathing; *en ~ fornemmelse* a smart sensation; *~ hån* biting (*el.* scathing) sarcasm; *et ~ slag over fingrene* a smart rap over (*el.* on) the knuckles; (*se også svi & svie*).

sviger|datter daughter-in-law. **-far** father-in-law. **-foreldre** parents-in-law. **-inne** sister-in-law.

svik fraud, deceit. **-aktig** fraudulent, deceitful; *handle ~* (*jur*) act with intent to defraud. **-aktighet** fraudulence, deceitfulness; (*jur*) fraud.

svike (*vb*) deceive, disappoint; *~ sitt fedreland* betray one's country; *~ sitt ord* break one's word.

svikt 1 (*mangel*) shortage, deficiency; **2** (*underskudd*) deficit; **3** (*svakhet*) weakness; lapse (*fx* a l. of memory); **4** (*det at noe skuffer; om tilførsler, etc: blir borte*) failure (*fx* the f. of the anti-aircraft defences; the f. of the coal supply; the f. of the spring rains); *-en i tilførslene* the failure in supplies; *-en i stålleveransene* the shortfall in steel deliveries; *vi kan godt forstå at dette må ha betydd en ~ i Deres omsetning* we can quite understand that this must have caused a gap in your business.

svikte (*vi*) fail, be wanting; be absent; (*vt*) fail, forsake, abandon, desert, disappoint; *~ sin plikt* fail in one's duty; *motoren -t* the engine failed (*el.* stalled *el.* cut out); T the e. packed up; *motoren har -t* (*flyv*) (*også*) the engine is out of action; *motet -t ham* his courage deserted him; (*se også åndsnærværelse*).

sviktende (*se svikte*) failing (*fx* eyesight, memory); *~ helbred* failing health (*fx* he has been in f. h. for some time); *hans ~ hukommelse* his weak (*el.* failing) memory; *~ priser* declining (*el.* receding) prices; *aldri ~* never-failing (*fx* kindness); **unflagging** (*fx* energy, interest, strength); **unremitting** (*fx* attention); *med aldri* ~ *iver* with **unfailing** (*el.* unflagging *el.* unremitting) zeal; *på* ~ *grunnlag* on an unsound basis, on insufficient grounds; *saken ble reist på* ~ *grunnlag* the matter was raised on a shaky basis (*el.* foundation).

svill 1 (*jernb*) sleeper; 2 (*tømmermannsuttrykk*) sill, ground beam.

svime: *i* ~ unconscious; *slå i* ~ knock unconscious, knock out.

svime (*vi*): ~ *av* faint.

svimle (*vi*) be dizzy (*el.* giddy); *det -r for meg* I feel dizzy; my head is swimming.

svimlende dizzy, giddy; ~ *fjelltopper* dizzy peaks (*fx* on all sides d. peaks were visible); *en* ~ *sum* a staggering sum.

svimmel dizzy, giddy; *bli* ~ turn dizzy.

svimmelhet dizziness, giddiness.

svin hog, swine, pig; (*fig*) dirty beast; *ha sine* ~ *på skogen* (*fig*) have an axe to grind; feather one's own nest; *han har nok også sine* ~ *på skogen* he is probably one of those who have an axe to grind; *kaste perler for* ~ throw pearls before swine.

svinaktig (*adv*) terribly, awfully.

svindel swindle.

svindelforetagende swindle; S ramp; *organisere et* ~ (*også*) work a racket.

svindle (*vb*) swindle.

svindler swindler.

svine (*vb*): ~ *til* dirty, make dirty, soil.

svinebinde (*vb*) hog-tie, bind hand and foot.

svine|be(i)st pig. **-blære** hog's bladder. **-bust** pig's bristles. **-fett** pork fat, lard. **-heldig:** *han er riktig* ~ T he's a lucky dog. **-hell** stroke of good luck. **-kjøtt** pork. **-lever** pig's liver. **-lær** pigskin. **-pels** filthy person; dirty dog; swine.

svineri swinishness, filthiness; smut; (T: *noe som ergrer en*) annoyance, nuisance; *det er noe* ~ T it's a damn nuisance.

sving 1 (*vei-*) bend, curve, turn; *i en* ~ on a bend (*fx* on a left-hand b.), on (*el.* in) a curve; *en* ~ *i veien* a turn in (*el.* of) the road; *motorsyklisten falt av i -en* the motor-cyclist came off in (*el.* on) the bend (*el.* corner); *veien gjør en* ~ *på seg* the road makes a turn; *der hvor veien gjør en* ~ (*også*) where the road bends; *veien gjør en brå* ~ the r. turns sharply (*el.* takes a sharp turn); *greie en* ~ (*om bilist*) negotiate (*el.* take) a corner; *take a turning* (*fx* he took the t. at full speed); (*også om skiløper*) hold the bend; *han tok -en for fort* he rounded the corner too fast, he came round the c. too fast; 2. trip (*fx* he took a trip over to the table); 3 (*gang*) swing (*fx* in full s.); *i* ~ going, working; active; in the swing of things (*fx* in no time at all we were in the s. of things); *få* ~ *på*, *komme i* ~ get started; *få* ~ *på stilene hans* improve the style of his essays; polish up his e.; (*gjøre dem livligere*) T ginger up his e.; *sette noe i* ~ get (*el.* set) sth going, start sth; *sette fantasien i* ~ appeal to the imagination; set one's i. going; 4 (*stil*) form, style; 5: *se sleng*.

svingarm steering arm.

svingbru swing bridge.

svingdør swing door; (*som går rundt*) revolving door.

svinge (*vb*) 1. swing, wave; brandish (*fx* a sword); 2 (*som en pendel*) swing (*fx* the lamp swung to and fro); 3 (*omkring en tapp, etc*) swing, swivel, pivot; 4 (*forandre retning*) swing (*fx* the boat swung round; the car swung into the market place); turn off (*fx* he turned off to the right); (*om vei*) bend, curve (*fx* the road curves to the right); 5 (*om priser, etc*) fluctuate; *der hvor veien -r* where the road bends; *jeg svingte inn i Regent Street* I turned into (*el.* down) R.S.; *han svingte inn i en sidegate* he turned down a side street; *bilen svingte inn på gårdsplassen* the car turned into the courtyard; ~ *inn på en smal*

vei turn down a narrow road; ~ *med noe* swing sth; wave sth; (*især truende el. triumferende*) brandish; ~ *om hjørnet* turn the corner; ~ *opp foran huset* pull up in front of the house; ~ *rundt* swing round, turn round; (*plutselig el. voldsomt*) spin round; ~ *seg* (*danse*) dance; T shake a leg; ~ *seg fra gren til gren* swing from branch to branch; ~ *seg i dansen* dance; foot it; ~ *seg i salen* vault into the saddle; ~ *seg opp* get on (in the world), rise (in the world); ~ *seg opp på muren* swing oneself on to (the top of) the wall; ~ *seg opp til* attain (*fx* he attained the rank of colonel); rise to the position of (*fx* manager).

sving|hjul flywheel. **-kraft** *fys* (*kraftpar*) couple. **-kran** rotary crane, swing crane.

svingning swinging; swing, vibration; oscillation; (*pris-, etc*) fluctuation, variation; (*dreining*) turn (*fx* a t. to the left).

svingom dance; *få seg en* ~ T shake a leg.

svingstang (*gym*) horizontal bar; (*jvf skranke*).

svingstol swivel chair.

svingtapp pivot, trunnion.

svingteknikk (*ski*) turning technique.

svinn shrinking, waste, wastage; (*vekttap*) loss in weight.

svinne *vb* (*forsvinne*) vanish; (*forminskes*) dwindle, shrink; ~ *hen* fade away.

svinse (*vb*): ~ *omkring* bustle (about), scuttle about.

svinsk filthy (*fx* room, habits); smutty (*fx* story, talk).

svint quick, swift.

svipptur trip, flying visit, short visit; *ta en* ~ *til* pay a short visit to, run across to.

svir boozing.

svire (*vb*) booze; (*lett glds*) carouse.

svire|bror toper; T boozer; *hans svirebrødre* his drinking companions. **-lag** drinking bout; (*lett glds*) carousal.

svirre (*vb*) whir(r), buzz, whiz; *det -r med rykter* the air is thick with rumours.

sviske ♣ prune.

svoger brother-in-law.

svogerskap affinity, relationship by marriage.

svolk switch, stick; (*pryl*) beating, thrashing.

svolke (*vb*) beat, thrash, lick.

svor(d) (*fleske-*) (bacon) rind; (*stekt*) crackling.

svovel sulphur; US sulfur.

svovelaktig sulphurous; US sulfurous.

svovel|fri free from sulphur (,US: sulfur). **-holdig** sulphurous; US sulfurous. **-jern** ferrous sulphide (,US: sulfide).

svovelkis pyrite.

svovelpredikant fire-and-brimstone preacher.

svovelsur sulphuric; *-t salt* sulphate; US sulfate.

svovel|syre sulphuric acid. **-vannstoff** hydrogen sulphide (,US: sulfide).

svovle (*vb*) sulphur, treat with sulphur (,US: sulfur).

I. **svull:** *se issvull*.

II. **svull** swelling.

svullen swelled, swollen.

svulme (*vb*) swell; ~ *opp* swell (out); ~ *av stolthet* swell with pride.

svulmende swelling, full; *hennes* ~ *barm* her swelling (*el.* full) bosom; the full curves of her bosom.

svulst (*sykelig hevelse*) tumour; US tumor.

svulstig bombastic, high-flown, turgid.

svulstighet (*oppstyltet tale*) bombast, turgidity.

svær (*adj*) heavy, ponderous; (*om person*) big, huge; (*fig*) hard, difficult; ~ *sjø* a heavy sea; *-e tap* heavy losses; *-t tømmer* massive timber; *han er* ~ *til å lese* (,*snakke, etc*) he is a great reader (,talker, *etc*); *det var -t!* well, I never! can you beat it! (*se også svært*).

svært (*adv*) extremely, very; ~ *mye* very much; ~ *overdrevet* greatly exaggerated.

sværvekt heavyweight.

svøm: *legge på* ~ start swimming.

svøm|me (*vb*) swim; *hun -te i tårer* she was bathed in tears; ~ *i blod* welter in blood.

svømme|basseng swimming pool. **-belte** swimming belt. **-blære** (*hos fisk*) swimming bladder, sound. **-dyktig** able to swim. **-finne** fin. **-fot** webbed foot. **-fugl** web-footed bird. **-føtter** (*dykkers*) frogman's feet, (underwater) flippers. **-hall** (indoor) swimming pool. **-hette** (*bade-*) bathing cap. **-hud** web; *med* ~ webbed. **-lærer** swimming instructor.

svømmer swimmer.

svømme|tak stroke (in swimming), swimming stroke. **-tur** swim (*fx* have (*el.* go for) a swim).

svøp (*glds*) swaddling clothes.

I. svøpe (*subst*) scourge, whip.

II. svøpe *vb* (*glds: om barn*) swaddle; (*om en hvilken som helst gjenstand*) wrap; ~ *inn* wrap up.

sy (*vb*) sew; ~ *en kjole* make a dress; ~ *i en knapp* sew on a button; ~ *igjen et hull* sew up a hole, mend (*el.* darn) a hole; ~ *om en kjole* alter a dress.

syatelier dressmaker's shop.

sybaritt sybarite. **-isk** sybaritic.

sybord worktable.

syd south; *i* ~ in the south; *S-en* the South; (*i Europa*) the Mediterranean countries; (*se sør-*).

sydame (*kjolesyerske*) dressmaker.

syde (*vb*) seethe, boil.

sydfrukter (*pl*) tropical fruits.

sydlandsk southern.

sydlending southerner.

sydlig: *se sørlig.*

Sydpolen the South Pole.

sydpolskalotten the icecap of the South Pole.

sydvest ⚓ 1 (*hodeplagg*) sou'wester; 2. *se sørvest.*

syerske (*på fabrikk*) sewer, (sewing) machinist; seamstress; (*jvf sydame*).

syk (*som predikatsord*) ill; (*foran subst*) sick (*fx* a sick man); (*om legemsdel, etc*) diseased, disordered (*fx* liver, imagination); (*om legemsdel, også*) T bad (*fx* my bad foot); ~ *på legeme og sjel* diseased in body and mind; ~ *på sinnet* mentally ill; *han er* ~ *på sinnet* (*også*) his mind is diseased; *-e* sick people; *en* ~ a sick person, a patient; *bli* ~ be taken ill, fall ill, become (*el.* get) ill; *hun ble alvorlig* ~ *av det* it made her seriously (*el.* very) ill; *ligge* ~ be ill in bed.

sykdom illness; disease; (*se svekke*).

sykdomsbilde clinical picture, pathological p., syndrome.

syke: *se sykdom; engelsk* ~ rickets (NB *entall*).

syke|attest medical certificate. **-besøk** visit to a patient; (*leges el. prests*) sick call; call (*fx* the doctor is out on his calls); (*om lege, også*) rounds (*fx* the doctor is out on his rounds); *legen er ute i et* ~ the doctor is out on a case (*el.* call). **-behandling** medical treatment. **-bil** ambulance. **-dager** (*i statistikk*): ~ *og sykdomstilfellenes gjennomsnittlige varighet* number of days off sick (*el.* number of days absent through illness) and average duration of absence. **-gymnast** physiotherapist. **-hus** hospital. **-husbehandling** hospital treatment. **-husopphold:** *han får et lengre* ~ he will be in hospital for some considerable time. **-journal** case record; (*den enkelte pasients*) case sheet; medical record (card).

sykekasse sickness insurance fund (‚US: plan); sickness insurance scheme; sick benefit association, health insurance society; (*i England siden 1946*) National Health Insurance; *stå i* ~ be a member of the National Health Insurance; *han står ikke i noen* ~ he does not contribute to any sickness insurance fund; *tannbehandling dekkes bare delvis av -n* the insurance scheme covers only part of the cost of dental treatment.

sykekasselege (*i England*) panel doctor; *liste over* ~ panel.

sykeleie sickbed; *etter flere måneders* ~ after several months of illness.

sykelig 1. sickly; 2 (*abnorm*) morbid.

sykelighet 1. sickliness; ill-health; 2. morbidity.

syke|liste sick list. **-passer** male nurse; (*soldat*) hospital orderly. **-penger** sickness benefit; (*fra arbeidsgiver*) sick pay; *han fikk kr. 25.- pr. dag i* ~ he received sickness b. to the amount of kr. 25.- a day. **-permisjon** sick leave (*fx* he is on s. l.). **-pleie** nursing. **-pleieelev** student nurse. **-pleier** (male) nurse. **-pleierske** nurse; (*fagl*) trained nurse; US graduate nurse. **-sal** ward. **-stue** ward.

sykkel bicycle; T bike; S grid. **-slange** bicycle inner tube. **-styre** handlebars (*pl*). **-tur** (bicycle) ride; run, spin (*fx* he went for a spin on his b.); (*lengre*) cycle tour, cycling tour.

sykle (*vb*) cycle, bicycle; T bike.

syklist cyclist.

syklon cyclone.

syklus cycle.

sykmelde (*vb*) report sick; ~ *seg* report oneself sick; (*se sykmeldt*).

sykmelding report that one is ill; excuse on account of illness; (*se sykeattest*).

sykmeldt reported sick (*fx* he is r. s.), off sick; *han er* ~ *p.g.a. influensa* he's off with flu.

sykne (*vi*) sicken; ~ *hen* waste away; (*om planter*) droop, wilt.

sykofant sycophant.

sykurv workbasket.

syl awl.

sylfide sylph.

sylinder cylinder. **-blokk** cylinder block. **-deksel** c. cover. **-diameter** bore. **-foring** c. liner, c. lining (*el.* sleeve); (*se bore*). **-formet** cylindrical. **-volum** cylinder volume (*el.* capacity), cubic capacity, piston displacement.

sylindrisk cylindric.

syllogisme syllogism.

sylspiss (*adj*) pointed, sharply pointed.

I. sylte *subst* (*persesylte*) mock brawn, head cheese, collared head.

II. sylte (*vb*) preserve (with sugar), make jam; (*legge ned i eddik*) pickle (in vinegar); *1 dl hakket, -t appelsinskall* 2 oz. chopped, candied orange peel; *10 -de røde kirsebær* 10 red glacé cherries; (*jvf hermetisere*).

syltelabber (*pl*) boiled pig's trotters.

syltesukker = granulated sugar; T jamming sugar.

syltetøy jam; *koke* ~ make jam; (*jvf hermetisering*).

syltetøy|glass preserving (*el.* bottling) jar, jam jar (*el.* pot); ~ *med skrulokk* screwtop jar. **-skål** jam dish. **-snitter** (*pl*) Vienna fingers.

symaskin sewing machine.

symbol symbol.

symbolikk symbolism.

symbolisere (*vb*) symbolize.

symbolsk symbolic.

symfoni symphony.

symfonisk symphonic.

symmetri symmetry.

symmetrisk symmetrical.

sympati sympathy; *-er og antipatier* likes and dislikes.

sympatisere (*vb*) sympathize (*med* with); *de som -r med ham* his sympathizers.

sympatisk sympathetic; nice, likeable; *han virker* ~ he seems a nice person (*el.* man), he looks a likeable person; T he seems a decent sort.

sympatistreik sympathy strike.

sympatiuttalelse expression of sympathy.

symptom symptom.

symre ⚘ anemone.

syn 1. sight, eyesight; (*noe man ser eller betrakter*) sight, spectacle (*fx* the poor, drunken old man was a sad s.); 2 (*innbilt syn*) apparition; vision; 3 (*anskuelse*) view(s), opinion, outlook; *fremlegge sitt* ~ *på en klar måte* present one's views lucidly (*el.* clearly); *mitt* ~ *på saken* my view of the matter; T the way I look at it; *vi har samme* ~ *på saken* we take the same view of the matter; we see eye to eye; *jeg har samme*

~ *på saken som du* (*også*) I see eye to eye with you; *vi har ikke samme* ~ *på saken* (*også*) we don't see eye to eye; *ha skarpt* ~ *be sharp -sighted;* **komme til** *-e* appear, come in(to) view, come in sight; *papiret var flere steder blitt revet slik at innholdet kom til -e* the paper had been torn in several places, so that the contents were visible; *komme sterkt til -e* (*fig*) be strongly in evidence; *komme til -e igjen* reappear; *miste -et* lose one's (eye)sight; *tape av -e* lose sight of; *tap* (*el. slipp*) *ham ikke av -e* don't let him out of your sight; *Glitretind hadde vi snart tapt av -e* G. soon dropped out of sight; *for -s skyld* for the sake of appearances; T for the look of the thing; *ute av -e* out of sight; *ved -et av* at the sight of.

synagoge synagogue.

synd sin; *det er* ~ (*ergerlig, etc*) it is a pity; *det er* ~ *på ham* he is to be pitied; I am sorry for him; T it's hard lines on him; it's tough on him; *ikke la en dø i -en* not let sby off too easily; *han skal ikke få dø i -en* he won't get away with it; he has not heard the last of it yet; *det er* ~ *å si at han er doven* it would be wrong to say (*el.* one can hardly say) that he is lazy; I'll say this for him: he isn't lazy.

synde (*vb*) sin.

synde|bukk scapegoat. **-fall** fall of man.

syndefull sinful.

synder sinner.

synderegister list of (one's) sins.

synderinne (female) sinner.

synderlig (*adj*) particular; (*adv*) particularly; *ikke* ~ not particularly.

syndflod deluge, flood.

syndfri free from sin, sinless.

syndig sinful, guilty; *holde et* ~ *leven* make an infernal racket; (*jvf bråk & leven*).

syndighet sinfulness.

syndikal|isme syndicalism. **-ist** syndicalist. **-istisk** syndicalistic.

syndikat syndicate.

syndsbekjennelse confession (of sins).

syndserkjennelse consciousness (*el.* realization) of guilt (*el.* sin).

syndsforlatelse remission of sins, absolution.

synes (*vb*) **1** (*kunne ses*) be visible; show (*fx* the stain hardly shows); ~ *det godt?* is it very noticeable? does it notice (much)? does it show (much)? is it conspicuous? **2** (*forekomme, se ut*) seem, appear; (*etter tonefallet å dømme, også*) sound (*fx* he sounded quite offended); (*etter utseendet å dømme, også*) look (*fx* she looks quite pleased); **3** (*like*) like (*fx* do as you like (*el.* please)); **4** (*tro, innbille seg*) fancy, imagine; **5** (*mene*) think (*fx* I think it's wrong; I thought I ought to warn him); *jeg* ~ *at* I think that; I find that; I consider that; it seems to me that; it strikes me that; *jeg er så glad for at dere* ~ *dere kan ha meg med* (*på turen*) (*også*) I'm so glad you think I'll fit in; *jeg* ~ *det* I think so; *jeg* ~ *hun er pen* I think she is pretty; I find her pretty; to my mind she is pretty; *jeg* ~ *nesten* I rather think (*fx* I r. t. you ought to do it); *jeg* ~ (*nesten*) *jeg må nevne at . . .* I feel bound to mention that . . . ; *jeg* ~ *å ha hørt det før* I seem to have heard it before; *jeg* ~ *å huske at jeg har truffet ham* I seem to remember having met him; *jeg syntes jeg hørte noe* I seemed to hear sth; ~ *De engelsk er et lett språk?* do you consider that English is an easy language? do you call E. an easy l.? *de syntes dette var et meget beskjedent ønske* they found this to be a very modest request; *hva* ~ *De?* what do you think? *hvis han* ~ *det* if he thinks so; (*o: bryr seg om det*) if he likes; (*ja*) *hvis De* ~ *det* if you like; ~ *De vel?* don't you agree? *gjør som De* ~ (*med den saken*) do as you like; do just as you think best in the matter; use your own discretion in the matter; *det* ~ *ganske klart at* it seems quite clear that; *det* ~ *umulig* it seems (*el.* appears) impossible; *det* ~ *å foreligge en eller annen feil* there seems (*el.* appears) to be some

mistake; *kassene* ~ *å være i god stand* the cases are apparently (*el.* seem to be) in good order; *det* ~ *som om* it seems as if, it looks as though (*el.* if); ~ '*om* (*o: like*) like, have a liking for; *jeg* ~ *bedre og bedre om det* (*også*) it grows on me; *jeg* ~ *ikke om det* (*også*) it is not to my liking; *jeg* ~ *ikke om at barn røker* I don't like children to smoke; I don't like c. smoking; (*se også rar*).

synge (*vb*) sing; ~ *av full hals* sing at the top of one's voice; sing with a full heart; ~ *med* join in (the singing); ~ *den på en annen melodi* sing it to another tune; (*se forsanger & vers*).

sy(n)ing sewing; (*søm*) seam; *gå opp i -en* come unsewn (*el.* unstitched).

I. synke (*vb*): *se svelgje;* ~ *maten* sink (*el.* digest) one's food.

II. synke (*vb*) sink (*fx* he sank like a stone); (*om skip, også*) go down; (*om vannstand*) sink; fall (*fx* the river is falling); (*om sola*) sink, go down, set; (*geol*) subside; (*om priser*) fall, drop, go down; *hans stemme sank* his voice dropped to a whisper; *motet sank* his (,her, *etc*) courage ebbed away; his (,her, *etc*) heart sank; ~ *dypt* sink deep; *jeg hadde lyst til å* ~ *gjennom gulvet* I felt like sinking through (*el.* into) the floor; ~ *i ens aktelse* sink in sby's estimation; ~ *i kne* sink to one's knees; go down on one's knees; ~ *ned i* sink into; ~ *nedi* (*fx* snø) sink in; ~ *ned på* drop (*el.* sink) on to (*fx* a sofa); subside on; T flop (down) on; ~ *ned på midten* sag (*fx* the roof is sagging); ~ *sammen* fall in (*fx* the building fell in); collapse (*fx* the bridge collapsed); subside (*fx* the earth subsided); (*se skip*).

synkeferdig in a sinking condition.

synkekum septic tank, cesspool.

synke|not sink seine. **-tømmer** sinkers, sunken logs; (*se berge*).

synkron synchronous.

synkrongir synchromesh (gear).

synkroniser|e (*vb*) synchronize; *-t girkasse* synchromesh gearbox; *usynkronisert girkasse* T crashbox.

synlig visible; *bli* ~ come into view, come in sight, become visible; *han var* ~ *skuffet* he was visibly disappointed; *er det svært godt* ~*?* se *synes 1:* ~ *det godt?*

synode synod.

I. synonym (*subst*) synonym.

II. synonym (*adj*) synonymous.

synsbedrag optical delusion; hallucination.

syns|evne faculty of vision, visual power, sight; *nedsatt* ~ reduced sight; *med nedsatt* ~ (*også*) partially sighted (*fx* class for p. s. pupils). **-felt** field of vision. **-forretning** inspection, survey.

synsinntrykk visual sensation (*el.* impression).

synsk clairvoyant, second-sighted, visionary.

syns|måte view. **-nerve** optic nerve, visual nerve. **-organ** organ of vision (*el.* sight).

synspunkt point of view, standpoint, viewpoint; *ut fra det* ~ *at* from the standpoint that; *dette ville være umulig ut fra britisk* ~ (*også*) this would be impossible, in the British view; *hvis man krampaktig forfølger det* ~ *at . . .* if one sticks (*el.* clings) at all costs to the view that . . . ; (*se også lufte & synsvinkel*).

syns|rand horizon; (*jvf himmelbryn*). **-sans** sight, vision, faculty of seeing. **-vidde** range of vision; *innenfor* (*,utenfor*) ~ within (,out of) sight.

synsvinkel 1. visual angle; (*i geodesi*) angle of field; **2** (*fig*) angle, aspect, point of view, viewpoint, standpoint; *betrakte noe fra enhver* ~ consider sth from every angle (*el.* from all sides *el.* from all points of view), consider sth in all its aspects (*el.* bearings); *det kom helt an på hvilken* ~ *man så det* (,dem) *fra* it was all a matter of the angle of view.

syntaks syntax.

syntaktisk syntactic(al).

synte|se synthesis. **-tisk** synthetic(al).

synål (sewing) needle.

sypike (*fisk*) poor cod.

sypress ♣ cypress.

I. syre ♂ acid; ~ *i magen* acidity in the stomach; (*jvf sur*).

II. syre ♣ (common) sorrel; US (*også*) sour dock.

III. syre (*vb*): ~ *deigen* leaven the dough.

syrefast acid-proof.

syrefri non-acid.

syreholdig acidiferous, containing acid.

syrer Syrian.

Syria (*geogr*) Syria.

syrin ♣ lilac.

syrisk Syrian.

syrlig sourish, subacid, acidulous.

syrlighet acidity.

sy|saker (*pl*) sewing things. **-skrin** workbox.

sysle (*vb*) busy (*el.* occupy) oneself (*med* with).

syssel occupation, business; *feminine sysler* feminine pursuits.

sysselmann (*på Svalbard*) [district governor (of Svalbard)] (NB equal in rank to '*fylkesmann*' elsewhere).

sysselsette (*vb*) employ, occupy; *holde sysselsatt* keep employed.

sysselsett|else, -ing employment; *full* ~ full e.

system system; *sette i* ~ reduce to a system. **-atisere** (*vb*) systematize. **-atisk** (*adj*) systematic(al); (*adv*) systematically, methodically.

systue (dressmaker's) workroom; dressmaker's shop.

syt whimpering, whining.

syte (*vb*) whimper, whine.

sytråd sewing thread, sewing cotton; (*for maskin*) machine twist (*fx* a reel of m. t.).

sytten (*tallord*) seventeen. **-de** seventeenth.

sytti (*tallord*) seventy. **-ende** seventieth.

sytti|åring septuagenarian.

sytøy needlework, sewing.

syv (*tallord*) seven.

sæd seed; (*sperma*) semen, sperm; (*bibl*) offspring, progeny.

sæd|avgang ejaculation. **-celle** sperm cell.

sæl adj (*glds*) happy.

sælebot act of charity, humane deed.

sær (*gretten*) cross; (*vanskelig, umedgjørlig*) difficult, crotchety.

sær- extra, special; (*tilleggs-*) additional.

sær|avgift special duty (,tax, charge, *etc*). **-avtale** special agreement. **-behandling** (*av et kolli, etc*) special handling (*fx* of a package); *gi visse kunder* ~ give preferential treatment to certain (types of) customers. **-beskatning** special assessment; surtax.

særdeles (*adv*) especially, particularly; most (*fx* a most dangerous man); exceedingly, extremely; *til* ~ *høye priser* at exceptionally high prices; *en* ~ *viktig sak* a matter of (e)special importance; *et* ~ *godt resultat* a highly (*el.* most) satisfactory result; an exceptionally good result; ~ *godt*, ~ *tilfredsstillende* excellent; US = A+; ~ *godt fornøyd med* highly satisfied with; (*jvf særlig*).

særdeleshet: *i* ~ especially, particularly, in particular (*fx* he disliked England in general and London in particular); (*se også særlig*).

særegen (*eiendommelig*) peculiar; (*underlig*) strange, odd, peculiar; ~ *for* peculiar to (*fx* this problem is not p. to Norway); (*typisk for*) characteristic of; *på en* ~ *måte* in a particular way; *det har en* ~ *smak* it has a flavour all its own; it is distinctive in flavour.

særegenhet peculiarity, distinctive characteristic (*el.* quality); property (*fx* rubber has the p. of being elastic).

særeie separate estate; *opprette* ~ make a marriage settlement. **-gjenstander** *pl* (*jur*) personal possessions (*fx* the wife's p. p.).

særhensyn special consideration.

særinteresse special interest; (*samfunnsgruppes*) sectional interest.

særkjenne characteristic, distinctive feature.

særklasse special class; *i* ~ (*lønnsmessig*) with allowance (*fx* Higher Executive Officer with a.); *det står i en* ~ it is in a class by itself; *hun står i en* ~ (*også*) she stands in a category by herself.

særlig 1 (*adj*) special, particular; *en* ~ *anledning* a special occasion; *en sak av* ~ *interesse* a matter of particular interest; *en sak uten* ~ *betydning* a matter of no particular importance; *i* ~ *grad* particularly, especially; *ikke i noen* ~ *grad* not to any great extent; **2** (*adv*) especially, particularly, notably (*fx* some members, n. Smith and Jones); above all; (*for størstedelen*) mostly (*fx* they m. come from London); ~ *likte han den første sangen godt* he particularly liked the first song; ~ *er det vanskelig å* it is especially (*el.* particularly) difficult to; ~ *gjelder dette forsendelser via X* especially is this so in the case of shipments (*el.* consignments) via X; this is particularly true of shipments (*el.* consignments) via X; (*se omhyggelig*).

særlig eccentric; crank.

I. særmerke (*subst*) characteristic, distinguishing feature, criterion.

II. særmerke (*vb*) be characteristic of, characterize.

særnorsk distinctively Norwegian; *-e ord og vendinger* idiomatic Norwegian words and phrases.

sær|prege distinctive stamp. **-prege** (*vb*) characterize, stamp, distinguish; *det som -r det forløpne år* the outstanding feature of the past year. **-preget** distinctive. **-rettighet** (special) privilege.

særs special (*fx* there is sth s. about her).

særskilt separate, distinct; (*adv*) separately.

særskole (*glds*): *se spesialskole*.

særstandpunkt: *han skal alltid innta et* ~ he always wants to be in a minority of one.

særstilling exceptional position; *innta en* ~ hold a unique position; (*være privilegert*) be privileged; *stå i en* ~ stand in a class by oneself.

sær|syn rare thing; exception. **-trykk** offprint.

sødme sweetness; bliss; *det første møtets* ~ the bliss of the (*el.* a) first meeting.

søke (*vb*) **1** (*for å finne el. få*) seek (*fx* advice); ~ *havn* put into port; ~ *havn for å ta inn forsyninger* put in for supplies; **2** (*se seg om etter*) look for (*fx* I'm looking for a job); *krake -r make birds of a feather flock together; *jeg ser av Deres annonse i Aftenposten at De -r en agent i Norge for salg av Deres varer* I see from your advertisement in A. that you seek (*el.* require *el.* are seeking *el.* are looking for) an agent in Norway for your articles; *-s for snarlig tiltredelse* needed for early appointment; **3** (*ansøke om*) apply for (*fx* a post); ~ *på en stilling* (*også*) put in for a job; **4** (*oppsøke*) call on; **5** (*jur*) sue; ~ *erstatning* sue for damages; ~ *seg bort* try to get away; apply for a job elsewhere; (*om embetsmann*) apply for a transfer; ~ *etter* look for, search for, seek; ~ *etter de rette ordene* grope for the right words; ~ *hjelp hos ham* apply to him for assistance; ask him to help me; ~ *hjelp hos en lege* consult a doctor; *stimene -r inn mot land* the shoals make for coast(al) waters; ~ *kontakt med* get in(to) touch (*el.* communication *el.* contact) with; contact; ~ *om* apply for, put in (an application) for (*fx* a post); (*se ovf 2 & 3*); (*be inntrengende om*) solicit (*fx* help); ~ *om audiens* solicit an audience; ~ *seg ut* pick, select (*fx* he carefully selected a cigar from the box); choose; ~ *å* ... try to, attempt to; (*se også søkt*).

søkelys searchlight; (*på teater*) spotlight; *i -et* (*fig*) in the limelight, in the public eye (*fx* people most in the p. e.); exposed to (public) scrutiny; *komme i -et* (⊃: *bli mistenkt*) become the object of suspicion, come under (a cloud of) suspicion; *rette -et mot* (*fig*) bring (*fx* a problem) into focus; throw (*el.* focus) the spotlight on, bring (*fx* sth) into focus; (*se oppmerksomhet*).

søker seeker, searcher; (*på stilling*) applicant; (*på fotografiapparat*) viewfinder.

søkk hollow, depression.
I. søkke (*subst*) sinker.
II. søkke (*vb*): *se synke & senke.*
søkkemyr quagmire.
søkk|rik rolling in money; T loaded. **-våt** drenched, soaked.

søknad application; *sende inn* ~ *på* apply for, put in (an application) for; *vennligst send Deres* ~ *vedlagt papirer for utdannelse og praksis til vårt personalkontor* please apply, enclosing testimonials showing education and experience, to our personnel office; (*se velvilje*).

søknadsfrist closing date for applications (*fx* closing date for a. April 8th); **-en utløper den** *31. mai* (*også*) applications must be sent in not later than May 31st.

søknadsskjema form of application, a. form.
søkning (*det å søke*) search; (*til møte, etc*) attendance (*fx* there is a large a. at the lectures = the l. are well attended); (*til forretning, hotell*) custom, patronage, customers (*fx* a wide circle of customers); *det er stor* ~ *til dette studiet* there are many applicants for admission to this department.

søksmål (law)suit, action; *erstatnings-* damages action (*fx* he has started d. a. against X, alleging negligence); *anlegge* ~ *mot en* sue sby.

søkt (*om hotell*) patronized; (*om uttrykk*) far-fetched, artificial.

søl dirt; mess.
I. søle (*subst*) mud, dirt; *trekke ens navn ned i søla* drag one's name into the dirt; T drag one's name through the mud.

II. søle (*vb*) soil, dirty; ~ *på duken* make a mess of the table cloth; ~ *te på duken* slop tea on the t. c.; ~ *vann utover gulvet* slobber water over the floor; ~ *på seg*, ~ *seg til* soil one's clothes; make a mess of oneself; ~ *suppe på seg* spill soup over one's clothes; *hun sølte suppe på kjolen sin* (*også*) she spilt soup down her dress; *barn som -r på seg* messy child; messy (*el.* dirty) eater.

søle|bøtte messy child; messy (*el.* dirty) eater. **-føre** dirty (*el.* muddy) walking. **-kopp:** *se -bøtte.* **-pytt** puddle. **-skvett** splash of mud.

sølet muddy, dirty.
sølevann slops (*pl*) (*fx* the slops were thrown out on to the ground behind the caravan).
sølibat celibacy.
sølje (*smykke*) filigree brooch.
sølv silver.
sølv- silver.
sølvaktig silvery.
sølv|alder silver age. **-arbeid** silver work. **-barre** silver ingot. **-beslag** silver mounting. **-beslått** silver-mounted.

sølvbrudepar husband and wife celebrating their silver wedding.
sølvbryllup silver wedding.
sølv|erts silver ore. **-fot** silver standard. **-gaffel** silver fork. **-glans** 1. ♂ argentite, silver glance; 2. silvery lustre. **-glinsende** silvery. **-holdig** containing silver, argentiferous. **-holdighet** silver content. **-kjede** silver chain. **-klar** (*vann*) limpid; (*lyd*) silvery. **-papir** silver paper; (*stanjol*) tinfoil. **-penger** (*pl*) silver, silver coins. **-plett** silver plate. **-rev** ⚥ silver fox. **-servise** silver service. **-smed** silversmith. **-tøy** plate, silver. **-verdi** intrinsic value.

I. søm (*spiker*) nail.
II. søm (*sammensying*) seam; sewing; 𝔽 suture; *drive med* ~ do sewing; *gå noe etter i -mene* examine sth closely, go over sth carefully.

sømfare (*vb*) examine minutely, go over critically.

sømme (*vb*): ~ *seg* be becoming, be proper; ~ *seg for en* become (*el.* befit) sby.
sømmelig decent, decorous, becoming, seemly.
sømmelighet decency, decorum, propriety.
søndag Sunday; *om -en* on Sundays, of a Sunday; *på* ~ on Sunday, next Sunday; *forrige* ~ last Sunday.

søndags|barn Sunday child. **-hvile** Sunday rest. **-kjører** (*bilist*) week-end motorist; middle-of-the-road driver; (*jvf lusekjører*). **-klær** (*pl*) Sunday clothes, Sunday best (*fx* in one's S. best). **-skole** Sunday school.

sønder (*i stykker*): ~ *og sammen* to bits, to pieces, to atoms, to fragments; *kritisere et stykke* ~ *og sammen* slash (*el.* cut up) a play; cut a play to pieces; write a slashing review of a play; *slå* ~ *og sammen* T beat hollow; knock into a cocked hat; knock the (living) daylight out of; lick; *bli slått* ~ *og sammen* (*i konkurranse, også*) be badly beaten; (*se skyte:* ~ *sammen*).

sønderjyde Schleswiger.
Sønderjylland (North) Schleswig.
sønderknus|e (*vb*) crush; **-t** crushed; (*fig*) broken-hearted; (*av anger, også*) contrite.
sønderlemme (*vb*) dismember.
sønderrive (*vb*) tear (to pieces), rend; pull to pieces.
søndre (*sydlige*) southern; southernmost.
sønn son.
sønna South, southern, southerly.
sønnadrag a breath of southerly wind.
sønna|fjells in the South (of Norway). **-fjelsk** southern and eastern. **-for** south of. **-fra** from the south.
sønna|storm southerly gale. **-vind** south wind.
sønnen|fra: *se sønnafra.* **-om** south of.
sønne|sønn grandson. **-sønnsdatter** great-granddaughter. **-sønnssønn** great-grandson.
sønnlig filial.
søppel rubbish; house refuse (*fx* the cleaning of streets and the removal and disposal of house refuse are included in the duties of local authorities); US (*især*) garbage.
søppelbil dustcart; US garbage truck.
søppel|brett dustpan. **-dunk** (*-spann*) dustbin; US garbage can. **-kjører** dustman, garbage collector; US garbage man. **-sjakt** rubbish chute; (*især* US) garbage chute (*el.* shoot). **-tømning:** «~ *forbudt*» 'shoot no rubbish', 'tipping prohibited'.

sør south; ~ *for* south of; *fra* ~ from the south; (*se også syd*).
Sør-Afrika-sambandet the Union of South Africa.
Sør-Amerika South America.
Sør-England the South of England.
søretter south, southwards.
sørfra from the south.
sørge (*vb*) 1. grieve; (*kun i anledning dødsfall*) mourn; ~ *for* (*skaffe til veie*) provide (*fx* dinner; an opportunity for sby to do sth); get (*fx* get tea); see to (*fx* I'll see to the tickets); ~ *for mat til* provide food for, cater for; *det var ikke -t for skipsrom* no provision had been made for shiproom; (*ta seg av, dra omsorg for*) take care of (*fx* the necessary arrangements); attend to (*fx* I'll a. to that); provide for (*fx* one's children); *det er -t godt for nye skoler* ample provision is made for new schools; ~ *for at det blir gjort* see that it is done; arrange for it to be done; ~ *for at varene blir sendt* arrange for the goods to be sent; provide for the shipment of the g.; ~ *for å gjøre det* take care (*el.* be careful) to do it; *sørg endelig for å* be sure to; see to it that; *han -t for å gjøre alle tilfreds* he so arranged matters as to please everyone; ~ *over noe* grieve at (*el.* over) sth (*fx* sby's death); mourn sth (*fx* sby's death); ~ *over en* grieve over (*el.* for) sby; mourn for (*el.* over) sby; ~ *dypt over noe* be deeply grieved at sth.

sørge|bind mourning band (round one's arm). **-budskap** sad news, news of sby's death. **-dag** day of mourning. **-flor** black mourning crepe. **-høytidelighet** commemorative service. **-kledd** in mourning.

sørgelig sad, tragic; *det er* ~ *at* it is deplorable that; it is a great pity that; *i en* ~ *grad* sadly; *jeg ble* ~ *skuffet* I was sadly disappointed; (*se kapittel*).

sørgemarsj funeral march.

sørgende (*subst*) mourner.

sørge|pil ♣ weeping willow. **-rand:** *med* ~ black-edged; *negler med -render* dirty finger nails; T black finger nails. **-spill** tragedy. **-tog** funeral procession. **-år** year of mourning.

sørgmodig sad, sorrowful.

sørgmodighet sadness; sorrowfulness.

sørgående going south, south-going, south -bound (*fx* train, ship).

sørkyst south coast.

Sørlandet [area along the south coast and immediate inland districts of Norway] (*kan gjengis*) the South coast (of Norway).

sørlandsidyll idyllic south coast scene, south coast idyll; (*jvf skjærgårdsidyll*).

sør|landsk pertaining to the south coast; southern. **-lending** (*kan gjengis*) southerner.

sørlig southerly, southern; *i det -e England* in the South of England; ~ *bredde* southerly latitude.

sørligst southernmost.

sør|ost southeast, SE. **-ostlig** southeastern, southeasterly, southeast. **-ostvind** southeast wind. **-over** southward(s).

sørpe slush, sludge.

sørvest southwest, SW.

søsken brother and sister, brothers and sisters; *fem* ~ a family of five.

søskenflokk: *han var yngstemann i en stor* ~ he was the youngest of a large family (of children).

søster sister.

søsterlig sisterly.

søsterskip ⚓ sister ship.

søstersønn sister's son, nephew.

søt sweet; (*især* US) cute (*fx* isn't she cute); *en* ~ *liten unge* a dear little thing; *en* ~ *gammel dame* a dear old lady; *så er du* ~ *there's a dear.

søt|aktig sweetish. **-het** sweetness. **-laden** mawkish, saccharine; *filmen var noe -t sprøyt* the film was a lot of sloppy rubbish.

søtsuppe 1 [soup made of sago (,*etc*) with fruit syrup, raisins, prunes, *etc*]; 2 (*fig*) sweetish (*el.* sugary) stuff.

søvn sleep, slumber; *en lett* ~ a light sleep; *det ble lite* ~ *p.g.a. babyen* they lost (*el.* missed) a lot of sleep on account of their baby; *falle i* ~ fall asleep; *go to sleep; *falle i dyp* ~ fall fast asleep; *dysse en i* ~ lull sby to sleep; *vekke en av -en* rouse sby from his sleep; *gå i -e* walk in one's sleep; *snakke i -e* talk in one's sleep; (*se nattevåk(ing)*).

søvndrukken drowsy, heavy with sleep.

søvndyssende soporific (*fx* this music is s.).

søvngjenger sleepwalker, somnambulist.

søvngjengeri sleepwalking, somnambulism.

søvngretten cross from sleepiness; cross when sleepy.

søvnig sleepy, drowsy.

søvnighet sleepiness, drowsiness.

søvnløs sleepless; *jeg ligger mye* ~ I am a bad sleeper.

søvnløshet sleeplessness, insomnia.

søvntung heavy with sleep, drugged with sleep, drowsy.

søye ♀ ewe.

søyle pillar, column. **-fot** base of a column. **-gang** colonnade. **-rad** peristyle.

I. så (*subst*) [large wooden tub with handles].

II. så (*vb*) sow (*fx* the grass seed for a lawn).

III. så (*adv & konj*) 1 (*om tid: deretter*) then; next (*fx* what shall we do next?); ~ *er det betalingen* then there is the question of payment; 2 (*om følge: derfor*) so (*fx* he wasn't there, so I came back again); therefore; (*altså*) so; 3 (*i så fall*) then (*fx* if you are tired then you had better stay at home); 4 (*omtrent*) so (*fx* a month or so;

during the last 75 or so years); thereabouts (*fx* it is three o'clock or t.; a thousand (kroner) a year or t.); 5 (*om graden*) so (*fx* it's not so (*el.* as) easy as you think); as (*fx* three times as much); (*trykksterkt*): *det er ikke* '~ *lett* it is not as (*el.* so) easy as all that; '~ *enkelt var det* T it was that simple; *en* ~ *rik mann* such a rich man; *en* ~ *høy pris* such a high price, so high a price; *på* ~ *kort tid* in so short a time; *en* ~ *stor diamant er sjelden* a diamond of that size is rare; ~ *store bestillinger* such large orders; *i* ~ *små mengder* in such small quantities; *vi kan ikke betale* ~ *mye* we cannot pay as much as that; *det er ikke* '~ *mye å gjøre i et hus* there isn't all that much work (*el.* so much work) to be done in a house; ~ *mye kan sies* this much may be said; *fabrikken ble* ~ *skadd at* the factory was so badly damaged that; the f. was damaged to such an extent that; *eksplosjonen var* ~ *kraftig at* such (*el.* so great) was the force of the explosion that; *skaden er ikke* ~ *stor at det blir nødvendig å* the damage is not such (*el.* not so great) as to necessitate; 6 (*ved sammenligning*): ~ *stor som* as big as; *ikke* ~ *stor som* not so (*el.* as) big as; 7 (*om forhold*): *er det* ~ *at* . . . ? is it a fact that . . . ? *hvis det er* ~ if that is true; if what you say is true; (*jvf slik*); 8. ~ *at* (*slik at*) so that; 9 (*andre uttrykk*): *han er klokere enn som* ~ he is wiser than that (*el.* than you think); *men* ~ *er han også* but then he is; ~ *å si* as it were, so to speak; (*jvf si*); *med hensyn til kull*, ~ *er det* as regards coal, it is; *gi meg en bok*, ~ *skal jeg lese for deg* give me a book, and I'll read to you; *jeg har bare tre roser igjen å plante*, ~ *er jeg ferdig* I have only got three more roses to plant, and I have finished; (*se sak: så sin* ~).

IV. så (*int*) really? indeed? yes? is that so? (*trøstende*) come, come! there, there! (*befalende*) now then (*fx* now then a little less noise there!); (*lettet*) there now! (*ergerlig*) there! (*fx* there! I broke my needle!).

sådan such; *en* ~ *mann* such a man; *-ne folk* such people.

så|framt, -fremt provided (that) (*fx* I'll join you, p. (that) all is safe), providing (that), if.

såkalt so-called, as it is called.

såkorn seed corn; US seed grain.

såld (*grovt*) coarse sieve, riddle.

I. såle *subst* (*fotsåle, såle på skotøy*) sole.

II. såle (*vb*) sole; ~ *og flikke* sole and heel.

således so, thus, in this manner, like this, like that; (*se II. slik & orden*).

såle|gjenger ♣ plantigrade. **-lær** sole leather.

så|mann sower. **-maskin** sowing machine.

sånn (= *slik*): ~ *ja!* good! that's it! that's right! that's the spirit! that's the stuff! (*se for øvrig slik*).

såpass: *en* ~ *stor ordre* an order of this (,that) size; *men* ~ *meget vet vi* but this much we know; *planen var* ~ *vellykket at* the plan was so successful that; *jeg skulle ønske jeg hadde* ~ *meget* I wish I had even that much.

I. såpe (*subst*) soap; *grønn-* soft soap; *toalett-* (*håndsåpe*) toilet soap.

II. såpe (*vb*): ~ *inn* do the lathering; ~ *en inn* (*før barbering*) lather sby's face.

såpe|aktig soapy. **-boble** soap bubble. **-pulver** soap powder. **-skure** (*vb*) scrub (*fx* a table) with soap. **-skål** soap dish. **-vann** soapy water; (*til vask*) soapsuds. **-vaske** (*vb*) wash with soap and water.

I. sår (*subst*) wound; (*snitt-*) cut; (*fig*) wound, sore; *forbinde et* ~ dress a wound; *sette et plaster på -et* put a plaster over the wound; (*se plaster & rippe:* ~ *opp i*).

II. sår (*adj*) sore; painful; (*fig*) sensitive; *vi trenger det -t* we need it badly.

sår|bar vulnerable. **-be(i)nt** footsore.

I. såre (*vb*) wound; hurt, injure; (*fig*) hurt one's feelings; ~ *en dypt* cut sby to the quick; *bli -t* get wounded.

II. såre (*adv*) very, greatly, exceedingly.
sårende wounding (*fx* to his pride); (*krenkende, også*) offensive, cutting (*fx* remarks).
sår|et wounded; *lett -ede* ⚔ light casualties; *hardt -ede* severe casualties.
sår|feber (a)septic (traumatic) fever. **-het** soreness; (*fig*) sensitiveness. **-salve** healing ointment. **-øyd** bleary-eyed.
såsiss Paris sausage, small sausage.

I. såte (*subst*) haycock, haystack, hayrick.
II. såte (*vb*) stack (*fx* hay).
såtid seed time, sowing season.
såvel (*adv*): ~ ... *som* both ... and (*fx* b. here and elsewhere); *alike* (*fx* Socialists and Conservatives a. believe that ...); as well as (*fx* Conservatives as well as Liberals voted for the Bill).
så vidt: *se vidt.*

T

T, t T, t; *T for Teodor* T for Tommy.
ta (*vt & vi*) 1 (*med hånden*) take; (*velge*) choose; (*fjerne*) take (*fx* who has taken my pipe?); **2** (*erobre*) take, capture; **3** (*ha samleie med en kvinne*) take; (*jvf voldta*); **4** (*anholde*) arrest, pick up; T pinch, get (*fx* the Gestapo have got Smith); **5**: *se stjele;* **6** (*medisin, etc*) take; **7** (*om mat og drikke*) have (*fx* a snack; is there time to have a drink?); **8** (*vinne i spill, etc*) ✛ take (*fx* a trick); (*T = slå, beseire*) beat (*fx* we can't beat them in* (*el.* at) football; **9** (*overta*) take (*fx* command; he refused to take the responsibility); (*påta seg*) accept (*fx* I accept the responsibility); **10** (*motta, etc*) take (*fx* take what is offered; you must take me as I am); **11** (*eksamen*) pass; (*om grad*) take (*fx* take a degree in English); (*underkaste seg*) take (*fx* they take an examination, and it's a stiff one; if they pass, they're awarded a diploma); **12** (*komme over*) take (*fx* a hurdle), jump (over), leap; **13** ♪ (*om sanger*) take (*fx* take top C); **14** (*behandle*) deal with, manage, take (*fx* he is all right when you take him the right way); handle (*fx* I know how to h. him); (*jvf D:* ~ *seg av*); **15** (*om tid: vare*) take (*fx* it takes five minutes to go there; it won't take a minute); (*se A*); **16** (*om sol & vind*) be strong (*fx* the sun is strong here); **17** (*gjøre i stand, ta seg av*) T do (*fx* will you do the beds while I do the windows?); **18** (*reagere*) take (*fx* how did he take the news? he took it calmly (,seriously)); (*se B*); **19** (*gram: styre*) take (*fx* the dative); **20** (*beregne seg*) ask, charge (*fx* he charged a high price for it); **21** (*høre i radio*) get (*fx* we can't get England on our radio*); **22** (*fotografere*) take (*fx* a snapshot); (*filmopptak*) shoot (*fx* a scene); (*jvf C:* ~ *en scene om igjen*); **23** (*reise*) go (*fx* ut på landet into the country*), take (*fx* med bussen the bus);
[*A: forb. med subst; B: med pron; C: med prep, adv & konj; D: med «seg» + prep el. adv*].
A [*Forb med subst*] ~ *en bil* take a taxi; ~ *bakken* (*om fly*) land (on the ground); ~ *en brikke* take a piece; ~ *bunnen* touch bottom; ~ *noe for god fisk* swallow sth (*fx* the boy said he'd been ill, and the teacher swallowed it); take sth for gospel truth; ~ *følgene av sine handlinger* take the consequences for one's actions; ~ *første gate på høyre hånd* take the first turning (*el.* street) on the right; *ikke la det* ~ *knekken på deg* (ɔ: *mist ikke motet*) don't let it get on top of you; ~ *natten til hjelp* (*m. h. t. studier, etc*) burn the midnight oil; ~ *meget plass* take up a great deal of space (*el.* room); ~ *for høye priser* charge too much, overcharge; *det -r sin tid* it takes time; it will take some time; *arbeidet tok lang tid* (*også*) it was a slow job; *det vil* ~ *lang tid før de kan gjøre det* it will be a long time before they can do it; they won't be able to do so for a long time to come (*el.* for a long time yet); *det tok oss fire timer* it took us four hours; *det tok flere timer før vi var ferdige* it was several hours before we were ready; (*jvf 15*); ~ *timer i engelsk* take English lessons; ~ *tingene som de er* take things as they are (*el.* as they come); make the best of things; (*se for øvrig forbindelsens substantiv*);

B [*Forb. med pron*] ~ **alt** take everything; make a clean sweep; ~ *det med godt humør* grin and bear it; put up with it cheerfully; take it with a good grace; *det -r jeg lett* (*el. ikke tungt*) I don't let that worry me; *det kan du* ~ *lett* I shouldn't let that worry me; don't you worry! *han tok det virkelig riktig pent* he really took it rather well; ~ *det ikke så tungt!* don't take it so hard! *vi får* ~ *det som det kommer* we must take things as they come; *it's no use meeting trouble half-way; det er som man -r det* that is a matter of opinion; (ɔ: *det kommer an på*) it all depends; ~ *det opp med* (ɔ: *kunne måle seg med*) be a match for; *hvor meget -r De?* (*om pris*) what do you charge? how much will it be? (*for konsultasjon, også*) what is your fee?

C [*Forb. med prep, adv el. konj*] ~ **av** take off (*fx* one's coat), remove, pull off (*fx* one's boots, one's gloves); (*bli magrere*) lose weight; (*ved avmagringskur*) reduce; (*om fly: lette*) take off; (*om vei*) branch off; (*se ndf:* ~ *av fra*); ✛ cut (*fx* your cut!); (*i strikking*) slip (*fx* slip one); *til å* ~ *av, som kan -s av* detachable; *det er nok å* ~ *av* there is plenty; there is enough and to spare; ~ *av bordet* clear the table, clear away; ~ *av sin formue* break into one's capital; ~ *av et teaterstykke* take a play off (the bill); *en gren tok av for fallet* a branch broke his (,her, etc) fall; ~ *av for vinden* break the wind (*fx* trees b. the w.); ~ *av fra* en *gate* (*el. en vei*) turn off a road; ~ *av fra hovedgata* turn off the main street; ~ *av til venstre* take the turning on the left; turn (*el.* bear) to the left; ~ *av til venstre nær bakketoppen* cut off (*el.* bear) to the left near the brow of the hill; *er det her vi -r av til X?* is this where we turn off to X? (*se også under A*); ~ **bort** take away, remove; ~ **etter** (*ligne*) be like, take after; (*gripe etter*) reach for (*fx* a book); (*famle*) grope for; ~ **fatt** *på arbeidet* get down to one's work; get started on one's work; *det er på tide vi -r fatt* it's time we got down to it; (*se fatt*); ~ **for** take for (*fx* I took him for his brother); ~ *en shilling for det* charge (*el.* ask) one shilling for it; ~ *for seg* (*av*) help oneself (to); ~ *godt for seg av maten* do (ample) justice to the food (*el.* meal); ~ **for seg med hendene** (*beskyttende*) protect oneself with one's hands; put one's hands in front of one's face; put one's hands before one; (*famlende*) grope, put out one's hands; *han tok ikke for seg med hendene og slo seg stygt i ansiktet* he did not cover his face, and he hurt it badly (*el.* and it got badly hurt); ~ *en for seg* (*i anledning av noe*) tackle sby (about sth); (*for å irettesette*) take sby to task (over sth); ~ *noe fra* en take sth from (*el.* away from) sby; (*se frata*); *hvor skal vi* ~ *pengene fra?* where are we to get the money from? ~ *fra den ene og gi til den andre* (*iron*) rob Peter to pay Paul; ~ *fra hverandre* take to pieces; (*maskin*) dismantle, take down;
~ **fram** take out, get out, produce, bring out; (*fra lomme, etc, også*) pull out; ~ **i** (*anstrenge seg*) exert oneself; (*berøre*) touch; (*se ndf:* ~ *på*); ~ *i døra* try the door; ~ *for sterkt i* (*fig*) exaggerate, draw the long bow; ~ *i med en* give (*el.*

lend) sby a hand; ~ *noe i seg igjen* take sth back; *det -r jeg i meg igjen* I take that back; T forget it;

~ **igjen** (*ta tilbake*) take back; (*gjøre motstand*) fight back, hit back; (*innhente*) catch up with (*fx* sby), catch (*fx* you may c. him if you run); *vi må ~ igjen de andre* we must catch up; *vi har meget å ~ igjen* (ɔ: *vi er på etterskudd med arbeidet*) we have a great deal of leeway to make (*el.* catch) up; *han har meget å ~ igjen* (*om elev, etc*) he has considerable leeway to catch up; he will have to work hard to catch up; ~ *igjen det forsømte* make up for what one has missed; catch up (again); ~ *igjen med en* (ɔ: *gjøre motstand*) resist sby;

~ **imot** (*gjest*) receive; (*gi nattelosji*) put up (*fx* put sby up); (*møte ved ankomst*) meet (*fx* meet sby at the station); (*si ja til*) accept (*fx* an invitation); (*bestilling*) take (*fx* a waiter came up and took their order); (*finne seg i*) stand for (*fx* I won't stand for that); (*rette seg etter*) take (*fx* I don't take orders from him); (*gripe*) catch; ~ *dårlig imot en* give sby a bad reception; *han ville ikke ~ imot meg* he refused to see me; ~ *imot fornuft* listen to reason; ~ *imot varene* take delivery of (*el.* receive) the goods;

~ **inn** take in, bring in; (*importere*) import; (*ansette*) take on (*fx* extra men); (*last*) ship, take in; ~ *inn årene* ship the oars; ~ *inn en kjole i livet* take in a dress at the waist; ~ *inn penger på noe* make money by sth; get large returns from sth; ~ *inn på et hotell* put up at a hotel; US register at a hotel; ~ **lett:** *se B;* ~ *lett på elevenes feil* be lenient with the errors of the pupils;

~ **med** (*til et sted*) bring (along) (*fx* why didn't you bring your friend? two of them brought their wives along); (*fra et sted*) take with one (*fx* I am taking you with me to a place of safety); take (*fx* remember to take your umbrella); (*inkludere*) include; (*se også utstrekning*); (*regne med*) take into account; *denne muligheten tok vi ikke med i våre beregninger* this possibility did not enter into our calculations; ~ *ham med det gode* use kindness; *han må -s med det gode* he won't be driven; he is easier led than driven; ~ *med bussen* (,*etc*): *se 23;* ~ **med seg** take (away) with one (*fx* you can't take it with you), bring (*el.* take) (along) with one; ~ *ham med på politistasjonen* run him in; *politimannen tok ham med seg* (*også*) the policeman walked him off; *husk å ~ med deg nøkkelen* don't forget the key; *han tok med seg et pund sukker hjem* he brought back (*el.* took home) a pound of sugar; *han tok hemmeligheten med seg i graven* the secret was buried with him; *vinden tok med seg hatten hans* the wind blew off his hat; ~ *henne* **med ut** take her out; ~ **ned** take down (*fx* pictures, curtains); pull down, lower (*fx* a flag); ~ *ned teltet* strike the tent; ~ *en scene* **om** *igjen* (*film*) retake a scene; ~ *om en pike* put one's arm round a girl;

~ **opp** (*fra gulvet, etc*) pick up, take up; (*flere ting*) gather up (*fx* g. up all that paper); (*poteter*) pick, dig; (*av vannet*) pick up, fish out; ~ *opp et annet emne* take up another subject; ~ *opp kampen* give battle; ~ *opp kampen med noe* (,*noen*) go into battle against sth (,sby); ~ *opp en maske* pick up a stitch; ~ *opp ordrer* book (*el.* take) orders; ~ *opp en passasjer* pick up a passenger; (*om drosje*) pick up a fare; ~ *opp et vrak* raise a wreck; ~ *opp igjen* resume (*fx* negotiations, work, a subject), restart (*fx* work); ~ *saken opp igjen* take the matter up again; reconsider the matter; (*jur*) reopen (*el.* retry) the case; ~ *et teaterstykke opp igjen* revive a play; ~ *tråden opp igjen* take up (*el.* resume) the thread; ~ *opp konkurransen med* enter into competition with; ~ *hele spørsmålet opp på nytt* reopen the whole question;

~ **på** 1 (*klær, etc*) put on (*fx* one's clothes); pull on (*fx* one's gloves); *jeg -r på meg brillene når jeg leser* T I stick on my specs when I read;

(*jvf kle på seg*); *han -r på seg altfor meget* (*arbeid*) he takes on too much; (*se for øvrig påta seg*); 2 (*føle på*) touch, finger, handle; *dette stoffet er bløtt og deilig å ~ på* this material feels nice and soft; 3 (*svekke*) tell on; *det -r på kreftene* it takes it out of you; *sykdommen har -tt svært på ham* his illness has taken it out of him badly (*el.* has left him very low); (*se ovf:* ~ *lett på; jvf svekke*);

~ **til** (*begynne*) start, begin; (*øke*) increase; ~ *det til seg den som vil* (*iron*) if the cap fits, wear it! ~ *til seg et foreldreløst barn* take an orphan into one's home; (*adoptere*) adopt an orphan; *de tok til seg enda et barn* (*også*) they took another child to themselves as their own; ~ *henne til hustru* take her for a wife, take her to wife; ~ *næring til seg* take nourishment; ~ *øynene til seg* look away, avert one's eyes; (*se også stilling: ta ~ til*);

~ **tilbake** take back (*fx* goods, a statement, one's application); withdraw (*fx* one's application, an offer, a statement); retract (*fx* a promise, a statement); (*jvf ~ i seg igjen*); ✕ recapture, retake, take back; *varer som er -tt tilbake* returns;

~ **unna** (*bort*) take away; (*for å gjemme*) put on one side, put out of the way; ~ **ut** take out (*fx* take money out of the bank); ~ *et barn ut av skolen* take a child out of (*el.* away from) school, remove a c. from s.; ~ **vekk** remove, take away;

D [*Forb. med «seg» + prep rf. adv*] ~ **seg** (*om dyr, også vulg om kvinne*) become pregnant, conceive; ~ *seg et bad* (,*en ferie, en kone*) take a bath (,a holiday, a wife); ~ *seg av* attend to, look after, take care of; concern oneself with (*el.* about); handle (*fx* Mr B is handling this matter personally); take notice of (*fx* he never takes the slightest n. of his wife); (*m. h. t. oppdragelse: få skikk på*) take in hand; *hun -r seg ikke av barna sine* she neglects her children; *jeg skal nok ~ meg av det* I will see to it; I'll attend to that; *jeg skal ~ meg av ham* (*om vanskelig el. gjenstridig person*) I'll handle him all right; *det som alle skal ~ seg av, er det ingen som -r seg av* everybody's business is nobody's business; *vi takker for Deres ordre, som vi -r oss av på beste måte* we thank you for your order, which is receiving our best attention; (*Deres ordre,*) *som vi skal ~ oss av med én gang* (your order,) which shall have our immediate attention; to which we shall attend at once; ~ *seg av en* look after sby('s comfort); deal with sby, handle sby; (*jvf 14*); ~ *seg av ens sak* take up sby's case; ~ *seg særlig av noe* give sth one's special attention; *hagen tok hun seg særlig av* (*også*) the garden was her special care; ~ **seg for:** *se C:* ~ *for seg med hendene*; ~ *seg* **fram** get on (*fx* the road was so bad that we could not get on); ~ *seg* **i** *det* check oneself, pull oneself up, think better of it; (*gjenvinne fatningen*) collect oneself; ~ *seg* (*svært*) *nær av noe* take sth (greatly) to heart; ~ **seg opp** improve, change for the better; (*om virksomhet*) pick up, look up (*fx* business is looking up); (*om marked også*) recover; *salget har -tt seg voldsomt opp igjen* sales have recovered enormously (*el.* have risen sharply again); ~ **seg sammen** pull oneself together; make an effort; *jeg måtte ~ meg sammen for ikke å le* (*også*) it was all I could do to keep from laughing; *ikke ha noe å ~* **seg til** have nothing to do; be at a loose end; *hva skal du ~ deg til?* what will you do with yourself? *han tok seg til lomma* he put his hand to his pocket; ~ **seg ut** (*se godt ut*) look well, show up to (one's) advantage; *jo, det skulle ~ seg ut!* my word, that would be a calamity! T that would put the lid on it! ~ *seg bedre ut* look better; show up to greater advantage; *hun -r seg best ut om morgenen* she looks her best in the morning; *det skulle -tt seg fint ut om . . .* that would have been a nice state of affairs if . . . ; it would have been a fine thing if . . . ; *han hadde ikke* (*på noen måte*) *-tt seg ut* (*om løper*) he had still a good deal of running in him; *(se også stilling, tørn, utstrekning).*

tabbe blunder; T howler.
tabell table *(over* of).
tabellarisk tabular.
tabellform: *i* ~ in tabular form.
table d'hôte table d'hôte.
tablett tablet.
tablå tableau *(pl:* tableaux).
tabu taboo; *erklære for* ~ taboo.
taburett stool; *(fig)* ministerial office.
tafatt perplexed, puzzled.
taffel (festively laid) table.
taffelmusikk table *(el.* dinner) music.
taffelur mantel(piece) clock.
tafs rag; tuft, wisp *(fx* of hair).
tafset ragged, tattered.
taft taffeta.
tagg spike, sharp point; *(på metalltråd)* barb.
tagget toothed, jagged, indented; barbed.
taggmakrell ☙ horse mackerel, scad.
tagl horsehair.

I. tak *(med hånd)* grasp, hold, grip; *(med klo)* clutch; *(med åre)* stroke; *(dyst)* scuffle; *få* ~ *i* 1. get hold of; *fikk du* ~ *i hva det dreide seg om?* T did you get the message? 2 *(skaffe)* lay one's hands on; *få* ~ *på en rolle* get the feel of a part *(el.* rôle); T get under the skin of a part; *han har et godt* ~ *på sin yngre bror* he has a great hold over his younger brother; *han likte å ha et* ~ *på folk* he liked to have a hold on people; *ha et godt* ~ *på tilhørerne* have a good grip on the audience; *hogge* ~ *i noe* grab sth; *slippe -et* let go (one's hold); *den saken (,etc) må du ikke slippe -et i* you mustn't let go of that; *ta* ~ *(ɔ: ryggtak)* wrestle.
II. tak *(på hus)* roof; *(i værelse)* ceiling; *(innvendig, i bil)* ceiling, head lining, header panel; *fly i -et: se flint: fly i* ~.

takbelysning *(i bil)* dome lamp, interior light.
tak|bjelke rafter, ceiling girder. **-drypp** dripping from the roof. **-fall** slope (of the roof). **-grind** *(på bil)* roof rack.
I. takk *(på horn)* branch, point, prong; *(på tannhjul, etc)* cog, tooth; *(på stjerne)* point; *-er (hjorts)* antlers.
II. takk thanks *(pl)*; ~! thank you! T thanks! *ja* ~! yes, please! yes, thanks; *(som svar på foresporsel)* yes, thanks! *(fx* have you had your tea? - Yes, thanks!) *nei* ~! no, thank you! no, thanks! *mange* ~! thank you very much! thank you so much; T thanks very much! *hils ham og si mange* ~ *fra meg* give him my best thanks; ~ *for besøket* = it was nice of you to come; thank you for coming! I'm glad you could make it! ~ *for meg (sagt av gjest)* = thank you for having me; *(adjø og)* ~ *for oss (el.* ~ *for i kveld) (idet man sier adjø etter selskap)* = (good-bye, and) thank you (very much); thank you for inviting us; we have had such a pleasant time; (NB «Good-bye, and thank you so much for a nice party, Mrs. Brown!»); ~ *for sist* [thank you for the last occasion on which we met]; *på forhånd* ~ thanking you in advance; *det er en* ~ *for sist (fig)* he (,she, *etc)* is returning the compliment; *selv* ~! don't thank me! it should be me thanking you! *som* ~ *for* by way of thanks for, in return for; *som* ~ *for sist (fig)* by way of returning the compliment; ~ *i like måte!* thank you, the same to you! *(som svar på skjellsord)* you're another! *det er -en jeg får* that is all the thanks I get; that is my reward *(fx* for helping you!); *jeg har med* ~ *mottatt* ... ; *(mindre stivt)* I thank you for *(fx* your letter); ~ *skjebne!* just my luck! *rette en* ~ *til* address a few words of thanks to; *jeg skylder ham* ~ I owe him thanks; my thanks are due to him; I am under an obligation to him; *ta til -e med* put up with, be content with; *ta til -e med hva huset formår* take pot-luck; *(se også II. takke).*

takkammer attic, garret.

I. takke *subst (bakstehelle)* (cast-iron) griddle; ~ *med løftehank* griddle with handle (for lifting).
II. takke *(vb)* thank *(en for noe* sby for sth); *(høytidelig)* give *(el.* offer) thanks for sth *(en* to sby); *(besvare en tale)* return thanks; ... *vil gjerne få* ~ *Dem på det hjerteligste for Deres arbeid* ... would like to thank you most sincerely for your work ... ; *(høytideligere)* wish to express *(el.* extend *el.* offer) our heartfelt thanks for your work ... ; *ingenting (el. ikke noe) å* ~ *for!* don't mention it! not at all! T that's all right! not a bit! S forget it! *jeg har ham å* ~ *for dette* I am indebted to him for this; ~ *for seg* 1. say good-bye, and thank one's host(s); T *(spøke)* say «good-bye and thank you for having me»; 2 (= *betakke seg)* say no to sth, say no thank you to sth; refuse (to take part); *De kan* ~ *Dem selv for det* you have only yourself to thank for it; it's no one's fault but your own; T you've been asking for it; *-t være* thanks to *(fx* your help); owing to; ~ *av* resign, retire; *nei,* ~ *meg til Oxford, da!* give me Oxford (every time)!
takke|brev letter of thanks; *(pliktskyldigst, til en man har bodd hos)* T bread-and-butter letter. **-bønn** prayer of thanksgiving. **-gudstjeneste** thanksgiving service. **-kort** printed (,written) acknowledgement.
takkel ⚓ tackle.
takkelasje ⚓ rigging.
takket notched, tooth-edged, jagged.
takketale speech of thanks; speech to return thanks; *(ofte* =) reply.
takknemlig 1. grateful, thankful; 2. rewarding, promising; *en* ~ *oppgave* a rewarding *(el.* worth -while) task; *et* ~ *publikum* an appreciative audience; *en* ~ *rolle* a rewarding part, a part offering scope to the actor.
takknemlighet gratitude, thankfulness.
takknemlighetsgjeld: *stå i* ~ *til en* owe sby a debt of gratitude.
takksigelse thanksgiving.
takkskyldig obliged, indebted.
takle *(vb)* 1. tackle; 2. ⚓ rig.
tak|luke roof hatch; *(ofte* =) trap door. **-lys** hanging light; *(i bil)* dome lamp. **-papp** roofing felt. **-renne** gutter; *(på bil)* drip moulding. **-rygg** *(møne)* ridge of a roof.
taksameter taximeter, fare meter; T clock.
taksebane *(flyv)* taxi strip.
takser|e *(vb)* value, appraise, estimate; *(fig: ta mål av)* size up *(fx* they sized him up); *huset er -t til* the house is valued at. **-ing** valuation *(fx* of land for rating purposes); assessment, appraisal.
tak|skjegg eaves *(pl).* **-sperre** rafter, ceiling girder. **-spon** shingle.
takst 1 *(fastsatt verdi)* estimated value; *(se taksering); ta* ~ *på eiendommen* have the property valued; 2 *(pristariff)* rate; *(for passasjerer)* fare.
takstein tile; *få en* ~ *i hodet* be hit by a falling tile.
takstol roof truss.
taksvale ☙ martin.
takt time; ♩ time, measure; *(finfølelse)* tact, discretion; *holde (,slå) -en* keep (,beat) time; *(under marsj)* keep step; *i* ~ in time, keeping time *(fx* with the band); *(under marsj)* in step *(fx* walk in step); *6/8* = 6/8 measure; *legge om -en, legge om til raskere* ~ *(om skøyteløper)* increase (one's tempo); *skifte* ~ *(under marsj)* change step; *komme ut av* ~ get out of time; *(under marsj)* get *(el.* fall) out of step, break step.
taktangivelse ♩ measure signature.
taktekking roofing.
taktfast measured, rhythmic(al), in time.
taktfull discreet. **-het** tact, discretion.
taktiker tactician.
taktikk tactics *(pl); legge om -en* change one's tactics.
taktisk tactical; *av -e grunner* for t. reasons.
taktløs indiscreet, tactless, having no tact.

takt|løshet want of tact, indiscretion. **-slag** beat. **-stokk** baton. **-strek** bar (line).

takt|vindu dormer window; *(i flukt med taket)* skylight. **-ås** roof beam, purlin.

I. tale *(subst)* speech; talk, address, discourse; *direkte* ~ *(gram)* direct statement; *den neste setningen går over i direkte* ~ the following sentence breaks into direct statement; *-ns bruk* (the power of) speech; *da han hadde gjenvunnet -ns bruk* having found his voice; *holde en* ~ make a speech, deliver an address; *hun holdt en hel* ~ she made quite a speech; *han er vanskelig å få i* ~ he is difficult of access; *det kan (det) ikke være* ~ *om* that is out of the question; *(se trekke:* ~ *ut).*

II. tale *(vb)* speak, talk; *den -nde* the speaker; ~ *sterkt mot (fig)* weigh heavily against *(fx* two factors weigh heavily against the effectiveness of scientific research in industry); *(se snakke).*

talefeil impediment (of speech), speech defect.

taleferdighet fluency.

talefot: komme på ~ *(med)* get on speaking terms (with); establish (personal) contact (with); get together (with); *være på* ~ *med* be on speaking terms with.

talefrihet freedom of speech, (the right of) free speech.

tale|gaver *(pl)* oratorical gifts, fluency, the gift of speech; *gode* ~ T the gift of the gab. **-kunst** art of speaking, oratory; rhetoric.

talemåte mode of expression, manner of speaking; *bare -r* empty phrases, mere words.

talent talent, gift, aptitude; talented person; *nye -er* fresh talent; *han har* ~ he has talent, he is talented; *ha* ~ *for* have a t. for.

talentfull talented, gifted.

talentløs untalented, incompetent, inept; uninspired *(fx* an u. poem).

talentløshet want of talent, ineptness, lack of inspiration.

talentspeider talent scout, star spotter; S bushbeater.

taler speaker, orator.

taleredskap organ of speech.

taler|knep oratorical trick. **-stol** rostrum *(pl: -s),* (speaker's) platform.

talerør⚓ voice-tube, speaking tube; *(fig)* mouthpiece; spokesman *(fx* a s. of the Government).

talespråk spoken language; *det engelske* ~ spoken English.

talestemme speaking voice.

taletid time allotted for speaking; *det ble innført begrenset* ~ it was ruled that there would be a time limit *(el.* restriction) (for speeches).

taletrengt garrulous, talkative, loquacious.

talg tallow; *(nyre-)* suet.

talg|lys (tallow) candle. **-tit** ⚓ T (= *kjøttmeis*) great titmouse; T tomtit.

talisman talisman.

I. talje ⚓ (block and) tackle.

II. talje *(liv)* waist.

talkum talcum powder.

tall number, figure; *(tegnet)* figure, numeral; *(siffer i flersifret tall)* digit; ~ *som følger etter hverandre* adjacent numbers *(fx* 5 and 6 are a. n.); *like (el. jevne)* ~ even numbers; *ulike (el. odde)* ~ odd numbers; *i hundre-, i tusen-* by hundreds, by thousands; *jeg kunne ikke holde* ~ *på dem* I lost count of them; *skrive beløpet med både* ~ *og bokstaver* write the amount in both words and figures; *(se sjonglere).*

tallangivelse figure stated.

tallerken plate; *dyp* ~ soup plate; *flat* ~ (ordinary) plate; *en* ~ *suppe* a plateful of soup; *flyvende* ~ flying saucer.

tallerkenrekke plate rack.

tall|forhold ratio. **-kolonne** column of figures. **-løs** numberless, countless, innumerable. **-messig** numerical; *(adv)* numerically, in numbers; *være* ~ *underlegen* be (heavily) outnumbered; *være* ~ *overlegen* be superior in numbers.

tall|ord numeral. **-rekke** series of numbers.

tallrik numerous; *være -ere enn* outnumber.

tall|skive dial. **-størrelse** number, numerical quantity. **-system** system of notation; scale *(fx* the decimal s.). **-tegn** numeral character, figure. **-verdi:** *se -størrelse.*

talong *(på sjekk, etc)* counterfoil; US stub.

talsmann spokesman; *(forkjemper)* advocate; *gjøre seg til* ~ *for noe* advocate sth, be the a. of sth; *(se talerør).*

tam *(også fig)* tame; *(bare om dyr)* domesticated; *den -me gås* the domestic goose.

tambak *(lommeur)* pinchbeck.

tambur *(trommeslager)* drummer.

tamburin *(håndtromme)* tambourine.

tamhet tameness.

tamp end, rope end; *-en brenner (lek)* you're getting warm; *(fig)* we are getting very near the mark.

tampong *(i sykepleie)* tampon, plug.

tandem *(sykkel for to)* tandem.

tander delicate.

I. tang *(redskap)* (pair of) tongs; (pair of) nippers; *(flat-, nebbe-)* (pair of) pliers; *(liten tang, avbiter-)* wire cutter, (pair of) pincers; *(leges)* forceps.

II. tang ⚓ seaweed; kelp. **-art** species of seaweed. **-aske** kelp (ash).

tangbrosme *(fisk):* *treskjegget* ~ three-bearded rockling.

tange spit, tongue (of land).

tangens tangent.

tangent tangent; *(på piano)* key.

tangere *(vb)* touch; *(mat.)* be tangent to; ~ *en rekord* touch *(el.* equal) a record.

tangfødsel forceps delivery.

tangkutling *(fisk)* spotted goby.

tangkvabbe *(fisk)* shanny, common blenny.

tango tango.

tank *(beholder)* tank; *full* ~, *takk!* top *(el.* fill) her up, please! **-bil** (road) tanker, tank lorry; *(også* US) tank truck. **-båt** tanker.

tanke thought, idea; *(lite kvantum)* thought, suspicion *(fx* just a s. of vanilla); *samle -ne sine* collect one's thoughts; *-r er tollfrie* thoughts go free; *i dype -r* deep *(el.* absorbed *el.* lost) in thought; *T in a brown study; falle i -r* fall into a reverie; *stå i egne -r* be lost in a reverie, be lost in one's own thoughts; T be in a brown study; *arbeide med* ~ *på fremtiden* work with an eye to the future; *ha høye -r om ekteskapet* have high ideals with regard to marriage; *han har svært høye -r om seg selv* he has a very high opinion of himself; *bare -n (på)* the mere idea (of); *jeg kom på den* ~ the thought struck me; *komme på andre -r* change one's mind; *jeg bare fikk den -n* it just occurred to me; I got that idea; *jeg fikk den -n at det var ham* I had an idea it was him; it just occurred to me that it was him; *hvis man skulle forfølge den* ~ *at* if one were to pursue the line of thought that . . . ; *det var -n med det hele* that was the idea behind it; *(se sette:* ~ *en på tanken).*

tanke|arbeid brainwork, thought *(fx* it takes a lot of t.). **-bane** train of thought; *vi må pense ham inn på andre -r* we must start him thinking along different lines; we must get him to think along different lines. **-eksperiment** (mere) supposition; *som et* ~ for the sake of argument. **-flukt** *(psykol)* flight of ideas; *(fig)* flight of thought, soaring thoughts; exalted thinking. **-forbindelse** association (of ideas). **-full** thoughtful, pensive. **-fullhet** thoughtfulness, pensiveness.

tankegang mentality, mind; way of thinking; *hans jordbundne* ~ the lack of any elevation in his thought; *en klar* ~ a lucid mind; *han har en klar* ~ he is a lucid thinker; *en skitten* ~ a dirty mind; *hvis man skulle forfølge den* ~ *at* if one were to pursue the line of thought that.

tanke|gymnastikk mental gymnastics. **-innhold** thought content. **-leser** thought reader, mind reader. **-lesning** thought reading, mind reading. **-lyrikk** philosophical (*el.* intellectual) poetry, lyric poems charged with ideas, poetry of ideas. **-løs** thoughtless, unthinking, unreasoning, scatterbrained, featherbrained. **-løshet** thoughtlessness; *begå en* ~ make a slip. **-overføring** telepathy, thought-transference. **-rekke** train of thought, chain of t. **-rik** rich in thought, fertile. **-rikdom** fertility (of thought (*el.* ideas)). **-sprang** sudden switch of thought; inconsequential jump from one idea to another. **-språk** apothegm, aphorism, maxim. **-strek** dash. **-tom** empty, vacuous; (*om person*) empty-headed, vacant, vacuous. **-tomhet** emptiness, vacuity; *den rene* ~ complete mental v. **-vekkende** suggestive, thought-provoking.

tanke|verden world of thought, w. of ideas; *utenfor hans* ~ outside the world of his ideas (*el.* thought(s)); *den greske* ~ the world of Greek thought; the intellectual (*el.* mental) world of the Greeks. **-øvelse** mental exercise, exercise of thought.

tankskip tanker.

tann 1. tooth; 2 (*på kam, fil, etc*) tooth; (*på sag*) tooth; (*på gaffel*) prong; (*på rive*) tooth, prong; (*på hjul*) cog, tooth; *føle på tennene* sound sby; see what sby is like; S give sby the once-over; *få tenner* cut one's teeth; teethe; *få blod på* ~ (*også fig*) taste blood; *jeg hakket tenner av redsel* (,*av kulde*) my teeth were chattering with fear (,with cold); *holde* ~ *for tunge* not breathe a word (about it); T keep mum; *trekke ut en* ~ pull out a tooth; extract (*el.* draw) a tooth; *tidens* ~ the ravages of time; *trosse tidens* ~ defy the ages (*fx* the pyramids have defied the ages); *skjære tenner* grind (*el.* gnash) one's teeth; *tennene mine løper i vann* my mouth waters; it makes my mouth water; (*se blod & tett*).

tannbehandling dental treatment; (*se sykekasse*).

tann|byll gumboil. **-børste** toothbrush.

tanne (*på lys*) snuff.

tann|felling shedding of teeth. **-formet** tooth -shaped. **-gard** row of teeth.

tann|hjul gear (wheel), toothed wheel, cogwheel. **-hjulsutveksling** gear (system).

tannin (*garvestoff*) tannin.

tann|kitt tooth cement, temporary stopping (*el.* filling). **-kjøtt** gum. **-lege** dentist, dental surgeon; (*se kjevekirurg*). **-legehøyskole** dental college, school of dental surgery.

tannløs toothless.

tannløshet toothlessness.

tann|pasta toothpaste. **-pine** toothache. **-pulver** tooth powder, dentifrice. **-rensning** scaling, tooth -cleaning. **-råte** (dental) caries, tooth decay. **-sett** set of teeth. **-stikker** toothpick. **-tekniker** dental mechanic. **-uttrekning** tooth-drawing, extraction of teeth.

tannverk toothache.

tant trumpery, vanity, nonsense.

tantaluskvaler (*pl*) the torments of Tantalus.

tante aunt.

tantieme bonus.

tap loss; ~ *og gevinst* gain(s) and loss(es); (*merk*) profit and loss; *bære et* ~ bear a loss; *dekke et* ~ cover (*el.* meet) a loss; (*i form av erstatning*) make good a loss; *lide* ~ suffer (*el.* sustain) a loss; *selge med* ~ sell at a loss; *selge med stort* ~ (*også*) sell at a sacrifice; *det er et stort* ~ *for ham* it's a great loss for him; *det var et følelig* ~ T that was a nasty one (in the eye); *det vil for meg si et* ~ *på £5* that sets me back £5 (,T: a cool £5); (*se sette B*).

tapbringende losing, unremunerative, unprofitable (*fx* concern).

tape (*vb*) lose; ~ *motet* lose heart; *han tapte saken* the case went against him; ~ *av syne* lose sight of; ~ (*penger*) *på* lose (money) by, lose m. over (*el.* on); *denne transaksjonen har vi tapt meget på* this transaction is a dead loss to us (*el.* has involved heavy losses); *jeg tapte penger*

på det I'm out of pocket by it; *gi tapt* give in (*el.* up); *gå tapt* be lost; ~ *seg* (*om toner*) die away; (*om farger*) fade; (*bli dårligere*) deteriorate; *hun har tapt seg svært* she has lost her (good) looks; T she has gone off very much; *den -nde* the loser.

tapet wallpaper; *bringe på -et* bring up (*fx* a subject, question); *være på -et* be under discussion.

tapetsere (*vb*) paper; (*om igjen*) repaper.

tapetserer paperhanger.

tapetsering papering.

tapir 🐾 tapir.

tapp tenon; (*i sinking*) dovetail; (*løs del*) pin, peg; (*fig*) pivot (*fx* the p. on which everything turns).

tappe (*vb*) tap, draw; tap off, draw off, drain off (*el.* out) (*fx* drain out the oil and fill with new clean oil); (*snekkeruttrykk*) tenon, mortise; ~ *i badekaret* run the bath, run water into the bath tub, let the w. run into the b. t.

tappejern mortise chisel.

tappenstrek tattoo.

tapper brave; *holde seg* ~ stand (*el.* stick) to one's guns; *ta det -t* be brave about it; bear up well (*fx* he bore up well when news came that his father had been killed).

tapperhet bravery.

tapsliste casualty list.

taps- og vinningskonto profit and loss account.

tapsprosent percentage of losses.

tara (*vekt av emballasje*) tare.

I. tarantell (*slags edderkopp*) tarantula.

II. tarantell (*dans*) tarantella.

tare 🌱 (*blad-*) sea tangle.

tarere (*vb*) tare.

tariff tariff.

tariff|avtale wage agreement. **-bestemmelse** tariff regulation. **-brudd** breach of wage agreement. **-forhandlinger** (*pl*) tariff negotiations. **-forhøyelse** (,-**nedsettelse**) increase (,reduction) of the tariff (rates). **-krig** rate war. **-messig** according to the tariff, as per tariff; ~ *lønn* standard wages. **-sats** (tariff) rate; (*om lønn*) standard rate. **-stridig** not according to contract; constituting a breach of a (,the) wage agreement.

tarm bowel, gut, intestine. **-brokk** enterocele. **-kanal** intestinal canal. **-katarr** enteritis. **-parasitt** gut parasite. **-slyng** volvulus. **-streng** catgut.

tartar (= *tatar*) Tartar, Tatar. **-smørbrød** raw beef sandwich.

tarv requirements; good, benefit; *vareta ens* ~ look after (*el.* attend to) sby's interests.

tarvelig (*i levemåte*) frugal; (*i klesdrakt*) poor; (*sjofel*) mean, shabby; T low-down; meagre.

tarvelighet frugality; meanness.

taske bag, pouch, wallet.

taskenspiller conjurer, illusionist. **-kunst** conjuring, sleight of hand.

tasle (*vb*) pad; ~ *omkring* pad about.

tass *liten* ~ tiny tot, little wisp of a boy; (*se nurk; pjokk*).

tasse: *se tasle*.

tast (*tangent*) key.

tatar Tartar, Tatar; (*se tartar*).

tatarisk Tartarian.

tater gipsy; US gypsy. **-følge** band of gipsies. **-jente** gipsy girl. **-kvinne** gipsy (woman). **-språk** Romany.

tatover|e (*vb*) tattoo. **-ing** tattooing.

tau rope; *slepe-* tow(ing) rope; (*se III. lense*). **-bane** aerial cableway; (*for varer*) telpher (line); (*som går på skinner*) funicular (railway). **-båt** tug, tugboat, towboat.

taue *vb* (*buksere*) tow; take in tow; ~ *i gang en bil* tow a car to get it going; *la seg* ~ be taken in tow; *har De blitt -t før?* have you (ever) driven a car on tow before?

tau|ende rope end. **-kveil** coil of rope.

taus silent, hushed; (*av vane*) taciturn, silent, reticent; (*som ikke røper hemmeligheter*) discreet.

taushet silence; taciturnity; secrecy; *i andektig* ~ in religious silence; *en forventningsfull* ~ a hush of expectation; *bryte -en* break silence; *bringe til* ~ silence.

taushets|løfte promise of secrecy. **-plikt** professional secrecy; *han har* ~ he is bound to (observe professional) secrecy; *pålegge en* ~ bind sby to secrecy.

taustige rope ladder.

tauto|logi tautology. **-logisk** tautological, redundant.

tauverk cordage, ropes.

tavle *(skole-)* blackboard; *(apparat-)* switchboard.

tavlepasser (black)board compasses.

tavleregning maths (,arithmetic) on the blackboard *(fx* we had *(el.* did) maths on the b. today).

taxi taxi; *(se drosje).*

te tea; *drikke* ~ have *(el.* drink) tea; *en kopp* ~ a cup of tea; T a cup of char; *lage* ~ make tea; *skjenke* ~ pour out tea; *-en er på bordet* tea is ready.

teater theatre; US theater; *gå i -et* go to the theatre.

teater|billett theatre ticket. **-direktør** theatre manager. **-effekt** stage effect, dramatic effect. **-forestilling** theatrical performance; T show. **-gal** stage-struck. **-gjenger** theatregoer, playgoer. **-kikkert** opera glasses. **-kritiker** dramatic critic. **-maler** scene painter. **-plakat** playbill. **-sesong** theatrical season. **-sjef:** *se -direktør.* **-skurk** stage villain. **-stykke** (stage) play; *(se ta C:* ~ *opp igjen).*

teatralsk theatrical, stagy.

te|blad tea leaf. **-bord** tea table; *(på hjul)* tea wagon. **-boks** tea caddy. **-brett** tea tray. **-brød** [dry cake made in loaves about an inch thick and cut in diagonal strips]. **-busk** tea plant, tea shrub.

teddybjørn teddy bear.

teft scent; *få -en av* get wind of; *(om jakthund, etc)* scent; *ha en fin* ~ *for noe* have a good nose for sth.

tegl|stein brick. **-verk** brickworks *(sing)*, brickyard.

tegn sign, mark, token, indication, symptom; *(forvarsel)* sign, presage, omen; *(som en bærer på seg)* badge; *(billett)* ticket, check; ~ *på* sign of; *på et avtalt* ~ *(ɔ: signal)* at a prearranged signal; *gjøre* ~ *til en* make a sign (,signs) to sby, motion sby, signal sby; *gjorde* ~ *til ham at han skulle sette seg* motioned him to take a seat; *være et* ~ *på* be indicative of; *som* ~ *på, til* ~ *på* in token of; as a mark of; *vise* ~ *til* show signs of.

tegne *(vb)* draw; *(konstruere)* design; *(gi utsikt til)* promise; *våre planer -r bra* our plans are shaping well; ~ *forsikring* take out *(el.* effect *el.* cover) an insurance; ~ *en polise* take out *(el.* effect) a policy; *-t kapital* subscribed capital; ~ *etter naturen* draw from life *(el.* nature); *veien var ikke -t inn på det forrige kartet* the road was not shown on the previous *(el.* earlier) map; ~ *seg* put down one's name; *(som deltager, etc)* enrol(l); *(vise seg, komme til syne)* show, appear.

tegne|bestikk (case of) drawing instruments. **-blokk** drawing pad, sketchbook. **-bok** *(lommebok)* note case, wallet; US *(også)* billfold. **-bord** drawing table. **-brett** drawing board; *det er fremdeles bare på -et (fig)* it's still on the boards. **-film** cartoon (film), animated film. **-kontor** drawing office; US drafting room. **-kritt** drawing chalk. **-lærer** drawing master. **-papir** drawing paper.

tegner 1 *(kunstner)* black-and-white artist; illustrator; *(mote-)* designer; *(tegnefilm-)* animator; 2 *(på ingeniørkontor, etc)* draughtsman; *(også* US) draftsman.

tegne|sal classroom for drawing. **-serie** strip (cartoon), comic strip; *(også)* comics, funnies. **-stift** drawing pin; US thumbtack. **-time** drawing lesson. **-undervisning** drawing lessons *(pl).*

tegnforklaring *(på kart)* key to the symbols (used); *(også* ✕) legend.

tegning drawing, sketching; draughtsmanship; *(konkret)* drawing, design, sketch; *(av abonnement, etc)* subscription; *arbeide etter* ~ work from a drawing (,from drawings); *ødelegge -en for en (fig)* queer sby's pitch, queer the pitch for sby, upset sby's apple cart.

tegnings|betingelser *(pl)* terms of subscription. **-blankett** form of application, a. form. **-frist:** *-en utløper den 3. mai* the (subscription) list will be closed on May 3rd. **-innbydelse** prospectus; *sende ut* ~ issue a p.

tegn|setning punctuation. **-språk** sign language. **-system** system of signs *(el.* signals).

tehandel tea trade.

teig strip of field. **-blanding** *(hist)* strip farming *(el.* cultivation).

tein spindle, distaff; *(se spinnesiden).*

teine fish pot; *(hummer-)* lobster pot.

teint complexion, colour (,US: color).

tekanne teapot.

tekjele tea kettle.

I. tekke *(subst)* charm; appeal; *han har barne-* he has a way with children.

II. tekke *(vb)* roof; *(med strå)* thatch.

tekkelig decent, nice, proper.

tekkes *vb (være til behag)* please.

tekniker technician; *(se tanntekniker).*

teknikk technique.

teknisk technical; *«*~ *feil» (TV)* «technical incident»; ~ *konsulent* consulting engineer.

teknolog technologist. **-i** technology.

teknologisk technological.

tekopp teacup.

tekst text; *lese en -en* tell sby off, lecture sby, give sby a piece of one's mind.

tekste *(vb)* write a text for; *(film)* subtitle.

tekstil|arbeider textile worker. **-fabrikk** textile factory; *(ofte* =) mill. **-industri** textile industry. **-varer** *(pl)* textiles.

tekstkritikk textual criticism.

tekstsammenheng textual context.

tekstur texture.

tekstuttale articulation.

tele ground frost, frozen ground; layer *(el.* crust) of frozen earth; *dyp* ~ thick *(el.* deep) layer of frozen earth; thick crust of f. e.; *-n går av jorden* the ground is thawing; the frost in the ground is giving way; *-n var ennå ikke gått av jorden* the earth *(el.* ground) was still frozen beneath the surface; *-n er gått av jorden* the frost is out of the ground.

teledybde depth of frost (in the ground).

telefon telephone; T phone; *få lagt inn* ~ have the t. put in; *ha* ~ be on the t.; *ta -en* pick up *(el.* lift) the receiver; *(gå bort til den når den ringer)* answer the t.; take the call; *hvem tok -en?* who took the call? *det er* ~ *til deg* there is a call for you; T you're wanted on the phone; *i -en* on *(el.* over) the t.; *jeg har nettopp hatt sekretæren i -en* I have just been on the line to the secretary; I've just had the s. on the phone; *pr.* ~ on *(el.* over) the t.; *hun sitter i -en i timevis* T she's stuck on the t. for hours; *vente i -en (ɔ: ikke legge på)* hold the line, hold on; *kan De komme til -en?* can you take the (,a) call? *(se tilkople).*

telefon|abonnement telephone subscription. **-abonnent** t. subscriber. **-anlegg** t. exchange. **-apparat** t. (apparatus), t. instrument. **-automat** slot t.; *(offentlig)* (public) call box; US pay station. **-beskjed** t. message. **-boks** (public) call box; T phone box; US pay station, t. booth. **-dame** (t.) operator.

telefonere *(vb)* telephone; T phone; ~ *etter* t. for; *hvordan man skal* ~ how to make a call; *(se ringe).*

telefonforbindelse telephone connection; *få* ~ *med* get through to.

telefoni telephony.

telefonisk telephonic.

telefonistinne (woman) telephone operator.

telefonkatalog telephone directory (*el.* book); *-en for Essex* the Essex book.

telefon|kiosk (public) call box; T phone box; US pay station, telephone booth. **-montør** t. fitter. **-nummer** t. number. **-oppringning** t. call. **-rør** t. receiver. **-samband** t. connection.

telefonsamtale call (*fx* I pay for each call); conversation over the telephone; *den avstand -n går over* the distance to which the call is made; *bestille en* ~ book a call; US place a call; *bestille en riks- med tilsigelse* book a personal trunk call; (*se rikstelefon*).

telefon|sentral (telephone) exchange. **-takst** rate per call, call rate. **-uret** the speaking clock service (*fx* dial the speaking clock service).

telefri free of frost; *jorden er nå* ~ the frost is out of the ground now; *the g. is now free of frost.*

telegraf telegraph; *pr.* ~ by telegraph.

telegrafassistent (*jernb.*): *intet tilsv.; se telegrafist.*

telegrafbestyrer manager of a telegraph office.

telegrafere (*vb*) telegraph; wire; (*med under-sjøisk t.*) cable.

telegrafi telegraphy.

telegrafisk telegraphic, by wire, by cable.

telegrafist 1. telegraphist, telegraph operator; 2 (*jernb*) junior (booking) clerk; (*ved mindre stasjon ofte*) (leading) porter; (*jvf jernbane-ekspeditør & -fullmektig*).

telegraf|kabel telegraph cable. **-linje** telegraph line.

telegrafmester (*jernb*: *elektromester, underlagt elektrodirektør* 2) telecommunications engineer. **telegraf|stasjon** telegraph station. **-stolpe** telegraph pole. **-vesen** telegraph service.

telegram telegram, wire, cable(gram). **-adresse** telegraphic address.

telegramblankett telegram form; US t. blank.

telegrambyrå news agency; US wire service; *Norsk T-* (*jk NTB*) the Norwegian News Agency.

telegramsvar telegraphic reply, wired (*el.* cabled) reply; (*se tilbud*).

tele|grop (*i vei*) hole (in road) caused by thaw; (*se telesyk*). **-hivning** frost heaving. **-linse** (*fot*) telephoto lens, long lens.

teleløsning spring thaw.

telemarksving (*ski*) telemark turn.

teleobjektiv (*fot*) teleobjective; (*jvf telelinse*).

teleologi teleology. **-sk** teleological.

telepati telepathy. **-sk** telepathic.

teleskop telescope. **-isk** telescopic.

teleskott frost heaving(s).

telesyk (*om vei*) in a state of thaw.

televisjon television; (*se TV*).

telgje (*vb*) whittle. **-kniv** sheath knife.

telle (*vb*) count; ~ *etter* count over; ~ *opp* count out (*fx* a hundred kroner), count (up) (*fx* the votes); *-r med regning av pensjonen* counts towards the calculation of his pension; ~ *på knappene*: *se knapp*; *det er praksis som -r* practice is the important thing; ~ *til tjue* count (up to) twenty.

telleapparat turnstile counter.

telling counting; count; *han tok* ~ *til åtte* (*om bokser*) he went down to a count of eight.

teller (*i brøk*) numerator.

telt tent; *holde seg hjemme ved -ene* keep the home fires burning; *slå opp et* ~ pitch a tent, put up a tent; *ta ned -et* strike the tent.

telt|by canvas town. **-duk** tent canvas. **-leir** camp (of tents). **-plugg** tent peg. **-slagning** tent -pitching. **-tur:** *dra på* ~ go camping, go on a camping trip.

tema ♪ theme; (*emne*) subject.

temaskin tea urn.

temme (*vb*) tame; (*hest*) break (in); ~ *sine lidenskaper* control (*el.* curb) one's passions.

temmelig rather, fairly, pretty; tolerably; (*litt for*) rather; ~ *liten* rather small, smallish; ~ *god* fairly good; ~ *godt* pretty well, fairly well; ~ *kaldt* rather cold; ~ *mye* a good deal; (*om*

pris) a pretty penny (*fx* it has cost a p. p.); pretty much; (*om kvantum*) a fairly large quantity; ~ *dårlige utsikter* rather a bad look-out; *jeg er* ~ *sikker på at* I feel pretty sure that.

tempel temple; (*poet*) fane. **-herre** (Knight) Templar, Knight of the Temple.

tempera tempera.

temperament temperament, temper.

temperaments|full temperamental. **-svingning** change of mood.

temperatur temperature; *høy* ~ high t.; *lav* ~ low t.; *måle ens* ~ take sby's t.

temperer|e (*vb*) temper; *-t klima* temperate climate.

tempo speed, rate; ♪ tempo; (*fig*) tempo, pace; *i et forrykende* ~ at a dizzy pace (*el.* speed), at breakneck speed; *fremskynde* *-et* quicken the pace; *fremskynde produksjonstempoet* step up production, speed up p.; (*se oppdrive*).

temporær temporary.

tempus (*gram*) tense.

tendens tendency; trend, move (*fx* there is at least a m. towards reducing the number of greasing points); inclination (*fx* he showed an i. to resent criticism); (*især sykelig el. forbrytersk*) propensity (*fx* a morbid p. to tell lies); proclivity (*fx* persons of criminal proclivities); *en synkende* (*el. fallende*) ~ a falling (*el.* downward) trend (*el.* tendency); *ha en* ~ *til å* (ɔ: *være tilbøyelig til å*) have a tendency to, tend to, be apt to.

tendensiøs tendentious, bias(s)ed.

tendensroman purpose novel.

tender (*jernb & ♣*) tender; *lokomotiv med* ~ tender engine.

tendere (*vb*) tend; ~ *i retning av* show a tendency to; tend towards.

tenke (*vb*) 1. think; 2 (*tro, formode*) think, suppose, believe; 3 (*akte å, ha i sinne*) intend, mean, think of (*fx* I thought of leaving England); *tenk at han bare er 20 år* to think that he is only twenty! *tenk at jeg skulle møte deg her!* fancy meeting you here! to think that I should meet you here! *tenk før du snakker* think before you speak; *tenk om* what if (*fx* what if we should fail); suppose (*fx* suppose he doesn't come back); *tenk hvor* just think how (*fx* just t. how it would have pleased her); *jeg kan ikke* ~ *i dag!* I can't think today! my head is going round (*el.* is swimming) today; *det fikk meg til å* ~ that set me thinking; ~ *så det knaker* rack (*el.* cudgel) one's brains; *det var nok det jeg tenkte* I thought as much; *vi har ikke tenkt å selge huset* we don't think of selling the house; *han har tenkt å reise i morgen* (*også*) he plans to leave tomorrow; *jeg tenkte halvveis å dra til Paris* I had some thought of going to Paris; *jeg -r hun er tilbake i Norge nå* I imagine she is back in Norway now; ~ *sitt* have one's own ideas (*el.* views) of the matter; *jeg tenkte mitt* (*ofte=*) I had my suspicions; I made my own reflections; *som tenkt så gjort* no sooner thought than done; ~ *etter* consider, think; *når jeg -r nærmere etter* T come to think of it; ~ *noe gjennom* think sth over, turn sth over in one's mind; ~ *med seg selv* think to oneself; ~ *om* think of (*fx* I would not have thought it of him); ~ *over* think over (*fx* I want to think things over), consider; ~ *grundig over det* think it over carefully, give the matter careful consideration (*el.* a good deal of thought); *jeg har tenkt litt over det* I have given it a certain amount of thought; ~ *på* think of, think about, reflect on; (*huske*) think (*fx* did you think to bring the key?); (*ta hensyn til*) consider (*fx* the feelings of others); (*finne en utvei, etc*) think of; (*ha i sinne*) think of (*fx* getting married); *det lar seg ikke gjøre å* ~ *på* all one can't think of everything; *jeg har aldri tenkt alvorlig på det* I have never thought seriously about it; I have never given it (*el.* the subject) serious thought; *ha annet å* ~ *på* have other things to think about; *hva -r du på?* what are you thinking of (*el.* about)? *jeg har* *tenkt meget på det* I have thought a good deal about it; I have given it a good deal of thought; *jeg skal* ~ *på deg (fx når du er oppe til eksamen)* I'll keep my fingers crossed for you; ~ **seg** imagine, fancy; *han kunne ikke* ~ *seg henne som tyv* he couldn't think of her as a thief; he could not imagine her being a thief; *som De nok kan* ~ *Dem* as you may suppose; *jeg kan ikke* ~ *meg hva du mener* I can't think what you mean; *jeg kunne godt* ~ *meg* I shouldn't mind *(fx* a holiday); I'm ready for *(fx* I don't know about you, but I'm ready for some lunch); *ja, jeg kan (godt)* ~ *meg det* (yes,) I can (well) imagine *(fx* The customer was getting impatient. - (Yes,) I can (well) imagine *(el.* I expect he was)); ~ seg om consider, reflect, think *(fx* I must have time to think; he considered for a moment); *etter å ha tenkt seg lenge om* after much thought; *uten å* ~ *seg om* without thinking, without stopping to think; ~ **seg** til guess *(fx* you may g. the rest), imagine; ~ *seg til å . . .* fancy *(fx* f. doing a thing like that! f. having to wait all afternoon! f. her saying such a thing!).

tenkeevne ability to think.

tenkelig imaginable, conceivable.

tenkemåte way of thinking, *(se tenkesett).*

tenker thinker.

tenkesett way of thinking, mind; *hans politiske* ~ his political ideas; *afrikanernes livsstil og* ~ *er i støpeskjeen* the Africans' way of life and thinking are in the melting pot; *(jvf tankegang).*

tenk(n)ing thinking, thought.

tenksom thoughtful, reflective, meditative.

tenksomhet thoughtfulness, reflectiveness.

tenne *(vb)* kindle, light, ignite; *(bli antent)* catch *(el.* take) fire; *(om motor)* fire; *denne fyrstikken vil ikke* ~ this match won't strike; ~ *opp* light *(el.* start) the fire; ~ *opp i ovnen* light the stove; ~ *(på) lyset* switch *(el.* turn) on the light; *pæren -r når tenningen skrus på* the bulb illuminates *(el.* glows) when the ignition is switched on.

tennerskjærende gnashing one's teeth.

tennhette percussion cap.

tenning ignition; *(det å, i forbrenningsmotor)* firing *(fx* the f. takes place too far in advance of top dead centre); *få -en regulert* have the i. timed *(el.* adjusted); *høy (el. tidlig)* ~ advanced ignition; *lav (el. sen)* ~ retarded i.; *skru av -en* switch *(el.* cut) off the i.; *skru på -en* switch *(el.* turn) on the i.

tennings|bank: *se motorbank.* **-feil** ignition failure *(el.* trouble), spark trouble. **-fordeler** i. distributor. **-innstilling** i. tuning, i. timing, i. setting. **-kontakt** i. switch. **-kontroll** i. control, spark control. **-lås** i. switch. **-nøkkel** i. key. **-punkt** i. point. **-regulator** i. lever. **-rekkefølge** firing *(el.* i.) order.

tennis tennis. **-bane** tennis court.

tenn|plugg sparking plug, spark plug; *skifte ut -ene* renew the plugs. **-sats** percussion cap; *(på fyrstikk)* match-head.

tenor ♪ tenor. **-basun** tenor trombone. **-nøkkel** tenor clef. **-parti** tenor part. **-sanger** tenor (singer).

tentamen mock exam(ination), rehearsal examination; ~ *i engelsk* mock exam in English.

tentamensoppgave mock exam paper *(fx* in English), paper set in the m. e.

tentamensstil 1. mock exam essay *(fx* in your mock exam essay); 2. essay in the mock exam.

tenåring teenager.

teokrati theocracy.

teokratisk theocratic.

teolog theologian, divine.

teologi theology, divinity.

teologisk theologic(al); ~ *embetseksamen* (examination for a) degree in divinity.

teoretiker theorist.

teoretisere *(vb)* theorize.

teoretisk theoretical.

teori theory; *sette fram en* ~ put forward a theory; *ut fra den* ~ *at* on the theory that.

teosof theosophist.

teosofi theosophy.

teosofisk theosophic(al).

teppe *(gulv-)* carpet; *(til en del av gulvet)* rug *(fx* hearthrug); *(i teater)* curtain; *-t faller* the curtain falls *(el.* comes down).

teppebanker carpet beater.

teppeunderlag *(underlagsfilt)* underfelt.

terapeutisk therapeutic.

terapi therapeutics.

tereksnipe ⚇ Terek sandpiper; *(jvf strandsnipe).*

terge *(vb):* *se erte.*

termin period, term; *(avdrag)* instalment; *(se misligholde).*

terminforretninger *(pl)* deal in futures, futures.

terminologi terminology.

terminoppgjør *(i skole)* end-of-term reports *(el.* marks); quarterly report; *det leses hardt nå like for -et* some hard work is going on now, just before the quarterly marks are given *(el.* just before the quarterly report is made).

terminus *(uttrykk)* term.

terminvis by instalments.

termitt ⚇ termite.

termometer thermometer.

termosflaske thermos flask *(el.* bottle).

terne ⚇ tern.

ternet chequered, check; *(især US)* checked; *(jvf rutet).*

terning die *(pl:* dice); *(mat.)* cube; *kaste* ~ throw dice. **-beger** dice box. **-kast** throw (of the dice). **-spill** game of dice.

terpe *(vb)* cram.

terpentin turpentine. **-olje** oil of turpentine. **-spiritus** spirits of turpentine.

terrakotta terra cotta.

terrasse terrace. **-formig** terraced. **-hus** [block built in terraces up a slope].

terreng country, terrain; *(også fig)* ground; *avsøke -et* scour the country; *vinne* ~ gain ground; *tape* ~ lose ground, fall behind; *i åpent* ~ in open country, in the open field(s).

terrier ⚇ terrier.

terrin tureen.

territorial|farvann territorial waters. **-grense** limit of territorial waters; *innenfor (,utenfor) norsk* ~ inside (,outside) Norwegian territorial waters.

territorium territory.

terror terror; *innføre* ~ establish a system of t.

terrorisere *(vb)* terrorize.

terrorisme terrorism.

terrorist terrorist.

ters *(i fekting)* tierce; ♪ third.

tersett *(trestemmig syngestykke)* trio, terzet.

terskel: *se treskel.*

terte *(eple-)* apple puff, apple turnover; *(se -deig).* **-deig** puff paste *(el.* pastry); *kaker lagd av* ~ puff pastry; *lettvint* ~ short crust pastry.

tertefin: *hun er nå så* ~ *på det* T she's very prim and proper.

tertiaveksel third of exchange.

tertit: *se talgtit.*

tertiær tertiary.

te|sil tea strainer. **-skje** teaspoon; *(mål)* teaspoonful; *3 strøkne -er salt* 3 flat teaspoonfuls of salt. **-sorter** *(pl)* teas.

tess: *lite* ~ not much good, not up to much; *ikke noe* ~ no good.

testamente (last) will, testament; *(bibl)* Testament; *gjøre sitt* ~ make one's will; *dø uten å ha gjort* ~ die intestate.

testament|arisk testamentary. **-ere** *(vb)* bequeath, leave (by will).

testa|tor, -triks testator, testatrix.

testell tea things.

testikkel *(anat)* testicle.

testimonium testimonial.

tête: *gå i -n* take the lead.

tetne (*vb*) become denser, thicken; condense. **tetning** tightening.

tetnings|middel packing, jointing (compound). **-ring** packing ring, joint ring. **-skive** washer.

tett 1. dense (*fx* crowd, thicket, wood); thick (*fx* hedge, corn); close (*fx* formation of troops, print); **2** (*mots. utett*) tight (*fx* cask, ship); impervious (*fx* to rain, to light); (*vann-*) watertight (*fx* boats, roofs, ship), waterproof (*fx* coat);(*luft-*) airtight;(*adv*) densely (*fx* populated); close up (*fx* write close up); ~ *bak* close behind; ~ *sammen* close together; *hvis elevene sitter for* ~ (*sammen*), *skriver de av etter hverandre* if the pupils sit too close together, they copy each other's work; *tennene hennes sitter for* ~ *sammen* her teeth are too close together (*el.* are rather crowded); *øynene hennes sitter for* ~ *sammen* her eyes are too close-set; ~ *sammenpakket* tightly packed; *holde* ~: *se tann*: *holde* ~ *for tunge*; *kan du holde* ~? can you keep a secret? *langs hovedveiene ligger bensinstasjonene* ~ *i* ~ on the main roads there are frequent filling stations.

tettbebygd: *-e områder* densely built-up areas. **tettbefolket** densely populated; US (*også*) thickly populated.

tette (*vb*) stop (up), tighten, pack (*fx* a joint). **tettegras** ♣ butterwort.

tetthet tightness; closeness, density.

tetting tightening.

tett|skrevet close, closely written. **-sluttende** tight-fitting. **-vokst** sturdy; stocky; *en* ~, *kraftig liten plugg* a strong, sturdy little chap; *hans vesle, -e skikkelse* his stocky little figure.

te|vann water for tea, tea-water. **-varmer** tea cosy.

tevle (*vb*) compete; (*se konkurrere*).

tevling competition, contest; (*se konkurranse*). **Themsen** the Thames.

ti (*tallord*) ten.

tid time; (*gram*) tense; *alle -ers sjanse* T the chance of a lifetime; a grand chance; *ha det alle -ers* T enjoy oneself immensely; *jeg hadde det alle -ers* I had the time of my life (*fx* at the party); *-en arbeider for oss* time is on our side; *-en så på dette som noe mindreverdig* this was thought inferior at (that time *el.* in that age); *kledd i -ens* (ɔ: *den tids*) *drakt* dressed in the costume of the period; *nå er det* ~ now is the time; *det er ingen* ~ *å tape* there is no time to be lost (*el.* to lose); *det var en* ~ *da* time was when; *en* ~ *some time, for a time*; ... *at økningen var større enn man en* ~ *hadde trodd* that the increase was greater than was at one time supposed; *jeg har i noen* ~ *ønsket å utvide mine kunnskaper i* it has been my wish for some time past to extend my knowledge of; *-en og rommet* time and space; *omskifte -en med evigheten* depart this life; *hvordan får du* ~ (*til det*)? where do you find the time? *-en falt lang* time seemed to drag; *-en går* time passes quickly; (*det haster*) time flies; *når -en kommer* in due time; *kommer* ~, *kommer råd* = let's not cross that bridge until we come to it; we'll worry about that when the time comes; *fordrive -en, slå -en i hjel* kill time; *de tenker bare på å fordrive -en på en måte som er mest mulig behagelig for dem selv* their only thought is to get the time to pass as pleasantly as possible for themselves; *det vil nødvendigvis ta en viss* ~ (*også*) there will inevitably be a time lag; *tilbringe -en* spend one's time (*fx med å lese reading*); *gamle -er* ancient times; *nyere -er* modern times; *helt fra de eldste -er* from (*el.* since) the earliest times; *from time immemorial*; *se -en an* wait and see; *kort* ~ *etter* shortly after, soon after, not very long after; *etter en forbløffende kort* ~ *after a surprisingly short time; *for lengre* ~ *om gangen* for long on end; *for -en* at present; *for the time being*; *fra* ~ *til annen* from time to time; *før i -en* in the past, in times past, formerly; *gammel før -en* prematurely old,

old before his time; **i** *-e* in time; *i -ens fylde* in the full course of time; *i rette* ~ in due time; *i sin* ~ once, formerly, in the past, at one time; (*fremtiden*) in due course; *i den senere* ~ of late; *i disse -er* in times like these; **med** *-en* in time, in the course of time, in process of time, with time; *om et års* ~ in a year or so; in a year's time; in a twelvemonth; *om kort* ~ shortly, soon, before long; *bli* **over** *-en* stay longer than permitted; outstay one's time; stay on; *det er vel ikke verdt å bli over -en* (*fx om visittid*) T I suppose I'd better not stay too long; *det er* **på** *-e* it is (high) time; it is about time; *det er høy* ~ it is high time; *ikke på den korte -en* not in that space of time; **til** *den* ~ by that time; **til rette** ~ in due course; *til enhver* ~ at all times; *til sine -er* at times; *gi seg* ~ *til å tenke* stop to think, pause to consider; *jeg har ikke* ~ *til det* I have no time for that (*el.* to do that); I can't spare the time; *I haven't (the) time*; (*se også anvende*; *ha A; lang; ta A; skru*: ~ *tiden tilbake*; *tann*: *tidens* ~; *-tider*).

tidebolk era, period.

tidende news; tidings.

-tider (*buss-*) times of buses, bus guide; (*båt-*) sailings; (*fly-*) flights; (*tog-*) times of trains, timetable.

tidevann tide; *-et stiger* the tide is coming up; *fallende* (*,stigende*) ~ *falling* (*,rising*) tide; *når -et er på sitt høyeste* at the top of the tide.

tidfeste (*vb*) date.

tidkrevende time-consuming; ... *er forbundet med* ~ *undersøkelser* ... involves t.-c. investigations.

tidlig (*adj*) early; ~ *frukt* early fruit; *et meget* ~ *slag* ♣ a very early variety; (*adv*) in good time, at an early date; ~ *moden* 1. ♀ sexually mature at an early age; 2. (*intellectually*) precocious; *for* ~ premature; ~ *ute* early, in good time (*fx* I am early (*el.* in good t.) with my Christmas shopping this year); *være for* ~ *ute* (*fig = tjuvstarte*) T jump the gun; *jeg var 20 minutter for* ~ *ute* I was twenty minutes early; *er du ikke litt* ~ *på'n*? (T = *ute*) T aren't you a bit previous (*el.* premature)? *så* ~ *som mulig* as early as possible; (*merk, også*) *at your earliest convenience*; *så* ~ *at skipet ikke forsinkes* in time to prevent delay to the ship; (*se nyttiggjøre*: ~ *seg*; *II. skade 2*).

tidligere previous, former; (*adv*) previously, formerly, before; *i* ~ *tider* in times past, formerly, in the past.

tidligst at the earliest; ... *før* ~ *om tre uker* for another three weeks at the earliest.

tidobbelt tenfold.

tids|alder age, era. **-angivelse** date, indication of time. **-besparelse** saving of time.

tidsbesparende time-saving.

tidsbilde picture of the period.

tidseksponering (*fot*) time exposure.

tids|fordriv pastime. **-forhold** circumstances. **tidsfrist** time limit; *overskride en* ~ exceed a deadline; *hvis -en blir overskredet* if the time stipulated is exceeded; *sette en* ~ fix a deadline; (*se frist & tilmålt*).

tids|følge chronological order. **-interval** time lag (*fx* the t. l. between lightning and thunderclap). **-koloritt** period (colour) (*fx* the p. was beautifully caught); period feeling (*el.* flavour). **-messig** modern.

tidsnok in time, early enough; *det er* ~ *i morgen* tomorrow is quite soon enough; there will still be time tomorrow.

tids|nød: *være i* ~ be pressed for time. **-orden** chronological order. **-preg** period character. **-punkt** point of time; *på angjeldende* ~ at the time in question, at the material time; *på et avtalt* ~ at an agreed hour; *på et tidligere* ~ at an earlier time (*el.* date). **-regning** era. **-rom** period (*fx* it lasted for a p. of ten years); *det tilsvarende* ~ *i fjor* the corresponding period of last year; *utover det ~ som er nevnt i ansettelses-brevet* beyond the period stated in the letter of appointment. **-skjema** schedule. **-skrift** periodical. **-skriftslesesal** periodical room. **-spille** waste of time. **-spørsmål** question of time. **-svarende:** *se -messig.* **-ånd** spirit of the times.

tidtaker (*sport*) timekeeper.

tie (*vb*) be silent, keep silent; hold one's tongue; *få til å ~* silence; ~ *til* say nothing to, let pass in silence; ~ *i hjel* kill by silence; *ti stille!* hold your tongue! be quiet! T shut up! ~ *stille med det* T keep mum about it; *den som -r, samtykker* [he who is silent, consents]; *den som -r, forsnakker seg ikke* = least said, safest.

I. **tiende** (*subst*) tithe.

II. **tiende** (*tallord*) tenth.

tiendedel tenth (part).

tier ten; (*pengeseddel*) ten-kroner note.

tiger ♀ tiger; (*huntiger*) tigress. **-sprang** tiger leap. **-unge** tiger cub.

tigge (*vb*) beg (*om* for); beseech, implore; ~ *seg til noe* obtain sth by begging; *han tagg seg til et måltid* he begged a meal; ~ *sammen* collect by begging.

tigger beggar; mendicant.

tigger|aktig beggarly. **-brev** begging letter. **-gang:** *gå ~* go begging.

tiggeri begging, beggary, mendicity.

tigger|munk mendicant friar. **-pose** beggar's wallet.

tiggerstav beggar's staff; *han er brakt til -en* he is reduced to beggary.

tiggerunge beggar's brat.

tikke *vb* (*om ur*) tick.

tikking ticking.

tikk-takk tick-tock.

I. **til** (*prep*) to; *reise ~ London* go to London; *en billett ~ London* a ticket for London; *sende ~* send to; *fra øverst ~ nederst* from top to bottom; *skrive ~* write to; *fri ~* propose to; *henfallen ~* addicted to; *lytte ~* listen to; *vant ~* accustomed to; *10 ~ 20* ten to twenty; *han gikk bortover ~ huset* he went towards the house; ~ *jul* at Christmas; *next C.; hvor lenge er det ~ jul?* how long is it to (*el.* till) Christmas? *det er lenge ~ jul* it is a long time to (*el.* till) Christmas; *det er to måneder ~ jul* it is two months to Christmas; (*se også III. til*); *vent ~ i morgen* wait till tomorrow; *fra morgen ~ kveld* from morning till night; *det er brev ~ deg* there is a letter for you; *hva skal vi ha ~ frokost?* what are we to have for breakfast? *ta ~ kone* take for a wife; take to wife; ~ *salgs* for sale; *avreise ~* departure for; *for stor ~* too large for; *god nok ~* good enough for; *her ~ lands* in this country; ~ *inntekt for* in aid of; ~ *tegn på* in token of, as a sign of; *forvandle ~ change into*; ~ *fots* on foot; ~ *hest* on horseback; ~ *alle sider* on every side; ~ *høyre* on the right hand; ~ *enhver tid* at all times; ~ *lav pris* at a low price; ~ *en pris av* at the (*el.* a) price of; *to* (*billetter*) ~ *5/-* two (tickets) at 5/- (each); two at 5/-; *two five shillings; mor ~* the mother of; *jeg må ha det ~ jul* I must have it by Christmas; *ta ~ eksempel* take as an example; *gi meg litt saus ~ biffen* bring me some gravy with this steak; ~ *all ulykke* unfortunately; *bli utnevnt ~ guvernør* be appointed governor; *bli valgt ~ konge* be chosen king; *det er ~ ingen nytte* it is no use; *se ~ en* go and see sby; *lese seg ~* read; ~ *å være* for (*fx* highly educated for a peasant); *hun er liten ~ å være tre og et halvt år* she is small for three and a half; she is small for her three and a half years; *ikke dårlig ~ å være meg* not bad for me, not bad considering it's me.

II. **til** (*adv*): *være ~* exist; *av og ~* now and then; off and on; occasionally, sometimes; *fra og ~* to and fro; (*se fra:* ~ *og til*); *det gjør hverken fra eller ~* that makes no difference; *en ~* one more; *en halv gang ~ så lang* half as long again; ~ *og med* including;

III. **til** (*konj*) till, until; *vente ~ han kommer* wait until he comes; *det er lenge ~ guttene kommer igjen* it's a long time till the boys come back.

tilbake (*adv*) back; backward(s); *han ble ~* he remained behind; *la bli ~* leave behind; *fram og ~* forward and backward; (*se gi; sette B:* ~ *tilbake; stå*).

tilbakebetale (*vb*) pay back, repay.

tilbakebetaling repayment (*fx* of a loan); reimbursement (*fx* of contributions); ~ *av skatt* repayment of taxes.

tilbakeblikk retrospect, retrospective glance; (*litt. & film*) flashback; *i* ~ in retrospect, retrospectively; *kaste et* ~ *på* look back on.

tilbakefall (*om sykdom, etc*) relapse.

tilbakegang falling off, decline.

tilbake|holde (*vb*) hold (*el.* keep) back, retain; (*nekte å gå*) detain; *med -holdt åndedrett* with bated breath. **-holdelse** retention; detention.

tilbakeholden reserved, aloof; T stand-offish; *være ~ overfor en* be reserved with sby. **-het** reserve; T stand-offishness; (*i krav*) restraint.

tilbakekalle (*vb*) call back, recall; (*ytring*) retract, withdraw; (*en ordre*) cancel, countermand, annul (*fx* a. an order).

tilbakekallelse recall; retraction, withdrawal.

tilbakekomst return; *ved hans ~ til* on his return to.

tilbakelegge (*vb*) cover; *et tilbakelagt stadium* a thing of the past; (*se strekning & vei A*).

tilbakelent recumbent.

tilbakelevere (*vb*) return, hand back.

tilbakelevering return.

tilbakereise return.

tilbakeskritt step backward, retrograde step.

tilbakeslag reaction, setback; (*av kanon, etc*) recoil; kick.

tilbakestående backward, underdeveloped.

tilbaketog retreat, withdrawal; (*fig*) climb-down; *foreta et ~* execute a retreat (*el.* withdrawal); *-et foregikk i god orden* the retreat was effected in good order.

tilbaketredelse retirement, resignation; withdrawal (*fra* from).

tilbaketrekning 1. withdrawal; 2: *se tilbaketog*.

tilbaketrengt (*fig*) repressed, suppressed.

tilbaketrukkenhet retirement, seclusion, solitude; unobtrusiveness.

tilbaketrukket retired.

tilbaketur return trip (*el.* journey); ♻ return voyage (*el.* trip); *på -en* on the way back; on his (,her, *etc*) way back.

tilbakevei way back; *de var på -en* they were on their way back, they were returning.

tilbakevendende recurrent, recurring.

tilbakevirkende retroactive; (*lov*) retrospective; *gi ~ kraft* give retrospective force (*el.* effect), make (*fx* an Act) retrospective; *det nye lønnsregulativ får ~ kraft* the new scale of pay will be back-dated.

tilbakevirkning retroaction, repercussion (*på* on); *ha alvorlige -er på* have serious repercussions on.

tilbakevise (*vb*) reject, turn down; (*beskyldning*) repudiate; (*angrep*) repel, repulse.

tilbakevisning repulsion, rejection; repudiation.

tilbe (*vb*) adore, worship.

tilbedelse adoration, worship.

tilbeder adorer, worshipper; *hennes -e* her admirers.

tilbehør accessories; appurtenances; *med ~* with accessories; (*fig*) with all the trimmings (*fx* roast turkey with all the t.).

tilberede (*vb*) prepare.

tilberedelse preparation.

tilblivelse coming into existence; origin.

tilbrakt: *fritt ~* carriage free.

tilbringe (*vb*): ~ *tiden* spend one's time (*fx med å -ing*).

tilbud offer; *der har du -et, vær så god!* T take it or leave it! (*pris-, notering*) quotation; *et fast ~*

a firm (*el.* binding) offer; *mitt ~ står fast* my offer stands; *dette ~ er fast mot svar innen tre dager* this offer is firm (*el.* remains open) for three days; this o. is open for reply here within three days; this o. is subject to your reply within three days; *holde -et åpent mot telegramsvar* keep (*el.* hold) the o. open for (your) telegraphic reply; keep (*el.* hold) the o. open in expectation of a t. r.; (*i telegramstil, også*) keep (*el.* hold) the o. open against t. r.; ~ *og etterspørsel* supply and demand; (*se betinge 1*).

tilby (*vb*) offer; ~ *et firma varer* (*til en bestemt pris*) quote a firm for goods; ~ *seg å* offer to.

tilbygg addition, annex.

tilbørlig due, proper; *holde seg på ~ avstand* keep at a safe (*el.* suitable) distance.

tilbørlighet propriety.

tilbøyelig inclined, disposed, apt, given (*til* to).

tilbøyelighet inclination, disposition; tendency.

tildanne (*vb*) fashion, shape.

tildek|ke (*vb*) cover (up). **-ning** covering (up).

tildele (*vb*) allot, assign (to); award (*fx* sby a prize).

tildeling allotment, assignment; award (*fx* of a prize).

tildra (*vb*): ~ *seg* (*hende*) come to pass, happen.

tildragelse occurrence, event, happening.

tilegne (*vb*): ~ *en en bok* dedicate a book to sby; (*et enkelt eksemplar*): *se dedisere;* ~ *seg* appropriate (*fx* sth); acquire (*fx* a good knowledge of French); ~ *seg korrekt intonasjon* pick up the correct intonation.

tilegnelse dedication; appropriation; acquirement.

tilende|bringe (*vb*) bring to a conclusion (*el.* end), finish. **-bringelse** conclusion.

tilfalle (*vb*) fall to; (*ved arv også*) devolve on; come to (*fx* several thousand pounds came to him from his uncle); *gevinsten tilfalt en fattig familie* the prize was won by a poor family; *når leiligheten etter skilsmissen -r hans hustru* when the flat is settled on his wife after the divorce.

til fals for sale.

tilfang material; (*se ord-*).

tilfangetagelse capture.

tilfeldig accidental, casual, occasional, chance; ~ *bekjentskap* chance acquaintance; *en ~ jobb* an odd job; (*se rent*).

tilfeldighet coincidence, chance, accidental circumstance; accident (*fx* it is no a. that . . .); *mer enn en ~* no mere chance; (*se overlate*).

tilfeldigvis by chance, accidentally, as it happens; *du skulle vel ikke ~ vite hvor han bor?* do you by any chance know his address?

tilfelle case, instance; occurrence; (*treff*) chance; (*sykdomsanfall*) fit, attack; *et isolert ~* 1. an isolated instance (*el.* case), 2. a particular (*el.* special) case; *et hårdnakket ~* ⚕ an obstinate case; *et opplagt ~ av bestikkelse* a clear case of bribery; *enn hva ~ er i Norge* than is the case in Norway; *for det ~ at han . . .* in case he . . .; *for alle -rs skyld* to be prepared; T to be safe; to be on the safe side; *i så ~* in that case; *i ~ av* in case of, in the event of; *i de enkelte ~* in the individual cases; *i ethvert ~* at all events, at any rate, in any case; *i verste ~* if the worst comes to the worst; *i påkommende ~* in an emergency; *i det foreliggende ~* in the present case; *ved et ~* by chance; *hvis det virkelig er ~* if that is really so; if that is really the case.

tilflukt refuge; *ta sin ~ til* have recourse to; take refuge in (*fx* take r. in silence; take r. in a cellar); resort to; *finne ~ hos* find shelter with; (*jvf ly: søke ~*).

tilfluktsrom air-raid shelter.

tilfluktssted refuge, retreat.

tilflyte *vb* (*om fordel, inntekter, etc*) accrue to; *de opplysninger som tilfløt ham* the information he received.

tilforlatelig reliable, trustworthy.

tilforordne (*vb*) appoint, order.

tilfreds content, satisfied; (*se ordne*).

tilfredshet content, contentment, satisfaction; *til min fulle ~* to my entire (*el.* complete) satisfaction; *ordren skal bli utført til Deres fulle ~* (*også*) your order shall have our best attention; (*se uttrykke*).

tilfredsstille (*vb*) content, satisfy, give satisfaction, gratify; ~ *moderne smak* cater for modern tastes.

tilfredsstillelse satisfaction, gratification.

tilfredsstillende satisfactory (*fx* we hope this will be s. for (*el.* to) you; s. to both parties); gratifying; (*adv*) satisfactorily; to (*fx* sby's) satisfaction; *en ordbok som på et ~ grunnlag dekker norsk dagligtale* a dictionary which covers Norwegian everyday speech in a basically sound way.

tilfrosset frozen (over), icebound.

tilføket: *veien er ~* (*av snø*) the road is blocked by snowdrifts; the r. is snowbound.

tilføre (*vb*) carry (*el.* convey) to; (*forsyne med*) supply with; *møbler, som hun har tilført boet* furniture contributed to the estate by her; ~ *foretagendet ny kapital* put fresh capital into the undertaking; ~ *partiet nytt blod* infuse new blood into the party.

tilførsel supply; (*av brennstoff, etc, i motor*) feed; (*skriftlig*) entry, addition; *rikelige tilførsler av ample* supplies of; *en jevn ~ av* an even flow of; (*se svikt & tilgang*).

tilføye (*vb*) 1. add; 2 (*forårsake*) cause, inflict on; ~ *en et tap* inflict a loss on sby.

tilføyelse addition.

tilgang access, approach; (*av folk, av varer*) supply, influx; *-en på arbeidskraft* the labour market; *en jevn ~ på ordrer* a steady flow of orders; *den løpende ~ på sukker* the current supply of sugar, supplies of s. currently available.

tilgi (*vb*) forgive, pardon (*en noe sby sth el.* sby for sth).

tilgift addition; *få noe i ~* get sth thrown in.

tilgivelig pardonable, forgivable.

tilgivelse forgiveness, pardon; *be en om ~* ask (sby's) forgiveness.

tilgjengelig accessible; available; *lett* (*,vanskelig*) ~ *easy* (*,difficult*) of access; ~ *for* open to, accessible to; (*se vanskelig*).

tilgjengelighet accessibility; availability.

tilgjort affected, artificial. **-het** affectation.

til gode: *se gode.*

tilgodehavende outstanding debt (*el.* account); balance in sby's favour; amount (*el.* sum) owing (*el.* due) to sby; *vårt ~* the balance due to us, what is owing to us, our account; *til utligning av vårt ~* in settlement (*el.* payment) of our account; *vi har ennå ikke fått dekning for vårt ~* we are still without (*el.* we have not yet received) a settlement of our (outstanding) account; *vi beklager at De bare har sett Dem i stand til å sende delvis dekning for vårt ~* we regret that you have only felt able to make partial payment of your account with us; *en utligning av den resterende del av vårt ~, som for lengst er forfalt til betaling* a settlement of the overdue balance of our account; *gjenstående rest av et ~* (*også*) the balance of a sum owing; *vi har et ~ hos ham* (*også*) we have sth owing from him; we have an outstanding account against him; *vi har fremdeles et ~ på 1000 kroner hos Deres firma* we still have a claim for the sum of (*el.* to the amount of) 1,000 kroner on your firm; we are still owed 1,000 kroner by your firm; (*jvf utestående*).

tilgrensende adjoining, adjacent.

tilgrodd overgrown.

tilheng (*påheng, neds*) hangers-on (*pl*), crowd, following.

tilhenger 1. adherent, follower, supporter; 2 (*vogn*) trailer; (*camping-*) caravan; US trailer.

tilhold (*tilfluktssted*) shelter; (*se -ssted*).

tilholdssted haunt, resort; T hang-out.

tilhylle (*vb*) cover; (*tilsløre*) veil.

tilhøre (*vb*) belong to; (*være medlem av*) be a member of.

tilhørende belonging to; (*jur*) appurtenant; *med ~ rettigheter* with appurtenant rights; *papir med ~ konvolutter* paper and envelopes to match; *et verksted med ~ maskiner* a workshop complete with machinery; (*se tilliggende*).

tilhører listener; *-e* audience; *ærede -e!* ladies and gentlemen!

tilhørerkrets audience; *en stor ~* a large audience.

tilhøvlet planed. **tilhøvling** planing.

tilintetgjøre (*vb*) annihilate, destroy, obliterate; *han følte seg tilintetgjort* he felt crushed (*el.* humiliated).

tilintetgjørelse annihilation, destruction, obliteration.

tilje (*i båt*) floorboard; *dansen gikk lystig over ~ (kan gjengis)* the dancing went with a swing. (*se betinge*).

tiljevning levelling; (*fig*) adaptation.

tiljuble (*vb*): *~ en* cheer sby.

tilkall|e (*vb*) call (in), summon. **-ing:** *en ~* a call, a summons.

tilkjempe (*vb*): *~ seg* gain (by fighting); (*fig*) obtain, gain; *~ seg prisen* carry off the prize.

tilkjenne (*vb*) award; *bli tilkjent barnet* get custody of the child; (*se skadeserstatning*).

tilkjennegi (*vb*) make known, express, show; (*mer bestemt*) declare; (*bekjentgjøre*) notify, announce.

tilkjennegivelse notification, announcement; declaration.

tilkjennelse award.

tilkjørt: *fritt ~* carriage paid; *få varene ~* have the goods delivered by van (,by lorry, *etc*).

tilklint dirtied.

tilknappet (*fig*) reserved, aloof.

tilknappethet reserve, aloofness.

tilknytning connection.

tilknytningspunkt connection point, point of connection.

tilknytte (*vb*): *se knytte til; han er -t kontoret* he is attached to the office.

tilkomme *vb* (*skyldes*) be due to, be owing to; (*være ens plikt*) be one's duty; *det som -r meg* my due; *det -r ikke meg å ... it is not for me to*.

tilkommende future (*fx* his future wife); *hans ~ (også)* his fiancée; *hennes ~* her fiancé.

tilkople (*vb*) connect (up); (*jernb*) couple (up); (*se kople til*); *vi har nå fått telefon, men den er ikke -t ennå* we've got a telephone now, but it isn't (*el.* hasn't been) connected yet.

tilkopling connection; coupling; *~ for lysnettet* (*fx for reiseradio*) mains input.

tillagd prepared; *en vel ~ frokost* a well-cooked breakfast.

tillaging preparation (*av* of).

tillate (*vb*) 1. allow, permit; (*med upersonlig subj*) permit (of), admit of; 2 (*tolerere*) tolerate; (*litt.*) suffer; *hvis været -r* (*det*) weather permitting; *hvis tiden -r det* if time permits; *tillat meg å nevne* permit (*el.* allow) me to mention; *jeg -r meg å forespørre om* I take the liberty of inquiring; I venture to inquire; (*formelt*) I beg to inquire; *jeg -r meg å tilby Dem min tjeneste* (*i søknad*) I beg to offer my service; *jeg -r meg å meddele Dem at* I would inform you that; *mine inntekter -r meg ikke å holde bil* my income does not run to a car; *jeg vil ikke ~ at han ... I* will not let him ... ; *jeg har tillatt meg å henvise til Dem I* have taken the liberty of referring to you; *jeg tillot meg å bemerke* I ventured to observe; *det må være meg tillatt å bemerke at ...* (*formelt*) I beg leave to state that ...

tillatelig allowable, permissible; (*lovlig*) lawful; *på grensen av det -e* near the line; T near the knuckle; *han beveger seg på grensen av det -e* he is sailing pretty close to the wind.

tillatelse permission; *har ~ til å* is allowed to.

tillegg addition; (*til bok, etc*) supplement; (*til testament*) codicil; *et forklarende ~* an additional (*el.* further *el.* supplementary) explanation; *~ i lønn* increment, increase of salary; *for sangog dansetimer betales et ~* singing and dancing are extras; *mot ~ i prisen* for an additional sum (*fx* a stronger engine is available for an a. s.); *extra* (*fx* a stronger engine is extra); *i ~ til* in addition to; (*se tjeneste*).

tillegge *vb* (*tilregne*) ascribe to, attribute to, assign to; *~ stor betydning* attach great importance to.

tilleggs- additional, supplementary.

tilleggs|avgift additional charge, surcharge. **-avtale** supplementary agreement. **-bevilgning** additional grant. **-eksamen** supplementary examination. **-frakt** extra (*el.* additional) freight. **-gebyr** extra (*el.* additional) charge, extra fee. **-klausul** (*i kontrakt*) supplementary clause. **-porto** surcharge, surtax. **-premie** additional premium; (*se betinge*). **-toll** extra duty, (*customs*) surcharge; an additional (*import*) duty.

tillempe (*vb*): *~ etter* adapt to.

tillemping adaptation (*to*); modification.

tilliggende adjacent, adjoining; *med ~ herligheter* with accompanying amenities; *et stort landsted med ~ herligheter* a large country place with accompanying amenities (*el.* with all the amenities); *Oslo med ~ herligheter* Oslo with its surrounding (*el.* accompanying) amenities; (*se tilhørende*).

tillike also, too, as well. **-med** together with, along with.

tillit confidence (in), trust (in), reliance (on); *ha ~ til* have confidence in; *nyte alminnelig ~* be universally trusted; *i ~ til* relying on, trusting to.

tillitsbrudd breach of trust (*el.* confidence).

tillits|erklæring vote of confidence. **-forhold** relationship of trust. **-full** confident, full of confidence; trustfulness. **-mann** (*committee*) representative, (*elected*) member of committee; (*i fagforening*) shop steward; *klassens ~* the form (,US: class) representative, the form captain, the head of the form; *det ledende sjikt av politiske -menn* the top layer of political representatives.

tillitsmisbruk abuse of trust.

tillitspost position of trust.

tillitsverv honorary post (*el.* function); position of trust; *ha formannsstillingen som ~* be chairman in an honorary capacity.

tillits|votum: *se -erklæring*.

tillitvekkende inspiring confidence, confidence-inspiring; *være ~* inspire confidence.

tillokkelse allurement, charm, attraction.

tillokkende alluring, attractive.

tillyse 1. *glds* (*kunngjøre*) publish, proclaim; 2 (*sammenkalle*) convene, summon.

tillært acquired, artificial.

tilløp 1. inflow, influx; 2 (*til hopp*) (preliminary) run; (*ovarennn*) in-run; (*jvf tilsprang*); 3 (*forsøk*) attempt (*til* at); *~ til brann* a small fire; *et ~ til dobbelthake* (*også*) the (tiny) beginnings of a double chin; *~ til værforandring* signs of a change in the weather; *det ble ~ til krangel blant de tilstedeværende* there were signs of disagreement among those present.

tilmåle (*vb*) measure out to; allot, apportion.

tilmålt allotted, apportioned; *innen den -e tidsfrist* within the required time.

tilnavn nickname.

tilnærmelse 1 (*det å komme nærmere*) approximation (*fx* to the truth), approach; 2 (*mat.*) approximation (*fx* solve an equation by a.); 3 (*polit*) rapprochement (*til* with, *fx* the r. with France); 4. *-r* (*pl*) approaches (*fx* I did not encourage his a.), overtures; (*erotiske*) advances; (*neds*) improper advances; *gjøre -r til* make advances to; T make passes at (*fx* a girl).

tilnærmelsesvis approximate; (*adv*) approximately; *disse tall er bare ~ riktige* these figures are only approximately correct; *ikke ~ nok* not nearly enough; *ikke ~ riktig* far from correct; *dette er ikke ~ den samme kvalitet som De leverte tidligere* this is nothing like the quality you supplied before.

tilnærming: *se tilnærmelse.*

til overs 1 *(igjen)* left, left over, remaining; *(overflødig)* superfluous; *(som kan avses)* to spare; *føle seg ~* feel unwanted, feel de trop; *få ~ have* left; **2.** *ha ~ for* have a liking for, be fond of; T have a soft spot for; *jeg har ikke meget ~ for ham* I don't care much for him.

tilpasse *(vb)* adapt, adjust *(fx* oneself to new conditions).

tilpassing adaptation, adjustment, accommodation. **-sevne** adaptability.

tilplikte *(vb)*: *bli -t å betale (jur)* be ordered to pay.

tilre(de) *(vb)* handle roughly; *ille tilredd* T roughed up; *han ble ille tilredd (også)* he was badly messed up.

tilregne *(vb)* impute, attribute, ascribe *(en noe* sth to sby).

tilregnelig *(om person)* sane, of sound mind; accountable for one's actions, in (full) possession of one's faculties.

tilregnelighet sanity, soundness of mind.

tilreisende 1 *(subst)* visitor; **2** *(adj)* visiting.

tilrettelegge *(vb)* arrange, organize, organise; prepare; *(tilpasse)* adjust, adapt; marshal.

tilrettevise *(vb)* reprimand, rebuke.

tilrettevisning reprimand, rebuke.

tilrive *(vb)*: *~ seg* seize (upon), usurp.

tilrop cry, shout; *(hånlig)* jeer, taunt; *(bifalls-)* cheering.

tilrå(de) *(vb)* advise, recommend.

tilrådelig advisable; *ikke ~* inadvisable.

tilsagn promise; *gi ~ om hjelp* consent *(el.* promise) to help, undertake to help; *vi har ikke gitt ham noe ~ om slik hjelp* we have not consented to help him in such a way; *(se forhåndstilsagn).*

til sammen together, in all; *det blir ~ £5* it totals *(el.* adds up to) £5; *dette blir ~ £5* this makes a total of £5; *~ tjener de £10.000 pr. år* between them they earn £10,000 per annum; *mer enn alle de andre ~* more than all the others put together.

tilse *(vb)*: *se se til.*

tilsendt: *jeg har fått det ~* it was sent to me.

tilsetning admixture *(av* of); *(krydrende)* seasoning; *(anstrøk)* dash.

tilsette *(vb)* **1.** add (to); **2** *(ansette)* appoint.

tilsi *vb (love)* promise; *(befale å møte)* summon, order to attend; *handle som fornuften -er* act according to the dictates of common sense.

tilsidesette *(vb)* disregard, ignore, neglect; *(person)* slight; *føle seg tilsidesatt* feel slighted.

tilsidesettelse disregard, neglect; slight, slighting.

tilsig trickle of water; *(også fig)* trickle; *innsjøen får ~ fra to elver* the lake is fed by two rivers.

tilsigelse: *bestille en rikstelefon(samtale) med ~* book a personal trunk call; *(se tilsi & telefonsamtale).*

tilsikte *(vb)* intend, aim at, have in view; *ha den -de virkning* have *(el.* produce) the desired effect; *det har hatt en annen virkning enn -t* it has defeated its own end; *(se tilsiktet).*

tilsiktet intended; *(med vilje)* intentional, deliberate; *(se tilsikte).*

tilskadekommet injured; *den tilskadekomne* the victim (of the accident).

tilskikkelse dispensation of fate; decree (of Providence); *ved en skjebnens ~* as chance *(el.* fate) would have it; *livets -r (også)* the ups and downs of life.

tilskjærer (tailor's) cutter. **tilskjæring** cutting.

tilskjøte *vb (jur)*: *~ en noe* convey sth to sby; *han hadde -t seg gården (også)* he had had the place conveyanced to himself.

tilskjøting conveyance.

tilskott: *se tilskudd.*

tilskrive *vb (gi skylden for)* attribute, ascribe, set *(el.* put) down (to); *det kunne ikke -s dem noen skyld* no blame whatever was attributable to them; *~ seg æren* claim the honour.

tilskudd *(bidrag)* contribution; *(av det offentlige)* subsidy, grant.

tilskuer spectator, onlooker.

tilskuerplassen seats *(pl)*; *(i teater)* the house.

tilskynde *(vb)* prompt, stimulate, urge.

tilskyndelse incentive, stimulus, inducement; encouragement; *etter ~ av* at *(el.* on) the instigation of; *(jvf påtrykk).*

tilslag *(ved auksjon)* knocking down; *få -et* win the bid, have sth knocked down to one.

tilslutning *(bifall)* approval; *(støtte)* support; *(i form av fremmøte)* attendance; *(som svar på appell)* response; *(tilhengere)* following, adherents; *dårlig ~ (til forslag, etc)* lack of enthusiasm; *p.g.a. dårlig ~* because none of the members showed any enthusiasm for it; *planen fikk ~ fra* the scheme was approved by *(el.* gained the approval of *el.* met with support from); *den stigende ~ til klubben* the increase in the membership of the club; *appellen fikk stor ~* the appeal met with great response; there was a splendid response to the appeal; *gi sin ~: se slutte seg til; med ~ fra* supported *(el.* endorsed) by, with the support of; *det har vært stor ~ til utstillingen* **1.** the exhibition has been well attended (by the public); **2** *(av utstillere)* the exhibition has attracted a large entry; *i ~ til* in connection with; *i ~ til mine tidligere bemerkninger in (el.* with) reference to my previous remarks.

tilsluttet affiliated *(fx* an a. company); *München og tilsluttede sendere* Munich and other stations relaying the (same) programme; *~ alle tyske sendere* (programme) relayed by all German stations.

tilslør|e *(vb)* veil; *-te bondepiker* brown Betty with whipped cream.

tilsløring veiling.

tilsmurt smeared.

tilsnike *(vb)*: *~ seg* obtain by underhand means.

tilsnikelse deliberate misrepresentation; (piece of) disingenuousness.

tilsnitt shape, form, stamp.

tilsnødd covered with snow, snowed up.

tilsnørt laced up.

tilspisse *(vb)*: *~ seg* become critical; come to a point; *situasjonen -t seg* things came to a head.

tilsprang (preliminary) run; *lengdehopp med ~* running broad jump; *(se også tilløp).*

tilstand state, condition; *(se II. skade).*

tilstedekomst arrival.

tilstedeværelse 1. presence; **2.** existence.

tilstedeværende present; *de ~* the persons present, those present; *jeg hentyder ikke til noen av de ~* I'm not alluding to anybody present; *(se også tillop).*

tilstelling arrangement.

tilstille *(vb)* send.

tilstoppe *(vb)* stop up, fill up; T bung up *(fx* bunged-up drains); *-t* clogged (up), choked, stopped up; T bunged up.

tilstrebe *(vb)* aim at.

tilstrekkelig sufficient, enough, adequate.

tilstrekkelighet sufficiency, adequacy.

tilstrømning influx; inrush *(fx* of new members, of sightseers); rush *(fx* a sudden r. of people who want to buy tickets).

tilstøte *(vb)* happen; *jeg er redd det har tilstøtt ham noe* I'm afraid he has had an accident.

tilstøtende adjacent, adjoining; *(omstendighet)* unforeseen, supervening.

tilstå *(vb)* confess; *(vedgå)* admit, own.

tilståelse confession; admission; *(innrømmelse, bevilling)* grant; *avlegge ~* make a confession; *(se avlokke).*

tilsvar reply.

tilsvarende corresponding; (*i verdi*) equivalent; (*som passer til*) suitable (*fx* if one has a large house one has to have s. furniture); *jeg godtar Deres forslag og har gjort ~ endringer i mine planer* I accept your suggestion and have altered my plans accordingly; *hvis man vil reise meget, må man ha ~ mange penger* if one wants to travel a lot one must have adequate means; *de satt i baren hele kvelden og drakk ~ meget* they sat in the bar all evening and drank accordingly; *en stor bil og en ~ stor garasje* a large car and a correspondingly large garage; *i ~ grad* correspondingly (*fx* this will increase our output c.); *på ~ måte* similarly, correspondingly.

tilsvine (*vb*) smear, sully; (*jvf tilsøle*).

tilsyn supervision; *ha ~ med* look after, inspect; *under ~ av* under the control (*el.* supervision) of; (*se også eksamenstilsyn; inspeksjon; oppsyn*).

tilsynekomst appearance.

tilsynelatende seeming, apparent; (*adv*) apparently, seemingly, to all appearance; *~ uten grunn* for no apparent reason, without any ostensible reason; *kassene var ~ i god stand* the cases appeared to be (*el.* were apparently) in good condition.

tilsynshavende 1. in charge; 2. = *tilsynsmann*.

tilsynsmann inspector, supervisor.

tilsøle (*vb*) soil, dirty; (*jvf tilsvine*).

I. tilta *vb* (*vokse*) grow, increase; *etterspørselen -r fra år til år* demand increases yearly.

II. tilta (*vb*): *~ seg* assume, usurp.

tiltagende increasing; *i ~* increasing, on the increase.

tiltak attempt, effort; (*foretaksomhet*) enterprise; (*initiativ*) initiative; *avhjelpende ~* remedial action, relief measure(s); *drastiske ~* (*el.*) drastic action (*fx* their demand for d. a.); *det er et slikt ~ å gå ut om kvelden* it's such an effort to go out in the evening; (*se II. skade*).

I. tiltale (*subst*) address; (*jur*) prosecution; *skyldig ifølge -n* guilty as charged; *-n lød på tyveri* the charge was one of theft; he (,she, *etc*) was accused of theft; *beslutte å reise ~* decide to prosecute; *reise ~ mot* bring a charge against; *frafalle ~* withdraw the charge; *gi svar på ~* give sby tit for tat, return the compliment; (*jvf I. anklage*).

II. tiltale (*vb*) address; speak to; (*jur*) prosecute; (*den*) *tiltalte* the accused, the defendant; (*jvf II. anklage*).

tiltalebenk dock; *sitte på -en* stand trial.

tiltalebeslutning (bill of) indictment.

tiltalende attractive, pleasing, pleasant, winning, engaging; *lite ~* unsympathetic; (*jvf sympatisk*).

tiltaleord term of address.

tiltalepunkt|er *pl* (*jur*) counts (of an indictment), heads of a charge; *han erkjente seg skyldig i tre av -ene* he pleaded guilty to three counts.

tiltenkt intended for, meant for (*fx* the bullet was m. for me).

tiltre *vb* (*et embete*) enter upon, take up (one's duties); take over an appointment (*fx* when I took over the a. it turned out that . . .); (*en arv*) come into; (*et forbund, interessentskap*) enter, join; (*mening, ytring*) subscribe to, agree with; *~ en reise* set out on (*el.* start on) a journey.

tiltredelse (*embete, etc*) taking up (one's duties); *~ og lønn etter avtale* date of commencing and salary by agreement; *søkes for snarlig ~* needed for early appointment; (*av en reise*) setting out (*fx* on a journey); (*se tiltre*); *~ av en arv* entering upon an inheritance.

tiltredelses|godtgjørelse assignment grant; (*jvf etableringstilskudd*). **-tale** inaugural address.

tiltrekke (*vb*) attract; *planen -r ham ikke* the plan does not a. him; the plan has no attraction for him; *føle seg tiltrukket av en* feel attracted

to sby, feel drawn to sby, feel a liking (*el.* a sympathy) for sby; *~ seg* attract.

tiltrekkende attractive; *hun virker ikke ~ på ham* she does not attract him; he is not attracted to her; (*jvf tiltalende*).

tiltrekning attraction; *øve en sterk ~ på* exert a strong attraction on; attract (*fx* sby) strongly; have a strong attraction for (*fx* sby).

tiltrekningskraft attractive force; (power of) attraction.

I. tiltro (*subst*) confidence, trust, faith; *ha ~ til* have confidence in; trust; *jeg har ingen ~ til leger* I don't believe in doctors.

II. tiltro (*vb*): *~ en noe* think (*el.* believe) sby capable of sth; *det kunne jeg godt ~ ham* (*neds*) I wouldn't put it past him.

tiltuske (*vb*): *~ seg* obtain (by barter).

tiltvinge (*vb*): *~ seg* gain by force; (*se adgang*).

tiltykning clouding over; (*meteorol*) increasing cloudiness; *~ til snø eller sludd* (*værvarsel*) becoming overcast, snow or sleet later.

tilvant habitual, accustomed; (*jvf tilvenne*).

tilveiebringe (*vb*) provide, procure; (*penger*) raise; (*bevirke*) bring about, effect.

tilveiebringelse procurement, provision, obtaining; bringing about.

tilvekst growth; (*økning*) increase.

tilvende (*vb*): *~ seg* obtain by underhand means, appropriate; (*jvf venne: ~ seg til & vende: ~ seg til*).

tilvending appropriation; (*jvf tilvenning*).

tilvenne (*vb*) habituate, accustom; (*herde, etc*) inure; (*jvf tilvende*).

tilvenning (*avhengighet, fx av narkotika*) habituation (*til* to); dependence (*til* on); (*til narkotika, etc, slik at virkningen blir mindre sterk*) tolerance (*til* to); (*bakteriers, til antibiotika*) (acquired) resistance (*til* to); (*jvf tilvending*).

tilvirke (*vb*) make, produce, manufacture.

tilvirkning manufacture, production.

tilværelse existence, being; *kampen for -n* the struggle for existence; *være på kant med -n* be at odds with life; (*se omtumlet; sette A: ~ farge på tilværelsen; ubemerket; usikkerhetsmoment*).

time 1. hour (*fk* hr., *fx* 3 hrs. 20 mins.); **2** (*undervisnings-*) lesson; (*i undervisningsplan*) period; **3** (*tidspunkt*) hour, time; **4** (*avtale*) appointment; *få ~ hos legen* make an appointment with one's doctor; *åtte -rs arbeidsdag* an eight-hour day; *i den ellevte ~* at (*el.* in) the eleventh hour; *hver ~* every hour, hourly; *jeg hadde ikke en rolig ~ mens han var borte* I kept worrying all the time (while) he was away; *ute i de små -r* well on into the small hours; *en stiv ~* a full (*el.* solid) hour; *han har ~* (*om lærer*) he is in class, he is teaching, he is giving a lesson; *i -n* 1. per hour, an hour (*fx* 40 miles an hour); 2 (*i klassen*) in class; *ta -r i engelsk* take lessons in English; *på -n* (*o: straks*) at once, this moment; *utenom -ne* out of class; (*se bestille*).

time|betaling payment by the hour; *beregn Dem en skikkelig ~* allow yourself proper (*el.* adequate) payment per hour (*el.* hourly payment); *få ~* be paid by the hour. **-glass** hourglass. **-lang** lasting for hours (,for an hour). **-lærer** part-time teacher (paid by the hour). **-lønn** hour's (*el.* hourly) pay; *få ~* be paid by the hour; (*jvf -betaling*). **-plan** timetable; *legge en ~* draw up a timetable. **-planlegging** (*især*) timetabling.

times *vb* (*glds*) happen, befall.

timeslag striking (of) the hour(s); *slå ~* strike the hour(s).

timeter'n the ten-metre (diving) board.

timevis for hours.

timian ♣ thyme.

timotei ♣ timothy.

tind(e) peak; (*også fig*) summit, pinnacle; (*fig*) acme; (*på mur, tårn*) battlement; *på lykkens -e* at the peak (*el.* apex) of one's fortunes.

tindebestiger mountaineer.

tindre (*vb*) sparkle, twinkle; *det gir en -nde følelse av frihet å gå over uberørte vidder* it gives you a marvellous feeling of freedom to cross mountain plateaux untouched by the foot of man.

I. tine [round or oval bentwood box, with handle on lid, which is closed by being pressed between two upright pieces of wood]; (*kan gjengis*) wooden box.

II. tine (*vb*) thaw; melt; ~ *bort* melt away.

I. ting thing, object; (*sak*) thing, matter; *et stort glass øl er -en!* a big glass of beer is the very thing! *T a big g. of b.* touches the spot! *det som gjør -en enda verre er . . .* what makes things still worse is . . . ; *det er fine* ~ *jeg hører om deg!* nice things I hear about you! *kunne sine* ~ know one's job (*el.* business); T know one's stuff; *pakke (de få) -ene sine* pack (up) one's few belongings; T pack up one's traps; *vent litt mens jeg pakker sammen -ene mine* T (*også*) wait a minute while I gather up my traps; *det er en* ~ *til vi må nevne* there is another matter (*el.* point) we must mention; *alle gode* ~ *er tre* all good things come in (*el.* by) threes; all good things go by threes; third time lucky! *ingen verdens* ~ nothing at all, absolutely nothing; *de tjente penger så det var store* ~ T they earned money hand over fist; *den lar seg bruke til mange* ~ it has various uses, it answers various purposes; (*se også sak*).

II. ting 1 (*hist*) thing; (*se storting*); 2 (*jur*) court.

tinge (*vb*) 1.: *se prutte;* 2 (*bestille*) book, reserve.

tingest little thing, thingummy (bob); (*især mekanisk*) gadget, gimmick; *en farlig* ~ T (*også*) a hazard.

tingforsikring property insurance.

tingfred (*hist*) inviolability of the courts.

tinghus courthouse.

ting|lese (*vb*): *se -lyse.* **-lyse** (*vb*) register; *skjøtet må -s* the title deed has to be registered (NB *skjer i England hos* registrar of deeds); (*se grunnbok*). **-lysning** (land) registration; the registration of title to land when it is sold. **-reisedistrikt** circuit. **-skade** (*ass*) damage done to property.

tingsrett (*jur*) property law; (NB the Law of Property Act, 1925).

tinktur tincture.

tinn tin; (*tinnlegering*) pewter.

tinn|blikk tinplate. **-fat** pewter dish.

tinnfolie tinfoil.

tinning (*anat*) temple.

tinn|saker (*pl*) pewter(ware). **-soldat** tin soldier. **-støper** pewterer.

tinte ♫ bladder worm.

I. tip tip, end; (*se tips*).

II. tipp (*på lastebil*) dump body.

III. tipp- great-great- (*fx* g.-g.-grandfather).

I. tippe (*vb*) 1. tip (*fx* a waiter); 2. do the pools; go in for the pools; ~ *12 rette* forecast 12 correct; *kontrollere hvor mange riktige man har -t* check the coupon; *har du -t denne uken?* T have you got a shilling on the coupon this week? *jeg har -t for* to kroner I've staked two kroner; (NB *3 enere, 8 kryss, 1 toer:* 3 homes, 1 away, 8 draws); **3** (*gjette*) tip (*fx* I tip him to win).

II. tippe (*vb*) tilt, tip; ~ *forgasseren* flood the carburettor.

tippe|kupong (*jvf I. tippe 2*) pools coupon; US betting slip, post coupon. **-midler** (*pl*) receipts from the State football pools. **-premie** pools prize; (*se tipping*).

tipper (*jvf I. tippe 2*) (pools) punter; US better (in pool).

tipping (*jvf I. tippe 2*): *han har vunnet i* ~ he has won money on the pools; *når jeg vinner i* ~ (*spøkef*) when I win the pools; when the pools come up.

tippvogn tipcart; (*jvf II. tipp*).

tips (*vink*) tip; T tip-off; (*driks*) tip, gratuity.

tirade tirade; (*ordstrøm*) flow of words.

tiriltunge ♣ bird's-foot trefoil, babies' slippers.

tirre (*vb*) tease, provoke.

tirsdag Tuesday; *forrige* ~ last Tuesday; *på* ~ on Tuesday.

tiske (*vb*) whisper.

tispe ♣ bitch; (*neds*) hussy.

tiss (*barnespr*) wee-wee, pee.

tisse (*vb*) wee-wee, pee, piddle.

tissen [baby word for 'penis'] = wee-wee.

tistel ♣ thistle.

titall ten; (*se sekstall*). **-systemet** the decimal system.

I. titan (*myt.*) Titan.

II. titan (*stoff*) titanium.

titanisk titanic.

titel: *se tittel.*

titt often, frequently.

titte (*vb*) peep.

tittel title; (*overskrift*) heading, headline; *under* ~ *av* under the title of. **-bilde** frontispiece. **-blad** title page. **-innehaver** title holder. **-kamp** championship (*el.* title) match. **-rolle** title part, title rôle, name part; *spille -n* (*i drama*) play the lead.

titter Peeping Tom.

titulatur form of address, title.

titulere (*vb*) address (*en som* sby as).

titulær titular.

tiur (*storfugl*) capercaillie, capercailzie, wood grouse. **-leik** capercailzie mating game.

ti|år decade. **-årig, -års** of ten, aged ten; ten-year-old.

tjafs tuft, wisp; (*floke*) tangle.

tjafset shaggy, tangled, unkempt.

tjeld ♣ oyster catcher.

tjene (*vb*) serve; (*fortjene*) earn; ~ *penger* make money; *han -r £10 i uken* (*også*) he takes home £10 a week; *han -r godt* he has a good income; ~ *store penger* make big profits; earn money hand over fist; *hva kan jeg* ~ *Dem med?* what can I do for you? how can I be of service to you? *det er jeg ikke tjent med* that won't do for me; ~ *på noe* profit by sth; make a profit on sth; make money on (*el.* by) sth; *vi -r ikke noe på disse jakkene* we do not make anything (*el.* we get nothing) out of these coats; *vi håper å* ~ *10% på denne motorsykkelen* we hope to make a ten per cent profit on this motorcycle; *han tjente godt på krigen* he did very well out of the war; *hva -r det til?* what's the good of that? *det -r ikke til noe som helst* T it's not a bit of use; *det -r til unnskyldning for ham* it is some excuse for him.

tjener servant.

tjenerskap servants (*pl*).

tjenerstanden the servant class.

tjeneste service; *aktiv* ~ ✗ service with the colours; regular service; (*jvf aktiv*); *be ham om en* ~ ask a favour of him; *gjøre* ~ serve; *gjøre* ~ *som* serve as; (*forestille*) do duty for; *gjøre en en* ~ do (*el.* render) sby a service; do sby a good turn; do sby a favour; *gjør meg den* ~ *å* do me the favour to; be good enough to; *ha* ~ be on duty; *den ene* ~ *er den annen verd* one good turn deserves another; T you scratch my back and I'll scratch yours; *i utenlandsk* ~ on foreign service; *melde seg til* ~ attend for duty; ✗ report for duty; *hva kan jeg stå til* ~ *med?* what can I do for you? *med minst 10 års godkjent* ~ (*m.h.t. ansiennitet*) with at least 10 years' reckonable service; *det står til Deres* ~ it is at your disposal; *til* ~! at your service! *vi står gjerne til* ~ *med å . . .* we shall be glad to (*fx* we shall be g. to furnish any further information); *tillegg for aktiv* ~ active service pay; (*se også post; huspost*).

tjeneste|anliggender (*pl*): *i* ~ on official business, on Government service. **-feil** (*i offentlig etat, etc*) (service) irregularity. **-folk** (*pl*) servants. **-forseelse** misconduct. **-fri** off duty, on leave. **-frihet** leave. **-frimerke** Government service stamp. **-lue** uniform (*el.* service) cap. **-mann** (*stats-*) = (junior) civil servant. **-pike** maid servant. **-plikt** duty to serve; (*embetsplikt*) official duty. **-reise** official journey (*el.* trip); (*ofte* =) journey on Government service. **-sak** official matter; **-er** *pl* (*også*) official business. **-skriv(else)** official letter. **-sted** place of work; duty station. **-tid** period of service; **-ens slutt** end of working hours (*el.* office hours); *etter* **-ens slutt** after work; (after (office) hours. **-udyktig** unfit for (active) service.

tjenlig serviceable, useful; (*se anvendelig*).

tjenst|dyktig fit for service. **-dyktighet** fitness for service.

tjenstgjøre (*vb*) serve (*som* as); **-nde** ✕ on active duty; in attendance (*fx* the Customs officer in a. on board the ship).

tjenst|iver zeal. **-ivrig** keen, zealous.

tjenstlig official; *ad* ~ *vei* through official channels; ~ *er han underlagt stillverksmesteren* he is subject to the authority of the signal engineer; he is junior to the s. e.

tjenstvillig helpful, willing, obliging.

tjenstvillighet helpfulness, obligingness.

tjern tarn, small lake.

tjor tether.

tjore (*vb*) tether.

tjue (*tallord*) twenty.

tjuende (*tallord*) twentieth. **-del** twentieth part.

tjuepakning: *en* ~ *sigaretter* a 20-packet of cigarettes, a p. of 20 cigarettes.

tjukk (*se tykk*); ~ *i hue* T dense.

tjukka (*om kvinne el. pike*) T fatty; S tub; US fatso; S (*også* US) baby blimp.

tjukken (*om mann el. gutt*) T fatty; US fatso.

tjuv: *se tyv.*

tjuvperm T absence without leave; *ta* ~ go absent without leave.

tjuvstart false start (*fx* make a f. s.).

tjuvstarte (*vb*) make a false start; T jump the gun.

tjuvtrene (*vb*) train in secret.

tjære (*subst & vb*) tar. **-bre** (*vb*) tar. **-brenner** tar maker. **-bånd** insulating tape (*el.* strips); US friction tape. **-kost** tar brush; *som lus på en* ~ at snail's pace. **-papp** tarred board, tarboard; (tarred) roofing felt.

I. **to** (*stoff*): *det er godt* ~ *i ham* he is made of the right stuff; there is good stuff in him.

II. **to** (*tallord*) two; *begge* ~ both; ~ *ganger* twice; ~ *og* ~ (*to om gangen*) by twos, two by two; *ett av* ~ *one of two things*; *det er så sikkert som at* ~ *og* ~ *er fire* T it's as sure as eggs is eggs.

toalett (*påkledning*) toilet; (= *WC*) lavatory; *gjøre* ~ dress, make one's toilet; (*se også fiffe:* ~ *seg*).

toalett|bord dressing-table. **-bordspeil** dressing -mirror. **-bøtte** slop pail. **-papir** toilet paper; *en rull* ~ (*klosettrull*) a toilet roll. **-saker** (*pl*) toilet requisites.

toarmet two-armed.

toast (*ristet brød*) toast; *et stykke* ~ a piece (*el.* slice) of toast; *lage en masse* ~ T make a lot of toast.

tobakk tobacco.

tobakkforretning tobacconist's (shop).

tobakks|pung tobacco pouch. **-røyker** smoker (of tobacco).

tobe(i)nt two-legged; *et* ~ *dyr* a biped.

toddi toddy.

todekker ⚓ two-decker; (*buss*) double-decker; (*fly*) biplane.

todelt two-piece, in two parts; ~ *badedrakt* two-piece swimsuit; ~ *skole* two-class school, school with two classes.

toer two; ✠ two, two-spot, deuce.

toetasjes two-storey(ed).

tofte (*i båt*) thwart.

tog (*jernb*) train; (*opptog*) procession; *med* ~

by train; *betjene et* ~ start a train; *-et går kl. 7,15* the train leaves at 7.15; *når går -et til X?* when does the train leave for X? *-et som går litt over 4* the train that leaves soon after four (*el.* a few minutes past four); T the four something train; *gå av -et* get out (of the train), leave the train; *alight*; *på -et* on the train, on board the train, in the train.

toga toga.

tog|avgang departure (of a train). **-avsporing** derailment (of a train). **-betjening** train crew. **-drift** 1. train service, railway (,US: railroad) traffic; 2 (*det å*) the operation of railways. **-driftsordning** train operational arrangement. **-toge** (*vb*) file (*fx* they filed through the streets). **togfløyte** train whistle.

togforbindelse train service (*fx* there is a good t. s. to London); (train *el.* railway) connection; *er det* ~ *til X?* are there any trains to X? *det er dårlig* ~ there isn't a good connection; T the trains don't fit; *hvordan er -n med Bergen?* what trains are there for B.? (*mer generelt*) what's the railway connection like for B.?

tog|forsinkelse delay of the train. **-fører** (passenger train) guard. **-gang** train service, railway traffic. **-hall** platform canopy (*el.* roofing), covered platform area; *i -en* under the platform canopy. **-kontrollør** ticket inspector. **-krysning** passing of the trains; (*stedet*) passing point. **-ledelse** traffic control, operating control. **-leder** traffic controller. **-ledersystem** traffic control system. **-marsj** ✕ march at ease. **-melder** train announcer. **-melding** train announcing. **-rapport** guard's journal. **-reise** journey by train. **-rute** railway timetable. **-sammensetning** train formation.

tog|sett set of coaches (,wagons), train set; *sette sammen et* ~ marshal (*el.* make up) a train; US form a train. **-skifte** change of trains.

togstans breakdown (of the (,a) train), railway breakdown; *han kom for sent på arbeidet p.g.a.* ~ he was late for work owing to the train breaking down (*el.* owing to a railway breakdown).

tog|stopper buffer stop; US bumping post. **-tabell** railway timetable.

tog|tetthet density of trains. **-tider** (*pl*) train times; *være på stasjonen til togtidene* meet the trains. **-ulykke** railway accident; (*alvorlig*) r. disaster. **-vei** route (in a station), routing through a station.

tohendig ♪ for two hands.

tokaier Tokay (wine).

tokammersystem bicameral system.

I. **tokt** ⚓ cruise; *på* ~ cruising.

II. **tokt** (*ri*) fit, spell.

toleranse tolerance.

tolerant tolerant (*overfor* to).

tolerere (*vb*) tolerate.

tolk interpreter.

tolke (*vb*) interpret; (*uttrykke*) express.

tolkning interpretation.

toll 1. (customs) duty; *import-* import duty; 2 (*lokalet*) customs (*fx* pass through the c.); *betale* ~ *på* pay duty on; ~ *betalt* duty paid; *det er høy* ~ *på denne varen* there is a heavy duty on this article; this a. is subject to a high duty; *hvor høy er -en?* how high is the duty? what is the duty? *legge* ~ *på* put (*el.* place *el.* impose) a duty on.

toll|angivelse (customs) entry; (*post*) (customs) declaration; (*dokument*) bill of entry. **-anmeldelse** custom-house declaration. **-assistent** clerical (customs) officer. **-avgift** customs duty.

tollbegunstigelse 1. favourable treatment, tariff reduction; 2 (*preferanse*) (tariff) preference.

toll|behandle (*vb*) clear; **-de varer** goods examined and cleared; (*som er fortollet*) duty -paid goods. **-behandling** (customs) clearance. **-beskyttelse** protection, protective duties; (*prinsippet*) Protectionism.

tollbetjent 1 (= *toller, ikke stillingsbetegnelse*)

customs officer; **2** (*som visiterer om bord*) preventive officer; (*jvf tolloverbetjent*); **3** (*som har oppsyn med lasting*) export officer.
tollbu custom-house; *på -a* at the c.-h.
tolldeklarasjon bill of entry; (*post*) (customs) declaration.
tolldirektør (*i England*) Chairman of the Board of Commissioners of H.M. Customs and Excise. **-distrikt** collection; (NB *den by hvor distriktssjefen har sitt kontor, benevnes* head-port). **-distriktssjef** collector (of customs and excise). **-dokumenter** (*pl*) customs documents.
tollegang ⚓ rowlock, oarlock, crutch.
tollekniv sheath knife.
toll|ekspedisjon (*det å*) clearance. **-embetsmann** customs official.
tollepinne ⚓ tholepin.
toller 1. = *tollbetjent 1*; 2 (*bibl*) publican (*fx* publicans and sinners).
toll|fri duty-free; (*som predikatsord, også*) exempt from duty, free of duty. **-frihet** freedom from duty, exemption from duty; duty-free status. **-funksjonær** customs officer; *tjenstgjørende* ~ the (customs) officer in attendance.
toll|grense customs frontier; (*fig*) tariff barrier (*fx* erect t. barriers against a country). **-havn** bonded port, customs port.
toll|kasserer [deputy surveyor of customs and excise]; (*se -stedssjef*).
tollklarering clearance (of goods); customs clearance.
tollkrets (customs and excise) district; (*mindre havneby som selvstendig krets*) sub-port.
toll|krig tariff war. **-mur** tariff wall (*el.* barrier). **-nedtrapping** de-escalation of customs tariffs. **-opplag** bonded warehouse; *holde tilbake i* ~ keep in bond.
tolloppsynsmann 1 (*som brygge- el. skurvakt, el. som assistent for tollstasjonsbestyrer*) watcher; **2** (*som visiterer om bord*) assistant preventive officer; (*jvf tollbetjent*).
tolloverbetjent 1 (*som visiterer om bord*) preventive officer; **2** (*som har oppsyn med lasting*) export officer; (*se førstetolloverbetjent*).
toll|pass (customs) permit. **-stasjon** customs station. **-stasjonsbestyrer** officer of customs and excise. **-sted** custom-house. **-stedssjef** surveyor (of customs and excise).
toll|tariff (customs) tariff. **-undersøkelse:** *se -visitasjon.*
tollvesen customs service; *-et* the Customs; *han er ansatt i -et* he is in the Customs; he is employed at (*el.* in) the Customs.
tollvisitasjon customs examination, custom -house examination.
tollvisitasjonslokale baggage hall, customs hall.
tolv (*tallord*) twelve.
tolvfingertarm (*anat*) duodenum; *sår på -en* duodenal ulcer.
tolvte twelfth.
tolv(te)del twelfth (part); *fem -er* five twelfths.
tolvårig, tolvårs twelve-year-old, (aged) twelve, of twelve.
I. tom *subst* (*tømme*) rein.
II. tom (*adj*) empty; (*fig*) void; *-me fraser* empty phrases; *-t snakk* idle talk; *renne* ~ run dry (*fx* the tank has run dry).
tomannsbolig: *vertikaltdelt* ~ semi-detached house; US duplex.
tomaster ⚓ two-master.
tomat tomato (*pl:* tomatoes). **-bønner** (*pl*) baked beans in tomato sauce.
tombola tombola.
tomflaske empty bottle; (*se tomgods*).
tomgang idling, idle running, tickover; *på* ~ at idling speed; *gå på* ~ idle, run idle, tick over; *la motoren gå fort på* ~ let the engine run at a fast idle; *ujevn* ~ uneven tickover.
tomgangs|dyse idling jet, idle jet, low-speed nozzle (*el.* jet). **-gass** idling gas (*el.* mixture). **-ising** freezing of the idling. **-justering** idler

adjustment; idling jet. **-skrue** idler screw, throttle stop screw, idling jet adjustment. **-system** idle system.
tomgods empties (*pl*); (*jvf returgods*).
tomhendt empty-handed.
tomhet emptiness; blankness; (*følelse*) void, blank.
tomme inch (*fk* in.); ~ *for* ~ inch by inch; *ikke vike en* ~ not yield an inch.
tommelfinger thumb; *han har ti tommelfingre* S he's ham-handed.
tommeliten Tom Thumb.
tommel|tott the thumb. **-tå** 🦶 big toe. **tomme|skrue** thumb screw. **-stokk** folding rule.
tomrom gap; void (*fx* she left a void; his death left a void).
tomset half-witted.
tomsing half-wit; fool.
tomt (*byggegrunn*) (building) site; US lot; *byggeklar* ~ site ready for building, building site; *grave ut en* ~ dig (the) foundations (of a house); *sprenge ut en* ~ blast a site; (NB England is divided up into ordnance fields; sites are quoted as 'field number', 'parcel number').
tomtearbeider (*jernb*) labourer, yardman.
tomtegubbe brownie.
tomvekt empty weight, unladen weight.
I. tone (*subst*) tone; note (*fx* a high note); *angi -n* ♪ give the pitch; (*fig*) set the pace; set (*el.* give) the tone; give the lead; *slå an en* (*fx håpefull*) ~ strike a (*fx* hopeful) note; *slå an en annen* ~ (*fig*) change one's tune; *det er ikke god* ~ it is not good form; it is not done; *regler for god* ~ rules of etiquette, r. of good behaviour; *forsynde seg mot reglene for god* ~ commit a breach of etiquette; *lang* ~ ✗ lights out; *til -ne av* to the strains of.
II. tone (*vb*) sound; ~ *flagg* show oneself in one's true colours.
toneangivende who sets the tone, who leads the fashion.
toneart key; (*fig*) tone, strain, key.
tone|fall tone (of voice); accent. **-høyde** pitch. **-kunst** (art of) music. **-kunstner** musician. **-skala** scale, gamut.
tonika (*grunntone*) ♪ tonic.
tonløs toneless; (*uten ettertrykk*) unaccented, unstressed.
tonn ton; ~ *dødvekt* ton deadweight.
tonnasje tonnage.
tonsill (*anat*) tonsil.
tonsur tonsure.
topas topaz.
topograf topographer. **-i** topography.
topografisk topographic.
topolet bipolar.
topp top, summit; (*på fugler*) tuft, crest; *fra* ~ *til tå* from head to foot, from top to toe; *komme til -s* (*fig*) get to the top; *nå -en* get at the top of, top (*fx* we topped the rise and saw the valley before us); *være på* ~ (*om idrettsmann*) be on top; *det er -en!* that's the limit! *humøret var på* ~ (*i forsamlingen, etc*) high spirits prevailed; (*se humør & stemning*).
toppand 🦆 tufted duck.
toppe (*vb*): ~ *ballen* (*golf*) top the ball; ~ *seg* (*om bølger*) comb, crest.
toppet heaped (*fx* two h. tablespoonfuls).
toppfart top speed.
toppfigur figurehead.
toppform: *være i* ~ be in peak condition, be in top form, be at the top of one's form; be in first-class fettle.
topp|hogge (*vb*) top. **-lanterne** masthead light. **-lerke** 🐦 crested lark; *kortnebbet* ~ short-billed c. l. **-lokk** (*på ovn*) top cover; (*på bilmotor*) cylinder head; *høvle av -et* machine the c. h. **-lom** (*dykker*) 🐦 great crested grebe.
topplønn maximum salary (*fx* salary £870 p.a., rising by five annual increments to £1,175

maximum; salary £500 per annum, with yearly increments of £100 to a maximum of £800).

topp|møte (*polit*) summit meeting. **-mål** 1. heaped measure; 2 (*fig*) height (*fx* the h. of impudence). **-målt** (*se -mål 2*); *en* ~ *idiot* a prize idiot. **-notering** top price. **-olje** upper cylinder lubricant. **-nøkkel** box (*el.* socket) spanner; US socket wrench. **-pakning** cylinder head gasket. **-plassering** (*i veddeløp, etc*) top placing. **-punkt** summit, highest point; (*fig*) height, acme, summit. **-resultat** maximum result. **-spinn** (*golf*): *gi ballen* ~ top the ball. **-stilling** 1. (*stemplers*) top dead centre, T.D.C. 2. top position; *en mann i* ~ (*også*) a man on top; *de som bekler -ene* those (*el.* the men) at the top of the ladder, top people; people in the top bracket. **-ventilert:** ~ *motor* overhead valve engine. **-vinkel** (*mat.*) vertical angle. **-ytelse** top (*el.* maximum) performance (*fx* of an engine).

toradet two-rowed.

torden thunder; *-en rullet inne i fjellet* thunder was rolling far off in the mountains; (*se II. rulle*).

torden|brak crash (*el.* clap) of thunder, thunderclap. **-røst** thunderous voice; *med* ~ in a voice of thunder. **-skrall** thunderclap, crashing thunder (*fx* the c. t. rent their ears). **-sky** thundercloud. **-tale** thundering speech. **-vær** thundery weather; *et* ~ a thunderstorm; *et* ~ *brøt løs* a thunderstorm broke.

tordivel ⚘ dung beetle.

tordne (*vb*) thunder; (*buldre*) thunder, boom, roar; (*rase*) thunder, fulminate; *-nde applaus* thunderous applause.

I. tore: *se torden.*

II. tore *vb* (*våge*) dare; *tør jeg spørre* may I ask; *det tør jeg ikke* I dare not (do it); *tør jeg be om oppmerksomheten?* (*på møte, etc*) may I have your attention? *tør jeg be om en fyrstikk?* might I trouble you for a light? *tør jeg be Dem ta av hatten?* would you be kind enough to take off (*el.* remove) your hat? (*se be:* ~ *om*).

toreador toreador.

torg market, market place; *dra til -s* go to market; *selge på -et* sell in (*el.* at) the market.

torg|bu market stall. **-dag** market (day). **-hall** market hall.

torg|kone market woman. **-kurv** market basket. **-pris** market price.

torn thorn; *ingen roser uten -er* no rose without a thorn; *det er meg en* ~ *i øyet* it sticks in my gullet; it's a thorn in my flesh (*el.* side); *de er en* ~ *i øyet på folk* they are a public eyesore.

tornado tornado.

tornblad gorse, furze.

torne|busk wild rose bush; thornbush. **-full** thorny. **-hekk** 1. wild rose hedge; 2 (*hagtorn-*) hawthorn hedge. **-kratt** wild rose thicket. **-krone** crown of thorns. **T-rose** the Sleeping Beauty.

tornestrødd thorny.

tornet thorny.

tornister knapsack.

torpedere *vb* (*også fig*) torpedo; ~ *en teori* explode a theory.

torpedo torpedo. **-båt** (*motortorpedobåt*) motor torpedo boat (*jk* M.T.B.).

torsdag Thursday; *forrige* ~ last Thursday.

torsjonsfjær torsion spring (*el.* bar).

torsk (*fisk*) cod.

torske|fiske cod fishing. **-hode** cod's head. **-levertran** cod-liver oil. **-munn** ⚘ toadflax.

tort injury, insult; ~ *og svie* tort (*fx* damages in tort).

tortur torture; *bruke* ~ *på* put to torture.

torturkammer torture chamber.

torturredskap instrument of torture.

I. torv: *se torg.*

II. torv (*på myr*) peat; (*gress-*) turf.

torv|strø peat dust. **-tak** turfed roof.

tosk fool.

tosket foolish, silly.

tostavelses of two syllables.

tostemmig for two voices; two-part (*fx* a t.-p. song).

total total.

total|avhold total abstinence, teetotalism. **-avholdsmann** total abstainer. **-forlis** ⚓ total loss. **-forsvar** overall defence. **-inntrykk** general impression.

totalisator totalizator.

totalitet totality.

totalitær totalitarian.

totall (figure) two; (*se sekstall*).

total|sum (sum) total, total sum. **-virkning** general effect.

totil (*barnespr.* = *tær, føtter*) tootsies, tootsy -wootsies.

totoms two-inch.

I. tott (*subst*) tuft; *komme i -ene på hverandre* come to blows; *komme i -ene på en* (*fig*) come into collision with sby; *de røk i -ene på hverandre* they set about each other; they had a set-to; they came to blows.

II. tott (*adj*) ⚓ taut, tight.

touche (*fanfare*) flourish.

toårig, toårs two-year-old, of two, aged two.

tradisjon tradition. **-ell** traditional.

trafikant road-user.

trafikert carrying a great deal of traffic; much used; busy, crowded.

trafikk traffic; *hurtiggående* ~ fast-moving t.; *liten* ~ little t. (*fx* the road carries little t.); *møtende* ~ oncoming t., t. coming towards one; *pass opp for møtende* ~ 'caution: two-way traffic'; *uten å møte* ~ without encountering oncoming t.; *sterk* ~ heavy t.; *gate med sterk* ~ (*også*) crowded street; *det er sterk* ~ *på veien* the road carries heavy t.; *tett* ~ dense t., solid mass of t.; *trygg* ~ road safety; «Safety First!«; *avvikle -en* handle the t., carry the t. (*fx* a new road to handle the northbound t.); *hindre -en* block (*el.* hold up *el.* obstruct) (the) t.

trafikk|avbrytelse interruption of traffic. **-avvikling** flow of traffic (*fx* greater speeds would facilitate the flow of traffic). **-djevelen** the Traffic Imp. **-direktør** (*post*) director of postal services. **-døden** the toll of the road. **-elev** (*jernb*): *intet tilsv.* **-flyver** airline pilot. **-fyr** traffic light. **-knutepunkt** traffic centre (,US: center), nodal point. **-konstabel** policeman on point duty; (*patruljerende*) t. policeman; US S traffic-cop, speed cop. **-kultur** road manners, road sense; *ha* ~ be road-minded. **-loven** (*jur*) the Road Traffic Act. **-politi** t. police. **-regle|r** (*pl*) t. regulations; *-ne* (*trykksak, også*) the Highway Code. **-regulering** regulation of t.; *gatekryss med* ~ controlled crossing. **-revisor** (*jernb*) district auditor. **-sammenbrudd** t. breakdown, dislocation of t. services. **-signal** t. signal. **-sikkerhet** road safety. **-skilt** road sign, t. sign. **-stans** t. jam, t. hold-up, t. stoppage.

trafikkteknisk relating to traffic technicalities; *et* ~ *spørsmål* a technical question relating to traffic; *-e uttrykk* expressions relating to traffic; *bil- og trafikktekniske uttrykk er godt dekket* (*i ordboka*) terms connected with motoring and traffic are widely represented.

trafikktetthet density of traffic; *-en er størst om ettermiddagen* the t. is densest in the afternoon; the density of t. is greatest in the a.

trafikk|uhell traffic (*el.* road) accident, accident (*fx* I have had an a. with my car). **-ulykke** road (*el.* t.) accident; (*dødelig*) road fatality, fatal road accident; *offer for* ~ road (*el.* t.) casualty; *drept i en* ~ killed in a road crash. **-undervisning** the teaching of road sense; lessons in kerb drill. **-øy** traffic island, refuge. **-åre** t. artery, arterial road; (*gate*) thoroughfare.

tragedie tragedy.

tragikomedie tragicomedy.

tragikomisk tragicomic(al).

tragisk tragic.
trailer articulated lorry; trailer; US trailer truck, long haul truck.
trakassere (*vb*) badger, pester.
trakasseri badgering, pestering; *-er* pinpricks, persecution(s).
I. **trakt** (*egn*) region, tract; *på disse -er* in these parts.
II. **trakt** funnel.
traktat treaty; (*religiøs*) tract.
I. **trakte** (*vb*) filter.
II. **trakte** (*vb*): ~ *etter* aspire to, covet; ~ *en etter livet* have designs on sby's life, try to kill sby, seek sby's life.
traktekaffe percolator coffee.
traktement treat; refreshments.
traktepose filtering bag.
traktere (*vb*): ~ *med* serve; treat to (*fx* t. sby to sth); stand.
traktor tractor.
traktur (*på orgel*): *mekanisk* ~ mechanical tracker action; US slider windchest.
I. **tralle** (*subst*) trolley; (*jernb*) truck.
II. **tralle** *vb* (*nynne*) hum; sing, troll.
tralt rut, routine; *han fortsatte i den gamle -en* he went on in the same old rut.
tram doorsteps; US stoop.
tramp tramp.
trampe (*vb*) tramp, trample; ~ *på* trample on.
trampfart ⚓ tramp trade.
trampoline springboard.
tran cod-liver oil.
trance trance.
trane ⚘ crane. **-bær** ⚘ cranberry.
tranedans: *en spurv i* ~ a sparrow among hawks.
I. **trang** (*subst*) want, need; *han føler* ~ *til å* he feels a need for, he wants to.
II. **trang** (*adj*) narrow; *-e kår* straitened circumstances; *-e tider* hard times; *være* ~ *i nøtta* S be slow on the uptake; *det er for -t her* we haven't enough room here; *we are too crowded here*; *den -e port* (*bibl*) the strait gate; *døra går -t* the door sticks.
trangbodd: *være* ~ live in close quarters.
trangbrystet narrow-chested; asthmatic.
tranghet narrowness.
trangsyn narrowness (of outlook), narrow-mindedness.
trangsynt narrow-minded, of narrow views.
transaksjon transaction; (*se skummel*).
transformator (*elekt*) transformer.
transformatorstasjon transformer station.
transformere (*vb*) transform.
transitiv transitive.
transitt transit. **transittgods** transit goods.
transitthandel transit trade.
translatør translator; *edsvoren* ~ sworn t.
I. **transparent** (*transparent*) banner.
II. **transparent** (*adj*) transparent.
transpirasjon perspiration.
transpirere (*vb*) sweat; perspire.
transplantere (*vb*) transplant.
transport 1. transport, conveyance; 2 (*i bokførsel*) carrying forward (*fx* to the next year); transfer; (*fra en konto til en annen*) transfer; (*beløpet*) amount brought forward, amount transferred.
transportabel transportable; (*som kan bæres*) portable.
transportbyrå transport agency.
transportere (*vb*) 1. transport; 2. transfer; bring forward; (*se transport*).
transportmiddel means of transport (*el.* conveyance).
transportomkostninger charges for transport, carrying charges.
trapes (*gymn*) trapeze; (*mat.*) trapezium.
trapeskunstner trapeze artist.
trapp staircase, stairs; (*utenfor dør*) (door)steps; *nedover -en* downstairs (*fx* he fell d.).
trappelavsats landing. **-gelender** banisters.

-oppgang stairway. **-steg** (*ski*) sidestepping (*fx* climb by s.). **-stige** stepladder. **-trinn** step.
traske (*vb*) trudge, plod.
trass: *på* ~ in (sheer) defiance; ~ *i*: *se II. tross*: *til* ~ *for*.
trassat (*merk*) drawee.
trassent (*merk*) drawer.
trassere *vb* (*merk*): ~ *på* draw on.
trassig obstinate, stubborn. **-het** obstinacy, stubbornness.
tratte (*merk*) draft; *Deres* ~ *på £100 pr. 28/5 på Mr. Fry* your draft for (*el.* value) £100 per (*el.* due) May 28th on Mr. Fry.
trau trough.
traust firm, steady, sturdy.
trav trot; *i* ~ at a trot; (*se skarp 2*).
travbane trotting track.
trave (*vb*) trot; (*se trøstig & tråkke*).
travel busy; *en* ~ *dag* a busy day; *få det -t* become (*el.* get) busy; *ha det -t* be busy; *ha det svært -t* T be in an awful (*el.* terrible) rush; *det har vært usedvanlig -t på kontoret de siste ukene* the office has been extremely busy for the last few weeks; *i de travleste timene* during the rush hours.
travelhet bustle, business; (*se febrilsk*).
travesti travesty.
trav|hest trotting horse. **-løp** t. race.
I. **tre** (*subst*) tree; (*ved*) wood; *av* ~ wooden; *bygd av* ~ built of wood; wooden-built; *i toppen av et* ~ in a tree-top, at the top of a tree; *skjære i* ~ do wood carving; *ta midt på -et* (*fig*) take (*el.* choose) the middle way; *de vokser ikke på trær* (o: *de er ikke lette å få fatt i*) they do not grow on every bush; (*se skog*).
II. **tre** (*vb*) thread; step; ~ *av* retire, withdraw; ~ *av!* dismiss! ~ *av på naturens vegne* ⚔ fall out to relieve nature; ~ *fram* step forward; ~ *istedenfor* replace, take the place of; ~ *i kraft* come into force; ~ *en i møte* come forward to meet sby; ~ *inn i Deres faste stilling igjen* resume your permanent post; ~ *sammen* meet; ~ *sammen igjen* reassemble; ~ *tilbake* draw back, stand back; ~ *til side* stand aside; ~ *under føtter* trample (up)on, trample under foot; ~ *ut av et firma* retire from a firm; (*se forretningsforbindelse*; *træ*; *I. trå*).
III. **tre** (*tallord*) three; ~ *ganger* three times; (*se I. ting*).
tre|art tree species. **-bar** treeless. **-be(i)n** wooden leg. **-beis** wood stain.
trebevokst wooded.
trebrisk plank bed.
trebukk 1. ⚘ longicorn beetle; longhorned beetle; 2. sawhorse; 3. stiff, unyielding person; *man kan ikke få talg av en* ~ = you can't get blood out of a stone.
tredemølle treadmill.
tredevte (*tallord*): *se trettiende*.
tredje (*tallord*) third; ~ *kapitel* the third chapter; *det* ~ *bud* the fourth commandment.
tre(dje)del third; *to -er* two thirds.
tredjemann (*jur*) third party.
tredjesiste the last but two.
tredobbelt threefold, triple.
tredve: *se tretti*.
treenig triune.
treenighet Trinity.
treenighetslæren the doctrine of the Trinity, Trinitarianism.
treer (number) three.
treet stiff, wooden.
trefarget (*med tre farger*) three-coloured.
treff chance, (lucky) hit; (*sammen-*) coincidence; *ti* ~ *og en bom* ten hits and one miss; (*se bombetreff*).
treffe (*vb*) hit; (*møte*) meet (with), come across; ~ *en hjemme* find sby at home; *det var synd jeg ikke traff deg hjemme* I was sorry to miss you when I called; *kula traff ham ikke* the ball missed him; *jeg følte meg truffet* I felt that the reproof

was merited; *jeg føler meg ikke truffet* the cap doesn't fit me; ~ *en på det ømme punkt* touch sby's weak spot; ~ *forberedelser* (*,et valg*) make preparations (*,a choice*); ~ *på* come across; ~ *på en run* (*el.* bump) into sby; ~ *sammen* meet; (*om begivenheter*) coincide; *-s* meet; *han -s på sitt kontor* you can see him at his office; ~ *seg* happen.

treffende (*likhet*) striking; (*bemerkning*) appropriate, to the point, pertinent; apt (*fx* is this description apt?); *ordene er* ~ *valgt* the words are aptly chosen.

treffer hit; (*se treff*).

treffsikker accurate.

treffsikkerhet accuracy; (*om våpen*) accuracy of fire.

trefning (*slag*) action; (*mindre*) skirmish.

trefold threefold, triple.

trefoldig triplicate; *et* ~ *hurra* three cheers.

trefoldighet Trinity.

treforedling wood conversion, c. of timber; US lumber manufacture.

treforedlings|industri wood-processing industry, timber-converting i., wood products industry; US lumber(ing) i. **-marked** wood products market; *nye prisfall på -et* new drop in prices on the wood products market.

trefot (*med tre føtter*) tripod, trivet; (*se trebe(i)n*).

treg sluggish, slow, tardy.

treghet slowness, sluggishness, indolence.

tre|golv wooden floor. **-grense** timber line. **-hendt** awkward, clumsy. **-hjulssykkel** tricycle.

trekant triangle.

trekantet triangular; trilateral; three-cornered; (*jvf tresnutet*).

I. trekk pull; (*ansikts-*) feature; (*sjakk-, etc*) move; (*fugls*) passage, flight; (*karakter-*) trait (of character), feature; (*i lønn, etc*) deduction; *hun får* ~ *i lønnen for det hun slår i stykker* breakages come off her wages; (*betrekk*) cover; upholstery; ~ *til bilsete* car seat cover; *i korte* ~ briefly, in brief outline; *i store* ~ in broad outline (*fx* he stated his views in b. o.); in its broad features; *3 ganger i* ~ three times running (*el.* in succession); *en hel uke i* ~ a whole week on end.

II. trekk (*luft-*) draught; ~ *i øyet* a cold in the eye (*fx* I've got a cold in my eye); *det er ingen* ~ *i pipa* the chimney does not draw.

trekk|dyr draught animal; (*især* US) draft animal.

trekke (*vb*) draw, drag, pull; (*skihopper for dårlig stil, etc*) mark down (*fx* he was marked down for his untidy landing); (*i brettspill*) move; (*ur*) wind up; (*betrekke*) cover; *det -r her* there's a draught in here; ~ *fullt hus* (*teater*) fill the house; *han trakk kniv mot meg* he drew a knife on me; ~ *lodd* draw lots (om for); ~ *gardinene* **for** draw the curtains; ~ **fra** (*mat.*) deduct, take away, subtract; *jeg hverken -r fra eller legger til* (*fig*) I am neither overstating nor understating (the case); ~ *fra gardinene* draw the curtains (back); ~ *noe fra* (*i en regning*) deduct sth (from an account); ~ **i** *langdrag* spin out; ~ **inn** *aksjer* withdraw shares; ~ *stolen sin* **inntil** *bordet* pull one's chair up to the table, sit up to the t.; ~ *ham* **med** *seg i fallet* (*fig*) involve him in one's fall; *få hele bilen trukket* **om** have the car re-upholstered; ~ **opp** pull up, draw up; (*klokke, etc*) wind up; ~ *opp en sprøyte* ♀ draw an injection; *til å* ~ *opp* (*om leketøy*) clockwork (*fx* a c. railway); *det -r opp til uvær* a storm is coming on; ~ *opp en flaske* uncork a bottle; *innenfor den opptrukne ramme har det lykkes å* . . . within the framework established, it has been found possible to . . . ; ~ **på** *skuldrene* shrug (one's shoulders); *han trakk på seg klærne* he pulled on his clothes; *bli trukket på politistasjonen* be run in, be hauled up; ~ (*en veksel*) *på* draw (a bill of exchange) on; ~ **seg** (o: *svikte*) back

out; ~ *seg* (*fra en eksamen*) withdraw (from an exam); drop out; T back out (*fx* he backed out from the English exam); *han har trukket seg fra konkurransen* he has dropped out of the competition; ~ **seg tilbake** draw back, retreat, retire, withdraw; ~ *til en mutter* tighten up a nut; ~ *en mutter godt til* tighten a nut up (*el.* down) hard; ~ *en skrue godt til* drive a screw well home; ~ **ut** draw out, pull out (*fx* a drawer); extract (*fx* a tooth); *det -r ut* it takes (a lot of) time; *the end is not in view yet*; progress is slow; *talene hans trakk ut i det uendelige* his speeches dragged on endlessly; ~ **seg ut av** withdraw from, back out of; *-s* **med** be troubled with; *-s med en dårlig helbred* suffer ill-health; *jeg har disse barna å -s med* I have these children on my hands; (*se lass*).

trekkfri draught-proof; draft-proof.

trekkfugl bird of passage.

trekkfull draughty; drafty.

trekkpapir blotting paper.

trekk|plaster blistering plaster, vesicant; (*fig*) attraction, draw; US (*også*) drawing card. **-spill** accordion; *strømpene dine henger i* ~ T your stockings are wrinkled (round your legs); *your* s. are sagging (*el.* are coming down).

treklang ♪ triad.

trekloss block of wood.

trekløver trefoil; (*fig*) trio, triumvirate.

trekning drawing; (*i ansiktet*) twitch, facial spasm, mimic tic; (*i lotteri*) draw (*fx* when does the d. take place?).

treknings|dato day of the draw. **-liste** list of prizes.

tre|kol, -kull charcoal.

trekølle mallet.

trelast timber. **-handler** timber merchant. **-tomt** timber yard; US lumber yard.

trelerke ♫ wood lark.

I. trell: *se I. træl*.

II. trell bondsman, slave, thrall.

trell|binde (*vb*) enslave. **-dom** bondage, slavery.

trema diaeresis (*pl*: diaereses).

tremaktsforbund triple alliance.

tremangel scarcity of wood.

tremannsbridge ♣ three-handed bridge.

tremark ♫ woodworm, wood borer.

tremasse wood pulp.

tremaster ⚓ three-masted vessel.

tremenning second cousin.

tremilsgrensen the three-mile limit; (*jvf territorial|farvann, -grense*).

tremme bar; (*i tremmekasse*) slat; (*kryssende, i fx lysthus*): *se -verk*. **-kasse** crate. **-verk** trellis, lattice; (*gitterformet*) grating.

tremosaikk inlaid woodwork.

tren ✕ (*glds*) baggage train.

trene (*vb*) train, practise (,US: practice); ~ *opp* (*også*) fit (*fx* f. soldiers for long marches).

trener trainer; (*sportsinstruktør*) coach; (*for bokser*) trainer.

trenere (*vb*) delay, retard; (*jvf forhale & hale*: ~ *ut tiden*).

I. trenge (*vt*) press, force, drive, push; (*vi*) ~ *fram* advance, push on; ~ *seg fram* press forward; ~ *igjennom* penetrate; force one's way through; (*uten objekt, fig*) prevail; ~ *inn* (*om væske, etc*) seep in (*fx* the damp is seeping in through all the cracks), penetrate, get in (*fx* the water had got in (*el.* penetrated) everywhere); *jeg håper at noe av det jeg sier, -r inn* (o: *i hodet på elevene*) I hope something of what I say penetrates (*el.* is going in); ~ *inn i* enter (into), penetrate into, make one's way into; ~ *inn på en* (*fig*) urge sby, press sby hard; ~ *seg inn på en* force oneself on sby; ~ *på* push (forward); ~ *sammen* telescope (*fx* t. a five-day schedule into a three-day schedule); ~ *seg sammen* crowd together, press together; ~ *tilbake* force back; ~ *ut* crowd out.

II. trenge *vb* (*mangle, behøve*) need, require, want; *de rom som -s* the rooms required (*el.*

needed *el.* wanted); *jeg trengte ikke å bli minnet på* (*el.* om) *det* I didn't need to be reminded of it; *jeg -r det øyeblikkelig* I need it urgently; *hvis De skulle* ∼ *mer* (*merk*) in the event of further requirements; *vi har bestilt det vi kommer til å* ∼ *i kommende sesong* (*merk*) we have ordered our supplies for the coming season; *han kunne* ∼ *barbering og hårklipp, ikke sant?* he could do with a shave and a haircut, couldn't he? ∼ *til* want, need, stand (*el.* be) in need of; *rommet kunne sannelig ha trengt* . . . the room could certainly have done with . . . ; *jeg -r sårt til hans hjelp* I badly want his assistance.

trengende indigent, needy, necessitous.

trengsel (*av folk*) crowd, crush; (*motgang*) adversity, troubles (*fx* his troubles are over); *fylt til* ∼ overcrowded; *pyntet til* ∼: *se påpyntet.*

trengsels|tid, -år hour (,year) of distress.

trening training, practice; *i god* ∼ in fine (*el.* top) form; *holde seg i* ∼ keep in practice, keep one's hand in (*fx* at sth); *jeg ville måtte legge meg i* ∼ *med en gang* I should at once have to put myself into training.

trenings|antrekk track suit; US (*også*) sweat suit. **-drakt:** *se -antrekk.* **-kamp** practice match. **-overall:** *se -antrekk.* **-program** training programme; (*idrettsmanns, også*) workout (*fx* he went through a vigorous w. after the meeting).

treorm ☙ woodworm, wood borer.

trepan|ere (*vb*) trepan. **-ering** trepanning.

tre|pinne wooden stick, peg. **-propp** wooden plug.

treradet three-rowed, having three rows.

treramme 1. wooden frame; 2 (*sprinkelkasse*) crate.

tresidet three-sided, trilateral.

tresk wily, crafty.

treske (*vb*) thresh.

treskel (*dial* = *terskel*) threshold.

treskemaskin threshing machine.

treskeverk threshing machine.

treskhet wiliness, craftiness.

tre|skjærer wood carver. **-sko** wooden shoe; (*sko med tresåle*) clog. **-skurd** wood carving. **-slag** (type of) wood. **-sliperi** pulp mill. **-sliping** wood grinding, grinding (up) of (pulp)wood. **-snitt** woodcut. **-snutet** three-cornered (*fx* hat). **-splint** splinter of wood. **-sprit** wood alcohol.

tress ♣ (*i poker*) three of a kind.

tresse braid, galloon.

trestamme trunk (of a tree).

trestavelses- trisyllabic.

tresteg (*sport*) triple jump; hop, step, and jump.

trestemmig three-voice, three-part.

trestreks triply underlined; *en* ∼ *feil* = a serious error, a bad mistake; T a howler.

tretall (figure) three; (*se sekstall*).

tretallerken wooden plate.

trett tired (*av* from, with); (*mer litt.*) weary (*av* of); ∼ *av* (*lei av*) weary of, tired of.
I. trette *subst* (*strid*) dispute, quarrel.
II. trette *vb* (*stride*) quarrel.
III. trette *vb* (*gjøre trett*) tire, fatigue; (*kjede*) bore; ∼ *ut en fisk* play a fish.

trettekjær quarrelsome, cantankerous.

trettelyst quarrelsomeness, cantankerousness.

tretten (*tallord*) thirteen. **-de** thirteenth.

trettende tiresome; (*kjedelig*) tedious.

trettendel thirteenth (part).

tretthet tiredness, fatigue; (*høytideligere*) weariness; (*mer permanent*) lassitude.

tretti (*tallord*) thirty. **-ende** (*tallord*) thirtieth.

treull wood wool; (*især* US *også*) excelsior.

trev loft, hayloft.

trevarefabrikk woodworking factory; (*jvf treforedlings|industri* & *-marked*).

trevarer (*pl*) woodware; articles of wood, wood products.

tre|verk woodwork; *alt* ∼ *er utført i eik* all the w. is in oak. **-virke** wood; (*grovere*) timber; US lumber.

trevl fibre; (*i tøy*) thread; *til siste* ∼ to the last thread; *to the last ounce* (of one's strength).

trevle (*vb*): ∼ *opp* ravel, unravel; ♣ (*slå opp*) unlay (*fx* a rope).

trevlebunt bundle of fibres.

trevlet fibrous.

treårig 1 (*som varer tre år*) triennial; 2: *se treårs.*

treårs three-year-old, aged three, of three (*fx* a child of three).

triangel triangle. **triangulær** triangular.

tribun tribune. **tribunal** tribunal.

tribune (*tilskuer-*) stand; (*sitte-*) grandstand.

tribunebillett stand ticket.

tribunesliter = sports fan.

tributt tribute; token of appreciation (*el.* respect).

trigonometri trigonometry.

trigonometrisk trigonometrical; ∼ *punkt* horizontal control point.

trikin trichina; (NB *pl*: -e *el.* -s).

trikinsykdom trichina (*pl*: trichinae).

I. trikk (*knep*) trick.

II. trikk: *se sporvogn.*

trikke (*vb*) go by tram, take the tram.

trikkekonduktør tram conductor.

trikktrakk (*brettspill*) backgammon.

trikolor tricolour; US tricolor.

trikot 1 (*stoff*) stockinet, jersey; 2 (*drakt*) tights (*pl*).

trikotasjeforretning knitwear shop; (*glds*) hosier('s shop).

trill: ∼ *rund* round as a ball; *det gikk* ∼ *rundt for ham* he was completely confused.
I. trille ♪ trill; *slå -r* trill; (*om fugl*) warble.
II. trille [four-wheeled horse-drawn carriage].
III. trille (*vb*) 1 (*rulle*) roll (*fx* it rolled downhill); (*vt*) trundle (*fx* a cask, a hoop); roll (*fx* a ball); (*sykkel, etc*) wheel, trundle; 2 (*kjøre*) wheel; T bowl (*fx* they bowled up to the front door); 3 (*slå triller*) trill; (*om fugl*) warble; *han lo så tårene -t* he laughed until he cried; *tårene -t nedover kinnene hennes* the tears ran (*el.* rolled *el.* trickled) down her cheeks; *en lav -nde latter* a low rippling laugh.

trillebår wheelbarrow.

trillehjul hoop.

trillepike pram-pusher.

trilling triplet.

trillion trillion; US quintillion.

trilogi trilogy.

trim ♣ trim; *i* ∼ ♣ in trim; (*fig*) in (good) trim; *skipet er ikke i* ∼ the ship is out of trim.

trimme (*vb*) trim, tune (up) (*fx* an engine; a highly tuned e.); S hot up (*fx* a car); *en spesialtrimmet motor* a specially tuned engine.

trimmingssett tuning kit; power conversion equipment.

trine (*vb*) step, tread.

I. trinn (*subst*) step; (*i stige*) rung; (*fig*) stage; ∼ *for* ∼ step by step; *stå på et høyt* ∼ stand high.
II. trinn (*adj*) round, plump; (*se trivelig 1*).

trinnvis (*adj*) gradual, successive, step by step; (*adv*) gradually.

trinse (*lite hjul*) castor; (*på skistav*) (stick) disk (*el.* disc).

trio trio.

tripp (short) trip.

trippe (*vb*) trip; (*om småbarn*) toddle (*fx* along); . . . *spurte* Nessie, *som sto og -t av nysgjerrighet* . . . asked Nessie, on her tiptoes with curiosity; *han -t affektert bortover* he moved mincingly.

trippelallianse triple alliance.

trippteller (*i bil*) distance recorder (with hand setting).

tripp-trapp clip-clop (*fx* «clip-clop», said the bridge).

trisse pulley. **-blokk** (pulley) block.

trisseverk block and tackle.

trist melancholy, gloomy, dismal, sad; dreary, cheerless.

tristhet gloom, sadness, dreariness.
tritt step, tread; *holde* ~ *med* keep pace with, keep up with.
triumf triumph; *i* ~ triumphantly.
triumfator triumphator.
triumfbue triumph arch.
triumfere (*vb*) triumph, exult (*over* at sth, over sby); T crow (*over* over).
triumferende triumphant, exultant, jubilant.
triumftog triumphal procession.
triumvir triumvir. **-at** triumvirate.
trivelig 1. plump, stoutish; T plump and pleasant; 2: *en* ~ *unge* a likeable child, a nice child, an easy child (to deal with).
trivelighet (*se trivelig 1*) plumpness.
trives (*vb*) thrive, flourish; (*om plante*) thrive, do well; (*befinne seg vel*) feel (*el.* be) happy; feel comfortable, enjoy oneself; *jeg* ~ *her* (*også*) this place suits me; *han* ~ *i Oslo* he likes it in Oslo.
trivialitet triviality; *-er* (*om uttrykk*) commonplaces, truisms.
triviell commonplace, hackneyed, trite; (*kjedelig*) tedious, dull, boring.
trivsel vigorous growth; prosperous development, prosperity; (*velvære*) well-being.
I. tro (*subst*) belief, faith; *den kristne* ~ the Christian faith; ~ *,håp og kjærlighet* (*bibl*) faith, hope and charity; *det er min* ~ *at* it is my belief that; *det er en utbredt* ~ *at* it is widely believed (*el.* held) that; *avsverge sin* ~ renounce (*el.* abjure) one's faith; recant; *-en kan flytte bjerge* (*bibl*) faith removes mountains; *miste sin* ~ lose one's faith; *dø i -en* die in the Faith; *dø i -en på* at die in the belief that; *i den* ~ *at* in the belief that; thinking that; *være i den* ~ *at* be under the impression that; think that; *la ham bare bli i den -en* don't enlighten him; *leve i den* ~ *at* be firmly convinced that; *vi levde i den glade* ~ *at* we fondly imagined that; *gjøre (,si) noe i god* ~ *do* (,say) sth in good faith; *handle i god* ~ act in good faith; *en kjøper (,etc) som er i god* ~ a bona fide purchaser (,etc); *enhver blir salig i sin* ~ (*kan fx gjengis*) let everyone keep his own convictions; let him believe it if it makes him happy; ~ *på* belief in, faith in (*fx* have (,lose) f. in sby); *ha* ~ *på framtida* have confidence in (*el.* be confident of) the future; *jeg har ingen* ~ *på ham* (*også*) I have no confidence in him; (*se sterk*).
II. tro (*vb*) **1** (*mene*) think; (*anta*) suppose; *jeg -r det* I think so; **2** (*tro sikkert, anse for sant*) believe (*fx* I b. what you say); ~ *ham på hans ord* believe him on the strength of his word; take his word for it; *jeg har vanskelig for å* ~ *det om ham* I can hardly believe it of him; I can hardly b. him capable of doing such a thing; *... hvis man skal* ~ *ham* (ɔ: *hvis man skal forutsette at han snakker sant*) ... assuming that he is telling the truth; **3** (*innbille seg*) fancy, imagine; *jeg -r hun er tilbake i Norge igjen* I imagine she is back in Norway; *jeg -r nok De kjenner ham* I rather think you know him; *jeg -r nesten han er ute* I fancy he is out; *en skulle nesten* ~ *at* one would have thought that; *man skulle -då man var i Frankrike* you might think you were in France; *det -r jeg nok* I can believe that all right; I believe you; I can well believe it; *man -r det man gjerne vil* ~ the wish is father to the thought.
III. tro (*adj*) faithful (*fx* servant); loyal (*fx* subject); true (*fx* friend); *etter 40 års* ~ *tjeneste* after 40 years of faithful service.
I. troende (*subst*): *stå til* ~ deserve credit.
II. troende believing; *en* ~ a believer; *de* ~ the faithful; *lite* ~ of little faith.
trofast faithful, loyal (*mot* to).
trofasthet faithfulness, fidelity, loyalty.
trofé trophy.
trohjertig ingenuous, simple, trusting. **-het** simplicity, ingenuousness.
Troja Troy. **trojaner, trojansk** Trojan.

troké trochee. **trokéisk** trochaic.
trolig (*sannsynlig*) likely, probable; (*adv*) probably.
troll troll; ogre, monster; ~ *i eske* Jack in the box.
troll|binde (*vb*) cast a spell on, spellbind. **-bær** ♠ baneberry.
trolldom witchcraft, sorcery.
trolldoms|kraft magic power. **-kunst** (art of) magic, necromancy, black art.
trolle (*vb*) practise (,US: practice) witchcraft, work magic.
trollet (*uskikkelig*) naughty, bad.
troll|folk (*pl*) trolls. **-hegg** ♠ buckthorn. **-kjerring** 1. female troll; 2. sorceress; (*heks*) witch. **-krabbe** ♠ lithodes (crab). **-kyndig** skilled in magic. **-kyndighet** skill in magic. **-mann** sorcerer, wizard. **-pakk** 1. (pack of) trolls; 2. naughty children. **-unge** 1. child of a troll; 2. naughty child, (little) imp. **-øye** (*på radio*) magic eye.
trolsk magic, bewitching.
troløs faithless, perfidious; (*forrædersk*) treacherous (*mot* to).
troløshet faithlessness, perfidy, perfidiousness; (*forræderi*) treachery.
I. tromme (*subst*) drum; *slå på* ~ beat the drum.
II. tromme (*vb*) drum, beat the drum; *vi håper vi kan få -t sammen en liten gruppe som kan dra sammen* we are hoping to organize a little party to go together.
tromme|hinne (*anat*) ear drum; (*fagl*) tympanic membrane. **-hvirvel** roll of drums. **-ild** drumfire, barrage; *en* ~ *av spørsmål* a running fire of questions.
trommel drum.
trommelbrems expanding brake.
trommelom (*int*) rat-a-tat.
tromme|skinn drumhead. **-slager** drummer. **-stikke** drumstick.
trompet ♪ trumpet; *blåse* ~ blow the trumpet.
trompeter trumpeter.
trompetstøt trumpet blast.
tronarving heir to the Throne; (*jur*) heir apparent.
tronbestigelse accession (to the Throne).
I. trone (*subst*) throne; *bestige -n* come to the Throne; *komme på -n* come (*el.* accede) to the Throne; *støte fra -n* dethrone.
II. trone (*vb*) throne; T throne it, throne.
tron|frasigelse abdication. **-følge** order of succession; settlement. **-følgelov** Act of settlement. **-følger** successor (to the Throne). **-himmel** canopy. **-pretendent** pretender to the Throne. **-røver** usurper (of the Throne). **-skifte** accession of a new king.
trontale speech from the Throne.
trontaledebatt (*i England*) Debate on the Address, Address Debate.
tropehjelm sun helmet, pith helmet, topee.
tropene (*pl*) the tropics. **tropisk** tropical.
tropp ✕ (*infanteri-*) platoon; (*artilleri-, kavaleri-, ingeniør-*) troop; *i sluttet* ~ in a body; *slutte -en* bring up the rear; *-er* (ɔ: *troppestyrker*) troops.
troppe (*vb*): ~ *opp* turn up, show up; (*se også anstigende: komme* ~).
troppe|styrker (*pl*) forces, troops; *store* ~ large forces, large numbers of troops; *trekke sammen* ~ concentrate troops. **-transport** (*det å*) transportation of troops.
troppssjef ✕ platoon leader; (*jvf tropp*).
tros|artikkel article of faith. **-bekjennelse** creed. **-frihet** religious freedom. **-iver** religious zeal.
troskap fidelity, faithfulness, loyalty.
troskyldig unsuspecting; innocent; simple -minded, naïve, naive.
troskyldighet simplicity, innocence; naïveté, naivety.

I. tross (*subst, glds*) ✕ baggage (train).
II. tross (*subst*) defiance; obstinacy; *på* ~ in (sheer) defiance; *til* ~ *for* in spite of, despite.
III. tross (*prep*) in spite of; ~ *alt* in spite of everything.
tros|sak matter of faith. **-samfunn** religious community. **-sannhet** religious truth.
I. trosse (*subst*) ⚓ hawser.
II. trosse (*vt*) defy, bid defiance to, brave; *det -r enhver beskrivelse* it baffles (*el.* beggars *el.* is beyond) description; (NB the hotels are unspeakable).
trossetning (religious) dogma, article of faith, religious tenet.
trossig defiant; obstinate.
trossighet defiance; obstinacy.
trost 🐦 thrush.
troverdig reliable, trustworthy, credible; (*ekte*) authentic.
troverdighet reliability, trustworthiness; credibility; authenticity.
trubadur minstrel, troubadour.
true (*vb*) threaten; menace.
truge (*subst*) snowshoe.
trumf trump; trump card; *oppfordring til å spille* ~ a call for trumps; *ha en* ~ *i bakhånd* have sth up one's sleeve; *jeg har enda en* ~ *i bakhånd* I have still one string to my bow; I have still got a shot in the locker; *stikke med* ~ play a trump card; *ta en med* ~ drive one into a corner.
trumfe (*vb*) trump; play trump; ~ *igjennom* (*fig*) force through.
trumf|ess ♣ ace of trumps. **-kort** trump card.
trumpet: *se tverr.*
trupp band, company.
trusel threat; menace; *tomme trusler* empty threats; *bruke trusler mot* use threats against; ~ *om* a threat of; *gjøre alvor av en* ~ carry out a threat; *make good one's t.; act on one's t.; fulfil one's t.
truselbrev threatening letter.
truser (*pl*) briefs; US panties.
trust trust. **-dannelse** formation of trusts. **-vesen** trust system.
trut T (= *munn*) chops; *en smekk på -en* T a smack in the chops; *gi henne en på -en* T clip her across the chops; *sette* ~ pout.
trutne (*vb*) bulge, swell.
trutt (*adv*) steadily.
trygd (*forsikring*) insurance. **-e** (*vb*) insure.
trygdekasse health insurance scheme; (*i England nå*) National Insurance; (*kontoret*) health insurance office; *Oslo Trygdekasse* the Oslo Health Insurance Office; *stå i -n* be a member of the health insurance scheme; be on the panel; *man får igjen en del i -n* you will get some of it back from the insurance; (*se syke|kasse & -penger*).
trygdekasse|kort national (health) insurance card. **-lege** panel doctor.
trygdepenger (*pl*) insurance contribution; *trygdepengene utgjør et meget vesentlig fradrag i lønnen* insurance contributions mean a real (*el.* marked) reduction in one's pay; (*se sykepenger & trygdepremie*).
trygdepremie (*se trygdepenger*) (insurance) contribution; *han betaler kr. 50 pr. mnd. i* ~ he pays a contribution of kr. 50 per month.
trygg secure, safe (*for* from); (*i sinnet*) confident; (*se også trygt*).
trygge (*vb*) make safe, secure.
trygghet security, safety; (*tillit*) confidence.
trygghetsfølelse feeling of security; *gi ham en falsk* ~ put (*el.* throw) him off his guard.
trygle (*vb*) beg, entreat, beseech; ~ *om hjelp* implore help; ~ (*en*) *om tilgivelse* beg (sby for) pardon on one's bended knees.
trygt (*adv*) safely; (*tillitsfullt*) confidently; *De kan* ~ *regne med betaling* you may safely count on payment; *det kan* ~ *sies at* it may safely be stated that; we may confidently say that; I

am safe in saying that; *kan jeg* ~ *gjøre det?* should I be safe in doing so? *man kan* ~ *gå ut fra at* it is safe to assume that; *man kan* ~ *påstå at* it can confidently be asserted that.
I. trykk 1 (*som utøves, mekanisk & fig*) pressure; *-et i bilringene* the tyre pressures; 2 (*fon*) stress (*fx* the s. falls on the last syllable); *det økonomiske -et* the financial strain (*el.* stress); *føle -et* feel the pressure (*fx* of taxation); feel the stress (*fx* of severe competition); *legge* ~ *på* stress, emphasize, lay stress on; *øve* ~ *på en* put (*el.* exert) pressure on sby; bring p. to bear on sby; (*se lufttrykk & påtrykk*).
II. trykk (*typ*) print; (*avtrykk*) impression; *fin* ~ small print (*mots.* large print); *kort med og uten* ~ plain and printed cards; *i -en* in the press; *klar til å gå i -en* ready for printing; *på* ~ in print (*fx* he likes to see himself in print); *hvordan har den artikkelen kunnet komme på* ~? how did that article ever get printed? how did that a. find its way into print?
trykkammer air caisson.
trykkbokstav block letter.
I. trykke (*vb*) press; (*klemme*) squeeze; *stemningen var -t* there was a strained atmosphere; *er det noe som -r deg?* have you got anything (*el.* sth) on your mind? *det er der skoen -r* (*fig*) that is where the shoe pinches; ~ *ned* (*fx pedal*) depress, press down, push down; (*tynge ned*) weigh down; ~ *prisene ned* depress prices, force (*el.* press) prices down; ~ *på* press, push (*fx* a button); ~ *sammen* press together, compress; *barnet -t seg inntil moren* the child cuddled (*el.* snuggled) up to its mother, the c. nestled to its mother; *vær så snill å* ~ *dere litt sammen da!* please crush up a little!
II. trykke *vb* (*typ*) print; *la* ~ have printed, print (*fx* do you intend to print your lectures?); ~ *om* reprint; *vi holder på å* ~ *katalogen på ny* we are (just) having the catalogue reprinted; we are just in the process of reprinting the c.; *boka foreligger trykt* the book is in print.
trykke|frihet freedom of the press. **-maskin** printing machine.
trykkeri printing works, printing office.
trykk|feil misprint, erratum (*pl:* errata). **-ferdig** 1. ready for publication; 2 (*typ*) ready for (the) press, r. for printing; (*i sats, også*) in type.
trykkfeils|djevelen: ~ *har vært ute* there are misprints. **-liste** list of errata.
trykkimpregnert pressure impregnated.
trykkluft compressed air; *drevet med* ~ pneumatically operated (*el.* controlled).
trykklufthammer air hammer, pneumatic h.
trykknapp push button; snap fastener.
trykk|papir printing paper. **-saker** (*pl*) printed matter. **-seksten** T hard sock. **-side** printed page. **-svak** unaccented, unstressed; weakly stressed. **-sverte** printer's ink; *det er ikke verd å spandere* ~ *på* it's not worth the ink to print it.
trykning printing; *under -en av denne boka* while this book was in the press (*el.* was being printed); *vi går i gang med -en* we are going to press; *før vi går i gang med -en* before going to press.
trykningsomkostninger (*pl*) cost of printing.
trylle (*vb*) conjure; ~ *bort* spirit away; ~ *fram* conjure up.
trylle|drikk magic potion. **-fløyte** magic flute. **-formular** magic formula, charm, spell. **-krets** magic circle. **-kunst** conjuring trick. **-kunstner** conjurer; (*især* US) magician; (*som yrkesbetegnelse ofte*) illusionist. **-ord** magic word.
trylleri magic, witchcraft; (*fig*) charm, witchery.
trylle|skrift magic writing. **-slag:** *som ved et* ~ as if by magic. **-stav** magic wand.
tryne 1. snout; 2 (*vulg = ansikt*) T mug; (*det stygge*) *-t hans byr meg imot* (*vulg*) his ugly mug makes me sick; *få en (midt) i -t* S get one in the kisser; *gi ham en på -t!* S catch him one in the eye! give him a sock in the face!

træ (*vb*) thread (*fx* a needle); ~ *perler på en snor* string (*el.* thread) beads; *de lengste stroppene -s under madrassen* the longest straps are passed under the mattress.

I. træl (*fortykket hud*) callosity; callus; *hender med -er* calloused hands (*fx* he had c. h. as a result of gardening).

II. træl: *se* **trell.**

trøffel truffle.

trøst comfort, consolation; (*se mager*).

trøste (*vb*) comfort, console.

trøstebrev consolatory letter.

trøstepremie consolation prize.

trøster comforter, consoler.

trøsterik comforting, consoling.

trøstesløs inconsolable, disconsolate; (*håpløs*) hopeless; (*trist*) dreary, bleak, drab (*fx* life); dismal.

trøstesløshet disconsolateness; dreariness, bleakness, drabness.

trøstig (*adv*) confidently, without fear or hesitation; *han travet ~ videre* he trudged on sturdily; he walked sturdily onwards.

trøtt: *se* **trett.**

trøye jacket; (*under-*) vest; (*se varm*).

I. trå (*vb*) tread, step; ~ *feil* take a false step, slip; ~ *på bremsen* step on the brake; ~ *vannet* tread water.

II. trå *adj* (*harsk*) rancid; (*langsom, treven*) slow, unwilling; *det går -tt* it's slow going.

tråbil pedal car.

tråd thread; (*bomulls-*) cotton; (*metall-*) wire; (*fiber*) fibre, filament; *tretrådet kamgarn* 3-ply worsted; (*fig*) thread; *jeg har nettopp hatt X på -en* (*tlf*) I've just been on the line to X; *løs på -en* loose, of easy virtue; *ta opp -en* resume (*el.* pick up) the thread; *det er han som trekker i -ene* he pulls the wires (*el.* the strings); *rød ~* governing idea, leitmotif; *det går som en rød ~ gjennom . . . it runs like a scarlet thread through . . .

tråd|aktig thread-like, filamentous. **-ende** bit of cotton (*el.* thread). **-glass** wired glass.

trådløs wireless; *vi hadde ~ om bord* we had a wireless (installation) onboard; ~ *telegrafi* wireless telegraphy; ~ *telefonering* wireless telephony.

trådorm ⚓ threadworm.

trådsnelle (cotton) reel, bobbin; US spool; *en hvit ~* a reel of white cotton (*el.* sewing thread); *en tom ~* an empty reel (*el.* bobbin).

trådstift wire tack, wire nail.

tråkk (*tram*) doorstep.

tråkke (*vb*) trample; (*ski*) side-step; (*i unna-renn*) pack the snow; (*traske, trave*) trudge, plod; ~ *i hælene på en* trudge at sby's heels; (*fig*) follow sby slavishly.

tråkle (*vb*) tack, baste. **-sting** tacking stitch. **-tråd** tacking thread.

trål trawl.

tråle (*vb*) trawl.

tråler (*båt*) trawler.

tråsmak a rancid taste.

tsar czar. **tsardømme** czardom.

tsaristisk czarist.

tsjekker Czech. **tsjekkisk** Czech.

tsjekkoslovak Czechoslovak.

Tsjekkoslovakia Czechoslovakia.

tsjekkoslovakisk Czechoslovakian.

tube tube.

tuberkel (*anat*) tubercle.

tuberkulinprøve tuberculin test (*fx* a positive t. t.); (*det å*) tuberculin testing.

tuberkulose tuberculosis (*fk.* t.b.); *få ~ get* (*el.* contract) t.

tuberkuløs tuberculous.

tue (*av gress*) tuft of grass, tussock; (*maur-*) ant hill; *liten ~ velter stort lass* little strokes fell great oaks; small rain lays great dust; for want of a nail the shoe was lost; great events and small occasions.

tuff (*min*) tuff.

tufs 1. tuft (of hair); 2. small, insignificant person; pipsqueak; poor fish; weed; *gammel ~* (*ofte =*) old codger; 3 (*tosk*) fool; *din ~!* you fool!

tufset 1. tangled, matted; shabby, messy; 2. weak, sickly; depressed.

tuft site (of a house).

tuftekall brownie, goblin.

tuja ⚓ thuja, arbor vitae.

tukle (*vb*): ~ *med* tamper with; T fiddle with; (*se II. tulle*).

tukt discipline; (*straff*) correction; *i ~ og ære* decently.

tukte (*vb*) chastise, correct, castigate, chasten.

tuktelse chastisement, castigation, correction.

tukthus jail, gaol; US jail (*se fengsel*).

tulipan ⚓ tulip. **-løk** t. bulb.

tull (*tøv*) nonsense, rot, rubbish, foolishness; T baloney, boloney; ~ *og tøys* stuff and nonsense; *for noe ~!* T my foot! *snakke ~* talk nonsense, talk bosh; (*jvf tøys; vrøvl; vrøvle*).

I. tulle (*subst*) little girl, tot.

II. tulle (*vb*): ~ *inn*, ~ *sammen* bundle up; wrap up; ~ *bort tiden* muddle (*el.* dawdle) away one's time; *hva er det du driver og -r med?* what are you messing about with? *guttene drev og -t* (*ɔ: tuklet*) *med utgangsdøra* T the boys were tampering (,T: fiddling) with the outer door; ~ *noe om en* wrap sth round sby; ~ *omkring* muddle about; fool about (*fx* waste time by fooling about during lessons); ~ *seg bort* lose one's way, get lost; (*se også tøyse*).

tullekopp T twaddler, silly fool; US (*også*) goof.

tullet crazy; *bli ~* go crazy.

tulling (*subst*) fool, silly person.

tullprat T nonsense; T double talk.

tumle (*vb*) tumble, topple; ~ *med* struggle with; ~ *seg* play about.

tumleplass playground; (*fig*) arena.

tummel tumult, bustle.

tummelumsk giddy; (*jvf rundt:* *det går -t for ham*).

tumult tumult, disturbance, uproar.

tun country courtyard (*fx* fresh and green like a c. c.).

tundra tundra.

tunes|er, -isk Tunisian.

tung heavy, ponderous; ~ *luft* heavy (*el.* sultry) air; *en ~ plikt* a heavy duty; *et -t sinn* a brooding disposition, a tendency to melancholy; ~ *skjebne* a hard (*el.* cruel) fate; *et -t slag* a heavy (*el.* sad) blow; *-e tanker* gloomy (*el.* black *el.* dismal) thoughts; *jeg er ~ i hodet* my head feels heavy; (*se tungt* (*adv*)).

tungarbeid heavy work.

tunge tongue; *en belagt ~* 🜍 a coated t.; *en ond ~* a wicked t.; *onde -r ymtet om at* it was maliciously whispered that; *han fikk -n på gli* it loosened his t.; *holde -n rett i munnen* mind one's P's and Q's; watch one's step; *her gjelder det å holde -n rett i munnen* (*ɔ: være stø på hånden*) here you need a steady hand; *rekke ~ til en* put (*el.* stick) out one's t. at sby; *rekke ut -n* (*til legen*) put out one's tongue; *være -n på vektskålen* (*fig*) hold the balance; be the deciding factor; tip the scale.

tungebånd frenum; *være godt skåret for -et* have the gift of the gab; have plenty to say for oneself; (*jvf tunge*).

tungeferdig voluble, glib.

tungeferdighet volubility, glibness.

tunge|lyd (*fon*) lingual sound. **-mål** language. **-rot** (*anat*) root of the tongue. **-spiss** tip of the tongue.

tunget tongued.

tunge|tale gift of tongues, glossolalia. **-taler** one who speaks in tongues; glossolalist; US pentecostalite.

tung|før heavy, slow. **-hørt** hard of hearing. **-hørthet** hardness of hearing. **-nem** dull, slow. **-nemhet** slowness, slow wits. **-pustet** asthmatic, short-winded. **-rodd** 1. hard to row; 2 (*fig*) difficult to handle. **-sindig** melancholy, sad. **-sindighet** melancholy, sadness. **-sinn:** se *-sindighet*. **-styrt** (*om bil*) heavy on the steering (wheel); *den er litt* ~ the steering is a bit heavy.

tungt *adv* (*jvf tung*) heavily; *ligge* ~ *på* lie heavy on; *det falt ham* ~ *for brystet* he resented it; *han hadde* ~ *for å lære* he was a slow learner; *latinsk grammatikk hadde han* ~ *for* (*å lære*) Latin grammar came hard to him; he found Latin g. difficult; *han tar det* ~ (*også*) T he seems rather done in over it; (*se ta*).

tungtrafikk heavy traffic, heavy motor vehicles.

tungtveiende weighty; *det er* ~ it carries weight.

tungvekt heavyweight.

tungvint bothersome; T mucky (*fx* it's awfully m. having to drag all those books about wherever you go); *en* ~ *metode* a cumbersome method.

tunnel tunnel. **-bane** underground (railway); T tube; US subway; (*jvf fotgjengerundergang*).

tupere (*vb*): ~ *håret* back-comb one's hair.

tupp tip.

I. tur 1 (*spaser-*) walk, stroll, ramble; (*fot-*) walking tour; T hike, tramp; (*se fottur*); 2 (*utflukt*) outing, excursion, trip, jaunt; (*med medbrakt mat*) picnic; 3 (*reise til lands*) journey, tour; (*især kort, fram og tilbake*) trip; (*til sjøs*) voyage; (*med turistskip*) cruise; (*overfart*) crossing, passage, trip (*fx* take (*el.* make) a trip to the seaside; I have never done the trip to Paris; the ship has made two trips to London; the trip across the water takes two hours; the 200-mile trip lasted (*el.* took) only 1 hour and 20 minutes); 4 (*lengre biltur*) motor tour, motor trip; (*kortere*) drive; (*især kort & hurtig*) spin, run; (*især som passasjer*) ride; (*sykkel-*) (bicycle) ride; (*især kort & hurtig*) spin, (cycle) run; (*lengre*) cycling tour, cycle tour; 5 (*rund-*) round (*el.* circular) tour, tour; (*også* ⚓) round trip; (*turné*) tour; 6 (*konstrueres ofte med* go -ing, *fx* go blackberrying, camping, climbing, fishing, hunting, rowing, sailing, skiing); 7 (*ride-*) ride (*fx* take (*el.* go for) a ride); 8 (*ro-*) row (*fx* go for a row); 9 (*seil-*) sail (*fx* he took me for a short sail); 10 (*i dans*) figure (*fx* there are five figures in the lancers); 11 (*omdreining*) ⊕ turn;

få ~ (*om drosjesjåfør*) get (*el.* pick up) a fare; **gå** *en* ~ go for (*el.* take) a walk (*el.* stroll); *gå en* ~ *i hagen* take a turn in the garden; *gå en* ~ *med hunden* take the dog for an airing (*el.* a walk *el.* a run); *han har gått ut en* ~ he has gone out (for a walk); **ha** ~ (*om drosje*) have a fare, be engaged; ✛ *se II.* tur: *sitte i* ~; **kjøre** *en* ~ go for a drive (,run, spin, ride); (*se kjøretur*); *en* **lang** ~ a long walk (,drive, ride, *etc*); **på** *hele -en* during the whole trip; ~ - **retur** there and back; (*billett*) return (ticket) (*fx* one third return X); (US) round trip (ticket); *jeg skal ned i byen en* ~ I am going downtown; *jeg skal en (liten)* ~ (*ut*) *i byen* (*også*) I am going out (for a few minutes); **ta** *en* ~ (*bort*) *til X* run (,walk, *etc*) over to X; *ta* (*el.* dra) *en* ~ (*inn*) *til byen* go to town; (*om London el. universitetsby*) go up (to town); *ta en* ~ *i Jotunheimen* (*også*) embark on a tour of Jotunheimen; *han tok meg med til Margate en* ~ he took me to Margate; *ta seg en* ~ *ut* go out (*fx* I'm going out); (*se fjelltur, fottur, sykkeltur, telttur*).

II. tur (*til å gjøre noe*) turn; *du må vente til din* ~ **kommer** you must wait till your turn comes, you must wait your turn, you must take your turn with the others; *din* ~ *kommer nok* your turn will come; (*i uviss fremtid*) it will be your turn some day; *da -en kom til meg* when it was my turn, when it (*el.* the turn) came to me; *så kom -en til Frankrike* then it was the turn of France, then the turn came to F.; *De må* **passe** *-en Deres* you must watch your turn; **vente** *på* ~ wait one's turn; *jeg sitter og venter på* ~ I am waiting (for) my turn; *nå er det din* ~ now it's your turn; you're next; (*i sjakk, etc*) (it is) your

move (*el.* your play); (*til å ta affære*) now it is your turn; now it's up to you; *nå er det hans* ~ (*til motgang, etc*) now the boot is on the other leg; the tables are turned; *nå var det hans* ~ *til å bli forbauset* now it was his turn to be surprised; now he was surprised in his turn; *nå er det din* ~ *til å holde tale* (*også*) now 'you make a speech! *han fikk lov til å gå inn før det var hans* ~ he was allowed to go in before his turn (*el.* out of his turn);

[*Forb. med prep*] **etter** ~ (*hver og en*) in turn; (*i riktig orden*) by turns, by (*el.* in) rotation (*fx* customers will be served in strict rotation), in due (*el.* regular) order; *behandle spørsmålene etter* ~ take (*el.* deal with) the questions in rotation; *gå av etter* ~ retire by rotation (*fx* the directors retire by r.); *1/3 av styret går av etter* ~ one third of the board retire by r.; *holde vakt etter* ~ take turns to keep watch; *stå for* ~ be next (on the list); *hvem står nå for* ~? who is next? whose turn next? *han står for* ~ *til å bli forfremmet* he is due for promotion; he is next in turn for promotion.

turban turban.

tur|befraktning ⚓ voyage charter. **-billett** single ticket. **-buss** motor coach.

turbin turbine.

turbruk: *støvler til* ~ boots for tramping, tramping (*el.* walking) boots.

turdans figure dance.

ture (*vb*) T booze; (*lett glds*) carouse; (*se rangle*).

turisme tourism, tourist trade; (*se turisttrafikk*).

turist tourist. **-forening** travel association. **-hytte** tourist hut. **-klasse** tourist class; *reise på* ~ travel t. c.; (*billett*)*prisen for* ~ the t. c. fare. **-klassefly** air coach. **-reise** tour; *alle -r skjer i samarbeid med* ... all tours are arranged (*el.* operated) in co-operation with ... **-reisevaluta** foreign travel holiday allowance (*fx* the £100 f. t. h. a.). **-sesong** tourist season. **-trafikk** tourism, tourist trade; (*el.* traffic); *stedet lever på -en* the place is dependent on the tourist trade for its livelihood.

turkis turquoise.

turkoffert picnic case.

turné tour; *dra på* ~ go on tour.

turne (*vb*) do gymnastics. **turner** gymnast.

turner|e (*vb*) 1. tilt, joust; 2 (*forme*) turn (*fx* a compliment); *hun -te bemerkningen på en fiks måte* she gave a neat turn to her remark.

turnering tournament.

turn|forening gymnastic society. **-hall** gymnasium.

turnips 🌶 turnip cabbage.

turnsko gym shoe; (*merk*) canvas shoe.

turnuskandidat (*lege*) house officer, house physician; US intern.

tur|ski (*pl*) touring skis. **-støvler** (*pl*) tramping (*el.* walking) boots.

turtall (*omdreiningstall*) number of revolutions.

turteldue turtledove.

turteller revolution counter.

turterreng touring ground (*el.* country).

turvis (*adv*) by turns.

tusen (*tallord*) a (*el.* one) thousand; *-er av* atter *-er* thousands and thousands; *Tusen og en natt* the Arabian Nights; *ikke én blant* ~ not one in a thousand.

tusenben 🐛 millepede; (*skolopender*) centipede.

tusende (*tallord*) thousandth.

tusendel thousandth.

tusen|fold (a) thousandfold. **-foldig** thousandfold. **-fryd** 🌼 daisy. **-kunstner** Jack of all trades. **-vis:** *i* ~ in thousands, by the thousand.

tusenårig a thousand years old.

tusenårsrike millennium.

I. tusj ♪: se *touche*.

II. tusj (*fargestoff*) Indian ink.

tuske (*vb*) barter; ~ *bort noe* barter sth away; (*især US*) trade sth; (*se også tiltuske*).

tuskhandel barter.
tusle (*vb*) walk gently; ~ *omkring* pad about.
tuslet(e) (small and) weak, shaky.
tusmørke dusk, twilight.
tuss gnome, goblin.
tusseladd fool, poor wretch; (*jvf tufs 2*).
tusset crazy.
tust (*hår-*) wisp (of hair).
I. tut (*på kanne*) spout; (*jvf munnstykke*).
II. tut howl; (*av ugle*) hoot; (*i horn*) honk, toot.
tute (*vb*) howl; (*om ugle*) hoot; (*i horn*) honk, toot; (*gråte*) cry; ~ *en ørene fulle med noe* din sth into sby's ears.
tuting howling; hooting, honking; (*gråt*) crying.
TV TV; *på* ~ on television, on TV (*fx* he watched the match on TV); T on the telly; *se på* ~ watch television; T look at the telly; *en som ser meget på* ~ T a heavy viewer; *sende i* ~ televise (*fx* a football match).
TV-titter televiewer, viewer.
tvang force, compulsion, coercion; constraint, restraint; *med* ~ by force; forcibly; *bruke* ~ *mot* use force against.
tvang|fri, **-løs** unrestrained, unconstrained; informal.
tvangløshet freedom from restraint; absence of formality.
tvangsakkord (*jur*) compulsory composition.
tvangs|arbeid hard labour. **-auksjon** forced sale, distraint sale. **-dirigere** (*vb*): ~ *til læreryrket* conscript teachers. **-forestilling** obsession. **-forholdsregel** coercive measure. **-middel** coercive means. **-salg** compulsory sale. **-situasjon** situation where there is no choice; *han befant seg i en* ~ (*også*) T he found himself in a cleft stick. **-trøye** strait jacket.
tvare stirring stick.
tve|egget double-edged, two-edged. **-kamp** single combat; duel. **-kjønnet** bisexual, hermaphroditic. **-kroket** bent, doubled up.
tvelyd diphthong.
tverke: *komme på* ~ come in the way; *det kom på* ~ *for meg* it interfered with my plans.
tverr cross, morose, surly.
tverrbjelke crossbeam.
tverrbukk crosspatch; US sourpuss.
tverrdal side valley; (*se sidedal*).
tverrgate cross street, offstreet.
tverrhet surliness, moroseness.
tverrleie ⚕ (*ved fødsel*) transverse presentation.
tverrligger crosspiece, cross member; (*fotball*) crossbar.
tverr|linje crossline. **-mål** diameter. **-plattfot** fallen metatarsal arch. **-pomp** crosspatch; US sourpuss. **-snitt**: *i* ~ in section. **-stang** crossbar. **-strek** crossline; (*gjennom bokstav*) cross (*fx* the cross of a t.). **-sum** sum of the digits.
tvers *adv* ⚓ abeam; ~ *av* abreast of; abeam of; ~ *igjennom* right through; ~ *over* across; *på* ~ across, athwart; crosswise; *på kryss og* ~ in all directions; *på langs og på* ~ lengthwise and crosswise.
tvert (*adv*) crosswise, transversely, across; ~ *igjennom* straight (*el.* right) through; *bryte over* ~ cut the matter short; break (*med* with); ~ *imot* (*adv*) on the contrary; (*prep*) quite contrary to; ~ *om* on the contrary.
Tveskjegg (*hist*): *Svein* ~ Svein Forkbeard.
tvetunget double-tongued, double-faced.
tvetungethet duplicity.
tvetydig equivocal, ambiguous; (*uviss, mistenkelig*) doubtful, questionable.
tvetydighet ambiguity; equivocation.
tvibrent: ~ *meg!* (*i gjemsel*) I'm out! I'm home!
tviholde (*vb*) clutch with both hands, hold tight; ~ *på* (*fig*) insist on.
tvil doubt; *dra i* ~ call in question; question; *han ble grepet av* ~ a doubt sprang up (*el.* arose)

in his mind; *nære* ~ *om* doubt; ~ *om at* doubt that; *være i* ~ *om* be in doubt whether; *jeg er i* ~ *med hensyn til hva jeg skal gjøre* I'm in doubt as to what to do; *uten* ~ without doubt, doubtless, undoubtedly, no doubt; *det er hevet over all* ~, *det utelukker enhver* ~ that admits of no doubt; (*se oppstå; I. rom; III. rå*).
tvile (*vb*) doubt, call in question, question; *jeg -r ikke på det* I have no doubt about it; *jeg -r ikke på at* I have no doubt that; (*se sterkt*).
tvilende doubtful; *for å overbevise tvilende sjeler der hjemme* (*spøkef*) to convince Doubting Thomases at home.
tviler doubter, sceptic.
tvilling twin; *eneggete* -er identical (*el.* uni-ovular) twins. **-bror** twin brother. **-par** pair of twins.
tvilrådig in doubt, doubtful, irresolute, in two minds (*fx* I'm in two minds what to do).
tvilrådighet doubt, irresolution, hesitation.
tvilsom doubtful, questionable; (*ofte neds*) dubious (*fx* a d. undertaking); *et -t tilfelle* a doubtful case; *det er -t om* it is doubtful (*el.* uncertain) whether; *det er i høy grad -t om* it is open to the gravest doubt whether.
tvilsomhet doubtfulness; dubiousness.
tvilstilfelle case of doubt; *i* ~ in case of doubt, when in doubt.
tvinge (*vb*) force, compel; coerce; ~ *fram* force, enforce; ~ *sine planer igjennom* force one's plans through; *hvis du ikke vil, er det ingen som vil* ~ *deg* T if you don't want to, nobody is going to make you.
tvingende irresistible, cogent; *det er* ~ *nødvendig* it is imperative; ~ *nødvendighet* absolute necessity.
tvinne (*vb*) twine, twist.
I. tvist (*uenighet*) dispute; disagreement, difference; *avgjøre en* ~ settle a dispute; ~ *om* dispute over (*fx* wages); (*se underkaste*).
II. tvist (cotton) waste.
tviste (*vb*) dispute (*om* about *el.* as to).
tvistemål dispute.
tvistepunkt controversial point; matter in dispute, point at issue.
tvungen compulsory; (*ikke valgfritt*) compulsory, obligatory; (*ikke naturlig*) forced, constrained; ~ *skolegang* compulsory school attendance; *med en rar,* ~ *stemme* in a queer, strained voice; ~ *voldgift* compulsory arbitration.
ty (*vb*): ~ *til* 1. have recourse to, resort to; turn to (*fx* sby); fall back on (*fx* the teacher will seldom have to fall back on stern measures); 2. take refuge with (*fx* sby).
tyde (*vb*) interpret, decipher; ~ *på* indicate, point to, be indicative of; suggest, imply; *alt -r på at* there is every indication (*el.* sign) that . . ; everything seems to indicate that . . . ; the indications are that . . .
tydelig (*adj*) plain; (*å se, høre*) distinct; (*om fremstilling*) explicit; *klar og* ~ crisp and clean (*fx* the orchestral performance is crisp and clean); *klart og* ~ clearly and crisply; *et* ~ *vink* a broad hint; *med* ~ *lettelse* with obvious relief; *lese* ~ read distinctly; *snakke* ~ speak plainly, make oneself plain; *sammenhengen var* ~ the connection was obvious.
tydelighet plainness; distinctness; clearness, clarity.
tydeligvis evidently, obviously.
tyfus typhoid fever.
tygga S kisser; *gi ham en på* ~ sock him one on the kisser.
tygge (*vb*) chew, masticate; ~ *på noe* (*fig*) turn sth over in one's mind; *nå har du fått noe å* ~ *på!* put that in your pipe and smoke it!
tygge|flate masticating surface. **-gummi** chewing gum. **-redskaper** (*pl*) masticatory organs.
tykk thick; (*om person*) corpulent, stout; (*kvapset*) tubby; (*tett*) dense; ~ *e ben* fat legs; ~ *luft* stale (*el.* bad) air; *det er* ~ *tåke* there is a

dense fog; *bli* ~ (*om melk*) curdle; *gjennom tykt og tynt* (*fig*) through thick and thin; *støvet ligger tykt på bordet* the table is thick with dust; *smøre tykt på* (*fig*) lay it on thick; (*jvf tjukk & tønne*).
tykkelse thickness; stoutness, corpulence.
tykkfallen (a trifle) on the plump side.
tykkhodet thick-headed, thick-skulled, dense.
tykk|hudet thick-skinned; (*fig*) callous; (*som intet lenger biter på*) past shame, lost to all (sense of) shame; T case-hardened; *han er* ~ (*også*) he has a thick skin (*el.* hide).
tykkpannet thick-skulled.
tykksak T fatty; S tub; (*se tjukken*).
tykktarm (*anat*) large intestine, colon.
tykne (*vb*) thicken; (*om melk*) curdle; *det -r til* (*om været*) it is clouding over.
tykning thicket.
tyktflytende thick, viscous.
tylft dozen.
tyll (*tøysort*) tulle.
tylle (*vb*): ~ *i seg* gulp down (*fx* a glass of whisky); T mop up, put away; ~ *noe i en* pour sth down sby's throat.
tyne (*vb*): *se plage*.
tyngde weight; (*det å være tung*) heaviness. **-kraft** force of gravity. **-lov** law of gravity. **-punkt** centre of gravity; (*hovedpunkt*) main point.
tynge (*vb*) weigh upon, weigh down (*fx* the fruit weighs the branches down; weighed down with sorrow).
tyngre: *se tung.*
tyngsel burden, weight.
tyngst: *se tung.*
tynn thin; (*spe*) slender; (*mots. sterk*) weak (*fx* coffee, tea, solution); (*om tøy*) light (*fx* light fabrics); ~ *luft* thin air; *tynt befolket* sparsely populated; *be tynt* plead (*fx* he pleaded with his father for more pocket money); T ask nicely; *han ba så tynt om å få bli med oss* he asked so pathetically to be allowed to come with us.
tynne (*vb*) thin; ~ *ut* thin out (*fx* the plants in a bed).
tynnhåret thin-haired.
tynning thinning.
tynningshogst (*forst*) thinning.
tynn|kledd lightly dressed, thinly dressed. **-slite** (*vb*) wear thin. **-slitt** worn thin.
tynntarm (*anat*) small intestine.
tynt: *se tynn.*
type 1. type; *en* ~ *på* a type of; *-n på en streber* the typical climber; *være en* ~ *på* (*også*) typify; *han er ikke min* ~ T he's not my cup of tea (*el.* not my ticket); *din* ~ *er svært ettertraktet her* your sort is much in demand here; **2** (*typ*) type; *trykke med små -r* print in small type; **3** (T: *om person*) overdressed dandy; *en skummel* ~ a shady type; an ugly customer.
typisk typical, representative (*for* of).
typo|graf typographer. **-grafi** typography.
typografisk typographical; *boka har fått et nytt* ~ *utstyr* the print is new.
tyr bull; *ta -en ved hornene* take the bull by the horns.
tyrann tyrant. **-i** tyranny.
tyrannisere (*vb*) tyrannize (over), bully.
tyrannisk tyrannical.
tyre|fekter bullfighter; toreador, matador. **-fektning** bullfight(ing).
tyri resinous pinewood. **-fakkel** pine torch. **-rot** resinous pine root.
tyrk Turk.
Tyrkia Turkey.
tyrkisk Turkish.
Tyrol (the) Tyrol, (the) Tirol.
tyroler, -inne Tyrolese; US (*også*) Tyrolean.
tyrolsk Tyrolese; US (*også*) Tyrolean.
tysk German.
tyskbesatt German-occupied.
tysker German; S Jerry; US S Kraut.

tyskerhat anti-German feeling, Germanophobia.
tyskerhater anti-German, Germanophobe.
tyskertiden (the time of) the German occupation; *granater fra* ~ grenades dating from the G. o.
tyskertøs [girl or woman who, during the Occupation of 1940-45, consorted with German nationals and had sexual relations with them]; (*kan gjengis*) German tart (*el.* whore); S Jerry tart.
tyskervenn pro-German, Germanophile.
tyskfiendtlig anti-German. **-het** anti-German feeling.
tyskfilolog German scholar, specialist in German.
tyskhet Germanism.
tyskkunnskaper (*pl*) knowledge of German; *han har dårlige* ~ he has a poor knowledge of German; his German is poor; he is weak at German; *det går jevnt fremover med hennes* ~ her k. of G. is steadily improving; (*jvf engelsk-kunnskaper*).
Tyskland Germany.
tyskprøve German test (*fx* we're going to have a G. t. today); (*jvf gloseprøve*).
tysk|vennlig pro-German, Germanophile. **-østerriksk** Austro-German.
tyss (*int*) hush.
tyst silent, quiet.
tyste (*vb*) inform; T squeal; (*jvf sladre*).
tyster (*angiver*) informer; T squealer, jerk (*fx* some jerk has squealed).
tysthet silence, quiet, hush.
tystne (*vb*) grow silent; ~ *hen* die away.
tyte (*vb*): ~ *ut*: *se sive ut.*
tyttebær ♣ red whortleberry, cowberry, mountain cranberry.
tyv thief (*pl*: thieves); (*innbrudds-*) burglar; *stopp -en!* stop thief! ~ *tror hver mann stjeler* = the jaundiced eye sees all things yellow; *gammel* ~ *gjør god lensmann* set a thief to catch a thief.
tyvaktig thievish.
tyvaktighet thievishness.
tyve|gods stolen goods, stolen property; T haul, loot, (the) swag. **-pakk** pack of thieves.
tyveri theft; (*jur*) larceny; ~ *av hittegods* (a case of) stealing (an article of) lost property.
tyveriforsikring burglary insurance.
tyv|perm, -start(e): *se tjuv-.*
tære *vb* (*forbruke*) consume; (*om rust, syre, etc*) corrode; ~ *på* break (*el.* eat) into (*fx* one's capital); ~ *på ens krefter* tax sby's energy; *dette -r sterkt på vår pengebeholdning* this is a heavy drain on our funds; *-s hen* waste away.
tærende corrosive.
tæring: *se tuberkulose.*
tø (*vb*) thaw; ~ *opp* thaw.
tøddel jot, iota.
tøff S tough (*fx* a t. fellow); (*jvf tøffing*).
tøffe *vb* (*om bil, motorbåt*) chug; (*om tog*) puff (*fx* the train puffed out of the station).
tøffel slipper; *stå under -en* be henpecked, be wife-ridden.
tøffel|blomst ♣ slipperwort. **-danser, -helt** henpecked husband.
tøffing S: *han er en ordentlig* ~ he's as tough as they make them.
tøfle (*vb*): ~ *av sted* trot off, shuffle off.
tøler (*pl*) things, odds and ends.
tølper lout, boor. **-aktig** loutish, boorish. **-aktighet** loutishness, boorishness.
I. tømme (*subst*) rein; *holde en i* ~ keep sby in check, restrain sby.
II. tømme (*vb*) empty; ~ *landet for kapital* drain the country of capital; ~ *over i* empty into, pour into (*fx* pour it into a mould or a serving dish).
tømmer timber; (*især US også*) lumber; *helt* ~ trunk timber; ~ *på rot* standing timber, growing stock; *binde sammen* ~ *for fløting* raft timber; *fløte* ~ float timber; US drive logs; *hogge* ~ fell

timber; US log, cut; (se *gagnvirke, silkekubb, skurtømmer, sliptømmer, spesialtømmer*).

tømmer|fløter log driver, river driver. **-fløtning** log running, log driving, river driving. **-flåte** log raft. **-hake** pike pole; US (*også*) peavey. **-hogger** feller, logger; US lumberjack, lumberman, woodcutter. **-hogst** (timber) felling, felling timber; US logging, woodcutting. **-hus** log house. **-hytte** log cabin. **-kjører** timber hauler; US log trucker. **-koie** log cabin; US logging camp, (lumber) camp, bunk house. **-kvase:** se -*vase*. **-lense** boom.

tømmer|mann carpenter; -*menn* (*etter rangel*) T a hangover. **-mannsblyant** timber crayon. **-mannssag** panel saw, half-rip saw, hand saw. **-merker** timber marker; US timber cruiser. **-mester** master carpenter. **-renne** slide, chute, flume. **-sag** crosscut saw. **-saks** lifting tongs. **-skjelme** raft. **-slede** timber sled(ge). **-stokk** log; *dra -er* (ɔ: *snorke*) saw them off; drive the pigs home; US saw wood.

tømmervase (*i elv*) jam of (floating) logs; (*midt i elv*) centre jam; (*ut mot den ene elvebredd*) wing jam; *løse opp en* ~ break a jam (of floating logs); *det å løse opp en* ~ jam-breaking.

tømmer|vei logging track. **-velte** pile of logs, log pile.

tømming emptying; (*av postkasse*) collection. **tømre** (*vi*) carpenter, do carpentry; (*vt*) build, make, put up.

tønder (*knusk*) tinder, touchwood.

tønne barrel; (*fat*) cask; (*av metall*) drum; ♺ mooring buoy; *hvis hun fortsetter å spise så mye, vil hun bli tykk som en* ~ if she goes on eating so much, she'll get really tubby.

tønnebånd (barrel) hoop.

tønnestav barrel stave.

tønnevis by the barrel.

tør (*vb*): *pres av* tore.

tørk drying; *henge* (*opp*) *til* ~ hang (up) to dry.

I. tørke (*subst*) drought, spell of dry weather, dry spell.

II. tørke (*vb*) 1. dry; ~ *inn* dry (up); ~ *seg* dry oneself; 2 (*tørre*): ~ *av* wipe off (*fx* a drawing from the blackboard); ~ *av tavla* clean the blackboard; ~ *opp* wipe (*el.* mop) up (*fx* water, spilt milk), clean up; (*oppvask*) dry up; ~ *seg om munnen* wipe one's mouth.

tørke|anlegg drying plant. **-ovn** (drying) kiln. **-plass** drying ground, drying yard. **-stativ** drying stand, clotheshorse.

tørkle square; (*skaut*) headscarf.

tørn (*vakt*) shift; *en strid* ~ a tough job; *jeg har hatt en strid* ~ *i dag* I have had a time of it today; I've had a very trying day today; *ta* ~ ♺ belay (*fx* a rope); (*fig*) restrain oneself; *nei, nå får du ta* ~! T oh, come on! *nei, nå får du ta* ~; *det der er det ingen som tror på!* come, come, no one is going to believe that; *Vil du ha 50 kroner for den? - Nei, nå får du ta* ~; *den er knapt verd 20* You want 50 kroner for that? - Get along (*el.* on) with you; it's hardly worth 20; *ta den tyngste* ~ (ɔ: *gjøre grovarbeidet*) do the dirty work.

tørne (*vb*): ~ *inn* turn in; T hit the hay; ~ *mot* bump into, run into, hit, collide with; ♺ foul, run foul of; ~ *sammen* collide; ~ *ut* turn out.

tørr dry; *få tørt på kroppen* get dry clothes on; *ha sitt på det -e* be safe; *en* ~ *brødskive* (ɔ: *uten pålegg*) a piece of dry bread; *tørt brød* dry bread; *tørt brød og vann* (*fangekost*) dry bread and water; *uten vått eller tørt* without drink and food.

tørrdokk dry dock.

tørre (*vb*) dry; ~ *bort* dry up, get dried up; (*om plante*) wither; ~ *inn* dry up.

tørrebrett (*til oppvasken*) draining board.

tørr|fisk stockfish; (*om person*) dry stick, prosaic fellow. **-furu** dead pine tree. **-het** dryness. **tørr|legge** (*vb*) drain; (*i stor målestokk*) reclaim;

(*for alkohol*) make dry. **-legning** draining; (*i stor målestokk*) reclamation. **-lendt** dry.

tørrmelk dried milk, milk powder, powdered milk.

tørrpinne T bore, dry stick, dried-up person. **tørr|skodd** dryshod. **-sprit** (*boksesprit*) methylated spirits; solid meths; (*varebetegnelse*) Metol. **-ved** dry wood. **-vittig** witty in a dry way; with a dry sense of humour. **-vittighet** (piece of) dry humour.

tørråte dry rot.

I. tørst (*subst*) thirst; (*se tår*).

II. tørst (*adj*) thirsty; *det er noe man blir* ~ *av* it's dry work.

tørste (*vb*) be thirsty; ~ *etter* thirst for.

tørstedrikk thirst-quenching (*el.* thirst-slaking) drink; T thirst-quencher.

tøs (*neds*) tart, wench, hussy; (*se skamløs*).

tøv nonsense, rot, twaddle; (*jvf tull*).

tøve (*vb*) talk nonsense; (*jvf II. tulle*).

tøvekopp twaddler; silly fool; US (*også*) goof.

tøvær (*litt.* & *fig*) thaw; (*se mildvær*).

tøy cloth, fabric; (*klær; vask*) clothes.

tøye (*vb*) draw out, extend, stretch; (*sterkere*) strain; ~ *seg* stretch; ~ *seg langt for hans skyld* go a long way to oblige him.

tøyelig elastic; (*fig*) flexible; *en* ~ *samvittighet* an accommodating conscience.

I. tøyle (*subst*) rein; bridle; *gi sin fantasi frie -r* give a free rein to one's imagination; *gi en frie -r* (*fig*) give sby a free hand; *han lot hesten få frie -r* he let the horse take its own way; *he gave up trying to guide his horse; holde en i stramme -r* (*fig*) keep a tight rein on sby; be firm with sby.

II. tøyle (*vb*) bridle, curb.

tøyles|løs unbridled, unrestrained; (*utsvevende*) dissolute (*fx* lead a d. life), licentious. **tøylesløshet** lack of restraint, dissoluteness, licentiousness.

tøys nonsense, rubbish, rot; (*noe som irriterer*) bother (*fx* this timetable is an awful bother); *det er noe ordentlig* ~ *dette med arven* it is all nonsense about that inheritance; *sett i gang—og ikke noe* ~! do it — and no nonsense about it (*el.* and no messing about)! (*jvf tull* & *tøv*).

tøyse (*vb*) 1. = *II. tulle;* 2: ~ *med* (*en pike*) trifle with, sport with, dally with (*fx* don't dally any more with that girl).

tøysekopp twaddler, silly fool; US (*også*) goof; (*se også vrøvlebøtte*).

tøyte hussy, tart.

tå toe; *fra topp til* ~ from top to toe; *gå på tærne* (walk on) tiptoe; *på* ~ *hev!* heels raise!

tåbinding (*ski*) toe-iron binding.

tå|gjenger digitigrade. **-hette** toecap.

tåke fog; (*lettere*) mist; (*astr*) nebula; *innhyllet i* ~ shrouded (*el.* blanketed) in fog; *tett* ~ dense (*el.* heavy *el.* thick) fog.

tåke|aktig foggy; misty; nebulous. **-banke** fog bank. **-legge** (*vb*) lay a smoke screen over; shroud (*el.* blanket) in fog (*fx* factory, area); (*fig*) obscure. **-lur** fog horn. **-lys** (*på bil*) fog lamp. **-signal** fog signal. **-slør** veil of fog (*el.* mist).

tåket foggy; misty; (*fig*) vague, dim, hazy, nebulous.

tål: *slå seg til -s med* be content with.

tåle *vb* (*utstå*) bear, stand, endure; (*finne seg i*) put up with, stand, tolerate; *vi er overbevist om at kassene vil* ~ *den mest hårdhendte behandling* we are confident that the cases will stand up to the toughest handling; *han -r ikke whisky* whisky disagrees with him; *situasjon som ikke -r noen utsettelse* situation that admits of (*el.* brooks) no delay; *det -r ikke sammenligning med* it will not bear (*el.* stand) comparison with.

tålelig (*adj*) tolerable, bearable, endurable; (*adv*) tolerably.

tål|mod patience. **-modig** patient. **-modighet** patience; *ha* ~ *med* bear with, be patient with; *jeg begynner å miste -en* my patience is giving out (*el.* running out); *det er slutt med min* ~

my p. is at an end (el. is exhausted); fruktesløse forhandlinger har spent vår ~ til bristepunktet fruitless negotiations have taken our p. to exhaustion point; en engels ~ angelic patience; ha en engels ~ have the p. of Job (el. of a saint), have endless p. (fx with sby); (se bristepunkt).

tålmodighetsarbeid patient work.

tålmodighetsprøve trial of (sby's) patience; det var litt av en ~ it was a (real) trial to my patience; it (really) tried (el. tested) my p.

tålsom patient; tolerant. **-het** patience; tolerance. forbearance.

tåpe fool. **tåpelig** silly, foolish, stupid.

tåpelighet silliness, foolishness, stupidity.

tår drop; ta en ~ over tørsten have a drop too much.

tåre tear; felle -r shed tears; hun fikk -r i øynene it brought tears to her eyes; tears came into her eyes; she began to cry (el. weep); T she got tears in her eyes; han lo så -ne trillet he laughed until he cried; (se III. trille).

tåre|full tearful. **-kanal** lachrymal canal (el. duct). **-kvalt:** med ~ stemme in a voice stifled by sobs. **-strøm** flood of tears. **-våt** wet with tears.

tårn tower; (på kirke) steeple; (i sjakk) rook, castle; (♗ & ♜) turret.

tårne (vb): ~ seg opp accumulate, pile up; (ruve) tower, rise.

tårn|fløy 1 (av bygning) turret(ed) wing; 2 (værhane) steeple vane. **-høy** towering; (fig) soaring (fx prices). **-klokke** 1. tower clock; 2. tower bell. **-spir** spire. **-ugle** ⚓ barn owl. **-ur** tower clock.

tåspiss tip of the toe; på -ene on tiptoe.

tåte|flaske feeding bottle. **-smokk** (rubber) nipple; skrukork som holder -en på plass bottle cap.

U

U, u U, u; U for Ulrik U for Uncle.

uaktet 1 (prep) notwithstanding, in spite of; 2 (konj): se skjønt.

uaktsom negligent, careless; -t drap = manslaughter; handle grovt -t act with gross negligence.

uaktsomhet negligence, carelessness; (handlingen) piece of carelessness (,negligence), oversight; av ~ through negligence; through (el. by) an oversight (fx through an o. on his part); inadvertently; grov ~ gross negligence; (se også utvise 2).

uaktuell not of current interest, of no present interest; det har blitt uaktuelt it is no longer of (any) interest.

ualminnelig 1 (adj) uncommon, unusual, exceptional; (fremragende) eminent, outstanding, out of the ordinary; 2 (adv) exceptionally, uncommonly (fx good, bad); en ~ god kvalitet (også) an exceptional quality; en ~ vanskelig tid a period of exceptional difficulty.

uamortisabel irredeemable.

uan(e)t undreamt-of (fx possibilities), unsuspected, unlooked-for, unthought-of; (om noe gledelig, også) unhoped-for.

uanfektet unruffled (fx he was (el. remained) u.); han var helt ~ T he didn't turn a hair; ~ av unmoved by (fx threats), unaffected by.

uangripelig unassailable (fx the u. position of the company); unimpeachable (fx his u. honesty); (ugjendrivelig) irrefutable (fx an i. assertion); (udadlelig) irreproachable, spotless, above criticism.

uangripelighet unassailableness; unimpeachability; irrefutability; hans stillings ~ the unassailable nature of his position.

uanmeldt unannounced, without being announced; (om fordringer) unnotified (fx claims).

uanselig insignificant. **-het** insignificance.

uansett 1 (prep) irrespective of, without regard to, notwithstanding; ~ hvordan no matter how; ~ hvem de er no matter who they are (el. may be), whoever they may be; 2 (adv) in any case.

uanstendig indecent; (upassende) improper.

uanstendighet indecency; impropriety.

uanstrengt effortless; (utvungen) unstrained; (adv) with effortless ease, effortlessly.

uansvarlig irresponsible.

uansvarlighet irresponsibility.

uan|tagelig, -takelig unacceptable.

uantastet unchallenged.

uanvendelig 1. unusable; useless; 2. inapplicable (på to).

uanvendelighet 1. uselessness; 2. inapplicability.

uanvendt unused.

uappetitlig unappetizing; (sterkere) repulsive, disgusting, unsavoury (,US: unsavory); (se usmakelig).

uartikulert inarticulate.

uatskillelig inseparable; de er -e T they're as thick as thieves.

uatskillelighet inseparability.

uavbrutt (adj) uninterrupted, unbroken, continuous; continual; (adv) continuously, uninterruptedly, without intermission.

uavgjort unsettled, undecided; ~ kamp draw, tie; kampen endte ~ the game was a draw; the match ended with 'honours even'; spille ~ draw, tie (med with) (fx the two teams drew); (NB Aston Villa have drawn five and won two of their last 11 matches at Burnley).

uavhendelig (jur) inalienable.

uavhendelighet inalienability.

uavhendet unsold.

uavhengig independent (av of). **-het** independence.

uavhentet unclaimed (fx letter, ticket).

uavkortet unabridged; (adv) in full (fx printed in full); absolutely; hvis avdøde etterlater seg hustru, overtar hun alt løsøre ~ if the deceased leaves a wife, she takes the personal chattels absolutely.

uavlatelig: se uavbrutt.

uavsettelig (uselgelig) unsal(e)able, unmarketable; (fra embete) irremovable. **-het** (fra embete) irremovability.

uavvendelig inevitable. **-het** inevitability.

uavvergelig inevitable.

uavviselig not to be refused (,rejected), imperative (fx duty); urgent (fx necessity).

ubarbert unshaved (fx he is u.); unshaven (fx an u. man).

ubarket 1 (om huder) untanned; 2 (om tømmer) undressed.

ubarmhjertig merciless, remorseless.

ubarmhjertighet mercilessness, remorselessness.

ubearbeidet rough, undressed; (råstoff) raw; (metall) unwrought.

ubebodd uninhabited; (om hus) unoccupied, untenanted.

ubeboelig uninhabitable.

ubebygd not built on, unbuilt (on) (fx a plot of unbuilt ground); vacant (fx a v. site); uninhabited (fx regions).

ubedervet fresh, untainted (fx food); (fig) uncorrupted; unspoilt.

ubedt unasked, uninvited.

ubeferdet untravelled (fx road), with little traffic (fx a road with little traffic).

ubefestet open, unfortified; (fig) inexperienced;

impressionable; *ung og* ~ young and impressionable.

ubeføyd baseless, unfounded, groundless (*fx* accusation); unwarranted (*fx* anger); (*uberettiget*) unauthorized.

ubegavet unintelligent.

ubegrenset unbounded, boundless, unlimited (*fx* freedom, possibilities).

ubegripelig incomprehensible.

ubegrunnet groundless, unfounded.

ubehag distaste (*ved* for); *føle* ~ *ved synet* be unpleasantly affected by the sight.

ubehagelig unpleasant, disagreeable; *bli* ~ (*om person*) T get (*el.* turn) nasty; cut up rough; *han ble* ~ (*også*) he became rude; *et* ~ |*oppdrag* an unpleasant (*el.* invidious) task.

ubehagelighet unpleasantness; disagreeableness; *han kan ikke få -er p.g.a. det* he can't get into trouble over that.

ubeheftet (*om eiendom*) unencumbered.

ubehendig clumsy. **-het** clumsiness.

ubehersket uncontrolled, unrestrained.

ubehjelp|elig, -som awkward, helpless, clumsy. **-elighet, -somhet** awkwardness, clumsiness.

ubehøvlet rude, boorish; (*jvf ubehagelig*).

ubekjent unknown; ~ *med* ignorant of.

ubekreftet unconfirmed.

ubekvem uncomfortable; (*ubeleilig*) inconvenient.

ubekvemhet discomfort; (*ubeleilighet*) inconvenience.

ubekymret unconcerned, untroubled, unworried (*om* about); carefree. **-het** unconcern.

ubeleilig inconvenient, inopportune; unwelcome; (*kjedelig*) awkward; ~ *for Dem* inconvenient to you.

ubemannet unmanned; (*jvf holdeplass & stoppested*).

ubemerket unnoticed, unobserved; *føre en* ~ *tilværelse* live in obscurity, lead an obscure life.

ubemerkethet (*litt.*) obscurity.

ubemidlet of limited means; (*sterkere*) without means.

ubendig uncontrollable (*fx* desire, passion); ungovernable (*fx* rage); indomitable (*fx* strength).

ubendighet uncontrollable (,ungovernable) character; indomitableness.

ubenyttet unused; *ubenyttede ressurser* untapped resources.

uberegnelig unpredictable, capricious.

uberegnelighet capriciousness.

uberettiget unauthorized; unwarranted, unjustified (*fx* criticism); (*ugrunnet*) unfounded, groundless, baseless (*fx* suspicion).

uberørt untouched, virgin; (*upåvirket*) unaffected; *-e vidder* mountain plateaux untouched by the foot of man; (*se tindrende*). **-het** untouched condition; virginity; unconcern.

ubesatt unoccupied; (*om stilling*) unfilled; (*ledig*) vacant.

ubeseiret unconquered; (*sport*) unbeaten, undefeated.

ubesindig rash, hasty; (*uklok*) imprudent.

ubesindighet rashness; imprudence.

ubeskadiget unhurt, uninjured; undamaged.

ubeskjeden immodest; immoderate; *hvis det ikke er -t av meg, ville jeg gjerne . . .* if it's not asking too much I should like to . . .

ubeskjedenhet lack of moderation, immodesty.

ubeskjeftiget unemployed.

ubeskrevet blank; *han er et* ~ *blad* he is an unknown quantity.

ubeskrivelig indescribable; *det var* ~ (*også*) words cannot describe it; it beggars description; ~ *komisk* (,*etc*) indescribably funny (,*etc*); ~ *lykkelig* deliriously happy; (*se II. trosse: det -r enhver beskrivelse*).

ubeskyttet unprotected; unsheltered.

ubeskåret unabridged (*fx* novel); uncurtailed; *få beløpet* ~ get the whole amount.

ubesluttsom irresolute; (*ubestemt*) undecided.

ubestemmelig indeterminable, nondescript.

ubestemt indefinite (*fx* number), undetermined, indeterminate; (*ubesluttsom*) undecided; irresolute; (*vag, svevende*) vague; ~ *artikkel* (,*pronomen*) indefinite article (,pronoun); ~ *størrelse* (*mat.*) indeterminate quantity; ~ *uttalelse* vague statement; *komme med -e uttalelser* express oneself in vague terms; *vente i* ~ *tid* wait indefinitely; wait (for) an indefinite period; *i en* ~ *framtid* at some indefinite (*el.* unspecified) future date; *på* ~ *tid* indefinitely; for an unspecified period (*fx* the schools were closed down for an u. p. on account of riots); (*se ubestemthet*).

ubestemthet indefiniteness; indecision, irresolution; indetermination; vagueness.

ubestikkelig incorruptible.

ubestikkelighet incorruptibility.

ubestridelig incontestable, indisputable.

ubestridt unchallenged; undisputed, uncontested.

ubesvart unanswered.

ubesørgelig undeliverable; dead (*fx* letter); *-e sendinger* (*post*) undeliverable items.

ubesørget undelivered (*fx* u. letters).

ubetalelig invaluable, inestimable, priceless (*fx* what a p. joke); ~ *komisk* screamingly funny; priceless.

ubetalt unpaid, unsettled (*fx* my invoice of the 8th May for £30 is still unsettled).

ubetenksom (*ikke omtenksom*) inconsiderate; (*tankeløs*) thoughtless; (*overilet*) rash; (*uklok*) imprudent.

ubetenksomhet inconsiderateness; thoughtlessness; rashness; imprudence.

ubetimelig inopportune; ill-timed, untimely.

ubetinget unqualified (*fx* praise, recommendation); implicit (*fx* faith, obedience); *et* ~ *gode* an unqualified blessing; ~ *og uten forbehold* unreservedly; ~ *den beste* absolutely (*el.* unquestionably) the best.

ubetont unaccented, unstressed (*fx* an u. syllable).

ubetvingelig indomitable, unconquerable.

ubetydelig insignificant; unimportant, trifling, slight.

ubetydelighet insignificance; *en* ~ a trifle.

ubevegelig immovable; (*ubøyelig*) inflexible; (*som ikke beveger seg*) immovable, motionless.

ubevegelighet immobility; inflexibility.

ubevisst unconscious.

ubevoktet unguarded; *i et* ~ *øyeblikk* in an unguarded moment; (when) off one's guard (*fx* he was caught off his guard).

ubevæpnet unarmed.

ubillig unreasonable, unfair, unjust.

ublandet unmixed; (*om drikkevarer*) neat; ~ *beundring* unqualified admiration; ~ *glede* unmixed joy.

ublid: *en* ~ *skjebne* an unkind (*el.* cruel) fate; *han fikk en* ~ *behandling av politiet* T he was manhandled by the police; *se med -e øyne på* frown on, regard with disfavour.

ublodig bloodless.

ublu: *en* ~ *pris* an exorbitant price.

ubluferdig shameless, bold, unchaste.

ubluhet exorbitance; (*se ublu*).

ubotelig irreparable (*fx* damage).

ubrukbar: *se ubrukelig*.

ubrukelig unserviceable, unfit for use; T no good; *gjøre* ~ render useless; *han er* ~ *som lærer* he is no good (*el.* impossible) as a teacher; (*jvf uanvendelig*).

ubrukelighet uselessness.

ubrukt unused; *nesten* ~ as good as new.

ubrytelig unbreakable.

ubrøytet (*om vei*) uncleared.

ubuden uninvited, unbidden; *en* ~ *gjest* (*også om tyv*) an uninvited guest; an intruder; T a gate-crasher.

ubundet unfettered, unrestrained; ~ *stil* prose.

ubønnhørlig inexorable.

ubønnhørlighet inexorableness.
ubøyelig inflexible; unbending, unyielding; (*gram*) indeclinable, uninflected. **-het** inflexibility.
ubåt submarine; (*fiendtlig*) U-boat.
udadlelig blameless, irreproachable.
udannet uneducated; (*ubehøvlet*) rude, ill-bred; *det er ~ å* it is bad form to.
udelelig indivisible. **-het** indivisibility.
udelt entire, undivided; *~ skole* one-class school, s. with (only) one class; (*især US*) ungraded school.
udeltagende indifferent, cold.
udiplomatisk undiplomatic.
udisiplinert undisciplined.
udramatisk undramatic.
udrikkelig undrinkable, not fit to drink.
udrøy uneconomical.
uduelig incapable, incompetent. **-het** incapability, incompetence.
udyktig incompetent. **-het** incompetence.
udyr (*om person*) monster, brute.
udyrkbar (*om jord*) uncultivable.
udyrket uncultivated.
udødelig immortal.
udødelighet immortality.
udøpt unchristened, unbaptized.
udåd misdeed, evil deed, atrocity, outrage.
uedel ignoble, base, vulgar.
ueffen: *det er ikke så -t* that's not bad.
uegennytte disinterestedness, unselfishness, altruism.
uegennyttig disinterested, unselfish, altruistic.
uegnet unsuitable (*fx* method); unfit (*fx* for national service).
uekte false, spurious, not genuine; (*imitert*) imitation; *~ barn* illegitimate child; *~ brøk* improper fraction; *~ sammensatt verb* separable verb.
uekthet spuriousness; illegitimacy.
uelastisk (*også fig*) inelastic.
uelskverdig unamiable, unkind, unobliging.
uemballert unpacked.
uendelig (*adj*) infinite, endless, interminable; (*adv*) infinitely; *i det -e* indefinitely; *med ~ lettelse* with tremendous relief; *~ nysgjerrig* (*også*) endlessly inquisitive.
uendelighet infinity, endlessness; *en ~ av* an infinity of (*fx* details); an infinite number (,quantity) of; T no end of (*fx* books).
uenig: *være ~ med en* disagree with sby; differ from sby; *bli ~* disagree; *jeg er ~ med meg selv* I cannot make up my mind; *jeg er dypt ~ i det som er blitt sagt* I dissent strongly from what has been said.
uenighet disagreement, dissension, difference.
uens unlike. **-artet** heterogeneous, lack of uniformity.
uensartethet heterogeneousness.
uenset unheeded, unnoticed.
uer (*fisk*) Norway haddock.
uerfaren inexperienced. **-het** inexperience, lack of experience.
uerholdelig unobtainable; (*om gjeld*) irrecoverable; *-e fordringer* bad debts.
uerstattelig irreplaceable; irreparable; *et ~ tap* an irreparable (*el.* irretrievable) loss. **-het** irreparability.
uestetisk unsavoury.
uetterrettelig negligent, careless; unreliable.
ufarbar impassable; (*elv*) unnavigable.
ufarlig safe; without risk (*fx* the trips are w. r. provided ordinary rules are followed); *det er helt ~* (*å gjøre det*) it's quite safe to do that.
ufasong: *få ~* (*om støvler, etc*) get out of shape, lose shape.
ufattelig incomprehensible, inconceivable.
ufeilbar infallible, unfailing, unerring. **-het** infallibility. **-lig:** *se ufeilbar.*
uferdig unfinished. **-het** unfinished state.
uff (*int*) oh, ugh.
uffe (*vb*): *~ seg* complain.

ufin tactless, rude, coarse, indelicate, vulgar; *en ~ bemerkning* a rude remark; *hunden gjorde seg ~ på teppet* the dog made a mess on the carpet; the dog dirtied the carpet.
ufinhet bad taste, tactlessness, coarseness, rudeness; indelicacy.
uflaks T bad luck, rotten luck; bad break; *ha ~ med noe* have no luck with sth; *det var ~ for deg* that was a bad break for you.
uflidd unkempt, untidy.
uforanderlig unchangeable, unalterable, immutable, constant, invariable; *en ~ regel* an invariable rule. **-het** unalterableness, immutability, constancy, invariability.
uforandret unchanged, unaltered.
uforarbeidet unmanufactured (*fx* material); unprocessed (*fx* goods); not worked up; rough.
uforbederlig incorrigible, inveterate, confirmed. **-het** incorrigibility.
uforbeholden unreserved, frank, open, unstinted (*fx* praise); (*se unnskyldning*).
uforbeholdenhet unreservedness, frankness, openness.
uforberedt (*adj*) unprepared; *Per møter ~ i dag, da han var syk i går* Per has not done his prep(aration) for today, as he was ill yesterday; (*jvf melding*).
uforberedthet (state of) unpreparedness.
uforbindtlig not binding, without obligation; non-committal (*fx* give a n.-c. answer).
uforblommet unambiguous.
ufordelaktig unfavourable (*fx* position), disadvantageous; (*om handel*) unprofitable (*fx* an u. transaction); (*om utseende*) unprepossessing; *i et ~ lys* in an unflattering light; (*se I. lys*); *dette bringer oss i en ~ stilling* (*også*) this places us at a disadvantage; *gjøre seg ~ bemerket* attract unfavourable attention; (*se bemerke*); *jeg har ikke hørt noe ~ om ham* I've heard nothing to his disadvantage (*el.* discredit); *snakke ~ om* speak unfavourably of (*fx* his work); *man vet ikke noe ~ om ham* nothing is known to his prejudice; I (,we, *etc*) know nothing against him; *det -e ved* the disadvantage of.
ufordervet (*fig*) uncorrupted, unspoiled, innocent.
ufordragelig intolerable, unbearable.
ufordragelighet intolerableness.
ufordøyelig indigestible. **-het** indigestibility.
ufordøyd undigested.
uforen(e)lig incompatible, irreconcilable, inconsistent (with); *et grotesk lappverk av -e elementer* a grotesque patchwork of incompatible elements.
uforen(e)lighet incompatibility.
uforfalsket unadulterated, genuine; (*jvf usminket*).
uforfalskethet genuineness.
uforferdet fearless, intrepid, undaunted; bold, brave; (*adv*) -ly, nothing daunted.
uforferdethet fearlessness, intrepidity.
uforgjengelig imperishable, indestructible, everlasting; (*udødelig*) imperishable, undying (*fx* fame); immortal.
uforgjengelighet imperishableness, indestructibility, indestructibleness; (*udødelighet*) immortality.
uforglemmelig unforgettable; haunting (*fx* a place of rare and h. beauty).
uforholdsmessig (*adj*) disproportionate; (*adv*) disproportionately; *et ~ stort lager* an unduly large stock; unduly heavy stocks.
uforholdsmessighet disproportion.
uforklarlig inexplicable, unaccountable; *på en ~ måte* unaccountably, inexplicably.
uforknytt undismayed, unabashed.
uforlignelig incomparable; (*makeløs*) matchless, unequalled, unmatched, unparalleled.
uforlikt: *være ~* differ, disagree.
uforlovet not engaged (to be married).
uformelig shapeless, formless; amorphous.

uformelighet shapelessness, formlessness; amorphousness.
uformell informal.
uforminsket undiminished; (*usvekket*) unabated.
uformuende without (private) means.
uformuenhet lack (*el.* absence) of (private) means; lack of money.
ufornuft unreasonableness, foolishness; (*dårskap*) folly.
ufornuftig unreasonable; (*tåpelig*) foolish.
uforrettet: *komme tilbake med* ~ *sak* return unsuccessful, return empty-handed.
uforseglet unsealed.
uforsiktig 1 (*skjødesløs*) careless; (*ikke varsom*) incautious (*fx* I was i. enough to leave the door open); 2 (*uklok*) imprudent; 3 (*ubetenksom*) indiscreet; rash (*fx* that was very rash of you).
uforsiktighet carelessness; incautiousness; imprudence; indiscretion; rashness; (*se uforsiktig*).
uforskammet impudent, insolent; (*nesevis*) impertinent; *uforskammede priser* exorbitant prices.
uforskammethet impudence, insolence; (*nesevishet*) impertinence; *dette er en* ~ *uten like; tenk å behandle folk på den måten!* this is unheard -of (*el.* unexampled) impertinence; fancy treating people like that!
uforskyldt undeserved, unmerited.
uforsonlig implacable, irreconcilable, uncompromising.
uforsonlighet implacability.
uforstand foolishness; imprudence.
uforstandig foolish; imprudent, unwise.
uforstilt unfeigned, sincere, genuine.
uforstyrrelig imperturbable, unruffled; *hans -e humør* his unfailing good humour.
uforstyrrelighet imperturbability.
uforstyrret undisturbed; (*uten å bli avbrutt*) uninterrupted.
uforstå(e)lig incomprehensible, unintelligible.
uforstående puzzled, uncomprehending; (*ikke forståelsesfull*) unsympathetic, unappreciative (*fx* an u. attitude).
uforsvarlig indefensible; (*utilgivelig*) inexcusable; (*forkastelig*) unwarrantable, unjustifiable.
uforsøkt untried; *ikke la noe middel* ~ *leave no stone unturned; leave no means untried;* try everything.
uforsørget unprovided for.
ufortapelig (*rett*) inalienable (*fx* i. rights).
ufortjent undeserved, unmerited.
ufortollet uncustomed; not duty-paid; (*salgsklausul*) duty unpaid; *fortollet eller* ~ duty paid or unpaid; *ufortollede varer* (*også*) goods on which duty has not been paid.
ufortrøden indefatigable; **-t** (*adv især*) steadily; *han gikk* ~ *videre* he walked sturdily onwards; (*jvf trøstig*).
ufortrødenhet indefatigableness, perseverance.
ufortært unconsumed.
uforutsett unforeseen, unlooked-for; *-e omstendigheter* unforeseen circumstances; *-e utgifter* unforeseen expenses; contingencies (*fx* allow £10 for c.); *med mindre noe* ~ *skulle inntreffe* unless some unforeseen obstacle occurs; barring accidents.
uforvansket (*om tekst*) ungarbled, uncorrupted.
uforvarende unexpectedly, unawares; *det kom* ~ *på oss* it caught us unawares; we were caught napping.
uframkommelig impassable.
ufrankert unstamped, unpaid.
ufravendt (*adv*) fixedly, intently.
ufravikelig (*adj*) unalterable, invariable; *en* ~ *betingelse* an absolute condition; *en* ~ *regel* an invariable rule.
ufred discord, dissension, strife; (*krig*) war, strife; (*uro*) unrest.
ufri not free, unfree.
ufrihet restraint; (*slaveri*) bondage.

ufrivillig (*adj*) involuntary; (*ikke tilsiktet*) unintentional.
ufruktbar barren, sterile, infertile; (*plan, arbeid*) unproductive.
ufruktbarhet barrenness, sterility, infertility.
ufullbyrdet unaccomplished, unexecuted.
ufullbåret (*barn*) prematurely born, premature.
ufullendt unfinished.
ufullendthet unfinished state.
ufullkommen imperfect. **-het** imperfection.
ufullstendig incomplete, defective, imperfect.
ufullstendighet incompleteness, defectiveness, imperfection.
ufundert unfounded; *-e rykter: se I. rykte: løse -r.*
ufyselig unappetizing, forbidding, uninviting, disgusting (*fx* the roads are in a disgusting state).
ufødt unborn.
ufølsom insensitive (*overfor to, fx* light, pain, poetry), insensible; callous, unfeeling; (*se saklig*).
ufølsomhet insensitiveness, insensibility; callousness, unfeelingness.
ufor: *se arbeids-.*
ufore deadlock (*fx* we have reached a d.), impasse (*fx* we must get out of this i.); mess (*fx* he's got into a mess); *det brakte oss opp i et* ~ that landed us in a mess.
uforhet *se arbeids-.*
ugagn mischief; *gjøre* ~ do m.; (*fig*) make m.
ugagnskråke mischievous little thing, mischief itself, little monkey, little tinker.
ugalant ungallant, uncomplimentary.
ugarvet untanned.
ugg (*brodd, pigg*) sting; spike, barb; prickle.
ugiddelig (*lat, makelig*) indolent.
ugift unmarried, single.
ugild (*jur*) disqualified.
ugjendrivelig irrefutable.
ugjenkallelig irrevocable; ~ *tapt* irretrievably lost; *det er* ~ (*også*) there is no going back on it.
ugjenkallelighet irrevocability.
ugjenkjennelig irrecognizable.
ugjennomførlig impracticable.
ugjennomførlighet impracticability.
ugjennomsiktig opaque.
ugjennomsiktighet opaqueness, opacity.
ugjennomskuelig impenetrable (*fx* darkness, mystery); (*fig*) inscrutable (*fx* an i. person); (*se også ugjennomtrengelig*).
ugjennomtrengelig impenetrable (*fx* darkness, fog, forest) (*for to, by*); impervious (*for to, fx* to acids, to gas, to water); impermeable (*for to, fx* to water); ~ *forsvar* ✕ impregnable defence; ~ *mysterium* unfathomable (*el.* impenetrable) mystery.
ugjennomtrengelighet impenetrability, imperviousness, impermeability; ✕ impregnability.
ugjerne unwillingly, reluctantly.
ugjerning misdeed, outrage.
ugjerningsmann evil-doer, malefactor.
ugjestfri inhospitable.
ugjestfrihet inhospitability, inhospitableness.
ugjort undone; *la* ~ leave undone.
ugjørlig impracticable, impossible.
uglad sad, unhappy.
ugle 🦉 owl; *det er -r i mosen* there is mischief (*el.* sth) brewing.
uglesett generally disliked; disliked (by everybody); looked askance at.
ugrei tangled; in a tangle (*fx* the string is all in a t.); (*om person*) recalcitrant; *det er helt -t* (*fig*) it's a hopeless tangle.
I. ugreie (*subst*) tangle; (*fig*) difficulty, hitch, trouble; *det var noe* ~ *med styreinnretningen* something went wrong with the steering gear.
II. ugreie (*vb*) tangle, mess up; ~ *seg* become tangled.
ugress weed; (*jvf ukrutt*).
ugressdreper weed-killer.
ugressfri weedless.
ugrunnet groundless, unfounded.
ugudelig impious, ungodly.

ugudelighet impiety, ungodliness.

ugunst disfavour; US disfavor.

ugunstig unfavourable (,US: unfavorable), adverse; *under svært -e vilkår* under very unfavourable conditions; under great disadvantages.

ugyldig invalid, (null and) void; *erklære ~* annul, declare null and void, nullify; *gjøre ~* invalidate, render invalid (*el.* void).

ugyldighet invalidity, nullity.

uharmonisk inharmonious, discordant; *~ ekteskap* ill-assorted (*el.* unhappy) marriage.

uhederlig dishonest.

uhederlighet dishonesty.

uhelbredelig incurable.

uheldig unfortunate, unlucky; (*som gjør et dårlig inntrykk*) invidious (*fx* it will be i. for the council to subsidize this festival when it does not subsidize others); (*malplassert*) ill-judged (*fx* measures), untimely (*fx* remarks); *hans -e sider* his shortcomings; his less engaging qualities; *~ stilt* placed at a disadvantage; *jeg var så ~ å* I had the bad luck to; *under så -e omstendigheter som vel mulig* under every (possible) disadvantage; (*se I. lys*).

uheldigvis unluckily, unfortunately, as bad luck would have it.

uhell ill-luck; bad luck; (*enkelt*) misfortune, mischance, mishap, accident; *til alt ~* as bad luck would have it. **-svanger** fatal; ominous, sinister. **-varslende** ominous, sinister.

uhensiktsmessig unsuitable, unserviceable; (*uheldig*) inexpedient, inappropriate. **-het** unsuitability, unsuitableness, unserviceableness; inexpediency, inappropriateness.

uhevnet unrevenged, unavenged.

uhildet (*adj*) unbias(s)ed, unprejudiced; impartial; objective; *man må få begivenhetene litt på avstand for å være ~* one must get (the) events in their proper perspective in order to take a detached view.

uhildethet impartiality; (*se uhildet*).

uhindret unhindered, unimpeded, unobstructed; *~ adgang* free access (*til* to).

uhistorisk unhistorical.

u-hjelp: *se utviklingshjelp.*

uhjelpelig past help, beyond help.

u-hjelper overseas aid officer.

uhjemlet unauthorized, unwarranted.

uholdbar untenable; (*om matvarer*) perishable; (*om tøy*) not durable, that does not wear well; *en ~ hypotese* an untenable hypothesis.

uholdbarhet untenability; poor keeping qualities (*fx* of a product).

uhorvelig enormous, tremendous.

uhu! (*ugles tuting*) tu-whoo!

uhumsk filthy, corrupt.

uhumskhet filthiness, corruption.

uhygge 1 (*mangel på hygge*) discomfort, want of comfort; 2 (*urolig stemning*) uneasiness, uneasy feeling; 3 (*uhyggelig, nifs stemning*) sinister atmosphere; eeriness, weirdness; 4 (*trist stemning*) dismal atmosphere; 5 (*gru*) horror (*fx* the situation in all its h.); (*jvf gru*).

uhyggelig 1 (*trist, uten hygge*) comfortless, uncomfortable (*fx* room); cheerless, dismal; 2 (*illevarslende*) sinister, ominous (*fx* an o. silence), grim (*fx* prospect); 3 (*nifs*) weird, unearthly; uncanny, creepy (*fx* ghost story); ghastly (*fx* murder); grisly (*fx* all the g. details), horrifying; *det ga ham en ~ fornemmelse* it gave him a horrible (*el.* an uncanny) feeling; *i en ~ grad* to an alarming extent.

uhygienisk unhygienic, insanitary.

uhyklet unfeigned.

I. uhyre (*subst*) monster.

II. uhyre (*adj*) enormous, tremendous, huge; (*adv*) exceedingly, extremely, tremendously.

uhyrlig monstrous. **-het** monstrosity.

uhøflig impolite, uncivil, discourteous, rude (*fx* it's rude to stare); *det er ~ å stirre på folk*

(*også*) it's bad manners to stare at people; *~ mot* impolite (,*etc*) to.

uhøflighet impoliteness, incivility, discourtesy, rudeness; *en ~* an act of discourtesy; a rude remark.

uhørlig inaudible.

uhørt unheard; (*enestående*) unheard-of, unprecedented; (*jvf uforskammethet*).

uhøvisk (*litt.*) indecent, improper; (*uhøflig*) discourteous.

uhøvlet (*ikke høvlet*) unplaned, undressed, rough.

uhøytidelig unceremonious.

uhåndterlig unwieldy, unhandy.

uhåndterlighet unwieldiness.

uimotsagt unchallenged, uncontradicted; *la stå ~* allow to pass unchallenged.

uimotsigelig incontestable, indisputable.

uimotståelig irresistible.

uimotståelighet irresistibility.

uimottagelig impervious (*mot* to, *fx* i. to argument, criticism, reason); insusceptible (*for* to); proof (*mot* against). **-het** imperviousness (*for* to); insusceptibility; immunity (*fx* to a disease).

uinnbudt uninvited; (*se ubuden*).

uinnbundet unbound; (*heftet*) in paper covers; *~ bok* paperback.

uinnfridd, uinnløst unredeemed; (*veksel*) unpaid, dishonoured.

uinnskrenket unlimited, unrestricted, unbounded, absolute; *~ herre over* absolute lord of.

uinnskrenkethet absoluteness.

uinntagelig ✗ impregnable.

uinntagelighet impregnability.

uinnvidd (*jord*) unconsecrated; (*ikke innvidd i en viten*) uninitiated.

uinteressant uninteresting. **-sert** uninterested.

uinteresserthet lack of interest.

ujevn uneven, rough; (*om fordeling*) unequal (*fx* distribution); (*om strid*) unequal; *produksjonen har vært meget ~* the output has varied a good deal.

ujevnhet unevenness, roughness; inequality.

ukameratslig unsporting; *være ~* be a bad sport, let down a pal.

uke week; *en -s ferie* a week's holiday; *annenhver ~* every other week; *hver ~* every week; *weekly* (*fx* a publication issued w.); *i dag for en ~ siden* a week ago today; *torsdag for en ~ siden* a week last Thursday; *i tre -r* (for) three weeks; *i forrige ~* last week; *i neste ~* next week; *ikke* (i) *neste ~, men den deretter* the week after next; *i de siste tre -r* for the past (*el.* last) three weeks; *om en ~* in a week; in a week's time; (*jvf* dag *om en ~* a week from today; *to ganger om -n* twice a week, twice weekly; *om en -s tid* in a week or so; *£5 om -n, £5 pr. ~* £5 a week, £5 per week; *til -n* next week; *-n ut* to the end of the week; (*se sist; slutt*).

ukeblad weekly (paper).

ukedag day of the week; (*hverdag*) weekday.

ukekort weekly (season) ticket.

ukelang lasting a week (,for weeks); *-e drøftelser* discussions lasting for weeks.

ukelønn weekly wages (*el.* pay); *en bra ~* a good weekly wage.

ukentlig weekly.

ukeoversikt weekly review.

ukevis by the week; *i ~* for weeks.

ukjennelig unrecognizable, unrecognisable; unidentifiable; *gjøre seg ~* disguise oneself.

ukjennelighet: *forandret inntil ~* changed beyond (*el.* out of all) recognition.

ukjent unknown; unacquainted (*med noe* with sth); *det var ~ for meg at . . .* I was unaware that.

ukjærlig unkind (*mot en* to sby).

ukjærlighet unkindness.

uklanderlig blameless, irreproachable, above reproach.

uklar not clear, turbid, muddy; (*fig*) indistinct,

obscure; (*forvirret*) confused; *ryke* ~ *med* fall out with; *ha et -t begrep om* have some dim notion of; *ha en* ~ *fornemmelse av at* be vaguely sensible that; ~ *regel* ambiguously worded rule; ~ *tenkning* muddled thinking; woolly thinking; ~ *vin* cloudy wine.

uklarhet dimness; confusion; indistinctness, obscurity.

ukledelig unbecoming. **-het** unbecomingness.

uklok unwise, imprudent.

uklokskap imprudence, indiscretion, unwisdom.

ukomplett incomplete.

ukrenkelig inviolable. **-het** inviolability.

ukrigersk unwarlike.

ukristelig unchristian.

ukritisk uncritical.

ukrutt: ~ *forgår ikke* ill weeds grow apace; the devil looks after his own.

ukuelig indomitable.

ukulele ♪ ukulele; T uke.

ukultivert uncultured.

ukunstlet artless, unsophisticated, unaffected.

ukunstlethet artlessness, unaffectedness, simplicity.

ukunstnerisk inartistic.

ukurant: *-e varer* unsalable goods, dead stock, old stock.

ukvemsord word of abuse; abusive language; *hun lot det regne med* ~ *over ham* she heaped (*el.* showered) abuse upon him.

ukvinnelig unwomanly.

ukyndig unskilled (*i* in), ignorant (*i* of).

ukyndighet lack of skill, ignorance.

ukysk unchaste.

ukyskhet unchastity.

ul (*hyl; ulvens, vindens*) howling, howl.

ulage disorder; *bringe i* ~ throw into disorder; upset (*fx* sth); *komme i* ~ be thrown out of gear; T get messed up.

ulastelig: ~ *kledd* immaculately dressed.

ule (*vb*) hoot, howl.

ulegelig incurable.

uleilige (*vb*) trouble, inconvenience; put to trouble, incommode (*fx* I hope this arrangement will not i. you); ~ *seg* take trouble, trouble; ~ *seg med å* take the trouble to.

uleilighet inconvenience, trouble; *komme til* ~ cause inconvenience; *gjøre seg den* ~ *å* take the trouble to; *gjør Dem ingen* ~ *med det* don't trouble about it; *volde en* ~ put sby to trouble, give sby trouble.

ulempe inconvenience, drawback, disadvantage.

ulende rugged ground; wilderness; *og så måtte han* (*kjøre*) *ut i -t igjen* (ɔ: *forlate veien*) and then he had to go (*el.* drive) right into the bush again (*el.* he had to leave the beaten track again).

ulendt rugged, difficult.

ulenkelig ungainly.

uleselig illegible; (*ikke leseverdig*) unreadable.

uleselighet illegibility; unreadableness.

ulesket (*om kalk*) unslaked (*fx* lime).

ulidelig intolerable, insufferable.

ulik unlike, different from.

ulike unequal; *et* ~ *tall* an uneven (*el.* odd) number; *like eller* ~ odd or even; *husene med* ~ *nummer* the odd houses.

ulike|artet heterogeneous. **-sidet** unequal-sided, with unequal sides, inequilateral; ~ *trekant* scalene triangle.

ulikhet difference, dissimilarity, disparity.

ulk (*sjø-*) old salt, old tar.

ulke (*fisk*) sea scorpion.

ull wool; *av samme ulla* T of the same kind.

ullaktig woolly.

ullen (*adj*) woollen (,US: woolen), woolly; *et -t uttrykk* a woolly expression.

ull|garn woollen yarn, wool. **-madrass** flock bed; *seng med* ~ flock bed. **-spinneri** (wool) spinning mill. **-strømpe** woollen stocking. **-teppe** blanket. **-trøye** woollen vest. **-tøy** woollen goods; woollens.

-varefabrikk woollen mill. **-varer** woollen goods, woollens (*pl*).

ulme (*vb*) smoulder.

ulogisk illogical; (*jvf logisk*).

ulovlig unlawful, illegal.

ulovlighet unlawfulness, illegality.

ulster (*ytterfrakk*) ulster.

ultimatum ultimatum; *stille et* ~ give an u.; *stille en overfor et* ~ present sby with an u.

ultimo (*merk*) at the end of the month, ultimo; *levering* ~ *mai* delivery at the end of May; (*telegramstil*) delivery end May; *den 5.* ~ on the 5th ult(imo).

ultra ultra. **-marin** ultramarine.

ulv 🐺 wolf (*pl:* wolves). **-aktig** wolfish.

ulve|flokk pack of wolves. **-hi** wolf's lair.

ulveskrei running pack of wolves.

ulv|inne she-wolf. **-unge** wolf cub.

ulyd discord, dissonance; unpleasant sound.

ulydig disobedient (*mot* to); *være* ~ *mot en* disobey sby.

ulydighet disobedience (*mot* to).

ulykke 1 (*sviktende hell*) misfortune, ill fortune; **2** (*uhell*) bad luck, ill luck; (*alvorligere*) calamity; **3** (*motgang*) adversity, trouble; **4** (*nød*) distress, trouble; (*sterkere*) misery; **5** (*ulykkestilfelle*) accident (*fx* he had an a. with his car; he lost his leg in an a.); (*med dødelig utgang*) fatal accident; (*i statistikk, etc*) fatality (*fx* road fatalities increased by 10 per cent); (*mer omfattende*) disaster (*fx* the terrible d. on the Manchester line; it would be a national d.); (*katastrofe*) catastrophe; *en alvorlig* ~ (1) a grave misfortune; (5) a serious accident; *en* ~ *kommer sjelden alene* troubles never come singly; it never rains but it pours (NB *kan også bety:* «*en lykke kommer sjelden alene*»); *det er ingen* ~ *skjedd* there is no harm done; *bringe en pike i* ~ get a girl into trouble; *komme i -n* (*om pike*) get into trouble; *han har vært ute for en* ~ he has had an accident; *stygg som en* ~ as ugly as sin.

ulykkelig 1 (*ikke lykkelig, bedrøvet*) unhappy (*fx* he was u. at leaving her); (*sterkere*) miserable, wretched, broken-hearted; **2** (*uheldig*) unfortunate, unhappy; *være* ~ *i sitt ekteskap* be unhappily married, be unhappy in one's marriage; *han var* ~ *over det* he was unhappy about it; it distressed him; (*jvf ulykksalig*).

ulykkeligvis unhappily; unfortunately; as ill-luck would (,will) have it.

ulykkesbudskap sad (*el.* tragic) news.

ulykkes|forsikret insured against accidents. **-forsikring** accident insurance.

ulykkesfugl bird of ill omen; (*psykol om person*) accident-prone person; T Jonah; US S jinx.

ulykkestilfelle accident; (*se skyldes: ulykke 5*).

ulykksalig disastrous, unhappy; *det skyldtes den -e omstendighet at . . .* it was due to (*el.* it was a result of) the most unfortunate circumstance that . . .

ulyst disinclination; reluctance (*til* to); *gjøre noe med* ~ do sth reluctantly.

ulystbetont unpleasant, tedious; of the nature of drudgery, done unwillingly; *et* ~ *arbeid* an unpleasant type of work; *et arbeid går ikke unna hvis det er* ~ work doesn't get done if it's not attractive (*el.* pleasurable); *hvis arbeidet er* ~, *blir det heller ikke utført skikkelig* if the work is done unwillingly it won't be done properly either; *det må ikke være* ~ it must not become a chore (*el.* a duty), it must not become a form of drudgery; (*jvf lystbetont*).

ulærd unlearned, unlettered, illiterate.

ulønnsom unprofitable, unremunerative.

ulønnet unpaid (*fx* secretary work); unsalaried (*fx* official).

uløselig insoluble; inextricable (*fx* difficulties); *en* ~ *knute* an inextricable knot.

uløst unsolved.

umak pains, trouble; *gjøre seg* ~ *for å* take pains to, go out of one's way to; *gjøre seg* ~ *med* *noe* take pains over sth; *han gjorde seg stor* ~ *med å* he went to (*el.* he took) great trouble to, he took great pains to; *du må gjøre deg mer* ~ (*også*) you must try harder; *han gjorde seg aldri den* ~ *å forsøke* he never took the trouble to try; *det er ikke -n verdt* it is not worth while.

umake (*adj*) odd (*fx* glove).

umalt 1. unpainted; 2. unground, whole.

umandig unmanly, effeminate.

umandighet unmanliness, effeminacy.

umanerlig unmannerly.

umeddelsom incommunicative.

umedgjørlig unmanageable, intractable; stubborn; uncooperative.

umedgjørlighet intractableness, stubbornness.

umelodisk unmelodious.

umenneske monster, beast, brute.

umenneskelig inhuman; *et* ~ *hardt arbeid* an inhumanly hard piece of work; *some* inhumanly hard work. **-het** inhumanity.

umerkelig (*adj*) imperceptible, unnoticeable.

umerket unmarked.

umetodisk unmethodical.

umettelig insatiable.

umettelighet insatiability.

umettet ♂ unsaturated; *umettede fettsyrer* u. fatty acids.

umiddelbar immediate, direct; (*naturlig*) spontaneous; impulsive; *-t før* immediately before.

umiddelbarhet immediateness; spontaneity; impulsiveness.

umild harsh, unkind.

umildhet harshness, unkindness.

uminnelig immemorial; *i -e tider* time out of mind, from time immemorial.

umiskjennelig unmistakable.

umistelig inalienable (*fx* rights).

umistenksom unsuspecting, trusting, unsuspicious.

umoden unripe; (*fig*) immature. **-het** unripeness; (*fig*) immaturity.

umoderne out of fashion; old-fashioned, out of date; *bli* ~ go out of fashion.

umoral immorality.

umoralsk immoral; (*især* US) unethical (*fx* he thought that overcharging his customers was u.).

umotivert unmotivated, gratuitous, unprovoked; (*adv*) without a motive, without cause; *helt* ~ for no reason whatever.

umulig impossible; *gjøre seg* ~ make oneself impossible; *vi kan* ~ we cannot possibly; *forsøke det -e* attempt impossibilities (*el.* the impossible); try to put a quart into a pint pot; (*se også trebukk*).

umuliggjøre (*vb*) render impossible.

umulighet impossibility.

umusikalsk unmusical; (*om person*) with no ear for music; (*jvf musikalsk*).

umyndig minor, under age; *han er* ~ he is a minor, he is not of age; *-es midler* trust funds; *gjøre en* ~ declare sby incapable of managing his own affairs.

umyndiggjøre (*vb*): ~ *en* declare sby incapable of managing his own affairs.

umyndighet minority.

umyntet uncoined.

umælende dumb; ~ *dyr* dumb animal.

umøblert unfurnished.

umåteholden excessive, immoderate, intemperate.

umåtelig (*adj*) tremendous, immense, enormous; (*adv*) immensely, tremendously.

unatur: *se unaturlighet*.

unaturlig unnatural; (*påtatt*) affected. **-het** unnaturalness; affectation.

I. under (*subst*) wonder, marvel, miracle.

II. under (*prep*) 1. under (*fx* u. the bed; hide the money u. the floor; swim u. (the) water; just u. my window); underneath; 2 (*lavere enn*) below (*fx* hit him b. the belt; b. the mountains; b.

the surface; wounded b. the knee); beneath; 3 (*om tid*) during (*fx* d. my stay in Paris; d. his absence; d. the negotiations); at the time of (*fx* this furniture came into fashion at the time of the Great Exhibition); ~ *hele krigen* during the entire war, for the whole war; (*ved verbalsubst*) while -ing (*fx* while driving); (*på kortere tid enn*) under (*fx* I can't do it in under two hours); in less (time) than; 4 (*underlagt* (*en*)) under (*fx* he has fifty men under him; it is under Government control); 5 (*i rang*) below (*fx* a major is b. a general in rank); 6 (*mindre enn*) under (*fx* children under six years of age; I won't do it under £5); less than (*fx* quantities less than 20 lbs); not exceeding (*fx* incomes not e. £500); 7 (*gjenstand for behandling*) under (*fx* under repair; die u. an operation; u. treatment; in course of (*fx* the dictionary is now in c. of preparation); in process of (*fx* a bridge in p. of construction); 8 (*om ledsagende omstendighet*) amid(st), among (*fx* a. increasing hilarity; a. cheers and jeers); to the accompaniment of (*fx* cheers); 9 (*ved rubrikkbetegnelse*) under, under the head(ing) of (*fx* this is dealt with under chemistry); *selge* ~ *ett* sell in one lot; *skipe varene* ~ *ett* ship the goods all in one lot; *send the goods in one shipment*; *sett* ~ *ett* as a whole, taking it all round (*fx* taking it all round, the past year has been satisfactory); *vi må se på disse sakene* ~ *ett* we must consider these matters as a whole.

III. under (*adv*) below, beneath; *bukke* ~ *for* succumb to, be overcome by; *gå* ~ (*om skip*) go down, be lost, sink; (*se for øvrig forbindelsens annet ledd*).

underagent sub-agent. **-ur** sub-agency.

underansikt lower part of the face.

underarm forearm.

underart subspecies.

underavdeling subdivision; (*i bok, etc*) subsection.

underbalanse deficit; *en* ~ *på* a deficit of (*fx* the annual accounts show a d. of £100).

underbenklær (*pl*) pants; (*også* US) underpants; *lange* ~ long underwear (*el.* underpants); (*kvinners*) tights; S long Johns; *korte* ~ short underwear (*el.* underpants); briefs.

underbeskjeftigelse under-employment.

underbevisst subconscious.

underbevissthet subconsciousness; *-en* (*især*) the subconscious.

underbinde (*vb*) tie, ligate.

underbitt underhung jaw; US undershot jaw.

underbrannmester sub-officer; (*i Skottland*) section (fire) leader; US fire lieutenant.

underbud lower bid.

under|bukser (*pl*) pants; US underpants; (*se -benklær*).

underby (*vb*) underbid, undercut, undersell.

underbygge (*vb*) support, substantiate; base; ~ *med* base (*el.* found) on, support (*el.* substantiate) with; *-t med kjensgjerninger* supported by facts.

underbygning substructure; (*fig*) substantiation.

underdanig subservient, submissive; (*ydmyk*) humble, obedient.

underdanighet subservience, submissiveness.

underdirektør 1. deputy (*el.* assistant) director; 2 (*i fengsel*) deputy (*el.* assistant) governor; 3 (*ved Direktoratet for statens skoger*) deputy director general (of forestry); (*i Canada: forskjellig for de forskjellige provinser, fx*) assistant chief forester; assistant director of forests; assistant deputy minister of forests.

underdommer stipendiary magistrate, recorder; judge of a city court.

underdomstol inferior court.

underdønning ground swell.

under|entreprenør subcontractor. **-entreprise** subcontract.

underernære (*vb*) underfeed, undernourish, nourish badly.

underernæring undernourishment; (især ved uriktig sammensatt kost) malnutrition.

underetasje lower ground floor.

underforstå (vb) imply; det var stilltiende -tt at it was tacitly understood that; være -tt med consent to, accept.

underfrankert (om brev) understamped, underpaid; dette brevet er ~ US this letter has insufficient postage.

underfull wonderful, marvellous, miraculous.

underfundig cunning, crafty, wily, underhand (fx u. means).

underfundighet craftiness, cunning.

undergang destruction, ruin; (fall) fall, downfall; redde barnet fra sedelig ~ save the child from moral ruin; dømt til ~ doomed; gå sin ~ i møte be on the road to destruction; head straight for a fall.

undergi (vb): være -tt be subject to; de lover vi er -tt (også) the laws that govern us.

undergjørende wonder-working, miraculous.

undergrave (vb) undermine; (også fig) sap.

undergravingsvirksomhet (polit) subversive activity.

undergrunn 1 (geol) subsoil; subsurface; 2 (motstandsbevegelse) underground (movement), resistance (movement); 3 (jernb) underground (railway); T tube; US subway.

undergrunns|arbeid (se undergrunn 2) underground work. **-bane** underground (railway); T tube; US subway; ta -n T go by tube (fx he went there by t.).

undergrunnsbevegelse underground (movement), resistance (movement).

undergå (vb) undergo, pass through; ~ en forandring undergo a change.

underhandle (vb) negotiate.

underhandler negotiator.

underhandling negotiation.

underhold maintenance (av of), subsistence; (financial) support.

underholde (vb) 1. maintain, support; 2 (more) entertain.

underholdende entertaining.

underholdning entertainment.

underholdningsbidrag alimony; maintenance (fx he will give his wife no m.; he is willing to pay m. for his child).

underholdningslitteratur light reading.

underholdningsmusikk: blandet ~ musical medley.

underholdningsplikt duty to support (fx one's children).

underhus (parl) Lower House; U-et (i England) the House of Commons; the Commons.

underhånden privately; salg ~ private sale; snakke med ham ~ have a private talk with him.

underjordisk subterranean, underground; de -e the little people, the fairies; (ondsinnete) the goblins.

underkant lower edge (el. side); i ~ rather on the small side (,short side, etc); only just (fx Is the baby putting enough weight on? — Only just).

underkasse (støpekasse) bottom-half mould, drag.

underkaste (vb) 1. subject to (fx these cables are subjected to severe tests; he was subjected to (el. put through) a long cross-examination); tvisten ble -t voldgift the dispute was submitted to arbitration; være -t be subjected to (fx the settlement of this dispute is subject to English law); 2: ~ seg (gi etter) submit; ~ seg kontroll submit to control; ~ seg en operasjon undergo an operation; T have an o.; ~ seg en prøve submit to (el. undergo) a test.

underkastelse subjection, submission (av of; for to); capitulation, surrender; tvinge en til ~ force sby to submit.

underkjenne (vb) disallow, not approve, reject;

(domsavgjørelse) overrule (fx the judge overruled the previous decision); reverse, set aside (fx the decision of a lower court).

underkjennelse non-approval, disallowal; (av dom) overruling, reversal.

underkjole slip; -n din er synlig your slip is showing; (se flesk).

underkjøpe (vb) bribe; (falske vitner) suborn.

underklasse lower class.

underkropp lower part of the body; (se nedentil).

underkue (vb) subdue, subjugate; suppress.

underkuelse subjugation; suppression.

underkurs discount; stå i ~ be at a discount.

underlag 1 (støtte) support, base, foundation, bed; (for last i skip) dunnage; (bygn) base course, underlay; 2 (geol) substratum; 3 (av maling, etc) undercoating, priming; 4 (skrive-) blotting pad.

underlagskrem (for ansiktet) foundation.

underlagsplate (for svilleskruer) base (,US: tie) plate.

underlegen inferior (to).

underlegenhet inferiority.

underlegge (vb): ~ seg subjugate, subdue, conquer; være underlagt be placed under (fx the consulate is placed directly under the legation); be subject to (fx another state); være underlagt en be subordinate to sby; (se også tjenstlig); vi er alle underlagt loven we are all subject to (el. responsible to) the law.

underleppe (anat) lower lip.

underlig strange, odd, queer; ~ nok strangely enough, strange to say, strange as it may seem; føle seg ~ til mote feel queer; det er ikke så ~ at it is not to be wondered at that; det er da ikke så ~ there is nothing surprising about (el. in) that; sett på bakgrunn av den holdning X har inntatt i denne sak, finner vi det ~ at ... (viewed) in the light of the attitude X has taken in this matter, we find it remarkable that ...; (se også merkelig).

underliggende underlying; de ~ årsaker the u. causes.

underliv (anat) abdomen.

underlivs|betennelse (hos kvinne) inflammation of the female internal organs. **-lidelse** (hos kvinne) gynaecological trouble (el. complaint). **-undersøkelse** (av kvinne) gynaecological examination.

undermast ⚓ lower mast.

underminer|e (vb) undermine; (fig, også) sap; hans helbred ble -t his health was sapped.

undermunn (anat) lower part of the mouth.

undermåler nonentity, nobody; (mildere) second-rate mind; lightweight; US (også) second -rater.

undermåls below standard.

underoffiser non-commissioned officer (fk N.C.O.).

underordne (vb): ~ seg subordinate oneself to.

underordne|t subordinate; (uviktig) minor, secondary; de -de funksjonærer the subordinate staff; et ~ hensyn a minor consideration; av ~ betydning of secondary importance; ... men alle disse er strengt ~ hovedtemaet all these, however, are strictly subsidiary to the main theme.

underordning subordination.

underovn (til bryggepanne) copper heater.

underpant mortgage.

underpostkontor branch post office; US sub -station.

underpris: selge til ~ sell at a loss (el. sacrifice).

underretning information; til ~ for for the information of; jeg har mottatt ~ fra ... I have been notified by ...

underrett lower court.

underrette (vb) inform (om of); (varsle) notify; ~ feil misinform; ~ en om at inform sby that; holde en t om keep sby posted as to; galt -t misinformed, ill-informed; godt -t well informed.

underrettsdommer judge of a lower court.

underseil ⚓ course, lower sail,

underselge (vb) undersell, undercut.
undersetsig squat, thickset, stocky.
undersetsighet stockiness.
underside under side, underside.
undersjøisk submarine.
underskjørt underskirt, waist slip, half-slip.
underskog underbrush, undergrowth.
underskrift signature; *egenhendig* ~ one's own signature; autograph signature; *uten* ~ unsigned; (*se nedenstående & underskrive*).
underskriftmappe (*på kontor*) signature book.
underskrive (vb) sign; (*fig*) endorse; *i underskrevet stand* duly signed.
underskudd deficit, deficiency (*på* of); *gå med* ~ lose money (*fx* the hotel was losing m.); be run (*el.* worked) at a loss; be a losing concern; (*se betalingsbalanse; II. dekke; underbalanse*).
underslag embezzlement, peculation; *gjøre* ~ embezzle; *dekke -et* repay the embezzled money.
underslå (vb) 1. embezzle, misappropriate (*fx* private funds); 2. conceal; intercept (*fx* a letter).
underspist: *være* (*godt*) ~ have eaten (well) in advance so that one is prepared.
underst bottom, lowest; (*av to*) lower, bottom; at the bottom.
understasjonsmester (*jernb*) assistant station master; *første* ~ relief station master.
understemme bass (voice); contra-part.
understell chassis; (*på bagvogn*) carry-cot chassis; (*se bagvogn*).
understells|behandle vb (*bil mot rust*) underseal. **-behandling** undersealing.
understikk ✝ undertrick; *få to* ~ be (*el.* go) two down.
understreke (vb) underline, (under)score; (*fig*) emphasize, stress, drive home (*fx* the Suez crisis of 1956 has driven home the importance of big tankers); (*se innlegg: -ene gikk i retning av å understreke . . .*).
understrekning underlining, (under)scoring; (*fig*) emphasizing, stressing; *-ene er viktige* the under-linings are important.
understrøm undercurrent, underset; (*fra land*) undertow; (*fig*) undercurrent.
understøtte (vb) support, aid, subsidize.
understøttelse support, aid, assistance; (*se underholdningsbidrag*).
understøttelsesfond relief fund.
understå (vb): ~ *seg* dare, presume.
undersøk|e (vb) examine (*fx* the machine was examined; e. the goods; the doctor examined him); *politiet -te hans forhold* the police checked up on him; ~ *en historie* check up on a story; (*ta i øyesyn*) inspect; (*utforske*) explore; (*ransake*) search; ◯ test; ~ *nøye* (*el. grundig*) examine care-fully (*el.* closely el. thoroughly); *da vi -te innholdet nærmere, fant vi at* on examining the contents more closely we found that; ~ *på nytt* re-examine; *dette må -es* this must be looked into; ~ *en sak* inquire (*el.* look) into a matter; go into a m.; ~ *årsaken til ulykken* investigate the cause of the accident; *etter å ha -t saken* after having made investigations; having investigated the matter; having inquired into (*el.* gone into) the matter; *vi har fått saken -t* we have had inquiries made; *jeg skal* ~ *saken nærmere* I shall look more closely (*el.* closer) into the matter; I shall make further inquiries into the matter; ~ *om* inquire whether; ~ *terrenget* (*også fig*) reconnoitre the ground; *se -ende på en* look searchingly at sby.
undersøkelse (*jvf undersøke*) examination, inspection; exploration; search; test; inquiry, investigation; *lege-* medical examination; *viten-skapelige -r* scientific research (*el.* investigations); *ved en ny* ~ *på lageret fant jeg at* a new (*el.* fresh) search of the warehouse resulted in my finding that; *on* searching (*el.* looking over (*el.* through)) the w. again, I found that; *en nøye* ~ *av* a careful (*el.* close el. thorough) examination of (*fx* the engine); *en nøye* ~ *av årsaken til eksplosjonen*

a careful inquiry into the cause of the explosion; a thorough investigation of the cause of the e.; *foreta en* ~ *av* examine (*fx* a painting), make an examination of; *foreta nærmere -r* make further inquiries; *foreta en nærmere* ~ *av noe* go (more closely) into sth; examine sth more closely; *sette i gang en* ~ institute an inquiry (*el.* an investiga-tion); *det er gjenstand for -r* it is being inquired into; *ved nærmere* ~ on (closer) examination; on making a closer examination; on making further inquiries; on closer inspection; *sett på bakgrunn av den* ~ *som nå pågår, finner vi det merkelig at . . .* in the light of the inquiry now in progress, we find (*el.* consider) it remarkable that . . .; (*jvf granks-ning*).
undersøkelseskommisjon fact-finding committee, investigating c.
undersått subject.
undertallig deficient (in number); below the normal (,necessary) number; short.
undertann lower tooth.
undertegne (vb) sign, put one's name to; *-t* signed.
undertegnede the writer (of this letter), the undersigned; (*spøkef* = *jeg*) yours truly.
undertiden sometimes, at times, occasionally.
undertittel subtitle; subheading.
undertrykke vb (*tilbakeholde*) restrain, repress; (*brev, bok*) suppress; (*opprør*) crush, suppress; (*underkue*) oppress.
undertrykkelse suppression; oppression.
undertrykker oppressor.
undertrøye vest; US undershirt; (NB *se vest*).
undertvinge (vb) subdue, subjugate.
undertvingelse subjection, subjugation.
undertøy underwear (*fx* boys' all wool u.).
underutviklet underdeveloped (*fx* country).
undervanns- submarine. **-båt** submarine; (*især fiendtlig*) U-boat. **-skjær** sunken rock.
underveis on the way, on one's way; in transit, during transit (*el.* transport), en route.
undervekt underweight; (*om varer*) short weight.
undervektig underweight; (*om varer*) deficient (*el.* short) in weight.
underverden underworld.
underverk wonder, miracle; *gjøre -er* work (*el.* perform) miracles; (*fig, også*) do wonders.
undervis|e (vb) teach (*fx* t. a class; the school where she taught); ~ *i et fag* teach a subject; *han har -t i disse språk både i realskole og gymnas* he has been teaching these languages to both Ordinary and Advanced Level; ~ *en i engelsk* teach sby English; give sby E. lessons; *han -er klassen i engelsk* he takes the class for Eng-lish.
undervisning 1 (*som man gir*) teaching; instruction; tuition; lessons (*pl*); 2 (*som man får*) training, education, instruction, tuition; schooling (*fx* he did not get much s.); *-en er gratis* tuition is free; *-en ble innstilt på ubestemt tid* the schools were closed down for an unspecified period; *for-styrre -en* (*om elev*) interfere with the (*el.* one's) teaching; make a nuisance of oneself in class; disturb the classwork (*el.* the teaching el. the les-son); *det er* ~ *som vanlig i dag* school will be as usual today; s. will be open today as usual; (*se undervisningskompetanse & vekt*).
undervisningsanstalt educational establishment, school.
undervisningsbruk: *til* ~ for teaching (*el.* educational) purposes.
undervisningsbyrde teaching load (*fx* a t. l. corresponding to two weekly original lectures throughout the year).
undervisningsdepartement: *Kirke- og undervis-ningsdepartementet* The Ministry of Church and Education; (*i England*) Department of Education and Science; (*før 1964*) Ministry of Education.
undervisnings|fag subject taught. **-film** edu-cational film.

undervisningskompetanse teaching qualifications; ~ *og lønnsforhold vil bli vurdert etter de retningslinjer som gjelder for undervisning i norske skoler* teaching qualifications and salary scales will be considered in accordance with the regulations regarding teaching at Norwegian schools; (*jvf retningslinjer*).

undervisnings|leder [(chief) educational offiicer]. **-materiell** educational material. **-metode** teaching method. **-minister** Minister of Church and Education; (*i England*) Secretary of State for Education and Science; (*før 1964*) Minister of Education. **-plan** 1. timetable; 2. curriculum (*pl*: -s, curricula); syllabus; (*jvf fagkrets* & *pensum*).

undervisnings|plikt 1 (*elevs*) compulsory education; 2 (*lærers*) teaching load; *universitetslektorer har en ~ på 12 timer pr. uke* lecturers have to take 12 periods a week; I. have a weekly teaching load of 12 periods, I. have to teach for a minimum of 12 weekly periods. **-råd:** *se gymnasråd.* **-språk** medium of instruction; *skoler hvor -et er engelsk* English-medium schools. **-stilling** teaching post. **-tid** class hours, class time; *i -en during* (*el.* in) class hours. **-time** lesson, period (*fx* English is taught for 7 periods a week).

undervurdere (*vb*) underrate, underestimate, undervalue.

undervurdering underrating, undervaluation; *en ~* an underestimate.

undre (*vb*) surprise, astonish; *dette -t meg* this surprised me; *det -r meg at* I wonder that, I am surprised that; *det skulle ikke ~ meg om* I shouldn't be surprised if; *jeg -s på om* I wonder whether; *det er ikke noe å -s over* it is not to be wondered at; it is no matter for surprise.

undrende (*adj*) wondering; (*adv*) wonderingly, in wonder (*fx* Really? he said in w.).

undring wonder, astonishment; *med ~ i stemmen* with a note of surprise in one's voice; (*se undrende*).

undulat budgerigar; US (*også*) budgie bird.

unektelig undeniable, indisputable; (*adv*) -ably, certainly, without a doubt.

unett dowdy; *den kjolen er ~* that dress looks dowdy.

unevnelig unmentionable.

unevnt unnamed, anonymous.

ung young, youthful; *i en ~ alder* at an early age; *en verdig representant for det -e Tanzania* a worthy representative of the young people of T. (*el.* of Tanzanian youth).

ungarer Hungarian.

Ungarn Hungary.

ungarsk Hungarian.

ungdom youth; (*unge mennesker*) young people; *den akademiske ~* the young students; the student generation; (*se også ung*).

ungdommelig youthful, juvenile; *en ~ kjole* a young-making frock.

ungdommelighet youthfulness.

ungdoms|arbeid 1 (*forfatters, etc*) early work; work done in one's youth; 2 (*blant unge*) work among young people. **-fengsel** = approved school, Borstal institution. **-forening:** *kristelig ~* religious youth club; (*se -lag*). **-herberge** youth hostel; (NB they went youth hostelling in England and abroad). **-kriminalitet** juvenile crime (*el.* delinquency). **-lag** youth club. **-leder** youth leader. **-skole** (*kan gjengis*) comprehensive school, multilateral school; US (*omtr* =) junior highschool.

ungdoms|opplevelse youthful experience; *hun hadde en fryktelig ~* she had a terrible experience when she was young; *en av mine lykkeligste -r* one of the happiest experiences of my youth. **-venn** friend of one's youth. **-år** (*pl*) youth, years of one's youth, early years.

unge 1. child, kid; (*neds*) brat; 2 (*av bjørn, rev, tiger, ulv*) cub; *en redselsfull ~* (1) a (holy) terror.

unge|flokk flock of children. **-mas** nagging (and fussing) of children; *hun tåler ikke ~ she*

can't stand children nagging. **-skokk** (*neds*): *en* (*hel*) *~* a whole tribe of children. **-skrik:** *se barne-*.

ung|fe young cattle. **-gutt** young boy.

ungkar bachelor.

ungmøy (*poet*) young maiden.

ungpikeaktig girlish; (*om utseende*) girlish -looking.

uniform uniform.

uniformere (*vb*) uniform; (*gjøre ensartet*) standardize.

uniformsjakke tunic.

union union.

unionell [in the nature of, resembling or pertaining to a union]; *-e spørsmål* questions relating to the Union (*fx* of Norway and Sweden).

unions|borger [citizen of two united states]. **-flagg** union flag; flag of the Union of Norway and Sweden; (*britisk*) Union Jack. **-konge** king of a union (*fx* king of the United States of ..). **-krig** [war between states formerly united]. **-merke** union emblem. **-politikk** union (*el.* Union) policy. **-strid** [conflict arising out of a (,the) union].

unison unisonous; *-t* in unison.

unitar, unitarier, unitarisk Unitarian.

univers universe.

universal universal.

universalarving residuary legatee, heir general.

universalmiddel panacea; T cure-all.

universell universal.

universitet university; *på -et* at the u.; *professor ved et ~* professor at (*el.* in) a u.; *studere ved -et* be at the u.

universitets|bibliotek university library. **-bibliotekar** assistant (u.) librarian; US (u.) librarian. **-eksamen** u. degree. **-forlag:** *U-et* Oslo University Press. **-lektor** lecturer. **-professor** u. professor. **-rektor** vice-chancellor; (*om ikke-engelske forhold, også*) rector; US president. **-stipendiat** = fellow; (*jvf forskningsstipendiat*). **-utdannelse** u. training (*el.* education).

unna 1 (*prep*) away from; clear of; 2 (*adv*) away, off (*fx* far off, far away); 3 (*adv*) done, finished (*fx* get sth f.); aside, out of the way; *~ bakke* downhill; *~ vinden* before the wind (*fx* sail b. the w.); *han bor et lite stykke ~* he lives a short distance away; *huset ligger* (*litt*) *~ veien* the house stands back from the road; *det ligger et stykke ~ veien* (*også*) it's some way off the road; it's some distance back from the road; *få disse ordrene ~* get these orders out of the way; *få* (*el.* gjøre) *arbeidet ~* get the work done; *gå ~* (*om varer*) be sold, sell (*fx* they are selling like hot cakes); *holde seg ~ en* keep clear of sby (*fx* I keep clear of him as far as possible); (*jvf utenom* 2); *komme ~* escape; (*om ansvar, etc*) back out (*fx* he tried to b. out of it); *ta ~* take away; (*legge til side*) put (*fx* sth) aside.

unna|bakke downhill slope; (*se nedoverbakke*). **-gjort:** *det verste er ~* the worst is over. **-luring** shirking; T swinging the lead; *vi vil ikke ha noen ~ her!* we don't want (*el.* we won't have) any shirking here! **-renn** (*ski*) landing slope.

unndra (*vb*) withdraw, withhold from, deprive of; *~ en sin hjelp* withhold one's assistance from sby; *~ seg* shirk (*fx* s. doing sth), dodge (*fx* d. paying taxes); *~ seg oppmerksomheten* escape notice (*el.* observation), escape attention.

unne (*vb*): *det er Dem vel unt* you are quite welcome to it; *~ alle mennesker godt* wish everybody well; *~ seg* indulge in (*fx* a luxury I sometimes i. in).

unnfallen yielding; weak. **-het** weakness.

unnfang|e (*vb*) conceive. **-else** conception.

unngjelde (*vb*) pay (dearly) for, suffer for; *dette vil han få ~ for* he'll pay for this; *~ for sin dårskap* pay the penalty of one's folly.

unngå (*vb*) 1. avoid; 2 (*unnslippe*) escape; 3 (*ved å narre, omgå*) elude, evade, dodge; *~ fare* avoid danger; *~ faren for* avoid the danger of;

som kan -s avoidable; *som ikke kan -s* unavoidable; *slikt kan ikke -s (også)* such things cannot be helped; ~ *å gjøre noe* avoid doing sth; *jeg -r ham så godt jeg kan* I keep clear of him as far as possible; *det var ikke til å* ~ it was inevitable; *saken har -tt min oppmerksomhet* the matter has escaped my notice *(el.* attention); *ingenting -r hans oppmerksomhet* nothing escapes him; he misses nothing; ~ *et spørsmål* evade a question; *han unngikk så vidt å bli truffet* he just missed being hit.

unnkomme *(vb)* escape *(fra* from).

unnlate *(vb)* fail, neglect, omit *(fx* to do sth); *han unnlot å sende meg beskjed* he failed to let me know; *jeg skal ikke* ~ *å meddele Dem resultatet* I shall not fail to inform you of the result; *jeg vil ikke* ~ *å gjøre Dem oppmerksom på at (også)* I would point out that; *jeg vil ikke* ~ *å tilføye at* I wish to add that; I may add that; I must not omit to add that; *idet tjue unnlot å stemme* with twenty abstentions.

unnlatelse omission, failure.

unnse *(vb):* ~ *seg for å* be ashamed to; scruple to *(fx* he did not s. to suggest that...); *han unnså seg ikke for å...* T he had the nerve to.

unnseelse bashfulness.

unnselig bashful, shy.

unnselighet bashfulness, shyness.

unnsetning relief; *komme ham til* ~ come to his rescue.

unnsetningsekspedisjon relief expedition, search *(el.* rescue) party.

unnsette *(vb)* relieve.

unnskylde *vb (se også unnskyldende)* 1 *(tilgi, forsvare)* excuse *(fx* sby's conduct); overlook *(fx* I will o. it this time); 2 *(rettferdiggjøre, tjene som unnskyldning for)* excuse, serve as (an) excuse for, justify; **unnskyld!** 1. I'm sorry! 2 *(tillater De)* excuse me! US pardon me! *(innleder spørsmål)* excuse me *(fx* e. me, are you Mr. Brown?); US pardon me; 3 *(ɔ: et øyeblikk!)* just a moment! one moment! just a second! *å, unnskyld!* jeg så meg ikke for I'm so sorry, (but) I simply wasn't looking *(el.* paying attention)! I'm so sorry! I wasn't looking where I was going; *unnskyld at jeg beholder hansken på* excuse my glove; *unnskyld at jeg kommer så sent* excuse my being so late; *(sterkere)* I apologize for being so late; I am sorry I am so late; *unnskyld at jeg sier det, men De har...* excuse *(el.* forgive) my saying so, but you have...; *unnskyld at jeg blander meg inn (i Deres samtale), men...* excuse me for interrupting, but ...; T excuse my butting *(el.* chipping) in, but ...; *jeg håper De -r forsinkelsen* I hope you will excuse the delay; *jeg ber Dem* ~ *at jeg bryr Dem* excuse my troubling you; *(mer formelt)* kindly excuse me for troubling you; *vi ber Dem* ~ *at vi har unnlatt å...* we must ask you to excuse us for omitting to...; *De må ha meg unnskyldt* 1. I'm so sorry I can't come; 2. (if you'll excuse me) I'm afraid I must be going now; *det kan ikke -s* it is inexcusable; *han unnskyldte seg med at han var syk* he pleaded illness; *(se skyte:* ~ *seg inn under);* være lovlig *unnskyldt* have a valid excuse *(fx* for not paying); *(se forfall 3: ha lovlig* ~).

unnskyldelig excusable, pardonable.

unnskyldende 1. apologetic *(fx* he wrote an a. letter); 2 *(formildende)* extenuating *(fx* circumstances).

unnskyldning 1 *(det å be om unnskyldning)* apology *(fx* make *(el.* offer) an a.); excuse *(fx* he stammered out an e.); 2 *(rettferdiggjørelse, formildende omstendighet)* excuse, justification, extenuation; 3 *(påskudd)* excuse, pretext; *en dårlig* ~ a poor *(el.* lame) excuse; *en tom* ~ an empty *(el.* blind) excuse; *en uforbeholden* ~ an unreserved apology; *be om* ~ apologize; *be en om* ~ *for noe* apologize to sby for sth; *jeg ber om* ~ *hvis jeg har fornærmet Dem* if I have offended you, I apologize; *jeg ba ham om* ~ I apologized

to him; *vi vil be om* ~ *for at vi har...* we should like to apologize for having...; we would a. for having...; may we a. for having...; *hva har du å si til din* ~? what have you to say for yourself? *til min* ~ *kan jeg bare si at...* the only excuse I have to offer is that...; *(se anføre:* ~ *til sin unnskyldning);* ta imot en ~ accept an excuse; *det tjener ham til* ~ it is some excuse for him; *det må tjene til min* ~ *at jeg ikke visste det* my excuse must be that I didn't know.

unnslippe *(vb)* escape; *han unnslapp med nød og neppe* he had a narrow escape; *det unnslapp ham en ed* an oath escaped him *(el.* escaped his lips).

unnslå *(vb):* ~ *seg* excuse oneself (from), decline, refuse.

unnta *(vb)* except; *når -s* except for *(fx* a useful book e. for a few mistakes); *alle -tt legen* all, with the exception of the doctor; all save the d.; *alt -tt krig* everything short of war.

unntagelse exception; *med* ~ *av* with the e. of; *en* ~ *fra* an exception to; *på få -r nær* with few exceptions; *uten* ~ without (any) exception, invariably; *ingen regel uten* ~! (there is) no rule without (an) exception; *-n bekrefter regelen* the exception proves the rule; *gjøre en* ~ make an exception; *det ble gjort en* ~ *for enkelte ords vedkommende* an exception was made for certain words.

unntagelses|tilfelle exceptional case, exception. **-tilstand** state of emergency. **-vis** as an exception; (only) in exceptional cases; *helt* ~ in a few exceptional cases; as a rare exception.

unntagen: *se unnta.*

unntak: *se unntagelse.*

unntatt: *se unnta.*

unnvik|e *(vb)* escape. **-ende** evasive.

unnvære *(vb)* do without, dispense with; miss *(fx* I would not have missed that speech for anything in the world).

unnværlig dispensable. **-het** dispensableness.

unote bad habit; *(se legge C:* ~ *seg til).*

unse ounze *(fk.* oz.).

unytte: *til -s* uselessly, to no purpose.

unyttig useless, of no use; *(fåfengt)* futile, unavailing.

unødig unnecessary, needless; *(overflødig)* superfluous.

unødvendig unnecessary, needless; *(overflødig)* superfluous; *det er* ~ *å tilføye at vi...* needless to say, we...; *gjøre* ~ make *(el.* render) unnecessary. **-het** needlessness.

unøyaktig inaccurate, incorrect.

unøyaktighet inaccuracy, incorrectness.

unåde disgrace, disfavour (,US: disfavor); *falle i* ~ fall into disgrace; *være i* ~ be in disgrace; *jeg er i* ~ *hos ham (også)* I am in his bad books; *(se nåde).*

unådig ungracious; *ta noe* ~ *opp* take sth in bad part.

uoffisiell unofficial; informal *(fx* pay an i. visit); T off the record *(fx* this remark is off the r.!).

uomgjengelig unsociable, difficult to get on with; *(uunngåelig)* unavoidable; ~ *nødvendig* absolutely necessary. **-het** unsociableness; absolute necessity.

uomstøtelig incontestable, incontrovertible, irrefutable.

uomstøtelighet incontestability, incontestableness, irrefutability.

uomtvistelig indisputable, incontestable, incontrovertible.

uoppdragen ill-mannered, unmannerly; rude. **uoppdragenhet** bad manners; rudeness.

uoppdyrket uncultivated.

uoppfordret unasked, of one's own accord, without being told; unsolicited.

uoppgjort *(merk)* unsettled, unpaid; *(ikke avsluttet)* not made up; *(om bo)* not wound up; *(jvf usnakket & utestående).*

uoppholdelig without delay, immediately.
uopphørlig (*adj*) incessant, unceasing, unremitting; (*adv*) incessantly.
uoppklart unsolved, unexplained.
uopplagt indisposed, not in form.
uopplyst 1. unlighted, unlit; 2 (*uvitende*) uneducated, ignorant.
uoppløselig ♂ insoluble. **-het** insolubility.
uoppløst undissolved.
uoppmerksom inattentive (*mot* to). **-het** inattention.
uoppnå(e)lig unattainable. **-het** unattainableness.
uopprettelig irreparable, irremediable; irretrievable.
uopprettelighet irreparability, irretrievability.
uoppsettelig admitting of no delay, urgent, pressing.
uoppsettelighet urgency.
uoppsigelig (*om funksjonær*) irremovable; (*om traktat*) irrevocable; (*om obligasjon*) irredeemable; (*om kontrakt*) non-terminable.
uoppsigelighet irremovability; irrevocability.
uoppskåret uncut, unopened.
uoppslitelig imperishable; unfailing (*fx* good humour).
uorden disorder, muddle, mess; untidiness; *i* ~ out of order (*fx* the machine has got out of o.); in a mess (*fx* the room was in a m.); (*hær*) in confusion; (*affærer*) in disorder; *komme i* ~ get out of order; *bringe i* ~, *bringe* ~ *i* mess up, muddle up, throw into confusion.
uordentlig disorderly, untidy; messy; ~ *liv* irregular life. **-het** disorderliness, untidiness; messiness.
uorganisk inorganic.
uortodoks unorthodox.
uoverensstemmelse disagreement; (*avvik*) discrepancy.
uoverkommelig insuperable, insurmountable (*fx* difficulty); (*umulig*) impossible; (*ugjennomførlig*) impracticable; (*om pris*) prohibitive.
uoverlagt unpremeditated, rash.
uoversettelig untranslatable.
uoversiktlig: ~ *kurve* blind corner, blind curve, blind bend (*fx* slow down before a blind or sharp bend).
uoverskuelig incalculable (*fx* damage, losses); immense, enormous; (*i tid*) indefinite; *i en* ~ *fremtid* for an indefinite period; *det kan få -e følger* it is impossible to foresee the consequences; it may have incalculable consequences.
uoverstigelig insurmountable (*fx* barrier, obstacle), insuperable (*fx* difficulty, obstacle); unbridgeable (*fx* there is an u. gulf between them).
uoverstigelighet insuperability.
uovertreffelig unsurpassable, unrivalled.
uovertreffelighet unrivalled superiority.
uovertruffet unsurpassed, unrivalled.
uoverveid unpremeditated; ill-considered, rash.
uovervinnelig invincible (*fx* an i. army); insurmountable, insuperable.
uovervinnelighet invincibility; insuperability.
uovervunnet unconquered, undefeated.
uparlamentarisk unparliamentary; (*udiplomatisk*) undiplomatic.
upartisk impartial; (*jvf fordomsfri & uhildet*).
upartiskhet impartiality.
upasselig (*indisponert*) indisposed, unwell.
upasselighet indisposition.
upassende improper, unseemly.
upatriotisk unpatriotic.
upersonlig impersonal.
upersonlighet impersonality.
uplassert: *de -e* (*i hesteveddeløp*) the also-rans.
uplettet spotless, unblemished, immaculate.
upolert unpolished.
upolitisk unpolitical.
upopulær unpopular.
upraktisk unpractical; (*om redskap*, *etc*) awkward; (*som passer dårlig*) inconvenient.

upresis imprecise, inaccurate, inexact; (*ikke punktlig*) unpunctual.
uprioritert (*om kreditor*) unsecured.
uprivilegert unprivileged.
uproduktiv unproductive.
uprøvd untried; (*jvf uforsøkt*).
upåaktet unheeded, unnoticed; disregarded.
upåanket not appealed against.
upåklagelig creditable, irreproachable.
upåkledd undressed.
upålitelig unreliable, undependable; not to be relied on; untrustworthy.
upålitelighet unreliability; untrustworthiness.
upåpasselig inattentive. **-het** inattentiveness.
upåtalt unchallenged; *la noe gå* ~ let sth pass; overlook sth; *jeg kan ikke la saken gå* ~ *hen* I cannot pass the matter by without protesting.
upåvirkelig 1 (*som intet gjør inntrykk på*) impassive, stolid; 2 (*ufølsom*) insensitive (*fx* to beauty), unsusceptible (*fx* to her beauty); insensible (*fx* to pain); proof (*fx* he was p. against her attempts to charm him).
upåvirket unmoved, unaffected (*av* by); *han var ganske* ~ it made no impression on him; it had no effect on him; T he did not turn a hair; he did not as much as twitch an eyebrow.
upåviselig untraceable, undemonstrable.
I. ur (*lomme-*) watch; *armbånds-* wrist watch.
II. ur (*stein-*) scree.
uraffinert unrefined.
uransakelig inscrutable; (*se vei*).
uravstemning ballot (among the members), referendum.
ureelle primitive cell.
I. uredd (*om seng*) unmade.
II. uredd (*modig*) fearless, intrepid.
urede: *se uorden*.
uredelig dishonest; unfair.
uredelighet dishonesty; unfairness.
uregelmessig irregular.
uregelmessighet irregularity.
uregjerlig unruly, intractable, unmanageable; *bli* ~ (*om barn*, *også*) get out of hand; *hun er så* ~ (*om barn*, *også*) she is such a handful.
uregjerlighet unruliness, intractableness, intractability.
uren (*skitten*) dirty; (*om produkt*) impure; ♫ (*om farvann*) foul. **-het** impurity; ♫ foulness.
urenset uncleaned.
urenslig uncleanly, dirty; (*ofte =*) unhygienic. **-het** uncleanliness.
I. urett (*subst*) wrong, injustice; *med -e* unjustly; *med rette eller -e* right or wrong; *man har gjort meg* ~ I have been wronged.
II. urett (*adv*): *handle* ~ do wrong.
urettferdig unjust, unfair.
urettferdighet injustice, unfairness; (*se skrikende*).
urettmessig unlawful, illegal.
urettmessighet unlawfulness, illegality.
urfolk aborigines (*pl*).
urform original form, prototype.
urglass watch glass.
Urias Uriah. **u-post** post of danger, exposed position.
uridderlig unchivalrous.
uriktig wrong, incorrect; *gi -e opplysninger til politiet* give false information to the police. **-het** incorrectness.
urimelig absurd, preposterous; (*ubillig*) unreasonable. **-het** absurdity; unreasonableness.
urimt unrhymed.
urin urine. **urinal** urinal.
urinere (*vb*) urinate.
urin|glass urinal. **-prøve** urine specimen, s. of u. **-rør** (*anat*) urethra.
urkasse clock case.
urkjede watch chain.
urkraft primitive force.
urmaker watchmaker.
urmenneske primitive man.

urne urn; (*valg-*) ballot box; (*aske-*) cinerary urn.

uro 1 (*polit, sosial*) unrest; 2 (*engstelse*) anxiety, uneasiness, alarm; 3 (*rastløshet*) restlessness; 4 (*opphisselse*) excitement, agitation; (*se skape* 2; *urolighet*).

uroelement disturbing element (*el.* factor).

urokkelig unshak(e)able (*fx* conviction, loyalty); immovable, unyielding, firm; *være* ~ maintain a firm attitude.

urokket unmoved, unshaken; firm.

urolig restless, uneasy, anxious (*for* about); (*som ikke sitter stille*) fidgety; (*uharmonisk*) disharmonious; *han følte seg* ~ *til sinns* he felt troubled; *his mind* (*el.* heart) misgave him; (*adv*) uncomfortably (*fx* is that all, he asked u.).

urolighet commotion, disturbance; *-er* (*opptøyer*) disturbances, riots.

urostifter troublemaker; rioter; US hell-raiser.

urskive dial, face of a watch (,clock).

urskog virgin forest, primeval forest.

urspråk primitive language.

urt ✿ herb, plant.

urteaktig herbaceous.

urtid prehistoric times, the earliest times, the beginning of time.

urtilstand primitive state.

urund (*om bremsetrommel, etc*) out of round; *gjøre* ~ wear out of round. **-het** out of round.

urverk works (of a clock (,watch)).

urviser hand of a watch, hand of a clock.

uryddig disorderly, untidy; *han fikk et* ~ *nedslag* (*om skihopper*) he landed untidily.

uryddighet disorderliness.

urørlig immovable.

urørt untouched, intact; (*ubeveget*) unmoved; (*jvf uberørt*).

uråd (*umulighet*) impossibility; *ane* ~ T smell a rat; suspect mischief; *det er* ~ *å* it is impossible to; *råd for* ~ a way out of the difficulty.

usagt unsaid, not said.

usakkyndig incompetent.

usammenhengende incoherent, disconnected; (*om fremstilling*) disjointed.

usammensatt uncompounded, simple; ~ *tid* (*gram*) simple tense.

usams: *bli* ~ fall out.

usann untrue, false; *snakke usant* tell a lie (,lies).

usannferdig untruthful.

usannhet untruth, falsehood, lie; (*beretnings, etc*) falsity; *si en* ~ tell a lie; (*jvf sannhet*).

usannsynlig improbable, unlikely.

usannsynlighet improbability.

usanselig incorporeal; (*som ikke kan sanses*) immaterial.

usedelig immoral.

usedelighet immorality.

usedvanlig unusual, uncommon.

useilbar ⚓ unnavigable.

uselgelig unsal(e)able, unmarketable. **-het** unsaleableness.

uselskapelig unsociable. **-het** unsociability.

uselvisk unselfish (*fx* life, motive, person); disinterested, altruistic; (*sterkere*) selfless; (*adv*) -ly, altruistically.

uselviskhet unselfishness, disinterestedness, altruism; selflessness.

uselvstendig dependent (on others); weak; (*om arbeid*) unoriginal, imitative, derivative.

uselvstendighet dependence (on others); weakness; lack of originality.

usett unseen.

usigelig unspeakable, unutterable.

usikker 1 (*som volder tvil, som tviler*) doubtful, uncertain; 2 (*utrygg*) insecure; 3 (*farlig*) unsafe, risky; 4 (*ustø*) unsteady.

usikkerhet uncertainty; insecurity; unsteadiness.

usikkerhetsmoment element of uncertainty, uncertain factor; *til tross for disse -er fortonet*

tilværelsen i X seg som en idyll in spite of these uncertain factors, life in (,at) X had an idyllic flavour.

usiktbar hazy; *-t vær* poor (*el.* low) visibility.

usivilisert uncivilized.

usjenert free and easy, unconstrained; at one's ease; unconcerned; (*uforstyrret*) undisturbed; (*frekk*) cool. **-het** ease, free and easy manner; coolness.

uskadd unhurt, unharmed, uninjured; undamaged.

uskadelig harmless, innocuous.

uskadeliggjøre (*vb*) render harmless.

uskadelighet harmlessness, innocuousness.

uskattelig invaluable, priceless.

uskiftet undivided; *sitte i* ~ *bo* retain undivided possession of an (,the) estate.

uskikk bad habit, bad custom; nuisance.

uskikkelig naughty. **-het** naughtiness.

uskikket unfit, unqualified, unsuited (*til* for); *gjøre en* ~ disqualify sby; (*jvf ubrukelig*).

uskikkethet unfitness, unsuitability.

uskjedd undone, not happened.

uskjønn inelegant, ungraceful.

uskjønnhet inelegance, ungracefulness.

uskyld innocence; (*kyskhet*) chastity, purity, virginity; *bedyre sin* ~ protest one's innocence; (*se også uskyldighet*).

uskyldig innocent; (*kysk*) chaste, pure; (*se sette B:* ~ *opp et uskyldig ansikt*).

uskyldighet innocence; *spille krenket* ~ assume a pose of injured innocence; (*se for øvrig uskyld*).

uslepen rough, uncut (*fx* sapphire, emerald); (*om glass*) unground.

usling wretch; *feig* ~ (dastardly) coward.

uslitelig everlasting, indestructible.

uslukkelig inextinguishable; unquenchable (*fx* thirst).

usmak disagreeable taste.

usmakelig unsavoury; US unsavory (*fx* business, affair, story); *et* ~ *tema* an unsavoury subject.

usminket unpainted, without make-up; (*fig*) unvarnished (*fx* the u. truth).

usnakket: *jeg har noe* ~ *med ham* I have a bone to pick with him; *jeg har ikke noe* ~ *med ham* I have nothing to say to him; I have no desire to meet him.

usolgt unsold.

usolid unsafe; (*om foretagende*) unsound.

usont unexpiated.

usortert unsorted.

uspiselig uneatable, inedible, not fit to eat.

uspurt unasked; uncalled-for (*fx* interference); uninvited.

ussel poor, wretched, miserable, paltry, pitiful; *i en* ~ *forfatning* in a miserable (*el.* wretched) state; *usle forhold* miserable conditions; *en* ~ *sum* a paltry sum.

usselhet misery, wretchedness, paltriness.

ustadig unsteady, unstable; (*om været*) un settled, changeable, variable; fickle (*fx* a f. girl).

ustadighet instability, inconstancy, unsteadiness; changeableness.

ustand: *i* ~ out of order; (*se uorden*).

ustanselig: *se uavbrutt.*

ustelt unkempt, untidy; messy.

ustemplet unstamped.

ustemt untuned; (*fon*) unvoiced (*fx* an u. s).

ustraffet unpunished, with impunity.

ustudert uneducated, without a university training.

ustyrlig unruly, ungovernable, intractable.

ustyrlighet unruliness, intractability.

ustyrtelig (*adv*) enormously; incredibly; ~ *mange penger* T heaps of money.

ustø unsteady; shaky; (*fig*) unstable; *reise seg -tt* stagger to one's feet.

ustøhet unsteadiness; (*fig*) instability.

usukret unsweetened.

usunn unhealthy; unwholesome.

usunnhet unhealthiness; unwholesomeness.
usurpator usurper.
usurpere (*vb*) usurp.
usvekket unimpaired (*fx* vision); ~ *interesse* unflagging (*el.* unabated) interest.
usvikelig unfailing, sure; unfaltering.
usymmetrisk unsymmetrical.
usympatisk unattractive, unpleasant; (*ikke velvillig stemt*) uncongenial (*fx* in u. company); unsympathetic (*fx* an u. attitude).
usynlig invisible. **-het** invisibility.
usystematisk unsystematic.
usømmelig improper, unseemly; (*uanstendig*) indecent. **-het** impropriety, unseemliness, indecency.
usårlig invulnerable. **-het** invulnerability.
ut out; *uken* ~ to the end of the week; ~ *for* ⚓ off; ~ *fra* from (*fx* from your point of view; reason from general principles and suppositions); *on* (*fx* act on a principle); ~ *fra den teori at* on the theory that; *kjenne* ~ *og inn* know thoroughly; know all the ins and outs of (*fx* a problem); know (*fx* sth) from A to Z; *han kjenner det* ~ *og inn* (*også*) he knows all there is to know about it; *jeg vet hverken* ~ *eller inn* I am at my wits' end; ~ *med deg!* get out! clear out! *jeg måtte* ~ *med £5* I had to pay £5; *han ville ikke* ~ *med det* he wouldn't say it; *år* ~, *år inn* year in and year out; ~ *over* beyond; *til langt* ~ *på natta* far into the night; *jeg forstår ikke hva det går* ~ *på* T I don't get the message.
utabords ⚓ on the outside; outboard.
utad (*adv*) outwards. **-gående** outward bound (*fx* ships); outgoing (*fx* traffic).
utadvendt 1. out-turned; 2 (*psykol*) extrovert.
utakk ingratitude; ~ *er verdens lønn* there is no gratitude in the world; one must not expect any gratitude in this world.
utakknemlig ungrateful, unthankful; (*arbeid*) thankless (*fx* job, task), ungrateful (*fx* task, soil), unrewarding (*fx* an u. task).
utakknemlighet ingratitude, unthankfulness; thanklessness; *lønne en med* ~ repay sby with ingratitude.
utakt: *komme i* ~ ♪ get out of time; ✕ fall (*el.* get) out of step.
utall countless number, no end of.
utallig innumerable, numberless, countless.
utalt uncounted, untold.
utarbeide (*vb*) work out (*fx* a scheme); draw up (*fx* a document, a list, a scheme); make out (*fx* a list); prepare (*fx* a report); compose (*fx* a speech); *en fullt -t plan* a full-fledged scheme; (*se også utarbeidelse*).
utarbeidelse preparation, compilation; *under* ~ (*fx om ordbok*) in course of preparation (*el.* compilation); *jeg har ti søknader under* ~ I have ten applications in various stages of completion; *du har oppfattet poenget riktig, men -n er svak* you have grasped the point, but failed to work it out properly.
utarmet impoverished.
utarte (*vb*) degenerate; ~ *til* degenerate into; develop into (*fx* a cold that developed into a catarrh).
utarting degeneration.
utbasunere (*vb*) trumpet, blazon abroad; proclaim (*el.* shout) from the house tops; broadcast, advertise (*fx* there's no need to a. that I am ill); *det er da ikke noe å* ~ there's no need to shout it from the house tops.
utbe (*vb*): ~ *seg* request; *svar -s* we request the favour of a reply; (*på innbydelse*) R.S.V.P.; *Deres svar -s pr. telegram* your answer is requested by wire; please wire reply.
utbedre (*vb*) repair.
utbedring repair.
utbetale (*vb*) pay (out), disburse; *de vil så* ~ *meg et tilsvarende beløp her i Norge* they will then pay me the equivalent amount (*el.* a corresponding amount (*el.* sum)) in this country (*el.* in Norway).

utbetaling payment, disbursement; *vekselen forfaller til* ~ *neste onsdag* the bill falls due Wednesday week; (*se også anvise*).
utbetalingsmåte mode of payment; *dette viser at man regner med den samme* ~ *som under mitt opphold i England* this shows that the same mode of payment is reckoned with as at the time of my stay in England.
utblåsing (*av forbrukt gass*) exhaust.
utblåsningsventil exhaust valve.
utbre (*vb*) spread; (*et rykte*) spread, circulate; ~ *seg om en sak* enlarge on a matter.
utbredelse spread, spreading, dissemination; diffusion; distribution; *vinne* ~ spread (*fx* the opinion is spreading; the rumour has spread); gain ground (*fx* this view is gaining ground).
utbredt widespread; (*se II. alminnelig*).
utbrent burnt-out; ~ *vulkan* extinct volcano.
utbringe *vb* 1 (*brev*) deliver; 2: *se skål.*
utbrudd outbreak, breaking out; (*om vulkan*) eruption; (*vredes-, etc*) burst, outburst; *komme til* ~ break out.
utbrukt worn out, used up, spent.
utbryte (*vb*) break out; (*med uttrykk for sinnsbevegelse*) exclaim, burst out.
utbuet convex.
utby *vb* (*merk*) offer for sale.
utbygd (*subst*) out-of-the-way place.
utbygge (*vb*) develop; (*styrke*) strengthen; *inntil vassdraget er fullt utbygd* pending full development of the watercourse.
utbygging development; (*forsterkning*) strengthening; (*utvidelse*) expansion; *den tekniske* ~ *skal foregå i fire etapper* technical construction work is planned to proceed by four different stages.
utbyggings|fond: *Distriktenes* ~ [State sponsored enterprise for provincial industrial development]. **-program** development programme.
utbytning utilization; exploitation.
I. utbytte (*subst*) profit, proceeds, yield; dividend; (*fig*) benefit, advantage; *det avtagende -s lov* (*økon*) the law of diminishing returns; *med* ~ profitably, advantageously; *få fullt* ~ *av sin fritid* get full value out of one's leisure.
II. utbytte (*vb*) 1. exploit; (*med sultelønn*) sweat (*fx* one's workers); 2. = *bytte ut*; (*se II. bytte*).
utbytterik profitable.
utbytting: *se utbytning.*
utbæring carrying out; (*av post*) delivery.
utdanne (*vb*) train, educate; ~ *seg i et fag* learn a subject (,a trade); ~ *seg som* qualify as (*fx* a typist); *fullt -t* fully qualified, fully trained.
utdannelse training, education; *i fem år etter endt* ~ for five years after they have completed their training; *med høyere* ~ university trained; (NB 'with higher education' *svarer til artium*); *fullføre sin* ~ get through with one's education; *støtte til* ~ education grant; training grant; (*se søknad*).
utdanning: *se utdannelse.*
utdanningsformål: *støtte til* ~ education grant; training grant.
utdebattere (*vb*) exhaust (*fx* a subject); thrash out (*fx* a problem).
utdele (*vb*) distribute, share out, apportion; (*se dele:* ~ *ut*).
utdeling distribution.
utdrag extract; (*kort*) abstract, summary.
utdunstning exhalation.
utdype (*vb*) deepen, make deeper; (*fig*) go thoroughly into (*fx* a question).
utdypning deepening.
utdø (*vb*) become extinct.
utdødd extinct.
ute out; (*forbi*) at an end, finished, over; *det er* ~ *med ham* he's done for; T his number is up; *han er* ~ *av seg* (*av glede*) he is beside himself (with joy); *de er* ~ *etter deg* they are after you; T they are after (*el.* out for) your blood; *hva er han* ~ *etter?* what's he after? *han er* ~ *etter pengene hennes* he is after (*el.* has designs

on) her money; *han bor* ~ *i Ealing et sted* T he lives out Ealing way; *(se sesong).*

utearbeid outdoor work.

utebli *(vb)* stay away *(fx* from a meeting, from a lecture), fail to come, fail to appear; ~ *uten tillatelse* be absent without permission *(el.* leave); *hvis betaling(en)* -*r* failing payment.

uteblivelse staying away, non-appearance, non-attendance; *(fra retten)* default.

uteblivelsesdom *(jur)* judgment by default; *avsi* ~ deliver j. by d.

utedo pit privy.

uteglemt left out (by mistake).

utekkelig disagreeable; improper; offensive.

utelat|e *(vb)* leave out, omit. -**else** omission.

uteligger down-and-out; US hobo.

uteliv outdoor life.

utelukk|e *(vb)* shut out, rule out, exclude. -**else** exclusion. -**ende** *(adv)* exclusively, solely.

utemmelig untam(e)able.

uten without *(fx* w. your help); ~ *at De hjelper meg* unless you help me; *alle* ~ *én* all except one; *være* ~ *arbeid* be out of work; ~ *at jeg visste det* without my knowing it; without my knowledge; ~ *at man kom til enighet* without any agreement being reached; ~ *med* except with; ~ *når* except when.

utenat by heart; *lære noe* ~ learn sth by heart, memorize sth, commit sth to memory.

utenatlæring learning by heart, rote-learning, memorizing.

utenbords: *se utabords.*

utenbygds: ~ *fra* from another district; non -local *(fx* members).

utenbys outside the town, out of town; non -local; *reise* ~ leave town.

utendørs outdoor *(fx* o. advertising); *(adv)* outdoors.

utenfor 1 *(prep)* outside *(fx* the building); ⚓ off *(fx* the coast); out of *(fx* danger); ~ *arbeids-tiden* out of hours, out of working (,office) hours; *han er født* ~ *Norge* he was born out of Norway; *det ligger* ~ *spørsmålet* that is beside the question; *for en som står* ~ *det hele* for *(el.* to) the outsider; *stå* ~ *saken* have nothing to do with the matter; **2** *(adv)* outside; *bli med* ~ come outside; *jeg er helt* ~ *(o: har ikke fulgt med)* T I'm out of the swim; *de er litt* ~ *etter ferien (om elever m.h.t. kunnskaper)* they haven't caught up after the holidays; they're a bit behind after the h.; S they're not quite with it yet; *(se sesong; sette B).*

utenfor|liggende *(uvedkommende)* irrelevant; *(som ligger utenfor)* external; ~ *hensyn* ulterior considerations. -**stående** an outsider; *har noen* ~ *ytet assistanse i forbindelse med havariet?* did any third party render *(el.* give) assistance in connection with the accident?

utenfra from outside; *hjelp* ~ outside help; *åpne døra* ~ open the door from the outside.

utenkelig unthinkable, inconceivable; *(ute-lukket)* (quite) out of the question; *på de mest -e steder* in the most unlikely places.

utenlands abroad; *dra* ~ go abroad.

utenlandsk foreign; *i* ~ *tjeneste* on foreign service.

utenlandskorrespondent foreign correspondence clerk *(el.* translator).

utenlands|opphold stay abroad. -**reise** journey abroad; *han har nettopp kommet tilbake fra sin* ~ he is just back from abroad.

utenom 1 *(adv)* outside, on the outside; round *(fx* go r. it); *det er ingen vei* ~ there is no other way out *(fx* of this difficulty); there is no other course (open to us); there is no alternative; *han tjener penger* ~ T he earns money on the side; **2** *(prep)* (on the) outside of; ~ *dette* beyond this; *intelligent* ~ *det alminnelige* intelligent beyond the ordinary; *noe* ~ *det vanlige* sth out of the ordinary; *gå* ~ *saken* evade *(el.* shirk) the issue; T beat about the bush; *gå langt* ~ *noe* give sth a wide berth.

utenom|hensyn *(pl)* ulterior considerations. -**snakk** irrelevant remarks; T beating about the bush; *han kom først med en hel del* ~ he approached the subject in a roundabout way.

utenpå outside; on the outside (of).

utenpåskrift outside address.

utenriksdepartement Ministry of Foreign Affairs; *(i England)* Foreign Office; US State Department.

utenriks|fart foreign trade *(fx* ships engaged in f. t.). -**handel** foreign trade *(fx* stort underskudd i -*en* a large foreign trade deficit. -**kronikk** *(i radio)* foreign affairs report. -**minister** Minister of Foreign Affairs, Foreign Minister; *(i England)* Foreign Secretary; US Secretary of State. -**politikk** 1. foreign policy; 2. foreign politics, foreign *(el.* international) affairs.

utenrikspolitisk relating to foreign politics; *Norsk* ~ *institutt* Norwegian Institute of International Affairs.

utenskjærs beyond the skerries; in open waters.

utenverden outside world.

uteske *(vb)* challenge, provoke. -**nde** provocative.

utestengt shut out.

utestående: ~ *fordringer* outstanding *(el.* unpaid) accounts; *ha penger* ~ have money owing to one; *ha noe* ~ *med en* have a bone to pick with sby; have an old score to settle with sby; *(jvf tilgodehavende).*

utetillegg expatriation allowance.

utetjeneste *(jernb)* outside service; *(på gods-el. skiftetomt)* yard service.

utett leaky; ~ *sted* leak. -**het** leakiness; leak, crack.

utfall outcome, result, upshot; *(i fektekunst)* lunge, pass; *heldig* ~ success; *få et dårlig* ~ fail; *få et annet* ~ turn out differently.

utfart *(i masse)* exodus *(fx* the Easter e. from Oslo).

utfarts|sted (popular) excursion spot, popular resort for day-trippers, road-house. -**vei** exit road.

utfattig destitute, penniless.

utferdige *(vb)* draw up, prepare; *(sende ut)* issue. -**lse** drawing up, preparation.

utflod discharge, flux.

utflukt excursion, outing, trip; *(unnskyldning)* excuse; *det er tomme* -*er* those are mere excuses; *komme med* -*er* quibble, shuffle; give an evasive answer, resort to equivocations; make shuffling excuses; *kom ikke med* -*er!* T don't beat about the bush! *når man spør ham om det, kommer han med* -*er* if you ask him about it he gives evasive answers ‹,T: he beats about the bush›.

utfold|e *(vb)* unfold; *(legge for dagen)* display; *(utvikle)* develop. -**else** development; display.

utfor *(adv & prep)* over; *falle* ~ fall over; ~ *bakken* downhill; *sette* ~ *for første gang (på ski)* make one's first real downward run.

utforbakke downhill slope; *start i* ~ *(med bil)* start while moving downhill.

utfor|dre *(vb)* challenge; *(trosse)* defy, dare. -**drende** challenging, defiant; *den* ~ the challenger.

utfordring challenge.

utfor|kjøring *(på ski)* descent; *(se utfor; utfor-renn).* -**løype** *(ski)* downhill piste *(el.* course *el.* track).

utforme *(vb)* shape, model; *(avfatte)* frame.

utforming shaping *(fx* make valuable contributions to the s. of the work); framing.

utforrenn *(på ski)* downhill race; downhill (racing).

utforsk|e *(vb)* find out, investigate; *(egn)* explore. -**(n)ing** investigation; exploration.

utfritte *(vb)* question closely, cross-examine, pump.

utfylle *(vb)* **1:** *se fylle ut;* **2.** supplement, complement *(fx* the two volumes c. one another).

utfylling filling in; supplementing; complementing.

utfyllingsoppgave filling-in exercise.

utfyllingsvalg by-election.

utføre (*vb*) 1 (*eksportere*) export; 2 (*ekspedere*) execute (*fx* an order); 3 (*instruks, ordre*) carry out; 4 (*om arbeid*) execute (*fx* a piece of work); ~ *pakkingen* do the packing; ~ *en plan* execute (*el.* carry out) a plan.

utførelse 1 (*av bestilling*) execution (*fx* the e. of an order); (*av instruks*) carrying out (*fx* the c. o. of instructions); (*av arbeid*) execution; (*om plikter*) discharge, performance (*fx* of one's duties); 2 (*om arbeids kvalitet*) workmanship, craftmanship; *fagmessig* ~ first-class workmanship; *bringe til* ~ carry into effect; *komme til* ~ materialize (*fx* our plans did not m.); *er nå under* ~ is now being executed; is now in hand (*fx* your order is now in h.).

utførlig I (*adj*) detailed; (*meget detaljert*) elaborate; (*uttømmende*) exhaustive; *-e opplysninger* full particulars; *en* ~ *beretning* a full (*el.* detailed) report; 2 (*adv*) fully, in detail (*fx* write in d.); *behandle* ~ go (*el.* enter) into details, treat at length, treat in full detail; *behandle -ere* treat more fully; *forklare* ~ explain at length; *temmelig* ~ at some length; in some detail.

utførlighet fullness, completeness.

utførsel 1 (*det å føre ut varer*) exportation, export (*fx* the e. of paper); export trade; 2. *-en* (*utførte varer*) exports; *norsk* ~, *-en fra Norge* Norwegian exports; (*jvf eksport*).

utførsels|angivelse specification of goods exported. *-artikkel* export, article for export. *-godtgjørelse* drawback.

utførselshavn port of exportation; (*se for øvrig eksport*).

utgammel very old.

utgang 1 (*veien*) way out; (*stedet*) exit; 2 (*slutt*) close, end; *ved årets* ~ at the end of the year; 3 (*utfall*) result, outcome, issue; 4. ✝ game.

utgangs|dør outer door; (*i kinosal, etc*) exit (door).

utgangspunkt point of departure, starting point; basis; *finne et felles* ~ *for forhandlinger* find a common ground for negotiations; *ta sitt* ~ *i* ... take ... as one's starting point; *med* ~ *i* based on (*fx* we demand a revision of the building account, based on the chartered accountant's report); *med* ~ *i Deres skriv akter vi å* ... as a result of your communication, we intend to ...; (*se innbefatte; I. skulle 19*).

utgangsstilling initial position; (*gymn*) basic position; (*golf, cricket, boksing*) stance.

utgave edition; version (*fx* of a story).

utgi (*vb*) publish (*fx* a book), issue; (*redigere*) edit (*fx* a periodical); (*om forfatter*) bring out; *har De -tt noe?* (*sagt til forfatter, etc*) have you had anything published? ~ *seg for noe* pass oneself off as something.

utgift expense, outlay, disbursement; *en* ~ *an* expense, a disbursement; (*en utgiftspost*) an item of expenditure; *direkte -er* actual (*el.* out-of-pocket*) expenses; *diverse -er* sundry expenses, sundries, incidentals; *faste -er* overhead expenses, overheads; *løpende -er* current expenses; *samlede -er* total expenditure; *de samlede -er* (*også*) the total disbursed; *små -er* small expenses, petty expenses, a modest outlay; *store -er* heavy expenses, heavy expenditure; *great* (*el.* heavy) expense (*fx* this has put us to great expense); *vi har pådratt oss store -er* we have incurred great expense; *tilfeldige -er* incidentals; *uforutsette -er* unforeseen expenditure; contingencies; *bestride -ene* defray the expenses; pay; *få sine -er dekket* get back (*el.* recover) one's outlay (*el.* expenses); *han har one's expenses paid; *vi har hatt betydelige -er* (*også*) we have been at considerable expense; *denne forsinkelse har skaffet meg store -er* this delay has put me to great expense; *skaffe seg -er* put oneself to expense; *føre til* ~ (*i bokføring*) charge to expenditure; *-er til* expenses for; *-er til legehjelp* medical expenses

(*el.* fees); *uten -er for Dem* without cost to you, without any expenditure on your part, free of charge (to you); *-ene ved* the expenses of, the cost of; the expenses connected with.

utgifts|konto charges account. *-post* item of expenditure. *-side* debit side; (*av budsjett*) expenditure side. *-økning* increase in expenditures.

utgivelse publication; (*redigering*) editing; *under* ~ in course of publication; (*se utgi*).

utgivelsesår year of publication.

utgiver publisher; (*redaktør*) editor.

utgjort: *det er som* ~ T just like my luck.

utgjøre (*vb*) constitute (*fx* 52 cards c. a pack); make (*fx* this volume made the last volume of his collected works); form; (*om beløp*) amount to, come to; *som utgjør Deres andel av utgiftene i forbindelse med fremstilling av verktøy* which represents your share of the cost of production of tools.

utglidning *fig* (*moralsk, etc*) backslide, backsliding.

utgravd: ~ *masse* (*gravemasse*) waste bank.

utgravning digging out, excavation.

utgrunne (*vb*) fathom.

utgyte (*vb*) pour out; ~ *sitt hjerte* (*for*) unbosom oneself (to).

utgytelse effusion, outpouring.

utgå (*vb*) issue; (*utelates*) be omitted, be struck out; ~ *fra* emanate (*el.* come) from, have its origin in; (*fra person*) originate with.

I. utgående (*subst*): *for* ~ outgoing; ⚓ outward bound.

II. utgående (*adj*) outgoing (*fx* trains); outward -bound (*fx* ships); ~ *tidevann* ebb tide, outgoing tide.

utgått: *en* ~ *sko* a worn-out shoe; *-e vareslag* (*om tekstiler*) broken (*el.* discontinued) ranges; (*se også utslitt*).

uthaler rake, roué.

uthavn outport.

uthengseksemplar show number.

uthengs|skap showcase. *-skilt* signboard, (shop) sign.

utheve (*vb*) emphasize, stress; (*typ*) space out; (*kursivere*) italicize.

uthevelse: *-ne er gjort av oss* the italics are ours, our italics.

uthogd hewn, cut (out); (*om skog*) thinned (out).

utholde (*vb*) bear, stand, endure, sustain, go through with, bear up against.

utholdende persevering; *han er ikke* ~ he has no staying power.

utholdenhet perseverance, endurance.

utholdenhetsrekord endurance record.

uthule (*vb*) hollow, scoop (out); (*fig*) undermine; (*se underminere*).

uthungret starved.

uthus outhouse; (*i pl også*) outbuildings.

utid: *i -e* out of season, at the wrong time; *i tide og -e* in season and out of season.

utidig (*urimelig*) unreasonable, naughty (*fx* child); *jeg håper De ikke betrakter dette som* ~ *mas, men* ... I hope you do not consider this unreasonably persistent, but ...

utidighet unreasonableness.

utilbørlig (*adj*) improper, undue; (*adv*) improperly, unduly.

utilbørlighet impropriety.

utilbøyelig disinclined, indisposed.

utilbøyelighet disinclination, indisposition.

utilfreds dissatisfied; discontented; ~ *med at* displeased that.

utilfredshet dissatisfaction, discontent; (*se skape 2*).

utilfredsstillende not satisfactory, unsatisfactory.

utilfredsstilt unsatisfied.

utilgivelig unpardonable, inexcusable, unforgivable.

utilgjengelig inaccessible, unapproachable.
utilgjengelighet inaccessibility.
utillatelig (adj) inadmissible; *en ~ feil* an unforgivable mistake.
utilnærmelig unapproachable, reserved, distant; T stand-offish.
utilpass: *være ~ feel* unwell.
utilregnelig irresponsible, not accountable for one's actions.
utilregnelighet irresponsibility.
utilslørt unveiled.
utilstrekkelig insufficient; inadequate; *det er foruroligende å måtte konstatere hvor -e disse ordbøkene er innenfor den ramme de gir seg selv* it is disquieting to discover the inadequacy of these dictionaries within their own limits; *et ~ motivert forslag* a proposal resting on an insufficiently reasoned basis.
utilstrekkelighet insufficiency, inadequacy.
utiltalende unattractive, unpleasant.
uting absurdity, nuisance.
utjenlig useless, unserviceable.
utjevne (vb) smooth out (fx difficulties); (jevne) even, level.
utjevning smoothing out; levelling, equalization; *en utjevnings- og tilpasningsprosess* a process of equalization and adaptation.
utkant outskirts (fx on the o. of the town).
utkast (rough) draft; sketch; design (til of); *~ til rapport* draft report.
utkaster chucker-out; US bouncer; (jvf innkaster).
utkik(k) look-out; *holde (skarp) ~ etter* keep a (sharp) look-out for; *stå på ~* be on the look-out (etter for).
utkjempe vb (en strid) fight out.
utkjørsel (exit) gateway; (exit) drive; (fra motorvei) exit (road).
utkjørsignal (jernb) departure (el. exit) signal, starting signal.
utkjørt T done in, dead-beat.
utklarere (vb) clear. **-ing** clearance.
utkledd dressed up, rigged out.
utklekke vb (også fig) hatch.
utklekning hatching.
utklekningsapparat incubator.
utklipp (avis-) cutting; US clipping.
utkommandere (vb) call out.
I. utkomme (subst): *ha sitt gode ~* be comfortably off.
II. utkomme vb (om bok) be published, appear; *-t hos* published by; *magasinet -r én gang i måneden* the magazine comes out monthly.
utkople (vb): *se kople ut.*
utkopling (elekt) cutting off (el. out), interruption.
utkrystallisere (vb): *~ seg* crystallize.
utkåre (vb) choose, elect; *hennes utkårne* the object of her choice.
utladet: *batteriet er ~* the battery has got run down (el. has gone flat).
utladning discharge.
utlandet foreign countries; *fra ~* from abroad; *i ~* abroad; *handel med ~* foreign trade; *reise til ~* go abroad; *sende til ~* send abroad; *for alle forsendelser til ~* for all goods sent abroad; *for all consignments* (,shipments) (for) abroad; (se innland).
utlede (vb) deduce.
utlegg outlay, disbursement; (jur) distress; distraint; *ta ~ i* (jur) distrain on; *få sine ~ dekket* recover one's expenses.
utlegge vb (forklare) explain, interpret; construe; (se barnefar).
utleggerbord (typ) delivery table.
utlegning explanation, interpretation.
utleie letting (fx boats); letting out on hire, hiring out.
utlendighet exile.
utlending foreigner; (ofte) foreign visitor; (jur) alien; *Statens -skontor* State Aliens Office.

utlevd decrepit, spent; (fig) effete (fx aristocracy).
utlever|e (vb) deliver; (overgi) surrender; (gi fra seg) part with; (fordele) distribute; (forbryter) extradite; *begjære en forbryter -t* demand the extradition of a criminal; *Norge vil prøve å få ham -t* Norway will seek extradition for him; *~ seg (kompromittere seg)* compromise oneself; (røpe seg) give oneself away.
utlevering delivery; surrender; (av forbryter) extradition; *begjære ~* demand extradition (fx it is, presumably, no use demanding e. in this case); *Frankrike vil stille krav om ~ av forbryteren* France will demand the e. of the criminal.
utleverings|ordre (merk) delivery order. **-traktat** extradition treaty.
utligne (vb) balance, offset; neutralize; (også i fotb) equalize; settle, balance (fx an account); (skatter) assess (taxes); *~ disse utgiftene på medlemmene* divide these expenses among the members.
utligning (betaling) settlement, payment; *til ~ av* in settlement (el. payment) of; *til ~ av vårt mellomværende* to balance our accounts; in settlement of our account; *til delvis ~ av* in part payment of.
utlodning raffle; (se lodde: ~ ut).
utlove (vb) offer, promise.
utlufting airing, ventilation.
utlyd final sound; *i ~* in a final position, when final.
utlydende final.
utlært having served one's apprenticeship; (fully) qualified; *hvor lang tid tok det deg å bli ~?* how long did you have to train before you knew the job?
utløe outlying barn.
utløp (av elv) outlet, issue, mouth; (av tid) expiration, expiry; *~ av en frist* expiration (el. expiry) of a term; effluxion of time; *innen fristens ~* within the prescribed period (el. term); *kontraktens ~* expiration of contract; *ved -et av den avtalte betalingsfrist* at the end of the agreed (el. appointed) period of credit; *ved -et av den avtalte frist på 10 år* at the end of the agreed (el. appointed) period of ten years; *on the expiration of the term of ten years; ved -et av hans funksjonstid* at the expiry (el. end) of his term of office; (jvf kontrakttid: ved -ens opphør); *han fikk ~ for sin harme i voldsomme angrep på regjeringen* his anger vented itself in violent denunciation of the Government.
utløp|e vb (om tid) expire; *min permisjon er -t* my leave is up.
utløper ⚘ offshoot, runner; (av fjellkjede) spur, foothill; *Alpenes siste -e* the last foothills of the Alps; *verdensbyens -e* the fringes of the metropolis.
utløps|rør discharge pipe. **-tid** date of expiry. **-ventil** delivery (el. outlet) valve; exhaust v.
utløse vb (betale løsepenger for) ransom; (om følelser, etc) provoke, call forth; start (fx this started a new train of thought in his mind); arouse (fx a feeling of relief; great enthusiasm among his audience); trigger off (fx a revolutionary movement); (frigjøre) release; (pantsatte saker) redeem.
utløsersnor (til fallskjerm; manuell) rip cord; (automatisk, festet til flyet) static line.
utløsning ransoming; releasing; redeeming; seksuell ~ sexual satisfaction; (se utløse).
utlån loan.
utlåns|bibliotek lending library. **-frist** (lånefrist for bøker, etc) time limit. **-rente** interest on loans; (jvf rentemargin).
utmaiet dressed up, rigged out; (jvf påpyntet).
utmale vb (i ord) depict; *~ seg* picture (to oneself).
utmark outlying (el. isolated) field; (som beite) rough grazing.
utmarsj ✗ pack march, march with full equipment.

utmattelse exhaustion.
utmattet exhausted, worn out; T dead-beat, done up, dog-tired.
utmeldelse, utmelding withdrawal.
utmeldingsbevis certificate of withdrawal.
utmeldingsformular withdrawal form.
utmeldt: *se melde:* ~ *ut.*
utmerke (*vb*) distinguish; ~ *seg* distinguish oneself, gain distinction.
utmerkelse distinction.
utmerket excellent; *jeg vet* ~ *godt at* I know quite (*el.* very) well that.
utmåling measuring out.
utnevn|e (*vb*) appoint, nominate; *han ble -t til minister* he was appointed minister.
utnevnelse appointment; *hans* ~ *til* his a. as.
utnytte (*vb*) turn to account, utilize; exploit, make the most of; employ to good purpose (*fx* this change was employed to g. p. by the inhabitants); cash in on (*fx* the favourable situation); *de -t ham* (*også*) they made crooked use of him.
utnyttelse utilization; exploitation.
utopi: *en* ~ a Utopian idea (,scheme, *etc*).
utopisk Utopian.
utover 1 (*adv*) outwards (*fx* the window opens o. (*el.* to the outside); turn one's feet o.); *en tid* ~ for some time to come; **2** (*prep*) (*hinsides*) beyond (*fx* not beyond that point); (*forbi*) past; *hele sommeren* ~ throughout the summer; *gå* ~ *instruksen* exceed one's instructions; *sette seg* ~ disregard, ignore (*fx* sby's orders); ~ *et beløp på £100* a sum in excess of £100; *atskillige tonn* ~ *hva vi trengte* several tons over and above what we wanted; s. t. in excess of our requirements; (*se også tidsrom*).
utoverhengende overhanging.
utpakking unpacking.
utpante *vb* (*jur*) distrain on.
utpant(n)ing (*jur*) distraint, distress; *foreta* ~ *i* distrain on (*fx* the landlord has distrained on the furniture); *inndrive husleie ved* ~ distrain for rent.
utparsellere (*vb*) parcel out (into lots).
utpeke (*vb*) point out; indicate, designate; (*utnevne*) appoint (*fx* he was appointed to succeed X).
utpensle (*vb*) elaborate, work out in detail.
utpensling elaboration.
utpint impoverished, exhausted; (*utsuget*) bled white; (*jord*) exhausted.
utpiping hissing; booing, hooting; ~ *og hånlige tilrop* hooting and scoffing.
utplukk (*pl*) excerpts, extracts, selections (*av* from).
utplyndre (*vb*) plunder, rob; fleece.
utplyndring plundering, robbing; fleecing.
utpost outpost.
utpreget marked, emphatic, pronounced; *et* ~ *industriområde* a typical industrial district.
utpresser blackmailer, extortioner.
utpressing (*av penger*) blackmail, extortion.
utprøve (*vb*) test, try out.
utpønse (*vb*) think out, devise, concoct (*fx* a scheme).
utrangere (*vb*) discard, scrap.
utrede (*vb*) **1** (*forklare*) explain; (*klarlegge*) clear up, elucidate; ~ *et spørsmål* consider (*el.* review) a question, discuss a q.; **2** (*betale*) pay, defray, meet; *omkostningene -s av denne konto* (the) expenses are charged to this account.
utredning explanation; elucidation; (*fremstilling*) detailed statement (*el.* exposition); (*committee*) report; *spørsmålet er under* ~ *the* question is under deliberation; a report is being drawn up on the subject; *en* ~ *av spørsmålet om hvorvidt* a report on the question as to whether; *det er vårt bestemte inntrykk at særlig dette trenger* ~ we have the definite impression that this point, in particular, needs clarification; *til videre* ~ for further consideration; *komme med en lengre* ~ make a lengthy statement (*fx* on the subject); deal with (*fx* the subject) at some length.
utregning calculation, computation.

utreise ⚓ outward journey; outward voyage (*el.* passage), passage out; (*det å forlate landet*) leaving the country, departure.
utreise|dag day of departure. **-forbud** the requirement of an exit permit (for leaving the country). **-tillatelse** permission to leave the country, exit permit. **-visum** exit visa.
utrengsmål: *i* ~ needlessly.
utrens(k)e *vb* (*polit*) purge, clean out; cleanse; purify.
utrette (*vb*) do, perform; ~ *et ærend* carry out an errand; *få -t flere ærender samtidig* get various errands done at the same time; do various errands at one go.
utrettelig indefatigable, untiring.
utrettelighet indefatigability.
utrigger outrigger.
utringet (*om kjole*) low, low-necked.
utringning (*hals-*) neck opening.
utrivelig uncomfortable; (*ubehagelig*) unpleasant, disagreeable; (*om vær*) nasty.
utro unfaithful; (*ulojal*) disloyal.
utrolig incredible.
utrop outcry, exclamation, shout.
utrop|e (*vb*) proclaim; *bli -t til konge* be proclaimed king.
utroper herald, town crier.
utropsord interjection.
utropstegn exclamation mark; US e. point.
utroskap unfaithfulness (*fx* the u. of his wife), infidelity (*fx* marital i.); disloyalty.
utruge (*vb*) hatch; (*jvf utklekke*).
utrugning hatching; (*kunstig*) (artificial) incubation; (*se utklekning*).
utruste (*vb*) fit out, equip; furnish (*med* with).
utrustning equipment, outfit.
utrydde (*vb*) eliminate, wipe out, eradicate, exterminate, extirpate; ~ *en sykdom* eradicate a disease; ~ *rotter* exterminate rats.
utryddelse extermination, eradication, extirpation. **-skrig** war of extermination.
utrygg insecure, unsafe. **-het** insecurity.
utrykning (*av vakt,etc*) turn-out; (*ofte* =) alarm; *brannvesenet hadde to -er* the fire brigade was called out twice; (*se også storutrykning*).
utrykningsvogn emergency vehicle.
utrykt unprinted, unpublished.
utrørt mixed, stirred in.
utrøstelig inconsolable, disconsolate (*over* at).
utrøstelighet disconsolateness.
utsagn statement, assertion; *etter hans* ~ according to what he says.
utsagnsverb (*gram*) verb of statement.
utsalg sale; (*butikk*) shop; *Birger Lie A/S er et* ~ *i samme by for Lie & Co. A/S* Messrs. Birger Lie A/S are retailers in the same town for Messrs. Lie & Co. A/S; *en som går på* ~ a sale-goer; *kjøpe varer på* ~ buy goods at the sales (*el.* in the sale).
utsalgs|pris retail price; (*nedsatt*) sale price. **-sted** shop. **-vare** sale item.
utsatt 1 (*om sted*) exposed; (*sårbar*) vulnerable; **2.** postponed, put off; ~ *prøve* reference (*fx* r. is usually allowed in one subject only); re-sit; US supplementary exam; T sup (*fx* sit for a sup); *få gå opp til* ~ *prøve* be referred (for re-examination); *elev som går opp til* ~ *prøve* re-examinee; *inspisere ved* ~ *prøve i engelsk* invigilate at the re-sit in English; (*jvf utsette*).
utsatthet exposed position; exposure; vulnerability.
utse (*vb*) select, choose, pick out; *bli -tt til forfremmelse* be marked out (*el.* selected) for promotion.
utseende appearance, look; (*om person*) looks; *han har -t mot seg* his appearance is (*el.* goes) against him; *jeg kjenner ham av* ~ I know him by sight; *å dømme etter -t* to judge by appearance; *gi seg* ~ *av* affect.
utsendelse dispatch, sending; (*radio-*) broadcast; (*TV*) telecast.

I. utsending: se *utsendelse.*
II. utsending delegate.
utsette vb 1 (*fx for fare*) expose (to); 2 (*oppsette*) postpone, put off; 3 (*dadle*) find fault with; *han har utsatt seg for fare* he has exposed himself to danger; ~ *seg for å* run the risk of; *være utsatt for et uhell* meet with an accident; (*jvf utsatt*).
utsettelse 1. postponement, deferment, delay; 2 (*for fare*) exposure; *be om* ~ *med betalingen* ask for an extension (of time); ask for delay (*fx customer asks for d. till June 10th*); ~ *med innkallingen* ✗ deferment of call-up; (*se tåle*).
utsettelsesforslag motion for adjournment.
utsettelsestaktikk delaying tactics, stalling tactics.
utside outside.
utsikt 1. view (*over* of, over, *fx* a wonderful v. over the valley); *så bredte en herlig* ~ *seg ut foran oss* then a magnificent view opened out before us; 2 (*mulighet*) prospect (*til* of, *fx* no p. of peace); chance (*til* of); *han er uten arbeid og har ingen* ~ *til å få noe* he is out of work and has nothing in prospect; *værutsikter for morgendagen* (*,for de nærmeste dager*) further outlook; the outlook for tomorrow, tomorrow's outlook; *dårlige -er* poor prospects; a bad outlook; *god* ~ a good view (*fx* there is a g. v. from the tower); *han har gode -er* his prospects are good; *et yrke med gode -er* a profession in which one can go far; *dette yrket byr ikke på noen -er for tiden* this profession offers no prospect whatever (,T: is a dead end at present); *han har alle -er til å* he has every prospect of (-ing); *det er* ~ *til en viss skattelettelse* some relief to the taxpayers is in prospect; *med* ~ with a view (*fx* I want a room with a view); *med* ~ *over havet* overlooking the sea, with a sea view.
utsikts|bilde (*fot*) distance shot, vista shot.
-punkt viewpoint; US lookout (point). **-salong** (*på skip*) observation lounge.
utskifte (*bytte om*) replace.
utskift(n)ing (*også polit*) replacement (*fx* the r. of Mr. X at the Department of Employment and Productivity); *de er for lengst modne for* ~ (*polit*) they are long overdue for change.
utskille (*vb*) separate; (*utsondre*) secrete; ♂ liberate, set free.
utskillelse separation; (*utsondring*) secretion; ♂ liberation; (*bunnfelling*) precipitation.
utskipe vb (*eksportere*) export, ship; (*losse*) unload, discharge; unship; (*landsette*) disembark.
utskiper shipper.
utskipning shipment; disembarkation.
utskipningshavn port of shipment.
utskjelle (*vb*): se *skjelle ut.*
utskjelling scolding; calling names; ~ *av en* calling sby names.
utskjemt spoiled; (*om kvinne*) ruined.
utskjæring cutting; (*kunstnerisk*) carving, sculpture; ✝ excision.
utskrapning ✝ curettage, curetting; *livmoruterine* curettage; *man foretok* ~ *på henne* she was curetted.
utskrevet 1 (*fra sykehus*) discharged; 2 (*om bok, etc*) finished, filled; 3. ✗ ♣: ~ *ledende seaman.*
utskrift (*avskrift*) copy, transcript.
utskrive vb (*se også utskrevet*) 1 (*fra sykehus*) discharge; 2. ✗ conscript, recruit, draft (*fx* be drafted to a ship, a regiment); US draft (into the army); 3 (*skatter*) levy, impose, raise (*fx* taxes); 4 (*eksperpere*) write out; ~ *valg* issue writs for an election; ~ *nyvalg* issue writs for a new election; appeal to the country; (*jvf skrive*: ~ *av,* ~ *ut*).
utskrivning 1. discharge (*fx* on (his) d. from hospital, he ...*); 2. conscription, recruitment, drafting; draft (*fx* an annual d. of 50,000 men); 3. levying (*fx* of taxes); levy, imposition (*fx* tax i.); 4 (*eksperpering*) writing out; (*jvf avskrivning*).
utskudd (*pakk*) dregs (*fx* the d. of society), scum (*el.* sweepings) of society.

utskytning (*av rakett, etc*) launching.
utskytningsrampe launching ramp, launch pad.
utskåret cut out; (*i tre*) carved.
utslag 1 (*av pendel*) swing; (*av vektskål*) turn (*fx* a t. of the balance); (*av viser*) deflection; *pl* (*fig: svingninger*) fluctuations (*fx* of prices); 2 (*virkning*) effect; result, outcome; reflection (*fx* the position of modern languages in the schools is a r. of the general regard in which they are held); 3 (*ytring, tegn*) manifestation (*fx* this speech is a m. of our friendly attitude; the first m. of the disease); symptom; 4 (*eksempel*) instance (*fx* as an i. of his malice I may mention ...); 5 (*ski*): *se sleiv; gi seg* ~ be reflected (*fx* the new policy was r. in a number of reforms); show itself; manifest itself; result (*fx* his policy resulted in new aggressions); *hans sjenerthet ga seg de merkeligste* ~ his shyness made him do the oddest things; *gjøre -et* decide the matter; be the decisive factor; tip (*el.* turn) the scale(s); *det som gjorde -et for meg, var* ... what decided me was ... ; *gjøre et* ~ (*om viser*) be deflected; *et tilfelle gjorde -et* an accident turned the scales.
utslagsgivende decisive, determining.
utslagsvask sink; US utility sink.
utslett rash, skin eruption; *hete-* prickly heat, heat rash; *få* ~ break out in a rash; *han har* ~ he has a rash.
utslette (*vb*) annihilate, efface, obliterate, wipe out.
utslitt worn out; *motoren er nesten* ~ the engine is three-quarters of the way gone (*el.* done).
utslynge (*vb*) hurl out, fling out.
utslått (*om hår*) hanging down, down, (hanging) loose (*fx* with her hair hanging loose).
utsmykke (*vb*) decorate, embellish.
utsmykning decoration, embellishment.
utsnitt cut, segment; (*avsnitt, del*) section (*fx* a s. of the population; a random section of English history).
utsolgt out of stock, sold out; (*om bok*) out of print; *vi vil snart bli* ~ our stock will be cleared soon; *være* ~ *for* be out of stock of, be (sold) out of (*fx* we are out of this silk); *for* ~ *hus* to a crowded house.
utsondre (*vb*) secrete, excrete.
utsone (*vb*) atone for, expiate.
utsoning expiation.
utsortere (*vb*) sort out.
utsovet having had a good sleep (*el.* a good night's rest); *er du* ~ *nå?* have you had all the sleep you need now? have you had a really good sleep now?
utspark (*fotb*) kick-out; (*jvf avspark*).
utspeide (*vb*) spy on, keep (a) watch on.
utspekulert (*om person*) sly, artful, crafty; designing, scheming.
utspill lead; (*i fotball*) kick-off; *ha -et* (*fig*) have the initiative; T have the lead.
utspille (*vb*): *-s* take place (*fx* the events that took place in London); *annen akt -s på gaten* the second act is set in the street; *dramaet -s for øynene på oss* the drama unfolds before our eyes; *ha utspilt sin rolle* have had one's (,its) day, be played out.
utspilt distended, dilated, bloated; (*om vinger*) spread.
utspionere (*vt*) spy on.
utspjåket overdressed, flashily dressed; T (all) dressed up, togged up, rigged out, dolled up (NB she was all dolled up like a Christmas tree); (*jvf påpyntet*).
utsprang (*parachute*) jump, (p.) descent.
utspring source; (*opphav*) origin; (*fx på bygning*) projection; ~ (*og øvre løp*) headwaters (*fx* the h. of the Nile).
utsprunget: *en* ~ *rose* a full-blown rose; *blåveisen er* ~ the blue anemones are out; *trærne er* ~ the trees are in leaf; *fullt* ~ in full leaf; (*om blomst*) full-blown.

utspørre (vb) question, pump.
utstaffere (vb) T dress up (med with), trick out (med in, with), rig out (el. up) (med in).
utstede (vb) issue, draw; ~ en sjekk draw a cheque (,US: check) (på en bank on a bank); ~ en veksel make out (el. issue) a bill; (trekke på) draw a bill (fx on sby); den person sjekken er utstedt til the person to whom the cheque is made payable.
utstedelse issue.
utstedelses|dag date of issue. **-tid** time of origin.
utsteder drawer (fx of a cheque).
utstikkerbrygge pier.
utstikning marking out, staking out.
utstille (vb) exhibit, show, display.
utstiller exhibitor.
utstilling exhibition, display; US (også) exposition.
utstillingsfigur display dummy.
utstillings|gjenstand exhibit, object on display. **-kasse** showcase. **-vindu** show window.
utstopning stuffing.
utstoppet stuffed.
utstrakt 1. stretched out, outstretched, (at) full length (fx he lay f. l. on the bed); 2 (stor) extensive; 3 (fig) extensive, wide (fx influence, powers), comprehensive (fx knowledge); far -reaching (fx influence); finne ~ anvendelse be extensively (el. widely) used; gjøre ~ bruk av noe make extensive use of sth.
utstrekning 1 (det å strekke noe ut) stretching out, extension; 2 (omfang, størrelse) extent; area (fx as large in area as Denmark); 3 (fig) extent; i den ~ to that extent; poetiske ord tas kun med i den ~ de har glidd inn i språket, enten direkte eller i forbindelse som har det poetical words are included only in so far as they have become part and parcel of the language, either direct or in conjunction with words that have; i full ~ in full measure, to its full extent; i hele sin ~ in its entirety; to the whole of its extent; i hvilken ~ to what extent? i samme ~ som tidligere to the same extent as before; i en slik ~ to such an extent; i stor ~ to a great (el. large) extent, largely, extensively, in a large measure; arbeidsvilje mangler i stor ~ there is a general absence of the will to work; the will to work is absent (el. lacking) in many cases; ikke i noen større ~ not to any great extent; i størst mulig ~ to the greatest possible extent; as extensively as possible; to the fullest extent; to the utmost limit.
utstryk(n)ing (radering) erasure; crossing out, striking out; (typ) deletion.
utstrømning efflux, outflowing, flow; discharge (fx of gas, of steam), emanation (fx of gas).
utstråle (vb) radiate, emit.
utstråling radiation; emanation; emission.
utstykke (vb) parcel out.
utstyr equipment, outfit; appointments (fx the ship is fitted with the very latest a. for the comfort of passengers); (kontor-) office fittings; (personlig) outfit, kit (fx my travelling kit); (til hus) furnishings; (møbler) furniture; (boks) get-up; (varens) get-up, make-up, package; (se typografisk).
utstyre (vb) fit out, equip; (møblere) furnish; (avisartikkel, bok, etc) make up, get up; ~ med penger furnish with money; et skip er utstyrt med maskineri a ship is fitted with machinery; et velutstyrt hotell a well-appointed hotel.
utstyrsforretning firm of soft furnishers; møbel- og ~ firm of house furnishers.
utstøte (vb) expel, push out; eject, emit; (fremkomme med) utter, let out (fx a cry), give (fx he gave a little «oh» of surprise).
utstøtningstakt (tekn) exhaust stroke.
utstå vb (gjennomgå) go through, undergo; (tåle) bear, stand; jeg -r ham ikke I can't stand him; la saken ~ let the matter stand over.

utstående projecting, protruding; han har ~ ører his ears stick out.
utsuge vb (fig) fleece, bleed white; (jord) exhaust, impoverish; (arbeidere) sweat; (jvf suge: ~ ut).
utsugelse: se utsuging.
utsuger fleecer, extortioner; T shark, cutthroat; (av arbeidere) sweater.
utsuging 1. extortion; (av arbeidere) sweating; 2 (det å suge ut) sucking out.
utsvevelser (pl) debauchery, excesses, dissoluteness, dissipation.
utsvevende debauched, dissolute.
utsyn 1. = utsikt; 2 (oversikt) perspective; ~ over review (el. survey) of.
utsøkt choice, select, exquisite. **-het** choiceness, exquisiteness.
utta (vb) select (til for); ~ stevning mot summons sby; (jvf ta ut).
uttagning selection. **-sløp** (friidrett) elimination (el. eliminating) heat; preliminary heat.
uttak (av bank) withdrawal.
I. uttale (subst) 1. pronunciation (fx the p. of a word); 2. articulation; 3. accent (fx he has a good (,bad) a.; a Yorkshire a.; that will improve your a.); (se sleng).
II. uttal|e (vb) **1.** pronounce (fx how do you p. this word?); articulate (fx he does not a. his words distinctly); (en bokstav) sound (fx he sounded the p in «Psyche»); **2** (si, erklære) say, declare, state (fx the witness stated that . . .); speak (fx when he spoke these words); observe (fx the French delegate observed that . . .); **3** (uttrykke; se også dette) express (fx one's thanks); state (fx one's opinion); put into words; ~ et ønske put a wish into words; p'en -es ikke the p is not sounded; the p is silent (el. mute); ~ et ord galt mispronounce a word; ~ et ord riktig pronounce a word correctly; ~ tydelig articulate clearly; eksperten -te at maleriet var ekte the expert declared (el. pronounced) the painting to be genuine; jeg kan ikke ~ noe om dette I am unable to express an opinion on this; Deres brev, hvor De -er Deres forbauselse over at . . . your letter, in which you express some surprise that . . .; your l. stating that you are surprised that . . .; your l. in which you state (el. say) that you are surprised that . . .; ~ håp om at express the hope that; ~ sin mening express one's opinion; han -te som sin mening at he gave as his opinion that; ~ tvil om express doubt(s) concerning; til slutt vil jeg ~ ønsket om at in conclusion, may I express the wish that; ~ seg speak (fx he spoke at the meeting); express oneself (fx in guarded terms); give an (el. one's) opinion; give (el. make) a statement; vente med å ~ seg (også) suspend judgment; er det andre som vil ~ seg? any further remarks (el. observations el. comments)? jeg ønsker ikke å ~ meg I have no comment (to offer); I have no statement to make; I have nothing to say; han nektet å ~ seg he refused to give a statement; ~ seg for speak in favour of, declare for (el. in favour of); ~ seg fritt speak freely; ~ seg i samme retning speak (el. express oneself to the same effect); ~ seg mot declare (el. pronounce) against (fx a plan); oppose (fx a proposal); (som vitne) give evidence against; ~ seg nærmere go into details; give particulars; han nektet å ~ seg nærmere om det punktet he refused to elaborate the point; kunne De ~ Dem litt nærmere om det De nettopp sa? could you amplify that statement a little? ~ seg om speak about (fx the situation), offer (el. express) an opinion on; pass an opinion on (fx I can't p. an o. on your work without examining it thoroughly; comment on (fx the proposal); pronounce on (fx the committee did not p. on this question); (som vitne) give evidence about; testify about; det kan jeg ikke ~ meg om (ɔ: det vet jeg ikke) I couldn't say; I wouldn't know; I have no idea;

~ *seg skarpt om* pass severe censure on; *det er for tidlig å* ~ *seg om det* it is too early to express an opinion on this point; (*ofte* =) comment would be premature; *det tør jeg ikke* ~ *meg om* I venture no opinion about that; I would not like to venture an opinion on that point; T I wouldn't like to say; ~ **seg til fordel for** *en* speak for sby, declare oneself in favour of sby; (*som vitne*) give evidence in sby's favour; (*se også uttalelse; sakkunnskap*).

uttale|angivelse indication of (the) pronunciation. **-betegnelse** phonetic transcription; (*alfabet*) p. notation. **-feil** mispronunciation.

uttalelse statement; observation, utterance; (*sakkyndig*) expert opinion; (*offentlig* ~, *om politikk, etc*) pronouncement; *avgi en* ~ make a statement; *forelegge til* ~ submit for one's opinion; *innhente sakkyndig* ~ *om spørsmålet* consult an expert opinion (*el.* seek expert advice) on the matter; *ifølge hans egen* ~ according to his own statement; on his own showing; *ifølge sakkyndiges* ~ according to expert opinion; (*se også ubestemt*).

uttelling (*utbetaling*) disbursement, payment.

uttenkt invented, devised, thought out; *en godt* ~ *plan* a well thought-out scheme; *et omhyggelig* ~ *svar* a carefully thought-out answer.

uttilbens with one's toes pointing (*el.* turned) outwards, splayfooted.

uttjent 1. worn-out; 2: *se avtjen|e: -t verneplikt*.

uttog (*av bok*) extract.

uttredelse retirement, withdrawal; secession (*fx* from the Commonwealth).

uttrekk (*på bord*) extension; (*i orgel*) stop; (*ekstrakt*) extract; (*i kokende vann*) infusion (*fx* an i. of camomile).

uttrykk expression; (*ansikts- også*) look; *en rekke av de spesielle* ~ *som skolens folk, såvel elever som lærere, daglig har bruk for* a number of the special terms in daily use among teachers and their pupils; *han hadde et vennlig* ~ *i ansiktet* there was a look of kindness about his face; *ord og* ~ *words and phrases; et stående* ~ a set (*el.* stock) phrase; *fag-* technical term; *et forslitt* ~ a hackneyed phrase; *et* ~ *for god vilje* a demonstration of goodwill; *gi* ~ *for* give voice to (*fx* one's indignation), give expression to (*fx* one's gratitude); *gi* ~ *for sitt syn* express (*el.* voice) one's view(s); *være et* ~ *for* express, reflect (*fx* this newspaper reflects the opinion of the middle classes); *komme til* ~ *i* find expression in, be reflected in.

uttrykke (*vb*) express, give expression to; *som han -r det* as he puts it; *jeg kan ikke* ~ *det i ord* I cannot put it into words; *vi vil gjerne få* ~ *vår tilfredshet med hans arbeid* we should like to express our appreciation of (*el.* satisfaction with) his work; ~ **seg** express oneself (*fx* badly, clearly); put it (*fx* he puts it nicely); ~ *seg klart* present one's thoughts lucidly; *jeg håper jeg har uttrykt meg tydelig* I hope I have made myself (*el.* my meaning) clear; *evne til å* ~ *seg* fluency, readiness of speech; *han er i stand til å* ~ *seg* he speaks with considerable fluency.

uttrykkelig (*adj*) express; (*adv*) expressly, distinctly, in distinct terms, explicitly.

uttrykks|full expressive. **-løs** expressionless.

uttrykksløshet want of expression.

uttrykksmåte mode of expression; way of speaking; (*forfatters, etc*) medium of expression; style.

uttært emaciated.

uttømme (*vb*) exhaust.

uttømmende exhaustive, full, complete (*fx* a full (*el.* c.) report).

uttørke (*vb*) dry up; (*om myr*) drain.

uttørret: ~ *elveleie* dried-up watercourse; dry channel; dry beck.

utukt fornication; (*ervervsmessig*) prostitution; *oppfordre menn til* ~ (*på gaten, om prostituert*) solicit.

utuktig 1 (*om person*) immoral; 2 (*om bøker, etc*) immoral, lewd, obscene, pornographic; ~ *atferd* immorality, loose living; ~ *omgang* illicit

sexual intercourse; *han tiltvang seg* ~ *omgang med henne* he forced intimacy upon her; ~ *omgang med mindreårige* sexual abuse of minors; lewd and libidinous practices with children.

utur 1. = *uflaks*; 2. ✝: *sitte i* ~ have a run of bad luck; *han satt i* ~ (*også*) the cards were against him.

utvalg 1 (*av varer, etc*) selection, choice; (*sortering*) assortment; (*serie*) range (*fx* a beautiful r. of colours); *et stort* ~ *i hatter* a large choice (*el.* selection) in (*el.* of) hats; a wide choice (*el.* range) of hats; *i godt* ~ in a wide range; *gjøre et* ~ make a selection; 2 (*komité*) committee; (*se kontakt-* & *samarbeids-*); 3 (*panel*) panel.

utvalgt chosen, selected; *-e folk* (hand-)picked men; (*se også velge*).

utvandre (*vb*) emigrate. **utvandrer** emigrant.

utvandring emigration.

utvanne (*vb*) water (down), dilute; (*fig*) water down (*fx* a statement); *-s* become insipid, lose flavour; *-t* insipid (*fx* an i. style).

utvei way out (of a difficulty), expedient, course (*fx* it's the only course open to me).

utveksle (*vb*) exchange; ~ *erfaringer* tell each other of their (*,etc*) experiences; T compare notes; *de treffes for å* ~ *meninger* they meet to exchange ideas (*el.* views).

utveksling exchange; ⊕ gear.

utvekslingslærer exchange teacher.

utvekst excrescence, protuberance.

utvelge (*vb*) choose, select, pick out.

utvelgelse selection, choice.

utvendig (*adj*) outward, external, exterior; (*adv*) externally, (on the) outside; *det -e* the exterior; ~ *kledning* (*på hus, faglig*) outer skin; (*se kledning*).

utvetydig unequivocal, clear, plain, unambiguous, unmistakable.

utvetydighet unequivocal character, unambiguousness; plainness.

utvide (*vb*) enlarge, extend, dilate, expand; (*gjøre bredere*) widen; ~ *eksporten* expand exports; ~ *sin interesse til å innbefatte ...* extend one's interest to (include) ...; ~ *seg* expand, dilate; widen.

utvidelse enlargement, extension, expansion.

utvikle (*vb*) develop, evolve (*fx* a plan, a new theory); ~ *seg* develop; evolve; move (*fx* events had moved rapidly); *barnet -r seg raskt* the child is developing (,T: is coming on) rapidly; *hun hadde -t seg til en flott pike* she had grown into a fine girl; *det kunne* ~ *seg til en kjedelig situasjon* that might grow into an awkward situation; *jeg var glad for den måten tingene -t seg på* (*også*) I was happy at this turn of events; (*se også utviklet*).

utviklet developed, advanced (*fx* more a. nations; a more a. type of civilization); *fullt* (*el.* helt) ~ fully developed; full-grown (*fx* person, plant, tree); (*fig*) full-fledged; *høyt* ~ highly developed; *at an advanced stage* (*fx* of civilization); *tidlig* ~ 1. (intellectually) precocious; 2 (*seksuelt*) sexually mature at an early age; *vel* ~ well-developed (*fx* child); (*stor*) of considerable dimensions.

utvikling development; (*gradvis*) evolution; ☿ emission, escape; (*forklaring*) explanation, exposition; (*se rivende* & *samtidig*).

utviklingsdyktig capable of development (*el.* improvement), perfectible.

utviklingshjelp development aid, aid to developing countries; *Direktoratet for* ~ Norwegian Agency for International Development; (*fk* NORAD); ~ *bør gis på giverlandets premisser* development aid should be given in accordance with the conditions laid down (*el.* the premises stated) by the donor; (*se u-hjelper*).

utviklingsland developing country.

utviklingslæren (the doctrine of) Evolution.

utvilsom indubitable, undoubted; *-t* (*adv*) undoubtedly, indubitably, unquestionably.

utvinne (vb) extract, win (fx metal from ore); process (fx bauxite is the raw material from which aluminium is processed); ~ *kull* work (el. win) coal; ~ *salt av sjøvann* obtain salt from sea water.

utvirke (vb) bring about, effect, obtain.

utvise (vb) 1. expel, send out, order out, order to leave the country; *han ble utvist fra klasserommet* he was put out of the classroom (fx for being impudent); *han ble utvist fra skolen* he was expelled from (,T: kicked out of) school; 2 (*legge for dagen*) exercise (fx caution, economy), show (fx motorists are warned to show the greatest care); ~ *grov uaktsomhet* be guilty of gross negligence.

utviske (vb) remove, obliterate (fx all traces of), efface (fx the address on the label had been effaced in transit).

utvisket blurred, dim, indistinct; smudged (fx fingerprint).

utvisning expulsion; (*i ishockey*) penalty (fx two minutes' p. for tripping).

utvisningsordre expulsion order.

utvokst full-grown; full-sized.

utvortes (adj) exterior, outside, external; *til* ~ *bruk* for external use (el. application); (*påskrift*) 'not to be taken'.

utvungen free, unrestrained; (*naturlig, fri*) unconstrained, easy, free and easy (fx tone); *hun beveget seg fritt og -t* her movements were free (and assured); (*se også vesen 1*).

utvungenhet absence of restraint, ease (of manner).

utvær outlying fishing station.

utvåket exhausted from (el. with) lack of sleep; exhausted from watching; *han så* ~ *ut* he looked exhausted from lack of sleep.

utydelig indistinct; (*uklar*) vague, dim, obscure.

utydelighet indistinctness, obscurity; vagueness.

utyske monster.

utørst: *drikke seg* ~ quench one's thirst.

utøse (vb) pour out; ~ *sitt hjerte* (*for*) unbosom oneself (to); ~ *sin vrede* (*over*) vent one's anger (on) (fx on sby).

utøve (vb) exercise, practise (,US: practice); ~ *et yrke* carry on a profession; (*om håndverker*) carry on a trade; *ville De være interessert i å* ~ *et yrke?* would you be interested in carrying on any professional activities?

utøvelse exercise, discharge; *-n av* the exercise of; *under -n av sine plikter* in the discharge of one's duties.

utøvende executive (fx power); creative (fx a c. artist); executant (fx musician); *den* ~ *makt* the Executive.

utøy vermin; (NB vermin *betyr også «skadedyr»*).

utøylet unbridled.

utålelig intolerable, unbearable; insufferable (fx insolence).

utålmodig impatient (*over* at; *etter* for; *etter å* to).

utålmodighet impatience.

utålsom intolerant (*overfor* of; (*om person*) towards). **-het** intolerance.

utånde vb (*dø*) expire.

uunngå(e)lig unavoidable, inevitable.

uunnværlig indispensable.

uunnværlighet indispensability.

uutforsket unexplored.

uutgrunnelig inscrutable (fx face, mystery); unfathomable; *et* ~ *ansikt* T a poker face.

uutholdelig unbearable (fx heat); unendurable, intolerable, insupportable; beyond endurance; *gjøre livet* ~ *for ham* make life a burden to him; ~ *smerte* (*også*) excruciating pain; ~ *spenning* (*også*) an agony of suspense.

uutryddelig ineradicable.

uutsigelig unutterable, unspeakable.

uutslettelig indelible (fx it made an i. impression on me).

uutslukkelig inextinguishable (fx fire); unquenchable (fx hatred, thirst).

uuttømmelig inexhaustible.

uutviklet backward, underdeveloped; rudimentary.

uvane bad habit; *legge seg til en* ~ get into a bad habit; *legge av seg en* ~ break oneself of a b. h.

uvant unaccustomed, unused (*med* to); *arbeidet var* ~ *for ham* the work was new to him; he was new to the work.

uvarig not lasting, that won't last long; (*om tøy, etc*): *stoffet er* ~ the cloth wears badly (el. will soon wear out); there is not much wear in that cloth.

uvederheftig irresponsible, unreliable, untrustworthy.

uvederheftighet irresponsibility, unreliability, untrustworthiness.

uvedkommende irrelevant; ~ *hensyn* extraneous considerations; *det er saken* ~ that is irrelevant, that is beside (el. not to) the point; that has no bearing on the subject; *en meg* ~ *sak* an affair in which I am not concerned; ~ (*personer*) persons not concerned; intruders; ~ *forbys adgang!* no admittance! (*se hensyn*).

uvegerlig (adv) inevitably.

uveisom trackless, pathless.

uvel unwell; *føle seg* ~ feel unwell.

uvelkommen unwelcome.

uvenn enemy; *bli -er* fall out.

uvennlig unfriendly, unkind.

uvennlighet unfriendliness, unkindness.

uvennskap enmity, hostility.

uventet unexpected, unlooked-for.

uverdig unworthy (fx I feel that I am quite u. of this honour); (*skammelig*) disgraceful, shameful; *behandle en* ~ subject sby to indignities; *være gjenstand for en* ~ *behandling* suffer (el. be subjected to) indignities; *oppførsel som er en gentleman* ~ conduct unworthy of a gentleman; *opptre* ~ be undignified; T behave infra dig; ~ *til* unworthy of, undeserving of; ~ *til å* unworthy to.

uvesen nuisance.

uvesentlig unessential, immaterial; (*se II. sløyfe*)

uvett folly, unwisdom.

uvettig foolish, senseless; crazy; mad.

uviktig insignificant, unimportant; (*uvesentlig*) immaterial.

uvilje ill will; (*mishag*) displeasure, indignation; *vekke ens* ~ (ɔ: *harme*) arouse one's indignation.

uvilkårlig (adj) involuntary, instinctive; (adv) involuntarily.

uvillig (adj) unwilling; reluctant; (adv) unwillingly, reluctantly, grudgingly; ~ *stemt* unwilling; *han er* ~ *til å* ... he is unwilling to (el. reluctant to) ...

uvillighet unwillingness; reluctance.

uvirkelig unreal.

uvirksom inactive, idle, passive; *forholde seg* ~ take no action, remain passive.

uvirksomhet inactivity, idleness, passivity.

uvisnelig imperishable, unfading.

uviss uncertain; doubtful; undecided; *alt er på det -e* everything is still uncertain; nothing definite is known.

uvisshet uncertainty; (*spenning*) suspense.

uvitende ignorant (*om* of).

uvitenhet ignorance.

uvitenskapelig unscientific; unscholarly.

uvurderlig invaluable, inestimable.

uvæpnet unarmed.

uvær storm, rough (el. bad) weather; *-et brøt løs* the storm burst; *-et er over oss* the storm is on us; *det trekker opp til* ~ a storm is brewing.

uvers|front (*meteorol*) instability front (with thunderstorms). **-himmel** stormy sky; threatening sky. **-natt** stormy night.

uvøren reckless, bold, daring; ~ *kjøring* reckless driving.

uvørenhet recklessness, boldness, daring.
uærbødig disrespectful; irreverent (*mot* to).
uærbødighet disrespect; irreverence.
uærlig dishonest.
uærlighet dishonesty.
uøkonomisk uneconomical, wasteful; (*som ikke svarer seg*) unprofitable, unremunerative.
uønsket unwanted (*fx* an u. child); unwished for; (*ofte* =) undesirable (*fx* produce an u. effect); *han ble erklært for* ~ (*polit*) he was declared persona non grata; *uønskede elementer* undesirable elements; *uønskede personer* undesirable persons, undesirables.
uønskverdig undesirable.
uøvd untrained, unpractised (,US: unpracticed), inexperienced; T green (*fx* he's too g. for the job).
uøvet: *se uøvd.*
uøvethet lack of training (*el.* practice); inexperience, rawness; T greenness.
uåpnet unopened.
uår bad year (for crops), crop failure.

V

V, v V, v; *enkelt-v* V for Victory.
va (*vb*) wade; ~ *over* wade across (*fx* a river).
vable blister.
vad (*not*) seine.
vade (*vb*): *se va.*
vadefugl wading bird.
vadere *pl* (*skaftestøvler*) waders.
vadested ford; (*i Sør- og Øst-Afrika*) drift.
vadmel frieze, homespun.
vadsekk (*glds*) valise, carpetbag, travelling bag.
vaffel waffle. **-hjerte** piece (*el.* segment) of waffle. **-jern** waffle iron. **-plate** round of waffles. **-røre** batter (for waffles).
vag vague; (*se ubestemt & uklar*).
vagabond tramp, vagabond; (*jur*) vagrant.
vagabondere (*vb*) vagabondize; T be (*el.* go) on the tramp; US go on the bum.
vagge *vb* (*gå bredbent*) roll, straddle; *han hadde en -nde gange* there was a roll in his walk.
vaghet vagueness; (*se ubestemt & uklar*).
vagina (*anat*) vagina.
vagle (*til høns*) perch, roost.
vaie (*vb*) fly, float, wave.
vaier cable, wire.
vake *vb* (*om fisk*) jump, leap (*fx* the fish are jumping (*el.* leaping)).
vakker beautiful (*fx* a b. woman, garden); handsome (*fx* a h. man); fine (*fx* a fine specimen of Norman architecture).
vakle (*vb*) totter; (*være uviss*) waver, vacillate; *vi -t mellom å bli i X eller flytte til et annet distrikt* we were torn between staying in X or moving to a different district; (*se også vingle*).
vakling tottering; wavering, vacillation.
vaksinasjon vaccination, inoculation (*mot* against).
vaksinasjonsattest vaccination certificate.
vaksinasjonspustel vaccine pustule.
vaksine vaccine; (*serum*) serum.
vaksinere (*vb*) vaccinate, inoculate (*mot* against); (*ofte* =) immunize (*fx* against diphtheria); *bli vaksinert, la seg* ~ get vaccinated; *-nde lege* vaccinator.
vaksinering 1 (*det å*) vaccinating, inoculating, immunizing; 2. = *vaksinasjon.*
I. vakt watch; (*person*) guard; ⚓ watch; (*ved fabrikk, etc*) night watchman; (*vaktmannskap*) guard; ⚓ watch; *avløse -en* relieve the g. (*el.* w.): *ha* ~ be on duty (*fx* Dr. Brown is on d. at the hospital); *han har tidlig* ~ he is on early duty; *holde* ~ keep guard (*el.* watch), be on guard (duty); *holde* ~ *over noe* (*,noen*) guard sth (*,sby*); *stå på* ~ be on guard, keep watch, watch (*fx* there is a policeman watching outside the building).
II. vakt (*rel*) converted.
vaktarrest ✕ detention under guard; (*jvf kakebu*).
vaktavløsning relief of the guard.
vaktel 🐦 quail.
vakthavende on guard, on duty; ⚓ on watch; ~ *offiser* ✕ officer on duty.

vakt|hund watchdog. **-kompani** ✕ guard company. **-liste** (*turnusliste*) roster. **-mann** watchman. **-mannskap** guard; ⚓ watch crew. **-mester** caretaker; (*i leiegård*) houseporter, porter; (*ved skole*) caretaker; (*ved skotsk skole*) janitor. **vakt|post** guard; (*skiltvakt*) sentry. **-sjef** (*ved museum*) head attendant, head warder. **-skifte** changing (of the) guard; ⚓ c. (of) the watch.
vaktsom watchful, vigilant.
vaktsomhet watchfulness, vigilance.
vaktstue ✕ guardroom.
vakuum vacuum.
valen numb (with cold) (*fx* my fingers have gone numb (*el.* dead)).
valfart pilgrimage.
valfarte (*vb*) make a pilgrimage.
valg 1. choice; (*utvalg, det å ta ut*) selection; (*rett til å velge, valgfrihet*) option, choice; (*mellom to ting*) alternative; 2 (*ved avstemning*) election; (*valghandling*) poll; (*det at en velges*) election, return (*fx* the r. of Mr. Smith for Hull); *damenes* ~! ladies to choose their partners! *-et er bundet til de tre* the choice is limited to those three; *gjøre et godt* ~ choose well; *hvis jeg hadde -et* if I were to choose; *jeg hadde intet* ~ I had no (other) alternative; I was left no choice in the matter; *det er intet* ~ there is (*el.* it leaves) no choice, there is no (other) alternative; T it's (a case of) Hobson's choice; *jeg har truffet mitt* ~ I have made my choice; *etter eget* ~ at one's own option; *etter kundens* ~ at customer's option (*el.* choice); *gå til* ~ (*om regjering*) go to the country, appeal to the c., go to the polls; issue writs for an election; (*se I. bølge*).
valg|agitasjon electioneering; (*fra dør til dør*) canvassing. **-agn** election bait. **-bar** eligible (for office). **-dag** polling day; election day, day of election; US election day. **-deltagelse** participation in the election, election turnout; US voter participation. **-distrikt** constituency; (*mindre*) ward; US (*også*) election district. **-flesk** (*neds*) election promise, bid for votes, sop to the electors; catchpenny promises of political parties.
valgfri optional; *-tt fag* optional subject; US (*også*) elective (*fx* Spanish is an e.).
valgfrihet freedom of choice; (*fags, etc*) optional character (*fx* the o. c. of these subjects); *antyde* ~ *i oversettelsen* indicate (*el.* suggest) an optional element in the translation (*el.* rendering).
valg|fusk election fraud. **-handling** poll, polling; election. **-kamp** election(eering) campaign, electoral c. **-krets** *se -distrikt.* **-lokale** polling station; US polling place. **-lov** election act. **-mann** US elector. **-program** programme (of a political party), platform; (*især* US) ticket; *punkt på -met* plank (in (*el.* of) the platform). **-protokoll** pollbook. **-rett** franchise, right to vote, suffrage. **-seier** election victory, v. at the polls. **-skred** landslide; ~ *til fordel for Arbeiderpartiet* Labour landslide. **-styre** election committee. **-tale** election speech; US campaign speech.

-urne ballot box; *gå til -ne* go to the polls; *seier ved -ne* victory at the polls.
Valhall the Valhalla.
valiser Welshman. **valisisk** Welsh.
valk *(fett-)* roll of fat *(fx* she had rolls of fat under her skin); T spare tyres; *(jvf alderstillegg).*
valkyrje *(myt)* valkyrie.
vallak ⚲ gelding, cut horse.
valle: *se myse.*
vallon *(fransktalende belgier)* Walloon.
vallonsk Walloon.
valmue ♣ poppy. **-frø** poppy seed(s).
valnøtt ♣ walnut. **-tre** walnut.
valplass battlefield, field (of battle).
vals waltz; *danse* ~ waltz; *(se slinger).*
I. valse *(subst)* roller, cylinder; *(i valseverk)* roll; *(på skrivemaskin)* platen.
II. valse *(vb)* roll *(fx* metal into sheets); *-t jern* rolled iron; *-t stål* rolled steel.
III. valse *(vb)* waltz *(fx* I waltzed with her); ~ *opp med en* T give sby a dressing down.
valseharv rotary hoe.
valsetakt ♪ waltz time.
valseverk rolling mill.
valthorn ♪ French horn.
valurt ♣ comfrey.
valuta 1 *(verdi)* value *(fx* get v. for one's money; these articles represent excellent v. for money); **2** *(pengesort)* currency *(fx* to be paid in British currency); money; **3** *(betalingsmiddel i forhold til utlandet)* exchange *(fx* exports provide exchange(s) by which imports are paid for); **4** *(vekselkurs)* (rate of) exchange *(fx* abnormal imports have a harmful effect on exchanges); *fremmed* ~ **(2)** foreign currency *(el.* money); **(3,4)** foreign exchange; *hard* ~ **(2)** hard currency *(mots.* soft c.); *knytte en* ~ *til en annen* link *(el.* peg) a currency to another; *skaffe* ~ **(3)** provide foreign exchange; *utenlandsk* ~: *se fremmed* ~*; stabilisering av -en* **(2)** currency stabilization; **(3,4)** exchange s.; *få* ~ *for pengene* get value for one's money; *get one's money's worth; hos ham får man* ~ *for pengene* he gives you value for your money; *kunstig regulert* ~ managed currency; *søke om* ~ **(2)** apply for currency; *tildele* ~ **(2)** allocate currency.
valuta|avdeling *(i bank)* foreign exchange department. **-balanse** foreign currency balance. **-begrensning** currency restriction(s); exchange r. **-beholdning** foreign exchange reserves *(pl).* **-handel** currency *(el.* exchange) transactions. **-kontroll** exchange control; *(av turisters valuta)* currency control. **-krise** currency crisis. **-kurs** (rate of) exchange, foreign exchange quotation. **-marked** (foreign) exchange market. **-notering** foreign exchange quotation. **-overføring** currency transfer. **-politikk** currency *(el.* foreign exchange) policy. **-problemer** *(pl)* currency problems. **-reform** currency reform. **-regulering** currency regulation. **-reguleringsfond** exchange equalization fund. **-tildeling** allocation of currency; currency allowance; *(jvf turistreisevaluta).*
valuter|e *(vb)* value-date. **-ingsdag** value date, date when interest begins.
valør value, nuance, shade.
vammel nauseous, sickly, sickly-sweet.
vammelhet nauseousness, sickliness.
vampyr vampire.
vanartet depraved, delinquent.
vandal Vandal; *(fig)* vandal. **-isme** vandalism.
vandel conduct; *handel og* ~ (everyday) dealings; *han har en plettfri* ~ he has a spotless reputation; he has an unblemished record.
vandelsattest certificate of good conduct *(fx* X has attended this school for 3 years. There **has** been no criticism of his conduct during this **period);** *(referanse)* character reference; *(tjeners, etc)* character, reference; *(fra politiet)* police certificate.
vandig watery.
vandre *(vb)* wander, ramble, roam; *(om dyr)*

migrate, travel; ~ *heden* (ɔ: *dø)* T peg out; S kick the bucket.
vandre|liv roving life. **-lyst** wanderlust, the call of the (open) road; *han ble atter grepet av* ~ he was overcome by wanderlust again.
vandrende itinerant, travelling, wandering.
vandre|nyre ⚑ floating *(el.* wandering) kidney, nephroptosis. **-pokal** challenge cup; US traveling trophy.
vandreår year(s) of travelling.
vandring wandering; *(befolknings, dyrs)* migration; *(stempels)* travel, stroke.
vandrings|mann wanderer, wayfarer, traveller. **-stav** staff, pilgrim's staff.
vane custom, habit; *av* ~ from habit; *det er nærmest blitt en* ~ *at han* ... it is now the rule rather than the exception for him to ...; *det er bare en* ~ *jeg har* that's just a habit of mine; that's just habit with me; *gammel* ~ *er vond å vende* you can't teach an old dog new tricks; old customs die hard.
vane|dannende habit-forming. **-dranker** habitual drunkard. **-dyr** *(fig)* slave of routine; T creature of habit *(fx* man is a c. of h.). **-forbryter** habitual criminal, recidivist. **-gjengeri:** *se -tenkning.* **-kristen** conventional Christian. **-menneske** slave of habit *(el.* routine). **-messig** habitual, routine.
vanesak (matter of) habit.
vanetenkning thinking in grooves.
vanfør crippled, disabled; *(se yrkesvalghemmet).*
vang (enclosed) field; meadow.
vanhedre *(vb)* disgrace, dishonour (,US: dishonor).
vanhell misfortune, bad luck.
vanhellig profane.
vanhellige *(vb)* profane, desecrate.
vanhelligelse profanation, desecration.
vanhjulpen badly served.
vanilje vanilla.
vanke *(vb)* **1.** visit often, frequent; *han -r der (fx på kafé, etc)* he frequents the place; he goes there regularly; *han -r hos dem* he often visits them; he often goes to their house; he often goes to see them; *han har -t der i huset i årevis (også)* he has been in and out of the house for years; *han -r i de beste kretser* he moves in the best circles; **2.:** *det -r* there will be *(fx* cakes for tea tomorrow); there is *(fx* there is roast beef and pudding every Sunday).
vankelmodig *(ustadig)* fickle *(fx* a f. girl).
vankelmodighet fickleness.
vankundig ignorant. **-het** ignorance.
vanlig usual, customary, habitual; *det er* ~ *at agenten sender* ... it is usual for the agent to send; *som* ~ as usual.
vanligvis usually, generally.
vann water; *(innsjø)* lake; *av reneste* ~ of the first *(el.* purest) water; *varmt* ~ hot water; *varmt og kaldt* ~ *på alle rommene* hot and cold water in all (bed)rooms; *fiske i rørt* ~ fish in troubled waters; *bli fylt med* ~ *(om båt)* be swamped; *få kaldt* ~ *i blodet* have one's enthusiasm *(el.* ardour) damped; *gi en litt kaldt* ~ *i blodet* damp sby's enthusiasm; T throw cold water on sby; *gå i -et* be taken in, be fooled; T come a cropper; be led up the garden path; *han har gått grundig i -et (også)* he's made a bad mistake; *få en til å gå i -et* T lead sby up the garden path; US play sby for a sucker; *han hadde* ~ *i begge knærne* he had water on both knees; *holde seg oven -e (fig)* keep one's head above water, keep (oneself) afloat; *holde på -et* hold water; *(om person)* contain oneself; *innlagt* ~ piped water *(fx* most houses have p.w.); *uten avløp, innlagt* ~ *eller privéter* without drains, piped water supply or privies; *vi har nettopp fått lagt inn* ~ we have just had water laid on; *late -et* urinate; *skru av -et* turn off the water; *skru på -et* turn on the water; *han sto i* ~ *til (midt på) livet* he was waist-deep in water; *stå under* ~ be

under water, be flooded (*el.* submerged); **ta seg** ~ **over hodet** bite off more than one can chew; **tappe** ~ *i badekaret* fill up the bath tub; (*se badevann*); **trå** *-et* tread water; **på** *-et* on the water (*fx* it's dangerous to be on the water when it's lightening); **til** *lands og til -s* by sea and land; (*se II. røre*: ~ *ut i vann; vannmasse*).

vann|avkjølt (*om motor*) water-cooled. **-avstøtende** water-repellent. **-bad** ♂ water bath. **-bakkels** cream puff, choux; (*med sjokoladeovertrekk*) choc bun; (*avlang*) éclair. **-bakkelsdeig** choux paste (*el.* pastry). **-basseng** reservoir, tank. **-blemme** blister (*fx* on hand, *etc*); (*jvf skognag*).

vann|farge watercolour; *en* ~ 1. a cake of w.; 2 (*plassert i skål*) a pan of w. **-forsyning** water supply. **-føring** flow of water; (rate of) flow, volume of discharge. **-glass** (drinking) glass, tumbler. **-holdig** watery; (*geol*) water-bearing. **-inntak** water intake.

vannkant water's edge; *helt nede ved -en* right down by the water's edge; *like ved -en* right beside the water, right by (*el.* quite close to) the water's edge; (*jvf elvebredd & strand*).

vann|karaffel water jug; w. carafe. **-karse** ♣ watercress. **-kikkert** water glass. **-klar** limpid. **-klosett** water closet, w.c. **-kopper** (*pl*) chickenpox, varicella. **-kraft** water power; *utnytte -en* develop (*el.* harness) (the) w. p. **-kraftelektrisitet** hydroelectricity. **-kraftutbygging** development (*el.* exploitation *el.* harnessing) of water power. **-kraftverk** hydroelectric power station.

vannkran (water) tap; (*især* US) faucet; *glemme å skru igjen -a* leave the tap open (*el.* running); *la -a stå og renne* let the tap run; *skru på -a* (*begynne å gråte*) S turn on the waterworks.

vannkur water cure, hydrotherapy.

vannlating urination; *ufrivillig* ~ incontinence (of urine).

vannledning (water) conduit; (*hoved-*) water main; (*rør*) water pipe.

vann|linje waterline; *under -n* below the w. **-mangel** shortage of water. **-mann** (*astr*) Aquarius, the Water Carrier. **-masse** mass (*el.* volume) of water; *frådende -r* churning waters. **-melon** ♣ watermelon. **-merke** (*i papir*) watermark. **-mugge** water jug, ewer. **-mølle** water mill. **-orgel** hydraulic organ. **-pipe** hookah. **-pistol** squirt gun, water pistol. **-plante** aquatic plant. **-post** (water) pump. **-pytt** puddle. **-pøs** water bucket.

vannrett horizontal, level; (*i kryssord*) across.

vannrik abounding in water.

vann|rotte (water) vole, water rat. **-rør** water pipe; (*jvf -ledning*).

vannskadd damaged by water.

vann|skade damage by water, water damage. **-skille** watershed, divide.

vannskorp|e surface (of the water); *i -a* awash; *flyte i -a* float awash; *ligge og lure i -a* (*fig*) = lie low.

vann|skrekk hydrophobia; *ha* ~ be a water funk. **-slange** 1. ♣ water snake; 2. (water) hose. **-slipepapir** wet (abrasive) paper; *slipe med* ~ wet rub. **-sprut** spurt of water. **-sprøyte** (*til hagebruk*) watering can.

vannstand height of (the) water; (*linjen*) water level; *høy* ~ high water; *lav* ~ low water; *-en i elva synker* the river is falling; (*se II. synke*).

vann|stoff hydrogen. **-stoffhyperoksyd** hydrogen peroxide. **-stråle** jet of water.

vannsyk sour, swampy.

vanntett (*også fig*) watertight (*fx* his arguments were completely w.; he had no w. evidence for his assertion); (*om tøy*) waterproof; ~ *rom* watertight compartment.

vannverk waterworks (*pl*); (*se vannkran*).

vannvogn water(ing) cart, water sprinkler; water truck; *gå på -a* S (*især* US) go on the water wagon.

vannåre vein of water (underground).

vanry ill repute, disrepute, discredit; *komme*

i ~ get into bad repute (*el.* disrepute), be brought into discredit (*el.* disrepute).

vanrøkt neglect, mismanagement.

vanrøkte (*vb*) neglect, mismanage.

vansire (*vb*) disfigure.

vanskapning deformed creature, monstrosity, freak.

vanskapt deformed.

vanskapthet deformity.

vanskelig difficult, hard; *det er* ~ it is difficult; (*om arbeidsoppgave, etc, også*) it takes a lot of doing; *dikt som språklig sett er spesielt -e* poems of particular language difficulty (*fx* poems of p. l. d., and from periods earlier than 1800, will not be set); *en* ~ *eksamen* a difficult (*el.* stiff) examination; *det er en* ~ *sak* it is a difficult matter; the m. is d. to pull through; it's heavy going; *han er* ~ *å tilfredsstille* he is hard to please; he is a difficult man to please; *han er* ~ *å ha med å gjøre* he is a difficult man to deal with; *det var* ~ *å få drosje* (*også*) there was some snag over getting a taxi; *dette gjør det* ~ *for meg* this makes it difficult for me; *det er* ~ *for meg å ... it* is difficult (*el.* hard) for me to; *vi har* ~ *for å* we find it hard (*el.* difficult) to; we have difficulty in (-ing); *ha* ~ *for å lære* be slow (to learn); *jeg har* ~ *for å tro at* I find it difficult to believe that; *være* ~ *stillet* be in a difficult (*el.* awkward) position; ~ *tilgjengelig* difficult to get at; (*o: å forstå*) difficult (*fx* a d. book), abstruse; (*m.h.t. atkomst*) difficult of access.

vanskeliggjøre (*vb*) complicate, make (*el.* render) difficult; (*sinke*) hinder, impede, hamper, interfere with.

vanskelighet difficulty; (*hindring*) obstacle; (*forlegenhet*) difficulty, embarrassment; *alvorlige -er* serious (*el.* grave) difficulties; *-en består i å komme tidsnok* the difficulty (*el.* the difficult thing) is to be in time (*el.* is to get there in time); the trouble is that it's difficult to be in time; *gjøre -er* make (*el.* raise) difficulties; raise objections; *cause trouble;* T (*o: bråk*) cut up rough; *ha -er* be in difficulties; be in trouble; *ha -er med en* have trouble with sby; *ha -er med noe* have difficulties over sth; *vi har -er med motoren* the engine is giving trouble; *jeg hadde store -er med å løfte steinen* it was all I could do to lift the stone; I had my work cut out to lift the stone; T I had a job lifting the stone; *legge -er i veien for ham* throw difficulties in his way; *det er der -en ligger* that is the difficult point; that is where the difficulty comes in; T that's the snag; *mestre* (*el.* klare) *-ene* overcome the difficulties; US (*også*) make the grade; *vi er ennå ikke ferdig med -ene* (*også*) we are not yet out of the wood; *han er alltid i -er* he is always in trouble; *-en ved å gjennomføre planen* the difficulty of carrying the plan through; (*se skape 2*).

vanskjebne misfortune.

vanskjøtsel mismanagement, neglect.

vanskjøtte (*vb*) mismanage, neglect.

vansmekte (*vb*) languish.

vanstell bad management; mismanagement.

vanstyre mismanagement; misrule.

I. vant (*subst*) ⚓ shroud; (*på ishockeybane*) sideboards.

II. vant (*adj*): ~ *til* used to, accustomed to; *bli* ~ *til* get used to; *vi er ikke* ~ *til å bli behandlet på en slik måte* we are not used to being treated in such a manner.

vante woollen glove.

vantrives (*vb*) be unhappy; (*om plante, dyr*) not thrive; *han* ~ *i arbeidet* he is not at all happy in his work.

I. vantro (*subst*) 1. disbelief, unbelief, incredulity; 2 (*rel*) infidelity.

II. vantro (*adj*) 1. unbelieving, incredulous, without faith; 2 (*rel*) infidel; (*ikke-jødisk*) gentile; *en* ~ (*subst*) 1. an unbeliever, a disbeliever, a doubter; 2 (*rel*) an infidel; a gentile; *en* ~ *Tomas* a doubting Thomas, a doubter.

vanvare: *av* ~ inadvertently, by mistake, through an oversight.

vanvidd insanity, madness; *drive en til* ~ drive sby mad; *det rene* ~ sheer madness.

vanvittig insane, mad, deranged; *(tåpelig)* foolish; ~ *forelsket* madly in love.

vanvøre *(vb)* disdain; neglect.

I. vanære *(subst)* dishonour (,US: dishonor), infamy, disgrace.

II. vanære *(vb)* dishonour (,US: dishonor), disgrace.

vanærende ignominious, disgraceful, infamous.

var vigilant; cautious, wary; shy; *bli* ~ become aware of, perceive, notice; *bedre føre* ~ *enn etter snar* better safe than sorry.

varabrannsjef deputy *(el.* assistant) chief (fire) officer; *(i Skottland)* assistant firemaster; US deputy fire marshal.

vara|formann deputy chairman; US vice -president. **-mann** deputy, substitute; *(i kommunestyre)* co-opted member; *skaffe* ~ provide *(el.* get) a substitute.

varde *(subst)* cairn; *(sjømerke)* beacon.

varderute *(i fjellet)* cairned route.

vardøger tutelary spirit.

I. vare *(subst)* article; *(produkt)* product; *(handels-, særl. økon)* commodity; *(kollektivt)* merchandise; *(pl)* goods; *den ferdige* ~ the finished article *(el.* product); *det er en god* ~ it is a good quality; *en god salgs-* a good selling line; *jernvarer* ironware; *trevarer* woodware; *en sjelden* ~ *(fig)* a rare thing; *(se I. prøve).*

II. vare *(subst):* *ta* ~ *på* take care of, look after; *ta seg i* ~ *for* be on one's guard against, beware of.

III. var|e *(vb)* last; *det -te og det rakk* a long time passed; *det -te lenge før han forsto it* was a long time before he understood; *det -te lenge før vi så ham igjen* it was a long time before we saw him again; *det skulle* ~ *mange år før han kom tilbake* it was to be many years before he returned; *krigen -te i fem år* the war lasted (for) five years; *filmen -er i nesten 4 timer* the film runs for nearly four hours; *dette kan ikke* ~ *i all evighet* this can't go on for ever; *det vil* ~ *vinteren ut* it will last (out) the winter; *vi hadde det bra så lenge det -te* we had a good time while it lasted; *som* ~ *lenge* durable, lasting *(fx material);* £5 *-er ikke lenge* £5 does not go a long way; *ærlighet -er lengst* honesty is the best policy.

vareavsender consigner; ⚓ shipper.

vare|balle bale. **-beholdning** stock (of goods); *(i regnskap)* stock(-in-trade); *(se slutt).*

varebil (delivery) van; US d. truck, pickup truck, panel truck.

vare|bind *(på bok)* dust jacket. **-bytte** exchange of goods *(el.* commodities); exchange in kind; barter. **-deklarasjon** informative label. **-heis** goods lift, parcel lift; US freight elevator. **-hus** department store. **-kreditt** trade credit. **-kunnskap** *(fag)* commodity study; *grundig* ~ a thorough knowledge of the goods. **-lager** 1 *(bygning)* warehouse; 2 *(varene)* stock (of goods). **-magasin** department store. **-marked** commodity market. **-merke** trade mark. **-messe** industrial fair, industries fair; US trade fair. **-mottaker** consignee; ⚓ receiver. **-ombringelse** delivery (of goods).

vareomsetning *(stats)* (volume of) trade *(fx* trade between England and Norway fell (off) by 10 per cent).

vare|opptelling stock-taking; *foreta* ~ take stock. **-parti** consignment, lot (of goods), parcel of goods. **-post** *(merk)* item (for goods). **-priser** *(pl)* commodity prices. **-prøve** sample. **-skur** warehouse; *(jernb)* goods depot *(el.* shed); US freight shed *(el.* house). **-sort** line (of goods), type of goods. **-sykkel** carrier cycle.

vareta *(vb)* attend to, look after, take care of; *han har nok å* ~ he has enough on his hands.

varetagelse: ~ *av* attention to, care of; conduct of *(fx* affairs).

varetekt 1. care; custody; 2 *(jur)* custody *(fx* he was remanded in c. for a week).

varetekts|arrest custody; *(celle)* remand cell. **-fange** prisoner in custody; *(etter kjennelsen)* remand(ed) prisoner.

varetrekk cover *(fx* put a c. round a book; we have bought new covers for the front seats of our car); *løse* ~ *(til bil, møbler)* loose covers.

varevogn (delivery) van; US d. truck, pickup truck, panel truck.

vari|abel variable, changeable. **-ant** variant.

variasjon variation. **variere** *(vb)* vary.

varieté music-hall.

varietet variety.

varig lasting, permanent; durable.

varighet duration; permanence; *oppholdets* ~ the duration of one's stay.

varm warm; *(relativt høy temperatur)* hot *(fx* a hot bath, a hot cup of tea); *(fig)* warm, hearty; ardent *(fx* admirer), fervent; ~ *aftens* hot supper, cooked tea; *(i Nord-England)* ham tea; T knife -and-fork tea; *-e pølser* hot dogs; US *(også)* wieners; **bli** ~ get *(el.* become) warm; *(om motor)* warm up; *når det blir -ere i lufta* when the weather gets warmer; *når man er blitt* ~ **i trøya** (ɔ: *kommet inn i arbeidet, etc)* T when you've got the hang of things; *han ble* ~ **om hjertet** his heart warmed; **gå** ~ *(om motor)* run *(el.* get) hot; get heated; **holde** ~ *(mat)* keep hot *(fx* food which has been kept hot); *i den -este årstid* during the hot season; **være** ~ be *(el.* feel) warm (,hot).

varmblodig warm-blooded *(fx* animals); *(fig)* warm-blooded, hot-blooded, full-blooded.

I. varme *(subst)* warmth; *(sterkere)* heat; *(fig)* warmth; *10 graders* ~ 10 degrees of heat, 10 degrees above zero; *avgi* ~ give off heat *(fx* the gases give off the maximum amount of heat before entering the flue); *bundet* ~ *(fys)* latent heat; *en sunn, jevn* ~ *(fx fra ovn)* a healthy, even heat; *man får en særdeles behagelig* ~ a particularly comfortable type of warmth is provided; *få -n i seg* get oneself warm; *for å få -n i seg (fx i bena, i kroppen)* to restore the circulation *(fx* beat goose to r. the c.); *(jvf II. floke);* *holde -n (om person)* keep warm; *holde -n i gang (fx i ovn)* keep the fire going; *lide av -n* suffer from the heat; *sett den* (ɔ: *kjelen) over (el. på)* -n put it on the heat; *sette på -n* turn on the heat; *slippe ut -n* let in the cold; *ta (kjele, etc) av -n* remove from (the) heat *(fx* boil 1/4 pint of water in saucepan and remove from heat); *tilberede en rett over svak* ~ cook a dish over a slow fire.

II. varme *(vb)* warm *(fx* he warmed his hands at the fire; the sun has warmed the air); heat *(fx* heat some water); warm up; *(avgi varme)* give off heat; *ovnen -r godt* the stove gives a good heat; *ovnen er stor og robust og -r godt* the stove is big and strongly built and capable of giving great heat; ~ *opp* warm up *(fx* engine, food); *(om mat, også)* T hot up *(fx* a 'hotted-up' lunch).

varme|anlegg heating plant; *sentral-* central h. p. **-apparat** heater. **-avgivelse** transfer *(el.* emission) of heat; *dette sikrer en særdeles effektiv* ~ this provides a particularly efficient transfer of heat. **-behandle** *(vb)* ⊕ heat-treat. **-behandling** ⚕ thermotherapy, heat treatment; ⊕ heat treatment. **-blikk** *(jernb)* expansion piece. **-bølge** heat wave. **-dirrende** shimmering with heat. **-dis** heat haze. **-effekt** thermal power. **-element** heating element. **-grad** degree of heat, degree above freezing (point), d. above zero. **-isolasjon** heat *(el.* thermal) insulation. **-kapasitet** *(fx ovns)* heating capacity. **-kasse** heater. **-kilde** source of heat. **-leder** heat conductor. **-ovn** (electric) heater. **-rør** hot-water pipe.

varmeutstråling radiation of heat, heat r.

varmhjertet warm-hearted.

varmhjertethet warm-heartedness.
varmrulle electric mangle.
varmtvannsbereder water heater (*fx* electric w. h.).
varmtvannsrør hot-water pipe.
varp 1. ✠ warp; 2: *se*ˣ*kupp.*
varsel warning; notice (*fx* a month's n.); (*forvarsel*) omen, foreboding; *på kort* ~ at short notice (*fx* they had to go abroad at short notice); *på et øyeblikks* ~ at a moment's notice.
varselsskudd warning shot.
I. varsku (*subst*) warning.
II. varsku: ~ *her!* look out!
III. varsku (*vb*) warn (*fx* I had been warned that they were after me); ~ *meg når du vil ha mer* T sing out when you want more.
varsle (*vb*) 1 (*gi melding om*) notify, give notice; (*varsku*) warn; 2 (*advare*) warn; (*være et varsel om*) augur, bode, forebode (*fx* it bodes (*el.* augurs) no good).
varsom cautious, careful; *et -t kyss* a gentle kiss; *lukke døra -t igjen* shut the door carefully; ease the d. shut.
varsomhet caution.
varte (*vb*): ~ *opp* wait (at table); ~ *en opp* wait on sby (*fx* he waited on me hand and foot); *han -t opp med* (ɔ: *ga til beste*) *noen muntre historier* he produced some funny stories; *han -t opp med sine sedvanlige historier* he retailed his usual stories; *han -t opp med en frekk løgn* he produced an impudent lie.
varulv werewolf.
vas nonsense, rubbish; (*jvf tull, tøys, vrøvl*).
vasall vassal. **-stat** satellite state; vassal state; (*hist*) vassal state.
I. vase (*subst*) vase; *blomster i* ~ flowers in a vase.
II. vase (*subst*) tangle, tangled mass.
III. vase (*vb*): ~ *seg* become tangled.
vaselin vaseline.
vaset (*adj*) tangled.
vask 1. wash; washing (*av of, fx* a car, clothes, *etc*); laundry; 2 (*utslags-*) sink; *gå i -en* come to nothing, fail, break down (*fx* all our plans broke down); (*se for øvrig fløyten: gå* ~; *gå:* ~ *i vasken*); *vi får igjen -en på lørdag* the wash comes back on Saturday; *gjestenes* ~ *mottas kun på lørdager* visitors' laundry is accepted only on Saturdays; *sende til* ~ send to the wash (*el.* laundry); *have washed* (*fx* we must have it washed); *det skal sendes til* ~ (*også*) that goes to the wash; *skjorta er til* ~ the shirt is in the wash; the shirt is being washed.
vaskbar washable; *er denne skjorta* ~? will this shirt wash? **-het** washability (*fx* all materials have been tested for w.).
vaske (*vb*) 1. wash (*fx* a car, clothes, one's hands); clean; (*skylle*) rinse out, wash out (*fx* one's stockings); rinse (*fx* bottles); *vask rommet grundig* give the room a thorough clean-down; 2 (*ha vaskedag*) wash (*fx* we have wash once a month; we are washing today); do the washing; *hun hadde -t klær* she had done the washing; ~ *sitt eget tøy* do one's own washing; ~ *seg* wash oneself, wash (*fx* w. in cold water); T have a wash; ~ *seg i ansiktet* wash one's face; ~ *opp* wash up; do the dishes.
vaske|balje wash tub. **-bjørn** 🐾 racoon. **-brett** washboard. **-dag** washing day, wash day; (*se vaske* 2). **-ekte** washproof, washable; ~ *farge* fast colour. **-hjelp** cleaner. **-kjeller** wash house (in the basement). **-klut** dishcloth, dishrag. **-kone** 1. cleaner, charwoman; US cleaning woman; 2 (*som vasker tøy*) washerwoman. **-list** skirting (board), wash board. **-liste** laundry list. **-maskin** washing machine. **-pulver** washing powder.
vaskeri laundry.
vaske|rom wash room. **-seddel** laundry list. **-servant** washstand. **-skinn** wash leather, chamois. **-tapet** washable wallpaper. **-tøy** washing (*fx* hang out the w.); laundry; (*jvf vask*). **-vann** 1.

wash water; 2 (*skittent*) slops (*fx* empty the slops). **-vannsfat** wash basin, washhand basin, washbowl.
vass|arv ♣ chickweed. **-blande** milk-and-water. **-bøtte** water-bucket. **-drag** watercourse; *Glommavassdraget* the course of the Glomma and its tributaries.
vasse (*vb*) wade.
vassen watery.
vass|trukken water-logged, soaked. **-velling** watery gruel.
vater: *i* ~ level; *bringe ut av* ~ put out of level; *ute av* ~ out of level.
vaterpass spirit level.
Vatikanet the Vatican.
vatre (*vb*) level, make level; (*jvf vater*).
vatt cotton wool, cotton; (*i plater*) wadding; (*fx til vatttepper*) batting; *en plate* ~ a sheet of batting.
vattdott wad (*el.* swab) of cotton wool.
vatteppe quilt.
vatter|e (*vb*) pad, quilt, wad; *-te skuldre* padded shoulders.
vattersott 🟐 dropsy.
I. ve 1 (*poet*) woe, pain; 2. *-er* (*fødsels-*) pains (of childbirth), birth pangs, labour; *ha -er* be in labour.
II. ve (*int*): *akk og* ~! alas!
I. ved (*subst*) wood; wood fuel (,US: fuelwood), firewood; (*små-*) kindling; *legg litt mer* ~ *på peisen* (,*på varmen*) put some more wood on the fire; *når -en er praktisk talt oppbrent* when the fuel is almost burnt through; *når det bare er glør igjen av -en* when the fire has burnt into embers; when only embers remain.
II. ved (*prep*) **1.** at (*fx* sit at the window); by (*fx* by the church, by the river, by the roadside); (*nær ved*) near (*fx* near the castle; the village of Iffley near Oxford); (*om beliggenhet ved geografisk linje*) on (*fx* a fort on the frontier; a house on the river (,on the main road)); (*om beliggenhet ved hav og sjø*) on (*fx* a port on the Baltic; Elsinore stands on the Sound); (*ofte =*) on the shores of (*fx* the Red Sea); on the banks of (*fx* a town on the banks of Lake Ladoga); (NB a Baltic port, a North Sea port); **2** (*om tidspunkt*) at (*fx* at the outbreak of the war; at his accession to the Throne; at his arrival; at daybreak, at sunset; at midnight; at noon; at his father's death; he spoke at the dinner); (*like etter*) on (*fx* on the death of his father he ascended the Throne; on his arrival he at once went to see the Ambassador); (*jvf I. etter 1*); (*senest ved*) by (*fx* by the end of the Middle Ages this style has already become extinct); **3** (*om middel, årsak, etc*) by (*fx* by mistake; worked by electricity; you'll lose nothing by being polite), through (*fx* through an oversight on our part); ~ *hjelp av* by means of; ~ (*hjelp av*) *hardt arbeid* by dint of hard work; **4** (*om beskjeftigelse*) on (*fx* a job on the railway; a journalist on the local paper), on the staff of (*fx* a newspaper, a school); at (*fx* he is a history master at Eton); **5** (*om egenskap*) about (*fx* there is sth about him that I like; what I admire about him is his generosity; **6** (*som hører til*) of (*fx* the teachers of that school, the officers of that regiment); **7** (*om slag*) of (*fx* the battle of Waterloo); **8** (*når det dreier seg om, i tilfelle av*) in the event of, in case of; ~ *å . . .* by (*-ing*); *det er ikke noe å gjøre* ~ it can't be helped; *sette kryss* ~ put a cross against (*fx* a name); *røre* ~ touch; ~ *siden av* beside, by the side of; *like* ~ *siden av banken* just by the bank; *sverge* ~ *alt som er meg hellig* swear by all that I hold sacred; *tenke* ~ *seg selv* think to oneself; *det verste* ~ *det* the worst thing about it; (*se også større: det er ikke noe* ~ *ved ham*).
III. ved (*adv*): *være* ~ admit, let on (*fx* he never let on that he knew them); *han ville ikke være* ~ *at hans far var kelner* he was ashamed to admit that his father was a waiter.

vedbend 🌵 ivy.

vedbli (*vb*) go on, continue, keep on (*fx* he kept on talking); *han vedble med å avbryte meg* he kept interrupting me; *... og det* (*el. slik*) *vil de helst ~ å være* and they want to stay that way.

vedbrenne wood fuel (,US: fuelwood), firewood; (*se I. ved*).

vedde (*vb*) bet (*fx* I never bet; bet £5), make a bet, make (*el.* lay) a wager, wager; *~ likt* lay even odds; T lay evens; *~ sin siste daler* bet one's shirt; *~ med en* bet with sby; *jeg skal ~ £5 med deg på at ...* I'll bet you £5 that ...; *~ om noe* (have a) bet on sth; *~ om hvem som vinner* bet who wins; *~ ti mot en på at* bet ten to one that ...; *han -t £5 på at ...* he made a wager of £5 that; *jeg -r på at han ikke kommer* I bet he won't come; *jeg tør ~ £5 på at du ikke gjør det* I bet you £5 that you don't; *jeg skal ~ hva det skal være på at* I will bet you anything (you like) that.

veddeløp race; (*det å*) racing; (*stevne*) race meeting.

veddeløps|bane 1. (racing) track; 2 (*heste-*) racecourse; *på -n* (*også*) on the turf (*fx* he lost a fortune on the turf). **-stall** racing stable (*el.* stud).

veddemål wager, bet; *et likt ~* (ɔ: *med samme innsats*) an even bet.

vederfares (*vb*) befall; *la en ~ rettferdighet* do sby justice.

vederheftig responsible, reliable, trustworthy.

vederheftighet responsibility, reliability.

vederkvege (*vb*) refresh.

vederkvegelse refreshment, comfort, relief.

vederlag compensation, recompense; (*betaling*) consideration; (*honorar*) remuneration; *mot ~* for a consideration; *som ~ for* as payment for; (*som erstatning*) as compensation for; *uten ~* free of charge, gratuitously.

vederlagsfri gratuitous, free; *-tt* (*adv*) free of charge.

vederstyggelig abominable.

vederstyggelighet abomination.

ved|fange armful of firewood. **-favn** = cord of wood.

vedfyring wood-burning, burning wood, wood -firing, firing wood; *for ~ er magasinovnene utstyrt med trekkventil i øvre dør* for firing wood the storage stoves are equipped with draft valve in the top door.

vedføye (*vb*) attach, affix.

vedgå (*vb*) admit, own.

vedhefte (*vb*) attach.

vedheng appendage, appendix.

ved|hogger woodcutter, wood chopper. **-hogging** 1. = *-hogst*; 2 (*av småved*) wood splitting. **-hogst** wood cutting, wood chopping.

vedholdende persevering, continuous, prolonged.

vedholdenhet perseverance, persistence.

vedkasse wood-box; (*jvf vedkurv*).

vedkjenne (*vb*): *~ seg* recognise, recognize, own, acknowledge; *ikke ~ seg* disown, disclaim.

vedkjennelse recognition; acknowledg(e)ment.

vedkomfyr wood-burning kitchen stove (,US: cookstove).

vedkomme (*vb*) concern.

vedkommende the person (,persons) concerned (*el.* in question); *for noens ~* as far as some people are concerned; *for vårt eget ~* as for ourselves; speaking for ourselves; *for enkelte ords ~* (*også*) for certain words (*fx* an exception was made for certain words); *~ bank* the bank in question; *~ dokument* the relevant document; *~ myndighet* the relevant (*el.* proper *el.* competent *el.* appropriate) authority; *alle detaljer ~ saken* all the details relating to the matter; *oppøve leseferdigheten både for morsmålets og fremmedspråkenes ~ train* in reading proficiency in both the mother tongue and foreign languages.

vedkubbe log of (fire)wood.

vedkurv log basket.

vedlagt (*innlagt*) enclosed; (*medfølgende*) accompanying; (*vedheftet*) attached; *-e liste* the list enclosed, the e. list; *etter* (*el. ifølge*) *-e liste* as per list enclosed; *beløpet følger ~* the amount is enclosed; *~ følger katalog* a catalogue is enclosed, we enclose (*el.* are enclosing) a c.; (*lett glds*) enclosed please find c., please find c. enclosed; (*se II. følge 2 & kvittering*); *~ sendes Dem ... (lett glds)* enclosed please find; *~ samme brev* enclosed in the same letter.

vedlegg enclosure (*fk.* Enc, *pl* Encs); *Deres brev med ~ som spesifisert* your letter with enclosures as specified.

vedlegge (*vb*) enclose; *jeg -r I* enclose ...; I am enclosing; (*lett glds*) enclosed please find; (*se ovf: vedlagt; se også II. veksel*).

vedlikehold maintenance.

vedlikeholde (*vb*) keep in repair; maintain, keep up; *godt vedlikeholdt* in good repair.

vedovn wood fuel stove, wood-burning stove.

vedpinne stick of firewood.

vedrørende: *se angående.*

ved|ski stick of firewood. **-skjul** woodshed. **-stabel** wood stack, woodpile.

vedstå (*vb*): *~ seg* admit, acknowledge.

vedta (*vb*) agree to; (*godkjenne*) approve, adopt; (*lov, beslutning*) carry, pass; *beslutningen ble enstemmig -tt* the resolution was carried unanimously; *det ble enstemmig -tt å ...* it was decided on a unanimous vote to ...; *forslaget ble enstemmig -tt* the motion was put to the meeting and carried unanimously; *~ å gjøre noe* agree to do sth.

vedtak resolution; decision; (*se beslutning*).

vedtakelse approval, adoption; carrying, passing (*fx* of a resolution).

vedtaksfør: *se beslutningsdyktig.*

vedtekt by-law, rule, ordinance; *-er* regulations (*fx* police r.); (*se lukningsvedtekter*).

vedtre stick of (fire)wood.

vedvare (*vb*) continue, last. **-nde** continual, lasting; (*fortsatt*) continued; (*hardnakket*) persistent (*fx* the p. fall in prices).

veft woof.

veg: *se vei.*

veget|abilsk vegetable. **-arianer** vegetarian. **-arisk** vegetarian.

vegeta|sjon vegetation; *her oppe var det en ~ så frodig at det nesten tok pusten fra en* the vegetation up here was breathtakingly luxuriant.

vegetativ vegetative.

vegetere (*vb*) vegetate.

vegg wall; *det er bort i alle -er* it's wide of the mark; it's a complete mistake; it's all wrong; (*se også bort*); *sette til -s* drive into a corner; T drive to the wall.

vegge|dyr, -lus bedbug.

veggfast: *~ inventar* fixtures.

veggflis wall tile.

veggimellom from wall to wall.

vegg|kart wall map. **-lampe** wall lamp. **-maleri** mural (painting). **-skap** wall cupboard. **-tavle** wall board (*fx* framed w. b. with black and green surface).

vegne: *på ~ av* on behalf of; *på hans ~* on his behalf; *på selskapets ~* on behalf of the company; *på klassens og egne ~ vil jeg få lov å takke Dem ...* on behalf of the whole class, and myself, I should like to thank you ...; *opptre på egne ~* act on one's own behalf, act in one's own name; *snakke på egne ~* speak for oneself; *alle ~* everywhere; *han skylder penger alle ~* he owes money all round.

vegre (*vb*): *~ seg* refuse, decline.

vegring refusal.

vei 1. road; (*se også kjørebane*); 2 (*avstand*) way (*fx* it's a long way to X). distance; 3 (*retning*) way (*fx* this is the way home); 4 (*rute*) way, route (*fx* the route is 2.000 miles long); 5 (*middel, fremgangsmåte*) way, road (*fx* to fame); (*jvf utvei*);

[*A*: *Forb. med subst, adj & pron; B*: *med vb; C*: *med prep*].

A: *se den* andre -*en* look the other way; *gå en* annen ~ take another route; go another way; *han gikk* begge -*er* he walked both ways; *den* brede ~ (*fig*) the primrose path; -*en var* god *å gå på* it was a good road for walking on; the r. was good for walking on; **Guds** -*er* the ways of God; **halve** -*en* half the distance; **hele** -*en* all the way (*fx* walk all the w.); *det er* **ingen** ~ it's no distance (away); *det er ingen* ~ (*å snakke om*) *til Oxford* it is no distance to speak of to Oxford; *det er ingen* ~ *tilbake* (*fig*) there is no going back; *det er ingen* ~ *utenom* (*fig*) there is no way out; there is no getting round it (*el*. out of it); *det er ingen* ~ *utenom dette problemet* there is no getting round this problem; this p. has to be faced; *en* **kortere** ~ a shorter way, a short cut; *ta* **korteste** -*en til* take the nearest road (,route) to; make a beeline for; *den* **lange** -*en* (*også*) all that way (*fx* have you come all that way?); *ha* **lang** ~ have a long way to go; *han har lang* ~ (*til kontor, skole, etc*) he has a long journey (*el*. a long way to go); *en* **mils** ~ about six miles; *det er 10* **minutters** ~ it is ten minutes away; it is ten minutes' walk (,ride, drive); it is ten minutes from here; **offentlig** ~ public thoroughfare; **pliktens** ~ the path of duty; *hvilken* ~ *er* **raskeste** *til stasjonen herfra?* which is the best way to get to the station from here? *skal du* **samme** ~? are you going my way? **skjebnens** -*er er uransakelige* the ways of fate are inscrutable; *den* **smale** ~ (*bibl*) the (straight and) narrow way; **strake** -*en* the direct road; the direct line; *gå* **strake** -*en* T follow your nose; **tilbakelagt** ~ distance travelled (*el*. covered); **ujevn** ~ bumpy (*el*. rough) road;

B: bane ~ *for* (*fig*) pave (*el*. prepare) the way for; **brøyte** ~: *se brøyte;* **finne** -*en* find one's way (*fx* are you sure you can f. your w.? articles that f. their w. into the provincial press); **følge** *en* ~ follow a road; *den* ~ *vi må følge* (*fig*) the course to adopt; *alle* -*er* **fører** *til Rom* all roads lead to Rome; **gjøre** (*el*. *lage*) ~ *i vellingen* T get things done; make headway; make things move, get things moving; *denne* -*en* **går** *til stasjonen* this road leads (*el*. takes you) to the station; *hvor* **går** *denne* -*en?* where does this road lead to? where does this road go (*el*. lead)? *gå din* ~! go away! (*se ut*); *gå nye* -*er* (*fig*) break fresh ground; *den* **rette** ~ *å gå* (*fig*) the proper course to follow; **gå sin** ~ go, go away; *han reiste seg for å gå sin* ~ he got up to go; *han gjorde mine til* (*el*. *belaget seg på*) *å gå sin* ~ he began (*el*. made) to walk away; *gå sine egne* -*er* go one's own way; *de gikk hver sin* ~ they went in different directions; they parted; they went their separate ways; **jevne** -*en for* (*fig*) smooth the path for; **kjenne** -*en* know the way; *ikke* **komme** *noen* ~ get nowhere; *det kommer du ingen* ~ *med* that won't get you anywhere; *du kommer ingen* ~ *med ham* you won't get anywhere with him; *neste gang du kommer den* -*en* next time you pass (*el*. come) that way; **legge** -*en om* go round by, come by (*fx* I came by the fields); **løpe** *sin* ~ run off (*el*. away); T cut and run; cut it; beat it; *dårlig* **oppmerket** ~ inadequately signposted road; **reise** *den* -*en* travel by that route; follow that route; *hvilken* ~ **skal** *du?* which way are you going? *skal du samme* -*en?* are you going my way? are you coming my way? *vi skal samme* -*en* we are going the same way; *den* -*en skal vi alle* (*fig*) we all come to that (sooner or later); that is the common lot; *her* **skilles** *våre* -*er* this is where our ways part; this is where we part; *deres* -*er skiltes* (*også*) they parted company; **sperre** -*en for en bar* (*el*. block) sby's way; *ta på* ~ make a fuss; T take on, carry on (*fx* she carried on dreadfully); **vise** ~ (*fig*: *føre an*) lead the way; *vise* -*en* show the way; *vise en* -*en* show sby the way; (*det er*) *denne* -*en*! step this way!

C: ad *fredelig* ~ by peaceful means, peacefully; *ad naturlig* ~ by natural means, naturally; (*o*: *med avføringen*) the natural way (*fx* the button Baby swallowed came out the n. w.); *ad* **over-** *talelsens* ~ by (means of) persuasion; *ad rettens* ~ through the courts, through the process of the Court; *ad vitenskapelig* ~ scientifically; **av** -*en!* stand back! stand off! *av* -*en for kabelen!* stand clear of the cable! *få en av* -*en* get (*el*. put) sby out of the way; *gå av* -*en* step aside, get out of the way; *gå av* -*en for en* get out of sby's way; *han går ikke av* -*en for noe* he is game for (*el*. not afraid of) anything; (*o*: *har ingen skrupler*) he sticks at nothing; *ikke være av* -*en* (*o*: *ikke skade*) not be amiss; not come amiss; not be out of place; *et glass øl ville ikke vært av* -*en* I could do with a glass of beer; a glass of b. would not come amiss; *hjelpe en* (*godt*) *i* ~ give sby a (good) start (in life); *kjøre midt i* -*en* drive in the middle of (*el*. on the crown of) the road; *komme i* -*en for en* get in sby's way; *komme i* -*en for hverandre* get in one another's way; *hvis noe skulle komme i* -*en* if anything should happen (to prevent it); *hver gang vi vil gå ut, kommer det noe i* -*en* whenever we want to go out sth always happens to stop us (*el*. sth always interferes with our plans); *jeg var fast bestemt på å skrive, men i siste øyeblikk kom det noe i* -*en* I had every intention of writing, but at the last moment sth prevented me; *vi har kommet godt i* ~ (*o*: *har fått gjort en hel del*) *i dag* we have covered a good deal of ground today; *legge vanskeligheter i* -*en for en* put difficulties in sby's way; *stille seg i* -*en for en* stand in sby's way; *bar* (*el*. block) sby's way; *stå i* -*en* be in the way (*fx* am I in the way?); *stå i* -*en for* stand in the way of (*fx* your happiness); *hun satt der og snakket i* ~ she sat there talking away; *være i* -*en* be in the way (*fx* I hope I am not in the way); *hvis det ikke er annet i* -*en* if that is all (the difficulty); *være i* -*en for en* be in sby's way; *det er ikke noe i* -*en for at han kan gjøre det* there is nothing to prevent him from doing it; *hva skulle være i* -*en for det?* why not? *hva er i* -*en?* what is the matter? T what's up? *hva er det i* -*en med deg?* what's the matter with you? (*udeltagende*) what's come over you? S what's biting (*el*. eating) you? *han så ut som om det ikke var noen ting i* -*en* he showed no signs that anything was wrong; he appeared quite unconcerned; *er det noe i* -*en?* is there (anything) the matter? *det var ikke noe særlig i* -*en med ham* there was nothing very much the matter with him; *legen sa at det så ikke ut til å være noe særlig i* -*en med meg* the doctor said there did not look much the matter with me; ~ *med fast dekke* tarmac road; *spørre* **om** -*en* ask the (*el*. one's) way; *jeg spurte ham om* -*en* I asked him the way; I asked the way of him; **på** ~ (*o*: *gravid*) pregnant; in the family way; *ta på* ~ make a fuss; T take on, carry on (*fx* she carried on dreadfully); *på* -*en* on the road; *på* -*en til* on one's way to (*fx* the town); (*se underveis*); *være på god* ~ *til å* be in a fair way to (*fx* ruin(ing) oneself; skipet er på ~ mot havn* the ship is heading for a port; (*se II. kurs*); *han er på god* ~ *til å bli en forbryter* he is well on the way to becoming a criminal; *vi er på god* ~ *til å miste dette markedet* we are in a fair way to lose (*el*. losing) this market; *alle* -*er* **til** *stasjonen* all roads leading to the station; all approaches to the station; -*en til X* the road to X; *er dette* -*en til X?* is this the way to X? is this right for X? are we (,am I) right for X? *skaffe til* -*e* procure, provide; put one's hands on (*fx* I can't put my hands on the necessary cash at present); *find* (*fx* find the necessary cash); *ny kapital ble skaffet til* -*e* (*også*) fresh capital was forthcoming; **ved** -*en* by the roadside; *en kro ved* -*en* a roadside inn; a road-house; (*se også skilles; skritt; sving; svinge; tilføket; ufuselig*).

vei|anlegg road construction (*el*. building),

road-making. **-arbeid** road work, road repairs (*pl*); *her går det langsomt p.g.a.* alle -ene progress is slow here because of all the road works; *her er det ~ igjen!* they're working on the road again here! **-avgift** (*bompenger*) toll. **-bane** road, roadway; (*jvf* -*dekke*). **-bok** (*med kart, etc*) road book. **-bom** road block; (*hvor det betales bompenger*) toll bar. **-bygging** road-making, r. construction (*el.* building); (*som fag*) highway engineering. **-dekke** road surface; *vei med fast dekke* tarmac road. **-dele** road fork. **-direktør** (*svarer i England omtr. til*) Minister of Transport.

veie (*vb*) weigh (*fx* the parcel weighs two pounds; how much do you w.?); (*ha betydning*) carry weight; *hvor mye -r du?* (*også*) what weight are you? *alle spørsmålene -r like meget ved fastsettelse av den endelige karakter* all questions carry equal marks (*el.* weighting); all q. count as equal.

veiegenskaper *pl* (*bils*) roadability.

veifarende wayfarer, traveller; (*trafikant*) road user.

veiforbindelse road connection, (connecting) road; *er det ~?* is there a road?

veigrøft (roadside) ditch.

vei|høvel road grader. **-ingeniør** highway engineer.

veik: *se svak.*

veikant roadside; (*bankett*) verge; US shoulder.

veikontroll (*av biler*) (roadside) spot check, spot road check.

veikryss crossroads (NB a crossroads); road intersection.

veilede (*vb*) guide, instruct.

veiledende guiding, instructive; *disse reglene skal bare være ~* these rules are only intended as a guide; *noen få ~ ord* a few words of guidance, a few (introductory) hints; *~ pris* recommended (*el.* suggested) price; *~ utsalgspris* recommended retail price.

veileder guide; (*for prøvekandidat ved skole*) teaching supervisor.

veiledning guidance, instruction; *gratis ~ free* advice; *sakkyndig ~* expert advice; *til ~ for* for the guidance of; *til ~ for Dem* for your guidance (*el.* information); (*se kyndig*).

veilegeme roadbed.

veilengde distance.

veiovergang bridge; overpass.

veipenger (*pl*) toll; toll money; turnpike money.

vei|signal (*jernb*) level-crossing signal. **-signalanlegg** (*jernb*) level-crossing protection plant. **-skatt** Road Fund tax; (*i England*) car excise licence. **-skille** road fork. **-skilt** road sign. **-skrape** (-*høvel*) road grader. **-sving** bend (of a road); (*se også kurve & sving*).

veit ditch; (*smal gate*) alley, lane.

veiundergang road underpass.

veiv ⊕ crank.

veivaksel crankshaft. **-lager** crank(shaft) bearing. **-tapp** crank journal.

veivals road roller; (*damp-*) steamroller.

veive (*vb*) crank; swing, wave (*fx* one's arms).

veivesenet (*kommunalt*) the highways authority; (*kontoret*) [the Municipal Highways Office]; (*i England*) the Highways Department.

veivhus (*kruntapphus*) crank case.

veiviser 1 (*person*) guide; (*bok*) guide (book); 2 (*skilt*) signpost, road sign; (*orienteringstavle*) route sign.

veivlager crank(shaft) bearing.

veivokter roadman.

veiv|stang (*råde*) connecting rod, con-rod. **-stanghode** (connecting rod) big end. **-stanglager** big end bearing. **-tapp** crank(shaft) pin. **-tapplager** crank-pin bearing.

veke wick.

vekk (*borte*) away, gone; (*bort*) **away, off;** *~ med fingrene!* hands off! *snakk ~!* speak away! fire away! *holde seg ~ fra* keep away from; *i ett ~* incessantly; *~ med* away with.

vekke (*vb*) awaken, wake (up); (*etter avtale*)

call; (*fig*) create, excite, arouse; *~ forestilling om* suggest; *~ den forestilling at* suggest that; *vær stille — du -r hele huset* be quiet — you're stirring up the whole house; *~ latter blant dem* move them to laughter; (*se strid*).

vekkelse awakening; (*religiøs*) revival.

vekkelses|møte revival(ist) meeting. **-predikant** revivalist (preacher).

vekkerklokk|e alarm clock; *stille -a på sju* set the alarm for 7 o'clock; *vi sov ikke fordi vi var redde for ikke å høre -a* we didn't sleep as we were afraid of not hearing the alarm.

vekker|ur: *se -klokke.*

vekking calling; *bestille ~ til kl. 6* ask to be called at six.

I. veksel 1 (*omskiftning*) change; 2 (*jernb*): *se sporveksel; fjernstyrt ~* (*jernb*) remote controlled points (,US: switches); *fjærende ~* spring points (,US: switches); *~ som kan kjøres opp* (*jernb*) trailable points (,US: switches); *kjøre opp en ~* (*jernb*) force (*el.* burst) open the points (,US: switches).

II. veksel (*merk*) bill (of exchange); (*tratte*) draft; (*egen-*) promissory note; *sikt-* sight bill; *akseptere en ~* accept a bill; *diskontere en ~* discount a bill; *-en forfaller den 1. juni* the bill is payable (*el.* due *el.* matures *el.* falls due) on June 1st; *innfri en ~* meet (*el.* take up *el.* honour) a bill; *trekke en ~ på* draw a bill on; *trekke for store veksler på* (*fig*) make too great demands on, overtax (*fx* his patience); draw heavily on, exploit; trade (*el.* presume) on (*fx* his kindness, his hospitality); *utenlandsk ~* foreign bill; *utstede en ~* make out (*el.* issue) a bill; *-en, som vi legger ved, ber vi Dem sende tilbake forsynt med Deres aksept* we are enclosing bill, which we request you to accept and return.

veksel|aksept acceptance (of a bill). **-akseptant** acceptor (of a bill of exchange). **-ansvar** liability on bills. **-arbitrasje** arbitrage. **-beholdning** bills in hand. **-blankett** bill form. **-bruk** rotation of crops. **-debitor** party on whom a bill is drawn. **-veksler** exchange broker, money changer. **veksel|falsk** forging of bills, forgery. **-falskner** forger. **-kurs** rate of exchange, e. rate. **-kurtasje** bill brokerage. **-megler** bill broker. **-omkostninger** (*pl*) bill charges. **-protest** protest. **-provisjon** brokerage. **-rytter** kite flier. **-rytteri** kite flying. **-sang** antiphony; antiphonal singing; sung or spoken dialogue. **-spill** alternation, interaction, interplay (*fx* the i. between research and practical work). **-stiller** (*jernb*) point (,US: switch) operating apparatus.

vekselstrøm (*elekt*) alternating current (*fk.* A.C.).

vekselutsteder drawer (of a bill).

vekselvirkning interaction, reciprocal action (*el.* influence).

vekselvis (*adj*) alternate, alternating; (*adv*) alternately, in turns, by turns.

veksle (*vb*) change; (*utveksle*) exchange; *med -nde hell* with varying success.

vekslepenger (*pl*) change; *du får ~ igjen på den* (*pengeseddelen*) there is some change to come on that; (*se I. få*: *~ igjen*).

veksling change; (*utveksling*) exchange, interchange; (*på skøyter*) change-over, crossing.

vekslingsdommer (*ved skøyteløp*) crossing controller.

vekslingsside (*skøyter*) back straight, change -over straight.

vekst growth; (*høyde, skikkelse*) stature; (*økning*) increase; (*utvikling*) development; (*plante*) herb, plant; *skyte ~* grow; *en by i ~* a growing town; (*se skyte*: *~ rask vekst*).

vekstliv flora, vegetation.

vekt weight; (*veieinnretning*) (pair of) scales, balance; (*stor*) weighing-machine; *etter ~ by* weight; *legge ~ på* lay stress on; make a point of (*fx* accuracy); attach importance to; *det legges liten eller ingen ~ på muntlig undervisning*

little or no importance is attached to oral instruction; *den store ~ man legger på . . . (også)* the important place given to . . .
vekter *(hist)* watchman.
vektfabrikant scale maker.
vektig weighty.
vektighet weightiness.
vekt|lodd weight. **-manko** short weight, deficiency in weight. **-skål** scale, scale pan, pan; *(se tunge)*. **-stang** lever; *(på vekt)* beam.
vekttall *(systemet)* weighting; *har ~ 3* counts (as) 3; US gives three credits; *tysk muntlig på reallinjen har ~ 1, mens matematikk har ~ 3* oral German counts (as) 1 on the Science Side, while mathematics counts as 3; *(se også veie)*.
vekttallsystem weighting, system of weighting.
vekt|tap loss of weight. **-økning** increase in w.
I. vel *(subst)* 1. welfare *(fx* have sby's w. at heart), good *(fx* for the good of the community); well-being; interests *(fx* the i. of the country demand . . .); *samfunnets ~* the common good; the public welfare *(el.* weal); *hans ve og ~ his* welfare; *som en som vil Deres ~* as a friend and well-wisher *(fx* I speak to you as a f. and w.-w.); 2. welfare organization; society.
II. vel *(adj)*: *alt ~ om bord* all well on board; *gid det var så ~!* I wish he was (,he did, *etc*); that would be good news indeed! no such luck *(fx* Is he gone? No such luck!), worse luck *(fx* I am not a millionaire, worse luck!); if only that were true! *føle seg ~* be (feeling) very well; be fit, be *(el.* feel) quite the thing *(fx* I don't feel quite the thing this morning), be up to the mark; *han føler seg mest ~ når han er alene* he is happiest when alone; he is happiest on his own; *jeg føler meg ikke helt ~ ved det* I'm not quite happy about it; *han befant seg ~ ved det* it did him good.
III. vel *(adv)* 1. well *(fx* be well received); 2 *(utrop)* well! all right! *(innleder noe man vil si)* (well,) here goes; ~, *som jeg sa, så* . . . well, as I was saying . . . ; 3 *(ganske visst)* to be sure *(fx* to be s. he is rich, but. . .); it is true that *(fx* it is true that the goods are expensive, but . . .); no doubt *(fx* no doubt he is strong, but . . .); admittedly *(fx* a. we are in a weak position, but nevertheless . . .); ~ *er han ung, men* . . . yes, he is young, but . . . ; of course he is young, but . . . ; 4 *(formodentlig)* I suppose *(fx* I s. I am to do all the dirty work); probably, presumably. I think; *han kan ~ være 40 år* he may be forty; *det ville ~ da bli i 1900* that would be in 1900; *ja, vi må ~ det* yes, I suppose we have to; *det kunne ~ være* that might well be; 5 *(forhåpentligvis)* I hope *(fx* you received my letter, I h.). surely *(fx* s. you don't believe that?); 6 *(etter nektende spørsmål uttrykt ved hjelpeverbet (,verbet) + subjektet uten nektelse, fx* you don't care for him, do you? you are not angry with me, are you? you don't happen to know his address, do you?); 7 *(i litt for høy grad)* rather *(fx* he is r. young); almost too; on the . . . side *(fx* this car is on the small side); 8 *(i mange spørsmål oversettes ordet ikke, fx)* hvem skulle ~ ha trodd det? who would have believed it? 9 *(uttrykk for utålmodighet)* of course; *ned til hotellet, ~!* down to the hotel, of course! *(se også gjøre B)*;
~ *hjem!* I hope you get home *(el.* back) all right; *(se også ndf)*; *godt og ~* upwards of *(fx* u. of twenty tons), rather more than; well over *(fx* well over five pounds); a good *(fx* it is a good two miles from here); *meget ~* very well; *jeg vet meget ~ at* I know quite well that; I am well aware that; *det er så dårlig som ~ mulig* it is as bad as can be; it could not (possibly) have been worse; *(se uheldig)*; *så klart som ~ mulig* with all possible clearness; *jeg kunne ~ ikke få . . . ?* I/ wonder if I/could have . . . ? *han håpet å komme ~ fram til byen før det ble mørkt* he hoped to reach the town safely *(el.* without hindrance) before nightfall; *går kveld var vi endelig ~ hjemme i Oslo*

igjen etter vårt besøk i X last night we arrived safely back in Oslo from our visit to X.
velansett well reputed; *et ~ firma* a firm of good standing *(el.* repute); *firmaet er ~ (også)* the firm enjoys a good reputation.
vel|anstendig proper, decorous. **-anstendighet** propriety, decorum. **-anvendt:** *-e penger* money well spent. **-assortert** well assorted; *et ~ lager av* a rich assortment of. **-barbert** clean-shaven, well-shaven.
velbefinnende well-being, health.
velbeføyd just, legitimate.
velbegrunnet well-founded.
velbehag delight, enjoyment, zest; *finne ~ i noe* take delight in sth, enjoy sth.
vel|behagelig pleasing, acceptable *(fx* a. to God). **-beholden** safe and sound. **-beregnet** well -calculated. **-berget** 1. safe; 2: ~ *med* well supplied with. **-berådd:** *med ~ hug* deliberately. **-betenkt** well-considered, well-advised.
velbrukt well-worn *(fx* a w.-w. book, track).
velde *(makt)* power, might, majesty *(fx* in all its m.).
veldedig charitable, benevolent; *i ~ øyemed* for charitable purposes, for charity; *(jvf velgjørende)*.
veldedighet charity, benevolence; *(se storstilet)*.
veldedighets|basar US kermess, kermis. **-institusjon** charitable institution, charity.
veldig powerful, mighty; enormous, huge, tremendous; *(adv)* extremely, tremendously.
veldisponert well-arranged; well-organized *(fx* lesson); *legg merke til hvor ~ denne beretningen er* note the orderly way in which this account is given.
veldisponerthet *(om stil, etc)* orderly and logica arrangement.
velferd welfare.
velferds|permisjon compassionate leave, emergency l. **-sak** matter of vital importance; *det er en ~ for (også)* it is vitally important to. **-tap:** *erstatning for ~* damages for tort.
vel|flidd trim, well-kept. **-forsynt** well supplied, well-stocked. **-fortjent** well-deserved, well -merited; well-earned *(fx* money); *det var ~ (o: det hadde han bare godt av)* T he was asking for it.
velge *(vb)* 1. choose *(fx* an apple from the basket; you have chosen an unfortunate moment; the career he has chosen for himself); 2 *(ta ut)* select *(fx* the books one wants); pick (out) *(fx* p. out all the best apples); T pick *(fx* you've picked the wrong time to come to Norway); 3 *(ved avstemning)* elect *(fx* a chairman); choose *(fx* he was chosen as their representative); return *(fx* he was returned *(el.* elected) as Liberal member for X); (NB he became Conservative member for X); 4 *(slå inn på, bestemme seg for)* adopt, take up, go in for *(fx* a career); embrace *(fx* a profession, a trade, a military career); elect *(fx* he elected to stay at home);
bli valgt (parl) be elected *(el.* returned); get in; ~ *en fremgangsmåte* adopt a course; ~ *sine ord med omhu* pick *(el.* choose) one's words carefully; *velg selv!* choose for yourself (,yourselves)! take your choice! *han har valgt et heldig tidspunkt for sitt besøk* he has timed his visit well; *vi kan ikke ~ og vrake* we cannot pick and choose; *(ofte =)* beggars cannot be choosers; *øyeblikket er uheldig valgt* the moment is unfortunate *(el.* ill-chosen); ~ *blant* choose (,elect) from (among) *(fx* the committee elects a president from among its members); ~ *en inn i* elect sby to *(fx* the council); *bli valgt med stort flertall* be elected (,returned) by *(el.* with) a large *(el.* big) majority; ~ *mellom* choose between *(fx* two evils); choose from *(fx* there are so many jobs to c. from); *de har nok å ~ mellom* they have enough to choose from; they have a wide choice; *de har ikke stort (el. meget) å ~ mellom* they have not much choice; *kunne ~ mellom (el. ha valget mellom)* have the choice of *(fx* h. the choice of two careers); *valgt på livstid*

elected for life; ~ en til sin etterfølger choose sby as one's successor; ~ en til konge elect sby king; disse varene er blitt valgt ut med særlig omhu special care has been devoted to the selection of these articles; jeg skal ~ meg ut noe fint I shall choose myself sth fine; ~ ved håndsopprekning vote (,elect) by show of hands (fx they decided to vote by s. of h.; he was elected by s. of h.).

velger elector, voter; (til Stortinget, også) constituent; kommunale -e local government electors.

velgermassen the electorate, the voters.

velgjerning good deed, kindness; benefit.

velgjort well done; (se selvgjort).

velgjørende (sunn) beneficial, salutary; (veldedig) beneficent, benevolent, charitable; en ~ kontrast a refreshing contrast; i ~ øyemed for charitable purposes, for a charity, for charities; (jvf helsebringende).

velgjørenhet beneficence, charity.

velgjører benefactor. **-inne** benefactress.

velgående: i beste ~ in the best of health, in the pink of health; T alive and kicking.

velhavende well-to-do, prosperous, comfortably off, well off; (se velstående).

velhavenhet easy circumstances, ample means.

velin vellum (paper).

velkjent familiar, well-known (NB som predikatsord: well known); noen av de mest -e grønnsakene some of the commonest (el. most familiar) vegetables; stille det -e spørsmålet (også) ask the proverbial question.

velklang harmony, euphony.

velkledd well-dressed; (som predikatsord) well dressed.

velklingende pleasant, melodious, euphonious, harmonious.

velkommen welcome; hilse en ~ welcome sby, wish (el. bid) sby welcome; vi ønsker Dem hjertelig ~ we are very glad to see you; ønske en ~ med et smil give sby a smiling welcome.

velkomst welcome; han fikk en varm ~ he met with a warm reception; he found he had caught a Tartar; he got more than he bargained for.

velkomst|beger welcoming glass. **-hilsen** welcome. **-tale** speech of welcome.

velkonservert well-kept, in good condition.

vell spring; wealth, profusion, abundance; et ~ av lys a flood of light.

vellagret well-seasoned (NB som predikatsord: well seasoned); matured (fx tobacco, wine).

velle vb (sprudle) well, spring forth, issue forth.

vellevnet luxurious living, luxury.

velling gruel; gjøre vei i -en T make things move, get things moving; get things done; make headway.

vellukt fragrance; perfume, scent.

velluktende fragrant, perfumed, scented.

vellyd euphony.

vellykket successful; det var meget ~ it was a great success.

vellyst (carnal) lust, sensual pleasure.

vellystig voluptuous, sensual, lustful, lascivious.

vellysting libertine; sensualist.

vellønt well-paid.

velmakt vigour (,US: vigor), strength; prosperity.

velmaktsdager (pl) days of prosperity, palmy days, prime (fx in his prime).

vel|ment well-meant, well-intended. **-nært** well-fed.

veloppdragen well-bred, well-behaved.

veloppdragenhet good manners.

vel|ordnet well-arranged, orderly. **-organisert** well-organized. **-orientert** well-informed; (well) informed (fx he is always well informed). **-overveid** well-considered, considered (fx it is my c. opinion that ...). **-proporsjonert** well-proportioned.

velprøvd established, proved, proven (fx remedy for influenza), old-established, well-tried, that has proved reliable (fx this cloth has proved a reliable material for raincoats).

vel|renommert well-reputed, of good repute. **-rettet** well-aimed, well-directed. **-sett** popular; en ~ gjest a welcome guest.

velsigne (vb) bless.

velsignelse blessing; vi har en guds ~ med bøker T we have no end of books; (se lyse).

velsignelsesrik beneficial, beneficent.

vel|sittende well-fitting (fx a w.-f. coat). **-situert** well-to-do. **-skapt** well-made (fx figure, legs, person), shapely (fx legs); well-formed; et sunt og ~ barn a fine healthy child. **-skikket** well qualified (til for).

velsmak tastiness, good taste, savour (,US: savor).

velsmakende savoury (,US: savory), palatable.

velspekket: ~ pung well-filled purse.

velstand prosperity.

velstekt well done.

velstudert well read.

velstående well-to-do, prosperous, comfortably off, well off; være ~ be well-to-do, be comfortably off, be in easy circumstances.

veltalende eloquent.

veltalenhet eloquence, fluency (of speech).

I. velte (subst) heap, pile.

II. velte (vb) upset, be upset, overturn (fx this lamp cannot overturn; the boat overturned; he jumped about and overturned the boat), knock down (fx a vase), overthrow (fx a bucket, a table, a vase); topple over, tip over; T have (el. take) a spill (fx I had a spill with my bicycle); ~ seg i roll in (fx the mud), wallow in; bare synet av mat fikk det til å ~ seg i magen på ham the mere sight of food turned his stomach; ~ ansvaret over på en shift the responsibility on to sby; plogen -t opp jorda the plough turned up the soil.

velte|fjel (på plog) mould board; US mouldboard. **-plass** (for tømmer) piling site; US landing (place), landing depot, dumping ground.

veltilfreds well pleased, contented, satisfied. **-het** satisfaction, contentedness, content(ment); (med seg selv) self-satisfaction, complacency.

velunderrettet well-informed; (som predikatsord) (well) informed.

velur velour(s).

velutrustet well-equipped.

velutstyrt well-equipped; et ~ hotell a well -appointed hotel.

velvalgt well-chosen.

velv (i bank) strongroom.

velvilje benevolence, kindness, goodwill; jeg håper De vil se med ~ på min søknad I hope my application will receive your favourable consideration.

velvillig kind, friendly, benevolent; med ~ assistanse av X with the kind assistance of X; de var alle ~ stemt overfor ditt forslag they were all in sympathy with your proposal; ta under ~ overveielse kindly consider (fx it is our hope that the Council will k. c. the above and inform us of its views).

velvoksen good-sized, big.

velvære well-being; materiell ~ material comforts (fx m. c. such as electricity, good houses, water supplies ...).

velynder patron, benefactor.

velærverdig reverend.

velærverdighet reverence.

veløvd practised (,US: practiced), well -trained.

vemmelig 1. disgusting, repulsive, nasty, unpleasant; (person) repulsive, repellent, revolting, disgusting, nasty; jeg synes han er ~ I find him repulsive; T he gives me the creeps; ha en ~ forkjølelse have a beastly cold; en ~ fyr S a nasty piece of work; a rotter; ~ vær beastly (el. nasty el. foul) weather; 2 (tungvint) T mucky *(fx* it's so m. having to walk about in the rain and the wind with a shopping basket and an umbrella).

vemmelse disgust, loathing, nausea.

vemmes *(vb)* be disgusted, be repelled *(over, ved* with, at).

vemod sadness, wistfulness; *med* ~ sadly; *(se III. stemme).*

vemodig sad, wistful.

vend *(på vevde tøyer)* right side.

vendbar reversible *(fx* coat).

vende 1 *(vt)* turn *(fx* one's car, one's head); ⚓ bring *(fx* a ship) about; veer (round); 2 *(vi)* turn; ⚓ veer *(fx* the wind has veered round); *(ku-)* wear; *(stag-)* tack *(fx* t. to port), put about, go about; *klar til å* ~ ⚓ ready about! *vend!* *vend!* p.t.o., please turn over; *som kan* ~ -s reversible *(fx* coat); ~ *blikket mot* turn one's eyes towards; *bilen vendte hjulene i været* the car turned turtle; ~ *høyet* turn over the hay; ~ *et kort* ✝ turn up a card; *man kan snu og* ~ *saken som man vil; den er og blir ubehagelig* you can look at the thing from whatever angle you like; it's still unpleasant; *hvordan man enn snur og -r på det* look at it whichever way you like; no matter how you look at it; ~ *en ryggen* turn one's back on sby; ~ *mot face (fx* the side facing the lake); ~ *opp ned på forholdene* turn things upside down; reverse the order of things; ~ *noe til ens fordel* turn sth to sby's advantage; *han forsøkte å* ~ *det hele til Johns fordel* he tried to turn it all to John's advantage; ~ *seg* turn *(fx* wherever I turn); turn round; *bladet har vendt seg (fig)* the tables are turned; the situation is reversed; things have taken a new turn; the boot is on the other leg now; ~ *seg av med en vane* break oneself of a habit; ~ *seg bort* turn away; ~ *seg mot* turn towards; *(aggressivt)* turn on, turn against; ~ *seg om* turn, turn round; ~ *seg til* turn to *(fx* sby for help), apply to; appeal to; *(med sak el. spørsmål)* approach *(fx* I shall a. him on the matter); *(om program)* cater for *(fx* the programme caters for a clearly defined group of listeners); *(om bok)* appeal to, be intended for, address itself to, cater for (the needs of); ~ *seg til det bedre* take a turn for the better; ~ *seg til det beste* turn for the best (in the end); *alt vil* ~ *seg til det beste* it will all be for the best (in the end); everything will come right; everything will be all right; *hans kjærlighet vendte seg til hat* his love turned to hatred; ~ *tilbake* return, come back, turn back.

vendediameter turning circle (diameter) *(fx* a car with a 25-foot t. c.).

vende|krets tropic; *den nordlige* ~ the Tropic of Cancer; *den sørlige* ~ the Tropic of Capricorn. **-plog** reversible plough; *(av bæretypen)* mounted r. p.; *(bakkeplog)* r. hillside p.; *(slepevendeplog)* trailed r. p. **-punkt** turning point; *betegne et* ~ mark a t. p.

vending turning, turn; *(i stil)* turn (of phrase), mode of expression; *i en snever* ~ in an emergency, at a pinch; *rask i -en* quick (off the mark) *(fx* he's q. off the mark); *du skulle ha vært raskere i -en* you ought to have been quicker off the mark; *samtalen hadde tatt en uventet* ~ the conversation had taken an unexpected turn; *jeg måtte gå to -er* I made two journeys; *jeg kunne ikke få med meg alt i én* ~ I couldn't carry it in one journey; *være sen i -en* be slow.

vene vein. **-blod** veinous blood.

Venedig Venice.

venerasjon veneration.

venerisk venereal; ~ *sykdom* venereal disease *(fk.* V.D.).

venetianer Venetian. **venetiansk** Venetian.

Venezia Venice.

venn friend; *en* ~ *av meg* a friend of mine; *gode -er* great friends; *bli gode -er med en* T cotton up to *(el.* up with) sby; *gjøre seg godvenner med* make friends with; *du kan ikke gå dit, min lille* ~

(sagt til liten gutt) you can't go there, my little man.

venne *(vb)* accustom; ~ *en av med noe* break sby of sth; ~ *fra (brystet)* wean *(fx* a baby); ~ *seg av med* break oneself of; ~ *seg til* accustom oneself to, get accustomed to; ~ *seg til å* get into the habit of (-ing).

venne|hilsen friendly greeting. **-krets** circle of friends. **-løs** friendless. **-møte** meeting of friends. **-råd** friendly advice. **-sæl** *(glds)* popular, well -liked. **-tjeneste** act of friendship, friendly turn.

venninne friend; girl friend.

vennlig kind, kindly, friendly; *han hadde et* ~ *uttrykk i ansiktet* there was a look of kindness about his face; *hans -e vesen* his friendliness *(fx* his f. made him popular); ~ *mot* kind to; *være* ~ *innstilt overfor en* be kindly *(el.* friendly) disposed towards sby; *(adv)* kindly, with kindness; *vær så* ~ *å underrette meg* please inform me; *han takker for at De vil være så* ~ *å møte opp på stasjonen* he thanks you for your kindness in meeting him at the station; *få rommet til å se meget -ere ut* make the room (look) much brighter, brighten up the r. considerably.

vennlighet friendliness, kindness, kindliness.

vennligsinnet friendly *(el.* kindly) disposed *(mot* towards); friendly; *en* ~ *stamme* a friendly tribe; *være* ~ *overfor en* be well-disposed towards sby.

vennskap friendship; *slutte* ~ form a friendship *(med* with); *under dekke av* ~ under the pretence of friendship; *in (el.* under) the guise of friendship.

vennskapelig friendly, amicable, kindly; *stå på* ~ *fot med* be on friendly terms with.

vennskapelighet friendliness; *i all* ~ amicably, in a friendly spirit; as a friend.

vennskaps|besøk *(polit.,* etc) goodwill visit. **-bevis** proof *(el.* token) of friendship. **-maske:** *under* ~ under the pretence of friendship.

I. **Venstre** *(subst)* the Liberal Party.

II. **venstre** left; *til* ~ *(på* ~ *side)* on the left; *(over til* ~*)* to the left; ~ *om!* left turn! *på* ~ *side* on the left-hand side; on the left, on one's left; ~ *hånd* the left hand.

venstre|ratt left-hand drive. **-sving** left-hand bend.

I. **vente** *(subst): i* ~ in store *(fx* nothing but disappointments are in store for him *(el.* await him); in prospect *(fx* orders we have in prospect); *det er store begivenheter i* ~ we are on the eve of great events; sensational developments are to be expected.

II. **vente** *(vb)* 1 *(ha forventning om)* expect *(fx* I e. (to see) him today; I e. him to dinner; it is not so bad as I expected); anticipate *(fx* we did not a. this result); *vi -r svar i morgen* we expect an answer tomorrow; *når kan vi* ~ *levering?* when may we expect delivery? *jeg -r å være tilbake på mandag* I expect to be back on Monday; *du kan* ~ *meg ved nitiden (også)* look out for me at nine; *det var for meget å* ~ that was too much to be expected; *skipet -s til Bergen i morgen* the ship is expected to arrive at B. tomorrow; *(om ruteskip, også)* the ship is due (to arrive) at B. tomorrow; *De -r for meget av ham* you expect too much from him; *vi har rett til å* ~ *oss meget av ham (også)* we have good reason to have great expectations of him; *man -t av ham at han skulle holde seg borte hele dagen* he was expected to keep away all day; 2 *(tilbringe tiden med å vente)* wait *(fx* I shall w. till he is ready); *(i tlf)* hold on, hold the line; *(utålmodig, fx* i *forværelse)* kick one's heels; *det blir ikke lenge å* ~ we shall not have long to wait; *denne saken kan* ~ this matter can wait *(el.* stand over); *vi -r litt til og ser om de kommer* we'll hang on for a little while and see if they come; *vi -t og -t, men bussen kom ikke* we stood there waiting, but the bus just wouldn't come; 3 *(imøtese)* look forward to *(fx* we l. f. to receiving your *(el.* an) early reply), await *(fx* we a. your early reply); *la en* ~ keep sby waiting; let sby wait; *svaret lar* ~ *på seg* the answer is long in coming; ~ *med noe* put off sth; delay *(el.* postpone *el.* defer) sth; ~ *(på en) med middagen* wait dinner (for sby); *denne leksen -r jeg med til i morgen* I shall leave this homework until tomorrow; *hvis du ikke hadde -t så lenge med å bestille* if you hadn't left booking so late; ~ *på noe* wait for sth; await sth; *store problemer -r på sin løsning* great problems still remain to be solved *(el.* are yet to be solved); *vi -r på at ordren skal bli bekreftet* we are waiting for the order to be confirmed; *vi måtte* ~ *lenge på toget (også)* we had a long wait for the train; *vent til det blir din tur* wait your turn; ~ *seg* (ɔ: *være gravid)* be expecting; ~ *seg noe* expect sth; *du kan* ~ *deg!* just (you) wait!

ventelig to be expected; *(adv)* probably.
venteliste waiting list; *de har ingen* ~ they don't maintain a w. l.; *sette seg på* ~ put oneself down on *(el.* put one's name on) a w. l.; *sette på* ~ T *(også)* wait-list *(fx* sby); *stå på* ~ be down on a waiting list; have one's name on a w. l.; (NB the city has a housing w. l. of 6,000 families).
ventende waiting, expectant.
vente|sal waiting-room. **-tid** waiting time *(el.* period), period of waiting; wait *(fx* we had a long wait); *i den lange -en* during the long w. period. **-værelse** waiting-room.
ventil 1. ventilator; **2.** ⚓ porthole; **3.** ⊕ valve *(fx* safety valve); *(på dekk)* tyre (,US: tire) valve; *slipe en* ~ *(i bilmotor)* reface a valve; *stille -ene* set the valves.
ventilasjon ventilation.
ventilasjonsvindu vent(ilator) window; *(trekantet i bil, også)* quarter-light.
ventilator ventilator.
ventilere *vb (også fig)* ventilate.
ventil|fjær valve spring. **-føring** valve stem guide. **-gap** valve opening. **-gummi** valve rubber. **-klaff** valve flap. **-klapring** valve clatter. **-klaring** (valve) tappet clearance. **-løfter** (valve) tappet, valve lifter, cam follower. **-løfterstilleskrue** valve -tappet adjusting screw. **-nål** *(for bildekk)* valve core; *(i forgasser)* valve needle. **-sete** valve seat. **-skaft, -spindel, -stamme** valve stem *(el.* spindle). **-støtstang** (valve) push rod. **-vippearm** (valve) rocker arm.
ventrikkel *(anat)* ventricle; stomach.
venus|bjerg *(anat)* mount of Venus. **-hår** maidenhair.
veps 🐝 wasp.
vepsebol wasp's nest; *(fig)* hornet's nest; *stikke hånden i et* ~ stir up a hornet's nest.
vepse|stikk wasp sting. **-talje** wasp waist.
veranda veranda(h); US porch.
verb verb.
verbal verbal.
verbalsubstantiv verbal noun.
verbo: *nevne et verb a* ~ rehearse a verb.
verbum: *se verb.*
I. verd *(subst)* worth, value.
II. verd *(adj)* worth; *det er pengene -t* it is worth the money; *det er -t £10* it is worth £10; *det er ikke -t (at du gjør det)* you had better not; *et forsøk -t* worth trying; *umaken* ~ worth while; *(se tjeneste).*
verden world; *hele* ~ all the world, the whole world; *hva i all* ~? what on earth? *hvem i all* ~? whoever? *hvordan i all* ~? how on earth? how in (all) the world; *hvorfor i all* ~ *gjorde du det?* why on earth did you do that? whatever did you do that for? *ta* ~ *som den er* take things as they are; *det er -s gang* that's the way of the world; *all -s rikdom* all the riches in the world; *til ingen -s nytte* no earthly use *(fx* it's no e. u.), no use whatever; *ingen -s ting* nothing whatever, nothing at all, absolutely nothing; T not a thing; *ikke for alt i* ~ not for the world, not on any account, not for anything in the world; not for all the tea in China; ~ *går (el. har gått)* ham *imot* he is down

on his luck; *bringe til* ~ bring into the world, bring forth; *komme til* ~ be born; *saken er ute av* ~ the matter is settled and done with; *og dermed er saken ute av* ~ and that is *(el.* will be) the end of the matter; and that's an end of it; and there's an end of it; and that will be that; and that's that.
verdens|alt universe. **-anskuelse** philosophy of life; world view; *(ofte* =) outlook. **-begivenhet** event of world importance; *i sentrum for -ene* at the heart of world affairs. **-berømmelse** world -wide fame. **-berømt** world-famous, world -renowned. **-berømthet 1.** = *-berømmelse;* 2 *(person)* world-famous person, celebrity. **-bilde** world picture. **-borger** citizen of the world; *(kosmopolitt)* cosmopolitan, cosmopolite; *en ny* ~ (ɔ: *nyfødt barn)* a little stranger; *den nye* ~ *(spøket)* T the new arrival, the little stranger. **-dame** woman of the world. **-del** part of the world, continent.
verdens|erfaring experience (of the world). **-forakt** contempt of the world. **-herredømme** world dominion, mastery of the world; *søke å oppnå* ~ make a bid for world dominion. **-historie** world *(el.* universal) history. **-historisk** in the history of the world; historic *(fx* moment); *-e begivenheter* events of world importance; *(se også -begivenhet).* **-hjørne** corner of the world, quarter of the globe. **-kart** map of the world. **-klok** worldly-wise. **-klokskap** worldly wisdom.
verdenskrig world war.
verdens|krise world crisis. **-litteratur** world literature. **-mann** man of the world. **-mester** world champion. **-mesterskap** world championship; *-et i hurtigløp på skøyter* the w. c. in speed skating. **-omseiler** circumnavigator of the globe. **-omseiling** circumnavigation of the globe. **-omspennende** world-wide, world-embracing; *med* ~ *markeder* with markets that encompass the world. **-rommet** space. **-språk** universal language; *(utbredt språk)* world language.
verdensrekord world record.
verdenstrett world-weary; world-worn.
verdensutstilling world exhibition.
verdi value; *det har liten* ~ *for meg* it is of little v. to me; *det har stor interesse og* ~ *for meg personlig i mitt arbeid* it is of particular interest and v. to me personally in my work; *store -er* large sums (of money); *falle i* ~ fall in v., lose v., depreciate; *stige i* ~ rise (in v.), increase in v.; *til en* ~ *av £5* to the v. of £5.
verdi|angivelse statement of value. **-ansettelse** valuation, estimate, assessment. **-brev** insured (registered) letter; *dette skal gå som* ~ I'd like to have this letter insured. **-forringelse** depreciation. **-forsendelse:** *se -sending.* **-forøkelse** appreciation, rise *(el.* increase) in value; increased v.
verdifull valuable, of great value.
verdig worthy; *(om vesen)* dignified; ~ *til* worthy of; *som var en bedre sak* ~ deserving of a better cause; *en* ~ *representant for det unge Tanzania* a worthy representative of the young people of T. *(el.* of Tanzanian youth).
verdige *(vb):* *han -t meg ikke et svar* he did not deign *(el.* condescend) to answer me.
verdighet dignity; *(til noe)* worthiness; *under ens* ~ beneath one's dignity; *det ville være under min* ~ *å gjøre det* T it would be infra dig for me to do that; *holde på sin* ~ stand on one's dignity.
verdigjenstand article of value; *(pl også)* valuables.
verdiløs valueless, of no value; worthless.
verdi|løshet worthlessness. **-pakke** insured parcel; *(se -sending).* **-papirer** *(pl)* securities; *(obligasjoner)* bonds; *(aksjer)* stocks and shares, stock. **-pose** *(post)* insured article bag. **-post** insured mail. **-saker** *(pl)* valuables. **-sending** *(post)* insured article *(el.* packet). **-stigning** increase in value, appreciation; increment. **-stigningsskatt** tax on unearned increment.
verdsette *(vb)* estimate, value; ~ *for høyt* (*,lavt)* overvalue (,undervalue).

verdsettelse valuation.
verdslig temporal, secular, worldly, mundane; *den -e makt* the secular power.
verdslighet secularity; worldliness.
verdsligsinnet worldly(-minded).
verft shipbuilding yard, shipyard.
I. verge *subst* (*formynder*) guardian; probation (,children's) officer; (*se barnevernsnemnd*); (*bestyrer av myndlings gods*) trustee.
II. verge (*subst*): *se varetekt*.
III. verge *subst* (*glds & poet* = *våpen*) weapon; *vårt skjold og* ~ (*bibl*) our shield and buckler (*fx* the Lord, our s. and b.).
IV. verge (*vb*) defend, protect (*mot* from); ~ *seg* defend oneself; ~ *seg mot en fare* guard against a danger; *jeg -r meg for å tro det* I can hardly believe it; (*sterkere*) I refuse to believe it.
vergeløs defenceless; US defenseless. **-het** defencelessness; US defenselessness.
vergeråd: *se barnevernsnemnd*.
verifisere (*vb*) verify.
verifisering verification.
veritabel veritable, regular.
I. verk (*subst*) 1. ache, pain; 2. inflammation; matter, pus: festering wound; *det har* (,*hadde*) *satt seg* ~ *i såret* the wound is (,was) festering; *det satte seg* ~ *i såret* the wound festered; the wound went (*el.* turned) septic; the w. became infected; (*jvf verkefinger*).
II. verk (*subst*) 1 (*arbeid*) work; 2 (*fabrikk*) works (NB a works) (*fx* the glassworks is (*el.* are) near the station); *ved -et* at the works; 3. ⊕ works, mechanism; 4 (*bok, kunstverk, etc*) work (*fx* the works of Dickens); creation; *lysten driver -et* willing hands make light work; *samlede -er* collected works; *alt dette er ditt* (*, hans, etc*) ~ all this is your (,his, *etc*) (handi)work; (*især neds*) all this is your (,his, *etc*) doing; *sette i* ~ put (*el.* carry) into effect; start (*fx* inquiries); *gå forsiktig til -s* proceed cautiously (*el.* with caution); *gå grundig til -s* be thorough; leave no stone unturned; *gå radikalt til -s* adopt drastic measures; *gå besluttsomt til -s* (*også*) take a firm line; *gå strengt til -s mot* deal severely with (*fx* sby); *skride til -et* set to work; go (*el.* set) about it.
verkbrudden (*bibl*) palsied.
verke (*vb*) ache, pain; ~ *etter å gjøre noe* be bursting to do sth; *han rent -t etter å få sagt dette* he was positively bursting to get this said; *gå og* ~ *med noe* (*fig*) have sth on one's mind.
verkefinger festering finger; swollen (*el.* infected) finger.
I. verken linsey-woolsey.
II. verken (*konj*): *se hverken*.
verks|betjent (*i fengsel*) foreman of works. **-eier** factory owner, mill owner. **-mester** works manager; (*ved mindre bedrift*) shop foreman; (*i fengsel*) senior foreman of works. **-sertifikat** (*for skip*) builder's certificate.
verksted workshop; *mekanisk* ~ engineering workshop; (*se også maskinverksted*).
verkstedarbeider shopman, engineering worker; (*jernb: montør*) engine fitter.
verkstedpraksis (work) shop practice, workshop training.
verktøy tool, implement; (*se radiostøyfilter*).
verktøy|sett kit of tools. **-kasse** tool box. **-maskin** machine tool.
vermut vermouth.
vern defence (,US: defense), protection.
verne|plikt compulsory military service; national service, conscription; *alminnelig* ~ general conscription; *avtjene sin* ~ serve one's time as a soldier. **-pliktig** liable for military service; US liable to be drafted; *en* ~ a conscript; (*i England*) a (national) serviceman; ~ *befal* reserve officers.
verneskog protection forest.
verneting legal venue; legal domicile (*fx* of person or firm).
vernetoll protective duty.

veronal veronal.
verpe (*vb*) lay; *egget vil lære høna å* ~ teach one's grandmother how to suck eggs. **-høne** laying hen. **-syk:** ~ *høne* broody hen.
verre worse; (*vanskeligere*) harder, more difficult; *bli* ~ *og* ~ go from bad to worse (*fx* things were going from bad to w.); become worse and worse; *gjøre galt* ~ make bad worse; ~ *enn ingenting* worse than useless; *så meget desto* ~ so much (the) worse; T (*også*) the more's the pity; *en forandring til det* ~ a change for the worse.
vers verse; stanza; *synge på siste -et* (*fig*) be nearly over, draw to its close, be on its last legs.
verskunst art of versification; metrical technique (*fx* his m. t.).
versere (*vb*) circulate, be current; *de rykter som -r* the rumours in circulation; ~ *for retten* be now before the court; (*se sak B*).
versifisere (*vb*) versify, put into verse.
verst worst; *vi frykter det -e* we fear the worst; *det -e gjenstår* the worst is still to come; the sting is in the tail; *hittil er alt greit, men det -e gjenstår* (*også*) it is all very well so far, but there is still a snag to come; *det -e han kan gjøre* the worst thing he can do; *det er det -e jeg har hørt* I never heard such nonsense (in all my life); *det er det -e jeg vet* I can't bear it; it's my pet aversion; *det -e jeg vet er å* I hate (-ing); I can't bear (-ing); *han er over det -e* (*om sykdom*) he has turned the corner; *vi er over det -e nå* the worst is behind us; now we are over the worst; T now we're over the worst hurdles; now we can see daylight; *det blir* ~ *for ham selv* that's his look-out; T that's his funeral; S (*også* US) that will be his tough luck; *i -e fall* at (the) worst; in an extreme emergency; *ikke så* ~ not at all bad; T not half bad; not so dusty; not so bad (*fx* How are you? -Not so bad).
vert 1. landlord; 2 (*en som privat har gjester*) host; ~ *og leieboer* landlord and tenant; *gjøre regning uten* ~ reckon without one's host; *være* ~ (*el. vertinne*) do the honours (of the table (,of the house)); *jeg er visst ikke videre flink som* ~ (*også*) I'm not being the perfect host.
vertikal vertical; (*se tomannsbolig*).
vertinne landlady; (*i selskap*) hostess; (*se vert*).
vertsfolk host and hostess; landlord and landlady; (*se vert*).
vertshus public-house; T pub.
vertshusholder publican, innkeeper.
vertskap host and hostess; landlord and landlady; (*se vert*).
I. verv task, commission; *nedlegge sitt* ~ (*om offentlig verv*) resign office, resign (one's duties).
II. verv (*i håret*) coiffe (NB *uttales* kwif).
verve (*vb*) enlist; recruit; ~ *stemmer* get votes; (*ved personlige henvendelser*) canvass (for votes); *la seg* ~ enlist.
vesel ♀ weasel.
vesen 1 (*personlighet*) being; creature; (*også neds*) thing; (*natur*) nature; (*sinnelag*) disposition, character; (*måte å være på*) manner(s), ways; (*innerste natur*) essence; *ha et behagelig* ~ have a pleasant manner; *hennes utvungne* ~ (*også*) the (light) ease of her manners (*fx* he was caught by the light ease of her manners); (*jvf fremtreden*); **2** (*administrasjonsgren*) system (*fx* the educational s.); service (*fx* the postal s.); **3** (*bråk, oppstyr*) fuss, to-do; *gjøre* ~ *av* make fuss about (*el.* over); *det er blitt gjort altfor meget* ~ *av denne episoden* far too much fuss has been made over this incident; (*se også vennlig & åpen*).
vesens|forskjell essential difference. **-forskjellig** essentially different (*fx* his position is e. d. from mine).
vesentlig essential; (*betydelig*) considerable, substantial, material; (*hovedsakelig*) principal, main; (*viktig*) important; *mindre* ~ immaterial, non-essential; *for en* ~ *del* in a large measure,

materially; *i* ~ *grad* to an essential degree, materially; ~ *for* essential to; *på et* ~ *punkt* in one essential; in one e. respect; *de er forskjellige på -e punkter* they have significant points of difference from each other; *det -e* the essential thing, essentials (*fx* agree on e.); *i det -e* in the main, in essentials, essentially; *faller i det -e sammen med* is (,are) substantially identical with; *du har fått med det -e* (*fx om stiloppgave*) you have included the main points; *i alt* ~ in all essentials, in all essential points; (*praktisk talt*) practically, to all intents and purposes; *ikke* ~ *bedre* not appreciably better; *bidra ganske* ~ *til* be largely instrumental in (-ing); contribute most materially to; *til* ~ *reduserte priser* at considerably reduced prices, at greatly r. p.; *han er inne på noe meget* ~ *i sitt brev til* ... he raises an extremely important point in his letter to ...; (*se III. si A*).
vesir vizier.
veske bag, handbag; (*skole-*) satchel. **-napping**, **-tyveri** bag-snatching.
vesla little girl; S small; (*jvf småen*).
vesle little; (*se liten*).
veslevoksen precocious.
I. vest (*klesplagg*) waistcoat; US vest; (*jvf undertrøye*).
II. vest (*verdenshjørne*) west; *i* ~ in the west; ~ *for* west of; *mot* ~ towards the west, westward; *vinden er slått om til* ~ the wind has shifted to the west.
vesta|fjells west of the mountains. **-fjelsk** western. **-for** west of, to the west of.
Vest-Afrika West Africa.
vestalinne vestal virgin.
vestavind west wind, westerly wind.
Vesten the West; *det ville* ~ the Wild West.
vestenfor west of, to the west of.
vestenfra from the west.
Vester|landene the Occident, the West, the Western World. **v-landsk** occidental, western.
vestetter (towards the) west, westward.
Vest-Europa Western Europe.
vesteuropeisk Western European.
vestgående westbound (*fx* train).
vestibyle hall, entrance hall, vestibule.
Vestindia the West Indies (*pl*).
vestindisk West Indian.
vestkant west side; *-en* (*som bydel*) the West End.
vestkyst west coast.
Vestlandet Western Norway.
vestlandsk western.
vestlending inhabitant of Western Norway.
vestlig (*adj*) western, westerly, west; (*adv*) towards the west, westwards.
vestmaktene the Western Powers.
vest|over to the west, towards the west. **-på** in the west; in the western part of.
vestre western; west.
veteran veteran (*fra* of).
veterinær veterinary (surgeon); T vet.
veterinærhøyskole veterinary college.
veto veto. **-rett** right of veto.
vett brains, sense; wits; *han har ikke bedre* ~ he knows no better; *være fra -et* be out of one's senses (*el.* wits); be off one's head; *har du gått fra -et!* have you taken leave of your senses! *han sto sist i køen da -et ble delt ut* T he was on the wrong side of the door when (the) brains were handed out; (*jvf forstand*).
vette (*i folketroen*) genius, spirit.
vettløs foolish, stupid, witless.
vettskrem|me (*vb*): *han var -t* T he was scared stiff.
vev 1 (*vevstoff*) loom; (*det som veves*) texture, web, textile; **2** (*anat*) tissue; *fremmed* ~ (*anat*) foreign tissue; **3** (*fig*) network, web, tissue (*fx* a tissue (*el.* web) of lies); **4** (*løst snakk*) nonsense, twaddle.
veve (*vb*) weave.

vever (*subst*) weaver.
vever *adj* (*rask, livlig*) agile, nimble, active.
veveri weaving mill; textile factory.
vevkjerring 🕷 harvest spider, harvestman.
vev|skyttel weaver's shuttle. **-spole** spool. **-stol** handloom.
vi we; *vi* ... *selv* we ... ourselves; ~ *alle* we all, all of us; *alle* ~ *som* all of us who.
via (*over*) via, by way of, through.
viadukt viaduct.
vibrasjon vibration.
vibrasjonsdemper vibration damper (*el.* absorber).
vibrere (*vb*) vibrate; *-nde* vibratory.
vibrering vibration.
vid (*bred*) wide; (*rommelig*) spacious, ample; (*utstrakt*) extensive, vast; *den -e verden* the wide world; *-e benklær* wide trousers; *en* ~ *frakk* a loose coat; *i -e kretser* in wide circles; *på* ~ *vegg* wide open; (*se også videre* & *vidt*).
vidd wit; *skarpt* ~ pungent wit; *gnistrende av* ~ sparkling with wit.
vidde 1 (*bredde*) width (*på* of); (*rommelighet*) width, looseness, fullness (*fx* of a garment); (*mål omkring noe*) width, circumferential measure, girth; (*spor-*) gauge; US gage; **2** (*utstrakt flate, rom*) wide expanse, plain; (*fjell-*) mountain plateau (*pl*: *-x el. -s*); *de store -r* the (wide) open spaces; *komme ut på -ne* (*om taler*) run away from the issue; (*jvf tindrende*).
vide (*vb*): ~ *ut* broaden, widen; ~ *seg ut* become wider, widen; ~ *ut noe* stretch sth.
videre 1. *adj* (*bredere*) wider; (*rommeligere*) wider, ampler; **2.** *adj* (*ytterligere*) further, additional; *som* ~ *svar på Deres brev* in further reply to your letter; *i* ~ *forstand* in a wider sense; *under* ~ *henvisning til* with further reference to; *uten* ~ *besvær* (ɔ: *uten særlig besvær*) without much trouble; **3** (*adv*): *arbeide* ~ go on working, continue to work; *det bringer oss ikke* ~ that does not advance matters; *jeg bryr meg ikke* ~ *om ham* I don't care much for him; *føre* ~ carry on (*fx* the business); *gå* ~ go on, proceed; *gå* ~ *med en sak* go on (*el.* proceed) with a case; *ikke gå* ~ *med det* (ɔ: *ikke fortell det*) don't let it go any further; T keep it under your own hat; mum's the word; **inntil** ~ until further notice; (*se også inntil*); **komme** ~ get on, proceed, make headway; (ɔ: *bli fortalt til andre*) go further; *vi må komme* ~ *med dette arbeidet* we must get on with this work; *vi må vel se å komme* ~ (ɔ: *gå*) well, I suppose we must be getting along; *det meddeles* ~ *at* it is further stated that; **sende** ~ forward, send on (*fx* a letter); (*om beskjed, etc*) pass on (*fx* p. on this message to your friends); **og så** ~ and so on; and so forth; *og så* ~ *og så* ~ and so on and so forth; **uten** ~ without (any) more ado (*el.* fuss), without any (further) ceremony.
viderebeford|re (*vb*) send on, forward. **-ing** forwarding, sending on; reforwarding; *til* ~ to be forwarded, for reforwarding.
viderebehandling further treatment.
videre|forsendelse: *se -befordring*.
videre|gående further, more extensive; ~ *studier* more advanced studies; ~ *utdannelse* further education. **-kommet** advanced. **-komne** (*pl*) advanced pupils (,students).
videresende (*vb*) forward, send on.
viderverdighet adversity, trouble.
videst: *se vid*.
vidje ❀ willow. **-bånd** withe, osier band; US withy band.
vidjefletning wickerwork, basketwork.
vidløftig (*omfattende*) extensive; (*utførlig*) elaborate; (*lang*) long, lengthy; (*langvarig*) protracted; (*omstendelig*) long-winded, prolix; (*for ordrik*) verbose; (*vanskelig å forstå*) complex.
vidløftighet lengthiness, prolixity; verbosity; complexity; *uten å innlate seg på -er* without going into tedious details.
vidstrakt extensive.

vidsynt far-seeing.

vidt (*adv*) far, widely (*fx* that's going too far; they are we. different); *drive noe for* ~ carry sth (*fx* the joke) too far; go too far; *det går for* ~ that's going too far; *så* ~ (ɔ: *knapt, neppe*) only just, scarcely, barely; *det er så* ~ *han kan lese* he can scarcely read; T it's as much as he can do to read; *det var så* ~ *jeg kunne løfte steinen* it was all I could do to lift the stone; *det var så* ~ *det holdt* (*om prestasjon*) it was only just good enough; (*til eksamen*) he (*,etc*) scraped through; (*om tiden*) we (*,etc*) had to cut it fine; *nå blir det akkurat så* ~ *vi når toget* we shall only just manage to catch the train; *så* ~ *jeg vet* as far as I know; to the best of my knowledge; *så* ~ *jeg husker* as far as I remember; to the best of my recollection; *for så* ~ so far; as far as it goes; *for så* ~ *som* in so far as.

vidt|bereist widely travelled. **-berømt** far-famed. **-forgrent** widely ramified. **-gående** extreme. **-rekkende** far-reaching. **-skuende** far-seeing, far -sighted (*fx* statesman).

vidunder wonder, marvel, prodigy.

vidunderbarn infant prodigy.

vidunderlig wonderful, marvellous.

vidvinkelobjektiv wide-angle lens.

vidåpen wide open.

vie (*vb*) consecrate, dedicate; (*ektefolk*) marry; (*en prest*) ordain; *la seg borgerlig* ~ go before the registrar; ~ *til* devote to; ~ *seg til* devote oneself to, give oneself up to; ~ *sine krefter til* devote one's efforts to; *skolens folk vil finne at deres spesielle sektor er -t behørig oppmerksomhet* the educationist will find that due attention must be devoted to his particular needs.

vielse wedding (ceremony); *foreta en* ~ (*om presten*) perform a marriage (*fx* in Scotland marriages can also be performed by ministers in a private home or in a hotel).

vielsesattest marriage certificate.

vielsesformular marriage formula.

vier ♣ willow. **-kjerr** willow thicket.

vievann holy water.

vievannskar holy-water font.

vift: *gå på* ~ go out to enjoy oneself; T go for a binge; *være opplagt til å gå på* ~ T be in a gadding mood.

I. vifte (*subst*) fan; cooling fan.

II. vifte (*vb*) flutter, wave; (*med vifte*) fan; ~ *med hånden* wave one's hand.

vifte|blad fan blade. **-formet** fan-shaped. **-hus** fan casing. **-rem** fan belt.

vignett vignette.

vigsel: *se vielse*.

vigør vigour; US vigor; *i full* ~ T full of beans.

vik creek, cove, inlet; (NB US creek = *bekk*).

vikar substitute, deputy. **-iat** post as a deputy, deputyship; *et 3-måneders* ~ a three-month deputyship.

vikariere (*vb*) act as a substitute (*for en* for sby), deputize (*for en* for sby); (*også om skuespillere, etc*) stand in (*for en* for sby).

I. vike (*vb*) yield, give way (*for* to); ~ *for fienden* retreat before the enemy; ~ *fra* depart, leave; ~ *tilbake* draw back, recede, retreat, flinch (*for* from); ~ *til side* step aside; (*se også vikende*).

vikende (*se vike*): ~ *marked* (*merk*) sagging market; *på* ~ *front* in (full) retreat.

vikeplass (*langs vei*) lay-by.

vikeplikt [duty to give way to approaching traffic]; *A har* ~ *for B* B has the right of way over A; A must give way to B.

viking viking; *fare i* ~ go on a viking raid. **-skip** viking ship. **-tid** viking age. **-tog** viking raid.

vikke ♣ vetch.

vikle (*vb*) wrap, twist; ~ *inn i papir* wrap (up) in paper; ~ *seg inn i hverandre* get tangled (up); *hun kan* ~ *ham om lillefingeren* she can twist him round her little finger; ~ *sammen* roll (*el.* wrap) up; ~ *seg om* twist (itself) round

(*fx* the snake twisted (itself) round my arm); ~ *seg ut* extricate oneself.

viktig (*betydningsfull*) important, of importance; (*innbilsk*) conceited, self-important; T stuck-up; (*se også viktigst*).

viktig|het importance; (*innbilskhet*) conceit. **-makeri** giving oneself airs. **-per** conceited fellow; T squirt; show-off; (*jvf spirrevipp*).

viktigst most important; principal; *det -e* the main thing.

vilje will; (*ønske*) wish; *hans siste* ~ his last will and testament; *med en sterk* ~ strong -willed; *få sin* ~ have one's way; *sette sin* ~ *gjennom* get one's own way; carry one's point; *ha den beste* ~ have the best intentions; *med den beste* ~ *av verden* with the best intentions in the world; *av egen fri* ~ of one's own free will, of one's own accord, voluntarily; *med* ~ on purpose, deliberately, purposely; *ikke med* ~ unintentionally; *jeg gjorde det ikke med* ~ (*også*) I did not mean to do it; *mot min* ~ against my will (*el.* wish); (*se II. vise*).

vilje|fast firm, determined, resolute. **-fasthet** firmness (of purpose). **-kraft** willpower; *ved ren og skjær* ~ by sheer force of will. **-løs** weak, weak-willed; *han er helt* ~ (*også*) he has no will of his own. **-løshet** lack of willpower, weakness. **-sak** matter of will.

viljesakt act of volition, act of will.

vilje|sterk strong-willed; (*jvf viljefast*). **-styrke** strength of will. **-svak** weak(-willed).

viljesytring expression of will.

vilkår condition, term; (*omstendigheter*) circumstances; *på disse* ~ on these terms; (*se betingelse & ugunstig*).

vilkårlig (*egenmektig*) arbitrary, high-handed.

vilkårlighet arbitrariness.

vill wild; (*usivilisert*) uncivilized, savage; (*glupsk*) fierce, ferocious; *en* ~ *gutt* a wild boy; *-e* (*mennesker*) savages; *-e dyr* wild animals; (*om løve, tiger, etc*) wild beasts; ~ *etter å gjøre noe* wild to do sth; *han er* ~ *etter henne* he is crazy (*el.* wild) about her; *han er* ~ *etter biler* he is crazy about cars; *fare* ~ lose one's way; get lost; *føre en* ~ lead sby astray, mislead sby; *i* ~ *fart* at a furious pace; *i* ~ *tilstand* in the wild state; when wild; *på* ~ *flukt* in full flight; (✠ *også*) in (full) rout; *vokse vilt* grow wild.

villa (private) house, detached house.

villabebyggelse housing estate.

villaklausul [ordinance prohibiting other than detached houses in a district]; *det hviler* ~ *på dette området* building is restricted to detached houses in this area; *i dette distriktet er det* ~ this district is reserved for (building) detached houses.

villakvarter residential district.

villa|messig: ~ *bebyggelse: se -kvarter*.

villand ♣ wild duck.

villastrøk residential district.

villbasse madcap.

ville 1 (*uttrykk for vilje*) want to, be willing to; *vil han?* is he willing? *han både vil og ikke vil* he is in two minds about it; *han vet ikke hva han selv vil* he does not know his own mind; *han vil gjøre det* he wants to do it; *han vil ikke gjøre det* he does not want to do it; he is not willing to do it; he won't (*el.* will not) do it; *han sier at han ikke vil gjøre det* he says he won't do it; *han* ~ *ikke gjøre det* he did not want to do it; he was not willing to do it; *han sa at han ikke* ~ *gjøre det* he said he would not do it; *jeg kunne ikke om jeg* ~ I couldn't if I would; *jeg* ~ *ikke om jeg kunne* I wouldn't if I could; *jeg kan ikke hjelpe ham om jeg aldri så gjerne* ~ with the best will in the world I can't help him; *jeg kunne ikke forstå ham om jeg aldri så gjerne* ~ I could not understand him however hard I tried; *jeg syntes jeg* ~ *prøve å treffe ham før jeg dro* I thought I would try to see him before I left; *jeg vil vite det* I want to know; (*sterkere*) I insist on knowing

(el. on being told); *man kan hva man vil where there's a will there's a way; hva er det du vil?* what do you want? *hva vil du med ham?* why do you want to see him? what's your business with him? *hva vil han her?* what does he want here? *jeg vil hjem* I want to go home; *som du vil as you like; vi vil få uttrykke vår dypeste beklagelse over den forsinkelse som dette har forårsaket* we should like to express our sincere regrets for the delay which this has caused; *jeg vil at De skal gjøre det* I want you to do it; *jeg vil ikke at De skal tro at* I do not want you to *(el.* I wouldn't have you) think that;
2 *(hjelpeverb for å uttrykke fremtid)* shall, will; should, would; *han vil snart være her* he will *(el.* he'll) soon be here; *jeg ~ gjøre det hvis det skulle bli nødvendig* I should do it if the necessity arose; *det ~ glede meg om De gjorde det* I should be glad if you would do it; *jeg ~ ikke gjøre det hvis jeg var deg* I should not do it if I were you; *han sier han vil hjelpe oss* he says he'll help us; *(uttrykk for vilje)* he says he will *(el.* is willing to)* help us;
3. ~ **ha** want *(fx* he wants money); *(insistere på)* insist on *(fx* he insisted on being paid at once); *hva vil De ha?* what will you have? what can I offer you? *(tilbud om drink)* T what's yours? *han vil ha £5 for den* he wants *(el.* asks) £5 for it; *vil De ikke ha en sigar?* won't you have a cigar? can I offer you a cigar? *vi vil gjerne ha ...* we should like to have ...; we should be glad to have *(fx* full particulars); we should appreciate *(fx* full particulars of this product); *(se også gjerne; heller; III. om; skulle).*
villelse delirium; *snakke i ~* be delirious, rave, wander.
villeple 🌳 crab apple.
villfarelse error, delusion; *rive ut av -n* undeceive; *sveve i ~* be under a delusion.
villfaren having lost one's way; *(om dyr)* stray, lost.
villfremmed *(subst)* complete stranger.
villhet wildness; savageness, fierceness.
villig *(adj)* willing; ready; *(adv)* willingly, readily.
villighet willingness.
villkatt wild cat.
villede *(vb)* lead astray, mislead, misguide.
villedende misleading.
vill|mann savage. **-mark** wilderness, wilds. **-nis** tangle *(fx* the garden was a t. of old and ugly trees); *(villmark)* wilderness; *(fig)* jungle, chaos, mass.
villrede: *være i ~ med hensyn til* be perplexed *(el.* confused *el.* puzzled) as to.
vill|skap wildness; savagery, savageness; ferocity; *(jvf vill).* **-skudd** 🌳 sucker.
villspor wrong track *(el.* scent); *være på ~* be on the wrong track *(el.* scent); *føre en på ~* throw *(el.* put) sby off the scent.
villstrå: *komme på ~* get lost.
villstyring madcap.
villsvin 🐗 wild boar.
villvin 🌿 Virginia creeper.
vilske: *i ~* in delirium.
vilt game; *(dyrekjøtt)* venison; *(det jagede dyr)* quarry.
viltbestand stock game; US game population.
vilter frisky, wild, boisterous; *hun synes å være langt viltrere enn den lille gutten som bor litt lenger borte i gata* she seems to be much tougher and rougher than the little boy a few doors away; *hun er svært glad i skolen, særlig alt som måtte foregå av ~ lek* she loves school, particularly any rough and tumble that may be going; *hun er en riktig ~ unge* T she's a live wire of a child, isn't she? she's a real live wire; *(se krabat).*
vilt|handel 1. dealing in game; 2 *(butikken)* poulterer's (shop), poultry shop. **-handler** poulterer. **-pleie** game preservation. **-saus** game

sauce. **-smak** flavour of game, gamy flavour. **-tyv** poacher. **-tyveri** poaching. **-voksende** growing wild.
vimpel pennant, streamer.
vims *(subst)* scatterbrain; US *(også)* fussbudget.
vimse *(vb)* fuss, bustle *(omkring* about); ~ *omkring* S muck about. **-bøtte, -kopp:** *se vims.*
vimset scatterbrained.
vin wine.
vin|avl wine growing, viticulture. **-ballong** *(i kurv)* carboy, demijohn. **-berg** vineyard.
vind *(subst)* wind; *(i magen)* flatulence, wind; *god ~* (a) fair wind; *dårlig ~* foul wind; *flau ~ (vindstyrke 1)* light air; *kraftig ~* high *(el.* strong) wind; *svak ~ (v. 2)* light breeze; *svak, skiftende ~* light, variable breeze; *han dreier kappen etter -en (fig)* he trims his sails to the wind; **for -en** ⚓ before the wind; *blåser -en fra den kant?* is that the way the wind blows? *se hvilken vei -en blåser (fig)* see which way the cat jumps *(el.* the wind blows); *være i -en (fig)* be in great request, be much sought after; *få ~ i seilene* ⚓ catch the wind; *(fig)* receive a fresh impetus; get a good start; *ha ~ i seilene* ⚓ have a fair wind; *(fig)* be riding on the crest of a wave; be on the highroad to success; **med -en** with the wind, down the wind; *fly med -en* fly down wind; *mot -en* against the wind; upwind; *fly mot -en* fly upwind; *unna -en* off the wind; *(se slippe).*
vindbar exposed (to the winds).
vinde *(subst)* windlass, winch; *(garnvinde)* reel.
vinde|bom ⚓ capstan bar. **-bru** drawbridge.
vindegg wind egg.
vindeltrapp spiral staircase, winding stairs.
vind|fall windfall. **-fang** (small) porch.
vindjakke wind-proof jacket; US windbreaker (jacket).
vind|kast gust of wind. **-mølle** windmill. **-måler** wind gauge.
vind|pust breath of wind. **-pølse** wind sock.
vindranker wine-bibber.
vindrose *(på kompass)* compass card; *(meteorol)* wind rose.
vindrue grape. **-klasse** bunch of grapes.
vind|ski gable board (,US: gableboard); bargeboard. **-skjev** warped.
vindstille calm; *ligge i vindstilla* lie *(el.* be) becalmed.
vindstyrke wind force, force of the wind; (NB 'Wind is force 4, sir').
vindstøt gust of wind.
vindtett windproof.
vind|tørke *(vb)* dry in the wind. **-tørket** air -dried. **-tørr** *(fig)* gaunt, shrivelled. **-tøy** wind -proof fabric; *(om klær)* weather wear.
vindu window; *(på hengsler)* casement window; *(skyve-)* sash window.
vindus|dekoratør window dresser. **-glass** 1. window glass; 2. window pane; *dobbelt ~* double glazing; (NB the windows are double-glazed). **-hasp** (window) catch. **-karm** window frame. **-post** (window) sill. **-pusser** 1. window cleaner; 2 *(på bil)* windscreen wiper; US windshield wiper. **-rute** window pane; *sette inn en ~* put in a pane of glass. **-spyler(anlegg)** windscreen (,US: windshield) washer, screenwasher. **-utstilling** window display.
vindyrker wine grower.
vin|fat wine cask. **-flaske** wine bottle.
vinge wing; *få luft under -ne (fig)* get a chance to show what one can do; *slå med -ne* flap its wings.
vingeben wing bone; *ta en ved -et* take sby by the scruff of his neck; collar sby *(fx* the policeman collared the thief).
vinge|brutt broken-winged. **-fang** wing span. **-mutter** wing nut, thumb nut. **-skutt** winged. **-slag** stroke *(el.* flap) of the wing(s). **-spenn** wingspan. **-spiss** wing tip. **-sus** whir *(el.* whirring) of wings; noise of wings.

vinget winged.
vingjær wine yeast.
vinglass wineglass.
vingle (*vb*) 1. walk uncertainly; (*jvf vagge*); 2 (*fig*) vacillate, shilly-shally, be indecisive; (*se også vakle*).
vinglepave person who doesn't know his own mind; undecided person; US shilly-shallyer.
vinglet(e) (*ustadig*) fickle, inconstant.
vin|gud god of wine. **-gård** vineyard.
vin|handel wine trade; (*butikken*) wine shop. **-handler** wine merchant. **-høst** wine (*el.* grape) harvest; vintage.
vink (*tegn*) sign, signal; (*antydning*) hint; (*opplysning*) hint; *gi en et* ~ drop sby a hint; *oppfatte -et* take the hint; *på et* ~ *fra* at a hint from.
vinkart wine list.
vinke (*vb*) beckon; ~ *til* beckon to; *jeg -t med hånden til dem* I waved my hand to them; ~ *en av* wave sby away.
vinkel angle; (*verktøy*) square; *skjev-, svai-*bevel square; *stillbar* ~ adjustable bevel (square); *rett* ~ right angle; *spiss* (*,stump*) ~ acute (,obtuse) angle; *under en* ~ *på 45°* at an angle of 45 degrees; *i rett* ~ *med* at right angle to.
vinkel|dannet angular. **-hake** square; (*typ*) composing stick. **-jern** angle iron.
vin|kjeller wine cellar. **-kjenner** connoisseur of wine. **-kjøler** wine cooler. **-land** wine country. **-legning** wine-making. **-løv** vine leaves (*pl*).
Vinmonopolet [the State wine and liquor monopoly]; *-s utsalg* = wine (and liquor) shop.
vinn: *legge* ~ *på* apply oneself to.
vinne *vb* (*ikke tape*) win; (*oppnå*) gain, obtain, win; (*erobre*) win, conquer; ~ *det store lodd* win the big prize (*el.* money); *når jeg -r det store lodd* (*spøkef*) when I win the big money (*el.* prize); when I come into the money; when my ship comes home; ~ *en premie* 1. win a prize; 2 (*i lotteri*) draw a prize; ~ *terreng* gain ground; ~ *tid* gain time; *søke å* ~ *tid* play for time; ~ *i styrke* gather strength; *hvis klageren -r saken* if the plaintiff wins the case; (*jur*) if judgment is entered for the plaintiff; *han vant saken* the case went in his favour; he won the case; ~ *tilbake* win back, regain, recover; ~ *ved* gain by (*fx* there is nothing to be gained by it); ~ *seg ved nærmere bekjentskap* improve on acquaintance; *den som intet våger, intet -r* nothing venture, nothing win; (*se bifall; overlegen: vinne -t; stor*).
vinnende winning; (*fig*) prepossessing, attractive, engaging, winning.
vinner winner.
vinning (*inntekt*) gain, profit; *taps- og vinningskonto* profit and loss account; *for ussel -s skyld* for the sake of filthy lucre; *han er en* ~ *for skolen* he is a distinct gain to the school.
vinningsforbrytelse crime for profit.
vin|produksjon wine production. **-ranke** vine. **-sats** wine extract; (*gjærende*) must.
vinsj winch.
vin|smak vinous taste (*el.* flavour). **-sten** tartar. **-stokk** vine, grape vine. **-stue** = wine bar. **-syre** tartaric acid. **-tapper** 1. wine bottler; 2 (*glds*) tapster.
vinter winter; *i* ~ this winter; *i fjor* ~ (ɔ: *for et år siden*) last winter; *om -en* in (*el.* during) the winter; (*nå*) *sist* ~ during the past winter; (*jvf: i fjor* ~); *til -en* next winter; *-en over* throughout the winter; *midt på -en* in the depth of winter.
vinter|bruk: *til* ~ for winter use; (*om klær*) for winter wear. **-dag** winter('s) day (*fx* on a cold winter day). **-drakt** winter dress; (*dyrs*) w. coat; (*fugls*) w. plumage; (*jvf -skrud*). **-dvale** hibernation, winter sleep; *ligge i* ~ hibernate. **-ferie** winter sports holiday. **-frakk** heavy overcoat, greatcoat. **-føre:** *på* ~ on the snow, on the winter roads. **-hage** winter garden(s), conservatory.

-hi winter lair. **-kåpe** (woman's) winter coat. **-landskap** wintry scenery.
vinterlig wintry.
vinter|morgen winter morning. **-opplag** winter storage; *sette bilen i* ~ lay the car up for the winter. **-skrud:** *i* ~ in its winter setting (*fx* mountain scenery in its w. s.). **-sol(h)verv** winter solstice. **-tøy** winter clothing.
vintervei: *vise en -en* send sby about his business.
vintervær wintry weather.
vipe 🐦 lapwing.
vipp bob; flip, jerk, whip; *stå på -en* be balanced precariously, threaten to fall (*el.* topple over); (*om resultat, etc*) hang in the balance; (*om regjering, firma, etc*) be in a precarious position, be wavering on the edge of collapse; *i engelsk står han på -en* it is touch and go whether he will pass in English; he is a borderline case in E.; (*se også II. vippe*).
I. vippe (*subst*) current limiter; (*i bil*) constant voltage control (unit), CVC unit, control box.
II. vippe (*vb*) tilt, tip; (*om fuglestjert*) bob, wag; ~ *en av pinnen* T knock sby off his perch; (*sørge for at en får sparken*) give sby the push; (*se også pinne*); *det står og -r* (*fig*) it hangs in the balance; (*se pinne*).
vippe|brett seesaw. **-huske** seesaw; US teeter-totter. **-måler** (*elekt*) current limiter.
vips (*int*) pop! flip! US (*også*) presto! zip!
virak (*røkelse*) frankincense, incense; (*fig*) incense.
virakduft (perfume of) incense.
I. virke (*subst*) 1. material; *tre-* wood; timber (,US: lumber); *skåret* ~ sawn timber (,US: lumber); 2. activity, activities, work.
II. virke (*vb*) 1 (*arbeide*) work; (*funksjonere*) work, act, operate; (*gjøre virkning*) work, be effective, have effect (*fx* the whisky began to have effect); 2 (*synes å være*) seem, look, appear; feel (*fx* the room feels damp); *han r sympatisk* he seems a nice person (*el.* man); he looks a likeable person; T he seems a decent sort; *bremsene -t ikke* the brakes did not work; *den -r bare når tenningen står på* it is only operative when the ignition is switched on; ~ *skadelig* have a harmful effect; *det -r ekte* it looks genuine; it strikes one as being genuine; ~ *for lagets beste* take an active interest in the club; ~ *mot sin hensikt* defeat its own end, produce the reverse of the desired effect; ~ *på* affect, have an effect on; influence; *denne medisinen -r på hjertet* this medicine acts on the heart; ~ *uheldig på* have an adverse effect on; ~ *inn på* affect; (*jvf innvirke*); ~ *tilbake på* have repercussions on, react on; ... *hvor de lever og -r* where they live and work.
virke|dag weekday, workday. **-felt** field of activity (*el.* action), sphere, province; *finne* ~ *for* find scope for. **-kraft** efficacy; power, strength.
virkelig 1 (*adj*) real; (*faktisk*) actual; (*ekte*) real, genuine; (*sann*) true, veritable; (*egentlig*) proper; (*effektiv*) effective; (*ikke i navnet, men i gavnet*) virtual (*fx* he is the v. head of the firm); *i det -e liv* in real life; ~ *verdi* real value; *det -e forhold* the fact(s); *det stemmer ikke med det -e forhold* it is not in accordance with fact; *det bygger ikke på det -e forhold* it has no foundation in fact; 2 (*adv*) really; (*faktisk*) actually; *det gledet meg* ~ *å høre at* ... I was indeed very glad to hear that ...; *det var* ~ *meget snilt av Dem å hjelpe* it was indeed very kind of you to help; *jeg er* ~ *svært glad* I am very glad indeed; *jeg håper* ~ *at* ... I do hope that ...
virkelig|gjøre (*vb*) realize, realise (*fx* a plan), carry (*fx* a plan) into effect; implement (*fx* a policy, a scheme); fulfil (,US: fulfill) (*fx* a wish); *bli -gjort* (*også*) materialize (*fx* if the project materializes). **-gjørelse** realization, realisation, fulfilment (,US: fulfillment) (*av* of); the carrying into effect (*av* of).
virkelighet (*subst*) reality; (*faktum*) fact, actuality; (*sannhet*) truth; *disse teorier har ingen-*

ting med -en å gjøre (også) these theories have left the realm of reality; *slike optimistiske overslag har lite med -en å gjøre* such optimistic estimates have little foundation in fact; *-en overgår ofte fantasien* fact is often stranger than fiction; *bli til ~* realize, realise, become a reality; *gjøre til ~: se virkeliggjøre;* **i -en** really, in reality; *(faktisk)* actually, in actual fact, as a matter of fact; in point of fact *(fx* in p. of f., there is no such question at all); virtually, in effect *(fx* the Prime Minister is v. *(el.* in effect) the ruler of the country); *(se I. rot).*

virkelighets|fjern out of touch with real life, unrealistic. **-flukt** escape from reality. **-nær** in touch with real life, in touch with reality, realistic. **-sans** realism, sense of reality. **-tro** realistic. **-troskap** *(realisme)* reality; *gjengitt med forbløffende ~* reproduced with startling reality.

virke|lyst activity, active mind, drive, energy. **-lysten** active, dynamic, energetic. **-middel** means, agent; *komiske virkemidler* comic effects. **-måte** mode of operation.

virkerom scope for action.

virkning effect, operation; *gjøre ~* take effect, tell; *romanen oppnår den tilsiktede ~ ved hjelp av en likefrem beskrivelse av personer og ting* the novel depends for its effect on straightforward descriptions of people and things.

virknings|full effective. **-grad** efficiency; *(jvf II. vise).* **-løs** ineffective. **-løshet** ineffectiveness.

virksom active; *(om legemiddel)* effective.

virksomhet activity; *(arbeid)* work, operations; *i ~* in operation; at work *(fx* forces at w.); *i full ~* in full activity, in full action, in full swing; *tre i ~* be carried into effect; *henlegge sin ~ til et annet sted* transfer one's activity somewhere else.

virre *(vb): ~ med hodet* shake one's head (rapidly); *~ for'vilet med hodet* shake one's head in despair; *~ nervøst med hodet* shake one's head nervously; *han -t langsomt og bedrøvet med hodet* he shook his head slowly and sorrowfully.

virtuos master. **-itet** virtuosity, eminent skill.

virvar confusion, mess; tangle *(fx* the garden is a t. of bushes and overgrown flower beds); *et vilt ~* a complete muddle, a complete mess *(fx* everything was in a c. mess).

virvle *(vb)* whirl, swirl; *~ opp* **1** *(vt)* whirl up *(el.* into the air), send *(fx* dust, leaves, *etc)* whirling up(wards) *(el.* into the air); *(også fig)* stir up; *~ opp støv* raise the dust; **2** *(vi)* whirl *(el.* fly) up(wards) *(el.* into the air).

I. vis *subst (måte)* way, manner; *på det -et* in that way; *på et ~* somehow *(fx* I shall manage s.); T after a fashion; *på lovlig ~* lawfully; *(jvf måte).*

II. vis *(adj)* wise.

vis-à-vis opposite; right *(el.* directly) opposite *(fx* he lives right o. the church); vis-à-vis.

visdom wisdom.

visdoms|kilde source of wisdom. **-ord** word of wisdom, wise word. **-tann** wisdom tooth.

I. vise *(subst)* song; *(folke-, gate-)* ballad; *forstå en halvkvedet ~* take a hint; *den gamle visa* the same old story; *enden på visa* the end of the matter *(el.* story); *og hva ble enden på visa?* and what was the end of the story?

II. vise *(vb)* **1.** show; *(angi)* indicate; show, register *(fx* the thermometer showed *(el.* registered) three degrees of frost); *(om signal)* show *(fx* when the signal shows green); *(legge for dagen)* display, show, evince; *(røpe)* betray *(fx* his reply betrayed his ignorance); **2** *(bevise)* prove, show, demonstrate; **3** *(peke på)* point out; *jeg har vist ham de nye prøvene* I have shown him the new samples; *jeg viste kundene mine dem* I showed them to my customers; *~ ham døra* show him the door; turn him out; *dette -r at han er en pengeutpresser* this shows that he is *(el.* shows him to be) a blackmailer; *hvis de -r at de kan klare arbeidet* if they prove themselves

to be capable of the work; *erfaringen -r at* experience shows *(el.* teaches us) that; *~ en* **film** show a film; *(kjøre den)* run a film; *~* **forakt** *for en* show contempt for sby; *~* **forsiktighet** show *(el.* exercise) caution; *~* **interesse** *for* show *(el.* take) an interest in; display *(el.* manifest) an i. in; *BBC -r alle disse typer* **program** the BBC puts on all these types of programmes; *~* **tegn** *på (el. til)* show signs of, evince signs of; *~ en* **tendens** *til å* show *(el.* manifest *el.* evince) a tendency to; **tiden** *vil ~ det* time will show; it remains to be seen; *~ en* **tillit** trust sby, place confidence in sby; *den tillit man har vist meg* the confidence placed in me; the c. shown me; *~ en* **tiltro** place confidence in sby; *~ en* **veien** show sby the way; *~ sin gode* **vilje** show *(el.* demonstrate *el.* prove) one's good will; give proof of one's good will; *ovnen -r en meget høy* **virkningsgrad** the stove displays an extremely high degree of efficiency; *det -r best hvor dum han er* that just shows (you) how stupid he is; *~* **bort** *(avvise)* turn *(el.* send) away; *(utvise)* expel *(fx* sby from the school); *(nekte adgang)* refuse admittance to sby; *~* **fra** *seg* decline, refuse *(fx* a gift); *(vrake)* reject *(fx* a gift); *(med forakt)* spurn; *(om tanke, etc)* dismiss *(fx* all thoughts of revenge); *~* **fram** show *(fx* she shows her legs); *~ fram kortene* ♣ show one's hand; *jeg viste ham* **hvordan** *han skulle gjøre det* I showed him how to do it; *~* **hvordan** *man virkelig er* show one's true character; *(især neds)* show oneself in one's true colours; *~ en* **inn** show sby in; *~ en inn i et værelse* show sby into a room; *~ en* **omkring** show sby round; *~ en omkring på fabrikken* show sby round *(el.* over *el.* through) the factory; *~ en* **rundt:** *se ~ en omkring;* *~ en* **rundt** *i huset* take sby over the house; show sby round the h.; *~ en* **til rette** 1 *(o: veilede)* show sby his way about; T show sby the ropes; 2 *(irettesette)* reprimand sby; T tell sby off; *~* **tilbake** *(fig)* reject; *~ tilbake på (gram)* refer to; *det et ord -r tilbake på* the referent;

~ **seg** 1 *(komme til syne)* appear; show *(fx* a light showed in the kitchen); come into sight; become visible; come out *(fx* the stars began to come out); *(om skip)* heave into sight; 2 *(la seg se)* show oneself; show one's face; *jeg ville ikke ~ meg for folk i den kjolen* T I wouldn't be seen dead in that dress; 3 *(innfinne seg)* turn up; show up; make one's appearance, put in an appearance; 4 *(vise seg å være)* prove (to be), turn out to be *(fx* he proved himself (to be) a coward; what you told me turns out *(el.* proves) to be right); 5 *(braute, gjøre seg viktig)* show off, give oneself airs; T throw one's weight about; put on side; *en som -r seg* T a show-off; *det -r seg at* it appears that; it turns out that; *det viste seg i samtalens løp at* it came out *(el.* it transpired) in the course of the conversation that; *det vil snart ~ seg* we shall soon see; *det viste seg snart at ... (også)* it soon became apparent that; it was soon found that ...; *~ seg for en* appear to sby *(fx* an angel appeared to him); *~ seg fra sin beste side* show to best advantage; *la seg ~ fram* be on show; *~ seg i slikt selskap* be seen in such company; *~ seg igjen* appear again, reappear; *~ seg som* show as *(fx* at first the fire showed as a dull red glow); *vis deg som en mann!* be a man! *~ seg til sin fordel* show to advantage; look one's best; *det viste seg nødvendig* it was found to be necessary; it turned out to be n.; *hvis dette -r seg å være tilfelle* if this proves to be the case; *hvis varene -r seg å være tilfredsstillende* if the goods turn out to your *(,etc)* satisfaction; if the goods prove *(el.* turn out to be) satisfactory; *(jvf duge & utvise).*

vise- vice-, deputy. **-admiral** vice-admiral.

visekonsul vice-consul.

visekorporal ✗ lance corporal; US private first class.

viselig wisely.

viseoppmann (*sport*) assistant referee.

visepresident vice-president.

viser pointer, indicator; (*på ur*) hand.

visere *vb* (*pass*) visa.

visergutt errand boy; grocer's (,butcher's, *etc*) boy. **-sykkel** carrier cycle. **-kontor** express office.

visesamling collection of ballads (,songs).

vise|sanger singer, ballad-singer. **-stubb** snatch of a song.

visir (*på hjelm*) visor, beaver; *med åpent* ~ with one's visor up.

visitas (bishop's) visitation.

visitasjon inspection, visit; *puss-* ✕ kit inspection.

visitasjonsgrav (*jernb*) inspection pit.

visitere (*vb*) inspect, search.

visitering inspection, examination.

visitt visit; (*lege- på sykehus*) round(s); *gå* ~ go the rounds; *avlegge* ~ *hos* call on, pay a call on, pay sby a visit; (*jvf sykebesøk*).

visittkort (visiting) card; (*fig*) trade mark (*fx* the bird left its t. m. on the garden table).

visittid (*på sykehus*) visiting hours.

visjon vision.

visjonær visionary.

viske (*vb*) rub.

viskelær eraser, india rubber, indiarubber; T (*ofte*) rubber; US eraser.

visle (*vb*) hiss.

vislelyd hissing sound; (*fon*) sibilant.

vismann wise man, sage.

vismut ♂ bismuth.

visne (*vb*) wither, fade.

visp (egg) whisk, beater.

vispe (*vb*) whip, whisk.

viss (*sikker*) certain, sure; *være* ~ *på* be certain (*el.* sure) of; *det er -t og sant* and that's a fact; *en* ~ *dr. N.* a certain Dr. N., one Dr. N.; *det er den -e død å . . .* it is certain death to . . .; *dette ville være en* ~ *rettledning for oss* this would be some guidance for us; (*jvf sikker(t)* & *visst*).

visselig certainly, surely, to be sure.

vissen withered.

vissenhet withered state.

visshet certainty; *få* ~ *for* ascertain; *skaffe seg* ~ (*om*) make sure (of); *ha* ~ be sure; *en til* ~ *grensende sannsynlighet* a probability amounting almost to certainty; a moral certainty; (*jvf sikkerhet*).

visst (*adv*) certainly, surely, to be sure; (*formodentlig*) I think, I believe, I expect, I suppose; *Skal han reise bort?* — *Ja, han skal* ~ *det* I'5 he going away? — Yes, I believe he is; *ja* ~ yes indeed; certainly; *jo* ~ certainly, of course; (*iron*) indeed; *nei* ~ no indeed; *ganske* ~ *har markedet . . .* it is true that the market has . . .; ~ *er han sterk, men . . .* of course he is strong, but . . .; ~ *skal De gjøre det* (ɔ: *det bør De endelig gjøre*) (*også*) you should do so by all means; (*se også sikker*).

visstnok: *se visst.*

visuell (*psykol*) visile; (*jvf auditiv*).

visum visa.

visvas nonsense; (*som utrop*) nonsense! fiddlesticks!

vital vital.

vitalitet vitality.

vitamin vitamin; *A-vitamin* vitamin A.

vite (*vb*) know, be aware of (*fx* I was not aware of that); *man kan aldri* ~ one never knows; you never can tell; *han vet alt som er å* ~ *om biler* he knows all there is to know about cars; *for alt hva jeg vet* for all I know; *han skulle bare ha visst at . . .* he would have been surprised to know that; *du skulle bare ha visst hvor vanskelig det var* you would have been surprised if you had known how difficult it was; *det skulle du bare ha visst!* you'd like to know, wouldn't you? *hvis de bare visste* if they only knew; if only they knew; *jeg vet bare at* I only know that; all I know is that; *jeg 'vet at det forholder seg slik* I

know it for a fact; *det vet jeg bedre enn noen* who knows that better than I! don't I know (it)! S you're telling me! *jeg vet bedre nå* I've learnt better since then; *jeg vet bedre enn som så* I know better (than that); *jeg vet ikke noe bedre enn å sitte i sola* there is nothing I like better than sitting in the sun; *jeg vet ikke hvordan det er med deg, men jeg kunne tenke meg et glass øl* I don't know about you, but I could do with a glass of beer; *jeg vil* ~ *ordentlig beskjed* I want to get to the bottom of this; I want to know where I stand; *det man ikke vet, har man ikke vondt av* what the eye doesn't see, the heart doesn't grieve; *få* ~ learn, come to know, get to know, hear (of *el.* about), be informed of; *jeg fikk ikke* ~ *noe* I was told nothing; *jeg fikk ikke* ~ *det tidsnok* I did not hear about it in time (*el.* soon enough); *når får vi* ~ *karakterene våre?* when are we going to be told our marks? *man fikk* ~ *det kl. 3* the news came out (*el.* it became known) at three o'clock; *få annet å* ~ be undeceived, learn otherwise; (*om enkelt hendelse*) be disillusioned; *jeg gadd* ~ I wonder (*fx* I w. if he is still in London); I should like to know; *jeg vet godt at* I know (quite well) that; (*mer formelt*) I am well aware that; *det er ikke godt å* ~ there is no knowing; who knows? *det nytter ikke, det vet du meget godt* it's useless, and you know it; *er han rik?* — (*ja,*) *Gud vet* is he rich? — (well,) I wonder; (*jvf gud*); *vet De hva* I'll tell you what (*fx* I'll t. you what, let's have a drink); look here! I say! listen! *nei, vet De hva!* really now, that's a bit thick! not at all! *vet du hva, jeg tror han lyver* (do) you know, I think he is lying; . . . *og jeg vet ikke hva* (*ved oppregning*) . . . and I don't know what all; and what not; *man vet hva man har, men ikke hva man får* a bird in the hand is worth two in the bush; *jeg vet ikke hva jeg skal tro* I don't know what to think (*el.* believe); *han vet ikke hva han vil* he doesn't know his own mind; *la ham* — let him know; *det vet du (svært) lite om!* T a fat lot 'you know (about that)! *han vet alltid råd* he is never at a loss (what to do); *han visste ikke sine arme råd* he was at his wits' end; he was at a loss (what to do); *så vidt jeg vet* as far as I know; as far as I am aware; *ikke så vidt jeg vet* not that I know (of); not to my knowledge; *ville* ~ want to know; *jeg vil gjerne* ~ I want to know; I should like to know; (*især merk*) I wish to know; *hvis du endelig må* (*el.* vil) ~ *det* if you 'must know;

[*Forb. med prep*] *jeg vet av erfaring* I know from experience; *jeg vet ikke av at jeg har fornærmet ham* I am not aware of having offended him; I am not aware that I have offended him; *jeg vil ikke* ~ *av det* I will have none of it; I won't have it! I won't hear of it; *han ville ikke* ~ *av henne* he wouldn't have anything to do with her; *før han visste ordet av det* before he could say Jack Robinson; before he could say knife; *before he knew* where he was; *jeg vet med meg selv at . .* I know that . .; ~ *med sikkerhet* know for certain, know for a fact (*el.* certainty); ~ *noe om noen* (,*noe*) know sth about sby (,sth); *han vet hverken ut eller inn* he is at his wits' end; he is all at sea; (*se også forsverge; innlate; ufor.delaktig*).

vitebegjærlig inquisitive, curious; eager to learn, avid for learning.

vitebegjærlighet inquisitiveness, thirst for knowledge; eagerness to learn.

viten knowledge.

vitende knowledge; *med mitt* ~ with my knowledge; with my consent; *uten mitt* ~ without my knowledge; *med* ~ *og vilje* deliberately; *mot bedre* ~ in spite of one's knowledge to the contrary; against one's better judg(e)ment.

vitenskap science; branch of knowledge.

vitenskapelig (*adj*) scientific; (*især ånds-*) scholarly (*fx* edition, work); ~ *assistent* (senior) research assistant; assistant keeper; ~ *konsulent* senior scientific adviser; ~ *fastslått kjensgjerning* established scientific fact; scientifically established fact; *ad* ~ *vei* scientifically.

vitenskaps|mann scientist; scholar. **-selskap** scientific society; learned society.

I. vitne (*subst*) witness; *motpartens* ~ a hostile witness; *føre et* ~ call a witness; *i -rs nærvær* before (*el.* in the presence of) witnesses; *ha* ~ *på* have a w. to; *han har -r på det* (*også*) he can bring witnesses; *være* ~ *til* witness, be a w. of; (*se fremstille*).

II. vitne (*vb*) testify; (*i retten*) give evidence; (*under ed*) depose; ~ *mot* testify (*el.* witness) against; ~ *om* testify to, bear witness to.

vitne|avhøring hearing (*el.* examination) of witnesses; (the) taking (of) evidence. **-boks** witness box; US w. stand. **-fast** proved by evidence; well-attested; attested by witnesses. **-forklaring** evidence, testimony; (*skriftlig*) deposition; *beediget* ~ sworn testimony; *avgi en* ~ give evidence; depose. **-før** eligible to testify. **-førsel** the calling of witnesses.

vitnemål (*fra skole*) certificate; school report; *avgangs-* leaving certificate.

vitne|prov testimony; (*jvf -forklaring*).

vitnesbyrd 1 (*utsagn*) testimony; (*jvf vitneforklaring*); 2 (*fra skole*) certificate; 3 (*tegn, bevis*) mark, proof, token; *bære* ~ *om* bear testimony to, bear witness to.

vitne|utsagn: *se -forklaring.*

vitriol vitriol.

vits joke, witticism; (*gamle og*) *dårlige -er* corny jokes, stale jokes, hoary old chestnuts; *slå -er, rive av seg -er* crack jokes; *hva er -en ved det?* what's the good (*el.* use *el.* point) of that? *what's the idea? fikk du tak i -en?* (o: *forsto du hva det hele gikk ut på?*) T did you get the message?

vitterlig (*adj*) known, notorious; on record (*fx* that is on record); (*adv*) notoriously.

vitterlighet: *til* ~ signed in the presence of; *underskrive til* ~ witness the signature.

vitterlighetsvitne witness to the signature; attesting witness; *underskrive et dokument som* ~ witness a document.

vittig witty.

vittighet 1 (*egenskapen*) wittiness; 2 (*vits*) joke, witticism; *rive av seg -er* crack jokes.

vittighetsblad comic (*el.* humorous) paper.

viv (*glds & poet*) wife; spouse.

vivi|sekere (*vb*) vivisect. **-seksjon** vivisection.

vogge (*subst & vb*): *se vugge; gå hjem og vogg!* S run away and play trains! (*vulg*) go home and boil your ugly head!

vogn carriage; wagon; *hest og* ~ a horse and carriage; (*jernbane-*) carriage; (*faglig*) coach; US car; (*jvf gods-*); *han er ikke tapt bak en* ~ he's no fool; he knows what's what; there are no flies on him; he's up to snuff; he knows all the answers.

vogn|bjørn (*jernb*) flat wagon; US flat freight car. **-bok** (car) owner's handbook, instruction book; (*jvf vognkort*).

vognfører driver; (*jvf lokomotiv-, motorvogn-, togfører*).

vognkort car licence; log book; (motor vehicle) registration book; *internasjonalt* ~ international car licence.

vogn|ladning (*jernb*) wagonload, truckload; US carload; (*jvf billass*). **-lass** (*kjerre-*) cartload; (*jvf billass*). **-mester** (*jernb*) carriage and wagon foreman. **-park** (*biler*) fleet of cars. **-rammel** the clatter of wagons (,carriages); the rumble of wheels. **-skriver** (*jernb*) numbertaker. **-stang** pole (of cart or carriage); (*se skåk*). **-trinn** step (of a carriage); (*jvf stigtrinn*). **-visitør** (*jernb*) carriage and wagon examiner.

volle (*tynt stoff*) voile.

vokabular vocabulary.

I. vokal (*subst*) vowel.

II. vokal (*adj*) vocal.

vokalisere (*vb*) vocalize.

vokalisk vocalic.

vokal|lyd vowel sound. **-musikk** vocal music.

vokativ (*gram*) the vocative.

voks wax; *myk som* ~ (*fig*) submissive as a lamb; *hun ble som* ~ US S she went all goosey.

voks|avstøpning wax cast. **-avtrykk** wax impression.

voks|bønne (*bot*) wax bean. **-duk** oilcloth. **-dukke** wax doll.

I. vokse *vb* (*gni inn med voks*) wax.

II. vokse (*vb*) 1 (*bli større*) grow; (*tilta, øke*) grow, increase; 2 (*om planter: trives*) grow, thrive, flourish; 3 (*om planter: forefinnes*) occur, grow; *nå -r han ikke mer* he has stopped growing; *frukttrærne dine -r godt* your fruit trees are growing well (*el.* nicely); ~ *fra noe* grow out of sth (*fx* one's clothes); (*om vane, interesse, etc*) outgrow, grow too old for; ~ *fram* grow up, spring up; ~ *i styrke* increase in strength, gain strength; *de vokste med oppgaven* the task added to their stature; ~ *opp* grow up; (*fig*) spring up, spring into existence; ~ *en over hodet* (*bli høyere enn*) outgrow sby; (*fig*) become too much for sby; *get beyond sby's control; get out of hand; en slik oppgave vil du: ~ på* a task of this kind will add to your stature; *de -r ikke på trær* they do not grow on every bush; ~ *sammen* grow together; (*møtes*) meet (*fx* two vines meet over the door); (*om sår*) heal (over), close up, skin over; ~ *til* (*om barn*) grow up, grow; ~ *til med* become overgrown with (*fx* weeds); ~ *ut igjen* grow out again.

voksekraft power of growth.

voksen grown-up, adult; *de voksne* the adults; *være en oppgave* ~ be equal to a job; T be up to a job.

voks|farge wax colour. **-farget** wax-coloured. **-figur** wax figure.

voks|kabinett waxworks. **-kake** honeycomb. **-lys** (wax) candle. **-papir** wax(ed) paper.

vokte (*vb*) watch, guard; ~ *på* guard; ~ *seg for å* take care not to.

vokter keeper; guard; *fredens -e* the guardians of peace.

vold violence, force; *bruke* ~ use force; *med* ~ by force; *med* ~ *og makt* with brute force; *ta med* ~ (o: *voldta*) rape, ravish; *gjøre* ~ *på* do violence to; *i ens* ~ in one's power; *gi seg Gud i* ~ commend oneself to God; *øve* ~ *mot språket* do harm to the language.

volde *vb* (*forårsake*) cause, occasion.

voldelig (*adj*) forcible; (*adv*) forcibly, by force.

voldgift arbitration; *avgjøre ved* ~ arbitrate; *la avgjøre ved* ~ refer to arbitration; (*se også underkaste*).

voldgifts|domstol arbitration tribunal (*el.* court). **-kjennelse** award. **-mann** arbitrator. **-rett:** *se -domstol.*

volds|dåd, (*-gjerning*) act of violence, outrage. **-forbrytelse** crime of violence. **-forbryter** violent criminal. **-herredømme** despotism, tyranny, rule by force. **-mann** assailant, assaulter.

voldsom violent, vehement; harsh, intense, severe.

voldsomhet violence, vehemence; intensity, severity; *-er* violent actions (*el.* deeds).

voldta (*vb*) rape, ravish.

voldtekt rape. **-sforsøk** attempted rape; (*ofte =*) indecent assault.

voll (*jordvoll*) mound, dike; (*til festningsverk*) wall, rampart.

vollgrav moat.

volontør (*merk*) junior clerk.

volt (*elekt*) volt.

volte *vb* (*i fektning og ridning*) volt.

voltmeter (*elekt*) voltmeter.

volum volume.

voluminøs voluminous; (*om kolli som opptar stor plass*) bulky.

vom paunch, belly; *kaptein* Vom (*i tegneserie*) captain; *fru* Vom mama.

vomfyll filling.

vond 1. difficult, hard; 2. bad (*fx* a bad smell), unsavoury (,US: unsavory) (*fx* food); 3 (*smertefull*) painful; 4 (*ond*) evil; malicious, spiteful; 5 (*sint*) angry (*fx bli ~ på* get angry with); *en ~ finger* a bad finger; *det gjør -t* it hurts; *det gjør -t i fingeren* (*min*) my finger hurts; *det gjør -t når jeg svelger* it hurts me to swallow; *gjør det -t når De svelger?* do you find it painful to swallow? *gjøre -t verre* make bad matters worse; *ha -t i halsen* have a sore throat; *ha -t i hodet* have a headache; *ha -t i magen* have a pain in the stomach; have (a) stomach-ache; *ha -t for å gjøre det* find it difficult to do it; have difficulty in doing it; *ha det -t* have a hard (,T: bad) time; be unhappy; *lide -t* suffer; suffer hardship; *sette -t blod* cause (*el.* make) bad blood; *gammel vane er ~ å vende* you can't teach an old dog new tricks; *man må ta det -e med det gode* one must take the rough with the smooth; *det man ikke vet, har man ikke -t av* what the eye doesn't see, the heart doesn't grieve; (*se gjøre B; ond; samvittighet*).

vondord angry words.

vorden: *i sin ~* in embryo, in its infancy.

vordende future, prospective; *~ mor* expectant mother.

vorte wart; (*bryst-*) nipple.

vorteaktig wart-like.

voter|e (*vb*) vote. **-ing** voting; *en ~* a vote; *moden(t) for ~* ready to be voted on; (*jvf avstemning*).

voteringstema question to be voted on.

votiv- votive.

vott mitten.

votum vote.

vovet (*adj*) risky; T spicy (*fx* stories); (*grovkornet*) broad (*fx* humour; be broad in one's conversation).

vrak wreck; (*hjelpeløst skip*) disabled ship; *er fullstendig ~* is a total loss; *kaste ~ på* reject; *et menneskelig ~* a human wreck; (*se ta C: ~ opp*).

vrake *vb* (*forkaste*) reject; (*sortere*) sort, grade; *velge og ~* blant pick and choose from (among); *hun -t ham til fordel for en gutt hjemme* T she passed him over for a boy back home; (*jvf velge*).

vrakgods wreckage; *drivende* (*el. flytende*) ~ ⚓ flotsam; *~ kastet over bord* ⚓ jetsam; *~ var skylt i land* wreckage had washed up.

vrakstump piece of wreckage; flotsam; *blant -ene* in the wreckage.

vralte (*vb*) waddle; (*jvf vagge*).

vrang 1 (*vanskelig, innviklet*) intricate, awkward; *en ~ floke å løse* a tangled web to unravel; 2 (*om person: ikke imøtekommende*) disobliging; (*vanskelig*) difficult to deal with; (*sta*) stubborn, obstinate; 3 (*vrengt*) (turned) inside out; *han og ~t* (*i strikking*) ribbed knitting, ribbing; *slå seg ~* be stubborn; refuse to budge; (*om hest, motor, skuff*) jib (*fx* on seeing the gate the horse jibbed; my car sometimes jibs at a steep hill); *skuffen har slått seg ~* (*især*) the drawer has jammed; *strikke -t* purl; *strikk to rette og to -e* knit two purl two; (*jvf vrange*).

vrangbord ribbing, rib, ribbed border.

vrange 1.: *-n* the wrong side (*fx* of the material), the reverse, the back; *på -n* on the wrong side, on the back; *vende -n ut* turn the wrong side out; reverse the material; (*fig*) T cut up rough; *vende -n ut på noe* turn sth inside out; 2. *få noe i -n* swallow sth the wrong way; *han fikk det i -n* it went the wrong way; it stuck in his throat; he choked on it.

vrangforestilling delusion, wrong idea.

vranglære false teaching; false doctrine; heresy.

vranglærer false teacher.

vranglås: *døra gikk i ~* the lock caught.

vrangmaske purl stitch, purl.

vrangside 1.: *se vrange;* 2.: *livets ~* the seamy side of life.

vrangstrupe: *se vrange 2.*

vrangvilje unwillingness; ill-will; contrariness, obstinacy.

vrangvillig disobliging, contrary, unwilling, obstinate.

vred angry; (*se sint*).

vrede anger, wrath.

vrenge (*vb*) turn inside out, reverse; *~ lommene sine* turn out one's pockets.

vrengebilde caricature, travesty; distorted picture.

I. vri (*subst*) twist.

II. vri (*vb*) twist, wring; *~ sine hender* wring one's hands; *~ av* (*el. løs*) wrench off; *~ seg* writhe (*fx* with agony); twist, wriggle; (*søke utflukter*) shuffle, prevaricate; (*slå seg, om trematerialer*) warp; (*om jernplate*) buckle; *~ seg fra noe* wriggle (*el.* shuffle) out of sth; *han kan ~ seg ut av enhver vanskelighet* he can wriggle out of any difficulty; *~ opp tøyet* wring out the clothes; *~ rundt* turn.

vridning twist, twisting; (*fys*) torsion.

vrien (*om person*) difficult; uncooperative; (*om ting*) difficult, intricate, hard.

vrier (*på dør*) door handle.

vrieri (*flisespikkeri*) hair-splitting.

vrikk 1. turn, twist; 2. sprain; (*se vrikke*).

vrikke (*vb*) 1. turn, twist; wriggle; 2. ⚓ scull; 3. sprain (*fx* an ankle).

vrikkeåre ⚓ scull.

vrimaskin wringer.

vrimle (*vb*) swarm, teem (*av* with).

vrimmel swarm.

vrinsk neigh, whinny.

vrinske (*vb*) neigh, whinny.

vriompeis difficult person to deal with; wronghead.

vrist (*anat*) instep (*fx* a high i).

vriste (*vb*) wrest, wrench; (*jvf fravriste*).

vræl roar, bawl.

vræle (*vb*) roar, bawl.

vrøvl nonsense, twaddle, bosh; *det er noe ~* that is all nonsense; *sludder og ~!* stuff and nonsense! *det er det verste ~ jeg har hørt!* of all the nonsense! *gjøre ~* make trouble (*el.* difficulties); (*om protest, etc*) raise needless objections.

vrøvle (*vb*) twaddle, talk nonsense; (*se tøyse*).

vrøvlebøtte twaddler; jabbering fool.

vrå nook, corner.

I. vugge *subst* (*også fig*) cradle; *fra -n til graven* from the cradle to the grave.

II. vugge (*vb*) rock (*fx* a cradle; a child in one's arms; the boat was gently rocking on the waves); *~ et barn i søvn* rock a child to sleep.

vuggegave: *han hadde fått det i ~* (*fig*) he had been born with the gift.

vuggende rocking; *~ hofter* swaying hips.

vugge|sang, -vise cradle song, lullaby.

vulgarisere (*vb*) vulgarize.

vulgarisme vulgarism.

vulgær vulgar.

vulkan volcano.

vulkanisere (*vb*) vulcanize.

vulkanisering vulcanization.

vulkansk volcanic.

vurdere (*vb*) value, appraise, estimate (*til* at); (*skatte*) appreciate, value; *~ etter fortjeneste* do justice to, appreciate at its true value; (*jvf undervisningskompetanse*).

vurdering valuation, appraisal, appraisement; appreciation, evaluation; *gi en detaljert ~ av . . .* (*også*) comment in detail on (*fx* the poet's powers of description in the following poem).

vurderingssak matter of judgment.

vy (*litt.*) view, vista.

væpne (*vb*) arm; *~ seg* arm (oneself), take arms.

væpner (*hist*) esquire.

I. vær 🐑 ram.

II. vær (*fiske-*) fishing station; (*fugle-*) nesting place.

III. vær (subst) 1. weather (*fx* cold, dry, hot w.); (*uttrykkes ofte ved* day, morning, *etc*, *fx* the day was fine; it was a perfect morning; he went out to see what sort of a day it was); 2 (*ånde*) breath; 3. scent, wind (*fx* of an animal, a person); **byge-** showery weather; **dårlig** ~ bad w.; **fille-**T (real) military w. (*fx* this is real m. w.); **fint** ~ fine w. (*fx* it's fine w.), a fine day; *vi får fint* ~ the w. (*el*. it) is going to be fine; *hvis vi er heldige med -et if* the w. is kind; *jeg var så heldig å få litt fint* ~ (*på reisen*) T I was fortunate to strike a good patch of w.; *det fuktige -et vi har hatt i det siste* the damp w. which has prevailed of late; *be om godt* (*el*. *pent*) ~ (*fig*) beg for mercy, ask **to** be forgiven; T eat humble pie; *være ute i* **hardt** ~ have a rough time; *han er alltid ute i hardt* ~ T he's always in trouble; *du ser ut som om du har vært ute i hardt* ~ (ɔ: *slagsmål*) T you look as if you had been in the wars; *dette var ikke noe spørsmål* **hen** *i -et* this was no idle question; *snakke hen i -et* (*fable, fantasere*) talk wildly (*om about, fx* t. w. about conquering the whole world); *prisene går* **i** *-et* prices are going up; *drive prisene i -et* force prices up; **pent** ~; *se fint* ~; «*stort sett pent* ~» 'mainly fine'; *ta -et fra en* (*fig*) take sby's breath away; *komme under* ~ *med noe* get wind of sth; *til -s* into the air, up; ⚓ aloft. **værbitt** weather-beaten.

I. være *vb* (*lukte*) scent (*fx* the hounds scented a fox); nose out, scent out (*fx* a scandal)'.

II. være (*vb*) be, exist; *boka er spennende lesning* the book makes exciting reading; *det kan* ~ *til i morgen* that can wait till tomorrow; *det kan godt* ~ *jeg tar feil* I may indeed be wrong; *det kan så* ~ that may be; . . . *eller hva det nå kan* ~ or whatever the case may be; *det får* ~ *som det vil* be that as it may; *til et første forsøk å* ~ for a first attempt; *ja, det var nå det da* yes, that's the question; *det måtte da* (*el*. *i så fall*) ~ *unless; dette er vel Hyde Park, ikke sant?* this will be Hyde Park, I suppose? ~ **av** *med* be rid of; ~ **for,** ~ *stemt for* be for, be in favour of; *det er jeg ikke videre stemt for* (*også*) I don't quite like the idea; *det er noe for meg* T that's my cup of tea (*el*. my ticket); **hva** *skal du* ~? (*på kostymeball*) what are you going as? *han har vært i* *London* he has been to L.; *jeg har aldri vært i Bergen* I have never been to B.; I have never done the trip to B.; ~ **imot** *noe* be opposed to sth, be against sth (*fx* I'm against the idea); be averse to sth (*fx* I'm averse to doing anything in a hurry); *jeg er absolutt imot at så skal skje* I am absolutely (*el*. decidedly *el*. T: dead) against letting such a thing happen; ~ **med** accompany, come along; *han skal* (*el. vil*) *absolutt* ~ *med overalt* he always wants to join in; he always wants to be there; ~ **med på** *noe* take (a) part in sth (*fx* the conversation); have a hand in sth; T be in on sth; *jeg var ikke med på det* (*også*) I had no art or part in it; *det er det verste jeg har vært med på* it is the worst I have been through; *stilen er på 6 sider* the essay fills (*el*. takes up) six pages; *boka er på 300 sider* the book has 300 pages; *hva skal det* ~ **til**? what's that for? what's the good of that? ~ **ved** admit; **vær så god!** (*når man rekker en noe, sies vanligvis ingenting; for å påkalle den annens oppmerksomhet kan dog sies*) here you are! (*ekspeditørs spørsmål*) can I help you? what can I do for you? (*som uttrykk for samtykke, tillatelse*) by all means; certainly; (yes) do; *vær så god og forsyn Dem!* please help yourself! *vær så god og kom inn!* please come in! *vær så god og sitt ned!* please sit down! *vær så snill og send meg sukkeret!* please pass me the sugar! *vær så snill og gå ut!* (*befalende*) please leave the room! *du får* ~ *så snill å huske på at . . .* (*irettesettende*) you will kindly remember that . . .

værelse *room; dele* ~ *med en* share a room with sby; *en fireværelses leilighet* a four-room-(ed) flat (,US: apartment); (*jvf bestille; innrede; ordne*).

værelses|kamerat roommate. **-pike** chambermaid. **-temperatur** room temperature.

væremåte manner, ways; (*jvf vesen*).

værfast weather-bound, wind-bound, detained by weather.

værforandring weather change, change of (*el*. in the) weather; break in the weather; (*jvf vårvær*).

vær|forhold (*pl*) weather conditions. **-gud** the Clerk of the Weather; *hvis -ene er nådig stemt* weather permitting; (*spøkef*) if the Clerk of the Weather is amenable. **-hane** weathercock, wind vane. **-hard** exposed, unsheltered.

værhår whiskers.

-væring inhabitant of . . .

værkart weather chart.

værlag climate, weather conditions.

værmelding (weather) forecast, w. report; (*jvf værvarsel*).

vær|omslag: *se -forandring*. **-profet** weather prophet. **-syk** affected by the weather.

vær så god: *se II. være*.

værutsikt (weather) forecast (*fx* what's the f. for tomorrow?); *-er* further outlook; *-er for morgendagen* the outlook for tomorrow.

værvarsel (weather) forecast, w. report; «~ *som gjelder til i morgen natt*» weather forecast up to tomorrow night.

I. væske (*subst*) liquid, fluid; (*i går*) pus, matter.

II. væske *vb* (*om sår*) suppurate, run.

væskeform: *i* ~ in fluid form.

væsking (*om sår*) suppuration.

I. væte (*subst*) moisture, humidity, damp(ness) (*fx* injured by (the) damp); wetness, wet (*fx* the watch must not be exposed to wet); water, rain.

II. væte (*vb*) moisten, wet; ~ *seg* wet oneself.

I. vøle (*subst*) ⚓ float, marker.

II. vøle (*vb*) fix, repair.

III. vøle (*vb*): *se vør(d)e*.

vør(d)e (*vb*) 1. esteem, respect, value; 2. pay attention to; *ikke* ~ *farene* make light of the dangers; *du skal bare ikke* ~ just don't bother.

vørter (beer) wort. **-kake** = malt loaf. **-øl** = malt beer.

vådeskudd accidental shot.

våg (*bukt*) bay.

vågal reckless, daring; *en* ~ *kar* a daredevil.

våge (*vb*) dare, venture; (*sette på spill*) risk, hazard, venture; (*vedde*) bet, stake, wager; *den som intet -r, intet vinner* nothing venture, nothing win; *han -r ikke å gjøre det* he dare not do it; he does not dare to do it; *jeg -r å si at* I venture to say that; *jeg vil* ~ *det* I will (*el*. I'll) risk it; ~ *spranget* (*fig*) take the plunge; *du kan bare* ~! just you dare! *våg ikke å gjøre det igjen!* don't dare to do that again! *hvordan kan du* ~ *å si noe slikt!* how dare you say such a thing; ~ *seg* venture; ~ *seg for langt* venture too far; ~ *seg til å gjøre det* venture to do it, risk doing it, take the risk of doing it; *det får* ~ *seg* we'll have to risk it; we shall have to take the chance.

vågehals daredevil, reckless fellow.

vågelig risky, hazardous (*fx* undertaking); venturesome (*fx* action); daring (*fx* deed).

vågemot daring, intrepidity.

våge|spill daring (*el*. bold) venture, risky business; *det var litt av et* ~ it was sth of a gamble. **-stykke** daring deed, risky thing.

våget: *se vovet.*

vågsom bold, hazardous, risky.

våke (*vb*) wake, be awake; ~ *over* watch (over); ~ *hos en syk* sit up with a patient.

våken awake; (*fig*) awake, watchful, alert, vigilant; *en* ~ *ung dame* a wide-awake young lady; *politisk* ~ politically alert; *vi må være våkne* we must be on the alert; we must keep our eyes open; *vi er våkne for situasjonens alvor* we are (keenly) alive to the gravity of the situation; *få en* ~ (manage to) wake sby up; *ha et -t øye med* keep a watchful eye on, watch closely; *holde en* ~ keep sby awake; *holde seg* ~ keep

awake; *i* ~ *tilstand* when awake, in the waking state.

våkenatt sleepless night; *mens hun var syk, hadde vi tre våkenetter på rad* during her illness we kept watch (*el.* sat up) for three nights running.

våkne (*vb*) wake (up) (*fx* from a long sleep; from inaction, from a trance; wake up with a start); (*mer litt.*) waken, awake, awaken; (*komme til seg selv igjen*) come round, come to; *hun -t av en lyd fra kjøkkenet* a noise from the kitchen woke her up; she woke from a noise in the kitchen; ~ *opp* wake up (*fx* it is time for the nation to wake up); *hans samvittighet begynte å* ~ his conscience began to stir; *en -nde interesse for* an incipient interest in.

vånd vole, water rat.

vånde (*vb*) distress, anguish, pain.

våningshus dwelling house, farmhouse.

våpen weapon; arms (*pl*); (*heraldikk*) arms, coat-of-arms, escutcheon; *du gir ham et* ~ *mot deg* you are giving him a handle against you; *gripe til* ~ take up arms, rise (up) in arms; *med blanke* ~ (*fig*) in a fair fight.

våpen|bilde device (of a shield), bearing. **-bror** brother-in-arms. **-brorskap** brotherhood in arms. **-bruk** the use of arms.

våpendrager armour bearer; (*fig*) supporter.

våpen|fabrikk arms factory. **-ferdighet** skill in the use of arms. **-før** fit to bear arms, fit for military service, able-bodied. **-gny** (*poet*) din of battle. **-herold** herald. **-hvile** cease-fire. **-klirr** rattle of arms. **-løs** unarmed.

våpenmakt armed force; *med* ~ by force of arms. **våpen|skjold** coat-of-arms, escutcheon. **-stillstand** armistice; (*midlertidig*) truce. **-teknisk:**

Hærens **-e** *korps* the Army Ordnance Corps. **-øvelser** (*pl*) military drill, training.

I. vår (*subst*) spring; *det blir* ~ spring is coming (*el.* is on the way); *i livets* ~ in the springtime of life; (*jvf vinter & vårvær*).

II. vår *pron* (*adjektivisk*) our; (*substantivisk*) ours; *vi skal gjøre -t* we shall do our part (*el.* share).

vår|aktig vernal. **-bløyte** spring thaw. **-bud** harbinger of spring. **-bær:** ~ *ku* cow that is due to calve in spring. **-drakt** (lady's) spring costume; (*fugls*) spring plumage. **-flom** spring flood. **-frakk** topcoat.

Vårherre the Lord, Our Lord.

vår|jevndøgn the vernal equinox. **-lig** vernal. **-løsning** spring thaw; the change from winter to spring; spring break-up. **-messe** spring trade -fair. **-onn** spring farming, spring work (on the farm). **-parten:** *på* ~ in the spring. **-rengjøring** spring cleaning; (*jvf storrengjøring*). **-semester** spring term; US (*især*) spring semester. **-sild** spring herring. **-slapphet** spring lassitude; tiredness (*el.* lassitude) one feels in spring. **-sæd** spring-sown cereals (*pl*), spring corn. **-vær** spring weather; *vi venter fremdeles på det varme -et* we are still looking for a break into warmer, spring-like weather; (*se også I. vår*).

vås nonsense, rubbish; S bullshit; (*se vrøvl*).

våse (*vb*) talk nonsense (*el.* rubbish); (*se vrøvle*).

våsekopp driveller, twaddler.

våset nonsensical, silly.

våt wet; *bli* ~ get wet; get a ducking (*fx* it rained heavily and we got a d.); *gjøre* ~ wet; *uten å smake hverken -t eller tørt* without food or drink.

våt|lende marshy land. **-lendt** marshy, swampy.

W

W, w W, w; *dobbelt-W* W for William.

wagon railway carriage; (*faglig*) coach; US car.

Wales Wales.

waleskringle (*slags tertestang*) Welsh bread.

Warszawa Warsaw.

watt (*elekt*) watt.

W.C. water closet; w.c.; (*rommet, også*) lavatory; (*evfemistisk*) cloakroom; plumbing (*fx* the p. is out of order); (NB shall I show you the geography of the house?).

whisky whisky; (*især irsk*) whiskey. **-pjolter** whisky and soda; US highball.

whist whist; *et parti* ~ a game of whist.

Wien Vienna.

wiener Viennese.

wienerbrød Danish pastry, Belgian bun; *et overskåret* ~ a slice of Danish pastry; *da skal de fattige ha* ~ then the fat will be in the fire.

wienerbrødstang [Danish pastry made into a bar]; a bar of Danish pastry.

wienerinne Viennese (woman).

wiener|kringle Danish pastry plait. **-schnitzel** Viennese schnitzel. **-vals** Viennese waltz. **-wurst** frankfurter.

wiensk Viennese.

X

X, x X, x; *X for Xerxes* X for X-ray.

xantippe shrew, vixen, termagant.

X-krok hook nail, picture hook; (*selve stiften*) wall pin, picture nail.

xylofon xylophone.

xylograf xylographer, wood engraver.

xylografere (*vb*) engrave on wood.

xylografi xylography, wood engraving.

xylografisk xylographic.

Y

Y, y Y, y; *Y for Yngling* Y for Yellow.

yacht yacht. **-klubb** yacht club.

yankee Yankee.

ydmyk humble.

ydmyke (*vb*) humble, humiliate; ~ *seg for en* humble oneself before sby.

ydmykelse humiliation.

ydmykende humiliating.

ydmykhet humility.

ymse (*se forskjellig*); *det er så* ~ *med det* 1. that's according to the circumstances; T that's as may be; 2. it's up and down; it's only so-so.

ymt hint, inkling, whisper.
ymte (*vb*) hint; ~ *om at* drop a hint that.
I. ynde (*subst*) grace, charm.
II. ynde (*vb*) like, be fond of.
yndefull charming, graceful.
ynder admirer, lover; *jeg er ingen ~ av* I am no admirer of; I do not care for.
yndest favour (,US: favor), good graces; *i ~ hos en* in sby's good graces.
yndet popular favourite (,US: favorite); *en ~ sport* a popular sport.
yndig graceful; (*deilig*) charming, delightful; *en ~ liten unge* a little darling.
yndighet charm, grace; *hennes -er* her charms.
yndling favourite (,US: favorite), darling, pet.
yndlings- favourite (US: favorite), pet.
yndlings|beskjeftigelse favourite occupation; hobby. **-tema** pet subject; *få ham penset inn på hans ~* set him off on his pet subject.
yngel brood; (*fiske-*) fry, spawn; *slippe ut ~ i en elv* stock a river with fry.
yngle (*vb*) breed, multiply, propagate.
yngling youth, young man.
yngre younger; (*temmelig ung*) youngish; (*av senere dato*) later.
yngst youngest; *den -e* (*av to*) the younger; (*se yngstemann*).
yngstemann youngest man, junior; ~ *på et kontor* junior clerk; *han var ~ i en stor søsken-flokk* he was the youngest of a large family (of children).
ynk: *det var en ~ å se* it was a pitiful sight.
ynke (*vb*): ~ *seg* moan, complain; *-s over* feel sorry for, pity.
ynkelig pitiful, pitiable; (*dårlig*) miserable; *føle seg ~* feel small; *se ~ ut* look small; *gjøre en ~ figur* cut a sorry figure; *i en ~ forfatning* in a pitiful state.
ynkelighet misery, wretchedness; (*feighet*) cowardice.
ynkverdig pitiable, pitiful. **-het** pitiableness.
yppal aggressive, quarrelsome.
yppe *vb* (*vekke*) stir up; (*hisse, egge*) incite, instigate; ~ *kiv* (*trette*) stir up a quarrel, pick a quarrel; ~ *seg* 1. pick a quarrel; 2. show off; (*se strid*).
ypperlig excellent, superb, capital.
ypperst best, most outstanding; *den er den -e* it ranks first, it holds pride of place.
yppersteprest high priest.
yppig (*frodig*) luxuriant, exuberant; (*over-dådig*) luxurious; *hennes -e former* her ample curves; *her opulent charms*; (*se vegetasjon*).
yppighet luxury; luxuriance, exuberance.
I. yr (*duskregn*) drizzling rain, drizzle.
II. yr (*adj*) giddy.
I. yre *vb* (*duskregne*) drizzle.
II. yre *vb* (*kry*) teem, swarm; ~ *av utøy* crawl with vermin.
yrhet giddiness.
yrke occupation; (*håndverk*) trade, craft; (*akademisk*) profession; (*kall, profesjon, også*) calling (*fx* it is a c. that is born in a man; mining is a horrible c.); *snekker av ~* joiner by trade; *drive et ~* carry on a trade (,profession); *hva er Deres ~?* what do you do for a living? *videreutdanning i -t* extended vocational training; (*jvf utøve*).
yrkes|betegnelse word designating occupation; *ordet x brukes ikke som ~* the word x is not used to designate occupation. **-dag** workday. **-ekte-par** working couple; professional couple. **-flyver** professional pilot; (*sivilflyver*) commercial pilot. **-gren** (branch of) industry. **-gruppe** occupational group. **-hygiene** industrial hygiene. **-interesser** (*pl*) trade interests.
yrkeskvinne woman who goes out to work, working woman; professional woman; career woman; **-r** (*i statistikk*) gainfully employed women; *gifte -r* married women in employment.
yrkeslivet trade (conditions), economic life (*el.

conditions*); *ingen tegn til bedring i ~* no indication of an improvement in general business conditions.
yrkes|lærer (*i fengsel*) officer instructor (vocational training), civilian instructional officer (vocational training). **-messig** occupational; professional. **-nevrose** occupational neurosis. **-offiser** regular officer. **-opplæring** vocational training. **-register** (*i tlf.katalog*) classified telephone directory. **-rettleiing:** *se -veiledning*. **-sjåfør** professional driver. **-skole** vocational school. **-statistikk** labour (,US: labor) statistics. **-sykdom** occupational disease. **-terapi** occupational therapy.
yrkes|utdannelse, -utdanning 1. vocational training; 2. (professional) training; *universitetet skulle ikke bare tilgodese -en* the university should not only provide for vocational training.
yrkes|utsikt: *-ene for lærere er for øyeblikket gode* the prospects in the teaching profession are favourable at present. **-valg** choice of career (*el.* occupation).
yrkesvalghemmet restricted in choice of occupation, not capable of full employment; *en ~* a person restricted in choice of occupation, a person not capable of full employment; *de yrkesvalghemmede* (*også*) the handicapped (in the choice of a career); (*jvf arbeidsufør*).
yrkes|veileder (youth) employment officer; (*på skole*) careers master (,mistress); US vocational-guidance counselor. **-veiledning** vocational guidance.
yrregn drizzle.
yrsnø drizzling snow.
yste (*vb*) make cheese; ~ *seg* curdle.
ysteri cheese factory.
yte (*vb*) yield, render, produce; ~ *assistanse* render (*el.* give) assistance; ~ *bidrag til* contribute to, make a contribution to; (*ved innsamling, som medlem*) subscribe to; ~ *motstand* offer resistance; ~ *ham rettferdighet* do him justice; ~ *sitt beste* do one's best; pull one's weight (*fx* every one of us must pull his weight); (*se skades-erstatning*).
yte|dyktig productive. **-dyktighet** productivity. **-evne** (*maskins*) capacity, output; (*effektivitet*) efficiency; (*fabrikks*) (productive) capacity.
ytelse (*avkastning*) yield; (*bidrag*) contribution; (*prestasjon*) performance; (*utbetaling*) payment; *en maskins ~* the output of a machine; (*yteevne*) efficiency; (*tjeneste*) service; *lønn etter ~* payment by results, efficiency wages.
I. ytre (*subst*): *det ~* the exterior, the outside; *i det ~* outwardly, externally; on the face of it.
II. ytre (*adj*) outward, exterior, external; ~ *tegn på* outward sign(s) of; *den ~ verden* the external world.
III. ytre (*vb*) utter, say, express; ~ *seg* express oneself; (*fig*) manifest itself; ~ *tvil* express doubt; ~ *ønske om at* express a wish that.
ytring expression, statement; remark, utterance; manifestation, revelation (*av* of); *fri-modige -er* plain talk.
ytringsfrihet freedom of speech; *menings- og ~* freedom of opinion and expression.
ytter|dekke outer covering. **-dør** outer door. **-ende** extreme end. **-frakk** overcoat. **-grense** extreme limit; border, boundary. **-kant** extreme edge (*el.* border); *på -en av* on the fringe of.
ytterlig 1 (*adj*) extreme; (*overdreven*) excessive; 2 (*adv*) far out, near the edge; extremely, exceedingly; *glasset sto så ~ at det ville falle ned for et godt ord* the glass was standing so near the edge that it might fall over at the slightest breath.
ytterligere 1. further, additional; *et ~ prisfall* a further (*el.* fresh) fall in prices; *send meg ~ 20 kasser* send me another (*el.* a further) 20 cases; send me 20 cases more; *vi kan innrømme Dem ~ 10 %* we can allow you an additional 10 % (*el.* a further 10 %); 2 (*adv*) further, in addition.
ytterliggående extreme; *en som er ~* an extremist.

ytterlighet extreme; *gå til -er* go to extremes; *(om forholdsregler)* take extreme measures; *gå til den motsatte* ~ go to the other *(el.* opposite) extreme; *la det komme til -er* carry matters to extremes; let matters come to a head.
ytter|plagg outer garment; *(jvf yttertøy).*
-punkt extreme point, extremity. **-side** outside; outer side.
ytterst 1 *(adj)* outermost; *(lengst borte)* extreme, utmost; *de -e gårdene* the outermost farms; *med den -e forsiktighet* with the utmost care, with extreme care; *til det -e* to the utmost; *jeg skal anstrenge meg til det -e* I shall do my utmost *(el.* my very best); **2** *(adv)* farthest out *(el.* away);

(om grad) extremely, exceedingly *(fx* extremely cautious); *ligge* ~ *(i seng)* lie *(el.* sleep) on the outside; *helt* ~ *(i seng)* right on the outside *(fx* I'd rather sleep right on the o.); ~ *pinlig* most embarrassing; *et* ~ *sjeldent tilfelle* an extremely rare case; *en* ~ *vanskelig sak* an extremely *(el.* exceedingly) difficult matter; *det er* ~ *forskjellige meninger om denne saken* there is a wide difference of opinion on this question; *(se sjelden 2).*
yttertøy outer wear *(el.* clothing), outdoor things; *ta av -et* take off one's things; *uten* ~ without a coat (on).
yttervegg outer wall; outside wall; *(se kledning).*

Z

Z, z Z, z; *Z for Zakarias* Z for Zebra.
zeppeliner Zeppelin.
Zevs Zeus.
zoolog zoologist.
zoologi zoology.

zoologisk zoological; ~ *hage* zoological gardens; T Zoo.
zulu, -kaffer Zulu.
Zürich *(geogr)* Zurich.

Æ

Æ, æ Ae, ae; *Æ for Ærlig: intet tilsvarende; æ bæ!* *(barns hånlige tilrop)* sucks (to you)!
ær 🦆 eider duck.
æra era; *betegne en ny* ~ mark a new era *(el.* epoch), be a new departure; *begynne en ny* ~ enter (up)on a new era; *innlede en ny* ~ inaugurate a new era.
ærbar modest; chaste; decent.
ærbarhet modesty; chastity; decency.
ærbødig respectful, deferential.
ærbødighet respect, deference; *vise* ~ show respect *(fx* s. sby r.); show deference to, treat with deference, be deferential to.
ærbødigst *(brevstil)* Yours faithfully, ...; *(hvis brevet innledes med* 'Dear Mr. X',) Yours sincerely, ...; *(især* US) Yours (very) truly, ...; (Very) truly yours, ...; Yours cordially, ...
ærdun eider down.
I. ære *(subst)* honour (,US: honor); respect; *(heder)* honour, glory; *(ros)* praise; *all* ~ *verd* praiseworthy, commendable; *en mann av* ~ a man of honour; *til* ~ *for dagen* in honour of the day *(el.* occasion); *anse det for en stor* ~ esteem *(el.* consider) it a great honour; *falle på -ns mark* be killed in action; *die on the field of honour; *gjøre en den* ~ *å* do sby the honour of (-ing); *(ofte)* do sby the pleasure of (-ing); *gjøre* ~ *på* do credit to; do justice to *(fx* the dinner); *gjøre* ~ *på sitt land* be an honour *(el.* a credit) to one's country; *det går på -n* spy (,his, *etc)* honour is at stake; **ha** *den* ~ *å* have the honour of (-ing); have the h. to; *han har stor* ~ *av det* it does him great credit; it is greatly to his credit; *jeg har ikke den* ~ *å kjenne henne (iron)* I have not the pleasure of her acquaintance; *han har -n av å ha oppfunnet dette* he must be given the credit of having invented this; to him must go the honour of this invention; **holde** *i* ~ honour, respect; **innkassere** *-n for* take credit for; *han kom fra det med -n i behold* he came out of it with credit *(el.* with flying colours); *det må sies til deres* ~ *at* it must be said to their credit that; *hva skylder vi -n av Deres besøk?* what is the occasion of your being here? **strebe** *etter* ~ aspire to honours; *det tjener denne industri til stor* ~ *at den har* this industry deserves great credit for having; *det tjener ham til* ~ *(også)* it reflects credit on him; it adds to his credit; *dette resultatet tjener alle dem*

til stor ~ *som har hatt med det å gjøre* this result reflects great credit on all concerned; *(se tilskrive).*
II. ære *(vb)* honour (,US: honor), respect; venerate, revere; *-s den som -s bør* give honour *(el.* credit) where honour *(el.* c.) is due *(fx* I'm simply giving h. where h. is due).
ærefrykt awe, veneration; *ha* ~ *for* venerate, reverence, revere.
ærefryktinngytende awe-inspiring.
ære|full honourable (,US: honorable); creditable; *et ærefullt verv* a great honour (,US: honor); ~ *fred* peace with honour. **-kjær** high-spirited, proud. **-krenkelse** defamation, libel, slander. **-krenkende** defamatory, libellous. **-løs** ignominious, infamous. **-løshet** ignominy, infamy.
ærend errand; *gå* ~ do errands, run errands *(for en* for sby); *gå noens* ~ *(fig)* play sby's game; play into sby's hands; *han er her i lovlig* ~ he is here on lawful business; *sende en et* ~ send sby on an errand; *jeg skal i butikken et* ~ I'm going round to the grocer's (,butcher's, *etc)*; *mange er ute i samme* ~ *(fig)* many others are at the same game; *(se også samtidig & utrette).*
æresbegrep concept *(el.* idea) of honour (,US: honor); *-er (også)* code of honour.
æresbevisning mark of respect; honour *(fx* honours were heaped upon him); *bli begravet med militære -er* be buried with full military honours.
æresborger honorary citizen.
æres|doktor honorary doctor; doctor of honoris causa. **-følelse** sense of honour. **-gjeld** debt of honour. **-gjest** guest of honour.
æres|legion legion of honour. **-medlem** honorary member. **-oppreisning** satisfaction. **-ord** word of honour; *på* ~ on my word (of honour). **-premie** honorary prize.
æresrunde *(skøyteløpers)* triumphal progress (round the track); *seierherren går -n med laurbærkransen om skuldrene* the victor makes a t. p. with the laurel wreath about his shoulders.
æres|sak point of honour; matter of honour. **-tap** loss of honour.
ærfugl 🦆 eider duck.
ærgjerrig ambitious. **ærgjerrighet** ambition.
ærlig *(adj)* honest; *(rettskaffen)* upright; *(i kamp & spill)* fair; *i* ~ *kamp* in a fair fight; *han var* ~ *nok til å innrømme* he was perfectly

honest in admitting (fx the difficulty of the problem); ~ talt honestly; mene det ~ med en mean well by sby; som han ~ fortjener as he amply (el. richly) deserves; (se III. love; sak A).

ærlighet honesty; ~ varer lengst honesty is the best policy.

ærstegg ½ eider drake.

æerverdig venerable; august. **-het** venerableness; augustness.

æsj! (int) ugh!

ætling descendant (av of).

ætt family, race; av gammel ~ of (an) ancient lineage; av høy ~ high-born.

ætte|far ancestor. **-gård** family farm. **-saga** family saga. **-tavle** genealogical table, family tree.

Ø, ø Ø, ø; (kalles ofte modified o); Ø for Østen: intet tilsvarende.

I. øde adj (forlatt) deserted, desolate; (udyrket) waste; legge ~ lay waste; ruin.

II. øde (vb) waste, squander.

ødelegge (vb) ruin, destroy; (legge øde) lay waste; (forarme) ruin, impoverish; ferien ble ødelagt the holiday was spoilt (el. ruined); ~ moroa for ham T spoil his fun (fx I wouldn't like to s. h. f.); ungen -r alt (slår i stykker, etc) the child ruins everything; (se stemning & tegning).

ødeleggelse destruction, ruin; (kun entall) devastation, havoc; (jvf anrette).

ødeleggelseslyst destructive urge.

ødeleggende ruinous, destructive; devastating; ~ for destructive to.

ødemark wilderness, wilds.

ødipuskompleks (psykol) Oedipus complex.

ødsel wasteful, extravagant; (rundhåndet) lavish (med of); (overdådig) profuse (med in, of).

ødselhet wastefulness, extravagance; lavishness; profuseness; (overdådighet) profusion.

ødsle (vb) be wasteful, be extravagant; ~ bort squander; ~ med waste, be lavish of, be wasteful with.

ødslig bleak, desolate, dreary.

ødslighet dreariness, desolation; -en i rommet the blank dreariness of the room.

øgle ½ lizard.

øk (work-)horse, jade.

øke (vb) add to, increase; ~ hans prestisje enhance his prestige; ~ produksjonen increase (el. step up) production; det stadig -nde strømbehov the constantly growing demand for electricity.

økenavn nickname.

øk(n)ing increase, growth.

økonom economist.

økonomi (læren) economics, political economy; (sparsommelighet) economy; (i husholdning) domestic economy; hans ~ his financial position (fx his f. p. is sound). **-avdeling** (jernb) accountants' department. **-direktør** (jernb) chief accountant. **-løp** (billøp) economy run. **-minister** (i England) Minister of State for Economic Affairs.

økonomisere (vb) economize, cut down expenses; ~ med noe economize on sth.

økonomisjef (ved teater) business manager.

økonomisk economic; den -e drift the financial aspects of running the establishment (,etc); når mor arbeider, gir dette -e fordeler when mother works economic advantages accrue; ~ gymnas (linje ved vanlig gymnas) the commercial side of grammar school; (jvf handelsgymnas); elev ved ~ gymnas pupil (el. student) on the commercial side of a grammar school; pupil doing (el. specializing in) commercial subjects; han går på ~ gymnas (ofte) he is specializing in commercial subjects; landets -e liv the e. life of the nation; sakens -e side the financial aspect of the matter (el. question); the economics of the question; i ~ henseende financially, economically; ~ sett from an e. point of view (el. standpoint); ~ støtte financial support; han er ~ uavhengig he is

financially independent; (se også klima & selvhjulpen).

øks axe.

økse|hode axe head. **-hogg** blow of an axe. **-skaft** axe handle.

økt between-meal spell of work; spell (of work).

økumenisk ecumenical.

øl beer; (sterkt, lyst) ale; vise ham hvor David kjøpte -et T show him where he gets off; (NB engelsk ordtak: when ale is in wit is out (når ølet går inn, går vettet ut)).

øl|brygger brewer. **-bryggeri** brewery.

øl|fat beer cask. **-flaske** beer bottle. **-glass** tumbler. **-kasse** beer crate. **-kjører** drayman.

ølrøyk (varmedis) heat haze.

øltønne beer barrel.

ølvogn dray.

øm tender; (som gjør vondt) sore; røre ved det -me punkt touch the sore point; han ble ~ i stemmen his voice took on a tender note.

ømfintlig sensitive (for to). **-het** sensitiveness.

ømhet soreness; (fig) tenderness.

ømhjertet tender-hearted.

ømskinnet thin-skinned, sensitive.

ømskinnethet sensitiveness.

ømtålig delicate, sensitive; et ~ emne a delicate subject.

I. ønske (subst) 1. wish (om for), desire; 2 (forlangende) request; de syntes dette var et meget beskjedent ~ they found this to be a very modest request; de beste -r best wishes; all good wishes; hennes høyeste ~ her greatest wish; etterkomme ens -r satisfy sby's wishes; satisfy sby's desires; nå sine -rs mål reach (el. attain) the object of one's desire(s); realize one's most ambitious dreams; oppfylle et ~ comply with (el. meet) a wish; vi kan ikke oppfylle Deres ~ we cannot grant your wish; du skal få ditt ~ oppfylt you shall have your wish; uttale et ~ express a wish; (jvf ndf: uttale ~ om at); etter ~ as desired; according to your (,my, etc) wishes; etter ens ~ (ɔ: på ens anmodning) at sby's request; alt gikk etter ~ everything went off satisfactorily, everything went (el. turned out) as he (,we, etc) wished it; rette seg etter ens -r comply with sby's wishes; han forlot vårt firma etter eget ~ he left our employ of his own accord (el. at his own request); he left us of his own free will; ifølge Deres ~ in accordance (el. in compliance) with your wishes; med alle gode -r with every good wish; til X med ~ om god fremgang i studiet av det norske språks mysterier to X, with every good wish for your future progress in the study of the mysteries of the Norwegian language; med de beste -r for et godt nyttår with best wishes for a happy New Year; mot mitt ~ against (el. contrary to) my wishes; dette gjorde han mot sine foreldres ~ this he did in opposition to the wishes of his parents; meget mot mitt ~ måtte jeg ... I was reluctantly compelled to ...; nære ~ om noe (,om å gjøre noe) have a desire for sth (,to do sth); jeg nærer intet ~ om å I have no desire (el. wish) to; uttale ~ om at express the wish that; hans ~ om ikke å his unwillingness to, his reluctance to; (se også sist: hans -e ønske & II. uttale).

II. ønske (*vb*) wish, wish for (*fx* wealth); desire, be desirous of; (*gjerne ville*) want to (*fx* he wanted to meet me); be anxious to; (*gjerne ville ha*) want (*fx* what do you want?); *-s* (*i annonser*) wanted (*fx* furnished room w.); ~ *en alt godt* wish sby well, wish sby every happiness; ~ *en god bedring* wish sby a speedy recovery; *X -r ikke gjenvalg* X does not seek re-election; *T X is standing down*; US T X is not running again; *jeg -r intet heller* there is nothing I should like better; I could not wish for anything better; I could wish for nothing better; *jeg skulle* ~ *I wish* (*fx* I w. I were (*el.* was) in your place; I w. I knew); *jeg skulle inderlig* ~ *det ikke var sant* I wish to God it was not true; ~ *en smilende velkommen* give sby a smiling welcome; *det var å* ~ *at mange lærere benytte anledningen til å undervise ved utenlandske skoler* it would be an advantage (*el.* a good thing) if many teachers would avail themselves of the opportunity to teach at schools abroad; (*se også levende*; *velkommen*).

ønske|drøm wish dream; (*utopi*, *også*) pipe dream (*fx* that project is only a pipe d. of mine). **-hatt** wishing cap. **-hytte** dream cottage; (*se hytte*). **-kvist** (dowser's hazel) twig, dowsing rod, divining rod; *gå med* ~ *work the twig, dowse; en som går med -en* a dowser.

ønskelig desirable, to be desired; required; *det er* ~ *at han stiller garanti* it is desirable that he should give security; *det er i høy grad* ~ *at han gjør det* it is highly desirable that he should do it. **-het** desirability; *-en av the d. of; -en av å gjøre en forandring* the d. of making a change.

ønskeliste list of wants; *det står på vår* ~ it is on our list of wants.

ønske|mål desired end, goal, hope, wish, desidera|tum (*pl*: -ta). **-oppgave** ideal task, ideal assignment. **-stilling** ideal job (*el.* post).

ør giddy, dizzy; *jeg blir* ~ *i hodet av det* it makes my head swim (*el.* go round); *jeg ble helt* ~ I felt quite dizzy (*el.* giddy); *hun ble* ~ (*også*) her head began to swim (*el.* go round).

I. øre (*anat*) ear; *spisse -ne* prick up one's ears; *holde -ne stive* listen attentively; have all one's wits about one; *være lutter* ~ (*spøkef*) be all ear(s); *han har en rev bak -t* he is up to mischief; *skrive seg noe bak -t* make a (mental) note of sth; *han hører ikke på 'det -t* (*fig*) he is deaf as far as that subject is concerned; (*jf høre*); *komme en for* ~ reach one's ears, come to one's knowledge; *det er å snakke for døve -r* it's like talking to the wind; *for* ~ *have an ear for*; *holde en i -ne* keep sby in order; *gjøre ham het om -ne* T put the wind up him; *forelsket oppover -ne* head over ears (*el.* heels) in love; *være i gjeld til oppover -ne* be head over ears in debt; *låne* ~ *til* listen to; (*se I. gryte; tute*).

II. øre [Norwegian coin worth 1/100 of a krone] *nå for tiden bruker jeg hver* ~ *jeg tjener* nowadays I spend right up to the hilt.

ørebetennelse inflammation of the ear, otitis.
øredøvende deafening.
øre|fik box on the ear. **-flipp** earlobe. **-flukt:** *se -verk.* **-gang** auditory canal.
ørekyte (*fisk*) minnow.
øre|lapp: *se -flipp.*
ørelappstol wing chair, grandfather chair, ear chair.
ørelege ear specialist.
ørenerve auricular nerve.
ørenslyd: *her er ikke* ~ *å få for alt levenet* it's impossible to hear with all that noise.
ørering earring.
øre|sus buzzing in the ears. **-telefon** (*radio*) earphone, headphone. **-tvist** ♀ earwig. **-varmer** earflap. **-verk** earache; *jeg har* ~ *my ear aches.*
ørevoks earwax; (*fagl*) cerumen.
ørfin very fine; (*fig*) subtle.
ørhet giddiness, dizziness.
ørken desert.

ørkensand sands of the desert, desert sand.
ørkesløs idle; futile; *- e dager* days of idleness.
ørkesløshet idleness; futility.
ørliten infinitesimal; puny, tiny.
ørn ♀ eagle. **-aktig** aquiline.
ørne|blikk keen glance, eagle eye. **-flukt** eagle's flight. **-klo** eagle's talon, eagle's claw. **-nebb** eagle's beak. **-nese** aquiline nose, hawk nose. **-reir** eagle's nest.
ørnunge ♀ eaglet.
ørsk (*adj*) confused, dazed.
ørsk|e (*subst*): *gå i* ~ walk about dazedly; *svare i -a* answer at random; (*se villelse*).
I. øse *subst* (*til suppe*) ladle; (*øsekar*) scoop, baler, bailer.
II. øse (*vb*) bale, bail, scoop; (*av brønn & fig*) draw; ~ *lens* bale out; *regnet øste ned* the rain poured down; ~ *opp suppen* ladle out the soup; *et -nde regn* pouring rain; ~ *ut penger* ladle out money by the handful, pour out money (like water).
øsekar baler, bailer, scoop.
øsregn pouring rain, downpour.
øsregne (*vb*): *det -r* it is pouring down, it is pouring with rain.
øst east; *han skulker timer i* ~ *og vest* T he's missing lessons left, right, and centre; *han skylder penger i* ~ *og vest* T he owes money all round; (*se vest*).
Østen the East.
østenfor east of.
østenom (to the) east of.
østerlandsk oriental.
Østerrike Austria. **østerriker** Austrian.
østerriksk Austrian.
østers ♀ oyster; *dum som en* ~ crassly stupid.
østersbanke oyster bed.
Østersjøen the Baltic. **østersjøisk** Baltic.
østers|skall oyster shell. **-skraper** oyster dredge. **-tiden** the oyster season. **-yngel** spat.
Øst-Europa Eastern Europe.
østfra from the east.
østfronten the East Front.
østgrense eastern frontier.
østgående eastbound (*fx* vessel).
øst|kant eastern side; *-en* (*bydel*) the East End. **-kyst** east coast.
Østlandet (*i Norge*) Eastern Norway.
østlig east, easterly; *det -e England* the East of England.
østnordøst east-north-east.
øst|over (to the) east, eastwards. **-på** eastward; in the east.
østre eastern, easterly, east.
øst|side east side. **-sørøst** east-south-east.
øve (*vb*) **1.** practise (,US: practice) (*fx* he practises every day for several hours); **2** (*utøve*) exercise, exert (*fx* influence on); ~ *kontroll med* (*el. over*) exercise control over; ~ *kritikk mot* criticize; ~ *press på* apply pressure; T put on the screw; ~ *trykk på* bring pressure to bear on; ~ *vold* use violence; ~ *opp* train; ~ *seg* practise; ~ *seg i* practise; ~ *seg på* practise on; (*se også tiltrekning & øvet*).
øvelse practice; exercise; (*trening*) training; (*erfaring, praksis*) experience, practice; (*sports-*) event (*fx* what events take place during the Holmenkollen Ski Meet?); exercise; *man får tre forsøk, hvorav de to beste -r teller* you have three tries (*el.* attempts) and only the two best count; *poengsummene for hver enkelt* ~ *legges sammen* the (total) scores for each individual exercise are added up; ~ *gjør mester* practice makes perfect; *hvis De har* ~ *fra skotøyforretning* if you have had experience in a shoe shop; ~ *i maskinskriving* typing experience; *jeg har* ~ *i maskinskriving* I have experience (*el.* am experienced) in typewriting; I have experience of t.; *det krever lang* ~ it takes a lot of practice; *jeg mangler* ~ I lack (*el.* have little) experience; I have had very little practice; (*ɔ: er ute av trening*) I am out

of practice; *dame med* ~ *i norsk stenografi og vanlig kontorarbeid* woman experienced in Norwegian shorthand and routine office work; *med* ~ *i å undervise* with experience of (*el.* in) teaching; with teaching experience; ~ *ikke nødvendig* experience unnecessary; *-r som læreren finner på* (*el. lager) selv* exercises of the teacher's invention; (*se også øvet*).

øvelseskjøring (*bilists*) driving practice.

øverst top (*fx* the top button of his coat; the top drawer); upper (*fx* the u. branches); uppermost, topmost (*fx* the t. branch); (*fig*) supreme; (*adv*) on top; at the top; *legge de beste eplene* ~ put the best apples on top; *fra* ~ *til nederst* from top to bottom; (*om person*) from top to toe; *mønstre en fra* ~ *til nederst* look sby up and down; ~ *i annen spalte* at the top of the second column; *i* -*c venstre hjørne* in the top left-hand corner; ~ *på bildet* in the top part of the picture; at the top of the picture; *stå* ~ *på dagsordenen* be at the top of the agenda; (*fig*) be a top priority; ~ *på listen* at the head of the list; *stå* ~ *på listen* (*også*) head (*el.* top) the list; ~ *på rangstigen* at the top of the ladder (*fx* the men at the top of the l.); ~ *på siden* at the top of the page; *en av de -e stillingene* one of the top posts; ~ *til høyre* (*på bildet*) in the top right-hand corner (of the picture); at the top on the right; ~ *ved bordet* at the head of the table.

øverst|befalende, -kommanderende commander -in-chief.

øvet (*se også øve*) practised (,US: practiced) (*i noe* in sth); experienced (*fx* speaker, teacher); (*faglært*) skilled; trained (*fx* t. soldiers); ~ *stenograf* experienced stenographer; *må være* ~ experience required; e. necessary; e. essential; *et* ~ *øye* a practised (*el.* trained) eye; *lite* ~ inexperienced, without practice.

øving: *se øvelse.*

øvre upper.

øvrig remaining; *det* -*e* the rest, the remainder; *en av døtrene er gift, de -e . . .* one of her daughters has married, the others . . .; *for* ~ (*hva det -e angår*) for the rest; (*dessuten*) moreover, besides; (*i andre henseender*) in other respects.

øvrigheten the authorities.

øvrighetsperson public officer.

øy island; -*a Man* the Isle of Man; *på en* ~ on an island; (*meget stor, bebodd*) in an island.

øye 1. eye; 2 (*på kort, terning*) pip; 3 (*hull el. ring som snor el. krok kan træs gjennom*) eye, eyelet; *alles øyne* all eyes; *gjøre noe for alles øyne* do sth in (plain) sight of everybody; *se på det med andre øyne* see it in another (*el.* in a different) light; *ikke se med blide øyne på* take a stern view of, frown on, look askance at, regard with disfavour; *synlig for det blotte* ~ visible to the naked eye; *med det blotte* ~ with the naked eye; *han har blå øyne* he has blue eyes; his eyes are blue; he is blue-eyed; *han gjør det ikke bare for dine blå øynes skyld* he is not entirely disinterested; (*sterkere*) he has an axe to grind; *et blått* ~ (*etter slag*) a black eye; *han har dårlige øyne* his eyes are bad; his eyes are weak; *fire øyne ser mer enn to* two pair of eyes see better than one; two heads are better than one; *under fire øyne* confidentially, in private; ~ *for* ~ an eye for an eye; *se på noe med friske øyne* get sth into perspective; (*fordi man kommer utenfra*) come fresh to a problem; *hun er en fryd for -t* (T = *pen*) T she's easy on the eye; *ha gode øyne* have good eyes, have a good eyesight; *ha et godt* ~ *til* have an eye on, covet; (o: *stadig kritisere*) be down on; (o: *være forelsket i*) be gone on (*fx* sby); *det kan man se med et halvt* ~ you can see that with half an eye; it hits you in the eye; it sticks out a mile; *lovens øye* (*spøkef*) the eye of the law; *han ble mudre og mindre i øynene* his eyelids grew heavier and heavier; *store øyne* large eyes; *gjøre store øyne* open one's eyes wide; stare; *se på noe med store øyne* watch sth wide-eyed;

ute *av* ~ *ute av sinn* out of sight, out of mind; **åpne øyne** open eyes; *ha et åpent* ~ *for noe* have a keen eye for sth; *med åpne øyne* with one's eyes open (*fx* you went into this with your eyes open);

[*Forb. med verb*] **bruke øynene** (*godt*) use one's eyes, keep one's eyes open (*el.* T: skinned *el.* peeled); **få** ~ *for noe* become alive to sth; become aware of sth; begin to appreciate sth; have one's eyes opened to sth; *få* ~ *på* catch sight of; **ha** ~ *for noe* have an eye for sth; *ikke ha øyne for noen annen* have no eyes for anyone else; *ha for* ~ have in view; *jeg har da øyne i hodet* (*lett fornærmet*) I've got eyes in my head! *har du ikke øyne i hodet?* where are your eyes? *ha øyne i nakken* have eyes at the back of one's head; *ha øynene med seg* keep one's eyes open; be wide-awake; be observant; **holde** *øynene åpne* keep one's eyes open; *holde* ~ *med* keep an eye on; have one's eye on (*fx* I've had my eye on you for a long time); *holde skarpt* ~ *med* watch keenly; keep a sharp watch on; **knipe** *øynene sammen* screw up one's eyes; **lukke** *øynene* shut (*el.* close) one's eyes; *lukke øynene for* refuse to see, shut one's eyes to; (*se gjennom fingrene med*) connive at; **se** *noe i øynene* face sth; *se en like i øynene* look sby straight in the face; **slå** *øynene ned* look down, cast down one's eyes; *slå øynene opp* open one's eyes; **sperre** *øynene opp* open one's eyes wide; *hva er det som først* **springer** *en i øynene i forholdet m²llom X og Y* what is it that first strikes you (*el.* what strikes you first) in the relationship between X and Y? *han* **tok** *ikke øynene fra henne* he did not take his eyes off her; *ta øynene til seg* look away; avert one's eyes; **tro** *sine egne øyne* believe (the evidence of) one's (own) eyes; (*se for øvrig vedkommende subst, verb, prep, etc, fx bind; pose; ring; II. følge; skjære; sluke; våken*).

øye- (*i sms*): *se også øyen-.*

øyeblikk moment, instant; *et* ~ just a moment; one moment; (*tlf*) hold the line (please); *et* ~ *etter* a moment after (*el.* later); *han kom ikke et* ~ *for tidlig* he came not a moment too soon; *for -et* at the moment, at present; (*for tiden*) for the time being, for the moment; *for et* ~ *siden* a moment ago; *fra første* ~ from the (very) first (moment); from the very start; from the outset; *fra det* ~ *da* from the moment when; *han kan komme hvert* ~ he may be here any moment; *i -et at* the moment, just now; *i dette* ~ at this moment; *i det* ~ *da* the moment (*fx* she fainted the m. they tried to raise her to her feet); *i hans lyse* ~ in his bright moments; (*om sinnssyk*) in his lucid intervals; *i det rette* (*el. riktige*) ~ at the right moment; *avvente det rette* ~ (*el. et gunstig* ~) wait for the right moment; bide one's time; *i siste* ~ at the last moment; *det var i siste* ~ it was only just in time; it was in the nick of time; *en avgjørelse i siste* ~ a last-minute decision; *i det avgjørende* ~ at the critical moment; *i samme* ~ at the same moment; *i selvsamme* ~ at that very moment; *i samme* ~ *som* (o: *med det samme*) the (very) moment (*fx* the (very) moment he saw her); the (very) instant; *as soon as; i et svakt* ~ in a moment of weakness; **om** *et* ~ in a moment; in a minute; **på** ~ in (less than) no time, in the twinkling of an eye; in a flash; *det var gjort på et* ~ it was the work of a moment; *straks på -et* this moment, this instant, at once; *det var hans livs* **store** ~ it was the moment of his life; *uten et -s betenkning* without a moment's hesitation; (*se II. lys & velge*).

øyeblikkelig 1. immediate (*fx* there is no i. danger; i. help; an i. reply); *det har ingen* ~ *hast* there is no immediate hurry; 2 (*om hendelse, virkning, etc*) instantaneous (*fx* death was i.; the poison had an i. effect); 3 (*nåværende*) present (*fx* the p. situation); 4 (*forbigående*) momentary (*fx* a m. embarrassment); 5 (*adv*) immediately, instantly, instantaneously; *vi må handle* ~ we must take immediate action; we must act at once (*el.* without delay); *vi trenger hjelp* ~ we are in urgent need of help; *vi trenger det* ~ we need it urgently.

øyeblikksbilde snapshot; T snap.

øye|bryn eyebrow. **-eple** eyeball. **-hule** eye socket, orbital cavity, orbit (of the eye). **-hår** (*pl*) eyelashes. **-kast** glance; *ved første* ~ at first sight. **-lokk** eyelid.

øyemed object, aim, end; *i det* ~ *å* for the purpose of (-ing); (*se formål, studieøyemed*).

øyemål judgment by the eye; *etter* ~ (as) judged by the eye (*fx* length as judged by the eye); *ha et godt* ~ have a sure eye.

øyen- (*i sms*): *se også øye-*.

øyen|betennelse inflammation of the eyes. **-dråper** (*pl*) eye drops. **-kurtise:** *hun drev* ~ *med ham* she made eyes at him; she gave him the glad eye. **-lege** eye specialist, oculist, ophthalmologist. **-stikker** 🐛 dragonfly. **-sverte** mascara.

øyensynlig evident, obvious; (*adv*) evidently,

obviously; *han hadde* ~ *arbeidet for hardt* he had obviously (*el.* evidently) been working too hard.

øyen|tann (*hjørnetann*) eye tooth. **-tjener** time server. **-vipper** (*pl*) eyelashes. **-vitne** eyewitness (*til of*).

øye|operasjon operation on the eye. **-par** pair of eyes. **-speil** ophthalmoscope.

øyesten (*fig*): *ens* ~ the apple of one's eye.

øyesykdom eye disease.

øyesyn eyesight; *ta i* ~ view, inspect, have a (good) look at; *ta noe grundig i* ~ subject sth to a thorough (*el.* close) inspection.

øygard skerries; *han bodde helt ute i -en* he lived far out in the skerries.

øygruppe group (*el.* cluster) of islands; archipelago.

øyklima insular climate.

øyne (*vb*) see, discern; catch sight of.

øyr sandbank, sands at the mouth of a river.

øyrike island kingdom.

øyværing islander.

Å

I. Å, å Å, å; *Å for Åse: intet tilsvarende.*

II. å river, stream; (*se bekk*).

III. å (*int*) ah, oh; oh well; *å ja* oh yes; (*nølende*) yes, in a way; well, yes; *å, jeg ber* don't mention it; not at all, that's all right; *å pytt!* pooh! bah! *å, gi meg boka!* please give me the book! give me the book, will you?

åbor (*fisk*) perch.

åger usury; *drive* ~ practise (,US: practice) usury. **-aktig** usurious. **-forretning** usury. **-kar** usurer. **-pris** exorbitant price. **-rente** usurious rate of interest.

ågre (*vb*) practise (,US: practice) usury; ~ *med sitt pund* make the most of one's talents.

åk yoke; *kaste -et av* shake off (*el.* fling off) the yoke; *bringe under -et* subjugate; *bøye seg under -et* bow one's neck to the yoke.

åker (tilled) field.

åker|flekk small field, patch of field. **-land** arable land. **-lapp:** *se -flekk.* **-rikse** 🐦 corncrake. **-rull** drum roller. **-sennep** 🌿 charlock. **-snelle** 🌿 horsetail. **-tistel** 🌿 creeping thistle.

åkle (hand-woven) tapestry.

ål (*fisk*) eel; *så glatt som en* ~ as slippery as an eel.

åle|dam eel pond. **-fangst** eel fishing, eeling. **-hode** eel's head. **-kiste** eel trap. **-kone** (*fisk*) viviparous blenny. **-slank** svelte, slender. **-teine** eelpot.

åletrang: *et -t skjørt* a pencil-slim skirt.

åmot confluence (of two rivers).

ånd 1 (*mots. legeme*) spirit, mind; 2 (*åndelig kraft, genialitet*) genius (*fx* a man of g.); 3 (*stor personlighet*) spirit, intellect, mind (*fx* the great minds of the world); 4 (*overnaturlig vesen*) spirit; (*i østerlandske eventyr*) genie (*fx* the g. of the lamp); (*spøkelse*) ghost, spirit; 5 (*tenkemåte*) spirit (*fx* the s. of the 18th century); 6 (*i hær, etc*) morale, spirit; 7 (*tone, retning*) tone, spirit, tenor, general tenor, drift (*fx* the general tenor of the document; the drift of what he said); 8 (*indre prinsipp*) spirit (*fx* the s. of the age); genius (*fx* the g. of the language);

beslektede -er kindred souls, congenial spirits; *hans gode* (,*onde*) ~ (*fig*) his good (,evil) genius; *den Hellige Å-* the Holy Ghost, the Holy Spirit; *mane -er* conjure up (*el.* raise) spirits; (*bort*) lay ghosts; exorcise; *en ond* ~ an evil spirit; ~ *oj materie* mind and matter; *oppgi -en* give up the ghost, expire, breathe one's last; *en stor* ~ ? great mind; a great spiritual force; *en av sin tids største* (,*edleste*) *-er* one of the greatest (,noblest) minds of his day; *tidens* ~ the spirit

of the age; *tjenende* ~ servant, menial; *-ens verden* the spiritual (*el.* intellectual) world; *fortolke bestemmelsen etter dens* ~ interpret the rule according to its general spirit; *etter lovens* ~ according to the spirit of the law; *etter lovens* ~ *og ikke etter dens bokstav* according to the spirit, not the letter, of the law; *i -en* in (the) spirit (*fx* the poor in spirit); *-en i brevet* the tone of the letter; *jeg skal følge deg i -en* I will be with you in spirit; *man må forstå dette i den* ~ *det er skrevet* one must understand (*el.* take) this in the spirit in which it was written; *jeg ser ham i -en* I see him in my mind's eye; *på -ens vinger* on the wings of the spirit; (*se III. lov*).

I. ånde (*subst*) breath; *dårlig* ~ foul breath; *holde en i* ~ 1. keep sby busy; 2. hold sby's interest.

II. ånde (*vb*) breathe, draw one's breath, respire; *han levde og -t for denne forretningen* this business was his whole life; (*jvf puste*).

åndeaktig ghostly, ghostlike, spectral.

ånde|besvergelse 1. necromancy; 2. exorcism; (*jvf ånd: mane -er*). **-besverger** 1. necromancer; 2. exorcist.

ånde|drag, -drett breath, breathing, respiration; *med tilbakeholdt -drett* with bated breath; *til siste -drag* to his (,*etc*) last breath; *i samme -drag* in the same breath. **-drettssystem** respiratory system. **-hull** breathing hole; 🌀 spiracle.

åndelig intellectual, mental, spiritual; ghostly; ~ *anstrengelse* mental effort; ~ *føde* food for the mind, intellectual food; *i* ~ *henseende* intellectually; mentally; *-e interesser* (*pl*) intellectual interests; ~ *likevekt* mental balance; ~ *størrelse* 1. intellectual greatness; greatness of mind; 2 (*person*) great mind, master mind, intellectual giant.

åndelighet spirituality.

åndeløs breathless, out of breath; ~ *spenning* breathless suspense.

ånde|maner: *se -besverger.*

åndenød difficulty in breathing, dyspnoea.

åndeverden ghost world, invisible world.

åndfull: *se åndrik.*

åndløs dull, uninspired; (*flau*) inane, insipid.

åndløshet dullness; inanity, insipidity.

åndrik brilliant, witty.

åndrikhet brilliancy; witty remark, stroke of wit.

ånds|arbeid intellectual work, brain work. **-arbeider** intellectual (*el.* brain) worker. **-aristokrat** intellectual aristocrat. **-aristokratisk** highbrow. **-arv** spiritual heritage. **-beslektet** kindred (*fx* spirits), congenial (*fx* they are c. spirits). **-dannelse** culture. **-evner** (*pl*) intellectual talents; mental faculties (*el.* ability). **-fattig** dull, uninspired. **-felle** congenial spirit, kindred spirit (*el.* soul). **-forlatt** dull, uninspired; boring. **-fraværende** absent-minded, preoccupied. **-fraværenhet** absent-mindedness, preoccupation. **-frihet** intellectual freedom. **-frisk** alert, of sound mind, of unimpaired mental faculties. **-friskhet** unimpaired mental faculties, sound mind. **-føde** food for the mind, intellectual food. **-gaver** (*pl*) intellectual gifts (*fx* a man of high i. g.). **-høvding** spiritual leader. **-kraft** mental power, strength of mind; a strong mind; *det gikk nedover med hans* ~ his mental powers were declining.

åndsliv 1 (*tankevirksomhet*) intellectual life, thought; 2 (*kultur, etc*) culture, cultural life.

ånds|nærværelse presence of mind, resourcefulness, composure; *hans* ~ *sviktet ham* his p. of m. deserted him. **-nærværende** resourceful, composed, having presence of mind. **-oppløftende** exalting, full of uplift. **-produkt** intellectual product (*el.* achievement); **-er** *pl* (*spøkef*) lucubrations. **-retning** school of thought. **-rett** (the law of) copyright. **-sløv** dull-witted, feeble-minded, stupid. **-snobb** intellectual snob. **-svak** mentally deficient, feeble-minded, mentally retarded. **-svakhet** mental deficiency, feeble-mindedness. **-utvikling** mental development. **-verk** intellectual achievement. **-virksomhet** mental activity. **-vitenskapene** (*pl*) the humanities. **-ytring** manifestation of the mind.

åpen 1. open; 2 (*ubeskyttet*) open, exposed; 3 (*oppriktig*) open, frank, candid; 4 (*utilslørt*) open, unconcealed, undisguised; 5 (*ikke utfylt*) (in) blank; (*om regnskapspost*) unpaid, outstanding (*fx* item); (*om vevning*) open (work), open -weave; *ha et* **-t blikk** *for* have a keen eye for; be keenly alive to; ~ **båt** open boat; *den åpne* **dørs** *politikk* (the policy of) the open door; *for åpne dører* with the doors open; (*fig*) in public; (*jur*) in open court; *på det åpne* **hav** on (*el.* in) the open sea; out at sea; *på det åpne* **marked** in the open market (*fx* the price which he could obtain in the o. m.); *under* ~ **himmel** in the open (air), outdoors; *sove under* ~ *himmel* sleep out of doors, sleep out; *i* ~ **kamp** in a fair fight; ~ **kreditt** open (*el.* blank) credit; *med* ~ **munn** open-mouthed; gaping; *et* **-t sinn** an open mind (*fx* keep an o. m. as regards . . .); *i* ~ **sjø** on (*el.* in) the open sea; *et* **-t spørsmål** an open question; *et* **-t svar** a frank answer; **-t vann ⚓** open (*el.* clear) water; *et* **-t vesen** a frank manner; *sove for åpne* **vinduer** sleep with the windows open; **holde -t** keep open; (*om forretning*) open (*fx* it is not usual for shops to open on Sundays); be open (*fx* they are o.); *la plass stå* ~ *til navnet* leave the name blank; *la det mellomrommet stå* **-t** leave that space blank; *da Tom gjorde den franske oversettelsen sin, lot han de ordene han ikke kunne, stå åpne* when Tom was doing his French translation, he left blanks for all the words he didn't know; *la noe* (ɔ: *en sak*) *stå* **-t** leave sth (*fx* a matter) open; ~ *for nye idéer* receptive to (*el.* of) new ideas; *jeg er* ~ *for et tilbud* I am open to an offer; ~ *og ærlig* frank and honest; (*om foretagende, etc*) open and above-board.

åpen|bar clear, evident, obvious. **-bare** (*vb*) reveal, disclose, discover, manifest; ~ *en hemmelighet for* **en** reveal a secret to sby; ~ *seg* appear (*for* to). **-barelse, -baring** revelation; *Johannes* **-baring** Revelations.

åpenhet openness; (*fig*) frankness, candour (,US: candor).

åpen|hjertig open-hearted, frank, candid. **-hjertighet** open-heartedness, frankness, candour (,US: candor). **-lys** open, undisguised. **-lyst** (*adv*) openly. **-munnet** talkative, indiscreet.

åpne (*vb*) open (*for* to); ~ *igjen* reopen; ~ *en butikk* open a shop; ~ *et fat* broach a cask; ~ *ild* ⚔ open fire (*mot* on); ~ *en kreditt* open a

credit (*på et beløp* to an amount; *hos* **en** with sby); *dørene* **-s** *kl. 7* doors open at seven; *jeg har* **-t** *en konto for Dem* I have opened an account for you; ~ *nye markeder* open up new (*el.* fresh) markets; ~ *en strid* (,*en feide*) take up a quarrel (,start a feud); ~ *seg* open (*for* to); ~ *seg igjen* reopen; (*se sluse*).

åpning opening; (*innvielse*) opening; (*høytidelige*) inauguration; (*konkret*) opening, hole, aperture; gap; (*i skog*) clearing; (*smal sprekk*) slit.

åpnings|gnist break spark, spark at breaking contact. **-høytidelighet** opening ceremony, inauguration. **-tale** inaugural address. **-tid** opening time; hours (*fx* we don't do business after hours).

år year.

[A.: *Forb. med subst; B: med adj & pron; C: med tallord; D: med prep & adv*].

A: ~ *og dag* ages (*fx* it's ages since he left); *mange* **-s** *erfaring* many years of experience; the e. of many years; *i det herrens* ~ in the year of grace; *komme til skjels* ~ *og alder* grow up, reach the age of discretion; *70 er støvets* ~ threescore and ten is the age of men;

B: *i sine beste* ~ in the prime of life, in one's prime; *et dårlig* (,*godt*) ~ a bad (,good) harvest year; a bad (,good) year for the crops; *et godt* ~ *for sild:fisket* a good year for the herring fisheries; *forrige* ~ last year; (*-et i forveien*) the previous year; *et halvt* ~ six months, half a year; *hele -et* throughout the year, the whole year; *hele -et rundt* the whole year round; all the year round; *hvert* ~ every year; annually; *hvert annet* ~ every second (*el.* other) year; *så lang som et vondt* ~ T as long as a month of Sundays; *neste* ~ next year; *i de siste -ene* in the last few years, in recent years, during late years, in these last years; *i de siste* ~ *av hans liv* in the last years of his life; (*se også dag*); *i yngre* ~ in my (,his, *etc*) youth; *when I* (,*etc*) *was younger*;

C: *bli 20* ~ be twenty (*fx* I shall be twenty next Wednesday), complete one's twentieth year, reach twenty; *fylle 20* ~ complete one's twentieth year; *den høsten da han fylte 42* in the autumn of his 42nd year; *han er 10* ~ *gammel* he is ten (years old);

D: *på den tiden av -et* at that time of the year; ~ *etter* ~ year after year, one y. after another; *etter et* ~ after a year; *etter 10 -s forløp* after the lapse of ten years, at the end of ten years; *-et etter* the year after, the following year; ~ *for* ~ year by year, annually, yearly, with every year; *-et for hans fødsel* the year of his birth; *for hvert* ~ *som gikk* with every year that passed; *for mange* ~ *siden* many years ago; *fra* ~ *til* ~ from year to year, from one year to the next; *opp* **gjennom** *-ene* through (*el.* over) the years; in the course of the years; i ~ *this year; i -et 1815* in (the year) 1815; *i -et som gikk* in the past year; *i mange* ~ for many years; ~ **inn** *og* ~ **ut** year in, (and) year out; *med -ene* with the years, in the course of time, gradually; *hennes sjenerthet vil gi seg med -ene* she will get over her shyness as she gets older; ~ **om** *annet* from one year to another; ~ *om annet kommer det en del turister til stedet* a number of tourists visit the place from one year to another; *om et* ~ in a year; in a year's time; *om -et* a year, per annum, annually; *et barn på fire* ~ a child of four, a four-year-old child; *trekke på -ene* be getting (*el.* growing) old; *til -s* well on in years, advanced in years; *-et ut* the rest of the year; *till the end of the year*; (*se senere*).

årbok yearbook, annual (publication); (*hist*) annals, chronicle.

årbukk (*fisk*) chub.

I. åre 1 (*anat*) vein; (*puls-*) artery; 2 (**♣** & **♠**) vein; 3 (*dikterisk*) vein; 4 (*trafikk-*) arterial road, traffic artery; 5 (*malm-*) vein, lode; (*om kull*) seam; *en poetisk* ~ a gift for writing poetry, a poetic vein.

II. åre (*til å ro med*) oar; *akterste* ~ stroke oar;

hvile på -ne rest on one's oars; *legge inn* -ne boat the oars.

III. åre (*hist*) open hearth.

åre|betennelse phlebitis. **-blad** oar blade, blade of an oar. **-forkalket** suffering from arteriosclerosis; senile; *han er svært* ~ (*ofte*) he is in his second childhood. **-forkalkning** arteriosclerosis.

åreknute varicose vein, varix (*pl*: varices).

årelang lasting several years, of several years; *ved* -t *arbeid* by the labour of years; ~ *erfaring* years of experience.

årelate (*vb*) bleed.

årelat(n)ing bleeding, blood-letting.

åremål term of years; *på* ~ for a t. of y.

årestue (*hist*) open-hearth room.

året veined.

åre|tak stroke (of an oar). **-toll(e)** thole-pin.

årevis: *i* ~ for years.

årfugl: *se orrfugl.*

årgang 1 (*av aviser, etc*) volume (*fx* old volumes of Punch); **2** (*av årsskrift*) (annual) volume; **3** (*aldersklasse*) age group, year (*fx* the students of my year); **4** (*av vin*) vintage (*fx* of the v. of 1964); year.

årgangsvin vintage wine.

århane: *se orrhane.*

århundre century.

århundreskifte turn of the century (*fx* at the t. of the c.).

århøne: *se orrhøne.*

-årig -year-old; *den ni-årige Karl* nine-year-old Charles.

-åring -year-old; *en tolvåring* a twelve-year-old.

årlig yearly, annual; ~ *rente* annual interest (*fx* an a. i. of 5%).

årrekke series (*el.* number) of years; *i en* ~ for a number of years, for many years.

årring ♦ annual ring.

-års -year (*fx* a five-year plan); *100-årsjubileum* centenary; *på hans 70-årsdag* on his 70th birthday.

årsak cause; ~ *og virkning* cause and effect; *sammenhengen mellom* ~ *og virkning* the nexus of cause and effect; *ha sin* ~ *i* be due to; *hva var* -en *til tretten?* what brought about the quarrel? *ingen* ~! don't mention it! not at all! T that's all right! not a bit! S forget it! (*se også grunn*).

årsaks|begrep concept of causation. **-forbindelse** causal connection. **-forhold** causality, causal relation; -et the question of cause(s); *se nærmere på hele* -et look more closely at the whole q. of causes. **-konjunksjon** (*gram*) causal conjunction. **-sammenheng** causal connection, causality, causal relation. **-setning 1** (*gram*) causal clause; **2** (*filos*) law of causation.

års|avslutning (*i skole*) end-of-term celebration; (*ofte* =) speech day; US commencement. **-balanse** (*merk*) annual balance sheet. **-beretning** annual report. **-bidrag** annual subscription. **-dag** anniversary (*for* of). **-eksamen** end-of-year examination. **-fest** annual celebration. **-forbruk** annual consumption. **-gammel** one-year-old (*fx* a one-year-old child). **-inntekt** annual income. **-karakter** (*pl*) annual marks, marks for the

year's work. **-klasse** ✗ age group, class (*fx* the 1950 class was called up). **-kort** (*jernb*) annual (season) ticket. **-kull** class, year. **-lønn** yearly wages (,salary); *med £1500 i* ~ at a salary of £1,500 per annum. **-melding** annual report. **-møte** annual meeting. **-oppgjør** annual (*el.* yearly) settlement; annual balance of accounts. **-oversikt** annual survey; yearly review. **-overskudd** annual surplus, the year's profits. **-prøve** *se* -eksamen. **-regnskap** annual accounts; *avslutte* -et wind up the year's accounts, balance the (,one's, my, your, *etc*) books. **-skifte** turn of the year, (commencement of a) new year; *ved* -t at the turn of the year. **-skrift** annual; yearly publication. **-tall** date, year; *hvilket* ~ what year; *lære* ~ learn dates.

årstid season, time of the year; *på denne* ~ at this time of the year; *det er kaldt etter* -en it is cold for the time of the year; *det henger sammen med* -en it is due to seasonal factors.

årsvekst the year's crop; -en the crops.

år|tier (*pl*) decades. **-tusen** a thousand years, millennium.

årviss annual, yearly; certain, regular; unfailing.

årvåken vigilant, watchful, alert, on the alert.

årvåkenhet vigilance, watchfulness, alertness.

I. ås 1. (mountain) ridge; **2** (*arkit*) purlin; **3** (*plog-*) beam.

II. ås (*pl*: *æser*) Old Norse god.

åsgårdsrei [company of ghosts who ride through the air on horseback (esp. at Christmas-time), sweeping human beings along with them].

ås|lendt ridgy. **-rabbe** [ridge, esp. stony, dry and treeless]; (*jvf fjellrabbe*). **-rygg** ridge (of a hill), crest (of a hill). **-røste** (*arkit*) ridge purlin.

åsted scene (of the crime); place in question; *besøke* -et visit the scene of the crime.

åstedsbefaring (*jur*) on-the-spot inquiry (*el.* investigation), local inquiry; inspection of the ground; *det ble holdt* ~ an on-the-spot inquiry was held.

åsyn (*glds*) countenance; *for Guds* ~ in the sight (*el.* presence) of God.

åte bait; (*åtsel*) carrass, carcase.

åtsel carcass, carcase; carrion.

åtselfugl carrion bird.

åtselgribb ⚬ vulture.

åtte (*tallord*) eight; *om en* ~ *dagers tid* in about a week's time; ~ *timers arbeidsdag* eight-hour day.

åttekant octagon.

åttekantet octagonal.

åttende (*tallord*) eighth; *det* ~ *bud* the ninth commandment.

åtte(nde)del eighth part, eighth; -s *note* quaver, eighth; *tre* -s *takt* three-eighth time.

åttesidet eight-sided, octagonal.

åttetall (*figure*) eight, figure of eight; *et* ~ an eight; -et the figure eight.

åtte|fold octuple, eightfold. **-årig, -års** of eight years, eight-year-old (*fx* an eight-year-old child).

åtti (*tallord*) eighty. **-ende** eightieth.

åttiårene: *i* ~ in the eighties.

åttiåring octogenarian.

åttring [boat with 4 pairs of oars].

UREGELRETTE VERBER

arise (*oppstå; glds: stå opp, reise seg*) **arose, arisen**
awake (*våkne*) **awoke, awaked/awoke**
be (*være*) **was/***pl* **were, been**
bear (*bære*) **bore, borne**
bear (*føde*) **bore, born/borne**
beat (*slå*) **beat, beaten**
become (*bli*) **became, become**
beget (*avle*) **begot, begotten**

begin (*begynne*) **began, begun**
bend (*bøye*) **bent, bent**
bereave (*berøve*) **bereaved/bereft, bereaved/bereft**
beseech (*bønnfalle*) **besought, besought**
bet (*vedde*) **betted/bet, betted/bet**
bid (*by, befale*) **bade, bidden**
bid (*by ved auksjon*) **bid, bid**
bind (*binde*) **bound, bound**
bite (*bite*) **bit, bitten**

bleed *(blø)* bled, bled
blow *(blåse)* blew, blown
break *(brekke, bryte, slå i stykker)* broke, broken
breed *(avle)* bred, bred
bring *(bringe)* brought, brought
build *(bygge)* built, built
burn *(brenne)* burnt/burned, burnt/burned
burst *(briste)* burst, burst
buy *(kjøpe)* bought, bought
can *(kan)* could, (been able to)
cast *(kaste, støpe)* cast, cast
catch *(fange)* caught, caught
choose *(velge)* chose, chosen
cleave *(kløve, spalte)* cleft, cleft
cling *(klynge seg, henge ved)* clung, clung
come *(komme)* came, come
cost *(koste)* cost, cost
creep *(krype)* crept, crept
cut *(hogge, skjære)* cut, cut
deal *(handle)* dealt, dealt
dig *(grave)* dug, dug
do *(gjøre)* did, done
draw *(trekke; tegne)* drew, drawn
dream *(drømme)* dreamt/dreamed, dreamt/dreamed
drink *(drikke)* drank, drunk
drive *(kjøre; drive)* drove, driven
dwell *(dvele, bo)* dwelt, dwelt
eat *(spise)* ate, eaten
fall *(falle)* fell, fallen
feed *(fore, mate)* fed, fed
feel *(føle)* felt, felt
fight *(kjempe, slåss)* fought, fought
find *(finne)* found, found
flee *(flykte)* fled, fled
fling *(slenge)* flung, flung
fly *(fly)* flew, flown
fly *(flykte)* fled, fled
forget *(glemme)* forgot, forgotten
forsake *(svikte)* forsook, forsaken
freeze *(fryse)* froze, frozen
get *(få, bli, komme)* got, got
give *(gi)* gave, given
go *(gå, reise)* went, gone
grind *(male, knuse)* ground, ground
grow *(vokse, dyrke)* grew, grown
hang *(henge)* hung, hung
hang *(henge i galge)* hanged, hanged
have *(ha)* had, had
hear *(høre)* heard, heard
hide *(skjule)* hid, hidden|hid
hit *(ramme, slå)* hit, hit
hold *(holde, romme)* held, held
hurt *(gjøre vondt, skade)* hurt, hurt
keep *(beholde)* kept, kept
kneel *(knele)* knelt, knelt
knit *(strikke)* knitted/knit, knitted/knit
know *(vite, kunne)* knew, known
lay *(legge)* laid, laid
lead *(føre)* led, led
lean *(lene)* leaned/leant, leaned/leant
leap *(hoppe)* leaped/leapt, leaped/leapt
learn *(lære)* learnt/learned, learnt/learned
leave *(forlate, dra av sted)* left, left
lend *(låne (ut))* lent, lent
let *(la, leie ut)* let, let
lie *(ligge)* lay, lain
light *(tenne)* lit/lighted, lit/lighted
load *(laste, belesse)* loaded, loaded/laden
lose *(tape, miste)* lost, lost
make *(gjøre, fremstille)* made, made
may *(kan, må gjerne)* might, (been allowed to)
mean *(mene, ha i sinne)* meant, meant
meet *(møte)* met, met
mow *(slå (gress))* mowed, mown
must *(må)* must, (had to)
ought *(bør)* ought
pay *(betale)* paid, paid
pen *(ha i kve, stenge inne)* penned/pent, penned/pent
put *(legge, sette, stille)* put, put

read *(lese)* read, read
rend *(rive i stykker)* rent, rent
rid *(befri)* rid/ridded, rid
ride *(ri, kjøre)* rode, ridden
ring *(ringe)* rang, rung
rise *(reise seg, stå opp)* rose, risen
run *(løpe)* ran, run
say *(si)* said, said
see *(se)* saw, seen
seek *(søke)* sought, sought
sell *(selge)* sold, sold
send *(sende)* sent, sent
set *(sette, gå ned (om sola))* set, set
sew *(sy)* sewed, sewed/sewn
shake *(ryste)* shook, shaken
shall *(skal)* should, (been obliged to)
shed *(utgyte, felle (tårer))* shed, shed
shine *(skinne)* shone, shone
shoe *(sko)* shod, shod
shoot *(skyte)* shot, shot
show *(vise)* showed, shown
shrink *(krympe, krype; vike tilbake)* shrank, shrunk
shut *(lukke)* shut, shut
sing *(synge)* sang, sung
sink *(synke)* sank, sunk
sit *(sitte)* sat, sat
slay *(slå i hjel)* slew, slain
sleep *(sove)* slept, slept
slide *(gli)* slid, slid
sling *(slynge)* slung, slung
slink *(luske)* slunk, slunk
slit *(flekke, skjære opp)* slit, slit
smell *(lukte)* smelt, smelt
smite *(slå)* smote, smitten
sow *(så)* sowed, sowed/sown
speak *(snakke, tale)* spoke, spoken
speed *(ile)* sped, sped
speed up *(sette opp farten)* speeded up, speeded up
spell *(stave)* spelt/spelled, spelt/spelled
spend *(gi ut, tilbringe, bruke (penger))* spent, spent
spill *(spille)* spilt/spilled, spilt/spilled
spin *(spinne)* spun, spun
spit *(spytte)* spat, spat
split *(splitte, kløve)* split, split
spoil *(ødelegge)* spoilt/spoiled, spoilt/spoiled
spread *(spre, bre seg)* spread, spread
spring *(springe)* sprang, sprung
stand *(stå)* stood, stood
steal *(stjele)* stole, stolen
stick *(klebe, sitte fast)* stuck, stuck
sting *(stikke m. brodd)* stung, stung
stink *(stinke)* stank, stunk
strew *(strø)* strewed, strewed/strewn
stride *(skride, gå)* strode, stridden
strike *(slå)* struck, struck
string *(trekke på snor)* strung, strung
strive *(streve)* strove, striven
swear *(sverge)* swore, sworn
sweep *(feie)* swept, swept
swell *(svulme)* swelled, swollen
swim *(svømme)* swam, swum
swing *(svinge)* swung, swung
take *(ta)* took, taken
teach *(lære, undervise)* taught, taught
tear *(rive (i stykker))* tore, torn
tell *(fortelle)* told, told
think *(tenke)* thought, thought
thrive *(trives)* throve, thriven
throw *(kaste)* threw, thrown
thrust *(støte)* thrust, thrust
tread *(træ)* trod, trodden
wake *(våkne; vekke)* woke/waked, waked
wear *(bære, ha på seg)* wore, worn
weave *(veve)* wove, woven
weep *(gråte)* wept, wept
will *(vil)* would, (wanted to)
win *(vinke, oppnå)* won, won
wind *(vinde, sno)* wound, wound
wring *(vri)* wrung, wrung
write *(skrive)* wrote, written